DICTIONNAIRE DES
MOTS CROISÉS

1. CLASSEMENT DIRECT
2. CLASSEMENT INVERSE

LAROUSSE

21 RUE DU MONTPARNASSE 75283 PARIS CEDEX 06

Distributeur exclusif au Canada : Messageries ADP,
1751, Richardson, Montréal (Québec).

ISBN : 2-03-340502-8

AVERTISSEMENT

Cette édition du *Dictionnaire des mots croisés* regroupe l'ensemble des noms communs et des noms propres (de 1 à 21 lettres) du *Petit Larousse 1998,* offrant ainsi aux amateurs de mots croisés une nomenclature d'environ 106 000 mots.

Pour faciliter la consultation de l'ouvrage, et conformément à l'usage en vigueur dans les grilles de mots croisés, nous avons choisi de présenter tous les mots en lettres majuscules, en caractères gras pour les noms propres, en caractères maigres pour les noms communs. Les noms déposés, qui figurent dans la partie noms communs du *Petit Larousse,* sont écrits avec une « grande majuscule » initiale.

Regroupés selon leur nombre de lettres, les mots sont classés dans l'ordre alphabétique normal, puis dans l'ordre alphabétique inverse.

Afin de fournir le plus grand nombre de possibilités aux cruciverbistes, nous avons multiplié les entrées en ajoutant :
- les pluriels autres que ceux qui sont formés par le simple ajout d'un *s* ; les pluriels en *s* ont toutefois été répertoriés pour les mots ayant un double pluriel (*ciels* et *cieux, matchs* et *matches*), ainsi que pour les noms composés (*choux-fleurs, grand-mères* et *grands-mères,* etc.) ;
- les féminins de tous les adjectifs ;
- les participes passés et les participes présents de tous les verbes ;
- les habitants (des villes, des départements et des pays) mentionnés dans *le Petit Larousse* ;
- les différents éléments de certains noms propres composés (*Enghien* et *Enghien-les-Bains* pour *Enghien-les-Bains, Allende Gossens* et *Allende* pour *Allende Gossens*) ;
- les graphies dans la langue d'origine des principaux noms géographiques (*Anvers* et *Antwerpen*).

CLASSEMENT DIRECT

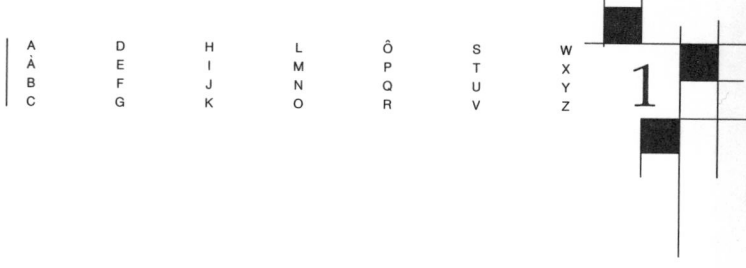

A	D	H	L	Ô	S	W
À	E	I	M	P	T	X
Â	F	J	N	Q	U	Y
C	G	K	O	R	V	Z

1

A A	**C E**	**E U**	IM-	M O	P J		
A A	C F	E X	I N	M T	P K		
A C	C I	EX-	IN-	M U	P.-M.		
A G	C L	**E Y**	**I O**	M Û	P M		
A H	C M	F A	I R	N A	P O		
A Ï	C O	F E	IR-	N B	**P Ô**		
A L	C P	F M	**I S**	N D	P R		
A M	C R	**F O**	J E	N E	P.-S.		
A N	C S	F R	J.O.	N É	**P S**		
A R	C U	G A	J T	N I	P T		
A S	C V	G D	K A	N O	P U		
A T	C X	G E	**K D**	**N O**	P.-V.	S C	U N
A U	C Z	G I	K F	N Ô	Q G	S E	**U R**
A X	D A	G O	K-O.	N P	Q I	S I	U S
A Y	**D C**	G R	K R	N S	Q S	S M	U T
B A	D E	H A	L A	N U	R A	S N	U V
B Â	D É	H E	L À	**O B**	**R Â**	**S-R**	V A
B D	D J	H É	L E	O C	R B	S R	V É
B E	D O	H F	L É	O H	R E	**S S**	V F
B I	D R	H G	L I	O.K.	R É	S U	V O
B K	D U	H I	**L I**	O N	**R É**	T A	V S
B O	D Û	H O	L P	O R	**R Ê**	T B	V U
B P	D Y	H S	L R	O S	**R F**	T C	W.-C.
B R	E H	I F	L U	O U	**R G**	T E	W U
B U	E N	**H O**	M A	O Ù	R H	T H	X I
C A	E R	I L	M D	P A	R I	T I	Y B
Ç A	E-S	**I F**	M E	P B	R N	T L	**Y S**
Ç À	E S	I L	M G	P C	R U	T M	Z I
C B	È S	I L	M I	P D	S A	T U	Z N
C D	E T	I L	MI-	P H	**S A**	T V	Z R
C E	E U	IL-	M N	P I	S B	**U K**	

3

		BIS	CFA	DEB	**ESA**	FUR	HUÉ
		BIT	CFC	**DEE**	**ESO**	FÛT	**HUÊ**
		BIT	**CFH**	DER	EST	**FYN**	HUI
		BLÉ	**CGC**	**DER**	**EST**	**FYT**	**HUI**
		BNF	**CGE**	DES	**ETA**	GAG	HUM
		BNP	CGS	DÈS	ÊTA	GAI	**HUS**
		BOA	CHS	DEY	ÉTÉ	GAL	**HUY**
		BOB	CHU	DIA	EUE	GAN	**IBM**
		BOF	**CIA**	**DIB**	EUH	**GAO**	**IBO**
		BOL	**CID**	**DIE**	EUX	GAP	**ICA**
		BON	CIE	DIT	**ÈVE**	**GAP**	ICI
	ARC	**BON**	CIL	**DIU**	**EWE**	GAY	**IDA**
AAR	ARE	BOP	**CIO**	DIX	EXA-	**GAY**	IDE
ABA	ARN	**BOR**	CLÉ	DOC	EXP	GAZ	**IFE**
ABC	**ARP**	BOT	**CLT**	DOL	**ÈZE**	GEL	**IGN**
ABC	ARS	BOX	**CNC**	DOM	FAC	**GEX**	**IGS**
ÂBO	**ARS**	BOY	CND	DON	FAN	GIC	IHS
ABS	ART	BPT	**CNN**	**DON**	**FAO**	GIE	**ILA**
ACE	ASE	BTS	**CNR**	DOS	FAR	**GIF**	ÎLE
ACP	**ASO**	BTU	COB	DOT	FAT	GIG	**ILI**
ADA	**ATH**	**BUC**	**COB**	DOU	FAX	GIN	**ILL**
ADN	ATP	BUE	**COD**	**DRA**	**FBI**	**GIR**	ILM
ADO	**ATT**	**BUG**	**COE**	DRH	F.É.M.	GÎT	ILN
ADY	AVE	BUN	COI	DRU	**FEN**	GLU	ILS
A.-É.F.	**AXE**	**BUS**	COL	**DRU**	FER	GMT	**IMA**
AEG	AXÉ	BUT	CON	DRY	**FER**	GNL	**IME**
AF-P	**AXÉ**	**BVA**	COQ	**DST**	**FÈS**	**GOA**	**INA**
AGE	ÂZT	**BVP**	COR	DUC	FEU	**GOG**	**INC**
ÂGE	**BAB**	BYE	COS	DUE	FEZ	GOÏ	**INN**
ÂGÉ	BAC	CAB	**COS**	**DUN**	**FFI**	GOY	ION
AGI	BAH	CAC	COU	DUO	**FFL**	GPL	**ÍOS**
AHO	BAI	CAF	**CRF**	DUR	FIC	GPS	IPÉ
AÏE	BAL	CAL	CRI	DUT	FIÉ	GRÉ	**IRA**
AIL	BAN	**CAM**	CRS	EAO	FIL	GUÉ	IRE
AIN	BAR	CAO	CRU	EAU	FIN	GUI	IRM
AIR	**BAR**	**CÃO**	CRÛ	**ECK**	**FIS**	**GUI**	**ISE**
AÏR	BAS	CAP	**CSA**	**ECO**	FIV	GUS	ISF
AIS	BÂT	CAR	CSG	EDE	**FLN**	**GUY**	ISO
AIX	BAU	CAS	**CSU**	EDI	**FMI**	GYM	**ISO**
ALE	**BBC**	**CBS**	**CUI**	**EDO**	FOB	HAÏ	**ITT**
ALI	BCG	**CCI**	CUL	**EEE**	FOC	**HAL**	IUT
ALU	**BEA**	CCP	CUT	EGO	FOI	**HAM**	IVE
ÂME	BEC	CDD	DAB	ÉLU	**FOI**	HAN	IVG
AMI	BÉE	CD-I	**DAC**	**ELY**	FOL	**HAN**	**IWO**
AMM	BÉÉ	CDI	DAL	**EMS**	**FON**	**HCR**	JAR
AMP	**BEI**	**CDU**	**DAM**	ÉMU	**FOS**	HEM	JAS
AMY	BEL	CDV	DAN	**ENA**	FOU	**HEM**	**JAT**
ANC	**BÊL**	**CEA**	**DAO**	ENS	FOX	HEP	**JAY**
ÂNE	BEN	**CEE**	DAT	**ENS**	**FOX**	HEU	JET
ANI	BEP	**CEI**	DCA	ÉON	**FOY**	HIC	JEU
ANS	BER	CEP	DDT	**ÉON**	**FRY**	HIV	**JMF**
A.-O.F.	**BÈS**	CET	DEA	ÉPI	**FSU**	HLA	JOB
API	**BEX**			ÈRE	**FTP**	HLM	**JOB**
APO	BEY			ERG	FUI	HOP	**JOC**
APT	BIC			ERS	FUN	HOT	**JOS**
ARA	BIO					HOU	JUS
ARC	BIP					HUE	KAN

KEI	**LVF**	**NBC**	OPV	PMU	REM	SIX	TNT
KGB	LYS	NÉE	**ORB**	PNB	**REY**	SKA	TOC
KHI	**LYS**	NEF	ÖRE	**POE**	**RFA**	SKI	TOI
KID	MAC	NEM	ØRE	POP	RHÔ	SME	TON
KIF	MAI	**NEP**	ORL	POS	RIA	SOC	TOP
KIL	MAL	NET	OSE	**POT**	RIB	SOI	**TOR**
KIP	**MAM**	**NEY**	OSÉ	POU	RIF	SOL	TÔT
KIR	MAN	NEZ	OST	PPB	**RIF**	SOM	TRI
KIS	**MAN**	NGV	ÔTÉ	**PPI**	RIS	SON	TSF
KIT	**MAR**	**NHK**	**OUA**	PPM	RIZ	SOS	**TSU**
KOB	MAS	NIB	OUD	PRÉ	**RMC**	SOT	TTC
KOK	MAT	NID	OUF	PRO	RMI	SOU	TUB
KOT	MÂT	NID	OUI	PSI	RMN	SPA	TUE
KRA	**MAX**	NIÉ	OUÏ	PST	ROC	**SPA**	TUÉ
KRK	MEC	**NIL**	**OUR**	**PSU**	ROI	**SPD**	TUF
KRU	MÉG-	**NIN**	OUT	PSY	ROM	SPI	TVA
KSI	**MEO**	**NIS**	OVE	**PTT**	ROT	**SSR**	TYR
KUN	MER	**NOÉ**	OVÉ	PUB	RÔT	**STO**	UBE
KWA	**MER**	**NOK**	OXO	PUÉ	**ROY**	SUC	**UBU**
LAC	MEV	NOM	**OYO**	PUR	**RPF**	**SUD**	**UDF**
LAD	MHD	NON	**OZU**	PUS	**RPR**	SUD	**UDR**
LAI	MIE	**NRJ**	PAF	**PUY**	**RTL**	SUE	UFR
LAM	MIL	NUE	PAL	PVC	RUE	**SUE**	UHT
LAO	MIN	NUÉ	PAN	PVD	**RUE**	SUÉ	**UJI**
LAS	MIR	NUI	**PAN**	**PYM**	RUÉ	SUR	ULM
LAW	**MIR**	NUL	PAO	QAT	RUT	SÛR	**ULM**
LÉA	MIS	**OAS**	PAR	QCM	RUZ	SUS	UNE
LEE	**MIT**	OBI	PAS	QHS	RYE	S.V.P.	UNI
LEI	MJC	**OCH**	PAT	**QIN**	SAC	TAC	**UNR**
LEK	**MLF**	OCI	**PAU**	**QOM**	SAE	TAG	URE
LEK	MOA	ODE	**PAZ**	QSP	SAÏ	TAI	**URI**
LÈS	MOB	**OEA**	PCB	QSR	SAL	TAN	**USA**
LET	MOI	OFF	**PCC**	QUE	**SAM**	TAO	USÉ
LEU	**MOI**	OHÉ	**PCF**	QUI	**SAN**	TAR	UTC
LEU	**MOÏ**	OHM	**PCI**	RAB	**SAO**	TAS	**VÁH**
LEV	MOL	**OHM**	PCR	**RAB**	SAR	TAT	VAL
LEZ	**MOL**	OIE	P-DG	RAD	**SÂR**	TAU	**VAN**
LIA	MON	OÏL	**PEI**	**RAF**	SAS	**TAY**	**VAN**
LIE	**MØN**	**OIT**	PEP	RAI	**SAX**	TEC	VAR
LIE	MOS	**OJD**	PET	RAÏ	**SAY**	TEE	**VAR**
LIÉ	MOT	OKA	PEU	RAM	SCI	TEK	VAU
LIN	MOU	**OKA**	PFF	RAP	SCP	TEL	VER
LIS	MOX	**OKW**	PHI	RAS	SDF	TEP	VHS
LIT	**MRP**	OLA	PIB	RAT	**SDN**	TER	VIA
LOB	MST	OLÉ	PIC	**RAU**	SEC	TÊT	**VIC**
LOD	MUE	**OLP**	PIE	**RAY**	**SÉE**	**TÊT**	VIE
LOF	MUÉ	**OLT**	**PIE**	RAZ	SEL	TEX	VIF
LOI	**MUN**	**OMC**	PIF	**RAZ**	**SEM**	TGV	**VIF**
LOT	MUR	**OMI**	PIN	**RDA**	SEN	THÉ	VIH
LOT	**MUR**	**OMO**	PIS	RDS	**SEN**	TIC	VIL
LSD	MÛR	**OMS**	**PLA**	RÉA	SEP	TIF	VIN
LUC	MYE	ONC	**PLD**	RÉÉ	SES	TIG	VIP
LUE	**NAO**	ONG	PLI	REG	SET	TIN	**VIS**
LUI	**NAT**	ONU	PLU	**REJ**	SIC	TIP	VIT
LUT	NAY	OPA	PLV		SIN	TIR	**VIX**
LUX	**NAY**	OPE	PME		SIR	**TIV**	VLT
LUZ	NBC	OPR	PMI		SIS	**TNP**	

VMC	VTT	**WIL**	**YAO**	YUE	ZÉE	ZIP	ZOU
VOL	VUE	WON	YEN	**YUN**	ZEN	**ZOÉ**	ZUP
VPC	WAX	**WWF**	**YEU**	**ZAB**	ZIF	**ZOÉ**	ZUT
VRP	WEB	WWW	YIN	ZAC	ZIG	**ZOG**	
VTC	**WHO**	YAK	YOD	ZAD	**ZIG**	ZOO	

4

AARE / ABAT / ABBÉ / **ABEL** / ABER / **ABHA** / ABOI / ABRI / ABUS / ACCU / **ACEH** / ACHE / **ACIS** / ACMÉ / ACNÉ / ACON / ACRA / **ACRE** / **ACRE** / ÂCRE / ACTE / ACTÉ / ACTH / ACUL / ADAC / **ADAD** / **ADAM** / ADAV / **ADDA** / **ADEN** / **ADER** / **ADOR** / ADOS / **ADWA** / AÈDE / **AELE**

AÉRÉ / **AFAR** / AFAT / AFRO / **AGAR** / AGAY / **AGDE** / ÂGÉE / **AGEN** / AGHA / **AGIE** / AGIO / AGIR / **AGIS** / **AGNI** / **AGRA** / AGUI / AHAN / **AHUN** / AIDE / AIDÉ / **AIEA** / AIGU / AILE / AILÉ / AILS / **AIME** / AIMÉ / AINE / AÎNÉ / AIRE / AIRE / AIRÉ / **AIRY** / AISE / AISÉ

AISY / **AJAR** / **AJAX** / **AKAN** / **AKKO** / **ALBE** / **ALBI** / **ALDE** / ALÉA / **ALEP** / **ALÈS** / ALFA / **ALIX** / **ALLÉ** / **ALLÔ** / **ALMA** / ALOI / ALPE / ALTO / ALUN / **AMAL** / **AMAN** / AMAS / **AMAY** / **AMEN** / AMER / AMIE / **AMIN** / **AMIS** / AMOK / **AMON** / **AMOS** / **AMOY** / AMUÏ / ANAL / ANAR / **ANET** / **ANGE** / **ANGE** / **ANGO** / ANIS / ÂNON / **ANOU** / **ANPE** / ANSE / **ANSE**

ANSÉ / ANTE / ANUS / **ANYI** / AOÛT / APAX / APEX / **APIA** / **AUGE** / À-PIC / **APIS** / ÂPRE / **APTE** / ARAC / **ARAD** / **ARAK** / **ARAK** / ARAL / **ARAM** / **ARAN** / **ARÈS** / AREU / ARIA / ARME / **ARMÉ** / **ARNO** / **ARON** / **ÁRTA** / **ARTE** / ARUM / **ARVE** / **ASAD** / **ASAM** / **ASER** / **ASES** / **ASIE** / **ASIR** / **ASPE** / **ASPE** / **ASSE** / **ASSY** / **ASTI** / **ASTI** / ATER / **ATON** / ÂTRE / ATTO-

ATYS / AUBE / AUBE / **AUBY** / AUCH / **AUDE** / AUGE / AUGE / **AUGÉ** / AULA / **AULT** / AULX / AUNE / AURA / **AURE** / AUTO / **AUXI** / AVAL / AVEC / AVEN / AVEU / AVIS / **AVIZ** / **AVON** / AXÉE / AXEL / AXER / AXIS / AYER / **AYMÉ** / **AZOV** / AZUR / **BAAL** / **BAAR** / B.A.-BA / BABA / BABY / **BACH** / **BACK** / **BADE** / **BADR** / BAES / **BAEZ** / BAHT / BAIE / **BAÏF** / BAIL / **BAIN**

BAIN / **BAJO** / **BAKI** / BALE / **BÂLE** / **BALI** / **BALL** / **BANA** / BANC / BANG / **BARA** / **BARI** / **BARR** / **BART** / BASE / BASÉ / **BASF** / **BASS** / **BAT'A** / **BATA** / BÂTÉ / BATH / **BATH** / BÂTI / **BATU** / **BATY** / **BATZ** / BAUD / **BAUD** / **BAUR** / BAUX / BAVE / **BAVÉ** / BAYÉ / B.C.B.G. / BEAT / BÉAT / BEAU / BÉBÉ / **BÈDE** / BÉER / **BEGO** / BÉGU / **BEJA** / **BÉJA** / BÉKÉ / **BÉLA** / BÊLÉ

BELL / **BELT** / **BELZ** / **BENE** / **BENI** / BÉNI / **BENN** / **BENZ** / **BERD** / **BERG** / BERK / **BERL** / **BERN** / **BERR** / **BERT** / **BÊTA** / BÊTE / **BETI** / BEUR / **BÈZE** / **BHIL** / BIBI / **BICH** / BIDE / BIEF / BIEN / BILE / BILÉ / **BILL** / BINÉ / **BIN'S** / BINZ / **BION** / **BIOT** / BIPÉ / **BIRD** / BIRR / BISE / BISÉ / BITE / BIWA / **BIYA** / **BLAU** / BLED / BLET / BLEU / **BLEU**

4

BLIN	BRIC	**CANA**	**CHOL**	COLO	CUTI	**DIAS**
BLOC	BRIE	CANE	CHOU	COLT	CUVE	**DÍAZ**
BLOK	**BRIE**	CANÉ	**CHUR**	COMA	CUVÉ	DICO
BLOW	**BRIL**	**CANO**	CHUT	**CÔME**	**CUYP**	**DIÊM**
BLOY	BRIN	**CANY**	CIAO	CÔNE	**CUZA**	DIEU
BLUM	BRIO	**CAPA**	CIEL	**CONI**	CYAN	**DIEZ**
BOAL	BRIS	CAPE	CIME	**COOK**	CYME	**DILI**
BOAS	**BRNO**	CAPÉ	CINÉ	COOL	CZAR	DÎME
BOBO	BROC	CARI	CINQ	**COPI**	DABA	DÎNÉ
BOBO	**BRON**	**CARO**	CIRE	COPS	DABE	DING
BOCK	**BROU**	CARY	CIRÉ	CORÉ	DACE	**DION**
BOCK	BRRR	CASE	**CIRÉ**	**CORÉ**	**DACE**	**DIOP**
BODY	BRUN	CASÉ	**CISL**	**CORI**	DADA	**DIOR**
BOËN	BRUT	CASH	CITÉ	**CORK**	**DAGO**	DIRE
BOFF	**BRUZ**	CATI	**CITÉ**	**CORO**	**DAHL**	DITE
BÖHM	**BUBA**	**CAUS**	**CITY**	COSY	DAHU	DITO
BOHR	**BUCK**	**CAUX**	**ÇIVA**	COTE	DAIM	DIVA
BOIS	**BUDÉ**	CAVE	CIVE	COTÉ	DAIS	DIVE
BOKÉ	BUÉE	CAVÉ	**CIXI**	CÔTE	**DALE**	**DJEM**
BÖLL	BUIS	**CEBU**	CLAC	CÔTÉ	**DALÍ**	DOCK
BÔME	BULL	**CECA**	CLAM	COTI	DAME	DODO
BÔMÉ	**BULL**	**CECH**	CLAN	**COTY**	DAMÉ	DODU
BOND	BUNA	CECI	CLAP	**COUÉ**	**DANA**	**DOEL**
BOND	**BUND**	CÉDÉ	**CLAY**	COUP	DANS	DOGE
BÔNE	BURE	CÉDI	CLEF	COUR	DARD	**DOHA**
BONI	**BURY**	CELA	**CLET**	COÛT	DARI	DOIT
BONI	BUSC	**CELA**	CLIC	CPGE	**DARU**	DOJO
BONN	BUSE	CELÉ	**CLIO**	C.Q.F.D.	DATE	**DOLE**
BOOK	BUSÉ	CÈNE	CLIP	CRAC	DATÉ	DÔLE
BOOM	BUSH	CENS	CLOS	CRAN	**DAUM**	**DÔLE**
BOOS	**BUSH**	CENT	CLOU	**CRAM**	**DAVY**	DÔME
BOOZ	**BUTE**	CÈPE	CLUB	**CRAU**	**DEÁK**	**DÔME**
BOPP	BUTÉ	**CÈRE**	**CLUJ**	**CREE**	DEAN	DOÑA
BORA	**BUTT**	CERF	**CNAC**	CRÉÉ	**DÉAT**	DONC
BORD	**BUXY**	**CERN**	**CNAM**	CRÊT	DEÇÀ	**DONG**
BORE	**BYNG**	CERS	**CNES**	CRIB	DÉCA	DÔNG
BORG	**BYRD**	CEUX	**CNJA**	CRIC	DÉCA-	DONT
BORN	**CABU**	CFAO	**CNPF**	CRIÉ	DÉCA-	DOPE
BOSE	CACA	**CFDT**	**CNRS**	**CRIF**	**DÈCE**	DOPÉ
BOSS	CADE	**CFTC**	**CNUT**	CRIN	DÉCI	**DORE**
BOTE	CADI	CHAH	COCA	**CRIS**	DÉCI-	DORÉ
BOUC	**CAEM**	CHAI	COCA	CROC	DÉCO	**DORÉ**
BOUE	**CAEN**	**CHAM**	COCO	**CROS**	DÉÇU	DOSE
BOUG	CAFÉ	**CHAN**	COCU	**CROW**	DÉFI	DOSÉ
BOUM	CAGE	CHAR	CODA	CRUE	DÉJÀ	DOTÉ
BOUR	**CAGE**	**CHAR**	CODE	**CRUZ**	DELÀ	DOUÉ
BOUT	CAÏD	CHAS	CODÉ	**CSCE**	DÈME	**DOUÉ**
BOXE	**CAÏN**	CHAT	**COHL**	**CUBA**	DEMI	DOUM
BOXÉ	CAKE	CHEF	COIN	CUBE	DÉMO	**DOUR**
BRAI	CALE	CHER	COIR	CUBÉ	**DEMY**	DOUX
BRAN	CALÉ	**CHER**	COÏT	**CUES**	DÉNI	**DRAA**
BRAS	CALO	CHEZ	COKE	CUIR	DENT	**DRAC**
BRAY	CAME	CHIC	COLA	CUIT	**DÉON**	DRAM
BREA	CAMÉ	CHIÉ	**COLA**	CULÉ	**DÉRY**	DRAP
BREF	CAMP	**CHIO**	**COLE**	**CUNA**	DESS	DROP
BREL		**CHOA**	**COLI**	CURE	DEUG	DRUE
BREN				CURÉ	DEUX	DUAL
					DGSE	

DUBY	ÉMOU	FACE	FLAC	GAGA	**GISH**	GUYE
DUCE	ÉMUE	FADA	FLAN	GAGE	**GÎTE**	**GUYS**
DUEL	**ÉNÉE**	FADE	FLAT	GAGÉ	**GÎTÉ**	**GYÖR**
DU FU	**ENKI**	FADÉ	FLET	**GAIA**	GLAS	HADJ
DUFY	**ENNA**	FADO	FLIC	GAIE	GLIE	**HAHN**
DUNA	**ENNS**	**FAHD**	FLOC	GAIN	GNON	HAIE
DUNE	ÉNOL	**FAIL**	FLOE	GALA	GNOU	HAÏE
DUPE	ENTE	FAIM	FLOP	GALE	GOAL	**HAIG**
DUPÉ	ENTÉ	FAIT	FLOT	**GALL**	GOBÉ	HAÏK
DURE	ENVI	FAIX	FLOU	**GAMA**	**GOBI**	HAÏR
DURÉ	**ENZO**	FAMÉ	FLUÉ	**GAND**	GODÉ	HAKA
DUSE	**ÉOLE**	FANA	FLUO	GANG	GOGÉ	**HALE**
DUUN	ÉPAR	FANE	FLUX	GANT	GOGO	HALÉ
DYKE	ÉPÉE	FANÉ	**FOCH**	**GARD**	GOÏM	**HÂLE**
DYLE	**ÉPÉE**	**FANG**	FÖHN	GARE	**GOIS**	HÂLÉ
EARL	ÉPJÉ	FAON	FOIE	GARÉ	GOÏS	HALL
EAUX	**EPTE**	FARD	FOIL	GARI	GOLF	**HALL**
EBLA	**ERIC**	FARÉ	FOIN	**GARO**	GOND	HALO
ÉBLÉ	**ÉRIÉ**	**FARO**	FOIS	GARS	**GOND**	**HALS**
EBRO	**ERIK**	**FARS**	**FOIX**	**GARY**	GONE	**HAMA**
ÈCHE	**ÉRIN**	FART	FOLK	GÂTÉ	GONG	**HAMM**
ÉCHÉ	**ERNE**	FAUX	FOND	**GATT**	GORD	HARD
ÉCHO	**ERNI**	FAXÉ	FOOT	GAUR	**GORT**	HARO
ÉCHO	ÉROS	F.C.É.M.	**FORD**	GAVE	GOUM	**HARZ**
ÉCHU	**ÉROS**	FÉAL	FORÉ	GAVÉ	GOUR	**HASA**
ÉCOT	ERRE	FÊLÉ	FORS	**GAYA**	GOÛT	HASE
ÉCRU	ERRÉ	FÉRA	FORT	**GAZA**	GOYS	HAST
ÉDAM	ERSE	FÈRE	**FORT**	GAZE	**GOZO**	HÂTE
EDDA	**ERTÉ**	FERS	FOUI	GAZÉ	**GRAF**	**HÂTÉ**
EDDY	**ÉSAÜ**	FÉRU	FOUR	GEAI	**GRAM**	HAUG
ÉDÉA	**ESBO**	FETA	FOXÉ	**GEEL**	GRAS	HAUT
EDEN	**ESCH**	FÊTE	FRAC	GEIE	GRAU	**HAÜY**
ÉDEN	ESSE	FÊTÉ	**FRAC**	**GELA**	GRAY	HAVÉ
ÉDIT	ESTE	FÉTU	FRAI	GELÉ	**GRAY**	HÂVE
ÉGAL	**ESTE**	FEUE	**FRED**	GÉMI	**GRAZ**	**HAXO**
EGAS	**ÉSUS**	FEUX	FRET	GÈNE	GREC	HEAD
ÉGÉE	ÉTAI	FÈVE	**FRIA**	GÊNE	**GREC**	HECT-
EGER	ÉTAL	**FIAT**	FRIC	GÊNÉ	GRÉÉ	**HEDA**
ÉIRE	ÉTAT	**FIÉE**	FRIT	**GENK**	**GREG**	HEIM
EKTA	ÉTAU	FIEF	FROC	GENS	GRÈS	HEIN
ÉLAM	**ÉTEL**	FIEL	**FUAD**	GENT	**GRÈS**	HÉLÉ
ÉLAN	**ETNA**	FIER	FUEL	**GÉNY**	GREY	**HÉLI**
ELBE	**ETON**	FIGÉ	FUIE	**GERA**	GRIL	**HÉRA**
ÉLÉE	ÊTRE	**FIGL**	FUIR	GÉRÉ	GRIS	HÈRE
ELFE	ETTD	**FIJT**	**FUJI**	**GERS**	**GRIS**	**HÉRÉ**
ÉLIE	ÉTUI	FILE	**FULL**	**GETA**	GROG	**HESS**
ELLE	**EUDE**	FILÉ	FUMÉ	**GETZ**	GROS	HEUR
ELNE	**EURE**	FILM	FUNK	**GHAB**	**GROS**	HIER
ÉLOI	EURL	FILS	FUSÉ	**GHOR**	GRUE	HI-FI
ÉLUE	**ÉVRY**	FINE	**FUST**	**GIAP**	GUAI	HILE
ÉLUÉ	**EXIL**	FINI	**FÜST**	**GIDE**	**GUAM**	HOIR
EMBA	EXIT	**FINI**	FUTÉ	**GIEN**	**GUER**	HOLÀ
EMBU	EXPO	FION	GABA	**GIFU**	GUET	**HOLM**
ÉMEU	**EYRE**	FISC	**GABO**	GIGA-	**GUIL**	HOME
ÉMIR	**EZRA**	FIXE	**GACÉ**	**GILL**	GÜNZ	**HOME**
ÉMIS	**FAAA**	FIXÉ	GADE	**GIRO**	**GURI**	HOMO
ÉMOI			GAEC	GIRL	GURU	**HOMS**

HOPI	**INDE**	JARS	JUTÉ	KOLA	**LAVÉ**	**LITÉ**
HORN	INDU	JASÉ	**KABA**	**KOLA**	**LAYE**	LIVE
HORS	**INDY**	JASS	**KAHN**	**KÖLN**	**LAZE**	**LIZY**
HOST	**INED**	JAVA	KAKI	**KONG**	**LEAN**	LOBE
HÔTE	**INÉS**	**JAVA**	KALÉ	**KOPA**	**LEAR**	**LOBÉ**
HOTU	INFO	**JAZY**	**KALI**	KORA	**LÉAU**	**LOBI**
HOUE	**INGA**	**JAZZ**	**KAMA**	KORÊ	**LECH**	**LOCH**
HOUÉ	INNÉ	JEAN	KAMI	**KOTA**	**LÉDA**	**LODI**
HOUP	INOX	**JEAN**	KANA	KOTO	**LEDE**	LODS
HOUX	**INRA**	JEEP	**KANO**	KRAK	**LEGÉ**	**LODS**
HOVA	**INRI**	**JÉHU**	**KANT**	KSAR	**LÈGE**	**LODZ**
HOVE	INSU	**JENA**	KAON	**KUBA**	**LÈGE**	LOFÉ
HUAI	IODE	JERK	KAPO	**KUHN**	LEGO	**LOFT**
HUÉE	IODÉ	JETÉ	**KARA**	KUNA	LEGS	LOGE
HUER	**IOLE**	JEUN	**KARR**	**KUNA**	**LEHN**	LOGÉ
HUET	IOTA	JEUX	KART	**KUNG**	LELY	LOGO
HUGO	**IOWA**	**JIJÉ**	KATA	**KÜNG**	**LENA**	LOIN
HUIS	**IPOH**	**JINA**	KAVA	**KURE**	**LENS**	**LOIR**
HUIT	**IRAK**	**JIXI**	KAWA	KURU	LENT	LOIR
HULL	**IRAN**	**JOAD**	**KAYL**	KVAS	**LENZ**	LOLO
HUME	**IRAQ**	**JODL**	**KEAN**	KWAS	**LEÓN**	**LOMÉ**
HUMÉ	IRBM	**JOËL**	**KECK**	K-WAY	**LÉON**	**LONG**
HUNE	IRIS	JOIE	**KEHL**	KYAT	LÈSE-	LONG
HUNS	**IRIS**	JOJO	**KENT**	LÉSÉ	LÉSÉ	**LONS**
HUNT	**IRÚN**	JOLI	KÉPI	**LABÉ**	LEST	LOOK
HUON	**ISAR**	**JONA**	**KERR**	LABO	**LÉTO**	**LOOS**
HURE	ISBA	JONC	KEUF	LACÉ	LEUR	LOPE
HUTU	**ISBN**	JOTA	KEUM	**LACQ**	LEUX	**LOPE**
HVAR	**ISEO**	JOUE	KHAN	LACS	LEVA	LORD
HYDE	**ISIS**	JOUÉ	**KHAN**	LADY	LEVÉ	LORI
IASI	**ISLY**	JOUG	KHAT	LAÏC	**LEVI**	LORS
IBAN	**ISNA**	JOUI	**KHOÏ**	LAID	**LÉVI**	LOTE
IBIS	**ISOU**	JOUR	KHÔL	LAIE	**LI BO**	**LOTH**
ICBM	**ISSA**	**JOUX**	KICK	LAIS	LICE	LOTI
ICKX	ISSN	**JOUY**	KIEF	**LAÏS**	LIDO	**LOTI**
IDÉE	ISSU	**JUAN**	**KIEL**	LAIT	**LIDO**	LOTO
IDEM	**ISSY**	**JUBA**	**KIEV**	LALA	LIED	LOUÉ
IDES	**ITEM**	JUBÉ	KIKI	**LALO**	LIÉE	**LOUÉ**
IDFU	ITOU	**JUBY**	KILO	LAMA	LIEN	LOUP
IÉNA	IUFM	**JUDA**	KILO-	**LAMB**	LIER	**LOUP**
IFNI	**IULE**	**JUDD**	KILT	LAME	LIEU	LOVÉ
IFOP	**IULE**	**JUDE**	KINA	LAMÉ	LIFT	**LOWE**
IGBO	**IVAN**	JUDO	KINÉ	**LAMY**	LIGE	**LOZI**
IGLS	**IVES**	JUGE	**KING**	LAND	**LIMA**	**LUBA**
IGNÉ	IVRE	JUGÉ	**KISH**	**LANG**	LIME	**LUCE**
IGNY	**IVRY**	JUIF	**KIVI**	**LANS**	LIMÉ	**LUCÉ**
IGUE	IWAN	**JUIN**	**KIVU**	**LAON**	**LING**	**LUCY**
IKAT	IXIA	**JUIN**	KIWI	**LAOS**	LINO	**LÜDA**
ÎLET	JACK	**JUNG**	**KLEE**	LAPÉ	**LINZ**	LUGE
ÎLOT	JACO	**JURA**	**KNIE**	LAPS	**LION**	**LUGÉ**
IL Y A	JADE	JURE	**KNOX**	LARD	LION	**LUGO**
IMAM	**JADE**	JURÉ	KNUD	LARE	LIRE	**LUIS**
IMAO	JADE	JURY	**KNUT**	LARI	**LIRÉ**	LULU
IMBU	**JAÉN**	JUTE	**KOBE**	LATS	LISE	**LUMP**
INCA	JAÏN		**KOCH**	**LAUD**	LISP	**LUNA**
INCA	JAIS		**KOFU**	**LAUE**	**LIST**	**LUND**
INCE	JARD		**KOHL**	LAVE		LUNE

LUNÉ	**MARX**	**MILO**	**MOZI**	NEWS	**ODER**	**ORNE**
LURE	**MARY**	MIME	MRBM	**NEXØ**	**ODIN**	**ORNÉ**
LUTÉ	MASO	MIMÉ	MSBS	**NICE**	**ODON**	**ORRY**
LUTH	MATE	MIMI	MUÉE	NIDA	**ODRA**	**ORSK**
LUTZ	MATÉ	MINE	MUER	NIÉE	ŒIL	**ORYX**
LUXE	MÂTÉ	MINÉ	MUET	**NIEL**	**ŒTA**	**OSCE**
LUXÉ	MATH	**MING**	MUGE	NIER	ŒUF	**OSÉE**
LUZI	MATI	MINI	MUGI	NIFE	OGRE	**OSÉE**
LUZY	MAUL	**MIÑO**	MUID	**NIKA**	**OHIO**	OSER
LVIV	**MAUR**	MIPS	MULE	NIÑO	**OHRE**	**OSLO**
LVOV	MAUX	MIRE	MUNI	**NIÓS**	OING	**OSNY**
LYLY	MAXI	MIRÉ	MUON	**NIUE**	OINT	**OSSA**
LYNX	MAYA	MIRO	**MUQI**	NIXE	**OISE**	OSSU
LYON	**MAYA**	**MIRÓ**	MURÉ	**NKVD**	**OITA**	**OTAN**
LYOT	**MAYR**	MIRV	MÛRE	**NOAH**	**OLAF**	ÔTÉE
LYRE	**MEAD**	MISE	MÛRI	NOCE	OLAH	**ÔTER**
LYSE	MÉAT	MISÉ	MUSC	NOËL	**OLAV**	**OTHE**
LYSÉ	MÈDE	MISS	MUSE	**NOËL**	**OLEN**	**OTSU**
MAAR	**MÈDE**	MITA	MUSÉ	NOIR	OLLÉ	**OTTO**
MAÂT	MÉGA	MITE	MUST	**NOIR**	**OLMI**	**OUDH**
MACÉ	MÉGA-	MITÉ	MUTÉ	NOIX	**OLOF**	OUED
MACH	MÉGI	**MITO**	**MUTI**	NOME	**OLUF**	**OUFA**
MACH	**MEIR**	MIXÉ	**MZAB**	**NOMÉ**	**OMAN**	OUÏE
MAFÉ	MÊLÉ	MKSA	NABI	NONE	**OMAR**	OUÏR
MAGE	**MELK**	MMPI	**NAGA**	**NONO**	OMIS	**OULU**
MAHÉ	MÉLO	**MNAM**	NAGE	NORD	**OMPI**	OURS
MAÏA	MÉMÉ	**MOAB**	NAGÉ	**NORD**	**OMRI**	**OURS**
MAIE	MÊME	MODE	**NAGY**	**NORT**	**OMSK**	OUST
MAIL	MENÉ	MOHO	**NAHA**	NOTA	**ONAN**	OUZO
MAIN	**MENÉ**	MOIE	NAÏF	NOTE	ONCE	OVÉE
MAIN	MENU	MOIS	NAIN	NOTÉ	ONDE	OVIN
MAIS	MÈRE	MOKA	NAJA	**NOTO**	ONDÉ	OVNI
MAÏS	**MÉRÉ**	MOLE	NANA	NOUE	**ONET**	**OWEN**
MAKI	MERL	**MOLÉ**	NAOS	NOUÉ	**ONEX**	OXER
MALÉ	**MERS**	MÔLE	**NARA**	NOUS	ONYX	**OXUS**
MÂLE	**MÉRU**	**MOMA**	NARD	NOVA	ONZE	OYAT
MÂLE	MERV	MÔME	**NASA**	NOVÉ	**OORT**	**ÖZAL**
MALI	**MÉRY**	MONO	NASE	NOYÉ	OPEN	**PACA**
MALI	**MERZ**	**MONK**	NAZE	NTSC	**OPEP**	PACK
MALM	MESA	**MONS**	**NATO**	**NUBA**	**OPTÉ**	**PACY**
MALO	MESS	MONT	NAZI	NUÉE	OPUS	**PÁEZ**
MALT	**MÉTA**	MORE	**NÉBO**	**NUER**	ORAL	PAGE
MAMY	METS	**MORE**	NECK	NUIT	**ORAL**	PAGI
MANA	**METZ**	**MORO**	**NÉEL**	**NUUK**	**ORAN**	PAIE
MANI	MEUF	MORS	NEMI	**NYON**	ORBE	**PAIK**
MANN	**MÈZE**	MORT	NÉNÉ	**OAHU**	**ORBE**	PAIN
MANU	MIAM	**MORT**	NÉON	OBÉI	ORDO	PAIR
MARC	**MIAO**	**MOST**	NÈPE	OBEL	ORÉE	PAIX
MARC	MICA	MOTO	NÉRÉ	OBIT	**OREL**	**PAIX**
MARE	MICR-	**MOTT**	NERF	OBUS	ORES	PALE
MARÉ	MIDI	MOUE	**NERI**	**OCAM**	**ORFF**	PALÉ
MARI	**MIDI**	MOÛT	**NESS**	**OCDE**	ORGE	**PÂLE**
MARI	MIEL	**MOUY**	**NETO**	**OC-ÈO**	ORIN	PALI
MARK	MIEN	MOXA	NEUF	**OCHS**	ORLE	**PÂLI**
MARL	**MIFU**	MOYE	**NEVA**	OCRE	**ORLY**	**PALK**
MARS	MILE	MOYÉ	NÉVÉ	OCRÉ	ORME	PALU
MARS	**MILL**				ORNE	**PÂMÉ**

PANÉ	PFFT	POPE	RAAG	REDÛ	RIVE	**SABA**
PAON	PFUT	**POPE**	RABE	**REED**	RIVÉ	**SADE**
PAPA	PGCD	PORC	RACA	RÉEL	RIXE	**SADI**
PAPE	PHOT	PORE	RACE	RÉER	RNIS	**SAFI**
PAPI	PIAF	**PORI**	RACÉ	RÉGI	ROBE	SAGA
PAPY	**PIAF**	PORT	RACK	**REHE**	ROBÉ	SAGE
PARA	PIAN	POSE	RADE	**REID**	**ROCA**	SAIE
PARÁ	PICA	POSÉ	RADÉ	REIN	**ROCH**	SAIN
PARC	PICO-	POTE	RAFT	REIS	ROCK	**SAÏS**
PARÉ	PIED	**POTT**	RAGA	RELU	RODÉ	SAKÉ
PARÉ	PIEU	POTU	RAGE	**REMI**	RÔDÉ	SAKI
PARI	PIFÉ	POUF	RAGÉ	**REMY**	**RÖHM**	SALE
PARK	PIGE	POUR	RAÏA	**RENÉ**	RÔLE	SALÉ
PART	PIGÉ	POUX	RAID	RÊNE	**ROME**	**SALÉ**
PARU	PILE	POYA	RAIE	**RENI**	ROND	SALI
PÂTE	PILÉ	PPCM	RAIL	**RENO**	ROOF	**SALO**
PÂTÉ	PILS	PRAO	**RAIS**	REPS	**ROON**	**SALT**
PÂTI	PIN'S	**PRAT**	RAÏS	REPU	**ROPS**	SAME
PAUL	**PINS**	PRÈS	RAIT	RETS	**ROSA**	SAMU
PAVÉ	PION	PRÊT	RAJA	**RETZ**	ROSE	SANA
PAYE	PIPA	PRIÉ	RAKI	**REUS**	ROSÉ	**SAND**
PAYÉ	PIPE	PRIS	RÂLE	RÊVE	ROSI	SANG
PAYS	PIPÉ	PRIX	RÂLÉ	RÊVÉ	**ROSI**	SANS
PCUS	PIPI	PROF	**RAMA**	REVU	**ROSS**	SAPE
PÉAN	PIPO	PROU	RAME	**REZÉ**	**ROTA**	SAPÉ
PÉAN	PIRE	**PRUS**	RAMÉ	**RHAB**	ROTE	**SARA**
PEAU	**PIRE**	**PRUT**	RAMI	**RHÉA**	ROTÉ	**SARH**
PEBD	**PISE**	**PTAH**	RAND	**RHEE**	**ROTH**	SARI
PECK	PISÉ	PTFE	**RAND**	**RHIN**	RÔTI	SARL
PECO	PITA	PUCE	RANG	RHUM	**ROTY**	SATI
PÉCS	PITE	**PUCE**	RANI	RIAL	**ROUD**	SAUF
PÉDÉ	**PITT**	PUER	RANZ	RIDE	ROUE	**SAÜL**
PEEL	PIVE	PUIS	RAPT	RIDÉ	ROUÉ	SAUR
PEGC	PLAN	PUJA	RÂPE	**RIEC**	ROUF	SAUT
PEGU	PLAT	PULA	RÂPÉ	RIEL	ROUI	**SAVE**
PEHD	PLIE	**PULA**	RAPT	**RIEL**	ROUX	SAXE
PELÉ	PLIÉ	PULL	RIEN	RIEN	**ROUX**	**SAXE**
PELÉ	PLOC	PUMA	RARE	**RIEZ**	**ROYA**	SAXO
PÈNE	PLOT	PUNA	RASE	RIFF	**ROYE**	SCAT
PENN	PLUS	**PUNE**	RASÉ	RIFT	**RTBF**	SCIE
PÉON	PNEU	PUNI	RASH	**RIGA**	RUDE	SCIÉ
PÉPÉ	**PNYX**	PUNK	**RASK**	**RIGI**	**RUDE**	**SCOT**
PÈRE	POIL	PUPE	RATA	**RILA**	RUÉE	SEAU
PÉRI	POIS	PURE	RATE	RIME	RUER	**SÉES**
PÉRI	POIX	PUTE	RATÉ	RIMÉ	RUGI	SEIN
PERM	**POLA**	PUTT	**RATP**	RINF	**RUHR**	**SEIN**
PERS	**POLE**	**PUYI**	RAVE	RING	**RUIZ**	SELF
PESÉ	PÔLE	**PUYS**	RAVI	**RIOM**	RUMB	SEMÉ
PESO	POLI	**PYLA**	**RAVI**	**RION**	RUNE	SÈME
PEST	POLO	**QING**	RAYA	RIPE	RUPÉ	SÉNÉ
PETA-	**POLO**	QUAI	RAYÉ	RIPÉ	RUSE	SENS
PÉTÉ	POLO	QUEL	**RAYS**	RIRE	**RUSE**	**SENS**
PEUH	**POLK**	**QUFU**	RÉAC	RISC	RUSÉ	SEPS
PEUL	POLO	QUIA	REAL	**RISI**	RUSH	SEPT
PEUR	**PONS**	QUID	RÉAL	RISS	**RUTH**	SÉRÉ
PEYO	PONT	QUIZ	REBU	**RIST**	**RYLE**	SERF
PÈZE	**PONT**	QUOI	REÇU	RITE		**SERS**

SÈTE	SOFT	**SUSO**	TÉNU	**TOUL**	URNE	VILE
SETH	**SOHO**	**SUVA**	TÉRA-	TOUR	**URSS**	**VIMY**
SÉTI	SOIE	**SVEN**	TEST	TOUT	URUS	VINA
SEUL	SOIF	**SWAN**	TÉTÉ	TOUX	USÉE	VINÉ
SÈVE	SOIN	SWAP	TÊTE	TRAC	USER	VIOC
SÉVI	SOIR	**SYLT**	TÊTU	TRAM	USUS	VIOL
SEXE	SOIT	**SYRA**	THAÏ	TRAX	**UTAH**	VIRE
SEXY	SOJA	TAAL	**THAR**	**TREK**	UVAL	**VIRE**
SFAX	SOLE	TACO	**THAU**	**TREK**	UVÉE	VIRÉ
SFIO	SOLO	TACT	**THIO**	TRÈS	**UZÈS**	VISA
SGBD	**SOLO**	**TAFT**	**THOM**	TRIÉ	**VAAL**	VISÉ
SGML	SOMA	**TAGE**	THON	TRIN	VAGI	**VISÉ**
SHAH	**SONG**	TAIE	**THOR**	TRIO	VAIN	**VISO**
SHAW	SONO	**TAIF**	**THOT**	TRIP	VAIR	VISU
SHED	SORE	TAIN	**THOU**	TROC	**VAIR**	VITE
SHIT	SORT	**TAIN**	THUG	TROP	VALS	VIVE
SHOW	**SOTO**	TAKA	THYM	TROT	**VALS**	VLAN
SIAL	SOUE	TALA	TIAN	TROU	VALU	VŒU
SIAM	SOUK	TALC	TIEN	TRUC	VAMP	VOIE
SIAN	SOUL	TALÉ	TIGE	TSAR	VARA	VOIR
SIDA	SOÛL	**TANA**	**TILL**	TUBA	**VARS**	VOIX
SIED	SOUM	**TANG**	TILT	TUBE	**VASA**	VOLE
SIEN	**SOUR**	TANK	**TING**	TUBÉ	VASE	VOLÉ
SIKH	SOUS	TANT	TIPÉ	**TUBI**	**VATÉ**	VOLT
SILÉ	**SOUS**	TAON	TIPI	**TUBY**	VATU	VOMI
SILO	SPET	TAPE	TIRE	TUÉE	**VAUD**	**VOSS**
SILO	SPIC	TAPÉ	TIRÉ	TUER	VAUX	VOTE
SILT	SPIN	TAPI	**TISO**	**TULA**	**VAUX**	VOTÉ
SIMA	SPOT	TARA	**TITE**	TUNE	VEAU	VOUÉ
SIND	**SPOT**	TARD	TITI	**TUPI**	VÉCU	VOUS
SION	SSBS	TARE	**TITO**	**TURA**	**VEDA**	VRAC
SIPO	STAR	TARÉ	**TIVA**	TURC	**VEIL**	VRAI
SIRE	STEM	TARI	**TOBA**	**TURC**	VELD	VSAT
SIRK	STEP	**TARN**	TOBY	TURF	VÊLÉ	VTOL
SISE	STOL	TARO	**TODD**	TUTU	VÉLO	**WAAL**
SITE	STOP	**TASS**	**TODT**	**TUTU**	VELU	**WAAS**
SIVA	STOT	TATA	TOFU	**TVER**	VENT	**WACE**
SIWA	STUC	**TATA**	TOGE	TVHD	**VENT**	**WACO**
SIZA	STYX	TÂTÉ	**TOGO**	TYPE	VENU	**WAES**
Skaï	SUBI	**TATI**	TOIT	TYPÉ	VERS	**WAFD**
SKIÉ	SUCÉ	TAUD	TÔLE	TYPO	VERT	**WAKE**
SKIF	**SUCY**	TAUX	TOLU	TZAR	VETO	**WALÉ**
SKIN	SUÉE	TAXA	TOME	UBAC	**VERT**	**WALI**
SKIP	SUER	TAXE	TONG	**UÉLÉ**	VÊTU	**WASH**
SKUA	SUET	TAXÉ	TOPÉ	ULNA	VEUF	WASP
SKYE	**SUEZ**	TAXI	TOPO	ULVE	VEXÉ	WATT
SLBM	SUIE	**TAZA**	TORA	UMAR	VIAN	**WATT**
SLIP	SUIF	TECK	TORE	UNAU	**VIAU**	**WEBB**
SLOW	**SULU**	TÉJU	TORR	UNIE	VICE	**WEIL**
SMIC	SUMO	**TÉKÉ**	TORS	UNIR	VICE-	**WELS**
SMOG	**SUND**	TELC	TORT	UPAS	**VICO**	**WEST**
SNCF	SURE	TÉLÉ	TORY	URDU	**VICQ**	**WEYL**
SNIF	SÛRE	TELL	**TORY**	URÉE	VIDE	WHIG
SNOB	SURF	**TELL**	TOSA	URÉE	VIDÉ	**WIEN**
SODA	SURI	**TEMA**	**TOTO**	**URFA**	**VIEN**	**WIES**
SODÉ	**SUSE**	**TENO**	**TOTO**	**URFÉ**	**VIGO**	**WITT**
SOFA		TENU	TOUÉ	URGÉ	**VILA**	WITZ

WITZ	YACK	**YESO**	YOLE	ZANI	**ZEUS**	ZONÉ
WOLF	**YAFO**	YETI	**YORK**	ZCIT	**ZIBO**	ZOOM
WOLS	**YALE**	YEUX	YOUP	ZÉBU	**ZIBO**	**ZORN**
WOOD	**YALU**	YÉ-YÉ	Yo-Yo	**ZÉDÉ**	ZINC	**ZOUG**
WRAY	YANG	**YEZD**	**YSER**	**ZELE**	ZIST	**ZOUK**
WREN	YARD	YILI	YUAN	ZÈLE	**ZITA**	ZOZO
WUHU	YASS	**YMER**	**YUAN**	ZÉLÉ	ZIZI	**ZULU**
WÜRM	YAWL	**YMIR**	**YUTZ**	ZEND	**ZLÍN**	**ZUÑI**
WUXI	**YAZD**	**YOFF**	**YVES**	ZÉRO	**ZOGU**	**ZUSE**
XI'AN	**YEDO**	YOGA	ZAIN	ZEST	**ZOLA**	**ZWIN**
XOSA	**YEKE**	YOGI	**ZAMA**	ZÊTA	ZONA	
					ZONE	

4

5

AALST	ACORE	AGAVÉ	AIMER		
AALTO	À-CÔTÉ	**AGÉEN**	AÎNÉE		
AARAU	À-COUP	AGENT	**AÏNOU**		
AARON	ACTÉE	**AGGÉE**	AINSI		
ABACA	ACTER	AGGLO	AÏOLI		
ABATE	ACTIF	AGILE	AIRER		
ABATS	**AÇVIN**	AGITÉ	AISÉE		
ABBAS	ACYLE	**AGNAN**	AISNE		
ABBON	ADAGE	AGNAT	À JEUN		
ABCÈS	**ADAMS**	**AGNÈS**	**AJJER**		
ABDUH	**ADANA**	**AGNON**	**AJMER**		
ABELL	ADDAX	AGONI	AJONC		
ABÊTI	À DEMI	AGORA	AJOUR	ALGUE	ALYTE
ABETZ	**ADENA**	**AGOUT**	AJOUT	ALIAS	**ALZON**
ABGAR	ADENT	**AGRAM**	**AKABA**	ALIBI	**AMADO**
ABÎME	AD HOC	AGRÉÉ	**AKBAR**	**ALICE**	**AMAND**
ABÎMÉ	ADIEU	AGRÈS	AKÈNE	ALIOS	AMANT
ABNER	**ADIGE**	AHANÉ	**AKITA**	ALISE	**AMAPÁ**
ABOLI	**ADLER**	**AHLIN**	**AKKAD**	ALITÉ	**AMARA**
ABORD	ADMIS	**AHMED**	**AKOLA**	ALIZE	**AMATI**
ABOUT	ADOBE	AHURI	**AKRON**	ALIZÉ	**AMBÈS**
ABOUT	ADORÉ	**AHVAZ**	**AKYAB**	**ALLAH**	AMBLE
ABOYÉ	**ADOUA**	AÏCHA	**ALADI**	ALLÉE	AMBLÉ
ABUJA	**ADOUR**	AICHE	**ALAIN**	**ALLEN**	AMBON
ABUSÉ	**ADRAR**	AICHÉ	**ALAMO**	ALLER	AMBRE
ABYLA	ADRET	AIDÉE	**ÁLAND**	ALLEU	AMBRÉ
ABYME	ADULÉ	AIDER	**ÁLAVA**	ALLIÉ	AMENÉ
ACCÈS	**AEIOU**	AÏEUL	**ALBAN**	**ALLOS**	AMÈNE
ACCON	AÉRÉE	AÏEUX	**ALBEE**	ALOÈS	AMÈRE
ACCOT	AÉRER	AIGLE	ALBUM	**ALONG**	AMIBE
ACCRA	**AFARS**	**AIGLE**	**ALDAN**	ALORS	**AMIDA**
ACCRO	**AFFRE**	AIGRE	ALDIN	ALOSE	AMIDE
ACCRU	**AFFÛT**	AIGRI	ALDOL	**ALOST**	**AMIEL**
ACÉRÉ	**AFNOR**	AIGUË	**ALENA**	ÀLPAX	AMINE
ACHAB	AGACE	**AIJAL**	ALÊNE	**ALPES**	AMINÉ
ACHAT	AGACÉ	**AIKEN**	ALEPH	ALPHA	AMISH
ACHAZ	AGAME	AILÉE	ALÈSE	ALPIN	**AMMAN**
ACHEB	AGAMI	AILÉE	ALÉSÉ	**ALSOP**	**AMMON**
ACIDE	**AGANA**	**AILEY**	ALÉZÉ	**ALTAÏ**	AMOME
ACIER	AGAPE	AILLÉ	**ALGER**	**ALUKU**	AMONT
ACINI	AGATE	**AILLY**	ALGIE	ALUNÉ	AMOUR
AÇOKA	AGAVE	AIMÉE	ALGOL	ALUNI	**AMOUR**

11

AMPHI	APNÉE	**AROSA**	**ATTIS**	**AXOUM**	**BALMA**
AMPLE	APODE	**ÁRPÁD**	**AUBER**	AYANT	BALSA
AMPLI	APPAS	ARQUÉ	AUBIN	**AYDIN**	BALTE
AMUÏE	APPÂT	**ARRAS**	**AUBIN**	**AYTRÉ**	**BALTE**
AMUÏR	APPEL	**ARRÉE**	AUCUN	AZÉRI	**BALTI**
AMURE	**APPIA**	ARRÊT	**AUDEN**	**AZÉRI**	**BALUE**
AMURÉ	APPUI	ARROI	AUDIO	AZOTE	BANAL
AMUSÉ	APRÈS	**ARROW**	AUDIT	AZOTÉ	BANAT
AMYLE	APURÉ	ARTEL	**AUDUN**	AZURÉ	**BANAT**
AMYOT	APYRE	**ARTIN**	AUGÉE	AZYME	BANCO
ANALE	**AQABA**	**ARTUS**	AUGET	**BAADE**	BANDE
ANASE	À QUIA	**ARUBA**	**AULIS**	**BAATH**	BANDÉ
ANAUX	**AQUIN**	**ARUDY**	AULNE	**BABEL**	**BANÉR**
ANCHE	ARABE	**ARVOR**	**AULNE**	BABER	**BANFF**
ANCRE	**ARABE**	ARYEN	**AUNAY**	**BABUR**	**BANGE**
ANCRE	ARACK	ARYLE	AUNÉE	**BACAU**	BANJO
ANCRÉ	**ARAGO**	**ARZEW**	**AUNIS**	BÂCHE	**BANKS**
ANDES	**ARANY**	ASANA	**AURAY**	BÂCHÉ	BANNE
ANDIN	ARASÉ	ASCII	**AUREC**	BÂCLE	BANNI
ANDIN	**ARAXE**	**ASCOT**	**AURÈS**	BÂCLÉ	BANTU
ANDRÉ	**ARBIL**	ASDIC	**AURIC**	BACON	**BANTU**
ANETH	**ARBON**	**ASEAN**	**AURON**	**BACON**	**BARBA**
ANETO	ARBRE	ASILE	AUSSI	**BADEN**	BARBE
ANGLE	**ARBUS**	**ASKIA**	AUTAN	BADGÉ	**BARBE**
ANGON	ARCHE	**ASMAT**	AUTEL	BADIN	**BARBÉ**
ANGOR	ARÇON	ASPIC	AUTRE	**BADUY**	BARBU
ANHUI	**ARDEN**	ASPLE	**AUTUN**	BAFFE	BARDA
ÂNIER	ARDUE	ASQUE	AVALÉ	BÂFRÉ	BARDE
ANIMÉ	ARÉNA	**ASSAB**	AVANT	BAGAD	**BARDÉ**
ANION	ARÈNE	ASSAI	AVARE	**BAGES**	BARGE
ANISÉ	ARÊTE	**ASSAM**	**AVARS**	BAGNE	BARIL
ANJOU	ARGON	**ASSAS**	AVENT	**BAGOT**	BARJO
ANNAL	**ARGOS**	**ASSEN**	AVENU	BAGOU	BARON
ANNAM	ARGOT	ASSEZ	AVÉRÉ	BAGUE	**BARON**
ANNÉE	ARGUÉ	ASSIS	AVERS	BAGUÉ	BARRE
ANODE	ARGUS	ASTER	**AVERY**	BAHAÏ	**BARRE**
ANONE	**ARGUS**	**ASTON**	AVEUX	**BAHIA**	BARRÉ
ANSÉE	**ÅRHUS**	ASTRE	AVIDE	BAHUT	BARRI
ANTAN	ARICA	**ASYUT**	**ÁVILA**	**BAÏES**	**BARRY**
ANTÉE	ARIDE	ATACA	AVILI	**BAIRD**	**BARTH**
ANTI-G	ARIEN	ATÈLE	AVINÉ	BAISE	**BARYE**
ANTIN	**ARIÈS**	ATÉMI	AVION	BAISÉ	BASAL
ANTRE	**ARION**	**ATGET**	**AVION**	**BAÏSE**	BASÉE
ANVIL	ARISÉ	ATHÉE	AVISÉ	**BAJAU**	**BASEL**
ANZIN	**ARIUS**	**ATHIS**	AVISO	**BA JIN**	BASER
ANZIO	ARLES	**ATHOS**	AVIVÉ	**BAKER**	**BASHO**
ANZUS	**ARLIT**	**ATJEH**	**AVIZE**	**BAKIN**	BASIC
AORTE	**ARLON**	**ATLAN**	AVOIR	**BAKOU**	**BASIE**
AOSTE	**ARMAN**	ATLAS	AVOUÉ	BALAI	BASIN
AOUDH	ARMÉE	**ATLAS**	AVRIL	**BALBO**	**BASIN**
AOÛTÉ	ARMER	ATMAN	AWACS	**BALDR**	**BASRA**
AOZOU	ARMET	ATOCA	AWALÉ	**BALEN**	BASSE
APÉRO	ARMON	ATOLL	AXANT	**BALLA**	BASTA
APHTE	**ARMOR**	ATOME	**AXÉEN**	BALLE	BASTE
APIDÉ	**ARNAY**	ATONE	AXÈNE	BALLÉ	BASTÉ
APION	**ARNIM**	ATOUT	AXIAL	**BATAK**	**BATAK**
À-PLAT	ARÔME	**ATTAR**	AXONE	**BALLY**	BATÉE

BÂTÉE	**BELLO**	BICOT	**BLAKE**	BOLET	BOULÉ
BÂTER	**BELON**	BIDET	BLÂME	BOMBE	BOULÊ
BÂTIE	**BELON**	BIDON	BLÂMÉ	BOMBÉ	BOUMÉ
BATIK	**BELYÏ**	**BIDOS**	BLANC	BÔMÉE	BOURE
BÂTIR	**BEMBA**	BIÈRE	**BLANC**	BONDE	BOURG
BATNA	**BEMBO**	BIFFE	BLAPS	BONDÉ	**BOURG**
BÂTON	BÉMOL	BIFFÉ	BLASE	BONDI	BOUSE
BATTE	**BENDA**	BIGLE	BLASÉ	**BONDY**	BOUTÉ
BATTU	BÉNEF	BIGLÉ	**BLAYE**	BONGO	**BOUTS**
BAUER	**BENES**	BIGOT	BLAZE	**BONGO**	**BOVES**
BAUGE	BENÊT	BIGRE	BLÊME	**BONIN**	**BOVET**
BAUGÉ	BÉNIE	BIGUE	BLÊMI	BONNE	BOVIN
BAULE	**BÉNIN**	**BIHAR**	BLÉRÉ	BONTÉ	**BOWEN**
BAUME	**BÉNIN**	**BIHOR**	BLÉSÉ	BONUS	**BOWIE**
BAURU	BÉNIR	**BIISK**	BLETZ	BONZE	BOXÉE
BAVAY	BÉNIT	BIJOU	BLEUE	**BOOLE**	BOXER
BAVER	BENNE	**BILAL**	BLEUI	**BOONE**	BOYAU
BAVON	**BENQI**	BILAN	**BLIDA**	**BOOTH**	**BOYER**
BAYER	**BENXI**	**BILDT**	**BLIER**	BOOTS	**BOYLE**
BAYER	**BEQAA**	BILÉE	BLINI	**BORÅS**	**BOYNE**
BAYES	BERCE	BILER	**BLOCH**	BORAX	**BOZEN**
BAYLE	BERCÉ	BILLE	BLOCK	**BORDA**	BRADÉ
BAYOU	**BERCK**	**BILLE**	**BLOIS**	BORDE	**BRAGA**
BAZAR	**BERCY**	BILLÉ	BLOND	BORDÉ	**BRAGG**
BAZAS	BÉRET	BINÉE	BLOOM	**BORÉE**	**BRAHE**
BAZIN	BERGE	BINER	BLUES	**BOREL**	BRAME
BÉANT	**BERIA**	**BINET**	BLUET	**BORGO**	BRAMÉ
BÉARN	**BERIO**	BINGO	BLUFF	BORIE	**BRANT**
BÉATE	BERME	**BINIC**	**BLUNT**	BORIN	BRASÉ
BEAUF	BERNE	**BIOCO**	BLUSH	**BORIS**	**BRAUN**
BEAUX	**BERNE**	**BIOKO**	BLUTÉ	BORNE	BRAVE
BEBEL	BERNÉ	BIOME	BOBET	BORNÉ	BRAVÉ
BE-BOP	**BERNI**	BIPÉE	**BOBET**	**BORVO**	BRAVO
BÊCHE	**BERRE**	BIPER	BOCAL	**BOSCH**	BREAK
BÊCHÉ	**BERRY**	BIQUE	BOCHE	BOSCO	**BRÉAL**
BÉCOT	BÉRYL	BIRBE	**BODEL**	**BOSCO**	**BREDA**
BECTÉ	**BERZÉ**	**BIRON**	BODHI	**BOSIO**	**BREIL**
BÉDIÉ	BÉSEF	BISÉE	**BODIN**	BOSON	BRÊME
BEDJA	**BESSE**	BISER	**BOÈCE**	**BOSON**	**BRÊME**
BEDON	BÉTEL	BISET	**BOËLY**	BOSSE	**BRENN**
BEGIN	**BETHE**	BISON	**BOERS**	**BOSSE**	**BRERA**
BÉGIN	BÉTON	BISOU	BOËTE	BOSSÉ	**BREST**
BÈGUE	BETTE	BISSE	BŒUF	BOSSU	BRÈVE
BÉGUË	BEURK	BISSÉ	BOGIE	**BOTEV**	**BRÉZÉ**
BÉGUM	BEURS	BITOS	**BOGOR**	**BOTHA**	BRIBE
BÉHAÏ	**BEUYS**	BITTE	BOGUE	**BOTHE**	BRICK
BEHAN	**BEVAN**	BIZET	BOHAI	**BOTTA**	BRIDE
BEIGE	**BEVIN**	**BIZET**	**BOHAI**	BOTTE	BRIDÉ
BEIRA	BÉVUE	BIZOU	**BÖHME**	BOTTÉ	**BRIEC**
BEKAA	**BEYLE**	BIZUT	BOIRE	BOUDÉ	**BRIEY**
BELAU	BÉZEF	BLACK	BOISE	BOUÉE	BRIMÉ
BELÉM	BIAIS	**BLACK**	BOISÉ	BOUGE	**BRINK**
BÊLER	BIAXE	BLAFF	BOÎTE	BOUGÉ	BRION
BELGE	BIBLE	**BLAGA**	**BOITO**	BOUIF	**BRION**
BELGE	**BIBLE**	**BLAIN**	**BOJER**	BOUIN	BRISE
BELIN	BICHE	BLAIR	BOLDO	BOULE	BRISÉ
BELLE	BICHÉ	**BLAIS**	BOLÉE	**BOULE**	**BRIVE**

5

13

BRIZE	BUSER	CÂLIN	CARGO	**CELLE**	**CHIGI**
BROCA	**BUSON**	CALME	**CARIB**	**CELSE**	CHILI
BROCH	**BUSSY**	CALMÉ	CARIE	CELTE	**CHILI**
BRODÉ	BUSTE	CALMI	**CARIE**	**CELTE**	**CHIMÚ**
BROME	BUTÉE	CALOT	CARIÉ	CELUI	CHINE
BROMÉ	BUTER	**CALPÉ**	**CARLE**	**CENCI**	**CHINE**
BRONX	BUTIN	CALTÉ	**CARLU**	**CENIS**	CHINÉ
BROOK	BUTOR	CALVA	CARME	**CENON**	CHIOT
BROOK	**BUTOR**	**CALVI**	CARNE	CENSÉ	CHIPÉ
BROUM	BUTTE	**CA MAU**	CARNÉ	CENTI-	CHIPS
BROUT	BUTTÉ	CAMBÉ	**CARNÉ**	**CENTO**	**CHLEF**
BROWN	BUVÉE	**CAMBO**	**CAROL**	CÉPÉE	**CHLOÉ**
BROYÉ	**BUZAU**	CAMÉE	**CARON**	**CÉRAM**	CHOIR
BRUAY	**BUZOT**	CAMER	CARPE	CÉRAT	CHOIX
BRUCE	**BYRON**	CAMPÉ	**CARRÀ**	**CÉRÈS**	CHOKE
BRÜHL	**BYTOM**	CAMPO	CARRE	**CÉRET**	CHÔMÉ
BRUIT	CABAN	CAMUS	CARRÉ	CERGY	**CHOOZ**
BRÛLÉ	CABAS	**CAMUS**	CARRY	**CERHA**	CHOPE
BRUME	**CABET**	CANAL	**CARRY**	CERNE	CHOPÉ
BRUNE	CÂBLE	**CANDÉ**	CARTE	CERNÉ	**CHORS**
BRUNE	CÂBLÉ	CANDI	CARTÉ	CÉSAR	CHOSE
BRUNI	CABOT	CANER	CARVI	**CÉSAR**	CHOTT
BRÜNN	**CABOT**	**CANET**	CASCO	CESSE	**CHOUF**
BRUNO	CABRÉ	**CANGE**	CASÉE	CESSÉ	CHOUX
BRUTE	CABRI	CANIF	CASER	CESTE	CHOYÉ
BRYAN	CABUS	CANIN	CASSE	CETTE	CHUTE
BUBER	CACAO	CANNE	CASSÉ	**CEUTA**	CHUTÉ
BUBKA	CACHE	CANNÉ	CASTE	**CGT-FO**	CHYLE
BUBON	CACHÉ	CANOË	CATCH	**CHACO**	CHYME
BUCER	**CACUS**	CANON	CATIE	**CHAIN**	**CIANO**
BÛCHE	CADDY	CAÑON	CATIN	CHAIR	CIBLE
BÛCHÉ	CADET	CANOT	CATIR	**CHAKA**	CIBLÉ
BUEIL	**CADIX**	CANUT	**CATON**	CHÂLE	CICLÉ
BUGEY	**CÁDIZ**	CAOUA	**CAUCA**	CHAMP	CIDRE
BUGGY	**CADOU**	CAPÉE	CAUDÉ	CHANT	CIELS
BUGIS	CADRE	CAPÉÉ	CAURI	CHAOS	CIEUX
BUGLE	CADRÉ	**CAPEK**	CAUSE	CHAPE	CI-GÎT
BUGNE	CADUC	CAPER	CAUSÉ	CHAPÉ	CIGUË
BUIRE	**CAERE**	CAPES	CAVÉE	**CHARI**	CILIÉ
BULBE	CAFRE	CAPET	CAVER	**CHASE**	CILLÉ
BULGE	CAFTÉ	**CAPET**	CAVET	CHAUD	**CIMON**
BULLE	CAGET	CAPON	CAYEU	CHAUT	**CINEY**
BULLÉ	CAGNA	CAPOT	CD-ROM	CHAUX	**CINNA**
BULLY	CAGNE	CAPPA	CÉANS	**CHAUX**	**CINTO**
BULOT	CAGOT	**CAPRA**	**CEARÁ**	**CHÉCY**	CIPPE
BÜLOW	CAGOU	CÂPRE	**CECIL**	CHEIK	CIPRE
BUNAQ	CAHOT	**CAPRI**	CÉDÉE	**CHEJU**	**CIRCÉ**
BUNGE	CAÏEU	CAPTÉ	CÉDER	CHÊNE	CIRÉE
BUREN	CAIRN	CAQUE	CEDEX	CHENI	CIRER
BURES	**CAJAL**	CAQUÉ	CÈDRE	CHENU	CIRON
BURIN	CAJOU	CARAT	CÉGEP	**CHENU**	CIRRE
BURKE	CAJUN	CARDE	CEINT	CHÈRE	CIRSE
BURLE	**CAJUN**	CARDÉ	**CELAN**	CHÉRI	**CIRTA**
BURNS	CALAO	CARET	CELÉE	**CHIBA**	**CISSÉ**
BURON	**CALAS**	CARDÉ	CELER	CHIÉE	CISTE
BURSA	CALÉE	CAREX	CELLA	CHIEN	CITÉE
BUSÉE	CALER	**CAREY**	CELLE	CHIER	CITER

CIVET	COGNE	**CORAN**	CRADO	**CUERS**	DANSE
CIVIL	COGNÉ	CORDE	CRAIE	CUEVA	DANSÉ
CLADE	**COHEN**	CORDÉ	**CRAIG**	CUIRE	**DANTE**
CLAIE	COHUE	**CORÉE**	CRAMÉ	**CUIRY**	DARCE
CLAIM	COING	**COREY**	**CRANE**	CUITE	DARDÉ
CLAIN	**COIRE**	CORME	CRÂNE	CUITÉ	**DARÍO**
CLAIR	COITE	CORNE	CRÂNÉ	**CUJAS**	DARNE
CLAIR	COÏTÉ	CORNÉ	**CRANS**	**CUKOR**	DARSE
CLAMÉ	COLÉE	CORNU	**CRAON**	CULÉE	DATÉE
CLAMP	**COLET**	CORON	CRASE	CULER	DATER
CLAPI	COLIN	CORPS	CRASH	CULOT	DATIF
CLARK	**COLIN**	CORSE	CRAVE	**CULOZ**	DATTE
CLASH	COLIS	**CORSE**	CRAWL	CULTE	DAUBE
CLAUS	COLLE	CORSÉ	**CRAXI**	**CUMES**	DAUBÉ
CLAVÉ	COLLÉ	CORSO	**CRÉCY**	CUMIN	**DAVAO**
CLEAN	COLON	CREDO	CREDO	CUMUL	**DAVEL**
CLEBS	**COLÓN**	**CORTE**	CRÉÉE	**CUNEO**	**DAVES**
CLÉON	CÔLON	**CORTI**	CRÉER	**CUNHA**	**DAVID**
CLERC	**COLOT**	**COSME**	**CREIL**	CURÉE	**DAVIS**
CLÉRY	COLZA	**COSNE**	CRÈME	CURER	**DAVOS**
CLICK	COMBE	**COSSA**	CRÉMÉ	CURIE	**DAWES**
CLIVE	COMBO	COSSE	**CRÉON**	**CURIE**	**DAWHA**
CLIVÉ	**COMBS**	COSSÉ	CRÊPE	CURRY	**DAYAK**
CLODO	COMMA	**COSSÉ**	CRÊPÉ	CUVÉE	**DAYAN**
CLONE	COMME	COSSU	CRÉPI	CUVER	DEALÉ
CLONÉ	**COMOÉ**	COSYS	CRÉPU	**CUZCO**	DÉBAT
CLOPE	COMTE	COTÉE	**CRÉPY**	CYCAS	DÉBET
CLORE	**COMTE**	COTER	**CREST**	CYCLE	DÉBIT
CLOSE	COMTÉ	COTIE	**CRÈTE**	CYGNE	**DEBRÉ**
CLOUD	**CONAN**	COTIR	CRÊTE	**CYRUS**	DÉBUT
CLOUÉ	CONÇU	COTON	CRÊTÉ	**DABIT**	DEBYE
CLOWN	CONDÉ	**COTON**	**CREUS**	**DACCA**	**DEBYE**
CLUNY	CONGA	COTRE	CREUX	**DACIE**	DÉCAN
CLUSE	CONGE	COTTE	CREVÉ	**DADIÉ**	DECCA
CLYDE	CONGÉ	**COTTE**	CRÈVE	DAGUE	DÉCÈS
CNIDE	**CONGO**	COUAC	**CRICK**	DAINE	DÈCHE
COACH	CONNE	**COUCY**	CRIÉE	**DAKAR**	DÉCHU
COASE	CONNU	COUDE	**CRIEL**	**DAKIN**	DÉCOR
COATI	**CONON**	COUDÉ	CRIER	**DALAT**	DÉCRI
COBÉA	CONTE	COUIC	CRIME	DALLE	DÉCRU
COBÉE	CONTÉ	COULE	CRISE	DALLÉ	DÉÇUE
COBOL	**CONTÉ**	COULÉ	CRISS	**DALOA**	DÉDIÉ
COBRA	**CONTI**	COUPE	**CROCE**	DALOT	DÉDIT
COBRA	**CONTY**	COUPÉ	CROCO	**DALOU**	DÉFET
COCCI	COPAL	COURS	CROÎT	DAMAN	DÉFIÉ
COCHE	**COPÁN**	COURT	CROIX	**DAMAN**	**DEFOE**
COCHÉ	COPIE	COURU	**CROIX**	**DAMÃO**	**DEGAS**
CÔCHÉ	COPIÉ	COUSU	**CROLL**	DAMAS	DÉGÂT
COCON	COPLA	COÛTÉ	CROSS	**DAMAS**	DÉGEL
COCOS	COPPA	COUVÉ	CROUP	DAMÉE	DEGRÉ
COCUE	**COPPI**	COUVI	CROWN	DAMER	**DEGUY**
CODÉE	COPRA	**COUZA**	**CRUAS**	**DAMIA**	DÉITÉ
CODER	COPTE	**COWES**	CRUEL	DAMNÉ	DÉLAI
CODEX	COQUE	COXAL	**CRUMB**	**DANAÉ**	**DELAY**
CODON	**CORAÏ**	CRABE	CUBÉE	**DANBY**	DELCO
CŒUR	CORAN	CRACK	CUBER	DANDY	**DELFT**
CŒUR		CRADE	CUCUL	**DANGÉ**	**DELHI**

DÉLIÉ	**DIERX**	**DONON**	DRONE	ÉBÈNE	**ELBOT**
DÉLIT	DIÈSE	**DOORS**	DROPÉ	**EBERT**	**ELCHE**
DELLE	**DIEST**	DOPÉE	DRUMS	**ÉBOLA**	ÉLÉIS
DELON	DIÈTE	DOPER	**DRUON**	**ÉBOUÉ**	ÉLEVÉ
DÉLOS	DIEUX	**DORAT**	DRUPE	ÉCALE	ÉLÈVE
DÉLOT	DIFFA	DORÉE	DRUZE	ÉCALÉ	**ELGAR**
DELTA	DIGNE	DORER	**DRUZE**	ÉCART	**ELGIN**
DELTA	**DIGNE**	**DORIA**	**DRYAT**	ÉCHEC	**ELIAS**
DELUC	DIGUE	DORIN	DUALE	ÉCHÉE	**ÉLIDE**
DE MAN	**DIJON**	**DORIS**	DUAUX	ÉCHER	ÉLIDÉ
DEMIE	DILUÉ	DORIS	**DU BOS**	ÉCHUE	ÉLIMÉ
DÉMIS	**DINAN**	DORMI	**DUBOS**	**ÉCIJA**	**ÉLIOT**
DÉMON	DINAR	DOSÉE	DUCAL	ÉCIMÉ	ÉLIRE
DENAR	DINDE	DOSER	DUCAT	ÉCLAT	ÉLITE
DÉNIÉ	**D'INDY**	DOSSE	**DUCEY**	ÉCLOS	**ELLÁS**
DENIM	DÎNER	DOTAL	DUCHÉ	ÉCOLE	ELLES
DENIS	DINGO	DOTÉE	**DUCOS**	ÉCOLO	**ELLUL**
DENON	**DINKA**	DOTER	DUDIT	ÉCOPE	ÉLOGE
DENSE	DIODE	**DOUAI**	**DU FAY**	ÉCOPÉ	ÉLUDÉ
DENTÉ	**DIOIS**	DOUAR	**DUFAY**	ÉCRAN	ÉLUÉE
DÉNUÉ	**DIOLA**	**DOUBS**	**DUHEM**	ÉCRIÉ	ÉLUER
DENYS	**DIORI**	DOUCE	DUITE	ÉCRIN	**ELURU**
DÉOLS	**DIOUF**	DOUCI	**DUKAS**	ÉCRIT	**ELVEN**
DÉPIT	**DIRAC**	DOUÉE	**DUKOU**	ÉCROU	E-MAIL
DÉPLU	DISCO	DOUER	**DULAC**	ÉCRUE	ÉMAIL
DÉPÔT	**DISON**	DOUMA	DULIE	ÉCULÉ	ÉMANÉ
DERBY	DIVAN	**DOURO**	**DUMAS**	ÉCUME	ÉMAUX
DERBY	**DIVES**	DOUTE	**DUNES**	ÉCUMÉ	EMBUE
DERME	DIVIN	DOUTÉ	DUPÉE	ÉCURÉ	EMBUÉ
DERNY	DIVIS	DOUVE	DUPER	**EDFOU**	**EMDEN**
DÉSIR	DIXIE	DOUZE	**DUPIN**	**EDGAR**	ÉMERI
DETTE	DJAÏN	**DOVER**	**DUPRÉ**	ÉDILE	**ÉMERY**
DEUIL	**DJAMI**	**DOWNS**	DURAL	ÉDITÉ	**ÉMILE**
DEULE	DJINN	DOYEN	**DURAN**	ÉDITO	ÉMISE
DEUST	DOBRA	**DOYLE**	**DURÃO**	**EEKLO**	**EMMEN**
DÉVIÉ	DOCTE	DRAIN	**DURAS**	**EFFEL**	EMPAN
DEVIN	**DODDS**	**DRAIS**	DURCI	EFFET	EMPLI
DEVIS	DODUE	**DRAKE**	DURÉE	ÉFRIT	ÉMULE
DEVON	DOGME	DRAME	**DÜREN**	ÉGALE	ÉMULÉ
DEVON	**DOGON**	DRAPÉ	DURER	ÉGALÉ	EN-BUT
DE VOS	DOGUE	DRAVE	**DÜRER**	ÉGARD	ENCAN
DEVOS	DOIGT	DRAVÉ	**DURGA**	ÉGARÉ	EN-CAS
DÉVOT	**DOIRE**	DRAYÉ	DURIT	ÉGAUX	ENCRE
DEWAR	DOLBY	**DREES**	**DUROC**	ÉGAYÉ	ENCRÉ
DEWAR	**DOLET**	DRÈGE	**DURUY**	**EGEDE**	ENDOS
DEWEY	DOLIC	**DREUX**	**DUVAL**	ÉGÉEN	ENFER
DHAKA	**DOLIN**	DRÈVE	DUVET	ÉGIDE	ENFEU
DHOLE	**DOLTO**	DRILL	DYADE	**ÉGINE**	ENFIN
DIANE	**DOMAT**	DRING	**DYLAN**	ÉGOUT	ENFLÉ
DIANE	**DOMME**	DRINK	DZÊTA	EIDER	ENFUI
DIAPO	**DONAT**	DRIVE	**EAMES**	**EIFEL**	ENGIN
DIAZO	**DONAU**	DRIVÉ	**EANES**	EIGEN	ENJEU
DICTÉ	DONAX	DROIT	**ÉAQUE**	**EIGER**	ENLIÉ
DIDON	**DONEN**	DRÔLE	**EAUZE**	**EILAT**	ENLIL
DIDOT	DONNE	DROME	ÉBAHI	ÉLAND	ENNUI
DIELS	**DONNE**	**DRÔME**	ÉBATS	ÉLAVÉ	**ÉNOCH**
DIÈNE	DONNÉ		EBBON	**ELBÉE**	ÉNOUÉ

ENSAD	ERRER	**EVORA**	FARTÉ	FÉRUE	FLEUR
ENSAM	**ERWIN**	**ÉVORA**	**FARUQ**	**FESCH**	**FLIMS**
ENSB-A	**ÉSAÏE**	**ÉVRON**	FASCE	FESSE	**FLINS**
ENSOR	ESCHE	**EWING**	FASCÉ	FESSÉ	FLINT
ENTÉE	ESCHÉ	EXACT	FASTE	FESSU	**FLINT**
ENTER	**ESNÈH**	EXCÈS	FATAL	FÊTÉE	FLIRT
ENTRE	**ÉSOPE**	EXCLU	FATMA	FÊTER	FLOOD
ENTRÉ	ESPAR	EXEAT	FATUM	**FÉTIS**	FLOPS
ENUGU	**ESPOO**	EXIGÉ	FATWA	FEUIL	FLORE
ENVIE	ESSAI	EXIGU	FAUNE	FEULÉ	FLORY
ENVIÉ	**ESSEN**	EXILÉ	**FAURE**	**FEURS**	**FLORE**
ENVOI	**ESSEX**	EXODE	**FAURÉ**	**FÉVAL**	**FLORY**
ENVOL	**ESSEY**	EXPIÉ	**FAUST**	FIANT	**FLOTE**
ENZIO	ESSOR	EXTRA	FAUTE	FIBRE	FLOUE
ÉOLIE	ESTER	**EYLAU**	FAUTÉ	FICHE	FLOUÉ
ÉPAIR	ESTOC	**EYMET**	FAUVE	FICHÉ	FLUER
ÉPAIS	ÉTAGE	FABLE	**FAVRE**	FICHU	FLUET
ÉPARS	ÉTAGÉ	**FABRE**	FAVUS	**FICIN**	FLUOR
ÉPART	ÉTAIN	**FABRY**	FAXÉE	FICUS	FLUSH
ÉPATE	**ÉTAIN**	FÂCHÉ	FAXER	**FIDJI**	FLÛTE
ÉPATÉ	**ÉTAIX**	FACHO	**FAYOL**	**FIELD**	FLÛTÉ
ÉPAVE	ÉTALE	FAÇON	FAYOT	FIÈRE	**FLYNN**
ÉPELÉ	ÉTALÉ	FACTO	FÉALE	FIFRE	**FNSEA**
ÉPHOD	ÉTALS	FADÉE	FÉAUX	FIGÉE	FOCAL
ÉPICE	ÉTAMÉ	FAENA	FÉCAL	FIGER	**FŒHN**
ÉPICÉ	ÉTANG	FAGNE	FÈCES	FIGUE	FOÈNE
ÉPIÉE	ÉTANT	FAGOT	**FÉDOR**	FILAO	FOIRE
ÉPIER	ÉTAPE	FAÎNE	FEINT	FILÉE	FOIRÉ
ÉPIEU	ÉTAUX	FAIRE	FÊLÉE	FILER	FOLIE
ÉPIGÉ	ÉTAYÉ	FAITE	FÊLER	FILET	FOLIÉ
ÉPILÉ	ÉTÊTÉ	FAÎTE	FÉLIN	FILIN	FOLIO
ÉPINE	ÉTHER	FAKIR	FÉLON	FILLE	FOLLE
ÉPIRE	ETHOS	**FALLA**	**FEMIS**	FILMÉ	**FOLON**
ÉPODE	ÉTIER	FALLU	FEMME	FILON	FONCÉ
ÉPONA	ÉTIRÉ	FALOT	FEMTO-	FILOU	**FONCK**
ÉPOUX	ÉTOLE	FALUN	FÉMUR	FINAL	**FONDA**
ÉPOXY	ÊTRES	FAMAS	FENDU	FINES	FONDÉ
ÉPRIS	ÉTRON	FAMÉE	FENIL	FINIE	FONDS
EPROM	ÉTUDE	FANAL	FENTE	FINIR	FONDU
EPSOM	ÉTUVE	FANÉE	FÉRAL	FIOLE	FONIO
ÉPUCÉ	ÉTUVÉ	FANER	FERIA	FIOUL	FONTE
ÉPURE	**EUBÉE**	FANGE	FÉRIE	FIRME	FONTS
ÉPURÉ	**EUDES**	FANNY	FÉRIÉ	**FIRTH**	**FOPPA**
ÉQUIN	**EULER**	FANON	FÉRIR	**FIUME**	FORCE
ÉRARD	**EUPEN**	**FANTE**	FERLÉ	FIXÉE	FORCÉ
ÉRATO	ÉVADÉ	**FANTI**	FERME	FIXER	FORCI
ERBIL	ÉVASÉ	FANUM	FERMÉ	FJELD	FORÉE
ERDRE	**ÉVAUX**	FARAD	**FERMI**	FJORD	**FOREL**
ERGOL	ÉVEIL	FARCE	**FÉROÉ**	FLAIR	FORER
ERGOT	ÉVENT	FARCI	FERRÉ	FLANC	FORET
ERICE	**EVERE**	FARDE	**FERRÉ**	FLÂNE	FORÊT
ÉRIGÉ	**EVERT**	FARDÉ	**FERRI**	FLÂNÉ	**FOREZ**
ERNÉE	**ÉVIAN**	**FAREL**	FERRY	FLAPI	FORGE
ERNST	ÉVIDÉ	FARÈS	**FERRY**	FLASH	FORGÉ
ERODE	ÉVIER	**FARET**	FERTÉ	FLÉAU	**FORLI**
ÉRODÉ	ÉVITÉ	**FARON**	**FERTÖ**	FLEIN	FORME
ERQUY		FARSI		**FLERS**	FORMÉ

FORTH	**FUKUI**	GALBE	**GAZLI**	GILET	GOLGI
FORUM	**FULDA**	GALBÉ	GAZON	**GIONO**	**GOLGI**
FOSSE	**FUMAY**	GALET	GÉANT	GIRIE	**GOMAR**
FOSSÉ	FUMÉE	**GALLA**	**GEBER**	GIRON	GOMBO
FOUAD	**FUMEL**	**GALLE**	GECKO	GITAN	**GOMEL**
FOUET	FUMER	**GALLE**	**GEHRY**	**GITAN**	GOMME
FOUIE	FUMET	**GALLÉ**	GEINT	GÎTER	GOMMÉ
FOUIR	**FUNDY**	GALLO	GELÉE	GITON	**GÖNCZ**
FOULD	**FUNÈS**	**GALLO**	GELER	**GIVET**	**GONDI**
FOULE	FUNKY	GALON	GELÉS	GIVRE	GONZE
FOULÉ	FURAX	GALOP	**GÉLON**	GIVRÉ	GOPAK
FOUTU	FURET	GAMAY	GÉMIR	**GIVRY**	**GORÉE**
FOVEA	**FURET**	GAMBA	GEMME	**GIZEH**	GORET
FOXÉE	FURIA	GAMIN	GEMMÉ	GLACE	GORGE
FOYEN	FURIE	GAMMA	GÊNÉE	**GLACE**	GORGÉ
FOYER	**FURKA**	GAMME	GÊNER	GLACÉ	**GORKI**
FRAIS	**FÜRST**	**GAMOW**	GENÈS	**GLÂMA**	**GORKY**
FRANC	**FÜRTH**	**GANCE**	**GÊNES**	GLAND	GOSSE
FRANK	FUSÉE	**GANDA**	GENET	GLANE	GOTHA
FRASÉ	FUSER	GANGA	**GENET**	GLANÉ	**GOTHA**
FRAYÉ	FUSIL	**GANGE**	GENÊT	GLAPI	**GOTHS**
FREGE	FUTAL	GANSE	GÉNIE	GLASS	GOTON
FREIN	FUTÉE	GANSÉ	**GENIL**	GLATI	GOUDA
FRÊLE	FUTON	**GANSU**	**GENOT**	**GLAWI**	**GOUDA**
FRÉMI	FUTUR	GANTÉ	GENOU	GLÈBE	GOUET
FRÊNE	**FUXIN**	**GANTT**	GENRE	**GLÉLÉ**	GOUGE
FRÉON	**GABÈS**	**GARBO**	GÉODE	GLÈNE	**GOUIN**
FRÈRE	**GABIN**	GARCE	GEÔLE	GLIAL	**GOULD**
FRÈRE	**GABLE**	GARDE	GERBE	GLOBE	GOULE
FRÉTÉ	GÂBLE	**GARDE**	GERBÉ	**GLOBO**	GOULU
FREUD	**GABON**	GARDÉ	GERCE	GLOSE	GOURA
FREUX	**GABOR**	GARÉE	GERCÉ	GLOSÉ	GOURD
FREYR	GÂCHE	GARER	**GERDT**	GLUAU	GOURÉ
FRIGG	GÂCHÉ	**GARIN**	GÉRÉE	**GLUBB**	**GOURO**
FRIGO	**GADDA**	GARNI	GÉRER	**GLUCK**	GOÛTÉ
FRIME	**GADDI**	GAROU	GERME	GLUME	GOYIM
FRIMÉ	**GADES**	**GASPÉ**	GERMÉ	GLUON	**GOZZI**
FRIPE	GADIN	GÂTÉE	GÉSIR	GNÈTE	**GRAAF**
FRIPÉ	GADJÉ	GÂTER	GESSE	GNÔLE	**GRAAL**
FRIRE	GADJO	**GATES**	GESTE	GNOME	GRÂCE
FRISE	**GAËLS**	GATTÉ	**GETTY**	GNOSE	**GRACQ**
FRISE	**GAÈTE**	**GATTI**	GOBÉE	GOBER	GRADE
FRISÉ	GAFFE	GAUDE	**GHANA**	GOBIE	GRADÉ
FRITE	GAFFÉ	**GAUDÍ**	**GHARB**	**GÖDEL**	GRAFF
FRITZ	**GAFSA**	GAULE	**GHATS**	GODER	GRAIN
FROID	GAGÉE	**GAULE**	**GIBBS**	GODET	GRANA
FRÔLÉ	GAGER	GAULÉ	GIBET	**GODOY**	GRAND
FROMM	GAGNE	**GAUME**	GIBUS	GOGÉE	**GRANT**
FRONT	GAGNÉ	GAUPE	GICLÉ	GOGER	**GRASS**
FROST	**GAGNY**	GAUSS	**GIENS**	GOGLU	GRAVE
FROUÉ	GAÏAC	**GAUSS**	**GIERS**	**GOGOL**	**GRAVE**
FRUIT	GAINE	GAVÉE	GIFLE	**GOIÁS**	GRAVÉ
FUCUS	GAINÉ	GAVER	GIFLÉ	**GOLAN**	GRAVI
FUERO	GAÎTÉ	**GÄVLE**	GIGOT	GOLEM	GRÈBE
FUGUE	**GAIUS**	GAYAL	GIGUE	GOLFE	**GRÈCE**
FUGUÉ	GAIZE	GAZÉE	**GIJÓN**	**GOLFE**	**GRECO**
FUITE	**GALBA**	GAZER	GILDE	**GOLFE**	**GRÉCO**

GRÉÉE	**GUMRI**	HAPAX	**HENCH**	**HOOGH**	HYMNE
GREEN	**GUO XI**	HAPPE	**HENIE**	**HOOKE**	HYPER
GREEN	GUPPY	HAPPÉ	HENNÉ	HOPAK	HYPHE
GRÉER	**GUPTA**	**HARAR**	HENNI	HORDE	HYPNE
GRÈGE	GUSSE	HARAS	**HENRI**	**HORNU**	**IALTA**
GRÊLE	**GUYON**	**HARAT**	HENRY	HORST	IAMBE
GRÊLÉ	GUYOT	HARDE	**HENRY**	**HORTA**	IBÈRE
GRENÉ	GUZLA	HARDI	**HENZE**	**HORUS**	**IBERT**
GRENU	**GYGÈS**	**HARDT**	**HERAT**	HOSTO	**IBIZA**
GRÉSÉ	GYPSE	**HARDY**	HERBE	**HOTAN**	**IBSEN**
GRÉSY	GYRIN	HAREM	HERBU	HÔTEL	**ICARE**
GREVÉ	**HABER**	HARET	**HERGÉ**	HOTTE	**ICAZA**
GRÈVE	HABIT	HARKI	**HERNE**	HOTTÉ	ICEUX
GRÈVE	**HABRÉ**	HARLE	**HÉRON**	**HOUAT**	**ICHIM**
GRÉVY	HACHE	HARPE	HÉROS	HOUÉE	ICÔNE
GRIEF	HACHÉ	**HARTH**	HERPE	HOUER	ICTUS
GRIEG	HADAL	**HASAN**	HERSE	HOUKA	**IDAHO**
GRILL	**HADÈS**	HASCH	HERSÉ	HOULE	IDÉAL
GRIMÉ	HADJI	**HASEK**	HERTZ	HOURD	IDÉEL
GRIMM	**HAEJU**	**HASSE**	**HERTZ**	HOURI	ID EST
GRIOT	**HAFEZ**	HASTÉ	HERVE	HOUSE	IDIOT
GRISE	**HAFIZ**	**HATAY**	**HERZL**	**HOXHA**	**IDJIL**
GRISÉ	**HAGEN**	HÂTÉE	**HESSE**	HOYAU	IDOLE
GRISI	**HAGUE**	HÂTER	HÊTRE	**HOYLE**	**IDRIS**
GRIVE	**HAÏFA**	HÂTIF	HEURE	**HOYOS**	**IEPER**
GROCK	**HAI HE**	**HATTI**	HEURT	HUANT	IGLOO
GROIE	HAÏKU	HAUTE	**HEUSS**	HUARD	IGLOU
GROIN	HAINE	**HAVAS**	HÉVÉA	**HUART**	IGNÉE
GROIX	HAIRE	HAVÉE	HIBOU	**HUBEI**	**IKERE**
GROLE	**HAÏTI**	**HAVEL**	**HICKS**	**HUBER**	ILÉAL
GROOM	HAKKA	HAVER	HI-HAN	**HUBLI**	**ILÉON**
GROSS	HALAL	HAVRE	**HILAL**	HUCHE	ILÉUS
GROSZ	HALBI	**HAWAÏ**	**HILLA**	HUCHÉ	ÎLIEN
GRUAU	HALÉE	**HAWKE**	**HILSZ**	**HUGLI**	ILION
GRUGÉ	HÂLÉE	**HAWKS**	**HILTY**	HUILE	**ILION**
GRUME	HALER	**HAYDN**	**HIMES**	HUILÉ	**ILMEN**
GRUON	HÂLER	**HAYEK**	HINDI	**HULSE**	ILOTE
GRUSS	**HALES**	**HAYES**	HIPPY	HUMÉE	IMAGE
GRUTÉ	**HALEY**	HAYON	**HIRAM**	HUMER	IMAGÉ
GSELL	HALLE	**HEATH**	HISSE	HUMUS	IMAGO
GUAIS	**HALLE**	HEBDO	HISSÉ	**HUNAN**	IMBUE
GUANO	HALTE	**HEBEI**	HIVER	**HUNZA**	IMIDE
GUÈDE	HALVA	HECTO	HOBBY	HUPPE	IMINE
GUÊPE	HAMAC	HECTO-	HOCCO	HUPPÉ	IMITÉ
GUÈRE	**HAMME**	**HEFEI**	**HOCHE**	HURLÉ	IMMUN
GUÉRI	HAMPE	**HEGEL**	HOCHÉ	HURON	**IMOLA**
GUÈTE	**HAMPI**	**HEINE**	HODJA	**HURON**	IMPER
GUEUX	HANAP	**HEINZ**	**HODNA**	**HUSÁK**	**IMPHY**
GUÈZE	**HANAU**	**HEKLA**	**HOLAN**	**HU SHI**	IMPIE
GUIDE	**HANOI**	HÉLAS	**HOLON**	HUSKY	IMPÔT
GUIDE	HANSE	HÉLÉE	HOMME	HUTTE	IMPRO
GUIDÉ	**HANSE**	HÉLER	HONNI	HYDNE	IMPUR
GUIPÉ	**HANSI**	HÉLIO	HONTE	**HYDRA**	**IMROZ**
GUIRY	HANTÉ	HÉLIX	HOOCH	HYDRE	**INARI**
GUISE	**HAN YU**	HELLO	**HOOFT**	HYÈNE	INCUS
GUISE	HAOUZ	**HÉMON**		HYMEN	**INDES**
GUJAN		**HENAN**			INDEX

INDIC	IXION	JERKÉ	JULIA	KEBAN	KROGH
INDRA	IXODE	JÉSUS	JULIE	KÉFIR	KRONA
INDRE	IZMIR	JÉSUS	JUMBO	KEITA	KRONE
INDRI	IZMIT	JETÉE	JUMEL	KELLY	KROTO
INDUE	IZNIK	JETER	JUMNA	KEMAL	KRUPP
INDUS	IZUMO	JETON	JUNKY	KENDO	KSOUR
INFRA	JABLE	JETTE	JUNON	KENYA	KSOUR
INGRÉ	JABLÉ	JEUDI	JUNOT	KETCH	KUNDT
INLAY	JABOT	JEUNE	JUNTE	KHARG	KUPKA
INNÉE	JACÉE	JEÛNE	JUPON	KHMER	KURDE
INÖNÜ	JACOB	JEÛNÉ	JUPPÉ	KHMER	KURDE
INOUÏ	JACOT	JIJEL	JURAT	KHOIN	KUSCH
INPUT	JACTÉ	JILIN	JURÉE	KILIM	KYOTO
INSEE	JADIS	JINAN	JURER	KILLY	KYRIE
INSTI	JAFFA	JINJA	JURIN	KINKI	KYSTE
INTER	JAHVÉ	JOCHO	JURON	KIPPA	KYUDO
INTOX	JAÏNA	JODLÉ	JURUÁ	KIRBY	KYZYL
INUIT	JAÏNE	JOHNS	JUSÉE	KIROV	LABAN
INUIT	JALAP	JOICE	JUSTE	KISSI	LÀ-BAS
INULE	JALON	JOINT	JUSTE	KITCH	LABAT
INVAR	JAMBE	JÓKAI	JUTER	KLAUS	LABBE
IODÉE	JAMBI	JOKER	JUTES	KLEIN	LABEL
IODER	JAMES	JOLIE	KAABA	KLIMT	LABIÉ
IODLÉ	JAMMU	JOMON	KABIC	KLUCK	LABRE
IONIE	JAMNA	JONAS	KABIG	KLUGE	LABRI
IORGA	JAMOT	JONCÉ	KABIR	KNOCK	LACAN
IOULÉ	JANET	JONES	KABUL	KNOUT	LACÉE
IPÉCA	JANIN	JOOSS	KABWE	KOALA	LACER
IPPON	JANTE	JORAN	KACHA	KOCHI	LACET
IPSOS	JANUS	JORAT	KACHE	KOHOL	LÂCHE
IQBAL	JANZÉ	JOSUÉ	KÁDÁR	KOINÈ	LÂCHÉ
IRBID	JAPON	JOUAL	KAFKA	KOMIS	LACIS
IRCAM	JAPON	JOUÉE	KAGEL	KONDO	LACTÉ
IRÈNE	JAPPÉ	JOUER	KAMBA	KONEV	LADIN
IRIAN	JAQUE	JOUET	KANAK	KONGO	LADRE
IRIEN	JARDE	JOUIR	KANAK	KÖNIZ	LADYS
IRISÉ	JARRE	JOULE	KANDY	KONYA	LAGNY
IRONE	JARRE	JOULE	KANEM	KORAI	LAGON
ISAAC	JARRY	JOUTE	KANJI	KORÇÊ	LAGOS
ISAAK	JASER	JOUTÉ	KANTO	KORDA	LAHAR
ISAÏE	JASON	JOUVE	KANUN	KORÊS	LAHTI
ISARD	JASPE	JOYAU	KAPOK	KORIN	LAIDE
ISÈRE	JASPÉ	JOYCE	KAPPA	KOROR	LAINE
ISEUT	JATTE	JÚCAR	KAREN	KOSMA	LAINÉ
ISKAR	JAUGE	JUCHÉ	KARLE	KOTCH	LAING
ISLAM	JAUGÉ	JUDAS	KARMA	KOTJE	LAIRD
ISOLA	JAUNE	JUDAS	KARST	KOTKA	LAITÉ
ISOLÉ	JAUNE	JUDÉE	KARST	KOTOR	LAÏUS
ISSAS	JAUNI	JUGAL	KASAÏ	KOURA	LAIZE
ISSOS	JAVEL	JUGÉE	KASHI	KOYRÉ	LALLY
ISSUE	JAZZY	JUGER	KATAR	KRAAL	LAMBI
ISSUS	JEANS	JUGES	KATEB	KRACH	LAMÉE
ITAMI	JEANS	JUIVE	KATYN	KRAFT	LAMER
ITARD	JEHOL	JUIVE	KAYAK	KRAUS	LAMÍA
IULIA	JELEV	JUKUN	KAYES	KREBS	LAMIE
IVRÉE	JENNY	JULES	KAZAN	KRILL	LAMPE
IWAKI	JEREZ	JULES	KEATS	KRISS	LAMPÉ

LANCE	**LE BEL**	LEUDE	**LIMÓN**	**LOMME**	**LUNDA**
LANCÉ	LEBEL	**LEUZE**	**LINAS**	LOMPE	LUNDI
LANCY	**LE BON**	**LE VAU**	**LINDE**	LONGE	LUNÉE
LANDE	**LEBON**	LEVÉE	LINER	LONGÉ	**LUNEL**
LANGE	**LE CAP**	LEVER	LINGA	**LONGO**	**LÜNEN**
LANGÉ	**LECCE**	**LÉVIS**	LINGE	LOOFA	LUPIN
LANÚS	**LECCO**	LÈVRE	LINKS	LOPIN	**LUPIN**
LAOZI	LÈCHE	**LEWIN**	**LINNÉ**	LOQUE	LUPUS
LA PAZ	LÉCHÉ	**LEWIS**	LINON	LORAN	**LURCY**
LAPÉE	LEÇON	LEXIE	**LINTH**	**LORCA**	LUREX
LAPER	LEDIT	LEXIS	**LIONS**	**LOREN**	**LURIA**
LAPIÉ	**LEDUC**	**LEYDE**	LIPPE	LORIS	LURON
LAPIN	**LEEDS**	**LEYRE**	**LIPPE**	LORRY	**LURON**
LAPIS	LE GAC	**LEYTE**	**LIPPI**	LOSER	LUSIN
LAPON	LÉGAL	**LEZAY**	LIPPU	**LOSEY**	LUTÉE
LAPON	LÉGAT	**LHOTE**	**LIPSE**	LOTIE	LUTER
LAPSI	LÉGER	LIAGE	**LISLE**	LOTIR	LUTIN
LAQUE	**LÉGER**	LIAIS	**LISSA**	LOTTE	**LUTON**
LAQUÉ	LÉGUÉ	LIANE	LISSE	**LOTTO**	LUTTE
LARDÉ	**LEHÁR**	LIANT	LISSÉ	LOTUS	LUTTÉ
LARDY	**LEIBL**	LIARD	LISTE	LOUÉE	LUXÉE
LARGE	**LEIGH**	**LIBAN**	LISTÉ	LOUER	LUXER
LARGO	**LEINE**	**LIBBY**	**LISZT**	LOUIS	**LU XUN**
LARME	**LEITZ**	LIBER	LITAS	LOUPE	LUZIN
LARRA	**LE KEF**	LIBRE	LITÉE	LOUPÉ	**LUZON**
LARVE	**LEKEU**	**LIBYE**	LITER	LOURD	**LWOFF**
LARVÉ	**LE LUC**	LICHÉ	LITHO	LOURE	LYCÉE
LASER	**LEMAN**	LICOL	LITRE	LOURÉ	**LYCIE**
LASNE	**LÉMAN**	LICOU	LIURE	LOUVE	LYCRA
LASSE	**LE MÉE**	**LICRA**	LIVET	**LOUYS**	**LYDDA**
LASSÉ	LEMME	LIEDS	**LIVIE**	LOUVÉE	**LYDIE**
LASSO	**LE MUY**	LIÈGE	LIVRE	LOWIE	**LYELL**
LATEX	**LENAU**	**LIÈGE**	LIVRÉ	**LOWRY**	**LYNCH**
LATIN	**LENCA**	LIÉGÉ	**LIVRY**	LOYAL	LYRIC
LATIN	LENTE	LIEUE	**LLOYD**	LOYER	LYSAT
LATTE	LENTO	LIEUX	**LOACH**	LUBAC	LYSÉE
LATTÉ	LEONE	**LIFAR**	LOBBY	LUBIE	LYSER
LAUBE	**LEONE**	LIFTÉ	LOBÉE	**LÜBKE**	**MABLY**
LAURE	**LEONI**	LIGIE	LOBER	**LUCAS**	**MACAO**
LAURÉ	**L'ÉPÉE**	LIGNE	LOCAL	LUCIE	**MÁCHA**
LAUSE	**LE PEN**	**LIGNE**	LOCHE	**LUÇON**	MÂCHE
LAUZE	**LE PRÉ**	LIGNÉ	LOCHÉ	LUCRE	MÂCHÉ
LAVAL	LÈPRE	**LIGNÉ**	**LOCKE**	LUEUR	MACHO
LAVAN	LEPTE	**LIGNY**	LOCUS	LUFFA	MACIS
LAVÉE	**LE PUY**	LIGOT	LODEN	LUGÉE	MACLE
LAVER	**LERMA**	LIGUE	LŒSS	LUGER	MACLÉ
LAVER	**LERNE**	LIGUÉ	**LOEWI**	LUINI	**MACON**
LAVIS	LÉROT	LILAS	**LOEWY**	LUIRE	MAÇON
LAVRA	**LE ROY**	**LILLE**	LOFER	**LULEÅ**	MÂCON
LAXOU	**LEROY**	**LILOT**	**LOGAN**	**LULLE**	**MÂCON**
LAYON	LÉSÉE	LIMAN	LOGÉE	**LULLI**	MACRE
LAYON	LÉSER	**LIMAY**	LOGER	**LULLY**	MACRO
LAZES	LESTE	LIMBE	LOGIS	LUMEN	**MADRE**
LAZZI	LESTÉ	LIMÉE	LOGOS	LUNCH	MADRÉ
LEACH	LÉTAL	LIMER	**LOING**		**MAËRL**
LEAHY	**LÉTHÉ**	LIMES	**LOIRE**		MAFIA
LE BAS	LETTE	LIMON	**LOISY**		MAGIE

MAGMA	**MARAT**	MAURE	**MÉNÈS**	MINER	**MONCK**
MAGNE	**MARCQ**	**MAURE**	**MENGS**	MINET	MONDE
MAGNÉ	**MARCY**	**MAURS**	MENIN	**MINHO**	**MONDE**
MAGNY	MARDI	**MAURY**	**MENIN**	**MINNE**	MONDÉ
MAGOG	MARÉE	MAUSS	MENSE	**MINOS**	MONEL
MAGOT	**MAREY**	MAUVE	MENTI	MINOU	MONEP
MAHAN	MARGE	**MAUZÉ**	MENUE	**MINSK**	**MONET**
MAHDI	MARGÉ	**MAYAS**	MERCI	MINUS	**MONGE**
MAHÓN	**MARIE**	MAYEN	MERDE	**MIQUE**	**MONGO**
MAÏNA	MARIÉ	**MAYER**	MERDÉ	MIRÉE	**MONIZ**
MAINE	MARIN	**MAYET**	MERLE	MIRER	**MONOD**
MAINT	**MARIS**	MAYOL	MERLU	**MIRON**	MONOÏ
MAINZ	**MARKA**	MAZOT	**MÉROÉ**	MISÉE	MONTE
MAIRE	**MARLE**	**MBINI**	MÉROU	MISER	MONTÉ
MAJOR	MARLI	**MBUTI**	**MÉSIE**	**MISON**	**MONTI**
MAJOR	**MARLY**	**MCCAY**	MÉSON	**MISTI**	**MONTS**
MAKAL	MARNE	**MEADE**	MESSE	MITAN	**MONTT**
MALET	**MARNE**	**MEAUX**	MÉTAL	**MITAU**	**MONZA**
MALIA	MARNÉ	MÈCHE	MÉTÉO	MITÉE	**MOORE**
MALIN	**MAROC**	MÉCHÉ	MÉTIS	MITER	**MOPTI**
MALLE	**MAROS**	**MEDAN**	MÈTRE	**MITLA**	MOQUE
MALLE	**MAROT**	**MÉDAN**	MÉTRÉ	MITRE	MOQUÉ
MALMÖ	MARRE	**MÉDÉA**	MÉTRO	**MITRE**	MORAL
MALOT	MARRÉ	**MÉDÉE**	**METSU**	MITRÉ	**MORAT**
MALTA	MARRI	**MÈDES**	MEULE	**MITRY**	**MORAY**
MALTE	MARTE	MÉDIA	MEULÉ	MIXÉE	MORCE
MALTÉ	**MARTÍ**	**MÉDIE**	**MEUNG**	MIXER	MORDU
MALUS	**MARTY**	MÉDIT	**MEUSE**	MIXTE	**MORÉE**
MALUS	**MASAI**	MÉDOC	MEUTE	**MJØSA**	**MORET**
MAMAN	**MASAN**	**MÉDOC**	**MEYER**	MOCHE	**MOREZ**
MAMBA	MASER	MÉFIÉ	MÉZIG	**MOCHE**	**MORIN**
MAMBO	**MASSA**	MÉGIE	**MIAMI**	MODAL	MORIO
MAMER	MASSE	MÉGIR	MIAOU	**MODEL**	MORNE
MAMIE	MASSÉ	MÉGIS	**MIASS**	MODEM	**MORNY**
MAMMY	**MASSU**	MÉGOT	MI-BAS	MOERE	**MORÓN**
MANAT	**MASSY**	**MÉHUL**	MICHE	**MOERO**	MORSE
MANDÉ	MATAF	**MEHUN**	MICRO	MOFLÉ	**MORSE**
MANDÉ	MATCH	**MEIER**	MICRO-	**MOILI**	MORTE
MANÈS	MATÉE	**MEIJE**	**MIDAS**	MOINE	**MORTE**
MÂNES	MÂTÉE	**MEIJI**	MIEUX	MOINS	MORUE
MANET	MATER	**MEISE**	MI-FER	MOIRE	**MORUS**
MANGA	MÂTER	**MIGNE**	MELBA	**MOIRE**	MORVE
MANGA	**MATHA**	MÊLÉE	MIGRÉ	MOIRÉ	MOSAN
MANGÉ	**MATHÉ**	MÊLER	MILAN	MOISE	**MOSHÉ**
MANIE	MATHS	MELIA	**MILAN**	MOISÉ	**MOSSI**
MANIÉ	MATIE	**MELLE**	MILER	MOÏSE	MOTEL
MANIF	MATIF	MÉLOÉ	**MILET**	MOÏSE	MOTET
MANIN	MATIN	MELON	MILLE	**MOÏSE**	MOTIF
MANIP	MÂTIN	**MELUN**	**MILLE**	MOISI	**MOTTA**
MANNE	MATIR	**MEMEL**	MILLI-	MOITE	MOTTE
MANSE	MATON	**MÉNAM**	**MILLY**	MOITI	MOTTÉ
MANTA	MATOS	**MENDE**	**MILON**	**MOKPO**	MOTUS
MANTA	MATOU	**MENDÉ**	MIMÉE	**MOLAY**	MOULE
MANTE	**MÁTRA**	MENÉE	MIMER	MOLLE	MOULÉ
MAORI	**MATTA**	**MENEM**	MINCE	MOLLI	MOULT
MAOUS	MATTE	**MENEN**	MINCI	MOLLO	MOULU
MAQUÉ	**MAULE**	MENER	MINÉE	MOMIE	MOYÉE
				MÖNCH	

MOYEN	NACRÉ	NÈFLE	NIMBÉ	NOVER	**OHLIN**
MOYEU	**NADAR**	NÈGRE	**NÎMES**	**NOVES**	**OHRID**
MSILA	**NADER**	NEGRI	NINAS	NOYAU	OINTE
MUANT	NADIR	**NEGRO**	**NIOBÉ**	NOYÉE	**OÏRAT**
MUCHA	**NADJD**	NÉGUS	NIOLO	NOYER	**OIRON**
MUCOR	**NADOR**	NEHRU	NIOLO	**NOYON**	OISIF
MUCUS	**NAFTA**	NEIGE	**NIORT**	NOZAY	OISON
MUDRA	NAGÉE	**NEIGE**	NIPPE	NUAGE	OKAPI
MUFLE	NAGER	NEIGÉ	NIPPÉ	NUANT	**ÖLAND**
MUFTI	**NAHUA**	**NEILL**	NIQUE	**NUBIE**	OLÉUM
MUGIR	**NAHUM**	**NEIVA**	NIQUÉ	**NUFUD**	**OLIER**
MULET	NAINE	**NÉKAO**	**NITRA**	NUIRE	**OLIVA**
MULLA	NAIRA	**NÉMÉE**	NITRE	NULLE	OLIVE
MULON	NAÏVE	NENNI	NITRÉ	**NÚÑEZ**	**OLTEN**
MULOT	**NAMIB**	**NENNI**	NIVAL	**NUORO**	**OMAHA**
MULUD	**NAMPO**	**NÉPAL**	**NIXON**	**NURMI**	OMBLE
MUNCH	**NAMUR**	**NEPER**	**NI ZAN**	NURSE	OMBRE
MUNDA	**NANAK**	**NEPOS**	**NIZAN**	Nylon	OMBRÉ
MUNGO	NANAN	**NÉRAC**	NJUKA	**NYONS**	OMÉGA
MUNIE	NANAR	**NÉRÉE**	**NKOLE**	OASIS	OMISE
MUNIR	**NANCY**	**NÉRIS**	**NKORE**	**OATES**	**OMIYA**
MURAD	NANTI	**NÉRON**	NOBEL	OBÉIE	**OMUTA**
MURAL	NAPÉE	**NERVA**	**NOBEL**	OBÉIR	ONCLE
MURAT	NAPEL	NERVI	NOBLE	OBÈLE	ONDÉE
MURÉE	NAPPE	**NERVI**	NOCIF	OBÉRÉ	ONDIN
MURER	NAPPÉ	**NESLE**	NODAL	OBÈSE	ON-DIT
MURER	**NAREW**	NETTE	NOÈME	OBIER	**ONEGA**
MURES	NARRÉ	NEUME	NOÈSE	OBJET	ONGLE
MURET	**NARVA**	**NEUSS**	NŒUD	OBLAT	ONGLÉ
MURET	NASAL	NEUVE	NOIRE	OBOLE	OPALE
MUREX	**NASHE**	**NEUVY**	**NOIRE**	OBTUS	OP ART
MÛRIE	**NASIK**	NEVEU	NOISE	OBVIE	**OPAVA**
MURIN	NASSE	**NEVIS**	**NOISY**	OBVIÉ	OPCVM
MÛRIR	NATAL	**NEWAR**	**NOLDE**	OPÉRA	OPÉRA
MÛRON	**NATAL**	**NE WIN**	NOMMÉ	**OCCAM**	OPÉRÉ
MUSÉE	NATIF	**NEXON**	NONCE	OCCIS	OPINÉ
MUSER	**NATTA**	**NGONI**	NONES	OCÉAN	**OPITZ**
MUSES	NATTE	NIAIS	NONNE	OCRÉE	OPIUM
MUSIL	NATTÉ	NIANT	NOPAL	OCRER	**OPOLE**
MUSLI	**NAURU**	**NIAUX**	NORDÉ	OCTAL	OPTER
MUSSY	NAVAL	NICAM	NORDI	OCTET	ORAGE
MUTÉE	NAVEL	**NICÉE**	**NORÉN**	ODÉON	ORALE
MUTER	**NAVES**	NICHE	**NORGE**	**ODÉON**	ORANT
MUTIN	NAVET	NICHÉ	NORIA	ODEUR	ORAUX
MWERU	**NAVEZ**	NICOL	NORME	**ODILE**	**ORBAY**
MYOME	NAVRÉ	**NICOL**	NORMÉ	**ŒBEN**	**ORBEC**
MYOPE	**NAXOS**	**NICOT**	NOTÉE	ŒILS	**ORDOS**
MYRON	**NÁXOS**	NIÉBÉ	NOTER	ŒUVÉ	ORDRE
MYRTE	**NAYAR**	NiÈCE	NOTRE	OFFRE	ORDRÉ
MYSIE	**NAZCA**	NIÈME	NÔTRE	OFLAG	**ORFEO**
MYTHE	NAZIE	**NIEVO**	NOUBA	**OGAKI**	ORGIE
MYTHO	**NAZOR**	**NIGER**	NOUÉE	**OGINO**	**ORGON**
NABAB	**NDOLA**	**NIKKO**	NOUER	OGIVE	ORGUE
NABIS	**NEAGH**	**NIKON**	NOUET	**OGLIO**	ORIEL
NABLE	NÉANT	NILLE	NOVAE	**OGONI**	**ORION**
NABOT	NEBKA	**NIMBA**	NOUGÉ	**OHANA**	ORIYA
NACRE	**NEDJD**	NIMBE	NOVÉE	**O'HARE**	ORLON

ORLOV	OVALE	**PAMIR**	**PATAN**	PELÉE	PERRÉ
ORMET	**OVIDE**	PAMPA	PATAS	**PELÉE**	PERSE
ORMUZ	OVINE	**PAMPA**	**PATAY**	**PÉLÉE**	**PERSE**
ORNÉE	OVINÉ	PANAX	PATCH	PELER	PERTE
ORNER	OVULE	**PANAY**	**PATCH**	**PELLA**	**PERTH**
OROMO	OVULÉ	PANCA	PÂTÉE	PELLE	PESÉE
OROSE	**OWENS**	PANDA	PATER	PELLÉ	PESER
ORPIN	OXIME	PANÉE	**PATER**	PELTÉ	PESON
ORQUE	OXYDE	PANEL	**PATHÉ**	**PEMBA**	PESSE
ORSAY	OXYDÉ	PANER	PATIN	PÉNAL	PESTE
ORSEC	**OZARK**	PANIC	**PATIN**	PENCE	PESTÉ
ORTIE	OZÈNE	PANKA	PATIO	**PENCK**	PÉTÉE
ORURO	**OZOIR**	PANNE	PÂTIR	**PENDE**	PÉTER
ORVAL	OZONE	PANNÉ	PÂTIS	PENDU	PETIT
ORVET	OZONÉ	PANSE	**PATNA**	PÉNIL	**PETIT**
OSAKA	**PABLO**	PANSÉ	PÂTON	PÉNIS	PETON
OSANT	**PABST**	PANSU	**PATOU**	**PENLY**	**PÉTRA**
OSCAR	PACHA	PANTE	**PATRU**	PENNE	**PETRI**
OSCAR	PACTE	**PAOLI**	PATTE	PENNÉ	PÉTRI
OSIDE	PADAN	PAPAL	PATTÉ	PENNY	PÉTUN
OSIER	PADDY	PAPAS	PATTU	PENON	**PEULS**
OSMAN	**PADMA**	PAPET	**PAULI**	PENSÉ	PHAGE
OSQUE	PADOU	**PAPEN**	PAUME	PENTE	PHARE
OSSAU	PÆAN	**PAPIN**	PAUMÉ	PENTU	PHASE
OSSUE	**PAGAN**	PAPOU	PAUSE	**PENZA**	PHILO
OSSUN	PAGEL	**PAPOU**	PAUSÉ	PÉONS	PHLOX
OSTIE	**PAGET**	**PAPUS**	PAVÉE	PÉPÉE	PHONE
OTAGE	PAGNE	PÂQUE	PAVER	PÉPIE	PHONO
ÔTANT	PAGRE	**PARAT**	PAVIE	PÉPIÉ	PHOTO
OTARU	PAGUS	**PARAY**	**PAVIE**	PÉPIN	**PHTAH**
OTASE	PAÏEN	PARDI	PAVOT	**PÉPIN**	PHYSE
OTHON	**PAINE**	PARÉE	PAXON	PÉPON	**PIANA**
OTITE	PAIRE	PARÉO	PAYÉE	**PEPYS**	PIANO
OTOMI	PAJOT	PARER	**PAYEN**	PERCE	**PIANO**
OTTON	**PAJOU**	PARÉS	PAYER	PERCÉ	PIAST
OTWAY	**PA KIN**	PARIA	**PAYNE**	PERÇU	**PIAUÍ**
OUAIS	PALAN	PARIÉ	PAYSE	PERDU	**PIAVE**
OUATE	**PALAU**	PARIS	**PAZZI**	**PERDU**	PIBLE
OUATÉ	PALÉE	**PÂRIS**	PÉAGE	PEREC	PICOT
OUBLI	PALET	PARKA	**PEANO**	**PÉREC**	PIÈCE
OUCHE	PÂLIE	PARLÉ	**PEARY**	**PÉRÉE**	**PIECK**
OUCHE	PALIS	PARME	PEAUX	PERES	PIÈGE
OUDRY	PALLE	**PARME**	PÉCAN	**PÉRET**	PIÉGÉ
OUEST	**PALMA**	PARMI	PÉCHÉ	**PEREY**	**PIERO**
OUJDA	PALME	**PARNY**	PÊCHE	**PÉREZ**	PIETÀ
OURAL	**PALME**	PAROI	PÊCHÉ	PÉRIF	PIÉTÉ
OURCQ	PALMÉ	PAROS	PEDZÉ	PÉRIL	PIEUX
OURDI	**PALOS**	**PÁROS**	PÈGRE	**PERIM**	PIÈZE
OURGA	PALOT	**PARRY**	**PÉGUY**	PÉRIR	PIFÉE
OURLÉ	PÂLOT	PARSI	PEINE	PERLE	PIFER
OURSE	PALOX	PARTI	PEINÉ	PERLÉ	PIFFÉ
OURSE	PALPE	**PASAY**	PEINT	PER OS	PIGÉE
OUSTE	PALPÉ	**PASCH**	PÉKAN	**PERÓN**	PIGER
OUTIL	PALUD	PASSE	PÉKET	PÉROU	PIGNE
OUTRE	PÂMÉE	PASSÉ	PÉKIN	**PÉROU**	**PIGOU**
OUTRÉ	PÂMER	**PASSY**	**PÉKIN**		PILAF
OUVRÉ		**PASTO**			PILAT

PILAW	PLEIN	**POOLE**	PRIVÉ	QUÊTÉ	**RAMON**
PILÉE	PLEUR	**POONA**	PROBE	QUEUE	RAMPE
PILER	PLIÉE	**POOPÓ**	PROIE	QUEUX	RAMPÉ
PILET	PLIER	**POPOV**	PROLO	QUICK	**RAMUS**
PILLÉ	**PLINE**	POQUÉ	**PROME**	QUIET	**RAMUZ**
PILON	PLION	PORNO	PROMO	QUINE	RANCE
PILON	**PLOCK**	**PÔROS**	PROMU	**QUINE**	**RANCE**
PILOT	PLOMB	PORTE	PRÔNE	QUINÉ	**RANCÉ**
PILOU	PLOUC	**PORTE**	PRÔNÉ	**QUINN**	RANCH
PILUM	PLOUF	PORTÉ	**PRONY**	QUIPO	RANCI
PINAY	PLOUK	PORTO	PROSE	QUIPU	RANGÉ
PINCE	PLOYÉ	**PORTO**	**PROST**	**QUITO**	**RANKE**
PINCÉ	PLUIE	**POSDR**	PROTE	QUOTA	**RANST**
PINDE	PLUME	POSÉE	PROUE	RABAB	**RAOUL**
PINEL	PLUMÉ	POSER	**PROUT**	**RABAH**	RAOUT
PINNE	POCHE	POSTE	PRUDE	RABAN	RÂPÉE
PINOT	POCHÉ	POSTÉ	PRUNE	RABAT	RÂPER
PINTE	POÊLE	POTÉE	PSITT	**RABAT**	RAPHÉ
PINTÉ	POÊLÉ	**POTEZ**	**PSKOV**	RABBI	RAPIN
PINTO	POÈME	POTIN	PSOAS	**RABIN**	**RAQQA**
PIN-UP	POÈTE	**POTON**	PTÔSE	RABOT	RAQUÉ
PIPÉE	**POGGE**	POTTO	PUANT	**RACAN**	RASÉE
PIPER	POGNE	POTUE	PUBIS	RACÉE	RASER
PIPIT	**POHER**	POUAH	PUCHE	RACER	**RASHI**
PIQUE	POIDS	POUCE	**PUGET**	RACHI	RASHS
PIQUÉ	POILÉ	POULE	PUÎNÉ	**RACHI**	RASTA
PIRAE	POILU	POULS	PUISE	**RACHT**	RATÉE
PIRON	POING	**POUND**	PUITS	RACLE	RATEL
PISAN	POINT	**POUNT**	**PULCI**	RACLÉ	RATER
PISAN	**POINT**	POUPE	**PULLY**	RADAR	RATIO
PISON	POIRE	**POWYS**	PULPE	RADÉE	RATON
PISSE	POIRÉ	**POYET**	PULSÉ	RADER	RATTE
PISSÉ	POISE	**POZZO**	PUNCH	RADIÉ	**RAUMA**
PISTE	POKER	**PRADO**	PUNIE	RADIN	RAVAL
PISTÉ	POLAR	**PRAIA**	PUNIR	RADIO	**RAVEL**
PITCH	POLIE	PRAME	PURÉE	RADIS	RAVIE
PITIÉ	POLIO	**PRATO**	PURGE	**RADOM**	RAVIN
PITON	POLIR	**PRATS**	PURGÉ	RADON	RAVIR
PITOT	POLJÉ	**PRATT**	PURIN	RAFLE	**RAWLS**
PITRE	POLKA	PRÉAU	PUROT	RAFLÉ	RAYÉE
PITTI	**POMAK**	PRÈLE	**PURUS**	RAGER	RAYER
PIURA	POMME	PRÊLE	**PUSAN**	RAGOT	**RAYOL**
PIVOT	POMMÉ	PRÉPA	**PUSEY**	RAGUÉ	RAYON
PIXEL	POMPE	PRÊTE	PUTTÉ	RAIDE	**READE**
PIZZA	POMPÉ	PRÊTÉ	PUTTI	RAIDI	RÉAGI
PLACE	PONCE	**PRETI**	PUTTO	**RAIMU**	REAIS
PLACÉ	**PONCE**	PREUX	**PYDNA**	RAINÉ	RÉALE
PLAGE	PONCÉ	PRÉVU	**PYLOS**	RAIRE	RÉANT
PLAID	PONDU	**PRIAM**	PYREX	RAJAH	RÉAUX
PLAIE	PONEY	PRIÉE	QANUN	RÂLER	REBAB
PLAIN	**PONGE**	PRIER	**QATAR**	**RAMAN**	REBEC
PLANE	PONGÉ	PRIME	QIBLA	RAMAS	**REBEL**
PLANÉ	**PONOT**	PRIMÉ	QUAND	RAMÉE	REBOT
PLANT	PONTE	PRIMO	QUARK	RAMER	REBUE
PLATA	PONTÉ	PRION	QUART	RAMIE	RÉBUS
PLATE		PRISE	QUASI		REBUT
PLÈBE	**PONTI**	PRISÉ	QUÊTE		RECEL

RECÈS	RENTÉ	RISER	ROSAT	RUMBA	**SALIN**
RECEZ	REPAS	**RITAL**	ROSÉE	RUMEN	SALIR
RÊCHE	RÉPIT	RIVAL	ROSER	RUMEX	SALLE
RECHT	REPLI	**RIVAS**	**ROSES**	RUOLZ	**SALLÉ**
RÉCIF	REPLU	RIVÉE	ROSIE	RUPÉE	SALON
RÉCIT	REPOS	RIVER	ROSIR	RUPER	SALOP
RÉCRÉ	REPUE	**RIVES**	**ROSNY**	RUPIN	SALPE
RECRU	RESTE	RIVET	ROSSE	RURAL	SALSA
RECRÛ	RESTÉ	**RIVET**	ROSSÉ	RUSÉE	**SALTA**
RECTA	RESTO	**RIVNE**	**ROSSI**	RUSER	SALTO
RECTO	RÉTIF	**RIYAD**	**ROSSO**	RUSHS	**SALTO**
REÇUE	RÉTRO	RIYAL	RÖSTI	**RUSKA**	SALUÉ
RECUL	RÉUNI	**RIZAL**	ROTER	RUSSE	SALUT
REÇUS	**REUSS**	**ROACH**	RÔTIE	**RUSSE**	SALUT
REDAN	**REVAL**	ROBÉE	ROTIN	**RÜTLI**	SALVE
RÉDIE	RÊVÉE	ROBER	RÔTIR	**SAADI**	**SAMAR**
REDIT	**REVEL**	ROBIN	ROTOR	**SAALE**	SAMBA
REDON	RÊVER	**ROBIN**	**ROTSÉ**	**SAAME**	SAMBO
REDOX	**REVIN**	ROBOT	ROUAN	**SABAH**	**SAMER**
REDUE	REVUE	**ROCHA**	**ROUCH**	**SABIN**	**SAMET**
RÉÉLU	**REYES**	ROCHE	ROUÉE	SABIR	SAMIT
REFUS	**RHARB**	ROCHÉ	**ROUEN**	SABLE	SAMMY
RÉGAL	**RHEIN**	ROCOU	ROUER	SABLÉ	**SAMOA**
REGEL	**RHINE**	RODÉE	ROUET	**SABLÉ**	**SAMOS**
REGER	**RHÔNE**	RODÉO	ROUGE	SABOT	**SANAA**
RÉGIE	RHUMB	RODER	**ROUGÉ**	SABRA	**SANCI**
RÉGIR	RHUME	RÔDER	ROUGH	SABRE	**SANCY**
RÈGLE	RHUMÉ	**RODEZ**	ROUGI	SABRÉ	**SANEM**
RÉGLÉ	**RHUYS**	**RODIN**	ROUIE	**SACCO**	SANIE
RÉGLO	**RIANS**	**ROGER**	ROUIR	**SACHS**	SANTÉ
RÈGNE	RIANT	ROGNE	ROULÉ	SACRE	SANVE
RÉGNÉ	RIBAT	ROGNÉ	ROUMI	SACRÉ	SANZA
REGUR	**RIBOT**	ROGUE	ROUND	**SACRÉ**	SAOLA
REICH	**RICCI**	ROGUÉ	ROUTE	**SAGAN**	**SAÔNE**
REIMS	RICHE	**ROHAN**	ROUTÉ	**SAGAR**	SAOUL
REINE	RICIN	ROIDE	**ROVNO**	SAGOU	SAPÉE
REISZ	RIDÉE	ROIDI	ROYAL	SAHEL	SAPER
REJET	RIDER	**ROJAS**	**ROYAN**	SAHIB	**SAPHO**
RELAX	**RIEGO**	**ROLIN**	**ROYAT**	**SAÏAN**	SAPIN
RELIÉ	**RIETI**	**ROLLE**	**ROYEN**	**SAÏDA**	**SAPIR**
RELUE	RIEUR	ROMAN	**ROZAY**	SAÏGA	SAQUÉ
RELUI	RIFFE	**ROMÉO**	RUADE	SAINE	**SARAH**
REMIS	RIFLE	**RÖMER**	RUANT	SAINT	**SARAN**
RÉMIZ	**RIGHI**	ROMPU	RUBAN	**SAINS**	SARDE
REMUE	**RILEY**	RONCE	**RUBEN**	SAINT	**SARDE**
REMUÉ	**RILKE**	**RONCQ**	RUBIS	SAISI	SAROD
REMUS	RIMÉE	RONDE	RUCHE	SAÏTE	SAROS
RÉNAL	RIMER	RONDO	RUCHÉ	SAJOU	**SARRE**
RENAN	RINCÉ	RONÉO	**RUEFF**	**SAKAI**	**SARTO**
RENDU	RIOJA	RONGÉ	**RUEIL**	**SAKHA**	SASSÉ
RENÉE	**RIOJA**	RÔNIN	RUGBY	**SALAM**	**SATAN**
RENIÉ	**RIONI**	**RONSE**	**RUGBY**	**SALAN**	**SATIE**
RENNE	RIOTÉ	ROQUE	**RÜGEN**	SALÉE	SATIN
RENOM	RIPÉE	ROQUÉ	RUGIR	**SALEM**	SAUCE
RENON	RIPER	**RØROS**	RUINE	SALER	SAUCÉ
RENOU	RIPOU	**RORTY**	RUINÉ	SALIE	SAUGE
RENTE	RISÉE	**ROSAS**	**RUITZ**	SALIN	SAULE

SAUNA	SEING	**SEVAN**	SIRLI	SONAL	**STACE**
SAUNÉ	**SEITA**	SÉVIR	SIROP	SONAR	STADE
SAURA	SEIZE	SEVRÉ	SISAL	SONDE	**STAËL**
SAURÉ	**SÉJAN**	SEXTE	**SISSI**	SONDE	STAFF
SAUTE	**SELIM**	SEXTO	SITAR	SONDÉ	STAGE
SAUTÉ	SELLE	SEXUÉ	SIT-IN	SONGE	**STAHL**
SAUVE	SELLÉ	SÉZIG	SITÔT	SONGÉ	STAMM
SAUVÉ	SELON	**SHABA**	SITUÉ	SONIE	STAND
SAUVY	**SELTZ**	SHAKO	**SIVAS**	SONNÉ	**STANS**
SAVON	SELVA	SHANA	SIXTE	**SOPOT**	**STARK**
SAVOY	SELVE	**SHAPE**	**SIXTE**	SORBE	**START**
SAXON	**SELYE**	**SHAWN**	SKATE	**SOREL**	STASE
SAXON	SEMÉE	SHELF	SKEET	**SORIA**	**STASI**
SAYDA	**SEMEÏ**	SHÉOL	SKIER	SORTE	STEAK
SAYON	SEMER	**SHEPP**	SKIFF	SORTI	**STEEN**
SBIRE	SEMIS	**SHIJI**	SKONS	SOSIE	**STEIN**
SCAËR	**SEMOY**	**SHIVA**	SKUNS	**SOSIE**	STÈLE
SCALA	**SEMPÉ**	**SHOAH**	SLANG	SOTHO	STEMM
SCALP	**SEMUR**	**SHONA**	SLASH	**SOTHO**	STÉNO
SCARE	**SÉNAN**	SHOOT	SLAVE	SOTIE	STÈRE
SCEAU	SÉNAT	SHORT	**SLAVE**	SOTTE	STÉRÉ
SCÉEN	SENAU	**SHUAR**	SLICE	SOUCI	**STERN**
SCÈNE	**SENNA**	SHUNT	SLICÉ	SOUDE	**STEYR**
SCÈVE	SENNE	**SIBIU**	SLOOP	SOUDÉ	STICK
SCIÉE	**SENNE**	SICAV	SMALA	SOUFI	**STIJL**
SCIER	SENSÉ	**SICIÉ**	SMALT	**SOUGE**	STIPE
SCION	SENTE	SICLE	SMART	**SOULE**	STOCK
SCOLA	SENTI	**SIDON**	SMASH	SOÛLE	**STONE**
SCOOP	SEOIR	SIÈGE	**SMITH**	SOÛLÉ	**STOPH**
SCOPE	**SÉOUL**	SIÉGÉ	SMOLT	**SOULT**	STORE
SCORE	SÉPIA	SIEUR	SMURF	**SOUMY**	**STORM**
SCOTS	SÉRAC	**SIGER**	**SMUTS**	SOUPE	**STOSS**
SCOTT	SERBE	SIGLE	SNACK	SOUPÉ	STOUT
SCOUT	**SERBE**	SIGLÉ	SNIFF	SOURD	STRAS
SCRUB	**SERCQ**	SIGMA	SNOBÉ	SOURI	STRIE
SDECE	**SERER**	SIGNE	SOBRE	SOUTE	STRIÉ
SÉANT	SERGE	SIGNÉ	**SOCIN**	**SPAAK**	STUKA
SEAUX	**SERGE**	SILER	SOCLE	SPAHI	STUPA
SEBHA	SERGÉ	SILEX	**SODDY**	SPART	**STURE**
SEBOU	SÉRIE	**SILLÉ**	SODÉE	SPATH	STYLE
SÉBUM	SÉRIÉ	**SILOÉ**	SŒUR	**SPEER**	STYLÉ
SECAM	SERIN	**SIMLA**	**SOFIA**	**SPEKE**	STYLO
SECCO	SERPE	**SIMON**	**SOHAG**	SPÉOS	SUAGE
SÈCHE	SERRA	**SINAÏ**	**SOISY**	SPIRE	SUANT
SÉCHÉ	SERRE	**SINAN**	SOLDE	**SPIRE**	SUAVE
SECTE	**SERRE**	SINGE	SOLDÉ	SPITZ	SUBER
SEDAN	SERRÉ	SINGÉ	SOLEN	**SPITZ**	SUBIE
SEDUM	SERTE	SINOC	SOLEX	**SPLIT**	SUBIR
SÉGOU	SERTI	SINON	SOLIN	SPORE	SUBIT
SEGRÈ	SÉRUM	**SINOP**	**SOLIN**	SPORT	SUCÉE
SEGRÉ	SERVE	SINUÉ	**SOLON**	SPRAT	SUCER
SÈGRE	SERVI	SINUS	**SOLOW**	SPRAY	SUÇON
SÉGUR	SETAR	SIOUX	**SOLTI**	**SPREE**	SUCRE
SÉIDE	**SÉTIF**	**SIOUX**	SOMES	SPRUE	**SUCRE**
SEIME	SÉTON	**SIRET**	SOMME	SQUAT	SUCRÉ
SEINE	SEUIL	SIREX	**SOMME**	SQUAW	SUDRA
SEINE	SEULE	**SIREY**	SOMMÉ	**STAAL**	SUÈDE

SUÈDE	TABLA	TANTE	TCHAO	**THAON**	TISSU
SUÉDÉ	TABLE	TAPAS	TCHIN	**THARU**	**TISZA**
SUESS	TABLÉ	TAPÉE	**TEGAL**	THÈME	TITAN
SUEUR	TABOR	TAPER	**TÉGÉE**	**THÉON**	**TITAN**
SUFFI	**TABOR**	TAPIE	TEINT	THÈSE	TITRE
SUGER	TABOU	TAPIN	TÉLEX	THÊTA	TITRÉ
SUIDÉ	TACCA	TAPIR	TELLE	**THEUX**	**TITUS**
SUINT	TACET	TAPIS	**TELLO**	**THIÈS**	**TIVAS**
SUITA	TACHE	TAPON	**TEMIN**	**THILL**	TMÈSE
SUITE	TACHÉ	TAQUE	**TEMNE**	THIOL	TOAST
SUIVI	TÂCHE	TAQUÉ	TEMPE	**THIRY**	**TOBEY**
SUJET	TÂCHÉ	TARAF	TEMPO	**THIZY**	**TOBIE**
SULKY	TACLE	**TARDE**	TEMPS	**THORA**	**TOBIN**
SULLA	TACLÉ	TARDÉ	**TENCE**	**THUIN**	**TOBOL**
SULLY	TACON	**TARDI**	**TENDE**	**THUIR**	TOILE
SULUK	TACOT	TARÉE	TENDU	**THULÉ**	TOISE
SUMAC	**TAEGU**	TARER	TENGE	THUNE	TOISÉ
SUMBA	TAFFE	TARET	TÉNIA	THUYA	TOKAÏ
SUMEN	TAFIA	TARGE	TENIR	TIARE	TOKAJ
SUMER	**TAFNA**	TARIE	TENON	TIARÉ	**TOKAJ**
SUNNA	TAGAL	TARIF	TÉNOR	**TIBET**	TOKAY
SUN ZI	**TAGAL**	**TARIM**	TÊNOS	TIBIA	**TOKAY**
SUPER	TAGME	TARIN	TENTE	**TIBRE**	**TOKYO**
SUPIN	TAGUÉ	TARIR	TENTÉ	**TIBUR**	TOLAR
SUPRA	**TAI'AN**	TAROT	TENUE	**TIECK**	TÔLÉE
SURAH	TAÏGA	TARSE	TÉNUE	TIÈDE	TOLET
SURAL	TAIJI	TARTE	**TEPIC**	TIÉDI	TOLLÉ
SURAT	**TAINE**	TARTI	TEPUI	**TIELT**	TOMAN
SURET	TAIRE	**TARTU**	TERME	TIERS	**TOMAR**
SURFÉ	**TAIZÉ**	TASSE	TERNE	TIFFE	TOMBE
SURGI	**TAIZZ**	**TASSE**	TERNI	TIGRE	TOMBÉ
SURIN	**TAKIS**	TASSÉ	**TERNI**	**TIGRE**	TOMME
SURIR	**TALCA**	TATAR	TERRE	TIGRÉ	TOMMY
SUROS	TALÉE	**TATAR**	TERRÉ	**TIGRÉ**	**TOMSK**
SURYA	TALER	TÂTÉE	TERRI	**TIKAL**	TONAL
SU SHI	TALET	TÂTER	TESLA	**TIKAR**	TONDU
SUSHI	TALLE	TATOU	**TESLA**	TILDE	TONER
SUTRA	TALLÉ	**TATRY**	TESTÉ	TILLE	**TONGA**
SUWON	**TALMA**	**TATUM**	TÉTÉE	TILLÉ	TONKA
SVEND	TALON	**TAUBE**	TÉTER	**TILLY**	TONNE
SVEVO	**TALON**	TAUDE	TÉTIN	TIMON	TONNÉ
SWAPO	TALUS	TAULE	TÉTON	**TIMOR**	TONTE
SWAZI	TAMIA	**TAULÉ**	TÊTUE	**TÍNOS**	TONUS
SWAZI	TAMIL	TAUON	**TETUN**	TINTÉ	TOPER
SWIFT	**TAMIL**	TAUPE	TEXAN	**TINTO**	**TOPOR**
SWING	TAMIS	TAUPÉ	**TEXAN**	TIPÉE	TOQUE
SYLLA	**TAMPA**	**TAUPO**	**TEXAS**	TIPER	TOQUÉ
SYLVE	TANCÉ	TAURE	**TEXEL**	TIPPÉ	**TORAH**
SYMPA	**TANGA**	TAVEL	TEXTE	TIQUE	**TORCY**
SYNGE	TANGO	**TAVOY**	TEXTO	TIQUÉ	TORDU
SYRAH	TANIN	TAXÉE	TÉZIG	**TIRAN**	TORÉÉ
SYRIE	**TANIS**	TAXER	THAÏE	TIRÉE	**TOREZ**
SYROS	**TANIT**	TAXIE	**THAÏS**	TIRER	**TORGA**
SYRTE	TANKA	TAXOL	**THANA**	TIRET	TORII
SZASZ	TANNE	TAXON	THANE	**TIRSO**	TORIL
TABAC	TANNÉ	TAXUM	**THANN**	TISON	**TORNE**
TABÈS	**TANTA**	**TCHAD**	**THANT**	TISSÉ	TORON

TORSE	TROUÉ	UNITÉ	VANTÉ	VERNE	VINÉE
TORTU	TRUCK	**UNKEI**	VAPES	**VERNE**	VINER
TORUN	TRUIE	UNTEL	VAQUÉ	VERNI	**VINET**
TORVE	TRUST	**UPOLU**	VARAN	VERRE	VINGT
TORYS	TSUBA	URATE	**VARDA**	VERSE	**VINOY**
TOSSÉ	TUANT	**URAWA**	**VARGA**	VERSÉ	VIOLE
TOTAL	TUBÉE	**URGEL**	VARIA	VERSO	VIOLÉ
TOTEM	TUBER	URGER	VARIÉ	VERTE	VIRAL
TOTON	**TUDOR**	URINE	**VARIN**	**VERTS**	VIRÉE
TOUAT	**TU DUC**	URINÉ	**VARNA**	VERTU	VIRER
TOUCY	TUEUR	URUBU	VARON	**VERUS**	**VIRET**
TOUÉE	TUILE	USAGE	VARUS	VERVE	VIRIL
TOUER	TUILÉ	USAGÉ	**VARUS**	VESCE	VIRUS
TOULA	TULLE	USANT	VARVE	**VESLE**	**VISBY**
TOURD	**TULLE**	USINE	VASTE	VESOU	VISÉE
TOURÉ	**TULSA**	USINÉ	**VATAN**	VESPA	VISER
TOURS	TUNER	USITÉ	**VATEL**	VESSE	VISON
TOUTE	**TUNIS**	USNÉE	**VAULX**	VESSÉ	VISSÉ
TOUVA	TUQUE	**USSEL**	**VAZOV**	**VESTA**	VITAL
TRACE	TÜRBE	**USTER**	VEAUX	VESTE	**VITAL**
TRACÉ	TURBO	USUEL	VÉCÉS	VÊTIR	**VITEZ**
TRACT	TURIN	USURE	VÉCUE	VÊTUE	**VITIM**
TRACY	**TURKS**	UTILE	**VEDEL**	VEULE	VITRE
TRAHI	**TURKU**	UVALE	**VEHME**	VEUVE	VITRÉ
TRAIL	TURNE	UVAUX	**VÉIES**	**VEVEY**	**VITRÉ**
TRAIN	**TUTSI**	UVULA	VEINE	VEXÉE	**VITRY**
TRAIT	TUTTI	UVULE	VEINÉ	VEXER	**VITTE**
TRAKL	TUYAU	**UXMAL**	VÉLAR	VEXIN	VIVAT
TRAME	**TUZLA**	UZBEK	**VELAY**	**VEYNE**	VIVRE
TRAMÉ	**TWAIN**	UZBEK	VÊLER	**VEYRE**	VIZIR
TRAMP	TWEED	VAASA	VÉLIE	**VIALA**	**VLORA**
TRAPU	**TWEED**	VACHE	VÉLIN	**VIAUR**	**VLORË**
TRÉMA	TWIST	**VADUZ**	VELOT	**VICAT**	VOCAL
TREND	**TYARD**	VAGAL	VELUE	VICHY	VODKA
TRENT	**TYLER**	VAGIN	VÉLUM	**VICHY**	**VŒUX**
TRETS	**TYLOR**	VAGIR	VELUX	VICIÉ	VOGUE
TRÈVE	TYPÉE	VAGUE	VÉNAL	**VIDAL**	VOGUÉ
TRIAL	TYPER	VAGUÉ	**VENCE**	VIDÉE	**VOGÜE**
TRIAS	TYPON	VAINE	VENDA	VIDÉO	VOICI
TRIBU	TYRAN	VAIRÉ	VENDU	VIDER	VOILÀ
TRIÉE	**TYROL**	**VALDO**	VENET	**VIDOR**	VOILE
TRIEL	**TZARA**	**VALÉE**	VENGÉ	VIEIL	VOILÉ
TRIER	**UBAYE**	VALET	VENIN	VIÈLE	VOIRE
TRIMÉ	**UCCLE**	VALGA	VENIR	**VIÈTE**	VOISÉ
TRINE	**UDINE**	**VALLA**	**VENLO**	VIEUX	VOLÉE
TRIOL	**UGINE**	**VALMY**	VENTE	VIGIE	VOLER
TRIPE	UHLAN	VALSE	VENTÉ	VIGIL	VOLET
TRITH	**UHURU**	VALSÉ	VENUE	VIGNE	**VOLGA**
TRNKA	UKASE	VALUE	**VÉNUS**	**VIGNY**	VOLIS
TROIE	ULÉMA	VALVE	VERBE	**VILAR**	**VÓLOS**
TROIS	**ULSAN**	VALVÉ	**VERDI**	VILLA	**VOLTA**
TROLL	ULTRA	VAMPÉ	**VERGA**	VILLA	VOLTE
TROMP	ULULÉ	VANDA	VERGE	VILLE	VOLTÉ
TRONC	UNAUS	**VANEL**	VERGÉ	**VIMEU**	VOLVE
TRÔNE	UNAUX	**VANES**	VÉRIN	**VINAY**	VOMER
TRÔNÉ	UNION	VANNE		**VINCI**	VOMIE
TROPE	**UNITA**	VANNÉ			VOMIR

VOTÉE	**WARIN**	**WOLFE**	**YAHVÉ**	**YVAIN**	**ZÉNON**
VOTER	**WARTA**	**WOLFF**	**YALTA**	ZABRE	ZEPTO-
VOTIF	**WASSY**	**WOLIN**	**YAN'AN**	**ZADAR**	ZESTE
VOTRE	**WAUGH**	WOLOF	**YAREN**	**ZADEK**	ZESTÉ
VÔTRE	**WAVRE**	**WOLOF**	YASSA	**ZADIG**	ZETTA-
VOUÉE	**WAYNE**	**WOOLF**	**YEATS**	**ZAHLÉ**	**ZHU DA**
VOUER	**WEALD**	**WORMS**	YÈBLE	ZAÏRE	**ZHU DE**
VOUET	WEBER	**WORTH**	**YÉMEN**	**ZAÏRE**	**ZHU XI**
VOUGE	**WEBER**	**WOTAN**	**YENNE**	ŽAMAK	**ZIBAN**
VOULU	**WEILL**	**WUHAN**	YEUSE	ZAMIA	ZIGUE
VOÛTE	**WEIPA**	**WUNDT**	**YIBIN**	**ZANDÉ**	ZIPPÉ
VOÛTÉ	**WEISS**	**WURTZ**	YOCTO-	ZANNI	**ZIZKA**
VOVES	**WELLS**	**WYLER**	YODLÉ	**ZANTE**	ZLOTY
VOYER	**WESER**	**XANTE**	**YONNE**	ZANZI	**ZOHAR**
VOYOU	WHARF	XÉNON	**YORCK**	ZAPPÉ	**ZOMBA**
VRACA	WHIST	**XERES**	YOTTA-	**ZARIA**	ZOMBI
VRAIE	**WHITE**	XÉRÈS	**YOUNG**	**ZARQA**	ZONAL
VRIES	**WHORF**	XÉRUS	YOUPI	**ZAZOU**	ZONÉE
VROOM	**WIDAL**	**XHOSA**	**YPORT**	**ZAZZO**	ZONER
VROUM	**WIDOR**	**XHOSA**	**YPRES**	ZÈBRE	ZOOMÉ
VULGO	**WIENE**	XIANG	**YSAYE**	ZÉBRÉ	**ZORRO**
VULVE	**WIGHT**	**XINGU**	YUCCA	ZÉINE	**ZULIA**
WAGON	**WILDE**	**XINJI**	**YUKON**	**ZEIST**	**ZWEIG**
WAJDA	**WILES**	**XINYU**	**YUMEN**	ZÉLÉE	
WALES	**WILTZ**	XIPHO	**YU'PIT**	**ZELEV**	
WALSH	WINCH	XYSTE	**YUROK**	**ZEMAN**	
WANZE	**WITTE**	YACHT	**YUSTE**	**ZEMST**	

6

	ABDÈRE	ABRUTI	ACCRUE	**ACTÉON**
	ABÉCHÉ	ABSENT	ACCULÉ	ACTEUR
	ABÊTIE	ABSIDE	ACCUSÉ	ACTION
	ABÊTIR	ABSOLU	ACERBE	**ACTIUM**
	ABÎMÉE	ABSOUS	ACÉRÉE	ACTIVE
	ABÎMER	ABUSÉE	ACÉRER	ACTIVÉ
	ABJECT	ABUSER	ACÉTAL	ACTUEL
	ABJURÉ	ABUSIF	**ACHAÏE**	ACUITÉ
	ABKHAZ	ABUSUS	**ACHARD**	ADAGIO
	ABLIER	**ABWEHR**	**ACHÈBE**	**ADAMOV**
	ABOLIE	**ABYDOS**	ACHÉEN	ADAPTÉ
	ABOLIR	ABYSSE	**ACHÉEN**	ADDUIT
AACHEN	**ABOMEY**	ABZYME	ACHETÉ	**ADÉLIE**
AALTER	ABONDÉ	ACABIT	ACHÈTE	**ADENET**
AARGAU	ABONNÉ	ACACIA	ACHEVÉ	ADEPTE
AARHUS	ABONNI	**ACADIE**	ACIÉRÉ	ADHÉRÉ
ABADAN	ABORDÉ	ACAJOU	ACINUS	ADIEUX
ABAKAN	ABOULÉ	**ACARIE**	ACONIT	**ADJARS**
ABAQUE	ABOUTÉ	ACCÉDÉ	**AÇORES**	ADJUGÉ
ABATÉE	ABOUTI	ACCENT	À-CÔTÉS	ADJURÉ
ABATIS	ABOYER	ACCOLÉ	À-COUPS	ADMIRÉ
ABATTU	ABRASÉ	ACCORD	ACQUÊT	ADMISE
ABBADO	ABRÉGÉ	ACCORE	ACQUIS	**ADONAÏ**
ABBATE	ABRITÉ	ACCORT	ACQUIT	ADONIS
ABBAYE	ABROGÉ	ACCOTÉ	ÂCRETÉ	**ADONIS**
ABCÉDÉ	ABRUPT	ACCROC	ACTANT	ADONNÉ

ADOPTÉ	AGITÉE	**AKTOBE**	**ALIDES**	AMASIS
ADORÉE	AGITER	**ALADIN**	ALIÉNÉ	AMASSÉ
ADORER	AGNATE	**ALAINS**	ALIGNÉ	**AMAURI**
ADORNO	AGNEAU	ALAIRE	ALIGOT	**AMAURY**
ADOSSÉ	AGNELÉ	ALAISE	ALINÉA	**AMBATO**
ADOUBÉ	AGONIE	ALAISÈ	ALISMA	**AMBERT**
ADOUCI	AGONIR	**ALARIC**	ALISME	AMBIGU
ADRETS	**AGOULT**	ALARME	ALITÉE	AMBLER
ADRIEN	AGOUTI	ALARMÉ	ALITER	AMBRÉE
ADROIT	AGRAFE	**AL-ASAD**	ALKYLE	AMBRER
ADULÉE	AGRAFÉ	**ALASKA**	**ALLAIS**	**AMÉDÉE**
ADULER	**ÁGREDA**	**ALBANE**	ALLANT	AMENDE
ADULIS	AGRÉÉE	**ALBANS**	ALLÈGE	AMENDÉ
ADULTE	AGRÉER	**ALBANY**	ALLÉGÉ	AMENÉE
ADVENU	AGRÉGÉ	ALBÉDO	ALLÈLE	AMENER
ADYGUÉ	AGRILE	**ALBENS**	ALLÈNE	AMERLO
AÉRAGE	AGRION	**ALBERS**	ALLEUX	AMERRI
AÉRANT	AGRUME	**ALBERT**	ALLIÉE	AMEUTÉ
AÉRIEN	AGUETS	**ALBION**	ALLIER	**AMHARA**
AÉTITE	AHANER	ALBITE	**ALLIER**	AMICAL
AETIUS	**AHIDJO**	**ALBOÏN**	ALLOTI	AMIDON
AFFADI	AHURIE	**ÅLBORG**	ALLOUÉ	**AMIENS**
AFFALÉ	AHURIR	**ALBRET**	ALLUMÉ	À MI-FER
AFFAMÉ	AICHÉE	ALBUGO	ALLURE	AMIGNE
AFFECT	AICHER	ALCADE	ALLURÉ	**AMILLY**
AFFÉTÉ	AIDANT	ALCALI	ALLYLE	AMIMIE
AFFIDÉ	AÏEULE	ALCANE	**ALMATY**	AMINCI
AFFILÉ	AIGLON	ALCÈNE	**ALMELO**	AMINÉE
AFFINE	**AIGLON**	**ALCIAT**	**ALMERE**	AMIRAL
AFFINÉ	**AIGNAN**	ALCOOL	**ALONSO**	AMITIÉ
AFFINS	AIGRIE	ALCÔVE	ALOYAU	AMNIOS
AFFIXE	AIGRIR	**ALCUIN**	ALPAGA	AMOCHÉ
AFFIXÉ	**AIHOLE**	ALCYNE	ALPAGE	AMODIÉ
AFFLUÉ	AÏKIDO	ALCYON	**ALPHÉE**	AMOLLI
AFFLUX	AILIER	ALDINE	ALPINE	AMORAL
AFFOLÉ	AILLÉE	ALDOSE	**ALRÉEN**	AMORCE
AFFRES	AILLER	**ALDRIN**	ALSACE	AMORCÉ
AFFÛTÉ	AIMANT	**ALEMÁN**	**ALSACE**	AMORTI
AFGHAN	**AÏNOUS**	À L'ENVI	**ALSAMA**	AMPÈRE
AFGHAN	AIRAIN	**ALÉRIA**	ALTÉRÉ	**AMPÈRE**
AFIN DE	AIRANT	ALERTE	ALTIER	AMPUTÉ
AFL-CIO	AIR BAG	ALERTÉ	ALTISE	AMURÉE
AFOCAL	**AIRBUS**	ALÉSÉE	**ALTMAN**	AMURER
À-FONDS	**AIROIS**	ALÉSER	ALUNÉE	AMUSÉE
AGACÉE	**AIROLO**	**ALÉSIA**	ALUNER	AMUSER
AGACER	AIXOIS	**ALESSI**	ALUNIR	AMUSIE
AGADEZ	**AIXOIS**	ALEVIN	**ALVEAR**	ANABAR
AGADIR	**AJANTA**	**ALEVIS**	ALYSSE	**ANADYR**
AGAMIE	AJISTE	ALEXIE	AMADOU	**ANAGNI**
AGARIC	AJOURÉ	**ALEXIS**	**AMADOU**	ANANAS
AGASSE	AJOUTE	ALEZAN	**AMAGER**	ANCIEN
AGATHE	AJOUTÉ	ALÉZÉE	**AMALFI**	**ANCÔNE**
AGENCE	AJUSTÉ	**ALFÖLD**	AMANDE	ANCRÉE
AGENCÉ	**AKASHI**	**ALFRED**	AMANTE	ANCRER
AGENDA	**AKMOLA**	**ALFVÉN**	AMARIL	ANDAIN
AGENDÉ	**AKSOUM**	ALGIDE	AMARRE	**ANDERS**
AGIDES	**AKTAOU**	ALGINE	AMARRÉ	**ANDHRA**

ANDINE	**ANUBIS**	ARABLE	**ARMAGH**	ASPECT
ANDINE	ANURIE	ARACÉE	**ARMAND**	ASPIRÉ
ANDRIA	**ANVERS**	**ARADOS**	ARMANT	ASSAGI
ANDRIC	**ANYANG**	**ARAFAT**	ARMURE	ASSAUT
ANDROS	**ANZÈRE**	**ARAGON**	**ARNAGE**	ASSEAU
ANDUZE	**AOMORI**	ARAIRE	**ARNAUD**	ASSENÉ
ANÉMIE	**AOUITA**	**ARAKAN**	**ARNAUT**	ASSÉNÉ
ANÉMIÉ	AOÛTAT	ARALIA	**ARNHEM**	ASSIDU
ÂNERIE	AOÛTÉE	ARAMON	ARNICA	ASSISE
ÂNESSE	APACHE	**ARAMON**	**ARNOBE**	**ASSISE**
ANGARA	**APACHE**	**ARANDA**	**ARNOLD**	ASSOLÉ
ANGÈLE	APAISÉ	**ARARAT**	**ARNOUL**	**ASSOUR**
ANGERS	**APAMÉE**	ARASÉE	**ARNULF**	ASSUMÉ
ANGINE	APARTÉ	ARASER	AROBAS	ASSURÉ
ANGKOR	À PEINE	**ARAVIS**	ARONDE	ASTATE
ANGLES	**APELLE**	**ARAWAK**	**AROUET**	ASTHME
ANGLET	APERÇU	**ARBOIS**	ARPÈGE	ASTRAL
ANGLET	APEURÉ	ARBORÉ	ARPÉGÉ	**ASTRÉE**
ANGLOY	APHIDÉ	ARCADE	ARPENT	**ASTRID**
ANGOLA	APHONE	ARCANE	ARPÈTE	ASTUCE
ANGORA	À PIBLE	**ARCAND**	ARPION	ATAXIE
ANHALT	APICAL	ARCEAU	ARQUÉE	**ATBARA**
ANHÉLÉ	APIQUÉ	ARCHER	ARQUER	**ATHÉNA**
ANIANE	APLANI	**ARCHES**	**ARQUES**	ATONAL
ANICHE	APLATI	ARCHET	ARRÊTÉ	ATONIE
ÂNIÈRE	À-PLATS	**ARCOLE**	ARRHES	ATOURS
ANIMAL	APLITE	ARCURE	**ARRIEN**	ATRIAU
ANIMÉE	APLOMB	ARDENT	ARRIMÉ	ATRIUM
ANIMER	APOGÉE	ARDEUR	ARRISÉ	ATROCE
ANISÉE	**APOLLO**	ARDITI	ARRIVÉ	ATTELÉ
ANISER	APORIE	**ARDRES**	ARROGÉ	ATTIFÉ
ANKARA	APOSTÉ	**ARÉARÉ**	ARROSÉ	ATTIGÉ
ANNABA	APÔTRE	**ARENDT**	ARROYO	**ATTILA**
ANNALE	APPARU	ARÉOLE	**ARROYO**	ATTIRÉ
ANNATE	APPÂTÉ	**ARÉTIN**	ARSINE	ATTISÉ
ANNAUX	APPEAU	**AREZZO**	**ARTAUD**	**ATTLEE**
ANNEAU	APPELÉ	**ARGENS**	ARTÈRE	**ATURIN**
ANNECY	APPERT	ARGENT	**ARTHUR**	**ATWOOD**
ANNELÉ	**APPERT**	ARGIEN	**ARTOIS**	ATYPIE
ANNEXE	**APPIEN**	**ARGIEN**	ARVALE	AUBADE
ANNEXÉ	APPORT	ARGILE	ARVINE	AUBAIN
ANNONE	APPOSÉ	**ARGOUN**	**ARYENS**	AUBÈRE
ANNOTÉ	APPRÊT	ARGUÉE	ASCÈSE	AUBIER
ANNUEL	APPRIS	ARGUER	ASCÈTE	**AUBOIS**
ANNULÉ	APPUYÉ	**ARGYLL**	ASCITE	**AUBRAC**
ANOBIE	ÂPRETÉ	**ARIANE**	**ASCYEN**	AUBURN
ANOBLI	APSARA	**ARIÈGE**	ASELLE	**AUCHEL**
ANODIN	APSIDE	ARILLE	ASEXUÉ	AUCUBA
ANOMAL	APTÈRE	ARIOSO	**ASHDOD**	AUCUNE
ANOMIE	**APTOIS**	ARISÉE	**ASHOKA**	AUDACE
ÂNONNÉ	**APULÉE**	ARISER	ASHRAM	AU-DELÀ
ANORAK	**APULIE**	ARKOSE	**ASHTON**	AUDITÉ
ANOURE	APURÉE	**ARLANC**	**ASHVIN**	**AUDOIS**
ANOXIE	APURER	**ARLAND**	ASIAGO	**AUDRAN**
ANSHAN	AQUEUX	**ARLEUX**	ASIATE	**AUGIAS**
ANTALL	**AQUINO**	ARMADA	**ASIMOV**	**AUGIER**
ANTONY	**ARABIE**	**ARMADA**	**ASMARA**	AUGURE

AUGURÉ	AVISER	BAGUIO	BANANE	BARRER
AULNAT	AVIVÉE	**BAGUIO**	BANAUX	**BARRÈS**
AULNAY	AVIVER	BAIGNÉ	BANCAL	**BARRIE**
AULNOY	AVOCAT	**BAÏKAL**	BANCHE	BARRIR
AUMALE	AVOINE	**BAILÉN**	BANCHÉ	BARROT
AUMÔNE	**AVOINE**	BAILLE	BANDÉE	**BARROT**
AUNAIE	AVORTÉ	BAILLÉ	BANDER	**BARROW**
AUNAIS	AVOUÉE	BÂILLÉ	BANDIT	**BARSAC**
AUNEAU	AVOUER	BAILLI	**BANDOL**	**BARTAS**
AUPRÈS	AXIALE	**BAILLY**	**BANGKA**	**BARTÓK**
AUQUEL	AXIAUX	**BAILYN**	**BANGUI**	**BARTON**
AUREUS	AXIOME	BAÏRAM	BANIAN	**BARUCH**
AURIGE	AYE-AYE	BAISÉE	**BANJAR**	BARYON
AURIOL	AYMARA	BAISER	**BANJUL**	BARYTE
AURORE	**AYMARA**	BAISSE	BANNIE	BARYUM
AUSONE	AZALÉE	BAISSÉ	BANNIR	BARZOÏ
AUSTEN	AZÉRIE	BAJOUE	BANQUE	BASALE
AUSTIN	**AZÉRIE**	**BAKONY**	BANQUÉ	BASANE
AUTANT	**AZÉRIS**	**BAKUBA**	BANTOU	BASANÉ
AUTEUR	AZIMUT	BAKUFU	**BANTOU**	BASANT
AUTOUR	AZOLLA	BALADE	BAOBAB	BASAUX
AUTRUI	AZONAL	BALADÉ	**BAO DAI**	BASIDE
AUVENT	**AZORÍN**	BALAIS	**BAOTOU**	**BASILE**
AUVERS	AZOTÉE	BALANE	**BAOULÉ**	BASKET
AUXINE	**AZUELA**	BALANT	BAQUET	BAS-MÂT
AUXOIS	AZURÉE	**BALARD**	BARAKA	BASQUE
AUZOUT	AZURER	BALAYÉ	**BÁRÁNY**	**BASQUE**
AVACHI	AZYGOS	**BALBEK**	BARBÉE	**BASSÆ**
AVALÉE	**BABEUF**	BALBOA	BARBER	BASSET
AVALER	BABINE	**BALBOA**	**BARBÈS**	BASSIN
AVALIN	**BABITS**	BALCON	BARBET	BASSON
AVALON	BABOLÉ	**BALDER**	BARBON	**BASSOV**
AVANCE	BÂBORD	BALÈZE	BARBUE	BASTER
AVANCÉ	**BACALL**	**BALINT**	BARDÉE	**BASTIA**
AVANIE	BÂCHÉE	**BALIOL**	BARDER	**BASTIÉ**
AVARIE	BÂCHER	BALISE	BARDIS	BASTON
AVARIÉ	BACHOT	BALISÉ	BARDOT	BASTOS
AVATAR	BÂCLÉE	**BALKAN**	**BARDOT**	BÂTANT
AVEDON	BÂCLER	**BALKAR**	BARÈME	BÂTARD
AVEIRO	**BADAMI**	BALLER	BARÉTÉ	BATAVE
AVENIR	BADAUD	BALLET	BARJOT	**BATAVE**
AVENUE	**BAD EMS**	**BALLIN**	**BARKLA**	BATEAU
AVÉRÉE	BADGER	BALLON	**BARLIN**	**BATÉKÉ**
AVÉRER	BADINE	BALLOT	**BARLOW**	**BATMAN**
AVERSE	BADINÉ	**BALMAT**	BARMAN	**BATOUM**
À VERSE	**BADOIS**	**BALMER**	**BARNES**	BATTRE
AVERTI	**BAEYER**	BÂLOIS	BARNET	BATTUE
AVESTA	**BAFFIN**	**BÂLOIS**	**BARNUM**	**BAT YAM**
AVEULI	BAFFLE	**BALTES**	**BARODA**	**BAUCIS**
AVILÉS	BAFOUÉ	**BALUBA**	**BAROJA**	BAUDET
AVILIE	BÂFRÉE	**BALZAC**	BAROLO	**BAUDIN**
AVILIR	BÂFRER	**BAMAKO**	BAROUD	**BAUDOT**
AVINÉE	BAGAGE	BAMBIN	BAROUF	**BAUGES**
AVINER	**BAGDAD**	BAMBOU	BARQUE	**BAUSCH**
AVIOTH	BAGOUT	**BAMOUM**	**BARRAS**	BAVANT
AVIRON	BAGUÉE	**BANACH**	BARRÉE	BAVARD
AVISÉE	BAGUER	BANALE	BARREN	BAVEUX

BAVOIR **BELIZE** BEURRÉ **BINCHE** BLAVET
BAVURE **BELLAC** **BEXIEN** BINEUR BLAZER
BAYAMO **BELLAY** **BEYNES** **BINGER** BLÈCHE
BAYANT **BELLEY** **BEZNAU** BINIOU **BLÉGNY**
BAYARD BELLOT **BEZONS** **BINNIG** BLÊMIR
BAYERN **BELLOW** **BÉZOUT** BINÔME BLENDE
BAYEUX BELOTE **BHARAT** BINTJE BLÉSER
BAYRAM BÉLUGA **BHOPAL** BIPALE BLESSÉ
BAYRUT **BELZEC** **BHUTTO** BIPANT BLETSE
BAZARD **BEN ALI** **BIACHE** BIP-BIP BLETTE
BEAGLE BÉNARD **BIAFRA** BIPÈDE BLETTI
BEAGLE **BENDER** BIAISE BIPIED BLEUET
BEAMON BENDIR **BIAISÉ** BIPLAN BLEUIE
BÉANCE **BENDOR** **BIALIK** BIQUET BLEUIR
BÉANTE **BENGBU** **BIBANS** BIRÈME BLEUTÉ
BEATTY BÉNITE BIBINE BIRIBI BLIAUD
BEAUCE **BENOIT** BICEPS BIRMAN BLIAUT
BEAUNE BENOÎT **BICHAT** **BIRMAN** BLINDÉ
BEAUTÉ **BENOÎT** BICHER BISANT **BLIXEN**
BEAUTÉ **BENONI** BICHOF BISEAU BLOCUS
BÉBÊTE **BÉNOUÉ** BICHON BISHOP BLONDE
BE-BOPS BENZOL **BIDART** **BISKRA** BLONDI
BÉCANE **BÉOTIE** **BIDPAI** BISQUE BLOQUÉ
BÉCARD **BÉQUÉE** BIDULE BISQUÉ BLOTTI
BÉCAUD BÉQUET **BIELLA** **BISSAU** BLOUSE
BÉCHAR **BERAIN** BIELLE BISSÉE BLOUSÉ
BÊCHÉE BERCÉE **BIELYÏ** BISSEL BLUFFÉ
BÊCHER BERCER **BIENNE** BISSER BLUTÉE
BECHET **BERGEN** **BIERUT** BISTRE BLUTER
BECKER BERGER BIÈVRE BISTRÉ BOBARD
BECKET BERGER BIFACE BISTRO **BOBBIO**
BÉCOTÉ **BÉRING** BIFFÉE **BITCHE** BOBINE
BECQUE **BERLIN** BIFFER **BITOLA** BOBINÉ
BECTÉE BERLUE BIFFIN **BITOLJ** BOCAGE
BECTER **BERNAY** BIFIDE BITORD BOCARD
BÉDANE BERNÉE BIGAME BITTER BOCAUX
BÉDARD BERNER BIGLÉE BITUME **BOCHUM**
BEDAUX **BERNIN** BIGLER BITUMÉ **BOCUSE**
BEDEAU **BERNIS** BIGOTE BITURE **BODLEY**
BÉDIER **BÉROUL** **BIHZAD** BITURÉ **BODMER**
BÉGARD **BERTHA** BIJOUX BIZUTÉ **BODONI**
BÉGARD BERTHE BIKINI BIZUTH **BOEING**
BÉGAYÉ **BERTHE** **BIKINI** BLA-BLA **BOÉLAN**
BÈGLES **BERTIN** BILAME BLAGUE **BOÉTIE**
BÉGUIN BESACE BILANT BLAGUÉ BOETTE
BEHAIM BESANT **BILBAO** BLAIRÉ **BOFILL**
BEHZAD BESOIN BILEUX **BLAKEY** BOGART
BEIGNE **BESSEL** BILLÉE BLÂMÉE **BOGDAN**
BEÏRAM **BESSIN** BILLER BLÂMER BOGGIE
BÉJAÏA BESSON BILLET **BLANCO** BOGHEI
BÉJART **BESSON** **BILLOM** **BLANGY** **BOGOTÁ**
BEL-AMI BÉTAIL BILLON **BLANZY** BOGUET
BÊLANT BÊTISE BILLOT BLASÉE **BOHAIN**
BELATE **BETTON** BILOBÉ BLASER BOHÈME
BÉLIAL BÉTYLE BIMANE **BLASIS** BOHÊME
BÉLIER BEUGLÉ BINAGE BLASON **BOHÊME**
BÉLIER BEURRE BINANT BLATTE BOILLE

BOILLY	**BOSNIE**	BOURSE	**BRAZZA**	**BROOKS**
BOISÉE	BOSSÉE	BOUSIN	BREBIS	**BROONS**
BOISER	BOSSER	**BOUSSU**	**BRÉCEY**	BROSSE
BOITER	BOSSUE	BOUTÉE	BRÈCHE	**BROSSE**
BOITON	BOSSUÉ	BOUTER	**BRECHT**	BROSSÉ
BOITTE	BOSTON	BOUTON	BREGMA	BROUET
BO JUYI	**BOSTON**	BOUTRE	**BRÉHAL**	BROUTÉ
BOLBEC	**BOTNIE**	BOUVET	**BRÉHAT**	**BROWNE**
BOLDUC	BOTTÉE	**BOUVET**	BRELAN	BROYAT
BOLÉRO	BOTTER	**BOVARY**	**BRENNE**	BROYÉE
BOLIDE	BOTTIN	BOVIDÉ	BRÉSIL	BROYER
BOLIER	**BOTTIN**	BOVINE	**BRÉSIL**	BRUANT
BOLLÉE	**BOUAKÉ**	BOVINÉ	**BRESLE**	**BRUANT**
BOLTON	**BOUAYE**	**BOVOIS**	**BRESSE**	BRUCHE
BOLYAI	**BOUBKA**	**BOWLBY**	BRETON	**BRÜCKE**
BOMBAY	BOUBOU	BOXANT	**BRETON**	**BRUGES**
BOMBÉE	BOUCAN	**BOXERS**	BRETTE	**BRUGGE**
BOMBER	BOUCAU	BOXEUR	**BREUER**	BRUINE
BOMBYX	BOUCHE	**BOYACÁ**	**BREUIL**	BRUINÉ
BONALD	BOUCHÉ	BOYARD	BREVET	BRUIRE
BONBON	BOUCLE	BOYAUX	**BRIAND**	BRUITÉ
BONDÉE	BOUCLÉ	BRADÉE	BRIARD	BRÛLÉE
BONDIR	BOUCOT	BRADEL	**BRIARD**	BRÛLER
BONDON	BOUDÉE	BRADER	**BRIARE**	BRÛLIS
BONITE	BOUDER	**BRAHMA**	BRIDÉE	BRÛLON
BONNAT	BOUDIN	BRAHMI	BRIDER	BRÛLOT
BONNET	**BOUDIN**	**BRAHMS**	**BRIDES**	BRUNCH
BONNET	**BOUDON**	BRAIES	BRIDGE	**BRUNEI**
BONNOT	BOUÉLÉ	**BRAILA**	BRIDGÉ	**BRUNEL**
BONSAÏ	BOUEUR	**BRAINE**	BRIDON	**BRUNER**
BOOMER	BOUEUX	BRAIRE	BRIEFÉ	BRUNET
BORAIN	BOUFFE	BRAISE	**BRIENZ**	BRUNIE
BORAIN	BOUFFÉ	BRAISÉ	**BRIÈRE**	BRUNIR
BORANE	BOUFFI	**BRAMAH**	BRIFFÉ	**BRUNON**
BORATE	BOUGÉE	BRAMER	**BRIGHT**	**BRUNOT**
BORATÉ	BOUGER	BRANDE	BRIGUE	**BRUNOY**
BORDÉE	BOUGIE	BRANDI	BRIGUÉ	BRUTAL
BORDEL	**BOUGIE**	**BRANDO**	**BRIGUE**	**BRUTUS**
BORDER	BOUGON	**BRANDT**	BRILLÉ	BRYONE
BORDES	**BOUGON**	BRANDY	BRIMÉE	**BUACHE**
BORDET	BOUGRE	BRANLE	BRIMER	BUBALE
BORÉAL	BOUKHA	BRANLÉ	BRINGÉ	BUCCAL
BORGES	**BOULAY**	**BRANLY**	BRIQUE	BUCCIN
BORGIA	BOULER	BRANTE	BRIQUÉ	BÛCHÉE
BORGNE	BOULET	BRAQUE	BRISÉE	BÛCHER
BORINE	**BOULEZ**	**BRAQUE**	BRISER	**BUCHEZ**
BORKOU	BOULIN	BRAQUÉ	BRISIS	**BUCOIS**
BORMES	**BOULLE**	BRASÉE	BROCHE	BUDGET
BORNÉE	BOULON	BRASER	BROCHÉ	BUFFET
BORNEM	BOULOT	**BRASIL**	BRODÉE	**BUFFET**
BORNÉO	BOUMER	**BRASOV**	BRODER	BUFFLE
BORNER	**BOUNTY**	BRASSE	BROKER	**BUFFON**
BORNES	BOURBE	BRASSÉ	BROMÉE	**BUKAVU**
BORNOU	BOURDE	**BRATSK**	BRONCA	BÜLACH
BORORO	BOURRE	**BRAULT**	**BRONTË**	BULLÉE
BORURE	BOURRÉ	BRAVÉE	BRONZE	BULLER
BOSCOT	BOURRU	BRAVER	BRONZÉ	BUNKER

BUNSEN	CABRER	CALETÉ	**CANDIE**	CARÊME
BUÑUEL	CACABÉ	CALFAT	CANDIR	**CARÊME**
BUNYAN	**CACHAN**	CALICE	CANGUE	CARÈNE
BUREAU	CACHÉE	CALIFE	CANIDÉ	CARÉNÉ
BUREAU	CACHER	CÂLINE	CANIER	CARGUE
BURELÉ	CACHET	CÂLINÉ	**CANIFF**	CARGUÉ
BURÈLE	**CACHIN**	**CALLAC**	CANINE	CARIBE
BURGAS	CACHOT	**CALLAO**	CANNÉE	CARIÉE
BURGAU	CACHOU	**CALLAS**	CANNER	CARIER
BURGER	**CACIEN**	**CALLOT**	**CANNES**	CARLIN
BÜRGER	CACTÉE	CALMAR	CANOPE	**CARLIT**
BURGOS	CACTUS	CALMÉE	CANOTÉ	**CARLOS**
BURINÉ	CADDIE	CALMER	**CANOVA**	**CARMEL**
BURLAT	Caddie	CALMIR	CANTAL	**CARMEN**
BURRUS	CADEAU	CALQUE	**CANTAL**	**CARMET**
BURTON	CADÈNE	CALQUÉ	CANTER	CARMIN
BUSANT	**CADMÉE**	CALTER	**CAN THO**	**CARNAC**
BUSARD	CADMIÉ	CALUGÉ	CANTON	**CARNAP**
BUSONI	**CADMOS**	**CALVIN**	**CANTON**	CARNAU
BUSQUÉ	CADRAN	CAMAIL	**CANTOR**	CARNÉE
BUTANE	CADRAT	CAMANT	CANTRE	CARNET
BUTANT	CADRÉE	**CÂMARA**	CANULE	**CARNOT**
BUTÈNE	CADRER	CAMARD	CANULÉ	CAROMS
BUTEUR	CÆCAL	**CAMBAY**	CANUSE	**CARONÍ**
BUTINÉ	CÆCUM	CAMBÉE	CANYON	CARRÉE
BUTLER	CAFARD	CAMBER	**CAO CAO**	**CARREL**
BUTOIR	CAFTAN	**CAMBON**	CAPANT	CARRER
BUTOME	CAFTÉE	**CAMBRE**	**CAPCIR**	CARRON
BUTTÉE	CAFTER	CAMBRÉ	CAPÉER	**CARROS**
BUTTER	CAGEOT	CAMÉRA	CAPELÉ	**CARROZ**
BUTUAN	CAGIBI	CAMION	CAPEYÉ	**CARSON**
BUTYLE	**CAGNES**	**CAMÕES**	CAPITE	**CARTAN**
BUTZER	CAGOTE	**CAMPAN**	**CAPLET**	CARTÉE
BUVANT	CAHIER	CAMPÉE	CAPOTE	CARTEL
BUVARD	CAHORS	CAMPER	**CAPOTE**	CARTER
BUVEUR	**CAHORS**	**CAMPIN**	CAPOTÉ	**CARTER**
BUXOIS	CAHOTÉ	CAMPOS	**CAPOUE**	CARTON
BUYSSE	CAHUTE	**CAMPOS**	CAPRIN	**CARUSO**
BUZUKI	**CAICOS**	**CAMPRA**	CAPTÉE	**CARVIN**
BYBLOS	CAÏEUX	CAMPUS	CAPTER	CARYER
BYE-BYE	CAILLE	CAMUSE	CAPTIF	**CASALS**
BYLINE	CAILLÉ	**CANAAN**	CAQUÉE	CASANT
BY-PASS	CAÏMAN	CANADA	CAQUER	CASBAH
BYSSUS	**CAÏPHE**	**CANADA**	CAQUET	CASHER
CABALE	CAÏQUE	**CANALA**	CARABE	CASIER
CABALÉ	CAISSE	CANANT	CARACO	CASING
CABANE	CAITYA	CANAPÉ	CARAFE	CASINO
CABANÉ	CAJOLÉ	CANARD	CARBET	CASOAR
CABIAI	**CAJUNS**	CANARI	CARCAN	CASQUE
CABINE	CALAGE	CANAUX	CARDAN	CASQUÉ
CÂBLÉE	**CALAIS**	CANCAN	**CARDAN**	CASSÉE
CÂBLER	CALAME	CANCER	CARDÉE	**CASSEL**
CÂBLÉS	CALANT	**CANCER**	CARDER	CASSER
CÂBLOT	CALCIF	CANCHE	CARDIA	CASSIE
CABOTÉ	CALCIN	CANCRE	**CARDIN**	**CASSIN**
CABRAL	CALCUL	**CANCÚN**	CARDON	CASSIS
CABRÉE	**CALDER**	CANDIE		**CASSIS**

CASSOU	**CELTES**	CHAISE	CHÈCHE	CHIQUÉ
CASTEL	CÉMENT	CHALET	CHEIKH	**CHIRAC**
CASTEX	CENDRE	CHÂLIT	CHEIRE	CHIRAL
CASTOR	CENDRÉ	**CHALON**	CHELEM	**CHIRAZ**
CASTOR	CENSÉE	**CHÂLUS**	**CHÉLIF**	**CHIRON**
CASTRA	CENTRE	CHALUT	CHEMIN	CHITON
CASTRÉ	CENTRÉ	CHAMAN	**CHENAB**	CHIURE
CASTRO	CENTRÉ	**CHAMIL**	CHENAL	**CHIUSI**
CASUEL	CÉNURE	**CHAMPA**	CHENET	CHLEUH
CATANE	CÉPAGE	CHAMPI	CHENIL	**CHLEUH**
CATCHÉ	CÉRAME	CHANCE	CHENIT	CHLORE
CATGUT	CERCLE	CHANCI	CHENUE	CHLORÉ
CATION	CERCLÉ	CHANEL	**CHÉOPS**	CHNOUF
CAUCHY	CERDAN	CHANGE	CHÈQUE	CHOANE
CAUCUS	**CERDAN**	CHANGÉ	**CHÉRET**	**CHŒUR**
CAUDAL	CERISE	CHANNE	CHÉRIE	CHOISI
CAUDAN	CÉRIUM	CHANTÉ	CHÉRIF	**CHOISY**
CAUDÉE	CERMET	**CHANZY**	CHÉRIR	**CHOKWE**
CAUDRY	**CERNAY**	**CHAPEL**	CHÉROT	**CHOLET**
CAURES	CERNÉE	CHAPKA	CHERRY	**CHO LON**
CAURIS	CERNER	CHAPON	CHERTÉ	CHÔMÉE
CAUSAL	CERQUE	**CHAPPE**	CHÉTIF	CHÔMER
CAUSÉE	CERTES	CHAQUE	CHEVAL	**CHONJU**
CAUSER	CÉRUSE	**CHARÈS**	**CHEVAL**	**CHO OYU**
CAUSSE	CÉRUSÉ	CHARGE	CHEVET	CHOPÉE
CAVAFY	**CERVIN**	CHARGÉ	CHEVEU	CHOPER
CAVAGE	**CESENA**	CHARIA	CHEVRÉ	**CHOPIN**
CAVALE	CÉSIUM	**CHARLY**	CHÈVRE	CHOQUÉ
CAVALÉ	CESSÉE	CHARME	CHIADÉ	CHORAL
CAVANT	CESSER	CHARMÉ	CHIALÉ	CHORDE
CAVEAU	**CESSON**	CHARNU	CHIANT	CHORDÉ
CAVELL	**CESTAS**	**CHARNY**	CHIARD	CHORÉE
CAVIAR	CÉSURE	**CHARON**	**CHIAYI**	**CHORTI**
CAVITÉ	CÉTACÉ	CHARRE	CHICHE	CHORUS
CAVOUR	CÉTANE	CHARTE	CHICHI	CHOTTE
CAYEUX	CÉTEAU	CHASSE	CHICLE	CHOUAN
CAYEUX	CÉTÈNE	CHASSÉ	CHICLÉ	CHOUIA
CAYLEY	CÉTONE	CHÂSSE	CHICON	CHOURÉ
CAYLUS	CÉTOSE	CHASTE	CHICOT	CHOUTE
CAYMAN	CEUX-CI	**CHÂTEL**	**CHIETI**	CHOYÉE
CAYROL	CEUX-LÀ	CHÂTIÉ	CHIFFE	CHOYER
CAZAUX	**CEYLAN**	CHATON	CHIITE	CHRÊME
CÉBIDÉ	**CFE-CGC**	**CHATOU**	**CHILDE**	CHRIST
CÉCILE	CHABLÉ	CHÂTRÉ	**CHILOÉ**	**CHRIST**
CÉCITÉ	CHÂBLE	CHATTE	CHILOM	CHROME
CÉDANT	CHABOT	CHAUDE	**CHIMAY**	CHROMÉ
CÉDRAT	**CHABOT**	CHAULÉ	CHIMIE	CHROMO
CÉDRON	CHACAL	CHAUME	CHINDÉ	CHRONO
CÉDULE	CHACUN	CHAUMÉ	CHINÉE	CH'TIMI
CEFALU	**CHADLI**	**CHAUNU**	CHINER	**CHURCH**
CEINTE	**CHAGNY**	**CHAUNY**	**CHINJU**	CHUTER
CELANO	**CHAGOS**	CHAUVE	**CHINON**	**CHYPRE**
CELANT	**CHAHIN**	CHAVAL	CHINTZ	CIBLÉE
CELAYA	CHAHUT	**CHAVÉE**	CHIPÉE	CIBLER
CÉLERI	CHAÎNE	**CHAZAL**	CHIPER	CICLÉE
CÉLINE	CHAÎNÉ	CHEBEC	CHIPIE	CICLER
CELLES	CHAIRE	CHEBEK	CHIQUE	CIERGE

CIGALE	CLAUSE	CODAGE	CONDOR	CORDON
CIGARE	CLAVÉE	CODANT	**CONDOR**	CORÉEN
CILAOS	CLAVER	CODEUR	CONFER	**CORÉEN**
CILICE	CLAYON	**COECKE**	CONFIÉ	**CORFOU**
CILIÉE	CLÉDAR	COFFRE	CONFIT	CORNAC
CILLER	**CLÈRES**	COFFRÉ	CONFUS	CORNÉE
CILLER	CLERGÉ	COGÉRÉ	CONGAÏ	CORNER
CIMENT	**CLÈVES**	COGITÉ	**CONGAR**	**CORNER**
CIMIER	CLICHÉ	COGITO	CONGRE	CORNET
CINCLE	**CLICHY**	COGNAC	CONGRU	CORNUE
CINÉMA	CLIENT	COGNAT	**CONNES**	COROZO
CINÈSE	CLIGNÉ	COGNÉE	CONNUE	CORPUS
CINGLÉ	CLIMAT	COGNER	CONQUE	CORRAL
CINTRE	CLIMAX	**COGNIN**	**CONRAD**	CORSÉE
CINTRÉ	CLIQUE	COIFFE	CONSOL	CORSER
CIOMPI	CLIQUÉ	COIFFÉ	CONSUL	CORSET
CIORAN	CLISSE	COINCÉ	CONTÉE	CORTES
CIPAYE	CLISSÉ	**COIRON**	CONTER	**CORTÉS**
CIRAGE	CLIVÉE	COÏTER	**CONTES**	CORTEX
CIRANT	CLIVER	COLÈRE	CONTRA	CORTON
CIREUR	CLOCHE	COLÉUS	CONTRE	**CORTOT**
CIREUX	CLOCHÉ	COLITE	CONTRÉ	CORVÉE
CIRIER	CLONÉE	COLLÉE	CONTUS	**CORVIN**
CIRQUE	CLONER	COLLER	CONVIÉ	CORYZA
CIRRHE	CLONIE	COLLET	CONVOI	COSIES
CIRRUS	CLONUS	COLLEY	COOKIE	**COSIMO**
CISEAU	**CLOOTS**	**COLMAR**	COOLIE	COSMOS
CISELÉ	CLOPET	COLOBE	**COOPER**	COSSER
CISKEI	CLOQUE	**COLOMB**	COOPTÉ	COSSUE
CISTRE	CLOQUÉ	COLORÉ	COPAHU	COSSUS
CITANT	CLOUÉE	COMBAT	COPAIN	COSTAL
CITRON	CLOUER	**COMBES**	COPEAU	COSTAR
CITRUS	**CLOUET**	COMBLE	**COPEAU**	**COSTES**
CIVAUX	CLOUTÉ	COMBLÉ	COPIÉE	COTANT
CIVILE	**CLOVIS**	COMÈTE	COPIER	COTEAU
CIVRAY	**CLOYES**	COMICE	COPINE	CÔTELÉ
CIXOUS	**CLUSES**	COMICS	COPINÉ	COTEUR
CLABOT	**CNUCED**	COMITÉ	COPING	COTICE
CLAIRE	COACHS	COMMIS	COPION	CÔTIER
CLAIRE	COASSÉ	COMMUÉ	**COPPÉE**	COTISÉ
CLAMÉE	COBÆA	COMMUN	**COPPET**	**CÔTOIS**
CLAMER	COBALT	COMPAS	COPRAH	CÔTOYÉ
CLAMSÉ	COBAYE	COMPIL	COPRIN	**COTTON**
CLANDÉ	**COBDEN**	COMPLU	**COPTES**	COTYLE
CLAPET	COCCYX	COMPTE	COPULE	COUARD
CLAPIR	COCHÉE	COMPTÉ	COPULÉ	COUCHE
CLAPPÉ	CÔCHÉE	COMPUT	COQUET	COUCHÉ
CLAQUE	COCHER	COMTAL	COQUIN	COUCOU
CLAQUÉ	CÔCHER	**COMTAT**	CORAIL	COUDÉE
CLARÍN	COCHET	CONARD	**CORAIL**	COUDER
CLARKE	**COCHET**	CONCIS	CORAUX	COUDRE
CLAROS	**COCHIN**	CONCLU	**CORBAS**	COUINÉ
CLARTÉ	COCHON	CONÇUE	**CORBIE**	COULÉE
CLASHS	COCKER	**CÔN DAO**	**CORDAY**	COULER
CLASSE	COCOLÉ	CONDOM	CORDÉE	COULIS
CLASSÉ	COCOTÉ	**CONDOM**	CORDER	COULPE
CLAUDE	**COCYTE**		**CORDES**	COUPÉE

COUPER	CRAWLÉ	CROLLÉ	CURSUS	DAMNÉE
COUPER	CRAYON	**CRONOS**	**CURTIZ**	DAMNER
COUPLE	CRÉANT	CROQUÉ	CURULE	DAMPER
COUPLÉ	CRÈCHE	CROSNE	**CURZON**	**DA NANG**
COUPON	CRÉCHÉ	CROSSE	**CUSSET**	DANDIN
COUQUE	CRÉDIT	CROSSÉ	CUSTOM	DANGER
COURBE	CRÉMÉE	CROTON	CUTANÉ	**DANIEL**
COURBÉ	CRÉMER	CROTTE	CUTINE	**DANJON**
COURÉE	CRÉMÉS	CROTTÉ	CUTTER	DANOIS
COURGE	**CRENEY**	CROULE	CUVAGE	**DANOIS**
COURIR	**CRENNE**	CROULÉ	CUVANT	**DANONE**
COUROS	CRÉNOM	CROUPE	CUVELÉ	DANSÉE
COURRE	CRÉOLE	CROUPI	CUVIER	DANSER
COURSE	CRÊPÉE	CROÛTE	**CUVIER**	D'ANTAN
COURSÉ	CRÊPER	CROÛTÉ	CYANEA	**DANTON**
COURTE	CRÉPIE	**CROZET**	CYANÉE	DANUBE
COURUE	**CRÉPIN**	**CROZON**	**CYBÈLE**	DANZIG
COUSIN	CRÉPIR	CRUCHE	CYNIPS	DAPHNÉ
COUSIN	CRÉPON	CRURAL	CYPRÈS	**DAPHNÉ**
COUSUE	CRÉPUE	CRYPTE	CYPRIN	D'APRÈS
COÛTÉE	**CRÉQUI**	CRYPTÉ	CYPRIS	**DAQING**
COÛTER	**CRÉQUY**	CUADRO	**CYRANO**	**DAQUIN**
COUTIL	CRÉSOL	**CUANZA**	**CYRÈNE**	DARDÉE
COUTRE	**CRESPI**	CUBAGE	CYTISE	DARDER
COUVÉE	CRÉSUS	CUBAIN	**CZERNY**	**DARIEN**
COUVER	**CRÉSUS**	**CUBAIN**	DA CAPO	**DARIÉN**
COUVIN	CRÉSYL	CUBANT	**DACHAU**	**DARIOS**
COWARD	CRÊTÉE	CUBÈBE	**DACIER**	**DARIUS**
COW-BOY	CRÉTIN	**CÚCUTA**	Dacron	**DARLAN**
COWLEY	CREUSE	**CUELLO**	DADAIS	DARTRE
COWPER	**CREUSE**	**CUENCA**	DADANT	**DARWIN**
COWPER	CREUSÉ	**CUÉNOT**	**DADDAH**	DASEIN
COW-POX	CREVÉE	CUESTA	DAGUET	DATAGE
COXALE	**CREVEL**	**CUEVAS**	DAHLIA	DATANT
COXAUX	CREVER	**CUGNOT**	DAIGNÉ	DATCHA
COYOTE	CRIANT	**CUIABÁ**	DAÏMIO	DATEUR
COYPEL	CRIARD	CUI-CUI	DAIMYO	DATION
CRABBE	CRIBLE	CUISSE	**DAIREN**	DATIVE
CRABOT	CRIBLÉ	CUITÉE	**DAISNE**	**DATONG**
CRACHÉ	CRICRI	CUITER	**DAKOTA**	DATURA
CRACRA	CRIEUR	CUIVRE	**DALASI**	DAUBÉE
CRADOT	**CRIMÉE**	CUIVRÉ	DALEAU	DAUBER
CRAINT	**CRIPPS**	CULANT	**DALIAN**	**DAUDET**
CRAMBE	CRIQUE	CULARD	**DALILA**	**DAUMAL**
CRAMÉE	CRISPÉ	**CUMANÁ**	**DALLAS**	**DAUNOU**
CRAMER	**CRISPI**	**CUMONT**	DALLÉE	**DAURAT**
CRAMER	CRISSÉ	CUMULÉ	DALLER	**DAUTRY**
CRAMPE	CROATE	**CUNAXA**	**DALLOZ**	DAVIER
CRÂNER	**CROATE**	CUPIDE	**DALTON**	**DAVIES**
CRANKO	CROBAR	CUPULE	**DALUIS**	**DAVOUT**
CRANTÉ	CROCHE	CURAGE	**D'ALZON**	**DAWSON**
CRAQUE	CROCHÉ	CURANT	DAMAGE	**DAYTON**
CRAQUÉ	CROCHU	CURARE	DAMANT	DEALÉE
CRASHÉ	CROCUS	CURETÉ	**DAMASE**	DEALER
CRASHS	CROIRE	CURIAL	**DAMIEN**	DÉBÂTÉ
CRASSE	CROISÉ	CURIUM	DAMIER	DÉBÂTI
CRATON	CROLLE	CURSIF	**DAMMAM**	DÉBILE

DÉBINE	DÉFIÉE	DENIER	DESTIN	DIFFUS
DÉBINÉ	DÉFIER	DÉNIER	DÉSUET	DIGÉRÉ
DÉBITÉ	DÉFILÉ	DÉNOTÉ	DÉSUNI	DIGEST
DÉBLAI	DÉFINI	DÉNOUÉ	DÉTAIL	DIGITÉ
DEBORA	DÉFUNT	DÉNOYÉ	DÉTALÉ	**DIGOIN**
DEBORD	DÉGAGÉ	DENRÉE	DÉTAXE	DIKTAT
DÉBORD	DÉGAZÉ	DENTAL	DÉTAXÉ	DILATÉ
DEBOUT	**DE GEER**	DENTÉE	DÉTELÉ	**DILLON**
DEBREU	DÉGELÉ	DÉNUDÉ	DÉTENU	DILUÉE
DÉBRIS	DÉGLUÉ	DÉNUÉE	DÉTONÉ	DILUER
DÉBUTÉ	DÉGOTÉ	DÉNUER	DÉTORS	DIMÈRE
DÉCADE	DÉGOÛT	**DENVER**	DÉTOUR	**DINANT**
DÉCALÉ	DÉGRAS	DÉPARÉ	**DE TROY**	DÎNANT
DÉCAPÉ	DÉGRÉÉ	DÉPART	DEUSIO	**DINARD**
DÉCATI	DÉHALÉ	DÉPAVÉ	DEUTON	DINDON
DECAUX	DEHORS	DÉPECÉ	DEUZIO	DÎNEUR
DÉCAVÉ	DÉIFIÉ	DÉPENS	DÉVALÉ	DINGHY
DECCAN	**DEINZE**	DÉPÉRI	DEVANT	DINGUE
DÉCÉDÉ	DÉISME	DÉPILÉ	**DEVAUX**	DINGUÉ
DÉCELÉ	DÉISTE	DÉPITÉ	DEVENU	DIODON
DÉCENT	DÉJÀ-VU	DÉPLIÉ	DÉVERS	DIOIJE
DÉCHET	DÉJETÉ	DÉPOLI	DÉVÊTU	DIONÉE
DÉCHUE	DÉJOUÉ	DÉPORT	DÉVIDÉ	DIOULA
DÉCIDÉ	DÉJUGÉ	DÉPOSE	DÉVIÉE	**DIOULA**
DÉCIDU	DE JURE	DÉPOSÉ	DÉVIER	DIPÔLE
DÉCILE	**DEKKAN**	DÉPOTÉ	DEVINE	DIRCOM
DÉCIME	**DEKKER**	DÉPRIS	DÉVIRÉ	DIRECT
DÉCIMÉ	DÉLACÉ	DEPUIS	DEVISE	DIRHAM
DECIUS	**DELAGE**	DÉPURÉ	DEVISÉ	DIRIGÉ
DECIZE	DÉLAVÉ	DÉPUTÉ	DE VISU	DISAIT
DÉCLIC	DÉLAYÉ	DÉRAGÉ	DEVOIR	DISCAL
DÉCLIN	DÉLICE	**DERAIN**	DÉVOLU	DISERT
DÉCLOS	DÉLIÉE	DÉRAMÉ	DÉVORÉ	DISEUR
DÉCODÉ	DÉLIER	DÉRAPÉ	DÉVOTE	**DISNEY**
DÉCORÉ	DÉLIRE	DÉRATÉ	DÉVOUÉ	DISPOS
DÉCOTE	DÉLIRÉ	DÉRAYÉ	DÉVOYÉ	**DISPUR**
DECOUX	DÉLITÉ	DÉRÉEL	DEXTRE	DISQUE
DÉCRET	**DELLER**	DÉRIDÉ	**DEZFUL**	DIURNE
DÉCRIÉ	**DELLUC**	DÉRIVE	DHARMA	**DIVAIS**
DÉCRIT	DÉLOGÉ	DÉRIVÉ	**DHORME**	DIVEHI
DÉCRUE	**DELORS**	DÉROBÉ	**DHÔTEL**	DIVERS
DÉCUVÉ	DÉLUGE	DÉROGÉ	**DHULIA**	DIVINE
DÉDAIN	DÉLURÉ	**DERVAL**	DIABLE	**DIVION**
DÉDALE	DEMAIN	**DESAIX**	DIACRE	DIVISE
DÉDALE	DÉMÂTÉ	DÉSAXÉ	**DIACRE**	DIVISÉ
DEDANS	DÉMÊLÉ	DÉSERT	DIAPIR	DIZAIN
DÉDIÉE	DÉMENÉ	**DE SICA**	DIAPRÉ	**DJABIR**
DÉDIER	DÉMENT	DESIGN	DICTÉE	DJAÏNE
DÉDIRE	DÉMINÉ	DÉSILÉ	DICTER	DJAMAA
DÉDITE	DÉMISE	DÉSIRÉ	DICTON	**DJARIR**
DÉDORÉ	DÉMODÉ	DESMAN	**DIDIER**	DJEBEL
DÉDUIT	DÉMOLI	**DESNOS**	**DIDYME**	DJEDDA
DÉESSE	DÉMONE	DÉSODÉ	DIÈDRE	DJELFA
DÉFAIT	DÉMUNI	DÉSOLÉ	**DIEPPE**	DJEMAA
DÉFAUT	**DENAIN**	**DESSAU**	DIESEL	**DJENNÉ**
DÉFENS	DENGUE	DESSIN	**DIESEL**	**DJERBA**
DÉFÉRÉ	DÉNIÉE	DESSUS	**DIEUZE**	DJÉRID

DJIHAD	DOTANT	DROPPÉ	**DUPONT**	ÉCLUSE
DJOSER	DOTAUX	DROSSE	**DU PORT**	ÉCLUSÉ
DJOUBA	**DOUALA**	DROSSÉ	**DUPRAT**	ÉCOBUÉ
DNIEPR	DOUANE	**DROUET**	DUQUEL	ÉCOPÉE
DNIPRO	DOUBLE	**DROUOT**	DURAIN	ÉCOPER
DÖBLIN	DOUBLÉ	DRUIDE	DURALE	ÉCORCE
DOBRIC	DOUCET	**DRUMEV**	DURANT	ÉCORCÉ
DOCILE	DOUCHE	**DRUSES**	DURAUX	ÉCORNÉ
DOCKER	DOUCHÉ	**DRUZES**	**DURBAN**	**ÉCOSSE**
DODINE	**DOUCHY**	DRYADE	**DURBUY**	ÉCOSSÉ
DODINÉ	DOUCIE	**DRYATE**	DURCIE	**ÉCOUEN**
DODOMA	DOUCIN	**DRYDEN**	DURCIR	ÉCOULÉ
DODONE	DOUDOU	**DUARTE**	DURETÉ	ÉCOUTE
DOGGER	**DOUGGA**	**DUBAYY**	DURHAM	ÉCOUTÉ
DOIGTÉ	**DOUHET**	DUBCEK	**DURHAM**	ÉCRASÉ
DOLENT	**DOUKAS**	**DUBLIN**	DURRËS	ÉCRÉMÉ
DOLINE	**DOUMER**	**DU BOIS**	**DURTAL**	ÉCRÊTÉ
DOLLAR	DOUTÉE	**DUBOIS**	**DU RYER**	ÉCRIÉE
DOLMAN	DOUTER	**DUBOUT**	DUTERT	ÉCRIER
DOLMEN	DRACHE	DUCALE	**DUTTON**	**ÉCRINS**
DOLOIS	DRACHÉ	**DU CAMP**	**DU VAIR**	ÉCRIRE
DOMAGK	**DRACON**	DUCAUX	DUVETÉ	ÉCRITE
DOMBES	DRAGÉE	**DUCCIO**	**DVORÁK**	ÉCROUÉ
DOMÈNE	DRAGON	**DUCÉEN**	**DYNAMO**	ÉCROUI
DOMINÉ	DRAGUE	**DUCHÉS**	**DYOLOF**	ÉCUEIL
DOMINO	DRAGUÉ	**DUCLOS**	ÉBAHIE	ÉCULÉE
DOMONT	DRAINE	**DUDLEY**	ÉBAHIR	**ÉCULLY**
DOMPTÉ	DRAINÉ	DUÈGNE	ÉBARBÉ	ÉCUMÉE
DOM-TOM	DRALON	DUELLE	ÉBATTU	ÉCUMER
DONDON	**DRANCY**	DUETTO	ÉBAUBI	ÉCURÉE
DONETS	**DRANEM**	**DU FAIL**	ÉBAUDI	ÉCURER
DONGES	DRAPÉE	**DUFFEL**	**EBERTH**	ÉCURIE
DÖNITZ	DRAPER	**DUFOUR**	ÉBLOUI	ÉCUYER
DONJON	**DRAPER**	DUGHET	ÉBOULÉ	ECZÉMA
DONNÉE	DRAVÉE	DUGONG	ÉBOUTÉ	**EDEGEM**
DONNER	DRAVER	**DUGUIT**	ÉBRASÉ	ÉDENTÉ
DONOSO	DRAYÉE	**DULLES**	**ÉBROÏN**	**ÉDESSE**
DOPAGE	DRAYER	**DULLIN**	ÉBROUÉ	**EDF-GDF**
DOPANT	DRÊCHE	**DULONG**	ÉBURNÉ	ÉDICTÉ
DORADE	DREIGE	**DULUTH**	ÉCACHÉ	ÉDIFIÉ
DORAGE	DRELIN	DUM-DUM	ÉCALÉE	**EDIRNE**
DORANT	DRENNE	DÛMENT	ÉCALER	**EDISON**
D'ORBAY	**DRESDE**	**DU MONT**	ÉCARTÉ	ÉDITÉE
DOREUR	DRESSÉ	**DUMONT**	ÉCHANT	ÉDITER
DORIDE	**DREYER**	DUMPER	ÉCHECS	**EDMOND**
DORIEN	**DRIANT**	DUNANT	ÉCHINE	**ÉDUENS**
DORIOT	DRILLE	**DUNCAN**	ÉCHINÉ	ÉDUQUÉ
DORMIR	DRISSE	**DUNDEE**	ÉCHOIR	ÉFENDI
DORPAT	DRIVÉE	**DUNHAM**	ÉCHOUÉ	EFFACÉ
DORSAL	DRIVER	**DUNLOP**	ÉCIMÉE	EFFANÉ
DORSET	DROGUE	**DUNOIS**	ÉCIMER	EFFARÉ
DORURE	DROGUÉ	DUPANT	**ECKART**	**EFFIAT**
DORVAL	DROITE	**DU PARC**	**ECKERT**	EFFILÉ
DOSAGE	DRÔLET	**DUPARC**	ÉCLAIR	EFFORT
DOSANT	DRONTE	DUPEUR	ÉCLATÉ	EFFROI
DOSEUR	DROPÉE	DUPLEX	ÉCLOPÉ	ÉGALÉE
DOTALE	DROPER	**DUPOND**	ÉCLORE	ÉGALER

ÉGARÉE	ÉLUDER	ENCLOS	ENRÊNÉ	ÉPIEUX
ÉGARER	ÉLUSIF	ENCODÉ	ENROBÉ	ÉPIGÉE
ÉGAYÉE	**ÉLYSÉE**	ENCORE	ENRÔLÉ	ÉPILÉE
ÉGAYER	**ELYTIS**	ENCRÉE	ENROUÉ	ÉPILER
EGBERT	ÉLYTRE	ENCRER	ENSILÉ	**ÉPINAC**
ÉGÉRIE	ÉMACIÉ	ENCUVÉ	ENTAME	**ÉPINAL**
ÉGÉRIE	E-MAILS	ENDÊVÉ	ENTAMÉ	**ÉPINAY**
ÉGLISE	ÉMAILS	ENDIVE	ENTANT	ÉPIQUE
EGMONT	ÉMANER	ENDUIT	EN-TÊTE	ÉPISSÉ
ÉGOÏNE	ÉMARGÉ	ENDURÉ	ENTÊTÉ	ÉPÎTRE
ÉGORGÉ	EMBASE	ENDURO	ENTIER	ÉPLORÉ
ÉGRENÉ	EMBÊTÉ	**ÉNÉIDE**	ENTITÉ	ÉPLOYÉ
ÉGRISÉ	**EMBIEZ**	ÉNERVÉ	ENTÔLÉ	ÉPONGE
ÉGRUGÉ	EMBLÉE	**ENESCO**	ENTOUR	ÉPONGÉ
ÉGYPTE	EMBOLE	**ENESCU**	ENTRÉE	ÉPONTE
ÉHONTÉ	EMBOUT	ENFANT	ENTRER	ÉPOPÉE
EIFFEL	EMBRUN	ENFILÉ	ENTUBÉ	ÉPOQUE
EITOKU	**EMBRUN**	ENFLÉE	ENTURE	ÉPOUSE
ÉJECTÉ	EMBUÉE	ENFLER	ÉNUQUÉ	ÉPOUSÉ
EKELÖF	EMBUER	ENFOUI	ENVAHI	ÉPRISE
ELÆIS	EMBUÉS	ENFUIE	ENVASÉ	ÉPUCÉE
ÉLAGUÉ	ÉMÉCHÉ	ENFUIR	ENVERS	ÉPUCER
EL-AIUN	ÉMERGÉ	ENFUMÉ	ENVIÉE	ÉPUISÉ
ÉLANCÉ	ÉMEUTE	ENFÛTÉ	ENVIER	ÉPULIE
ÉLARGI	ÉMIGRÉ	ENGAGÉ	ENVINÉ	ÉPULIS
ÉLAVÉE	ÉMINCÉ	ENGAMÉ	ENVOLÉ	ÉPULON
ELAZIG	ÉMIRAT	ENGANE	ENVOYÉ	ÉPURÉE
ELBEUF	**EMMAÜS**	**ENGELS**	ENZYME	ÉPURER
ELBLAG	EMMÊLÉ	ENGLUÉ	ÉOCÈNE	ÉPURGE
ELCANO	EMMENÉ	ENGOBE	**ÉOLIDE**	ÉQUIDÉ
ÉLÉATE	EMMURÉ	ENGOBÉ	ÉOLIEN	ÉQUINE
ÉLÉGIE	ÉMONDÉ	**ENGOMI**	**ÉOLIEN**	ÉQUIPE
ÉLEVÉE	ÉMOTIF	ENGOUÉ	ÉOSINE	ÉQUIPÉ
ÉLEVER	ÉMOTTÉ	ÉNIÈME	**EÖTVÖS**	ÉQUITÉ
ÉLEVON	ÉMOULU	ÉNIGME	ÉPACTE	ÉRABLE
ELIADE	EMPALÉ	ENIVRÉ	ÉPANDU	ÉRAFLÉ
ÉLIDÉE	EMPARÉ	ENJEUX	ÉPARSE	**ÉRAGNY**
ÉLIDER	EMPÂTÉ	ENJÔLÉ	ÉPATÉE	**ÉRASME**
ÉLIMÉE	EMPESÉ	ENJOUÉ	ÉPATER	ERBIUM
ÉLINDE	EMPILE	**ENKOMI**	ÉPAULE	**EREBUS**
ÉLISÉE	EMPILÉ	ENLACÉ	ÉPAULÉ	**EREVAN**
ÉLISSA	EMPIRE	ENLEVÉ	ÉPEIRE	**ERFURT**
ELISTA	EMPIRÉ	ENLIÉE	ÉPELÉE	ERGOTÉ
ÉLIXIR	EMPLIE	ENLIER	ÉPELER	**ERHARD**
ELLICE	EMPLIR	ENLISÉ	ÉPERDU	**ÉRIDOU**
ELLORA	EMPLOI	ENNEMI	ÉPERON	ÉRIGÉE
ELLORE	EMPOIS	**ENNIUS**	ÉPEURÉ	ÉRIGER
EL NIÑO	EMPORT	ENNOYÉ	ÉPHÈBE	**ERIVAN**
ÉLODÉE	EMPOTÉ	ENNUYÉ	**ÉPHÈSE**	ERMITE
ÉLONGÉ	EMPUSE	ÉNONCÉ	ÉPHORE	**ERMONT**
EL-OUED	ÉMULÉE	ÉNORME	**ÉPHREM**	**ERNÉEN**
EL PASO	ÉMULER	ÉNOUÉE	ÉPIAGE	ÉRODÉE
ELSENE	ENCAGÉ	ÉNOUER	ÉPIANT	ÉRODER
ÉLUANT	ENCART	ENQUIS	ÉPICÉA	ÉROSIF
ELUARD	ENCENS	ENRAGÉ	ÉPICÉE	ERRANT
ÉLUDÉE	**ENCINA**	ENRAYÉ	ÉPICER	ERRATA
	ENCLIN		ÉPIEUR	ERREUR

ERRONÉ	ÉTÊTER	ÉVITÉE	**FABIUS**	**FÁTIMA**
ERSATZ	ÉTEULE	ÉVITER	FABULÉ	FATRAS
ERSEAU	ÉTHANE	ÉVOLUÉ	FAÇADE	FAUBER
ERSHAD	ÉTHÉRÉ	ÉVOQUÉ	FÂCHÉE	FAUCHE
ÉRUCTÉ	ETHNIE	**ÉVREUX**	FÂCHER	FAUCHÉ
ÉRUDIT	ÉTHUSE	**ÉVRYEN**	FACIAL	FAUCON
ESCALE	ÉTHYLE	EVZONE	FACIÈS	FAUFIL
ESCAUT	ÉTIAGE	EXACTE	FACILE	FAUSSE
ESCHÉE	ÉTIOLÉ	EXALTÉ	FACULE	FAUSSÉ
ESCHER	ÉTIQUE	EXAMEN	FADEUR	FAUTER
ESCROC	ÉTIRÉE	EX ANTE	FADING	FAUTIF
ESCUDO	ÉTIRER	EXAUCÉ	**FAENZA**	**FAVART**
ESDRAS	ÉTOFFE	EXCAVÉ	FAFIOT	FAVELA
ESHKOL	ÉTOFFÉ	EXCÉDÉ	FAGALE	FAVEUR
ESKIMO	ÉTOILE	EXCIPÉ	FAGOTÉ	FAVORI
ESKIMO	ÉTOILÉ	EXCISE	FAIBLE	FAXANT
ESMEIN	**ÉTOILE**	EXCISÉ	FAIBLI	FAYARD
ESNEUX	**ÉTOLIE**	EXCITÉ	FAILLE	FAYOTÉ
ESPACE	ÉTONNÉ	EXCLUE	FAILLÉ	**FAYOUM**
ESPACÉ	ÉTOUPE	EXCUSE	FAILLI	**FAYSAL**
ESPAÑA	ÉTOUPÉ	EXCUSÉ	FAISAN	FEBVRE
ESPÈCE	ÉTRAVE	EXÉCRÉ	**FALÉMÉ**	FÉCALE
ESPÉRÉ	ÉTRÉCI	EXÈDRE	**FALIER**	**FÉCAMP**
ESPION	ÊTRE-LÀ	EXEMPT	FALOTE	FÉCAUX
ESPOIR	ÉTRIER	EXERCÉ	FALUNÉ	FÉCIAL
ESPRIT	ÉTRIPÉ	**EXETER**	FALZAR	FÉCOND
ESPRIU	ÉTROIT	EXHALÉ	**FAMECK**	FÉCULE
ESQUIF	ÉTUDIÉ	EXHIBÉ	FAMEUX	FÉCULÉ
ESSAIM	**ÉTUPES**	EXHUMÉ	FAMINE	FÉDÉRÉ
ESSAYÉ	ÉTUVÉE	EXIGÉE	FANAGE	**FEDINE**
ESSIEU	ÉTUVER	EXIGER	FANANT	FEEDER
ESSORÉ	ÉTYMON	EXIGUË	FANAUX	FÉERIE
ESSUIE	**EUBÉEN**	EXILÉE	FANEUR	FEINTE
ESSUYÉ	**EUDOIS**	EXILER	**FANGIO**	FEINTÉ
ESTÈVE	EUDOXE	EXISTÉ	FANION	FÊLANT
ESTHER	EUGENE	EXOCET	FAQUIN	**FELBER**
ESTIME	**EUGÈNE**	EXOCET	FARAUD	FÉLIDÉ
ESTIMÉ	EURÊKA	**EXODUS**	FARCIE	FÉLINE
ESTIVE	**EURÊKA**	EXONDÉ	FARCIN	FELLAH
ESTIVÉ	**EURIPE**	EXORDE	FARCIR	FÊLURE
ESTRAN	EUROPA	EXPERT	FARDÉE	**FEMINA**
ESTRIE	**EUROPE**	EXPIÉE	FARDER	FENDRE
ÉTABLE	**EUSÈBE**	EXPIER	**FARGUE**	FENDUE
ÉTABLÉ	ÉVACUÉ	EXPIRÉ	**FARINA**	**FÉNÉON**
ÉTABLI	ÉVADÉE	EXPOSÉ	FARINE	FENIAN
ÉTAGÉE	ÉVADER	EX POST	FARINÉ	FENNEC
ÉTAGER	ÉVALUÉ	EXPRÈS	**FARMAN**	FÉODAL
ÉTALÉE	ÉVASÉE	EXQUIS	**FAROUK**	FÉRALE
ÉTALER	ÉVASER	EXSUDÉ	FARTÉE	FÉRALS
ÉTALON	ÉVASIF	EXTASE	FARTER	FÉRAUX
ÉTAMÉE	ÉVÊCHÉ	EXULTÉ	FASCÉE	FÉRIÉE
ÉTAMER	**EVÈNES**	EXUVIE	FASCIA	FERLÉE
ÉTAYÉE	ÉVENTÉ	EX VIVO	FASCIÉ	FERLER
ÉTAYER	ÉVÊQUE	EX-VOTO	FASEYÉ	**FERMAT**
ÉTEINT	ÉVIDÉE	**EYBENS**	FASTES	FERMÉE
ÉTENDU	ÉVIDER	**EYRING**	FATALE	FERMER
ÉTÊTÉE	ÉVINCÉ	**FABIEN**	**FATIMA**	**FERNEY**

FÉROCE	**FIGARO**	FLEMME	FONCER	FOURMI
FÉROIS	**FIGEAC**	FLÉOLE	FONDÉE	FOURNI
FERRAT	**FIGUIG**	**FLÉRON**	FONDER	FOURRE
FERRÉE	FIGURE	FLÉTAN	FONDIS	FOURRÉ
FERRER	FIGURÉ	FLÉTRI	FONDRE	FOUTOU
FERRET	FILAGE	FLEURÉ	FONDUE	FOUTRE
FERRET	FILANT	FLEURI	FONGUS	FOUTUE
FERRIÉ	FILETÉ	**FLEURY**	FONTIS	**FOWLER**
FERROL	FILEUR	FLEUVE	**FONTOY**	FOYARD
FERRON	FILIAL	FLIPOT	**FOOTIT**	FRACAS
FERRYS	FILMÉE	FLIPPÉ	FORAGE	FRAGON
FERSEN	FILMER	FLIQUÉ	FORAIN	FRAISE
FERTON	FILTRE	FLIRTÉ	**FORAIN**	FRAISÉ
FÉRULE	FILTRÉ	FLOCHE	FORANT	**FRAIZE**
FESSÉE	FINAGE	FLOCON	FORBAN	FRAMÉE
FESSER	FINALE	FLOPÉE	**FORBIN**	**FRANCE**
FESSUE	FINALS	FLOQUÉ	FORÇAT	**FRANCK**
FESTIF	FINAUD	**FLORAC**	FORCÉE	FRANCO
FESTIN	FINAUX	FLORAL	FORCER	**FRANCO**
FESTON	**FINDEL**	**FLORES**	FORCES	FRANCO-
FÊTANT	FINISH	FLORÈS	FORCIE	**FRANCS**
FÊTARD	**FINLAY**	**FLOREY**	FORCIR	FRANGE
FÉTIAL	**FINSEN**	FLORIN	**FOREST**	FRANGÉ
FÉTIDE	**FIODOR**	**FLORIS**	FOREUR	**FRANJU**
FEULER	**FIONIE**	FLOTTE	FORGÉE	**FRANTZ**
FEUTRE	FIRMAN	**FLOTTE**	FORGER	FRAPPE
FEUTRÉ	FISCAL	FLOTTÉ	**FORGES**	FRAPPÉ
FÉVIER	**FISHER**	FLOUÉE	FORINT	FRASÉE
FEYDER	**FISMES**	FLOUER	**FORMAN**	FRASER
FEYZIN	FISTON	FLOUSE	FORMAT	**FRASER**
FEZZAN	FIVETE	FLOUVE	FORMÉE	FRASIL
FIABLE	FIXAGE	FLOUZE	FORMEL	FRAUDE
FIACRE	FIXANT	FLUAGE	FORMER	FRAUDÉ
FIACRE	FIXING	FLUANT	FORMOL	FRAYÉE
FIANCÉ	FIXITÉ	FLUENT	FORTIN	FRAYER
FIASCO	**FIZEAU**	FLUIDE	FORURE	**FRAZER**
FIBULA	FLACHE	**FLUMET**	**FOSHAN**	**FRÉHEL**
FIBULE	FLACON	FLUORÉ	**FOSTER**	FREINÉ
FICELÉ	FLA-FLA	FLUSHS	FOUACE	**FREIRE**
FICHÉE	**FLAINE**	FLÛTÉE	FOUAGE	**FRÉJUS**
FICHER	FLAIRÉ	**FLUXUS**	**FOUCHÉ**	FRELON
FICHET	FLAMBE	FLYSCH	FOUDRE	FRÉMIR
FICHTE	FLAMBÉ	FOCALE	FOUÈNE	**FRENAY**
FICHUE	**FLAMEL**	FOCAUX	FOUFOU	**FRENCH**
FICTIF	FLAMME	FŒTAL	FOUGUE	**FRÉRON**
FIDÉEN	FLAMMÉ	FŒTUS	FOUINE	FRÉROT
FIDÈLE	FLÂNER	**FOGGIA**	FOUINÉ	**FRESNO**
FIEFFÉ	FLAPIE	FOIRAL	**FOULBÉ**	FRÉTÉE
FIELDS	FLAQUE	FOIRER	FOULÉE	FRÉTER
FIENTE	FLASHÉ	FOISON	FOULER	FRETIN
FIENTÉ	FLASHS	**FOKINE**	FOULON	FRETTE
FIÉROT	FLATTÉ	**FOKKER**	**FOUQUÉ**	FRETTÉ
FIERTÉ	FLÉAUX	FOLIÉE	**FOURAS**	**FREUND**
FIESTA	FLÈCHE	FOLIOT	FOURBE	FRIAND
FIÈVRE	FLÉCHÉ	FOLKLO	FOURBI	FRICHE
FIGARI	FLÉCHI	FOLLET	FOURBU	FRICOT
FIGARO	FLEGME	FONCÉE	FOURME	**FRIGGA**

FRIMAS	FUSION	**GALLES**	GATTÉE	**GENOTE**
FRIMER	**FÜSSLI**	GALLON	GATTER	GENOUX
FRIOUL	**FUSTEL**	GALLOT	GAUCHE	GENTIL
FRIPÉE	FUSTET	**GALLOT**	GAUCHI	**GENTIL**
FRIPER	FUTAIE	**GALLUP**	GAUCHO	GENTRY
FRIPON	FUTILE	**GALOIS**	GALOPÉ	GÉOÏDE
FRIQUÉ	**FUTUNA**	GALOPÉ	**GAUDIN**	**GEORGE**
FRISCH	FUTURE	**GALTON**	**GAUDRY**	GÉRANT
FRISÉE	**FUXÉEN**	GALURE	GAUFRE	**GÉRARD**
FRISER	FUYANT	**GALWAY**	GAUFRÉ	**GERASA**
FRISON	FUYARD	**GAMBIE**	GAULÉE	GERBÉE
FRISON	**FUZHOU**	GAMBIT	GAULER	GERBER
FRITON	**FUZULI**	GAMÈTE	GAULIS	GERCÉE
FRITTE	GABARE	GAMINE	**GAULLE**	GERCER
FRITTÉ	GABBRO	GAMINÉ	GAUSSÉ	GERMÉE
FRÖBEL	GABIER	GAMMÉE	GAVAGE	GERMEN
FROIDE	GABION	**GANDER**	GAVANT	GERMER
FRÔLÉE	**GACÉEN**	**GANDHI**	GAVEUR	**GERMER**
FRÔLER	GÂCHÉE	GANDIN	GAVIAL	GERMON
FROMGI	GÂCHER	**GANDJA**	GAZAGE	GÉROMÉ
FRONCE	GÂCHIS	**GANGES**	GAZANT	**GÉRÔME**
FRONCÉ	GADGET	GANGUE	GAZEUX	**GÉRONE**
FRONDE	GADIDÉ	GANGUÉ	GAZIER	GERRIS
FRONDE	GADOUE	**GANNAT**	GAZOLE	**GERSON**
FRONDÉ	GAFFÉE	GANSÉE	**GDANSK**	**GÉRYON**
FROTTÉ	GAFFER	GANSER	**GDYNIA**	**GERZAT**
FROUDE	GAGAKU	GANTÉE	GÉANTE	**GESELL**
FROUER	GAGEUR	GANTER	**GÉANTS**	GÉSIER
FRUGAL	GAGNÉE	GARAGE	**GÉDÉON**	GÉSINE
FRUGES	GAGNER	GARANT	**GEIGER**	**GESNER**
FRUITÉ	**GAGNOA**	**GARCÍA**	GEISHA	GETTER
FRUSTE	GAIETÉ	GARÇON	GELANT	**GEVREY**
FUGACE	GAINÉE	**GARÇON**	**GÉLASE**	**GEXOIS**
FUGGER	GAINER	GARDÉE	GELÉES	GEYSER
FUGUÉE	GALAGO	**GARDEL**	GÉLIVE	**GHALIB**
FUGUER	GALANT	GARDER	**GELLÉE**	GHETTO
FÜHRER	**GALATA**	GARDON	GÉLOSE	GHILDE
FUJIAN	GALATE	**GARDON**	GÉLULE	GIAOUR
FULLER	**GALATI**	**GARGES**	GELURE	GIBBON
FULTON	GALBÉE	**GARNER**	GÉMEAU	**GIBBON**
FUMAGE	GALBER	GARNIE	GÉMINÉ	GIBIER
FUMANT	**GALDÓS**	GARNIR	GEMMÉE	**GIBRAN**
FUMEUR	**GALEÃO**	**GAROUA**	GEMMER	**GIBSON**
FUMEUX	GALÉJÉ	**GARROS**	GÊNANT	GICLÉE
FUMIER	GALÈNE	GARROT	GENDRE	GICLER
FUMOIR	GALÈRE	GASCON	GÉNÉPI	**GIEREK**
FUMURE	**GALÈRE**	**GASCON**	GÉNÉRÉ	GIFLÉE
FURETÉ	GALÉRÉ	GAS-OIL	GENÈSE	GIFLER
FUREUR	GALETÉ	**GASPAR**	**GENEST**	**GIGNAC**
FURIES	GALEUX	GASSER	GÊNEUR	GIGOLO
FURNES	GALGAL	**GASTON**	**GENÈVE**	GIGOTÉ
FURTIF	**GALIBI**	GÂTANT	GÉNIAL	**GILDAS**
FUSAIN	**GALICE**	GÂTEAU	**GENLIS**	GILLES
FUSANT	**GALIEN**	GÂTEUX	**GENNES**	**GILLES**
FUSEAU	GALION	GÂTINE	GÉNOIS	**GILSON**
FUSELÉ	GALLEC	**GÂTINE**	**GÉNOIS**	**GIMONT**
FUSHUN	**GALLEC**	GÂTION	GÉNOME	GINKGO

GIOTTO	GNOMON	**GOUNOD**	**GRÉBAN**	**GROOTE**
GIRAFE	GNOSIE	GOUPIL	GREDIN	GROSSE
GIRAUD	GOBANT	GOURBI	**GREENE**	GROSSI
GIROND	GOBEUR	GOURDE	GRÉEUR	GROTTE
GIRSOU	GODAGE	GOURÉE	GREFFE	GROUPE
GISANT	GODANT	GOUREN	GREFFÉ	GROUPÉ
GISORS	**GODARD**	GOURER	GRÊLÉE	GROUSE
GITANE	GODRON	GOURME	GRÊLER	GRUAUX
GITANE	**GODWIN**	GOURMÉ	GRELIN	**GRUBER**
GÎTANT	GOÉMON	GOUROU	GRÊLON	**GRÜBER**
GIVORS	**GOETHE**	GRELOT	GRÊLON	GRUGÉE
GIVRÉE	GOÉTIE	GOUSSE	GRÉMIL	GRUGER
GIVRER	**GOGUEL**	GOÛTÉE	GRENAT	GRUTÉE
GLABER	GOGUES	GOÛTER	GRENÉE	GRUTER
GLABRE	GOITRE	GOUTTE	GRENER	**GRÜTLI**
GLACÉE	**GOLBEY**	GOUTTÉ	GRENUE	**GSTAAD**
GLACER	GOLDEN	GOYAVE	**GRÉOUX**	**GUADET**
GLACIS	GOMINA	GRABAT	GRÉSÉE	**GUAÏTA**
GLAÇON	GOMINÉ	GRABEN	GRÉSER	**GUARDI**
GLAIRE	GOMMÉE	**GRÂCES**	GRÉSIL	**GUAYMI**
GLAISE	GOMMER	GRACIÉ	**GRÉTRY**	**GUBBIO**
GLAIVE	GONADE	GRADÉE	**GREUZE**	**GUDULE**
GLANDE	**GONÂVE**	GRADIN	GREVÉE	GUÈBRE
GLANDÉ	**GONDAR**	GRADUÉ	GREVER	GUELFE
GLANÉE	GONFLE	**GRAHAM**	**GRÉVIN**	**GUELMA**
GLANER	GONFLÉ	GRAINE	GRIFFE	**GUELPH**
GLANUM	GOPURA	GRAINÉ	GRIFFÉ	GUENON
GLAOUI	**GORDES**	**GRAMAT**	GRIFFU	**GUÉNON**
GLAPIR	**GORDON**	GRAMME	GRIGNE	GUÈRES
GLARIS	GORFOU	**GRAMME**	GRIGNÉ	GUÉRET
GLASER	**GORGAN**	**GRANBY**	**GRIGNY**	**GUÉRET**
GLATIR	GORGÉE	GRANDE	GRIGOU	GUÉRIE
GLÉNAN	GORGER	**GRANDE**	GRI-GRI	**GUÉRIN**
GLIALE	GORGET	GRANDI	GRILLE	GUÉRIR
GLIAUX	**GÖRING**	**GRANET**	GRILLÉ	GUERRE
GLINKA	**GORIOT**	GRANGE	GRIMÉE	**GUESDE**
GLIOME	**GÖRRES**	GRANIT	GRIMER	GUÊTRE
GLISSE	**GORRON**	**GRANJA**	GRIMPE	GUÊTRÉ
GLISSÉ	GOSIER	GRAPHE	GRIMPÉ	GUETTE
GLOBAL	**GOSLAR**	GRAPPA	GRINCÉ	GUETTÉ
GLOIRE	GOSPEL	GRAPPE	GRINGE	GUEULE
GLOMMA	**GOSSAU**	GRASSE	GRINGO	GUEULÉ
GLORIA	**GOSSEC**	**GRASSE**	GRIPPE	GUEUSE
GLOSÉE	**GOTLIB**	**GRASSÉ**	GRIPPÉ	GUEUSÉ
GLOSER	GOUAPE	GRATIN	GRISBI	GUEUZE
GLOTTE	**GOUDÉA**	GRATIS	GRISÉE	**GUGONG**
GLOZEL	**GOUFFÉ**	**GRATRY**	GRISER	GUIBRE
GLUANT	**GOUGES**	GRATTE	GRISET	GUICHE
GLUAUX	GOUINE	GRATTÉ	GRISON	GUIDÉE
GLUTEN	GOUJAT	**GRAUNT**	**GRISON**	GUIDER
GLYCOL	GOUJON	GRAVÉE	GRISOU	GUIDON
GLYPHE	**GOUJON**	GRAVER	**GRODNO**	GUIGNE
GMELIN	GOULAG	GRAVES	GROGGY	GUIGNÉ
GNAULE	GOULÉE	**GRAVES**	GROGNE	GUILDE
GNEISS	GOULET	GRAVIE	GROGNÉ	**GUILIN**
GNETUM	GOULOT	GRAVIR	GROLLE	**GUIMET**
GNIOLE	GOULUE	GRÉANT	GRONDÉ	GUIMPE

GUINDÉ	**HAMSUN**	**HAZARD**	**HESSEN**	**HONGWU**
GUINÉE	HANCHE	**HEANEY**	**HESTIA**	HONING
GUINÉE	HANCHÉ	**HEARST**	**HESTON**	HONNIE
GUÎNES	**HANDAN**	HEAUME	HÉTÉRO	HONNIR
GUIPÉE	**HÄNDEL**	**HEBBEL**	HETMAN	HONORÉ
GUIPER	**HANDKE**	**HÉBERT**	**HETZEL**	**HONSHU**
GUISAN	HANGAR	HÉBÉTÉ	HEURTÉ	**HOOGHE**
GUITRY	**HANKOU**	HÉBREU	**HEUYER**	**HOOKER**
GUIVRE	**HANNON**	**HÉBREU**	**HEVESY**	**HOORNE**
GUIZÈH	**HANNUT**	**HÉBRON**	**HEWISH**	**HOOVER**
GUIZOT	**HANSEN**	**HÉCATE**	HEXANE	**HOPPER**
GULDEN	**HANTAÏ**	**HECTOR**	HEXOSE	HOQUET
GUNITE	HANTÉE	**HÉCUBE**	HIATAL	**HORACE**
GUNITÉ	HANTER	**HEDJAZ**	HIATUS	**HORGEN**
GUNTUR	HAPPÉE	**HEDWIG**	HIBOUX	HORION
GUPPYS	HAPPER	**HEGANG**	HIDEUR	HORMIS
GURKHA	**HARALD**	HÉGIRE	HIDEUX	**HORMUZ**
GURUNG	**HARARE**	HÉLANT	HIDJAB	**HORNES**
GUYANA	**HARBIN**	**HELENA**	HIÈBLE	**HORNEY**
GUYANE	HARDES	**HÉLÈNE**	HIÉMAL	HORSIN
GUYTON	HARDIE	**HÉLIAS**	**HIÉRON**	**HORTON**
GUZMÁN	HARENG	HÉLICE	**HIKMET**	HOSTIE
HAAKON	HARGNE	HÉLICO	HILARE	HOT DOG
HABILE	HARKIE	**HÉLIÉE**	HILOTE	**HOTMAN**
HABITÉ	**HARLAY**	HÉLION	**HILLEL**	HOTTÉE
HACHÉE	**HARLEM**	**HÉLION**	**HILWAN**	HOTTER
HACHER	**HARLEY**	**HÉLIOS**	**HIMEJI**	HOUANT
HACHIS	**HARLOW**	HÉLIUM	**HIMÈRE**	HOUARI
HADALE	**HARNES**	**HELLAS**	HINDOU	HOUDAN
HADAUX	**HAROLD**	**HÉMOIS**	HIP-HOP	**HOUDAN**
HADITH	HARPIE	**HENNIG**	HIPPIE	**HOUDON**
HADJDJ	HARPON	HENNIN	HIRCIN	**HOUGUE**
HADRON	**HARRIS**	HENNIR	**HIRSON**	HOUPPE
HAGARD	**HARSHA**	HÉRAUT	HISSÉE	HOUQUE
HAGGIS	**HARVEY**	**HERBIN**	HISSER	HOURDÉ
HAIFFA	HASARD	HERBUE	**HITLER**	HOURRA
HAÏKAÏ	**HASKIL**	HERCHÉ	**HOBART**	HOUSSE
HAIKOU	**HASSAN**	**HERDER**	**HOBBES**	HOUSSÉ
HAINAN	HASSID	**HERENT**	HOBBYS	**HOWARD**
HALAGE	HASTÉE	**HERERO**	**HOBSON**	**HOWRAH**
HALANT	HÂTANT	HÉRITÉ	**HOCART**	HOYAUX
HÂLANT	**HATHOR**	HERMÈS	HOCHÉE	**HOZIER**
HALDAS	HÂTIVE	**HERMÈS**	HOCHER	**HRABAL**
HALENÉ	HAUBAN	**HERMON**	HOCHET	HRIVNA
HALETÉ	**HAUSER**	HERNIE	HOCKEY	**HUAMBO**
HALEUR	HAUSSE	HERNIÉ	**HODLER**	**HUBBLE**
HALÉVY	HAUSSÉ	**HÉRODE**	**HOGGAR**	**HUBERT**
HALITE	HAUTIN	**HÉROLD**	**HOHHOT**	HUBLOT
HALLES	HAÜYNE	HERPÈS	HOIRIE	HUCHÉE
HALLEY	HAVAGE	HERSÉE	HOLD-UP	HUCHER
HÂLOIR	HAVANE	HERSER	**HOLMES**	**HUDSON**
HAMADA	HAVANT	**HERTEL**	**HOLTER**	**HUELVA**
HAMANN	**HAVERS**	**HERZEN**	**HOMAIS**	HUERTA
HAMEAU	**HAWAII**	**HERZOG**	HOMARD	**HUESCA**
HAMLET	**HAWKES**	**HESDIN**	**HOMÈRE**	**HUGHES**
HAMMAM	**HAYKAL**	HÉSITÉ	HONGRE	**HUGUES**
HAMOIS	**HAZARA**		HONGRÉ	**HUGUET**

HUILÉE	IDOINE	INCUSE	INSULA	**IVAJLO**
HUILER	**IDRISI**	INDÈNE	INTACT	**IVANOV**
HUISNE	**IDUMÉE**	INDEXÉ	INTIME	IVETTE
HUÎTRE	IDYLLE	INDICE	INTIMÉ	IVOIRE
HULAGU	**IEYASU**	INDIEN	INTRUS	IVRAIE
HULULÉ	**IGARKA**	**INDIEN**	INTUBÉ	**IVRYEN**
HUMAGE	**IGNACE**	INDIGO	**INUVIK**	**IZEGEM**
HUMAIN	IGNAME	INDIUM	INVITE	**IZOARD**
HUMANT	IGNARE	INDOLE	INVITÉ	JABIRU
HUMBER	IGNORÉ	INDOOR	IN VIVO	JABLÉE
HUMBLE	**IGUAÇU**	**INDORE**	IODANT	JABLER
HUMEUR	IGUANE	INDUIT	IODATE	**JACOBI**
HUMIDE	**IJEVSK**	INDULT	IODLER	**JACOBS**
HUMMEL	**IJSSEL**	INDURÉ	IODURE	JACTER
HUMOUR	**IKARÍA**	INÉDIT	IODURÉ	**JAFFNA**
HUNIER	ILÉALE	INÉGAL	IONIEN	JAGUAR
HUNTER	ILÉAUX	INEPTE	**IONIEN**	**JAGUEN**
HUPPÉE	ILÉITE	INERME	IONISÉ	JAILLI
HURIEL	**ILESHA**	INERTE	IONONE	**JAIPUR**
HURLÉE	**ILIADE**	INERTÉ	IOULER	**JALAPA**
HURLER	**ILIGAN**	INFÂME	IOURTE	JALOUX
HURRAH	ILLICO	INFANT	IPOMÉE	JAMAIS
HUSAYN	ILLITE	INFECT	**IRÉNÉE**	**JAMBOL**
HUSTON	**ILLYÉS**	INFÈRE	**IRGOUN**	JAMBON
HUTOIS	**ILOILO**	INFÉRÉ	IRIDIÉ	**JAMBYL**
HUTTEN	**ILORIN**	INFIME	**IRIGNY**	**JAMMES**
HUTTON	IMAGÉE	INFINI	IRISÉE	**JANCSÓ**
HUXLEY	IMAMAT	INFIXE	IRISER	**JANSKY**
HUYGHE	IMBIBÉ	INFLUÉ	IRITIS	**JAPHET**
HUZHOU	**ÍMBROS**	INFLUX	**IROISE**	JAPPER
HYALIN	IMITÉE	INFULE	IRONIE	**JAPURÁ**
HYDRIE	IMITER	INFUSE	IRRÉEL	JARDIN
HYÈRES	IMMOLÉ	INFUSÉ	IRRITÉ	JARDON
HYKSOS	IMMUNE	INGÉNU	**IRTYCH**	JARGON
HYOÏDE	IMPACT	INGÉRÉ	**IRVING**	**JARNAC**
HYPOGÉ	IMPAIR	**INGOLD**	**ISABEY**	JARRET
HYRCAN	IMPALA	INGRAT	ISATIS	**JARRIE**
HYSOPE	IMPAYÉ	**INGRES**	**ISCHIA**	JASANT
IATMUL	**IMPHAL**	INHALE	**ISERAN**	JASEUR
IBADAN	IMPOLI	INHALÉ	**ISHTAR**	JASMIN
IBAGUÉ	IMPOSÉ	INHIBÉ	**ISIGNY**	**JASMIN**
IBÈRES	IMPUNI	INHUMÉ	**ISMAËL**	**JASPAR**
IBÉRIE	IMPURE	INIQUE	**ISMAÏL**	JASPÉE
IBÉRIS	IMPUTÉ	INITIÉ	**ISMÈNE**	JASPER
IBIBIO	INALPE	INJURE	ISOÈTE	**JASPER**
IBIDEM	INALPÉ	INNOMÉ	ISOLAT	JATAKA
ICAQUE	INAPTE	INNOVÉ	ISOLÉE	JATTÉE
ICARIE	IN-BORD	INONDÉ	ISOLER	JAUGÉE
ICELLE	**INCHON**	INOUÏE	**ISONZO**	JAUGER
ICELUI	INCISE	IN PACE	ISOPET	JAUNET
ICI-BAS	INCISÉ	INSANE	**ISRAËL**	JAUNIE
ICTÈRE	INCITÉ	INSÉRÉ	**ISSÉEN**	JAUNIR
IDÉALE	INCLUS	**INSERM**	ISTHME	**JAURÈS**
IDÉALS	INCRÉÉ	INSERT	**ISTRES**	**JAVARI**
IDÉAUX	INCUBE	IN SITU	**ISTRIE**	JAVART
IDIOME	INCUBÉ	INSOLÉ	**ITAIPÚ**	JAVELÉ
IDIOTE	INCUIT	INSTAR	**ITALIE**	**JDANOV**

JEANNE	**JOUKOV**	KAISER	**KEMMEL**	KOBOLD
JEKYLL	JOUTER	**KAISER**	**KEMPFF**	**KOCHER**
JENNER	**JOUVET**	KALDOR	**KEMPIS**	**KODÁLY**
JENSEN	JOUXTÉ	**KALGAN**	KENTIA	KODIAK
JEPHTÉ	JOVIAL	**KALIÑA**	KENYAN	**KŒNIG**
JERKER	JOVIEN	**KALISZ**	**KENYAN**	**KOETSU**
JÉRÔME	**JOVIEN**	KALMAR	KENZAN	**KOFFKA**
JERSEY	JOYAUX	KANAKE	KÉPHIR	**KOHIMA**
JERSEY	JOYEUX	**KANAKE**	**KEPLER**	**KÖHLER**
JETAGE	**JÓZSEF**	KANAMI	**KERALA**	KOHOUT
JETANT	JUBILÉ	**KANGXI**	**KERMAN**	**KOKAND**
JETEUR	JUCHÉE	**KANKAN**	KERMÈS	**KOLLÁR**
JET-SET	JUCHER	**KANPUR**	KERRIA	**KOLTÈS**
JEÛNER	**JUDITH**	**KANSAI**	KERRIE	**KOLYMA**
JEUNET	JUDOGI	**KANSAS**	**KERTCH**	KONIEV
JEUNOT	JUDOKA	**KANTOR**	**KESSEL**	**KONITZ**
JEVONS	JUGALE	KAOLIN	KETMIE	KOPECK
JHANSI	JUGAUX	**KAPLAN**	KEVLAR	**KÖPPEN**
JHELAM	JUGEUR	**KAPOSI**	**KEYNES**	**KORAÍS**
JHELUM	**JUGLAR**	**KAPUAS**	KHÂGNE	**KORIAK**
JIGGER	JUGULÉ	KARATÉ	KHANAT	**KORNAI**
JINGLE	**JUILLY**	KARBAU	**KHANIÁ**	KORUNA
JINGXI	JUJUBE	**KARCHI**	**KHEOPS**	**KOSICE**
JINHUA	JULIEN	**KARDEC**	KHMÈRE	**KOSOVO**
JINNAH	**JULIEN**	**KARIBA**	**KHMÈRE**	**KOSSEL**
JIVAGO	JUMEAU	KARITÉ	**KHOROG**	**KOSSOU**
JIVARO	JUMELÉ	KARMAN	**KHOSRÔ**	**KOUBAN**
JOANNE	JUMENT	**KARMAN**	KHOTAN	KOUBBA
JOBARD	**JUNEAU**	**KARNAK**	**KHULNA**	**KOUFRA**
JOCKEY	**JÜNGER**	**KARPOV**	**KHYBER**	KOULAK
JODLER	JUNGLE	**KARRER**	KICKER	KOUMIS
JOFFRE	JUNIOR	**KARROO**	**KIELCE**	**KOUMYK**
JOIADA	JUNKER	KASHER	KIF-KIF	KOUMYS
JOIGNY	JUNKIE	**KASSAÏ**	**KIGALI**	KOUROS
JOINTE	JUPIER	**KASSEL**	**KIKUYU**	**KOUROU**
JOJOBA	JURANT	**KASSEM**	**KIKWIT**	**KOURSK**
JOLIET	JUREUR	**KATONA**	KIMONO	**KOVROV**
JOLIET	**JURIEU**	KAUNAS	KINASE	**KOWEÏT**
JOMINI	JUSANT	**KAUNDA**	**KINDIA**	**KRAKÓW**
JONCÉE	JUSQUE	**KAVÁLA**	KINOIS	**KREMER**
JONCER	**JUSTIN**	KAVERI	**KINOIS**	**KRIENS**
JONCHÉ	JUTANT	**KAVIRI**	KIPPER	**KRLEZA**
JONGEN	JUTEUX	KAZAKH	**KIRKUK**	**KROETZ**
JONGLÉ	**JUVARA**	**KAZAKH**	KIRSCH	KRONER
JONQUE	**JUVISY**	**KAZBEK**	**KIRUNA**	**KRONOS**
JONSON	**KABOUL**	**KAZVIN**	**KISTNA**	**KRUGER**
JONZAC	KABUKI	**KEATON**	**KISUMU**	**KRYLOV**
JOPLIN	KABYLE	**KEDIRI**	KITSCH	**KUIPER**
JORDAN	**KABYLE**	**KEESOM**	**KJØLEN**	**KUMAON**
JORURI	KACHAN	KEIHIN	**KLADNO**	**KUMASI**
JOSEPH	**KACHIN**	KEIRIN	KLAXON	KUMMEL
JOSIAS	**KADARÉ**	**KEITEL**	**KLÉBER**	**KUMMER**
JOSPIN	KADESH	KEKULÉ	**KLEENE**	KUNG-FU
JOUANT	**KADUNA**	KELLER	**KLEIST**	**KUNLUN**
JOUEUR	**KAGERA**	**KELSEN**	**KLENZE**	**KUNSAN**
JOUGNE	KAHLER	KELVIN	KLIPPE	**KUOPIO**
JOUJOU	**KAINJI**	**KELVIN**	**KLOTEN**	**KUPANG**

KURTÁG	LAMBDA	**LARTET**	**LE DAIN**	LÉSINE
KURUME	LAMBEL	LARVÉE	**LEDOUX**	LÉSINÉ
KWACHA	LAMBIC	LARYNX	**LÊ DUAN**	LÉSION
KWANZA	LAMBIN	**LARZAC**	**LEFUEL**	**LESKOV**
KWANZA	**LAMECH**	**LA SALE**	LÉGALE	LESTÉE
KYLIAN	**LA MÈDE**	LASCAR	LEGATO	LESTER
KYUSHU	**LAMETH**	LASCIF	LÉGAUX	LÉTALE
LA BAIE	LAMIER	**LASSAY**	LÉGÈRE	LÉTAUX
LABEUR	LAMINÉ	LASSÉE	LÉGION	LETCHI
LABIAL	LAMPAS	LASSER	**LE GOFF**	**LE TEIL**
LABIÉE	LAMPÉE	LASSIS	**LE GRAU**	LETTON
LABILE	LAMPER	**LASSUS**	LEGROS	**LETTON**
LABIUM	**LA MURE**	LASTEX	LÉGUÉE	LETTRE
LABORI	LANCÉE	**LA SUZE**	LÉGUER	LETTRÉ
LABOUR	LANCER	**LA TÈNE**	LÉGUME	LEURRE
LABRIT	LANÇON	LATENT	LEIPOA	LEURRÉ
LAÇAGE	LANDAU	**LATINA**	**LEIRIS**	**LEUVEN**
LAÇANT	**LANDAU**	LATINE	**LEITHA**	LEVAGE
LACÉRÉ	LÄNDER	**LATINE**	**LEKAIN**	LEVAIN
LACEUR	**LANDES**	**LATINI**	**LE LION**	LEVANT
LÂCHÉE	**LANDRU**	LATINO	**LE LUDE**	**LEVANT**
LÂCHER	**LANDRY**	**LATIUM**	**LE MANS**	**LEVENS**
LACLOS	LANGÉE	**LATONE**	LEMIRE	LEVIER
LA CRAU	LANGER	**LA TOUR**	**LEMMON**	**LEVIER**
LACTÉE	**LANGON**	**LATRAN**	LEMNOS	LÉVITE
LACUNE	LANGUE	LATRIE	LEMOND	LEVRON
LADAKH	LANGUI	LATTÉE	LÉMURE	LEVURE
LADANG	LANICE	LATTER	**LE NAIN**	LEXÈME
LADIES	LANIER	**LATTES**	LENARD	**LEYSIN**
LADINO	**LANNES**	LATTIS	LENDIT	LÉZARD
LADITE	**LA NOUE**	LAUDES	**LENGUA**	**LEZOUX**
LADOGA	**LANSON**	**LAUNAY**	**LÉNINE**	**LHASSA**
LAEKEN	**LAO SHE**	LAURÉE	LENOIR	**LHOTSE**
LA FÈRE	LAPANT	**LAUREL**	**LEOBEN**	LIANTE
LAGASH	LAPIAZ	**LAUTER**	LEONES	LIARDÉ
LAGOYA	LAPIDÉ	**LAUZUN**	LÉONIN	LIASSE
LAGUIS	LAPINE	LAVABO	**LEONOV**	LIBAGE
LAGUNE	LAPINÉ	LAVAGE	**LEPAGE**	LIBERA
LÀ-HAUT	LAPONE	LAVANT	**LE PECQ**	**LIBÈRE**
LA HAYE	**LAPONE**	**LAVAUR**	**LE PÈRE**	LIBÉRÉ
LA HIRE	LAPSUS	**LAVÉRA**	**LÉPIDE**	LIBERO
LAHORE	**LAPTEV**	LAVEUR	**LÉPINE**	LIBIDO
LA HYRE	LAQUÉE	LAVOIR	**LE PLAY**	LIBYEN
LAÏCAT	LAQUER	LAVURE	**LE PONT**	**LIBYEN**
LAÎCHE	LARBIN	LAXITÉ	**LE PORT**	LICHÉE
L'AIGLE	**LARCHE**	**LAZARE**	LEPTON	LICHEN
LAINÉE	LARCIN	LAZZIS	LEQUEL	LICHER
LAINER	LARDÉE	LEADER	LERCHE	LICIER
LAÏQUE	LARDER	**LEAKEY**	**LÉRIDA**	LICITE
LAISSE	LARDON	LEBEAU	**LÉRINS**	LICITÉ
LAISSÉ	**LAREDO**	LEBRET	**LEROUX**	**LIEBIG**
LAITÉE	LARGUE	**LE BRIX**	**LESAGE**	LIEDER
LAITON	LARGUÉ	**LEBRUN**	LÉSANT	LIÉGÉE
LAITUE	**LARMOR**	LÉCHÉE	**LESBOS**	LIERNE
LAKOTA	**LARREY**	LÉCHER	**LESCAR**	LIERRE
LAMAGE	LARRON	**LECOCQ**	**LESCOT**	**LIERRE**
LAMANT	LARSEN	**LE DAIM**	**LESHAN**	LIESSE

LIEUSE	LISAGE	LOKOUM	**LUANDA**	LYSANT
LIÉVIN	LISANT	LOLITA	**LÜBECK**	**LYSIAS**
LIÈVRE	**LISBOA**	**LOLITA**	**LUBLIN**	LYSINE
LIFFRÉ	LISERÉ	LOMBES	**LUCAIN**	**LYTTON**
LIFTÉE	LISEUR	**LOMBOK**	LUCANE	**MAAZEL**
LIFTER	LISIER	**LOMÉEN**	**LUCÉEN**	MABOUL
LIGAND	LISSÉE	**LOMMEL**	**LUCHON**	**MABUSE**
LIGASE	LISSER	**LONDON**	LUCIDE	**MACAPÁ**
LIGETI	LISTÉE	LONGÉE	**LUCIEN**	**MACEIÓ**
LIGNÉE	LISTEL	LONGER	LUCITE	MACÉRÉ
LIGNER	LISTER	**LONGHI**	**LUÇOIS**	**MACHEL**
LIGNON	**LISTER**	**LONGIN**	LUDION	MÂCHER
LIGOTÉ	LISTON	LONGUE	**LUDOIS**	MACHIN
LIGUÉE	**LI TANG**	**LONGUE**	LUETTE	MÂCHON
LIGUER	LITANT	**LONGUS**	**LUGANO**	**MACINA**
LIGUGÉ	LITCHI	**LONGWY**	LUGEUR	MACLÉE
LIGULE	LITEAU	**LON NOL**	**LUKÁCS**	**MACLOU**
LIGULÉ	LITHAM	LOQUET	**LULUWA**	**MACRIN**
LIGURE	LITIGE	LORGNÉ	LUNCHS	MACULA
LIGURE	LITOTE	**LORIOL**	**L'UNION**	MACULE
LIKASI	LITRON	LORIOT	LUNULE	MACULÉ
LIKOUD	LITSAM	LORRIS	LUNURE	**MADÁCH**
LILIAL	**LITTAU**	**LORRIS**	**LUPÉEN**	MADAME
LILITH	**LITTRÉ**	LORRYS	LUQMAN	MADE IN
LILOTE	LIVEDO	LOTIER	**LURÇAT**	MADÈRE
LIMACE	LIVIDE	LOTION	**LUSACE**	**MADÈRE**
LIMAGE	LIVING	**LOTOIS**	**LUSAKA**	**MADINE**
LIMANT	LIVRÉE	LOUAGE	**LÜSHUN**	MADONE
LIMBES	LIVRER	LOUANT	**LUSSAC**	MADRAS
LIMEIL	LIVRET	LOUBAR	LUSTRE	**MADRAS**
LIMEUR	**LIZARD**	**LOUBET**	LUSTRÉ	MADRÉE
LIMIER	LLANOS	LOUCHE	LUTANT	**MADRID**
LIMITE	**LLÍVIA**	LOUCHÉ	LUTÉAL	**MADURA**
LIMITÉ	**LLOYD'S**	**LOUDUN**	**LUTÈCE**	MAFFIA
LIMNÉE	LOADER	LOUEUR	**LUTHER**	MAFFLU
LÍMNOS	**LOANGO**	LOUGRE	LUTINE	MAGANÉ
LIMOGÉ	LOBANT	**LOUISE**	LUTINÉ	MAGNAN
LIMOUX	LOBBYS	LOULOU	LUTRIN	**MAGNAN**
LIMULE	**LOBITO**	LOUPÉE	LUTTER	MAGNAT
LINDAU	**LOB NOR**	LOUPER	**LUTULI**	MAGNÉE
LINDER	LOBULE	**LOUPOT**	**LÜTZEN**	MAGNER
LINÉEN	LOBULÉ	LOURDE	LUXANT	MAGNET
LINGAM	LOCALE	LOURDÉ	LUXURE	MAGNUM
LINGOT	LOCAUX	LOURÉE	**LUYNES**	MAGRET
LINGUE	LOCHÉE	LOURER	**LUZHOU**	MAGYAR
LINIER	LOCHER	**LOURIA**	**LUZIEN**	**MAGYAR**
LIONNE	**LOCHES**	LOUSSE	LUZULE	**MAHAUT**
LIONNE	**LODÈVE**	LOUTRE	LYCAON	**MAHFUZ**
LIORAN	**LOÈCHE**	LOUVET	LYCÉEN	**MAHLER**
LIPARI	LOFANT	**LOUVRE**	LYCÈNE	**MAHMUD**
LIPASE	LOGEUR	**LOUXOR**	LYCHEE	MAHOUS
LI PENG	LOGGIA	LOVANT	LYCOPE	**MAIANO**
LIPIDE	**LOGNES**	**LOWELL**	LYCOSE	MAICHE
LIPOME	**LOGONE**	LOYALE	LYDIEN	**MAÎCHE**
LIPPÉE	LOIRET	LOYAUX	**LYDIEN**	MAICHE
LIPPUE	LOISIR	**LOYSON**	LYMPHE	MAÏEUR
LIPSET	**LOKMAN**	**LOZÈRE**	LYNCHÉ	

MAIGRE	MANDER	**MARINE**	MÂTINE	**MEGÈVE**
MAIGRI	MANÈGE	MARINÉ	MÂTINÉ	MÉGOHM
MAÏKOP	MANGÉE	**MARINI**	MATITÉ	MÉGOTÉ
MAILER	MANGER	**MARINO**	MATOIR	MÉHARA
MAILLE	**MANGIN**	MARIOL	MATOIS	MÉHARI
MAILLÉ	MANGLE	**MARION**	MATRAS	**MEHMED**
MAILLY	MANGUE	**MARIUS**	**MATSUE**	**MEILEN**
MAINTE	MANIÉE	MARKKA	**MATTEI**	MÉIOSE
MAIRET	MANIER	**MARKOV**	**MATTOX**	**MÉJEAN**
MAIRIE	MANIOC	**MARLEY**	MATURE	MÉJUGÉ
MAISON	MANIPE	MARLIN	MÂTURE	**MEKNÈS**
MAÎTRE	**MANISA**	MARLOU	**MATUTE**	**MÉKONG**
MAJEUR	**MANNAR**	MARMOT	MAUDIT	**MELAKA**
MAJEUR	MANOIR	MARNÉE	**MAUGES**	MÊLANT
MA-JONG	MANQUE	MARNER	**MAUPAS**	MÉLÉNA
MAJORÉ	MANQUÉ	**MARNIA**	**MAURES**	MÉLÈZE
MAJURO	**MAN RAY**	**MARNIX**	**MAURON**	**MÉLIÈS**
MAKALU	**MANSIS**	**MARONI**	MAUROY	**MÉLINE**
MAKILA	**MANTES**	**MAROUA**	**MAURYA**	MELLAH
MALABO	MANTRA	MARQUE	MAUSER	MEMBRE
MALADE	**MANUCE**	MARQUÉ	MAUVIS	MEMBRÉ
MALAGA	MANUEL	MARRÉE	MAXIMA	MEMBRU
MÁLAGA	**MANUEL**	MARRER	MAXIME	MÉMÈRE
MALAIS	**MAO DUN**	MARRIE	**MAXIME**	MÉMÉRÉ
MALAIS	**MAPUTO**	MARRON	MAYEUR	**MEMNON**
MALANG	MAQUÉE	**MARROU**	**MA YUAN**	MENACE
MALARD	MAQUER	MARTEL	**MAZEPA**	MENACÉ
MALART	MAQUIS	**MARTEL**	MAZOUT	MÉNADE
MALAWI	MARACA	**MARTHE**	**MBUNDU**	**MENADO**
MALAXÉ	**MARADI**	**MARTIN**	**MCADAM**	MÉNAGE
MALBEC	MARAIS	MARTRE	MÉCANO	**MÉNAGE**
MALGRÉ	**MARAIS**	MARTYR	MÉCÈNE	MÉNAGÉ
MALICE	**MARAJÓ**	**MASADA**	**MÉCÈNE**	MENANT
MALIEN	MARANS	**MASERU**	MÉCHÉE	**MENDEL**
MALIEN	**MARANS**	**MASINA**	MÉCHER	MENDIÉ
MALORY	MARAUD	MASQUE	MECHTA	MENEAU
MALTÉE	MARBRE	MASQUÉ	**MECIAR**	MENÉES
MALTER	MARBRÉ	**MASSAÏ**	**MÉDARD**	MENEUR
MAMAIA	MARCEL	MASSÉE	MÉDIAN	**MENGER**
MAMELU	**MARCEL**	MASSER	MÉDIAT	**MENGZI**
MAMERS	MARCHE	**MASSEY**	MÉDINA	MENHIR
MAMERT	**MARCHE**	MASSIF	**MÉDINE**	MENINE
MAMMON	MARCHÉ	**MASSON**	MÉDIRE	MENORA
MAMORÉ	**MARCOS**	MASSUE	MÉDITÉ	MENTAL
MANADE	**MARCUS**	**MASSYS**	MEDIUM	MENTHE
MANADO	**MARDAN**	MASTIC	MÉDIUS	MENTIR
MANAGE	MARGAY	MASTOC	MÉDUSE	MENTON
MANAGÉ	MARGÉE	**MASUKU**	MÉDUSÉ	**MENTON**
MANAMA	MARGER	MASURE	**MÉDUSE**	MENTOR
MANANT	**MARGOT**	**MATADI**	MEERUT	**MENTOR**
MANAUS	MARIAL	MATAGE	MÉFAIT	MENUET
MANCHE	**MARICA**	**MATANE**	MÉFIÉE	MÉNURE
MANCHE	MARIÉE	**MATANT**	MÉFIER	**MENZEL**
MANCIE	MARIER	MÂTANT	MÉGALO	MÉPLAT
MANDAT	MARINA	**MATARÓ**	**MÉGARE**	MÉPRIS
MANDÉE	**MARINA**	MATCHS	MÉGÈRE	**MERANO**
MANDEL	MARINE	**MATERA**	**MÉGÈRE**	**MERCIE**

MERCKX	MI-BOIS	MINOIS	MŒURS	MONTÉE
MERDÉE	MICACÉ	MINORÉ	MOFLÉE	MONTER
MERDER	**MICHÉE**	MINQUE	MOFLER	**MONTES**
MÉRENS	**MICHEL**	**MINSKY**	MOGODS	**MONTEZ**
MÉRIDA	**MICHNA**	MINUIT	**MOHÁCS**	MONTRE
MERINA	**MICKEY**	MINUTE	MOHAIR	MONTRÉ
MERISE	MI-CLOS	MINUTÉ	**MOHAVE**	**MOOREA**
MÉRITE	MICMAC	MIOCHE	**MOHAWK**	MOQUÉE
MÉRITÉ	**MICMAC**	MIRAGE	**MOHÉLI**	MOQUER
MERLAN	MI-CÔTE	MIRANT	MOIRÉE	**MORAIS**
MERLIN	MICRON	MIRAUD	MOIRER	MORALE
MERLIN	**MIDWAY**	**MIRCEA**	MOISÉE	**MORAND**
MERLON	MIELLÉ	MIREUR	MOISER	**MORANE**
MERLOT	M!ENNE	**MIRIAM**	MOISIE	MORAUX
MERMOZ	**MIERES**	MIROIR	MOISIR	**MORAVA**
MERSCH	MIETTE	MISANT	**MOISSY**	**MORAVE**
MERSEY	MIÈVRE	**MISÈNE**	MOITIE	**MORAVE**
MERSIN	**MIGNET**	MISÈRE	MOITIÉ	MORDRE
MERTON	MIGNON	**MISHNA**	MOITIR	MORDUE
MÉRULE	MIGRER	**MISNIE**	**MOIVRE**	**MORDVE**
MERYON	MIHRAB	MISSEL	**MOJAVE**	**MORÉAS**
MESETA	MIJOTÉ	MISTON	**MOLDAU**	**MOREAU**
MESLAY	**MIJOUX**	**MISTRA**	MOLÈNE	**MORENA**
MESMER	MIKADO	MITAGE	**MOLÈNE**	MORÈNE
MESSER	MILICE	MITANT	MOLETÉ	**MORENO**
MESSIE	MILIEU	MITARD	**MOLINA**	**MORETO**
MESSIN	**MILIEU**	MITEUX	**MOLISE**	MORFAL
MESSIN	MILITÉ	**MITHRA**	**MOLITG**	MORFIL
MESURE	MILLAS	MITIGÉ	MOLLAH	MORFLÉ
MESURÉ	**MILLAS**	MITOSE	MOLLET	**MORGAN**
MÉSUSÉ	**MILLAU**	MITRAL	**MOLLET**	**MORGAT**
MÉTAUX	**MILLER**	MITRÉE	MOLLIE	**MORGES**
MÉTEIL	MILLET	MITRON	MOLLIR	MORGON
MÉTIER	**MILLET**	MI-VOIX	**MOLNÁR**	MORGUE
MÉTOPE	MILORD	MIXAGE	MOLOCH	**MÓRICZ**
MÉTRÉE	**MILOSZ**	MIXANT	**MOLOCH**	**MÖRIKE**
MÉTRER	**MILTON**	MIXEUR	**MOLTKE**	**MORINS**
METSYS	MIMANT	MIXITÉ	MOLURE	MORION
METTRE	MIMOSA	**MIYAKE**	MOMBIN	**MORITZ**
MEUBLE	**MIMOUN**	MOBILE	MOMENT	**MORLEY**
MEUBLÉ	MINAGE	**MOBILE**	**MOMPÓS**	MORMON
MEUDON	MINANT	MÖBIUS	**MONACO**	**MORNAY**
MEUGLÉ	MINBAR	**MÖBIUS**	MONADE	**MORONI**
MEULAN	MINCIE	**MOBUTU**	**MONCEY**	MOROSE
MEULÉE	**MINCIO**	**MOCKEL**	MONDÉE	**MORRIS**
MEULER	MINCIR	MODALE	MONDER	MORTEL
MEULON	MINDEL	**MODANE**	**MONDOR**	MORT-NÉ
MEXICO	**MINDEN**	MODAUX	**MONEIN**	**MORTON**
MEYLAN	MINEUR	MODELÉ	MONÈME	MORULA
MEYMAC	**MINGAN**	MODÈLE	MONGOL	**MORVAN**
MEYRIN	**MINGUS**	**MODÈNE**	**MONGOL**	MOSANE
MÉZENC	**MINÎÊH**	MODÉRÉ	**MONLUC**	**MOSCOU**
MEZINE	MINIER	MODULE	**MONNET**	**MOSKVA**
MÉZOIS	MINIMA	MODULÉ	MONÔME	**MOSSAD**
MFLOPS	MINIME	MODULO	**MONORY**	**MOSTAR**
MIASME	MINIUM	MOELLE	**MONROE**	**MOTALA**
MIAULÉ	MINOEN	**MŒRIS**	**MONTAN**	MOTARD

MOT-CLÉ	**MURCIE**	NAÎTRE	**NAZARÉ**	NIÇOIS
MOTEUR	MURÈNE	**NAKURU**	**NAZRAN**	**NIÇOIS**
MOTION	**MURGER**	**NAMIAS**	**NEBBIO**	**NICOLA**
MOTIVÉ	MURIDÉ	**NANÇAY**	**NÉCHAO**	**NICOLE**
MOTTÉE	MÛRIER	**NANDED**	**NECKAR**	NIELLE
MOTTER	MURMEL	NANDOU	**NECKER**	NIELLÉ
MOUCHE	**MURNAU**	**NANGIS**	NECTAR	**NIÉMEN**
MOUCHÉ	**MURPHY**	NANISÉ	NECTON	N-IÈMES
MOUDRE	**MURRAY**	NANKIN	**NEFOUD**	**NIÉPCE**
MOUFLE	**MÜRREN**	**NANKIN**	NÉGOCE	**NIÈVRE**
MOUFTÉ	**MUSALA**	**NANSEN**	**NEGROS**	NIGAUD
MOUISE	MUSANT	**NANTES**	**NÉGUEV**	**NIJLEN**
MOUJIK	MUSARD	NANTIE	NEIGER	**NIKITA**
MOULÉE	MUSCAT	NANTIR	**NEIGES**	NIKKEI
MOULER	MUSCLE	**NANTUA**	**NEISSE**	NILLES
MOULIN	MUSCLÉ	NAPALM	**NELSON**	**NIMBÉE**
MOULIN	MUSÉAL	**NAPATA**	**NEMROD**	NIMBER
MOULUE	MUSEAU	NAPHTA	**NENETS**	**NIMIER**
MOURAD	MUSELÉ	NAPHTE	NÉNIES	**NIMITZ**
MOURIR	MUSÉUM	**NAPIER**	NÉPALI	**NÎMOIS**
MOURON	**MUSHIN**	**NAPLES**	**NEPEAN**	**NINGBO**
MOURRE	MUSOIR	NAPPÉE	NÉRÉIS	**NINIVE**
MOUSMÉ	MUSQUÉ	NAPPER	**NERGAL**	**NINOVE**
MOUSSE	**MUSSET**	NARGUÉ	**NERNST**	NIPPÉE
MOUSSÉ	MUTAGE	NARINE	NÉROLI	NIPPER
MOUSSU	MUTANT	**NARITA**	**NERUDA**	NIPPON
MOUTHE	**MUTARE**	NARRÉE	**NERVAL**	**NIPPON**
MOUTON	MUTILÉ	NARRER	NERVIN	NIQUÉE
MOUTON	MUTINE	**NARSÈS**	**NESSOS**	NIQUER
MOUZON	MUTINÉ	NARVAL	**NESSUS**	NITRÉE
MOYEUX	MUTITÉ	**NARVIK**	**NESTLÉ**	NITRER
MOZART	MUTUEL	NASALE	**NESTOR**	NIVALE
MROZEK	MUTULE	NASAUX	**NEUHOF**	NIVAUX
MUCINE	**MUTZIG**	NASEAU	NEURAL	NIVÉAL
MUCRON	**MWANZA**	**NASSAU**	**NEUTRA**	NIVEAU
MUESLI	**MYCALE**	**NASSER**	NEUTRE	NIVELÉ
MUETTE	MYCOSE	NATALE	**NEUVIC**	NIVÔSE
MUFFIN	MYGALE	NATICE	**NEVADA**	**NIZAMI**
MUGABE	MYOPIE	NATION	**NEVERS**	**NOBILE**
MUGUET	MYOSIS	NATIVE	NEVEUX	**NOCARD**
MUISCA	**MYRDAL**	**NATORP**	**NEW AGE**	NOCEBO
MULARD	MYRRHE	NATRON	**NEWARK**	**NOCÉEN**
MULETA	**MYSORE**	NATRUM	**NEWMAN**	NOCEUR
MULLAH	MYXINE	NATTÉE	NEWTON	NOCHER
MULLER	**NABEUL**	NATTER	**NEWTON**	NOCIVE
MÜLLER	NABOTE	NATURE	**NEZAMI**	NODALE
MÜLLER	NACRÉE	**NAUDIN**	**NEZVAL**	NODAUX
MULLIS	NACRER	**NAUMAN**	NIABLE	**NODIER**
MULTAN	**NADAUD**	NAUSÉE	NIAISE	NODULE
MUNICH	**NADJAF**	NAVAJA	NIAISÉ	**NOGARO**
MÜNZER	NÆVUS	**NAVAJO**	**NIAMEY**	**NOGENT**
MUPHTI	**NAGANO**	NAVALE	NICHÉE	**NOGUÈS**
MURAGE	NAGARI	NAVIRE	NICHER	**NOHANT**
MURALE	NAGEUR	NAVRÉE	NICHET	NOIRCI
MURANO	**NAGOYA**	NAVRER	NICHON	**NOIRET**
MURANT	**NAGPUR**	**NAYAIS**	**NICIAS**	NOLISÉ
MURAUX	NAÏADE		NICKEL	**NOLLET**

NOMADE	**NUMIDE**	OFFICE	OPALIN	**ORNANS**	
NOMBRE	**NYASSA**	OFFRIR	OPAQUE	ORNANT	
NOMBRÉ	NYMPHE	OFFSET	OP ARTS	ORONGE	
NOMINÉ	**NYSTAD**	**OGADEN**	OPÉRÉE	**ORONTE**	
NOMMÉE	OASIEN	OGIVAL	OPÉRER	**OROZCO**	
NOMMER	**OAXACA**	**OGODAY**	OPÉRON	**ORPHÉE**	
NON-DIT	OBÉRÉE	**OGOOUÉ**	OPHITE	ORPHIE	
NONIUS	OBÉRER	**O. HENRY**	OPHRYS	**ORSINI**	
NON-MOI	**OBERON**	OÏDIUM	**OPHULS**	**ØRSTED**	
NORDET	**OBERTH**	OIGNON	OPIACÉ	**ORSTOM**	
NORDIR	OBLATE	OINDRE	OPIMES	**ORTEGA**	
NORMAL	OBLATS	**OÏRATE**	OPINEL	ORTEIL	
NORMAN	OBLIGÉ	**OISANS**	OPINER	**ORTHEZ**	
NORMÉE	OBLONG	OISEAU	OPONCE	**ORTLER**	
NOROIS	**O'BRIEN**	OISEUX	OPPIDA	**ORTLES**	
NOROÎT	OBSCUR	OISIVE	OPPOSÉ	**ORWELL**	
NORRIS	OBSÉDÉ	**OISSEL**	OPTANT	**OSASCO**	
NORWID	OBTENU	OJIBWA	OPTIMA	OSCULE	
NOSTOC	OBTURÉ	OKOUMÉ	OPTION	**OSHAWA**	
NOSY BE	OBTUSE	**OLCOTT**	ORACLE	**OSIJEK**	
NOTANT	OBVIER	OLÉATE	**ORADEA**	**OSIRIS**	
NOTICE	**OBWALD**	OLÉINE	ORANGE	**ÖSLING**	
NOTION	**O'CASEY**	**OLENEK**	**ORANGE**	OSMIUM	
NOTULE	OCCASE	OLÉ OLÉ	ORANGÉ	OSMOSE	
NOUAGE	OCCIRE	**OLÉRON**	ORANTE	**OSORNO**	
NOUANT	OCCISE	**OLINDA**	ORBITE	**OSQUES**	
NOUEUX	OCCUPÉ	**OLIVER**	ORBITÉ	**OSSÈTE**	
NOUGAT	OCÉANE	OLIVET	**ORCÉEN**	OSSEUX	
NOULET	**OCÉANE**	**OLIVET**	ORCHIS	**OSSIAN**	
NOUMÉA	OCELLE	**OLMEDO**	ORDRÉE	OSTYAK	
NOUNOU	OCELLÉ	**OLMÜTZ**	ORDURE	**OSTYAK**	
NOURRI	OCELOT	**OLONNE**	ORÉADE	**OTAKAR**	
NOUURE	OCRANT	**OLORON**	**ÖREBRO**	OTARIE	
NOUVEL	OCTALE	OLYMPE	**OREGON**	**OTELLO**	
NOUVEL	OCTANE	**OLYMPE**	ORÉMUS	OTIQUE	
NOVANT	OCTANT	OMBRÉE	**ORENSE**	**OTTAWA**	
NOVARE	OCTAUX	OMBRER	**ORESME**	**ÖTZTAL**	
NOVICE	OCTAVE	**OMBRIE**	**ORESTE**	**OUADAÏ**	
NOYADE	**OCTAVE**	OMERTA	**OREZZA**	OUATÉE	
NOYANT	OCTROI	OMNIUM	**ORFILA**	OUATER	
NOYAUX	OCTUOR	ONAGRE	ORGANE	OUBLIE	
NOYERS	OCULUS	ONCIAL	ORGEAT	OUBLIÉ	
NUANCE	**ODANAK**	ONDINE	**ORGNAC**	OUDLER	
NUANCÉ	**ODENSE**	ONDOYÉ	ORGUES	**OUDONG**	
NUBIEN	**ODESSA**	ONDULÉ	ORIENT	**OUENZA**	
NUBIEN	ODIEUX	**O'NEILL**	**ORIENT**	**OUGRÉE**	
NUBILE	**ODILON**	**ONETTI**	ORIGAN	OUILLE	
NUBUCK	ODORAT	ONGLÉE	**ORIOLA**	OUILLÉ	
NUCLÉÉ	**ODORIC**	ONGLET	ORIOLE	OUKASE	
NUDITÉ	ŒDÈME	ONGLON	**ORISSA**	OULÉMA	
NUITÉE	ŒDIPE	ONGULÉ	ORMAIE	**OULIPO**	
NUITON	**ŒDIPE**	ONQUES	ORMEAU	OUMIAK	
NUJOMA	ŒSTRE	ONYXIS	ORMIER	OUOLOF	
NUMAZU	ŒUVÉE	ONZAIN	ORMOIE	**OUOLOF**	
NÛMENT	ŒUVRE	OOCYTE	**ORMUZD**	**OUPEYE**	
NUMÉRO	ŒUVRÉ	OOGONE	**ORNAIS**	OURDIE	
NUMIDE	OFFERT	OOLITE	**ORNANO**	OURDIR	

OURDOU
OURÉBI
OURLÉE
OURLER
OURLET
OURMIA
OUROUK
OURSIN
OURSON
OURTHE
OUTLAW
OUTPUT
OUTRÉE
OUTRER
OUVALA
OUVERT
OUVRÉE
OUVRER
OUVRIR
OUZBEK
OUZBEK
OVAIRE
OVIBOS
OVIEDO
OVOÏDE
OVULER
OXALIS
OXFORD
OXFORD
OXYDÉE
OXYDER
OXYTON
OXYURE
OZALID
OZANAM
OZONÉE
OZONER
PA'ANGA
PACAGE
PACAGÉ
PACANE
PACHER
PACHTO
PACHTO
PACÔME
PACQUÉ
PACSON
PADANE
PADANG
PADINE
PADOUE
PADOUE
PAELLA
PAGAIE
PAGAÏE
PAGALU
PAGAYE

PAGAYÉ
PAGEOT
PAGINÉ
PAGNOL
PAGNOT
PAGODE
PAGURE
PAHARI
PAILLE
PAILLÉ
PAIRIE
PAIRLE
PAÎTRE
PALACE
PALAIS
PÂLEUR
PALIER
PALLAS
PALLIÉ
PALMAS
PALMÉE
PALMER
PALMER
PALOIS
PALOIS
PALPÉE
PALPER
PALUDE
PALUEL
PÂMANT
PAMPRE
PANACE
PANADE
PANAIS
PANAJI
PANAMA
PANAMÁ
PANAME
PANANT
PANARD
PANDIT
PANGÉE
PANIER
PANINE
PANINI
PANINI
PANJIM
PANKOW
PANNÉE
PANSÉE
PANSER
PANSUE
PANTIN
PANTIN
PANURE
PANZER
PAONNE

PAPALE
PAPAUX
PAPAYE
PAPHOS
PAPIER
PAPINI
PAPION
PAPOTÉ
PAPOUA
PAPOUE
PAPOUE
PAPPUS
PAPULE
PAQSON
PÂQUES
PÂQUES
PAQUET
PARADE
PARADÉ
PARAFE
PARAFÉ
PARAGE
PARAMÉ
PARANÁ
PARANT
PARDON
PARÉES
PAREIL
PARENT
PARÈRE
PARETO
PARFUM
PARIÉE
PARIER
PARINI
PARITÉ
PARKER
PARLÉE
PARLER
PARLER
PAROIR
PAROLE
PARQUÉ
PARROT
PARSEC
PARSIE
PARTIE
PARTIR
PARURE
PARVIS
PASCAL
PASCAL
PASCIN
PASSAU
PASSÉE
PASSER
PASSIF

PASSIM
PASTEL
PASTIS
PATATA
PATATE
PATATI
PATAUD
PATAUD
PATÈNE
PATENT
PATÈRE
PÂTEUX
PATHAN
PATHOS
PATINE
PATINÉ
PÁTMOS
PATOIS
PÁTRAI
PATRAS
PATRIE
PATRON
PATTÉE
PATTON
PATTUE
PÂTURE
PÂTURÉ
PAULIN
PAULUS
PAUMÉE
PAUMER
PAUSER
PAUVRE
PAVAGE
PAVANE
PAVANÉ
PAVANT
PAVESE
PAVEUR
PAVLOV
PAVOIS
PAXTON
PAYANT
PAYEUR
PAYSAN
PÉAGER
PÉBROC
PÉCARI
PECTEN
PÉCULE
PÉCUNE
PÉDALE

PÉDALÉ
PÉDALO
PÉDANT
PEDZER
PÉGASE
PÉGASE
PÉGOUD
PEHLVI
PEIGNE
PEIGNÉ
PEINÉE
PEINER
PEINTE
PEIRCE
PEISEY
PÉKINÉ
PELADE
PELAGE
PÉLAGE
PELANT
PELARD
PELAUD
PÉLÉEN
PÉLION
PELLAN
PELLÉE
PELLER
PELLET
PÉLOPS
PELOTE
PELOTÉ
PELTÉE
PELTON
PELURE
PÉLUSE
PELVIS
PÉNALE
PENANG
PENAUD
PÉNAUX
PENCHÉ
PENDRE
PENDUE
PÉNIEN
PENNÉE
PENNON
PENSÉE
PENSER
PENSIF
PENSUM
PENTUE
PÉONES
PEORIA
PÉPÈRE
PÉPIER
PÉPITE
PÉPLUM

PÉQUET	PETIOT	**PICTET**	PIOLET	**PLAUTE**
PÉQUIN	**PETIPA**	PIDGIN	**PIOMBO**	**PLEAUX**
PERCÉE	PETITE	PIÉGÉE	PIONCÉ	PLEINE
PERCER	**PETOFI**	PIÉGER	PIONNE	**PLÉLAN**
PERCET	PÉTOLE	**PIERNÉ**	PIORNE	PLÉNUM
PERCHE	PÉTREL	**PIÉRON**	PIORNÉ	**PLÉRIN**
PERCHE	PÉTRIE	PIERRE	PIPANT	PLEURÉ
PERCHÉ	PÉTRIN	**PIERRE**	PIPEAU	**PLEVEN**
PERÇUE	PÉTRIR	PIERRÉ	PIPEUR	PLÈVRE
PERDRE	PÉTUNÉ	PIÉTER	PIPIER	PLEXUS
PERDUE	PEUPLE	PIÉTIN	PIQUÉE	**PLEYEL**
PERIER	PEUPLÉ	PIÉTON	PIQUER	PLEYON
PÉRIMÉ	PEYOTL	PIÈTRE	PIQUET	PLIAGE
PÉRIPH	PEZIZE	PIEUSE	**PIQUET**	PLIANT
PERLAN	PHANIE	PIEUTÉ	PIQÛRE	PLIEUR
PERLÉE	**PHAROS**	PIFANT	PIRATE	PLIOIR
PERLER	PHASME	PIFFÉE	PIRATÉ	PLISSÉ
PERLON	**PHÉBUS**	PIFFER	PIRAYA	PLIURE
PERLOT	**PHÉDON**	PIGEON	**PIRIAC**	**PLŒUC**
PERMIS	**PHÈDRE**	**PIGNAN**	PIROLE	PLOMBE
PERMON	**PHÉNIX**	PIGNON	PISANE	PLOMBÉ
PERNES	**PHÉNIX**	**PIGNON**	**PISANE**	PLONGE
PERNIK	PHÉNOL	PILAGE	**PISANO**	PLONGÉ
PERNIS	**PHILAE**	PILANT	PISSAT	**PLOTIN**
PÉRONÉ	**PHILON**	**PILATE**	PISSÉE	**PLOUAY**
PÉRORÉ	PHOBIE	PILEUX	PISSER	**PLOUHA**
PERRET	**PHOCÉE**	PILIER	PISTÉE	PLOYÉE
PERRIN	PHONIE	PILLÉE	PISTER	PLOYER
PERRON	PHONON	PILLER	PISTIL	PLUCHÉ
PERROS	PHOQUE	PILORI	PISTON	PLUMÉE
PERROT	PHOTON	PILOTE	PISTOU	PLUMER
PERSAN	PHRASE	PILOTÉ	PITEUX	PLUMET
PERSAN	PHRASÉ	**PILPAY**	PITPIT	PLURAL
PERSÉE	**PHRYNÉ**	**PILSEN**	PIVERT	PLUTON
PERSEL	**PHUKET**	PILULE	PIVOTÉ	**PLUTON**
PERSIL	PHYLUM	PIMENT	PLACÉE	**PLUTUS**
PERUTZ	PIAFFÉ	PINARD	PLACER	**POBEDY**
PESADE	**PIAGET**	**PINARD**	PLACET	**POBLET**
PESAGE	**PIALAT**	PINCÉE	PLAGIÉ	POCHÉE
PESANT	PIAULE	PINCER	PLAIDÉ	POCHER
PESARO	PIAULÉ	PINÇON	PLAINE	POCHON
PESETA	PIAUTE	**PINCUS**	PLAINT	PODION
PESEUR	PIAZZA	PINÉAL	PLAIRE	PODIUM
PESSAC	**PIAZZI**	PINEAU	**PLANCK**	PODZOL
PESSAH	PIBALE	PINÈDE	PLANÉE	POÊLÉE
PESSOA	**PIBRAC**	PINÈNE	PLANER	POÊLER
PESTER	PICAGE	**PINGET**	PLANTE	POÊLON
PÉTAIN	PICARD	PINGRE	PLANTÉ	POÉSIE
PÉTALE	**PICARD**	PIN-PON	PLAQUE	POGNON
PÉTANT	PICHET	PINSON	PLAQUÉ	POGROM
PÉTARD	PICK-UP	PINTÉE	PLASMA	**POHANG**
PETARE	PICOLÉ	PINTER	PLASTE	POIGNE
PÉTASE	PICORÉ	**PINTER**	PLATÉE	POILÉE
PETERS	PICOTE	PINYIN	**PLATON**	POILER
PÉTEUR	PICOTÉ	**PINZÓN**	PLÂTRE	POILUE
PÉTEUX	PICRIS	PIOCHE	PLÂTRÉ	POINTE
PÉTION	**PICTES**	PIOCHÉ	**PLAUEN**	

POINTÉ	**POPPER**	**POYANG**	PROFÈS	PURETÉ
POINTU	POPULO	**POZNAN**	PROFIL	PURGÉE
POINTU	POQUER	**PRADES**	PROFIT	PURGER
POIRÉE	POQUET	**PRAGUE**	PROFUS	PURINE
POIRET	PORCHE	**PRAÏEN**	PROJET	**PURUSA**
POIROT	PORCIN	PRAIRE	**PROKOP**	**PUSKAS**
POISON	POREUX	PRALIN	PROLOG	**PUSZTA**
POISSE	PORION	**PRAVAZ**	PROMIS	PUTAIN
POISSÉ	**PORNIC**	PRAXIE	PROMPT	PUTIER
POISSY	PORQUE	PRAXIS	PROMUE	PUTIET
POITOU	PORTAL	PRÉAUX	PRÔNÉE	**PUTNAM**
POIVRE	**PORTAL**	PRÊCHE	PRÔNER	**PUTNIK**
POIVRÉ	PORTÉE	PRÊCHÉ	PRONOM	PUTOIS
POLABÍ	PORTER	PRÉCIS	PROPOS	PUTSCH
POLARD	**PORTER**	PRÉDIT	PROPRE	PUTTER
POLDER	POSANT	PRÉFET	PROTÉE	PUTTOS
POLICE	POSEUR	PRÉFIX	**PROTÉE**	PUZZLE
POLICÉ	POSTAL	PRÉLAT	PROTÊT	PYGMÉE
POLLEN	POSTÉE	**PRELOG**	PROTON	**PYGMÉE**
POLLUÉ	**POSTEL**	PRÉNOM	**PROUST**	PYJAMA
POLLUX	POSTER	**PRESOV**	PROUVÉ	**PYLADE**
POL POT	POSTES	PRESSE	**PROUVÉ**	PYLÔNE
POLSKA	Post-it	PRESSÉ	PROVIN	PYLORE
POLYBE	POTAGE	PRESTE	PROYER	PYRALE
POLYOL	**POTALA**	PRESTÉ	PRUCHE	**PYRAME**
POLYPE	POTARD	PRESTO	PRUINE	PYRÈNE
POMAKS	POTEAU	PRÊTÉE	PRUNUS	PYRITE
POMARÉ	POTELÉ	PRÊTER	PRURIT	PYROLE
POMBAL	**POTHIN**	PRÊTRE	**PRUSSE**	**PYRRHA**
POMELO	POTIER	PREUVE	PSAUME	PYRROL
POMMÉE	POTINÉ	PRÉVÔT	PSOQUE	PYTHIE
POMMER	POTION	PRÉVUE	PSYCHÉ	PYTHON
POMONE	**POTOSÍ**	PRIANT	**PSYCHÉ**	**PYTHON**
POMPÉE	**POTTER**	**PRIAPE**	PSYLLE	PYURIE
POMPÉE	POUDRE	**PRIÈNE**	PTÔSIS	PYXIDE
POMPÉI	POUDRÉ	PRIÈRE	PUANTE	**QADESH**
POMPER	POUFFÉ	PRIEUR	PUBÈRE	**QADJAR**
POMPON	POUGNÉ	**PRILEP**	PUBIEN	QASIDA
PONANT	**POUGNY**	**PRILLY**	PUBLIC	**QAZVIN**
PONCÉE	POULET	PRIMAL	PUBLIÉ	**QUADES**
PONCER	**POULET**	PRIMAT	PUCEAU	QUADRA
PONCHO	POULIE	PRIMÉE	PUCIER	QUADRI
PONCIF	**POULIN**	**PRIMEL**	PUDDLÉ	QUAHOG
PONDRE	POULOT	PRIMER	PUDEUR	QUAKER
PONDUE	POULPE	PRINCE	**PUEBLA**	QUANT À
PONGÉE	POUMON	**PRINCE**	**PUEBLO**	QUANTA
PONOTE	POUPÉE	**PRIPET**	PUÉRIL	**QUANTZ**
PONSON	POUPIN	PRISÉE	PUFFIN	QUARTE
PONTÉE	POUPON	PRISER	PUÎNÉE	QUARTÉ
PONTER	POURIM	PRISME	PUISÉE	QUARTO
PONTET	POURRI	PRISON	PUISER	QUARTZ
PONTIL	POURVU	**PRIVAS**	PULQUE	QUASAR
PONTON	POUSSE	PRIVÉE	PULSAR	QUATER
POP ART	POUSSÉ	PRIVER	PULSÉE	QUATRE
POPEYE	POUTRE	**PROBUS**	PULSER	**QUÉBEC**
POPOTE	POUTSÉ	PROCÈS	**PURANA**	QUE DAL
POPPÉE	**POWELL**	PROCHE	PUREAU	**QUEENS**

QUEIPO	RADIAN	**RAMEAU**	RÂTELÉ	RÉCRIÉ
QUÉLÉA	RADIÉE	RAMENÉ	RATIER	RÉCRIT
QUELLE	RADIER	RAMEUR	RATINE	RECRUE
QUELUZ	RADINE	RAMEUX	RATINÉ	RECTAL
QUEMOY	RADINÉ	RAMIER	RATING	RECTUM
QUERCY	RADINS	**RAMIRE**	RATION	REÇUES
QUÉRIR	RADIUM	RAMONÉ	RATITE	RECUIT
QUÊTÉE	RADIUS	**RAMPAL**	RATURE	RECULÉ
QUÊTER	RADJAH	RAMPER	RATURÉ	RÉCURÉ
QUETTA	RADÔME	RAMPON	**RATZEL**	RÉCUSÉ
QUETTE	RADOTE	**RAMPUR**	RAUCHÉ	REDENT
QUEUTÉ	RADOUB	**RAMSAY**	RAUQUE	RÉDIGÉ
QUÉZAC	RADSOC	**RAMSÈS**	RAUQUÉ	REDIMÉ
QUEZÓN	RADULA	**RAMSEY**	RAVAGE	RÉDIMÉ
QUICHE	**RAEDER**	RAMULE	RAVAGÉ	REDIRE
QUICHÉ	RAFALE	RAMURE	RAVALÉ	REDITE
QUIDAM	**RAFFET**	RANCHE	RAVIER	REDORÉ
QUIÈTE	RAFFLE	**RANCHI**	RAVILI	REDOUX
QUILLE	RAFFUT	RANCHS	RAVINE	RÉDOWA
QUILON	RAFIAU	RANCIE	RAVINÉ	RÉDUIT
QUINÉE	RAFIOT	RANCIO	RAVISÉ	RÉDUVE
QUINET	RAFLÉE	RANCIR	RAVIVÉ	RÉELLE
QUINOA	RAFLER	RANÇON	RAVOIR	RÉÉLUE
QUINTE	RAGEUR	RANGÉE	RAYAGE	**REEVES**
QUINTÉ	RAGLAN	RANGER	RAYANT	REFAIT
QUINTO	**RAGLAN**	RANIDÉ	**RAYNAL**	REFEND
QUINZE	RAGOTE	RANIMÉ	**RAYSSE**	RÉFÉRÉ
QUIPOU	RAGOÛT	**RAOULT**	RAYURE	REFILÉ
QUIRAT	RAGRÉÉ	RAPACE	**RAZINE**	REFLET
QUITTE	RAGUER	RÂPAGE	RAZZIA	REFLEX
QUITTÉ	**RAGUSE**	RÂPANT	RAZZIÉ	REFLUÉ
QUITUS	**RAHMAN**	RÂPEUX	**REAGAN**	REFLUX
QUMRAN	**RAHNER**	RAPHIA	RÉAGIR	REFUGE
QUORUM	RAIDER	RAPIAT	REALES	REFUSÉ
QU YUAN	RAIDIE	RAPIDE	RÉARMÉ	RÉFUTÉ
QUZHOU	RAIDIR	RAPINE	REBÂTI	REGAIN
RABAIS	RAILLÉ	RAPINÉ	REBIBE	RÉGALE
RABANE	RAINÉE	RAPPEL	REBOND	RÉGALÉ
RABAUL	RAINER	RAPTUS	REBORD	REGARD
RABBIN	**RAIPUR**	RÂPURE	REBRAS	RÉGATE
RABIOT	RAISIN	RAQUÉE	REBUSE	RÉGATÉ
RÂBLÉE	RAISON	RAQUER	REBUTÉ	REGELÉ
RABOTÉ	**RAIZET**	RARETÉ	RECALÉ	RÉGENT
RACAGE	**RAJKOT**	RASADE	RECASÉ	**RÉGENT**
RACHAT	RAJOUT	RASAGE	RECÉDÉ	REGGAE
RACHEL	**RAJPUT**	RASANT	RECELÉ	**REGGIO**
RACHIS	**RÁKOSI**	RASEUR	RÉCENT	RÉGIME
RACIAL	RÂLANT	RASHES	RECEPÉ	**REGINA**
RACINE	**RALEGH**	RASKOL	**RECIFE**	RÉGION
RACINE	RÂLEUR	RASOIR	RÉCITÉ	RÉGLÉE
RACKET	RALLIÉ	RASSIR	RECLUS	RÉGLER
RACLÉE	RALLYE	RASSIS	**RECLUS**	RÉGLET
RACLER	RAMAGE	RASTEL	RECOIN	RÉGNER
RACOLÉ	RAMAGÉ	RATAGE	RÉCOLÉ	REGRÉÉ
RADANT	RAMANT	RATANT	RECORD	REGRET
RADEAU	RAMDAM	**RATEAU**	RECRÉÉ	REGROS
RADIAL	RAMEAU	RÂTEAU	RÉCRÉÉ	RÉGULE

RÉGULÉ	**RENNER**	**RETHEL**	RIDOIR	ROBERT
REHAUT	**RENNES**	RÉTINE	RIDULE	**ROBERT**
REICHA	**RENOIR**	RETIRÉ	**RIEHEN**	**ROBOAM**
RÉIFIÉ	RENOUÉ	RÉTIVE	**RIEMST**	ROCADE
REILLE	RÉNOVÉ	RETORS	**RIENZI**	**ROCARD**
REISER	**RENQIU**	RETOUR	**RIENZO**	ROCHER
REÎTRE	RENTÉE	RÉUNIE	RIEUSE	ROCHET
RÉJANE	RENTER	RÉUNIR	RIFAIN	**ROCHET**
REJETÉ	RENTRÉ	RÉUSSI	**RIFAIN**	ROCKER
REJOUÉ	RENVOI	REVALU	RIFFLE	ROCKET
RÉJOUI	RÉPARÉ	RÊVANT	RIFIFI	**ROCKET**
REJUGÉ	REPARU	REVÉCU	**RIGAUD**	ROCOCO
RELAIS	REPAVÉ	RÉVEIL	RIGIDE	ROCOUÉ
RELAPS	REPAYÉ	RÉVÉLÉ	RIGOLE	**ROCROI**
RELATÉ	REPÈRE	REVENU	RIGOLÉ	RODAGE
RELAVÉ	REPÉRÉ	RÉVÉRÉ	RIGOLO	RODANT
RELAXE	RÉPÉTÉ	REVERS	**RIJEKA**	RÔDANT
RELAXÉ	**REPINE**	**REVERS**	RIKIKI	RÔDEUR
RELAYÉ	REPLAT	REVÊTU	RILSAN	**RODNEY**
RELENT	REPLET	RÊVEUR	RIMANT	RODOIR
RELEVÉ	REPLIÉ	RÉVISÉ	RIMAYE	RŒSTI
RELÈVE	REPOLI	REVOIR	RIMEUR	**ROGERS**
RELIÉE	RÉPONS	REVOLÉ	**RIMINI**	**ROGIER**
RELIEF	REPORT	RÉVOLU	RIMMEL	**ROGNAC**
RELIER	REPOSE	REVOTÉ	RINCÉE	ROGNÉE
RELIRE	REPOSÉ	**REZAYE**	RINCER	ROGNER
RELOGÉ	REPRIS	**REZÉEN**	RIOTER	ROGNON
RELOUÉ	RÉPUTÉ	RHÉNAN	RIPAGE	ROGUÉE
REMAKE	REQUIN	RHÉSUS	RIPANT	**RÓHEIM**
REMÈDE	REQUIS	**RHÉTIE**	**RIPERT**	**ROHMER**
RÉMÉRÉ	**RÉSAFÉ**	**RHODES**	RIPOUS	**ROHRER**
REMICH	RESALÉ	RHODIÉ	RIPOUX	**ROHTAK**
RÉMIGE	RESALI	RHOMBE	RIPPER	ROIDIE
RÉMIRE	RÉSEAU	RHOVYL	**RIQUET**	ROIDIR
REMISE	RÉSÉDA	RHUMÉE	**RISOUL**	ROILLE
REMISÉ	RÉSIDÉ	RHUMER	RISQUE	ROILLÉ
RÉMOIS	RÉSIDU	RHYTON	RISQUÉ	**ROISEL**
RÉMOIS	RÉSINE	**RIALTO**	**RITALE**	**ROISSY**
RÉMORA	RÉSINÉ	RIANTE	**RÍTSOS**	RÔLAGE
REMOUS	**RESITA**	**RIAZAN**	**RITTER**	**ROLAND**
REMPLI	RÉSOLU	RIBAUD	RITUEL	ROLLER
REMUÉE	RESSAC	**RIBERA**	RIVAGE	**ROLLIN**
REMUER	RESSAT	RIBLON	RIVALE	**ROLLON**
RENAIX	RESSUÉ	RIBOSE	**RIVALZ**	ROLLOT
RÉNALE	RESSUI	RIBOTE	RIVANT	ROMAIN
RENARD	RESTAU	RICAIN	RIVAUX	**ROMAIN**
RENARD	RESTÉE	**RICAIN**	**RIVERA**	ROMAND
RENART	RESTER	RICANÉ	**RIVERS**	**ROMAND**
RENAUD	**RESTIF**	**RICHER**	RIVETÉ	ROMANE
RÉNAUX	RÉSUMÉ	**RICHET**	RIVOIR	ROMANI
RENDRE	**RÉTAIS**	**RICORD**	**RIVOLI**	**ROMANS**
RENDUE	RÉTAMÉ	RIC-RAC	RIVURE	**ROMBAS**
RENENS	RETAPE	RICTUS	**RIZHAO**	**ROMMEL**
RENFLÉ	RETAPÉ	RIDAGE	RMISTE	**ROMNEY**
RENIÉE	RETARD	RIDANT	**ROANNE**	ROMPRE
RENIER	RETÂTÉ	RIDEAU	ROBAGE	ROMPUE
RÉNINE	RETENU		ROBANT	RONDEL

RONDIN	RUCHÉE	**SACLAY**	**SALOUM**	**SARNEY**
RONFLÉ	RUCHER	SACQUÉ	**SALSES**	**SARNIA**
RONGÉE	RUCLON	SACRAL	SALUÉE	SARODE
RONGER	**RUDAKI**	SACRÉE	SALUER	SARONG
RÔNIER	RUDOYÉ	SACRER	SALURE	SARRAU
RONRON	RUELLE	SACRET	SAMARA	**SARTHE**
ROQUER	**RUFFEC**	SACRUM	SAMARE	**SARTRE**
ROQUET	**RUFFIÉ**	**SADATE**	**SAMARA**	**SASEBO**
ROSACE	RUFIAN	**SADOUL**	SAMBIN	SASSÉE
ROSACÉ	RUGINE	**SADOWA**	**SAMBRE**	SASSER
ROSANT	**RUGLES**	SAFARI	SAMEDI	SATANÉ
ROSBIF	RUINÉE	SAFRAN	SAMOAN	SATINÉ
ROSEAU	RUINER	SAGACE	**SAMOAN**	SATIRE
ROSEAU	RUMEUR	SAGAIE	SAMOLE	SATORI
ROSEUR	RUMINÉ	SAGARD	SAMPAN	**SATORY**
ROSIER	**RUMMEL**	**SAGIEN**	SAMPLE	SATURÉ
ROSLIN	**RUNGIS**	SAGINE	SAMPLÉ	SATYRE
ROSSBY	RUPANT	**SAGLIO**	SAMPOT	SAUCÉE
ROSSÉE	**RUPERT**	**SAGONE**	**SAMSON**	SAUCER
ROSSER	RUPIAH	**SAHARA**	**SAMSUN**	**SAUGOR**
ROSTOV	RUPINE	SAIGNÉ	**SAMUEL**	**SAUJON**
ROSTOW	RURALE	**SAIGON**	**SANAGA**	SAULÉE
ROSTRE	RURAUX	**SAILER**	**SANARY**	SAUMON
ROTACÉ	**RUSAFA**	SAILLI	**SANCHE**	**SAUMUR**
ROTANG	RUSANT	SAINTE	**SANDER**	SAUNER
ROTANT	RUSHES	SAISIE	Sandow	SAURÉE
ROTARY	**RUSKIN**	SAISIR	SANDRE	SAURER
ROTHKO	**RUSSIE**	SAISON	**SANGER**	SAURIN
ROTROU	RUSTRE	**SAJAMA**	**SANGHA**	SAURIS
ROTULE	RUTILE	SAKIEH	SANGLE	SAUTÉE
ROTURE	RUTILÉ	SALACE	SANGLÉ	SAUTER
ROUAGE	RUTINE	SALADE	**SANGLI**	**SAUTET**
ROUANT	**RUYTER**	**SALADO**	SANSON	SAUVÉE
ROUBLE	RWANDA	SALAGE	SANTAL	SAUVER
ROUGET	**RWANDA**	SALAMI	**SANTER**	**SAVAII**
ROUGIE	**RYBNIK**	**SALANG**	SANTON	SAVANE
ROUGIR	RYTHME	SALANT	**SANTOS**	SAVANT
ROUHER	RYTHMÉ	SALAUD	**SANUSI**	**SAVARD**
ROULÉE	**RYUKYU**	SALERS	SAOULE	SAVART
ROULER	SAANEN	**SALERS**	SAOULÉ	**SAVART**
ROULIS	**SÁBATO**	SALETÉ	SAPANT	**SAVARY**
ROUPIE	SABBAT	**SALÈVE**	SAPEUR	SAVATE
ROUSSE	SABÉEN	SALIEN	SAPHIR	**SAVERY**
ROUSSI	**SABÉEN**	**SALIES**	SAPIDE	SAVEUR
ROUSSY	SABINE	SALINE	SAPINE	**SAVOIE**
ROUSTE	**SABINS**	**SALINS**	SAPOTE	SAVOIR
ROUTÉE	SABLÉE	SALIVE	**SAPPHO**	**SAVONE**
ROUTER	SABLER	SALIVÉ	SAQUÉE	**SAXONS**
ROUVRE	SABLON	SALMIS	SAQUER	SBRINZ
ROXANE	SABORD	SALOIR	SARCLÉ	SCALDE
ROYALE	SABOTÉ	SALOMÉ	**SARDES**	SCALPÉ
ROYAUX	SABRÉE	**SALOMÉ**	**SARDOU**	SCAMPI
RUANDA	SABRER	**SALONA**	**SARGON**	SCANDÉ
RUBANÉ	**SABRES**	**SALONE**	**SARINE**	**SCANIE**
RUBATO	SACHÉE	SALOON	**SARLAT**	SCANNÉ
RUBBIA	SACHEM	SALOPE	**SARNEN**	**SCAPIN**
RUBENS	SACHET	SALOPÉ	**SARNEN**	**SCARPA**

SCARPE	SECOUÉ	**SERBIE**	SHAKER	SIMILI
SCEAUX	SECRET	SERDAB	**SHAMIR**	**SIMMEL**
SCEAUX	SÉDUIT	SEREIN	**SHANXI**	SIMOUN
SCELLÉ	**SEECKT**	**SEREIN**	**SHARON**	SIMPLE
SCHADÉ	SÉGALA	**SÉRÈRE**	SHEKEL	SIMULÉ
SCHEEL	**SÉGALA**	SÉREUX	SHÉRIF	SINGÉE
SCHEIK	SEGHIA	SERIAL	SHERPA	SINGER
SCHÉMA	SEGUIA	SÉRIÉE	**SHERPA**	**SINGER**
SCHÈME	**SEGUIN**	SÉRIEL	SHERRY	SINGLE
SCHÉOL	**SÉGUIN**	SÉRIER	SHILOM	SINISÉ
SCHLEU	SEHTAR	SERINE	SHIMMY	SINITÉ
SCHULZ	SEICHE	SERINÉ	SHINTO	**SINOIS**
SCHUSS	SEIGLE	SÉRINE	**SHI TAO**	**SINOPE**
SCHÜTZ	**SEIKAN**	**SERLIO**	SHOGUN	**SINTRA**
SCHWOB	SEILLE	SERMON	**SHOLES**	SINUÉE
SCHWYZ	**SEILLE**	**SERNIN**	SHOOTÉ	SINUER
SCIAGE	**SEIPEL**	**SÉRRAI**	SHUDRA	**SIOUAH**
SCIANT	SÉISME	SERRAN	SHUNTÉ	**SIOULE**
SCIÈNE	SÉJOUR	SERRÉE	SIALIS	SIPHON
SCIEUR	SÉLECT	SERRER	**SICARD**	SIRDAR
SCILLE	SÉLÈNE	**SERRES**	**SICHEM**	SIRÈNE
SCILLY	SELLÉE	SERTÃO	**SICILE**	**SIRICE**
SCINDÉ	SELLER	SERTES	SICLÉE	**SIRIUS**
SCIRPE	**SELLES**	SERTIE	SIDÉEN	SIROCO
SCIURE	**SEMANG**	SERTIR	SIDÉRÉ	SIROTÉ
SCLÈRE	SEMANT	SERTIS	**SIDNEY**	**SIRVEN**
SCOLEX	SEMBLÉ	SERVAL	SIÈCLE	**SISLEY**
SCOLIE	**SÉMÉAC**	**SERVET**	**SIEGEN**	SISMAL
SCONSE	**SÉMÉLÉ**	SERVIE	SIÉGER	**SISTAN**
SCOPAS	SÉMÈME	SERVIR	SIENNE	SISTRE
SCOPIE	**SEMERU**	SÉSAME	**SIENNE**	SITCOM
SCORIE	SEMEUR	SESQUI-	SIERRA	**SITTWE**
SCOTCH	SÉMITE	**SESSHU**	**SIERRE**	SITUÉE
SCOTCH	**SÉMITE**	SÉTACÉ	SIESTE	SITUER
SCOTIE	SEMOIR	SETIER	**SIEYÈS**	SIXAIN
SCOUTE	**SEMOIS**	**SÉTOIS**	SIFFLÉ	**SIXTUS**
SCRIBE	SEMPLE	**SETTAT**	**SIGEAN**	SIZAIN
SCRIBE	**SÉNANE**	SETTER	SIGLÉE	SKETCH
SCRIPT	**SÉNART**	SEUDRE	**SIGNAC**	SKIANT
SCRUTÉ	**SENDAI**	SEULET	SIGNAL	SKI-BOB
SCYLLA	SÉNEVÉ	**SEURAT**	SIGNÉE	SKIEUR
SCYTHE	SÉNILE	**SEURRE**	SIGNER	**SKIKDA**
SÉANCE	SENIOR	SÉVÈRE	SIGNET	**SKOLEM**
SÉANTE	**SENLIS**	**SÉVÈRE**	**SIGURD**	**SKOPJE**
SEARLE	**SÉNONS**	**SEVERN**	**SIKKIM**	SKUNKS
SÉBACÉ	SENSAS	**SEVESO**	SILANE	**SKYLAB**
SÉBILE	SENSÉE	**SEVRAN**	SILANT	**SKYROS**
SEBKHA	SENTIE	SEVRÉE	SILÈNE	SLALOM
SEBKRA	SENTIR	SEVRER	**SILÈNE**	SLASHS
SEBOND	**SENUFO**	SÈVRES	SILICE	SLAVON
SÉCANT	SÉPALE	**SÈVRES**	SILLET	SLICÉE
SECCHI	SÉPARÉ	SEXAGE	SILLON	SLICER
SÉCHÉE	SEPTAL	SEXUÉE	**SILONE**	SLIKKE
SÉCHER	SEPTUM	SEXUEL	SILPHE	**SLIVEN**
SECLIN	SEQUIN	SEYANT	SILURE	**SLODTZ**
SECOND	SÉRAIL	**SEYNOD**	**SIMÉON**	SLOGAN
SECOND	**SERBAN**	**SFORZA**	SIMIEN	**SLOUGH**

SLUPSK	SONORE	SPIDER	STOUPA	**SUMAVA**
SLUTER	**SOPRON**	SPINAL	**STRAND**	**SUMMER**
SMALAH	SOQUET	SPIRAL	STRASS	SUMMUM
SMASHÉ	**SORABE**	SPIRÉE	STRATE	**SUN TSE**
SMASHS	SORBET	**SPIROU**	**STRESA**	**SUOCHE**
SMEGMA	**SORBON**	SPLEEN	STRESS	SUPÈRE
SMILLE	SORGHO	SPOLIÉ	STRICT	SUPER-G
SMOCKS	SORITE	**SPONDE**	STRIÉE	SUPION
SMYRNE	SORTIE	SPRINT	STRIER	SUPPÔT
SNIFFÉ	SORTIR	SQUALE	STRIGE	SURALE
SNOBÉE	**SOSEKI**	SQUAME	STRING	SURATE
SNOBER	**SOSPEL**	SQUARE	STROMA	SURAUX
SNOOPY	**SOTCHI**	SQUASH	**STRUMA**	SURBAU
SOARES	SOTTIE	**SRAFFA**	**STRUVE**	SURCOT
SOBOUL	**SOUABE**	STABLE	STRYGE	SURDOS
SOCCER	SOUCHE	STADIA	**STUART**	SUREAU
SOCIAL	SOUCIÉ	**STAFFA**	STUDIO	SÛRETÉ
SOCKET	**SOUDAN**	STAFFÉ	STUPRE	SURFER
SOCQUE	SOUDÉE	STAGNÉ	STUQUÉ	SURFIL
SODIUM	SOUDER	**STAINS**	**STURZO**	SURFIN
SODOKU	SOUFIE	STALAG	STYLÉE	SURGIR
SODOMA	SOUFRE	STALLE	STYLER	SURIMI
SODOME	SOUFRÉ	**STAMIC**	STYLET	SURINÉ
SOFRES	**SOULAC**	STANCE	STYRAX	SURJET
SOIGNÉ	SOÛLÉE	**STARCK**	**STYRIE**	SURMOI
SOÏOUZ	SOÛLER	STARIE	**STYRON**	SURNOM
SOIRÉE	SOÛLON	STATIF	SUAIRE	SUROÎT
SOKOTO	SOÛLOT	STATOR	SUANTE	**SURREY**
SOLARI	SOULTE	STATUE	**SUARÈS**	SURSIS
SOLDAT	**SOULTZ**	STATUÉ	**SUÁREZ**	SURVIE
SOLDÉE	SOUMIS	STATUT	SUBITE	SURVOL
SÖLDEN	SOUPER	STAWUG	SUBITO	SUSDIT
SOLDER	SOUPIR	STAYER	SUBTIL	**SUSSEX**
SOLEIL	SOUPLE	**STEELE**	SUÇANT	**SUSTEN**
SOLFIÉ	SOUQUÉ	**STEFAN**	SUCCÈS	**SUTLEJ**
SOLIDE	SOURCE	**STELLA**	SUCCIN	SUTURE
SOLIVE	SOURDE	**STENAY**	SUCEUR	SUTURÉ
SOLUTÉ	SOURIS	**STÉNON**	SUCHET	**SUZHOU**
SOLVAY	**SOUSSE**	STEPPE	SUÇOIR	**SUZUKA**
SOMAIN	SOUTRA	STÉRÉE	SUÇOTÉ	SVELTE
SOMALI	SOVIET	STÉRÉO	SUCRÉE	**SWARTE**
SOMALI	**SOWETO**	STÉRER	SUCRER	**SWATOW**
SOMBRE	**SOYAUX**	STERNE	SUCRIN	**SWAZIE**
SOMBRÉ	SOYEUX	**STERNE**	SUD-EST	**SWAZIS**
SOMERS	**SOYOUZ**	STÉROL	SUÉDÉE	**SWINGS**
SOMITE	SPALAX	**STEVIN**	SUETTE	**SYDNEY**
SOMMÉE	SPARTE	STIBIÉ	**SUÈVES**	**SYLHET**
SOMMER	**SPARTE**	STIGMA	SUIFFÉ	SYLPHE
SOMMET	SPASME	STOCKÉ	SUINTÉ	SYNDIC
SONATE	SPATHE	STOKER	SUISSE	SYNODE
SONDÉE	SPEECH	STOKES	**SUISSE**	SYNTHÉ
SONDER	SPEEDÉ	**STOKES**	SUITÉE	**SYPHAX**
SONGER	SPERME	STOLON	SUIVIE	SYRIEN
SONGYE	**SPERRY**	STOMIE	SUIVIS	**SYRIEN**
SONNÉE	SPHÈNE	**STONEY**	SUIVRE	SYRINX
SONNER	SPHÈRE	STOPPÉ	**SUKKUR**	**SYRINX**
SONNET	SPHINX	STORAX	SULTAN	SYRPHE

SYRTES	**TAMBOV**	**TARNOS**	**TEGNÉR**	**TETELA**
SYZRAN	TAMIER	**TARNÓW**	TEIGNE	**TÉTHYS**
SZEGED	**TAMISE**	TARPAN	TEILLE	TÉTINE
TABLAR	TAMISÉ	TARPON	TEILLÉ	TÉTRAS
TABLÉE	TAMOUL	**TARSKI**	TEINTE	**TETZEL**
TABLER	**TAMOUL**	**TARSUS**	TEINTÉ	TEUTON
TABORA	TAMPON	TARTAN	TÉLÉGA	TEXANE
TABORI	TAM-TAM	TARTAN	TÉLEXÉ	**TEXANE**
TABOUE	**TANAÏS**	**TARTAS**	TELSON	**TEYJAT**
TABRIZ	**TANAKA**	TARTIR	TELUGU	**THABOR**
TABULÉ	TANCÉE	TARTRE	TÉMOIN	THALER
TACAUD	TANCER	**TARVIS**	TEMPLE	**THALÈS**
TACHÉE	TANCHE	TARZAN	**TEMPLE**	**THALIE**
TÂCHÉE	TANDEM	**TARZAN**	**TEMUCO**	THALLE
TACHER	**TANGER**	**TASMAN**	TENACE	**THAMES**
TÂCHER	TANGON	TASSÉE	TENANT	**THÈBES**
TACITE	TANGUE	TASSER	**TÉNARE**	THÉIER
TACITE	TANGUÉ	**TASSIN**	**TENCIN**	THÉINE
TACLÉE	**TANGUY**	TATAMI	TENDER	**THÉMIS**
TACLER	TANISÉ	TATANE	TENDON	THÉNAR
TACOMA	TANKER	TÂTANT	TENDRE	THÈQUE
TADJIK	**TANLAY**	TATARE	TENDUE	**THÉSÉE**
TADJIK	TANNÉE	**TATARE**	**TÉNÉRÉ**	**THÉTIS**
TAEJON	TANNER	**TATARS**	TENEUR	**THIAIS**
TÆNIA	**TANNER**	TÂTEUR	TENNIS	**THIARD**
TAGÈTE	TANNIN	**TATIEN**	TENREC	**THIÈLE**
TAGINE	TANREC	**TATIUS**	TENSON	**THIERS**
TAGORE	TAN-SAD	TATOUÉ	TENTÉE	**THIMBU**
TAGUÉE	**TANTAH**	**TATRAS**	TENTER	**THISBÉ**
TAGUER	TANTÔT	TAUDIS	TENURE	**THOIRY**
TAHITI	TANTRA	**TAUERN**	TENUTO	THOLOS
TAÏAUT	TAPAGE	**TAULER**	TÉORBE	THOMAS
TAI-CHI	TAPANT	**TAUNUS**	TÉPALE	**THOMAS**
TAIFAS	TAPEUR	TAUPÉE	**TERAMO**	**THÔNES**
TAILLE	**TÀPIES**	TAUPER	TERCET	**THÔNEX**
TAILLÉ	TAPINÉ	TAUPIN	**TERCIO**	**THONGA**
TAÏMYR	TAPOTÉ	TAURIN	**TERESA**	**THONON**
TAINAN	TAPURE	**TAURIS**	TERFÈS	THORAX
TAIPEI	TAQUÉE	**TAURUS**	TERGAL	**THOREZ**
TAIROV	TAQUER	**TAUSUG**	TERNIE	THORON
TAÏWAN	TAQUET	TAUZIN	TERNIR	**THOUNE**
TAJINE	TAQUIN	**TAVANT**	**TERRAY**	THRACE
TALANT	TARAGE	**TAVAUX**	TERRÉE	**THRACE**
TALANT	TARAMA	TAVELÉ	TERRER	THRÈNE
TALBOT	TARANT	**TAWFIQ**	TERRIL	THRIPS
TALENT	TARARE	TAXANT	TERTIO	**THURET**
TALIBÉ	**TARARE**	**TAXILA**	TERTRE	THYMIE
TALION	TARAUD	TAYAUT	**TERTRY**	THYMOL
TALLER	**TARAWA**	**TAYLOR**	**TERUEL**	THYMUS
TALLON	**TARBES**	**TCHEKA**	TESSAI	THYRSE
TALMUD	TARDER	**TCHITA**	**TESSIN**	TIAFFE
TALQUÉ	TARDIF	TEASER	TESSON	**TIARET**
TALURE	TARGUÉ	TECHNO	TESTÉE	**TIBÈRE**
TALUTÉ	TARGUI	TECKEL	TESTER	TIBIAL
TALWEG	TARGUM	**TEDDER**	TESTON	TICKET
TAMALE	TARIFÉ	TE DEUM	TÉTANT	TIC-TAC
TAMAYO	TARMAC	TEFLON	TÊTARD	TIÉDIE

TIÉDIR	TOISÉE	TOTAUX	TRANSI	TROCHE
TIENEN	TOISER	**TOTILA**	TRAPPE	**TROCHU**
TIENNE	TOISON	**TRAPPE**	TROÈNE
TIENTO	TÔLARD	TOUAGE	TRAPPÉ	TROGNE
TIERCE	**TOLÈDE**	TOUANT	TRAPUE	TROÏKA
TIERCÉ	**TOLEDO**	TOUBAB	TRAQUE	TROLLE
TIERCÉ	TOLÉRÉ	TOUBIB	TRAQUÉ	TROMBE
TIFLIS	TÔLIER	**TOUBOU**	TRAUMA	TROMPE
TIFOSI	**TOLIMA**	TOUCAN	TRAVÉE	TROMPÉ
TIGLON	TOLITE	TOUCHE	TRAYON	**TROMSØ**
TIGNES	**TOLLAN**	TOUCHÉ	**TRÉBIE**	TRÔNER
TIGRÉE	**TOLLER**	TOUEUR	**TREBON**	TROQUE
TIGRON	**TOLMAN**	TOUFFE	TRÈFLE	TROQUÉ
TILDEN	**TOLUCA**	TOUFFU	TRÉFLÉ	TROTTE
TILLAC	TOMATE	**TOULON**	TREIZE	TROTTÉ
TILLÉE	TOMBAC	TOUPET	**TRÉLON**	TROUÉE
TILLER	TOMBAL	TOUPIE	TRÉMIE	TROUER
TILSIT	TOMBÉE	TOUPIN	TREMPE	TROUPE
TILSIT	TOMBER	TOUQUE	TREMPÉ	TROUVÉ
TIMBRE	TOMMYS	TOURBE	TRENCH	**TROYAT**
TIMBRÉ	TONALE	TOURDE	**TRENET**	TROYEN
TIMGAD	TONDRE	TOURET	TRENTE	**TROYEN**
TIMIDE	TONDUE	TOURIE	**TRENTE**	**TROYES**
TIMING	TONGAN	TOURIN	TRÉPAN	TRUAND
TIMORÉ	**TONKIN**	TOURNE	TRÉPAS	TRUBLE
TINTÉE	**TONNAY**	TOURNÉ	TRÉSOR	TRUFFE
TINTER	TONNER	TOURON	TRESSE	TRUFFÉ
TINTIN	TONTON	TOURTE	TRESSÉ	TRUITE
TINTIN	TOPANT	TOUSSÉ	TREUIL	TRUITÉ
TIPANT	TOPAZE	TOUTIM	**TRÈVES**	TRULLI
TIPASA	**TOPEKA**	TOUTOU	TRIADE	TRULLO
TIPAZA	TOPHUS	**TOUVAS**	TRIAGE	**TRUMAN**
TIPPÉE	TOQUÉE	**TOWNES**	TRIANT	TRUQUÉ
TIPPER	TOQUER	TOXICO	TRIBAL	TRUSTE
TIPULE	**TORAJA**	TOXINE	TRIBUN	TRUSTÉ
TIQUER	TORANA	**TOYAMA**	TRIBUT	**TSAHAL**
TIRADE	**TORBAY**	**TOYOTA**	TRICHE	TSÉ-TSÉ
TIRAGE	TORCHE	**TOZEUR**	TRICHÉ	**TS'EU-HI**
TIRANA	TORCHÉ	TRACAS	TRICOT	T-SHIRT
TIRANT	TORCOL	TRACÉE	TRIÈRE	TSONGA
TIREUR	TORCOU	TRACER	TRIEUR	**TSONGA**
TIROIR	TORDRE	TRACTÉ	TRIGLE	TSWANA
TISANE	TORDUE	TRAFIC	TRILLE	**TSWANA**
TISSÉE	TORÉER	TRAGUS	TRILLÉ	TUANTE
TISSER	TORERO	TRAHIE	TRIMER	TUBAGE
TITANE	**TORGAU**	TRAHIR	TRIODE	TUBANT
TITANS	TORIES	TRAÎNE	TRIPLE	TUBARD
TITIEN	TORQUE	TRAÎNÉ	TRIPLÉ	TUBING
TITIEN	TORRÉE	TRAIRE	TRIPOT	**TUBIZE**
TITRÉE	**TORRES**	TRAITE	TRIQUE	**TUBMAN**
TITRER	TORTIL	TRAITÉ	TRISME	**TUBUAÏ**
TITUBÉ	TORTUE	**TRAJAN**	TRISOC	TUBULE
TIVOLI	**TORTUE**	TRAJET	TRISSÉ	TUBULÉ
TLALOC	TOSCAN	TRÂLÉE	TRISTE	**TUCANO**
TOBAGO	**TOSCAN**	TRAMÉE	TRITON	**TUCSON**
TOCADE	TOSSER	TRAMER	**TROADE**	TUDIEU
TOCARD	TOTALE	TRANSE	**TROARN**	TUERIE
TOCSIN				

TUEUSE	ULULER	VAINCU	VARLET	VERDIR
TUFEAU	**ULYSSE**	**VAIRES**	**VARLIN**	**VERDON**
TUGRIK	**UME ÄLV**	VAIRON	**VAROIS**	**VERDUN**
TUILÉE	UNCINÉ	**VAISON**	VARROA	VÉREUX
TUILER	**UNDSET**	VAISYA	VARRON	VERGÉE
TUKANO	**UNESCO**	**VALAIS**	**VARRON**	VERGER
TULÉAR	**UNGAVA**	VALANT	VASARD	VERGNE
TULIPE	UNIATE	**VALDAÏ**	**VASARI**	VERGUE
TUMEUR	UNIAXE	**VALDÈS**	VASEUX	VÉRINE
TUMULI	**UNICEF**	**VALDÉS**	VASQUE	VÉRITÉ
TUNAGE	UNIÈME	**VALDEZ**	VASSAL	VERJUS
TUNGAR	UNIFIÉ	**VAL-D'OR**	VA-TOUT	VERLAN
TUNNEL	UNIQUE	**VALENS**	**VATTEL**	VERMÉE
TUPAÏA	**UPDIKE**	**VALERA**	**VAUBAN**	VERMET
TURATI	URÆUS	**VALÉRY**	VAUDOU	VERMIS
TURBAN	URANIE	VALEUR	VAUTRÉ	VERNAL
TURBEH	**URANIE**	VALGUS	VA-VITE	**VERNES**
TURBIN	**URANUS**	VALIDE	VEDIKA	**VERNET**
TURBOT	URBAIN	VALIDÉ	**VÉGÈCE**	VERNIE
TURGOT	**URBAIN**	VALINE	VÉGÉTÉ	VERNIR
TURING	**URBINO**	VALISE	VEILLE	VERNIS
TURION	URÉMIE	VALLÉE	VEILLÉ	**VERNON**
TURNER	URÈTRE	**VALLÈS**	VEINÉE	VÉROLE
TURQUE	URGENT	**VALLET**	VEINER	VÉROLÉ
TURQUE	**URIAGE**	VALLON	VÊLAGE	**VÉRONE**
TUSSAH	URINAL	VALOIR	VÉLANI	VERRAT
TUSSAU	URINÉE	**VALOIS**	VÊLANT	VERRÉE
TUSSOR	URINER	**VALRAS**	**VELATE**	**VERRÈS**
TUTEUR	URIQUE	VALSÉE	VELCHE	VERROU
TUTOYÉ	URSIDÉ	VALSER	VELCRO	VERRUE
TUVALU	**URSINS**	VALVÉE	VÉLITE	VERSÉE
TUYAUX	**URSSAF**	VAMPÉE	**VÉLIZY**	VERSER
TUYÈRE	**URSULE**	VAMPER	**VELLUR**	VERSET
TWISTÉ	**URUNDI**	**VAN DAM**	VÉLOCE	VERSTE
TYMPAN	USAGÉE	**VÄNERN**	**VELSEN**	VERSUS
TYPANT	USAGER	**VANIER**	**VELUWE**	VERTEX
TYPHON	USANTE	**VANINI**	VELVET	**VERTOU**
TYPHUS	USINÉE	VANISÉ	VÉNALE	**VERTOV**
TYPOTE	USINER	VANITÉ	VENANT	**VERTUS**
TYRIEN	USITÉE	**VAN LOO**	VÉNAUX	VERVET
TYRIEN	USURPÉ	VANNÉE	**VENDÉE**	**VESAAS**
TYRTÉE	UTÉRIN	VANNER	VENDRE	**VÉSALE**
UBU ROI	UTÉRUS	**VANNES**	VENDUE	**VESOUL**
UDERZO	**UTIQUE**	**VANTAA**	VÉNÉRÉ	VESSER
UGARIT	UTOPIE	VANTÉE	VENEUR	VESSIE
UGOLIN	UVÉITE	VANTER	VENGÉE	VESTON
UHLAND	VACANT	**VANVES**	VENGER	**VÉSUVE**
UJJAIN	VACCIN	VAPEUR	VÉNIEL	VÊTAGE
ULCÈRE	VACHER	VAQUER	**VENISE**	VÊTANT
ULCÉRÉ	VACIEU	**VARDAR**	VENTÉE	VÊTURE
ULFILA	VACIVE	VARECH	VENTER	**VEURNE**
ULLMAN	VAGALE	**VARÈSE**	VENTRE	VEXANT
ULLUCU	VAGAUX	**VARGAS**	VENTRU	**VEYNES**
ULPIEN	VAGILE	VARICE	VÊPRES	**VÉZÈRE**
ULSTER	VAGUER	VARIÉE	VERBAL	VIABLE
ULTIME	VAHINÉ	VARIER	VERDIE	VIADUC
ULTIMO	VAIGRE			VIAGER

VIANDE	VIREUR	**VOLNEY**	**WEÖRES**	**YIJING**
VIANDÉ	VIREUX	VOLTER	**WERFEL**	**YOCCOZ**
VIATKA	**VIRIAT**	VOLUME	**WERNER**	YODLER
VIBICE	VIRILE	VOLUTE	**WERVIK**	**YORUBA**
VIBRÉE	VIRION	**VOLVIC**	**WESLEY**	YOURTE
VIBRER	**VIROIS**	VOLVOX	**WESSEX**	YOUYOU
VICIÉE	VIROLE	VORACE	**WESTON**	YPRÉAU
VICIER	VIROSE	VORTEX	WHISKY	**YPROIS**
VICOIS	**VIRTON**	VOTANT	**WHITBY**	YSOPET
VICTOR	VIRURE	VOTIVE	**WIENER**	YTTRIA
VIDAGE	VISAGE	**VOTYAK**	**WIERTZ**	**YUNNAN**
VIDAME	VISANT	VOUANT	**WIESEL**	YUPPIE
VIDANT	**VISAYA**	**VOULTE**	**WIGMAN**	**YVETOT**
VIDEUR	VISEUR	VOULUE	**WIGNER**	**YZEURE**
VIDOCQ	**VISHNU**	VOÛTÉE	WIGWAM	**ZABRZE**
VIDOIR	VISION	VOÛTER	WILAYA	**ZACHÉE**
VIDURE	VISITE	VOYAGE	**WILDER**	**ZAGREB**
VIEDMA	VISITÉ	VOYAGÉ	**WILKES**	**ZAGROS**
VIEIRA	VISSÉE	VOYANT	**WILSON**	**ZAHLEH**
VIELHA	VISSER	VOYEUR	WINCHS	**ZÁKROS**
VIELLA	VISUEL	VRILLE	**WISMAR**	**ZAMBIE**
VIELLE	VITALE	VRILLÉ	**WITTEN**	ZAMIER
VIENNE	VITAUX	VROMBI	**WITTIG**	**ZAMORA**
VIERGE	**VITRAC**	**VUELTA**	**WOËVRE**	**ZAMOSC**
VIERGE	VITRÉE	VULPIN	**WÖHLER**	ZAOUÏA
VIERNE	VITRER	VYBORG	**WOIPPY**	**ZAPATA**
VIFOIS	**VITTEL**	**WADDEN**	**WOLSEY**	ZAPPER
VIGILE	VIVACE	WADING	WOMBAT	ZAWIYA
VIGNON	VIVANT	**WAGNER**	**WONSAN**	**ZAWIYA**
VIGNOT	VIVEUR	**WAGRAM**	WOOFER	ZAZOUE
VIHARA	VIVIER	**WAKHAN**	**WRIGHT**	ZAZOUS
VIKING	**VIVIER**	**WALESA**	**WU ZHEN**	ZÉBRÉE
VILAIN	VIVOIR	**WALLER**	**WUZHOU**	ZÉBRER
VILLON	VIVOTÉ	**WALLIS**	**WYCLIF**	**ZEEMAN**
VIMANA	**VLTAVA**	WALLON	**XANTHE**	ZÉLOTE
VINAGE	VOCALE	**WALLON**	**XÁNTHI**	**ZENATA**
VINANT	VOCAUX	**WALRAS**	**XERXÈS**	**ZÉNÈTE**
VINDEX	VOCERI	**WALSER**	**XIA GUI**	**ZENICA**
VINEUX	VOCERO	**WALTER**	**XIAMEN**	ZÉNITH
VINGTS	VOGUER	WAPITI	**XINING**	ZÉPHYR
VINOIS	VOILÉE	**WARENS**	**XUZHOU**	ZESTÉE
VINSON	VOILER	**WARHOL**	XYLÈME	ZESTER
VINYLE	VOIRIE	**WARREN**	XYLÈNE	**ZETKIN**
VIOLAT	**VOIRON**	WATERS	**YAKUZA**	ZEUGMA
VIOLÉE	VOISÉE	**WATSON**	**YAMUNA**	ZEUGME
VIOLER	VOISIN	**WAVELL**	**YANAON**	**ZEUXIS**
VIOLET	**VOISIN**	WEAVER	YANKEE	ZÉZAYÉ
VIOLON	VOLAGE	**WEBERN**	**YANTAI**	ŻICRAL
VIOQUE	VOLANT	**WEENIX**	YAOURT	ZIEUTÉ
VIORNE	VOLCAN	**WEIMAR**	YAPOCK	**ZIGONG**
VIOTTI	VOLETÉ	WELCHE	**YAPURÁ**	ZIGOTO
VIPÈRE	VOLEUR	**WELLES**	**YAVARI**	ZIGZAG
VIRAGE	VOLIGE	WELTER	YEOMAN	**ZILINA**
VIRAGO	VOLIGÉ	**WENDEL**	YEOMEN	**ZINDER**
VIRALE	VOLLEY	**WENDES**	**YERRES**	ZINGUÉ
VIRANT	VOLNAY	**WENGEN**	**YERSIN**	ZINNIA
VIRAUX	**VOLNAY**		**YICHUN**	ZINZIN

ZIPPÉE	ZONAGE	ZOUAVE	**ZWICKY**	ZYMASE
ZIPPER	ZONALE	ZOULOU	**ZWOLLE**	ZYTHON
ZIRCON	ZONANT	**ZOULOU**	ZYDECO	ZYTHUM
ZIVKOV	ZONARD	ZOZOTÉ	ZYEUTÉ	
ZODIAC	ZONAUX	**ZURICH**	ZYGÈNE	
ZOÉCIE	ZONIER	ZWANZE	ZYGOMA	
ZOLDER	ZONURE	ZWANZÉ	ZYGOTE	
ZOMBIE	ZOOMER		ZYKLON	

7

	ABOMINÉ	ABSTÈME	**ACHÉRON**	ADJUGÉE
	ABONDER	ABSTENU	**ACHESON**	ADJUGER
	ABONNÉE	ABSTRUS	ACHETÉE	ADJURÉE
	ABONNER	ABSURDE	ACHETER	ADJURER
	ABONNIE	**ABU BAKR**	ACHEVÉE	AD LITEM
	ABONNIR	ABUSANT	ACHEVER	ADMIRÉE
	ABORDÉE	ABUSIVE	ACHIGAN	ADMIRER
	ABORDER	ABYSSAL	**ACHILLE**	AD NUTUM
	ABORTIF	ABYSSIN	ACHOLIE	ADONNÉE
	ABOUCHÉ	**ABYSSIN**	ACHOPPÉ	ADONNER
	ABOUKIR	ACADIEN	ACHOURA	ADOPTÉE
	ABOULÉE	**ACADIEN**	ACHROME	ADOPTER
AALBORG	ABOULER	ACANTHE	ACHYLIE	ADOPTIF
ABAISSE	ABOULIE	ACARIEN	ACIDITÉ	ADORANT
ABAISSÉ	ABOUTÉE	ACCABLÉ	ACIDOSE	ADOSSÉE
ABAJOUE	ABOUTER	ACCÉDER	ACIDULÉ	ADOSSER
ABANDON	ABOUTIE	ACCEPTÉ	ACIÉRÉE	ADOUBÉE
ABATAGE	ABOUTIR	ACCISES	ACIÉRER	ADOUBER
ABAT-SON	ABOYANT	ACCLAMÉ	ACIÉRIE	ADOUCIE
ABATTÉE	ABOYEUR	ACCOLÉE	ACOLYTE	ADOUCIR
ABATTIS	**ABRAHAM**	ACCOLER	ACOMPTE	ADRESSE
ABATTRE	ABRASÉE	ACCORDÉ	ACONAGE	ADRESSÉ
ABATTUE	ABRASER	ACCORTE	ACONIER	ADROITE
ABBESSE	ABRASIF	ACCOSTÉ	ACQUISE	ADSORBÉ
ABCÉDÉE	ABRÉGÉE	ACCOTÉE	ACTINIE	ADSTRAT
ABCÉDER	ABRÉGER	ACCOTER	ACTIVÉE	ADULANT
ABDIQUÉ	ABREUVÉ	ACCOUDÉ	ACTIVER	ADVENIR
ABDOMEN	ÀBRIBUS	ACCOURU	ACTRICE	ADVERBE
ABEILLE	ABRICOT	**ACCRÉEN**	ACUMINÉ	ADVERSE
ABE KOBO	ABRITÉE	ACCRÉTÉ	**ADAMOIS**	**ADYGUÉE**
ABÉLARD	ABRITER	ACCUEIL	ADAPTÉE	**ADYGUÉS**
ABÉLIEN	ABROGÉE	ACCULÉE	ADAPTER	**ÆGATES**
ABELLIO	ABROGER	ACCULER	ADDENDA	AÉROBIC
ABHORRÉ	ABRUPTE	**ACCURSE**	**ADDISON**	AÉROBIE
ABIDJAN	ABRUTIE	ACCUSÉE	ADDITIF	AÉROGEL
ABILENE	ABRUTIR	ACCUSER	ADÉNINE	AÉRONEF
ABÎMANT	**ABSALON**	ACÉRANT	ADÉNITE	AÉROSOL
ABITIBI	ABSCONS	ACÉTATE	ADÉNOME	**AERTSEN**
ABJECTE	ABSENCE	ACÉTONE	ADÉQUAT	ÆSCHNE
ABJURÉE	ABSENTE	ACÉTYLE	ADHÉRER	ÆTHUSE
ABJURER	ABSENTÉ	ACHAINE	ADHÉSIF	AFFABLE
ABKHAZE	ABSIDAL	ACHARDS	ADIANTE	AFFADIE
ABLATIF	ABSOLUE	ACHARNÉ	ADIPEUX	AFFADIR
ABLERET	ABSORBÉ	**ACHÉENS**	**ADJARIE**	AFFAIRE
ABLETTE	ABSOUTE	**ACHÈRES**	ADJOINT	AFFAIRÉ

AFFALÉE	AGNELET	AJOUTÉE	**ALFRINK**	ALOURDI
AFFALER	AGNELLE	AJOUTER	**ALGARDE**	ALOYAUX
AFFAMÉE	AGNOSIE	AJUSTÉE	**ALGARVE**	ALPAGUÉ
AFFAMER	AGONISÉ	AJUSTER	ALGÈBRE	ALPISTE
AFFECTÉ	AGRAFÉE	AJUTAGE	**ALGÉRIE**	**ALSTHOM**
AFFERMÉ	AGRAFER	**AKIHITO**	ALGIQUE	**AL-TABQA**
AFFERMI	AGRAINÉ	**AKINARI**	**AL-HAKIM**	**ALTDORF**
AFFÉTÉE	AGRAIRE	**AKSAKOV**	**ALHAZEN**	ALTÉRÉE
AFFIANT	AGRANDI	AKVAVIT	**AL-HUFUF**	ALTÉRER
AFFICHE	AGRÉANT	**ALABAMA**	**ALI BABA**	ALTERNE
AFFICHÉ	AGRÉGAT	**ALAGOAS**	ALIDADE	ALTERNÉ
AFFIDÉE	AGRÉGÉE	ALAISÉE	ALIÉNÉE	ALTESSE
AFFILÉE	AGRÉGER	**ALAMANS**	ALIÉNER	ALTHÆA
AFFILER	AGRESSÉ	ALAMBIC	**ALIÉNOR**	ALTIÈRE
AFFILIÉ	AGRESTE	ALANGUI	**ALIGARH**	ALTISTE
AFFINÉE	AGRIFFÉ	ALANINE	ALIGNÉE	ALUCITE
AFFINER	AGRIOTE	**ALARCÓN**	ALIGNER	ALUETTE
AFFIRMÉ	**AGRIPPA**	ALARMÉE	ALIGOTÉ	ALUMINE
AFFIXAL	AGRIPPÉ	ALARMER	ALIMENT	ALUMINÉ
AFFIXÉE	AGROTIS	**AL-AZHAR**	**ALI PASA**	ALUNAGE
AFFLIGÉ	AGUERRI	**ALBAINS**	ALISIER	ALUNANT
AFFLUER	AGUICHE	**ALBANIE**	ALITANT	ALUNITE
AFFOLÉE	AGUICHÉ	**AL-BANNA**	ALIZIER	ALVÉOLE
AFFOLER	**AGULHON**	ALBÂTRE	**AL-KINDI**	ALVÉOLÉ
AFFRÉTÉ	AHANANT	**ALBÉNIZ**	**ALKMAAR**	ALYSSON
AFFREUX	**AHMOSIS**	**ALBERTA**	**ALLAIRE**	**ALZETTE**
AFFRONT	**AHRIMAN**	**ALBERTI**	ALLAITÉ	AMADOUÉ
AFFUBLÉ	**AHUNOIS**	ALBINOS	ALLANTE	AMAIGRI
AFFÛTÉE	AICHANT	**ALBIZZI**	**ALLAUCH**	AMANITE
AFFÛTER	**AIGOUAL**	ALBUMEN	ALLÉCHÉ	AMARILE
AFGHANE	AIGREUR	ALCALIN	ALLÉGÉE	AMARINÉ
AFGHANE	AIGUAIL	ALCAZAR	ALLÉGER	AMARRÉE
AFGHANI	AIGUISÉ	**ALCESTE**	ALLÈGRE	AMARRER
AFIN QUE	AILANTE	**ALCMÈNE**	**ALLÈGRE**	AMASSÉE
AFOCALE	AILERON	ALCOYLE	ALLEGRO	AMASSER
AFOCAUX	AILETTE	**ALDABRA**	ALLÉGUÉ	AMATEUR
AFRIQUE	AILLADE	**AL-DAWHA**	**ALLENBY**	A MAXIMA
AGAÇANT	AILLANT	AL DENTE	**ALLENDE**	AMAZONE
AGAMIDÉ	**AILLAUD**	**ALDRICH**	ALLIACÉ	**AMAZONE**
AGASSIN	AILLOLI	**ALEGRÍA**	ALLIAGE	AMBAGES
AGASSIZ	AIMABLE	**ALENCAR**	ALLIANT	**AMBAZAC**
AGÉENNE	AIMANTE	**ALENÇON**	ALLONGE	AMBIANT
AGENAIS	AIMANTÉ	ALÉNOIS	ALLONGÉ	AMBIGUË
AGENCÉE	AÎNESSE	**ALÉOUTE**	ALLOTIE	AMBLANT
AGENCER	AIRELLE	ALÉPINE	ALLOTIR	AMBLEUR
AGENDÉE	**AIROISE**	**ALEPPIN**	ALLOUÉE	**AMBOINE**
AGENDER	AISANCE	ALÉRION	ALLOUER	**AMBOISE**
AGÉRATE	AISSEAU	ALERTÉE	ALLUMÉE	AMBRANT
AGGRAVÉ	**AISTOLF**	ALERTER	ALLUMER	**AMÉLIEN**
AGILITÉ	AIXOISE	ALÉSAGE	ALLURÉE	AMÉNAGÉ
A GIORNO	**AIXOISE**	ALÉSANT	ALLUSIF	AMENANT
AGITANT	**AIZENAY**	**ALÉSIEN**	**ALMA-ATA**	AMENDÉE
AGLOSSA	**AJACCIO**	ALÉSOIR	**ALMAGRO**	AMENDER
AGNATHE	AJOINTÉ	**ALETSCH**	**AL-MAHDI**	AMÉNITÉ
AGNEAUX	AJOURÉE	ALEVINÉ	**ALMERÍA**	**AMERICA**
AGNELÉE	AJOURER	ALEZANE	**ALOMPRA**	AMERLOT
AGNELER	AJOURNÉ	**ALFIERI**	ALOUATE	AMERRIR

AMEUBLI
AMEUTÉE
AMEUTER
AMHERST
AMIABLE
AMIANTE
AMIBIEN
À MI-BOIS
AMICALE
AMICAUX
À MI-CÔTE
AMINCIE
AMINCIR
A MINIMA
AMIRALE
AMIRAUX
À MI-VOIX
AMNÉSIE
AMNIOTE
AMOCHÉE
AMOCHER
AMODIÉE
AMODIER
AMOLLIE
AMOLLIR
AMORALE
AMORAUX
AMORCÉE
AMORCER
AMORPHE
AMORTIE
AMORTIR
AMPHION
AMPHORE
AMPLEUR
AMPOULE
AMPOULÉ
AMPUTÉE
AMPUTER
AMURANT
AMUSANT
AMUSEUR
AMYLACÉ
AMYLASE
AMYLÈNE
AMYLOSE
AMYNTAS
ANABASE
ANACLET
ANAHEIM
ANÁHUAC
ANALITÉ
ANALYSE
ANALYSÉ
ANASAZI
ANATIDÉ
ANATIFE

ANCENIS
ANCÊTRE
ANCHISE
ANCHOIS
ANCOLIE
ANCRAGE
ANCRANT
ANDALOU
ANDALOU
ANDAMAN
ANDANTE
ANDENNE
ÁNDHROS
ANDIJAN
ANDORRE
ANDRADE
ANDRÉSY
ANDREWS
ANDRIEU
ANÉANTI
ANÉMIÉE
ANÉMIER
ANÉMONE
ANERGIE
ANGARIE
ANGARSK
ANGELES
ANGELOT
ANGÉLUS
ANGEVIN
ANGEVIN
ANGIOME
ANGLAIS
ANGLAIS
ANGROIS
ANGLOYE
ANGUIER
ANHÉLER
ANHYDRE
ANICIEN
ANILINE
ANIMALE
ANIMANT
ANIMAUX
ANISANT
ANISOLE
ANJOUAN
ANNALES
ANNEAUX
ANNELÉE
ANNELER
ANNELET
ANNEXÉE
ANNEXER
ANNOBÓN
ANNONAY

ANNONCE
ANNONCÉ
ANNOTÉE
ANNOTER
ANNUITÉ
ANNULÉE
ANNULER
ANOBLIE
ANOBLIR
ANODINE
ANODISÉ
ANOMALE
ANOMAUX
ÂNONNÉE
ÂNONNER
ANONYME
ANORMAL
ANOSMIE
ANOUILH
ANSELME
ANTAKYA
ANTALYA
ANTENNE
ANTÊNOR
ANTHÉOR
ANTHÈRE
ANTHRAX
ANTIBES
ANTIFER
ANTIGEL
ANTIGUA
ANTIJEU
ANTINOË
ÂNTIOPE
ANTIOPE
ANTIQUE
ANTIROI
ANTIVOL
ANTOINE
ANTONIN
ANXIÉTÉ
ANXIEUX
AORISTE
AORTITE
AOÛTIEN
APACHES
APADANA
APAISÉE
APAISER
APANAGE
APATHIE
APATITE
APENNIN
APEPSIE
APERÇUE
APÉTALE
APEURÉE

APEURER
APHASIE
APHÉLIE
APHONIE
APHTEUX
APHYLLE
APICALE
APICAUX
APICIUS
APICOLE
APIFUGE
APIQUÉE
APIQUER
APITOYÉ
APIVORE
APLANAT
APLANIE
APLANIR
APLASIE
APLATIE
APLATIR
APLOMBÉ
APOCOPE
APOCOPÉ
APODOSE
APOLLON
APOSTAT
APOSTÉE
APOSTER
APPARAT
APPARIÉ
APPÂTÉE
APPÂTER
APPEAUX
APPELÉE
APPELER
APPENDU
APPÉTIT
APPOINT
APPONDU
APPONSE
APPONTÉ
APPONYI
APPORTÉ
APPOSÉE
APPOSER
APPRÊTÉ
APPRISE
APPUYÉE
APPUYER
APRAXIE
A PRIORI
À-PROPOS
APTÉRYX
APTOISE
APURANT

APUSENI
ÀQUAGYM
AQUAVIT
AQUEDUC
AQUEUSE
AQUILÉE
AQUILIN
AQUILON
ARABICA
ARABISÉ
ARACAJU
ARACHNÉ
ARAMÉEN
ARAMIDE
ARAPAHO
ARASANT
ARBÈLES
ARBITRE
ARBITRÉ
ARBORÉE
ARBORER
ARBOUSE
ARBUSTE
ARCADIE
ARCEAUX
ARCHÉEN
ARCHIVÉ
ARÇONNÉ
ARCUEIL
ARDABIL
ARDÈCHE
ARDENNE
ARDENTE
ARDOISE
ARDOISÉ
ARÊCHES
ARECIBO
ARÉDIEN
ARÉIQUE
ARÉISME
ARÉNITE
ARÊTIER
ARÉTINE
ARGELÈS
ARGENTÉ
ARGHEZI
ARGIOPE
ARGONNE
ARGOVIE
ARGUANT
ARGUTIE
ARIDITÉ
ARIENNE
ARIETTE
ARIOSTE
ARISANT
ARIZONA

ARLBERG	**ASCAGNE**	ASTRAUX	ATTRAPE	**AUXERRE**
ARLETTY	**ASCALON**	**ASTYAGE**	ATTRAPÉ	**AUXOISE**
ARLOING	**ASCÉIEN**	**ATACAMA**	**ATURINE**	**AUXONNE**
ARMAVIR	ASCIDIE	**ATAKORA**	**ATYRAOU**	AVACHIE
ARMÉNIE	ASEPSIE	À TÂTONS	**AUBAGNE**	AVACHIR
ARMOIRE	ASEXUÉE	**ATATÜRK**	AUBAINE	AVALANT
ARMOISE	**ASHANTI**	ATELIER	**AUBANEL**	AVALEUR
ARMORIÉ	**ASHTART**	ATÉRIEN	**AUBENAS**	**AVALINE**
ARNAQUE	ASIALIE	**ATHALIE**	AUBERGE	AVALISÉ
ARNAQUÉ	ASIENTO	ATHANOR	**AUBERON**	**AVALLON**
ARNAULD	ASINIEN	**ATHAULF**	AUBETTE	AVALOIR
ARNOLFO	**ASMODÉE**	ATHÉNÉE	**AUBIÈRE**	À-VALOIR
AROBASE	ASOCIAL	**ATHÉNÉE**	**AUBIGNÉ**	AVANCÉE
AROMATE	**ASPASIE**	**ATHÈNES**	**AUBOISE**	AVANCER
ARPAJON	ASPERGE	ATHLÈTE	**AUBRIOT**	AVARICE
ARPÉGÉE	ASPERGÉ	ATHYMIE	**AUDENGE**	AVARIÉE
ARPÉGER	ASPERME	**ATLANTA**	AUDIBLE	AVARIER
ARPENTÉ	ASPIRÉE	ATLANTE	ÀUDIMAT	AVELINE
ARPETTE	ASPIRER	ATOMISÉ	AUDITÉE	AVENANT
ARQUANT	**ASQUITH**	ATONALE	AUDITER	**AVENTIN**
ARRABAL	ASSAGIE	ATONALS	AUDITIF	AVÉRANT
ARRACHÉ	ASSAGIR	ATONAUX	**AUDOISE**	AVERTIE
ARRANGÉ	ASSAINI	ATRÉSIE	**AUDUBON**	AVERTIR
ARRÊTÉE	ASSEAUX	ATRIAUX	AUGERON	**AVESNES**
ARRÊTER	ASSÉCHÉ	**ATRIDES**	**AUGERON**	AVEUGLE
ARRIÈRE	**ASSEDIC**	**ATROPOS**	AUGETTE	AVEUGLÉ
ARRIÉRÉ	ASSÉNÉE	ATTABLÉ	AUGMENT	AVEULIE
ARRIMÉE	ASSÉNER	ATTACHE	AUGURÉE	AVEULIR
ARRIMER	ASSEOIR	ATTACHÉ	AUGURER	**AVEYRON**
ARRISÉE	ASSERVI	**ATTALOS**	**AUGUSTA**	AVIAIRE
ARRISER	ASSETTE	ATTAQUE	AUGUSTE	AVICOLE
ARRIVÉE	ASSIDUE	ATTAQUÉ	**AUGUSTE**	AVIDITÉ
ARRIVER	ASSIÉGÉ	ATTARDÉ	AULIQUE	**AVIGNON**
ARROBAS	ASSIGNÉ	ATTEINT	AULNAIE	AVINANT
ARROCHE	**ASSIOUT**	ATTELÉE	AULOFÉE	AVISANT
ARROGÉE	ASSISES	ATTELER	**AULTOIS**	AVIVAGE
ARROGER	ASSISTÉ	ATTELLE	**AUNAISE**	AVIVANT
ARRONDI	ASSOCIÉ	ATTENDU	**AUNEUIL**	AVOCATE
ARROSÉE	ASSOLÉE	ATTENTE	**AURELIA**	AVODIRÉ
ARROSER	ASSOLER	ATTENTÉ	AURÉLIE	**AVORIAZ**
ARSENAL	ASSOMMÉ	ATTÉNUÉ	AURÉOLE	AVORTÉE
ARSENIC	ASSORTI	ATTERRÉ	AURÉOLÉ	AVORTER
ARSÉNIÉ	**ASSOUAN**	ATTERRI	**AURIGNY**	AVORTON
ARSINOÉ	ASSOUPI	ATTESTÉ	AURIQUE	AVOUANT
ARTABAN	ASSOUVI	ATTIÉDI	AUROCHS	**AVRILLÉ**
ARTÉMIS	ASSUMÉE	ATTIFÉE	AURORAL	**AXÉENNE**
ARTENAY	ASSUMER	ATTIFER	AUSPICE	AXOLOTL
ARTHAUD	ASSURÉE	ATTIGER	AUSTÈRE	**AYENTÔT**
ARTICLE	ASSURER	**ATTIGNY**	AUSTRAL	**AYODHYA**
ARTIGAS	**ASSYRIE**	ATTIQUE	**AUSTRAL**	**AYUTHIA**
ARTIMON	**ASTAIRE**	**ATTIQUE**	**AUTEUIL**	**AZEGLIO**
ARTISAN	**ASTARTÉ**	ATTIRÉE	AUTISME	AZEROLE
ARTISTE	ASTÉRIE	ATTIRER	AUTISTE	**AZEVEDO**
ARUNDEL	**ASTÉRIX**	ATTISÉE	AUTOBUS	AZILIEN
ARYENNE	ASTICOT	ATTISER	AUTOCAR	AZIMUTÉ
ASANSOL	ASTIQUÉ	ATTITRÉ	AUTOMNE	AZOÏQUE
ASBESTE	ASTRALE	ATTRAIT	**AUTRANS**	AZONALE

AZONAUX	BAIGNÉE	BALOURD	BARÉTER	**BATALHA**
AZOTURE	BAIGNER	**BALTARD**	BARIOLÉ	BÂTARDE
AZTÈQUE	BAILLÉE	**BALTHUS**	**BARISAL**	BATAVIA
AZTÈQUE	BAILLER	BALZANE	**BARISAN**	**BATAVIA**
AZULEJO	BÂILLER	**BAMANAN**	**BARJOLS**	BATEAUX
AZULÈNE	**BAILLON**	**BAMBARA**	**BARLACH**	BATELET
AZURAGE	BÂILLON	**BAMBERG**	BARLONG	**BATESON**
AZURANT	**BAINAIS**	**BAMENDA**	BARMAID	**BÁTHORY**
AZURÉEN	BAISANT	**BAMIYAN**	**BARNABÉ**	BATHYAL
AZURÉEN	BAISOTÉ	BANCALE	**BARNARD**	**BATILLY**
AZURITE	BAISSÉE	BANCHÉE	**BARNAVE**	BÂTISSE
BAALBEK	BAISSER	BANCHER	**BAROCCI**	**BATISTA**
BABBAGE	**BAJAZET**	BANDAGE	**BAROCHE**	BATISTE
BABILLÉ	BAJOYER	BANDANA	BARONET	BÂTONNÉ
BABIOLE	BAKLAVA	BANDANT	BARONNE	BATOUDE
BABISME	**BAKONGO**	BANDEAU	BAROQUE	**BATOUMI**
BABOLER	BALADÉE	BANDERA	BAROUFE	**BATOUTA**
BABOUIN	BALADER	**BANDUNG**	BARRAGE	BATTAGE
BACANTE	BALADIN	BANGIÉE	BARRANT	BATTANT
BACCARA	BALAFON	**BANGKOK**	BARREAU	BATTEUR
BACCHUS	BALAFRE	BANQUER	BARREUR	BATTOIR
BÂCHAGE	BALAFRÉ	BANQUET	**BARROIS**	BATTURE
BÂCHANT	**BALAGNE**	**BANTING**	**BARSACQ**	**BATZIEN**
BACHKIR	BALAISE	**BANTOUE**	**BARTHES**	**BAUDAIS**
BACHOTÉ	BALANCE	BANTOUE	**BARTHOU**	**BAUHAUS**
BACILLE	**BALANCE**	BANYULS	BARYTON	**BAULOIS**
BÂCLAGE	BALANCÉ	**BAODING**	BASALTE	BAUMIER
BÂCLANT	**BALARUC**	**BAPAUME**	BASANÉE	**BAUMOIS**
BACOLOD	**BALASSA**	BAPTÊME	BASANER	**BAUTZEN**
BADAJOZ	**BALASSI**	BAPTISÉ	**BASARAB**	BAUXITE
BADAUDE	**BALATON**	**BARADAI**	BAS-BLEU	BAVARDE
BADERNE	BALAYÉE	**BARADÉE**	BAS-CÔTÉ	BAVARDÉ
BADIANE	BALAYER	**BARAJAS**	BASCULE	BAVASSÉ
BADINER	**BALDUNG**	**BARANTE**	BASCULÉ	BAVETTE
BADOHOU	**BALDWIN**	BARAQUE	**BASEDOW**	BAVEUSE
BADOISE	**BALÉARE**	BARAQUÉ	BASELLE	**BAVIÈRE**
BADUILA	BALEINE	BARATIN	BAS-FOND	**BÂVILLE**
BAESINE	BALEINÉ	BARATTE	BASILIC	BAVOLET
BAFOUÉE	BALÈVRE	BARATTÉ	BASIQUE	**BAYAMÓN**
BAFOUER	**BALFOUR**	**BARBADE**	BASMATI	**BAYEZID**
BÂFRANT	**BALILLA**	BARBANT	BAS-MÂTS	**BAYONNE**
BÂFREUR	BALISÉE	**BARBARA**	BASOCHE	**BAZAINE**
BAGANDA	BALISER	BARBARE	**BAS-RHIN**	BAZARDÉ
BAGARRE	BALISTE	BARBEAU	**BASSANI**	**BAZILLE**
BAGARRÉ	**BALKANS**	BARBELÉ	**BASSANO**	BAZOOKA
BAGASSE	**BALKARS**	BARBIER	**BASSÉEN**	**BEATLES**
BAGEHOT	BALLADE	BARBOTE	**BASSEIN**	BEATNIK
BAGGARA	BALLANT	BARBOTÉ	**BASSENS**	**BEATRIX**
BAGNARD	**BALLARD**	**BARBUDA**	BASSINE	**BEAUFRE**
BAGNEUX	BALLAST	BARBULE	BASSINÉ	**BEAUJEU**
BAGNOLE	**BALLIOL**	BARDAGE	**BASSOIS**	BEAUPRÉ
BAGNOLS	BALLOTE	BARDANE	**BASSORA**	BÉCARRE
BAGUAGE	**BALMÉEN**	BARDANT	BASTANT	BÉCASSE
BAGUANT	**BALMONT**	BARDEAU	**BASTIAT**	BÊCHAGE
BAGUIER	**BALNÉEN**	**BARDEEN**	BASTIDE	BÊCHANT
BAHAMAS	BÂLOISE	**BARÈGES**	**BASTIDE**	BÊCHEUR
BAHREÏN	**BÂLOISE**	**BARENTS**	BASTION	**BECKETT**

BÉCLÈRE	BENGALI	BÊTASSE	BIGLEUX	BISTROT
BÉCOTÉE	**BENGALI**	**BETHLEN**	BIGNONE	BITONAL
BÉCOTER	BÉNIGNE	**BÉTHUNE**	BIGORNE	BITTURE
BECQUÉE	**BÉNIOFF**	BÊTIFIÉ	BIGORNÉ	BITTURÉ
BÉCQUER	BENJOIN	**BÉTIQUE**	**BIGORRE**	BITUMÉE
BECQUET	**BENNETT**	BÉTOINE	BIGOUDI	BITUMER
BECTANT	**BÉNODET**	BÉTONNÉ	BIGUINE	BITURÉE
BEDAINE	BENOÎTE	BEUGLÉE	**BIJAPUR**	BITURER
BEDDOES	**BENTHAM**	BEUGLER	**BIKANER**	BIVALVE
BEDEAUX	BENTHOS	BEURRÉE	BILEUSE	BIVOUAC
BÉDÉGAR	BENZÈNE	BEURRER	BILIEUX	BIZARRE
BEDFORD	BENZINE	**BEUVRAY**	BILLAGE	**BIZERTE**
BEDNORZ	BENZYLE	**BEVEREN**	BILLANT	BIZUTÉE
BEDONNÉ	**BEOGRAD**	**BEYNOIS**	BILLARD	BIZUTER
BÉDOUIN	BÉOTIEN	**BÉZIERS**	**BILLÈRE**	BLAFARD
BÉDOUIN	**BÉOTIEN**	BÉZOARD	BILLETÉ	**BLAGNAC**
BEECHAM	**BEOWULF**	**BEZWADA**	BILLION	BLAGUÉE
BEERSEL	BÉQUETÉ	**BHARHUT**	BILOBÉE	BLAGUER
BEFFROI	**BERBERA**	**BHOUTAN**	BIMÉTAL	BLAIRÉE
BÉGAYÉE	BERBÈRE	BIACIDE	BINAIRE	BLAIRER
BÉGAYER	BERCAIL	BIAISÉE	BINETTE	BLÂMANT
BÉGLAIS	BERÇANT	BIAISER	BINEUSE	BLANCHE
BEG-MEIL	BERCEAU	BIARROT	**BINFORD**	**BLANCHE**
BÉGONIA	BERCEUR	**BIARROT**	BINOCLE	BLANCHI
BÉGUINE	**BERCHEM**	BIBELOT	BIOCIDE	**BLANQUI**
BÉHOBIE	**BERGAME**	BIBERON	BIOPSIE	BLASANT
BEHRENS	BERGÈRE	**BIBIENA**	BIOTINE	BLATÉRÉ
BEHRING	**BERGIUS**	BICARRÉ	BIOTITE	**BLAYAIS**
BEIGNET	**BERGMAN**	BICHANT	**BIOTOIS**	BLENNIE
BEIJING	**BERGSON**	**BICHKEK**	BIOTOPE	**BLÉRIOT**
BEIPIAO	**BERGUES**	BICOQUE	BIOTYPE	**BLÉROIS**
BÉJAUNE	**BERKANE**	BICORNE	BIOXYDE	BLÉSANT
BÊLANTE	**BERLAGE**	BICROSS	BIPARTI	BLÉSITÉ
BELARUS	**BERLIER**	BICYCLE	BIPASSE	BLÉSOIS
BELETTE	**BERLIET**	**BIDACHE**	BIPÉDIE	**BLÉSOIS**
BELFAST	BERLINE	**BIDAULT**	BIPENNE	BLESSÉE
BELFORT	**BERLIOZ**	BIDOCHE	BIPENNÉ	BLESSER
BELGAUM	**BERMEJO**	BIDONNÉ	BIPHASÉ	BLETTIR
BÉLIÈRE	BERMUDA	**BIÊN HOA**	BIPLACE	**BLEULER**
BÉLÎTRE	BERNANT	BIENNAL	BIPOINT	BLEUTÉE
BELLARY	**BERNARD**	BIENTÔT	**BIRAGUE**	BLINDÉE
BELLEAU	**BERNIER**	BIERGOL	BIRMANE	BLINDER
BELLÊME	**BERNINA**	**BIERMER**	**BIRMANE**	**BLINOIS**
BELLINI	BERNOIS	**BIÈVRES**	BIROTOR	BLINQUÉ
BELLMAN	**BERNOIS**	BIFFAGE	BIROUTE	BLISTER
BELLMER	**BERRYER**	BIFFANT	**BISAYAN**	BLOCAGE
BELLONE	BERTAUT	BIFFURE	**BISCAYE**	BLOC-EAU
BELLUNO	**BERTRAN**	BIFIDUS	BISCHOF	BLONDEL
BELŒIL	**BÉRULLE**	BIFOCAL	BISCÔME	**BLONDEL**
BÉLOUGA	**BERWICK**	BIFTECK	BISCOTO	BLONDIE
BÉNARDE	BÉSIGUE	BIGAMIE	BISCUIT	BLONDIN
BÉNARÈS	BESOGNE	BIGARRÉ	BISEAUX	**BLONDIN**
BENEDEK	BESOGNÉ	BIG BAND	BISEXUÉ	BLONDIR
BENELUX	**BESSINE**	BIG BANG	BISMUTH	BLOOMER
BÉNEZET	**BESSOIS**	**BIGEARD**	BISQUER	BLOQUÉE
BENFELD	BESTIAL	BIGLANT	BISSANT	BLOQUER
BENGALE	BESTIAU		BISTRÉE	BLOTTIE

BLOTTIR	BONAMIA	**BOUCAIN**	BOUSIER	**BRAUDEL**
BLOUSÉE	BONASSE	BOUCANÉ	BOUTADE	**BRAUNER**
BLOUSER	BONDRÉE	BOUCAUD	BOUTANT	BRAVADE
BLOUSON	**BONDUES**	BOUCAUX	BOUTEUR	**BRAVAIS**
BLOUSSE	BONHEUR	BOUCHÉE	BOUTOIR	BRAVANT
BLÜCHER	BONICHE	BOUCHER	BOUTURE	BRAYANT
BLUETTE	BONIFIÉ	**BOUCHER**	BOUTURÉ	BRÉCHET
BLUFFÉE	BONJOUR	BOUCHON	**BOUVARD**	**BREGENZ**
BLUFFER	**BONNARD**	BOUCHOT	BOUVIER	**BREGUET**
BLUTAGE	**BONNIER**	BOUCLÉE	**BOUVIER**	**BREJNEV**
BLUTANT	**BONNOIS**	BOUCLER	**BOVOISE**	**BREMOND**
BLUTOIR	BON-PAPA	**BOU CRAA**	BOWLING	**BRENDEL**
BOABDIL	BONSOIR	BOUDANT	BOX-CALF	**BRENNER**
BOBÈCHE	BOOLÉEN	BOUDDHA	**BOXEURS**	**BRENNOU**
BOBÈCHE	BOOLIEN	**BOUDDHA**	BOXEUSE	**BRENNUS**
BOBETTE	**BOORMAN**	BOUDEUR	BOYAUTÉ	**BRESCIA**
BOBIGNY	BOOSTER	**BOUDIAF**	BOYCOTT	**BRESDIN**
BOBINÉE	**BOOTHIA**	BOUDINÉ	**BOYSSET**	**BRESLAU**
BOBINER	BORAINE	BOUDOIR	**BOZOULS**	BRESSAN
BOBINOT	**BORAINE**	BOUÉLER	BRABANT	**BRESSAN**
BOBONNE	BORASSE	BOUETTE	**BRABANT**	**BRESSON**
BOBTAIL	BORATÉE	BOUEUSE	**BRACHET**	BRETZEL
BOCAGER	**BORDAIS**	BOUFFÉE	BRACTÉE	BREVETÉ
BOCARDÉ	BORDANT	BOUFFER	BRADANT	**BRIANSK**
BOCCACE	BORDIER	BOUFFIE	**BRADLEY**	BRIARDE
BÖCKLIN	**BORDUAS**	BOUFFIR	BRADYPE	**BRIARDE**
BOCSKAI	BORDURE	BOUFFON	**BRAGARD**	BRICOLE
BOEGNER	BORÉALE	BOUGNAT	BRAILLE	BRICOLÉ
BOÉLANE	BORÉALS	BOUGRAN	**BRAILLE**	BRIDANT
BOESSET	BORÉAUX	**BOUGUER**	BRAILLÉ	BRIDGER
BOGARDE	BORIQUE	BOUILLE	BRAISÉE	**BRIDOIS**
BOGHEAD	BORIQUÉ	BOUILLI	BRAISER	BRIEFÉE
BOIARDO	**BORMANN**	BOULAIE	BRAMANT	BRIEFER
BOILEAU	BORNAGE	BOULANT	BRANCHE	**BRIENNE**
BOISAGE	BORNANT	BOULEAU	BRANCHÉ	**BRIENON**
BOISANT	BORNOYÉ	BOULETÉ	BRANCHU	**BRIÉRON**
BOISEUR	**BOROTRA**	BOULIER	**BRANDES**	BRIFFÉE
BOISSON	BOROUGH	**BOULLÉE**	BRANDIE	BRIFFER
BOITANT	BORTSCH	BOUMANT	BRANDIR	BRIGADE
BOITEUX	**BORZAGE**	**BOUNINE**	BRANDON	BRIGAND
BOÎTIER	**BOSCÉEN**	BOUQUET	**BRANDON**	**BRIGIDE**
BOJADOR	BOSKOOP	**BOUQUET**	BRANLÉE	BRIGUÉE
BOKASSA	BOSQUET	BOUQUIN	BRANLER	BRIGUER
BOLDINI	BOSSAGE	BOURBON	**BRANNER**	BRILLER
BOLIVAR	BOSSANT	**BOURBON**	BRAQUÉE	BRIMADE
BOLÍVAR	BOSSELÉ	**BOURCAT**	BRAQUER	BRIMANT
BOLIVIE	BOSSEUR	BOURDON	BRAQUET	BRINELL
BOLLAND	BOSSOIR	**BOURDON**	BRASAGE	BRINGÉE
BOLLARD	BOSSUÉE	**BOUREÏA**	BRASANT	BRINGUE
BOLLÈNE	BOSSUER	**BOURGES**	BRASERO	BRINGUÉ
BOLOGNE	**BOSSUET**	**BOURGET**	BRASIER	BRIOCHE
BOLSENA	BOTTANT	BOURRÉE	BRASQUE	BRIOCHÉ
BOLZANO	BOTTELÉ	BOURRER	**BRASSAÏ**	**BRIOCHÉ**
BOMBAGE	BOTTEUR	BOURRIN	BRASSÉE	**BRIONNE**
BOMBANT	BOTTIER	BOURRUE	BRASSER	**BRIOTIN**
BOMBARD	BOTTINE	**BOURVIL**	BRASSIN	**BRIOUDE**
BONAIRE	**BOTTROP**	BOUSEUX	BRASURE	BRIQUÉE

BRIQUER	BRUMEUX	**BURUNDI**	CADEAUX	CALÈCHE
BRIQUET	BRUNCHS	BUSHIDO	CADENCE	CALECIF
BRISANT	**BRUNHES**	**BUSHMEN**	CADENCÉ	CALEÇON
BRISÉES	**BRÜNING**	BUSQUÉE	**CADENET**	CALEPIN
BRISEUR	**BRUNNEN**	BUSQUER	CADETTE	CALETÉE
BRISQUE	BRUSQUE	**BUSSANG**	CADMIÉE	CALETER
BRISSAC	BRUSQUÉ	BUSTIER	CADMIER	CALFATÉ
BRISTOL	**BRUSSEL**	BUTEUSE	CADMIUM	**CALGARY**
BRISTOL	BRUTALE	BUTINÉE	CADOGAN	**CALIBAN**
BRISURE	BRUTAUX	BUTINER	**CADORNA**	CALIBRE
BRITTEN	BRUTION	BUTTAGE	CADRAGE	CALIBRÉ
BRIZEUX	BRUYANT	BUTTANT	CADRANT	CALICHE
BROCARD	BRUYÈRE	BUTTEUR	CADREUR	CALICOT
BROCART	**BRUZOIS**	BUTTOIR	CADUCÉE	**CALICUT**
BROCCIO	BUCCALE	BUVABLE	CADUQUE	CALIFAT
BROCHÉE	BUCCAUX	BUVETTE	CÆCALE	CÂLINÉE
BROCHER	BÛCHANT	BUVEUSE	CÆCAUX	CÂLINER
BROCHET	**BUCHEHR**	**BUXOISE**	**CAELIUS**	**CALIXTE**
BROCKEN	BÛCHEUR	**BUZZATI**	CÆSIUM	CALLEUX
BROCOLI	**BUCHNER**	**BYZANCE**	**CAETANO**	**CALLIAS**
BRODANT	**BÜCHNER**	CABALER	CAFARDE	CALMANT
BRODEUR	**BUCOISE**	**CABALLÉ**	CAFARDÉ	**CALONNE**
BRODSKY	BUCRANE	CABANÉE	CAFÉIER	CALORIE
BROGLIE	BUDGÉTÉ	CABANER	CAFÉINE	CALOTIN
BROMATE	**BUFFALO**	**CABANIS**	CAFETAN	CALOTTE
BROMURE	BUFFLON	CABANON	CAFTANT	CALOTTÉ
BRONCHE	**BUGANDA**	CABARET	CAFTEUR	CALOYER
BRONCHÉ	**BUGATTI**	CABÈCHE	CAGETTE	CALQUÉE
BRONSON	**BUGEAUD**	**CABEZÓN**	CAGNARD	CALQUER
BRONZÉE	BUGRANE	**CABIMAS**	CAGNEUX	CALTANT
BRONZER	**BUGUOIS**	**CABINDA**	**CAGNOIS**	CALUGER
BROONZY	BUISSON	CABINET	CAGOULE	**CALUIRE**
BROSSÉE	**BUISSON**	CÂBLAGE	**CAGOULE**	**CALUKYA**
BROSSER	BULBEUX	CÂBLANT	**CAHOKIA**	CALUMET
BROSSES	BULGARE	CÂBLEAU	CAHOTÉE	**CALVAIS**
BROUAGE	**BULGARE**	CÂBLÉES	CAHOTER	**CALVINO**
BROUSSE	BULLANT	CÂBLEUR	CAILLÉE	CALYPSO
BROUSSE	**BULLANT**	CÂBLIER	CAILLER	**CALYPSO**
BROUTÉE	BULLDOG	CABOCHE	**CAILLIÉ**	CAMAÏEU
BROUTER	BULLEUX	**CABOCHE**	CAILLOT	CAMARDE
BROUWER	BUNRAKU	CABOSSE	CAILLOU	**CAMARET**
BROWNIE	**BURAYDA**	CABOSSÉ	**CAÏMANS**	**CAMARGO**
BROYAGE	**BURBAGE**	CABOTER	CAIROTE	CAMBANT
BROYANT	**BURDWAN**	CABOTIN	**CAIROTE**	CAMBIAL
BROYEUR	BUREAUX	**CABOURG**	CAISSON	CAMBIUM
BRUCINE	BURELÉE	CABRANT	**CAJETAN**	**CAMBOAR**
BRUEGEL	BURELLE	CABACER	CAJOLÉE	**CAMBRAI**
BRUGNON	BURETTE	CACAOTÉ	CAJOLER	CAMBRÉE
BRUINER	BURGAUX	CACAOUI	**CALABRE**	CAMBRER
BRUISSÉ	**BURGESS**	CACARDÉ	CALAMAR	CAMBUSE
BRUITÉE	**BURGIEN**	**CACCINI**	CALAMUS	**CAMBYSE**
BRUITER	**BURIDAN**	**CÁCERES**	**CALCÉEN**	CAMÉLIA
BRÛLAGE	BURINÉE	CACHANT	**CALCHAS**	CAMELLE
BRÛLANT	BURINER	CACHÈRE	CALCINÉ	CAMELOT
BRÛLEUR	**BURKINA**	CACHETÉ	CALCITE	**CAMERON**
BRÛLOIR	**BURNABY**	CACIQUE	CALCIUM	**CAMOENS**
BRÛLURE	BURNOUS	CADAVRE	CALCULÉ	CAMORRA

CAMPANA	CAPELAN	CARDIAL	CASCADE	CAUTÈLE
CAMPANE	CAPELÉE	**CARDIFF**	CASÉEUX	CAUTÈRE
CAMPANT	CAPELER	**CARDIJN**	CASÉINE	CAUTION
CAMPEUR	CAPELET	**CARDOSO**	**CASERIO**	**CAUVERY**
CAMPHRE	CAPEYER	**CARÉLIE**	CASERNE	CAVALÉE
CAMPHRÉ	CAPITAL	CARENCE	CASERNÉ	CAVALER
CAMPINE	CAPITAN	CARÉNÉE	**CASERTE**	**CAVALLI**
CAMPING	CAPITON	CARÉNER	CASETTE	CAVEAUX
CAM RANH	CAPONNE	CARESSE	**CASIMIR**	CAVEÇON
CANAQUE	CAPORAL	CARESSÉ	CASQUÉE	CAVERNE
CANAQUE	CAPOTÉE	CARGUÉE	CASQUER	CAVISTE
CANARDÉ	CAPOTER	CARGUER	CASSAGE	**CAYENNE**
CANARIS	**CAPOUAN**	**CARHAIX**	CASSANT	**CAYOLLE**
CANASTA	**CAPRARA**	CARIANT	**CASSARD**	**CAZÈRES**
CANCALE	**CAPRERA**	CARIBOU	CASSATE	CAZETTE
CANCALE	CAPRICE	CARIEUX	**CASSATT**	**CAZOTTE**
CANCANÉ	CÂPRIER	CARIOCA	CASSEAU	CÉBISTE
CANDÉEN	CAPRINE	**CARIOCA**	CASSEUR	CÉCIDIE
CANDELA	CAPRINÉ	CARISTE	CASSIER	CÉCILIE
CANDEUR	**CAPRIVI**	CARLINE	CASSINE	**CÉCROPS**
CANDIAC	CAPSAGE	**CARLSON**	**CASSINI**	CÉDANTE
CANDIDA	CAPSIDE	**CARLYLE**	**CASSINO**	CÉDÉROM
CANDIDE	CAPSIEN	**CARMAUX**	**CASSOLA**	CÉDILLE
CANDIDE	CAPSULE	CARMINÉ	CASSURE	CÉDRAIE
CANETON	CAPSULÉ	**CARMONA**	CASTARD	CEINDRE
CANETTE	CAPTAGE	CARNAGE	CASTINE	CÉLADON
CANETTI	CAPTANT	CARNAUX	CASTING	**CÉLÈBES**
CANEVAS	CAPTEUR	CARNEAU	CASTRAT	CÉLÈBRE
CANEZOU	CAPTIVE	CARNIER	CASTRÉE	CÉLÈBRÉ
CANICHE	CAPTIVÉ	**CARNUTE**	CASTRER	CÉLESTA
CANIGOU	CAPTURE	**CARONTE**	CASTRUM	CÉLESTE
CANISSE	CAPTURÉ	CAROTTE	**CASTRES**	CÉLIBAT
CANITIE	CAPUCHE	CAROTTÉ	CATAIRE	CELLE-CI
CANNAGE	CAPUCIN	CAROUBE	CATALAN	CELLE-LÀ
CANNAIE	**CAPVERN**	CAROUGE	**CATALAN**	CELLIER
CANNANT	**CAP-VERT**	**CAROUGE**	CATALPA	**CELLINI**
CANNELÉ	CAQUANT	CARPEAU	CATCHER	**CELLOIS**
CANNEUR	CAQUETÉ	CARPIEN	CATELLE	CELLULE
CANNIER	CARABIN	CARRANT	CATHARE	**CELSIUS**
CANNING	CARACAL	CARRARE	CATHODE	CELUI-CI
CANNOIS	**CARACAS**	**CARRARE**	**CATINAT**	CELUI-LÀ
CANONNÉ	CARACUL	CARREAU	CATOGAN	CÉMENTÉ
CANOPÉE	CARAFON	CARRELÉ	**CATROUX**	CÉNACLE
CANOSSA	CARAÏBE	**CARRERA**	CATTELL	**CÉNACLE**
CANOTER	**CARAÏBE**	CARRICK	**CATULLE**	CENDRÉE
CANSADO	CARAÏTE	CARRIER	**CAUCASE**	CENDRER
CANTATE	**CARAÏTE**	**CARRIER**	**CAUCHON**	CENELLE
CANTINE	**CARAJÁS**	**CARROLL**	CAUDALE	**CENNINI**
CANULAR	CARAMEL	CARROYÉ	CAUDAUX	CENSEUR
CANULÉE	CARAQUE	CARRURE	**CAUDRON**	CENSIER
CANULER	CARBONE	**CARRYEN**	**CAULNES**	CENSIVE
CANZONE	CARBONÉ	CARTANT	CAUSALE	CENSURE
CANZONI	CARBURE	**CARTIER**	CAUSALS	CENSURÉ
CAO BANG	CARBURÉ	CARTOON	CAUSANT	CENTAVO
CAPABLE	CARDAGE	**CARUARU**	CAUSAUX	CENTILE
CAP-D'AIL	CARDANT	CASAQUE	CAUSEUR	CENTIME
CAPÉANT	CARDÈRE	**CASARÈS**	**CAUSSES**	CENTRAL

CENTRÉE · CENTRER · CÉRASTE · CERBÈRE · **CERBÈRE** · CERCEAU · CERCLÉE · CERCLER · CERDANE · **CERDANE** · CÉRÉALE · **CÉRETAN** · CÉRITHE · **CERIZAY** · CERNANT · CERNEAU · **CERNÉEN** · CERTAIN · CÉRUMEN · CÉRUSÉE · CERVEAU · CERVIDÉ · **CÉSAIRE** · **CÉSARÉE** · CESSANT · CESSION · CESTODE · CÉTEAUX · CÉTOINE · CÉVENOL · **CÉVENOL** · **CÉZANNE** · **CHAALIS** · CHABLÉE · CHABLER · CHABLIS · **CHABLIS** · CHABLON · CHABROL · **CHABROL** · CHABROT · CHACONE · CHACUNE · CHADOUF · **CHAGALL** · CHAGRIN · **CHAHINE** · CHAHUTÉ · CHAÎNÉE · CHAÎNER · CHAÎNON · CHAÏOTE · **CHAKHTY** · **CHALAIS** · CHALAND · CHALAZE · **CHALDÉE**

CHALEUR · **CHALLES** · CHALOIR · **CHÂLONS** · CHAMADE · **CHAMBLY** · CHAMBRE · CHAMBRÉ · CHAMEAU · CHAMOIS · **CHAMOUN** · CHAMPIS · CHAMSIN · **CHAMSON** · CHANCEL · CHANCIR · CHANCRE · **CHANDOS** · **CHANGAN** · CHANGÉE · CHANGER · **CHANNEL** · CHANSON · CHANTÉE · CHANTER · CHANTRE · CHANVRE · CHAOUCH · **CHAOUÏA** · **CHAPAIS** · **CHAPALA** · CHAPEAU · **CHAPLIN** · **CHAPPAZ** · CHAPSKA · **CHAPTAL** · CHARADE · CHARBON · **CHARCOT** · **CHARDIN** · **CHARDJA** · CHARDON · **CHAREAU** · CHARGÉE · CHARGER · CHARIOT · CHARITÉ · **CHARLES** · CHARLOT · **CHARLOT** · CHARMÉE · CHARMER · **CHARMES** · CHARNEL · **CHARNEY** · CHARNUE · **CHARPAK**

CHARPIE · **CHARRAT** · CHARRET · CHARRIÉ · CHARROI · CHARRON · **CHARRON** · CHARRUE · CHARTER · CHARTRE · **CHASLES** · CHASSÉE · CHASSER · CHÂSSES · CHASSIE · CHÂSSIS · **CHASTEL** · CHÂTAIN · CHÂTEAU · **CHATHAM** · CHÂTIÉE · CHÂTIER · CHÂTIÉS · CHATOYÉ · CHÂTRÉE · CHÂTRER · **CHAUCER** · **CHAUDET** · CHAUFFE · CHAUFFÉ · CHAULÉE · CHAULER · CHAUMÉE · CHAUMER · **CHAUSEY** · CHAUSSÉ · CHAUVIN · CHAVIRÉ · CHAYOTE · **CHÉBÉLI** · CHÉCHIA · CHECK-UP · CHEDDAR · CHÉLATE · **CHELIFF** · **CHELLES** · **CHELMNO** · **CHELSEA** · CHEMINÉ · CHEMISE · CHEMISÉ · CHÊNAIE · CHENAUX · CHÉNEAU · **CHENGDU** · **CHÉNIER** · CHENÔVE

CHEPTEL · CHERCHÉ · **CHÉREAU** · CHERGUI · **CHERGUI** · CHERMÈS · CHERRYS · **CHESSEX** · CHESTER · **CHESTER** · CHÉTIVE · CHEVALÉ · CHEVAUX · CHEVELU · CHEVEUX · **CHEVIOT** · CHEVRER · CHEVRON · **CHEYNEY** · CHEZ-MOI · CHEZ-SOI · CHEZ-TOI · CHIADÉE · CHIADER · CHIALER · CHIANTE · CHIANTI · **CHIANTI** · **CHIAPAS** · CHIASMA · CHIASME · CHIASSE · **CHIASSO** · **CHIBCHA** · CHIBOUK · **CHICAGO** · CHICANE · CHICANÉ · CHICANO · CHICOTE · CHIENNE · CHIFFON · CHIFFRE · CHIFFRÉ · CHIGNON · CHIISME · CHILIEN · **CHILLÁN** · **CHILLON** · **CHIMÈNE** · CHIMÈRE · CHINAGE · CHINANT · **CHINARD** · CHINDER · CHINEUR

CHINOIS · **CHINOIS** · CHINOOK · CHINURE · CHIOTTE · CHIPANT · CHIPEUR · CHIPOTÉ · CHIQUÉE · CHIQUER · CHIRALE · CHIRAUX · **CHIRICO** · CHITINE · CHLEUHE · CHLORÉE · CHNOQUE · **CHOCANO** · CHOCARD · CHOISIE · CHOISIR · CHOLÉRA · CHOLINE · CHÔMAGE · CHÔMANT · CHÔMEUR · **CHOMSKY** · CHONDRE · **CHONGJU** · CHOPANT · CHOPINE · CHOPPER · CHOQUÉE · CHOQUER · CHORALE · CHORALS · CHORAUX · CHORÈGE · CHORION · CHORIZO · **CHORZÓW** · CHOUCAS · CHOURÉE · CHOURER · CHOYANT · **CHRAÏBI** · CHRISME · **CHRISTO** · CHROMÉE · CHROMER · CHUINTÉ · **CHUQUET** · CHUTANT · CHUTEUR · CHUTNEY · CI-APRÈS · CIBICHE

CIBISTE
CIBLANT
CIBOIRE
CIBOULE
CIBOURE
CICÉRON
CICLANT
CIÉNAGA
CIGOGNE
CI-JOINT
CILICIE
CILLANT
CIMABUE
CIMAISE
CIMBRES
CIMENTÉ
CINABRE
CINGLÉE
CINGLER
CINGRIA
CINOCHE
CINOQUE
CINTRÉE
CINTRER
CIPOLIN
CIRCUIT
CIRCULÉ
CIREBON
CIREUSE
CIRIÈRE
CISEAUX
CISELÉE
CISELER
CISELET
CISTRON
CISTUDE
CITADIN
CÎTEAUX
CITERNE
CITHARE
CITOYEN
CITRATE
CITRINE
CITROËN
ÇIVAÏTE
CIVELLE
CIVETTE
CIVIÈRE
CIVILIS
CIVIQUE
CIVISME
CLABAUD
CLABOTÉ
CLAIRET
CLAIRON
CLAIRON
CLAMANT

CLAMART
CLAMECÉ
CLAMECY
CLAMEUR
CLAMSER
CLAPIER
CLAPOTÉ
CLAPPER
CLAPTON
CLAQUÉE
CLAQUER
CLARAIN
CLARENS
CLARINE
CLASHES
CLASSÉE
CLASSER
CLAUDEL
CLAUSEL
CLAUZEL
CLAVANT
CLAVEAU
CLAVELÉ
CLAVETÉ
CLAVIER
CLAYÈRE
CLAYOIS
CLÉBARD
CLÉMENT
CLÉMENT
CLENCHE
CLEPHTE
CLÉROIS
CLÉTIEN
CLICHÉE
CLICHER
CLIENTE
CLIGNÉE
CLIGNER
CLINFOC
CLINKER
CLINTON
CLIPPER
CLIQUER
CLIQUES
CLIQUET
CLISSÉE
CLISSER
CLISSÉS
CLISSON
CLIVAGE
CLIVANT
CLOACAL
CLOAQUE
CLOCHER
CLODION
CLODIUS

CLOISON
CLOÎTRE
CLOÎTRÉ
CLONAGE
CLONANT
CLOPINÉ
CLOQUÉE
CLOQUER
CLOSANT
CLOSEAU
CLÔTURE
CLÔTURÉ
CLOUAGE
CLOUANT
CLOUTÉE
CLOUTER
CLOUZOT
CLUSIEN
CLUSTER
CNÉMIDE
CNOSSOS
COACHES
COAGULÉ
COALISÉ
COALTAR
COASSER
COAXIAL
COBBETT
COBOURG
COCAGNE
COCAÏER
COCAÏNE
COCARDE
COCASSE
COCHANT
CÔCHANT
COCHÈRE
COCHISE
COCHLÉE
COCKNEY
COCKPIT
COCOLÉE
COCOLER
COCOTER
COCOTTE
COCOTTÉ
COCTEAU
COCUAGE
COCUFIÉ
CODÉINE
CODEUSE
CODIFIÉ
COÉDITÉ
CŒLOME
CŒNURE
COETZEE
COFFRÉE

COFFRER
COFFRET
COGÉRÉE
COGÉRER
COGITÉE
COGITER
COGNANT
COHÉSIF
COHORTE
COIFFÉE
COIFFER
COIMBRA
COINCÉE
COINCER
COIRONS
COÏTANT
COITRON
COKÉFIÉ
COKERIE
COLBACK
COLBERT
COL-BLEU
COLEMAN
COLETTE
COLIBRI
COLIGNY
COLINOT
COLIQUE
COLISÉE
COLLABO
COLLAGE
COLLANT
COLLÈGE
COLLETÉ
COLLEUR
COLLIER
COLLIGÉ
COLLINE
COLLINS
COLLOIS
COLLURE
COLLYRE
COLMATÉ
COLOGNE
COLOMBA
COLOMBE
COLOMBE
COLOMBO
COLOMBO
COLONAT
COLONEL
COLONES
COLONIE
COLONNA
COLONNE
COLONNE

COLORÉE
COLORER
COLORIÉ
COLORIS
COLOSSE
COLTINÉ
COLUCHE
COLVERT
COMBIEN
COMBINE
COMBINÉ
COMBLÉE
COMBLER
COMECON
COMÉDIE
COMÉDON
COMINES
COMIQUE
COMMAND
COMMENT
COMMÈRE
COMMÉRÉ
COMMISE
COMMODE
COMMODE
COMMUÉE
COMMUER
COMMUNE
COMMUNS
COMMUTÉ
COMNÈNE
COMORES
COMORIN
COMPACT
COMPARÉ
COMPARU
COMPATI
COMPÈRE
COMPILÉ
COMPLET
COMPLOT
COMPONÉ
COMPOSÉ
COMPOST
COMPOTE
COMPRIS
COMPTÉE
COMPTER
COMPTON
COMTALE
COMTAUX
COMTOIS
COMTOIS
CONAKRY
CONARDE
CONASSE
CONATUS

CONCAVE
CONCÉDÉ
CONCEPT
CONCERT
CONCHES
CONCILE
CONCINI
CONCISE
CONCLUE
CONCORD
CONCRET
CONDÉEN
CONDROZ
CONDUIT
CONDYLE
CONFÉRÉ
CONFIÉE
CONFIER
CONFINÉ
CONFINS
CONFIRE
CONFITE
CONFLIT
CONFLUÉ
CONFORT
CONFUSE
CONGAYE
CONGELÉ
CONGÈRE
CONGRÉÉ
CONGRÈS
CONGRUE
CONIDIE
CONIQUE
CONJURÉ
CONNARD
CONNEAU
CONNEXE
CONNOTÉ
CONOÏDE
CONOPÉE
CONQUES
CONQUIS
CONRART
CONSEIL
CONSOLE
CONSOLÉ
CONSORT
CONSPUÉ
CONSTAT
CONSUMÉ
CONTACT
CONTAGE
CONTANT
CONTENT
CONTENU
CONTEUR

CONTIGU
CONTINU
CONTOIS
CONTOUR
CONTRAT
CONTRÉE
CONTRER
CONTRES
CONTRIT
CONTUSE
CONVENT
CONVENU
CONVERS
CONVEXE
CONVIÉE
CONVIER
CONVIVE
CONVOLÉ
CONVOYÉ
COOPÉRÉ
COOPTÉE
COOPTER
COPAÏER
COPAYER
COPEAUX
COPIAGE
COPIANT
COPIEUR
COPIEUX
COPINER
COPISTE
COPLAND
COPPENS
COPPOLA
COPULER
COQUARD
COQUART
COQUETÉ
COQUINE
CORBEAU
CORBÉEN
CORBLEU
CORCYRE
CORDAGE
CORDAIS
CORDANT
CORDEAU
CORDIAL
CORDIER
CORDITE
CORDOBA
CÓRDOBA
CORDOUE
CORELLI
CORIACE

CORINTH
CORMACK
CORMIER
CORNAGE
CORNANT
CORNARD
CORNARO
CORNÉEN
CORNIER
CORNIOT
COROLLE
CORONAL
CORONER
CORRECT
CORRÈGE
CORRÉLÉ
CORRÈZE
CORRIDA
CORRIGÉ
CORRODÉ
CORROYÉ
CORSAGE
CORSANT
CORSETÉ
CORTÈGE
CORTINE
CORTONE
CORVIDÉ
CORYMBE
COSAQUE
COSAQUE
COSENZA
COSIGNÉ
COSINUS
COSNOIS
COSSANT
COSSARD
COSSÉEN
COSSIGA
COSTALE
COSTARD
COSTAUD
COSTAUX
COSTUME
COSTUMÉ
COTABLE
COTEAUX
CÔTE-D'OR
CÔTELÉE
COTERIE
COTIDAL
CÔTIÈRE
COTISÉE
COTISER
CÔTOISE
COTONNÉ

COTONOU
CÔTOYÉE
CÔTOYER
COTTAGE
COTTBUS
COUARDE
COUCHÉE
COUCHER
COUCHIS
COUDANT
COUDOYÉ
COUDRES
COUENNE
COUËRON
COUETTE
COUFFIN
COUGUAR
COUILLE
COUINER
COULAGE
COULANT
COULEUR
COULOIR
COULOMB
COULOMB
COULURE
COUMANS
COUNAXA
COUNTRY
COUPAGE
COUPANT
COUPEUR
COUPLÉE
COUPLER
COUPLÉS
COUPLET
COUPOLE
COUPURE
COURAGE
COURANT
COURBÉE
COURBER
COURBET
COURÇON
COURÇON
COUREUR
COURIER
COURLIS
COURNON
COURNOT
COURSAN
COURSÉE
COURSER
COURSON
COUSANT
COUSEUR
COUSINE

COUSINÉ
COUSSIN
COUSTOU
COÛTANT
COUTEAU
COÛTEUX
COUTHON
COUTRAS
COUTUME
COUTURE
COUTURE
COUTURÉ
COUVADE
COUVAIN
COUVANT
COUVENT
COUVERT
COUVOIR
COUVRIR
COVILHÃ
COW-BOYS
CRABOTÉ
CRACHAT
CRACHÉE
CRACHER
CRACHIN
CRACKER
CRAILLÉ
CRAINTE
CRAIOVA
CRAMANT
CRAMANT
CRAMINE
CRAMPON
CRANACH
CRÂNANT
CRÂNEUR
CRÂNIEN
CRANMER
CRANSON
CRANTÉE
CRANTER
CRANTÉS
CRAONNE
CRAPAUD
CRAPULE
CRAQUÉE
CRAQUER
CRASHAW
CRASHÉE
CRASHER
CRASHES
CRASSUS
CRATÈRE
CRAVATE
CRAVATÉ
CRAWLER

CRAWLEY	CROASSÉ	CUILLER	CUVELER	**DAPHNIS**
CRAYEUX	**CROATIE**	CUISANT	CUVETTE	**DA PONTE**
CRÉANCE	CROBARD	CUISEUR	CYANOSE	DARAISE
CRÉATIF	CROCHÉE	CUISINE	CYANOSÉ	**DARBOUX**
CRÉCÉEN	CROCHER	CUISINÉ	CYANURE	DARDANT
CRÉCHER	CROCHET	CUISSON	CYANURÉ	**DARFOUR**
CRÉÇOIS	CROCHUE	CUISSOT	**CYAXARE**	DARIOLE
CRÉDITÉ	CROISÉE	CUISTAX	CYCLISÉ	DARIQUE
CRÉDULE	CROISER	CUISTOT	CYCLONE	**DARKHAN**
CRÉMANT	**CROISSY**	CUISTRE	CYCLOPE	**DARLING**
CRÉMÉES	CROÎTRE	CUITANT	CYMAISE	**DARNAND**
CRÉMEUX	CROLLÉE	CUIVRÉE	CYMBALE	**DARNLEY**
CRÉMIER	**CROOKES**	CUIVRER	CYNIQUE	**DARRACQ**
CRÉMIEU	CROONER	CULASSE	CYNISME	DARSANA
CRÉMONE	CROQUÉE	CULBUTE	CYPHOSE	DARTOIS
CRÉMONE	CROQUER	CULBUTÉ	**CYPRIEN**	DASYURE
CRÉNEAU	CROQUET	CULERON	**CYRILLE**	DATABLE
CRÉNELÉ	CROQUIS	CULMINÉ	**CYSOING**	DATEUSE
CRÉNELÉ	CROTALE	CULOTTE	CYSTITE	DATTIER
CRÊPAGE	**CROTONE**	CULOTTÉ	**CYTHÈRE**	DAUBANT
CRÊPANT	CROTTÉE	CULTIVÉ	**CYZIQUE**	DAUBEUR
CRÊPELÉ	CROTTER	CULTUEL	CZARDAS	**DAUMIER**
CRÊPIER	CROTTIN	CULTURE	**CZIFFRA**	DAUPHIN
CRÉPINE	CROULER	**CUMBRIA**	DACTYLE	DAURADE
CRÉPITÉ	CROUPIE	CUMULÉE	DACTYLO	**DAUSSET**
CRÊPURE	CROUPIR	CUMULER	**DAHOMEY**	**DAVILER**
CRESPIN	CROUPON	CUMULET	DAIGNER	DAZIBAO
CRESSON	CROÛTER	CUMULUS	**DAIMLER**	DEALANT
CRESSON	CROÛTON	**CUNAULT**	**DALBERG**	DÉBÂCHÉ
CRÉTACÉ	**CROWLEY**	CUPESSE	DALEAUX	DÉBÂCLE
CRÉTEIL	CROYANT	**CUPIDON**	DALLAGE	DÉBÂCLÉ
CRÉTINE	**CROZIER**	CUPRITE	DALLANT	DÉBALLÉ
CRÉTOIS	CRUAUTÉ	CURABLE	DALLEUR	DÉBANDÉ
CRÉTOIS	CRUCHON	CURAÇAO	DALMATE	DÉBARDÉ
CREUSÉE	CRUCIAL	**CURAÇAO**	**DALMATE**	DÉBARRÉ
CREUSER	CRUDITÉ	CURATIF	DAMASSÉ	DÉBÂTÉE
CREUSET	CRUELLE	CURCUMA	DAMEUSE	DEBATER
CREVANT	CRUENTÉ	CURETÉE	**DAMIENS**	DÉBÂTER
CREVARD	CRUISER	CURETER	DAMNANT	DÉBÂTIE
CREVAUX	CRÛMENT	CURETON	**DAMODAR**	DÉBÂTIR
CREVOTÉ	CRURALE	CURETTE	**DAMPIER**	DÉBATTU
CRIANTE	CRURAUX	CURIALE	DANAÏDE	DÉBECTÉ
CRIARDE	CRYPTÉE	CURIAUX	**DANAKIL**	**DEBENEY**
CRIBLÉE	CRYPTER	CURIEUX	DANCING	DÉBINÉE
CRIBLER	CSARDAS	CURISTE	DANDINÉ	DÉBINER
CRICKET	**CTÉSIAS**	CURLING	**DANDOLO**	DÉBITÉE
CRIEUSE	CUBAINE	CURSEUR	**DANDONG**	DÉBITER
CRILLON	**CUBAINE**	CURSIVE	**DANGEAU**	DÉBLAYÉ
CRIQUET	CUBILOT	**CURTIUS**	**DANIELE**	DÉBOGUÉ
CRISPÉE	CUBIQUE	CUSCUTE	**DANIELL**	DÉBOISÉ
CRISPER	CUBISME	**CUSHING**	DANOISE	DÉBOÎTÉ
CRISPIN	CUBISTE	**CUSTINE**	**DANOISE**	DÉBONDÉ
CRISSER	CUBITAL	CUSTODE	DANSANT	**DÉBORAH**
CRISTAL	CUBITUS	**CUSTOZA**	DANSEUR	DÉBORDÉ
CRISTAL	CUBOÏDE	CUTANÉE	DANSOTÉ	DÉBOTTÉ
CRITÈRE	CUEILLI	**CUTTACK**	**DANTZIG**	DÉBOULÉ
CRITIAS	**CUGNAUX**	CUVELÉE	DAPHNIE	DÉBOURS

DÉBOUTÉ	DÉCORUM	**DE FUNÈS**	**DELAGOA**	DEMI-BAS	
DÉBRASÉ	DÉCOULÉ	DÉFUNTE	DÉLAINÉ	**DEMIDOF**	
DÉBRAYÉ	DÉCOUPE	DÉGAGÉE	DÉLAITÉ	**DEMIDOV**	
DÉBRIDÉ	DÉCOUPÉ	DÉGAGER	DÉLASSÉ	**DE MILLE**	
DÉBUCHÉ	DÉCOURS	DÉGAINE	**DELAUNE**	DEMI-MAL	
DEBURAU	DÉCOUSU	DÉGAINÉ	**DE LAVAL**	DEMI-MOT	
DEBUSSY	DÉCRÊPÉ	DÉGANTÉ	DÉLAVÉE	DÉMINÉE	
DÉBUTÉE	DÉCRÉPI	DÉGARNI	DÉLAVER	DÉMINER	
DÉBUTER	DÉCRÉTÉ	DÉGAZÉE	DÉLAYÉE	**DEMIREL**	
DÉCALÉE	DÉCRIÉE	DÉGAZER	DÉLAYER	DEMI-SEL	
DÉCALER	DÉCRIER	DÉGELÉE	DÉLECTÉ	DEMI-TON	
DÉCAMPÉ	DÉCRIRE	DÉGELER	**DELEDDA**	DEMI-VIE	
DECAMPS	DÉCRITE	DÉGERMÉ	DÉLÉGUÉ	DÉMODÉE	
DÉCANAT	**DECROLY**	DÉGIVRÉ	**DELERUE**	DÉMODER	
DÉCANTÉ	DE CUJUS	DÉGLACÉ	DÉLESTÉ	DEMODEX	
DÉCAPÉE	DÉCUPLE	DÉGLUÉE	**DELEUZE**	DÉMOLIE	
DÉCAPER	DÉCUPLÉ	DÉGLUER	**DELGADO**	DÉMOLIR	
DÉCATIE	DÉCURIE	DÉGLUTI	DÉLIANT	**DEMOLON**	
DÉCATIR	DÉCUSSÉ	DÉGOISÉ	**DELIBES**	DÉMONTÉ	
DÉCAVÉE	DÉCUVÉE	DÉGOMMÉ	DÉLICAT	DÉMORDU	
DÉCAVER	DÉCUVER	DÉGORGÉ	**DELIGNE**	DÉMOULÉ	
DÉCÉDER	DÉDIANT	DÉGOTÉE	**DELILLE**	**DEMPSEY**	
DÉCELÉE	DÉDORÉE	DÉGOTER	DÉLINÉÉ	DÉMUNIE	
DÉCELER	DÉDORER	DÉGOTTÉ	DÉLIRER	DÉMUNIR	
DÉCENCE	DÉDUIRE	DÉGOÛTÉ	DÉLITÉE	DÉNANTI	
DÉCENTE	DÉDUITE	**DE GRAAF**	DÉLITER	DÉNATTÉ	
DÉCERNÉ	DE FACTO	DÉGRADÉ	DÉLIVRE	DÉNEIGÉ	
DÉCHANT	DÉFAIRE	DÉGRAFÉ	DÉLIVRÉ	**DENEUVE**	
DÉCHAUX	DÉFAITE	DÉGRÉÉE	**DELLOIS**	**DEN HAAG**	
DÉCHIRÉ	**DE FALLA**	DÉGRÉER	DÉLOGÉE	DÉNIANT	
DÉCHOIR	DÉFENDS	DÉGREVÉ	DÉLOGER	DÉNICHÉ	
DÉCIBEL	DÉFENDU	DÉGRISÉ	**DELORME**	DÉNIGRÉ	
DÉCIDÉE	DÉFENSE	DÉGUISÉ	DÉLOYAL	DÉNITRÉ	
DÉCIDER	**DÉFENSE**	DÉGUSTÉ	**DELPHES**	**DENIZLI**	
DÉCIDUE	DÉFÉQUÉ	**DEHAENE**	DÉLURÉE	**DENNERY**	
DÉCIMAL	DÉFÉRÉE	DÉHALÉE	DÉLURER	DÉNOMMÉ	
DÉCIMÉE	DÉFÉRER	DÉHALER	**DELVAUX**	DÉNONCÉ	
DÉCIMER	DÉFERLÉ	**DEHMELT**	DEMANDE	DÉNOTÉE	
DÉCINES	DÉFERRÉ	**DE HOOCH**	DEMANDÉ	DÉNOTER	
DÉCISIF	**DEFFAND**	**DE HOOGH**	DÉMANGÉ	DÉNOUÉE	
DÉCITEX	DÉFIANT	DÉICIDE	DÉMARIÉ	DÉNOUER	
DÉCLAMÉ	DÉFIBRÉ	DÉIFIÉE	DÉMARRÉ	DÉNOYÉE	
DÉCLARÉ	DÉFICIT	DÉIFIER	DÉMÂTÉE	DÉNOYER	
DÉCLINÉ	DÉFILÉE	DÉJANTÉ	DÉMÂTER	DENSITÉ	
DÉCLIVE	DÉFILER	DÉJAUGÉ	DÉMÊLÉE	DENTALE	
DÉCLORE	DÉFINIE	DÉJETÉE	DÉMÊLER	DENTAUX	
DÉCLOSE	DÉFINIR	DÉJETER	DÉMENCE	DENTELÉ	
DÉCLOUÉ	DÉFLORÉ	DÉJEUNÉ	DÉMENÉE	DENTIER	
DÉCOCHÉ	DÉFOLIÉ	DÉJOUÉE	DÉMENER	DENTINE	
DÉCODÉE	DÉFONCE	DÉJOUER	DÉMENTE	DENTURE	
DÉCODER	DÉFONCÉ	DÉJUCHÉ	DÉMENTI	DÉNUANT	
DÉCOLLÉ	DÉFORCÉ	DÉJUGÉE	DÉMERDÉ	DÉNUDÉE	
DÉCONNE	DÉFORMÉ	DÉJUGER	**DÉMÉTER**	DÉNUDER	
DÉCORDÉ	DÉFOULÉ	**DE KLERK**	DEMEURE	DÉNUTRI	
DÉCORÉE	DÉFRAYÉ	DÉLABRÉ	DEMEURÉ	DÉPANNÉ	
DÉCORER	DÉFRIPÉ	DÉLACÉE	DEMIARD	DÉPARÉE	
DÉCORNÉ	DÉFRISÉ	DÉLACER		DÉPARER	81

DÉPARIÉ	DÉRIDÉE	DÉTAXER	**DHAHRAN**	DIOXYDE
DÉPARLÉ	DÉRIDER	DÉTECTÉ	**DHANBAD**	DIPHASÉ
DÉPARTI	DÉRIVÉE	DÉTEINT	DIABÈTE	DIPLÔME
DÉPASSÉ	DÉRIVER	DÉTELÉE	DIABOLO	DIPLÔMÉ
DÉPAVÉE	DERMITE	DÉTELER	DIACIDE	DIPTÈRE
DÉPAVER	DERNIER	DÉTENDU	DIADÈME	DIRECTE
DÉPAYSÉ	DÉROBÉE	DÉTENIR	DIALYSE	DIRIGÉE
DÉPECÉE	DÉROBER	DÉTENTE	DIALYSÉ	DIRIGER
DÉPECER	DÉROCHÉ	DÉTENUE	DIAMANT	DISCALE
DÉPÊCHE	DÉROGER	DÉTERGÉ	DIAMIDE	DISCAUX
DÉPÊCHÉ	DÉROUGI	DÉTERRÉ	DIAMINE	DISCRET
DÉPEINT	DÉROULÉ	DÉTESTÉ	DIANTRE	DISCUTÉ
DÉPENDU	DÉROUTE	DÉTONER	DIAPRÉE	DISERTE
DÉPENSE	DÉROUTÉ	DÉTONNÉ	DIAPRER	DISETTE
DÉPENSÉ	DERRICK	DÉTORDU	DICKENS	DISEUSE
DÉPÉRIR	**DERRIDA**	DÉTORSE	DICLINE	DISPARU
DÉPÊTRÉ	**DERVOIS**	DÉTOURÉ	DICTAME	DISPOSE
DÉPHASÉ	DÉSALPE	**DETROIT**	DICTANT	DISPOSÉ
DÉPILÉE	**DESANTI**	DÉTROIT	DICTION	DISPUTE
DÉPILER	DÉSARMÉ	DÉTRÔNÉ	**DIDELOT**	DISPUTÉ
DÉPIQUÉ	DÉSAVEU	DÉTRUIT	**DIDEROT**	DISSIPÉ
DÉPISTÉ	DÉSAXÉE	DÉVALÉE	**DIDYMES**	DISSOLU
DÉPITÉE	DÉSAXER	DÉVALER	DIÉRÈSE	DISSONÉ
DÉPITER	DÉSERTE	DÉVALUÉ	DIERGOL	DISSOUS
DÉPLACÉ	DÉSERTÉ	DEVANCÉ	DIESTER	DISTALE
DÉPLIÉE	DÉSIGNÉ	DÉVASTÉ	DIFFAMÉ	DISTANT
DÉPLIER	DÉSILÉE	DÉVEINE	DIFFÉRÉ	DISTAUX
DÉPLORÉ	DÉSILER	DEVENIR	DIFFUSE	DIURÈSE
DÉPLOYÉ	DÉSIRÉE	**DEVÉRIA**	DIFFUSÉ	DIURNAL
DÉPLUMÉ	**DÉSIRÉE**	DÉVERNI	DIGAMMA	DIVAGUÉ
DÉPOLIE	DÉSIRER	DÉVERSÉ	DIGÉRÉE	**DIVAISE**
DÉPOLIR	DÉSISTÉ	DÉVÊTIR	DIGÉRER	DIVERGÉ
DÉPORTÉ	DÉSOBÉI	DÉVÊTUE	DIGESTE	DIVERSE
DÉPOSÉE	DÉSODÉE	DÉVIANT	DIGITAL	DIVERTI
DÉPOSER	DÉSOLÉE	DÉVIDÉE	DIGITÉE	DIVISÉE
DÉPOTÉE	DÉSOLER	DÉVIDER	DIGNITÉ	DIVISER
DÉPOTER	DÉSOSSÉ	**DÉVILLE**	**DIGNOIS**	**DIVISIA**
DÉPRAVÉ	**DESPIAU**	DEVINÉE	DILATÉE	**DIVONNE**
DÉPRIME	DESPOTE	DEVINER	DILATER	DIVORCE
DÉPRIMÉ	**DES PRÉS**	DÉVIRÉE	**DILBEEK**	DIVORCÉ
DÉPRISE	DESSALÉ	DÉVIRER	DILEMME	DIX-CORS
DÉPRISÉ	DESSEIN	DEVISÉE	**DILTHEY**	DIX-HUIT
DÉPULPÉ	DESSERT	DEVISER	DILUANT	DIXIÈME
DÉPURÉE	DESSINÉ	DÉVISSÉ	DIMINUÉ	**DIXMUDE**
DÉPURER	DESSOLÉ	DÉVOILÉ	DÎNETTE	DIX-NEUF
DÉPUTÉE	DESSOUS	DÉVOISÉ	DÎNEUSE	DIX-SEPT
DÉPUTER	**DE STIJL**	DÉVOLTÉ	DINGHYS	DIZAINE
DÉRAGER	DESTINÉ	DÉVOLUE	DINGUER	**DJEMILA**
DÉRAIDI	**DESTOUR**	DÉVOLUY	DIOCÈSE	**DJERACH**
DÉRAMÉE	**DESTRÉE**	DÉVORÉE	**DIODORE**	**DMOWSKI**
DÉRAMER	DÉSUÈTE	DÉVORER	**DIOGÈNE**	**DNIESTR**
DÉRANGÉ	DÉSUNIE	DÉVOUÉE	DIOÏQUE	DOCTEUR
DÉRAPER	DÉSUNIR	DÉVOUER	**DIOMÈDE**	**DODERER**
DÉRATÉE	**DESVRES**	DÉVOYÉE	DIOPTRE	DODINER
DÉRAYÉE	DÉTACHÉ	DÉVOYER	DIORAMA	DOG-CART
DÉRAYER	DÉTALER	**DE VRIES**	DIORITE	DOIGTÉE
DÉRÉGLÉ	DÉTAXÉE	**DE WITTE**	DIOXINE	DOIGTER

DOILLON	DOUILLÉ	DROSSÉE	ÉBAUCHE	ÉCIMAGE
DOLENTE	DOULEUR	DROSSER	ÉBAUCHÉ	ÉCIMANT
DOLIQUE	**DOURDAN**	**DROUAIS**	ÉBAUDIE	**ECKHART**
DOLOISE	DOURINE	DRUMLIN	ÉBAUDIR	**ECKMÜHL**
DOLOMIE	DOUTANT	DRUMMER	ÉBAVURÉ	ÉCLAIRE
DOLOSIF	DOUTEUR	**DRUMONT**	ÉBÉNIER	ÉCLAIRÉ
DOMAINE	DOUTEUX	DUALISÉ	ÉBERLUÉ	ÉCLATÉE
DOMÉRAT	DOUVAIN	DUALITÉ	ÉBLOUIE	ÉCLATER
DOMINÉE	**DOUVRES**	**DU BARRY**	ÉBLOUIR	ÉCLIPSE
DOMINER	**DOUVRIN**	**DU BOURG**	ÉBONITE	ÉCLIPSÉ
DOMINGO	DOUZAIN	**DU CANGE**	ÉBORGNÉ	ÉCLISSE
DOM JUAN	**DOWDING**	DUCASSE	ÉBOUEUR	ÉCLOPÉE
DOMMAGE	**DOWLAND**	**DUCASSE**	ÉBOULÉE	ÉCLUSÉE
DOMPTÉE	DOYENNE	**DUCHAMP**	ÉBOULER	ÉCLUSER
DOMPTER	DOYENNÉ	**DUCLAIR**	ÉBOULIS	ÉCOBUÉE
DOMRÉMY	DRACHER	**DUCLAUX**	ÉBOUTÉE	ÉCOBUER
DONACIE	DRACHME	DUCTILE	ÉBOUTER	ÉCŒURÉ
DONBASS	**DRACULA**	**DUFOURT**	ÉBRANLÉ	ÉCOLAGE
DONETSK	DRAGAGE	**DUHAMEL**	ÉBRASÉE	ÉCOLIER
DÔNG SON	DRAGEON	**DUMÉZIL**	ÉBRASER	**ÉCOMMOY**
DON JUAN	**DRAGOON**	DUMPING	ÉBRÉCHÉ	ÉCONOME
DON JUAN	DRAGUÉE	**DUNEDIN**	**ÉBREUIL**	ÉCOPANT
DONNANT	DRAGUER	DUNETTE	ÉBRIÉTÉ	ÉCORCÉE
DONNEUR	DRAILLE	**DUNOISE**	ÉBROUÉE	ÉCORCER
DONSKOÏ	DRAINÉE	**DUNOYER**	ÉBROUER	ÉCORCHÉ
DONZÈRE	DRAINER	**DUNSTAN**	ÉBRUITÉ	ÉCORNÉE
DOPANTE	DRAKKAR	DUOPOLE	ÉBURNÉE	ÉCORNER
DOPPLER	DRAPANT	DUPERIE	**ÉBURONS**	ÉCOSSÉE
DOREUSE	DRAPEAU	**DUPERRÉ**	ÉCACHÉE	ÉCOSSER
DORIENS	DRAPIER	DUPEUSE	ÉCACHER	ÉCOTONE
DORIQUE	DRAVANT	**DUPLEIX**	ÉCAILLE	ÉCOULÉE
DORLOTÉ	**DRAVEIL**	DUPLEXÉ	ÉCAILLÉ	ÉCOULER
DORMANS	DRAVEUR	**DUPLICE**	ÉCALANT	ÉCOURTÉ
DORMANT	DRAYAGE	DURABLE	ÉCALURE	ÉCOUTÉE
DORMEUR	DRAYANT	DURAMEN	ÉCARTÉE	ÉCOUTER
DORNIER	**DRAYTON**	**DURANCE**	ÉCARTER	**ÉCOUVES**
DORSALE	**DREISER**	**DURANGO**	ECCÉITÉ	ÉCRASÉE
DORSAUX	**DRENTHE**	**DURANTY**	ÉCHALAS	ÉCRASER
DORTOIR	**DRESDEN**	DURATIF	ÉCHANGE	ÉCRÉMÉE
DOSABLE	DRESSÉE	**DURAZZO**	ÉCHANGÉ	ÉCRÉMER
DOS-D'ÂNE	DRESSER	**DURRELL**	ÉCHAPPÉ	ÉCRÊTÉE
DOSSARD	**DREYFUS**	**DURRUTI**	ÉCHARDE	ÉCRÊTER
DOSSIER	DRIBBLE	**DURUFLÉ**	ÉCHARNÉ	ÉCRIANT
DOUAIRE	DRIBBLÉ	**DUTOURD**	ÉCHARPE	ÉCROUÉE
DOUBIEN	**DRIESCH**	DUUMVIR	ÉCHARPÉ	ÉCROUER
DOUBLÉE	DRIFTER	DUVETÉE	ÉCHASSE	ÉCROUIE
DOUBLER	DRIVANT	DUVETER	ÉCHAUDÉ	ÉCROUIR
DOUBLET	DRIVE-IN	DYNASTE	ÉCHÉANT	ÉCROULÉ
DOUBLON	DRIVEUR	DYSPNÉE	ÉCHELLE	ÉCROÛTÉ
DOUÇAIN	DROGMAN	DYSURIE	ÉCHELON	ECSTASY
DOUCEUR	DROGUÉE	DYTIQUE	ÉCHEVIN	ECTHYMA
DOUCHÉE	DROGUER	**EASTMAN**	ÉCHIDNÉ	ECTOPIE
DOUCHER	**DRÔMOIS**	ÉBARBÉE	ÉCHINÉE	ÉCUBIER
DOUCINE	DROPANT	ÉBARBER	ÉCHINER	ÉCUELLE
DOUELLE	DROPPÉE	ÉBATTRE	ÉCHOPPE	ÉCUMAGE
DOUGLAS	DROPPER	ÉBATTUE	ÉCHOUÉE	ÉCUMANT
DOUILLE	DROSERA	ÉBAUBIE	ÉCHOUER	ÉCUMEUR

ÉCUMEUX	ÉGRAPPÉ	**ELTSINE**	EMMÊLÉE	ENCAGÉE
ÉCURANT	ÉGRENÉE	ÉLUCIDÉ	EMMÊLER	ENCAGER
ÉCUSSON	ÉGRENER	ÉLUDANT	EMMENÉE	ENCAQUÉ
ÉCUYÈRE	ÉGRISÉE	**ÉLUSATE**	EMMENER	ENCARTÉ
ÉDENTÉE	ÉGRISER	ÉLUSIVE	EMMERDE	ENCEINT
ÉDENTER	ÉGRUGÉE	ÉLUTION	EMMERDÉ	ENCENSÉ
ÉDICTÉE	ÉGRUGER	ÉLUVIAL	EMMOTTÉ	ENCHÈRE
ÉDICTER	ÉGUEULÉ	ÉLUVION	EMMURÉE	ENCHÉRI
ÉDICULE	ÉHONTÉE	ÉLYSÉEN	EMMURER	ENCLAVE
ÉDIFICE	**EHRLICH**	ELZÉVIR	ÉMONDÉE	ENCLAVÉ
ÉDIFIÉE	**EIJKMAN**	**ELZÉVIR**	ÉMONDER	ENCLINE
ÉDIFIER	**EINAUDI**	ÉMACIÉE	ÉMONDES	ENCLORE
ÉDILITÉ	**EINHARD**	ÉMACIER	**ÉMOSSON**	ENCLOSE
ÉDITANT	ÉJACULÉ	ÉMAILLÉ	ÉMOTION	ENCLOUÉ
ÉDITEUR	ÉJECTÉE	ÉMANANT	ÉMOTIVE	ENCLUME
ÉDITION	ÉJECTER	ÉMARGÉE	ÉMOTTÉE	ENCOCHE
ÉDOUARD	ÉJOINTÉ	ÉMARGER	ÉMOTTER	ENCOCHÉ
ÉDREDON	**EKELUND**	EMBÂCLE	ÉMOULUE	ENCODÉE
ÉDUQUÉE	**EKOFISK**	EMBALLÉ	ÉMOUSSÉ	ENCODER
ÉDUQUER	ÉLABORÉ	EMBARGO	EMPALÉE	ENCOLLÉ
EDWARDS	ÉLAGAGE	EMBARRÉ	EMPALER	ENCORDÉ
EEKHOUD	ÉLAGUÉE	EMBAUMÉ	EMPALMÉ	ENCORNÉ
EFFACÉE	ÉLAGUER	EMBELLI	EMPANNÉ	EN-COURS
EFFACER	ÉLANCÉE	EMBÊTÉE	EMPARÉE	ENCOURU
EFFANÉE	ÉLANCER	EMBÊTER	EMPARER	ENCRAGE
EFFANER	ÉLAPIDÉ	EMBLAVÉ	EMPÂTÉE	ENCRANT
EFFARÉE	ÉLARGIE	EMBLÈME	EMPÂTER	ENCREUR
EFFARER	ÉLARGIR	EMBOÎTÉ	EMPATTÉ	ENCRIER
EFFENDI	**EL-ASNAM**	EMBOLIE	EMPAUMÉ	ENCRINE
EFFIGIE	**ELBASAN**	EMBOLUS	EMPÊCHÉ	ENCROUÉ
EFFILÉE	**EL-BEIDA**	EMBOSSÉ	EMPENNE	ENCUVÉE
EFFILER	**ELBOURZ**	EMBOUTI	EMPENNÉ	ENCUVER
EFFLUVE	**ELBROUS**	EMBRASÉ	EMPERLÉ	ENDÉANS
EFFORCÉ	**ELBROUZ**	EMBRAYÉ	EMPESÉE	ENDÉMIE
EFFRAIE	ÉLECTIF	EMBREVÉ	EMPESER	ENDETTÉ
EFFRAYÉ	**ÉLECTRE**	EMBRUMÉ	EMPESTÉ	ENDÊVER
EFFRÉNÉ	ÉLÉGANT	EMBRYON	EMPÊTRÉ	ENDIGUÉ
EFFRITÉ	ÉLÉMENT	EMBUANT	EMPHASE	ENDORMI
EFFUSIF	**ÉLEUSIS**	EMBÛCHE	EMPIÉTÉ	ENDOSSÉ
ÉGAILLÉ	ÉLEVAGE	EMBUÉES	EMPILÉE	ENDROIT
ÉGALANT	ÉLEVANT	ÉMÉCHÉE	EMPILER	ENDUIRE
ÉGALISÉ	ÉLEVEUR	ÉMÉCHER	EMPIRER	ENDUITE
ÉGALITÉ	**EL-GOLÉA**	ÉMERGÉE	EMPLOYÉ	ENDURCI
ÉGARANT	ÉLIDANT	ÉMERGER	EMPLUMÉ	ENDURÉE
ÉGAYANT	ÉLIMINÉ	ÉMERISÉ	EMPOCHÉ	ENDURER
ÉGÉENNE	ÉLINGUE	ÉMÉRITE	EMPORTÉ	EN EFFET
EGHEZÉE	ÉLINGUÉ	**EMERSON**	EMPOTÉE	ÉNERGIE
ÉGINÈTE	ÉLISANT	ÉMÉTINE	EMPOTER	ÉNERVÉE
ÉGISTHE	ÉLISION	ÉMETTRE	EMPRISE	ÉNERVER
ÉGLEFIN	ELLIPSE	ÉMIETTÉ	EMPRUNT	ENFAÎTÉ
ÉGLOGUE	**EL-OBEÏD**	ÉMIGRÉE	EMPYÈME	ENFANCE
ÉGOÏSME	ÉLOIGNÉ	ÉMIGRER	EMPYRÉE	ENFANTÉ
ÉGOÏSTE	ÉLONGÉE	ÉMINCÉE	ÉMULANT	ENFERMÉ
ÉGORGÉE	ÉLONGER	ÉMINCER	ÉMULSIF	ENFERRÉ
ÉGORGER	**ELSKAMP**	ÉMINENT	ÉNARQUE	ENFICHÉ
ÉGOUTTÉ	**ELSSLER**	**ÉMIRIEN**	EN-AVANT	ENFILÉE
ÉGRAINÉ	**EL TAJÍN**	ÉMISSIF	ENCADRÉ	ENFILER

ENFLANT	ENNOYER	ENTRAIN	ÉPICÈNE	ÉRODANT
ENFLURE	ENNUAGÉ	ENTRAIT	ÉPICIER	ÉROGÈNE
ENFOIRÉ	ENNUYÉE	ENTRANT	**ÉPICURE**	ÉROSION
ENFONCÉ	ENNUYER	ENTRAVE	ÉPIDOTE	ÉROSIVE
ENFOUIE	ÉNOLATE	ENTRAVÉ	ÉPIERRÉ	ÉROTISÉ
ENFOUIR	ÉNONCÉE	ENTREVU	ÉPIEUSE	ERRANCE
ENFUMÉE	ÉNONCER	ENTUBÉE	ÉPIGONE	ERRANTE
ENFUMER	ÉNOUANT	ENTUBER	ÉPIGYNE	ERRATUM
ENFÛTÉE	ENQUÊTE	ÉNUCLÉÉ	ÉPILANT	ERRONÉE
ENFÛTER	ENQUÊTÉ	ÉNUMÉRÉ	ÉPILEUR	ERSEAUX
ENGAGÉE	ENQUISE	ÉNUQUÉE	ÉPILLET	**ERSTEIN**
ENGAGER	ENRAGÉE	ÉNUQUER	ÉPILOBE	ÉRUCTÉE
ENGAINÉ	ENRAGER	ENVAHIE	ÉPINARD	ÉRUCTER
ENGAMÉE	ENRAYÉE	ENVAHIR	ÉPINEUX	ÉRUDITE
ENGAMER	ENRAYER	ENVASÉE	ÉPINGLE	ÉRUPTIF
ENGERBÉ	ENRÊNÉE	ENVASER	ÉPINGLÉ	ERZURUM
ENGHIEN	ENRÊNER	ENVIANT	ÉPINIER	ESBIGNÉ
ENGLAND	ENRHUMÉ	ENVIEUX	ÉPISODE	**ESBJERG**
ENGLOBÉ	ENRICHI	ENVINÉE	ÉPISSÉE	ESCADRE
ENGLUÉE	ENROBÉE	ENVIRON	ÉPISSER	ESCARPE
ENGLUER	ENROBER	ENVOLÉE	ÉPITOGE	ESCARPÉ
ENGOBÉE	ENROCHÉ	ENVOLER	ÉPLORÉE	ESCARRE
ENGOBER	ENRÔLÉE	ENVOÛTÉ	ÉPLOYÉE	ESCHANT
ENGOMMÉ	ENRÔLER	ENVOYÉE	ÉPLOYER	ESCHARE
ENGONCÉ	ENROUÉE	ENVOYER	ÉPLUCHÉ	**ESCHINE**
ENGORGÉ	ENROUER	ÉONISME	ÉPONGÉE	**ESCHYLE**
ENGOUÉE	ENROULÉ	ÉPAISSE	ÉPONGER	ESCIENT
ENGOUER	ENSABLÉ	ÉPAISSI	ÉPONYME	ESCLAVE
ENGRAIS	ENSACHÉ	ÉPAMPRÉ	ÉPOUSÉE	ESCOBAR
ENGRÊLÉ	ENSELLÉ	ÉPANCHÉ	ÉPOUSER	ESCORTE
ENGRENÉ	ENSERRÉ	ÉPANDRE	ÉPOXYDE	ESCORTÉ
ENGROIS	ENSILÉE	ÉPANDUE	ÉPREINT	ESCRIME
ENHARDI	ENSILER	ÉPANOUI	ÉPREUVE	ESCRIMÉ
ENHERBÉ	ENSUITE	ÉPARGNE	ÉPROUVÉ	ÉSÉRINE
ENIVRÉE	ENSUIVI	ÉPARGNÉ	EPSILON	ESPACÉE
ENIVRER	ENSUQUÉ	ÉPARQUE	**EPSTEIN**	ESPACER
ENJAMBÉ	ENTABLÉ	ÉPARVIN	ÉPUÇANT	ESPADON
ENJOINT	ENTACHÉ	ÉPATANT	ÉPUISÉE	**ESPAGNE**
ENJÔLÉE	ENTAMÉE	ÉPAULÉE	ÉPUISER	ESPÉRÉE
ENJÔLER	ENTAMER	ÉPAULER	ÉPULIDE	ESPÉRER
ENJOUÉE	ENTASSÉ	ÉPEICHE	ÉPURANT	**ESPINEL**
ENJUGUÉ	**ENTEBBE**	ÉPÉISTE	ÉQUARRI	ESQUIRE
ENKYSTÉ	ENTELLE	ÉPELANT	ÉQUERRE	ESQUIVE
ENLACÉE	ENTENDU	ÉPÉPINÉ	ÉQUEUTÉ	ESQUIVÉ
ENLACER	ENTENTE	ÉPERDUE	ÉQUILLE	ESSAIMÉ
ENLAIDI	ENTERRÉ	ÉPERLAN	ÉQUIPÉE	ESSARTÉ
ENLEVÉE	ENTÊTÉE	**ÉPERNAY**	ÉQUIPER	ESSARTS
ENLEVER	ENTÊTER	**ÉPERNON**	ÉRAFLÉE	ESSAYÉE
ENLIANT	EN-TÊTES	ÉPERVIN	ÉRAFLER	ESSAYER
ENLISÉE	ENTICHÉ	ÉPEURÉE	ÉRAILLÉ	ESSENCE
ENLISER	ENTIÈRE	ÉPEURER	ÉREINTÉ	ESSEULÉ
ENNÉADE	ENTOILÉ	ÉPHÉBIE	ERGATIF	ESSIEUX
ENNEIGÉ	ENTÔLÉE	ÉPHÉDRA	ERGOTÉE	**ESSLING**
ENNEMIE	ENTÔLER	ÉPHORAT	ERGOTER	**ESSONNE**
ENNEZAT	ENTONNÉ	**ÉPHRAÏM**	**ÉRIGÈNE**	ESSORÉE
ENNOBLI	ENTORSE	ÉPIAIRE	**ERIKSON**	ESSORER
ENNOYÉE	ENTOURÉ	ÉPIÇANT	**ÉRINYES**	ESSUYÉE

ESSUYER	ÉTHÉRÉE	ÉVACUER	EXÉCUTÉ	**EYSENCK**
ESTAING	ÉTHIQUE	ÉVADANT	EXÉGÈSE	**EYSINES**
ESTAMPE	**ÉTIENNE**	ÉVALUÉE	EXÉGÈTE	**EYSKENS**
ESTAMPÉ	ÉTIOLÉE	ÉVALUER	**EXÉKIAS**	**ÉZASQUE**
ESTAQUE	ÉTIOLER	ÉVANOUI	EXEMPLE	FABACÉE
ESTEREL	ÉTIRAGE	ÉVAPORÉ	EXEMPTE	**FABERGÉ**
ESTHÈTE	ÉTIRANT	ÉVASANT	EXEMPTÉ	**FABIOLA**
ESTIMÉE	ÉTOFFÉE	ÉVASION	EXERCÉE	FABLIAU
ESTIMER	ÉTOFFER	ÉVASIVE	EXERCER	FABULER
ESTIVAL	ÉTOILÉE	ÉVASURE	EXÉRÈSE	FACÉTIE
ESTIVÉE	ÉTOILER	ÉVEILLÉ	EXERGUE	FACETTE
ESTIVER	ÉTONNÉE	**EVENKES**	EXFOLIÉ	FACETTÉ
ESTOMAC	ÉTONNER	ÉVENTÉE	EXHALÉE	FÂCHANT
ESTOMPE	ÉTOUFFÉ	ÉVENTER	EXHALER	FÂCHEUX
ESTOMPÉ	ÉTOUPÉE	ÉVENTRÉ	EXHAURE	**FACHODA**
ESTONIE	ÉTOUPER	**EVEREST**	EXHIBÉE	FACIALE
ESTORIL	ÉTOURDI	**EVERGEM**	EXHIBER	FACIAUX
ESTRADE	ÉTRANGE	ÉVERTUÉ	EXHORTÉ	FACONDE
ESTRÉES	**ÉTRÉCHY**	ÉVIDAGE	EXHUMÉE	FAÇONNÉ
ESTRELA	ÉTRÉCIE	ÉVIDANT	EXHUMER	FACTAGE
ESTRIEN	ÉTRÉCIR	ÉVIDENT	EXILANT	FACTEUR
ESTROPE	ÉTREINT	ÉVIDURE	EXISTER	FACTICE
ÉTABLÉE	ÉTRENNE	ÉVINCÉE	EXOGAME	FACTION
ÉTABLER	ÉTRENNÉ	ÉVINCER	EXOGÈNE	FACTUEL
ÉTABLES	**ÉTRETAT**	ÉVITAGE	EXONDÉE	FACTURE
ÉTABLIE	ÉTRILLE	ÉVITANT	EXONDER	**FACTURE**
ÉTABLIR	ÉTRILLÉ	ÉVOLUÉE	EXONÉRÉ	FACTURÉ
ÉTAGÈRE	ÉTRIPÉE	ÉVOLUER	EXPANSÉ	FACULTÉ
ÉTALAGE	ÉTRIPER	ÉVOQUÉE	EXPÉDIÉ	FADAISE
ÉTALAGÉ	ÉTRIQUÉ	ÉVOQUER	EXPERTE	FADASSE
ÉTALANT	ÉTROITE	EX AEQUO	EXPIANT	**FADEÏEV**
ÉTAMAGE	**ÉTRURIE**	EXAGÉRÉ	EXPIRÉE	FAGNARD
ÉTAMANT	ÉTUDIÉE	EXALTÉE	EXPIRER	FAGOTÉE
ÉTAMBOT	ÉTUDIER	EXALTER	EXPLOIT	FAGOTER
ÉTAMEUR	ÉTUVAGE	EXAMINÉ	EXPLORÉ	FAIBLIR
ÉTAMINE	ÉTUVANT	EXARQUE	EXPLOSÉ	FAÏENCE
ÉTAMPES	**ETZIONI**	EXAUCÉE	EXPORTÉ	FAÏENCÉ
ÉTAMURE	**EUCLIDE**	EXAUCER	EXPOSÉE	FAILLÉE
ÉTANCHE	EUDÉMIS	EXCAVÉE	EXPOSER	FAILLER
ÉTANCHÉ	EUDISTE	EXCAVER	EXPRESS	FAILLIE
ÉTANÇON	**EUDOISE**	EXCÉDÉE	EXPRIMÉ	**FAIRFAX**
ÉTAPLES	**EUDOXIE**	EXCÉDER	EXPULSÉ	FAIRWAY
ÉTARQUÉ	**EUGÉNIE**	EXCELLÉ	EXPURGÉ	FAISANE
ÉTATISÉ	EUGLÈNE	EXCEPTÉ	EXQUISE	**FAISANS**
ÉTAYAGE	**EULALIE**	EXCIPER	EXSUDAT	FAISANT
ÉTAYANT	**EUMENÊS**	EXCISÉE	EXSUDER	FAISEUR
ÉTEINTE	EUNECTE	EXCISER	EXTASIÉ	FAÎTAGE
ÉTENDRE	EUNUQUE	EXCITÉE	EXTENSO	FAÎTEAU
ÉTENDUE	**EURASIE**	EXCITER	EXTÉNUÉ	FAÎTIER
ÉTÉOCLE	**EURATOM**	EXCLAMÉ	EXTERNE	FAITOUT
ÉTERNEL	**EUROTAS**	EXCLURE	EXTIRPÉ	**FAIZANT**
ÉTERNUÉ	EUSKARA	EXCORIÉ	EXTRADÉ	FALAISE
ÉTÉSIEN	EUSKERA	EXCRÉTÉ	EXTRAIT	**FALAISE**
ÉTÊTAGE	**EUTERPE**	EXCUSÉE	EXTRÊME	FALBALA
ÉTÊTANT	EUTEXIE	EXCUSER	EXTRUDÉ	FALERNE
ÉTHANAL	EUTOCIE	EXÉCRÉE	EXULTER	**FALIERO**
ÉTHANOL	ÉVACUÉE	EXÉCRER	**EYADEMA**	**FALLADA**

FALLOIR	FAUSSER	FERMAIL	FICHANT	FISSION
FALLOPE	FAUSSET	FERMANT	FICHIER	FISSURE
FALLOUX	FAUSSE	FERMAUX	FICHOIR	FISSURÉ
FALSAFA	**FAUSTIN**	FERMENT	FICHTRE	FISTULE
FALSTER	**FAUTAIS**	FERMETÉ	FICTION	FITNESS
FALUCHE	FAUTANT	FERMIER	FICTIVE	FIXATIF
FALUNÉE	FAUTEUR	FERMION	FIDJIEN	FIXETTE
FALUNER	FAUTIVE	FERMIUM	**FIDJIEN**	FIXISME
FAMENNE	FAUX-CUL	FERMOIR	FIDUCIE	FIXISTE
FAMEUSE	FAVEURS	FÉROÏEN	FIEFFÉE	**FLACHAT**
FAMILLE	FAVORIS	**FÉROÏEN**	FIENTER	FLA-FLAS
FANCHON	**FAWCETT**	**FÉROISE**	FIÉROTE	FLAGADA
FAN-CLUB	**FAYENCE**	FERRADE	**FIESCHI**	FLAIRÉE
FANEUSE	**FAYOLLE**	FERRAGE	**FIESOLE**	FLAIRER
FANFANI	FAYOTER	FERRANT	**FIESQUE**	FLAMAND
FANFARE	**FAYROUZ**	**FERRARE**	FIFILLE	**FLAMAND**
FANGEUX	**F'DERICK**	**FERRARI**	FIGEANT	FLAMANT
FAN KUAN	FÉBRILE	FERRATE	FIGNOLÉ	FLAMBÉE
FANTÔME	**FECHNER**	**FERRERI**	FIGUIER	FLAMBER
FANZINE	FÉCIAUX	FERREUX	FIGURÉE	FLAMINE
FARADAY	FÉCONDE	**FERRIER**	FIGURER	FLAMMÉE
FARADAY	FÉCONDÉ	FERRIES	FILABLE	FLÂNANT
FARAUDE	FÉCULÉE	FERRITE	FIL-À-FIL	FLANCHÉ
FARCEUR	FÉCULER	FERRURE	FILAIRE	**FLANDRE**
FARDAGE	FEDAYIN	FERTILE	FILANTE	FLÂNEUR
FARDANT	FÉDÉRAL	**FERTOIS**	FILASSE	FLANQUÉ
FARDEAU	FÉDÉRÉE	FERVENT	FILETÉE	FLASHÉE
FARDIER	FÉDÉRER	FERVEUR	FILETER	FLASHER
FARFELU	FEELING	FESSANT	FILEUSE	FLASHES
FARGUES	FEINDRE	FESSIER	FILIALE	FLASQUE
FARINÉE	FEINTÉE	FESTIVE	FILIAUX	FLATTÉE
FARINER	FEINTER	FEST-NOZ	FILIÈRE	FLATTER
FARNÈSE	FELLAGA	FESTOYÉ	FILLEUL	FLAVEUR
FAROUCH	**FELLINI**	FÊTARDE	FILMAGE	**FLAVIEN**
FARRAGO	FÉLONIE	FÉTIAUX	FILMANT	**FLAXMAN**
FARRELL	FÉLONNE	FÉTICHE	FILOCHÉ	FLÉCHÉE
FARTAGE	FEMELLE	FÉTUQUE	FILOUTÉ	FLÉCHER
FARTANT	FÉMELOT	FEUILLE	FILTRAT	FLÉCHIE
FAR WEST	FÉMININ	FEUILLU	FILTRÉE	FLÉCHIR
FASCIÉE	FÉMORAL	FEULANT	FILTRER	FLEGMON
FASCINE	FENDAGE	FEUTRÉE	FINANCE	**FLEMING**
FASCINÉ	FENDANT	FEUTRER	FINANCÉ	**FLÉRIEN**
FASCISÉ	FENDARD	FÉVRIER	FINASSÉ	FLÉTRIE
FASEYER	FENDART	**FEYDEAU**	FINAUDE	FLÉTRIR
FASTNET	FENDEUR	**FEYNMAN**	FINESSE	FLEURER
FATIGUE	FENDOIR	FIANCÉE	FINETTE	FLEURET
FATIGUÉ	**FÉNELON**	FIANCER	FINNOIS	FLEURIE
FATUITÉ	FENÊTRE	FIASQUE	**FINNOIS**	**FLEURIE**
FAUBERT	FENÊTRÉ	FIBREUX	**FIRDUSI**	FLEURIR
FAUCARD	FENIANE	FIBRINE	**FIRENZE**	FLEURON
FAUCHÉE	FENOUIL	FIBROME	**FIRMINY**	**FLEURUS**
FAUCHER	FÉODALE	FIBROSE	FISCALE	FLEXION
FAUCHER	FÉODAUX	FICAIRE	FISCAUX	FLEXURE
FAUCHET	**FERAOUN**	FICELÉE	**FISCHER**	FLICAGE
FAUCHON	**FERGANA**	FICELER	FISH-EYE	FLINGUE
FAUFILÉ	FERLANT	FICELLE	**FISMOIS**	FLINGUÉ
FAUSSÉE	FERMAGE	FICHAGE	FISSILE	**FLINOIS**

FLIPPER
FLIQUÉE
FLIQUER
FLIRTER
FLOCAGE
FLOCULÉ
FLOIRAC
FLOQUÉE
FLOQUER
FLOQUET
FLORALE
FLORAUX
FLORÉAL
FLORIAN
FLORIDE
FLORIOT
FLOTTÉE
FLOTTER
FLOUANT
FLUCTUÉ
FLUENTE
FLUETTE
FLUORÉE
FLUSHES
FLUSTRE
FLÛTEAU
FLÛTIAU
FLUTTER
FLUVIAL
FLUXION
FŒTALE
FŒTAUX
FOFOLLE
FOGGARA
FOIRADE
FOIRAIL
FOIRANT
FOIREUX
FOLACHE
FOLASSE
FOLÂTRE
FOLÂTRÉ
FOLENGO
FOLIACÉ
FOLIOLE
FOLIOTÉ
FOLIQUE
FOLLAIN
FOMENTÉ
FONÇAGE
FONÇANT
FONCEUR
FONCIER
FONDANT
FONDEUR
FONDOIR
FONDOUK

FONSECA
FONTANA
FONTANE
FONTEYN
FONTINE
FOOTING
FORAINE
FORBACH
FORÇAGE
FORÇANT
FORCENÉ
FORCEPS
FORCING
FORCLAZ
FORCLOS
FOREUSE
FORFAIT
FORGEUR
FORGION
FORJETÉ
FORLANE
FORMAGE
FORMANT
FORMATÉ
FORMICA
FORMION
FORMOLÉ
FORMOSE
FORMULE
FORMULÉ
FORTIFS
FORTRAN
FORTUIT
FORTUNE
FORTUNE
FORTUNÉ
FOSBURY
FOSCARI
FOSCOLO
FOSSILE
FOSSOYÉ
FOUCADE
FOUETTÉ
FOUGÈRE
FOUILLE
FOUILLÉ
FOUINER
FOUJITA
FOULAGE
FOULANI
FOULANT
FOULARD
FOULLON
FOULOIR
FOULQUE
FOULURE

FOUQUET
FOURBIE
FOURBIR
FOURBUE
FOURCHE
FOURCHÉ
FOURCHU
FOUREAU
FOURGON
FOURGUE
FOURGUÉ
FOURIER
FOURNÉE
FOURNIE
FOURNIL
FOURNIR
FOURONS
FOURRÉE
FOURRER
FOUTANT
FOUTOIR
FOUTRAL
FOVEAUX
FOX-TROT
FOYENNE
FRACHON
FRACTAL
FRAGILE
FRAÎCHE
FRAÎCHI
FRAISÉE
FRAISER
FRAISSE
FRANCHE
FRANCHI
FRANCIS
FRANGÉE
FRANGER
FRANGIÉ
FRANGIN
FRANQUE
FRAPPÉE
FRAPPER
FRASANT
FRASNES
FRASQUE
FRATRIE
FRAUDÉE
FRAUDER
FRAYANT
FRAYÈRE
FRAYEUR
FREESIA
FREEZER
FRÉGATE
FRÉGATÉ
FREINÉE

FREINER
FREINET
FREINTE
FRELATÉ
FRÉMIET
FRÊNAIE
FRÉNAUD
FREPPEL
FRESNAY
FRESNEL
FRESNES
FRESNOY
FRESQUE
FRÉTANT
FRÉTEUR
FRETTÉE
FRETTER
FRIABLE
FRIANDE
FRICHTI
FRICOTÉ
FRIDMAN
FRIEDEL
FRIGIDE
FRILEUX
FRIMANT
FRIMEUR
FRINGUE
FRINGUÉ
FRIPANT
FRIPIER
FRIQUÉE
FRIQUET
FRISAGE
FRISANT
FRISBEE
FRISSON
FRISURE
FRITTÉE
FRITTER
FRITURE
FRIVOLE
FROISSÉ
FRÔLANT
FRÔLEUR
FROMAGE
FROMEGI
FROMENT
FROMENT
FROMTON
FRONCÉE
FRONCER
FRONCIS
FRONDÉE
FRONDER
FRONSAC
FRONTAL

FRONTON
FRONTON
FROTTÉE
FROTTER
FROTTIS
FROUANT
FROUNZE
FROUSSE
FRUCTUS
FRUGALE
FRUGAUX
FRUITÉE
FRUSTRÉ
FUALDÈS
FUCHSIA
FUÉGIEN
FUÉGIEN
FUEL-OIL
FUENTES
FUGITIF
FUGUANT
FUGUEUR
FUKUOKA
FULBERT
FULGURÉ
FULMINÉ
FUMABLE
FUMANTE
FUMERIE
FUMETTE
FUMEUSE
FUMISTE
FUNCHAL
FUNÈBRE
FUNESTE
FURANNE
FURCULA
FURETER
FURGLER
FURIEUX
FURTADO
FURTIVE
FUSANTE
FUSEAUX
FUSELÉE
FUSELER
FUSETTE
FUSIBLE
FUSILLÉ
FUSTIGÉ
FUYANTE
FUYARDE
GABARIT
GABARRE
GABEGIE
GABELLE
GABELOU

GABRIEL	**GAMBIEN**	GAUCHIE	GÉNIALE	GIGOTÉE
GABROVO	**GAMBIER**	GAUCHIR	GÉNIAUX	GIGOTER
GÂCHAGE	GAMELAN	GAUFRÉE	GÉNIQUE	GIGOTTÉ
GÂCHANT	**GAMELIN**	GAUFRER	GÉNISSE	**GILBERT**
GÂCHEUR	GAMELLE	**GAUGUIN**	GÉNITAL	**GIL BLAS**
GADAMER	GAMINER	**GAUHATI**	GÉNITIF	**GILEPPE**
GADITAN	GAMMARE	GAULAGE	GÉNOISE	**GILLRAY**
GAFFANT	GANACHE	GAULANT	**GÉNOISE**	GIMMICK
GAFFEUR	**GANESHA**	GAULOIS	**GENTILE**	GIN-FIZZ
GAGEANT	**GANGTOK**	**GAULOIS**	GENTILÉ	GIN-RAMI
GAGEURE	GANGUÉE	**GAUMAIS**	**GENTZEN**	GINSENG
GAGEUSE	**GANIVET**	**GAUMONT**	GEÔLIER	GIRAFON
GAGISTE	GANOÏDE	GAUSSÉE	**GEORGES**	GIRELLE
GAGNAGE	GANSANT	**GAUSSEN**	**GÉORGIE**	GIROFLE
GAGNANT	GANTANT	GAUSSER	GÉRABLE	GIROLLE
GAGNEUR	GANTIER	**GAUTIER**	GÉRANCE	GIRONDE
GAÏACOL	GANTOIS	**GAVARNI**	GÉRANTE	**GIRONDE**
GAILLAC	**GANTOIS**	GAVEUSE	GERBAGE	GIRONNÉ
GAILLET	**GANZHOU**	GAVOTTE	GERBANT	GISANTE
GAILLON	GAPERON	**GAXOTTE**	GERBERA	**GISCARD**
GAÎMENT	GÂPETTE	GAZELLE	GERBEUR	**GISELLE**
GAINAGE	**GARABIT**	GAZETTE	GERBIER	**GIULINI**
GAINANT	GARANCE	GAZEUSE	GERÇANT	**GIVERNY**
GAINIER	GARANTE	GAZIÈRE	GERÇURE	GIVRAGE
GALANTE	GARANTI	GAZODUC	GERFAUT	GIVRANT
GALATÉE	**GARBORG**	GAZONNÉ	**GERLACH**	GIVREUX
GALATIE	GARBURE	GÉASTER	GERMAIN	GIVRURE
GALAXIE	**GARCHES**	**GÉDYMIN**	**GERMAIN**	GLAÇAGE
GALBANT	GARDANT	**GEELONG**	GERMANT	GLAÇANT
GALÉACE	GARDEUR	**GEFFROY**	GERMOIR	GLACIAL
GALÉJER	GARDIAN	GÉHENNE	GÉRONTE	GLACIEL
GALÉRER	GARDIEN	GEINDRE	**GÉRONTE**	GLACIER
GALERIE	**GARDNER**	GÉLIFIÉ	**GERSOIS**	GLAÇURE
GALERNE	**GARDOIS**	**GÉLIMER**	**GERVAIS**	GLAÏEUL
GALETAS	GARENNE	GÉLISOL	**GESSNER**	GLAMOUR
GALETÉE	**GARGANO**	**GEMAYEL**	**GESTAPO**	GLANAGE
GALETER	GARGOTE	GÉMEAUX	GESTION	GLANANT
GALETTE	**GARIZIM**	**GÉMEAUX**	GESTUEL	GLANDÉE
GALEUSE	**GARLAND**	GÉMELLE	**GÉTULES**	GLANDER
GALICIE	**GARNEAU**	GÉMINÉE	**GÉVRIEN**	GLANEUR
GALIGAÏ	**GARNIER**	GÉMINER	**GEXOISE**	**GLASGOW**
GALILÉE	**GARONNE**	GEMMAGE	**GEZELLE**	**GLASHOW**
GALIPOT	**GARRETT**	GEMMAIL	**GEZIREH**	GLAUQUE
GALLANT	**GARRICK**	GEMMANT	GHANÉEN	GLAVIOT
GALLEUX	GAS-OILS	GEMMAUX	**GHANÉEN**	**GLEIZES**
GALLIEN	**GASPARD**	GEMMEUR	**GIA LONG**	**GLIÈRES**
GALLIUM	**GASPERI**	GEMMULE	**GIAUQUE**	GLISSÉE
GALLOIS	**GASSION**	**GÉMOZAC**	GIBBEUX	GLISSER
GALLOIS	**GASSMAN**	GÊNANTE	**GIBBONS**	**GLIWICE**
GALOCHE	**GASTAUT**	**GENAPPE**	GIBELIN	GLOBALE
GALONNÉ	GÂTEAUX	GENCIVE	GIBERNE	GLOBAUX
GALOPER	GÂTERIE	GÉNÉRAL	GICLANT	GLOBINE
GALOPIN	GÂTEUSE	GÉNÉRÉE	GICLEUR	GLOBULE
GALURIN	GÂTIFIÉ	GÉNÉRER	**GIELGUD**	GLOSANT
GALVANI	GÂTISME	GENETTE	**GIFFOIS**	GLOTTAL
GAMBADE	GATTANT	**GENETTE**	GIFLANT	GLOUSSÉ
GAMBADÉ	GAUCHER	GÊNEUSE	GIGOGNE	GLOUTON

GLUANTE
GLUCIDE
GLUCOSE
GLUCOSÉ
GLYCINE
GNIEZNO
GNOCCHI
GOAJIRO
GOBELET
GOBERGÉ
GOBEUSE
GODASSE
GODBOUT
GODDARD
GODICHE
GODILLE
GODILLÉ
GODTHÅB
GOÉLAND
GOERING
GOFFMAN
GOGEANT
GOIÂNIA
GOINFRE
GOINFRÉ
GOLBÉEN
GOLDING
GOLDONI
GOLFECH
GOLFEUR
GOLIATH
GOLMOTE
GOMARUS
GOMINÉE
GOMINER
GOMMAGE
GOMMANT
GOMMEUX
GOMMIER
GOMMOSE
GOMPERS
GOMULKA
GONANGE
GONDOLE
GONDOLÉ
GONELLE
GONESSE
GONFLÉE
GONFLER
GÓNGORA
GONTRAN
GOODMAN
GORDIEN
GORDIEN
GORDION
GORE-TEX
GORGONE

GORILLE
GORIZIA
GÖRLITZ
GORTYNE
GOSETTE
GOSPORT
GOSSART
GOTIQUE
GOTLAND
GOUACHE
GOUACHÉ
GOUBERT
GOUDRON
GOUFFRE
GOUGÈRE
GOUILLE
GOUMIER
GOURAMI
GOURANT
GOURAUD
GOURBET
GOURDIN
GOURDON
GOURIEV
GOURMÉE
GOURMET
GOURNAY
GOUSSET
GOÛTANT
GOÛTEUR
GOÛTEUX
GOUTTER
GOZZOLI
GRABUGE
GRACIÉE
GRACIER
GRACILE
GRADINE
GRADUAT
GRADUÉE
GRADUEL
GRADUER
GRAILLÉ
GRAILLY
GRAINER
GRAISSE
GRAISSÉ
GRAMONT
GRAMSCI
GRANDET
GRANDIE
GRANDIR
GRANGÉE
GRANGES
GRANITE
GRANITÉ
GRANSON

GRANULE
GRANULÉ
GRAPHIE
GRAPPIN
GRASSET
GRASSET
GRATIEN
GRATINÉ
GRATTÉE
GRATTER
GRATUIT
GRAULEN
GRAVANT
GRAVATS
GRAVEUR
GRAVIDE
GRAVIER
GRAVITÉ
GRAVOIS
GRAVURE
GRÉBIGE
GRÉCISÉ
GRÉCITÉ
GRECQUE
GRECQUE
GREDINE
GREFFÉE
GREFFER
GREFFON
GREGORY
GRÈGUES
GREIMAS
GRÊLANT
GRENADE
GRENADE
GRENADÉ
GRENAGE
GRENANT
GRENELÉ
GRENIER
GRENURE
GRÉSAGE
GRÉSANT
GRÉSEUX
GRESHAM
GRESSIN
GRETZKY
GREVANT
GRIAULE
GRIFFÉE
GRIFFER
GRIFFON
GRIFFUE
GRIGNAN
GRIGNER
GRIGNON
GRILLÉE

GRILLER
GRILLON
GRIMACE
GRIMACÉ
GRIMAGE
GRIMANT
GRIMAUD
GRIMAUD
GRIMPÉE
GRIMPER
GRIMSBY
GRIMSEL
GRINCER
GRINCHE
GRINGUE
GRIOTTE
GRIPPAL
GRIPPÉE
GRIPPER
GRISANT
GRISARD
GRIS-NEZ
GRISONS
GRIVELÉ
GRIVOIS
GRIZZLI
GRIZZLY
GROGNER
GROGNON
GROISIL
GROMYKO
GRONDÉE
GRONDER
GRONDIN
GROPIUS
GROS-BEC
GROSSIE
GROSSIR
GROTIUS
GROUCHY
GROUPAL
GROUPÉE
GROUPER
GROUPIE
GROZNYÏ
GRUMEAU
GRUMELÉ
GRUMIER
GRUTANT
GRUTIER
GRUYÈRE
GRYPHÉE
GUAJIRO
GUANACO
GUANGXI
GUANINE
GUAPORÉ

GUARANI
GUARANI
GUARINI
GUELDRE
GUÉPARD
GUÉPÉOU
GUÊPIER
GUÉRITE
GUÊTRÉE
GUÊTRER
GUÊTRON
GUETTÉE
GUETTER
GUEULÉE
GUEULER
GUEULES
GUEUSER
GUEVARA
GUGUSSE
GUIBERT
GUIBOLE
GUICHEN
GUICHET
GUIDAGE
GUIDANT
GUIDEAU
GUIGNÉE
GUIGNER
GUIGNOL
GUIGNOL
GUIGNON
GUILLEM
GUILLÉN
GUILLON
GUIMARD
GUINCHÉ
GUINDÉE
GUINDER
GUINÉEN
GUINÉEN
GUÎNOIS
GUIPAGE
GUIPANT
GUIPURE
GUISARD
GUITARE
GUITTON
GUIYANG
GUIZHOU
GUJERAT
GUNITÉE
GUNITER
GÜNTHER
GÜNTHÖR
GUPPIES
GUSTAVE
GUTLAND

GUTTMAN	**HAMHUNG**	**HAWORTH**	**HERMANN**	HISPIDE
GUTZKOW	**HAMMETT**	**HAWTREY**	HERMINE	HISSANT
GUYANES	**HAMOISE**	**HAYANGE**	**HERMITE**	HISTONE
GUYENNE	**HAMPDEN**	HÉBERGE	**HERMLIN**	**HITACHI**
GWALIOR	**HAMPTON**	HÉBERGÉ	**HERNANI**	HITTITE
GYMNASE	HAMSTER	HÉBÉTÉE	HERNIÉE	**HITTORF**
GYMNOTE	HANCHÉE	HÉBÉTER	HÉROÏDE	HIVERNÉ
GYNÉCÉE	HANCHER	HÉBREUX	HÉROÏNE	**HOBBEMA**
GYPAÈTE	**HANOVRE**	**HÉBREUX**	**HÉROULT**	HOBBIES
GYPSEUX	**HANRIOT**	**HÉCATÉE**	**HERRERA**	HOCHANT
GYPSIER	HANSART	HECTARE	**HERRICK**	**HOCKNEY**
HAARLEM	**HAN SHUI**	HEDAYAT	**HERRIOT**	**HODEÏDA**
HABACUC	HANTANT	**HEERLEN**	HERSAGE	**HODGKIN**
HABILLÉ	HANTISE	**HEIBERG**	HERSANT	**HOFMANN**
HABITAT	**HAN WUDI**	**HEIFETZ**	**HERSANT**	**HOGARTH**
HABITÉE	**HAOUSSA**	**HEINKEL**	HERSCHÉ	HO! HISSE!
HABITER	HAPPANT	HÉLICON	HERSEUR	**HOHNECK**
HABITUÉ	HAPTÈNE	**HÉLICON**	**HERSTAL**	**HOHOKAM**
HABITUS	HARASSE	**HELLADE**	HERTWIG	**HOKUSAI**
HÂBLEUR	HARASSÉ	HELLÈNE	**HÉRULES**	**HOLBACH**
HACHAGE	HARCELÉ	**HELLENS**	**HERZELE**	**HOLBEIN**
HACHANT	HARD BOP	**HELMAND**	**HESBAYE**	**HOLBERG**
HACHEUR	**HARDING**	**HELMOND**	**HÉSIODE**	HOLDING
HACHOIR	HARD-TOP	**HELMONT**	HÉSITER	**HOLGUÍN**
HACHURE	HARFANG	HÉLODÉE	HESSOIS	**HOLIDAY**
HACHURÉ	HARICOT	**HÉLOÏSE**	**HESSOIS**	HOLISME
HADDOCK	**HARI RUD**	HÉLOUÂN	HÉTAÏRE	HOLISTE
HADRIEN	HARISSA	HELVÈTE	HÉTÉRIE	HOLMIUM
HAECKEL	**HARNACK**	HÉMATIE	HÊTRAIE	HOLSTER
HAENDEL	HARNAIS	HÉMIONE	HEUREUX	HOMÉLIE
HAFNIUM	HARNOIS	**HÉMOISE**	HEURTÉE	HOMMAGE
HAGANAH	HARPAIL	**HENDAYE**	HEURTER	HONGRÉE
HAGARDE	**HARPIES**	**HENDRIX**	**HEYMANS**	HONGRER
HAÏDOUK	**HARPYES**	**HENGELO**	**HEYTING**	**HONGRIE**
HAILLON	**HARTUNG**	HENLEIN	HIATALE	**HONIARA**
HAINAUT	**HARVARD**	**HENRIOT**	HIATAUX	HONNÊTE
HAINEUX	**HARYANA**	**HENZADA**	HIBERNÉ	HONNEUR
HAINING	HASARDÉ	**HEPBURN**	HICKORY	**HONORAT**
HAÏTIEN	HAS BEEN	HEPTANE	HIDALGO	HONORÉE
HAÏTIEN	**HASKOVO**	**HÉRAULT**	HIDEUSE	HONORER
HAITINK	**HASSELT**	HERBACÉ	HIÉMALE	HONTEUX
HALBRAN	HASSIUM	HERBAGE	HIÉMAUX	**HOOGHLY**
HALDANE	HASTATI	HERBAGÉ	**HIIUMAA**	HÔPITAL
HALEINE	HAUBANÉ	**HERBART**	HILAIRE	**HOPKINS**
HALENÉE	HAUBERT	**HERBERT**	HILAIRE	HOPLITE
HALENER	**HAURIOU**	HERBEUX	**HILBERT**	HOQUETÉ
HALETER	HAUSSÉE	HERBIER	**HILLARY**	**HORACES**
HALEUSE	HAUSSER	**HERBLAY**	**HILMAND**	HORAIRE
HALICTE	HAUTAIN	HERCHER	HILOIRE	HORIZON
HALIFAX	HAUTEUR	HERCULE	**HIMMLER**	HORLOGE
HALLALI	HAVENET	**HERCULE**	**HINAULT**	HORMONE
HALLIER	HAVEUSE	**HEREDIA**	**HINCMAR**	HORREUR
HALLUIN	**HAVRAIS**	HÉRÉSIE	HINDOUE	HORSAIN
HALTÈRE	**HAWAÏEN**	**HERISAU**	**HIPPIAS**	HORS-JEU
HAMBURG	**HAWAÏEN**	HÉRISSÉ	**HIPPONE**	HORS-SOL
HAMEAUX	**HAWKINS**	HÉRITÉE	HIRCINE	**HORVÁTH**
HAMEÇON	**HAWKYNS**	HÉRITER	HIRSUTE	**HORYU-JI**

HOSANNA	**HUSSERL**	**IMERINA**	INCURIE	INHIBÉE
HOSPICE	HUSSITE	**IMHOTEP**	INCURVÉ	INHIBER
HOSSEIN	**HUTOISE**	IMITANT	INDÉCIS	INHUMÉE
HOSTILE	**HUYGENS**	IMMENSE	INDEMNE	INHUMER
HOT DOGS	HYALINE	IMMERGÉ	INDEXÉE	INIMITÉ
HÔTESSE	HYALITE	IMMIGRÉ	INDEXER	INITIAL
HOTTANT	HYBRIDE	IMMISCÉ	**INDIANA**	INITIÉE
HOUACHE	HYBRIDÉ	IMMOLÉE	INDIGNE	INITIER
HOUBLON	HYDRANT	IMMOLER	INDIGNÉ	INJECTÉ
HOUDAIN	HYDRATE	IMMONDE	INDIQUÉ	INJURIÉ
HOUILLE	HYDRATÉ	IMMORAL	INDIVIS	INJUSTE
HOULEUX	HYDRURE	IMPAIRE	IN-DOUZE	INNÉITÉ
HOULQUE	**HYÉROIS**	IMPARTI	INDUIRE	INNERVÉ
HOURDÉE	HYGIÈNE	IMPASSE	INDUITE	INNOMÉE
HOURDER	HYGROMA	IMPAYÉE	INDURÉE	INNOMMÉ
HOURDIS	HYMÉNÉE	**IMPERIA**	INDUVIE	INNOVER
HOURTIN	**HYMETTE**	IMPIÉTÉ	INÉDITE	INOCULÉ
HOUSARD	**HYPATIE**	IMPLANT	INÉGALE	INOCYBE
HOUSSAY	HYPÉRON	IMPLORÉ	INÉGALÉ	INODORE
HOUSSÉE	HYPNOSE	IMPLOSÉ	INÉGAUX	INONDÉE
HOUSSER	HYPOGÉE	IMPOLIE	INEPTIE	INONDER
HOUSTON	HYPOÏDE	IMPORTÉ	INERTÉE	INOPINÉ
HSINCHU	HYPOXIE	IMPOSÉE	INERTER	IN PETTO
HUAINAN	**IAKOUTE**	IMPOSER	INERTIE	IN-PLANO
HUANG HE	**IAPYGES**	IMPOSTE	INEXACT	INQUIET
HUCHANT	**IAXARTE**	IMPRÉVU	INEXPIÉ	**IN SALAH**
HUICHOL	IBÉRIDE	IMPRIMÉ	INFAMIE	INSCRIT
HUILAGE	**IBN SAUD**	IMPULSÉ	INFANTE	INSECTE
HUILANT	**IBRAHIM**	IMPUNIE	INFARCI	IN-SEIZE
HUILEUX	ICEBERG	IMPUTÉE	INFATUÉ	INSENSÉ
HUILIER	ICHTHUS	IMPUTER	INFECTE	INSÉRÉE
HUITAIN	**ICTINOS**	INACTIF	INFECTÉ	INSÉRER
HULLOIS	IDÉELLE	INALPÉE	INFÉODÉ	INSIGHT
HULOTTE	IDIOTIE	INALPER	INFÉRÉE	INSIGNE
HULULER	IGNOBLE	INANIMÉ	INFÉRER	INSINUÉ
HUMAGNE	IGNORÉE	INANITÉ	INFESTÉ	INSISTÉ
HUMAINE	IGNORER	INAVOUÉ	INFICHU	INSOLÉE
HUMBERT	IKEBANA	INCARNÉ	INFINIE	INSOLER
HUMBLES	ILIAQUE	INCESTE	INFIRME	INSPIRÉ
HUMECTÉ	ÎLIENNE	INCIPIT	INFIRMÉ	INSTANT
HUMÉRAL	**ILIESCU**	INCISÉE	INFLIGÉ	INSULTE
HUMÉRUS	**ILLAMPU**	INCISER	INFLUER	INSULTÉ
HUMILIÉ	ILLÉGAL	INCISIF	IN-FOLIO	INSURGÉ
HUMIQUE	**ILLIERS**	INCITÉE	INFONDÉ	INTACTE
HUMORAL	**ILLYRIE**	INCITER	INFORME	INTÈGRE
HUNGNAM	**ILLZACH**	INCIVIL	INFORMÉ	INTÉGRÉ
HUNYADI	ÎLOTAGE	INCLINÉ	INFOUTU	INTELLO
HUPPERT	ÎLOTIER	INCLURE	INFUSÉE	INTENSE
HURAULT	**IMABARI**	INCLUSE	INFUSER	INTENTÉ
HURDLER	IMAGEUR	INCOMBÉ	INGAMBE	INTÉRÊT
HURLANT	IMAGIER	INCONEL	INGÉNIÉ	INTÉRIM
HURLEUR	IMAGINÉ	INCONNU	INGÉNUE	INTERNE
HURONNE	IMBERBE	INCRÉÉE	INGÉRÉE	INTERNÉ
HURONNE	IMBIBÉE	INCUBÉE	INGÉRER	INTIMÉE
HURTADO	IMBIBER	INCUBER	INGRATE	INTIMER
HUSSARD	IMBRÛLÉ	INCULPÉ	INHALÉE	INTRANT
HUSSEIN	**IMÉRIEN**	INCULTE	INHALER	INTROÏT

INTRUSE	ISOGONE	JAPPANT	**JOHNSON**	**JUNKERS**
INTUBÉE	**ISOLANA**	JAQUIER	JOINDRE	JUPETTE
INTUBER	**ISOLANE**	JARDINÉ	JOINTIF	JUPIÈRE
INULINE	ISOLANT	**JARGEAU**	**JOLIVET**	**JUPITER**
INUPIAT	ISOLOIR	JARRETÉ	**JOLLIET**	JUPONNÉ
INUSITÉ	ISOMÈRE	JASEUSE	JONÇANT	JURANDE
INUSUEL	ISOPODE	JASPANT	JONCHÉE	JURISTE
IN UTERO	ISOTOPE	**JASPERS**	JONCHER	JUSQUES
INUTILE	**ISPAHAN**	JASPINÉ	JONCHET	JUSSIÉE
INVASIF	**ISSOIRE**	JASPURE	JONGLER	**JUSSIEU**
INVENDU	**ISTRATI**	**JAUBERT**	**JOSÈPHE**	JUSSION
INVENTÉ	**ISTRÉEN**	JAVELÉE	**JOSQUIN**	JUSTICE
INVERSE	ITALIEN	JAVELER	JOUABLE	JUTEUSE
INVERSÉ	**ITALIEN**	JAVELLE	**JOUARRE**	**JÜTLAND**
INVERTI	**ITHAQUE**	JAVELOT	JOUASSE	**JUVARRA**
INVESTI	**IVANHOÉ**	JAZZMAN	**JOUBERT**	**JUVÉNAL**
INVIOLÉ	**IVANOVO**	JAZZMEN	JOUETTE	JUVÉNAT
INVITÉE	IVOIRIN	**JEANNIN**	JOUEUSE	**JYLLAND**
INVITER	IVRESSE	**JÉHOVAH**	JOUFFLU	**JYTOMYR**
IN VITRO	IVROGNE	JÉJUNAL	**JOUHAUX**	**KABARDE**
INVOQUÉ	**IWO JIMA**	JÉJUNUM	JOUJOUX	KABBALE
IODIQUE	**IXELLES**	**JELACIC**	**JOURDAN**	**KABYLIE**
IODLANT	**IZANAGI**	JELGAVA	JOURNAL	**KACHGAR**
IODURÉE	**IZANAMI**	**JÉRÉMIE**	JOURNÉE	KADDISH
IONESCO	JABLANT	**JÉRICHO**	JOUTANT	**KADHAFI**
IONIQUE	JABLOIR	JERKANT	JOUTEUR	**KAESONG**
IONISÉE	JACASSÉ	**JESSORE**	JOUXTÉE	**KAIFENG**
IONISER	JACHÈRE	JÉSUITE	JOUXTER	**KALMOUK**
IOULANT	JACKPOT	JETABLE	JOVIALE	**KALOUGA**
IPSWICH	**JACKSON**	JETEUSE	JOVIALS	**KAMENEV**
IQUIQUE	JACOBIN	JET-SETS	JOVIAUX	KAMICHI
IQUITOS	JACONAS	**JEUMONT**	JOYEUSE	**KAMPALA**
IRAKIEN	JACQUES	JEÛNANT	**JOYEUSE**	**KANANGA**
IRAKIEN	**JACQUES**	JEÛNEUR	JUBARTE	**KANÁRIS**
IRANIEN	JACQUET	**JÉZABEL**	JUBILER	KANDJAR
IRANIEN	JACQUOT	**JIAMUSI**	JUCHANT	**KANGGYE**
IRIDIÉE	JACTANT	**JIANGSU**	JUCHOIR	KANNARA
IRIDIUM	JACUZZI	**JIANGXI**	JUDAÏSÉ	KANTIEN
IRIENNE	JADÉITE	**JIAXING**	JUDAÏTÉ	**KAOLACK**
IRISANT	JAILLIR	**JIMÉNEZ**	JUDÉITÉ	**KAPITSA**
IRLANDE	JAKARTA	**JINGMEN**	JUDELLE	**KAPTEYN**
IRONISÉ	**JALGAON**	JINISME	JUGEANT	**KARABÜK**
IRRADIÉ	**JALISCO**	**JINZHOU**	JUGEOTE	**KARACHI**
IRRIGUÉ	JALONNÉ	**JITOMIR**	JUGEUSE	KARAÏTE
IRRITÉE	JALOUSE	**JOACHIM**	JUGULÉE	**KARAÏTE**
IRRITER	JALOUSÉ	JOBARDE	JUGULER	**KARAJAN**
ISABEAU	JAMBAGE	JOBARDÉ	JUILLET	KARAKUL
ISARIEN	JAMBIER	JOBISTE	JUJITSU	KARAOKÉ
ISCHION	JAMBOSE	JOCASSE	JUKE-BOX	**KARBALA**
ISERNIA	**JAMISON**	**JOCASTE**	**JULIANA**	KARBAUX
ISÉROIS	**JANÁCEK**	JOCISTE	JULIERS	**KARIKAL**
ISIAQUE	JANGADA	**JOCONDE**	**JULLIAN**	**KÁROLYI**
ISIDORE	JANNINA	JODELLE	JUMEAUX	KARTING
ISLANDE	**JANSSEN**	**JODHPUR**	JUMELÉE	**KARVINÁ**
ISOBARE	JANVIER	JODLANT	JUMELER	**KASHIWA**
ISOCÈLE	**JANVIER**	JOGGEUR	JUMELLE	KASSITE
ISODOME	**JANZÉEN**	JOGGING	JUMPING	**KASTLER**

KÄSTNER	KIRGHIZ	LABELLE	LAKISTE	LANGUIR
KASTRUP	**KIRGHIZ**	LABIALE	**LA LANDE**	LANIÈRE
KASUGAI	KIRUNDI	LABIAUX	**LALANDE**	LANISTE
KATAÏEV	KLEENEX	**LABICHE**	**LA LÍNEA**	**LANMEUR**
KATANGA	**KLEIBER**	LABORIT	**LALINDE**	**LANNION**
KATIVIK	KLEPHTE	LABOURÉ	**LALIQUE**	**LANSING**
KATSINA	**KLESTIL**	**LA BRÈDE**	LA LOUPE	LANTANA
KATSURA	**KLINGER**	LACANAU	**LAMALOU**	**LANVUAS**
KAUTSKY	**KNESSET**	**LA CANÉE**	**LA MARCK**	**LANVÉOC**
KAWAGOE	KNICKER	LACAUNE	**LAMARCK**	**LANZHOU**
KAYSERI	**KNOSSÓS**	**LACAUNE**	LAMBADA	**LAOCOON**
KAZAKHE	KNOW-HOW	LACÉRÉE	LAMBEAU	**LAODICE**
KAZAKHE	**KOBLENZ**	LACÉRER	**LAMBERT**	LAOTIEN
KEATING	**KOLAMBA**	LACERIE	**LAMBESC**	**LAOTIEN**
KEELING	KOLKHOZ	LACEUSE	**LAMBÈSE**	**LAO-TSEU**
KEELUNG	KOLOMNA	LÂCHAGE	**LAMBETH**	**LA PALMA**
KEFFIEH	**KOLWEZI**	LÂCHANT	LAMBICK	**LA PANNE**
KELLOGG	**KONTICH**	LÂCHETÉ	LAMBINE	LAPIDÉE
KELOWNA	KONZERN	LÂCHEUR	LAMBINÉ	LAPIDER
KENDALL	**KÖPRÜLÜ**	**LACHINE**	LAMBLIA	LAPILLI
KENITRA	**KORCULA**	**LACHUTE**	LAMBRIS	LAPINER
KENNEDY	**KORCZAK**	LACINIÉ	LAMELLE	**LAPLACE**
KENYANE	**KORHOGO**	**LACONIE**	LAMELLÉ	**LA PLATA**
KENYANE	**KORIAKS**	**LACOSTE**	LAMENTÉ	**LAPONIE**
KÉRABAU	**KOSOVAR**	**LACROIX**	LAMENTO	LAPONNE
KEROUAC	**KOSSUTH**	LACTAME	LAMIFIÉ	**LAPONNE**
KERTÉSZ	KOUGLOF	LACTASE	LAMINÉE	**LA PORTA**
KETCHUP	**KOULDJA**	LACTATE	LAMINER	LAPPING
KEY WEST	**KOUMYKS**	LACTONE	**LA MOTHE**	LAQUAGE
KHALIFE	**KOURGAN**	LACTOSE	**LA MOTTE**	LAQUAIS
KHALKHA	**KOWLOON**	**LADAKHI**	LAMPANT	LAQUANT
KHALKÍS	**KRAJINA**	LADANUM	LAMPARO	LAQUEUR
KHAMSIN	**KREFELD**	**LAENNEC**	LAMPION	LAQUEUX
KHANTYS	**KREISKY**	**LAETOLI**	LAMPYRE	**L'AQUILA**
KHARBIN	KREMLIN	**LA FERTÉ**	**LANAKEN**	LARAIRE
KHAREZM	**KREMLIN**	**LA FORCE**	LANÇAGE	**LARBAUD**
KHARKIV	KREUZER	**LA FOSSE**	LANÇANT	LARDANT
KHARKOV	**KRISHNA**	LAGACHE	**LANCÉEN**	**LA RÉOLE**
KHATIBI	**KROEBER**	**LA GARDE**	LANCEUR	LARGAGE
KHAYBAR	KRYPTON	**LAGIDES**	LANCIER	LARGEUR
KHAYYAM	**KUBELÍK**	**LAGNIEU**	LANCINÉ	LARGUÉE
KHAZARS	**KUBRICK**	**LA GRAVE**	**LANCRET**	LARGUER
KHÉDIVE	**KUCHING**	**LA HARPE**	LANDAIS	**LA RIOJA**
KHERSON	KUFIQUE	LAÏCISÉ	**LANDAIS**	**LÁRISSA**
KHINGAN	KUMQUAT	LAÏCITÉ	LAND ART	**LARIVEY**
KHNOPFF	**KUNDERA**	LAIDEUR	LANDIER	LARMIER
KHOISAN	**KUNMING**	LAINAGE	LANDTAG	LARMOYÉ
KHOTINE	**KURNOOL**	LAINANT	LANERET	**LÁRNAKA**
KIÉVIEN	**KUSHANA**	LAINEUX	LANGAGE	**LA ROCHE**
KINÉSIE	**KUSHIRO**	LAINIER	**LANGDON**	**LAROQUE**
KINOISE	**KUZNETS**	LAISSÉE	**LANGEAC**	LARYNGÉ
KINOISE	**KVARNER**	LAISSER	**LANGREO**	LASAGNE
KIOSQUE	**KWANGJU**	LAITAGE	LANGRES	**LA SALLE**
KIPLING	**KYONGJU**	LAITEUX	LANGRES	**LASALLE**
KIPPOUR	**LA BARRE**	LAITIER	**LANG SON**	LASCAUX
KIPPOUR	LABARUM	LAÏUSSÉ	**LANGTON**	LASCIVE
KIRCHER	**LA BAULE**	**LAKANAL**	LANGUIE	**LA SEYNE**

LASHLEY	**LECLERC**	**LE SAUZE**	LICITÉE	LINGUAL
LASKINE	**LÉCLUSE**	**LES BAUX**	LICITER	LINIÈRE
LASSANT	**LECOMTE**	LESBIEN	LICORNE	LINKAGE
LASTING	**LECQUES**	**LESBIEN**	LICTEUR	LINNÉEN
LATENCE	LECTEUR	**LES GETS**	**LIÉNART**	LINOTTE
LATENTE	LECTURE	LÉSINER	**LIEPAJA**	LINSANG
LATÉRAL	LÉCYTHE	**LES MÉES**	**LIESTAL**	LINSOIR
LA TESTE	**LE DORAT**	LESOTHO	LIEU-DIT	LINTEAU
LATIMER	**LE FAYET**	LESQUIN	**LIEUVIN**	LINTERS
LATINUS	**LEFÈVRE**	**LESSEPS**	LIFTANT	**LIOTARD**
LATTAGE	LÉGENDE	**LESSING**	LIFTIER	**LIPATTI**
LATTANT	LÉGENDÉ	LESSIVE	LIFTING	LIPÉMIE
LATTOIS	LEGGINS	LESSIVÉ	LIGNAGE	**LIPETSK**
LA TUQUE	LEGHORN	LESTAGE	LIGNANT	**LIPOVEN**
LAUBEUF	LÉGISTE	LESTANT	LIGNEUL	LIQUEUR
LAURANA	**LEGNICA**	**LESTREM**	LIGNEUX	LIQUIDE
LAURÉAT	LÉGUANT	**LE SUEUR**	LIGNINE	LIQUIDÉ
LAURENS	**LE HAVRE**	**LES ULIS**	LIGNITE	LIRETTE
LAURENT	**LEIBNIZ**	LETTONE	LIGOTÉE	LISERÉE
LAURIER	**LEIPZIG**	**LETTONE**	LIGOTER	LISERER
LAURIER	**LE JEUNE**	LETTRÉE	LIGUANT	LISERON
LAURION	**LEJEUNE**	**LEUCADE**	**LIGUEIL**	LISETTE
LAUTREC	**LE LOCLE**	**LEUCATE**	LIGUEUR	LISEUSE
LAVABLE	**LELOUCH**	LEUCINE	LIGULÉE	LISIBLE
LAVANDE	**LEMAIRE**	LEUCITE	**LIGURES**	LISIÈRE
LAVARET	**LE MARIN**	LEUCOME	**LIGURIE**	**LISIEUX**
LAVASSE	**LEMBERG**	LEUCOSE	LILIALE	**LISLOIS**
LAVATER	**LEMIEUX**	LEURRÉE	LILIAUX	LISSAGE
LAVE-DOS	LEMMING	LEURRER	**LILLERS**	LISSANT
LAVELLI	**LE MOULE**	LÈVE-TÔT	**LILLOIS**	LISSEUR
LA VENTA	**LEMOYNE**	**LE VIGAN**	**LILYBÉE**	LISSIER
LAVERAN	LEMPIRA	**LEVINAS**	LIMAÇON	LISSOIR
LAVERIE	**LENCLOS**	LÉVIRAT	**LIMAGNE**	LISTAGE
LAVETTE	**LENGLEN**	LEVRAUT	LIMANDE	LISTANT
LAVEUSE	LÉNIFIÉ	LÉVRIER	**LIMBOUR**	LISTEAU
LAVISSE	LÉNITIF	**LEVROUX**	LIMETTE	LISTING
LAWFELD	**LE NÔTRE**	LEXICAL	LIMEUSE	**LI TAIBO**
LAXATIF	**LENSOIS**	LEXIQUE	LIMINAL	LITANIE
LAXISME	LENTEUR	LÉZARDE	LIMITÉE	LIT-CAGE
LAXISTE	LENTIGO	LÉZARDÉ	LIMITER	LITEAUX
LAXNESS	**LÉOGNAN**	**LHOMOND**	LIMOGÉE	LITERIE
LAYETTE	LÉONARD	LIAISON	LIMOGER	LITHINE
LAZARET	**LÉONARD**	**LIAKHOV**	**LIMOGES**	LITHINÉ
LÉANDRE	LÉONINE	LIARDER	**LIMOGNE**	LITHIUM
LEASING	LÉOPARD	LIBELLE	**LIMOSIN**	LITIÈRE
LEAVITT	**LÉOPOLD**	LIBELLÉ	**LIMOURS**	LITORNE
LE BARDO	**LÉPANTE**	LIBÉRAL	LIMPIDE	LIVAROT
LEBBEKE	**LEPAUTE**	**LIBEREC**	**LIMPOPO**	**LIVAROT**
LE BLANC	LÉPIOTE	LIBÉRÉE	LINAIRE	LIVÈCHE
LEBLANC	**LE PIRÉE**	LIBÉRER	**LINARES**	**LIVONIE**
LE BUGUE	LÉPISME	**LIBERIA**	**LIN BIAO**	LIVRANT
LE CAIRE	**LE POIRÉ**	LIBERTÉ	LINCEUL	LIVREUR
LE CARRÉ	LÉPREUX	LIBERTY	LINÇOIR	LIXIVIÉ
LÉCHAGE	LÉPROME	LICENCE	**LINCOLN**	LOBAIRE
LÉCHANT	LEPTURE	LICHANT	LINETTE	LOBBIES
LÉCHEUR	**LERICHE**	LINGÈRE	LINGÈRE	LOBÉLIE
LECLAIR	**LES ARCS**	**LICHUAN**	**LINGONS**	LOBULÉE

95

LOCARNO	LOSANGE	LUMBAGO	MACHAON	MAILLER
LOCATIF	LOSANGÉ	**LUMBINI**	**MACHAUT**	MAILLET
LOCHANT	LOTERIE	**LUMBRES**	MÂCHEUR	**MAILLET**
LOCHIES	**LOTOISE**	LUMIÈRE	**MACHIDA**	**MAILLOL**
LOCHNER	LOUABLE	**LUMIÈRE**	MACHINE	MAILLON
LOCHOIS	LOUANGE	**LUMUMBA**	MACHINÉ	MAILLOT
LOCK-OUT	LOUANGÉ	LUNAIRE	MÂCHURE	**MAINARD**
LOCKYER	LOUBARD	LUNCHES	MÂCHURÉ	MAINATE
LOCLOIS	LOUCHER	LUNETTE	**MACLEOD**	**MAÏNOTE**
LOCMINÉ	LOUCHET	LUNETTÉ	MAÇONNE	MAÏORAL
LOCRIDE	LOUCHON	**LUOYANG**	MAÇONNÉ	MAÏORAT
LOCRIEN	**LOUDÉAC**	LUPANAR	MACRAMÉ	**MAIRENA**
LOCTUDY	LOUEUSE	LUPIQUE	**MACROBE**	**MAISTRE**
LOCUSTE	LOUFIAT	LUPULIN	MACULÉE	MAÏZENA
LOCUSTE	**LOUHANS**	LURETTE	MACULER	MAJESTÉ
LOFOTEN	LOUKOUM	LURONNE	MACUMBA	MAJEURE
LOGEANT	LOUPAGE	**LURONNE**	**MADEIRA**	MA-JONGS
LOGETTE	LOUPANT	LUSTRAL	**MADERNA**	MAJORAT
LOGEUSE	LOUPIOT	LUSTRÉE	**MADERNO**	MAJORÉE
LOGIQUE	**LOUQSOR**	LUSTRER	**MADISON**	MAJORER
LOGROÑO	LOURANT	LUTÉALE	MADRASA	**MAJUNGA**
LOISEAU	LOURDÉE	LUTÉAUX	MADRIER	MAKAIRE
LOKEREN	LOURDER	LUTHIER	MADRURE	MAKHZEN
LOLLAND	**LOURDES**	**LUTHULI**	**MADURAI**	**MAKONDE**
LOLLARD	LOUSTIC	LUTINÉE	MAESTRO	MALABAR
LOMAGNE	**LOUVAIN**	LUTINER	MAFFLUE	**MALABAR**
LOMBAGO	**LOUVOIS**	LUTTANT	MAFIEUX	**MALACCA**
LOMBARD	LOUVOYÉ	LUTTEUR	MAFIOSI	MALADIE
LOMBARD	**LOUVRES**	**LUXEUIL**	MAFIOSO	MALADIF
LOMBRIC	LOYAUTÉ	LUXUEUX	**MAGADAN**	MAL-AIMÉ
LOMÉNIE	**LOYAUTÉ**	**LUZENAC**	MAGANÉE	MALAIRE
LOMMOIS	**LUALABA**	LUZERNE	MAGANER	MALAISE
LONDRES	**LUBANGÓ**	**LYAUTEY**	MAGASIN	**MALAISE**
LONGANE	**LUBBERS**	LYCHNIS	MAGENTA	MALAISÉ
LONGMEN	**LUBBOCK**	LYNCHÉE	**MAGENTA**	**MALAMUD**
LONGUET	**LUBERON**	LYNCHER	**MAGHNIA**	**MÄLAREN**
LONGVIC	**LUCANIE**	**LYOTARD**	**MAGHREB**	MALARIA
LÖNNROT	LUCARNE	LYRIQUE	MAGHZEN	**MALATYA**
LOOPING	**LUCAYES**	LYRISME	**MAGINOT**	MALAXÉE
LOPBURI	**LUCERNE**	**LYSIPPE**	MAGIQUE	MALAXER
LOPETTE	**LUCIFER**	**LYSSOIS**	**MAGNANI**	MALBÂTI
LOQUACE	LUCILIE	LYTIQUE	MAGNANT	**MALCOLM**
LORDOSE	LUCIOLE	**MAASEIK**	**MAGNARD**	MAL-ÊTRE
LORELEI	**LUCKNER**	MABOULE	MAGNÉTO	MALFAMÉ
LORENTZ	**LUCKNOW**	MACABRE	MAGYARE	MALFRAT
LORETTE	**LUÇOISE**	MACACHE	**MAGYARE**	MALHEUR
LORETTE	**LUCQUES**	MACADAM	MAHATMA	MALIGNE
LORGNÉE	**LUCRÈCE**	**MACAIRE**	**MAHATMA**	MALINES
LORGNER	LUDDITE	MACAQUE	MAH-JONG	**MALINES**
LORGNON	LUDIQUE	MACARON	**MAHOMET**	**MALINKÉ**
LORGUES	LUDISME	**MACBETH**	MAHONIA	MALIQUE
LORIENT	**LUDOISE**	MACÉRÉE	MAÏEURE	MAL-LOGÉ
LORMONT	LUGEANT	MACÉRER	**MAIGRET**	**MALMÉDY**
LORRAIN	LUGEUSE	MACERON	MAIGRIE	MALMENÉ
LORRAIN	**LUGONES**	**MACHADO**	MAIGRIR	MALOTRU
LORRIES	LUGUBRE	**MACHALA**	MAILING	**MALOUEL**
LORSQUE	LUISANT	MÂCHANT	MAILLÉE	MALOUIN

MALOUIN	MANNOSE	MARIAUX	**MARVELL**	MAUDIRE
MALPOLI	MANOQUE	**MARIBOR**	MARXIEN	MAUDITE
MALRAUX	MANQUÉE	MARIEUR	**MASARYK**	**MAUDUIT**
MALSAIN	MANQUER	**MARIGNY**	**MASBATE**	MAUGHAM
MALTAGE	**MANRESA**	MARIGOT	MASCARA	MAUGRÉÉ
MALTAIS	**MANSART**	**MARIGOT**	**MASCARA**	MAUGUIO
MALTAIS	MANSION	MARIMBA	**MASCATE**	**MAULÉON**
MALTANT	**MANTAIS**	MARINÉE	**MASPERO**	**MAUNICK**
MALTASE	MANTEAU	MARINER	MASQUÉE	**MAUPEOU**
MALTEUR	MANTELÉ	**MARINES**	MASQUER	**MAURIAC**
MALTHUS	**MANTOUE**	**MARINGÁ**	MASSADA	**MAURICE**
MALTOSE	**MANYTCH**	MARIOLE	MASSAGE	**MAUROIS**
MALTÔTE	**MANZONI**	**MARIOUT**	MASSANT	**MAURRAS**
MALVENU	MAOÏSME	**MARIS EL**	**MASSÉNA**	**MAUSOLE**
MAMELLE	MAOÏSTE	MARISTE	MASSEUR	MAUVAIS
MAMELON	MAOUSSE	MARITAL	**MASSIAC**	**MAXENCE**
MAMELUE	**MAPUCHE**	**MARITZA**	MASSIER	MAXILLE
MAMELUK	MAQUANT	MARKHAM	**MASSINE**	MAXIMAL
MAMMITE	**MARACAY**	MARKKAA	MASSIVE	**MAXIMIN**
MAMOURS	**MARANGE**	**MARLOWE**	MASSORE	MAXIMUM
MANAGÉE	**MARAÑÓN**	**MARMARA**	MASTABA	MAXWELL
MANAGER	MARANTA	MARMITE	MASTARD	**MAXWELL**
MANAGUA	MARANTE	**MARMONT**	MASTÈRE	**MAYENCE**
MANASLU	MARASME	MARNAGE	MASTIFF	**MAYENNE**
MANASSÉ	MARATHE	**MARNAIS**	MASTITE	MAYEURE
MANCEAU	**MARATHE**	MARNANT	MASTOSE	**MAYNARD**
MANCEAU	MARATHI	MARNEUX	M'AS-TU-VU	MAYORAL
MANCHON	MARÂTRE	**MAROMME**	MATADOR	MAYORAT
MANCHOT	MARAUDE	MARONNÉ	**MATANZA**	**MAYOTTE**
MANCHOU	MARAUDÉ	MAROTTE	**MATAPAN**	**MAZAGAN**
MANCHOU	MARBRÉE	MARQUÉE	**MATARAM**	**MAZAMET**
MANCINI	MARBRER	MARQUER	MATCHES	**MAZARIN**
MANDALA	**MARBURG**	**MARQUET**	MATELAS	MAZDÉEN
MANDALE	**MARCEAU**	MARQUIS	MATELOT	**MAZENOD**
MANDANT	**MARCHAL**	MARRANE	MATERNÉ	**MAZEPPA**
MANDATÉ	MARCHER	MARRANT	MATHEUX	MAZETTE
MANDÉEN	**MARCHES**	**MARRAST**	**MATHIAS**	MAZOUTÉ
MANDELA	**MARCION**	MARRONS	**MATHIEU**	**MAZOVIE**
MANDRIN	MARCONI	MARRUBE	**MATHIEZ**	**MAZURIE**
MANDRIN	**MARCONI**	**MARSAIS**	**MATHURA**	MAZURKA
MANETON	**MARCUSE**	MARSALA	MATIÈRE	**MAZZINI**
MANETTE	**MARDOUK**	**MARSALA**	MATINAL	**MBABANE**
MANFRED	MARELLE	MARSEAU	MATINÉE	**MCCAREY**
MANGEUR	**MAREMME**	**MARSILE**	MÂTINÉE	**MCCLURE**
MANIANT	MARENGO	**MARSTON**	MÂTINER	**MCLAREN**
MANICLE	**MARENGO**	**MARSYAS**	MATINES	**MCLUHAN**
MANIÈRE	**MAREUIL**	MARTEAU	**MATISSE**	MÉANDRE
MANIÉRÉ	**MARGATE**	MARTELÉ	MATOISE	**MÉANDRE**
MANIEUR	MARGAUX	**MARTENS**	MATONNE	**MÉAULTE**
MANILLE	**MARGAUX**	MARTIAL	**MATOURY**	MECCANO
MANILLE	MARGEUR	**MARTIAL**	MATRICE	**MÉCÉNAT**
MANIPUR	MARGINÉ	MARTIEN	MATRICÉ	MÉCHAGE
MANIQUE	MARGOTÉ	**MARTIEN**	MATRONE	**MÉCHAIN**
MANITOU	MARIAGE	MARTINI	MATSUDO	MÉCHANT
MANNING	MARIALE	**MARTINI**	**MATURIN**	**MECHHED**
MANNITE	MARIALS	**MARTINU**	**MATURÍN**	MÉCHOUI
MANNONI	MARIANT	MARTYRE	**MAUCHLY**	MÉCONNU

MEDAWAR
MÉDECIN
MEDERSA
MÉDIALE
MÉDIANE
MÉDIATE
MÉDICAL
MÉDICIS
MÉDIQUE
MÉDITÉE
MÉDITER
MÉDULLA
MÉDUSÉE
MÉDUSER
MEETING
MÉFIANT
MÉFORME
MÉGABIT
MÉGARDE
MÉGARON
MEGIDDO
MÉGISSÉ
MÉGOTER
MÉHARÉE
MÉHARIS
MEILHAC
MEILLET
MEISSEN
MEITNER
MÉJUGÉE
MÉJUGER
MELÆNA
MÉLANGE
MÉLANGÉ
MÉLASSE
MELDOIS
MELILLA
MÉLILOT
MÉLISSE
MÉLITTE
MELKART
MELKITE
MELLONI
MÉLODIE
MÉLOPÉE
MELORIA
MELOZZO
MELQART
MELSENS
MEMBRÉE
MEMBRON
MEMBRUE
MÉMENTO
MÉMÉRER
MEMLINC
MEMLING

MÉMOIRE
MEMPHIS
MENACÉE
MENACER
MÉNAGÉE
MÉNAGER
MENCIUS
MENDIÉE
MENDIER
MENDOIS
MENDOLE
MENDOZA
MENEAUX
MÉNÉLAS
MÉNÉLIK
MENEUSE
MÉNINES
MÉNINGE
MÉNINGÉ
MÉNIPPE
MENNECY
MENOTTE
MENOTTI
MENSUEL
MENTALE
MENTANA
MENTANT
MENTAUX
MENTEUR
MENTHOL
MENTHON
MENTION
MENUHIN
MENUISE
MENUISÉ
MÉPLATE
MÉPRISE
MÉPRISÉ
MERCIER
MERCURE
MERDANT
MERDEUX
MERDIER
MERDOYÉ
MERGUEZ
MERGULE
MÉRIBEL
MÉRIMÉE
MÉRINOS
MÉRISME
MÉRITÉE
MÉRITER
MÉROVÉE
MERRAIN
MERSOIS

MERTERT
MÉSAISE
MÉSANGE
MESCLUN
MESLIER
MESQUIN
MESSAGE
MESSIER
MESSINE
MESSIRE
MESSMER
MESSNER
MESURÉE
MESURER
MÉSUSER
MÉTALLO
MÉTAURE
METAXÁS
MÉTAYER
MÉTÉORE
MÉTÈQUE
MÉTHANE
MÉTHODE
MÉTHODE
MÉTHYLE
METICAL
MÉTISSE
MÉTISSÉ
MÉTRAGE
MÉTRANT
MÉTRAUX
MÉTREUR
MÉTRITE
METSIJS
METTANT
METTEUR
MEUBLÉE
MEUBLER
MEUGLER
MEULAGE
MEULANT
MEUNIER
MEUNIER
MEURTHE
MEURTRE
MEURTRI
MEUSIEN
MÉVENTE
MEXIQUE
MEYZIEU
MÉZIDON
MÉZIGUE
MÉZOISE
MIAULER
MICACÉE
MICELLE

MICHALS
MICHAUX
MICIPSA
MI-CLOSE
MI-CORPS
MICROBE
MICTION
MIDRASH
MIDWEST
MIELLAT
MIELLÉE
MIESZKO
MIGNARD
MIGNARD
MIGNOTÉ
MIGRANT
MI-JAMBE
MIJOTÉE
MIJOTER
MILDIOU
MILHAUD
MILIEUX
MILITER
MILLAGE
MILLAIS
MILLIER
MILLION
MILLOSS
MILONGA
MILOUIN
MI-LOURD
MILVIUS
MIMIQUE
MIMIZAN
MI-MOYEN
MINABLE
MINARET
MINAUDÉ
MINCEUR
MINDORO
MINERAI
MINÉRAL
MINERVE
MINERVE
MINETTE
MINEURE
MINIBUS
MINICAR
MINIÈRE
MINIMAL
MINIMEX
MINIMUM
MINITEL
MINORÉE
MINORER
MINUTÉE
MINUTER

MINUTIE
MIOCÈNE
MI-PARTI
MIRABEL
MIRACLE
MIRADOR
MIRADOR
MIRAMAS
MIRANDA
MIRANDE
MIRAUDE
MIRBANE
MIRBEAU
MIREUSE
MIRIBEL
MIROITÉ
MIROTON
MISAINE
MISKITO
MISKOLC
MISSILE
MISSION
MISSIVE
MISTRAL
MISTRAL
MITAINE
MITANNI
MITCHUM
MI-TEMPS
MITEUSE
MITIDJA
MITIGÉE
MITIGER
MITONNÉ
MITOYEN
MITRALE
MITRAUX
MIXTION
MIXTURE
MIZORAM
MOABITE
MOCHARD
MOCHETÉ
MOCHICA
MODELÉE
MODELER
MODÉRÉE
MODÉRER
MODERNE
MODESTE
MODESTO
MODIANO
MODIFIÉ
MODIQUE
MODISTE
MODULÉE
MODULER

MODULOR	MONISME	**MORGIEN**	**MOULINS**	MUSÉAUX
MOEBIUS	MONITOR	**MORIANI**	MOULOUD	MUSELÉE
MOELLON	MONNAIE	MORILLE	MOULURE	MUSELER
MOFETTE	MONNAYÉ	MORINGA	MOULURÉ	MUSELET
MOFLANT	**MONNIER**	**MORIOKA**	**MOUNDOU**	MUSETTE
MOGADOR	MONOCLE	**MORISOT**	**MOUNIER**	MUSICAL
MOGHOLS	MONODIE	**MORLAÀS**	MOURANT	MUSIQUE
MOHICAN	MONOSKI	**MORLAIX**	**MOURENX**	MUSQUÉE
MOIGNON	**MONSOIS**	**MORMANT**	MOUROIR	**MÜSTAIR**
MOINDRE	MONSTRE	MORMONE	MOUSSER	MUSTANG
MOINEAU	MONTAGE	**MORNANT**	**MOUSSEY**	MUTABLE
MOIRAGE	**MONTALE**	**MORPHÉE**	MOUSSON	MUTANTE
MOIRANS	**MONTANA**	MORPION	MOUSSUE	MUTILÉE
MOIRANT	**MONTAND**	**MORRICE**	MOUTARD	MUTILER
MOIRURE	MONTANT	**MORSANG**	MOUTIER	MUTINÉE
MOISANT	**MONTECH**	MORSURE	MOUTURE	MUTINER
MOISSAC	MONTEUR	**MORTAIN**	MOUVANT	MUTIQUE
MOISSAN	**MONTEUX**	**MORTEAU**	**MOUVAUX**	MUTISME
MOISSON	**MONTHEY**	MORTIER	MOUVOIR	**MUTTENZ**
MOITEUR	**MONTIER**	**MORTIER**	MOVIOLA	MYALGIE
MOLAIRE	**MONTLUC**	MORT-NÉE	MOYENNE	**MYANMAR**
MÔLAIRE	MONTOIR	MORT-NÉS	MOYENNÉ	**MYCÈNES**
MOLASSE	**MONTOIR**	**MORTSEL**	MOYETTE	MYÉLINE
MOLDAVE	MONTOIS	MORVEUX	**MOYNIER**	MYÉLITE
MOLDAVE	**MONTOIS**	**MORZINE**	**MUAWIYA**	MYÉLOME
MOLESTÉ	**MONTPON**	**MOSELEY**	MUDÉJAR	**MYKONOS**
MOLETÉE	MONTRÉE	**MOSELLE**	MUEZZIN	MYOSINE
MOLETER	MONTRER	**MOSKOVA**	MUFLIER	MYOSITE
MOLETTE	MONTURE	MOSQUÉE	**MUGELLO**	MYRIADE
MOLIÈRE	MOQUANT	**MOSSOUL**	MULARDE	MYSTÈRE
MOLIÈRE	MOQUEUR	MOTARDE	MULÂTRE	MYSTÈRE
MOLINOS	MORACÉE	MOT-CLEF	MULETTE	MZABITE
MOLITOR	MORAINE	MOTELLE	MULSION	**MZABITE**
MOLLARD	**MORALES**	MOTIVÉE	**MÜNCHEN**	**NABOKOV**
MOLLIEN	**MORANDI**	MOTIVER	MUNSTER	NACELLE
MOLOSSE	**MORANTE**	MOTRICE	**MUNSTER**	NACRANT
MOLOTOV	MORASSE	MOTTANT	**MÜNSTER**	**NAEVIUS**
MOMBASA	**MORATÍN**	MOTTEUX	MUNTJAC	NAGAÏKA
MOMERIE	**MORAVIA**	MOUCHÉE	MUQUEUX	**NAGAOKA**
MÔMERIE	**MORAVIE**	MOUCHER	**MURDOCH**	NAGEANT
MOMIFIÉ	MORBIDE	MOUCHET	MURETTE	NAGEUSE
MOMMSEN	MORBIER	**MOUCHET**	**MURILLO**	NAGUÈRE
MONACAL	MORBLEU	**MOUCHEZ**	MURMURE	NAHUATL
MONATTE	MORCEAU	MOUETTE	MURMURÉ	**NAIPAUL**
MONCEAU	MORCELÉ	MOUFETÉ	**MURORAN**	**NAIROBI**
MONCTON	**MORCELI**	MOUFLET	**MURUROA**	NAÏVETÉ
MONDAIN	**MORCENX**	MOUFLON	**MURVIEL**	**NAM DINH**
MONDANT	MORDANT	MOUFTER	MUSACÉE	**NAMIBIE**
MONDEGO	MORDORÉ	**MOUGINS**	MUSARDE	**NAMPULA**
MONDIAL	**MORDVES**	MOUILLE	MUSARDÉ	**NANAIMO**
MONDORF	**MORELIA**	MOUILLÉ	MUSCADE	NANIFIÉ
MONGKUT	MORELLE	**MOUKDEN**	MUSCARI	NANISÉE
MONGOLE	**MORELOS**	MOUKÈRE	MUSCLÉE	NANISER
MONGOLE	**MORETTI**	MOULAGE	MUSCLER	NANISME
MONIALE	**MOREUIL**	MOULANT	MUSÉALE	**NANNING**
MONILIA	MORFALE	MOULEUR	MUSEAUX	NANSOUK
MONIQUE	MORFLER	MOULINÉ	MUSEAUX	**NANTAIS**

NANTONG	NÉMÉENS	**NICOSIE**	NOIRCIE	NUANCÉE
NANZOUK	NÉMERTE	NIDIFIÉ	NOIRCIR	NUANCER
NAPHTOL	**NÉMÉSIS**	**NIDWALD**	**NOISÉEN**	NUCELLE
NAPPAGE	NEMEYRI	NIELLÉE	NOISIEL	NUCLÉÉE
NAPPANT	**NEMOURS**	NIELLER	**NOISIEL**	NUCLÉON
NARBADA	NÉNETTE	NIGAUDE	NOLISÉE	NUCLEUS
NARCOSE	NÉODYME	NIGELLE	NOLISER	NUCLÉUS
NARGUÉE	NÉOGÈNE	**NIGERIA**	NOMBRÉE	NUCLIDE
NARGUER	NÉOGREC	**NIIGATA**	NOMBRER	NUDISME
NARMADA	NÉONAZI	**NIIHAMA**	NOMBRIL	NUDISTE
NARRANT	NÉOTTIE	**NIKOPOL**	NOMINAL	NUEMENT
NARTHEX	NÉPHRON	NILGAUT	NOMINÉE	NUISANT
NARVÁEZ	**NEPTUNE**	**NILGIRI**	NOMINER	NULLARD
NASARDE	NÉRÉIDE	NIMBANT	**NOMINOË**	NULLITÉ
NASEAUX	NERPRUN	**NIMÈGUE**	NOMMANT	**NUMANCE**
NASILLÉ	NERVEUX	**NÎMOISE**	NONANTE	NUMÉRAL
NASIQUE	NERVINE	**NIMROUD**	NON-DITS	**NUMÉRIS**
NATOIRE	NERVURE	**NINGXIA**	NON-ÊTRE	**NUMIDES**
NATTAGE	NERVURÉ	NIOBIUM	NON-LIEU	**NUMIDIE**
NATTANT	NESCAFÉ	**NIPIGON**	NON-SENS	**NUMITOR**
NATTIER	**NESEBAR**	NIPPANT	NON-STOP	NUNATAK
NATTIER	**NETANYA**	NIPPONE	**NONTRON**	**NUNAVIK**
NATUREL	NETSUKE	**NIPPONE**	**NORBERT**	NUNUCHE
NAUCORE	NETTETÉ	NIPPOUR	**NORD-EST**	NUOC-MÂM
NAUPLIE	NETTOYÉ	**NIPPOUR**	**NORFOLK**	NU-PIEDS
NAURUAN	**NEUHOFF**	NIQUANT	**NORIEGA**	NUPTIAL
NAURUAN	**NEUILLY**	NIRVANA	**NORILSK**	NURAGHE
NAUSSAC	**NEUMANN**	**NISIBIS**	**NORIQUE**	NURAGHI
NAUTILE	NEURALE	NISSART	NORMALE	NURSAGE
NAVARIN	**NEURATH**	**NITERÓI**	NORMAND	NURSERY
NAVARIN	NEURAUX	**NITHARD**	**NORMAND**	NURSING
NAVARRE	NEURONE	NITRATE	NORMAUX	**NYERERE**
NAVETTE	NEURULA	NITRATÉ	**NORODOM**	NYMPHAL
NAVIGUÉ	NEUTRON	NITREUX	NORROIS	NYMPHÉA
NAVRANT	NEUVAIN	NITRILE	**NORVÈGE**	NYMPHÉE
NAYAISE	**NEVILLE**	NITRITE	**NORWICH**	**OAKLAND**
NAZISME	NÉVRAXE	NITROSÉ	**NOSSI-BÉ**	**OBALDIA**
NDEBELE	NÉVRITE	NITRURE	NOTABLE	OBÉRANT
NÉARQUE	NÉVROSE	NITRURÉ	NOTAIRE	**OBERNAI**
NECHAKO	NÉVROSÉ	NIVÉALE	NOTARIÉ	**OBÉSITÉ**
NÉCROSE	**NEWCOMB**	NIVEAUX	NOTIFIÉ	**OBIHIRO**
NÉCROSÉ	**NEW DEAL**	NIVÉAUX	NOTOIRE	OBJECTÉ
NÉFASTE	NEW-LOOK	NIVELÉE	NOUEUSE	OBLATIF
NÉFLIER	**NEWPORT**	NIVELER	**NOUGARO**	OBLIGÉE
NÉGATIF	NEW WAVE	NIVELLE	NOUILLE	OBLIGER
NÉGATON	**NEW YORK**	NIVÉOLE	**NOUKOUS**	OBLIQUE
NÉGLIGÉ	**NIAGARA**	**NIVKHES**	NOUMÈNE	OBLIQUÉ
NÉGOCIÉ	NIAISER	**NKRUMAH**	NOURRIE	OBOMBRÉ
NÉGONDO	NIAOULI	NOBLIAU	NOURRIR	OBSCÈNE
NÉGRIER	NICHANT	NOCEUSE	NOUVEAU	OBSCURE
NEGUNDO	NICHOIR	NOCTULE	**NOUVEAU**	OBSÉDÉE
NÉHÉMIE	NICKELÉ	NOCUITÉ	**NOVALIS**	OBSÉDER
NEIGEUX	**NICOBAR**	**NOETHER**	**NOVERRE**	OBSERVÉ
NÉLATON	NIÇOISE	**NOGARET**	**NOVI SAD**	OBSTINÉ
NELLORE	**NIÇOISE**	NOIRAUD	**NOVOTNY**	OBSTRUÉ
NÉLOMBO	**NICOLAS**		NOYAUTÉ	OBTENIR
NELUMBO	**NICOLLE**		NUAGEUX	OBTENUE

OBTURÉE	**OKHOTSK**	OOLITHE	ORIFICE	**OUDINOT**
OBTURER	**OKINAWA**	OPACITÉ	ORIGAMI	**OUED-ZEM**
OBUSIER	**OLDOWAY**	OPALINE	**ORIGÈNE**	**OUGANDA**
OBVIANT	**OLDUVAI**	OPALISÉ	ORIGINE	**OUGARIT**
OCARINA	OLÉACÉE	**OPARINE**	ORIGNAL	OUGRIEN
OCCIPUT	OLÉFINE	OPÉABLE	**ORIZABA**	OUGUIYA
OCCITAN	OLÉIQUE	OPÉRANT	**ORLANDO**	OUÏ-DIRE
OCCITAN	**OLENIOK**	OPHIURE	**ORLÉANS**	OUÏGOUR
OCCULTE	OLÉODUC	OPIACÉE	ORMEAUX	OUILLÉE
OCCULTÉ	OLIFANT	OPILION	**ORMONDE**	OUILLER
OCCUPÉE	OLIVAIE	OPINANT	**ORNAISE**	**OULLINS**
OCCUPER	OLIVIER	OPINION	ORNIÈRE	OURAGAN
OCÉANIE	OLIVINE	OPOSSUM	OROGÈNE	**OURALSK**
OCELLÉE	**OLSZTYN**	OPPIDUM	ORPHÉON	**OURANOS**
O'CONNOR	**OLTÉNIE**	OPPOSÉE	ORTHÈSE	OURAQUE
OCTANTE	**OLYMPIA**	OPPOSER	ORTHOSE	OURLANT
OCTAVIE	**OLYMPIE**	OPPRIMÉ	ORTOLAN	OURLIEN
OCTAVIÉ	**OLYMPIO**	OPTATIF	**ORVAULT**	OUTARDE
OCTOBRE	**OLYNTHE**	OPTIMAL	**ORVIETO**	OUTILLÉ
OCTROYÉ	**OMALIUS**	OPTIMUM	**OSBORNE**	OUTRAGE
OCTUPLE	OMANAIS	OPTIQUE	OSCILLÉ	OUTRAGÉ
ODAWARA	**OMANAIS**	OPULENT	OSEILLE	OUTRANT
ODIEUSE	OMBELLE	OPUNTIA	OSERAIE	**OUTREAU**
ODOACRE	OMBELLÉ	**OPUS DEI**	OSSÉINE	OUVERTE
ODONATE	OMBILIC	**ORADOUR**	OSSELET	OUVRAGE
ODORANT	OMBRAGE	ORAGEUX	**OSSÈTES**	OUVRAGÉ
ODYSSÉE	OMBRAGÉ	ORAISON	OSSEUSE	OUVRANT
ODYSSÉE	OMBRANT	ORALISÉ	OSSIFIÉ	**OUVRARD**
ŒILLET	OMBREUX	ORALITÉ	OSTÉITE	OUVREAU
ŒRSTED	**OMBRIEN**	**ORANAIS**	OSTENDE	OUVREUR
ŒRSTED	OMBRINE	ORANGÉE	**OSTENDE**	OUVRIER
OESLING	OMETTRE	ORANGER	OSTÉOME	OUVROIR
ŒSTRAL	OMICRON	ORATEUR	OSTIOLE	**OUZBÈKE**
ŒSTRUS	OMNIBUS	**ORBIGNY**	OSTRACA	**OUZOUER**
ŒUVRER	**OMPHALE**	ORBITAL	**OSTRAVA**	OVALISÉ
OFFENSE	ONCIALE	ORBITER	**OSTWALD**	OVARIEN
OFFENSÉ	ONCIAUX	**ORCADES**	**OSTYAKS**	OVARITE
OFFERTE	ONCQUES	**ORCAGNA**	OTALGIE	OVATION
OFFICES	ONCTION	**ORCHIES**	**OTHELLO**	OVIPARE
OFFICIÉ	ONDATRA	ORCHITE	OTOCYON	OVOCYTE
OFFRANT	ONDOYÉE	**ORCIVAL**	**OTOPENI**	OVOÏDAL
OFFREUR	ONDOYER	ORDALIE	**OTTERLO**	OVOTIDE
OGIVALE	ONDULÉE	ORDINAL	**OTTOKAR**	OVULANT
OGIVAUX	ONDULER	ORDONNÉ	OTTOMAN	OXACIDE
OGRESSE	ONÉREUX	OREILLE	**OUADDAÏ**	OXALATE
OHMIQUE	**ONÉSIEN**	**ORESTIE**	OUAILLE	OXALIDE
OIGNANT	ONE-STEP	**ØRESUND**	**OUARGLA**	**OXONIEN**
OIGNIES	ONGUENT	ORFÈVRE	OUATANT	OXONIUM
OÏRATES	ONGULÉE	ORFÉVRÉ	OUATINE	OXYDANT
OISEAUX	**ONITSHA**	ORFRAIE	OUATINÉ	OXYDASE
OISELET	**ONSAGER**	ORGANDI	OUBLIÉE	OXYGÈNE
OISELLE	**ONTARIO**	**ORGANON**	OUBLIER	OXYGÉNÉ
OISEUSE	ONTIQUE	ORGASME		OXYMORE
OKAYAMA	ONUSIEN	ORGELET		**OYAPOCK**
OKAZAKI	ONZIÈME	ORGUEIL		**OYASHIO**
O'KEEFFE	OOGAMIE	**ORIBASE**		**OYONNAX**
OKEGHEM		ORIENTÉ		OZONANT

OZONEUR	PALETTE	**PAPAGOS**	PARKING	PATINÉE
OZONIDE	**PALGHAT**	PAPAÏNE	PARLANT	PATINER
PACAGÉE	PALIÈRE	PAPAUTÉ	PARLEUR	**PATINIR**
PACAGER	**PALIKAS**	PAPAYER	PARLOIR	PÂTISSÉ
PACHTOU	**PALIKIR**	**PAPEETE**	PARLOTE	PATOCHE
PACIFIÉ	PALISSÉ	PAPESSE	PARLURE	PATRICE
PACIOLI	**PALISSY**	PAPETTE	**PARNELL**	**PATRICE**
PACKAGE	PALIURE	PAPILLE	PARODIE	**PATRICK**
PACQUÉE	**PALLAVA**	PAPISME	PARODIÉ	PATTERN
PACQUER	PALLÉAL	PAPISTE	PARQUÉE	PATTIER
PACTISÉ	PALLIÉE	PAPOTER	PARQUER	PÂTURÉE
PACTOLE	PALLIER	PAPRIKA	**PARQUES**	PÂTURER
PACTOLE	PALLIUM	PAPYRUS	PARQUET	PÂTURIN
PADDOCK	PALMIER	PAQUETÉ	PARRAIN	PATURON
PADICHA	**PALMIRA**	**PARACAS**	PARSEMÉ	**PAULHAN**
PADIRAC	PALMITE	**PARACEL**	**PARSONS**	PAULIEN
PADOUAN	PALMURE	PARADER	PARTAGE	**PAULING**
PAESTUM	**PALMYRE**	PARADIS	PARTAGÉ	PAUMANT
PAGAYER	PALOISE	PARADOR	PARTANT	PAUMOYÉ
PAGELLE	**PALOISE**	PARADOS	**PARTHES**	PAUSANT
PAGINÉE	**PALOMAR**	PARAFÉE	PARTIAL	PAUVRET
PAGINER	PALOMBE	PARAFER	PARTIEL	PAVANÉE
PAGNOTÉ	PÂLOTTE	PARAGES	PARTITA	PAVANER
PAGODON	PALPANT	**PARAÍBA**	PARTITE	**PAVELIC**
PAHLAVI	PALPEUR	**PARANAL**	PARTOUT	**PAVILLY**
PAHLAVI	PALPITÉ	PARAPET	PARVENU	**PAVLOVA**
PAHOUIN	PALUCHE	PARAPHE	PAS-À-PAS	PAVOISÉ
PAÏENNE	**PAMIERS**	PARAPHÉ	PASCALE	PAYABLE
PAIERIE	PAMPERO	PARASOL	PASCALS	PAYANTE
PAILLÉE	PANACÉE	PARÂTRE	PASCAUX	**PAYERNE**
PAILLER	PANACHE	PARBLEU	**PASCOLI**	PAYEUSE
PAILLIS	PANACHÉ	PARCAGE	PAS-D'ÂNE	PAYSAGE
PAILLON	PANAIRE	PARCHET	PASSADE	**PAYS-BAS**
PAIMPOL	PANARDE	PAR-DELÀ	PASSAGE	**PEACOCK**
PAIRAGE	PANARIS	PARDIEU	PASSANT	PÉAGÈRE
PAISLEY	PANDORE	PARÉAGE	**PASSERO**	**PEARSON**
PALABRE	**PANDORE**	PARÈDRE	PASSEUR	PÉBRINE
PALABRÉ	PANERÉE	PARE-FEU	PASSION	PÉCAÏRE
PALACKY	PANETON	PARÉLIE	PASSIVE	PECCANT
PALADIN	**PANHARD**	PARENTE	PASSIVÉ	PÉCHANT
PALADRU	PANIÈRE	PARENTÉ	PASTEUR	PÊCHANT
PALAFOX	PANIFIÉ	PARÉSIE	**PASTEUR**	PÊCHÈRE
PALAMAS	PANINIS	PARESSE	**PASTURE**	PÉCHEUR
PALAMÁS	PANIQUE	PARESSÉ	PATACHE	PÊCHEUR
PALATAL	PANIQUÉ	PARFAIT	PATARAS	PÉCLOTÉ
PALATIN	PANNEAU	PARFILÉ	PATARIN	**PECQUET**
PALATIN	**PANNINI**	PARFOIS	PATAUDE	PECTINE
PALÂTRE	PANORPE	PARFUMÉ	PATAUGÉ	PECTINÉ
PALAUAN	PANOSSE	PARIADE	PATELIN	PÉDALER
PALAUAN	PANOSSÉ	PARIAGE	PATELLE	PÉDANTE
PALAVAS	PANSAGE	PARIANT	PATENTE	PEDIBUS
PALAWAN	PANSANT	PARIEUR	PATENTÉ	PÉDIEUX
PALE-ALE	PANTELÉ	PARIGOT	PATERNE	PEDZANT
PALÉMON	PANTÈNE	PARISIS	PÂTEUSE	PEELING
PALERME	PANTOIS	**PARISIS**	**PATHMOS**	PÉGUEUX
PALERON	PANTOUM	PARJURE	**PATIALA**	PEIGNÉE
PALETOT	**PANURGE**	PARJURÉ	PATIENT	PEIGNER

PEINANT
PEINARD
PEINDRE
PEINTRE
PEÏPOUS
PÉKINÉE
PÉLADAN
PELAGOS
PELAUDE
PÈLERIN
PÈLERIN
PÉLIADE
PÉLICAN
PELISSE
PELLANT
PELLÉAS
PELLETÉ
PELLICO
PELLIOT
PELOTAS
PELOTÉE
PELOTER
PELOTON
PELOUSE
PELTIER
PELUCHE
PELUCHÉ
PELVIEN
PELVOUX
PENALTY
PÉNATES
PENAUDE
PENCHÉE
PENCHER
PENDAGE
PENDANT
PENDARD
PENDJAB
PENDOIR
PENDULE
PENDULÉ
PÉNÉTRÉ
PÉNIBLE
PÉNICHE
PENNAGE
PENNIES
PENROSE
PENSANT
PENSEUR
PENSION
PENSIVE
PENTANE
PENTOSE
PENTURE
PÉNURIE
PENZIAS
PÉPÈTES

PÉPIANT
PEPSINE
PEPTIDE
PERÇAGE
PERCALE
PERÇANT
PERCEUR
PERCHÉE
PERCHER
PERCHIS
PERCIER
PERCLUS
PERÇOIR
PERCUTÉ
PERDANT
PERDRIX
PERDURÉ
PEREIRA
PEREIRE
PÉRENNE
PERFIDE
PERFORÉ
PERFUSÉ
PERGAME
PERGAUD
PERGOLA
PÉRIDOT
PÉRIERS
PÉRIGÉE
PÉRIMÉE
PÉRIMER
PÉRINÉE
PÉRIODE
PÉRIPLE
PÉRITEL
PERLANT
PERLIER
PERLITE
PERMEKE
PERMIEN
PERMISE
PERMUTÉ
PÉRONNE
PÉRORER
PÉROTIN
PÉROUSE
PERPÈTE
PERRÉAL
PERREUX
PERRIER
PERROUX
PERSANE
PERSANE
PERSONÉ
PERTHUS
PERTINI
PERTUIS

PERTUIS
PÉRUGIN
PERUZZI
PERVERS
PESANTE
PESCARA
PÈSE-SEL
PESETTE
PESEUSE
PÈSE-VIN
PESTANT
PESTEUX
PÉTANGE
PÉTANTE
PÉTAURE
PÈTE-SEC
PÉTEUSE
PÉTILLÉ
PÉTIOLE
PÉTIOLÉ
PETIOTE
PÉTOCHE
PÉTOIRE
PÉTREUX
PÉTROLE
PÉTRONE
PÉTSAMO
PÉTUNER
PÉTUNIA
PEUGEOT
PEUPLÉE
PEUPLER
PEUREUX
PEVSNER
PEYRONY
PEYRUIS
PÉZENAS
PFENNIG
PHAÉTON
PHAÉTON
PHALÈNE
PHALLUS
PHANÈRE
PHARAON
PHARYNX
PHÉNATE
PHÉNYLE
PHIDIAS
PHILIPE
PHILIPS
PHILTRE
PHLÉOLE
PHLOÈME
PH-MÈTRE
PHOCÉEN
PHOCÉEN
PHOCIDE

PHOCION
PHOENIX
PHŒNIX
PHOLADE
PHONÈME
PHOTIOS
PHOTIUS
PHRASÉE
PHRASER
PHRYGIE
PHTISIE
PHYLLIE
PIAFFER
PIAILLÉ
PIANOTÉ
PIASTRE
PIAULER
PICABIA
PICADOR
PICARDE
PICARDE
PICAREL
PICASSO
PICCARD
PICCOLI
PICCOLO
PICENUM
PICKLES
PICOLÉE
PICOLER
PICORÉE
PICORER
PICOTÉE
PICOTER
PICOTIN
PICPOUL
PICRATE
PICRIDE
PICTAVE
PICTONS
PIC-VERT
PIÉGEUR
PIE-MÈRE
PIÉMONT
PIÉMONT
PIÉRIDE
PIERRÉE
PIERROT
PIERROT
PIÉTANT
PIÉTINÉ
PIEUTÉE
PIEUTER
PIEUVRE
PIFFANT
PIGALLE
PIGEANT

PIGISTE
PIGMENT
PIGNADA
PIGNADE
PIGNOUF
PILAIRE
PILÂTRE
PILEUSE
PILLAGE
PILLANT
PILLARD
PILLEUR
PILNIAK
PILONNÉ
PILOTÉE
PILOTER
PILOTIN
PILOTIS
PIMBINA
PIMENTÉ
PIMPANT
PINACÉE
PINACLE
PINASSE
PINÇAGE
PINÇANT
PINÇARD
PINCEAU
PINÇURE
PINDARE
PINÉALE
PINEAUX
PINÉAUX
PINIÈRE
PINNULE
PINTADE
PINTANT
PIOCHÉE
PIOCHER
PIONCÉE
PIONCER
PIORNER
PIPEAUX
PIPELET
PIPERIE
PIPETTE
PIPEUSE
PIPIÈRE
PIPRIAC
PIQUAGE
PIQUANT
PIQUETÉ
PIQUEUR
PIQUEUX
PIQUIER
PIRANHA
PIRATÉE

PIRATER	PLANQUÉ	PLUMIER	**POLLINI**	PORTAGE
PIRENNE	PLANTÉE	PLUMULE	**POLLOCK**	PORTAIL
PIROGUE	PLANTER	PLURALE	POLLUÉE	PORTALE
PIROJKI	**PLANTIN**	PLURAUX	POLLUER	PORTANT
PIRQUET	PLANTON	PLURIEL	**POLOGNE**	PORTAUX
PISCINE	**PLANUDE**	PLUVIAL	**POLTAVA**	**PORT-BOU**
PISSANT	PLAQUÉE	PLUVIAN	POLTRON	PORTEUR
PISSEUR	PLAQUER	PLUVIER	**POLTROT**	**PORTICI**
PISSEUX	PLASTIC	PLUVINÉ	POLYSOC	PORTIER
PISSOIR	PLASTIE	**POBIEDY**	POMEROL	**PORTIER**
PISTAGE	PLATANE	POCHADE	**POMEROL**	PORTION
PISTANT	PLATEAU	POCHANT	**POMIANE**	**PORTOIS**
PISTARD	**PLATEAU**	POCHARD	POMMADE	**POSADAS**
PISTEUR	**PLATÉES**	POCHOIR	POMMADÉ	POSEUSE
PISTOIA	PLATINE	PODAGRE	POMMANT	POSITIF
PISTOLE	PLATINÉ	PODAIRE	POMMARD	POSITON
PITANCE	**PLATINI**	**PODOLIE**	**POMMARD**	POSSÉDÉ
PITBULL	PLATODE	**PODOLSK**	POMMEAU	POSTAGE
PITE ÄLV	PLÂTRAS	PŒCILE	POMMELÉ	POSTALE
PITESTI	PLÂTRÉE	POÊLANT	POMMIER	POSTANT
PITEUSE	PLÂTRER	POÉTISÉ	POMPAGE	POSTAUX
PITOËFF	PLAY-BOY	POGROME	POMPANT	POSTIER
PITONNÉ	PLECTRE	POIGNÉE	POMPEUX	POSTULÉ
PITUITE	PLÉIADE	POIGNET	POMPIER	POSTURE
PIVOINE	**PLÉIADE**	POILANT	POMPILE	POTABLE
PIVOTER	**PLÉNEUF**	POINÇON	PONÇAGE	POTACHE
PIZARRO	PLÉNIER	POINDRE	PONÇANT	POTAGER
PLACAGE	**PLESSIS**	POINTÉE	PONCEAU	POTAMOT
PLAÇANT	**PLESTIN**	POINTER	PONCEUX	POTASSE
PLACARD	PLEURAL	POINTIL	PONCTUÉ	POTASSÉ
PLACEBO	PLEURÉE	POINTUE	PONDANT	POTEAUX
PLACEUR	PLEURER	**POINTUE**	PONDÉRÉ	POTELÉE
PLACIDE	PLEUTRE	POIREAU	PONDEUR	POTENCE
PLACIER	**PLEYBEN**	POIRIER	PONDOIR	POTENCÉ
PLACOTÉ	PLIABLE	POIROTÉ	PONETTE	**POTENZA**
PLAÇURE	PLIANTE	POISSÉE	PONGIDÉ	POTERIE
PLAFOND	PLIEUSE	POISSER	**PONSARD**	POTERNE
PLAGIAT	PLINTHE	POISSON	PONTACQ	**POTHIER**
PLAGIÉE	PLISSÉE	POIVRÉE	PONTAGE	POTICHE
PLAGIER	PLISSER	POIVRER	**PONTANO**	**POTIDÉE**
PLAIDÉE	**PLOESTI**	POIVRON	PONTANT	POTIÈRE
PLAIDER	PLOMBÉE	POIVROT	**PONTIAC**	POTINER
PLAINTE	PLOMBER	POLAIRE	PONTIER	POTIRON
PLAISIR	PLONGÉE	**POLAIRE**	PONTIFE	**POTOCKI**
PLAISIR	PLONGER	**POLANYI**	PONTINE	**POTOMAC**
PLANAGE	**PLOUTOS**	POLAQUE	**PONTINS**	POTSDAM
PLANANT	**PLOVDIV**	POLARDE	**PONTIVY**	**POTTIER**
PLANCHE	PLOYANT	POLENTA	**PONTOIS**	POTTOCK
PLANCHE	PLUCHÉE	**POLÉSIE**	POP ARTS	POUACRE
PLANCHÉ	PLUCHER	POLICÉE	**POPAYÁN**	**POUANCÉ**
PLANÇON	PLUCHES	POLICER	POP-CORN	POUCIER
PLANÈTE	**PLÜCKER**	**POLIERI**	POPLITÉ	POUDING
PLANEUR	PLUMAGE	**POLIGNY**	POPOTIN	POUDRÉE
PLANÈZE	PLUMANT	POLISTE	POQUANT	POUDRER
PLANIOL	PLUMARD	**POLÍTIS**	PORCHER	POUDRIN
PLANOIR	PLUMEAU	**POLLACK**	PORCINE	POUFFER
PLANQUE	PLUMEUX		POREUSE	POUGNER

POUGUES	PRÉFACÉ	PRISANT	PRUNIER	PUSTULE
POUILLE	PRÉFÉRÉ	PRISEUR	PRURIGO	PUTATIF
POUILLY	PRÉFÈTE	PRIVANT	**PRUSIAS**	**PUTEAUX**
POUILLY	PRÉFIXE	PROBANT	PRUSSIK	PUTRIDE
POULAIN	PRÉFIXÉ	PROBITÉ	PRYTANE	PUTTANT
POULBOT	PRÉJUGÉ	PROCÉDÉ	PSCHENT	PUTTING
POULBOT	PRÉLART	**PROCLUS**	**PSELLOS**	PYCNOSE
POULENC	PRÉLEVÉ	**PROCOPE**	PUBERTÉ	PYOGÈNE
POULINÉ	PRÉLUDE	PROCRÉÉ	PUBLIÉE	PYRANNE
POULIOT	PRÉLUDÉ	PROCURE	PUBLIER	PYREXIE
POUPARD	**PRÉMERY**	PROCURÉ	**PUCCINI**	PYROSIS
POUPINE	PREMIER	PRODIGE	PUCEAUX	**PYRRHON**
POURBUS	PRÉMUNI	PRO DOMO	PUCELLE	**PYRRHOS**
POURPRE	PRENANT	PRODUIT	**PUCELLE**	**PYRRHUS**
POURPRÉ	PRENDRE	PROFANE	PUCERON	PYRROLE
POURRAT	PRENEUR	PROFANÉ	PUCHEUX	**PYTHÉAS**
POURRIE	PRÉORAL	PROFÉRÉ	PUDDING	PYTHIEN
POURRIR	PRÉPARÉ	PROFILÉ	PUDDLÉE	QARAÏTE
POURVOI	PRÉPAYÉ	PROFITÉ	PUDDLER	**QARAÏTE**
POURVUE	PRÉPOSÉ	PROFOND	PUDIQUE	**QINGDAO**
POUSSAH	PRÉPUCE	PROFUSE	PUÉRILE	**QINGHAI**
POUSSÉE	PRÉSAGE	PROGRÈS	PUGILAT	**QINLING**
POUSSER	PRÉSAGÉ	PROHIBÉ	PUGNACE	**QIQIHAR**
POUSSIF	PRÉ-SALÉ	PROJETÉ	PUISAGE	QUALITÉ
POUSSIN	PRÉSENT	PROLIXE	PUISANT	QUANTON
POUSSIN	PRÉSIDE	PROMENÉ	PUISARD	QUANTUM
POUTINE	PRÉSIDÉ	PROMISE	**PUISAYE**	QUARTÉE
POUTSÉE	**PRESLEY**	PROMPTE	PUISQUE	QUARTER
POUTSER	PRESQUE	PRÔNANT	**PULIGNY**	**QUARTON**
POUVANT	PRESSÉE	PRONAOS	PULLMAN	QUASSIA
POUVOIR	PRESSER	PRÔNEUR	**PULLMAN**	QUATUOR
PRADÉEN	PRESTÉE	PROPAGÉ	PULLULÉ	QUECHUA
PRADIER	PRESTER	PROPANE	PULMONÉ	**QUECHUA**
PRAGOIS	**PRESTON**	PROPÈNE	PULPEUX	**QUEIRÓS**
PRAGOIS	PRÉSUMÉ	PROPICE	PULPITE	**QUELLIN**
PRAIRIE	PRÉSURE	PROPOSÉ	PULSANT	QUEL QUE
PRAIRIE	PRÉSURÉ	PROPRET	PULSION	QUELQUE
PRAKRIT	PRÊTANT	PROPRIO	PULTACÉ	**QUENEAU**
PRALINE	PRÊTEUR	PRORATA	PUNAISE	**QUENTAL**
PRALINÉ	PRÊTEUR	PROROGÉ	PUNAISÉ	**QUERCIA**
PRA-LOUP	PRÉTURE	**PROSPER**	PROSTRÉ	QUÈSACO
PRANDTL	PRÉVALU	PROSTRÉ	PUNCTUM	**QUESNAY**
PRASLIN	PRÉVENU	**PROTAIS**	PUNIQUE	**QUESNEL**
PRÉAULT	**PRÉVERT**	PROTASE	PUNITIF	**QUESNOY**
PRÉAVIS	PRÉVOIR	PROTÉGÉ	PUPILLE	QUÊTANT
PRÉCÉDÉ	**PRÉVOST**	PROTÈLE	PUPITRE	QUÊTEUR
PRÊCHÉE	PRÉVÔTÉ	PROTIDE	**PURCELL**	QUETZAL
PRÊCHER	PRIAPÉE	PROTOMÉ	PUREAUX	QUEUSOT
PRÉCISE	PRIEURE	PROUVÉE	PURGEUR	QUEUTER
PRÉCISÉ	PRIEURÉ	PROUVER	PURIFIÉ	**QUEVEDO**
PRÉCITÉ	PRIMALE	PROVENU	PURIQUE	**QUEYRAS**
PRÉCOCE	PRIMANT	PROXÈNE	PURISME	QUICHUA
PRÉCUIT	PRIMATE	**PROVINS**	PURISTE	**QUIERZY**
PRÉDATÉ	PRIMAUX	**PROXIMA**	PUROTIN	QUIGNON
PRÉDIRE	PRIMEUR	PRUDENT	PURPURA	**QUILLAN**
PRÉDITE	PRIORAT	**PRUD'HON**	PUR-SANG	**QUILMES**
PRÉFACE	**PRIPIAT**	PRUNEAU	**PURUSHA**	**QUIMPER**

QUINAUD	RADOTÉE	RAMONÉE	RAUCITÉ	RECASÉE
QUINCKE	RADOTER	RAMONER	RAUQUER	RECASER
QUI NHON	RADOUBÉ	RAMPANT	RAVAGÉE	RECAUSÉ
QUININE	RADOUCI	**RAMSDEN**	RAVAGER	RECÉDÉE
QUINONE	**RAEBURN**	RANATRE	RAVALÉE	RECÉDER
QUINTAL	RAFFINÉ	RANCARD	RAVALER	RECELÉE
QUINTET	RAFFOLÉ	RANCART	RAVAUDÉ	RECELER
QUINTIN	RAFFÛTÉ	RANCHER	**RAVELLO**	RÉCENCE
QUINTON	RAFIAUX	RANCHES	**RAVENNE**	RECENSÉ
QUIRITE	RAFLANT	RANCUNE	RAVILIE	RÉCENTE
QUISSAC	RAFTING	**RANDERS**	RAVILIR	RECEPÉE
QUITTÉE	RAGEANT	**RANGOON**	RAVINÉE	RECEPER
QUITTER	RAGEUSE	**RANGPUR**	RAVINER	RECETTE
QUI VIVE	RAGRÉÉE	RANIMÉE	RAVIOLE	RECHAPÉ
QUI-VIVE	RAGRÉER	RANIMER	RAVIOLI	RÉCHAUD
QUÔC-NGU	RAGTIME	**RANKINE**	RAVISÉE	RECHUTE
QUOIQUE	RAGUANT	**RANVIER**	RAVISER	RECHUTÉ
QUOTITÉ	**RAÏATEA**	**RAPALLO**	RAVIVÉE	RÉCIFAL
RABÂCHÉ	RAIDEUR	RÂPEUSE	RAVIVER	RÉCITAL
RABANNE	RAIFORT	**RAPHAËL**	**RAYMOND**	RÉCITÉE
RABATTU	RAILLÉE	RAPHIDE	**RAYNAUD**	RÉCITER
RABIOTÉ	RAILLER	RAPIATE	RAYONNE	RÉCLAME
RABIQUE	**RAIMOND**	RAPIÉCÉ	RAYONNÉ	RÉCLAMÉ
RABONNI	RAINANT	RAPIÈRE	**RAZILLY**	RECLOUÉ
RABOTÉE	**RAINIER**	RAPINÉE	RAZZIÉE	RECLUSE
RABOTER	RAINURE	RAPINER	RAZZIER	RÉCOLÉE
RABOUTÉ	RAINURÉ	RAPLATI	RÉACTIF	RÉCOLER
RABROUÉ	RAISINÉ	RAPPELÉ	**READING**	RECOLLÉ
RACCARD	**RAISMES**	RAPPEUR	RÉADMIS	RÉCOLTE
RACCORD	RAJEUNI	RAPPORT	RÉALÉSÉ	RÉCOLTÉ
RACCROC	RAJOUTÉ	RAPPRIS	RÉALGAR	RECONNU
RACHETÉ	RAJUSTÉ	RAPSODE	RÉALISÉ	RECOPIÉ
RACH GIA	**RÁKÓCZI**	RAQUANT	RÉALITÉ	RECORDÉ
RACIALE	RÂLANTE	RARÉFIÉ	RÉANIMÉ	RECOUPE
RACIAUX	**RALEIGH**	RASANTE	RÉARMÉE	RECOUPÉ
RACINAL	RALENTI	RASETTE	RÉARMER	RECOURS
RACISME	RÂLEUSE	RASEUSE	**RÉAUMUR**	RECOURU
RACISTE	RALLIDÉ	RASIBUS	REBÂTIE	RECOUSU
RACLAGE	RALLIÉE	**RASPAIL**	REBÂTIR	RECRÉÉE
RACLANT	RALLIER	RASSISE	REBATTU	RÉCRÉÉE
RACLEUR	RALLUMÉ	RASSURÉ	**RÉBECCA**	RECRÉER
RACLOIR	RAMADAN	**RASTADT**	REBELLE	RÉCRÉER
RACLURE	RAMAGÉE	**RASTATT**	REBELLÉ	RECRÉPI
RACOLÉE	RAMAGER	RATAFIA	REBIFFÉ	RÉCRIÉE
RACOLER	RAMASSÉ	RÂTEAUX	REBIQUÉ	RÉCRIER
RACONTÉ	**RAMBERT**	RÂTELÉE	REBOIRE	RÉCRIRE
RACORNI	RAMEAUX	RÂTELER	REBOISÉ	RÉCRITE
RADEAUX	RAMENDÉ	RATIÈRE	REBONDI	RECRUTÉ
RADEUSE	RAMENÉE	RATIFIÉ	REBORDÉ	RECTALE
RADIALE	RAMENER	**RÄTIKON**	REBOURS	RECTAUX
RADIANT	RAMETTE	RATINÉE	REBRODÉ	RECTEUR
RADIAUX	RAMEUSE	RATINER	REBRÛLÉ	RECTION
RADICAL	RAMEUTÉ	RATISSÉ	REBUTÉE	RECTITE
RADIEUX	RAMIFIÉ	RATURÉE	REBUTER	RECUEIL
RADINÉE	RAMILLE	RATURER	RECADRÉ	RECUIRE
RADINER	RAMOLLI	RAUCHÉE	RECALÉE	RECUITE
RADINES	RAMOLLO	RAUCHER	RECALER	RECULÉE

RECULER	REGARDÉ	RELEVER	RENIFLÉ	REPRINT
RÉCURÉE	REGARNI	RELIAGE	**RENNAIS**	REPRISE
RÉCURER	RÉGATER	RELIANT	RENOMMÉ	REPRISÉ
RÉCUSÉE	REGELÉE	RELIEUR	RENONCE	REPTILE
RÉCUSER	REGELER	RELIQUE	RENONCÉ	RÉPUDIÉ
RECYCLÉ	RÉGENCE	RELIURE	RENOUÉE	RÉPUGNÉ
RED DEER	**RÉGENCE**	RELOGÉE	RENOUER	RÉPUTÉE
REDDING	REGENCY	RELOGER	RÉNOVÉE	REQUETÉ
REDENTÉ	RÉGENTE	RELOOKÉ	RÉNOVER	REQUÊTE
REDFORD	RÉGENTÉ	RELOUÉE	RENTAMÉ	REQUÊTÉ
RÉDIGÉE	**REGGANE**	RELOUER	RENTANT	REQUIEM
RÉDIGER	REGIMBÉ	RELUIRE	RENTIER	REQUISE
REDIMÉE	RÉGLAGE	RELUQUÉ	RENTRÉE	RESALÉE
RÉDIMÉE	RÉGLANT	REMÂCHÉ	RENTRER	RESALER
RÉDIMER	RÉGLEUR	REMANGÉ	RENVIDÉ	RESALIE
REDONNÉ	RÉGLURE	REMANIÉ	RENVOYÉ	RESALIR
REDORÉE	RÉGNANT	REMARIÉ	RÉOPÉRÉ	RESCAPÉ
REDORER	**REGNARD**	REMBLAI	REPAIRE	RESCRIT
REDOUTE	**RÉGNIER**	REMÉDIÉ	REPAIRÉ	RÉSEAUX
REDOUTÉ	**REGNITZ**	REMISÉE	RÉPANDU	RÉSÉQUÉ
REDOUTÉ	REGORGÉ	REMISER	RÉPARÉE	RÉSERVE
RÉDUIRE	REGRÉÉE	**REMIZOV**	RÉPARER	RÉSERVÉ
RÉDUITE	REGRÉER	REMMENÉ	REPARLÉ	RÉSIDER
RÉÉCRIT	RÉGULÉE	RÉMOISE	REPARTI	RÉSIGNÉ
RÉÉDITÉ	RÉGULER	**RÉMOISE**	RÉPARTI	RÉSILIÉ
RÉÉLIRE	**REGULUS**	REMONTE	REPARUE	RÉSILLE
REFAIRE	RÉIFIÉE	REMONTÉ	REPASSÉ	RÉSINÉE
REFAITE	RÉIFIER	REMORDS	REPAVÉE	RÉSINER
REFENDU	**REINACH**	REMORDU	REPAVER	RÉSISTÉ
RÉFÉRÉE	RÉITÉRÉ	REMOULU	REPAYÉE	**RESNAIS**
RÉFÉRER	REJETÉE	REMPART	REPAYER	RÉSOLUE
REFERMÉ	REJETER	REMPILÉ	REPÊCHÉ	RÉSONNÉ
REFILÉE	REJETON	REMPLIE	REPEINT	RÉSORBÉ
REFILER	REJOINT	REMPLIÉ	REPENDU	RESPECT
REFLÉTÉ	REJOUÉE	REMPLIR	REPENSÉ	RESPIRÉ
RÉFLEXE	REJOUER	REMPLOI	REPENTI	RESSAUT
REFLUER	RÉJOUIE	REMPOTÉ	REPERCÉ	RESSAYÉ
REFONDÉ	RÉJOUIR	REMUAGE	REPERDU	RESSEMÉ
REFONDU	REJUGÉE	REMUANT	REPÉRÉE	RESSORT
REFONTE	REJUGER	REMUEUR	REPÉRER	RESSUER
REFORMÉ	RELÂCHE	REMUGLE	RÉPÉTÉE	RESSUYÉ
RÉFORME	RELÂCHÉ	**RÉMUSAT**	RÉPÉTER	RESTANT
RÉFORME	RELANCE	RENÂCLÉ	REPIQUE	RESTAUX
RÉFORMÉ	RELANCÉ	RENARDE	REPIQUÉ	**RESTOUT**
REFOULÉ	RELAPSE	RENAUDÉ	REPLACÉ	RESUCÉE
REFRAIN	RÉLARGI	**RENAULT**	REPLÈTE	RÉSULTÉ
RÉFRÉNÉ	RELATÉE	RENCARD	REPLIÉE	RÉSUMÉE
RÉFRÉNÉ	RELATER	RENDANT	REPLIER	RÉSUMER
RÉFUGIÉ	RELATIF	RENÉGAT	REPLOYÉ	RESURGI
REFUSÉE	RELAVÉE	RENEIGÉ	REPOLIE	RETABLE
REFUSER	RELAVER	RENETTE	REPOLIR	RÉTABLI
RÉFUTÉE	RELAXÉE	RENFILÉ	RÉPONDU	**RÉTAISE**
RÉFUTER	RELAXER	RENFLÉE	RÉPONSE	RÉTAMÉE
REGAGNÉ	RELAYÉE	RENFLER	REPORTÉ	RÉTAMER
RÉGALEC	RELAYER	RENFORT	REPOSÉE	RETAPÉE
RÉGALÉE	RELÉGUÉ	RENGAGÉ	REPOSER	RETAPER
RÉGALER	RELEVÉE	RENIANT	RÉPRIMÉ	RETARDÉ

RETÂTÉE	REVOILÀ	RIFLOIR	**RODÉRIC**	ROSEAUX
RETÂTER	REVOLER	RIGODON	RÔDEUSE	ROSELET
RETENDU	RÉVOLTE	RIGOLER	**RODIÈRE**	ROSÉOLE
RETENIR	RÉVOLTÉ	RIGOTTE	ROGATON	ROSETTE
RETENTÉ	RÉVOLUE	RIGUEUR	ROGNAGE	ROSEVAL
RETENTI	RÉVOQUÉ	**RIGVEDA**	ROGNANT	**ROSHEIM**
RETENUE	REVOTÉE	RILLONS	ROGNEUX	ROSIÈRE
RETENUS	REVOTER	**RIMBAUD**	ROGNURE	**ROSNÉEN**
RETIERS	REVOULU	RIMEUSE	ROGOMME	ROSSANT
RÉTINOL	RÉVULSÉ	RINÇAGE	ROIDEUR	ROSSARD
RÉTIQUE	**REWBELL**	RINÇANT	**ROI LEAR**	**ROSSINI**
RETIRÉE	REWRITÉ	RINCEAU	ROILLÉE	**ROSTAND**
RETIRER	REXISME	RINCEUR	ROILLER	**ROSTOCK**
RETISSÉ	REXISTE	RINÇURE	**ROLANDO**	ROSTRAL
RETOMBÉ	**REYMONT**	RINGARD	**ROLLAND**	ROTACÉE
RETONDU	**REYNAUD**	RINGGIT	ROLLIER	ROTATIF
RETORDU	**REYNOSA**	**RINTALA**	**ROLLINS**	**ROTGANG**
RETORSE	RHÉNANE	**RIOMOIS**	**ROMAGNE**	**ROTHARI**
RETRACÉ	RHÉNIUM	**RÍO MUNI**	ROMAINE	**ROTONDA**
RETRAIT	RHÉTEUR	**RIORGES**	**ROMAINE**	ROTONDE
RETRAYÉ	RHINITE	RIOTANT	**ROMAINS**	ROTRING
RÉTRÉCI	RHIZOME	**RIOURIK**	ROMANCE	ROUABLE
RETSINA	RHODIÉE	RIPATON	ROMANCÉ	ROUANNE
REUBELL	RHODIUM	RIPIENO	ROMANDE	**ROUAULT**
RÉUNION	RHODOÏD	RIPOLIN	**ROMANDE**	**ROUBAIX**
RÉUNION	**RHODOPE**	RIPOSTE	ROMANÉE	**ROUBAUD**
RÉUSSIE	**RHONDDA**	RIPOSTÉ	**ROMANIA**	**ROUBLEV**
RÉUSSIR	**RHÔXANE**	RISETTE	**ROMANOS**	ROUELLE
REUTERS	RHUMANT	RISIBLE	**ROMANOV**	ROUERIE
REVALUE	RHYTINE	RISOTTO	ROMARIN	ROUGEUR
RÊVASSÉ	**RIANTEC**	RISQUÉE	**ROMILLY**	ROUILLE
REVÊCHE	**RIBALTA**	RISQUER	ROMPANT	ROUILLÉ
REVÉCUE	RIBAUDE	RISSOLE	**ROMUALD**	ROULADE
RÉVÉLÉE	**RIBÉRAC**	RISSOLÉ	**ROMULUS**	ROULAGE
RÉVÉLER	RIBOUIS	**RIVAROL**	RONCEUX	ROULANT
REVENDU	RIBOULÉ	RIVETÉE	**RONCHIN**	ROULEAU
REVENIR	RICAINE	RIVETER	RONCHON	**ROULERS**
REVENTE	**RICAINE**	**RIVETTE**	RONCIER	ROULEUR
REVENUE	RICANER	**RIVIERA**	**RONCONI**	ROULIER
REVERDI	**RICARDO**	RIVIÈRE	RONDADE	ROULURE
REVERDY	RICHARD	**RIVIÈRE**	RONDEAU	ROUMAIN
RÉVÉRÉE	**RICHARD**	RIZERIE	RONDEUR	**ROUMAIN**
RÉVÉRER	**RICHIER**	RIZETTE	RONDIER	ROUQUIN
RÊVERIE	**RICHTER**	RIZIÈRE	RONÉOTÉ	**ROUSSEL**
REVERSÉ	**RICIMER**	**ROBBINS**	RONFLER	ROUSSIE
REVERSI	RICOCHÉ	**ROBERTI**	RONGEUR	ROUSSIN
REVÊTIR	**RICŒUR**	ROBINET	**RONSARD**	**ROUSSIN**
REVÊTUE	RICOTTA	ROBUSTA	RÖNTGEN	ROUSSIR
RÊVEUSE	RIDEAUX	ROBUSTE	**RÖNTGEN**	**ROUSTAN**
REVIENT	RIDELLE	ROCHAGE	ROQUANT	ROUTAGE
REVIGNY	**RIDGWAY**	ROCHANT	**RORAIMA**	ROUTANT
RÉVISÉE	**RIÉCOIS**	ROCHEUX	RORQUAL	ROUTARD
RÉVISER	**RIEMANN**	ROCHIER	ROSACÉE	ROUTEUR
REVISSÉ	**RIEUMES**	ROCKEUR	ROSAIRE	ROUTIER
REVIVAL	RIFAINE	ROCOUÉE	**ROSARIO**	ROUTINE
REVIVRE	**RIFAINE**	ROCOUER	ROSÂTRE	ROUVERT
REVOICI	RIFLARD		**ROSCOFF**	**ROUVIER**

ROUVRAY	SABELLE	**SALAZAR**	SÃO LUÍS	**SAULDRE**
ROUVRIR	**SABINUS**	**SALAZIE**	SÃO TOMÉ	**SAULIEU**
ROUVROY	SABLAGE	**SALBRIS**	SAOULÉE	SAUMONÉ
ROWLAND	**SABLAIS**	SALCHOW	SAOULER	SAUMURE
ROYAUME	SABLANT	**SALERNE**	SAPAJOU	SAUMURÉ
ROYAUMÉ	SABLEUR	SALERON	SAPÈQUE	SAUNAGE
ROYAUTÉ	SABLEUX	**SALGADO**	SAPERDE	SAUNANT
ROYENNE	SABLIER	SALIÈRE	SAPHÈNE	SAUNIER
RUBANÉE	SABORDÉ	**SALIERI**	**SAPPORO**	SAURAGE
RUBANER	SABOTÉE	SALIFIÉ	SAQUANT	SAURANT
RUBÉOLE	SABOTER	**SALINAS**	**SARAGAT**	SAURIEN
RUBICAN	SABOULÉ	**SALIOUT**	**SARANSK**	SAUTAGE
RUBICON	SABRAGE	SALIQUE	**SARAPIS**	SAUTANT
RUBROEK	**SABRAIS**	SALIVER	**SARASIN**	SAUTEUR
RUCHANT	SABRANT	**SALLUIT**	SARATOV	SAUTIER
RUCHARD	SABREUR	**SALOMON**	**SARAWAK**	SAUTOIR
RUDENTÉ	SACCADE	SALOPÉE	**SARAZIN**	SAUVAGE
RUDÉRAL	SACCADÉ	SALOPER	SARCINE	**SAUVAGE**
RUDESSE	SACCAGE	**SALOUEN**	SARCLÉE	SAUVANT
RUDISTE	SACCAGÉ	SALUANT	SARCLER	SAUVETÉ
RUDOYÉE	SACCULE	SALUBRE	SARCOME	SAUVEUR
RUDOYER	SACHANT	**SALUCES**	SARDANE	**SAUVEUR**
RUFFIAN	SACOCHE	**SALZACH**	SARDINE	SAVANTE
RUFIYAA	SACQUÉE	**SAMARIE**	SARIGUE	SAVARIN
RUGUEUX	SACQUER	**SAMARRA**	SARISSE	**SAVENAY**
RUINANT	SACRALE	SAMNITE	SARMENT	**SAVERNE**
RUINEUX	SACRANT	**SAMNIUM**	SARNATH	**SAVIGNY**
RUINURE	SACRAUX	SAMOANE	SAROUAL	**SAVINIO**
RUMFORD	SADIENS	**SAMOANE**	SAROUEL	SAVONNÉ
RUMILLY	SADIQUE	**SAMOËNS**	SAROYAN	SAVOURÉ
RUMINÉE	SADISME	SAMOVAR	**SARRAIL**	SAXHORN
RUMINER	**SADOLET**	SAMPANG	**SARRANS**	SAXONNE
RUNIQUE	SAFRANÉ	SAMPLÉE	**SARRAUT**	**SAXONNE**
RUPTEUR	**SAGASTA**	SAMPLER	SARRÈTE	SAYNÈTE
RUPTURE	SAGESSE	SANCTUS	**SARROIS**	SCALÈNE
RURBAIN	SAGETTE	**SANDAGE**	**SARTÈNE**	SCALPÉE
RUSHDIE	SAGITTÉ	SANDALE	**SARTINE**	SCALPEL
RUSSELL	**SAGONTE**	**SANDEAU**	**SARZEAU**	SCALPER
RUSSULE	SAGOUIN	SANDJAK	SASHIMI	SCANDÉE
RUSTAUD	SAIGNÉE	SANGLÉE	SASSANT	SCANDER
RUSTINE	SAIGNER	SANGLER	**SASSARI**	SCANNÉE
RUTACÉE	**SAIKAKU**	SANGLON	SATANÉE	SCANNER
RUTHÈNE	**SAILLAT**	SANGLOT	SATIÉTÉ	SCAPULA
RUTHÈNE	SAILLIE	SANGRIA	SATINÉE	SCAROLE
RUTILER	SAILLIR	SANGSUE	SATINER	**SCARRON**
RUTULES	SAÏMIRI	SANGUIN	**SATLEDJ**	**SCÉENNE**
RUY BLAS	**SAINTES**	SANICLE	**SATOLAS**	SCELLÉE
RUZANTE	**SAINT-LÔ**	SANIEUX	**SATPURA**	SCELLER
RUZICKA	**SAISIES**	**SAN JOSE**	SATRAPE	SCELLÉS
RYBINSK	SAISINE	**SAN JOSÉ**	SATURÉE	SCEPTRE
RYDBERG	**SAISSET**	**SAN JUAN**	SATURER	**SCHACHT**
RYSWICK	**SAKARYA**	**SANNOIS**	**SATURNE**	SCHADER
RYTHMÉE	**SALADIN**	SANRAKU	SAUÇANT	SCHAPPE
RYTHMER	**SALAGOU**	**SAN REMO**	SAUCIER	**SCHEELE**
RZESZÓW	SALAIRE	SANS-FIL	**SAUGUES**	**SCHEIDT**
SAAS FEE	SALARIÉ	**SANTA FE**	**SAUGUET**	SCHELEM
SABAYON	**SALAVAT**	SANTIAG	SAULAIE	**SCHELER**

SCHERZO	SEA-LINE	SÉMIQUE	SERVILE	**SHUMWAY**
SCHIELE	**SEATTLE**	SEMONCE	SERVITE	SHUNTÉE
SCHILDE	SÉBACÉE	SEMONCÉ	SESSILE	SHUNTER
SCHINDÉ	SÉBASTE	SEMOULE	SESSION	**SIALKOT**
SCHINER	**SEBONDE**	SÉNEÇON	SÉTACÉE	SIAMANG
SCHISME	SÉCABLE	**SEMPACH**	**SÉTOISE**	SIAMOIS
SCHISTE	SÉCANTE	**SEMPRUN**	**SETTONS**	**SIBÉRIE**
SCHLASS	SÉCHAGE	**SENEFFE**	**SETÚBAL**	SIBYLLE
SCHLEUE	SÉCHANT	**SÉNÉGAL**	**SÉVERAC**	SICAIRE
SCHLICK	SÉCHEUR	**SÉNÈQUE**	**SÉVÈRES**	**SICANES**
SCHMIDT	SÉCHOIR	**SENGHOR**	**SÉVERIN**	SICCITÉ
SCHMITT	SECONDE	**SENNETT**	SÉVICES	**SICHUAN**
SCHNAPS	SECONDÉ	SENNEUR	**SÉVIGNÉ**	**SICULES**
SCHNOCK	SECOUÉE	**SENONES**	**SÉVILLE**	**SICYONE**
SCHNOUF	SECOUER	**SÉNOUFO**	SEVRAGE	SIDE-CAR
SCHOFAR	SECOURS	SENSASS	SEVRANT	SIDÉRAL
SCHOLEM	SECOURU	SENSEUR	**SÉVRIEN**	SIDÉRÉE
SCHOLIE	SECRÈTE	SENSUEL	SEXISME	SIDÉRER
SCHORRE	SECRÉTÉ	SENTANT	SEXISTE	**SIDOBRE**
SCHOTEN	SÉCRÉTÉ	SENTEUR	SEX-SHOP	SIEMENS
SCHULTZ	SECTEUR	SENTIER	SEXTANT	**SIEMENS**
SCHUMAN	SECTION	SENTINE	SEXTINE	SIEVERT
SCHWANN	SECUNDO	SÉPARÉE	SEXTUOR	SIFFLÉE
SCHWEDT	SECURIT	SÉPARER	SEYANTE	SIFFLER
SCIABLE	**SEDAINE**	SÉPIOLE	**SEYMOUR**	SIFFLET
SCIANTE	SÉDATIF	SEPPUKU	**SEYNOIS**	SIFILET
SCIENCE	SÉDUIRE	SEPTAIN	**SEYSSEL**	SIGILLÉ
SCIERIE	SÉDUITE	SEPTALE	**SÉZANNE**	SIGNALÉ
SCIEUSE	**SEEBECK**	SEPTAUX	SÉZIGUE	SIGNANT
SCINDÉE	**SEFÉRIS**	SEPTIMO	SFUMATO	SIGNAUX
SCINDER	**SEGALEN**	SEPTUOR	**SHAANXI**	**SIKASSO**
SCINQUE	**SÉGESTE**	SÉQUOIA	SHABBAT	SILENCE
SCIOTTE	**SEGHERS**	**SERAING**	SHAHNAÏ	**SILÉSIE**
SCIPION	SEGMENT	**SÉRAPIS**	**SHÂHPUR**	SILIQUE
SCLÉRAL	**SÉGOVIE**	SEREINE	**SHAMASH**	SILLAGE
SCOLYTE	**SEGRAIS**	**SÉRÈRES**	**SHANKAR**	**SILLÉEN**
SCOOTER	**SEGRÉEN**	SÉREUSE	**SHANNON**	**SILLERY**
SCORBUT	**SÉGUIER**	SERFOUI	**SHANTOU**	SIMARRE
SCOTCHÉ	**SEICHES**	SERGENT	**SHAPLEY**	**SIMENON**
SCOTCHS	**SEIFERT**	SÉRIANT	**SHARAKU**	**SIMIAND**
SCOTOME	SEILLON	SÉRIEUX	**SHEBELI**	SIMILOR
SCOURED	SÉISMAL	SERINÉE	**SHELLEY**	SIMONIE
SCRAPER	**SÉISTAN**	SERINER	**SHERMAN**	**SIMONOV**
SCRATCH	SÉLECTE	SERINGA	SHERRYS	SIMPLET
SCRIBAN	SÉLECTÉ	SÉRIQUE	SHIATSU	SIMPLEX
SCRIPTE	**SELKIRK**	SERMENT	**SHIHEZI**	**SIMPLON**
SCROTAL	SELLANT	SERPENT	**SHIJING**	**SIMPSON**
SCROTUM	**SELLARS**	SERPULE	**SHIKOKU**	SIMULÉE
SCRUTÉE	SELLIER	SERRAGE	**SHILLUK**	SIMULER
SCRUTER	**SELLOIS**	SERRANT	**SHIMIZU**	SIMULIE
SCRUTIN	SEMAINE	SERRURE	SHINGLE	**SINATRA**
SCUDÉRY	**SEMBENE**	SERVAGE	**SHKODËR**	SINCÈRE
SCULPTÉ	SEMBLER	SERVANT	**SHKODRA**	SINE DIE
SCUTARI	SEMELLE	SERVEUR	SHOGOUN	SINGLET
SCYTHES	SEMENCE	**SERVIAN**	SHOOTÉE	SINISÉE
SCYTHIE	SEMEUSE	SERVICE	SHOOTER	SINISER
SEABORG	SÉMINAL	SERVICE	SHOW-BIZ	**SINOISE**

SINOPLE	**SOCRATE**	SOPRANO	SOUSLIK	SPORULÉ
SINOQUE	SODIQUE	**SORABES**	SOUS-OFF	**SPRATLY**
SINUANT	SODOMIE	SORBIER	SOUS-SOL	**SPRINGS**
SINUEUX	SOFFITE	SORCIER	SOUTANE	SPRINTÉ
SINUIJU	**SOFIOTE**	SORDIDE	SOUTENU	SPUMEUX
SINUSAL	SOIERIE	**SORGUES**	**SOUTHEY**	SQUATTÉ
SIROCCO	SOIGNÉE	**SOROKIN**	SOUTIEN	SQUEEZE
SIROTÉE	SOIGNER	SORORAL	SOUTIER	SQUEEZÉ
SIROTER	**SOIGNES**	SORORAT	**SOUTINE**	SQUILLE
SIRTAKI	**SOISÉEN**	SORTANT	SOUTIRÉ	SQUIRRE
SISMALE	SOLAIRE	**SOTATSU**	SOUVENT	**STABIES**
SISMAUX	**SOLARIO**	**SOTHEBY**	SOUVENU	STAFFÉE
SISYPHE	SOLDANT	SOTTISE	**SOUZDAL**	STAFFER
SITTÈLE	SOLDATE	**SOUBISE**	SOVKHOZ	STAGNER
SITTIDÉ	SOLDEUR	SOUCHET	SOYEUSE	**STALINE**
SITUANT	SOLERET	SOUCIÉE	**SOYINKA**	**STALINO**
SIVAÏTE	**SOLEURE**	SOUCIER	SPADICE	STAMINÉ
SIWALIK	SOLFÈGE	SOUDAGE	**SPADOIS**	**STAMITZ**
SIX-HUIT	SOLFIÉE	SOUDAIN	**SPALATO**	STAND-BY
SIXIÈME	SOLFIER	SOUDANT	SPALTER	**STANLEY**
SIXTINE	**SOLIGNY**	SOUDARD	**SPANDAU**	**STANOIS**
SIZERIN	**SOLIMAN**	SOUDEUR	SPARIDÉ	**STANTON**
SKETCHS	SOLISTE	SOUDOYÉ	SPATIAL	STARETS
SKIABLE	**SOLLERS**	SOUDURE	SPATULE	STARTER
SKI-BOBS	**SOLOGNE**	SOUFFLE	SPATULÉ	STATÈRE
SKIEUSE	**SOLOMÓS**	SOUFFLÉ	SPEAKER	STATICE
SKINNER	SOLUBLE	SOUFRÉE	SPÉCIAL	STATINE
SKIPPER	**SOLUTRÉ**	SOUFRER	SPECTRE	STATION
SKYDOME	SOLVANT	SOUHAIT	SPÉCULÉ	STATUER
SLALOMÉ	SOLVATE	SOUILLE	SPEECHS	STATURE
SLÁNSKY	SOMALIE	SOUILLÉ	SPEEDER	STEAMER
SLASHES	**SOMALIE**	**SOUILLY**	**SPEMANN**	**STEEMAN**
SLAVISÉ	**SOMALIS**	SOUKKOT	SPENCER	STEEPLE
SLESVIG	**SOMBART**	SOULAGÉ	**SPENCER**	**STEINER**
SLIÇANT	SOMBRER	SOULANE	**SPENSER**	**STEKENE**
SLIPHER	SOMMANT	SOÛLANT	SPHINGE	**STELVIO**
SLOUGHI	SOMMEIL	SOÛLARD	SPICULE	STENCIL
SLOVÈNE	**SOMMERS**	SOÛLAUD	SPIEGEL	STÉNOPÉ
SLOVÈNE	SOMMIER	SOULEVÉ	SPINALE	STÉNOSE
SMALLEY	SOMMITÉ	SOULIER	SPINAUX	STENTOR
SMASHÉE	SOMNOLÉ	SOÛLOTE	**SPINOLA**	**STENTOR**
SMASHER	**SOMPORT**	SOUMISE	**SPÍNOLA**	STEPPER
SMASHES	SONDAGE	**SOUMMAM**	**SPINOZA**	STÉRANT
SMETANA	SONDANT	**SOUNION**	SPIRALE	STÉRILE
SMICARD	SONDEUR	SOUPANT	SPIRALÉ	STERLET
SMOKING	**SONDRIO**	SOUPAPE	SPIRAUX	STERNAL
SNIFFÉE	SONGEUR	SOUPÇON	SPIRITE	STERNUM
SNIFFER	**SONGHAÏ**	SOUPESÉ	SPITANT	**STETTIN**
SNOBANT	**SONGNAM**	SOUPEUR	**SPLÜGEN**	**STEVENS**
SNOWDON	**SONINKÉ**	SOUPIRÉ	**SPOERRI**	STEWARD
SNYDERS	SONIQUE	SOUQUÉE	SPOILER	**STEWART**
SOBIBÓR	SONNANT	SOUQUER	**SPOKANE**	STIBIÉE
SOCHAUX	SONNEUR	SOURATE	**SPOLÈTE**	STIBINE
SOCIALE	**SONNINI**	SOURCIL	SPOLIÉE	**STIBITZ**
SOCIAUX	**SONRHAÏ**	**SOURDIS**	SPOLIER	STICKER
SOCIÉTÉ	SOPHORA	SOURDRE	SPONSOR	**STIFTER**
SOCOTRA	SOPRANI	SOURIRE	SPORTIF	**STIGLER**

STILLER	**SUCEAVA**	SUPPORT	SUSVISÉ	TAGETTE
STILTON	SUCETTE	SUPPOSÉ	SUTURÉE	TAGUANT
STIMULÉ	SUCEUSE	SUPPURÉ	SUTURER	TAGUEUR
STIMULI	SUÇOTÉE	SUPPUTÉ	**SUZANNE**	TAI-CHIS
STIPULE	SUÇOTER	SUPRÊME	**SVOBODA**	TAILLÉE
STIPULÉ	SUCRAGE	SURAIGU	SWAHILI	TAILLER
STIRING	SUCRANT	SURANNÉ	**SWAHILI**	TAILLIS
STIRNER	SUCRATE	SURBAUX	**SWANSEA**	**TAIPING**
STOCKÉE	SUCRIER	SURBOUM	SWEATER	TAISANT
STOCKER	SUCRINE	SURCOTE	**SWINDON**	TAISEUX
STODOLA	**SUDBURY**	**SURCOUF**	SWINGUÉ	**TAIYUAN**
STOÏQUE	**SUDÈTES**	SURCOÛT	**SYBARIS**	**TAKAOKA**
STOMATE	SUDISTE	SURDENT	SYCOSIS	TAKE-OFF
STOMISÉ	SUDORAL	SURDITÉ	SYÉNITE	**TALENCE**
STOMOXE	SUÉDINE	SURDOSE	SYLLABE	TALIPOT
STOPPÉE	SUÉDOIS	SURDOUÉ	SYLLABE	TALITRE
STOPPER	**SUÉDOIS**	SUREAUX	SYLVAIN	TALLAGE
STRABON	**SUENENS**	SURELLE	**SYLVAIN**	TALLANT
STRASSE	**SUÉTONE**	SURETTE	SYLVITE	**TALLIEN**
STRATON	SUFFÈTE	SURFACE	SYMBOLE	**TALLINN**
STRATUS	SUFFIRE	SURFACÉ	SYNAPSE	TALLITH
STRAUSS	SUFFIXE	SURFAIT	SYNCOPE	**TALMONT**
STRESSÉ	SUFFIXÉ	SURFAIX	SYNCOPÉ	TALOCHE
STRETCH	**SUFFOLK**	SURFANT	SYNODAL	TALOCHÉ
STRETTE	**SUFFREN**	SURFEUR	SYNOPSE	TALONNÉ
STRIANT	SUGGÉRÉ	SURFILÉ	SYNOVIE	TALQUÉE
STRICTE	**SUHARTO**	SURFINE	SYNTAXE	TALQUER
STRIDOR	SUICIDE	SURGELÉ	SYNTONE	TALUTÉE
STRIURE	SUICIDÉ	SURGEON	SYSTÈME	TAMARIN
STROMBE	SUIFFÉE	**SURINAM**	SYSTOLE	TAMARIS
STROPHE	SUIFFER	SURINÉE	SYZYGIE	**TAMARIS**
STROUVE	SUINTER	SURINER	**SZILARD**	TAMARIX
STROZZI	**SUIPPAS**	SURJALÉ	**SZOLNOK**	TAMBOUR
STRUDEL	**SUIPPES**	SURJETÉ	TABAGIE	TAMISÉE
STUCAGE	SUIVANT	SURLOUÉ	**TABARIN**	TAMISER
STUPEUR	SUIVEUR	SURMENÉ	**TABARLY**	**TAMMOUZ**
STUPIDE	SUIVIES	SURNAGÉ	TABASKI	TAMOULE
STUQUÉE	SUJETTE	SURPAYE	TABASSÉ	TAMOURÉ
STUQUER	**SUKARNO**	SURPAYÉ	TABELLE	**TAMPERE**
STYLANT	SULFATE	SURPLIS	TABLANT	TAMPICO
STYLISÉ	SULFATÉ	SURPLUS	TABLARD	**TAMPICO**
STYLITE	SULFITE	SURPRIS	TABLEAU	TAM-TAMS
STYRÈNE	SULFONE	SURRÉEL	TABLEUR	TANAGRA
SUAVITÉ	SULFONÉ	SURSAUT	TABLIER	**TANAGRA**
SUBAIGU	SULFURE	SURTAXE	TABLOÏD	TANÇANT
SUBIACO	SULFURÉ	SURTAXÉ	TABOULÉ	TANGAGE
SUBLIME	**SULLANA**	SURTOUT	TACHANT	TANGARA
SUBLIMÉ	**SULPICE**	SURVÉCU	TÂCHANT	TANGENT
SUBORNÉ	SULTANE	SURVENU	TACHETÉ	TANGUER
SUBROGÉ	**SUMATRA**	SURVIRÉ	TACHINA	TANIÈRE
SUBSIDE	**SUMBAVA**	SURVOLÉ	TACHINE	TANISÉE
SUBSUMÉ	**SUMBAWA**	SUSCITÉ	TACLANT	TANISER
SUBTILE	**SUNDGAU**	SUSDITE	TACTILE	**TANJORE**
SUBVENU	SUNNITE	**SUSIANE**	TADORNE	TANNAGE
SUCCÉDÉ	SUPERBE	SUSPECT	TAGALOG	TANNANT
SUCCION	SUPPLÉÉ	SUSPENS	**TAGALOG**	TANNEUR
SUCCUBE	SUPPLIÉ	SUSURRÉ	**TAGARIN**	TANNISÉ

TAN-SADS	**TASSONI**	TENABLE	**THÁSSOS**	TIJUANA
TANTALE	**TATARIE**	TENANTE	THÉATIN	**TILBURG**
TANTALE	TÂTE-VIN	TENDANT	THÉÂTRE	TILBURY
TANTINE	**TATLINE**	TENDEUR	THÉBAIN	TILLAGE
TANUCCI	TÂTONNÉ	TENDRON	**THÉBAIN**	TILLANT
TAOÏSME	TATOUÉE	TÉNESME	THÉIÈRE	TILLEUL
TAOÏSTE	TATOUER	TENEUSE	THÉISME	**TILLICH**
TAO QIAN	**TAUBATÉ**	**TENIERS**	THÉISTE	**TILLIER**
TAOYUAN	TAULARD	TENONNÉ	**THÉLÈME**	TIMBALE
TAPAJÓS	TAULIER	TENSEUR	**THENARD**	TIMBRÉE
TAPANTE	**TAUNTON**	**TENSIFT**	**THÉODAT**	TIMBRER
TAPECUL	TAUPANT	TENSION	THÉORBE	**TIMMINS**
TAPETTE	TAUPIER	TENTANT	THÉORIE	TIMORÉE
TAPEUSE	TAUREAU	TENTURE	**THÉOULE**	TINAMOU
TAPINER	**TAUREAU**	TÉNUITÉ	**THÉRÈSE**	**TINDOUF**
TAPIOCA	**TAURIDE**	TEOCALI	THERMAL	TINETTE
TAPISSÉ	TAURINE	**TEPLICE**	THERMES	TINTANT
TAPOTÉE	TAVELÉE	TEQUILA	THERMIE	**TIOUMEN**
TAPOTER	TAVELER	TERBIUM	THERMOS	TIPPANT
TAQUAGE	TAVERNE	**TÉRENCE**	THÉSARD	**TIPPETT**
TAQUANT	**TAVERNY**	TERFÈZE	**THIBAUD**	TIQUANT
TAQUINE	**TAVIANI**	TERGITE	**THIERRI**	TIQUETÉ
TAQUINÉ	TAXABLE	TERMINÉ	**THIERRY**	TIQUEUR
TAQUOIR	TAXACÉE	TERMITE	**THIMPHU**	TIRASSE
TARANIS	TAXIMAN	**TERNAUX**	THLASPI	TIRETTE
TARAUDÉ	TAXIMEN	TERPÈNE	**THOMIRE**	TIREUSE
TARBAIS	TAXIWAY	TERPINE	THOMISE	**TIRNOVO**
TARBELA	**TAYGÈTE**	TERRAIN	**THOMSEN**	**TIRPITZ**
TARDANT	**TAZIEFF**	TERRANT	**THOMSON**	TISONNÉ
TARDIEU	**TAZOULT**	TERREAU	**THÔNAIN**	TISSAGE
TARDIVE	TCHADOR	TERREUR	THONIER	TISSANT
TARENTE	**TCHAMPA**	TERREUX	THONINE	TISSEUR
TARENTE	TCHÈQUE	TERRIEN	**THOREAU**	TISSURE
TARGUÉE	**TCHÈQUE**	TERRIER	**THORENS**	**TITANIC**
TARGUER	**TÉBESSA**	TERRINE	THORINE	TITILLÉ
TARGUIE	**TÉCHINÉ**	TERROIR	THORIUM	**TITISEE**
TARIÈRE	TECTITE	TESSÈRE	**THOUARS**	TITISME
TARIFÉE	TEILLÉE	**TESSIER**	THULIUM	TITISTE
TARIFER	TEILLER	**TEST ACT**	**THYESTE**	TITRAGE
TARNAIS	TEILLER	TESTAGE	THYIADE	TITRANT
TARNIER	TEINDRE	TESTANT	THYMINE	TITUBER
TARNOVO	TEINTÉE	TESTEUR	**THYSSEN**	**TLEMCEN**
TARPEIA	TEINTER	TÉTANIE	**TIANJIN**	**TLINGIT**
TARQUIN	TÉLAMON	TÉTANOS	**TIBESTI**	TOASTER
TARRASA	TÉLÉFAX	TÊTIÈRE	TIBIALE	**TOBROUK**
TARSIEN	TÉLÈGUE	**TÉTOUAN**	TIBIAUX	TOCANTE
TARSIER	TÉLÉSKI	TÉTRADE	**TIBULLE**	TOCARDE
TARTARE	TÉLÉTEL	**TEUTONS**	TIÉDEUR	TOCCATA
TARTARE	TÉLEXÉE	TEXTILE	**TIEPOLO**	TOILAGE
TARTINE	TÉLEXER	TEXTUEL	TIERCÉE	TOISANT
TARTINÉ	**TELLIER**	TEXTURE	**TIFFANY**	TOITURE
TARTINI	TELLURE	TEXTURÉ	TIGELLE	**TOKAIDO**
TARTUFE	TEMENOS	TÉZIGUE	**TIGHINA**	TOKAMAK
TARTUFE	TEMPERA	**THADDÉE**	**TIGNARD**	TOKYOTE
TASSANT	TEMPÉRÉ	THALWEG	**TIGRANE**	**TOKYOTE**
TASSEAU	TEMPÊTE	**THALWIL**	**TIGRÉEN**	TÔLARDE
TASSILI	TEMPÊTÉ	**THAPSUS**	TIHANGE	**TOLBIAC**

TOLEARA	TORIQUE	**TRACIEN**	**TRENTON**	TRIPLEX
TOLÉRÉE	TORNADE	TRACLET	TRÉPANÉ	TRIPODE
TOLÉRER	**TORNGAT**	TRAÇOIR	TRÉPANG	**TRIPOLI**
TÔLERIE	**TORONTO**	TRACTÉE	TRÉPIDÉ	TRIPOTÉ
TOLIARA	TORPÉDO	TRACTER	TRÉPIED	TRIPOUS
TÔLIÈRE	TORPEUR	TRACTIF	TRESSÉE	TRIPOUX
TOLKIEN	TORPIDE	TRACTUS	TRESSER	**TRIPURA**
TOLSTOÏ	TORRENT	TRADUIT	TRÉTEAU	TRIQUET
TOLUÈNE	**TORREÓN**	TRAILLE	TRÉVIRE	TRIRÈME
TOMBALE	TORRIDE	TRAÎNÉE	TRÉVIRÉ	TRISMUS
TOMBALS	TORSADE	TRAÎNER	TRÉVISE	TRISSÉE
TOMBANT	TORSADÉ	TRAITÉE	**TRÉVISE**	TRISSER
TOMBAUX	TORSION	TRAITER	**TRÉVOUX**	**TRISSIN**
TOMBEAU	TORTORÉ	TRAÎTRE	TRIALLE	**TRISTAM**
TOMBEUR	TORTURE	**TRAJANE**	**TRIANON**	**TRISTAN**
TOMBOLA	TORTURÉ	TRALALA	TRIBADE	**TRISTÃO**
TOMBOLO	TOSCANE	TRALUIT	TRIBALE	TRITIUM
TOMETTE	**TOSCANE**	TRAMAGE	TRIBALS	TRITURÉ
TOMMIES	TOSSANT	TRAMAIL	TRIBART	TRIVIAL
TONDANT	TÔT-FAIT	TRAMANT	TRIBAUX	TROCART
TONDEUR	TOUAREG	TRAMWAY	TRIBORD	TROCHÉE
TONGHUA	**TOUAREG**	TRANCHE	TRIBUNE	TROCHES
TONGRES	**TOUBKAL**	TRANCHÉ	TRICARD	TROCHIN
TONIFIÉ	TOUCHAU	TRANSAT	TRICEPS	TROGNON
TONIQUE	TOUCHÉE	TRANSFO	TRICHER	TROLLEY
TONLIEU	TOUCHER	TRANSIE	**TRICHUR**	TROMMEL
TONNAGE	TOUFFUE	TRANSIR	TRICÔNE	TROMPÉE
TONNANT	TOUILLE	TRANSIT	TRICOTÉ	TROMPER
TONNEAU	TOUILLÉ	**TRAPANI**	TRIDENT	TRÔNANT
TÖNNIES	TOULADI	TRAPÈZE	TRIÈDRE	TRONCHE
TONSURE	**TOULOIS**	TRAPPÉE	**TRIESTE**	TRONÇON
TONSURÉ	TOUNDRA	TRAPPER	TRIEUSE	TRONQUÉ
TONTINE	TOUPAYE	**TRAPPES**	TRIGONE	TROPHÉE
TONTINÉ	TOUPINE	TRAQUÉE	TRILLER	**TROPPAU**
TONTURE	TOUPINÉ	TRAQUER	TRILOBÉ	TROQUÉE
TÖPFFER	**TOURANE**	TRAQUET	TRIMANT	TROQUER
TOPHACÉ	**TOURFAN**	**TRAUNER**	TRIMARD	TROQUET
TOPIQUE	TOURIER	TRAVAIL	TRIMÈRE	**TROTSKI**
TOPKAPI	**TOURNAI**	TRAVAUX	TRIMMER	TROTTÉE
TOPLESS	**TOURNAN**	TRAVELO	TRINGLE	TROTTER
TOQUADE	TOURNÉE	TRAVERS	TRINGLÉ	TROTTIN
TOQUANT	TOURNER	TRAYANT	TRINITÉ	TROUANT
TOQUARD	TOURNIS	TRAYEUR	TRINÔME	TROUBLE
TORBALL	TOURNOI	**TRÉBOUL**	TRINQUÉ	TROUBLÉ
TORCHÉE	**TOURNON**	TRÉFILÉ	TRIOLET	TROUSSE
TORCHER	TOURNUS	TRÉFLÉE	**TRIOLET**	TROUSSÉ
TORCHIS	**TOURNUS**	TREILLE	TRIONYX	TROUVÉE
TORCHON	TOUSSER	**TRÉLAZÉ**	TRIPALE	TROUVER
TORDAGE	**TOUSSUS**	TRÉMAIL	TRIPANG	**TROYENS**
TORDANT	TOUTIME	TRÉMATÉ	TRIPANT	TRUANDE
TORDEUR	TOXÉMIE	TREMBLE	TRIPIER	TRUANDÉ
TORD-NEZ	TOXIQUE	TREMBLÉ	TRIPLAN	TRUCAGE
TORDOIR	**TOYNBEE**	TRÉMOLO	TRIPLÉE	TRUCIDÉ
TORÉANT	TRAÇAGE	TREMPÉE	TRIPLER	**TRUDEAU**
TORELLI	TRAÇANT	TREMPER	TRIPLÉS	TRUELLE
TORHOUT	TRACEUR	TRÉMULÉ	TRIPLET	TRUFFÉE
TORIGNI	TRACHÉE	**TRENTIN**	TRIPLEX	TRUFFER

TRUISME	TUTORAT	URCÉOLÉ	**VALLEJO**	VAUDOIS
TRUITÉE	TUTOYÉE	URETÈRE	**VALMIKI**	VAUDOUE
TRULLOS	TUTOYER	URÉTRAL	VALOCHE	**VAUGHAN**
TRUMEAU	TUTRICE	URGENCE	**VALRÉAS**	VAU-L'EAU
TRUQUÉE	TUYAUTÉ	URGENTE	VALSANT	**VAURÉAL**
TRUQUER	TWEETER	URINANT	VALSEUR	**VAURÉEN**
TRUSTEE	TWIN-SET	URINAUX	**VALSOIS**	VAURIEN
TRUSTÉE	TWISTER	URINOIR	VALVULE	VAURIEN
TRUSTER	**TYNDALL**	URODÈLE	VAMPANT	VAUTOUR
TRUSTIS	**TYNDARE**	UROPODE	VAMPIRE	VAUTRÉE
TRUYÈRE	TYPESSE	**URRAQUE**	VANDALE	VAUTRER
TSARINE	TYPHOSE	**URUGUAY**	**VANDALE**	**VAUTRIN**
T-SHIRTS	TYPIQUE	**USHUAIA**	**VAN DIJK**	**VAUVERT**
TSHOKWE	TZARINE	**VAN DYCK**	**VEAUCHE**	
TSIGANE	**TZELTAL**	USINAGE	VANESSE	VECTEUR
TSIGANE	TZIGANE	USINANT	**VAN EYCK**	VEDETTE
TSUGARU	**TZIGANE**	**USINGER**	**VAN GOGH**	VÉDIQUE
TSUNAMI	**TZOTZIL**	**ÜSKÜDAR**	VANILLE	VÉDISME
TUAMOTU	**UBERABA**	USUELLE	VANILLÉ	VÉGÉTAL
TUBAIRE	**UCAYALI**	USURIER	VANISÉE	VÉGÉTER
TUBARDE	**UCCELLO**	USURPÉE	**VAN LAAR**	VEILLÉE
TUBIANA	**UDAIPUR**	USURPER	**VAN LAER**	VEILLER
TUBIFEX	**UGINOIS**	**UTAMARO**	VANNAGE	VEINANT
TUBISTE	**UKRAINE**	UTÉRINE	VANNANT	VEINARD
TUBULÉE	UKULÉLÉ	UTILISÉ	VANNEAU	VEINEUX
TUDJMAN	ULCÉRÉE	UTILITÉ	VANNEUR	VEINULE
TUE-TÊTE	ULCÉRER	**UTRECHT**	VANNIER	VEINURE
TUFEAUX	**ULFILAS**	**UTRILLO**	VANNURE	**VEKSLER**
TUFFEAU	**ULLMANN**	UVA-URSI	**VANOISE**	VÉLAIRE
TUILANT	ULLUQUE	**UZERCHE**	**VANSÉEN**	**VÉL'D'HIV**
TUILEAU	ULMACÉE	**UZÉTIEN**	VANTAIL	VÊLEUSE
TUILIER	ULMISTE	VACANCE	VANTANT	VÉLIQUE
TULLINS	ULNAIRE	VACANTE	VANTARD	VELLAVE
TUMÉFIÉ	ULULANT	VACARME	VANTAUX	**VELLAVE**
TUMORAL	UMBANDA	VACCINE	**VANUATU**	**VELLÉDA**
TUMULTE	**UNAMUNO**	VACCINÉ	VAQUANT	**VELLORE**
TUMULUS	UNANIME	VACHARD	**VARADES**	VÉLOSKI
TUNIQUE	UNCINÉE	VACHÈRE	VARAPPE	VELOURS
TUNIQUÉ	UNGUÉAL	VACIEUX	VARAPPÉ	VELOUTÉ
TUNISIE	UNICITÉ	VACILLÉ	VAREUSE	**VELPEAU**
TUPOLEV	UNIFIÉE	VACUITÉ	VARIANT	VELVOTE
TURBIDE	UNIFIER	VACUOLE	VARIÉTÉ	**VENAREY**
TURBIGO	UNIMENT	VAGINAL	VARIOLE	**VENÇOIS**
TURBINE	UNIPARE	VAGUANT	VARLOPE	VENDANT
TURBINÉ	UNISEXE	VAINCRE	VARLOPÉ	VENDÉEN
TURDIDÉ	UNISSON	VAINCUE	**VAROISE**	**VENDÉEN**
TURENNE	UNIVERS	VAISHYA	VASARDE	VENDEUR
TURGIDE	UPÉRISÉ	VALABLE	VASCONS	**VENDÔME**
TURISTA	**UPPSALA**	**VALADON**	VASEUSE	VENELLE
TURKANA	UPSILON	VALAQUE	VASIÈRE	VÉNÉRÉE
TURPIDE	URACILE	**VALAQUE**	VASSALE	VÉNÉRER
TURQUIE	**URANAIS**	**VALBERG**	VASSAUX	VÉNERIE
TURQUIN	URANATE	**VALDOIE**	**VASSILI**	**VÉNÈTES**
TUSSAUX	URANEUX	VALENCE	**VATICAN**	**VÉNÉTIE**
TUSSORE	URANIUM	**VALENCE**	**VÄTTERN**	VENETTE
TUTELLE	URANYLE	**VAL-HALL**	**VAUDAIS**	VENGEUR
TUTEURÉ	URBAINE	VALIDÉE	VAUDOIS	VENTAGE
		VALIDER		

VENTAIL	VERTIGE	**VIÊT NAM**	**VIRUNGA**	VOISINE
VENTAUX	VERVEUX	**VIFOISE**	VIS-À-VIS	VOISINÉ
VENTEUX	**VERVINS**	VIGNEAU	**VISAYAS**	VOITURE
VENTILÉ	VÉSANIE	VIGNETÉ	VISCÈRE	**VOITURE**
VENTÔSE	VÉSICAL	**VIGNEUX**	**VISCHER**	VOITURÉ
VENTOUX	VESPIDÉ	**VIGNOLE**	VISCOSE	VOÏVODE
VENTRAL	**VESPUCE**	**VIGNORY**	**VISHNOU**	VOLABLE
VENTRÉE	VESSANT	VIGOGNE	VISIBLE	VOLANTE
VENTRUE	VESTALE	VIGUEUR	VISIÈRE	VOLAPÜK
VENTURA	VESTIGE	VIGUIER	VISITÉE	VOLATIL
VENTURI	**VESTRIS**	**VIHIERS**	VISITER	VOLERIE
VENTURI	VÉTÉRAN	**VIIPURI**	VISSAGE	VOLETER
VÉNUSTÉ	VÉTILLE	**VIKINGS**	VISSANT	VOLEUSE
VÉRANDA	VÉTILLÉ	VILAINE	**VISTULE**	VOLIÈRE
VÉRATRE	VÉTIVER	**VILAINE**	VITACÉE	VOLIGÉE
VERBALE	VÉTUSTE	VILAYET	**VITEBSK**	VOLIGER
VERBAUX	VÉTUSTÉ	VILENIE	**VITERBE**	VOLITIF
VERBEUX	VEUVAGE	**VILIOUÏ**	VITESSE	**VOLJSKI**
VERBIER	VEXANTE	**VILLACH**	**VITIGÈS**	**VOLLARD**
VERCEIL	VEXILLE	VILLAGE	**VITORIA**	VOLLEYÉ
VERCORS	**VEYNOIS**	**VILLARD**	**VITÓRIA**	**VOLOGDA**
VERDEUR	**VÉZELAY**	**VILLARS**	VITRAGE	VOLONTÉ
VERDICT	VIAGÈRE	**VILLÈLE**	VITRAIL	**VOLPONE**
VERDIER	VIANDÉE	**VILLERS**	VITRAIN	VOLTAGE
VERDOYÉ	**VIANDEN**	**VILNIUS**	VITRANT	VOLTANT
VERDURE	VIANDER	**VIMINAL**	VITRAUX	VOLTIGE
VÉREUSE	**VIANNEY**	VINAIRE	**VITRÉEN**	VOLTIGÉ
VERFEIL	**VIARMES**	VINASSE	VITREUX	VOLUPTÉ
VERGETÉ	VIBRAGE	**VINAVER**	VITRIER	VOMIQUE
VERGÈZE	VIBRANT	**VINCENT**	VITRINE	VOMITIF
VERGLAS	VIBRATO	**VINDHYA**	VITRIOL	**VOREPPE**
VÉRIFIÉ	**VIBRAYE**	**VINEUIL**	**VITRIOT**	**VORONEJ**
VÉRISME	VIBREUR	VINEUSE	**VITRUVE**	**VORSTER**
VÉRISTE	VIBRION	VINIFIÉ	**VITRYAT**	VOSGIEN
VERITAS	VICAIRE	**VINLAND**	VIVABLE	**VOSGIEN**
VERJUTÉ	**VIC-BILH**	**VINOISE**	**VIVALDI**	**VOSSIUS**
VERMEER	**VICENCE**	VINTAGE	VIVANTE	VOTANTE
VERMEIL	**VICENTE**	VIOLACÉ	VIVE-EAU	**VOTYAKS**
VERMINE	VICE-ROI	VIOLANT	VIVEUSE	**VOUGEOT**
VERMONT	VICIANT	VIOLENT	**VIVIANI**	**VOUILLÉ**
VERMOUT	VICIEUX	VIOLETÉ	**VIVIERS**	VOUIVRE
VERNALE	VICINAL	VIOLEUR	VIVIFIÉ	VOULANT
VERNANT	**VICOISE**	VIOLIER	**VIVONNE**	VOULOIR
VERNAUX	VICOMTE	VIOLINE	VIVOTER	VOÛTAIN
VERNEAU	VICOMTÉ	VIOLONÉ	VIVRIER	VOÛTANT
VERNIER	VICTIME	**VIONNET**	**VIZILLE**	VOUVOYÉ
VERNIER	VIDANGE	VIPÉRIN	VIZIRAT	VOUVRAY
VERNOUX	VIDANGÉ	**VIRCHOW**	**VLASSOV**	VOYAGER
VÉROLÉE	VIDELLE	VIRELAI	VOCABLE	**VOYAGER**
VERRIER	VIDEUSE	VIREUSE	VOCATIF	VOYANCE
VERRINE	VIDICON	**VIRGILE**	VOCEROS	VOYANTE
VERSANT	VIDUITÉ	VIRGULE	VOGUANT	VOYELLE
VERSEAU	VIEILLE	**VIRIATE**	VOILAGE	VOYEUSE
VERSEAU	VIEILLI	VIROÏDE	VOILANT	**VRANGEL**
VERSEUR	**VIERGES**	**VIROISE**	VOILIER	VRENELI
VERSION	**VIERZON**	VIROLET	VOILURE	VRILLÉE
VERSOIR	**VIETNAM**	VIRTUEL	**VOISARD**	

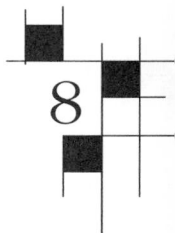

VRILLER	**WEIDMAN**	**WOLFRAM**	**YUNGANG**	ZIEUTÉE
VROMBIR	**WEIFANG**	**WOUTERS**	**YVERDON**	ZIEUTER
VROUBEL	**WELLAND**	**WOYZECK**	**ZABULON**	ZINCAGE
VULCAIN	WELSCHE	**WRANGEL**	**ZADKINE**	ZINCATE
VULCAIN	**WEMBLEY**	**WROCLAW**	**ZAGAZIG**	ZINGAGE
VULGATE	**WENDAKE**	**WRONSKI**	**ZAGORSK**	ZINGUÉE
VULPIAN	**WENDERS**	**WYOMING**	**ZAHEDAN**	ZINGUER
VULVITE	**WENZHOU**	XANTHIE	ZAÏROIS	ZIPPANT
VUMÈTRE	WERGELD	**XANTHOS**	**ZAÏROIS**	ZIRCONE
VUNG TAU	**WERTHER**	**XENAKIS**	**ZAMBÈZE**	**ZIRIDES**
WAIKIKI	**WEST END**	**XI JIANG**	ZAMBIEN	ZIZANIA
WAKSMAN	WESTERN	XIMENIA	**ZAMBIEN**	ZIZANIE
WALCOTT	**WEYGAND**	XIMÉNIE	**ZANDJAN**	**ZOERSEL**
WALKMAN	**WHARTON**	**XUANHUA**	**ZÁPOLYA**	ZONARDE
WALLABY	**WHEELER**	**YAKOUTE**	**ZAPOPAN**	ZONIÈRE
WALLACE	WHIPPET	**YAMASKA**	ZAPPANT	ZOOGLÉE
WALPOLE	**WHIPPLE**	**YAOUNDÉ**	ZAPPING	ZOOMANT
WALSALL	WHISKEY	**YARKAND**	**ZÁTOPEK**	ZOONOSE
WALTARI	WHISKYS	YATAGAN	**ZAVATTA**	ZOOPSIE
WALTHER	**WHITMAN**	**YENNOIS**	ZAYDITE	ZORILLE
WANG WEI	**WHITNEY**	YEOMANS	ZAZOUES	ZOSTÈRE
WANNSEE	**WHITTLE**	**YERROIS**	ZÉBRANT	ZOULOUE
WARBURG	**WHYALLA**	YESHIVA	ZÉBRURE	**ZOULOUE**
WAREGEM	**WHYMPER**	**YICHANG**	**ZÉLANDE**	ZOZOTER
WAREMME	**WICHITA**	YIDDISH	ZELLIGE	**ZUCCARI**
WARGAME	**WIELAND**	**YINGKOU**	**ZELZATE**	**ZÜLPICH**
WARNING	**WILKINS**	YODLANT	ZEMSTVO	ZUTIQUE
WARRANT	WILLAYA	YOGOURT	**ZÉNÈTES**	ZUTISTE
WARWICK	WINCHES	**YONKERS**	**ZÉNOBIE**	ZWANZER
WASATCH	**WINDSOR**	**YONNAIS**	ZÉOLITE	**ZWICKAU**
WATTEAU	**WINGLES**	YOUPPIE	**ZERMATT**	**ZWINGLI**
WATTMAN	**WIRSUNG**	YPÉRITE	**ZERMELO**	ZYEUTÉE
WATTMEN	**WISEMAN**	YPRÉAUX	**ZERNIKE**	ZYEUTER
WEBSTER	**WISSANT**	**YPROISE**	**ZEROUAL**	**ZYRIÈNE**
WEEK-END	**WITKACY**	YTTRIUM	ZESTANT	
WEGENER	WITLOOF	**YUCATÁN**	**ZETLAND**	
WEHNELT	**WOJTYLA**	**YUEYANG**	ZEUZÈRE	
WEHNELT	WOLFRAM		ZÉZAYER	

7

AARSCHOT	ABDIQUÉE	ABONDANT	
ABAILARD	ABDIQUER	ABONNANT	
ABAISSÉE	**ABDULLAH**	ABORDAGE	
ABAISSER	**ABEOKUTA**	ABORDANT	
ABÂTARDI	**ABERDEEN**	ABORTIVE	**8**
ABAT-JOUR	ABERRANT	ABOUCHÉE	
ABAT-SONS	ABHORRÉE	ABOUCHER	
ABATTAGE	ABHORRER	ABOULANT	
ABATTANT	ABJURANT	ABOUTAGE	
ABATTEUR	**ABKHAZES**	ABOUTANT	
ABATTOIR	**ABKHAZIE**	ABOYEUSE	
ABAT-VENT	ABLATION	**ABRAHAMS**	
ABBATIAL	ABLUTION	ABRASANT	ABREUVÉE
ABCÉDANT	ABOMINÉE	ABRASION	ABREUVER
ABD ALLAH	ABOMINER	ABRASIVE	ABRICOTÉ

ABRITANT	ACCOUDER	ACTINITE	ADVENTIF
ABRIVENT	ACCOUPLE	ACTINIUM	**ADYGUÉEN**
ABRUZZES	ACCOUPLÉ	ACTINOTE	ADYNAMIE
ABSCISSE	ACCOURCI	ACTIONNÉ	ÆGYRINE
ABSCONSE	ACCOURIR	ACTIVANT	AÉRATEUR
ABSENTÉE	ACCOUTRÉ	ACTIVITÉ	AÉRATION
ABSENTER	ACCRÉTÉE	ACTUAIRE	AÉRICOLE
ABSIDALE	ACCRÉTER	ACTUELLE	AÉRIENNE
ABSIDAUX	ACCROCHE	ACULÉATE	AÉRO-CLUB
ABSIDIAL	ACCROCHÉ	ACUMINÉE	AÉRODYNE
ABSINTHE	ACCROIRE	**ADAMAOUA**	AÉROGARE
ABSORBÉE	ACCROUPI	ADAMISME	AÉROPORT
ABSORBER	ACCULANT	**ADAMOISE**	AÉROSTAT
ABSOUDRE	ACCUMULÉ	ADAPTANT	AFFABULÉ
ABSTENIR	ACCUSANT	ADDICTIF	AFFAIBLI
ABSTENUE	ACÉPHALE	ADDITION	AFFAIRÉE
ABSTRACT	ACÉRACÉE	ADDITIVE	AFFAIRER
ABSTRAIT	ACERBITÉ	ADDITIVÉ	AFFAISSÉ
ABSTRUSE	ACESCENT	**ADÉLAÏDE**	AFFALANT
ABU DHABI	ACÉTIFIÉ	À DEMI-MOT	AFFAMANT
ABU NUWAS	ACÉTIQUE	**ADENAUER**	AFFAMEUR
ABYSSALE	ACHARNÉE	ADÉNOÏDE	AFFECTÉE
ABYSSAUX	ACHARNER	ADÉQUATE	AFFECTER
ABYSSINE	ACHÉENNE	ADHÉRANT	AFFECTIF
ABYSSINE	**ACHÉENNE**	**ADHERBAL**	AFFÉRENT
ACADÉMIE	ACHEMINÉ	ADHÉRENT	AFFERMÉE
ACADÉMIE	**ACHÉROIS**	ADHÉSION	AFFERMER
ACALÈPHE	ACHETANT	ADHÉSIVE	AFFERMIE
ACAPULCO	ACHETEUR	ADIANTUM	AFFERMIR
ACCABLÉE	ACHEVANT	ADIPEUSE	AFFIANTE
ACCABLER	**ACHGABAT**	ADIPIQUE	AFFICHÉE
ACCALMIE	ACHILLÉE	ADJACENT	AFFICHER
ACCAPARÉ	ACHOPPER	ADJECTIF	AFFILAGE
ACCÉDANT	ACHROMAT	ADJOINTE	AFFILANT
ACCÉLÉRÉ	ACHROMIE	ADJUDANT	AFFILIÉE
ACCENTUÉ	ACIDIFIÉ	ADJURANT	AFFILIER
ACCEPTÉE	ACID JAZZ	ADJUVANT	AFFILOIR
ACCEPTER	ACIDULÉE	**ADLISWIL**	AFFINAGE
ACCESSIT	ACIDULER	ADMETTRE	AFFINANT
ACCIDENT	ACIÉRANT	ADMIRANT	AFFINEUR
ACCLAMÉE	ACINÉSIE	**ADO-EKITI**	AFFINITÉ
ACCLAMER	ACINEUSE	ADONNANT	AFFIQUET
ACCOINTÉ	ACMÉISME	ADOPTANT	AFFIRMÉE
ACCOLADE	ACNÉIQUE	ADOPTION	AFFIRMER
ACCOLAGE	ACOLYTAT	ADOPTIVE	AFFIXALE
ACCOLANT	ACOQUINÉ	ADORABLE	AFFIXAUX
ACCOMPLI	ACQUÉRIR	ADOSSANT	AFFLEURÉ
ACCONAGE	ACQUITTÉ	ADOUBANT	AFFLIGÉE
ACCONIER	ACRIDIDÉ	AD PATRES	AFFLIGER
ACCORDÉE	ACRIDIEN	ADRESSÉE	AFFLUANT
ACCORDER	ACROBATE	ADRESSER	AFFLUENT
ACCOSTÉE	ACROMION	ADSORBÉE	AFFOLANT
ACCOSTER	ACRONYME	ADSORBER	AFFOUAGE
ACCOTANT	ACROPOLE	ADULAIRE	AFFOUAGÉ
ACCOTOIR	**ACROPOLE**	ADULTÈRE	AFFRÉTÉE
ACCOUCHÉ	ACROTÈRE	ADULTÉRÉ	AFFRÉTER
ACCOUDÉE	ACTINIDE	ADVENANT	AFFREUSE

AFFRIOLÉ	AGRONOME	**ALBERTIN**	ALLÉGUÉE
AFFRONTÉ	AGROSTIS	**ALBINONI**	ALLÉGUER
AFFRUITÉ	**AGUARUNA**	**AL-BIRUNI**	ALLÉLUIA
AFFUBLÉE	AGUERRIE	**ALBORNOZ**	ALLEMAND
AFFUBLER	AGUERRIR	ALBRAQUE	**ALLEMAND**
AFFÛTAGE	AGUEUSIE	ALBUMINE	**ALLEMANE**
AFFÛTANT	AGUICHÉE	ALBUMINÉ	**ALLEPPEY**
AFRICAIN	AGUICHER	ALCALINE	ALLERGIE
AFRICAIN	**AHUNOISE**	ALCALOSE	**ALLEVARD**
AFRO-ROCK	AIGLEFIN	**ALCAMÈNE**	ALLIACÉE
AFTALION	AIGLONNE	**AL CAPONE**	ALLIAIRE
AGAÇANTE	**AIGLONNE**	ALCHIMIE	ALLIANCE
AGACERIE	AIGREFIN	**ALCINOOS**	ALLOGÈNE
AGALAXIE	AIGRELET	**ALCOBAÇA**	ALLONGÉE
AGAR-AGAR	AIGRETTE	ALCOOLAT	ALLONGER
AGARTALA	AIGUIÈRE	ALCOTEST	**ALLONNES**
AGATHOIS	AIGUILLE	ALDÉHYDE	ALLOSOME
AGAUNOIS	**AIGUILLE**	**AL-DJAHIZ**	ALLOUANT
AGAVACÉE	AIGUILLÉ	**ALEMBERT**	ALLUMAGE
AGENAISE	AIGUISÉE	**ALENTEJO**	ALLUMANT
AGENÇANT	AIGUISER	ALENTOUR	ALLUMEUR
AGENDANT	**AILLERET**	**ALÉOUTES**	ALLUSION
AGÉNÉSIE	AILLEURS	**ALEPPINE**	ALLUSIVE
AGERATUM	AIMANTÉE	ALERTANT	ALLUVIAL
AGÉSILAS	AIMANTER	ALÉSEUSE	ALLUVION
AGGRAVÉE	AIREDALE	À L'ÉTUVÉE	ALMANACH
AGGRAVER	**AIRVAULT**	ALEURITE	ALMANDIN
AGHA KHAN	AISÉMENT	ALEURODE	**AL-MANSUR**
AGIOTAGE	AISSEAUX	ALEURONE	**ALMANZOR**
AGISSANT	AISSELLE	ALEVINÉE	**AL-MASUDI**
AGIT-PROP	**AJACCIEN**	ALEVINER	**ALMATOIS**
AGNATION	AJOINTÉE	**AL-FARABI**	**ALMQUIST**
AGNELAGE	AJOINTER	ALFATIER	ALOGIQUE
AGNELANT	AJOURANT	**ALFONSÍN**	ALOPÉCIE
AGNELINE	AJOURNÉE	ALGARADE	ALOUETTE
AGNUS-DEI	AJOURNER	ALGÉRIEN	ALOURDIE
AGONISER	AJOUTANT	**ALGÉRIEN**	ALOURDIR
AGONISTE	AJUSTAGE	ALGÉROIS	ALPAGUÉE
AGRAFAGE	AJUSTANT	**ALGÉROIS**	ALPAGUER
AGRAFANT	AJUSTEUR	ALGIDITÉ	ALPESTRE
AGRAINÉE	AKINÉSIE	ALGINATE	ALPHABET
AGRAINER	AKKADIEN	**ALGRANGE**	**ALPHONSE**
AGRANDIE	**AKKADIEN**	**ALHAMBRA**	**ALPILLES**
AGRANDIR	**AKOSOMBO**	**AL-HARIRI**	**ALRÉENNE**
AGRAPHIE	À LA COULE	ALICANTE	ALSACIEN
AGRARIEN	ALACRITÉ	**ALICANTE**	**ALSACIEN**
AGRÉABLE	**AL-AKHTAL**	ALIÉNANT	**ALTAÏENS**
AGRÉMENT	ALANDIER	ALIGNANT	ALTAÏQUE
AGRESSÉE	ALANGUIE	ALIMENTÉ	**ALTAMIRA**
AGRESSER	ALANGUIR	À L'INSU DE	ALTÉRANT
AGRESSIF	ALARMANT	**ALI PACHA**	ALTER EGO
AGRICOLA	**ALAWITES**	ALIQUOTE	ALTÉRITE
AGRICOLE	**ALBACETE**	**AL-KHALIL**	ALTÉRITE
AGRIFFÉE	ALBANAIS	ALLAITÉE	ALTERNAT
AGRIFFER	**ALBANAIS**	ALLAITER	ALTERNÉE
AGRIPPÉE	ALBATROS	ALLÉCHÉE	ALTERNER
AGRIPPER	**ALBERONI**	ALLÉCHER	ALTIPORT

ALTITUDE	À MI-JAMBE	ANATEXIE	**ANN ARBOR**
ALTKIRCH	AMIMIQUE	ANATHÈME	**ANNECIEN**
ÀLTUGLAS	**AMIN DADA**	**ANATOLIE**	ANNELANT
ALUMINÉE	AMIRAUTÉ	ANATOMIE	ANNÉLIDE
ALUMINER	**AMIRAUTÉ**	**ANCENIEN**	**ANNENSKI**
ALVARADO	**AMITABHA**	ANCIENNE	ANNEXANT
ALVÉOLÉE	AMITIEUX	**ANDERNOS**	ANNEXION
AL-WASITI	AMMOCÈTE	**ANDERSCH**	ANNEXITE
AMADOUÉE	AMMONIAC	**ANDERSEN**	ANNIHILÉ
AMADOUER	AMMONITE	**ANDERSON**	ANNONCÉE
AMAIGRIE	AMMONIUM	ANDÉSITE	ANNONCER
AMAIGRIR	AMNISTIE	ANDORRAN	**ANNONÉEN**
AMALGAME	AMNISTIÉ	**ANDORRAN**	ANNOTANT
AMALGAMÉ	AMOCHANT	**ANDRÁSSY**	ANNUAIRE
AMALTHÉE	AMODIANT	**ANDRAULT**	ANNUELLE
AMANDAIE	AMOINDRI	**ANDREÏEV**	ANNULANT
AMANDIER	AMONCELÉ	ANDROCÉE	ANODIQUE
AMANDINE	**AMONTONS**	ANDROÏDE	ANODISÉE
AMARANTE	AMORÇAGE	**ANDRONIC**	ANODISER
AMARILLO	AMORÇANT	**ANDROPOV**	ANODONTE
AMARINÉE	AMORÇOIR	ANÉANTIE	ANOMALIE
AMARINER	**AMOSSOIS**	ANÉANTIR	ANOMIQUE
AMARNIEN	AMOUREUX	ANECDOTE	ANOMOURE
AMARRAGE	AMOVIBLE	ANÉMIANT	ANONACÉE
AMARRANT	AMPÉRAGE	ANÉMIQUE	ÂNONNANT
AMASSANT	AMPHIBIE	ANÉROÏDE	ANONYMAT
AMATRICE	AMPLIFIÉ	**ANÉTAISE**	ANOPHÈLE
AMAUROSE	AMPOULÉE	**ANGELICO**	ANOREXIE
AMAZONAS	**AMPURIAS**	**ANGÉRIEN**	ANORMALE
AMAZONES	AMPUTANT	ANGEVINE	ANORMAUX
AMAZONIE	**AMRAVATI**	**ANGEVINE**	ANOXÉMIE
AMBÉRIEU	**AMRITSAR**	ANGINEUX	**ANQUETIL**
AMBIANCE	**AMROUCHE**	ANGLAISE	**ANSARIEH**
AMBIANCÉ	AMULETTE	**ANGLAISE**	ANSÉRINE
AMBIANTE	**AMUNDSEN**	**ANGLESEY**	**ANSERMET**
AMBITION	AMUSANTE	ANGLICAN	ANTABUSE
AMBLEUSE	AMUSETTE	ANGOISSE	ANTALGIE
AMBLYOPE	AMUSEUSE	ANGOISSÉ	ANTEBOIS
AMBRETTE	AMYGDALE	ANGOLAIS	ANTÉFIXE
AMBROISE	AMYLACÉE	**ANGOLAIS**	ANTENAIS
AMBULANT	AMYLIQUE	ANGSTRÖM	ANTÉPOSÉ
AMÉLIORÉ	ANABLEPS	**ÅNGSTRÖM**	ANTHÉMIS
AMÉNAGÉE	ANACARDE	**ANGUILLA**	ANTHRÈNE
AMÉNAGER	ANACONDA	ANGUILLE	ANTIBOIS
AMENDANT	**ANACRÉON**	ANGULEUX	**ANTIBOIS**
AMENUISÉ	ANAGOGIE	ANHÉLANT	ANTICHAR
AMÉRIQUE	ANALOGIE	**ANIANAIS**	ANTICHOC
AMERTUME	ANALOGUE	**ANICHOIS**	ANTICIPÉ
AMÉTROPE	ANALYSÉE	ANIDROSE	ANTIDATE
AMEUBLIE	ANALYSER	ANIMISME	ANTIDATÉ
AMEUBLIR	ANALYSTE	ANIMISTE	ANTIDOTE
AMEUTANT	ANAMNÈSE	ANISETTE	ANTIENNE
AMIBIASE	ANAPHASE	**ANKARIEN**	ANTIGANG
AMIBOÏDE	ANAPHORE	ANKYLOSE	ANTIGÈNE
À MI-CORPS	**ANÁPOLIS**	ANKYLOSÉ	**ANTIGONE**
AMIDONNÉ	ANARCHIE	ANNALITÉ	ANTIHALO
AMIÉNOIS	**ANASTASE**	ANNAMITE	ANTIJEUX

ANTILLES	APPENDRE	ARBORANT	**ARKANSAS**
ANTILOPE	APPENDUE	ARBORISÉ	**ARLANDES**
ANTIMITE	APPENTIS	ARBUSTIF	ARLEQUIN
ANTINAZI	**APPIENNE**	**ARCACHON**	**ARLEQUIN**
ANTINOÜS	APPLAUDI	ARCADIEN	ARLÉSIEN
ANTIOCHE	**APPLETON**	**ARCADIUS**	**ARLÉSIEN**
ANTIPAPE	APPLIQUE	ARCATURE	**ARLONAIS**
ANTIPODE	APPLIQUÉ	ARC-BOUTÉ	ARMAGNAC
ANTITOUT	APPOINTÉ	ARCHANGE	**ARMAGNAC**
ANTONIEN	APPONDRE	ARCHELLE	ARMAILLI
ANTONINS	APPONDUE	ARCHERIE	**ARMANÇON**
ANTONYME	APPONTER	ARCHIDUC	ARMATEUR
ANXIEUSE	APPORTÉE	ARCHIPEL	ARMATURE
ANZINOIS	APPORTER	ARCHIVÉE	ARMEMENT
AORTIQUE	APPOSANT	ARCHIVER	ARMÉNIEN
APAGOGIE	APPRÉCIÉ	ARCHIVES	**ARMÉNIEN**
APAISANT	APPRENTI	ARCHONTE	ARMINIEN
APATRIDE	APPRÊTÉE	**ARCISIEN**	**ARMINIUS**
APCHÉRON	APPRÊTER	ARÇONNÉE	ARMORIAL
APENNINS	APPROCHE	ARÇONNER	ARMORIÉE
APERGHIS	APPROCHÉ	ARCTIQUE	ARMORIER
APÉRITIF	APPROUVÉ	**ARCTIQUE**	ARMURIER
À PERPÈTE	APPUYANT	**ARDENNES**	ARNAQUÉE
APERTURE	ÂPREMENT	**ARDENTES**	ARNAQUER
À-PEU-PRÈS	APRÈS QUE	ARDILLON	**ARNÉTOIS**
APEURANT	APRÈS-SKI	ARDOISÉE	ARPENTÉE
APHÉRÈSE	**APTÉSIEN**	À REBOURS	ARPENTER
APHIDIEN	APTITUDE	ARÉCACÉE	ARRACHÉE
APHTEUSE	**APURÍMAC**	ARÉOPAGE	ARRACHER
APIÉCEUR	APYREXIE	ARÉQUIER	ARRACHIS
APIQUAGE	AQUACOLE	**AREQUIPA**	ARRANGÉE
APIQUANT	AQUARIUM	ARÊTIÈRE	ARRANGER
APITOYÉE	AQUICOLE	ARGANIER	ARRÊTANT
APITOYER	AQUIFÈRE	**ARGENSON**	ARRIÉRÉE
APLOMBÉE	**AQUITAIN**	ARGENTAN	ARRIMAGE
APLOMBER	**AQUITAIN**	**ARGENTAN**	ARRIMANT
APOASTRE	AQUOSITÉ	**ARGENTAT**	ARRIMEUR
APOCOPÉE	ARABIQUE	ARGENTÉE	ARRISANT
APOGAMIE	**ARABIQUE**	ARGENTER	ARRIVAGE
APOLOGIE	ARABISÉE	ARGENTIN	ARRIVANT
APOLOGUE	ARABISER	**ARGENTIN**	ARROBASE
APOMIXIE	ARABISME	ARGENTON	ARROGANT
APOPHYSE	ARACHIDE	**ARGENTON**	ARRONDIE
APOPTOSE	**ARAGUAIA**	**ARGENTRÉ**	ARRONDIR
APOSTANT	ARAIGNÉE	**ARGERICH**	ARROSAGE
APOSTATE	ÂRALDITE	ARGIENNE	ARROSANT
APOTHÈME	**ARAMÉENS**	**ARGIENNE**	ARROSEUR
APPAMÉEN	ARANÉIDE	ARGILEUX	ARROSOIR
APPARAUX	**ARANJUEZ**	ARGININE	ARSENAUX
APPAREIL	ARATOIRE	**ARGOLIDE**	ARSÉNIÉE
APPARENT	**ARAUCANS**	ARGOTIER	ARSÉNITE
APPARIÉE	**ARAVALLI**	ARGOUSIN	**ARSONVAL**
APPARIER	ARBALÈTE	**ARGOVIEN**	**ARTAGNAN**
APPAROIR	ARBITRAL	**ARGUEDAS**	ARTEFACT
APPÂTANT	ARBITRÉE	ARGUMENT	**ARTÉMISE**
APPAUVRI	ARBITRER	**ARISTIDE**	ARTÉRIEL
APPELANT	**ARBOGAST**	**ARISTOTE**	ARTÉRITE

121

ARTÉSIEN	ASSOLANT	ATOXIQUE	**AUCKLAND**
ARTÉSIEN	ASSOMBRI	ATRABILE	AU-DEDANS
ARTHRITE	ASSOMMÉE	ATROCITÉ	AU-DEHORS
ARTHROSE	ASSOMMER	ATROPHIE	AU-DESSUS
ARTICULÉ	ASSORTIE	ATROPHIÉ	AU-DEVANT
ARTIFICE	ASSORTIR	ATROPINE	AUDIENCE
ARTISANE	ASSOUPIE	ATTABLÉE	**AUDIERNE**
ARUSPICE	ASSOUPIR	ATTABLER	ÀUDIOTEX
ARVERNES	ASSOUPLI	ATTACHÉE	AUDITANT
ARYTHMIE	ASSOURDI	ATTACHER	AUDITEUR
ASBESTOS	ASSOUVIE	ATTAGÈNE	AUDITION
ASCYENNE	ASSOUVIR	ATTAQUÉE	AUDITIVE
ASEPTISÉ	**ASSUÉRUS**	ATTAQUER	AUDONIEN
ASHIKAGA	ASSUMANT	ATTARDÉE	**AUDONIEN**
ASHKELON	ASSURAGE	ATTARDER	**AUDRUICQ**
ASHQELON	ASSURANT	ATTEINTE	**AUDUNOIS**
ASILAIRE	ASSUREUR	ATTELAGE	**AUGEREAU**
ASNIÈRES	ASSYRIEN	ATTELANT	AUGMENTÉ
ASOCIALE	**ASSYRIEN**	ATTENANT	**AUGSBURG**
ASOCIAUX	ASTÉRIDE	ATTENDRE	AUGURANT
ASPARTAM	**ASTÉRIEN**	ATTENDRI	AUGUSTIN
ASPENDOS	ASTHÉNIE	ATTENDUE	**AUGUSTIN**
ASPERGÉE	ASTICOTÉ	ATTENTAT	AULOFFÉE
ASPERGER	ASTIQUÉE	ATTENTER	**AULTOISE**
ASPERGÈS	ASTIQUER	ATTENTIF	**AUMALOIS**
ASPÉRITÉ	**ASTOLPHE**	ATTÉNUÉE	AUMÔNIER
ASPERMIE	ASTRAKAN	ATTÉNUER	**AUNISIEN**
ASPHALTE	**ASTRAKAN**	ATTERRÉE	AUPRÈS DE
ASPHALTÉ	ASTREINT	ATTERRER	**AURÉLIEN**
ASPHYXIE	ASTRONEF	ATTERRIR	AURÉOLÉE
ASPHYXIÉ	**ASTURIAS**	ATTESTÉE	AURÉOLER
ASPIRANT	**ASTURIEN**	ATTESTER	AURICULE
ASPIRINE	**ASTURIES**	ATTIÉDIE	AURIFÈRE
ASSAILLI	**ASTYANAX**	ATTIÉDIR	**AURIGNAC**
ASSAINIE	**ASUNCIÓN**	ATTIFANT	**AURILLAC**
ASSAINIR	ASYNDÈTE	ATTIRAIL	AURORALE
ASSAMAIS	ASYSTOLE	ATTIRANT	AURORAUX
ASSASSIN	**ATALANTE**	ATTISANT	AUSCULTÉ
ASSÉCHÉE	ATARAXIE	ATTITRÉE	AUSSIÈRE
ASSÉCHER	ATAVIQUE	ATTITUDE	AUSSITÔT
ASSEMBLÉ	ATAVISME	ATTORNEY	AUSTRALE
ASSÉNANT	ATAXIQUE	ATTRAIRE	AUSTRALS
ASSERVIE	**ATCHINSK**	ATTRAITE	AUSTRAUX
ASSERVIR	ATERMOYÉ	ATTRAPÉE	AUTARCIE
ASSEYANT	**ATHANASE**	ATTRAPER	**AUTERIVE**
ASSIÉGÉE	**ATHÉGIEN**	ATTRIBUÉ	AUTOCOAT
ASSIÉGER	ATHÉISME	ATTRIBUT	AUTODAFÉ
ASSIETTE	ATHÉNIEN	ATTRISTÉ	AUTOGAME
ASSIGNAT	**ATHÉNIEN**	ATTROUPÉ	AUTOGÈNE
ASSIGNÉE	ATHÉROME	À TUE-TÊTE	AUTOGÉRÉ
ASSIGNER	ATHÉTOSE	ATYPIQUE	AUTOGIRE
ASSIMILÉ	ATOMIQUE	ATYPISME	AUTOLYSE
ASSISTÉE	ATOMISÉE	AUBÉPINE	AUTOMATE
ASSISTER	ATOMISER	**AUBIGNAC**	AUTOMNAL
ASSOCIÉE	ATOMISME	**AUBISQUE**	AUTONOME
ASSOCIER	ATOMISTE	**AUBUSSON**	AUTONYME
ASSOIFFÉ	ATONIQUE	**AUCASSIN**	AUTOPSIE

AUTOPSIÉ
AUTORAIL
AUTORISÉ
AUTORITÉ
AUTOSOME
AUTO-STOP
AUTOTOUR
AUTOUR DE
AUTRICHE
AUTRUCHE
AUTUNITE
AUTUNOIS
AUVERGNE
AUXILOIS
AUXQUELS
AVALANTE
AVALEUSE
AVALISÉE
AVALISER
AVALOIRE
AVALOIRS
AVANÇANT
AVANTAGE
AVANTAGÉ
AVANT-BEC
AVARIANT
AVARICUM
À VAU-L'EAU
AVELLINO
AVE MARIA
AVEMPACE
AVENANTE
AVENTURE
AVENTURÉ
AVENZOAR
AVERCAMP
AVERROÈS
AVERSION
AVESNOIS
AVEUGLÉE
AVEUGLER
AVIATEUR
AVIATION
AVICENNE
AVIFAUNE
AVOCETTE
AVOGADRO
AVOISINÉ
AVONNAIS
AVORTANT
AVORTEUR
AVOUABLE
AVULSION
AVVAKOUM
AXÉNIQUE
AYACUCHO
AYENTÔTE

AYES-AYES
AZIMUTAL
AZIMUTÉE
AZNAVOUR
AZTÈQUES
BABA COOL
BABEURRE
BABILLER
BABINSKI
BABOLANT
BABOUCHE
BABY-BEEF
BABY-BOOM
BABY-FOOT
BABYLONE
BABY-TEST
BACCARAT
BACCARAT
BACHIQUE
BACHKIRE
BACHKIRS
BACHMANN
BACHOTER
BACICCIA
BACICCIO
BACTÉRIE
BADABOUM
BADALONA
BADAMIER
BADGEANT
BADIGEON
BADINAGE
BADINANT
BADINTER
BAD-LANDS
BADOGLIO
BAD RAGAZ
BAEDEKER
BAFOUANT
BÂFREUSE
BAGARRER
BAGAUDES
BAGNÈRES
BAGNOLET
BAGUETTE
BAGUIRMI
BAHAÏSME
BAHAMIEN
BAIA MARE
BAIGNADE
BAIGNANT
BAIGNEUR
BAILLANT
BÂILLANT
BAILLEUL
BAILLEUR
BÂILLEUR

BAINAISE
BAISOTÉE
BAISOTER
BAISSANT
BAISSIER
BAKCHICH
BAKÉLITE
BALADANT
BALADEUR
BALAFRÉE
BALAFRER
BALAGUER
BALAKOVO
BALANCÉE
BALANCER
BALANITE
BALAYAGE
BALAYANT
BALAYEUR
BALBUTIÉ
BALÉARES
BALEINÉE
BALINAIS
BALISAGE
BALISANT
BALISEUR
BALISIER
BALIVAGE
BALIVEAU
BALKHACH
BALLADUR
BALLANTE
BALLASTÉ
BALLEROY
BALLONNÉ
BALLOTIN
BALLOTTÉ
BALL-TRAP
BALOURDE
BALTIQUE
BALTIQUE
BALUCHON
BALUSTRE
BAMAKOIS
BAMBOCHE
BAMBOCHÉ
BAMBOULA
BAMILÉKÉ
BANALISÉ
BANALITÉ
BANANIER
BANCABLE
BANCAIRE
BANCHAGE
BANCHANT
BANCROFT
BANDEAUX

BANDEIRA
BANDELLO
BANDE-SON
BANDOENG
BANDUNDU
BANI SADR
BANLIEUE
BANNALEC
BANNERET
BANNETON
BANNETTE
BANNIÈRE
BANQUANT
BANQUETÉ
BANQUIER
BANQUISE
BANVILLE
BAPTISÉE
BAPTISER
BAPTISME
BAPTISTE
BARABBAS
BARALBIN
BARAQUÉE
BARAQUER
BARATINÉ
BARATTÉE
BARATTER
BARBANTE
BARBAQUE
BARBARIE
BARBARIE
BARBEAUX
BARBECUE
BARBELÉE
BARBETTE
BARBICHE
BARBICHU
BARBIFIÉ
BARBIZON
BARBOTAN
BARBOTÉE
BARBOTER
BARBOTIN
BARBOTTE
BARBOUZE
BARBUSSE
BARCASSE
BARCLAYS
BARDEAUX
BARE-FOOT
BAREILLY
BARENTIN
BARENTSZ
BARÉTANT
BARFLEUR
BARGELLO

BARILLET	BATACLAN	BÊCHEUSE	BÉQUETER
BARIOLÉE	BATAILLE	**BECKMANN**	BÉQUILLE
BARIOLER	**BATAILLE**	BÉCOTANT	BÉQUILLÉ
BARISIEN	BATAILLÉ	BECQUETÉ	**BÉRANGER**
BARJAQUÉ	**BATANGAS**	BECTANCE	BERÇANTE
BARJAVEL	BATELAGE	BEDONNER	BERCEAUX
BARKHANE	BATELEUR	BÉDOUINE	**BERCENAY**
BAR-LE-DUC	BATELIER	**BÉDOUINE**	BERCEUSE
BARLETTA	BAT-FLANC	BÉGAYANT	**BERCKOIS**
BARNACHE	**BATHILDE**	**BÉGLAISE**	**BÉRENGER**
BARNAOUL	**BATHURST**	BÉGUEULE	**BÉRÉNICE**
BAROCCIO	BATHYALE	BÉHAÏSME	BERENSON
BARONNET	BATHYAUX	**BÉHANZIN**	BEREZINA
BARONNIE	BATIFOLÉ	BEHISTUN	**BERGAMÍN**
BARRABAN	BÂTIMENT	BEKTACHI	**BERGANZA**
BARRABAS	BÂTONNAT	**BÉLANGER**	BERGERAC
BARRANCO	BÂTONNÉE	BEL CANTO	BERGERIE
BARRAQUÉ	BÂTONNER	BÊLEMENT	**BERGUOIS**
BARRAULT	BÂTONNET	**BELGIQUE**	BÉRIBÉRI
BARREAUX	BATTANTE	**BELGOROD**	BÉRIMBAU
BARREIRO	BATTERIE	**BELGRADE**	BERINGEN
BARRETTE	BATTEUSE	**BELGRAND**	**BÉRINGIE**
BARREUSE	**BAUCHANT**	**BELGRANO**	BERKELEY
BARRIÈRE	**BAUDAISE**	BELINSKI	BERLUGAN
BARRIQUE	**BAUDOUIN**	**BELITUNG**	BERMUDES
BARROISE	BAUDRIER	**BÉLIZIEN**	**BERNÁCER**
BARYTINE	BAUDROIE	**BELLANGE**	BERNACHE
BARYTITE	**BAUGEOIS**	BELLÂTRE	BERNACLE
BASANANT	**BAULOISE**	**BELLE-ÎLE**	**BERNANOS**
BAS-BLEUS	**BAUMOISE**	**BELLERIN**	**BERNAYEN**
BAS-CÔTÉS	BAVARDER	**BELLONTE**	**BERNHARD**
BASCULÉE	BAVAROIS	BELLOTTE	BERNICLE
BASCULER	**BAVAROIS**	**BELMONDO**	BERNIQUE
BASE-BALL	BAVASSER	**BELMOPAN**	BERNOISE
BAS-FONDS	BAYADÈRE	**BELZÉBUL**	**BERNOISE**
BASICITÉ	**BAYREUTH**	BÉMOLISÉ	**BERRATIN**
BASILDON	**BAZADAIS**	**BEN BELLA**	BERRUYER
BASILEUS	BAZARDÉE	BÉNÉFICE	**BERRUYER**
BASILIDE	BAZARDER	**BÉNÉVENT**	**BERTHIER**
BASQUINE	BÉARNAIS	BÉNÉVOLE	**BERTRADE**
BAS-ROUGE	**BÉARNAIS**	BENGALIE	**BERTRAND**
BASSESSE	BÉATIFIÉ	**BENGALIE**	**BESANÇON**
BASSIGNY	**BÉATRICE**	**BENGALIS**	BÉSICLES
BASSINÉE	BEAUCOUP	**BENGHAZI**	**BESKIDES**
BASSINER	BEAU-FILS	**BENGKULU**	BESOGNER
BASSINET	BEAUFORT	**BENGUELA**	**BESSÈGES**
BASSISTE	**BEAUFORT**	BÉNICHON	BESSEMER
BASSOISE	**BEAULIEU**	**BENIDORM**	**BESSEMER**
BASTAING	**BEAUMONT**	**BÉNINOIS**	**BESSINES**
BASTAQUE	**BEAUNOIS**	BÉNITIER	**BESSOISE**
BASTIAIS	BEAU-PÈRE	BENJAMIN	BESSONNE
BASTIAIS	**BEAUPORT**	**BENJAMIN**	BESTIALE
BASTIDON	**BEAUVAIS**	**BEN NEVIS**	BESTIAUX
BASTILLE	**BEAUVOIR**	BENZOATE	BESTIOLE
BASTILLE	**BECCARIA**	BENZOYLE	BÊTATRON
BASTOGNE	BECFIGUE	BÉOTISME	BÊTEMENT
BASTONNÉ	BÉCHAMEL	BÉQUETÉE	**BÉTHANIE**

BETHLÉEM	BIG BANDS	BITONALS	BLUTERIE
BÊTIFIER	BIGLEUSE	BITONAUX	**BOADICÉE**
BÉTIQUES	BIGNONIA	BITONIAU	BOBINAGE
BÊTISIER	BIGORNÉE	BITTURÉE	BOBINANT
BÉTONNÉE	BIGORNER	BITTURER	BOBINEAU
BÉTONNER	BIGOUDEN	BITUMAGE	BOBINEUR
BETSILÉO	**BIGOUDEN**	BITUMANT	BOBINOIR
BEUGLANT	BIHOREAU	BITUMEUX	BOCAGÈRE
BEURETTE	BIJECTIF	BITURANT	BOCARDÉE
BEURRANT	BILABIAL	BIVALENT	BOCARDER
BEURRIER	**BILASPUR**	BIZUTAGE	**BOCCIONI**
BEUVERIE	BILIAIRE	BIZUTANT	**BODENSEE**
BEXIENNE	BILIEUSE	**BJERKNES**	**BODH-GAYA**
BEYLICAL	BILINGUE	**BJØRNSON**	**BOFFRAND**
BEYLICAT	BILLETÉE	BLACK-OUT	**BOGAZKÖY**
BEYLISME	BILLETTE	BLACK-ROT	BOGOMILE
BEYNOISE	**BILLITON**	BLAFARDE	BOHÉMIEN
BEYROUTH	BIMESTRE	BLAGUANT	**BOHÉMOND**
BHADGAUN	BIMOTEUR	BLAGUEUR	BOISERIE
BHATGAON	**BINCHOIS**	BLAIRANT	BOISSEAU
BHATPARA	**BINICAIS**	BLAIREAU	BOITERIE
BIACHOIS	BINOMIAL	BLÂMABLE	BOITEUSE
BIAISANT	BIOLOGIE	BLANC-BEC	BOITILLÉ
BIARRITZ	BIOMASSE	BLANCHET	**BOKSBURG**
BIARROTE	BIONIQUE	BLANCHIE	BOLETALE
BIARROTE	BIOTIQUE	BLANCHIR	BOLIVIEN
BIATHLON	**BIOTOISE**	BLANCHON	**BOLIVIEN**
BIBLIQUE	BIPARTIE	**BLANCHOT**	BOLONAIS
BIBLISTE	BIPENNÉE	**BLANCOIS**	**BOLONAIS**
BIBRACTE	BIPHASÉE	BLANDICE	BOMBANCE
BICARRÉE	BIPOUTRE	**BLANDINE**	BOMBARDE
BICHETTE	BIPS-BIPS	**BLANTYRE**	BOMBARDÉ
BICHONNE	BIQUETTE	BLASONNÉ	**BOMBELLI**
BICHONNÉ	**BIRKENAU**	BLASTULA	BOMBONNE
BICKFORD	**BIRKHOFF**	BLATÉRER	**BONAMPAK**
BICOLORE	**BIRMANIE**	**BLAYAISE**	BONBONNE
BIDASSOA	BISAÏEUL	**BLENHEIM**	BONCOURT
BIDONNÉE	BISBILLE	**BLÉROISE**	BONDELLE
BIDONNER	BISCAÏEN	BLÉSOISE	**BONDUOIS**
BIEN-AIMÉ	BISCAYEN	**BLÉSOISE**	BONHOMIE
BIENAYMÉ	BISCORNU	BLESSANT	BONHOMME
BIEN-DIRE	BISCOTTE	BLESSURE	**BONHOMME**
BIEN-ÊTRE	BISCUITÉ	BLEUÂTRE	BONICHON
BIENFAIT	BISEAUTÉ	BLINDAGE	**BONIFACE**
BIEN-JUGÉ	BISEXUÉE	BLINDANT	BONIFIÉE
BIENNALE	BISEXUEL	**BLINOISE**	BONIFIER
BIENNAUX	**BISMARCK**	BLINQUER	BONIMENT
BIENNOIS	BISONTIN	BLIZZARD	**BONIVARD**
BIENVENU	**BISONTIN**	BLOCS-EAU	**BONNEFOY**
BIERMANN	BISQUANT	BLONDEUR	BONNETTE
BIFLÈCHE	**BISSAGOS**	BLONDINE	**BONNEUIL**
BIFOCALE	**BISSIÈRE**	BLOQUANT	**BONNEVAL**
BIFOCAUX	BISTORTE	BLOUSANT	BONNICHE
BIFURQUÉ	BISTOURI	BLUE-JEAN	**BONNIVET**
BIGARADE	**BITCHOIS**	BLUFFANT	**BONNOISE**
BIGARRÉE	**BITHYNIE**	BLUFFEUR	**BONTEMPS**
BIGARRER	BITONALE	**BLUMENAU**	BONZESSE

BORA BORA	BOUGEANT	BOUTONNÉ	**BRAYTOIS**
BORASSUS	BOUGEOIR	BOUT-RIMÉ	**BRÉHATIN**
BORCHTCH	**BOUGIVAL**	BOUTURÉE	BRELOQUE
BORDAISE	BOUGONNE	BOUTURER	**BRENNOUE**
BORDEAUX	BOUGONNÉ	BOUVERIE	**BRENTANO**
BORDEAUX	**BOUHOURS**	BOUVIÈRE	BRÉSILLÉ
BORDÈRES	BOUI-BOUI	**BOUVINES**	BRESSANE
BORDERIE	BOUILLIE	**BOUYGUES**	**BRESSANE**
BORDIÈRE	BOUILLIR	BOUZOUKI	**BRESTOIS**
BORDIGUE	BOUILLON	BOX-CALFS	**BRETAGNE**
BORGHÈSE	**BOUILLON**	BOYAUTÉE	BRETÈCHE
BORGHOLM	**BOUKHARA**	BOYAUTER	BRETELLE
BORINAGE	BOULANGE	BOYCOTTÉ	BRETESSE
BORIQUÉE	BOULANGÉ	BOY-SCOUT	BRETESSÉ
BORNHOLM	BOULEAUX	BRACELET	**BRETEUIL**
BORNOYÉE	BOULETÉE	BRACHIAL	**BRÉTIGNY**
BORNOYER	BOULETTE	BRACONNÉ	BRETONNE
BORODINE	BOULIMIE	**BRADBURY**	**BRETONNE**
BORODINO	BOULISTE	BRADERIE	BRETTEUR
BORRASSÀ	BOULOCHÉ	**BRADFORD**	**BREUGHEL**
BORROMÉE	**BOULOGNE**	**BRAGANCE**	BREUVAGE
BOSCOTTE	BOULONNÉ	**BRAGARDE**	BREVETÉE
BOSPHORE	BOULOTTE	BRAHMANE	BREVETER
BOSSELÉE	BOULOTTÉ	BRAILLÉE	**BREWSTER**
BOSSELER	BOUQUETÉ	BRAILLER	**BRIANÇON**
BOSSETTE	BOUQUINÉ	BRAIMENT	**BRIAROIS**
BOSSEUSE	**BOURASSA**	**BRAINOIS**	BRICELET
BOSSUANT	**BOURBAKI**	BRAISAGE	BRICOLÉE
BOSWORTH	BOURBEUX	BRAISANT	BRICOLER
BOTHWELL	BOURBIER	**BRAMANTE**	BRIDGEUR
BOTRANGE	**BOURCAIN**	**BRAMPTON**	**BRIDGMAN**
BOTRYTIS	**BOURCATE**	BRANCARD	**BRIDOISE**
BÓTSARIS	**BOURDIEU**	BRANCHÉE	**BRIECOIS**
BOTSWANA	BOURGADE	BRANCHER	BRIEFANT
BOTTELÉE	**BOURGAIN**	BRANCHIE	BRIEFING
BOTTELER	BOURGEON	BRANCHUE	BRIÈVETÉ
BOTZARIS	**BOURIATE**	**BRANCUSI**	BRIFFANT
BOUCAINE	**BOURMONT**	BRANDADE	BRIGANDÉ
BOUCANÉE	BOURONNÉ	BRANLANT	**BRIGHTON**
BOUCANER	BOURRADE	BRANLEUR	**BRIGITTE**
BOUCHAGE	BOURRAGE	**BRANTING**	**BRIGNAIS**
BOUCHAIN	BOURRANT	**BRANTÔME**	BRIGUANT
BOUCHANT	BOURREAU	BRAQUAGE	BRILLANT
BOUCHARD	BOURRELÉ	BRAQUANT	BRIMBALÉ
BOUCHÈRE	BOURRIDE	BRAQUEUR	**BRINDISI**
BOUCLAGE	BOURSIER	**BRASÍLIA**	BRINGUÉE
BOUCLANT	**BOU SAADA**	BRASILLÉ	BRINGUER
BOUCLIER	BOUSCULÉ	BRASSAGE	BRIOCHÉE
BOUDERIE	BOUSILLÉ	BRASSANT	BRIOCHIN
BOUDEUSE	**BOUSQUET**	BRASSARD	**BRIOCHIN**
BOUDICCA	**BOUSSOIS**	**BRASSENS**	BRIOTINE
BOUDINÉE	BOUSSOLE	BRASSEUR	BRIQUANT
BOUDINER	BOUTEFAS	**BRASSEUR**	BRIQUETÉ
BOUÉLANT	BOUTEFEU	**BRATIANU**	BRISANCE
BOUFFANT	**BOUTHOUL**	**BRATTAIN**	BRISANTE
BOUFFEUR	BOUTIQUE	BRAVACHE	**BRISBANE**
BOUGANDA	BOUTISSE	BRAVOURE	BRISCARD

BRISE-FER	BRUNANTE	**BUZENVAL**	CAFARDÉE
BRISE-JET	BRUNÂTRE	BYZANTIN	CAFARDER
BRISEUSE	BRUNCHES	**BYZANTIN**	CAFÉIÈRE
BRISOLÉE	**BRUNÉIEN**	CAATINGA	CAFETIER
BRIVISTE	BRUNETTE	CABALANT	**CAFFIERI**
BROADWAY	**BRUNOYEN**	CABANANT	**CAFRERIE**
BROCANTE	BRushing	CABERNET	CAFTEUSE
BROCANTÉ	BRUSQUÉE	CABESTAN	**CAGLIARI**
BROCARDÉ	BRUSQUER	CABILLOT	CAGNEUSE
BROCHAGE	**BRUTTIUM**	CÂBLEAUX	**CAGNOISE**
BROCHANT	BRUXISME	CÂBLERIE	CAGNOTTE
BROCHEUR	BRUYANTE	CÂBLEUSE	CAHOTANT
BROCHURE	**BRUYÈRES**	CÂBLISTE	CAHOTEUX
BRODERIE	**BRUZOISE**	CABOCHON	CAILLAGE
BRODEUSE	BUANDIER	CABOSSÉE	CAILLANT
BROMIQUE	**BUCAREST**	CÁBOSSER	**CAILLAUX**
BRONCHER	**BUCHANAN**	CABOSSÉS	**CAILLOIS**
BRØNSTED	BÛCHERON	CABOTAGE	CAILLOUX
BRONZAGE	BÛCHETTE	CABOTANT	CAISSIER
BRONZANT	BÛCHEUSE	CABOTEUR	CAJOLANT
BRONZEUR	**BUCOVINE**	CABOTINE	CAJOLEUR
BRONZIER	**BUDAPEST**	CABOTINÉ	CAKE-WALK
BRONZINO	BUDDLEIA	CABOULOT	CALADION
BROOKLYN	BUDGÉTÉE	CABRIOLE	CALADIUM
BROSSAGE	BUDGÉTER	CABRIOLÉ	**CALADOIS**
BROSSANT	BUGLOSSE	CACABANT	CALAISON
BROSSARD	**BUGUOISE**	CACAILLE	CALAMBAC
BROSSIER	BUILDING	CACAOTÉE	CALAMINE
BROTONNE	**BULAWAYO**	CACAOYER	CALAMINÉ
BROUETTE	BULBAIRE	CACARDER	CALAMITE
BROUETTÉ	BULBEUSE	CACATOÈS	CALAMITÉ
BROUHAHA	BULBILLE	CACATOIS	CALANCHÉ
BROUILLE	**BULGARIE**	CACHALOT	CALANDRE
BROUILLÉ	BULLAIRE	CACHE-COL	CALANDRÉ
BROUILLY	BULLETIN	CACHE-NEZ	CALANQUE
BROUSSEL	BULLEUSE	CACHE-POT	CALATHÉA
BROUSSIN	**BULTMANN**	CACHETÉE	CALCAIRE
BROUTAIN	BUNGALOW	CACHETER	CALCÉMIE
BROUTANT	BUPRESTE	CACHETTE	CALCIFIÉ
BROUTARD	**BURGDORF**	CACHEXIE	CALCINÉE
BROWNIEN	**BURGOYNE**	CACHUCHA	CALCINER
BROWNING	BURGRAVE	CACOSMIE	CALCIQUE
BROWNING	BURINAGE	CACTACÉE	CALCULÉE
BROYEUSE	BURINANT	CADASTRE	CALCULER
BRUCELLA	**BUSHNELL**	CADASTRÉ	**CALCUTTA**
BRUCKNER	BUSINESS	CADENCÉE	CALDEIRA
BRUGEOIS	BUSQUANT	CADENCÉE	**CALDERÓN**
BRUINEUX	**BUSSENET**	CADENCER	CALDOCHE
BRUISSER	**BUSSOTTI**	**CADILLAC**	**CALDWELL**
BRUITAGE	BUSTIÈRE	CADMIAGE	CALENDES
BRUITANT	BUTINANT	CADMIANT	CALENDOS
BRUITEUR	BUTINEUR	**CADOUDAL**	CALE-PIED
BRÛLANTE	BUTYLÈNE	CADRATIN	**CALEPINO**
BRÛLERIE	BUTYRATE	CADREUSE	CALETANT
BRUMAIRE	BUTYREUX	CADUCITÉ	CALFATÉE
BRUMEUSE	BUTYRINE	CAENNAIS	CALFATER
BRUMMELL	BUVETIER	**CAENNAIS**	CALIBRÉE

CALIBRER	**CAMPANIE**	CAPELINE	CARCÉRAL
CALICULE	**CAMPECHE**	**CAPELLEN**	**CÁRDENAS**
CALIGULA	CAMPÊCHE	CAPÉSIEN	CARDEUSE
CÂLINANT	CAMPEUSE	CAPÉTIEN	CARDIAUX
CALIORNE	CAMPHRÉE	**CAPE TOWN**	CARDIGAN
CALISSON	**CAMPINAS**	CAPEYANT	CARDINAL
CALLEUSE	CANADAIR	CAPITALE	**CARDUCCI**
CALL-GIRL	CANADIEN	**CAPITANT**	**CARÉLIEN**
CALLIOPE	**CANADIEN**	CAPITAUX	CARÉNAGE
CALLISTE	CANAILLE	CAPITEUX	CARÉNANT
CALLISTO	CANALISÉ	CAPITOLE	**CARENTAN**
CALLOWAY	CANANÉEN	**CAPITOLE**	CARESSÉE
CALMANTE	**CANANÉEN**	CAPITOUL	CARESSER
CALMETTE	CANARDÉE	CAPITULE	CAR-FERRY
CALOMNIE	CANARDER	CAPITULÉ	CARGUANT
CALOMNIÉ	**CANARIEN**	CAPORAUX	CARIACOU
CALOOCAN	**CANARIES**	CAPOTAGE	CARIBÉEN
CALOTTÉE	CANASSON	CAPOTANT	**CARIBÉEN**
CALOTTER	**CANBERRA**	**CAPOUANE**	**CARIBERT**
CALOYÈRE	CANCANER	CAPRIQUE	CARIEUSE
CALQUAGE	CANDIDAT	**CAP-ROUGE**	**CARIGNAN**
CALQUANT	**CANDOLLE**	CAPSELLE	CARILLON
CALVADOS	CANETAGE	CAPSULÉE	**CARILLON**
CALVADOS	**CANÉTOIS**	CAPSULER	CARINATE
CALVAIRE	CANICULE	CAPTATIF	**CARLETON**
CALVAISE	**CANISIUS**	CAPTIEUX	**CARLISLE**
CALVILLE	CANIVEAU	CAPTIVÉE	CARLISME
CALVITIE	**CANJUERS**	CAPTIVER	CARLISTE
CAMAGÜEY	CANNABIS	CAPTURÉE	**CARLITTE**
CAMAÏEUS	CANNELÉE	CAPTURER	**CARLOMAN**
CAMAÏEUX	CANNELLE	CAPUCHON	**CARLSBAD**
CAMARADE	CANNETTE	CAPUCINE	**CARLSSON**
CAMARGUE	CANNEUSE	**CAPULETS**	CARMINÉE
CAMBIALE	CANNIÈRE	CAPYBARA	**CARNATIC**
CAMBIAUX	CANNISSE	CAQUELON	CARNAVAL
CAMBISTE	**CANNOISE**	CAQUETER	**CARNÉADE**
CAMBOARE	CANONIAL	CARABIDÉ	CARNEAUX
CAMBODGE	CANONISÉ	CARABINE	**CARNEGIE**
CAMBOUIS	CANONNÉE	CARABINÉ	**CARNIOLE**
CAMBRAGE	CANONNER	**CARABOBO**	**CARNUTES**
CAMBRANT	CANOTAGE	CARACOLÉ	**CAROBERT**
CAMBRIEN	CANOTANT	**CARAÏBES**	**CAROLINE**
CAMBRURE	CANOTEUR	CARAMÉLÉ	CARONADE
CAMÉLÉON	CANOTIER	**CARANTEC**	CAROTÈNE
CAMÉLIDÉ	**CANTELEU**	CARAPACE	CAROTIDE
CAMELINE	**CANTEMIR**	CARAPATÉ	CAROTTÉE
CAMELLIA	CANTIQUE	**CARAQUET**	CAROTTER
CAMELOTE	CANTONAL	CARASSIN	**CARPATES**
CAMÉRIER	CANTONNÉ	**CARAVAGE**	CARPEAUX
CAMERONE	CANULANT	CARAVANE	**CARPEAUX**
CAMEROUN	**CANYCAIS**	CARBONÉE	CARPELLE
CAMILLUS	CANZONES	**CARBONNE**	CARPETTE
CAMIONNÉ	CAOUANNE	CARBURÉE	CARQUOIS
CAMISARD	CAPACITÉ	CARBURER	**CARRACHE**
CAMISOLE	**CAPDENAC**	CARBUROL	CARREAUX
CAMOUFLÉ	CAPELAGE	CARCAJOU	CARRELÉE
CAMPAGNE	CAPELANT	CARCASSE	CARRELER

CARRELET	CATCHANT	CENDREUX	CHACONNE
CARRERAS	CATCHEUR	CENDRIER	CHADBURN
CARRIERA	**CATÉSIEN**	CÉNOBITE	**CHADWICK**
CARRIÈRE	CATHÈDRE	CENSORAT	CHAFOUIN
CARRIÈRE	CATHÉTER	CENSURÉE	CHAGRINE
CARRILLO	**CATILINA**	CENSURER	CHAGRINÉ
CARRIOLE	CATIMINI	CENTAINE	**CHAH-NAMÈ**
CARROSSE	**CATOVIEN**	CENTAURE	**CHÃHPUHR**
CARROSSÉ	**CATTÉGAT**	**CENTAURE**	CHAHUTÉE
CARROYÉE	**CATTENOM**	CENTIÈME	CHAHUTER
CARROYER	**CATTERJI**	CENTRAGE	**CHAILLOT**
CARTABLE	CATTLEYA	CENTRALE	CHAÎNAGE
CARTERET	CAUCHOIS	CENTRANT	CHAÎNANT
CARTERIE	**CAUCHOIS**	CENTRAUX	CHAÎNEUR
CARTHAGE	**CAUDEBEC**	CENTUPLE	CHAÎNIER
CARTONNÉ	CAUDILLO	CENTUPLÉ	CHAISIER
CARYOPSE	**CAUDINES**	CENTURIE	**CHALAMOV**
CASANIER	CAULERPE	CÉPHALÉE	CHALANDE
CASANOVA	**CAULNAIS**	CÉPHÉIDE	CHALDÉEN
CASAQUIN	CAUSANTE	CÉRAMIDE	**CHALDÉEN**
CASAUBON	CAUSATIF	CERCAIRE	**CHALETTE**
CASCADES	CAUSERIE	CERCEAUX	**CHALEURS**
CASÉEUSE	CAUSETTE	CERCLAGE	**CHALGRIN**
CASEMATE	CAUSEUSE	CERCLANT	**CHALLANS**
CASERNÉE	**CAUSSADE**	CERCUEIL	**CHALOSSE**
CASERNER	CAVALANT	**CERDAGNE**	CHALOUPE
CASH-FLOW	CAVALEUR	CÉRÉBRAL	CHALOUPÉ
CASHMERE	CAVALIER	**CÉRETANE**	**CHALUKYA**
CASQUANT	**CAVALIER**	CERFEUIL	CHAMARRÉ
CASSABLE	CAVATINE	CÉRIFÈRE	CHAMBARD
CASSANTE	**CAVENTOU**	CERISAIE	**CHAMBERS**
CASSEAUX	CAVIARDÉ	CERISIER	**CHAMBÉRY**
CASSE-COU	**CAWNPORE**	CERNEAUX	**CHAMBORD**
CASSE-CUL	**CAYOLAIS**	CERTAINE	**CHAMBRAY**
CASSETIN	**CAZÉRIEN**	CERTAINS	CHAMBRÉE
CASSETTE	CÉDRIÈRE	CERTIFIÉ	CHAMBRER
CASSEUSE	CÉGÉPIEN	CÉRULÉEN	CHAMEAUX
CASSIDEN	CEIGNANT	CERVEAUX	CHAMELLE
CASSIRER	CEINTURE	CERVELAS	CHAMELON
CASTAGNE	CEINTURÉ	CERVELET	**CHAMFORT**
CASTAGNO	CÉLÉBRÉE	CERVELLE	CHAMOISÉ
CASTANET	CÉLÉBRER	CERVICAL	**CHAMONIX**
CASTARDE	CELEBRET	**CERVIONE**	**CHAMORRO**
CASTERET	CÉLÉRITÉ	CERVOISE	CHAMOTTE
CASTILLE	CÉLESTIN	**CÉSALPIN**	CHAMPART
CASTILLO	**CÉLESTIN**	CÉSARIEN	CHAMPION
CASTRAIS	**CÉLIMÈNE**	CÉSARISÉ	**CHAMPMOL**
CASTRANT	CELLES-CI	CESSANTE	CHANÇARD
CASTRIES	CELLES-LÀ	CESSIBLE	CHANCELÉ
CASTRUMS	**CELLOISE**	**CÉVENNES**	CHANCEUX
CASUELLE	CELLULAR	CÉVENOLE	**CHANCHÁN**
CASUISTE	CELTIQUE	**CÉVENOLE**	CHANDAIL
CATALANE	**CELTIQUE**	CHABEUIL	**CHANDLER**
CATALANE	CÉMENTÉE	**CHABLAIS**	CHANGEUR
CATALYSE	CÉMENTER	CHABLANT	**CHANGEUX**
CATALYSÉ	CENDRANT	**CHABRIER**	**CHANG-HAI**
CATARRHE	**CENDRARS**	CHACHLIK	**CHANGHUA**

CHANGSHA	**CHATRIAN**	CHEVÊCHE	CHLORURE
CHANLATE	CHAUDEAU	CHEVELUE	CHLORURÉ
CHANOINE	CHAUDRON	CHEVENNE	CHOCOLAT
CHANTAGE	CHAUFFÉE	**CHEVERNY**	**CHOISEUL**
CHANTANT	CHAUFFER	CHEVESNE	**CHOISYEN**
CHANTEUR	CHAULAGE	CHEVÊTRE	**CHOLTITZ**
CHANTIER	CHAULANT	CHEVILLE	CHÔMABLE
CHANTOIR	CHAUMANT	CHEVILLÉ	**CHOMÉRAC**
CHAOURCE	CHAUMARD	**CHEVILLY**	CHÔMEUSE
CHAOURCE	CHAUMINE	CHEVRANT	**CHONGJIN**
CHAPARDÉ	**CHAUMONT**	CHEVREAU	CHOP SUEY
CHAPEAUX	**CHAUNOIS**	**CHEVREUL**	CHOQUANT
CHAPELET	**CHAURIEN**	CHEVRIER	CHOQUARD
CHAPELLE	CHAUSSÉE	CHEVROTÉ	CHORÉGIE
CHAPERON	CHAUSSER	**CHEYENNE**	CHOREUTE
CHAPITRE	CHAUSSES	CHIADANT	CHORISTE
CHAPITRÉ	CHAUSSON	CHIALANT	CHOROÏDE
CHAPONNÉ	**CHAUSSON**	CHIALEUR	CHOSIFIÉ
CHARABIA	**CHAUVEAU**	CHICANÉE	**CHOSROÈS**
CHARANGO	CHAUVINE	CHICANER	CHOUCHEN
CHARCUTÉ	**CHAUVIRÉ**	**CHICLAYO**	CHOUCHOU
CHARENTE	**CHAVILLE**	CHICORÉE	CHOUETTE
CHARGEUR	CHAVIRÉE	CHICOTIN	**CHOUÏSKI**
CHARIATI	CHAVIRER	CHICOTTE	CHOULEUR
CHARIOTÉ	CHEDDITE	CHIENLIT	CHOURANT
CHARISME	CHEF-LIEU	CHIFFRÉE	CHOU-RAVE
CHARISSE	CHÉILITE	CHIFFRER	CHOURAVÉ
CHARITES	**CHELLOIS**	CHIGNOLE	CHOURINÉ
CHARLIER	CHÉLOÏDE	**CHILLIDA**	CHOW-CHOW
CHARLIEU	**CHEMILLÉ**	**CHILLOUK**	CHRÉTIEN
CHARLOIS	CHEMINÉE	**CHIMBOTE**	**CHRÉTIEN**
CHARMANT	CHEMINER	CHIMIQUE	**CHRISTIE**
CHARMEUR	CHEMINOT	CHIMISTE	**CHRISTUS**
CHARNIER	CHEMISÉE	CHINDANT	CHROMAGE
CHAROGNE	CHEMISER	**CHINDWIN**	CHROMANT
CHARRIÉE	**CHEMNITZ**	CHINEUSE	CHROMATE
CHARRIER	**CHEMULPO**	CHINOISE	CHROMEUX
CHARRIER	CHENAPAN	CHINOISÉ	CHROMISÉ
CHARROYÉ	CHÉNEAUX	**CHINOISE**	CHROMITE
CHARTIER	CHÈNEVIS	**CHIOGGIA**	CHTONIEN
CHARTRES	CHENILLE	CHIOURME	CHUCHOTÉ
CHARYBDE	CHENILLÉ	CHIPEUSE	CHUINTER
CHASSANT	**CHÉPHREN**	CHIPOTÉE	CHURINGA
CHASSÉEN	CHÉQUIER	CHIPOTER	**CHYMKENT**
CHASSEUR	CHERCHÉE	**CHIPPEWA**	CIBORIUM
CHASSOIR	CHERCHER	CHIQUANT	CIBOULOT
CHASTETÉ	**CHEROKEE**	CHIQUEUR	CICÉRONE
CHASUBLE	**CHÉRONÉE**	**CHISINAU**	CI-CONTRE
CHATAIRE	CHERRIES	CHISTERA	CICUTINE
CHÂTEAUX	CHÉRUBIN	CHLAMYDE	CI-DESSUS
CHÂTELET	**CHÉRUBIN**	CHLINGUÉ	CI-DEVANT
CHÂTELET	**CHESHIRE**	CHLOASMA	CIDRERIE
CHÂTIANT	CHEVAINE	**CHLODION**	CIGARIER
CHÂTIÉES	CHEVALÉE	CHLORAGE	CI-INCLUS
CHATIÈRE	CHEVALER	CHLORATE	CI-JOINTE
CHATOYER	CHEVALET	CHLORITE	CI-JOINTS
CHÂTRANT	CHEVALIN	CHLOROSE	CILIAIRE

CIMAROSA
CIMENTÉE
CIMENTER
CIMENTÉS
CINACIEN
CINÉASTE
CINÉ-CLUB
CINÉ-PARC
CINÉRITE
CINGLANT
CINQ-MARS
CINTRAGE
CINTRANT
CIOTADEN
CIPRIANI
CIPRIÈRE
CIRCAÈTE
CIRCULER
CIRRHOSE
CISAILLE
CISAILLÉ
CISALPIN
CISELAGE
CISELANT
CISELEUR
CISELURE
CISNEROS
CITADINE
CITATION
CITRIQUE
CITRONNÉ
ÇIVAÏSME
CIVILISÉ
CIVILITÉ
CLABAUDÉ
CLABOTÉE
CLABOTER
CLADISME
CLADONIE
CLAIRAUT
CLAIROIX
CLAMECER
CLAMSANT
CLANIQUE
CLAPOTER
CLAPOTIS
CLAPPANT
CLAQUAGE
CLAQUANT
CLAQUETÉ
CLAQUOIR
CLARENCE
CLARIFIÉ
CLARISSE
CLASSANT
CLASSEUR
CLAUDIEN

CLAUSIUS
CLAUSTRA
CLAUSTRÉ
CLAUSULE
CLAVAIRE
CLAVEAUX
CLAVECIN
CLAVELÉE
CLAVETÉE
CLAVETER
CLAVETTE
CLAVISTE
CLAYETTE
CLAYMORE
CLAYOISE
CLAYONNÉ
CLEARING
CLÉMENCE
CLÉMENTE
CLEMENTI
CLÉOMÈNE
CLÉRICAL
CLERMONT
CLÉROISE
CLERVAUX
CLIC-CLAC
CLICHAGE
CLICHANT
CLICHEUR
CLICHOIS
CLICQUOT
CLIGNANT
CLIGNOTÉ
CLINAMEN
CLINIQUE
CLIQUANT
CLIQUETÉ
CLISSANT
CLISSÉES
CLITORIS
CLIVABLE
CLOACALE
CLOACAUX
CLOCHANT
CLOCHARD
CLODOALD
CLODOMIR
CLOÎTRÉE
CLOÎTRER
CLONIQUE
CLOPINER
CLOPORTE
CLOQUANT
CLOSEAUX
CLOSERIE
CLOTAIRE
CLOTILDE

CLÔTURÉE
CLÔTURER
CLOUTAGE
CLOUTANT
CLOVISSE
CLOYSIEN
CLUPÉIDÉ
CLYSTÈRE
CNIDAIRE
COACCUSÉ
COAGULÉE
COAGULER
COAGULUM
COALESCÉ
COALISÉE
COALISER
COAPTEUR
COASSANT
COAUTEUR
COAXIALE
COAXIAUX
COBLENCE
COCA-COLA
COCANADA
COCCIDIE
COCHETTE
COCHEVIS
COCHONNE
COCHONNÉ
COCHYLIS
COCKTAIL
COCOLANT
COCONNAS
COCONNAT
COCORICO
COCOTANT
COCOTIER
COCOTTER
COCUFIÉE
COCUFIER
CODÉTENU
CODIFIÉE
CODIFIER
COÉDITÉE
COÉDITER
COENZYME
COÉPOUSE
COËVRONS
COEXISTÉ
COFFRAGE
COFFRANT
COFFREUR
COGÉRANT
COGITANT
COGNITIF
COHABITÉ
COHÉRENT

COHÉRITÉ
COHÉSION
COHÉSIVE
COIFFAGE
COIFFANT
COIFFEUR
COIFFURE
COINÇAGE
COINÇANT
COÏNCIDÉ
COIN-COIN
COINTRIN
COKÉFIÉE
COKÉFIER
COLCHIDE
COLCOTAR
COLÉREUX
COLINEAU
COLLANTE
COLLECTE
COLLECTÉ
COLLÈGUE
COLLEONI
COLLETÉE
COLLETER
COLLEUSE
COLLIGÉE
COLLIGER
COLLINÉE
COLLOÏDE
COLLOISE
COLLOQUE
COLMATÉE
COLMATER
COLOCASE
COLOMBAN
COLOMBES
COLOMBEY
COLOMBIE
COLOMBIN
COLONAGE
COLONIAL
COLONISÉ
COLORADO
COLORANT
COLORIÉE
COLORIER
COLORISÉ
COLOSSAL
COLOURED
COLPORTÉ
COLTINÉE
COLTINER
COLTRANE
COLUMBIA
COLUMBUS
COMANCHE

COMANECI	COMPOSÉE	CONGÉDIÉ	CONTENUE
COMATEUX	COMPOSER	CONGELÉE	CONTESTE
COMBATIF	COMPOSTÉ	CONGELER	CONTESTÉ
COMBATTU	COMPOUND	CONGRÉÉE	CONTEUSE
COMBINAT	COMPRIMÉ	CONGRÉER	CONTEXTE
COMBINÉE	COMPRISE	**CONGREVE**	CONTIGUË
COMBINER	COMPTAGE	CONICINE	CONTINUE
COMBLANT	COMPTANT	CONIFÈRE	CONTINUÉ
COMBLOUX	COMPTEUR	CONJOINT	CONTINUO
COMBOURG	COMPTINE	CONJUGAL	**CONTOISE**
COME-BACK	COMPTOIR	CONJUGUÉ	CONTRANT
COMÉDIEN	COMPULSÉ	CONJURÉE	CONTRE-UT
COMENIUS	COMTESSE	CONJURER	CONTRITE
COMINOIS	COMTOISE	**CONNACHT**	**CONTROIS**
COMITIAL	**COMTOISE**	CONNARDE	CONTRÔLE
COMMANDE	CONCASSÉ	CONNASSE	CONTRÔLÉ
COMMANDÉ	CONCÉDÉE	CONNEAUX	CONTUMAX
COMMANDO	CONCÉDER	CONNECTÉ	CONVENIR
COMMENCÉ	CONCERNÉ	CONNERIE	CONVENUE
COMMENDE	CONCERTÉ	CONNOTÉE	CONVERGÉ
COMMENTÉ	CONCERTO	CONNOTER	CONVERSE
COMMERCE	CONCETTI	CONQUÊTE	CONVERSÉ
COMMERCÉ	**CONCHOIS**	CONQUISE	CONVERTI
COMMERCY	CONCILIÉ	**CONRADIN**	CONVIANT
COMMÉRER	CONCLAVE	CONSACRÉ	CONVOITÉ
COMMINES	CONCLURE	**CONSALVI**	CONVOLER
COMMODAT	CONCOCTÉ	CONSCRIT	CONVOQUÉ
COMMUANT	CONCORDE	CONSENTI	CONVOYÉE
COMMUNAL	**CONCORDE**	CONSERVE	CONVOYER
COMMUNIÉ	CONCORDÉ	CONSERVÉ	CONVULSÉ
COMMUTÉE	CONCOURS	CONSIGNE	COOBLIGÉ
COMMUTER	CONCOURU	CONSIGNÉ	**COOLIDGE**
COMMYNES	CONCRÈTE	CONSISTÉ	COOPÉRER
COMORIEN	CONCUBIN	CONSŒUR	COOPTANT
COMORIEN	CONDAMNÉ	CONSOLÉE	COPÉPODE
COMPACTE	CONDENSÉ	CONSOLER	**COPERNIC**
COMPACTÉ	**CONDRIEU**	CONSOMMÉ	COPIEUSE
COMPAGNE	**CONDRIOT**	CONSONNE	COPILOTE
COMPARÉE	CONDUIRE	CONSORTS	COPINAGE
COMPARER	CONDUITE	CONSOUDE	COPINANT
COMPARSE	CONFÉRÉE	CONSPIRÉ	**COPPÉLIA**
COMPASSÉ	CONFÉRER	CONSPUÉE	**COPPÉTAN**
COMPATIR	CONFESSE	CONSPUER	COPULANT
COMPENSÉ	CONFESSÉ	CONSTANT	COQ-À-L'ÂNE
COMPILÉE	CONFETTI	**CONSTANT**	COQUELET
COMPILER	CONFIANT	CONSTATÉ	COQUERET
COMPISSÉ	CONFINÉE	CONSTIPÉ	COQUERIE
COMPLÈTE	CONFINER	CONSULAT	COQUERON
COMPLÉTÉ	CONFIRMÉ	**CONSULAT**	COQUETEL
COMPLEXE	**CONFLANS**	CONSULTE	COQUETER
COMPLEXÉ	**CONFLENT**	CONSULTÉ	COQUETTE
COMPLICE	CONFLUER	CONSUMÉE	COQUILLE
COMPLIES	CONFONDU	CONSUMER	**COQUIMBO**
COMPLOTÉ	CONFORME	CONTACTÉ	CORBEAUX
COMPONÉE	CONFORMÉ	CONTENIR	**CORBEHEM**
COMPORTE	CONFORTÉ	CONTENTE	**CORBIÈRE**
COMPORTÉ	CONFRÈRE	CONTENTÉ	**CORDAISE**

CORDEAUX	**COSGRAVE**	COUPLEUR	CRAILLER
CORDERIE	COSIGNÉE	COURANTE	CRAINDRE
CORDIALE	COSIGNER	COURBANT	CRAINTIF
CORDIAUX	COSMIQUE	COURBATU	CRAMCRAM
CORDIÈRE	**COSNOISE**	COURBURE	CRAMIQUE
CORDONNÉ	COSSARDE	COURETTE	CRAMOISI
CORDOUAN	COSSETTE	COUREUSE	**CRAMPTON**
CORDOUAN	COSTAUDE	COURLIEU	CRÂNERIE
CORÉENNE	COSTAUDS	**COURNAND**	CRÂNEUSE
CORÉENNE	**COSTELEY**	COURONNE	CRANTANT
CORÉGONE	COSTIÈRE	COURONNÉ	CRANTÉES
CORICIDE	COSTUMÉE	COURRIER	CRAPAÜTÉ
CORINDON	COSTUMER	COURROIE	CRAPETTE
CORINTHE	COTATION	COURROUX	**CRAPONNE**
CORIOLAN	**CÔTE-NORD**	COURSANT	CRAQUAGE
CORIOLIS	**COTENTIN**	COURSIER	CRAQUANT
CORMORAN	COTHURNE	COURSIVE	CRAQUELÉ
CORNACÉE	COTIDALE	COURTAGE	CRAQUETÉ
CORNAQUÉ	COTIDAUX	COURTAUD	CRAQUEUR
CORNE D'OR	COTIGNAC	COURTIER	CRASHANT
CORNELIA	COTILLON	COURTINE	CRASSANE
CORNETTE	COTISANT	COURTISÉ	CRASSEUX
CORNIAUD	COTONNÉE	COURT-JUS	CRASSIER
CORNICHE	COTONNER	COURTOIS	**CRAUROIS**
CORNIÈRE	**COTOPAXI**	**COURTOIS**	CRAVACHE
CORNIQUE	CÔTOYANT	**COURTRAI**	CRAVACHÉ
CORNISTE	COTRIADE	COUSCOUS	CRAVATÉE
CORN LAWS	COTUTEUR	COUSETTE	CRAVATER
CORNWALL	COUCHAGE	COUSEUSE	CRAW-CRAW
CORONALE	COUCHANT	COUSINER	**CRAWFORD**
CORONAUX	COUCHEUR	**COUSINET**	CRAWLANT
COROSSOL	COUCHOIR	**COUSTEAU**	CRAWLEUR
CORPORAL	COUDIÈRE	COUTEAUX	CRAYEUSE
CORPOREL	COUDOYÉE	COUTELAS	CRAYONNÉ
CORRECTE	COUDOYER	COÛTEUSE	CRÉATEUR
CORRÉLAT	COUDRAIE	COUTURÉE	CRÉATINE
CORRÉLÉE	**COUDRIEN**	COUVERTE	CRÉATION
CORRÉLER	COUDRIER	COUVEUSE	CRÉATIVE
CORRIDOR	**COUESNON**	COUVRANT	CRÉATURE
CORRIGÉE	COUFIQUE	COUVREUR	CRÉCELLE
CORRIGER	COUGOUAR	COUVRURE	CRÉCHANT
CORRODÉE	COUILLON	COVALENT	**CRÉÇOISE**
CORRODER	COUINANT	**COVENTRY**	CRÉDENCE
CORROMPU	COULANTE	COXALGIE	CRÉDIBLE
CORROSIF	COULISSE	**COYSEVOX**	CRÉDITÉE
CORROYÉE	COULISSÉ	**COYZEVOX**	CRÉDITER
CORROYER	COUPABLE	CRABOTÉE	**CRÉMAZIE**
CORSAIRE	COUPANTE	CRABOTER	CRÉMERIE
CORSELET	COUPE-FEU	CRACHANT	CRÉMEUSE
CORSETÉE	COUPELLE	CRACHEUR	CRÉMIÈRE
CORSETER	COUPERET	CRACHINÉ	**CRÉMIEUX**
CORTÁZAR	**COUPERIN**	CRACHOIR	CRÉNEAUX
CORTICAL	**COUPERUS**	CRACHOTÉ	CRÉNELÉE
CORTISOL	COUPEUSE	CRACKING	CRÉNELER
CORVETTE	COUPLAGE	**CRACOVIE**	CRÉOLISÉ
CORYPHÉE	COUPLANT	**CRAFOORD**	CRÉOSOTE
COSAQUES	COUPLÉES	CRAIGNOS	CRÉOSOTÉ

CRÊPELÉE	CROUPADE	CULTUREL	**DAGERMAN**
CRÊPERIE	CROUPIER	**CUMMINGS**	**DAGOBERT**
CRÊPIÈRE	CROUPION	CUMULANT	**DAGUERRE**
CRÉPITER	CROÛTANT	CUMULARD	DAHOMÉEN
CRESSENT	CROÛTEUX	CUPIDITÉ	**DAHOMÉEN**
CRESSIER	CROW-CROW	CUPRIQUE	DAIGNANT
CRESTOIS	CROYABLE	CURATEUR	DAIQUIRI
CRÉTACÉE	CROYANCE	CURATIVE	**DAKAROIS**
CRÉTELLE	CROYANTE	CURE-DENT	**DALADIER**
CRÉTOISE	CRUCIALE	CURE-PIPE	**DALMATIE**
CRÉTOISE	CRUCIAUX	CURETAGE	**DAMANHUR**
CRETONNE	CRUCIFIÉ	CURETANT	DAMASSÉE
CREUSAGE	CRUCIFIX	**CURIACES**	DAMASSER
CREUSANT	CRUENTÉE	CURIEUSE	**DAMIETTE**
CREUSOIS	CRUSTACÉ	**CURITIBA**	**DAMMARIE**
CREVANTE	CRYOGÈNE	**CUSTOZZA**	DAMNABLE
CREVARDE	CRYOLITE	CUTICULE	**DAMOCLÈS**
CREVASSE	CRYOSTAT	CUVAISON	**DANAÏDES**
CREVASSÉ	CRYPTAGE	CUVELAGE	**DANCOURT**
CREVETTE	CRYPTANT	CUVELANT	DANDINÉE
CREVOTER	CTÉNAIRE	CYANELLE	DANDINER
CRIAILLÉ	CUBATURE	CYANOSÉE	**DANDRIEU**
CRIBLAGE	CUBITALE	CYANOSER	DANDYSME
CRIBLANT	CUBITAUX	CYANURÉE	**DANEMARK**
CRIBLEUR	CUCHAULE	CYANURER	**DANIÉLOU**
CRICOÏDE	**CUDDAPAH**	CYCADALE	DANSANTE
CRIMINEL	CUEILLIE	CYCLABLE	DANSEUSE
CRINCRIN	CUEILLIR	**CYCLADES**	DANSOTER
CRINIÈRE	**CUERSOIS**	CYCLAMEN	DANSOTTÉ
CRINOÏDE	CUILLÈRE	CYCLIQUE	DANUBIEN
CRIOCÈRE	CUIRASSE	CYCLISÉE	DARBOUKA
CRISPANT	CUIRASSÉ	CYCLISER	DARBYSME
CRISSANT	CUISANTE	CYCLISME	DARBYSTE
CRISTAUX	CUISINÉE	CYCLISTE	**DARDANOS**
CRITIQUE	CUISINER	CYCLOÏDE	DARE-DARE
CRITIQUÉ	CUISSAGE	CYCLONAL	**DARGUINE**
CRIVELLI	CUISSARD	**CYCLOPES**	**DARNÉTAL**
CRNA GORA	CUISSEAU	CYLINDRE	**DARRIEUX**
CROASSER	CUIVRAGE	CYLINDRÉ	DARSHANA
CROCHANT	CUIVRANT	CYMBALUM	DARTROSE
CROCHETÉ	CUIVREUX	**CYNEWULF**	**DASSAULT**
CROCKETT	CUL-BLANC	CYNIPIDÉ	DATATION
CROISADE	CULBUTÉE	CYPRIÈRE	DAUBEUSE
CROISANT	CULBUTER	CYPRIOTE	DAUBIÈRE
CROISEUR	CUL-DE-SAC	**CYPRIOTE**	**D'AUBIGNÉ**
CROISIEN	**CULIACÁN**	**CYPSÉLOS**	DAUBIGNY
CROLLIUS	**CULLBERG**	**CYSONIEN**	DAUPHINE
CROMALIN	**CULLMANN**	CYSTÉINE	**DAUPHINÉ**
CROMLECH	**CULLODEN**	CYSTIQUE	DAVIDIEN
CROMWELL	CULMINER	CYTOKINE	**DAVIDSON**
CROQUANT	CULOTTÉE	CYTOLYSE	**DAVISSON**
CROQUEUR	CULOTTER	CYTOSINE	DEAD-HEAT
CROSKILL	CULTISME	DACQUOIS	DÉAMBULÉ
CROSSMAN	CULTIVAR	**DACQUOIS**	**DE AMICIS**
CROSSMEN	CULTIVÉE	DADAÏSME	**DEARBORN**
CROTTANT	CULTIVER	DADAÏSTE	DÉBÂCHÉE
CROULANT	CULTURAL	D'AFFILÉE	DÉBÂCHER

DÉBÂCLÉE	**DEBRECEN**	DÉCISION	DÉCUIVRÉ
DÉBÂCLER	DÉBRIDÉE	DÉCISIVE	DÉCUPLÉE
DÉBALLÉE	DÉBRIDER	**DECIZOIS**	DÉCUPLER
DÉBALLER	DÉBROCHÉ	DÉCLAMÉE	DÉCURION
DÉBANDÉE	DÉBUCHÉE	DÉCLAMER	DÉCUSSÉE
DÉBANDER	DÉBUCHER	DÉCLARÉE	DÉCUVAGE
DÉBARDÉE	DÉBUSQUÉ	DÉCLARER	DÉCUVANT
DÉBARDER	DÉBUTANT	DÉCLASSÉ	DÉDAIGNÉ
DÉBARQUÉ	DÉCADENT	DÉCLINÉE	DÉDALÉEN
DÉBARRAS	DÉCAÈDRE	DÉCLINER	**DEDEKIND**
DÉBARRÉE	DÉCAGONE	DÉCLOUÉE	DÉDICACE
DÉBARRER	DÉCAISSÉ	DÉCLOUER	DÉDICACÉ
DÉBÂTANT	DÉCALAGE	DÉCOCHÉE	DÉDISANT
DÉBATTRE	DÉCALANT	DÉCOCHER	DÉDORANT
DÉBATTUE	DÉCALQUE	DÉCODAGE	DÉDOUANÉ
DÉBAUCHE	DÉCALQUÉ	DÉCODANT	DÉDOUBLÉ
DÉBAUCHÉ	DÉCAMPER	DÉCODEUR	DÉDUCTIF
DÉBECTÉE	DÉCANTÉE	DÉCOFFRÉ	DÉFAILLI
DÉBECTER	DÉCANTER	DÉCOIFFÉ	DÉFALQUÉ
DEBIERNE	DÉCAPAGE	DÉCOINCÉ	DÉFANANT
DÉBILITÉ	DÉCAPANT	DÉCOLÉRÉ	DÉFAUSSE
DÉBINANT	DÉCAPELÉ	DÉCOLLÉE	DÉFAUSSÉ
DÉBINEUR	DÉCAPITÉ	DÉCOLLER	DÉFAVEUR
DÉBITAGE	DÉCAPODE	DÉCOLORÉ	DÉFECTIF
DÉBITANT	**DÉCAPOLE**	DÉCOMPTE	DÉFENDRE
DÉBITEUR	DÉCAPOTÉ	DÉCOMPTÉ	DÉFENDUE
DÉBLAYÉE	DÉCAVANT	DÉCONFIT	DÉFENSIF
DÉBLAYER	**DÉCÉBALE**	DÉCONNER	DÉFÉQUÉE
DÉBLOQUÉ	DÉCÉDANT	DÉCORANT	DÉFÉQUER
DÉBOBINÉ	DÉCELANT	DÉCORDÉE	DÉFÉRANT
DÉBOGUÉE	DÉCÉLÉRÉ	DÉCORDER	DÉFÉRENT
DÉBOGUER	DÉCEMBRE	DÉCORNÉE	DÉFERLÉE
DÉBOIRES	DÉCEMVIR	DÉCORNER	DÉFERLER
DÉBOISÉE	DÉCENNAL	**DE COSTER**	DÉFERRÉE
DÉBOISER	DÉCENNIE	DÉCOUCHÉ	DÉFERRER
DÉBOÎTÉE	DÉCENTRÉ	DÉCOUDRE	DÉFEUTRÉ
DÉBOÎTER	DÉCERCLÉ	DÉCOULER	**DEFFERRE**
DÉBONDÉE	DÉCERNÉE	DÉCOUPÉE	DÉFIANCE
DÉBONDER	DÉCERNER	DÉCOUPER	DÉFIANTE
DÉBORDÉE	DÉCEVANT	DÉCOUPLÉ	DÉFIBRÉE
DÉBORDER	DÉCEVOIR	DÉCOUSUE	DÉFIBRER
DÉBOTTÉE	DÉCHAÎNÉ	DÉCRASSÉ	DÉFICELÉ
DÉBOTTER	DÉCHANTÉ	**DE CRAYER**	DÉFIGURÉ
DÉBOUCHÉ	DÉCHARGE	DÉCRÊPÉE	DÉFILANT
DÉBOUCLÉ	DÉCHARGÉ	DÉCRÊPER	DÉFILÉES
DÉBOULÉE	DÉCHARNÉ	DÉCRÉPIE	DÉFLAGRÉ
DÉBOULER	DÉCHAUMÉ	DÉCRÉPIR	DÉFLEURI
DÉBOUQUÉ	DÉCHIRÉE	DÉCRÉPIT	DÉFLOQUÉ
DÉBOURBÉ	DÉCHIRER	DÉCRÉTÉE	DÉFLORÉE
DÉBOURRÉ	DÉCIBELS	DÉCRÉTER	DÉFLORER
DÉBOURSÉ	DÉCIDANT	DÉCREUSÉ	DÉFLUENT
DÉBOUTÉE	DÉCIDEUR	DÉCRIANT	DÉFOLIÉE
DÉBOUTER	DÉCILAGE	DÉCRISPÉ	DÉFOLIER
DÉBRASÉE	DÉCIMALE	DÉCROCHÉ	DÉFONCÉE
DÉBRASER	DÉCIMANT	DÉCROISÉ	DÉFONCER
DÉBRAYÉE	DÉCIMAUX	DÉCROTTÉ	DÉFORCÉE
DÉBRAYER	DÉCINTRÉ	DÉCRYPTÉ	DÉFORCER

DE FOREST	DÉGRÉANT	DÉLECTER	DÉMERDÉE
DÉFORMÉE	**DEGRELLE**	DÉLÉGANT	DÉMERDER
DÉFORMER	DÉGREVÉE	DÉLÉGUÉE	DÉMÉRITE
DÉFOULÉE	DÉGREVER	DÉLÉGUER	DÉMÉRITÉ
DÉFOULER	DÉGRIFFÉ	**DELÉMONT**	DÉMESURE
DÉFOURNÉ	DÉGRIPPÉ	DÉLESTÉE	DÉMESURÉ
DÉFRAYÉE	DÉGRISÉE	DÉLESTER	DÉMETTRE
DÉFRAYER	DÉGRISER	DÉLÉTÈRE	DÉMEUBLÉ
DÉFRICHE	DÉGROSSI	DÉLÉTION	DEMEURÉE
DÉFRICHÉ	DÉGROUPÉ	DÉLIBÉRÉ	DEMEURER
DÉFRIPÉE	DÉGUERPI	DÉLICATE	DEMI-CLEF
DÉFRIPER	DÉGUEULÉ	DÉLIMITÉ	DEMI-DIEU
DÉFRISÉE	DÉGUILLÉ	DÉLINÉÉE	DÉMIELLÉ
DÉFRISER	DÉGUISÉE	DÉLINÉER	DEMI-FOND
DÉFRONCÉ	DÉGUISER	DÉLIRANT	DEMI-GROS
DÉFROQUE	DÉGUSTÉE	DÉLITAGE	DEMI-JOUR
DÉFROQUÉ	DÉGUSTER	DÉLITANT	DEMI-LUNE
DÉFRUITÉ	DÉHALANT	DÉLIVRÉE	DEMI-MAUX
DÉGAINÉE	DÉHANCHÉ	DÉLIVRER	DÉMINAGE
DÉGAINER	**DE HOOGHE**	**DELLOISE**	DÉMINANT
DÉGANTÉE	**DEHRA DUN**	DÉLOYALE	DÉMINEUR
DÉGANTER	DÉIFIANT	DÉLOYAUX	DEMI-PLAN
DÉGARNIE	**DÉJANIRE**	**DELSARTE**	DEMI-SANG
DÉGARNIR	DÉJANTÉE	DELTOÏDE	DEMI-TONS
DÉGAUCHI	DÉJANTER	**DELUMEAU**	DEMI-TOUR
DE GAULLE	DÉJAUGER	DÉLURANT	DÉMIURGE
DÉGAZAGE	DÉJETANT	DÉLUSTRÉ	DEMI-VIES
DÉGAZANT	DÉJEUNER	DÉMAIGRI	DÉMODANT
DÉGELANT	DÉJOUANT	DÉMAILLÉ	DÉMODULÉ
DÉGÉNÉRÉ	DÉJUCHÉE	DÉMANCHÉ	**DEMOLDER**
DÉGERMÉE	DÉJUCHER	DEMANDÉE	**DE MOMPER**
DÉGERMER	DÉLABRÉE	DEMANDER	DÉMONTÉE
DÉGIVRÉE	DÉLABRER	DÉMANGÉE	DÉMONTER
DÉGIVRER	DÉLAÇANT	DÉMANGER	DÉMONTRÉ
DÉGLACÉE	DÉLAINÉE	DÉMARCHE	DÉMORDRE
DÉGLACER	DÉLAINER	DÉMARCHÉ	**DE MORGAN**
DÉGLUANT	DÉLAISSÉ	DÉMARIÉE	DÉMOTIVÉ
DÉGLUTIE	DÉLAITÉE	DÉMARIER	DÉMOULÉE
DÉGLUTIR	DÉLAITER	DÉMARQUE	DÉMOULER
DÉGOISÉE	**DE LA MARE**	DÉMARQUÉ	DÉMUSELÉ
DÉGOISER	**DELAMBRE**	DÉMARRÉE	DÉNANTIE
DÉGOMMÉE	DÉLASSÉE	DÉMARRER	DÉNANTIR
DÉGOMMER	DÉLASSER	DÉMASCLÉ	DÉNATTÉE
DÉGONFLÉ	DÉLATEUR	DÉMASQUÉ	DÉNATTER
DÉGORGÉE	DÉLATION	DÉMÂTAGE	DÉNATURÉ
DÉGORGER	**DE LATTRE**	DÉMÂTANT	**DENDÉRAH**
DÉGOTANT	**DELAUNAY**	DÉMATINÉ	DENDRITE
DÉGOTTÉE	DÉLAVAGE	**DEMAVEND**	DÉNÉBULÉ
DÉGOTTER	DÉLAVANT	DÉMÊLAGE	DÉNEIGÉE
DÉGOURDI	**DELAWARE**	DÉMÊLANT	DÉNEIGER
DÉGOÛTÉE	DÉLAYAGE	DÉMÊLOIR	DÉNIAISÉ
DÉGOÛTER	DÉLAYANT	DÉMÊLURE	DÉNICHÉE
DÉGOUTTÉ	**DELBRÜCK**	DÉMEMBRÉ	DÉNICHER
DÉGRADÉE	**DELCASSÉ**	DÉMÉNAGÉ	DÉNIGRÉE
DÉGRADER	DELEATUR	DÉMENANT	DÉNIGRER
DÉGRAFÉE	DÉLÉBILE	DÉMENTIE	**DENIKINE**
DÉGRAFER	DÉLECTÉE	DÉMENTIR	DÉNITRÉE

DÉNITRER	DÉPIQUÉE	DERECHEF	DÉSOBÉIR
DÉNIVELÉ	DÉPIQUER	DÉRÉELLE	DÉSOLANT
DÉNOMBRÉ	DÉPISTÉE	DÉRÉGLÉE	DÉSOPILÉ
DÉNOMMÉE	DÉPISTER	DÉRÉGLER	DÉSORDRE
DÉNOMMER	DÉPITANT	DÉRÉGULÉ	DÉSOSSÉE
DÉNONCÉE	DÉPLACÉE	DÉRIDANT	DÉSOSSER
DÉNONCER	DÉPLACER	DÉRISION	DESPOTAT
DÉNOTANT	DÉPLAIRE	DÉRIVANT	DESQUAMÉ
DÉNOUANT	DÉPLANTÉ	DÉRIVETÉ	DESSABLÉ
DÉNOYAGE	DÉPLÂTRÉ	DÉRIVEUR	DESSAISI
DÉNOYANT	DÉPLIAGE	DERMESTE	DESSALÉE
DENPASAR	DÉPLIANT	DERMIQUE	DESSALER
DENSIFIÉ	DÉPLISSÉ	DERNIÈRE	DESSÉCHÉ
DENTAIRE	DÉPLOMBÉ	DÉROBADE	DESSELLÉ
DENTELÉE	DÉPLORÉE	DÉROBANT	DESSERRÉ
DENTELER	DÉPLORER	DÉROCHÉE	DESSERTE
DENTELLE	DÉPLOYÉE	DÉROCHER	DESSERTI
DENTISTE	DÉPLOYER	DÉROUGIR	DESSERVI
DÉNUDANT	DÉPLUMÉE	DÉROULÉE	DESSILLÉ
DÉNUTRIE	DÉPLUMER	DÉROULER	DESSINÉE
DÉPAILLÉ	DÉPOLLUÉ	DÉROUTÉE	DESSINER
DÉPANNÉE	DÉPONENT	DÉROUTER	DESSOLÉE
DÉPANNER	DÉPORTÉE	DERRIÈRE	DESSOLER
DÉPARANT	DÉPORTER	DERVICHE	DESSOUDÉ
DÉPARIÉE	DÉPOSANT	**DERVOISE**	DESSOÛLÉ
DÉPARIER	DÉPOTAGE	DÉSABUSÉ	DESTINÉE
DÉPARLER	DÉPOTANT	DÉSAMOUR	DESTINER
DÉPARTIE	DÉPOTOIR	DÉSARÊTÉ	DESTITUÉ
DÉPARTIR	DÉPOURVU	DÉSARMÉE	DÉSTOCKÉ
DÉPASSÉE	DÉPRAVÉE	DÉSARMER	**D'ESTRÉES**
DÉPASSER	DÉPRAVER	DÉSARROI	DESTRIER
DÉPATRIÉ	DÉPRÉCIÉ	DÉSASTRE	DÉSUNION
DÉPAVAGE	**DEPRETIS**	DÉSAVEUX	**DESVROIS**
DÉPAVANT	DÉPRIMÉE	DÉSAVOUÉ	DÉTACHÉE
DÉPAYSÉE	DÉPRIMER	DÉSAXANT	DÉTACHER
DÉPAYSER	DÉPRISÉE	**DESCAMPS**	DÉTAILLÉ
DÉPEÇAGE	DÉPRISER	DESCELLÉ	DÉTALANT
DÉPEÇANT	DÉPUCELÉ	DESCENDU	DÉTARTRÉ
DÉPECEUR	DÉPULPÉE	DESCENTE	DÉTAXANT
DÉPÊCHÉE	DÉPULPER	DÉSEMBUÉ	DÉTECTÉE
DÉPÊCHER	DÉPURANT	DÉSEMPLI	DÉTECTER
DÉPEIGNÉ	DÉPUTANT	DÉSENCRÉ	DÉTEINTE
DÉPEINTE	DÉRACINÉ	DÉSENFLÉ	DÉTELAGE
DÉPENDRE	DÉRAIDIE	DÉSERTÉE	DÉTELANT
DÉPENDUE	DÉRAIDIR	DÉSERTER	DÉTENANT
DÉPENSÉE	DÉRAILLÉ	DÉSERTÉS	DÉTENDRE
DÉPENSER	DÉRAISON	DÉSHERBÉ	DÉTENDUE
DEPESTRE	DÉRAMANT	DÉSHUILÉ	DÉTERGÉE
DÉPÊTRÉE	DÉRANGÉE	DÉSIGNÉE	DÉTERGER
DÉPÊTRER	DÉRANGER	DESIGNER	DÉTERRÉE
DÉPEUPLÉ	DÉRAPAGE	DÉSIGNER	DÉTERRER
DÉPHASÉE	DÉRAPANT	DÉSILANT	DÉTERSIF
DÉPHASER	DÉRATISÉ	DÉSIRANT	DÉTESTÉE
DÉPIAUTÉ	DÉRAYAGE	DÉSIREUX	DÉTESTER
DÉPICAGE	DÉRAYANT	DÉSISTÉE	DÉTHÉINÉ
DÉPILAGE	DÉRAYURE	DÉSISTER	DÉTONANT
DÉPILANT	DERBOUKA	**DE SITTER**	DÉTONNER

DÉTORDRE	DÉVOLTÉE	**DIGNOISE**	DISSOCIÉ
DÉTORDUE	DÉVOLTER	DIGRAMME	DISSOLUE
DÉTOURÉE	DÉVONIEN	DILACÉRÉ	DISSONER
DÉTOURER	DÉVORANT	DILAPIDÉ	DISSOUTE
DÉTOURNÉ	DÉVOREUR	DILATANT	DISSUADÉ
DÉTRACTÉ	DÉVOTION	DILIGENT	DISTANCE
DÉTRAQUE	DÉVOUANT	DILUTION	DISTANCÉ
DÉTRAQUÉ	DÉVOYANT	DILUVIEN	DISTANTE
DÉTREMPE	**DE WAILLY**	DIMANCHE	DISTENDU
DÉTREMPÉ	DEXTRINE	DIMINUÉE	DISTHÈNE
DÉTRESSE	DIACLASE	DIMINUER	DISTILLÉ
DÉTRITUS	DIACONAT	**DIMITROV**	DISTINCT
DÉTROITS	DIADOQUE	DIMORPHE	DISTIQUE
DÉTROMPÉ	DIAGNOSE	DINDONNÉ	DISTORDU
DÉTRÔNÉE	DIAGONAL	DINGHIES	DISTRAIT
DÉTRÔNER	DIALCOOL	DINGUANT	DISTRICT
DÉTROQUÉ	DIALECTE	DINORNIS	DIURNAUX
DÉTRUIRE	DIALOGUE	**DIONYSOS**	DIVAGUER
DÉTRUITE	DIALOGUÉ	DIOPTRIE	DIVALENT
DEUTÉRON	DIALYSÉE	DIPHASÉE	DIVERGER
DEUXIÈME	DIALYSER	DIPHÉNOL	DIVERSES
DEUX-MÂTS	DIAMANTÉ	DIPLOÏDE	DIVERTIE
DÉVALANT	DIAMÈTRE	DIPLÔMÉE	DIVERTIR
DE VALERA	DIAPASON	DIPLÔMER	DIVINISÉ
DÉVALISÉ	DIAPAUSE	DIPLOPIE	DIVINITÉ
DÉVALOIR	DIAPHANE	DIPSACÉE	DIVISANT
DE VALOIS	DIAPHYSE	DIPTYQUE	DIVISEUR
DÉVALUÉE	DIAPRANT	DIRECTIF	DIVISION
DÉVALUER	DIAPRURE	DIRIMANT	DIVORCÉE
DEVANCÉE	DIARISTE	DISCERNÉ	DIVORCER
DEVANCER	DIARRHÉE	DISCIPLE	DIVULGUÉ
DÉVASTÉE	DIASCOPE	DISCOÏDE	**DIX MILLE**
DÉVASTER	DIASPORA	DISCORDE	DIZYGOTE
DEVENANT	**DIASPORA**	DISCORDÉ	**DJAKARTA**
DEVENTER	DIASTOLE	DISCOUNT	**DJAMBOUL**
DÉVERBAL	DIATHÈSE	DISCOURS	DJELLABA
DEVEREUX	DIATOMÉE	DISCOURU	**DJERASSI**
DÉVERGUÉ	DIATRIBE	DISCRÈTE	**DJÉZIREH**
DÉVERNIE	DICARYON	DISCULPÉ	**DJIBOUTI**
DÉVERNIR	DICENTRA	DISCUTÉE	**DJURJURA**
DÉVERSÉE	DICÉTONE	DISCUTER	DOBERMAN
DÉVERSER	**DIEKIRCH**	DISGRÂCE	DOCILITÉ
DÉVÊTANT	**DIEPPOIS**	DISJOINT	DOCTORAL
DÉVIANCE	DIES IRAE	DISLOQUÉ	DOCTORAT
DÉVIANTE	**DIETIKON**	DISPARUE	DOCTRINE
DÉVIDAGE	**DIETRICH**	DISPENSE	DOCUMENT
DÉVIDANT	DIFFAMÉE	DISPENSÉ	DODELINÉ
DÉVIDOIR	DIFFAMER	DISPERSÉ	DODINANT
DEVINANT	DIFFÉRÉE	DISPOSÉE	**DODOMAIS**
DÉVIRANT	DIFFÉRER	DISPOSER	DOG-CARTS
DÉVISAGÉ	DIFFORME	DISPUTÉE	DOIGTANT
DEVISANT	DIFFUSÉE	DISPUTER	DOIGTIER
DÉVISSÉE	DIFFUSER	**DISRAELI**	**DOISNEAU**
DÉVISSER	DIGÉRANT	DISSÉQUÉ	DOLDRUMS
DÉVOILÉE	DIGESTIF	DISSERTÉ	DOLÉANCE
DÉVOILER	DIGITALE	DISSIPÉE	**DOLGANES**
DÉVOISÉE	DIGITAUX	DISSIPER	**DOLLFUSS**

DOLOMIEU	DOUILLER	**DUBREUIL**	EAU-FORTE
DOLOMITE	DOUILLET	**DUBUFFET**	ÉBARBAGE
DOLOSIVE	**DOUILLET**	DUC-D'ALBE	ÉBARBANT
DOMANIAL	**DOULLENS**	**DUCÉENNE**	ÉBARBOIR
DOMBASLE	DOUTEUSE	**DUCHARME**	ÉBARBURE
DOMBISTE	**DOUVAINE**	**DUCHÂTEL**	ÉBATTANT
DOMÉNOIS	DOUVELLE	**DUCHENNE**	ÉBAUCHÉE
DOMFRONT	**DOUVRAIS**	**DUCHESNE**	ÉBAUCHER
DOMICILE	DOUX-AMER	DUCHESSE	ÉBAVURÉE
DOMINANT	DOUZAINE	**DUCOMMUN**	ÉBAVURER
DOMINION	DOUZIÈME	**DUCRETET**	ÉBÉNACÉE
DOMITIEN	**DOVJENKO**	DUCROIRE	ÉBÉNISTE
DOMPTAGE	Dow JONES	**DUFRESNE**	ÉBERLUÉE
DOMPTANT	DRAGEOIR	**DUISBURG**	ÉBERLUER
DOMPTEUR	DRAGLINE	**DUJARDIN**	ÉBIONITE
DONATEUR	DRAGONNE	DULCIFIÉ	ÉBORGNÉE
DONATION	DRAGSTER	DULCINÉE	ÉBORGNER
DONGEOIS	DRAGUANT	**DULCINÉE**	ÉBOULANT
DONGGUAN	DRAGUEUR	**DUMOULIN**	ÉBOUTANT
DONGTING	DRAINAGE	**DUNHUANG**	ÉBRANCHÉ
DONGYING	DRAINANT	**DUNS SCOT**	ÉBRANLÉE
DONG YUAN	DRAINEUR	DUODÉNAL	ÉBRANLER
DONIAMBO	DRAISINE	DUODÉNUM	ÉBRASANT
DONNEUSE	**DRANCÉEN**	**DU PERRON**	ÉBRASURE
DONZELLE	DRAPEAUX	DUPLEXÉE	ÉBRÉCHÉE
DONZENAC	DRAPERIE	DUPLEXER	ÉBRÉCHER
DOPAMINE	DRAPIÈRE	DUPLIQUÉ	ÉBROUANT
DORACHON	DRAVEUSE	**DUQUESNE**	ÉBRUITÉE
DORDOGNE	DRAWBACK	**DURANDAL**	ÉBRUITER
DORGELÈS	DRESSAGE	DURATIVE	ÉBURNÉEN
DORIENNE	DRESSANT	DUREMENT	ÉCACHANT
DORLOTÉE	DRESSEUR	DURE-MÈRE	ÉCAILLÉE
DORLOTER	DRESSING	**DURENDAL**	ÉCAILLER
DORMANCE	DRESSOIR	**DURGAPUR**	ÉCARLATE
DORMANTE	DRIBBLÉE	DURILLON	ÉCARTANT
DORMEUSE	DRIBBLER	**DURKHEIM**	ÉCARTELÉ
DORMITIF	**DROGHEDA**	**DUVALIER**	ÉCARTEUR
DOROTHÉE	DROGUANT	**DUVERGER**	**ECBATANE**
DORTMUND	DROIT-FIL	**DUVERNOY**	ECCE HOMO
DOSSERET	DROITIER	DUVETANT	ECCLÉSIA
DOSSIÈRE	DROITURE	DUVETEUX	ECDYSONE
DOSSISTE	DRÔLERIE	**DUVIVIER**	ÉCERVELÉ
DOTATION	DRÔLESSE	DUXELLES	ÉCHAFAUD
DOUANIER	DRÔLETTE	DYADIQUE	ÉCHALIER
DOUBISTE	**DRÔMOISE**	DYARCHIE	ÉCHALOTE
DOUBLAGE	DROP-GOAL	DYNAMISÉ	ÉCHANCRÉ
DOUBLANT	DROPPAGE	DYNAMITE	ÉCHANGÉE
DOUBLEAU	DROPPANT	DYNAMITÉ	ÉCHANGER
DOUBLEUR	DROSSANT	DYNASTIE	ÉCHANSON
DOUBLURE	**DROUAISE**	DYSLALIE	ÉCHAPPÉE
DOUCETTE	**DRUILLET**	DYSLEXIE	ÉCHAPPER
DOUCHANT	DUALISÉE	DYSTOCIE	ÉCHARNÉE
DOUCHEUR	DUALISER	DYSTONIE	ÉCHARNER
DOUDOUNE	DUALISME	**EASTMAIN**	ÉCHARPÉE
DOUESSIN	DUALISTE	**EASTWOOD**	ÉCHARPER
DOUGLASS	**DU BARTAS**	**EAUBONNE**	ÉCHAUDÉE
DOUILLÉE	**DU BELLAY**	EAU-DE-VIE	ÉCHAUDER

ÉCHAUFFÉ	ÉCOUTEUR	EFFRONTÉ	ÉLECTRON
ÉCHÉANCE	ÉCRASANT	EFFUSION	ÉLECTRUM
ÉCHÉANTE	ÉCRASEUR	EFFUSIVE	**EL-EDRISI**
ÉCHELIER	ÉCRÉMAGE	ÉGAILLÉE	ÉLÉGANCE
ÉCHEVEAU	ÉCRÉMANT	ÉGAILLER	ÉLÉGANTE
ÉCHEVELÉ	ÉCRÊTANT	ÉGALABLE	**ÉLÉONORE**
ÉCHEVINE	ÉCRITEAU	ÉGALISÉE	ÉLÉPHANT
ÉCHIFFRE	ÉCRITURE	ÉGALISER	ÉLEVEUSE
ÉCHINANT	ÉCRIVAIN	ÉGAYANTE	**EL-HADJAR**
ÉCHOTIER	ÉCRIVANT	**ÉGINHARD**	ÉLIGIBLE
ÉCHOUAGE	ÉCROUANT	**ÉGLETONS**	ÉLIMINÉE
ÉCHOUANT	ÉCROULÉE	**ÉGLOGUES**	ÉLIMINER
ÉCLAIRCI	ÉCROULER	EGOLZWIL	ÉLINGUÉE
ÉCLAIRÉE	ÉCROÛTÉE	ÉGORGEUR	ÉLINGUER
ÉCLAIRER	ÉCROÛTER	ÉGOSILLÉ	ÉLITAIRE
ÉCLATANT	**ÉCULLOIS**	ÉGOTISME	ÉLITISME
ÉCLATEUR	ÉCUMANTE	ÉGOTISTE	ÉLITISTE
ÉCLIPSÉE	ÉCUMEUSE	ÉGOUTIER	**EL-JADIDA**
ÉCLIPSER	ÉCUMOIRE	ÉGOUTTÉE	ELLÉBORE
ÉCLOGITE	ÉCUREUIL	ÉGOUTTER	**EL-MENIAA**
ÉCLOSION	ÉDÉNIQUE	ÉGRAINÉE	ÉLOGIEUX
ÉCLUSAGE	ÉDENTANT	ÉGRAINER	ÉLOIGNÉE
ÉCLUSANT	**EDIACARA**	ÉGRAPPÉE	ÉLOIGNER
ÉCLUSIER	ÉDICTANT	ÉGRAPPER	ÉLOQUENT
ECMNÉSIE	ÉDIFIANT	ÉGRENAGE	**EL-SADATE**
ÉCOBILAN	ÉDITRICE	ÉGRENANT	ELSENEUR
ÉCOBUAGE	**EDMONTON**	ÉGRISAGE	ELSEVIER
ÉCOBUANT	**ÉDOMITES**	ÉGRISANT	ÉLUCIDÉE
ÉCŒURÉE	ÉDUCABLE	ÉGROTANT	ÉLUCIDER
ÉCŒURER	ÉDUCATIF	ÉGUEULÉE	ÉLUCUBRÉ
ÉCOINÇON	ÉDULCORÉ	ÉGUEULER	ÉLUVIALE
ÉCOLABEL	ÉDUQUANT	ÉGYPTIEN	ÉLUVIAUX
ÉCOLÂTRE	ÉFAUFILÉ	**ÉGYPTIEN**	**ELVINOIS**
ÉCOLIÈRE	EFFAÇANT	**EICHMANN**	**ELZEVIER**
ÉCOLOGIE	EFFACEUR	**EINSTEIN**	ÉMACIANT
ÉCOLOGUE	EFFANANT	**EISENACH**	ÉMAILLÉE
ÉCOMMÉEN	EFFANURE	ÉJACULÉE	ÉMAILLER
ÉCOMUSÉE	EFFARANT	ÉJACULER	ÉMANCIPÉ
ÉCONDUIT	EFFECTIF	ÉJECTANT	ÉMASCULÉ
ÉCONOMAT	EFFECTUÉ	ÉJECTEUR	EMBALLÉE
ÉCONOMIE	EFFÉMINÉ	ÉJECTION	EMBALLER
ÉCOPHASE	EFFÉRENT	ÉJOINTÉE	EMBARDÉE
ÉCORÇAGE	EFFICACE	ÉJOINTER	EMBARQUÉ
ÉCORÇANT	EFFILAGE	ÉLABORÉE	EMBARRAS
ÉCORCEUR	EFFILANT	ÉLABORER	EMBARRÉE
ÉCORCHÉE	EFFILURE	**ÉLAGABAL**	EMBARRER
ÉCORCHER	EFFLEURÉ	ÉLAGUANT	EMBAUCHE
ÉCORNANT	EFFLUENT	ÉLAGUEUR	EMBAUCHÉ
ÉCORNURE	EFFONDRÉ	ÉLANÇANT	EMBAUMÉE
ÉCOSSAIS	EFFORCÉE	**EL-AOUÏNA**	EMBAUMER
ÉCOSSAIS	EFFORCER	**EL CALLAO**	EMBELLIE
ÉCOSSANT	EFFRANGÉ	ELDORADO	EMBELLIR
ÉCOULANT	EFFRAYÉE	**ELDORADO**	EMBÊTANT
ÉCOUMÈNE	EFFRAYER	ÉLECTEUR	EMBLAVÉE
ÉCOURTÉE	EFFRÉNÉE	ÉLECTION	EMBLAVER
ÉCOURTER	EFFRITÉE	ÉLECTIVE	EMBOBINÉ
ÉCOUTANT	EFFRITER	ÉLECTRET	EMBOÎTÉE

EMBOÎTER	ÉMONDANT	EMPREINT	ENCUVAGE
EMBOSSÉE	ÉMONDEUR	EMPRESSÉ	ENCUVANT
EMBOSSER	ÉMONDOIR	EMPRUNTÉ	EN DEDANS
EMBOUCHE	ÉMOTTAGE	EMPUANTI	EN-DEHORS
EMBOUCHÉ	ÉMOTTANT	ÉMULSEUR	ENDETTÉE
EMBOUQUÉ	ÉMOUCHET	ÉMULSINE	ENDETTER
EMBOURBÉ	ÉMOUCHET	ÉMULSION	ENDÊVANT
EMBOUTIE	ÉMOUSSÉE	ÉMULSIVE	ENDIABLÉ
EMBOUTIR	ÉMOUSSER	ENAMOURÉ	ENDIGUÉE
EMBRAQUÉ	ÉMOUVANT	ÉNARCHIE	ENDIGUER
EMBRASÉE	ÉMOUVOIR	ENCABANÉ	ENDOGAME
EMBRASER	EMPAILLÉ	ENCADRÉE	ENDOGÈNE
EMBRASSE	EMPALANT	ENCADRER	ENDOLORI
EMBRASSÉ	EMPALMÉE	ENCAISSE	ENDORMIE
EMBRAYÉE	EMPALMER	ENCAISSÉ	ENDORMIR
EMBRAYER	EMPANNER	ENCAQUÉE	ENDOSSÉE
EMBREVÉE	EMPARANT	ENCAQUER	ENDOSSER
EMBREVER	EMPÂTANT	ENCARTER	ENDURANT
EMBROCHÉ	EMPATHIE	ENCARTER	ENDURCIE
EMBRUMÉE	EMPATTÉE	ENCASTRÉ	ENDURCIR
EMBRUMER	EMPATTER	ENCAVEUR	ENDYMION
EMBUSQUÉ	EMPAUMÉE	ENCEINTE	**ENDYMION**
EMBUVAGE	EMPAUMER	ENCEINTÉ	ÉNERVANT
ÉMÉCHANT	EMPÊCHÉE	ENCENSÉE	ENFAÎTÉE
ÉMERAUDE	EMPÊCHER	ENCENSER	ENFAÎTER
ÉMERGENT	EMPEIGNE	ENCERCLÉ	ENFANTÉE
ÉMERISÉE	EMPENNÉE	ENCHAÎNÉ	ENFANTER
ÉMERISER	EMPENNER	ENCHANTÉ	ENFANTIN
ÉMÉRITAT	EMPEREUR	ENCHÂSSÉ	**ENFANTIN**
ÉMERSION	EMPERLÉE	ENCHÉRIR	ENFARINÉ
ÉMÉTIQUE	EMPERLER	ENCLAVÉE	ENFERMÉE
ÉMETTANT	EMPESAGE	ENCLAVER	ENFERMER
ÉMETTEUR	EMPESANT	ENCLOUÉE	ENFERRÉE
ÉMEUTIER	EMPESTÉE	ENCLOUER	ENFERRER
ÉMIETTÉE	EMPESTER	ENCOCHÉE	ENFICHÉE
ÉMIETTER	EMPÊTRÉE	ENCOCHER	ENFICHER
ÉMIGRANT	EMPÊTRER	ENCODAGE	ENFIELLÉ
ÉMINÇANT	EMPIERRÉ	ENCODANT	ENFIÉVRÉ
ÉMINENCE	EMPIÉTER	ENCODEUR	ENFILADE
ÉMINENTE	EMPIFFRÉ	ENCOLLÉE	ENFILAGE
EMINESCU	EMPILAGE	ENCOLLER	ENFILANT
ÉMISSION	EMPILANT	ENCOLURE	ENFILEUR
ÉMISSIVE	EMPIRANT	ENCOMBRE	ENFLAMMÉ
ÉMISSOLE	EMPLÂTRE	ENCOMBRÉ	ENFLEURÉ
EMMANCHÉ	EMPLETTE	ENCONTRE	ENFOIRÉE
EMMANUEL	EMPLOYÉE	ENCORDÉE	ENFONCÉE
EMMÊLANT	EMPLOYER	ENCORDER	ENFONCER
EMMÉNAGÉ	EMPLUMÉE	ENCORNÉE	ENFOURNÉ
EMMENANT	EMPLUMER	ENCORNER	ENFREINT
EMMENTAL	EMPOCHÉE	ENCORNET	ENFUMAGE
EMMENTAL	EMPOCHER	ENCOUBLE	ENFUMANT
EMMERDÉE	EMPOIGNE	ENCOUBLÉ	ENFÛTAGE
EMMERDER	EMPOIGNÉ	ENCOURIR	ENFÛTANT
EMMIELLÉ	EMPORIUM	ENCOURUE	ENFUYANT
EMMOTTÉE	EMPORTÉE	ENCRASSÉ	**ENGADINE**
EMMURANT	EMPORTER	ENCROUÉE	ENGAINÉE
ÉMONDAGE	EMPOTAGE	ENCROÛTÉ	ENGAINER

ENGAMANT	ENNOYAGE	ENTAILLE	ENVIEUSE
ENGEANCE	ENNOYANT	ENTAILLÉ	ENVIRONS
ENGELURE	ENNUAGÉE	ENTAMANT	ENVISAGÉ
ENGENDRÉ	ENNUAGER	ENTARTRÉ	ENVOLANT
ENGERBÉE	ENNUYANT	ENTASSÉE	ENVOÛTÉE
ENGERBER	ENNUYEUX	ENTASSER	ENVOÛTER
ENGLOBÉE	ENONÇANT	ENTENDRE	ENVOYANT
ENGLOBER	ÉNORMITÉ	ENTENDUE	ENVOYEUR
ENGLOUTI	ENQUÉRIR	ENTÉRINÉ	ENZOOTIE
ENGLUAGE	ENQUERRE	ENTÉRITE	ÉOLIENNE
ENGLUANT	ENQUÊTÉE	ENTERRÉE	**ÉOLIENNE**
ENGOBAGE	ENQUÊTER	ENTERRER	ÉOLIPILE
ENGOBANT	ENRACINÉ	ENTÊTANT	ÉOLIPYLE
ENGOMMÉE	ENRAYAGE	ENTICHÉE	ÉPAGNEUL
ENGOMMER	ENRAYANT	ENTICHER	ÉPAISSIE
ENGONCÉE	ENRAYURE	ENTOILÉE	ÉPAISSIR
ENGONCER	ENRÊNANT	ENTOILER	ÉPAMPRÉE
ENGORGÉE	ENRHUMÉE	ENTÔLAGE	ÉPAMPRER
ENGORGER	ENRHUMER	ENTÔLANT	ÉPANCHÉE
ENGOUANT	ENRICHIE	ENTÔLEUR	ÉPANCHER
ENGOURDI	ENRICHIR	ENTOLOME	ÉPANDAGE
ENGRAMME	ENROBAGE	ENTONNÉE	ÉPANDANT
ENGRANGÉ	ENROBANT	ENTONNER	ÉPANDEUR
ENGRÊLÉE	ENROCHÉE	ENTOURÉE	ÉPANNELÉ
ENGRENÉE	ENROCHER	ENTOURER	ÉPANOUIE
ENGRENER	ENRÔLANT	ENTRACTE	ÉPANOUIR
ENGROSSÉ	ENRÔLEUR	ENTRAIDE	ÉPARCHIE
ENGUEULÉ	ENROUANT	ENTRAIDÉ	ÉPARGNÉE
ENHARDIE	ENROULÉE	ENTR'AIMÉ	ÉPARGNER
ENHARDIR	ENROULER	ENTRAÎNÉ	ÉPATANTE
ENHERBÉE	ENSABLÉE	ENTRANTE	ÉPAULANT
ENHERBER	ENSABLER	ENTRAVÉE	ÉPAULARD
ENIVRANT	ENSACHÉE	ENTRAVER	ÉPAVISTE
ENJAMBÉE	ENSACHER	ENTREFER	ÉPEAUTRE
ENJAMBER	**ENSCHEDE**	ENTRE-HAÏ	ÉPENDYME
ENJAVELÉ	ENSEIGNE	ENTREMIS	ÉPÉPINÉE
ENJOINTE	ENSEIGNÉ	ENTREPÔT	ÉPÉPINER
ENJÔLANT	ENSELLÉE	ENTRESOL	ÉPERONNÉ
ENJÔLEUR	ENSEMBLE	ENTRE-TUÉ	ÉPERVIER
ENJOLIVÉ	**ENSENADA**	ENTREVUE	ÉPEURANT
ENJUGUÉE	ENSERRÉE	ENTRISME	ÉPHÉLIDE
ENJUGUER	ENSERRER	ENTROPIE	ÉPHÉMÈRE
ENKYSTÉE	**ENSÉRUNE**	ENTROQUE	**ÉPHIALTE**
ENKYSTER	ENSEVELI	ENTUBANT	**ÉPHRUSSI**
ENLAÇANT	ENSILAGE	ÉNUCLÉÉE	ÉPIAISON
ENLAÇURE	ENSILANT	ÉNUCLÉER	ÉPICARPE
ENLAIDIE	ENSIMAGE	ÉNUMÉRÉE	ÉPICERIE
ENLAIDIR	ENSOUFRÉ	ÉNUMÉRER	ÉPICIÈRE
ENLEVAGE	ENSOUPLE	ÉNUQUANT	ÉPICLÈSE
ENLEVANT	ENSUIVIE	ÉNURÉSIE	**ÉPICTÈTE**
ENLISANT	ENSUIVIS	**ENVALIRA**	ÉPICYCLE
ENLUMINÉ	ENSUIVRE	ENVASANT	**ÉPIDAURE**
ENNÉADES	ENSUQUÉE	ENVENIMÉ	ÉPIDÉMIE
ENNEIGÉE	ENTABLÉE	ENVERGUÉ	ÉPIDERME
ENNEIGER	ENTABLER	**ENVERMEU**	ÉPIDURAL
ENNOBLIE	ENTACHÉE	ENVIABLE	ÉPIERRÉE
ENNOBLIR	ENTACHER		ÉPIERRER

ÉPIGÉNIE	ÉRADIQUÉ	ESCOMPTE	ESTÉRASE
ÉPILEUSE	ÉRAFLANT	ESCOMPTÉ	ESTERLIN
ÉPILOGUE	ÉRAFLURE	ESCORTÉE	ESTHÉSIE
ÉPILOGUÉ	**ÉRAGNIEN**	ESCORTER	**ESTIENNE**
ÉPINCETÉ	ÉRAILLÉE	ESCOUADE	ESTIMANT
ÉPINETTE	ÉRAILLER	ESCRIMÉE	ESTIVAGE
ÉPINEUSE	ÉRATHÈME	ESCRIMER	ESTIVALE
ÉPINGLÉE	**ERCKMANN**	ESCROQUÉ	ESTIVANT
ÉPINGLER	ÉRECTEUR	**ESCUDERO**	ESTIVAUX
ÉPINIÈRE	ÉRECTILE	**ESCULAPE**	ESTOCADE
ÉPINOCHE	ÉRECTION	**ESCURIAL**	ESTOMPÉE
ÉPIPHANE	ÉREINTÉE	ESGOURDE	ESTOMPER
ÉPIPHANE	ÉREINTER	ESPAÇANT	ESTONIEN
ÉPIPHYSE	ÉRÉMISTE	ESPAGNOL	**ESTONIEN**
ÉPIPHYTE	ERGONOME	**ESPAGNOL**	ESTOPPEL
ÉPIPLOON	ERGOTAGE	ESPALIER	ESTOURBI
ÉPISCOPE	ERGOTANT	**ESPALION**	ESTRAGON
ÉPISSANT	ERGOTEUR	ESPÉRANT	ESTROPIÉ
ÉPISSOIR	ÉRICACÉE	ESPIÈGLE	ESTUAIRE
ÉPISSURE	ÉRIGEANT	ESPIONNE	ÉTABLANT
ÉPISTATE	ÉRIGÉRON	ESPIONNÉ	ÉTAGEANT
ÉPISTÉMÊ	ÉRISTALE	ESPONTON	ÉTAGISTE
ÉPITAPHE	**ERLANGEN**	ESQUARRE	ÉTALAGÉE
ÉPITAXIE	**ERLANGER**	ESQUICHÉ	ÉTALAGER
ÉPITHÈTE	ERMITAGE	**ESQUILIN**	ÉTALONNÉ
ÉPLOYANT	**ERNÉENNE**	ESQUILLE	ÉTAMBRAI
ÉPLUCHÉE	ÉROTIQUE	ESQUIMAU	**ÉTAMPOIS**
ÉPLUCHER	ÉROTISÉE	Esquimau	ÉTAMPURE
ÉPOISSES	ÉROTISER	**ESQUIMAU**	ÉTANCHÉE
ÉPONYMIE	ÉROTISME	ESQUINTÉ	ÉTANCHER
ÉPOUILLÉ	**ERPE-MÈRE**	**ESQUIROL**	**ÉTAPLOIS**
ÉPOUMONÉ	ÉRUCIQUE	ESQUISSE	ÉTARQUÉE
ÉPOUSANT	ÉRUCTANT	ESQUISSÉ	ÉTARQUER
ÉPOUSEUR	ÉRUPTION	ESQUIVÉE	**ÉTAT CHAN**
ÉPREINTE	ÉRUPTIVE	ESQUIVER	ÉTATIQUE
ÉPRENANT	ÉRYTHÈME	ESSAIMER	ÉTATISÉE
ÉPRENDRE	**ÉRYTHRÉE**	ESSARTÉE	ÉTATISER
ÉPROUVÉE	**ESAKI LEO**	ESSARTER	ÉTATISME
ÉPROUVER	ESBIGNÉE	ESSAYAGE	ÉTATISTE
ÉPUISANT	ESBIGNER	ESSAYANT	ET CETERA
ÉPULPEUR	ESBROUFE	ESSAYEUR	ÉTEINDRE
ÉPURATIF	ESBROUFÉ	ESSÉNIEN	**ÉTELLOIS**
ÉPYORNIS	ESCABEAU	**ESSENINE**	ÉTENDAGE
ÉQUARRIE	ESCADRON	ESSEULÉE	ÉTENDANT
ÉQUARRIR	ESCALADE	ESSORAGE	ÉTENDARD
ÉQUATEUR	ESCALADÉ	ESSORANT	ÉTENDOIR
ÉQUATEUR	ESCALIER	ESSOUCHÉ	ÉTERNISÉ
ÉQUATION	ESCALOPE	ESSUYAGE	ÉTERNITÉ
ÉQUESTRE	ESCALOPÉ	ESSUYANT	ÉTERNUER
ÉQUEUTÉE	ESCAMOTÉ	ESSUYEUR	**ÉTHIOPIE**
ÉQUEUTER	ESCAPADE	ESTACADE	ETHMOÏDE
ÉQUINOXE	ESCARBOT	ESTAFIER	ETHNIQUE
ÉQUIPAGE	ESCARGOT	ESTAGNON	ÉTHYLÈNE
ÉQUIPANT	ESCARPÉE	ESTAMPÉE	**ÉTIEMBLE**
ÉQUIPIER	ESCARPIN	ESTAMPER	ÉTINCELÉ
ÉQUIPOLÉ	ESCLAFFÉ	ESTANCIA	ÉTIOLANT
ÉQUIVALU	**ESCLAVES**	EST-CE QUE	**ÉTIOLLES**

ÉTIQUETÉ	ÉVENTRÉE	EXEMPTER	EXTENSIF
ÉTIRABLE	ÉVENTRER	EXERÇANT	EXTÉNUÉE
ÉTOFFANT	ÉVENTUEL	EXERCICE	EXTÉNUER
ÉTOILANT	ÉVERSION	EXFILTRÉ	EXTERNAT
ÉTONNANT	ÉVERTUÉE	EXFOLIÉE	EXTIRPÉE
ÉTOUFFÉE	ÉVERTUER	EXFOLIER	EXTIRPER
ÉTOUFFER	**ÉVHÉMÈRE**	EXHALANT	EXTORQUÉ
ÉTOUPANT	**ÉVIANAIS**	EXHAUSSÉ	EXTRADÉE
ÉTOURDIE	ÉVICTION	EXHIBANT	EXTRADER
ÉTOURDIR	ÉVIDENCE	EXHORTÉE	EXTRADOS
ÉTRANGER	ÉVIDENTE	EXHORTER	EXTRA-DRY
ÉTRANGLÉ	ÉVINÇANT	EXHUMANT	EXTRAFIN
ÉTREINTE	ÉVISCÉRÉ	EXIGEANT	EXTRAIRE
ÉTRENNÉE	ÉVITABLE	EXIGENCE	EXTRAITE
ÉTRENNER	ÉVOCABLE	EXIGIBLE	EXTRÉMAL
ÉTRILLÉE	ÉVOLUANT	EXIGUÏTÉ	EXTREMUM
ÉTRILLER	ÉVOLUTIF	EXISTANT	EXTRORSE
ÉTRIPAGE	ÉVOQUANT	EX-LIBRIS	EXTRUDÉE
ÉTRIPANT	**ÉVRYENNE**	EX NIHILO	EXTRUDER
ÉTRIQUÉE	EXACERBÉ	EXOCRINE	EXTRUSIF
ÉTRIQUER	EXACTEUR	EXOGAMIE	EXULTANT
ÉTRUSQUE	EXACTION	EXONDANT	EXUTOIRE
ÉTRUSQUE	EXAGÉRÉE	EXONÉRÉE	EYE-LINER
ÉTUDIANT	EXAGÉRER	EXONÉRER	**EYMÉTOIS**
EUBÉENNE	EXALTANT	EXORBITÉ	**EYSINAIS**
EUCARIDE	EXAMINÉE	EXORCISÉ	**ÉZÉCHIEL**
EUCOLOGE	EXAMINER	EXOSTOSE	FABLIAUX
EUPHONIE	EXARCHAT	EXOTIQUE	FABRIQUE
EUPHORBE	EXASPÉRÉ	EXOTISME	FABRIQUÉ
EUPHORIE	EXAUÇANT	EXPANSÉE	FABULANT
EUPHRATE	EXCAVANT	EXPANSIF	FABULEUX
EURASIEN	EXCÉDANT	EXPATRIÉ	FACETTÉE
EURASIEN	EXCÉDENT	EXPÉDIÉE	FACETTER
EURIPIDE	EXCELLER	EXPÉDIER	FÂCHERIE
EUROCITY	EXCENTRÉ	EXPIRANT	FÂCHEUSE
EURONEWS	EXCEPTÉE	EXPLÉTIF	FACILITÉ
EUROPÉEN	EXCEPTER	EXPLIQUÉ	FAÇONNÉE
EUROPÉEN	EXCESSIF	EXPLOITÉ	FAÇONNER
EUROPIUM	EXCIPANT	EXPLORÉE	FACTIEUX
EURYDICE	EXCISANT	EXPLORER	FACTITIF
EUSKEMEN	EXCISION	EXPLOSER	FACTOTUM
EUSTACHE	EXCITANT	EXPLOSIF	FACTRICE
EUSTACHE	EXCLAMÉE	EXPORTÉE	FACTURÉE
EUTYCHÈS	EXCLAMER	EXPORTER	FACTURER
ÉVACUANT	EXCLUANT	EXPOSANT	FADEMENT
ÉVALUANT	EXCLUSIF	EXPRESSE	FAGNARDE
ÉVANGILE	EXCORIÉE	EXPRESSO	FAGOTAGE
ÉVANOUIE	EXCORIER	EXPRIMÉE	FAGOTANT
ÉVANOUIR	EXCRÉTÉE	EXPRIMER	FAGOTIER
ÉVAPORÉE	EXCRÉTER	EXPULSÉE	FAIBLARD
ÉVAPORER	EXCUSANT	EXPULSER	FAÏENCÉE
ÉVARISTE	EXÉCRANT	EXPURGÉE	FAIGNANT
ÉVEILLÉE	EXÉCUTÉE	EXPURGER	FAILLANT
ÉVEILLER	EXÉCUTER	EXSANGUE	FAILLITE
ÉVEINAGE	EXÉCUTIF	EXSUDANT	FAINÉANT
ÉVENTAIL	**EXELMANS**	EXTASIÉE	FAIR-PLAY
ÉVENTANT	EXEMPTÉE	EXTASIER	FAISABLE

FAISANDÉ	FAUCHAGE	FENAISON	FIÉVREUX
FAISCEAU	FAUCHANT	FENDANTE	FIFRELIN
FAISEUSE	FAUCHARD	FENDILLÉ	FIGEMENT
FAÎTEAUX	FAUCHEUR	FENÊTRÉE	FIGNOLÉE
FAÎTIÈRE	FAUCHEUX	FENÊTRER	FIGNOLER
FAIT-TOUT	**FAUCIGNY**	**FENOGLIO**	FIGURANT
FALACHAS	FAUCILLE	FÉRALIES	FIGURINE
FALASHAS	**FAUCILLE**	FER-BLANC	FILAMENT
FALCONET	FAUFILÉE	**FERDOWSI**	FILANDRE
FALÉRIES	FAUFILER	**FERENCZI**	**FILARETE**
FALKLAND	**FAULKNER**	**FERGHANA**	FILATEUR
FALSIFIÉ	FAUNESSE	FERMENTÉ	FILATURE
FALSTAFF	FAUNIQUE	FERMETTE	FILETAGE
FALUNANT	FAUSSANT	FERMIÈRE	FILETANT
FAMILIAL	FAUSSETÉ	FÉROCITÉ	FILIOQUE
FAMILIER	**FAUTAISE**	**FERRANTE**	**FILITOSA**
FANAISON	FAUTEUIL	**FERREIRA**	FILLASSE
FANATISÉ	FAUTRICE	FERREUSE	FILLETTE
FANDANGO	**FAUTRIER**	**FERRIÈRE**	FILLEULE
FANFARON	FAUVERIE	FERRIQUE	FILMIQUE
FANGEUSE	FAUVETTE	FERROUTÉ	FILOCHER
FANTASIA	FAUVISME	**FERTOISE**	FILONIEN
FANTASME	FAUX-BORD	**FERTONNE**	FILOUTÉE
FANTASMÉ	FAUX-CULS	FERVENTE	FILOUTER
FANTOCHE	FAUX-SENS	FESSIÈRE	FILTRAGE
FANTÔMAS	**FAVERGES**	FESTIVAL	FILTRANT
FARCEUSE	FAVEROLE	FESTONNÉ	FINALISÉ
FARDEAUX	FAVORISÉ	FESTOYER	FINALITÉ
FAREWELL	FAVORITE	FÊTE-DIEU	FINANCÉE
FARFADET	FAYOTANT	FÉTIDITÉ	FINANCER
FARFELUE	FÉCALOME	FEUDISTE	FINANCES
FARIBOLE	FÉCONDÉE	FEUILLÉE	FINASSER
FARINACÉ	FÉCONDER	FEUILLET	**FINE GAEL**
FARINAGE	FÉCULANT	**FEUILLET**	FINEMENT
FARINANT	FÉCULENT	FEUILLUE	FINITION
FARINEUX	FÉCULIER	FEUTRAGE	FINITUDE
FARLOUSE	FÉDÉRALE	FEUTRANT	**FINLANDE**
FAROUCHE	FÉDÉRANT	FEUTRINE	**FINNMARK**
FARQUHAR	FÉDÉRAUX	FÉVEROLE	FINNOISE
FARRAGUT	FEED-BACK	FIANÇANT	**FINNOISE**
FASCINÉE	FÉERIQUE	FIBRANNE	**FISCHART**
FASCINER	FEIGNANT	FIBREUSE	FISH-EYES
FASCISÉE	**FEIGNIES**	FIBRILLE	**FISMOISE**
FASCISER	FEINTANT	FIBRILLÉ	FISSIBLE
FASCISME	FEINTEUR	FIBROÏNE	FISSURÉE
FASCISTE	FEINTISE	**FICARDIN**	FISSURER
FASEYANT	**FÉLIBIEN**	FICELAGE	FIXATEUR
FAST-FOOD	FÉLICITÉ	FICELANT	FIXATION
FASTIGIÉ	**FÉLICITÉ**	FICHANTE	FIXEMENT
FASTUEUX	FÉLINITÉ	**FIDÉENNE**	FLACHEUX
FATALITÉ	FELLAGHA	FIDÉISME	FLAGELLE
FATIGANT	**FELLETIN**	FIDÉISTE	FLAGELLÉ
FATIGUÉE	FELOUQUE	FIDÉLISÉ	FLAGEOLÉ
FATIGUER	FÉMININE	FIDÉLITÉ	FLAGORNÉ
FATRASIE	FÉMINISÉ	**FIELDING**	FLAGRANT
FAUBOURG	FÉMINITÉ	FIELLEUX	**FLAGSTAD**
FAUCARDÉ	FÉMORALE	FIENTANT	**FLAHERTY**

FLAIRANT	**FLORENCE**	FORGEUSE	FOURCHON
FLAIREUR	FLORIDÉE	**FORILLON**	FOURCHUE
FLAMANDE	FLOTTAGE	FORJETÉE	**FOURCROY**
FLAMANDE	FLOTTANT	FORJETER	FOURGUÉE
FLAMBAGE	FLOTTEUR	FORLANCÉ	FOURGUER
FLAMBANT	**FLOURENS**	FORLIGNÉ	**FOURMIES**
FLAMBARD	**FLOURNOY**	FORLONGÉ	FOURNEAU
FLAMBART	FLUCTUER	FORMATÉE	**FOURNEAU**
FLAMBEAU	FLUIDISÉ	FORMATER	**FOURNIER**
FLAMBEUR	FLUIDITÉ	FORMATIF	FOURRAGE
FLAMBOYÉ	FLUORINE	FORMELLE	FOURRAGÉ
FLAMENCA	FLUORITE	FORMERET	FOURRANT
FLAMENCO	FLUORURE	**FORMERIE**	FOURREAU
FLAMICHE	FLÛTEAUX	FORMIATE	FOURREUR
FLANCHER	FLÛTIAUX	**FORMIGNY**	FOURRIER
FLANCHET	FLÛTISTE	FORMIQUE	FOURRURE
FLANDRES	FLUVIALE	FORMOLÉE	FOURVOYÉ
FLANDRIN	FLUVIAUX	FORMOLER	FOUTAISE
FLANDRIN	FOCALISÉ	FORMULÉE	FOUTRALE
FLANELLE	**FOCILLON**	FORMULER	FOX-HOUND
FLÂNERIE	FOIREUSE	FORNIQUÉ	**FOYALAIS**
FLÂNEUSE	FOISONNÉ	**FORSYTHE**	FRACASSÉ
FLANQUÉE	FOLÂTRER	FORTICHE	FRACTALE
FLANQUER	FOLIACÉE	FORTIFIÉ	FRACTION
FLASHAGE	FOLIAIRE	**FORT-LAMY**	FRACTURE
FLASHANT	FOLICHON	FORTUITE	FRACTURÉ
FLATTANT	FOLIOTÉE	**FORTUNAT**	**FRAENKEL**
FLATTERS	FOLIOTER	FORTUNÉE	FRAGMENT
FLATTEUR	FOLKLORE	FOSSETTE	FRAGRANT
FLAUBERT	FOMENTÉE	FOSSOYÉE	FRAÎCHIN
FLAVIENS	FOMENTER	FOSSOYER	FRAÎCHIR
FLÉCHAGE	FONCEUSE	FOUACIER	FRAISAGE
FLÉCHANT	FONCIÈRE	FOUAILLE	FRAISANT
FLÉCHIER	FONCTION	FOUAILLÉ	FRAISEUR
FLÉCHOIS	FONDANTE	**FOUCAULD**	FRAISIER
FLÉMALLE	FONDERIE	**FOUCAULT**	FRAISURE
FLEMMARD	FONDEUSE	FOUCHTRA	FRANÇAIS
FLETCHER	FONGIBLE	**FOUCQUET**	**FRANÇAIS**
FLEURANT	FONGIQUE	FOUDROYÉ	FRANCHIE
FLEURETÉ	FONGUEUX	FOUETTÉE	FRANCHIR
FLEXIBLE	FONTAINE	FOUETTER	FRANCIEN
FLEXUEUX	**FONTAINE**	FOUGASSE	FRANCISÉ
FLIBUSTE	**FONTANES**	**FOUGÈRES**	FRANCITÉ
FLIC FLAC	**FONTENAY**	FOUGUEUX	FRANCIUM
FLINGUÉE	**FONTENOY**	FOUILLÉE	**FRANÇOIS**
FLINGUER	FOOTBALL	FOUILLER	FRANGINE
FLINOISE	FORAMINÉ	FOUILLIS	**FRANKLIN**
FLIPPANT	FORCENÉE	FOUINANT	**FRANQUIN**
FLIRTANT	FORCERIE	FOUINARD	FRAPPANT
FLIRTEUR	FORCLORE	FOUINEUR	FRAPPEUR
FLOCONNÉ	FORCLOSE	FOULANTE	**FRASCATI**
FLOCULER	FORDISME	FOULONNÉ	FRAUDANT
FLODOARD	**FORÉZIEN**	**FOULQUES**	FRAUDEUR
FLONFLON	FORFAIRE	FOURBURE	FREDAINE
FLOQUANT	FORGEAGE	FOURCHÉE	**FRÉDÉRIC**
FLORANGE	FORGEANT	FOURCHER	FREDONNÉ
FLORENCE	FORGERON	FOURCHET	FREE-JAZZ

FREE-SHOP	FROISSÉE	FUSILIER	GALOPADE
FREETOWN	FROISSER	FUSILLÉE	GALOPANT
FRÉGATÉE	FRÔLEUSE	FUSILLER	GALOPEUR
FRÉGATER	FROMAGER	FUSIONNÉ	GALUCHAT
FREIBERG	FROMETON	FUSTIGÉE	GALVAUDÉ
FREINAGE	FRONÇANT	FUSTIGER	**GAMACHES**
FREINANT	FRONDANT	FUTAILLE	GAMBADER
FRELATÉE	FRONDEUR	FUTILITÉ	GAMBERGE
FRELATER	FRONTALE	**FUXÉENNE**	GAMBERGÉ
FRÉNÉSIE	FRONTAUX	GABARIER	**GAMBETTA**
FRÉQUENT	FRONTEAU	GABONAIS	GAMBETTE
FRESCATY	FROTTAGE	**GABONAIS**	GAMBILLÉ
FRESNEAU	FROTTANT	**GABORIAU**	GAMBUSIE
FRESNOIS	FROTTEUR	**GABORONE**	GAMINANT
FRESSURE	FROTTOIR	**GABRIELI**	**GANAPATI**
FRÉTILLÉ	FROUFROU	**GACÉENNE**	**GANDHARA**
FRETTAGE	FRUCTOSE	GÂCHETTE	GANDOURA
FRETTANT	**FRUGEOIS**	GÂCHEUSE	**GANGEOIS**
FREUDIEN	FRUITIER	**GADITANE**	GANGLION
FREYMING	FRUSQUES	GAÉLIQUE	GANGRENÉ
FRIBOURG	FRUSTRÉE	GAFFEUSE	GANGRÈNE
FRIBOURG	FRUSTRER	**GAGAOUZE**	GANGSTER
FRICASSE	FUCHSINE	**GAGARINE**	GANSETTE
FRICASSÉ	**FUÉGIENS**	GAGNABLE	GANTELET
FRIC-FRAC	FUEL-OILS	GAGNANTE	GANTIÈRE
FRICOTÉE	FUGACITÉ	GAGNEUSE	GANTOISE
FRICOTER	FUGITIVE	GAIEMENT	**GANTOISE**
FRICTION	FUGUEUSE	GAILLARD	**GANYMÈDE**
FRIDOLIN	**FUJIMORI**	**GAILLARD**	**GAOXIONG**
FRIEDMAN	**FUJISAWA**	GAINERIE	**GARAMOND**
FRIGORIE	**FUJIWARA**	GAINIÈRE	**GARAMONT**
FRILEUSE	**FUJI-YAMA**	GALANTIN	GARANTIE
FRILEUSE	**FUKUYAMA**	GALAPIAT	GARANTIR
FRIMAIRE	**FULGENCE**	GALÉASSE	GARCETTE
FRIMEUSE	FULGURER	GALÉJADE	**GARCHOIS**
FRINGALE	FULIGULE	GALÉJANT	GARÇONNE
FRINGANT	FULMINÉE	GALÉRANT	**GARDAFUI**
FRINGUÉE	FULMINER	GALÉRIEN	**GARDANNE**
FRINGUER	**FUMACIEN**	GALETAGE	GARDE-FEU
FRIPERIE	FUMAGINE	GALETANT	GARDE-FOU
FRIPIÈRE	FUMAISON	**GALIBIER**	GARDÉNIA
FRIPONNE	**FUMÉLOIS**	GALICIEN	GARDERIE
FRISANTE	FUMIGÈNE	**GALICIEN**	GARDEUSE
FRISELIS	FUMIVORE	GALILÉEN	GARDE-VUE
FRISETTE	**FUNAFUTI**	**GALILÉEN**	**GARDINER**
FRISOLÉE	FUNBOARD	GALIPOTE	**GARDOISE**
FRISONNE	FUNICULE	GALIPOTÉ	**GARGALLO**
FRISONNE	FURETAGE	**GALLEGOS**	**GARGEOIS**
FRISOTTÉ	FURETANT	GALLÉRIE	**GARIFUNA**
FRISQUET	FURETEUR	GALLEUSE	**GARNERIN**
FRITERIE	FURFURAL	GALLICAN	GARNISON
FRITEUSE	FURIBARD	**GALLIENI**	**GAROUSTE**
FRITTAGE	FURIBOND	GALLIQUE	GARRIGUE
FRITTANT	FURIEUSE	GALLOISE	GARROTTE
FRIVILLE	FURONCLE	**GALLOISE**	GARROTTÉ
FROIDEUR	FUSELAGE	GALONNÉE	**GASCOGNE**
FROIDURE	FUSELANT	GALONNER	

GASCONNE
GASCONNE
GASPACHO
GASPARIN
GASPÉSIE
GASPILLÉ
GASSENDI
GASTRITE
GASTRULA
GÂTE-BOIS
GÂTIFIER
GÂTINAIS
GATINEAU
GATINOIS
GÂTIONNE
GAUCHÈRE
GAUFRAGE
GAUFRANT
GAUFRIER
GAUFROIR
GAUFRURE
GAULLIEN
GAULOISE
GAULOISE
GAULTIER
GAUMAISE
GAUSSANT
GAVARNIE
GAVRINIS
GAVROCHE
GAVROCHE
GAZÉIFIÉ
GAZOGÈNE
GAZOLINE
GAZONNÉE
GAZONNER
GEIGNANT
GEIGNARD
GEISÉRIC
GÉLATINE
GÉLATINÉ
GÉLIFIÉE
GÉLIFIER
GÉLINIER
GÉLIVITÉ
GÉLIVURE
GELL-MANN
GEMBLOUX
GÉMINANT
GEMMEUSE
GÉMONIES
GENDARME
GENDARMÉ
GÉNÉRALE
GÉNÉRANT
GÉNÉRAUX
GÉNÉREUX

GENÉSIEN
GENEVOIS
GENEVOISE
GENEVOIX
GENIÈVRE
GÉNITALE
GÉNITAUX
GÉNITEUR
GÉNOCIDE
GÉNOTYPE
GENSCHER
GENSÉRIC
GENSONNÉ
GENTIANE
GENTILLE
GENTILLY
GÉODÉSIE
GEOFFRIN
GEOFFROI
GEÔLIÈRE
GÉOLOGIE
GÉOLOGUE
GÉOMÈTRE
GÉOPHAGE
GÉOPHILE
GÉOPHONE
GÉORGIEN
GÉORGIEN
GÉOTRUPE
GÉRANIUM
GERBAULT
GERBILLE
GERBOISE
GERGOVIE
GERHARDT
GÉRIATRE
GERMAINE
GERMAINE
GERMAINS
GERMANIE
GERMINAL
GÉROMOIS
GÉRONDIF
GERONIMO
GERSHWIN
GERSOISE
GERTRUDE
GESUALDO
GÉVAUDAN
GHADAMÈS
GHARDAÏA
GHIBERTI
GHURIDES
GIBBEUSE
GIBBSITE
GIBELINE
GIBOULÉE

GIBOYEUX
GIENNOIS
GIFFOISE
GIGONDAS
GIGOTANT
GIGOTTÉE
GILBRETH
GILETIER
GINGIVAL
GIN-RAMIS
GIN-RUMMY
GINSBERG
GIOBERTI
GIOLITTI
GIORDANO
GIOVANNI
GIRAFEAU
GIRARDET
GIRARDIN
GIRARDON
GIRATION
GIRAUMON
GIRAVION
GIRODYNE
GIROFLÉE
GIRONDIN
GIRONDIN
GIRONNÉE
GISEMENT
GIULIANO
GIVETOIS
GIVORDIN
GIVRANTE
GIVREUSE
GLABELLE
GLAÇANTE
GLACE BAY
GLACERIE
GLACEUSE
GLACIALE
GLACIALS
GLACIAUX
GLACIÈRE
GLAIREUX
GLAISEUX
GLANDAGE
GLANDANT
GLANDEUR
GLANEUSE
GLARÉOLE
GLASNOST
GLAUCOME
GLENDALE
GLEN MORE
GLÉNOÏDE
GLISSADE
GLISSAGE

GLISSANT
GLISSANT
GLISSEUR
GLISSOIR
GLOMÉRIS
GLORIEUX
GLORIFIÉ
GLORIOLE
GLOSSINE
GLOSSITE
GLOTTALE
GLOTTAUX
GLOUCHKO
GLOUGLOU
GLOUSSER
GLUCAGON
GLUCOSÉE
GLUMELLE
GLYCÉMIE
GLYCÉRIE
GLYCÉROL
GNANGNAN
GNOCCHIS
GNOGNOTE
GNOMIQUE
GOBANAIS
GOBELINS
GOBERGÉE
GOBERGER
GOBINEAU
GODAILLÉ
GODAVARI
GODILLER
GODILLOT
GODIVEAU
GODOUNOV
GOEBBELS
GOÉLETTE
GOETHITE
GOGUETTE
GOINFRÉE
GOINFRER
GOITREUX
GOLCONDE
GOLDBACH
GOLDMANN
GOLESTAN
GOLFEUSE
GOLGOTHA
GOLMOTTE
GOLTZIUS
GOMBRICH
GOMINANT
GOMMETTE
GOMMEUSE
GOMORRHE
GONCOURT

GONDOLÉE	**GRACCHUS**	GRAVITER	GRIMPANT
GONDOLER	GRACIANT	GRAVITON	GRIMPEUR
GONDWANA	GRACIEUX	**GRAYLOIS**	GRIMPION
GONFALON	**GRACQUES**	**GRAZIANI**	GRINÇANT
GONFANON	GRADIENT	GRÉBICHE	**GRINGORE**
GONFLAGE	GRADUANT	GRÉCISÉE	GRIPPAGE
GONFLANT	GRAFFEUR	GRÉCISER	GRIPPALE
GONFLEUR	GRAFFITI	GRÉEMENT	GRIPPANT
GONNELLE	GRAFIGNÉ	**GREENOCK**	GRIPPAUX
GONOCYTE	GRAILLÉE	GREFFAGE	GRISANTE
GONOSOME	GRAILLER	GREFFANT	GRISÂTRE
GONZAGUE	GRAILLON	GREFFIER	GRISERIE
GONZÁLEZ	GRAINAGE	GREFFOIR	GRISETTE
GONZALVE	GRAINANT	GRÉGAIRE	GRIS-GRIS
GONZESSE	GRAINIER	GRÉGEOIS	GRISOLLÉ
GOODYEAR	GRAISSÉE	**GRÉGOIRE**	GRISONNE
GORCHKOV	GRAISSER	GRELOTTÉ	**GRISONNE**
GORDIMER	GRAMINÉE	GRELUCHE	GRISONNÉ
GORGEANT	GRAMMAGE	GRÉMILLE	GRIVELÉE
GORGERIN	**GRAMMONT**	GRENACHE	GRIVETON
GORGONES	**GRANADOS**	GRENADÉE	GRIVOISE
GORLOVKA	**GRANBYEN**	GRENADER	**GRODDECK**
GOSCINNY	GRAND-DUC	GRENADIN	GROGNANT
GOSSAERT	GRANDEUR	**GRENADIN**	GROGNARD
GÖTALAND	**GRANDIER**	**GRENCHEN**	GROGNEUR
GÖTEBORG	**GRAND-PRÉ**	GRENELÉE	GROGNONS
GOTHIQUE	**GRANDSON**	GRENELER	**GROMAIRE**
GOTTWALD	**GRANDVAL**	GRÈNETIS	GROMMELÉ
GOUACHÉE	**GRANIQUE**	**GRENOBLE**	GRONDANT
GOUACHER	GRANITÉE	GRÉSEUSE	GRONDEUR
GOUAILLE	GRANULAT	GRÉSILLÉ	GROS-BECS
GOUAILLÉ	GRANULÉE	**GRETCHKO**	GROSCHEN
GOUDIMEL	GRANULER	GREUBONS	**GROSJEAN**
GOUDSMIT	GRANULIE	**GREVISSE**	**GROSSETO**
GOUFFIER	GRAPHÈME	GRÉVISTE	GROSSEUR
GOUJONNÉ	GRAPHEUR	GRIBICHE	GROSSIER
GOULACHE	GRAPHITE	**GRIERSON**	GROUILLÉ
GOULAFRE	GRAPHITÉ	GRIFFADE	GROUPAGE
GOULASCH	GRASSEYÉ	GRIFFANT	GROUPALE
GOULOTTE	**GRASSOIS**	GRIFFEUR	GROUPANT
GOUPILLE	GRATERON	**GRIFFITH**	GROUPAUX
GOUPILLÉ	GRATIFIÉ	GRIFFTON	**GROUSSET**
GOURANCE	GRATINÉE	GRIFFURE	**GRUÉRIEN**
GOURANTE	GRATINER	GRIGNANT	GRUGEANT
GOURETTE	GRATTAGE	GRIGNARD	GRUGEOIR
GOURGAUD	GRATTANT	**GRIGNARD**	**GRUISSAN**
GOURMAND	GRATTEUR	**GRIGNOIS**	GRULETTE
GOURMONT	GRATTOIR	GRIGNOTÉ	GRUMEAUX
GOÛTEUSE	GRATTONS	GRILLADE	GRUMELÉE
GOUTTANT	GRATTURE	GRILLAGE	GRUMELER
GOUTTEUR	GRATUITE	GRILLAGÉ	**GRUNWALD**
GOUTTEUX	GRATUITÉ	GRILLANT	GRUTIÈRE
GOUVERNE	**GRAULHET**	GRILLOIR	**GRUYÈRES**
GOUVERNÉ	GRAVELLE	GRIMACER	**GRYPHIUS**
GOUVIEUX	**GRAVEROT**	**GRIMALDI**	**GUADIANA**
GOYAVIER	GRAVEUSE	**GRIMAULT**	**GUARNERI**
GOYIGAMA	GRAVIÈRE	GRIMOIRE	**GUATTARI**

GUDERIAN	**GUO MORUO**	**HALMSTAD**	HAUPTMAN
GUÉHENNO	**GURVITCH**	HALOGÈNE	HAUSSANT
GUENILLE	GUSTATIF	HALOGÉNÉ	HAUSSIER
GUÊPIÈRE	**GUSTAVIA**	**HAMADHAN**	HAUTAINE
GUÉRANDE	GUTTURAL	**HAMBOURG**	HAUTBOIS
GUERCHIN	GUYANAIS	**HAMILCAR**	HAUT-FOND
GUERICKE	**GUYANAIS**	**HAMILTON**	**HAUTMONT**
GUÉRIDON	**GUYANIEN**	**HAMMAMET**	**HAUT-RHIN**
GUÉRIGNY	**GUYNEMER**	HANCHANT	HAVANAIS
GUÉRILLA	GYMKHANA	HANDBALL	**HAVANAIS**
GUÉRISON	GYMNASTE	HANDICAP	HAVENEAU
GUERRIER	GYMNIQUE	**HANGZHOU**	**HAVRAISE**
GUERROYÉ	GYNÉRIUM	HANNETON	HAVRESAC
GUERTSEN	GYPSERIE	**HANNIBAL**	HAWAIIEN
GUESCLIN	GYPSEUSE	**HANNOVER**	**HAWAIIEN**
GUÉTHARY	GYROSTAT	**HANOTAUX**	**HAYWORTH**
GUÊTRANT	**HAALTERT**	HANOUKKA	**HEATHROW**
GUETTANT	**HAAVELMO**	HAPLOÏDE	HÉBERGÉE
GUETTEUR	HABANERA	HAPPY END	HÉBERGER
GUEUGNON	**HABENECK**	HAPPY FEW	HÉBÉTANT
GUEULANT	**HABERMAS**	HAPTIQUE	HÉBÉTUDE
GUEULARD	HABILETÉ	HAQUENÉE	HÉBRAÏSÉ
GUEUSANT	HABILITÉ	HARA-KIRI	**HÉBRIDES**
GUIBOLLE	HABILLÉE	HARANGUE	HECTIQUE
GUIDANCE	HABILLER	HARANGUÉ	HÉGÉLIEN
GUIDEAUX	HABITANT	**HARARAIS**	HEIDUQUE
GUIDE-FIL	HABITUDE	HARASSÉE	**HEIMLICH**
GUIGNANT	HABITUÉE	HARASSER	**HEINSIUS**
GUIGNARD	HABITUEL	HARCELÉE	HÉLIAQUE
GUIGNIER	HABITUER	HARCELER	HÉLIASTE
GUILBERT	HÂBLERIE	HARD ROCK	HÉLIGARE
GUILFORD	HÂBLEUSE	HARD-TOPS	**HÉLINAND**
GUILLAIN	**HABSHEIM**	HARDWARE	HÉLIPORT
GUILLOUX	HACHETTE	**HARFLEUR**	**HELSINKI**
GUIMAUVE	**HACHETTE**	**HARGEISA**	HELVELLE
GUINCHER	**HACHIOJI**	HARGNEUX	**HELVÈTES**
GUINDANT	HACHISCH	HARMONIE	**HELVÉTIE**
GUINDEAU	HACHURÉE	HARNACHÉ	HÉMATITE
GUINGAMP	HACHURER	HARPAGON	HÉMATOME
GUINGOIS	HACIENDA	**HARPAGON**	HÉMATOSE
GUINNESS	**HADAMARD**	HARPISTE	HEMIKSEM
GUÎNOISE	**HADRIANA**	HARPONNÉ	HÉMOLYSE
GUIPAVAS	**HAFSIDES**	**HARRIMAN**	**HENGYANG**
GUISARDE	**HAGEDORN**	**HARRISON**	**HÉNINOIS**
GUISCARD	**HAGETMAU**	**HARTFORD**	HENNUYER
GUITOUNE	**HAGUENAU**	**HÄRTLING**	**HENNUYER**
GUITTONE	**HAICHENG**	**HARTMANN**	HÉPARINE
GUJANAIS	HAINEUSE	HASARDÉE	HÉPATITE
GUJARATI	HAINUYER	HASARDER	**HÉRACLÈS**
GU KAIZHI	**HAINUYER**	HASSIDIM	HERBACÉE
GULBARGA	**HAIPHONG**	**HASTINGS**	HERBAGÉE
GULDBERG	HAÏSSANT	HÂTIVEAU	HERBAGER
GULISTAN	**HAKODATE**	**HATTERAS**	HERBEUSE
GULLIVER	HALENANT	HATTÉRIA	HERCHANT
GUNDULIC	HALETANT	**HATTOUSA**	HERCHEUR
GUNITAGE	**HALFFTER**	HAUBANÉE	HERD-BOOK
GUNITANT	**HALLYDAY**	HAUBANER	HÉRÉDITÉ

HEREFORD	HIVERNAL	**HORTENSE**	**HUREPOIX**
HÉRISSÉE	HIVERNÉE	HOSPODAR	HURLANTE
HÉRISSER	HIVERNER	**HOSSEGOR**	HURLEUSE
HÉRISSON	HOBEREAU	HÔTELIER	HURONIEN
HÉRITAGE	**HOBSBAWM**	**HOTMANUS**	HUSSARDE
HÉRITANT	HOCHEPOT	HOT MONEY	**HUSSARDS**
HÉRITIER	**HOCQUART**	HOUAICHE	**HUYSMANS**
HERMIONE	**HŒNHEIM**	**HOUCHARD**	HYBRIDÉE
HÉRODIAS	HOFFMANN	**HOUHEHOT**	HYBRIDER
HÉRODOTE	**HOKKAIDO**	HOUILLER	HYDATIDE
HÉROÏQUE	HOLLANDE	**HOUILLES**	**HYDE PARK**
HÉROÏSME	**HOLLANDE**	HOULETTE	HYDRAIRE
HERRMANN	HOLOCÈNE	HOULEUSE	HYDRANTE
HERSCHEL	HOLOSIDE	**HOULGATE**	HYDRATÉE
HERSCHER	HOLOTYPE	HOULIGAN	HYDRATER
HERSEUSE	**HOLSTEIN**	HOUPPIER	HYDRIQUE
HERTFORD	**HOMBOURG**	HOURDAGE	HYDROGEL
HERTZIEN	HOMELAND	HOURDANT	HYDROMEL
HERZBERG	**HOME RULE**	HOURVARI	HYDROSOL
HÉSITANT	HOMESPUN	HOUSSAIE	**HYÉROISE**
HESSOISE	HOMICIDE	HOUSSANT	HYMÉNIUM
HESSOISE	HOMINIDÉ	HOUSSINE	HYPERGOL
HÉTAIRIE	HOMINIEN	HOUSSINÉ	**HYPÉRIDE**
HÉTAIRIE	HOMMAGES	HOUSSOIR	HYPNOÏDE
HEUREUSE	HOMMASSE	**HUANCAYO**	HYPOCRAS
HEURTANT	HOMOGÈNE	**HUBERTIN**	HYPOGYNE
HEURTOIR	HOMONYME	**HUELGOAT**	HYPONYME
HEVELIUS	HONCHETS	HUGUENOT	HYPOSODÉ
HEXAÈDRE	**HONDURAS**	HUILERIE	**HYRCANIE**
HEXAGONE	**HONECKER**	HUILEUSE	HYSTÉRIE
HEXAPODE	**HONEGGER**	HUIS CLOS	**IAKOUTIE**
HEYDRICH	**HONFLEUR**	HUISSIER	**IAKOUTSK**
HEYRIEUX	**HONGKONG**	HUITAINE	IAMBIQUE
HIBERNAL	HONGRANT	HUITANTE	**IAROSLAV**
HIBERNER	HONGREUR	HUITIÈME	**IBÁRRURI**
HIBISCUS	HONGROIS	HUÎTRIER	IBÉRIQUE
HIGH-TECH	**HONGROIS**	**HUIZINGA**	**IBÉRIQUE**
HILARANT	HONGROYÉ	**HULLOISE**	**IBN ARABI**
HILARION	**HONOLULU**	HULULANT	**IBN SÉOUD**
HILARITÉ	HONORANT	HUMANISÉ	ICAQUIER
HIMALAYA	**HONORIUS**	HUMANITÉ	ICAUNAIS
HIMATION	HONTEUSE	**HUMBOLDT**	**ICAUNAIS**
HIMILCON	HOOLIGAN	HUMECTÉE	ICE-CREAM
HINAYANA	**HOPEWELL**	HUMECTER	ICEFIELD
HINTIKKA	HÔPITAUX	HUMÉRALE	ICE-SHELF
HIPPIQUE	HOQUETER	HUMÉRAUX	**ICHIHARA**
HIPPISME	**HORATIUS**	HUMIDITÉ	**ICHIKAWA**
HIRAGANA	**HORDE D'OR**	HUMILIÉE	ICHTYOSE
HIRAKATA	**HORLIVKA**	HUMILIER	ICONIQUE
HIROHITO	HORLOGER	HUMILITÉ	IDÉALISÉ
HIRUDINE	HORMONAL	HUMORALE	IDÉALITÉ
HISPANIE	HORODATÉ	HUMORAUX	IDÉATION
HISTOIRE	**HOROWITZ**	**HUMPHREY**	IDENTITÉ
HISTORIÉ	HORRIBLE	**HUNINGUE**	**IDLEWILD**
HISTRION	HORRIFIÉ	**HUNJIANG**	IDOLÂTRE
HITTITES	HORS-BORD	HUNNIQUE	IDOLÂTRÉ
HITTORFF	HORS-COTE	**HUNSRÜCK**	**IDOMÉNÉE**

IDUMÉENS	IMMOLANT	INAPERÇU	**INDURÁIN**
IELTSINE	IMMORALE	INAUGURÉ	INÉCOUTÉ
IENISSEÏ	IMMORAUX	INAVOUÉE	INÉGALÉE
IFRIQIYA	IMMORTEL	INCARNAT	INEMPLOI
IGNIFUGE	IMMOTIVÉ	INCARNÉE	INENTAMÉ
IGNIFUGÉ	IMMUABLE	INCARNER	INÉPUISÉ
IGNITION	IMMUNISÉ	INCENDIE	INERTAGE
IGNITRON	IMMUNITÉ	INCENDIÉ	INERTANT
IGNIVOME	IMPALUDÉ	INCHANGÉ	INERTIEL
IGNORANT	IMPARITÉ	INCIDENT	INESPÉRÉ
IJMUIDEN	IMPARTIE	INCINÉRÉ	INÉTENDU
ILAHABAD	IMPARTIR	INCISANT	INEXACTE
ILLÉGALE	IMPAVIDE	INCISION	INEXAUCÉ
ILLÉGAUX	IMPENSES	INCISIVE	INEXERCÉ
ILLETTRÉ	IMPÉRIAL	INCISURE	INEXPERT
ILLICITE	IMPERIUM	INCITANT	INEXPIÉE
ILLIMANI	IMPÉTIGO	INCIVILE	INFAMANT
ILLIMITÉ	IMPLANTÉ	INCLINÉE	INFARCIE
ILLINOIS	IMPLIQUÉ	INCLINER	INFATUÉE
ILLKIRCH	IMPLORÉE	INCLUANT	INFATUER
ILLUMINÉ	IMPLORER	INCLUSIF	INFÉCOND
ILLUSION	IMPLOSER	INCOLORE	INFECTÉE
ILLUSTRE	IMPLOSIF	INCOMBER	INFECTER
ILLUSTRÉ	IMPORTÉE	INCONGRU	INFÉODÉE
ILLUVIAL	IMPORTER	INCONNUE	INFÉODER
ILLUVIUM	IMPORTUN	INCRUSTÉ	INFÉRANT
ILLYRIEN	IMPOSANT	INCUBANT	INFERNAL
ILLYRIEN	IMPOTENT	INCULPÉE	INFESTÉE
ILMÉNITE	IMPRÉCIS	INCULPER	INFESTER
ILOTISME	IMPRÉGNÉ	INCULQUÉ	INFICHUE
IMAGERIE	IMPRÉVUE	INCURVÉE	INFIDÈLE
IMAGEUSE	IMPRIMÉE	INCURVER	INFILTRÉ
IMAGIÈRE	IMPRIMER	INDÉCENT	INFINITÉ
IMAGINAL	IMPROPRE	INDÉCISE	INFIRMÉE
IMAGINÉE	IMPUBÈRE	INDÉFINI	INFIRMER
IMAGINER	IMPUDENT	INDEXAGE	INFLÉCHI
IMBÉCILE	IMPUDEUR	INDEXANT	INFLIGÉE
IMBIBANT	IMPULSÉE	INDEXEUR	INFLIGER
IMBRIQUÉ	IMPULSER	INDICIEL	INFLUANT
IMITABLE	IMPULSIF	INDIENNE	INFLUENT
IMITATIF	IMPUNITÉ	**INDIENNE**	INFONDÉE
IMMACULÉ	IMPURETÉ	INDIGÈNE	INFORMÉE
IMMANENT	IMPUTANT	INDIGENT	INFORMEL
IMMATURE	INABOUTI	INDIGNÉE	INFORMER
IMMÉDIAT	INABRITÉ	INDIGNER	INFOUTUE
IMMERGÉE	INACHEVÉ	INDIQUÉE	INFRASON
IMMERGER	INACTION	INDIQUER	INFUSANT
IMMÉRITÉ	INACTIVE	INDIRECT	INFUSION
IMMERSIF	INACTIVÉ	INDIVIDU	INGÉNIÉE
IMMEUBLE	INACTUEL	INDIVISE	INGÉNIER
IMMIGRÉE	INADAPTÉ	INDOCILE	INGÉRANT
IMMIGRER	INALPAGE	INDOLENT	**INGOUCHE**
IMMINENT	INALPANT	INDOLORE	INGRISME
IMMISCÉE	INALTÉRÉ	INDOMPTÉ	INGUINAL
IMMISCER	INAMICAL	INDUCTIF	INHABILE
IMMOBILE	INANIMÉE	INDULINE	INHABITÉ
IMMODÉRÉ	INAPAISÉ	INDÛMENT	INHALANT

JARRETÉE	JONCHAIE	JUSTESSE	KÉRABAUX
JARRETER	JONCHANT	JUSTIFIÉ	KÉRATINE
JARVILLE	JONCHÈRE	JUVÉNILE	KÉRATITE
JASPINER	JONCTION	**JUVISIEN**	KÉRATOSE
JAUCOURT	**JONGKIND**	**KABARDES**	**KERENSKI**
JAUGEAGE	JONGLANT	**KADIEVKA**	**KERHORRE**
JAUGEANT	JONGLEUR	KAFKAÏEN	**KERMADEC**
JAUMIÈRE	**JORASSES**	**KAIROUAN**	KERMESSE
JAUNÂTRE	**JORDAENS**	KAKATOÈS	KÉROGÈNE
JAUNETTE	**JORDANIE**	KAKEMONO	KÉROSÈNE
JAUNISSE	**JOSAPHAT**	**KAKIEMON**	**KETTELER**
JAVANAIS	**JOSSELIN**	**KAKINADA**	**KHADIDJA**
JAVANAIS	JOUAILLÉ	**KAKOGAWA**	KHÂGNEUX
JAVELAGE	JOUBARBE	KALA-AZAR	**KHAKASSE**
JAVELANT	JOUFFLUE	**KALAHARI**	KHALIFAT
JAVELEUR	**JOUFFROY**	**KALAMÁTA**	**KHARTOUM**
JAVELINE	JOUISSIF	**KALEVALA**	KHÉDIVAT
JAYADEVA	**JOURDAIN**	**KALIDASA**	**KHEPHREN**
JAYAPURA	JOURNAUX	KALIÉMIE	**KHODJENT**
JAZZ-BAND	JOUTEUSE	**KALININE**	**KHOMEYNI**
JAZZIQUE	JOUVENCE	**KALMOUKS**	**KHORASAN**
JAZZMANS	**JOUVENEL**	**KAMAKURA**	**KHURASAN**
JAZZ-ROCK	**JOUVENET**	**KAMAYURÁ**	KIBBOUTZ
JEAN-PAUL	JOUXTANT	KAMIKAZE	**KICHINEV**
JÉJUNALE	**JOVACIEN**	**KAMLOOPS**	KIDNAPPÉ
JÉJUNAUX	JOVIENNE	KANAZAWA	**KIENHOLZ**
JELLICOE	**JOVINIEN**	**KANDAHAR**	KILOVOLT
JEMMAPES	JOYSTICK	KANTISME	KILOWATT
JÉROBOAM	**JUAN JOSÉ**	KAOLIANG	**KIMCHAEK**
JÉROBOAM	JUBILANT	**KAPELLEN**	**KINABALU**
JÉRÔMIEN	JUDAÏQUE	KAPOKIER	**KINECHMA**
JERRICAN	JUDAÏSÉE	**KAPOSVÁR**	**KINGSLEY**
JERRYCAN	JUDAÏSER	**KARADZIC**	**KINGSTON**
JERSIAIS	JUDAÏSME	**KARAKOUM**	KINKAJOU
JERSIAIS	**JUDICAËL**	KARATÉKA	**KINSHASA**
JEUNESSE	JUGEMENT	**KARDINER**	**KIRCHNER**
JEUNESSE	JUGULANT	**KARELLIS**	KIRGHIZE
JEUNETTE	**JUGURTHA**	**KARLSBAD**	**KIRGHIZE**
JEÛNEUSE	JUIVERIE	**KARLSTAD**	**KIRIBATI**
JEUNOTTE	JUJUBIER	KASHROUT	**KIRKLAND**
JIU-JITSU	JULIÉNAS	**KASPAROV**	**KISARAZU**
JOBARDÉE	**JULIÉNAS**	**KASSITES**	**KISMAAYO**
JOBARDER	JULIENNE	KATAKANA	**KLAIPEDA**
JOCRISSE	**JULIETTE**	KATCHINA	**KLAPROTH**
JODHPURS	JUMBO-JET	**KATOWICE**	KLAXONNÉ
JOGGEUSE	JUMELAGE	**KATTEGAT**	**KLITZING**
JOHANNOT	JUMELANT	**KAWASAKI**	**KLONDIKE**
JOHN BULL	JUMELLES	**KAZANLAK**	KLYSTRON
JOIGNANT	**JUMIÈGES**	KEEPSAKE	**KNIASEFF**
JOINTIVE	**JUNGFRAU**	**KEEWATIN**	KNICKERS
JOINTOYÉ	JUNONIEN	**KEFLAVÍK**	KNOCK-OUT
JOINTURE	JUPONNÉE	**KÉGRESSE**	**KNOROZOV**
JOLIESSE	JUPONNER	**KEKKONEN**	**KŒCHLIN**
JOLIETTE	JURANÇON	**KEMEROVO**	**KOESTLER**
JOLIETTE	**JURANÇON**	KÉNOTRON	**KOIVISTO**
JOLIMENT	JUREMENT	**KENTUCKY**	**KOKSIJDE**
JONCACÉE	JUSSIEUA	**KENYATTA**	KOLATIER

KOLHAPUR	**LACANDON**	LAÏUSSER	**LANGUEUX**
KOLINSKI	LACEMENT	**LA JARRIE**	LANGUIDE
KOLKHOZE	**LACEPÈDE**	**LALIBALA**	**LANIAQUE**
KOLTCHAK	LACÉRANT	**LALIBELA**	LANIFÈRE
KOMSOMOL	**LA CHAISE**	LAMAÏQUE	LANIGÈRE
KONSTANZ	**LA CHAIZE**	LAMAÏSME	LANLAIRE
KOOPMANS	**LA CHÂTRE**	LAMANAGE	**LANNILIS**
KORDOFAN	LÂCHEUSE	LAMANEUR	LANOLINE
KORIYAMA	**LA CIERVA**	LAMANTIN	LANTERNE
KORNILOV	LACINIÉE	**LA MARCHE**	LANTERNÉ
KORRIGAN	**LA CIOTAT**	**LAMARQUE**	LANTHANE
KOSOVARE	**LA CLUSAZ**	**LAMASTRE**	**LAODICÉE**
KOSTANAÏ	**LACQUOIS**	**LAMBALLE**	**LAONNOIS**
KOSTENKI	LACRYMAL	LAMBEAUX	**LA PALICE**
KOSTROMA	LACTAIRE	LAMBINER	LAPEMENT
KOSZALIN	**LACTANCE**	**LA MECQUE**	LAPEREAU
KOTZEBUE	LACTIQUE	LAMELLÉE	**LAPICQUE**
KOULIKOV	LACUNEUX	LAMENTÉE	LAPIDANT
KOUMASSI	LACUSTRE	LAMENTER	LAPINANT
KOURGANE	LÀ-DEDANS	**LAMENTIN**	**LAPITHES**
KOURILES	**LADISLAS**	LAMIACÉE	**LA PLAGNE**
KOUROUMA	LADRERIE	LAMIFIÉE	**LA PLAINE**
KOUZBASS	**LADRIÈRE**	LAMINAGE	**LAPOINTE**
KOWALSKI	**LAETOLIL**	LAMINANT	LAQUELLE
KRAKATAU	**LAFARGUE**	LAMINEUR	LAQUEUSE
KRAKATOA	**LAFÉROIS**	LAMINEUX	LARDOIRE
KRASICKI	**LAFFEMAS**	LAMINOIR	LARDONNÉ
KREISLER	**LAFFITTE**	**LA MOLINA**	**LA REYNIE**
KREUTZER	**LA FLÈCHE**	**LA MONGIE**	LARGABLE
KRÜDENER	**LAFORGUE**	**LAMOUTES**	LARGESSE
KSATRIYA	**LAGERLÖF**	LAMPANTE	LARGUANT
KUFSTEIN	**LAGHOUAT**	LAMPASSÉ	LARGUEUR
KUHLMANN	LAGOPÈDE	LAMPISTE	**LARIONOV**
KUMAMOTO	**LA GRANGE**	LAMPROIE	LARMOYER
KUMANOVO	**LAGRANGE**	**LANCELOT**	**LA ROCQUE**
KUROSHIO	**LA GUAIRA**	LANCÉOLÉ	**LAROUSSE**
KURTZMAN	LAGUIOLE	LANCETTE	**LARTIGUE**
KUUJJUAQ	**LAGUIOLE**	LANCEUSE	LARVAIRE
KWAKIUTL	LAGUNAGE	LANCINÉE	LARYNGÉE
KYRIELLE	**LA HABANA**	LANCINER	LASAGNES
KYSTIQUE	**LA HAVANE**	LANDAISE	**LASCARIS**
KYZYLJAR	**LA HONTAN**	**LANDAISE**	**LAS CASAS**
LA BASSÉE	LAÏCISÉE	LAND ARTS	**LAS CASES**
LA BÂTHIE	LAÏCISER	**LAND'S END**	**LA SERENA**
LABDANUM	LAÏCISME	**LANDSHUT**	**LASKARIS**
LABÉLISÉ	LAÏCISTE	**LANESTER**	**LA SPEZIA**
LABIENUS	LAIDERON	**LANFRANC**	**LASSALLE**
LABILITÉ	LAINEUSE	**LANGEAIS**	LASSANTE
LA BOÉTIE	LAINIÈRE	LANGEANT	LASSERIE
LABOURÉE	LAISSANT	**LANGEVIN**	**LASSIGNY**
LABOURER	LAISSÉES	**LANGLADE**	**LASSWELL**
LABRADOR	LAITANCE	**LANGLAND**	**LAS VEGAS**
LABRADOR	LAITERIE	**LANGLOIS**	LATANIER
LA BRESSE	LAITERON	**LANGMUIR**	**LATÉRALE**
LA BRIGUE	LAITEUSE	**LANGOGNE**	**LATÉRAUX**
LA BROSSE	LAITIÈRE	**LANGROIS**	LATÉRITE
LA CAILLE	LAITONNÉ	LANGUEUR	LATINISÉ

LATINITÉ	LEGGINGS	**LETTONNE**	LICITANT
LATITUDE	LÉGIFÉRÉ	LETTRAGE	LIE-DE-VIN
LATOMIES	LÉGITIME	LETTRINE	LIÉGEOIS
LATOUCHE	LÉGITIMÉ	LEUCANIE	**LIÉGEOIS**
LATRINES	**LE GOSIER**	LEUCÉMIE	**LIFFRÉEN**
LATTOISE	**LÉGUEVIN**	**LEUCIPPE**	LIFTIÈRE
LA TURBIE	LÉGUMIER	**LEUCTRES**	LIGAMENT
LAUDANUM	LÉGUMINE	LEURRANT	LIGATURE
LAUDATIF	**LE HELDER**	LEVANTIN	LIGATURÉ
LAUGHTON	**LEINSTER**	**LEVANTIN**	LIGÉRIEN
LAURACÉE	**LE LARDIN**	**LEVASSOR**	**LIGÉRIEN**
LAURASIA	**LE LOROUX**	**LE VERDON**	LIGNEUSE
LAURASIE	**LELYSTAD**	**LEVERTIN**	LIGNIFIÉ
LAURÉATE	**LEMAITRE**	**LÉVESQUE**	LIGOTAGE
LAUSANNE	**LEMAÎTRE**	LÈVE-TARD	LIGOTANT
LAUTARET	LÉMURIEN	**LÉVISIEN**	LIGUEUSE
LAVANDIN	LÉNIFIÉE	LÉVOGYRE	**LIGUGÉEN**
LAVARDAC	LÉNIFIER	LEVRETTE	LIGURIEN
LAVE-AUTO	LÉNITIVE	LEVRETTÉ	**LIGURIEN**
LAVEMENT	**LENSOISE**	LEVRONNE	**LILASIEN**
LAVENTIE	LENTILLE	LÉVULOSE	**L'ÎLE-D'YEU**
LAVE-PONT	LÉONARDE	LEXICALE	LILIACÉE
LAVE-TÊTE	**LÉONARDE**	LEXICAUX	LILLIPUT
LAVINIUM	**LÉONIDAS**	**LEXOVIEN**	LILLOISE
LA VOULTE	LEONTIEF	LÉZARDÉE	**LILONGWE**
LAWRENCE	LÉOPARDÉ	LÉZARDER	**LIMAGNES**
LAXATIVE	**LEOPARDI**	**LEZGUIEN**	LIMAILLE
LAXOVIEN	**LE PALAIS**	**LÉZIGNAN**	**LIMASSOL**
LAZAREFF	**LEPAUTRE**	**L'HERBIER**	LIMBIQUE
LAZURITE	**LE PONTET**	**L'HERMITE**	**LIMBOURG**
LÉAUTAUD	LÉPORIDÉ	**LIANG KAI**	**LIMÉNIEN**
LEBESGUE	**LE PORTEL**	**LIAODONG**	LIMERICK
LE BOULOU	**LE POULDU**	**LIAONING**	**LIMERICK**
LE CANNET	**LE PRADET**	**LIAOYANG**	LIMICOLE
LECANUET	LÉPREUSE	**LIAOYUAN**	LIMINALE
LÈCHE-CUL	**LE PRIEUR**	LIARDANT	LIMINAUX
LÉCHEUSE	**LEPRINCE**	LIASIQUE	LIMITANT
LE CLÉZIO	**LE RAINCY**	LIBANAIS	LIMITEUR
LECOURBE	**LE RELECQ**	**LIBANAIS**	LIMIVORE
LE CROTOY	**LE ROBERT**	LIBATION	LIMONADE
LECTORAT	LÉSINANT	LIBECCIO	LIMONAGE
LECTOURE	LÉSINEUR	LIBELLÉE	LIMONÈNE
LECTRICE	**LES LILAS**	LIBELLER	**LIMONEST**
LE DANTEC	LESNEVEN	LIBÉRALE	LIMONEUX
LEDERMAN	**LESOTHAN**	LIBÉRANT	LIMONITE
LÉDONIEN	**LESPARRE**	LIBÉRAUX	LIMOUSIN
LÊ DUC THO	**LES PIEUX**	LIBÉRIEN	**LIMOUSIN**
LE FAOUËT	**LESPUGUE**	**LIBÉRIEN**	**LIMOUXIN**
LEFEBVRE	**LESSINES**	LIBÉRINE	**LINCHUAN**
LEFOREST	LESSIVÉE	LIBERTIN	**LINDBLAD**
LÉGALISÉ	LESSIVER	**LIBERTIN**	LINÉAIRE
LÉGALITÉ	**L'ESTOILE**	LIBOURET	**LINÉENNE**
LÉGATION	LÉTALITÉ	**LIBOURNE**	LINÉIQUE
LÉGENDÉE	**LE TAMPON**	LIBRAIRE	LINGERIE
LÉGENDER	**LE TOUVET**	LIBYENNE	LINGETTE
LEGENDRE	**LETTONIE**	**LIBYENNE**	LINGUALE
LÉGÈRETÉ	LETTONNE	LICENCIÉ	LINGUAUX

LINIMENT	LOISIBLE	**LUBERSAC**	LYCOPODE
LINOLÉUM	LOMBAIRE	**LUBITSCH**	**LYCURGUE**
LINOTYPE	LOMBARDE	LUBRIFIÉ	LYDIENNE
LINTEAUX	**LOMBARDE**	LUBRIQUE	**LYDIENNE**
LIONCEAU	**LOMBARDO**	**LUCÉENNE**	LYMPHOME
LIPCHITZ	**LOMBARDS**	LUCIDITÉ	LYNCHAGE
LIPIZZAN	**LOMBROSO**	LUCIFUGE	LYNCHANT
LIPOSOME	**LOMÉENNE**	**LUCILIUS**	**LYONNAIS**
LIPPMANN	**LOMMOISE**	**LUCQUOIS**	LYOPHILE
LIPSCOMB	**LONDRINA**	LUCRATIF	**LYSANDRE**
LIQUÉFIÉ	LONGEANT	**LUCULLUS**	LYSOSOME
LIQUETTE	LONGERON	LUDDISME	LYSOZYME
LIQUIDÉE	**LONGHENA**	**LÜDERITZ**	**LYSSENKO**
LIQUIDER	LONGOTTE	**LUDHIANA**	**LYSSOISE**
LISBONNE	LONGRINE	LUDICIEL	**MABILLON**
LISERANT	**LONGUEAU**	LUDWIGIA	**MACABÉES**
LI SHIMIN	**LONGUÉEN**	**LUGDUNUM**	MACAREUX
LISLOISE	LONGUEUR	**LUGNÉ-POE**	MACARONI
LISSEUSE	**LONGUYON**	LUISANCE	MACASSAR
LISTEAUX	**LONGWOOD**	LUISANTE	**MACASSAR**
LITHARGE	**LOOSSOIS**	LUMIGNON	**MACAULAY**
LITHIASE	**LORESTAN**	LUMINEUX	MACÉRANT
LITHINÉE	LORGNANT	LUMITYPE	**MACERATA**
LITHIQUE	LORIQUET	LUNAISON	**MACHAULT**
LITHOBIE	LORRAINE	**LÜNEBURG**	MÂCHEFER
LITHOSOL	**LORRAINE**	LUNETIER	MACHETTE
LITTÉRAL	LOSANGÉE	LUNETTÉE	MÂCHEUSE
LITTORAL	**LOTHAIRE**	**LUPARIEN**	MACHINAL
LITUANIE	LOTIONNÉ	**LUPÉENNE**	MACHINÉE
LITURGIE	LOUANGÉE	**LUPERCUS**	MACHINER
LITVINOV	LOUANGER	LUPERQUE	MACHISME
LIVERDUN	LOUCHANT	LUPULINE	MACHISTE
LIVIDITÉ	LOUCHEUR	**LURISTAN**	MÂCHOIRE
LIVOURNE	**LOUCHEUR**	**LUSAKOIS**	MÂCHONNÉ
LIVRABLE	**LOUÉSIEN**	LUSIGNAN	MÂCHURÉE
LIVREUSE	LOUFOQUE	LUSITAIN	MÂCHURER
LIXIVIÉE	**LOUGANSK**	**LUSITAIN**	**MAC-MAHON**
LIXIVIER	**LOUHANSK**	**LUSTIGER**	MAÇONNÉE
LOBBYING	LOULOUTE	LUSTRAGE	MAÇONNER
LOBBYSME	LOUPIOTE	LUSTRALE	**MAC ORLAN**
LOCALISÉ	**LOURDAIS**	LUSTRANT	MACREUSE
LOCALITÉ	LOURDANT	LUSTRAUX	MACROURE
LOCATION	LOURDAUD	LUSTRINE	MACULAGE
LOCATIVE	LOURDEUR	LUTÉCIUM	MACULANT
LOCHOISE	**LOUVETOU**	LUTHERIE	MADÉRISÉ
LOCLOISE	LOUVETTE	LUTHISTE	MADRAGUE
LOCRONAN	**LOUVIERS**	LUTINANT	MADRIGAL
LOCUTEUR	**LOUVIGNÉ**	LUTRAIRE	**MADURAIS**
LOCUTION	LOUVOYER	LUTTEUSE	**MAEBASHI**
LODÉVOIS	LOVELACE	LUXATION	**MAELWAEL**
LOGEABLE	**LOVELACE**	LUXMÈTRE	MAESTRIA
LOGEMENT	**LOVÉRIEN**	**LUXOVIEN**	MAFFIEUX
LOGICIEL	LOWENDAL	LUXUEUSE	MAFFIOSI
LOGICIEN	**LOWLANDS**	**LUZIENNE**	MAFFIOSO
LOGOTYPE	**LOZÉRIEN**	**LYALLPUR**	MAFIEUSE
LOI-CADRE	**LUANDAIS**	**LYCAONIE**	MAGANANT
LOINTAIN	**LUANSHYA**	LYCÉENNE	MAGASINÉ

MAGAZINE	**MALAISIE**	MAMMAIRE	**MANTAISE**
MAGELLAN	**MALAKOFF**	MAMMOUTH	MANTEAUX
MAGENDIE	MALANDRE	MAM'SELLE	**MANTEGNA**
MAGICIEN	**MALASSIS**	MAM'ZELLE	MANTELÉE
MAGISTER	**MALAUNAY**	MANAGEUR	MANTELET
MAGNASCO	MALAVISÉ	**MANAMÉEN**	MANTILLE
MAGNELLI	**MALAWITE**	MANCEAUX	**MANTINÉE**
MAGNÉSIE	MALAXAGE	**MANCEAUX**	MANTIQUE
MAGNÉSIE	MALAXANT	MANCELLE	MANTISSE
MAGNÉTON	MALAXEUR	**MANCELLE**	**MANTOUAN**
MAGNIFIÉ	**MALAYSIA**	**MANCHOIS**	MANUCURE
MAGNOLIA	MALBÂTIE	MANCHOTE	MANUCURÉ
MAGOGOIS	**MALCOLM X**	MANCHOUE	MANUÉLIN
MAGRITTE	**MALDEGEM**	**MANCHOUE**	MANUELLE
MAHARAJA	**MALDIVES**	**MANDALAY**	**MANYO-SHU**
MAHARANÉ	MALDONNE	MANDANTE	**MAPUTAIS**
MAHARANI	MALÉFICE	MANDARIN	MAQUETTE
MAHAVIRA	**MALEGAON**	MANDATÉE	MAQUILLÉ
MAHAYANA	**MALEMORT**	MANDATER	MARABOUT
MAHDISME	**MALENKOV**	MANDCHOU	**MARACANÃ**
MAH-JONGS	MALFAÇON	**MANDCHOU**	**MARADONA**
MAHORAIS	MALFAMÉE	**MANDEURE**	**MARAGHEH**
MAHOUSSE	MALGACHE	MANDORLE	MARAGING
MAHRATTE	**MALGACHE**	MANDRILL	**MARANHÃO**
MAÏDANEK	**MALHERBE**	**MANÉ-KATZ**	MARASQUE
MAIGREUR	**MALIBRAN**	**MANÉTHON**	MARATHON
MAIGRIOT	MALIENNE	**MANGALIA**	**MARATHON**
MAILLAGE	**MALIENNE**	**MANGALUR**	MARAUDER
MAILLANE	**MALINCHE**	**MANGBETU**	**MARBELLA**
MAILLANT	MALINGRE	MANGEANT	MARBRANT
MAILLART	MALINOIS	MANGE-MIL	MARBRIER
MAILLURE	**MALINOIS**	MANGEURE	MARBRURE
MAINLAND	**MALLARMÉ**	MANGEUSE	**MARCELLO**
MAINMISE	MALLÉOLE	MANGLIER	**MARCHAIS**
MAINTENU	MALLETTE	MANGROVE	MARCHAND
MAINTIEN	MAL-LOGÉE	MANGUIER	**MARCHAND**
MAÏORALE	MAL-LOGÉS	MANIABLE	MARCHANT
MAÏORAUX	MALMENÉE	MANIAQUE	MARCHEUR
MAIRESSE	MALMENER	MANIÉRÉE	**MARCIANO**
MAÏSERIE	MALOTRUE	MANIEUSE	**MARCIGNY**
MAÎTRISE	MALOUINE	MANIFOLD	**MARCOING**
MAÎTRISÉ	**MALOUINE**	MANIPULE	MARCOTTE
MAJDANEK	**MALPIGHI**	MANIPULÉ	MARCOTTÉ
MAJORANT	MALPOLIE	**MANITOBA**	**MARCOULE**
MAJORITÉ	MALSAINE	**MANNHEIM**	MARÉCAGE
MAJORQUE	MALSÉANT	MANNITOL	MARÉCHAL
MAKÁRIOS	MALSTROM	**MANOLETE**	MARENNES
MAKAROVA	**MALSTROM**	**MANOSQUE**	**MARENNES**
MAKASSAR	MALTAISE	MANOSTAT	**MARÉOTIS**
MAKIIVKA	**MALTAISE**	MANOUCHE	MAREYAGE
MAKIMONO	MALTERIE	MANQUANT	MAREYEUR
MALACHIE	MALVACÉE	**MANRIQUE**	MARGAUDÉ
MALADETA	MALVENUE	MANSARDE	MARGEANT
MALADIVE	MAL-VIVRE	MANSARDÉ	MARGELLE
MAL-AIMÉE	MAMELOUK	**MANSFELD**	MARGEUSE
MAL-AIMÉS	**MAMELOUK**	**MANSHOLT**	MARGINAL
MALAISÉE	**MAMERTIN**	**MANSTEIN**	MARGINÉE

MARGINER
MARGOTER
MARGOTTÉ
MARGRAVE
MARIACHI
MARIAMNE
MARIANNE
MARIETTE
MARIEUSE
MARIGNAN
MARILLAC
MARINADE
MARINAGE
MARINANT
MARINIER
MARIOLLE
MARIOTTE
MARISQUE
MARITAIN
MARITALE
MARITAUX
MARITIME
MARIVAUX
MARMANDE
MARMITÉE
MARMITON
MARMONNÉ
MARMOTTE
MARMOTTÉ
MARNAISE
MARNEUSE
MARNIÈRE
MAROCAIN
MAROCAIN
MAROLLES
MARONITE
MARONNER
MAROQUIN
MAROUFLÉ
MARQUAGE
MARQUANT
MARQUETÉ
MARQUEUR
MARQUÈZE
MARQUISE
MARQUISE
MARQUOIR
MARRAINE
MARRANTE
MARRONNE
MARSAULT
MARSEAUX
MARSHALL
MARSOUIN
MARTABAN
MARTAGON
MARTEAUX

MARTELÉE
MARTELER
MARTENOT
MARTIALE
MARTIAUX
MARTIGNY
MARTINET
MARTINET
MARTINON
MARTONNE
MARXISME
MARXISTE
MARYLAND
MARYLAND
MASACCIO
MASCAGNI
MASCARET
MASCARON
MASCARON
MASCOGNE
MASCOTTE
MASCULIN
MASÉROIS
MASEVAUX
MASMOUDA
MASOLINO
MASQUAGE
MASQUANT
MASSACRE
MASSACRÉ
MASSALIA
MASSAOUA
MASSENET
MASSÉTER
MASSETTE
MASSEUBE
MASSEUSE
MASSICOT
MASSIÈRE
MASSIFIÉ
MASSIQUE
MASSORAH
MASTIQUÉ
MASTOÏDE
MASTURBÉ
MATA HARI
MATAMORE
MATAMORE
MATANAIS
MATANZAS
MATEFAIM
MATELOTE
MÂTEREAU
MATÉRIAU
MATÉRIEL
MATERNÉE
MATERNEL

MATERNER
MATHEUSE
MATHILDE
MATHURIN
MATIGNON
MATINALE
MÂTINANT
MATINAUX
MATINEUX
MATINIER
MATORRAL
MATRAQUE
MATRAQUÉ
MATRICÉE
MATRICER
MATTHEWS
MATTHIAS
MATTHIEU
MATURITÉ
MAUBÈCHE
MAUBEUGE
MAUGRÉÉE
MAUGRÉER
MAUNA KEA
MAUNOURY
MAUREPAS
MAURICIE
MAURISTE
MAUSOLÉE
MAUSSADE
MAUVAISE
MAUVÉINE
MAXIMALE
MAXIMAUX
MAXIMISÉ
MAXIMUMS
MAYORALE
MAYORAUX
MAZAGRAN
MAZARINE
MAZATLÁN
MAZOUTÉE
MAZOUTER
MBANDAKA
MCCARTHY
MCKINLEY
MCMILLAN
MEA CULPA
MÉCANISÉ
MÉCHANTE
MECHELEN
MÉCOMPTE
MÉCONIUM
MÉCONNUE
MÉCRÉANT
MÉDAILLE

MÉDAILLÉ
MÉDECINE
MEDELLÍN
MÉDIANTE
MÉDIATOR
MÉDICALE
MÉDICAUX
MÉDIÉVAL
MÉDIOCRE
MÉDISANT
MÉDITANT
MEDJERDA
MÉDUSANT
MÉFIANCE
MÉFIANTE
MÉGAPODE
MÉGAPOLE
MÉGISSÉE
MÉGISSER
MÉGOTAGE
MÉGOTANT
MEHRGARH
MEHUNOIS
MEILLEUR
MÉLAMINE
MÉLAMINÉ
MÉLANGÉE
MÉLANGER
MÉLANINE
MÉLANOME
MÉLANOSE
MELCHIOR
MELCHITE
MELDOISE
MELDOISE
MÊLÉ-CASS
MÊLE-TOUT
MÉLIACÉE
MÉLI-MÉLO
MÉLINITE
MELLIFLU
MÉLOMANE
MELUNAIS
MÉLUSINE
MELVILLE
MEMBRANE
MEMBRURE
MÊMEMENT
MÉMÉRANT
MÉMORIAL
MÉMORIEL
MÉMORISÉ
MENAÇANT
MÉNAGÈRE
MÉNANDRE
MENDERES
MENDIANT

MENDIGOT	MÉSUSANT	MILANAIS	MISÉREUX
MENDOISE	**MÉTABIEF**	**MILANAIS**	MISOGYNE
MÉNEPTAH	MÉTABOLE	MILIAIRE	**MISSOURI**
MÉNINGÉE	MÉTAIRIE	MILICIEN	MISTELLE
MÉNISCAL	MÉTAMÈRE	MILITANT	MISTIGRI
MÉNISQUE	MÉTAYAGE	MILLASSE	MISTONNE
MÉNOLOGE	MÉTAYÈRE	MILLIARD	**MISURATA**
MENSONGE	**MÉTELLUS**	MILLIBAR	**MITCHELL**
MENTERIE	**MÉTÉORES**	MILLIÈME	MITIGEUR
MENTEUSE	**MÉTEZEAU**	**MILLIKAN**	MITONNÉE
MENTHOLÉ	MÉTHANAL	**MILONAIS**	MITONNER
MENTISME	MÉTHANOL	MI-LOURDS	**MIXTÈQUE**
MENUIRES	MÉTISSÉE	MI-MOYENS	**MIYAZAKI**
MENUISÉE	MÉTISSER	**MINAMOTO**	MNÉSIQUE
MENUISER	MÉTREUSE	MINAUDER	**MOABITES**
MÉPRISÉE	MÉTRIQUE	**MINDANAO**	MOBILIER
MÉPRISER	METTABLE	MINEPTAH	MOBILISÉ
MERCANTI	MEUBLANT	MINÉRALE	MOBILITÉ
MERCATOR	MEUGLANT	MINÉRAUX	**MOBY DICK**
MERCERIE	MEULETTE	MINERVAL	MOCASSIN
MERCIÈRE	MEULIÈRE	MINIGOLF	**MOCENIGO**
MERCŒUR	MEUNERIE	MINIJUPE	MOCHARDE
MERCOSUR	MEUNIÈRE	MINIMALE	MODALITÉ
MERCREDI	MEURETTE	MINIMAUX	**MODANAIS**
MERCUREY	MEURTRIE	MINIMEXÉ	MODELAGE
MERCUREY	MEURTRIR	MINIMISÉ	MODELANT
MERDEUSE	MEXICAIN	MINISTRE	MODELEUR
MERDIQUE	**MEXICAIN**	**MINNELLI**	MODÉLISÉ
MERDOYER	**MEXICALI**	MINOENNE	MODÉRANT
MEREDITH	**MEYERHOF**	MINORANT	MODERATO
MÉRIDIEN	**MEYERSON**	MINORITÉ	MODESTIE
MÉRIGNAC	**MÉZIÈRES**	**MINORQUE**	MODICITÉ
MERINGUE	MIAM-MIAM	MINOTIER	MODIFIÉE
MERINGUÉ	**MIANYANG**	MINUTAGE	MODIFIER
MERISIER	MIAULANT	MINUTANT	MODILLON
MÉRITANT	MI-CARÊME	MINUTEUR	MODULANT
MERLETTE	**MICHELET**	MINUTIER	MOELLEUX
MERLUCHE	**MICHELIN**	MI-PARTIE	**MOGOLLON**
MERSENNE	MI-CHEMIN	MI-PARTIS	**MOGUILEV**
MERSOISE	MICHETON	**MIQUELON**	**MOHAMMED**
MERVILLE	**MICHIGAN**	**MIRABEAU**	MOINEAUX
MÉRYSIEN	MI-CLOSES	MIRACULÉ	MOINERIE
MÉSALLIÉ	MI-COURSE	**MIREBEAU**	MOISSINE
MESKHETS	MICROBUS	MIREILLE	MOLALITÉ
MÉSOMÈRE	**MIDLANDS**	MIRE-ŒUF	MOLARITÉ
MESQUINE	MIDRASHS	MIREPOIX	**MOLDAVIE**
MESSAGER	MIELLEUX	**MIREPOIX**	MOLÉCULE
MESSAGER	**MIESCHER**	MIRETTES	MOLESTÉE
MESSÉANT	**MIGENNES**	MIRLITON	MOLESTER
MESSÉNIE	MIGNARDE	MIRMIDON	MOLETAGE
MESSEOIR	MIGNONNE	MIROITER	MOLETANT
MESSIAEN	MIGNOTÉE	MIRONTON	**MOLFETTA**
MESSIDOR	MIGNOTER	**MIRZAPUR**	MOLLASSE
MESURAGE	MIGRAINE	MISANDRE	MOLLESSE
MESURANT	MIGRANTE	MISCIBLE	MOLLETON
MESUREUR	MIJAURÉE	MISERERE	MOLLETTE
MÉSUSAGE	MIJOTANT	MISERERE	MOLLISOL

MOLOSSES	**MONTBRON**	MORISQUE	MOURANTE
MOLSHEIM	**MONTCALM**	MORNIFLE	**MOUSCRON**
MOLUQUES	**MONTCEAU**	**MORONAIS**	MOUSQUET
MOMBASSA	**MONT-DORE**	**MORONOBU**	MOUSSAGE
MOMIFIÉE	**MONTEMOR**	**MOROSINI**	MOUSSAKA
MOMIFIER	**MONTÉPIN**	MOROSITÉ	MOUSSANT
MONACALE	**MONTERÍA**	MORPHÈME	MOUSSEUX
MONACAUX	MONTE-SAC	MORPHINE	MOUSSOIR
MONANDRE	MONTEUSE	MORPHING	MOUTARDE
MONARQUE	**MONTFORT**	**MORRISON**	**MOÛTIERS**
MONASTIR	**MONTIGNY**	**MORTAGNE**	MOUTONNÉ
MONAURAL	MONT-JOIE	MORTAISE	MOUVANCE
MONAZITE	**MONTJOIE**	MORTAISÉ	MOUVANTE
MONCEAUX	**MONTLUEL**	MORT-BOIS	MOYEN ÂGE
MONDAINE	**MONTMÉDY**	MORTE-EAU	**MOYEN ÂGE**
MONDIALE	**MONTOIRE**	MORTELLE	MOYENNÉE
MONDIAUX	MONTOISE	MORTIFIÉ	MOYENNER
MONDRIAN	MONTOISE	**MORTIMER**	**MOYEUVRE**
MONÉTISÉ	MONTRANT	MORT-NÉES	MOZABITE
MONGOLIE	**MONTRÉAL**	MORUTIER	**MOZABITE**
MONITEUR	MONTREUR	MORVEUSE	MOZARABE
MONITION	**MONTREUX**	MOSAÏQUE	**MOZARABE**
MÔN-KHMER	**MONTROSE**	MOSAÏSME	MUCILAGE
MONMOUTH	**MONTSÛRS**	MOSAÏSTE	MUCOSITÉ
MONNAYÉE	MONTUEUX	**MOSCOVIE**	MUDÉJARE
MONNAYER	MONUMENT	**MOSELLAN**	MUFLERIE
MONNOYER	**MOOSE JAW**	**MOSQUITO**	**MUFULIRA**
MONOBASE	MOQUERIE	MOTILITÉ	**MUHAMMAD**
MONOBLOC	MOQUETTE	MOTIVANT	**MÜHLBERG**
MONOCYTE	MOQUETTÉ	MOTO-BALL	MULETIER
MONŒCIE	MOQUEUSE	MOTORISÉ	**MULHACÉN**
MONOGAME	MORALISÉ	MOTS-CLÉS	**MULHOUSE**
MONOÏQUE	MORALITÉ	**MOUBARAK**	MULLIKEN
MONOKINI	**MORANGIS**	MOUCHAGE	**MULRONEY**
MONOMÈRE	**MORATOIS**	MOUCHANT	MULTIPLE
MONOPLAN	**MORBIHAN**	MOUCHARD	MUNICIPE
MONOPOLE	MORCEAUX	MOUCHETÉ	**MUNTANER**
MONOPOLY	MORCELÉE	MOUCHOIR	**MUNTÉNIE**
MONORAIL	MORCELER	MOUCHURE	MUQARNAS
MONOTONE	MORDACHE	MOUCLADE	**MUQDISHO**
MONOTYPE	MORDANCÉ	MOUFETER	MUQUEUSE
MONOTYPE	MORDANTE	MOUFETTE	**MURAD BEY**
MONOXYDE	MORDICUS	MOUFTANT	MURAILLE
MONOXYLE	MORDILLÉ	MOUILLÉE	**MURATORI**
MONREALE	MORDORÉE	MOUILLER	MÛREMENT
MONROVIA	**MORDOVIE**	MOUILLON	MURÉNIDÉ
MONSIEUR	**MORELLET**	MOULANTE	**MURÉTAIN**
MONSIGNY	**MORESTEL**	MOULIÈRE	**MUREYBAT**
MONSOISE	MORESQUE	MOULINÉE	MURMURÉE
MONSTERA	MORFLANT	MOULINER	MURMURER
MONTAGNE	MORFONDU	MOULINET	MUSAGÈTE
MONTAGNE	**MORGAGNI**	**MOULMEIN**	MUSARDER
MONTAIGU	MORIBOND	**MOULOUYA**	MUSCADET
MONTANTE	MORICAUD	MOULURÉE	MUSCADIN
MONTANUS	MORIGÉNÉ	MOULURER	MUSCINAL
MONTBARD	MORILLON	MOUMOUTE	MUSCLANT
	MORI OGAI	MOUQUÈRE	MUSELANT

161

MUSICALE
MUSICAUX
MUSICIEN
MUSSIDAN
MUSULMAN
MUTAGÈNE
MUTATEUR
MUTATION
MUTILANT
MUTINANT
MUTUELLE
MUZILLAC
MYCÉLIEN
MYCÉLIUM
MYCÉNIEN
MYCÉNIEN
MYDRIASE
MYÉLOÏDE
MYINGYAN
MYKOLAÏV
MYLONITE
MYOCARDE
MYOLOGIE
MYOPATHE
MYOSOTIS
MYOTIQUE
MYRMIDON
MYROSINE
MYROXYLE
MYRTACÉE
MYRTILLE
MYSTIFIÉ
MYSTIQUE
MYTHIFIÉ
MYTHIQUE
MYTILÈNE
NABATÉEN
NABONIDE
NABORIEN
NAGALAND
NAGASAKI
NAGEOIRE
NAISSAIN
NAISSANT
NAKASONE
NAKHODKA
NALTCHIK
NAMANGAN
NAMIBIEN
NAMIBIEN
NAMUROIS
NANCÉIEN
NANCHANG
NANCHONG
NANIFIÉE
NANIFIER
NANISANT

NANTAISE
NANTERRE
NANTEUIL
NAPLOUSE
NAPOLÉON
NAPOLÉON
NAPPERON
NARAM-SIN
NARBONNE
NARCISSE
NARCISSE
NARGHILÉ
NARGUANT
NARGUILÉ
NARQUOIS
NARRATIF
NASALISÉ
NASALITÉ
NASILLER
NASRIDES
NATALITÉ
NATATION
NATIONAL
NATIVITÉ
NATRÉMIE
NATTIÈRE
NAUCELLE
NAUFRAGE
NAUFRAGÉ
NAUMBURG
NAUNDORF
NAUPACTE
NAUPLIUS
NAUROUZE
NAURUANE
NAUSÉEUX
NAUSICAA
NAUTIQUE
NAUTISME
NAVICULE
NAVIGANT
NAVIGUER
NAVRANTE
NAZARÉEN
NAZARÉEN
NAZARETH
N'DJAMENA
NDZOUANI
NÉANTISÉ
NEBRASKA
NÉBULEUX
NÉBULISÉ
NÉCROBIE
NÉCROSÉE
NÉCROSER
NECTAIRE
NÉGATEUR

NÉGATION
NÉGATIVE
NÉGLIGÉE
NÉGLIGER
NÉGOCIÉE
NÉGOCIER
NÉGRESSE
NÉGRIÈRE
NÉGRILLE
NÉGRITOS
NÉGROÏDE
NEGRUZZI
NEIGEOTÉ
NEIGEUSE
NEIPPERG
NELLIGAN
NÉMATODE
NÉNUPHAR
NÉOFORMÉ
NÉOLOCAL
NÉOLOGIE
NÉONATAL
NÉONAZIE
NÉOPHYTE
NÉOPRÈNE
NÉOTÉNIE
NÉPALAIS
NÉPALAIS
NÉPÉRIEN
NÉPHRITE
NEPHTALI
NÉRACAIS
NÉRÉIDES
NÉRONIEN
NERVEUSE
NERVIENS
NERVURÉE
NERVURER
NETTOYÉE
NETTOYER
NEUMEIER
NEURONAL
NEUSIEDL
NEUSTRIE
NEUTRINO
NEUVAINE
NEUVIÈME
NEUVILLE
NÉVICIEN
NÉVROSÉE
NEWCOMEN
NEW DELHI
NEW HAVEN
NEWHAVEN
NEW WAVES
NGAZIDJA
NGULTRUM

NHA TRANG
NIAISANT
NIAISEUX
NIAMÉYEN
NIASSAIS
NIBELUNG
NICHIREN
NICKELÉE
NICKELER
NICKLAUS
NICODÈME
NICODÈME
NICOMÈDE
NICOSIEN
NICOTINE
NIDATION
NID-DE-PIE
NIDIFIER
NIELLAGE
NIELLANT
NIELLURE
NIEMEYER
NIEUPORT
NIGÉRIAN
NIGÉRIAN
NIGÉRIEN
NIGÉRIEN
NIJINSKA
NIJINSKI
NIKOLAIS
N'IMPORTE
NINIVITE
NIORTAIS
NIPPONNE
NIPPONNE
NITRANTE
NITRATÉE
NITRATER
NITREUSE
NITRIFIÉ
NITRIQUE
NITROSÉE
NITRURÉE
NITRURER
NIVELAGE
NIVELANT
NIVELEUR
NIVELLES
NIVICOLE
NOAILLES
NOBÉLIUM
NOBLESSE
NOBLIAUX
NOBUNAGA
NOCÉENNE
NOCIVITÉ
NOCTUIDÉ

NOCTURNE	**NOWA HUTA**	OBSERVÉE	OHMMÈTRE
NODOSITÉ	NOYAUTÉE	OBSERVER	OISELEUR
NODULEUX	NOYAUTER	OBSOLÈTE	OISELIER
NOÉTIQUE	**NOYELLES**	OBSTACLE	OISILLON
NOGUÈRES	NUAGEUSE	OBSTINÉE	OISIVETÉ
NOIRÂTRE	NUANÇANT	OBSTINER	**OÏSTRAKH**
NOIRAUDE	NUANCIER	OBSTRUÉE	**OKLAHOMA**
NOIRCEUR	NUBIENNE	OBSTRUER	**OLBRACHT**
NOISETTE	**NUBIENNE**	OBTENANT	OLÉASTRE
NOLISANT	NUBILITÉ	OBTURANT	OLÉCRANE
NOMADISÉ	**NUCÉRIEN**	OCCASION	OLÉICOLE
NOMBRANT	NUCLÉIDE	OCCIDENT	OLÉIFÈRE
NOMBREUX	NUCLÉOLE	**OCCIDENT**	OLFACTIF
NOMINALE	NUISANCE	OCCITANE	OLIBRIUS
NOMINANT	NUISETTE	**OCCITANE**	**OLIBRIUS**
NOMINAUX	NUISIBLE	OCCLUSIF	OLIGISTE
NON ANIMÉ	**NUITONNE**	OCCULTÉE	OLIGURIE
NON-CUMUL	**NUKU-HIVA**	OCCULTER	OLIPHANT
NON-DROIT	NULLARDE	OCCUPANT	**OLIVARES**
NON-LIEUX	NUMÉRALE	OCÉANIEN	OLIVÂTRE
NON-MÉTAL	NUMÉRAUX	**OCÉANIEN**	**OLIVEIRA**
NONNETTE	NUMÉRISÉ	**OCHOZIAS**	OLIVETTE
NON-TISSÉ	NUMÉROTÉ	**OCKEGHEM**	**OLIVETTI**
NON-USAGE	NUNCHAKU	**O'CONNELL**	**OLIVIERS**
NORDESTE	NUPTIALE	OCTAÈDRE	**OLLIVIER**
NORDIQUE	NUPTIAUX	**OCTAVIEN**	**OLMÈQUES**
NORDIQUE	NURAGHES	OCTAVIER	**OLYBRIUS**
NORDISTE	NURSERYS	OCTOGONE	**OLYMPIAS**
NORDISTE	NUTATION	OCTOPODE	OLYMPIEN
NORMANDE	NUTRITIF	OCTROYÉE	OMANAISE
NORMANDE	**NYAMWEZI**	OCTROYER	**OMANAISE**
NORMATIF	**NYKÖPING**	OCULAIRE	OMBELLÉE
NORRLAND	NYMPHALE	OCULISTE	OMBRAGÉE
NORTH BAY	NYMPHALS	**ODENWALD**	OMBRAGER
NOSÉMOSE	NYMPHAUX	ODOMÈTRE	OMBRELLE
NOTA BENE	NYMPHOSE	ODORANTE	OMBRETTE
NOTARIAL	**NYONNAIS**	ŒDIPIEN	OMBREUSE
NOTARIAT	**NYONSAIS**	ŒILLADE	**OMDURMAN**
NOTARIÉE	**OAK RIDGE**	ŒILLÈRE	OMELETTE
NOTATEUR	**OAKVILLE**	ŒNANTHE	OMETTANT
NOTATION	OARISTYS	ŒSTRALE	OMISSION
NOTIFIÉE	OASIENNE	ŒSTRAUX	OMNIVORE
NOTIFIER	OBJECTAL	ŒUFRIER	OMOPLATE
NOUAISON	OBJECTÉE	ŒUVRANT	ONANISME
NOUMÉNAL	OBJECTER	**OFFEMONT**	**ONCLE SAM**
NOUNOURS	OBJECTIF	OFFENSÉE	ONCOGÈNE
NOUREÏEV	OBLATION	OFFENSER	ONCTUEUX
NOURRAIN	OBLATIVE	OFFENSIF	**ONDAATJE**
NOURRICE	OBLIQUER	OFFICIAL	ONDOYANT
NOUVEAUX	OBLITÉRÉ	OFFICIEL	ONDULANT
NOUVELLE	OBLONGUE	OFFICIER	ONDULEUR
NOVATEUR	OBNUBILÉ	OFFICINE	ONDULEUX
NOVATIEN	OBOMBRÉE	OFFRANDE	ONÉREUSE
NOVATION	OBOMBRER	OFFREUSE	ONE-STEPS
NOVEMBRE	OBSCURCI	OFFSHORE	ONIRIQUE
NOVGOROD	OBSÉDANT	OFFUSQUÉ	ONIRISME
NOVICIAT	OBSÈQUES	**O'HIGGINS**	**ONTARIEN**

OOSPHÈRE	ORÉNOQUE	OURARTOU	PAGAYEUR
OOSTKAMP	ORFÉVRÉE	OUSSOURI	PAGINANT
OOTHÈQUE	ORGANEAU	**OUSTACHA**	PAGNOTÉE
OPACIFIÉ	ORGANISÉ	**OUTCAULT**	PAGNOTER
OPALISÉE	ORGANITE	OUTILLÉE	**PAHOUINE**
OPALISER	ORGANSIN	OUTILLER	**PAHOUINS**
OPÉRABLE	ORGIAQUE	OUTRAGÉE	PAIEMENT
OPÉRANDE	ORIENTAL	OUTRAGER	PAILLAGE
OPÉRANTE	**ORIENTAL**	OUTRANCE	PAILLANT
OPERCULE	ORIENTÉE	OUTRE-MER	PAILLARD
OPERCULÉ	ORIENTER	OUTREMER	PAILLETÉ
OPÉRETTE	ORIGINAL	OUTSIDER	PAILLOTE
OPHIDIEN	ORIGINEL	OUVRABLE	**PAIMPONT**
OPIOMANE	ORIGNAUX	OUVRAGÉE	**PAINLEVÉ**
OPOPANAX	ORIPEAUX	OUVRAGER	PAIRESSE
OPPIDUMS	**ORISTANO**	OUVRANTE	PAISIBLE
OPPORTUN	**ORMESSON**	OUVREAUX	PAISSANT
OPPOSANT	ORNEMENT	OUVREUSE	PAISSEAU
OPPOSITE	ORPHELIN	OUVRIÈRE	**PAKISTAN**
OPPRESSÉ	ORPHIQUE	OVALISÉE	PALABRER
OPPRIMÉE	ORPHISME	OVALISER	PALANCHE
OPPRIMER	ORPIMENT	OVERDOSE	PALANÇON
OPPROBRE	ORSEILLE	**OVERIJSE**	PALANGRE
OPSONINE	OSCILLER	**OVERLORD**	PALANQUE
OPTATIVE	**OSIANDER**	OVIDUCTE	PALANQUÉ
OPTICIEN	OSMANLIE	OVOGÉNIE	**PALANTIN**
OPTIMALE	**OSMANLIE**	OVOGONIE	PALASTRE
OPTIMAUX	OSSATURE	OVOÏDALE	PALATALE
OPTIMISÉ	OSSIFIÉE	OVOÏDAUX	PALATAUX
OPTIMUMS	OSSIFIER	OVULAIRE	PALATIAL
OPULENCE	OSSO-BUCO	OXALIQUE	PALATINE
OPULENTE	OSSUAIRE	OXYDABLE	**PALATINE**
OPUSCULE	OSTINATO	OXYDANTE	**PALAUANE**
ORAGEUSE	OSTRACON	OXYGÉNÉE	PALE-ALES
ORALISÉE	OSTROGOT	OXYGÉNER	PALEFROI
ORALISER	**OSWIECIM**	OXYLITHE	**PALENCIA**
ORANAISE	OTOLITHE	OXYMORON	**PALENQUE**
ORANGEAT	OTOLOGIE	OXYUROSE	PALÉOSOL
ORATOIRE	OTO-RHINO	**OZOIRIEN**	PALESTRE
ORATORIO	OTORRHÉE	PACANIER	PÂLICHON
ORATRICE	OTOSCOPE	**PACÉNIEN**	PALISSÉE
ORBITALE	OTTOMANE	PACHALIK	PALISSER
ORBITANT	**OTTOMANS**	**PACHTOUN**	PALISSON
ORBITAUX	OTTONIEN	PACHYURE	**PALLADIO**
ORBITEUR	OUATINÉE	PACIFIÉE	**PALLANZA**
ORCANÈTE	OUATINER	PACIFIER	PALLÉALE
ORCÉENNE	**OUBANGUI**	PACKAGER	PALLÉAUX
ORCHIDÉE	OUBLIANT	PACQUAGE	PALLIANT
ORCIÈRES	OUBLIEUX	PACQUANT	PALMACÉE
ORDINALE	**OUESSANT**	PACTISER	PALMAIRE
ORDINAND	**OUÏGOURS**	PADICHAH	PALMARÈS
ORDINAUX	OUILLAGE	**PADOUANE**	PALMETTE
ORDONNÉE	OUILLANT	PAGAILLE	PALMISTE
ORDONNER	OUILLÈRE	**PAGANINI**	**PALO ALTO**
ORDURIER	OUISTITI	PAGANISÉ	PALOURDE
OREILLER	OULLIÈRE	PAGAYANT	PALPABLE
OREILLON	OURALIEN	PAGAYEUR	PALPITER

PALUDÉEN	PAPIVORE	PARMÉLIE	PATACHON
PALUDIER	PAPOTAGE	PARMESAN	PATAGIUM
PALUDINE	PAPOTANT	**PARMESAN**	PATAPOUF
PALUSTRE	PAPULEUX	**PARNASSE**	PATAQUÈS
PÂMOISON	PAQUEBOT	PARODIÉE	PATATRAS
PAMPHLET	PAQUETÉE	**PARODIEN**	PATAUGAS
PAMPILLE	PAQUETER	PARODIER	PATAUGER
PANACHÉE	PARABOLE	PAROISSE	PATELINE
PANACHER	PARACLET	PAROLIER	PATELINÉ
PANAMÉEN	PARADANT	PARONYME	**PATENIER**
PANAMÉEN	PARADEUR	PAROTIDE	PATENTÉE
PANAMIEN	PARADOXE	PAROUSIE	PATENTER
PANAMIEN	PARAFANT	PARPAING	PATERNEL
PANATELA	PARAFEUR	PARQUANT	**PATERSON**
PANCARTE	**PARAGUAY**	PARQUETÉ	**PATICHON**
PANCETTA	PARAISON	PARQUEUR	PATIENCE
PANCRACE	PARAÎTRE	PARQUIER	PATIENTE
PANCRÉAS	PARALYSÉ	PARRAINÉ	PATIENTÉ
PANDANUS	PARANGON	**PARROCEL**	PATINAGE
PANDÉMIE	PARANOÏA	PARSEMÉE	PATINANT
PANETIER	PARAPHÉE	PARSEMER	PATINEUR
PANGOLIN	PARAPHER	**PARSIFAL**	**PATINKIN**
PANICAUT	PARAPODE	PARTAGÉE	PÂTISSER
PANICULE	PARASITE	PARTAGER	PÂTISSON
PANICULÉ	PARASITÉ	PARTANCE	PATRAQUE
PANIFIÉE	PARATAXE	PARTANTE	PATRIOTE
PANIFIER	PARAVENT	PARTERRE	**PATROCLE**
PANIQUÉE	PARCELLE	PARTIALE	PATRONAL
PANIQUER	PARCE QUE	PARTIAUX	PATRONAT
PANMIXIE	PARCOURS	PARTISAN	PATRONNE
PANNEAUX	PARCOURU	PARTITAS	PATRONNÉ
PANNETON	PARDONNÉ	PARTITIF	PÂTURAGE
PANNONIE	PAREILLE	PARTOUSE	PÂTURANT
PANOFSKY	**PARELOUP**	PARTOUZE	**PAUILLAC**
PANOPLIE	PAREMENT	PARURIER	PAULETTE
PANORAMA	PARENTAL	PARUTION	PAULISTE
PANOSSÉE	**PARENTIS**	PARVENIR	**PAULISTE**
PANOSSER	PARESSER	PARVENUE	PAUMELLE
PANSLAVE	PARFAIRE	**PASADENA**	PAUMOYÉE
PANTACLE	PARFAITE	**PASIPHAÉ**	PAUMOYER
PANTALON	PARFILÉE	**PASOLINI**	PAUPIÈRE
PANTALON	PARFILER	**PASQUIER**	PAUVRETÉ
PANTELER	PARFONDU	PASSABLE	PAVANANT
PANTENNE	PARFUMÉE	PASSAGER	PAVEMENT
PANTHÉON	PARFUMER	PASSANTE	PAVILLON
PANTHÉON	PARHÉLIE	PASSE-BAS	**PAVILLON**
PANTHÈRE	PARIÉTAL	PASSEUSE	**PAVLODAR**
PANTIÈRE	PARIEUSE	PASSIBLE	PAVOISÉE
PANTOIRE	PARIGOTE	PASSIVÉE	PAVOISER
PANTOISE	PARISIEN	PASSIVER	PAYEMENT
PAPÁGHOS	**PARISIEN**	PASSOIRE	PAYSAGER
PAPANINE	**PARIZEAU**	PASTÈQUE	**PAYSANDÚ**
PAPELARD	PARJURÉE	PASTICHE	PAYSANNE
PAPETIER	PARJURER	PASTICHÉ	**PÉAGEOIS**
PAPILLON	PARLANTE	PASTILLE	PÉAGISTE
PAPINEAU	PARLEUSE	PASTORAL	PEAUCIER
PAPINIEN	PARLOTTE	PASTORAT	**PEAU D'ÂNE**

PEAUFINÉ	PELUCHER	**PÉRICLÈS**	PESSAIRE
PÉBROQUE	**PÉLUSSIN**	**PÉRIGNON**	PESSIÈRE
PECCANTE	PEMMICAN	**PÉRIGORD**	PESTEUSE
PÊCHERIE	PÉNALISÉ	PÉRIMANT	PÉTANQUE
PÊCHETTE	PÉNALITÉ	PÉRINÉAL	PÉTARADE
PÊCHEUSE	PENALTYS	PÉRIOSTE	PÉTARADÉ
PECHINEY	PENCHANT	PÉRIPATE	**PETCHORA**
PÉCLOTER	PENDABLE	PERLANTE	PÉTÉCHIE
PECQUEUR	PENDANTE	PERLÈCHE	**PETERHOF**
PECTINÉE	PENDARDE	PERLIÈRE	PETER PAN
PECTIQUE	PENDERIE	PERLOUSE	**PETERSON**
PECTORAL	PENDILLÉ	PERLOUZE	PÉTILLER
PÉCUCHET	PENDJABI	PERMAGEL	PÉTIOLÉE
PÉDALAGE	PENDULER	**PERMOSER**	PÉTITION
PÉDALANT	**PÉNÉLOPE**	PERMUTÉE	PÉTONCLE
PÉDALEUR	PÉNÉTRÉE	PERMUTER	**PETRASSI**
PÉDALIER	PÉNÉTRER	PÉRONIER	PÉTREUSE
PÉDESTRE	**PÉNICAUD**	**PÉRONNAS**	PÉTRIFIÉ
PÉDIATRE	PÉNIENNE	PÉRORANT	**PETRUCCI**
PÉDICULE	PÉNITENT	PÉROREUR	PÉTULANT
PÉDICULÉ	**PENMARCH**	**PÉROUGES**	PÉTUNANT
PÉDICURE	**PENNINES**	PEROXYDE	PEUCÉDAN
PÉDIEUSE	PÉNOMBRE	PEROXYDÉ	PEUCHÈRE
PEDIGREE	PENSABLE	**PERPENNA**	PEUPLADE
PÉDILUVE	PENSANTE	PERPÉTRÉ	PEUPLANT
PÉDIMENT	PENSEUSE	PERPETTE	PEUPLIER
PEER GYNT	PENTACLE	PERPÉTUÉ	PEUREUSE
PÉGOSITÉ	PENTRITE	PERPLEXE	PEUT-ÊTRE
PÉGUEUSE	PÉPETTES	**PERRAULT**	**PEYRONET**
PEIGNAGE	PÉPONIDE	**PERREAUX**	PEZIZALE
PEIGNANT	PÉQUENOT	PER·RIÈRE	**PFLIMLIN**
PEIGNOIR	PÉQUISTE	**PERRONET**	**PHAISTOS**
PEINARDE	PERÇANTE	PERRUCHE	PHALANGE
PEINTURE	PERCEUSE	PERRUQUE	**PHALARIS**
PEINTURÉ	**PERCEVAL**	**PERSHING**	PHARNACE
PÉKINOIS	PERCHAGE	PERSIFLÉ	**PHARSALE**
PÉKINOIS	PERCHANT	**PERSIGNY**	PHARYNGÉ
PÉLAGIEN	PERCHEUR	PERSILLÉ	PHASMIDE
PÉLAMIDE	PERCHMAN	PERSIQUE	**PHÉNICIE**
PÉLAMYDE	PERCHOIR	**PERSIQUE**	PHÉNIQUE
PÉLASGES	PERCLUSE	PERSISTÉ	PHÉNIQUÉ
PÉLÉENNE	PERCUTÉE	PERSONÉE	**PHILÉMON**
PÊLE-MÊLE	PERCUTER	PERSONNE	**PHILIDOR**
PÈLERINE	PERDABLE	PERSUADÉ	**PHILIPPE**
PELETIER	PERDANTE	**PERTINAX**	PHIMOSIS
PELLAGRE	PERDREAU	PERTURBÉ	PHLÉBITE
PELLERIN	PERDURER	PÉRUVIEN	PHLEGMON
PELLETAN	**PÉRÉFIXE**	**PÉRUVIEN**	PH-MÈTRES
PELLETÉE	PÉRÉGRIN	**PERUWELZ**	PHOBIQUE
PELLETER	**PERELMAN**	PERVERSE	PHOLIOTE
PÉLOBATE	PERFIDIE	PERVERTI	PHONIQUE
PÉLODYTE	PERFOLIÉ	PERVIBRÉ	PHORMION
PELOTAGE	PERFORÉE	PÈSE-BÉBÉ	PHORMIUM
PELOTANT	PERFORER	PÈSE-LAIT	PHOSGÈNE
PELOTARI	PERFUSÉE	PÈSE-MOÛT	**PHRAATÈS**
PELOTEUR	PERFUSER	PÈSE-SELS	PHRASANT
PELUCHÉE	PÉRIBOLE	**PESHAWAR**	PHRASEUR

PHRATRIE	PILONNÉE	PITCHPIN	PLÂTREUX
PHRYGANE	PILONNER	PITONNÉE	PLÂTRIER
PHRYGIEN	PILOSITÉ	PITONNER	PLAY-BACK
PHRYGIEN	PILOTAGE	PITRERIE	PLAY-BOYS
PHYLLADE	PILOTANT	PIVOTANT	PLÉBÉIEN
PHYSALIE	PILULIER	PIZZERIA	**PLÉIADES**
PHYSALIS	PIMBÊCHE	PLACARDÉ	PLÉNIÈRE
PHYSIQUE	PIMENTÉE	PLACENTA	**PLESETSK**
PIAFFANT	PIMENTER	PLACETTE	PLÉTHORE
PIAILLER	PIMPANTE	PLACEUSE	**PLEUMEUR**
PIANISTE	PINAILLÉ	PLACOTER	PLEURAGE
PIANO-BAR	**PINATUBO**	PLAFONNÉ	PLEURALE
PIANOTER	PINÇARDE	PLAGIANT	PLEURANT
PIASSAVA	PINCEAUX	PLAGISTE	PLEURARD
PIAULANT	PINCE-NEZ	PLAIDANT	PLEURAUX
PICARDIE	PINCETTE	PLAIDEUR	PLEUREUR
PICCINNI	PINCHARD	PLAINDRE	PLEUROTE
PICHEGRU	**PINCOURT**	**PLAINOIS**	PLEUVANT
PICKWICK	PINERAIE	PLAINTIF	PLEUVINÉ
PICOLANT	PINGOUIN	PLAISANT	PLEUVOIR
PICORANT	PING-PONG	PLANAIRE	PLEUVOTÉ
PICOTAGE	**PINGTUNG**	PLANANTE	PLIEMENT
PICOTANT	**PINOCHET**	PLANCHER	PLIOCÈNE
PICOULET	PINSCHER	**PLANCHON**	**PLISNIER**
PICRIQUE	PINTOCHÉ	**PLANCOËT**	PLISSAGE
PICTAVES	PIOCHAGE	PLANCTON	PLISSANT
PICTURAL	PIOCHANT	PLANÉITÉ	PLOCÉIDÉ
PIÉCETTE	PIOCHEUR	PLANELLE	**PLOEMEUR**
PIEDMONT	**PIOMBINO**	PLANEUSE	**PLOËRMEL**
PIED-NOIR	PIONÇANT	PLANIFIÉ	**PLOIESTI**
PIED-PLAT	PIONNIER	PLANNING	PLOMBAGE
PIÉDROIT	PIORNANT	PLANORBE	PLOMBANT
PIÉGEAGE	PIOUPIOU	PLAN-PLAN	PLOMBEUR
PIÉGEANT	PIPELINE	PLANQUÉE	PLOMBEUX
PIÉGEUSE	PIPERADE	PLANQUER	PLOMBIER
PIERREUX	PIQUANTE	PLANTAGE	PLOMBURE
PIERRIER	PIQUE-FEU	PLANTAIN	PLONGEON
PIÉTINÉE	PIQUETÉE	PLANTANT	PLONGEUR
PIÉTINER	PIQUETER	PLANTARD	**PLOUAGAT**
PIÉTISME	PIQUETTE	PLANTEUR	**PLOUARET**
PIÉTISTE	PIQUEUSE	PLANTOIR	**PLOUZANÉ**
PIÉTONNE	**PIRANÈSE**	PLANTULE	PLOYABLE
PIÉTRAIN	PIRATAGE	PLAQUAGE	PLUCHANT
PIEUTANT	PIRATANT	PLAQUANT	PLUCHEUX
PIGEONNE	PIS-ALLER	PLAQUEUR	PLUM-CAKE
PIGEONNÉ	**PISCATOR**	**PLASKETT**	PLUMEAUX
PIGMENTÉ	PISOLITE	PLASMIDE	PLUMETIS
PIGNEROL	**PISSARRO**	PLASMODE	PLUMEUSE
PIGNOCHÉ	PISSETTE	PLASTRON	PLUMITIF
PILASTRE	PISSEUSE	PLAT-BORD	PLUVIALE
PILCHARD	PISTACHE	PLATEAUX	PLUVIAUX
PILIFÈRE	PISTARDE	PLATEURE	PLUVIEUX
PILI-PILI	PISTOLET	PLATINÉE	PLUVINER
PILIPINO	PISTONNÉ	PLATINER	PLUVIÔSE
PILLARDE	PIT-BULLS	**PLATONOV**	**PLYMOUTH**
PILLEUSE	**PITCAIRN**	PLÂTRAGE	**POCATOIS**
PILLNITZ	PITCHOUN	PLÂTRANT	POCHARDE

POCHARDÉ	POLYGALA	POPULEUX	POT-DE-VIN
POCHETÉE	POLYGALE	**POQUELIN**	POTENCÉE
POCHETTE	POLYGAME	PORCELET	POTENTAT
POCHOUSE	POLYGONE	PORC-ÉPIC	POTINANT
PODENSAC	POLYLOBÉ	PORCHÈRE	POTINIER
PODESTAT	POLYMÈRE	POROSITÉ	POTLATCH
POÉTESSE	**POLYMNIE**	PORPHYRA	POTO-POTO
POÉTIQUE	**POLYNICE**	PORPHYRE	POUBELLE
POÉTISÉE	POLYNÔME	**PORPHYRE**	POUDRAGE
POÉTISER	POLYPIER	PORRIDGE	POUDRANT
POIGNANT	POLYPNÉE	**PORSENNA**	POUDREUX
POIGNARD	POLYPODE	PORTABLE	POUDRIER
POILANTE	POLYPORE	**PORTALIS**	POUDROYÉ
POINCARÉ	POLYTRIC	PORTANCE	POUFFANT
POINTAGE	POLYURIE	PORTANTE	POUGNANT
POINTANT	POMERIUM	PORTATIF	POUILLES
POINTEAU	POMMADÉE	**PORT-CROS**	**POUILLES**
POINTEUR	POMMADER	PORTERIE	**POUILLET**
POINTURE	POMMEAUX	PORTEUSE	**POUILLON**
POIREAUX	POMMELÉE	PORTIÈRE	POUILLOT
POIROTER	POMMELER	PORTIQUE	POULAINE
POISSANT	POMMELLE	PORTLAND	POULARDE
POISSARD	POMMETTE	**PORTLAND**	POULETTE
POISSEUX	POMPÉIEN	**PORTOISE**	POULICHE
POISSONS	POMPETTE	PORTRAIT	POULINER
POITEVIN	POMPEUSE	**PORT-SAÏD**	POULOTTE
POITEVIN	**POMPIDOU**	**PORTSALL**	POUPARDE
POITIERS	POMPIÈRE	**PORTUGAL**	POUPONNÉ
POITRAIL	POMPISTE	PORTULAN	POURCEAU
POITRINE	**POMPONNE**	**PORT-VILA**	POURPIER
POIVRADE	POMPONNÉ	**POSÉIDON**	POURPRÉE
POIVRANT	PONCEAUX	POSÉMENT	POURQUOI
POIVRIER	**PONCELET**	POSITION	POURTANT
POIVROTE	PONCEUSE	POSITIVE	POURTOUR
POKROVSK	PONCTION	POSITRON	POURVOIR
POLANSKI	PONCTUÉE	**POSNANIE**	POUSSAGE
POLARISÉ	PONCTUEL	POSSÉDÉE	POUSSANT
POLARITÉ	PONCTUER	POSSÉDER	POUSSEUR
Polaroid	PONDÉRAL	POSSIBLE	**POUSSEUR**
POLIAKOV	PONDÉRÉE	POSTCURE	POUSSIER
POLIÇANT	PONDÉRER	POSTDATE	POUSSINE
POLICIER	PONDEUSE	POSTDATÉ	POUSSIVE
POLIDORO	PONGISTE	POSTFACE	POUSSOIR
POLIGNAC	**PONT-AVEN**	POSTHITE	POUTRAGE
POLIMENT	**PONT-D'AIN**	POSTHUME	POUTSANT
POLISSON	**PONTHIEU**	POSTICHE	**POYAUDIN**
POLITIEN	PONTIFIÉ	POSTIÈRE	**POZA RICA**
POLITISÉ	**PONTIGNY**	POSTPOSÉ	PRACTICE
POLLENSA	**PONTMAIN**	POSTULAT	**PRADINES**
POLLINIE	**PONTOISE**	POSTULÉE	PRAGOISE
POLLUANT	**PONTORMO**	POSTULER	**PRAGOISE**
POLLUEUR	PONT-RAIL	**POSTUMUS**	PRAGUOIS
POLOCHON	POPELINE	POSTURAL	**PRAGUOIS**
POLONAIS	POPLITÉE	POTAGÈRE	**PRAÏENNE**
POLONAIS	POP MUSIC	POTASSÉE	PRAIRIAL
POLONIUM	POPULACE	POTASSER	**PRAIRIES**
POLYÈDRE	POPULAGE	POT-AU-FEU	PRALINÉE

PRALINER	PRÉNOMMÉ	PRINCIPE	PROPRETÉ
PRANDIAL	PRÉORALE	**PRÍNCIPE**	PROPULSÉ
PRATIQUE	PRÉORAUX	PRIORITÉ	PROPYLÉE
PRATIQUÉ	PRÉPARÉE	PRISEUSE	PROROGÉE
PRATTELN	PRÉPARER	**PRISTINA**	PROROGER
PRÉALPES	PRÉPAYÉE	PRIVATIF	PROSCRIT
PRÉALPIN	PRÉPAYER	PRIVAUTÉ	PROSODIE
PRÉAVISÉ	PRÉPOSÉE	PROBABLE	PROSPECT
PRÉBENDE	PRÉPOSER	PROBANTE	PROSPÈRE
PRÉBENDÉ	PRÉRÉGLÉ	PROBLÈME	PROSPÉRÉ
PRÉCAIRE	PRÉROMAN	PROCÉDER	PROSTATE
PRÉCÉDÉE	PRÉSAGÉE	PROCHAIN	PROSTRÉE
PRÉCÉDER	PRÉSAGER	PROCLAMÉ	PROSTYLE
PRÉCEPTE	PRESBYTE	PROCLIVE	PROTÉASE
PRÊCHANT	PRESCRIT	PROCORDÉ	PROTÉGÉE
PRÊCHEUR	PRÉSENCE	PROCRÉÉE	PROTÉGER
PRÉCIEUX	PRÉSENTE	PROCRÉER	PROTÉINE
PRÉCIPUT	PRÉSENTÉ	PROCTITE	PROTÉINÉ
PRÉCISÉE	PRÉSÉRIE	PROCURÉE	PROTESTÉ
PRÉCISER	PRÉSERVÉ	PROCURER	PROTHÈSE
PRÉCITÉE	PRÉSIDÉE	**PROCUSTE**	PROTIQUE
PRÉCONÇU	PRÉSIDER	PRODIGUE	PROTISTE
PRÉCUIRE	PRESSAGE	PRODIGUÉ	PROTOURE
PRÉCUITE	PRESSANT	PRODROME	**PROUDHON**
PRÉDATÉE	PRESSEUR	PRODUIRE	PROUESSE
PRÉDELLE	PRESSING	PRODUITE	**PROUSIAS**
PRÉDICAT	PRESSION	PROFANÉE	PROUVANT
PRÉDIQUÉ	PRESSOIR	PROFANER	**PROVENCE**
PRÉEMPTÉ	PRESSURÉ	PROFÉRÉE	PROVENDE
PRÉFACÉE	PRESTANT	PROFÉRER	PROVENIR
PRÉFACER	PRESTIGE	PROFESSE	PROVENUE
PRÉFÉRÉE	PRÉSUMÉE	PROFESSÉ	PROVERBE
PRÉFÉRER	PRÉSUMER	PROFILÉE	PROVIGNÉ
PRÉFIXAL	PRÉSURÉE	PROFILER	PROVINCE
PRÉFIXÉE	PRÉSURER	PROFITER	PROVOQUÉ
PRÉFIXER	PRÉTENDU	PROFONDE	PROXIMAL
PRÉFORME	PRÊTE-NOM	PRO FORMA	PRUDENCE
PRÉFORMÉ	PRÉTÉRIT	PROHIBÉE	**PRUDENCE**
PRÉGNANT	PRÊTEUSE	PROHIBER	PRUDENTE
PRÉJUGÉE	PRÉTEXTE	PROJETÉE	PRUDERIE
PRÉJUGER	PRÉTEXTÉ	PROJETER	PRUNEAUX
PRÉLASSÉ	PRÉTOIRE	PROLEPSE	PRUNELLE
PRÉLATIN	**PRETORIA**	PROLOGUE	**PRUNELLI**
PRÉLEVÉE	PRÊTRISE	PROLONGÉ	PRUSSIEN
PRÉLEVER	PRÉVALUE	PROMENÉE	**PRUSSIEN**
PRÉLUDER	PRÉVENIR	PROMENER	PRYTANÉE
PREM CAND	PRÉVENUE	PROMESSE	**PRZEMYSL**
PRÉMICES	PRÉVERBE	PRÔNEUSE	PSAUTIER
PREMIÈRE	PRÉVÔTAL	PRONONCÉ	PSILOTUM
PRÉMISSE	**PRIBILOF**	PROPAGÉE	PSYCHOSE
PRÉMUNIE	PRIE-DIEU	PROPAGER	PSYLLIUM
PRÉMUNIR	PRIMAIRE	**PROPERCE**	**PTOLÉMÉE**
PRENABLE	PRIMATIE	PROPHASE	PTOMAÏNE
PRENANTE	PRIMAUTÉ	PROPHÈTE	PUANTEUR
PRÉNATAL	PRIMITIF	PROPOLIS	PUBALGIE
PRÉNESTE	PRINCEPS	PROPOSÉE	PUBIENNE
PRENEUSE	PRINCIER	PROPOSER	PUBLIANT

PUBLICIS	**QIANLONG**	RABBINAT	RAFFOLER
PUBLIQUE	QUADRANT	**RABELAIS**	RAFFÛTÉE
PUCCINIA	QUADRIGE	RABIOTÉE	RAFFÛTER
PUCCINIE	QUALIFIÉ	RABIOTER	RAGEANTE
PUCELAGE	QUANTITÉ	RABONNIR	RAGONDIN
PUDDLAGE	QUARANTE	RABOTAGE	RAGRÉANT
PUDDLANT	QUARTAGE	RABOTANT	RAILLANT
PUDIBOND	QUARTANT	RABOTEUR	RAILLEUR
PUDICITÉ	QUARTAUT	RABOTEUX	**RAIMONDI**
PUISEAUX	QUARTIER	RABOUGRI	RAINETTE
PUISETTE	QUARTILE	RABOUTÉE	RAINURÉE
PUISSANT	QUASSIER	RABOUTER	RAINURER
PULITZER	QUATERNE	RABROUÉE	RAIPONCE
PULL-OVER	QUATORZE	RABROUER	RAISINET
PULLULER	QUATRAIN	RACAHOUT	RAISONNÉ
PULPAIRE	QUE DALLE	RACAILLE	RAJEUNIE
PULPEUSE	**QUELLIEN**	RACCORDÉ	RAJEUNIR
PULTACÉE	QUELQU'UN	RACHETÉE	RAJOUTÉE
PULVÉRIN	QUELS QUE	RACHETER	RAJOUTER
PUNAAUIA	QUÉMANDÉ	RACINAGE	**RAJSHAHI**
PUNAISÉE	QUENELLE	RACINAUX	RAJUSTÉE
PUNAISER	QUENOTTE	RACKETTÉ	RAJUSTER
PUNCHEUR	QUÉRABLE	RACLETTE	RÂLEMENT
PUNCTURE	QUERELLE	RACLEUSE	RALENTIE
PUNITION	QUERELLÉ	RACOLAGE	RALENTIR
PUNITIVE	QUESTEUR	RACOLANT	RALINGUE
PUPIPARE	QUESTION	RACOLEUR	RALINGUÉ
PUREMENT	QUESTURE	RACONTAR	RALLIANT
PURGATIF	**QUÉTELET**	RACONTÉE	RALLONGE
PURGEANT	QUÊTEUSE	RACONTER	RALLONGÉ
PURGEOIR	**QUETIGNY**	RACORNIE	RALLUMÉE
PURIFIÉE	QUETSCHE	RACORNIR	RALLUMER
PURIFIER	**QUEUILLE**	**RACOVITA**	**RAMADIER**
PURITAIN	QUEUTANT	**RADETZKY**	**RAMANUJA**
PURPURIN	**QUIBERON**	RADIAIRE	RAMASSÉE
PURULENT	QUIDDITÉ	RADIANCE	RAMASSER
PUSH-PULL	QUIÉTUDE	RADIANTE	RAMASSIS
PUTATIVE	QUILLEUR	RADIATIF	**RAMAT GAN**
PUTIPHAR	QUINAIRE	RADICALE	**RAMAYANA**
PUTRÉFIÉ	QUINAUDE	RADICANT	RAMBARDE
PUY-DU-FOU	**QUINAULT**	RADICAUX	RAMENANT
PYGARGUE	QUINQUET	RADICULE	RAMENDÉE
PYORRHÉE	QUINTAUX	RADIEUSE	RAMENDER
PYRALÈNE	QUINTEUX	**RADIGUET**	RAMEQUIN
PYRAMIDE	**QUIRINAL**	RADINANT	RAMEUTÉE
PYRAMIDÉ	**QUIRINUS**	**RADISSON**	RAMEUTER
PYRÉNÉEN	QUISCALE	RADOTAGE	RAMIFIÉE
PYRÉNÉEN	**QUISLING**	RADOTANT	RAMIFIER
PYRÉNÉES	QUITTANT	RADOTEUR	RAMINGUE
PYRÈTHRE	**QUNAYTRA**	RADOUBÉE	RAMOLLIE
PYRIDINE	QUOLIBET	RADOUBER	RAMOLLIR
PYROGÈNE	QUOTIENT	RADOUCIE	RAMONAGE
PYROLYSE	RABÂCHÉE	RADOUCIR	RAMONANT
PYROMANE	RABÂCHER	RAFFERMI	RAMONEUR
PYROXÈNE	RABAISSÉ	RAFFINAT	RAMPANTE
QANDAHAR	RABATTRE	RAFFINÉE	**RAMSGATE**
QATARIEN	RABATTUE	RAFFINER	**RANCAGUA**

RANCARDÉ	RAUCHAGE	REBIQUER	RECLOUÉE
RANCŒUR	RAUCHANT	REBOISÉE	RECLOUER
RANÇONNÉ	RAUQUANT	REBOISER	RECOIFFÉ
RANDONNÉ	**RAVACHOL**	REBONDIE	RÉCOLANT
RANGEANT	RAVAGEUR	REBONDIR	RECOLLÉE
RANIMANT	RAVALANT	REBORDÉE	RECOLLER
RAPACITÉ	RAVALEUR	REBORDER	RÉCOLLET
RAPATRIÉ	RAVAUDÉE	REBOUCHÉ	RÉCOLTÉE
RAPERCHÉ	RAVAUDER	REBRODÉE	RÉCOLTER
RAPICOLÉ	RAVENALA	REBRODER	RECOMPTÉ
RAPIDITÉ	RAVIGOTE	REBRÛLÉE	RECONNUE
RAPIÉCÉE	RAVIGOTÉ	REBRÛLER	RECOPIÉE
RAPIÉCER	RAVINANT	REBUTANT	RECOPIER
RAPINANT	RAVIOLIS	REBUVANT	RECORDÉE
RAPLAPLA	RAVISANT	RECADRÉE	RECORDER
RAPLATIE	RAVIVAGE	RECADRER	RECOUCHÉ
RAPLATIR	RAVIVANT	RECALAGE	RECOUDRE
RAPPARIÉ	**RAWLINGS**	RECALANT	RECOUPÉE
RAPPELÉE	RAY-GRASS	**RÉCAMIER**	RECOUPER
RAPPELER	**RAYLEIGH**	RECASANT	RECOURBÉ
RAPPEUSE	RAYONNÉE	RECAUSER	RECOURIR
RAPPORTÉ	RAYONNER	**RECCARED**	RECOURUE
RAPPRISE	RAZZIANT	RECÉDANT	RECOUSUE
RAPSODIE	RÉABONNÉ	RECELANT	RECOUVRÉ
RAQUETTE	RÉACTANT	RECELEUR	RECRACHÉ
RARÉFIÉE	RÉACTEUR	RECENSÉE	RECRÉANT
RARÉFIER	RÉACTION	RECENSER	RÉCRÉANT
RAREMENT	RÉACTIVE	RECENTRÉ	RECRÉPIE
RASCASSE	RÉACTIVÉ	RECEPAGE	RECRÉPIR
RAS DU COU	RÉADAPTÉ	RECEPANT	RECREUSÉ
RAS-LE-BOL	RÉADMISE	RÉCEPTIF	RÉCRIANT
RASSASIÉ	RÉAJUSTÉ	RECERCLÉ	RECRUTÉE
RASSEOIR	RÉALÉSÉE	RÉCESSIF	RECRUTER
RASSORTI	RÉALÉSER	RECEVANT	RECTIFIÉ
RASSURÉE	RÉALIGNÉ	RECEVEUR	RECTORAL
RASSURER	RÉALISÉE	RECEVOIR	RECTORAT
RATAPLAN	RÉALISER	RÉCHAMPI	RECTRICE
RATATINÉ	RÉALISME	RECHANGE	RECULADE
RÂTELAGE	RÉALISTE	RECHANGÉ	RECULANT
RÂTELANT	**RÉALMONT**	RECHANTÉ	RECULONS
RÂTELEUR	RÉAMORCÉ	RECHAPÉE	RÉCUPÉRÉ
RÂTELIER	RÉANIMÉE	RECHAPER	RÉCURAGE
RATHENAU	RÉANIMER	RÉCHAPPÉ	RÉCURANT
RATICIDE	RÉAPPARU	RECHARGE	RÉCURSIF
RATIFIÉE	RÉAPPRIS	RECHARGÉ	RÉCUSANT
RATIFIER	RÉARMANT	RECHASSÉ	RECYCLÉE
RATINAGE	RÉASSORT	RECHIGNÉ	RECYCLER
RATINANT	RÉASSURÉ	RECHUTER	REDÉFAIT
RATIONAL	REBAISSÉ	RÉCIDIVE	REDÉFINI
RATIONNÉ	REBATTRE	RÉCIDIVÉ	REDENTÉE
RATISSÉE	REBATTUE	RÉCIFALE	REDEVANT
RATISSER	REBELLÉE	RÉCIFAUX	REDEVENU
RATTACHÉ	REBELLER	RECINGLE	REDEVOIR
RAT-TAUPE	REBELOTE	RÉCITANT	RÉDIMANT
RATTRAPÉ	RÉBÉTIKO	RÉCLAMÉE	REDISANT
RATURAGE	REBIFFÉE	RÉCLAMER	REDONNÉE
RATURANT	REBIFFER	RECLASSÉ	REDONNER

REDORANT	RÉGALIEN	RELANCÉE	REMMENER
REDOUBLÉ	REGARDÉE	RELANCER	REMMOULÉ
REDOUTÉE	REGARDER	RÉLARGIE	REMODELÉ
REDOUTER	REGARNIE	RÉLARGIR	REMONTÉE
REDRESSE	REGARNIR	RELATANT	REMONTER
REDRESSÉ	RÉGATANT	RELATION	REMONTRÉ
RED RIVER	RÉGATIER	RELATIVE	REMORDRE
RÉÉCOUTÉ	REGELANT	RELAVANT	REMORDUE
RÉÉCRIRE	RÉGENDAT	RELAXANT	REMORQUE
RÉÉCRITE	RÉGÉNÉRÉ	RELAYANT	REMORQUÉ
RÉÉDIFIÉ	RÉGENTÉE	RELAYEUR	REMOUDRE
RÉÉDITÉE	RÉGENTER	RELÉGUÉE	REMOULUE
RÉÉDITER	**REGGIANI**	RELÉGUER	REMPILÉE
RÉÉDUQUÉ	RÉGICIDE	RELEVAGE	REMPILER
RÉEMPLOI	REGIMBÉE	RELEVANT	REMPLACÉ
RÉENGAGÉ	REGIMBER	RELEVEUR	REMPLAGE
RÉESSAYÉ	RÉGIMENT	RELIEUSE	REMPLIÉE
RÉÉTUDIÉ	**RÉGINÉEN**	RELIGION	REMPLIER
RÉÉVALUÉ	RÉGIONAL	RELIQUAT	REMPLOYÉ
RÉEXAMEN	REGISTRE	RELISANT	REMPLUMÉ
REFENDRE	REGISTRÉ	**RELIZANE**	REMPOCHÉ
REFENDUE	RÉGLABLE	RELOOKÉE	REMPORTÉ
RÉFÉRANT	RÉGLETTE	RELOOKER	REMPOTÉE
RÉFÉRENT	RÉGLEUSE	RELOUANT	REMPOTER
REFERMÉE	RÉGLISSE	RELUQUÉE	REMUANTE
REFERMER	RÉGNANTE	RELUQUER	REMUEUSE
REFILANT	**REGNAULT**	REMÂCHÉE	RÉMUNÉRÉ
RÉFLÉCHI	RÉGOLITE	REMÂCHER	RENÂCLER
REFLÉTÉE	REGONFLÉ	REMAILLÉ	RENAÎTRE
REFLÉTER	REGORGER	RÉMANENT	**RENANAIS**
REFLEURI	REGRATTÉ	REMANGÉE	RENAUDER
RÉFLEXIF	REGRÉANT	REMANGER	**RENAUDIN**
REFLUANT	REGREFFÉ	REMANIÉE	**RENAUDOT**
REFONDÉE	RÉGRESSÉ	REMANIER	RENCARDÉ
REFONDER	REGRETTÉ	REMARCHÉ	RENCHÉRI
REFONDRE	REGRIMPÉ	REMARIÉE	RENCOGNÉ
REFONDUE	REGROSSI	REMARIER	RENDORMI
REFORMÉE	REGROUPÉ	REMARQUE	RENDOSSÉ
RÉFORMÉE	RÉGULANT	REMARQUÉ	RENDZINE
REFORMER	RÉGULIER	**REMARQUE**	RENÉGATE
RÉFORMER	REHAUSSÉ	REMARQUÉ	RENEIGER
REFOULÉE	RÉHOBOAM	REMBALLÉ	RENFERMÉ
REFOULER	RÉIFIANT	REMBARRÉ	RENFILÉE
RÉFRACTÉ	**REIGNIER**	REMBLAVÉ	RENFILER
RÉFRÉNÉE	RÉIMPOSÉ	REMBLAYÉ	RENFLANT
RÉFRÉNER	REINETTE	REMBOÎTÉ	RENFLOUÉ
REFROIDI	RÉINSÉRÉ	REMBRUNI	RENFONCÉ
RÉFUGIÉE	RÉINVITÉ	REMBUCHÉ	RENFORCÉ
RÉFUGIER	RÉITÉRÉE	REMÉDIER	RENFORMI
REFUSANT	RÉITÉRER	REMEMBRÉ	RENGAGÉE
RÉFUTANT	REJAILLI	REMÉMORÉ	RENGAGER
REFUZNIK	REJETANT	REMERCIÉ	RENGAINE
REGAGNÉE	REJOINTE	REMETTRE	RENGAINÉ
REGAGNER	REJOUANT	REMEUBLÉ	RENGORGÉ
RÉGALADE	RELÂCHÉE	REMISAGE	RENGRÉNÉ
RÉGALAGE	RELÂCHER	REMISANT	RENIFLÉE
RÉGALANT	RELAISSÉ	REMISIER	RENIFLER

RÉNITENT	REPEUPLÉ	RÉSINIER	RÉTICULE
RENNAISE	REPIQUÉE	RÉSISTER	RÉTICULÉ
RENOMMÉE	REPIQUER	RÉSONANT	RÉTINIEN
RENOMMER	REPLACÉE	RÉSONNER	RÉTINITE
RENONCÉE	REPLACER	RÉSORBÉE	RETIRAGE
RENONCER	REPLANTÉ	RÉSORBER	RETIRANT
RENOUANT	REPLÂTRÉ	RÉSOUDRE	RETISSÉE
RÉNOVANT	REPLIANT	RESPECTÉ	RETISSER
RENTABLE	RÉPLIQUE	**RESPIGHI**	RÉTIVITÉ
RENTAMÉE	RÉPLIQUÉ	RESPIRÉE	RETOMBÉE
RENTAMER	REPLISSÉ	RESPIRER	RETOMBER
RENTIÈRE	REPLONGÉ	RESSAISI	RETONDRE
RENTOILÉ	REPLOYÉE	RESSASSÉ	RETONDUE
RENTRAIT	REPLOYER	RESSAUTÉ	RETORDRE
RENTRANT	RÉPONDRE	RESSAYÉE	RETORDUE
RENTRAYÉ	RÉPONDUE	RESSAYER	RÉTORQUÉ
RENVERSE	REPORTÉE	RESSEMÉE	RETOUCHE
RENVERSÉ	REPORTER	RESSEMER	RETOUCHÉ
RENVIDÉE	REPOSANT	RESSENTI	RETOURNE
RENVIDER	REPOSOIR	RESSERRE	RETOURNÉ
RENVOYÉE	REPOURVU	RESSERRÉ	RETRACÉE
RENVOYER	REPOUSSE	RESSERVI	RETRACER
RÉOCCUPÉ	REPOUSSÉ	RESSORTI	RÉTRACTÉ
RÉOPÉRÉE	RÉPRIMÉE	RESSOUDÉ	RETRAITE
RÉOPÉRER	RÉPRIMER	RESSUAGE	RETRAITÉ
REPAIRER	REPRISÉE	RESSUANT	RETRAYÉE
REPAÎTRE	REPRISER	RESSURGI	RÉTRÉCIE
RÉPANDRE	REPROCHE	RESSUYÉE	RÉTRÉCIR
RÉPANDUE	REPROCHÉ	RESSUYER	RÉTREINT
RÉPARANT	RÉPROUVÉ	RESTANTE	RETREMPE
REPARLER	RÉPUDIÉE	RESTAURÉ	RETREMPÉ
REPARTIE	RÉPUDIER	RESTITUÉ	RÉTRIBUÉ
RÉPARTIE	RÉPUGNER	RÉSULTAT	RÉTROAGI
REPARTIR	RÉPULSIF	RÉSULTÉE	RETROUVÉ
RÉPARTIR	REQUÉRIR	RÉSULTER	**REUCHLIN**
REPASSÉE	REQUÊTÉE	RÉSUMANT	RÉUNIFIÉ
REPASSER	REQUÊTER	RESURGIR	RÉUSSITE
REPAVAGE	RÉQUISIT	RÉTABLIE	REVALANT
REPAVANT	**RÉQUISTA**	RÉTABLIR	REVALOIR
REPAYANT	REQUITTÉ	RETAILLE	REVANCHE
REPÊCHÉE	RESALANT	RETAILLÉ	REVANCHÉ
REPÊCHER	RESCAPÉE	RÉTAMAGE	RÊVASSER
REPEINTE	RESCINDÉ	RÉTAMANT	RÉVEILLÉ
REPENDRE	RÉSÉQUÉE	RÉTAMEUR	RÉVÉLANT
REPENDUE	RÉSÉQUER	RETAPAGE	**REVÉLOIS**
REPENSÉE	RÉSERVÉE	RETAPANT	REVENANT
REPENSER	RÉSERVER	RETARDÉE	REVENDRE
REPENTIE	RÉSIDANT	RETARDER	REVENDUE
REPENTIR	RÉSIDENT	RETÂTANT	REVENEZ-Y
REPÉRAGE	RÉSIDUEL	RETENANT	RÉVÉRANT
REPÉRANT	RÉSIGNÉE	RETENDRE	REVERDIE
REPERCÉE	RÉSIGNER	RETENDUE	REVERDIR
REPERCER	RÉSILIÉE	RETENTÉE	RÉVÉREND
REPERDRE	RÉSILIER	RETENTER	REVERSÉE
REPERDUE	RÉSINANT	RETENTIR	REVERSER
RÉPÉTANT	RÉSINEUX	RÉTIAIRE	REVERSIS
RÉPÉTEUR	RÉSINGLE	RÉTICENT	REVÊTANT

REVIGORÉ	RIDEMENT	ROBOTISÉ	**ROSEMÈRE**
RÉVISANT	RIDICULE	**ROBUCHON**	ROSERAIE
RÉVISEUR	**RIECCOIS**	ROCAILLE	**ROSIÈRES**
RÉVISION	**RIÉCOISE**	**ROCHDALE**	**ROSKILDE**
REVISITÉ	**RIESENER**	ROCHEUSE	ROSSARDE
REVISSÉE	RIESLING	ROCKEUSE	**ROSSBACH**
REVISSER	**RIFBJERG**	**ROCKFORD**	ROSSERIE
REVIVANT	RIFLETTE	ROCOUANT	**ROSSETTI**
REVOLANT	RIGAUDON	ROCOUYER	ROSSOLIS
RÉVOLTÉE	RIGIDITÉ	RÔDAILLÉ	ROSTRALE
RÉVOLTER	RIGOLADE	**RODOGUNE**	ROSTRAUX
REVOLVER	RIGOLAGE	**RODOLPHE**	ROTATEUR
RÉVOQUÉE	RIGOLANT	RODOMONT	ROTATION
RÉVOQUER	RIGOLARD	**RODRIGUE**	ROTATIVE
REVOTANT	RIGOLEUR	ROENTGEN	ROTENGLE
REVOULUE	RIGOLOTE	**ROENTGEN**	ROTÉNONE
REVOYANT	**RILLIARD**	ROGNEUSE	**ROTHARIS**
REVOYURE	**RILLIEUX**	ROGNONNÉ	ROTIFÈRE
REVUISTE	RIMAILLÉ	**ROHRBACH**	ROTULIEN
RÉVULSÉE	**RIMOUSKI**	ROILLANT	ROTURIER
RÉVULSER	RINCEAUX	ROITELET	ROUBLARD
RÉVULSIF	RINCETTE	ROLLMOPS	**ROUBLIOV**
REWRITÉE	RINCEUSE	ROMAÏQUE	ROUCOULÉ
REWRITER	RINGARDE	**ROMANAIS**	ROUERGAT
REYNOLDS	RINGARDÉ	ROMANCÉE	**ROUERGAT**
REYRIEUX	**RÍO BRAVO**	ROMANCER	**ROUERGUE**
REZÉENNE	**RÍO DE ORO**	ROMANCHE	**ROUFFACH**
RHABILLÉ	**RIOMOISE**	**ROMANCHE**	ROUGEAUD
RHADAMÈS	**RIOPELLE**	**ROMANDIE**	ROUGEOLE
RHAPSODE	**RÍO TINTO**	ROMANISÉ	ROUGEOYÉ
RHÉNANIE	RIPAILLE	ROMANITÉ	ROUILLÉE
RHÉOSTAT	RIPAILLÉ	ROMBIÈRE	ROUILLER
RHÉTIQUE	RIPEMENT	**ROMILLON**	ROULANTE
RHIZOÏDE	RIPOLINÉ	ROMSTECK	ROULEAUX
RHIZOPUS	RIPOSTÉE	RONCEUSE	ROULETTE
RHODÉSIE	RIPOSTER	**RONCHAMP**	ROULEUSE
RHODIAGE	RIPUAIRE	RONCIÈRE	ROULOTTE
RHODOPES	RIQUIQUI	RONDACHE	ROULOTTÉ
RHÔMANOS	RISBERME	RONDEAUX	ROUMAINE
RHUBARBE	RISQUANT	RONDELET	**ROUMAINE**
RHUMERIE	RISSOLÉE	RONDELLE	**ROUMANIE**
RHURIDES	RISSOLER	**RONDÔNIA**	**ROUMÉLIE**
RHYOLITE	**RITTMANN**	RONÉOTÉE	ROUPILLÉ
RIBEMONT	RITUELLE	RONÉOTER	ROUQUINE
RIBOSOME	RIVALISÉ	RÔNERAIE	**ROURKELA**
RIBOULER	RIVALITÉ	RONFLANT	ROUSPÉTÉ
RIBOZYME	RIVERAIN	RONFLEUR	ROUSSEAU
RICANANT	RIVETAGE	RONGEANT	**ROUSSEAU**
RICANEUR	RIVETANT	RONGEUSE	ROUSSEUR
RICHARDE	**RIYADIEN**	RONRONNÉ	**ROUSTAVI**
RICHELET	RIZICOLE	ROOKERIE	ROUTARDE
RICHEPIN	ROADSTER	ROQUERIE	ROUTIÈRE
RICHESSE	**ROANNAIS**	ROQUETIN	ROUVERIN
RICHMOND	ROBELAGE	ROQUETTE	ROUVERTE
RICKSHAW	**ROBERVAL**	**ROQUETTE**	ROUVRAIE
RICOCHER	ROBINIER	ROSALBIN	ROUVRANT
RICOCHET	**ROBINSON**	**ROSCELIN**	ROXELANE

ROYAUMÉE
ROYAUMER
ROZEBEKE
RÓZEWICZ
RUBANANT
RUBANIER
RUBÉNIEN
RUBIACÉE
RUBICOND
RUBIDIUM
RUBRIQUE
RUBRIQUÉ
RUDEMENT
RUDENTÉE
RUDÉRALE
RUDÉRAUX
RUDIMENT
RUDNICKI
RUDOYANT
RUFISQUE
RUGBYMAN
RUGBYMEN
RUGGIERI
RUGOSITÉ
RUGUEUSE
RUHLMANN
RUINEUSE
RUISDAEL
RUISSEAU
RUISSELÉ
RUITELOT
RUMINANT
RUMSTECK
RUNABOUT
RUNEBERG
RUPESTRE
RUPICOLE
RURALITÉ
RURBAINE
RUSHMORE
RUSSIFIÉ
RUSTAUDE
RUSTIQUE
RUSTIQUÉ
RUTABAGA
RUTEBEUF
RUTILANT
RUTOSIDE
RUYSDAEL
RUZZANTE
RWANDAIS
RWANDAIS
RYTHMANT
SAADIENS
SAAREMAA
SAARINEN
SABADELL

SABATIER
SABÉENNE
SABÉENNE
SABÉISME
SABLAISE
SABLERIE
SABLEUSE
SABLIÈRE
SABLONNÉ
SABOLIEN
SABORDÉE
SABORDER
SABOTAGE
SABOTANT
SABOTEUR
SABOTIER
SABOULÉE
SABOULER
SABRAISE
SABREUSE
SABURRAL
SACCADÉE
SACCADER
SACCAGÉE
SACCAGER
SACHERIE
SACQUANT
SACRIFIÉ
SACRISTI
SADUCÉEN
SAFRANÉE
SAFRANER
SAGACITÉ
SAGEMENT
SAGIENNE
SAGITTAL
SAGITTÉE
SAGOUINE
SAGUENAY
SAHARIEN
SAHARIEN
SAHÉLIEN
SAHRAOUI
SAHRAOUI
SAIGNANT
SAIGNEUR
SAIGNEUX
SAILLANT
SAINBOIS
SAINDOUX
SAINFOIN
SAINTAIS
SAINT-AVÉ
SAINT-CYR
SAINT-DIÉ
SAINTETÉ
SAINT-GUY

SAINT-LEU
SAINT-LUC
SAINT-LYS
SAINT-MAX
SAINT-NOM
SAINTOIS
SAINT-POL
SAKALAVA
SAKALAVE
SAKHAROV
SAKKARAH
SALACITÉ
SALACROU
SALADIER
SALAISON
SALAMINE
SALARIAL
SALARIAT
SALARIÉE
SALARIER
SALBANDE
SALDANHA
SALEMENT
SALENGRO
SALERNES
SALÉSIEN
SALICETI
SALICOLE
SALICYLÉ
SALIENNE
SALIFÈRE
SALIFIÉE
SALIFIER
SALIGAUD
SALIGNON
SALINGER
SALINIER
SALINITÉ
SALISIEN
SALISSON
SALIVANT
SALLUSTE
SALONAIS
SALONARD
SALOPANT
SALOPARD
SALOPIAU
SALOPIOT
SALPÊTRE
SALPÊTRÉ
SALPICON
SALSIFIS
SALSIGNE
SALTILLO
SALVADOR
SALVIATI
SAMARIUM

SAMIZDAT
SAMNITES
SAMOURAÏ
SAMOYÈDE
SAMOYÈDE
SAMPLANT
SAMPLING
SANCERRE
SANCERRE
SANCHUNG
SANCOINS
SANCTION
SANDBURG
SANDGATE
SAN DIEGO
SANDWICH
SANDWICH
SANGALLO
SANGATTE
SANGLANT
SANGLIER
SANGLOTÉ
SANG-MÊLÉ
SANGNIER
SANGUINE
SANHADJA
SANICULE
SANIEUSE
SANJURJO
SAN PEDRO
SAN-PRIOT
SANS-ABRI
SANSCRIT
SANS-GÊNE
SANSKRIT
SANTA ANA
SANTARÉM
SANTERRE
SANTIAGO
SANTORIN
SÃO PAULO
SAOUDIEN
SAOUDIEN
SAOUDITE
SAOULANT
SAPEMENT
SAPHIQUE
SAPHISME
SAPIDITÉ
SAPIENCE
SAPITEUR
SAPONACÉ
SAPONINE
SAPONITE
SAPOTIER
SAPRISTI
SAQQARAH

SARAJEVO	**SAVIGNAC**	SCHOONER	SÉCRÉTER
SARAKOLÉ	**SAVINIEN**	SCHPROUM	SECTAIRE
SARAMAKA	SAVONNÉE	**SCHUBERT**	SÉCULIER
SARANAIS	SAVONNER	**SCHUMANN**	SÉCURISÉ
SARASATE	SAVOURÉE	**SCHWARTZ**	SÉCURITÉ
SARATOGA	SAVOURER	**SCHWERIN**	**SEDANAIS**
SARCASME	SAVOYARD	**SCIASCIA**	SÉDATION
SARCELLE	**SAVOYARD**	SCINDANT	SÉDATIVE
SARCLAGE	SAXATILE	SCISSION	**SÉDÉCIAS**
SARCLANT	SAXICOLE	SCISSURE	SÉDIMENT
SARCLOIR	SCABIEUX	SCIURIDÉ	SÉDITION
SARCOÏDE	SCABREUX	SCLÉRALE	**SÉDUNOIS**
SARCOPTE	**SCAEVOLA**	SCLÉRAUX	SÉFARADE
SARDOINE	SCALAIRE	SCLÉREUX	**SÉFARADE**
SARDONYX	SCALDIEN	SCLÉROSE	SEGMENTÉ
SARGASSE	**SCALIGER**	SCLÉROSÉ	**SEGONZAC**
SARGODHA	SCALPANT	SCLÉROTE	SEIGNEUR
SARMATES	SCANDALE	SCOLAIRE	SÉISMALE
SARMENTÉ	SCANDANT	SCOLIOSE	SÉISMAUX
SARRALBE	SCANDIUM	SCORIACÉ	SEIZIÈME
SARRASIN	SCANNANT	SCORPÈNE	SÉJOURNÉ
SARRAUTE	SCANNEUR	SCORPION	SÉLACIEN
SARRAZIN	SCANSION	**SCORPION**	**SELBORNE**
SARRETTE	SCAPHITE	**SCORSESE**	SÉLECTÉE
SARRETTE	SCARABÉE	SCOTCHÉE	SÉLECTER
SARROISE	SCARIEUX	SCOTCHER	SÉLECTIF
SARTHOIS	SCARIFIÉ	SCOTCHES	SÉLÉNATE
SASSETTA	SCÉLÉRAT	SCOTISME	SÉLÉNITE
SATHONAY	SCELLAGE	**SCOTLAND**	SÉLÉNIUM
SATINAGE	SCELLANT	SCOUT-CAR	**SÉLESTAT**
SATINANT	SCENARII	SCRABBLE	**SÉLEUCIE**
SATIRISÉ	SCÉNARIO	SCRABBLÉ	**SÉLEUCOS**
SATRAPIE	SCÉNIQUE	**SCRANTON**	SELLERIE
SATU MARE	SCHADANT	SCRATCHÉ	SELLETTE
SATURANT	SCHAPSKA	SCRATCHS	**SELLOISE**
SATURNIE	**SCHAWLOW**	SCROTALE	**SELONGEY**
SATURNIN	**SCHÉHADÉ**	SCROTAUX	**SEMARANG**
SATURNIN	**SCHEINER**	SCRUPULE	SEMBLANT
SAUCIÈRE	**SCHENGEN**	SCRUTANT	SEMELAGE
SAUCISSE	SCHIEDAM	SCULPTÉE	SEMESTRE
SAUGRENU	**SCHIEDAM**	SCULPTER	SEMI-COKE
SAUMÂTRE	**SCHILLER**	SEA-LINES	SEMI-FINI
SAUMONÉE	SCHINDER	**SÉBILLET**	SÉMILLON
SAUMURÉE	**SCHINKEL**	SÉCATEUR	SÉMINALE
SAUMURER	**SCHIPHOL**	SÉCHERIE	SÉMINAUX
SAUNIÈRE	SCHLAGUE	SÉCHEUSE	**SÉMINOLE**
SAUSSAIE	SCHLAMMS	SECONDÉE	SÉMINOME
SAUSSURE	**SCHLEGEL**	SECONDER	SEMONCÉE
SAUTERIE	SCHLITTE	SECOUANT	SEMONCER
SAUTEUSE	SCHLITTÉ	SECOUEUR	**SEMUROIS**
SAUTIÈRE	**SCHLUCHT**	SECOURIR	**SÉNANQUE**
SAUTILLÉ	**SCHLÜTER**	SECOURUE	SÉNATEUR
SAUVAGIN	**SCHNABEL**	SECOUSSE	SÉNÉCHAL
SAUVETTE	**SCHNEBEL**	**SECRÉTAN**	SENESTRE
SAVANNAH	SCHNOQUE	SECRÉTÉE	SÉNILITÉ
SAVERDUN	SCHNOUFF	SÉCRÉTÉE	**SENNECEY**
SAVETIER	**SCHÖFFER**	SECRÉTER	SÉNONAIS

SÉNONAIS	SÉVÉRITÉ	SIDÉRITE	**SIN-KIANG**
SEÑORITA	**SÉVILLAN**	SIDÉROSE	**SINN FÉIN**
SENOUSIS	SEX-RATIO	**SIEGBAHN**	SINUEUSE
SENSIBLE	SEX-SHOPS	SIÉGEANT	SINUSALE
SENSILLE	SEXTOLET	**SIENNOIS**	SINUSAUX
SENSITIF	SEXTUPLE	**SIERENTZ**	SINUSIEN
SENTENCE	SEXTUPLÉ	**SIERROIS**	SINUSITE
SÉOULIEN	SEXUELLE	SIFFLAGE	SIONISME
SÉPARANT	**SEYNOISE**	SIFFLANT	SIONISTE
SEPTANTE	SHABOUOT	SIFFLEUR	SIPHOÏDE
SEPTANTE	SHAMISEN	SIFFLEUX	SIPHONNÉ
SEPTÈMES	**SHANDONG**	SIFFLOTÉ	**SIRACIDE**
SEPTIÈME	**SHANGHAI**	**SIGEBERT**	SIRÉNIEN
SEPT-ÎLES	**SHANGRAO**	SIGILLÉE	**SIRMIONE**
SEPTIQUE	SHANTUNG	**SIGIRIYA**	SIROTANT
SEPT-LAUX	**SHAOXING**	SIGISBÉE	SIRUPEUX
SEPTUPLE	**SHENYANG**	SIGMOÏDE	SISMIQUE
SEPTUPLÉ	**SHENZHEN**	SIGNALÉE	**SISMONDI**
SÉPULCRE	**SHEN ZHOU**	SIGNALER	**SISTERON**
SÉQUANES	**SHERATON**	SIGNIFIÉ	SISYMBRE
SÉQUELLE	**SHERIDAN**	**SIGNORET**	SITTELLE
SÉQUENCE	SHERRIES	**SIGÜENZA**	SIVAÏSME
SERAPEUM	SHETLAND	**SIHANOUK**	**SIX-FOURS**
SERAPEUM	**SHETLAND**	SIKHISME	**SIX-JOURS**
SÉRAPHIN	SHIGELLE	**SIKORSKI**	**SJÖSTRÖM**
SEREMBAN	SHIKHARA	SILÉSIEN	SKETCHES
SÉRÉNADE	SHILLING	**SILÉSIEN**	SKINHEAD
SÉRÉNITÉ	**SHILLONG**	SILICATE	**SKOPIOTE**
SERFOUIE	SHIRTING	SILICEUX	SLALOMER
SERFOUIR	SHIVAÏTE	SILICIUM	SLAVISÉE
SÉRICINE	**SHIZUOKA**	SILICONE	SLAVISER
SÉRIELLE	**SHLONSKY**	SILICOSE	**SLAVONIE**
SÉRIEUSE	SHOCKING	SILICULE	SLEEPING
SERINANT	**SHOCKLEY**	**SILIGURI**	SLOVAQUE
SERINGAT	SHOGUNAL	SILIONNE	**SLOVAQUE**
SERINGUE	**SHOLAPUR**	**SILLITOE**	**SLOVÉNIE**
SERINGUÉ	SHOOTANT	SILLONNÉ	**SLOWACKI**
SERMONNÉ	SHOPPING	SILOTAGE	SMASHANT
SÉROSITÉ	SHORT TON	SILURIEN	SMICARDE
SERPENTÉ	**SHOSHONE**	SIMAGRÉE	SMILLAGE
SERPETTE	SHOWROOM	**SIMA QIAN**	**SMOLENSK**
SERPOLET	SHRAPNEL	SIMARUBA	**SMOLLETT**
SERRAULT	SHUNTANT	**SIMBIRSK**	SNACK-BAR
SERRETTE	SIAMOISE	SIMBLEAU	**SNELLIUS**
SERRISTE	**SIBELIUS**	SIMIENNE	SNIFFANT
SÉRURIER	SIBÉRIEN	SIMILISÉ	**SNIJDERS**
SÉRUSIER	**SIBÉRIEN**	**SIMONIDE**	SNOBISME
SERVANCE	SIBILANT	SIMPLEXE	**SNOILSKY**
SERVANTE	SIBYLLIN	SIMULANT	SNOW-BOOT
SERVANTY	SICCATIF	SINCIPUT	SOBRIÉTÉ
SERVEUSE	SICILIEN	**SINCLAIR**	SOCIABLE
SESBANIA	**SICILIEN**	SINÉCURE	SOCIÉTAL
SESBANIE	SIDE-CARS	SINGEANT	SOCINIEN
SESTERCE	SIDÉENNE	SINGERIE	**SOCOTORA**
SEULETTE	SIDÉRALE	SINISANT	SODOMISÉ
SEURROIS	SIDÉRANT	SINISTRE	SODOMITE
SEVERINI	SIDÉRAUX	SINISTRÉ	**SOEKARNO**

SOFTBALL
SOFTWARE
SOGDIANE
SOIFFARD
SOIGNANT
SOIGNEUR
SOIGNEUX
SOIGNIES
SOISSONS
SOIXANTE
SOLARIUM
SOLDERIE
SOLDEUSE
SOLÉAIRE
SOLENNEL
SOLESMES
SOLFIANT
SOLIDAGE
SOLIDAGO
SOLIDITÉ
SOLIHULL
SOLIMENA
SOLINGEN
SOLITUDE
SOLIVEAU
SOLOGNOT
SOLOGNOT
SOLSTICE
SOLUTION
SOLVABLE
SOMALIEN
SOMALIEN
SOMATISÉ
SOMBRANT
SOMBRERO
SOMERSET
SOMMABLE
SOMMAIRE
SOMMITAL
SOMNOLER
SONATINE
SONDEUSE
SONÉGIEN
SONGEANT
SONGERIE
SONGEUSE
SÔNG HÔNG
SONNANTE
SONNERIE
SONNETTE
SONORISÉ
SONORITÉ
SOO CANAL
SOPHISME
SOPHISTE
SOPHOCLE
SOPRANOS

SORBITOL
SORBONNE
SORCIÈRE
SORELOIS
SØRENSEN
SORGUAIS
SORNETTE
SOROCABA
SORORALE
SORORAUX
SORRENTE
SORTABLE
SORTANTE
SOTHEBY'S
SOTTSASS
SOUAHÉLI
SOU-CHONG
SOUCIANT
SOUCIEUX
SOUCOUPE
SOUDABLE
SOUDAINE
SOUDEUSE
SOUDOYÉE
SOUDOYER
SOUFFERT
SOUFFLÉE
SOUFFLER
SOUFFLET
SOUFFLOT
SOUFFRIR
SOUFISME
SOUFRAGE
SOUFRANT
SOUHAITÉ
SOUILLAC
SOUILLÉE
SOUILLER
SOUILLON
SOULAGÉE
SOULAGER
SOULAGES
SOÛLANTE
SOÛLARDE
SOÛLAUDE
SOÛLERIE
SOULEVÉE
SOULEVER
SOULIGNÉ
SOUMAGNE
SOUMGAIT
SOUNGARI
SOUPAULT
SOUPENTE
SOUPESÉE
SOUPESER
SOUPEUSE

SOUPIÈRE
SOUPIRÉE
SOUPIRER
SOUQUANT
SOURCIER
SOURDINE
SOURGOUT
SOURIANT
SOURNOIS
SOUS-BOIS
SOUS-CHEF
SOUSCRIT
SOUS-LOUÉ
SOUS-MAIN
SOUS-OFFS
SOUS-PAYÉ
SOUS-PIED
SOUS-PLAT
SOUS-PULL
SOUS-SOLS
SOUSTONS
SOUS-VIRÉ
SOUTACHE
SOUTACHÉ
SOUTENIR
SOUTENUE
SOUTIRÉE
SOUTIRER
SOUTRAGE
SOUVENIR
SOUVENUE
SOUVLAKI
SOUVOROV
SOVKHOZE
SPACELAB
SPACIEUX
SPADOISE
SPAETZLI
SPATIALE
SPATIAUX
SPATULÉE
SPEARMAN
SPÉCIALE
SPÉCIAUX
SPÉCIEUX
SPÉCIFIÉ
SPÉCIMEN
SPECTRAL
SPÉCULER
SPÉCULOS
SPÉCULUM
SPEECHES
SPEEDANT
SPENGLER
SPERGULE
SPETSNAZ
SPHACÈLE

SPHAIGNE
SPHYRÈNE
SPINELLE
SPIRALÉE
SPIRIFER
SPIRILLE
SPIRORBE
SPITANTE
SPOLIANT
SPONDIAS
SPONDYLE
SPONTANÉ
SPONTINI
SPORADES
SPORANGE
SPORTIVE
SPORTULE
SPORULER
SPOUTNIK
SPRANGER
SPRIMONT
SPRINGER
SPRINTER
SPUMEUSE
SQUAMATE
SQUAMEUX
SQUAMULE
SQUATTÉE
SQUATTER
SQUEEZÉE
SQUEEZER
SQUIRRHE
SRI LANKA
SRINAGAR
STABROEK
STACCATO
STAFFANT
STAFFEUR
STAFFORD
STAGNANT
STAINOIS
STAKNING
STALINSK
STAMFORD
STAMINAL
STAMINÉE
STAMP ACT
STANDARD
STANDING
STANHOPE
STANNEUX
STANOISE
STANOVOÏ
STARIETS
STARKING
STAROSTE
STATIQUE

STATISME	STRESSÉE	**SU DONGPO**	SURANNÉE
STATUANT	STRESSER	SUDORALE	SURCHOIX
STATUFIÉ	STRIDENT	SUDORAUX	SURCOUPE
STATU QUO	STRIDULÉ	SUD-OUEST	SURCOUPÉ
STAVELOT	STRIGIDÉ	SUÉDOISE	SURCROÎT
STAVISKY	STRIGILE	**SUÉDOISE**	SURDOUÉE
STÉARATE	STRIPAGE	SUFFIXAL	SURÉLEVÉ
STÉARINE	STROBILE	SUFFIXÉE	SÛREMENT
STÉATITE	**STROHEIM**	SUFFIXER	**SURESNES**
STÉATOSE	STRONGLE	SUFFOQUÉ	SURFACÉE
STEENBOK	**STRUTHOF**	SUFFRAGE	SURFACER
STEGOMYA	STUD-BOOK	SUGGÉRÉE	SURFAIRE
STEICHEN	STUDETTE	SUGGÉRER	SURFAITE
STEINERT	STUDIEUX	SUICIDÉE	SURFEUSE
STEINLEN	STUPÉFIÉ	SUICIDER	SURFILÉE
STEINWAY	STUQUANT	SUIFFANT	SURFILER
STEINWEG	STURNIDÉ	SUIFFEUX	SURFONDU
STELLAGE	**STUTTHOF**	SUIFORME	SURGELÉE
STELLITE	STYLIQUE	SUINTANT	SURGELER
STEMMATE	STYLISÉE	SUINTINE	**SURGÈRES**
STENDHAL	STYLISER	SUIVANTE	SURHOMME
STEPPAGE	STYLISME	SUIVEUSE	SURICATE
STEPPEUR	STYLISTE	SUIVISME	SURIKATE
STÉRILET	STYLOÏDE	SUIVISTE	**SURINAME**
STÉRIQUE	SUBAIGUË	SUJÉTION	SURINANT
STERLING	SUBALPIN	**SULAWESI**	SURJALÉE
STERNALE	SUBARIDE	SULFATÉE	SURJALER
STERNAUX	SUBÉREUX	SULFATER	SURJETÉE
STERNITE	SUBÉRINE	SULFONÉE	SURJETER
STÉROÏDE	SUBJUGUÉ	SULFOSEL	SURLIGNÉ
STIGMATE	SUBLIMÉE	SULFURÉE	SURLIURE
STILICON	SUBLIMER	SULFURER	SURLONGE
STILWELL	SUBMERGÉ	**SULLIVAN**	SURLOUÉE
STIMULÉE	SUBODORÉ	SULTANAT	SURLOUER
STIMULER	SUBORNÉE	SUMÉRIEN	SURLOYER
STIMULUS	SUBORNER	SUMOTORI	SURMENÉE
STIPULÉE	**SUBOTICA**	SUNNISME	SURMENER
STIPULER	SUBROGÉE	SUPERFIN	SURMONTÉ
STIRLING	SUBROGER	SUPERFLU	SURMOULE
STOCKAGE	SUBSIDIÉ	SUPERMAN	SURMOULÉ
STOCKANT	SUBSISTÉ	**SUPERMAN**	SURMULET
STOCK-CAR	SUBSTRAT	SUPERMEN	SURMULOT
STOCKTON	SUBSUMÉE	SUPPLÉÉE	SURNAGER
STŒTZEL	SUBSUMER	SUPPLÉER	SURNOMMÉ
STOFFLET	SUBVENIR	SUPPLICE	SUROFFRE
STOÏCIEN	SUBVERTI	SUPPLIÉE	SUROXYDÉ
STOMACAL	SUCCÉDER	SUPPLIER	SURPASSÉ
STOMISÉE	SUCCINCT	SUPPORTÉ	SURPATTE
STOPPAGE	SUCCOMBÉ	SUPPOSÉE	SURPAYÉE
STOPPANT	SUCEMENT	SUPPOSER	SURPAYER
STOPPEUR	SUÇOTANT	SUPPRIMÉ	SURPÊCHE
STORISTE	SUCRANTE	SUPPURÉE	SURPIQUÉ
STRACHEY	SUCRERIE	SUPPURER	SURPLACE
STRADIOT	SUCRETTE	SUPPUTÉE	SURPLOMB
STRATÈGE	SUCRIÈRE	SUPPUTER	SURPOIDS
STRAWSON	SUDATION	**SURABAYA**	SURPRIME
STREHLER	SUDISTES	SURAIGUË	SURPRISE

SURRÉNAL	SYNDERME	TAILLEUR	**TARASCON**
SURSAUTÉ	SYNDICAL	TAILLOIR	**TARASCOS**
SURSEOIR	SYNDICAT	TAILLOLE	TARASQUE
SURTAXÉE	SYNDIQUÉ	TAISEUSE	**TARASQUE**
SURTAXER	SYNDROME	**TAJ MAHAL**	TARATATA
SURTITRE	SYNÉCHIE	**TAKASAKI**	TARAUDÉE
SURTITRÉ	SYNÉRÈSE	**TAKORADI**	TARAUDER
SURVENDU	SYNERGIE	TALISMAN	**TARBAISE**
SURVENIR	SYNODALE	TALK-SHOW	TARBOUCH
SURVENTE	SYNODAUX	TALOCHÉE	**TARENTIN**
SURVENUE	SYNONYME	TALOCHER	TARGETTE
SURVIRER	SYNOPSIE	TALONNÉE	TARGUANT
SURVIVRE	SYNOPSIS	TALONNER	TARIFANT
SURVOLÉE	SYNOVIAL	TALQUANT	**TARNAISE**
SURVOLER	SYNOVITE	TALQUEUX	TARTARIN
SURVOLTÉ	SYNTAGME	TAMANDUA	**TARTARIN**
SUSCITÉE	SYNTHÈSE	TAMANOIR	TARTINÉE
SUSCITER	SYNTONIE	**TAMATAVE**	TARTINER
SUSNOMMÉ	SYPHILIS	TAMAZIRT	TARTRATE
SUSPECTE	**SYRACUSE**	**TAMERLAN**	TARTREUX
SUSPECTÉ	**SYR-DARIA**	TAMISAGE	TARTUFFE
SUSPENDU	SYRIAQUE	TAMISANT	**TARTUFFE**
SUSPENSE	SYRIENNE	TAMPONNÉ	**TARUSATE**
SUSPENTE	**SYRIENNE**	TANAISIE	**TASMANIE**
SUSTENTÉ	SYRPHIDÉ	**TANCRÈDE**	TASSEAUX
SUSURRÉE	**SZCZECIN**	TANDOORI	**TASSILON**
SUSURRER	TABASSÉE	TANGENCE	TASTE-VIN
SUSVISÉE	TABASSER	TANGENTE	TATILLON
SUTURANT	TABLEAUX	TANGIBLE	TÂTONNER
SUZERAIN	TABLETTE	**TANGSHAN**	TATOUAGE
SVALBARD	TABLOÏDE	TANGUANT	TATOUANT
SVASTIKA	TABORITE	**TANINGES**	TATOUEUR
SVEALAND	TABOURET	TANISAGE	TAULARDE
SVERDRUP	**TABOUROT**	TANISANT	TAULIÈRE
SVIZZERA	TÂCHERON	TANKISTE	TAUPIÈRE
SWAHILIE	TACHETÉE	TANNANTE	TAUPINÉE
SWASTIKA	TACHETER	TANNERIE	TAUREAUX
SWINGUER	TACHISME	TANNEUSE	**TAUTAVEL**
SYAGRIUS	TACHISTE	TANNIQUE	TAVELANT
SYBARITE	**TACHKENT**	TANNISÉE	TAVELURE
SYCOMORE	TACONEOS	TANNISER	TAVILLON
SYDENHAM	TACTIQUE	TANTIÈME	TAXATEUR
SYLLABUS	TACTISME	TANTINET	TAXATION
SYLLABUS	**TADEMAÏT**	**TANZANIE**	TAXIMANS
SYLLEPSE	TAFFETAS	**TAORMINA**	TAXODIER
SYLPHIDE	**TAFILELT**	TAPAGEUR	TAXODIUM
SYLVANER	**TAGANROG**	TAPEMENT	**TBILISSI**
SYLVIIDÉ	**TAGARINE**	TAPENADE	TCHADIEN
SYMBIOSE	**TAGLIONI**	TAPINANT	**TCHADIEN**
SYMBIOTE	TAGUEUSE	TAPINOIS	TCHAPALO
SYMÉTRIE	TAHITIEN	TAPISSÉE	TCHATCHE
SYMMAQUE	**TAHITIEN**	TAPISSER	TCHATCHÉ
SYMPHYSE	**TAICHUNG**	TAPOTANT	**TCHEKHOV**
SYMPTÔME	TAILLADE	TAQUINÉE	**TCHERSKI**
SYNCOPAL	TAILLADÉ	TAQUINER	TCHITOLA
SYNCOPÉE	TAILLAGE	TARARAGE	**TCHOUDES**
SYNCOPER	TAILLANT	**TARARIEN**	TECTRICE

TECUMSEH
TEEN-AGER
TEE-SHIRT
TEFILLIN
TÉGUMENT
TEIGNANT
TEIGNEUX
TEILHARD
TEILLAGE
TEILLANT
TEINTANT
TEINTURE
TEISSIER
TE KANAWA
TÉLÉCOMS
TÉLÉCRAN
TÉLÉFILM
TELEMANN
TELEMARK
TÉLÉPORT
TÉLÉTYPE
TÉLÉVISÉ
TÉLEXANT
TÉLOMÈRE
TÉLOUGOU
TÉMÉRITÉ
TEMESVÁR
TÉMOIGNÉ
TEMPÉRÉE
TEMPÉRER
TEMPÊTER
TEMPLIER
TEMPORAL
TEMPOREL
TÉNACITÉ
TENAILLE
TENAILLÉ
TENDANCE
TENDELLE
TENDERIE
TENDEUSE
TENDRETÉ
TÉNÈBRES
TENERIFE
TÉNICIDE
TENNYSON
TENONNÉE
TENONNER
TÉNORINO
TÉNORISÉ
TENTANTE
TEOCALLI
TÉPHRITE
TÉRASPIC
TERBORCH
TERCEIRA
TÉRÉSIEN

TERESINA
TERFESSE
TERGNIER
TERMINAL
TERMINÉE
TERMINER
TERMINUS
TERMONDE
TERNAIRE
TERNOPIL
TERPINOL
TERRAQUÉ
TERRASSE
TERRASSÉ
TERREAUX
TERREUSE
TERRIBLE
TERRIFIÉ
TERVUREN
TÉRYLÈNE
TERZETTO
TESSELLE
TESTABLE
TÉTANISÉ
TÉTRODON
TEUF-TEUF
TEUTATÈS
TEUTONNE
TEXTURÉE
TEXTURER
THALAMUS
THALLIUM
THANATOS
THANNOIS
THATCHER
THÉÂTRAL
THÉBAÏDE
THÉBAÏDE
THÉBAINE
THÉBAINE
THÉBAÏNE
THÉODORA
THÉODORE
THÉODOSE
THÉODULF
THÉORÈME
THÉORISÉ
THÉRAPIE
THERMALE
THERMAUX
THERMITE
THÉSARDE
THÉURGIE
THIAMINE
THIAZOLE
THIBAUDE
THIBAULT

THIOFÈNE
THIONATE
THIONINE
THIO-URÉE
THIVIERS
THIZEROT
THOMISME
THOMISTE
THOMPSON
THÔNAINE
THONAIRE
THONBURI
THORIGNY
THOUTMÈS
THRILLER
THROMBUS
THURINGE
THURROCK
THYMIQUE
THYROÏDE
TIAN SHAN
TIBÉTAIN
TIBÉTAIN
TIDIKELT
TIE-BREAK
TIÉDASSE
T'IEN-TSIN
TIGNARDE
TIGNASSE
TIGRÉENS
TIGRESSE
TIGRIDIE
TIGRIGNA
TIGRINYA
TILLEUSE
TILLIEUX
TIMBRAGE
TIMBRANT
TIMIDITÉ
TIMOLÉON
TIMONIER
TIMOTHÉE
TINGUELY
TINQUEUX
TINTORET
TINTOUIN
TIQUETÉE
TIQUEUSE
TIRAILLÉ
TIRAMISU
TIRANAIS
TIRASPOL
TIRE-CLOU
TIRE-FOND
TIRE-LAIT
TIRELIRE
TIRÉSIAS

TIRIDATE
TIRUPPUR
TIRYNTHE
TISONNÉE
TISONNER
TISSERIN
TISSEUSE
TITE-LIVE
TITICACA
TITILLÉE
TITILLER
TITOGRAD
TITREUSE
TITUBANT
TJIREBON
TOASTEUR
TOBOGGAN
TOBOGGAN
TOGOLAIS
TOGOLAIS
TOHU-BOHU
TOILERIE
TOILETTE
TOILETTÉ
TOKIMUNE
TOKUGAWA
TOKYOÏTE
TOKYOÏTE
TOLÉRANT
TOLIATTI
TOLTÈQUE
TOMAHAWK
TOMAISON
TOMBANTE
TOMBEAUX
TOMBELLE
TOMBEUSE
TOM JONES
TOMMETTE
TONALITÉ
TONDEUSE
TONGUIEN
TONG YUAN
TONICITÉ
TONIFIÉE
TONIFIER
TONITRUÉ
TONLÉ SAP
TONLIEUX
TONNANTE
TONNEAUX
TONNEINS
TONNELET
TONNELLE
TONNERRE
TONNERRE
TONSURÉE

181

TONSURER	TOURMENT	**TRANSKEI**	TRICHANT
TONTINÉE	TOURNAGE	TRANSMIS	TRICHEUR
TONTINER	TOURNANT	TRANSMUÉ	TRICHINE
TOPELIUS	TOURNEUR	TRANTRAN	TRICHOMA
TOPHACÉE	**TOURNEUR**	TRAPPANT	TRICHOME
TOPIAIRE	**TOURNIER**	TRAPPEUR	TRICORNE
TOP MODEL	TOURNOIS	TRAQUANT	TRICOTÉE
TOPONYME	TOURNOYÉ	TRAQUEUR	TRICOTER
TOQUANTE	TOURNURE	TRAVERSE	TRICTRAC
TORCELLO	TOURTEAU	TRAVERSÉ	TRICYCLE
TORCHANT	TOUSSANT	TRAVESTI	TRIDACNE
TORCHÈRE	TOUSSEUR	**TRAVIATA**	TRIDENTÉ
TORDANTE	TOUSSOTÉ	TRAVIOLE	TRIENNAL
TORDEUSE	**TOUTATIS**	TRAYEUSE	TRIESTER
TORÉADOR	TOUT DE GO	TRÉBUCHÉ	TRILLANT
TORGNOLE	TOWNSHIP	TRÉCHEUR	TRILLION
TOROÏDAL	TOXICITÉ	TRÉFILÉE	TRILOBÉE
TORPILLE	**TOYONAKA**	TRÉFILER	TRILOGIE
TORPILLÉ	TRABOULE	TRÉFONDS	TRIMARAN
TORRANCE	TRABOULÉ	**TRÉFOUËL**	TRIMARDÉ
TORRÉFIÉ	TRAÇANTE	**TRÉGUIER**	TRIMBALÉ
TORSADÉE	TRACASSÉ	TREILLIS	TRIMÉTAL
TORSADER	TRACERET	TREKKING	TRIMÈTRE
TORTILLA	TRACEUSE	TRÉMATÉE	**TRIMURTI**
TORTILLE	TRACHÉAL	TRÉMATER	TRINGLÉE
TORTILLÉ	TRACHÉEN	**TREMBLAY**	TRINGLER
TORTORÉE	TRACHOME	TREMBLÉE	TRINGLOT
TORTORER	TRACHYTE	TREMBLER	TRINQUER
TORTUEUX	TRACTAGE	TRÉMELLE	TRINQUET
TORTURÉE	TRACTANT	TRÉMIÈRE	TRIOMPHE
TORTURER	TRACTEUR	TREMPAGE	TRIOMPHÉ
TOTALISÉ	TRACTION	TREMPANT	TRIPANTE
TOTALITÉ	TRACTIVE	TREMPLIN	TRIPARTI
TÔT-FAITS	TRADUIRE	TRÉMULER	TRIPERIE
TOUAILLE	TRADUITE	TRENTAIN	TRIPETTE
TOUCHANT	TRAFIQUÉ	TRÉPANÉE	TRIPHASÉ
TOUCHAUD	TRAGÉDIE	TRÉPANER	TRIPIÈRE
TOUCHAUX	TRAGIQUE	TRÉPASSÉ	TRIPLACE
TOUCHEAU	TRAHISON	TRÉPIDER	TRIPLANT
TOUCHEUR	TRAÎNAGE	TRÉPIGNÉ	TRIPLÉES
TOUFFEUR	TRAÎNANT	TRESSAGE	**TRIPLICE**
TOUILLÉE	TRAÎNARD	TRESSANT	TRIPLURE
TOUILLER	TRAÎNEAU	TRÉTEAUX	**TRÍPOLIS**
TOUJOURS	TRAÎNEUR	**TRETSOIS**	TRIPOTÉE
TOULOISE	TRAINING	TREUILLÉ	TRIPOTER
TOULOUPE	TRAITANT	TRÉVIRÉE	TRISKÈLE
TOULOUSE	TRAITEUR	TRÉVIRER	TRISOMIE
TOUPILLÉ	TRALUIRE	**TRÉVIRES**	TRISSANT
TOUPINER	TRAMELOT	**TRÉVISAN**	**TRISSINO**
TOUPOLEV	TRAMINOT	TRIACIDE	**TRITHÈME**
TOURAINE	TRAMPING	TRIANGLE	TRITURÉE
TOURBEUX	TRANCHÉE	TRIBALLE	TRITURER
TOURBIER	TRANCHER	TRIBALLÉ	TRIUMVIR
TOURELLE	TRANCHET	TRIBUNAL	TRIVALVE
TOURIÈRE	TRANSEPT	TRIBUNAT	TRIVIALE
TOURISME	TRANSIGÉ	**TRIBUNAT**	TRIVIAUX
TOURISTE	TRANSITÉ	TRICARDE	**TRIVULCE**

TROCHLÉE
TROCHURE
TROLLOPE
TROMBINE
TROMBLON
TROMBONE
TROMPANT
TROMPÉES
TROMPETÉ
TROMPEUR
TRONÇAIS
TRONCHET
TRONCHET
TRONQUÉE
TRONQUER
TROPICAL
TROPIQUE
TROPISME
TROQUANT
TROQUEUR
TROTTANT
TROTTEUR
TROTTINÉ
TROTTOIR
TROUBLÉE
TROUBLER
TROUFION
TROUILLE
TROUPEAU
TROUPIER
TROUSSÉE
TROUSSER
TROU-TROU
TROUVANT
TROUVÈRE
TROUVEUR
TROYENNE
TROYENNE
TRUANDÉE
TRUANDER
TRUBLION
TRUCIDÉE
TRUCIDER
TRUDAINE
TRUELLÉE
TRUFFANT
TRUFFAUT
TRUFFIER
TRUJILLO
TRUMEAUX
TRUQUAGE
TRUQUANT
TRUQUEUR
TRUSQUIN
TRUSTANT
TRYPSINE
TSARISME

TSARISTE
TSHIKAPA
TS'ING-TAO
TSUSHIMA
TUBELESS
TUBÉRACÉ
TUBÉRALE
TUBÉREUX
TUBÉRISÉ
TUBICOLE
TÜBINGEN
TUBIPORE
TUBULEUX
TUBULURE
TUDESQUE
TUE-CHIEN
TUFFEAUX
TUILEAUX
TUILERIE
TUILIÈRE
TULIPIER
TULLERIE
TULLISTE
TULLISTE
TULSI DAS
TUMBLING
TUMÉFIÉE
TUMÉFIER
TUMORALE
TUMORAUX
TUNICIER
TUNIQUÉE
TUNISIEN
TUNISIEN
TUNISOIS
TUNISOIS
TURBINÉE
TURBINER
TURBOTIN
TURCIQUE
TURFISTE
TURINOIS
TURKMÈNE
TURKMÈNE
TURLUPIN
TURLUTTE
TURNHOUT
TURNOVER
TUTEURÉE
TUTEURER
TUTOYANT
TUTOYEUR
TUVALUAN
TUVULUAN
TUYAUTÉE
TUYAUTER
TWIN-SETS

TWIRLING
TWISTANT
TYMPANAL
TYMPANON
TYPHACÉE
TYPHIQUE
TYPHLITE
TYPHOÏDE
TYPICITÉ
TYRANNIE
TYRIENNE
TYRIENNE
TYROLIEN
TYROLIEN
TYROSINE
UBIQUITÉ
UBUESQUE
UFOLOGIE
UGINOISE
ULBRICHT
ULCÉRANT
ULCÉREUX
ULISSIEN
ULTRASON
UNCLE SAM
UNETELLE
UNGUÉALE
UNGUÉAUX
UNICORNE
UNIFIANT
UNIFLORE
UNIFORME
UNIONAIS
UNIOVULÉ
UNISEXUÉ
UNISSANT
UNITAIRE
UNIVALVE
UNIVOQUE
UPÉRISÉE
UPÉRISER
UPPERCUT
URANAISE
URANIQUE
URANISME
URBANISÉ
URBANITÉ
URCÉOLÉE
URÉMIQUE
URÉTÉRAL
URÉTHANE
URÉTRALE
URÉTRAUX
URÉTRITE
URICÉMIE
URINAIRE
UROCORDÉ

UROLOGIE
UROLOGUE
URSULINE
URTICANT
USTARITZ
USUFRUIT
USURAIRE
USURIÈRE
USURPANT
UTILISÉE
UTILISER
UTOPIQUE
UTOPISME
UTOPISTE
UTRICULE
UVULAIRE
VACATION
VACCARÈS
VACCINAL
VACCINÉE
VACCINER
VACHARDE
VACHERIE
VACHERIN
VACHETTE
VACILLER
VADODARA
VAGABOND
VAGANOVA
VAGINALE
VAGINAUX
VAGINITE
VAIGRAGE
VAILLAND
VAILLANT
VAILLANT
VAISSEAU
VALACHIE
VALAISAN
VALAISAN
VALBONNE
VAL-CENIS
VALDAHON
VAL D'ARLY
VALDEMAR
VALDIVIA
VAL-D'OISE
VALENÇAY
VALENÇAY
VALENCIA
VALENTIA
VALENTIN
VALENTON
VALÉRIEN
VALIDANT
VALIDITÉ
VALLEUSE

VALLOIRE	VASISTAS	VENTRAUX	VÉTILLER
VALLONNÉ	**VASSIEUX**	VÉNUSIEN	**VEUILLOT**
VALLORBE	**VÄSTERÅS**	**VÉNUSIEN**	VEULERIE
VALMOREL	**VATANAIS**	VÉRACITÉ	**VEVEYSAN**
VALOGNES	VATICANE	**VERACRUZ**	VEXATEUR
VALORISÉ	VATICINÉ	VÉRAISON	VEXATION
VALROMEY	**VAUCLUSE**	VERBEUSE	VEXILLUM
VALSEUSE	VAUDAIRE	VERBIAGE	**VEYNOISE**
VALSOISE	**VAUDAISE**	VERDÂTRE	**VÉZELIEN**
VALVAIRE	VAUDOISE	VERDELET	VIANDANT
VAN ACKER	**VAUDOISE**	VERDOYER	VIATIQUE
VANADIUM	**VAUGELAS**	VERGENCE	VIBRANTE
VANADZOR	VAUTRAIT	VERGETÉE	VIBRISSE
VAN ALLEN	VAUTRANT	VERGETTE	VICARIAT
VANBRUGH	VECTRICE	VERGEURE	VICELARD
VAN BUREN	**VÉDRINES**	VERGLACÉ	VICENNAL
VAN CLEVE	VÉGÉTALE	VERGOGNE	**VICENTIN**
VANDALES	VÉGÉTANT	VÉRIFIÉE	VICE-ROIS
VAN DIJCK	VÉGÉTAUX	VÉRIFIER	VICHYSTE
VANDOISE	VÉHÉMENT	VERJUTÉE	VICIABLE
VANGERON	VÉHICULE	**VERLAINE**	VICIEUSE
VAN GOYEN	VÉHICULÉ	VERMILLÉ	VICINALE
VANIKORO	VEILLANT	VERMOULÉ	VICINAUX
VANILLÉE	VEILLEUR	VERMOULU	VICOMTAL
VANILLON	VEINARDE	VERMOUTH	**VICQUOIS**
VANISAGE	VEINEUSE	**VERNEUIL**	VICTOIRE
VANITEUX	VÉLARIUM	VERNISSÉ	VICTORIA
VANNEAUX	VÊLEMENT	**VÉRONAIS**	**VICTORIA**
VANNELLE	VÉLIVOLE	**VÉRONÈSE**	VIDANGÉE
VANNERIE	**VÉLIZIEN**	VERRANNE	VIDANGER
VANNEUSE	VELLÉITÉ	VERRERIE	VIDÉASTE
VAN ORLEY	VÉLOCITÉ	VERRIÈRE	VIDE-CAVE
VANTARDE	VELOUTÉE	VERSEAUX	VIDÉOTEX
VANTELLE	VELOUTER	VERSEUSE	VIDE-VITE
VAN'T HOFF	VENAISON	VERSIFIÉ	VIEILLIE
VAN VELDE	VÉNALITÉ	VERTÈBRE	VIEILLIR
VAN VLECK	**VENÇOISE**	VERTÉBRÉ	VIEILLOT
VANZETTI	VENDABLE	VERTICAL	VIELLEUR
VAPOREUX	VENDANGE	VERTISOL	VIELLEUX
VAPORISÉ	VENDANGÉ	VERTUEUX	VIENNOIS
VARAIGNE	VENDETTA	**VERTUMNE**	**VIENNOIS**
VARANASI	VENDEUSE	VERVEINE	**VIÊT-CONG**
VARANGUE	VENDREDI	VERVEUSE	**VIÊT-MINH**
VARAPPER	VÉNÉNEUX	**VERVIERS**	**VIGANAIS**
VARÈGUES	VÉNÉRANT	**VERWOERD**	**VIGEVANO**
VARENNES	VÉNÉRIEN	VÉSICALE	VIGILANT
VARIABLE	VENGEANT	VÉSICANT	VIGNEAUX
VARIANCE	VENGERON	VÉSICAUX	VIGNERON
VARIANTE	VÉNIELLE	VÉSICULE	VIGNETER
VARIÉTAL	VENIMEUX	VESPÉRAL	VIGNETTE
VARIGNON	VÉNITIEN	**VESPUCCI**	VIGNOBLE
VARILHES	**VÉNITIEN**	VESSIGON	**VIGNOBLE**
VARLOPÉE	VENTEUSE	**VESTDIJK**	**VIGNOLES**
VARLOPER	VENTILÉE	**VÉSULIEN**	VIGOUSSE
VARSOVIE	VENTILER	**VESZPRÉM**	VIGUERIE
VASARELY	VENTOUSE	VÊTEMENT	VILEMENT
VASELINE	VENTRALE	VÉTÉRANE	**VILLARDE**

VILLEBON	VITALITÉ	VOLTIGER	**WEITLING**
VILLEMIN	VITAMINE	VOLUBILE	**WEIZMANN**
VILLEMUR	VITAMINÉ	VOLVAIRE	**WELHAVEN**
VILLERMÉ	VITELLIN	VOLVULUS	**WERNICKE**
VILLEROI	VITELLUS	VOMITIVE	**WESTERLO**
VILLETTE	VITICOLE	VORACITÉ	**WESTWOOD**
VILLIERS	**VITI LEVU**	VOTATION	**WETTEREN**
VILVORDE	VITILIGO	**VOUGLANS**	**WETZIKON**
VIMYNOIS	VITOULET	**VOULTAIN**	**WEVELGEM**
VINAIGRE	VITRERIE	VOUSSEAU	WHIPCORD
VINAIGRÉ	VITREUSE	VOUSSOIR	WHISKIES
VINDICTE	VITRIFIÉ	VOUSSOYÉ	**WHISTLER**
VINICOLE	VITRIOLÉ	VOUSSURE	**WICKSELL**
VINIFÈRE	**VITRIOTE**	VOUVOYÉE	**WIECHERT**
VINIFIÉE	**VITRYATE**	VOUVOYER	WIENERLI
VINIFIER	VITUPÉRÉ	**VOUZIERS**	**WILLAERT**
VINNITSA	VIVACITÉ	VOYAGEUR	WILLIAMS
VINOLIEN	**VIVARAIS**	VRAI-FAUX	**WILLIAMS**
VINOSITÉ	**VIVARINI**	VRAIMENT	**WIMEREUX**
VINYLITE	VIVARIUM	VRAQUIER	**WIMPFFEN**
VIOLACÉE	**VIVAROIS**	VRILLAGE	**WINDHOEK**
VIOLACER	VIVEMENT	VRILLANT	WINDSURF
VIOLENCE	VIVIFIÉE	**VUILLARD**	**WINGLOIS**
VIOLENTE	VIVIFIER	VULGAIRE	**WINNIPEG**
VIOLENTÉ	VIVIPARE	VULTUEUX	**WINSTEIN**
VIOLETÉE	VIVOTANT	VULVAIRE	WISHBONE
VIOLETER	VIVRIÈRE	**VYGOTSKI**	WISIGOTH
VIOLETTE	**VLADIMIR**	WAGON-LIT	**WÖLFFLIN**
VIOLEUSE	**VLAMINCK**	WAGONNET	**WOLINSKI**
VIOLISTE	VOCALISE	**WAKAYAMA**	**WOLSELEY**
VIOLONÉE	VOCALISÉ	**WALBURGE**	**WOODWARD**
VIPEREAU	VOCATION	**WALCOURT**	**WORMHOUT**
VIPÉRIAU	VOCIFÉRÉ	**WALDHEIM**	**WORTHING**
VIPÉRIDÉ	VOCODEUR	**WALENSEE**	**WÜRZBURG**
VIPÉRINE	VOGELPIK	**WALEWSKI**	**WYCLIFFE**
VIREMENT	**VOGOULES**	**WALHALLA**	XANTHINE
VIRGINAL	VOÏÉVODE	**WALKYRIE**	XANTHOME
VIRGINIE	VOILERIE	WALLABYS	XÉNOLITE
VIRGINIE	VOILETTE	**WALLASEY**	**XÉNOPHON**
VIRIATHE	VOISINER	**WALLONIE**	**XERTIGNY**
VIRILISÉ	VOITURÉE	WALLONNE	**XIANGTAN**
VIRILITÉ	VOITURER	**WALLONNE**	**XIANYANG**
VIROCIDE	VOÏVODAT	**WALSCHAP**	**XINJIANG**
VIROFLAY	VOÏVODIE	**WANG MENG**	**XINXIANG**
VIRTUOSE	VOLAILLE	**WARANGAL**	XIPHOÏDE
VIRUCIDE	VOLATILE	WARRANTÉ	XYLIDINE
VIRULENT	VOLETANT	**WARSZAWA**	XYLOCOPE
VISCACHE	**VOLHYNIE**	**WARTBURG**	YACHTING
VISCÉRAL	VOLITION	**WASSEYEN**	YACHTMAN
VISCONTI	VOLITIVE	**WATERLOO**	YACHTMEN
VISIONNÉ	VOLLEYÉE	WATTMANS	**YACIRETÁ**
VISITANT	VOLLEYER	**WAT TYLER**	**YAMAGATA**
VISITEUR	**VOLOGÈSE**	WEDEKIND	**YANGQUAN**
VISQUEUX	**VOLSQUES**	WEDGWOOD	**YANGZHOU**
VISSERIE	VOLTAIRE	WEEK-ENDS	**YANOMAMI**
VISSEUSE	**VOLTAIRE**	**WEINBERG**	**YANOMANI**
VISUELLE	**VOLTERRA**	**WEISMANN**	**YARMOUTH**

185

YAZDGARD	**YVOISIEN**	ZÉOLITHE	**ZONHOVEN**
YEARLING	**YZEURIEN**	ZEPPELIN	ZOOLOGIE
YÉMÉNITE	**ZAANSTAD**	**ZEPPELIN**	ZOOLOGUE
YÉMÉNITE	**ZACHARIE**	**ZEROMSKI**	ZOOPHAGE
YENNOISE	ZAÏROISE	ZÉROTAGE	ZOOPHILE
YEOMANRY	**ZAÏROISE**	ZÉRUMBET	ZOOPHYTE
YERROISE	**ZAKOPANE**	ZÉZAYANT	ZOOSPORE
YERSINIA	ZAKOUSKI	**ZHEJIANG**	ZOREILLE
YESHIVAS	**ZAMENHOF**	**ZHUANGZI**	**ZOTTEGEM**
YESHIVOT	**ZANGWILL**	**ZIA UL-HAQ**	ZOZOTANT
YINCHUAN	ZANZIBAR	ZIBELINE	**ZURBARÁN**
YOGHOURT	**ZANZIBAR**	ZIEUTANT	ZWANZANT
YOKOHAMA	**ZANZOTTO**	ZIGZAGUÉ	ZWANZEUR
YOKOSUKA	**ZAO WOU-KI**	**ZIMBABWE**	**ZWEVEGEM**
YONNAISE	ZARZUELA	ZINCIQUE	ZWIEBACK
YORITOMO	**ZAVENTEM**	ZINGUANT	**ZWORYKIN**
YORKTOWN	**ZEDELGEM**	ZINGUEUR	ZYEUTANT
YSENGRIN	**ZEHRFUSS**	**ZINOVIEV**	**ZYRIÈNES**
YTTRIQUE	ZÉLATEUR	ZODIACAL	
YUPANQUI	**ZELENSKI**	ZODIAQUE	
YVELINES	ZÉNITHAL	ZONALITÉ	

9

	ABERRANCE	ABSOLUITÉ	ACCLIMATÉ
	ABERRANTE	ABSOLVANT	ACCOINTÉE
	ABER-VRAC'H	ABSORBANT	ACCOINTER
	ABER-WRACH	ABSORBEUR	ACCOMMODÉ
	ABHORRANT	ABSTENANT	ACCOMPLIE
	ABIÉTACÉE	ABSTINENT	ACCOMPLIR
	ABIÉTINÉE	ABSTRAIRE	ACCORDANT
	ABIOTIQUE	ABSTRAITE	ACCORDÉON
	ABJECTION	ABSURDITÉ	ACCORDEUR
	ABOIEMENT	**ABU TAMMAM**	ACCORDOIR
	ABOLITION	**ABYSSINIE**	ACCOSTAGE
	ABOMINANT	ACADIENNE	ACCOSTANT
ABAISSANT	ABONDANCE	**ACADIENNE**	ACCOUCHÉE
ABAISSEUR	**ABONDANCE**	ACALCULIE	ACCOUCHER
ABANDONNÉ	ABONDANTE	A CAPPELLA	ACCOUDANT
ABASOURDI	ABORDABLE	ACARIÂTRE	ACCOUDOIR
ABÂTARDIE	ABORIGÈNE	ACARICIDE	ACCOUPLÉE
ABÂTARDIR	**ABORIGÈNE**	ACCABLANT	ACCOUPLER
ABATTABLE	ABOUCHANT	ACCAPARÉE	ACCOURANT
ABBADIDES	ABOULIQUE	ACCAPARER	ACCOURCIE
ABBASSIDE	**ABRAYSIEN**	ACCÉLÉRÉE	ACCOURCIR
ABBATIALE	ABRÉGEANT	ACCÉLÉRER	ACCOUTRÉE
ABBATIAUX	ABREUVANT	ACCENTEUR	ACCOUTRER
ABBEVILLE	ABREUVOIR	ACCENTUÉE	ACCOUTUMÉ
ABD AL-AZIZ	ABRICOTÉE	ACCENTUEL	ACCOUVAGE
ABD EL-KRIM	ABROGATIF	ACCENTUER	ACCOUVEUR
ABDIQUANT	ABROGEANT	ACCEPTANT	ACCRÉDITÉ
ABDOMINAL	**ABRUZZAIS**	ACCEPTEUR	**ACCRÉENNE**
ABDUCTEUR	ABSENTANT	ACCEPTION	ACCRÉTANT
ABDUCTION	ABSIDIALE	ACCESSION	ACCRÉTION
ABDÜLAZIZ	ABSIDIAUX	ACCIDENTÉ	ACCROCHÉE
ABÉLIENNE	ABSIDIOLE	ACCLAMANT	ACCROCHER

ACCROÎTRE	ACTUALISÉ	ÆPYORNIS	AFFRONTER
ACCROUPIE	ACTUALITÉ	AÉROBIOSE	AFFRUITER
ACCROUPIR	ACTUARIAT	AÉRO-CLUBS	AFFUBLANT
ACCUEILLI	ACTUARIEL	AÉROCOLIE	AFFÛTEUSE
ACCULTURÉ	ACUTANGLE	AÉRODROME	AFFÛTIAUX
ACCUMULÉE	ACYCLIQUE	AÉROFREIN	A FORTIORI
ACCUMULER	ACYLATION	AÉROLOGIE	AFRICAINE
ACCUSATIF	**ADALBÉRON**	AÉRONAUTE	**AFRICAINE**
ACESCENCE	ADAMANTIN	AÉRONAVAL	AFRIKAANS
ACESCENTE	**ADAPAZARI**	AÉRONOMIE	AFRIKANER
ACÉTAMIDE	ADAPTABLE	AÉROPLANE	**AFRIKANER**
ACÉTIFIÉE	ADAPTATIF	AÉROPORTÉ	AFRO-ROCKS
ACÉTIFIER	ADDICTION	AÉROSCOPE	AGACEMENT
ACÉTYLÈNE	ADDICTIVE	AÉROSTIER	AGALACTIE
ACÉTYLURE	**ADDINGTON**	AÉROTRAIN	**AGAMEMNON**
ACHALANDÉ	ADDITIVÉE	AFFABULER	AGARICALE
ACHALASIE	ADDUCTEUR	AFFAIBLIE	**AGATHOCLE**
ACHARISME	ADDUCTION	AFFAIBLIR	**AGATHOISE**
ACHARNANT	**ADELBODEN**	AFFAIRANT	**AGAUNOISE**
ACHEMINÉE	ADÉNOSINE	AFFAISSÉE	**AGÉSINATE**
ACHEMINER	ADHÉRENCE	AFFAISSER	AGGLOMÉRÉ
ACHÉROISE	ADHÉRENTE	AFFAITAGE	AGGLUTINÉ
ACHETABLE	AD HOMINEM	AFFAMEUSE	AGGRAVANT
ACHETEUSE	ADIPOSITÉ	AFFECTANT	AGILEMENT
ACHEULÉEN	ADJACENTE	AFFECTION	AGISSANTE
ACHKHABAD	ADJECTIVE	AFFECTIVE	AGITATEUR
ACHOPPANT	ADJECTIVÉ	AFFÉRENTE	AGITATION
ACIDIFIÉE	ADJOINDRE	AFFERMAGE	AGNATIQUE
ACIDIFIER	ADJUGEANT	AFFERMANT	AGNOSIQUE
ACIDULANT	ADJUVANTE	AFFÉTERIE	AGONISANT
ACIÉRISTE	AD LIBITUM	AFFICHAGE	AGRAFEUSE
ACLINIQUE	ADMETTANT	AFFICHANT	AGRAINANT
ACONCAGUA	ADMIRABLE	AFFICHEUR	AGRÉATION
ACONITINE	ADMIRATIF	AFFIDAVIT	AGRÉGATIF
ACOQUINÉE	ADMISSION	AFFILIANT	AGRÉGEANT
ACOQUINER	ADMONESTÉ	AFFINERIE	AGRÉMENTÉ
ACOUPHÈNE	ADOPTABLE	AFFINEUSE	AGRESSANT
ACQUÉRANT	ADOPTANTE	AFFIRMANT	AGRESSEUR
ACQUÉREUR	ADORATEUR	AFFLEURÉE	AGRESSION
ACQUIESCÉ	ADORATION	AFFLEURER	AGRESSIVE
ACQUITTÉE	ADRAGANTE	AFFLICTIF	AGRIFFANT
ACQUITTER	ADRESSAGE	AFFLUENCE	**AGRIGENTE**
ACRIMONIE	ADRESSANT	AFFLUENTE	AGRIPAUME
ACROBATIE	ADSORBANT	AFFOLANTE	AGRIPPANT
ACRODYNIE	ADULATEUR	AFFOUAGÉE	**AGRIPPINE**
ACROLÉINE	ADULATION	AFFOUAGER	AGROLOGIE
ACROSPORT	ADULTÉRÉE	AFFOUILLÉ	AGRONOMIE
ACRYLIQUE	ADULTÉRER	AFFOURAGÉ	AGROSTIDE
ACTANCIEL	ADULTÉRIN	AFFOURCHÉ	**AGUESSEAU**
ACTING-OUT	AD VALOREM	AFFRANCHI	AGUICHANT
ACTINIDIA	ADVECTION	AFFRÉTANT	AGUICHEUR
ACTINIQUE	ADVENTICE	AFFRÉTEUR	**AHASVÉRUS**
ACTINISME	ADVENTIVE	AFFRIANDÉ	**AHMADABAD**
ACTIONNÉE	ADVERBIAL	AFFRIOLÉE	**AHMEDABAD**
ACTIONNER	ADVERSITÉ	AFFRIOLER	**AHTISAARI**
ACTIVISME	**ADYGUÉENS**	AFFRIQUÉE	AÏD-EL-ADHA
ACTIVISTE	À ENQUERRE	AFFRONTÉE	AÏD-EL-FITR

AIGRE-DOUX
AIGREMENT
AIGUILLAT
AIGUILLÉE
AIGUILLER
AIGUILLES
AIGUILLON
AIGUILLON
AIGUILLOT
AIGUISAGE
AIGUISANT
AIGUISOIR
AIMANTANT
AIMARGUES
AIR FRANCE
AIX-EN-OTHE
AJOINTANT
AJOURNANT
AJUSTEUSE
AKHENATON
AKHMATOVA
AKWESASNE
ALAMBIQUÉ
ALAOUITES
ALARMANTE
ALARMISME
ALARMISTE
À LA VA-VITE
À L'AVENANT
ALBA IULIA
ALBANAISE
ALBANAISE
AL-BARZANI
AL-BATTANI
ALBERTINA
ALBERTINE
ALBIGEOIS
ALBIGEOIS
ALBINISME
ALBUGINÉE
ALBUMINÉE
ALCALOÏDE
ALCÁNTARA
ALCARAZAS
ALCIBIADE
ALCOOLISÉ
ALCOOTEST
AL-DJAZA'IR
AL-DJOFFRA
ALÉATOIRE
ALENTOURS
ALÉOUTIEN
ALÉSIENNE
ALÉTHIQUE
ALEVINAGE
ALEVINANT
ALEVINIER

ALEXANDER
ALEXANDRA
ALEXANDRE
ALFATIÈRE
ALGAZELLE
ALGÉROISE
ALGÉROISE
ALGÉSIRAS
AL-GHAZALI
ALGINIQUE
ALGONQUIN
AL-HALLADJ
AL-HOCEIMA
ALIÉNABLE
ALIÉNANTE
ALIÉNISTE
ALIMENTÉE
ALIMENTER
ALITEMENT
ALIZARINE
ALKÉKENGE
ALLAHABAD
ALLAITANT
ALLAUDIEN
ALLÉCHANT
ALLÉGEANT
ALLEGHANY
ALLEGHENY
ALLÉGORIE
ALLÉGUANT
ALLEMAGNE
ALLEMANDE
ALLEMANDE
ALLENTOWN
ALLERGÈNE
ALLERGIDE
ALLEUTIER
ALLIGATOR
ALLOGAMIE
ALLONNAIS
ALLOPHONE
ALLSCHWIL
ALLUME-FEU
ALLUME-GAZ
ALLUMETTE
ALLUMEUSE
ALLUVIALE
ALLUVIAUX
ALLYLIQUE
ALMAGESTE
ALMA MATER
ALMATOISE
ALMODÓVAR
ALMOHADES
AL-MUKALLA
AL-NIMAYRI
ALPAGUANT

ALPHABÈTE
ALPINISME
ALPINISTE
ALQUIFOUX
AL-RHAZALI
ALTDORFER
ALTÉRABLE
ALTÉRANTE
ALTERNANT
ALTHUSSER
ALTIMÈTRE
ALTIPLANO
ALTRUISME
ALTRUISTE
ALTYNTAGH
ALUMINANT
ALUMINATE
ALUMINEUX
ALUMINIUM
ALUMINURE
ALVÉOLITE
ALZHEIMER
AMABILITÉ
AMADOUANT
AMAGASAKI
AMALGAMÉE
AMALGAMER
AMARAVATI
AMAREYEUR
AMARINANT
AMARYLLIS
AMATERASU
AMAZONIEN
AMAZONIEN
AMAZONITE
AMBARROIS
AMBASSADE
AMBERTOIS
AMBIANCER
AMBIGUÏTÉ
AMBISEXUÉ
AMBITIEUX
AMBLYOPIE
AMBOISIEN
AMBROISIE
AMBROSIEN
AMBULACRE
AMBULANCE
AMBULANTE
AMBYSTOME
AMÉLIENNE
AMÉLIORÉE
AMÉLIORER
AMÉNAGEUR
AMENDABLE
AMENEMHAT
AMÉNOPHIS

AMENUISÉE
AMENUISER
AMÈREMENT
AMÉRICAIN
AMÉRICAIN
AMÉRICIUM
AMERLOQUE
AMÉTABOLE
AMÉTHYSTE
AMÉTROPIE
AMHARIQUE
AMHARIQUE
AMIBIENNE
À MI-CHEMIN
À MI-COURSE
AMIDONNÉE
AMIDONNER
AMIÉNOISE
AMIRANTES
AMITIEUSE
AMMONITES
AMMOPHILE
AMNÉSIQUE
AMNÉVILLE
AMNISTIÉE
AMNISTIER
AMOINDRIE
AMOINDRIR
AMONCELÉE
AMONCELER
AMORALITÉ
AMORRITES
AMOSSOISE
AMOU-DARIA
AMOURACHÉ
AMOURETTE
AMOUREUSE
AMPHIBIEN
AMPHIBOLE
AMPHIOXUS
AMPHIPODE
AMPHOLYTE
AMPHOTÈRE
AMPLEMENT
AMPLEPUIS
AMPLIATIF
AMPLIFIÉE
AMPLIFIER
AMPLITUDE
AMSTERDAM
AMUÏSSANT
AMUSEMENT
ANABOLITE
ANACLINAL
ANACROUSE
ANAÉROBIE
ANAGLYPHE

ANAGRAMME	ANICROCHE	ANTIGÉLIF	APOSTASIE
ANALGÉSIE	ANIMALIER	**ANTIGONOS**	APOSTASIÉ
ANALYCITÉ	ANIMALISÉ	ANTIGRÈVE	APOSTILLE
ANALYSANT	ANIMALITÉ	ANTIHÉROS	APOSTOLAT
ANALYSEUR	ANIMATEUR	**ANTI-LIBAN**	APOTHÉCIE
ANAPLASIE	ANIMATION	ANTILLAIS	APOTHÉOSE
ANARTHRIE	ANIMELLES	**ANTILLAIS**	APPARENCE
ANASARQUE	ANIMOSITÉ	ANTIMOINE	APPARENTE
ANATOXINE	ANIONIQUE	ANTIMONIÉ	APPARENTÉ
ANAXAGORE	ANKYLOSÉE	ANTINAZIE	APPARIANT
ANAXIMÈNE	ANKYLOSER	ANTINOMIE	APPARTENU
ANCESTRAL	ANNALISTE	ANTINOMIE	APPAUVRIE
ANCHOÏADE	**ANNAPOLIS**	**ANTIOCHOS**	APPAUVRIR
ANCHORAGE	**ANNAPURNA**	**ANTIPATER**	APPELANTE
ANDALOUSE	**ANNEMASSE**	ANTIQUARK	APPENDANT
ANDALOUSE	ANNIHILÉE	ANTIQUITÉ	APPENDICE
ANDANTINO	ANNIHILER	**ANTIQUITÉ**	APPENZELL
ANDERLUES	ANNONACÉE	ANTIRADAR	**APPENZELL**
ANDERMATT	ANNONÇANT	ANTIREJET	APPESANTI
ANDORRANE	ANNONCEUR	ANTIRIDES	APPÉTENCE
ANDORRANE	ANNONCIER	ANTISÈCHE	APPLAUDIE
ANDO TADAO	ANNUALISÉ	ANTITABAC	APPLAUDIR
ANDOUILLE	ANNUALITÉ	ANTITHÈSE	APPLICAGE
ANDREOTTI	ANNULABLE	ANTITRUST	APPLIQUÉE
ANDRÉSIEN	ANNULAIRE	ANTIVIRAL	APPLIQUER
ANDROGÈNE	ANNULATIF	**ANTONELLI**	APPOINTÉE
ANDROGYNE	ANODISANT	**ANTONELLO**	APPOINTER
ANDROMÈDE	ANODONTIE	**ANTONESCU**	APPONDANT
ANÉVRISME	ANOMALURE	**ANTONIONI**	APPONTAGE
ANÉVRYSME	**ANSARIYYA**	ANTONYMIE	APPONTANT
ANGÉLIQUE	**ANSCHAIRE**	**ANTSIRABÉ**	APPORTANT
ANGÉLIQUE	**ANSCHLUSS**	**ANTWERPEN**	APPORTEUR
ANGÉLISME	**ANTAIMORO**	ANUSCOPIE	APPRÉCIÉE
ANGILBERT	**ANTAISAKA**	**ANVERSOIS**	APPRÉCIER
ANGINEUSE	**ANTANDROY**	ANXIOGÈNE	APPRENANT
ANGIOLINI	ANTENAISE	**ANZINOISE**	APPRENDRE
ANGLEBERT	ANTÉNATAL	AOÛTEMENT	APPRENTIE
ANGLICANE	ANTENNATE	AOÛTIENNE	APPRÊTANT
ANGLICISÉ	ANTÉPOSÉE	APAISANTE	APPROCHÉE
ANGLOMANE	ANTÉPOSER	APARTHEID	APPROCHER
ANGOISSÉE	ANTÉRIEUR	APATHIQUE	APPROPRIÉ
ANGOISSER	**ANTHÉMIOS**	**APELDOORN**	APPROUVÉE
ANGOLAISE	ANTHONOME	APÉRITEUR	APPROUVER
ANGOLAISE	ANTHURIUM	APÉRITIVE	APPUI-BRAS
ANGOULÊME	ANTHYLLIS	À PERPETTE	APPUI-TÊTE
ANGOUMOIS	ANTIACIDE	APHASIQUE	APRAXIQUE
ANGULAIRE	**ANTI-ATLAS**	APHORISME	APRÈS-COUP
ANGULEUSE	ANTIATOME	APHRODITE	APRÈS-MIDI
ANGUSTURA	**ANTIBOISE**	**APHRODITE**	APRÈS-SKIS
ANGUSTURE	ANTIBRUIT	APIÉCEUSE	APUREMENT
ANG VODDEY	ANTICIPÉE	APITOYANT	APYROGÈNE
ANHIDROSE	ANTICIPER	APLOMBANT	AQUANAUTE
ANHYDRIDE	ANTICORPS	APOCRYPHE	AQUAPLANE
ANHYDRITE	**ANTICOSTI**	APOENZYME	AQUARELLE
ANIANAISE	ANTIDATÉE	**APOLLONIA**	AQUARELLÉ
ANICHOISE	ANTIDATER	APOMORPHE	AQUATINTE
ANICIENNE	ANTIFUMÉE	APOPLEXIE	AQUATIQUE

AQUITAINE
AQUITAINE
ARABESQUE
ARABISANT
ARACHNÉEN
ARACHNIDE
ARAGONAIS
ARAGONAIS
ARAGONITE
ARALIACÉE
ARAMÉENNE
ARAMONAIS
ARASEMENT
ARAUCARIA
ARBITRAGE
ARBITRALE
ARBITRANT
ARBITRAUX
ARBOISIEN
ARBORETUM
ARBORISÉE
ARBOUSIER
ARBOVIRUS
ARBUSTIVE
ARC-BOUTÉE
ARC-BOUTER
ARC-BOUTÉS
ARC-EN-CIEL
ARCHAÏQUE
ARCHAÏSME
ARCHÉENNE
ARCHÉGONE
ARCHÉLAOS
ARCHETIER
ARCHÉTYPE
ARCHICUBE
ARCHIMÈDE
ARCHINARD
ARCHIVAGE
ARCHIVANT
ARCHONTAT
ARÇONNANT
ARDÉCHOIS
ARDEMMENT
ARDENNAIS
ARDENNAIS
ARDENTAIS
ARDOISIER
ARDRÉSIEN
ARÉDIENNE
ARÉFLEXIE
ARÉNICOLE
ARÉOLAIRE
ARÉOMÈTRE
ARGENLIEU
ARGENTAGE

ARGENTAIS
ARGENTANT
ARGENTIER
ARGENTINA
ARGENTINE
ARGENTINE
ARGENTITE
ARGENTURE
ARGILEUSE
ARGINUSES
ARGONAUTE
ARGONNAIS
ARGOTIQUE
ARGOTISME
ARGOTISTE
ARGOUSIER
ARGUMENTÉ
ARGYRISME
ARIANISME
ARIÉGEOIS
ARIOVISTE
ARKWRIGHT
ARLANCOIS
ARLINGTON
ARLONAISE
ARMAGNACS
ARMISTICE
ARMOIRIES
ARMORIALE
ARMORIANT
ARMORIAUX
ARMORIQUE
ARMSTRONG
ARMURERIE
ARNAQUANT
ARNAQUEUR
ARNÉTOISE
AROMATISÉ
ARPÉGEANT
ARPENTAGE
ARPENTANT
ARPENTEUR
ARQUEBUSE
ARRACHAGE
ARRACHANT
ARRACHEUR
ARRACHOIR
ARRAGEOIS
ARRANGEUR
ARRÉRAGES
ARRÊTISTE
ARRHENIUS
ARRIVANTE
ARRIVISME
ARRIVISTE
ARROGANCE
ARROGANTE

ARROGEANT
ARROSABLE
ARROSEUSE
ARROW-ROOT
ARSACIDES
ARSÉNIATE
ARSENICAL
ARSÉNIEUX
ARSÉNIQUE
ARSÉNIURE
ARSOUILLE
ARTÉRIOLE
ARTEVELDE
ARTHRODIE
ARTICHAUT
ARTICULÉE
ARTICULER
ARTILLEUR
ARTISANAL
ARTISANAT
ARTOCARPE
ARYABHATA
ARYLAMINE
ASAHIKAWA
ASBESTOSE
ASCANIENS
ASCÉIENNE
ASCENDANT
ASCENSEUR
ASCENSION
ASCENSION
ASCÉTIQUE
ASCÉTISME
ASCITIQUE
ASCLÉPIAS
ASCLÉPIOS
ASEPTIQUE
ASEPTISÉE
ASEPTISER
ASHANINKA
ASHKÉNAZE
ASHKÉNAZE
ASIATIQUE
ASIATIQUE
ASINIENNE
ASISMIQUE
ASMONÉENS
ASNIÉROIS
ASPARAGUS
ASPARTAME
ASPERSEUR
ASPERSION
ASPERSOIR
ASPHALTÉE
ASPHALTER
ASPHODÈLE
ASPHYXIÉE

ASPHYXIER
ASPIRANTE
ASPLÉNIUM
ASSAILLIE
ASSAILLIR
ASSASSINE
ASSASSINÉ
ASSÉCHANT
ASSEMBLÉE
ASSEMBLER
ASSERTION
ASSESSEUR
ASSIDUITÉ
ASSIETTÉE
ASSIGNANT
ASSIMILÉE
ASSIMILER
ASSISTANT
ASSOCIANT
ASSOIFFÉE
ASSOIFFER
ASSOMBRIE
ASSOMBRIR
ASSOMMANT
ASSOMMEUR
ASSOMMOIR
ASSONANCE
ASSONANCÉ
ASSOUPLIE
ASSOUPLIR
ASSOURDIE
ASSOURDIR
ASSUÉTUDE
ASSUJETTI
ASSURANCE
ASTATIQUE
ASTÉRACÉE
ASTÉROÏDE
ASTICOTÉE
ASTICOTER
ASTIGMATE
ASTIQUAGE
ASTIQUANT
ASTRAGALE
ASTRAKHAN
ASTREINTE
ASTROLABE
ASTRONOME
ASTUCIEUX
ASYMÉTRIE
ASYMPTOTE
ASYNERGIE
ATAHUALPA
ATELLANES
ATEMPOREL
ATÉRIENNE
ATERMOYER

ATHABASCA
ATHABASKA
ATHIS-MONS
ATHREPSIE
ATLANTIDE
ATOMICITÉ
ATOMISANT
ATOMISEUR
ATONALITÉ
ATROPHIÉE
ATROPHIER
ATTABLANT
ATTACHANT
ATTALIDES
ATTAQUANT
ATTARDANT
ATTEINDRE
ATTENANTE
ATTENDANT
ATTENDRIE
ATTENDRIR
ATTENTANT
ATTENTION
ATTENTIVE
ATTÉNUANT
ATTERRAGE
ATTERRANT
ATTESTANT
ATTICISME
ATTIGEANT
ATTIRABLE
ATTIRANCE
ATTIRANTE
ATTRACTIF
ATTRAPADE
ATTRAPANT
ATTRAYANT
ATTRIBUÉE
ATTRIBUER
ATTRISTÉE
ATTRISTER
ATTRITION
ATTROUPÉE
ATTROUPER
AUBAGNAIS
AUBARNOIS
AUBERGINE
AUDACIEUX
AUDENARDE
AUDERGHEM
AU-DESSOUS
AUDIBERTI
AUDIENCIA
AUDIMÈTRE
AUDITOIRE
AUDITRICE
AUDUNOISE

AUERSTEDT
AUGERONNE
AUGERONNE
AUGMENTÉE
AUGMENTER
AUGSBOURG
AUGUSTINE
AUGUSTULE
AULNATOIS
AULU-GELLE
AUMALOISE
AUMÔNERIE
AUMÔNIÈRE
AURANGZEB
AUREILHAN
AURÉOLANT
AUROBINDO
AUSCHWITZ
AUSCITAIN
AUSCITAIN
AUSCULTÉE
AUSCULTER
AUSTÉNITE
AUSTÉRITÉ
AUSTRALIE
AUSTRASIE
AUTOCLAVE
AUTOCOPIE
AUTOCRATE
AUTO-ÉCOLE
AUTOFOCUS
AUTOGAMIE
AUTOGÉRÉE
AUTOGUIDÉ
AUTO-IMMUN
AUTOMNALE
AUTOMNAUX
AUTONEIGE
AUTONOMIE
AUTONYMIE
AUTOPOMPE
AUTOPSIÉE
AUTOPSIER
AUTORADIO
AUTORISÉE
AUTORISER
AUTOROUTE
AUTOTOMIE
AUTREFOIS
AUTREMENT
AUTRUCHON
AUTUNOISE
AUVERGNAT
AUVERGNAT
AUVERSOIS
AUXERROIS
AUXILOISE

AUXONNAIS
AVALANCHE
AVALISANT
AVANTAGÉE
AVANTAGER
AVANT-BECS
AVANT-BRAS
AVANT-CALE
AVANT-CLOU
AVANT-COUR
AVANT-GOÛT
AVANT-HIER
AVANT-MAIN
AVANT-MIDI
AVANT-MONT
AVANT-PAYS
AVANT-PLAN
AVANT-PORT
AVANT-TOIT
AVANT-TROU
AVELINIER
AVÈNEMENT
AVENTURÉE
AVENTURER
AVESNOISE
AVESTIQUE
AVEUGLANT
AVEUGLE-NÉ
AVIATRICE
AVICÉBRON
AVIDEMENT
AVIONIQUE
AVIONNEUR
AVITAILLÉ
AVIVEMENT
AVOCATIER
AVOISINÉE
AVOISINER
AVONNAISE
AVORTEUSE
AVRANCHES
AVUNCULAT
AWRANGZIB
AXILLAIRE
AXIOLOGIE
AYATOLLAH
AYERS ROCK
AYYUBIDES
AZÉOTROPE
AZEROLIER
AZILIENNE
AZIMUTALE
AZIMUTAUX
AZINCOURT
AZURÉENNE
AZURÉENNE
BABANGIDA

BABAS COOL
BABÉLISME
BABENBERG
BABILLAGE
BABILLANT
BABILLARD
BABINGTON
BÂBORDAIS
BABOUCHKA
BABY-BOOMS
BABYLONIE
BABY-TESTS
BACCHANTE
BACHAMOIS
BACHELARD
BACHELIER
BACHELIER
BACHKIRIE
BACHOTAGE
BACHOTANT
BACTÉRIEN
BACTRIANE
BADINERIE
BADINGUET
BADMINTON
BAEKELAND
BAFOUILLE
BAFOUILLÉ
BAFOUSSAM
BAGAGISTE
BAGARRANT
BAGARREUR
BAGATELLE
BAGDADIEN
BAGNÉRAIS
BAGNOLAIS
BAGRATION
BAIGNEUSE
BAIGNOIRE
BAÏKONOUR
BAILLARGÉ
BÂILLEUSE
BAILLIAGE
BÂILLONNÉ
BAIN-MARIE
BAINVILLE
BAISEMAIN
BAISEMENT
BAISOTANT
BAISSIÈRE
BAJOCASSE
BAKOUNINE
BALADEUSE
BALAFRANT
BALAÏTOUS
BALAKIREV
BALAKLAVA

191

BALALAÏKA
BALANÇANT
BALANCIER
BALANCINE
BALAYETTE
BALAYEUSE
BALAYURES
BALBUTIÉE
BALBUTIER
BALBUZARD
BALBYNIEN
BALCONNET
BALDAQUIN
BALEINEAU
BALEINIER
BALESTRON
BÂLE-VILLE
BALIKESIR
BALINAISE
BALIVEAUX
BALIVERNE
BALKANISÉ
BALLANCHE
BALLASTÉE
BALLASTER
BALLERINE
BALLONNÉE
BALLONNER
BALLONNET
BALLOTTÉE
BALLOTTER
BALL-TRAPS
BALLUCHON
BALMÉENNE
BALNÉAIRE
BALNÉENNE
BALOUTCHE
BALSAMIER
BALSAMINE
BALTHASAR
BALTHASAR
BALTHAZAR
BALTHAZAR
BALTHILDE
BALTIMORE
BALZACIEN
BAMAKOISE
BAMBOCCIO
BAMBOCHER
BANALISÉE
BANALISER
BANANIÈRE
BANCROCHE
BANC-TITRE
BANDEROLE
BANDES-SON
BANDOLAIS

BANDONÉON
BANGALORE
BANGWEULU
BANJA LUKA
BANJOÏSTE
BANJULAIS
BANQUABLE
BANQUETER
BANQUETTE
BANQUIÈRE
BANQUISTE
BANYULENC
BAPALMOIS
BAPTISANT
BAPTISMAL
BARABUDUR
BARACALDO
BARAGOUIN
BARALBINE
BARAQUANT
BARATERIE
BARATIERI
BARATINÉE
BARATINER
BARATTAGE
BARATTANT
BARBACANE
BARBADIEN
BARBAROUX
BARBELURE
BARBERINI
BARBICHUE
BARBIFIÉE
BARBIFIER
BARBILLON
BARBOTAGE
BARBOTANT
BARBOTEUR
BARBOTINE
BARBUDIEN
BARCELONA
BARCELONE
BARDOLINO
BARÉMIQUE
BARENBOÏM
BARGUIGNÉ
BAR-HILLEL
BARIGOULE
BARIOLAGE
BARIOLANT
BARIOLURE
BARJAQUER
BARJOLAIS
BAR-KOKHBA
BARLINOIS
BARLONGUE
BAR-MITSVA

BARNABITE
BAROMÈTRE
BARONNAGE
BARONNIES
BAROQUEUX
BAROUDEUR
BARQUETTE
BARRABANE
BARRACUDA
BARRICADE
BARRICADÉ
BARSACAIS
BARTHOLDI
BASCULANT
BASCULEUR
BASDEVANT
BASE-BALLS
BAS-EMPIRE
BASILAIRE
BASILICAL
BASILIQUE
BAS-JOINTÉ
BASOPHILE
BASQUAISE
BAS-RELIEF
BAS-ROUGES
BASSE-COUR
BASSÉENNE
BASSEMENT
BASSENAIS
BASSE-SAXE
BASSINANT
BASTELICA
BASTIAISE
BASTIAISE
BASTIONNÉ
BASTONNÉE
BASTONNER
BAS-VENTRE
BATAILLER
BATAILLON
BATARDEAU
BÂTARDISE
BATEAU-FEU
BATELEUSE
BATELIÈRE
BATHOLITE
BATIFOLER
BATILLAGE
BÂTISSANT
BÂTISSEUR
BÂTONNANT
BÂTONNIER
BATRACIEN
BATTEMENT
BATTHYÁNY
BATZIENNE

BAUDRUCHE
BAUGEOISE
BAUQUIÈRE
BAVAISIEN
BAVARDAGE
BAVARDANT
BAVAROISE
BAVAROISE
BAVASSANT
BAYEUSAIN
BAYONNAIS
BAZADAISE
BAZARDANT
BAZEILLES
BEARDSLEY
BÉARNAISE
BÉARNAISE
BÉATEMENT
BÉATIFIÉE
BÉATIFIER
BÉATITUDE
BEAUCAIRE
BEAUCERON
BEAUCERON
BEAUCHAMP
BEAUCOURT
BEAUDOUIN
BEAU-FRÈRE
BEAUGENCY
BEAUNEVEU
BEAUNOISE
BEAUPRÉAU
BEAUX-ARTS
BEAUX-FILS
BÉCANCOUR
BÉCASSEAU
BÉCASSINE
BÉCASSINE
BECCAFUMI
BEC-CROISÉ
BEC-DE-CANE
BÊCHEVETÉ
BECHTEREV
BECQUEREL
BECQUEREL
BECQUETÉE
BECQUETER
BÉDARIEUX
BÉDÉPHILE
BEDONNANT
BEERNAERT
BEERSHEBA
BEER-SHEVA
BEETHOVEN
BÉGARROIS
BÉGAYANTE
BÉGUINAGE

BÉHISTOUN	BERKÉLIUM	BICIPITAL	BIOCLIMAT
BEIGEASSE	BERLINGOT	BICONCAVE	BIOGENÈSE
BEIGEÂTRE	BERLINOIS	BICONVEXE	BIOGRAPHE
BÉLAIROIS	**BERLINOIS**	BICOURANT	BIOMÉTRIE
BÉLEMNITE	**BERLUGANE**	BICUSPIDE	BIORYTHME
BÉLISAIRE	BERMUDIEN	BIDONNAGE	BIOSPHÈRE
BELLACHON	BERNARDIN	BIDONNANT	BIOSTASIE
BELLADONE	**BERNARDIN**	BIDOUILLÉ	BIPARTITE
BELLARMIN	**BERNHARDT**	**BIELEFELD**	BIPHÉNYLE
BELLE-DAME	**BERNOULLI**	**BIELGOROD**	BIPOLAIRE
BELLE-ISLE	**BERNSTEIN**	**BIELINSKI**	BIRAPPORT
BELLEMENT	**BERRATINE**	BIELLETTE	**BIR HAKEIM**
BELLE-MÈRE	BERRICHON	BIEN-AIMÉE	BISAÏEULE
BELLÊMOIS	**BERRICHON**	BIEN-AIMÉS	BISANNUEL
BELLERINE	BERRUYÈRE	BIÉNERGIE	**BISCHHEIM**
BELLERIVE	**BERRUYÈRE**	BIEN-FONDÉ	BISCORNUE
BELLEYSAN	**BERTHELOT**	BIEN-FONDS	BISCOTEAU
BELLIÈVRE	**BERTILLON**	BIEN-JUGÉS	BISCUITÉE
BELLILOIS	BÉRYLLIUM	**BIENNOISE**	BISCUITER
BELLUAIRE	**BERZELIUS**	BIENSÉANT	BISEAUTÉE
BELPHÉGOR	BERZINGUE	BIENVENIR	BISEAUTER
BELVÉDÈRE	BESOGNANT	BIENVENUE	BISONTINE
BELZÉBUTH	BESOGNEUX	**BIENVENÜE**	**BISONTINE**
BÉMOLISÉE	**BESSARION**	BIFFEMENT	**BISSALIEN**
BÉMOLISER	**BESSIÈRES**	BIFURQUER	BISTOURNÉ
BENAVENTE	BESTIAIRE	BIGARRANT	BISULFATE
BENEDETTO	**BETHLEHEM**	BIGARREAU	BISULFITE
BÉNÉFICIÉ	**BETHSABÉE**	BIGARRURE	BISULFURE
BÉNÉFIQUE	**BÉTHUNOIS**	BIGOPHONE	**BITCHOISE**
BÉNÉVOLAT	BÊTIFIANT	BIGOPHONÉ	BITENSION
BÉNIGNITÉ	BÉTONNAGE	BIGORNANT	BITERROIS
BENIN CITY	BÉTONNANT	BIGORNEAU	**BITERROIS**
BÉNINOISE	BETTERAVE	BIGOTERIE	BITONIAUX
BÉNISSANT	BÉTULACÉE	BIGOTISME	BITTURANT
BÉNISSEUR	BÉTULINÉE	BIGOURDAN	BITUMEUSE
BENJAMINE	BEUGLANTE	**BIGOURDAN**	BITURBINE
BEN JONSON	BEURETTES	BIGREMENT	**BITURIGES**
BENSERADE	BEURRERIE	BIHOREAUX	BIVALENCE
BENTHIQUE	**BEUVE-MÉRY**	BIJECTION	BIVALENTE
BENTONITE	**BEVERIDGE**	BIJECTIVE	BIVOUAQUÉ
BEN YEHUDA	**BÉVEZIERS**	BIJOUTIER	**BIZARDIEN**
BENZIDINE	BEYLICALE	BILABIALE	BLA-BLA-BLA
BENZOÏQUE	BEYLICAUX	BILABIAUX	BLACK-BASS
BÉOTIENNE	**BHAGALPUR**	BILATÉRAL	**BLACKBURN**
BÉOTIENNE	**BHAVNAGAR**	BILBOQUET	**BLACKFOOT**
BÉQUETANT	**BIACHOISE**	BILHARZIA	BLACK JACK
BÉQUILLÉE	**BIALYSTOK**	BILHARZIE	**BLACKPOOL**
BÉQUILLER	BIATHLÈTE	**BILLOMOIS**	BLACK-ROTS
BERBERATI	BIBASIQUE	BIMENSUEL	BLAGUEUSE
BERBEROVA	BIBERONNÉ	**BINCHOISE**	BLAIREAUX
BERCEMENT	BIBLIOBUS	**BINICAISE**	BLANC-ÉTOC
BERCKOISE	BICAMÉRAL	BINOCLARD	**BLANCHARD**
BÉRÉGOVOY	BICÉPHALE	BINOMIALE	BLANCHEUR
BÉRENGÈRE	BICHLAMAR	BINOMIAUX	**BLANCOISE**
BEREZNIKI	BICHONNÉE	BINOMINAL	**BLANGEOIS**
BERGAMOTE	BICHONNER	BIOCÉNOSE	BLASEMENT
BERGUOISE	BICHROMIE	BIOCHIMIE	BLASONNÉE

BLASONNER
BLASPHÈME
BLASPHÉMÉ
BLATÉRANT
BLAVATSKY
BLÈSEMENT
BLESSANTE
BLINQUANT
BLOC-ÉVIER
BLOCKHAUS
BLOC-NOTES
BLOEMAERT
BLONDASSE
BLONDINET
BLOTZHEIM
BLOUSANTE
BLUE-JEANS
BLUFFEUSE
BOBINEAUX
BOBINETTE
BOBINEUSE
BOBROUÏSK
BOBSLEIGH
BOCARDANT
BOCHIMANS
Bodyboard
BOIELDIEU
BOISCHAUT
BOIS-D'ARCY
BOISEMENT
BOIS-LE-DUC
BOISSEAUX
BOITEMENT
BOITILLER
BOLBÉCAIS
BOLCHEVIK
BOLÍVARES
BOLIVIANO
BOLLÉNOIS
BOLOGNAIS
BOLOGNAIS
BOLOMÈTRE
BOLONAISE
BOLONAISE
BOLTANSKI
BOLTZMANN
BOMBARDÉE
BOMBARDER
BOMBARDON
BOMBEMENT
BONAPARTE
BONCHAMPS
BONDÉRISÉ
BONDOUFLE
BONDUOISE
BON ENFANT
BONG RANGE

BONIFACIO
BONIFIANT
BONIMENTÉ
BONINGTON
BON MARCHÉ
BONNEMENT
BONNETEAU
BONNETEUR
BONNETIER
BONNIÈRES
BONS-PAPAS
BOOKMAKER
BOOLÉENNE
BOOLIENNE
BOOMERANG
BOQUETEAU
BORDELAIS
BORDEREAU
BORNANDIN
BORNOYANT
BOROBUDUR
BOROILLOT
BORROMÉES
BORROMINI
BORUDJERD
BOSCÉENNE
BOSNIAQUE
BOSNIAQUE
BOSSA-NOVA
BOSSCHÈRE
BOSSELANT
BOSSELURE
BOSTONIEN
BOSTRYCHE
BOTANIQUE
BOTANISTE
BOTTELAGE
BOTTELANT
BOTTILLON
BOTULIQUE
BOTULISME
BOUCANAGE
BOUCANANT
BOUCANIER
BOUCHARDE
BOUCHARDÉ
BOUCHERIE
BOUCHONNÉ
BOUCICAUT
BOUCLETTE
BOUDINAGE
BOUDINANT
BOUFFANTE
BOUFFARDE
BOUFFETTE
BOUFFEUSE

BOUFFLERS
BOUFFONNE
BOUFFONNÉ
BOUGEOTTE
BOUGILLON
BOUGLIONE
BOUGONNÉE
BOUGONNER
BOUGRESSE
BOUILLANT
BOUILLAUD
BOUILLEUR
BOULANGÉE
BOULANGER
BOULANGER
BOULETAGE
BOULEVARD
BOULGAKOV
BOULMERKA
BOULOCHER
BOULONNÉE
BOULONNER
BOULOTTÉE
BOULOTTER
BOULOURIS
BOUQUETÉE
BOUQUETIN
BOUQUINÉE
BOUQUINER
BOURBEUSE
BOURBONNE
BOURBOURG
BOURBRIAC
BOURCAINE
BOURDAINE
BOURDELLE
BOURDIGUE
BOURDONNÉ
BOURGELAT
BOURGEOIS
BOURGEOIS
BOURGEOYS
BOURGOGNE
BOURGOGNE
BOURGOING
BOURGUEIL
BOURGUEIL
BOURGUIBA
BOURIATES
BOURIATIE
BOURNAZEL
BOURONNER
BOURRACHE
BOURRATIF
BOURREAUX
BOURRELÉE
BOURRELET

BOURRETTE
BOURRICHE
BOURRICOT
BOURRIQUE
BOURSAULT
BOURSIÈRE
BOUSCUEIL
BOUSCULÉE
BOUSCULER
BOUSILLÉE
BOUSILLER ·
BOUTARGUE
BOUTEFEUX
BOUTE-HORS
BOUTEILLE
BOUTON-D'OR
BOUTONNÉE
BOUTONNER
BOUTURAGE
BOUTURANT
BOUVILLON
BOUVREUIL
BOUZIGUES
BOVARYSME
BOW-STRING
BOW-WINDOW
BOX-OFFICE
BOYAUDIER
BOYAUTANT
BOYCOTTÉE
BOYCOTTER
BOY-SCOUTS
BRABANÇON
BRABANÇON
BRACHIALE
BRACHIAUX
BRACONNER
BRAGUETTE
BRAILLANT
BRAILLARD
BRAILLEUR
BRAINOISE
BRAISETTE
BRAISIÈRE
BRAMEMENT
BRANCARDÉ
BRANCHAGE
BRANCHANT
BRANCHIAL
BRANLANTE
BRANLE-BAS
BRANLEUSE
BRANTFORD
BRAQUEUSE
BRAS DE FER
BRASILIEN
BRASILLER

BRASSERIE	BRISEMENT	BUFFETIER	CACHE-POTS
BRASSEUSE	BRISE-TOUT	BUFFLESSE	CACHE-SEXE
BRASSIÈRE	BRISE-VENT	BUFFLETIN	CACHETAGE
BRAVEMENT	BRISQUARD	BUFFLONNE	CACHETANT
BRAY-DUNES	**BRIVADOIS**	**BUJUMBURA**	CACOCHYME
BRAYTOISE	BROCANTER	BULLDOZER	**CA'DA MOSTO**
BREAKFAST	BROCARDÉE	BULL-FINCH	**CADARACHE**
BREENDONK	BROCARDER	**BUNDESRAT**	CADASTRAL
BRÉGANÇON	BROCHANTE	**BUNDESTAG**	CADASTRÉE
BRÉHAIGNE	BROCHETON	BURALISTE	CADASTRER
BRÉHATINE	BROCHETTE	**BURGIENNE**	CADENASSÉ
BRÉSILIEN	BROCHEUSE	**BURGKMAIR**	CADENÇANT
BRÉSILIEN	BRODEQUIN	**BURGONDES**	CADENETTE
BRÉSILLÉE	BROIEMENT	BURINISTE	CADURCIEN
BRÉSILLER	**BROMFIELD**	BURKINABÉ	**CADURCIEN**
BRÉSILLET	BRONCHANT	**BURKINABÉ**	CAENNAISE
BRESSUIRE	BRONCHITE	BURKINAIS	**CAENNAISE**
BRESTOISE	BRONZANTE	**BURKINAIS**	CAFARDAGE
BRETÉCHER	BRONZETTE	BURLESQUE	CAFARDANT
BRETESSÉE	BRONZEUSE	BURLINGUE	CAFARDEUR
BRETOLIEN	BRONZIÈRE	**BURROUGHS**	CAFARDEUX
BREVETANT	BROQUELIN	BURUNDAIS	CAFÉTÉRIA
BRÉVIAIRE	BROSSERIE	**BURUNDAIS**	CAFETIÈRE
BRIALMONT	BROSSIÈRE	BUSSEROLE	CAFOUILLÉ
BRIAROISE	**BROUCKÈRE**	BUTADIÈNE	CAGEROTTE
BRIC-À-BRAC	BROUETTÉE	**BUTENANDT**	CAGOULARD
BRICOLAGE	BROUETTER	**BUTHELEZI**	CAHIN-CAHA
BRICOLANT	BROUILLÉE	BUTINEUSE	CAHOTANTE
BRICOLEUR	BROUILLER	BUTYLIQUE	CAHOTEUSE
BRIÇONNET	BROUILLON	BUTYREUSE	CAILLASSE
BRIDGEANT	**BROUSSAIS**	BUTYRIQUE	CAILLETTE
BRIDGEUSE	BROUSSARD	BUVETIÈRE	CAILLOUTÉ
BRIECOISE	**BROUTAINE**	**BUXTEHUDE**	CAISSERIE
BRIENNOIS	BROUTILLE	**BUZANÇAIS**	CAISSETTE
BRIÉRONNE	**BRUAYSIEN**	**BUZANCÉEN**	CAISSIÈRE
BRIGADIER	BRUCELLES	**BYDGOSZCZ**	CAJOLERIE
BRIGANDÉE	**BRUGEOISE**	BYZANTINE	CAJOLEUSE
BRIGANDER	BRUINEUSE	**BYZANTINE**	CAKE-WALKS
BRIGANTIN	BRUISSANT	CABALISTE	**ÇAKUNTALA**
BRIGNOLES	BRUITEUSE	**CABALLERO**	**ÇAKYAMUNI**
BRILLANCE	**BRUNEHAUT**	**CABESTANY**	**CALABRAIS**
BRILLANTE	**BRUNSWICK**	CABILLAUD	**CALADOISE**
BRILLANTÉ	BRUSQUANT	CABOCHARD	**CALAFERTE**
BRILLOUIN	BRUTALISÉ	CABOSSANT	**CALAISIEN**
BRIMBALÉE	BRUTALITÉ	CABOSSÉES	CALAMBOUR
BRIMBALER	**BRUXELLES**	CABOTINER	CALAMINÉE
BRINDILLE	**BRUYÉROIS**	CABRIOLER	CALAMINER
BRINGEURE	BRYOPHYTE	CABRIOLET	CALANCHER
BRINGUANT	**BRZEZINKA**	CAB-SIGNAL	CALANDRÉE
BRIOCHINE	BUANDERIE	CACAHUÈTE	CALANDRER
BRIOCHINE	BUANDIÈRE	CACAOTIER	CALCANÉUM
BRIONNAIS	BUBONIQUE	CACAOYÈRE	**CALCÉENNE**
BRIQUETÉE	**BUCÉPHALE**	CACARDANT	CALCICOLE
BRIQUETER	**BUCKINOIS**	**CACHANAIS**	CALCIFIÉE
BRIQUETTE	BUCOLIQUE	CACHE-COLS	CALCIFUGE
BRISE-BISE	BUDGÉTANT	CACHEMIRE	CALCINANT
BRISE-JETS	BUDGÉTISÉ	**CACHEMIRE**	CALCIURIE

CALCULANT
CALCULEUX
CALDAGUÈS
CALDARIUM
CALEBASSE
CALÉDONIE
CALEMBOUR
CALENDULA
CALE-PIEDS
CALFATAGE
CALFATANT
CALFEUTRÉ
CALIBRAGE
CALIBRANT
CALIBREUR
CÂLINERIE
CALINESCU
CALLACOIS
CALLAGHAN
CALL-GIRLS
CALLIÈRES
CALLIPYGE
CALLOSITÉ
CALMEMENT
CALOMNIÉE
CALOMNIER
CALORIQUE
CALOTTANT
CALUGEANT
CAMALDULE
CAMARILLA
CAMBIAIRE
CAMBRÉSIS
CAMBRIDGE
CAMBRIOLÉ
CAMBRONNE
CAMBROUSE
CAMBUSIER
CAMEMBERT
CAMERAMAN
CAMERAMEN
CAMÉRISTE
CAMÉSCOPE
CAMIONNÉE
CAMIONNER
CAMOMILLE
CAMOUFLÉE
CAMOUFLER
CAMOUFLET
CAMPAGNOL
CAMPANIEN
CAMPANILE
CAMPANULE
CAMP DAVID
CAMPEMENT
CAMPHRIER
CAMPIDANO

CAMPINOIS
CANALETTO
CANALISÉE
CANALISER
CANANÉENS
CANAPÉ-LIT
CANARDANT
CANARDEAU
CANAVERAL
CANCALAIS
CANCANANT
CANCANIER
CANCÉREUX
CANCÉRISÉ
CANCRELAT
CANDÉENNE
CANDIDATE
CANDIDOSE
CANDOMBLÉ
CANEBIÈRE
CANÉPHORE
CANETIÈRE
CANÉTOISE
CANIVEAUX
CANNE-ÉPÉE
CANNELIER
CANNELURE
CANNETAGE
CANNETTAN
CANNIBALE
CANOÉISME
CANOÉISTE
CANONIALE
CANONIAUX
CANONICAT
CANONIQUE
CANONISÉE
CANONISER
CANONISTE
CANONNADE
CANONNAGE
CANONNANT
CANONNIER
CANOTEUSE
CANROBERT
CANTABILE
CANTABRES
CANTALIEN
CANTALIEN
CANTALOUP
CANTILÈNE
CANTILIEN
CANTILLON
CANTINIER
CANTONADE
CANTONAIS
CANTONAIS

CANTONALE
CANTONAUX
CANTONNÉE
CANTONNER
CANULANTE
CANYCAISE
CANYONING
CAODAÏSME
CAPACITIF
CAPARAÇON
CAP-BRETON
CAPBRETON
CAPCIRAIS
CAPELLOIS
CAPESTANG
CAPÉTIENS
CAP-FERRAT
CAP-FERRET
CAPITAINE
CAPITEUSE
CAPITOLIN
CAPITOLIN
CAPITONNÉ
CAPITULER
CAP-MARTIN
CAPORETTO
CAPPADOCE
CAPPIELLO
CAPRICANT
CAPRICCIO
CAPSIENNE
CAPSULAGE
CAPSULANT
CAPTATEUR
CAPTATION
CAPTATIVE
CAPTIEUSE
CAPTIVANT
CAPTIVITÉ
CAPTURANT
CAQUETAGE
CAQUETANT
CARABINÉE
CARACALLA
CARACOLER
CARACTÈRE
CARAGIALE
CARAMBOLE
CARAMBOLÉ
CARAMÉLÉE
CARAPATÉE
CARAPATER
CARAVELLE
CARBAMATE
CARBONADO
CARBONARI
CARBONARO

CARBONATE
CARBONATÉ
CARBONISÉ
CARBONYLE
CARBONYLÉ
CARBORANE
CARBOXYLE
CARBURANT
CARCAILLÉ
CARCÉRALE
CARCÉRAUX
CARCINOME
CARCOPINO
CARDAMINE
CARDAMOME
CARDIAQUE
CARDINALE
CARDINALE
CARDINAUX
CARDIOÏDE
CARÉLIENS
CARENTIEL
CARESSANT
CAR-FERRYS
CARGAISON
CARGNEULE
CARIATIDE
CARINTHIE
CARIOGÈNE
CARISSIMI
CARITATIF
CARLINGUE
CARMAUSIN
CARMÉLITE
CARNACOIS
CARNATION
CARNIVORE
CARNOTSET
CARNOTZET
CAROLINES
CARONCULE
CAROTHERS
CAROTTAGE
CAROTTANT
CAROTTEUR
CAROTTIER
CAROUBIER
CARPACCIO
CARPACCIO
CARPIAGNE
CARPIENNE
CARPILLON
CARPINIEN
CARQUEFOU
CARREFOUR
CARRELAGE
CARRELANT

CARRELEUR	CATALYSÉE	**CECCHETTI**	CERVICALE
CARRÉMENT	CATALYSER	CÉDÉTISTE	CERVICAUX
CARRIÈRES	CATAMARAN	CÉDRATIER	CERVICITE
CARROSSÉE	**CATANZARO**	CÉGÉSIMAL	CÉSARISÉE
CARROSSER	CATAPHOTE	CÉGÉTISTE	CÉSARISER
CARROUSEL	CATAPULTE	CEINTURÉE	CÉSARISME
CARROYAGE	CATAPULTÉ	CEINTURER	CESSATION
CARROYANT	CATARACTE	CEINTURON	C'EST-À-DIRE
CARRYENNE	CATARRHAL	CÉLÉBRANT	CÉTONÉMIE
CARTAGENA	CATATONIE	CÉLÉBRITÉ	CÉTONIQUE
CARTÉSIEN	CATCHEUSE	**CELLAMARE**	CÉTONURIE
CARTILAGE	CATÉCHÈSE	CELLÉRIER	**CEYZÉRIAT**
CARTISANE	CATÉCHISÉ	CELLULASE	**CÉZALLIER**
CARTONNÉE	CATÉGORIE	CELLULITE	CÉZANNIEN
CARTONNER	CATÉNAIRE	CELLULOÏD	**CHABANAIS**
CARTOUCHE	CATHARSIS	CELLULOSE	**CHABANNES**
CARTOUCHE	CATHÉDRAL	**CEMAL PASA**	CHABICHOU
CARVINOIS	**CATHERINE**	CÉMENTANT	CHABRAQUE
CARYATIDE	CATISSAGE	CÉMENTITE	CHA-CHA-CHA
CARYOTYPE	CATISSANT	CENDREUSE	CHAFIISME
CASADESUS	CAUCASIEN	CENELLIER	CHAFOUINE
CASAMANCE	**CAUCASIEN**	**CENONNAIS**	**CHAGNOTIN**
CASANIÈRE	CAUCHEMAR	CÉNOTAPHE	CHAGRINÉE
CASCADEUR	CAUCHOISE	CENSÉMENT	CHAGRINER
CASÉATION	**CAUCHOISE**	CENSURANT	CHAHUTANT
CASERNANT	**CAUDANAIS**	CENTAURÉE	CHAHUTEUR
CASH-FLOWS	CAUDRETTE	**CENTAURES**	CHAÎNETTE
CASPIENNE	**CAULNAISE**	CENTENNAL	CHAÎNEUSE
CASQUETTE	CAUSALISE	CENT-GARDE	CHAÎNISTE
CASSAGNAC	CAUSALITÉ	CENTILAGE	CHAISIÈRE
CASSANDRE	CAUSATIVE	**CENT-JOURS**	CHALAZION
CASSANDRE	CAUSTIQUE	CENTRIOLE	CHALLENGE
CASSATION	CAUTELEUX	CENTRISME	**CHALONNES**
CASSEMENT	**CAUTERETS**	CENTRISTE	CHALOUPÉE
CASSE-NOIX	CAUTÉRISÉ	CENTUPLÉE	CHALOUPER
CASSE-PIPE	CAUTIONNÉ	CENTUPLER	CHALUMEAU
CASSEROLE	**CAVAIGNAC**	CENTURION	**CHALUSIEN**
CASSE-TÊTE	**CAVAILLÈS**	CEPENDANT	CHALUTAGE
CASSONADE	CAVAILLON	CÉRAMIQUE	CHALUTIER
CASSOULET	**CAVAILLON**	CÉRAMISTE	CHAMAILLE
CASTANÉEN	**CAVALAIRE**	**CERBÉRIEN**	CHAMAILLÉ
CASTELLAN	CAVALCADE	CERDAGNOL	CHAMARRÉE
CASTELNAU	CAVALCADÉ	**CERDAGNOL**	CHAMARRER
CASTILLAN	CAVALERIE	CÉRÉALIER	CHAMBARDÉ
CASTILLAN	CAVALEUSE	CÉRÉBRALE	**CHAMBIGES**
CASTILLON	CAVALIÈRE	CÉRÉBRAUX	**CHAMBLYEN**
CASTORÉUM	**CAVALIERI**	CÉRÉMONIE	**CHAMBOLLE**
CASTRAISE	**CAVALLINI**	**CERNÉENNE**	CHAMBOULÉ
CASTRIOTE	**CAVENDISH**	**CERNUNNOS**	CHAMBRANT
CASTRISME	CAVERNEUX	**CERNUSCHI**	CHAMBRIER
CASTRISTE	CAVIARDÉE	CERTAINES	CHAMELIER
CASUARINA	CAVIARDER	CERTIFIÉE	CHAMÉROPS
CATACOMBE	CAVITAIRE	CERTIFIER	CHAMOISÉE
CATALOGNE	**CAYENNAIS**	CERTITUDE	CHAMOISER
CATALOGNE	**CAYLUSIEN**	**CÉRULAIRE**	CHAMPAGNE
CATALOGUE	**CAYOLAISE**	**CERVANTÈS**	**CHAMPAGNE**
CATALOGUÉ	**CEAUSESCU**	CERVETERI	**CHAMPEAUX**

CHAMPÊTRE	CHARNIÈRE	CHEFTAINE	**CHILDÉRIC**
CHAMPIGNY	CHAROLAIS	CHÉLATEUR	CHILIENNE
CHAMPISSE	**CHAROLAIS**	CHÉLICÈRE	**CHILIENNE**
CHAMPLAIN	**CHAROLLES**	**CHELLOISE**	**CHILPÉRIC**
CHAMPLEVÉ	**CHARONTON**	CHÉLONIEN	**CHIMACIEN**
CHAMPSAUR	CHARPENTE	CHEMINANT	CHIMPANZÉ
CHANÇARDE	CHARPENTÉ	CHEMINEAU	CHINCHARD
CHANCELER	CHARRETÉE	CHEMISAGE	CHINOISER
CHANCEUSE	CHARRETIN	CHEMISANT	**CHINONAIS**
CHANDELLE	CHARRETON	CHEMISIER	CHIPOLATA
CHANFREIN	**CHARRETON**	CHENILLÉE	CHIPOTAGE
CHANGCHUN	CHARRETTE	CHÉNOPODE	CHIPOTANT
CHANGEANT	CHARRIAGE	**CHERBOURG**	CHIPOTEUR
CHANGZHOU	CHARRIANT	CHERCHANT	CHIQUEUSE
CHANITOIS	CHARROYÉE	**CHERCHELL**	CHIRALITÉ
CHANLATTE	CHARROYER	CHERCHEUR	**CHIRIAEFF**
CHANTANTE	CHARTISME	CHÈREMENT	CHIRONOME
CHANTEUSE	CHARTISTE	CHÉRIFIEN	CHIRURGIE
CHANTILLY	CHARTRAIN	**CHERUBINI**	**CHISASIBI**
CHANTILLY	**CHARTRAIN**	CHEVALANT	CHITINEUX
CHANTONNÉ	CHARTREUX	CHEVALIER	**CHKLOVSKI**
CHANTOUNG	CHARTRIER	**CHEVALIER**	CHLAMYDIA
CHAOTIQUE	CHASSANTE	CHEVALINE	CHLINGUER
CHAPARDÉE	CHASSELAS	**CHEVALLEY**	CHLORELLE
CHAPARDER	CHASSEPOT	CHEVAUCHÉ	CHLORIQUE
CHAPEAUTÉ	CHASSEUSE	CHEVELURE	CHLORURÉE
CHAPELAIN	CHASSIEUX	CHEVILLÉE	CHLORURER
CHAPELAIN	CHÂTAIGNE	CHEVILLER	CHOCHOTTE
CHAPELIER	CHÂTELAIN	CHEVIOTTE	CHOCOLATÉ
CHAPELURE	**CHÂTENOIS**	CHEVREAUX	CHOCOTTES
CHAPITEAU	CHAT-HUANT	CHEVRETTE	CHOÉPHORE
CHAPITRÉE	**CHÂTILLON**	CHEVREUIL	CHOKE-BORE
CHAPITRER	CHÂTIMENT	**CHEVREUSE**	**CHOLETAIS**
CHAPONNÉE	CHATOYANT	CHEVRIÈRE	**CHOLOKHOV**
CHAPONNER	CHATTERIE	**CHEVROLET**	CHONDRITE
CHARANÇON	**CHATTERJI**	CHEVRONNÉ	CHONDROME
CHARBONNÉ	CHAT-TIGRE	CHEVROTER	**CHONGQING**
CHARCUTÉE	CHAUDEAUX	CHEVROTIN	CHOP SUEYS
CHARCUTER	CHAUDIÈRE	**CHEVROTIN**	CHOQUANTE
CHARDONAY	**CHAUDIÈRE**	CHIALEUSE	CHORÉIQUE
CHARDONNE	CHAUFFAGE	**CHIANGMAI**	CHOSIFIÉE
CHARENTON	CHAUFFANT	CHIBOUQUE	CHOSIFIER
CHARGEANT	CHAUFFARD	CHICANANT	**CHOU EN-LAI**
CHARGEUSE	CHAUFFEUR	CHICANEUR	CHOU-FLEUR
CHARIBERT	**CHAUMETTE**	CHICANIER	CHOU-NAVET
CHARIOTER	CHAUMIÈRE	**CHIC-CHOCS**	CHOURAVÉE
CHARITOIS	**CHAUNOISE**	CHIENDENT	CHOURAVER
CHARIVARI	CHAUSSANT	CHIEN-LOUP	CHOURINÉE
CHARLATAN	CHAUSSEUR	CHIFFONNE	CHOURINER
CHARLEROI	CHAUSSURE	CHIFFONNÉ	**CHRISTIAN**
CHARLOISE	**CHAUTEMPS**	CHIFFRAGE	**CHRISTIE'S**
CHARLOTTE	**CHAUVELIN**	CHIFFRANT	**CHRISTINE**
CHARLOTTE	**CHAUVIGNY**	CHIFFREUR	**CHRISTMAS**
CHARMANTE	CHAVIRANT	CHIFFRIER	CHROMEUSE
CHARMEUSE	**CHAZELLES**	**CHIGASAKI**	CHROMIQUE
CHARMILLE	CHECK-LIST	CHIHUAHUA	CHROMISÉE
CHARNELLE	CHEFFERIE	**CHIHUAHUA**	CHROMISER

CHRONIQUE	CIVILISER	CLIMATISÉ	COFINANCÉ
CHRYSIPPE	CIVILISTE	CLIN D'ŒIL	COGÉRANCE
CHTHONIEN	CLABAUDER	CLINICIEN	COGÉRANTE
CHUCHOTÉE	CLABOTAGE	CLINQUANT	COGESTION
CHUCHOTER	CLABOTANT	CLIQUETER	**COGNAÇAIS**
CHUCHOTIS	CLADOCÈRE	CLIQUETIS	COGNATION
CHUINTANT	CLAFOUTIS	CLIQUETTE	COGNEMENT
CHURCHILL	CLAIRANCE	**CLISTHÈNE**	**COGNERAUD**
CHYLIFÈRE	CLAIRETTE	CLITOCYBE	COGNITION
CHYPRIOTE	CLAIRIÈRE	CLOCHARDE	COGNITIVE
CHYPRIOTE	CLAIRONNÉ	CLOCHETON	COHABITER
CICATRICE	CLAIRSEMÉ	CLOCHETTE	COHÉRENCE
CICATRISÉ	**CLAIRVAUX**	CLOISONNÉ	COHÉRENTE
CICINDÈLE	**CLAMARIOT**	CLOÎTRANT	COHÉRITER
CICONIIDÉ	CLAMEÇANT	CLOPINANT	COIFFANTE
CI-DESSOUS	**CLAPARÈDE**	CLÔTURANT	COIFFEUSE
CIGARETTE	**CLAPEYRON**	CLOUTERIE	COÏNCIDER
CIGARIÈRE	CLAPOTAGE	CLOWNERIE	COÏNCULPÉ
CIGARILLO	CLAPOTANT	CLOWNESSE	COKÉFIANT
CIGOGNEAU	CLAPOTEUX	CLUNISIEN	COLCHIQUE
CI-INCLUSE	CLAQUANTE	**CLUNYSOIS**	COLÉREUSE
CI-JOINTES	CLAQUETER	CLUSIACÉE	**COLERIDGE**
CILLEMENT	CLAQUETTE	**CLUSIENNE**	COLÉRIQUE
CIMENTANT	**CLARENDON**	COACCUSÉE	COLIMAÇON
CIMENTIER	CLARIFIÉE	COACERVAT	COLINEAUX
CIMETERRE	CLARIFIER	COAGULANT	COLISTIER
CIMETIÈRE	CLASSABLE	COALESCÉE	COLLABORÉ
CIMICAIRE	CLASSIFIÉ	COALESCER	COLLAGÈNE
CINECITTÀ	CLASSIQUE	COALISANT	COLLAPSUS
CINÉ-CLUBS	CLASTIQUE	COALITION	COLLATION
CINÉ-PARCS	CLAUDIQUÉ	COASSOCIÉ	COLLECTÉE
CINÉPHILE	CLAUSTRAL	COBALTINE	COLLECTER
CINÉRAIRE	CLAUSTRÉE	COBALTITE	COLLECTIF
CINÉTIQUE	CLAUSTRER	COCARDIER	COLLÉGIAL
CINÉTISME	CLAVELEUX	COCCOLITE	COLLÉGIEN
CINGLANTE	CLAVETAGE	COCCYGIEN	COLLETANT
CINNAMOME	CLAVETANT	**COCHEREAU**	**COLLINÉEN**
CINQ-CENTS	CLAVICULE	COCHONNÉE	**COLLIOURE**
CINQUANTE	CLAYONNÉE	COCHONNER	COLLISION
CINQUIÈME	CLAYONNER	COCHONNET	COLLODION
CINTREUSE	CLEARANCE	**COCKCROFT**	COLLOÏDAL
CIRCADIEN	**CLÉGUÉREC**	**COCKERILL**	COLLUSION
CIRCASSIE	CLÉMATITE	COCOONING	COLLUVION
CIRCONCIS	**CLÉOPÂTRE**	COCOTTANT	**COLMARIEN**
CIRCULANT	CLEPSYDRE	COCUFIANT	COLMATAGE
CIRRIPÈDE	CLERGYMAN	CODÉTENUE	COLMATANT
CISAILLÉE	CLERGYMEN	CODICILLE	COLOMBAGE
CISAILLER	CLÉRICALE	CODIFIANT	COLOMBIEN
CISALPINE	CLÉRICAUX	COÉDITANT	**COLOMBIEN**
CISALPINE	CLÉROUQUE	COÉDITEUR	COLOMBIER
CISELEUSE	**CLÉTIENNE**	COÉDITION	COLOMBINE
CISPADANE	**CLEVELAND**	CŒLIAQUE	**COLOMBINE**
CITADELLE	CLICHERIE	CŒLOMATE	**COLOMIERS**
CITHARÈDE	CLICHEUSE	COERCIBLE	COLONELLE
CITOYENNE	**CLICHOISE**	COERCITIF	COLONIALE
CITRONNÉE	CLIENTÈLE	COEXISTER	COLONIAUX
CIVILISÉE	CLIGNOTER	COFACTEUR	COLONISÉE

COLONISER
COLONNADE
COLOPHANE
COLORANTE
COLORIAGE
COLORIANT
COLORISÉE
COLORISER
COLORISTE
COLOSSALE
COLOSSAUX
COLOSTRUM
COLPOCÈLE
COLPORTÉE
COLPORTER
COLS-BLEUS
COLTINAGE
COLTINANT
COLUBRIDÉ
COLUMBIDÉ
COLUMELLE
COLUMELLE
COLUMÉRIN
COMANDANT
COMATEUSE
COMBATIVE
COMBATTRE
COMBATTUE
COMBINANT
COMBINARD
COMBURANT
COMENCINI
COMÉTAIRE
COMÉTIQUE
COMINOISE
COMITIALE
COMITIAUX
COMMAGÈNE
COMMANDÉE
COMMANDER
COMMÉMORÉ
COMMENCÉE
COMMENCER
COMMENSAL
COMMENTÉE
COMMENTER
COMMENTRY
COMMÉRAGE
COMMÉRANT
COMMERCER
COMMETTRE
COMMINGES
COMMODITÉ
COMMODORE
COMMOTION
COMMUABLE
COMMUNALE

COMMUNARD
COMMUNAUX
COMMUNIER
COMMUNION
COMMUTANT
COMPACITÉ
COMPACTÉE
COMPACTER
COMPAGNIE
COMPAGNON
COMPARANT
COMPASSÉE
COMPENSÉE
COMPENSER
COMPÉRAGE
COMPÉTENT
COMPIÈGNE
COMPILANT
COMPISSÉE
COMPISSER
COMPLAIRE
COMPLANTÉ
COMPLÉTÉE
COMPLÉTER
COMPLÉTIF
COMPLEXÉE
COMPLEXER
COMPLIQUÉ
COMPLOTÉE
COMPLOTER
COMPORTÉE
COMPORTER
COMPOSANT
COMPOSEUR
COMPOSITE
COMPOSTÉE
COMPOSTER
COMPOTIER
COMPRADOR
COMPRESSE
COMPRESSÉ
COMPRIMÉE
COMPRIMER
COMPROMIS
COMPTABLE
COMPULSÉE
COMPULSER
COMPULSIF
CONCASSÉE
CONCASSER
CONCAVITÉ
CONCÉDANT
CONCENTRÉ
CONCERNÉE
CONCERNER
CONCERTÉE
CONCERTER

CONCESSIF
CONCEVANT
CONCEVOIR
CONCHOÏDE
CONCHOISE
CONCHYLIS
CONCIERGE
CONCILIÉE
CONCILIER
CONCISION
CONCLUANT
CONCLUSIF
CONCOCTÉE
CONCOCTER
CONCOMBRE
CONCORDAT
CONCORDAT
CONCORDER
CONCOURIR
CONCUBINE
CONDAMNÉE
CONDAMNER
CONDÉENNE
CONDENSÉE
CONDENSER
CONDILLAC
CONDIMENT
CONDITION
CONDOMOIS
CONDORCET
CONDRIOTE
CONDYLIEN
CONDYLOME
CONFÉDÉRÉ
CONFÉRANT
CONFESSÉE
CONFESSER
CONFIANCE
CONFIANTE
CONFIDENT
CONFINANT
CONFIRMÉE
CONFIRMER
CONFISANT
CONFISEUR
CONFISQUÉ
CONFITEOR
CONFITURE
CONFLUANT
CONFLUENT
CONFOLENS
CONFONDRE
CONFONDUE
CONFORMÉE
CONFORMER
CONFORTÉE
CONFORTER

CONFRÉRIE
CONFRONTÉ
CONFUCÉEN
CONFUCIUS
CONFUSION
CONGÉABLE
CONGÉDIÉE
CONGÉDIER
CONGELANT
CONGÉNÈRE
CONGESTIF
CONGIAIRE
CONGOLAIS
CONGOLAIS
CONGRÉANT
CONJOINTE
CONJUGALE
CONJUGAUX
CONJUGUÉE
CONJUGUER
CONJURANT
CONNAÎTRE
CONNAUGHT
CONNECTÉE
CONNECTER
CONNECTIF
CONNEMARA
CONNEXION
CONNEXITÉ
CONNIVENT
CONNOTANT
CONQUÉRIR
CONSACRÉE
CONSACRER
CONSCIENT
CONSEILLÉ
CONSENSUS
CONSENTIE
CONSENTIR
CONSERVÉE
CONSERVER
CONSIDÉRÉ
CONSIGNÉE
CONSIGNER
CONSISTER
CONSOLANT
CONSOLIDÉ
CONSOMMÉE
CONSOMMER
CONSONANT
CONSPIRÉE
CONSPIRER
CONSPUANT
CONSTABLE
CONSTABLE
CONSTANCE
CONSTANCE

CONSTANTA	CONVENANT	CORNAQUER	COTYLOÏDE
CONSTANTE	CONVENTUM	CORNÉENNE	COUARDISE
CONSTATÉE	CONVERGER	CORNEILLE	**COUBERTIN**
CONSTATER	CONVERSER	**CORNEILLE**	COUCHANTE
CONSTELLÉ	CONVERTIE	CORNÉLIEN	COUCHERIE
CONSTERNÉ	CONVERTIR	CORNEMUSE	COUCHE-TÔT
CONSTIPÉE	CONVEXION	**CORNFORTH**	COUCHETTE
CONSTIPER	CONVEXITÉ	CORNICHON	COUCHEUSE
CONSTITUÉ	CONVIVIAL	CORONAIRE	COU-DE-PIED
CONSTRUIT	CONVOITÉE	CORONELLE	COUDOYANT
CONSULTÉE	CONVOITER	CORONILLE	COULEUVRE
CONSULTER	CONVOLANT	CORPORAUX	COULISSÉE
CONSUMANT	CONVOLUTÉ	CORPS-MORT	COULISSER
CONTACTÉE	CONVOQUÉE	CORPULENT	**COULONGES**
CONTACTER	CONVOQUER	CORRASION	COUMARINE
CONTAGION	CONVOYAGE	CORRECTIF	COUPAILLÉ
CONTAINER	CONVOYANT	CORRÉLANT	COUPE-CHOU
CONTAMINÉ	CONVOYEUR	CORRÉZIEN	COUPE-FAIM
CONTARINI	CONVULSÉE	**CORRÉZIEN**	COUPE-FILE
CONTEMPLÉ	CONVULSER	CORROBORÉ	COUPEROSE
CONTENANT	CONVULSIF	CORRODANT	COUPE-VENT
CONTENEUR	COOBLIGÉE	CORROMPRE	COURAGEUX
CONTENTÉE	COOPÉRANT	CORROMPUE	COURAILLÉ
CONTENTER	COORDONNÉ	CORROSION	COURBATUE
CONTESTÉE	COPARTAGE	CORROSIVE	COURBETTE
CONTESTER	COPERMUTÉ	CORROYAGE	COURGETTE
CONTINENT	COPINERIE	CORROYANT	**COURLANDE**
CONTINUÉE	**COPPÉTANE**	CORROYEUR	COURLIEUX
CONTINUEL	COPRODUIT	CORSETANT	COURONNÉE
CONTINUER	COPULATIF	CORSETIER	COURONNER
CONTINUUM	COPYRIGHT	**CORTENAIS**	**COURPIÈRE**
CONTOURNÉ	COQUELEUX	CORTICALE	**COURRÈGES**
CONTRACTE	**COQUELLES**	CORTICAUX	COURROUCÉ
CONTRACTÉ	COQUERICO	CORTISONE	COURSIÈRE
CONTRAINT	COQUETANT	CORUSCANT	COURSONNE
CONTRAIRE	COQUETIER	CORVÉABLE	COURTAUDE
CONTRALTO	CORACOÏDE	**CORVISART**	COURTAUDÉ
CONTRARIÉ	CORALLIEN	CORYBANTE	**COURTENAY**
CONTRASTE	CORALLINE	COSIGNANT	COURTIÈRE
CONTRASTÉ	CORANIQUE	**COSSÉENNE**	COURTISAN
CONTRAVIS	**CORBASIEN**	**COSTA RICA**	COURTISÉE
CONTRE-ARC	**CORBÉENNE**	COSTAUDES	COURTISER
CONTREBAS	CORBEILLE	COSTUMANT	COURTOISE
CONTREDIT	CORBIÈRES	COSTUMIER	COURTS-JUS
CONTRE-FER	**CORBIÈRES**	**CÔTE D'AZUR**	COURT-VÊTU
CONTRE-FEU	CORBILLON	**CÔTE-DE-L'OR**	**COURVILLE**
CONTRE-FIL	CORDELIER	CÔTELETTE	**COUSERANS**
CONTREPET	CORDONNÉE	COTISANTE	COUSINAGE
CONTRIBUÉ	CORDONNER	COTISSANT	COUSINANT
CONTRISTÉ	CORDONNET	COTONNADE	COUSSINET
CONTROISE	CORDOUANE	COTONNANT	**COUTANCES**
CONTRÔLÉE	**CORDOUANE**	COTONNEUX	COUTELIER
CONTRÔLER	CORÉOPSIS	COTONNIER	COUTUMIER
CONTROUVÉ	CORIANDRE	COTON-TIGE	COUTURIER
CONTUMACE	**CORMELLES**	**COTTEREAU**	COUVAISON
CONTUSION	CORNALINE	COTUTRICE	COUVERCLE
CONVAINCU	CORNAQUÉE	COTYLÉDON	COUVRANTE

COUVRE-FEU	CRÉPITANT	CUIRASSÉE	CYPRINIDÉ
COUVRE-LIT	**CRÉPYNOIS**	CUIRASSER	CYTOLOGIE
COVALENCE	CRESCENDO	CUISINANT	CZIMBALUM
COVALENTE	**CRESTOISE**	CUISINIER	**DABROWSKA**
COVENDEUR	CRÉTINISÉ	CUISSARDE	**DABROWSKI**
COVER-GIRL	**CREUSOISE**	CUISSEAUX	DACQUOISE
CRABOTAGE	**CREUSOTIN**	CUISTANCE	**DACQUOISE**
CRABOTANT	CREVAISON	CUIVREUSE	**DAGHESTAN**
CRACHEUSE	CREVASSÉE	CUIVRIQUE	**DAGUESTAN**
CRACHINER	CREVASSER	CULBUTAGE	**DAINVILLE**
CRACHOTER	CREVOTANT	CULBUTANT	**DAKAROISE**
CRADINGUE	CRIAILLER	CULBUTEUR	DALAÏ-LAMA
CRAIGNANT	**CRIELLOIS**	CUL-DE-FOUR	**D'ALEMBERT**
CRAILLANT	CRINOLINE	CUL-DE-PORC	**DALHOUSIE**
CRAINTIVE	CRISPANTE	CULINAIRE	DALMATIEN
CRAMOISIE	CRITÉRIUM	CULMINANT	DALTONIEN
CRAMPONNÉ	CRITIQUÉE	CULOTTAGE	**DAMANHOUR**
CRÂNEMENT	CRITIQUER	CULOTTANT	**DAMASCÈNE**
CRÂNIENNE	CROASSANT	CULOTTIER	DAMASSANT
CRAONNAIS	CROCHETÉE	CULS-DE-SAC	DAMASSINE
CRAPAHUTÉ	CROCHETER	CULTIVANT	**DAMMARTIN**
CRAPAÜTER	CROCODILE	CULTUELLE	DAMNATION
CRAPOTEUX	CROISETTE	CULTURALE	DAMOISEAU
CRAPULEUX	CROISIÈRE	CULTURAUX	**DAMPIERRE**
CRAQUANTE	CROISSANT	CUMULABLE	DANDINANT
CRAQUELÉE	**CRO-MAGNON**	CUMULARDE	DANGEREUX
CRAQUELER	**CRONQUIST**	CUMULATIF	**DANJOUTIN**
CRAQUELIN	**CRONSTADT**	CUPRIFÈRE	**D'ANNUNZIO**
CRAQUETER	CROQUANTE	CURAILLON	DANSOTANT
CRASSEUSE	CROQUENOT	CURATELLE	DANSOTTER
CRATÉRISÉ	CROQUETTE	CURATRICE	DANTESQUE
CRAUROISE	CROQUEUSE	CURE-DENTS	**DAODEJING**
CRAVACHÉE	CROSSMANS	CURE-ONGLE	**DARBHANGA**
CRAVACHER	CROULANTE	CURE-PIPES	**DAREMBERG**
CRAVATANT	CROUPIÈRE	CURETTAGE	**DARGUINES**
CRAWLEUSE	CROUSILLE	CURIOSITÉ	**DARJILING**
CRAYONNÉE	CROUSTADE	**CURNONSKY**	**DARMSTADT**
CRAYONNER	CROÛTEUSE	**CUSSÉTOIS**	**D'ARTAGNAN**
CRÉANCIER	CRUCIFÈRE	**CUVILLIÉS**	**DARTMOUTH**
CRÉATRICE	CRUCIFIÉE	CYANAMIDE	DARWINIEN
CRÉBILLON	CRUCIFIER	CYANOGÈNE	**DAUBENTON**
CRÉCÉENNE	CRUSTACÉE	CYANOSANT	**DAUBERVAL**
CRÉDITANT	CRYOGÉNIE	CYANURANT	**DAUMESNIL**
CRÉDITEUR	CRYOLITHE	CYBERCAFÉ	**DAVANGERE**
CRÉDULITÉ	CRYOLOGIE	CYCLISANT	DAVANTAGE
CREILLOIS	CRYPTIQUE	CYCLOÏDAL	**DAVID-NEEL**
CRÉMATION	**CTÉSIPHON**	CYCLONALE	DEAD-HEATS
CRÉNELANT	CUBITIÈRE	CYCLONAUX	DÉAMBULER
CRÉNELURE	CUCURBITE	CYCLOPÉEN	**DEAUVILLE**
CRÉODONTE	CUEILLAGE	CYCLORAMA	DÉBÂCHANT
CRÉOLISÉE	CUEILLANT	CYCLOTRON	DÉBÂCLANT
CRÉOLISER	CUEILLEUR	CYLINDRÉE	DÉBAGOULÉ
CRÉOLISME	CUEILLOIR	CYLINDRER	DÉBALLAGE
CRÉOSOTÉE	**CUERSOISE**	CYMBALIER	DÉBALLANT
CRÉOSOTER	**CUGNALAIS**	CYNODROME	DÉBANDADE
CRÊPELURE	CUILLERÉE	CYNOPHILE	DÉBANDANT
CRÉPINIEN	CUILLERON	CYPÉRACÉE	DÉBAPTISÉ

DÉBARDAGE	**DEBUCOURT**	DÉCHARNER	DÉCOUPAGE
DÉBARDANT	DÉBUSQUÉE	DÉCHAUMÉE	DÉCOUPANT
DÉBARDEUR	DÉBUSQUER	DÉCHAUMER	DÉCOUPEUR
DÉBARQUÉE	DÉBUTANTE	DÉCHAUSSÉ	DÉCOUPLÉE
DÉBARQUER	DÉCACHETÉ	DÉCHÉANCE	DÉCOUPLER
DÉBARRANT	DÉCADAIRE	DÉCHIFFRÉ	DÉCOUPOIR
DÉBATTANT	DÉCADENCE	DÉCHIRANT	DÉCOUPURE
DÉBATTEUR	DÉCADENTE	**DE CHIRICO**	DÉCOURAGÉ
DÉBAUCHÉE	DÉCADRAGE	DÉCHIRURE	DÉCOUSANT
DÉBAUCHER	DÉCAFÉINÉ	DÉCIDABLE	DÉCOUSURE
DÉBECTANT	DÉCAGONAL	DÉCIDEUSE	DÉCOUVERT
DÉBILITÉE	DÉCAISSÉE	DÉCIDUALE	DÉCOUVRIR
DÉBILITER	DÉCAISSER	DÉCIGRADE	DÉCRASSÉE
DÉBINEUSE	DÉCALITRE	DÉCILITRE	DÉCRASSER
DÉBITABLE	DÉCALOGUE	DÉCIMÈTRE	DÉCRÉMENT
DÉBITANTE	DÉCALOTTÉ	DÉCINTRÉE	DÉCRÊPAGE
DÉBITRICE	DÉCALQUÉE	DÉCINTRER	DÉCRÊPANT
DÉBLATÉRÉ	DÉCALQUER	DÉCISOIRE	DÉCRÉPITE
DÉBLAYAGE	DÉCALVANT	**DECIZOISE**	DÉCRÉPITÉ
DÉBLAYANT	**DÉCAMÉRON**	DÉCLAMANT	DÉCRÉTALE
DÉBLOCAGE	DÉCAMÈTRE	DÉCLARANT	DÉCRÉTANT
DÉBLOQUÉE	DÉCAMPANT	DÉCLASSÉE	DÉCRET-LOI
DÉBLOQUER	DÉCANILLÉ	DÉCLASSER	DÉCREUSÉE
DÉBOBINÉE	DÉCANTAGE	DÉCLAVETÉ	DÉCREUSER
DÉBOBINER	DÉCANTANT	DÉCLENCHÉ	DÉCRISPÉE
DÉBOGUANT	DÉCANTEUR	DÉCLINANT	DÉCRISPER
DÉBOISANT	DÉCAPANTE	DÉCLIVITÉ	DÉCRIVANT
DÉBOÎTANT	DÉCAPELÉE	DÉCLOSANT	DÉCROCHÉE
DÉBONDANT	DÉCAPELER	DÉCLOUANT	DÉCROCHER
DÉBORDANT	DÉCAPEUSE	DÉCOCHAGE	DÉCROISÉE
DÉBOSSELÉ	DÉCAPITÉE	DÉCOCHANT	DÉCROISER
DÉBOTTANT	DÉCAPITER	DÉCOCTION	DÉCROÎTRE
DÉBOUCHÉE	DÉCAPOTÉE	DÉCODEUSE	DÉCROTTÉE
DÉBOUCHER	DÉCAPOTER	DÉCOFFRÉE	DÉCROTTER
DÉBOUCLÉE	DÉCAPSULÉ	DÉCOFFRER	DÉCRYPTÉE
DÉBOUCLER	DÉCARBURÉ	DÉCOIFFÉE	DÉCRYPTER
DÉBOULANT	DÉCATHLON	DÉCOIFFER	DÉCUBITUS
DÉBOUQUER	DÉCELABLE	DÉCOINCÉE	DÉCUIVRÉE
DÉBOURBÉE	DÉCÉLÉRER	DÉCOINCER	DÉCUIVRER
DÉBOURBER	DÉCEMMENT	DÉCOLÉRER	DÉCULOTTÉ
DÉBOURRÉE	DÉCENNALE	DÉCOLLAGE	**DÉCUMATES**
DÉBOURRER	DÉCENNAUX	DÉCOLLANT	DÉCUPLANT
DÉBOURSÉE	DÉCENTRÉE	DÉCOLLETÉ	DÉDAIGNÉE
DÉBOURSER	DÉCENTRER	DÉCOLORÉE	DÉDAIGNER
DÉBOUTANT	DÉCEPTION	DÉCOLORER	DÉDICACÉE
DÉBRAILLÉ	DÉCERCLÉE	DÉCOMBRES	DÉDICACER
DÉBRANCHÉ	DÉCERCLER	DÉCOMPOSÉ	DÉDOMMAGÉ
DÉBRASAGE	DÉCÉRÉBRÉ	DÉCOMPTÉE	DÉDOUANÉE
DÉBRASANT	DÉCERNANT	DÉCOMPTER	DÉDOUANER
DÉBRAYAGE	DÉCERVELÉ	DÉCONFITE	DÉDOUBLÉE
DÉBRAYANT	DÉCEVANTE	DÉCONGELÉ	DÉDOUBLER
DÉBRIDANT	DÉCHAÎNÉE	DÉCONNANT	DÉDUCTION
DÉBROCHÉE	DÉCHAÎNER	DÉCORATIF	DÉDUCTIVE
DÉBROCHER	DÉCHANTER	DÉCORDANT	DÉDUISANT
DE BROGLIE	DÉCHARGÉE	DÉCORNANT	DÉFAILLIR
DÉBROUSSÉ	DÉCHARGER	DÉCOUCHER	DÉFAISANT
DÉBUCHANT	DÉCHARNÉE	DÉCOULANT	DÉFALQUÉE

DÉFALQUER	DÉFRONCER	DÉHANCHER	**DEMANGEON**
DÉFATIGUÉ	DÉFROQUÉE	DÉHISCENT	DÉMANTELÉ
DÉFAUFILÉ	DÉFROQUER	DÉICTIQUE	DÉMARCAGE
DÉFAUSSÉE	DÉFRUITÉE	**DEIR EZ-ZOR**	DÉMARCHÉE
DÉFAUSSER	DÉFRUITER	DÉJANTANT	DÉMARCHER
DÉFECTION	DÉGAGEANT	DÉJECTION	DÉMARIAGE
DÉFECTIVE	DÉGAINANT	DÉJEUNANT	DÉMARIANT
DÉFENDANT	DÉGANTANT	DÉJUCHANT	DÉMARQUÉE
DÉFENDEUR	**DE GASPERI**	DÉJUGEANT	DÉMARQUER
DÉFENSEUR	DÉGAUCHIE	**DE KOONING**	DÉMARRAGE
DÉFENSIVE	DÉGAUCHIR	DÉLABRANT	DÉMARRANT
DÉFÉQUANT	DÉGAZONNÉ	**DELACROIX**	DÉMARREUR
DÉFÉRENCE	DÉGÉNÉRÉE	DÉLAINAGE	DÉMASCLÉE
DÉFÉRENTE	DÉGÉNÉRER	DÉLAINANT	DÉMASCLER
DÉFERLAGE	DÉGERMANT	DÉLAISSÉE	DÉMASQUÉE
DÉFERLANT	DÉGIVRAGE	DÉLAISSER	DÉMASQUER
DÉFERRAGE	DÉGIVRANT	DÉLAITAGE	DÉMATINÉE
DÉFERRANT	DÉGIVREUR	DÉLAITANT	DÉMATINER
DÉFERRURE	DÉGLAÇAGE	**DELALANDE**	DÉMAZOUTÉ
DÉFEUTRÉE	DÉGLAÇANT	**DELAMURAZ**	DÉMÊLANTE
DÉFEUTRER	DÉGLINGUE	**DELAROCHE**	DÉMEMBRÉE
DÉFIBRAGE	DÉGLINGUÉ	DÉLASSANT	DÉMEMBRER
DÉFIBRANT	DÉGOBILLÉ	DÉLATRICE	DÉMÉNAGÉE
DÉFIBREUR	DÉGOISANT	**DELAVIGNE**	DÉMÉNAGER
DÉFICELÉE	DÉGOMMAGE	DÉLECTANT	DÉMENTANT
DÉFICELER	DÉGOMMANT	DÉLÉGANTE	DÉMENTIEL
DÉFICIENT	DÉGONFLÉE	DÉLÉGUANT	DÉMERDANT
DÉFIGURÉE	DÉGONFLER	**DELESSERT**	DÉMÉRITER
DÉFIGURER	DÉGOTTANT	DÉLESTAGE	DÉMESURÉE
DE FILIPPO	DÉGOULINÉ	DÉLESTANT	**DÉMÉTRIOS**
DÉFINITIF	DÉGOURDIE	DÉLIBÉRÉE	DÉMETTANT
DÉFLAGRER	DÉGOURDIR	DÉLIBÉRER	DÉMEUBLÉE
DÉFLATION	DÉGOÛTANT	DÉLICIEUX	DÉMEUBLER
DÉFLEURIE	DÉGOUTTER	DÉLICTUEL	DEMEURANT
DÉFLEURIR	DÉGRADANT	DÉLIEMENT	DEMI-CLEFS
DÉFLEXION	DÉGRAFANT	DÉLIGNAGE	DEMI-DEUIL
DÉFLOCAGE	DÉGRAISSÉ	DÉLIMITÉE	DEMI-DIEUX
DÉFLOQUÉE	DÉGRAVOYÉ	DÉLIMITER	DÉMIELLÉE
DÉFLOQUER	DÉGRESSIF	DÉLINÉANT	DÉMIELLER
DÉFLORANT	DÉGREVANT	DÉLIRANTE	DEMI-FRÈRE
DÉFOLIANT	DÉGRIFFÉE	DÉLIVRANT	DEMI-HEURE
DÉFONÇAGE	DÉGRIPPÉE	**DEL MONACO**	DEMI-JOURS
DÉFONÇANT	DÉGRIPPER	DÉLOGEANT	DEMI-LITRE
DÉFORÇANT	DÉGRISANT	DÉLOYAUTÉ	DEMI-LUNES
DÉFORMANT	DÉGROSSIE	DELTAÏQUE	DEMI-PAUSE
DÉFOULANT	DÉGROSSIR	DÉLUSTRÉE	DEMI-PIÈCE
DÉFOULOIR	DÉGROUPÉE	DÉLUSTRER	DEMI-PLACE
DÉFOURNÉE	DÉGROUPER	DÉMAGOGIE	DEMI-PLANS
DÉFOURNER	DÉGUERPIR	DÉMAGOGUE	DEMI-QUEUE
DÉFRAÎCHI	DÉGUEULÉE	DÉMAIGRIE	DEMI-RONDE
DÉFRAYANT	DÉGUEULER	DÉMAIGRIR	DEMI-SŒUR
DÉFRICHÉE	DÉGUILLÉE	DÉMAILLÉE	DEMI-SOLDE
DÉFRICHER	DÉGUILLER	DÉMAILLER	DÉMISSION
DÉFRIPANT	DÉGUISANT	DÉMANCHÉE	DEMI-TARIF
DÉFRISANT	DÉGURGITÉ	DÉMANCHER	DEMI-TOURS
DÉFROISSÉ	DÉGUSTANT	DEMANDANT	DEMI-VOLÉE
DÉFRONCÉE	DÉHANCHÉE	DEMANDEUR	DÉMIXTION

DÉMOCRATE	DÉPAQUETÉ	DÉPRÉCIÉE	DÉSARÊTÉE
DÉMOCRITE	**DEPARDIEU**	DÉPRÉCIER	DÉSARÊTER
DÉMODULÉE	DÉPARIANT	DÉPRENANT	**DESARGUES**
DÉMODULER	DÉPARLANT	DÉPRENDRE	DÉSARMANT
DÉMONISME	DÉPARTAGÉ	DÉPRESSIF	DÉSARRIMÉ
DÉMONTAGE	DÉPARTANT	DÉPRIMANT	**DES AUTELS**
DÉMONTANT	DÉPASSANT	DÉPRISANT	DÉSAVOUÉE
DÉMONTRÉE	DÉPATRIÉE	DÉPUCELÉE	DÉSAVOUER
DÉMONTRER	DÉPATRIER	DÉPUCELER	**DESCARTES**
DÉMORDANT	DÉPAYSANT	DEPUIS QUE	DESCELLÉE
DÉMOTIQUE	DÉPECEUSE	DÉPULPANT	DESCELLER
DÉMOTIVÉE	DÉPÊCHANT	DÉPURATIF	DESCENDRE
DÉMOTIVER	DÉPEIGNÉE	**DE QUINCEY**	DESCENDUE
DÉMOULAGE	DÉPEIGNER	DÉRACINÉE	**DESCHAMPS**
DÉMOULANT	DÉPEINDRE	DÉRACINER	**DESCHANEL**
DÉMOULEUR	DÉPENDANT	DÉRAGEANT	DÉSÉCHOUÉ
DÉMUSELÉE	DÉPENDEUR	DÉRAILLER	DÉSEMBUÉE
DÉMUSELER	DÉPENSANT	DÉRATISÉE	DÉSEMBUER
DENAISIEN	DÉPENSIER	DÉRATISER	DÉSEMPARÉ
DÉNATTANT	DÉPÊTRANT	DÉRAYEUSE	DÉSEMPLIE
DÉNATURÉE	DÉPEUPLÉE	DÉRÉGLANT	DÉSEMPLIR
DÉNATURER	DÉPEUPLER	DÉRÉGULÉE	DÉSENCRÉE
DÉNAZIFIÉ	DÉPHASAGE	DÉRÉGULER	DÉSENCRER
DÉNÉBULÉE	DÉPHASANT	DÉRISOIRE	DÉSENFLÉE
DÉNÉBULER	DÉPHASEUR	DÉRIVABLE	DÉSENFLER
DÉNIAISÉE	DÉPIAUTÉE	DÉRIVATIF	DÉSENFUMÉ
DÉNIAISER	DÉPIAUTER	DÉRIVETÉE	DÉSENGAGÉ
DÉNICHANT	DÉPIQUAGE	DÉRIVETER	DÉSENIVRÉ
DÉNICHEUR	DÉPIQUANT	**DERJAVINE**	DÉSENNUYÉ
DÉNIGRANT	DÉPISTAGE	DERMATITE	DÉSENRAYÉ
DÉNIGREUR	DÉPISTANT	DERMATOSE	DÉSENVASÉ
DÉNITRANT	DÉPLAÇANT	DERNIER-NÉ	DÉSÉQUIPÉ
DÉNIVELÉE	DÉPLAISIR	DÉROCHAGE	DÉSERTANT
DÉNIVELER	DÉPLANTÉE	DÉROCHANT	DÉSERTEUR
DÉNOMBRÉE	DÉPLANTER	DÉROCTAGE	DÉSERTION
DÉNOMBRER	DÉPLÂTRÉE	DÉROGEANT	DÉSESPÉRÉ
DÉNOMMANT	DÉPLÂTRER	DÉROUILLÉ	DÉSESPOIR
DÉNONÇANT	DÉPLÉTION	DÉROULAGE	DÉSEXCITÉ
DÉNOYAUTÉ	DÉPLIANTE	DÉROULANT	**DES FORÊTS**
DENSÉMENT	DÉPLISSÉE	**DÉROULÈDE**	DÉSHERBÉE
DENSIFIÉE	DÉPLISSER	DÉROULEUR	DÉSHERBER
DENSIFIER	DÉPLOMBÉE	DÉROUTAGE	DÉSHÉRITÉ
DENTELANT	DÉPLOMBER	DÉROUTANT	DÉSHONORÉ
DENTELURE	DÉPLORANT	DÉSABONNÉ	DÉSHUILÉE
DENTICULE	DÉPLOYANT	DÉSABUSÉE	DÉSHUILER
DENTICULÉ	DÉPLUMANT	DÉSABUSER	DÉSIGNANT
DENTITION	DÉPOÉTISÉ	DÉSACCORD	DÉSINDEXÉ
DÉNUEMENT	DÉPOLLUÉE	DÉSACTIVÉ	DÉSINENCE
DÉODATIEN	DÉPOLLUER	DÉSADAPTÉ	DÉSINHIBÉ
DÉODORANT	DÉPONENTE	**DES ADRETS**	DÉSIRABLE
DÉONTIQUE	DÉPORTANT	DÉSAGRÉGÉ	DÉSIREUSE
DÉPAILLÉE	DÉPOSANTE	DÉSAJUSTÉ	DÉSISTANT
DÉPAILLER	DÉPOSSÉDÉ	DÉSALIÉNÉ	**DESMARETS**
DÉPALISSÉ	DÉPOUILLE	DÉSALIGNÉ	**DES MOINES**
DÉPANNAGE	DÉPOUILLÉ	DÉSALTÉRÉ	DESMOSOME
DÉPANNANT	DÉPOURVUE	DÉSAMORCÉ	DÉSOBLIGÉ
DÉPANNEUR	DÉPRAVANT	DÉSAPPRIS	DÉSŒUVRÉ

DÉSOLANTE	DÉTECTANT	DÉVERGUÉE	DIFFAMANT
DÉSOPILÉE	DÉTECTEUR	DÉVERGUER	DIFFÉRANT
DÉSOPILER	DÉTECTION	DÉVERSANT	DIFFÉREND
DÉSORMAIS	DÉTECTIVE	DÉVERSOIR	DIFFÉRENT
DÉSOSSANT	DÉTEINDRE	DÉVIATEUR	DIFFICILE
DESPERADO	DÉTENDANT	DÉVIATION	DIFFLUENT
DESPORTES	DÉTENDEUR	DEVINABLE	DIFFRACTÉ
DESQUAMÉE	DÉTENTEUR	DEVINETTE	DIFFUSANT
DESQUAMER	DÉTENTION	DÉVISAGÉE	DIFFUSEUR
DESSABLÉE	DÉTERGENT	DÉVISAGER	DIFFUSION
DESSABLER	DÉTÉRIORÉ	DÉVISSAGE	DIGESTEUR
DESSAISIE	DÉTERMINÉ	DÉVISSANT	DIGESTION
DESSAISIR	DÉTERRAGE	DÉVOILANT	DIGESTIVE
DESSALAGE	DÉTERRANT	DÉVOLTAGE	DIGLOSSIE
DESSALANT	DÉTERREUR	DÉVOLTANT	DIGNEMENT
DESSALEUR	DÉTERSION	DÉVOLTEUR	**DIGOINAIS**
DESSALURE	DÉTERSIVE	DÉVOLUTIF	DIGRAPHIE
DESSANGLÉ	DÉTESTANT	DÉVORANTE	**DIJONNAIS**
DESSAOULÉ	DÉTHÉINÉE	DÉVOREUSE	**DIKSMUIDE**
DESSÉCHÉE	DÉTONANTE	**DEWOITINE**	**DIKTONIUS**
DESSÉCHER	DÉTONNANT	DEXTÉRITÉ	DILACÉRÉE
DESSELLÉE	DÉTORDANT	DIABLERIE	DILACÉRER
DESSELLER	DÉTORSION	DIABLESSE	DILAPIDÉE
DESSERRÉE	DÉTOURAGE	DIABLOTIN	DILAPIDER
DESSERRER	DÉTOURANT	DIABOLISÉ	DILATABLE
DESSERTIE	DÉTOURNÉE	DIAGENÈSE	DILATANTE
DESSERTIR	DÉTOURNER	**DIAGHILEV**	DILATOIRE
DESSERVIE	DÉTRACTÉE	DIAGONALE	DILECTION
DESSERVIR	DÉTRACTER	DIAGONAUX	DILIGENCE
DESSÉVAGE	DÉTRAQUÉE	DIAGRAMME	DILIGENTE
DESSILLÉE	DÉTRAQUER	DIALECTAL	DILIGENTÉ
DESSILLER	DÉTREMPÉE	DIALOGUER	DIMENSION
DESSINANT	DÉTREMPER	DIALYSANT	DIMINUANT
DESSOLANT	DÉTRIMENT	DIALYSEUR	DIMINUTIF
DESSOUCHÉ	DÉTROMPÉE	DIAMANTÉE	**DIMITROVO**
DESSOUDÉE	DÉTROMPER	DIAMANTER	DINANDIER
DESSOUDER	DÉTRÔNANT	DIAMANTIN	**DINANNAIS**
DESSOÛLÉE	DÉTROQUÉE	DIAMÉTRAL	**DINARDAIS**
DESSOÛLER	DÉTROQUER	DIAPÉDÈSE	DÎNATOIRE
DESSUINTÉ	DÉTROUSSÉ	DIAPHONIE	DINDONNÉE
DESTINANT	**DEUCALION**	DIAPORAMA	DINDONNER
DESTITUÉE	**DEUILLOIS**	DIATHERME	DINGUERIE
DESTITUER	DEUTÉRIUM	DIATOMITE	DINOSAURE
DÉSTOCKÉE	DEUX-PONTS	DIAZOÏQUE	DIOCÉSAIN
DÉSTOCKER	**DEUX-PONTS**	DIBASIQUE	DIOLÉFINE
DESTROYER	**DEUX-ROSES**	DICASTÈRE	DIONYSIEN
DÉSUÉTUDE	DEUX-ROUES	DICHOTOME	**DIONYSIEN**
DÉSULFITÉ	DEUX-TEMPS	DICHROMIE	DIONYSIES
DÉSULFURÉ	DÉVALISÉE	**DICKINSON**	**DIOPHANTE**
DESVROISE	DÉVALISER	DICTATEUR	**DIOSCURES**
DÉTACHAGE	DÉVALUANT	DICTATURE	DIPHÉNYLE
DÉTACHANT	DEVANÇANT	DIDACTYLE	DIPHTÉRIE
DÉTACHEUR	DEVANCIER	**DIEPPOISE**	DIPLÔMANT
DÉTAILLÉE	DEVANTURE	DIÉSÉLISÉ	DIPLOMATE
DÉTAILLER	DÉVASTANT	**DIETERLEN**	DIPNEUSTE
DÉTARTRÉE	DÉVELOPPÉ	**DIEUDONNÉ**	DIPOLAIRE
DÉTARTRER	DÉVERBAUX	**DIEULEFIT**	DIPSOMANE

DIRECTEUR	DISTANCÉE	DOMINANCE	DRACONIEN
DIRECTION	DISTANCER	DOMINANTE	DRAGÉIFIÉ
DIRECTIVE	DISTANCIÉ	DOMINICAL	DRAGEONNÉ
DIRÉDAOUA	**DI STEFANO**	**DOMINIQUE**	DRAGUEUSE
DIRICHLET	DISTENDRE	**DOM MIGUEL**	DRAINEUSE
DIRIGEANT	DISTENDUE	**DOMONTOIS**	DRAMATISÉ
DIRIGISME	DISTILLAT	DOMOTIQUE	DRAPEMENT
DIRIGISTE	DISTILLÉE	**DOMPIERRE**	DRASTIQUE
DIRIMANTE	DISTILLER	DOMPTABLE	DRAVIDIEN
DISCERNÉE	DISTINCTE	DOMPTEUSE	**DRAVIDIEN**
DISCERNER	DISTINGUÉ	DONATAIRE	DRESSEUSE
DISCOBOLE	DISTINGUO	**DONATELLO**	DRIBBLANT
DISCOÏDAL	DISTORDRE	DONATISME	DRIBBLEUR
DISCOMPTE	DISTORDUE	DONATISTE	DROGUERIE
DISCOMPTÉ	DISTRAIRE	DONATRICE	DROGUISTE
DISCORDER	DISTRAITE	**DONCASTER**	DROITIÈRE
DISCOUNTÉ	DISTRIBUÉ	**DONGEOISE**	DROITISME
DISCOURIR	DISULFURE	**DONIZETTI**	DROITISTE
DISCRÉDIT	DIVAGUANT	DONS JUANS	DRÔLEMENT
DISCULPÉE	DIVALENTE	**DONZÉROIS**	DROP-GOALS
DISCULPER	DIVERGENT	**DORDRECHT**	DRUGSTORE
DISCURSIF	DIVERSION	DORLOTANT	DRUIDESSE
DISCUTANT	DIVERSITÉ	DORMITION	DRUIDIQUE
DISCUTEUR	DIVIDENDE	DORMITIVE	DRUIDISME
DISETTEUX	DIVINISÉE	DORSALGIE	DUALISANT
DISGRACIÉ	DIVINISER	**DORVALOIS**	**DÜBENDORF**
DISJOINTE	DIVISEUSE	DORYPHORE	DUBITATIF
DISJONCTÉ	DIVISIBLE	DOSIMÈTRE	**DUBLINOIS**
DISLOQUÉE	**DIVONNAIS**	**DOS PASSOS**	**DU BOUCHET**
DISLOQUER	DIVORÇANT	**DOS SANTOS**	**DUBROVNIK**
DISPARATE	DIVULGUÉE	**DOTREMONT**	**DU CAURROY**
DISPARITÉ	DIVULGUER	**DOUAISIEN**	**DU CERCEAU**
DISPATCHÉ	DIXIELAND	DOUANIÈRE	**DU CHASTEL**
DISPENSÉE	DJAÏNISME	**DOUAUMONT**	DUCS-D'ALBE
DISPENSER	**DJIDJELLI**	**DOUBIENNE**	DUCTILITÉ
DISPERSÉE	**DJURDJURA**	DOUBLANTE	**DU DEFFAND**
DISPERSER	**DOBROUDJA**	DOUBLEAUX	**DUDELANGE**
DISPERSIF	DOCÉTISME	DOUBLEUSE	DUELLISTE
DISPOSANT	DOCIMASIE	DOUBLONNÉ	DUETTISTE
DISPUTANT	DOCTEMENT	DOUCEÂTRE	**DUGOMMIER**
DISQUAIRE	DOCTORALE	DOUCEMENT	**DU GUILLET**
DISQUETTE	DOCTORANT	DOUCEREUX	DULCIFIÉE
DISRUPTIF	DOCTORAUX	**DOUCHANBE**	DULCIFIER
DISSÉMINÉ	DOCTRINAL	DOUCHETTE	**DUMARSAIS**
DISSÉQUÉE	DOCUMENTÉ	DOUCHEUSE	**DUMAS FILS**
DISSÉQUER	DODELINER	DOUCHIÈRE	**DUMAS PÈRE**
DISSERTER	**DODOMAISE**	**DOUESSINE**	**DUMOURIEZ**
DISSIDENT	DOGARESSE	DOUILLANT	**DUMOÛTIER**
DISSIMULÉ	DOGMATISÉ	**DOUMERGUE**	DUNGENESS
DISSIPANT	DOLCE VITA	**DOUNGANES**	DUNKERQUE
DISSOCIÉE	**DÖLLINGER**	**DOUVRAISE**	**DUNSTABLE**
DISSOCIER	**DOLOMITES**	DOUX-AMERS	DUODÉNALE
DISSONANT	DOLORISME	DOUZE-HUIT	DUODÉNAUX
DISSOUDRE	DOMANIALE	DOXOLOGIE	DUODÉNITE
DISSUADÉE	DOMANIAUX	DOYENNETÉ	**DUPANLOUP**
DISSUADER	**DOMÉNOISE**	**DRACÉNOIS**	**DUPLESSIS**
DISSUASIF	DOMICILIÉ	**DRACHMANN**	

DUPLEXANT
DUPLICATA
DUPLICATE
DUPLICITÉ
DUPLIQUÉE
DUPLIQUER
DUPUYTREN
DUQUESNOY
DURALUMIN
DUTILLEUX
DUTROCHET
DUUMVIRAT
DUVETEUSE
DUVEYRIER
DYNAMIQUE
DYNAMISÉE
DYNAMISER
DYNAMISME
DYNAMISTE
DYNAMITÉE
DYNAMITER
DYSIDROSE
DYSMATURE
DYSPEPSIE
DYSPHAGIE
DYSPHASIE
DYSPHONIE
DYSPHORIE
DYSPLASIE
DYSTHYMIE
DYSURIQUE
DZERJINSK
EAU D'HEURE
EAUX-DE-VIE
ÉBAUCHAGE
ÉBAUCHANT
ÉBAUCHOIR
ÉBAVURAGE
ÉBAVURANT
ÉBERLUANT
ÉBORGNAGE
ÉBORGNANT
ÉBOURIFFÉ
ÉBRANCHÉE
ÉBRANCHER
ÉBRANLANT
ÉBRÉCHANT
ÉBRÉCHURE
ÉBROÏCIEN
ÉBROÏCIEN
ÉBRUITANT
ÉCAILLAGE
ÉCAILLANT
ÉCAILLÈRE
ÉCAILLEUR
ÉCAILLEUX
ÉCAILLURE

ÉCARTELÉE
ÉCARTELER
ÉCART-TYPE
ECBALLIUM
ECCHYMOSE
ECCLÉSIAL
ÉCERVELÉE
ÉCHAFAUDÉ
ÉCHALASSÉ
ÉCHANCRÉE
ÉCHANCRER
ÉCHANGEUR
ÉCHAPPANT
ÉCHARNAGE
ÉCHARNANT
ÉCHARPANT
ÉCHASSIER
ÉCHAUDAGE
ÉCHAUDANT
ÉCHAUDOIR
ÉCHAUFFÉE
ÉCHAUFFER
ECHEGARAY
ÉCHELETTE
ÉCHELONNÉ
ÉCHENILLÉ
ÉCHEVEAUX
ÉCHEVELÉE
ÉCHEVELER
ÉCHEVETTE
ÉCHEVINAL
ÉCHEVINAT
ÉCHIQUÉEN
ÉCHIQUETÉ
ÉCHIQUIER
ÉCHIURIEN
ÉCHOLALIE
ÉCHOTIÈRE
ÉCLAIRAGE
ÉCLAIRANT
ÉCLAIRCIE
ÉCLAIRCIR
ÉCLAIREUR
ÉCLAMPSIE
ÉCLATANTE
ÉCLIPSANT
ÉCLOSERIE
ÉCLUSIÈRE
ÉCŒURANT
ÉCONDUIRE
ÉCONDUITE
ÉCONOMISÉ
ÉCOPERCHE
ÉCORCEUSE
ÉCORCHAGE
ÉCORCHANT
ÉCORCHEUR

ÉCORCHURE
ÉCOSSAISE
ÉCOSSAISE
ÉCOURGEON
ÉCOURTANT
ÉCOUTANT
ÉCOUTILLE
ÉCRASANTE
ÉCRASEUSE
ÉCRÉMEUSE
ÉCREVISSE
ÉCRITEAUX
ÉCRITOIRE
ÉCRIVASSÉ
ÉCROULANT
ÉCROÛTANT
ECTODERME
ECTROPION
ÉCULLOISE
ÉCUSSONNÉ
ÉDAPHIQUE
EDDINGTON
EDELWEISS
ÉDIFIANTE
ÉDIMBOURG
ÉDITORIAL
ÉDUCATEUR
ÉDUCATION
ÉDUCATIVE
ÉDULCORÉE
ÉDULCORER
ÉDULCORÉS
ÉFAUFILÉE
ÉFAUFILER
EFFAÇABLE
EFFANEUSE
EFFARANTE
EFFECTEUR
EFFECTIVE
EFFECTUÉE
EFFECTUER
EFFÉMINÉE
EFFÉMINER
EFFÉRENTE
EFFEUILLÉ
EFFICIENT
EFFILOCHE
EFFILOCHÉ
EFFLANQUÉ
EFFLEURÉE
EFFLEURER
EFFLUENTE
EFFONDRÉE
EFFONDRER
EFFORÇANT
EFFRANGÉE
EFFRANGER

EFFRAYANT
EFFRITANT
EFFRONTÉE
ÉGAIEMENT
ÉGAILLANT
ÉGALEMENT
ÉGALISANT
ÉGALISEUR
ÉGAREMENT
ÉGAYEMENT
ÉGLANTIER
ÉGLANTINE
ÉGORGEANT
ÉGORGEUSE
ÉGOSILLÉE
ÉGOSILLER
ÉGOUTTAGE
ÉGOUTTANT
ÉGOUTTOIR
ÉGOUTTURE
ÉGRAINAGE
ÉGRAINANT
ÉGRAPPAGE
ÉGRAPPANT
ÉGRAPPOIR
ÉGRATIGNÉ
ÉGRENEUSE
ÉGRESSION
ÉGRILLARD
ÉGROTANTE
ÉGRUGEAGE
ÉGRUGEANT
ÉGRUGEOIR
ÉGUEULANT
EHRENFELS
EIDÉTIQUE
EIDÉTISME
EINDHOVEN
EINTHOVEN
ÉJACULANT
ÉJECTABLE
ÉJOINTANT
ÉLABORANT
EL-ALAMEIN
ÉLANCOURT
ÉLASTIQUE
ELBEUVIEN
ELCHINGEN
ÉLÉATIQUE
ÉLECTORAL
ÉLECTORAT
ÉLECTRICE
ÉLECTRISÉ
ÉLECTRODE
ÉLÉGIAQUE
ELEPHANTA
ÉLÉPHANTE

ÉLÉVATEUR	EMBOUQUER	EMPANNAGE	ENCAQUANT
ÉLÉVATION	EMBOURBÉE	EMPANNANT	ENCARTAGE
EL-HARRACH	EMBOURBER	EMPAQUETÉ	ENCARTANT
ÉLIMINANT	EMBRANCHÉ	EMPATTANT	ENCASERNÉ
ÉLINGUANT	EMBRAQUÉE	EMPAUMANT	ENCASTELÉ
ÉLISABETH	EMBRAQUER	EMPAUMURE	ENCASTRÉE
ELIZABETH	EMBRASANT	EMPÊCHANT	ENCASTRER
EL-KANTARA	EMBRASSÉE	EMPÊCHEUR	ENCAVEUSE
ELLESMERE	EMBRASSER	**EMPÉDOCLE**	ENCEINDRE
ELLINGTON	EMBRASURE	EMPENNAGE	ENCEINTÉE
ÉLOCUTION	EMBRAYAGE	EMPENNANT	ENCEINTER
ÉLOGIEUSE	EMBRAYANT	EMPERLANT	ENCENSANT
ÉLOIGNANT	EMBRAYEUR	EMPESTANT	ENCENSEUR
ÉLONGEANT	EMBREVANT	EMPÊTRANT	ENCENSOIR
ÉLOQUENCE	EMBRIGADÉ	EMPHYSÈME	ENCÉPHALE
ÉLOQUENTE	EMBRINGUÉ	EMPIERRÉE	ENCERCLÉE
ELSHEIMER	EMBROCHÉE	EMPIERRER	ENCERCLER
ÉLUCIDANT	EMBROCHER	EMPIÉTANT	ENCHAÎNÉE
ÉLUCUBRÉE	EMBRUMANT	EMPIFFRÉE	ENCHAÎNER
ÉLUCUBRER	**EMBRUNAIS**	EMPIFFRER	ENCHANTÉE
ELVINOISE	EMBUSCADE	EMPILABLE	ENCHANTER
ÉLYSÉENNE	EMBUSQUÉE	EMPIRIQUE	ENCHÂSSÉE
ÉMAILLAGE	EMBUSQUER	EMPIRISME	ENCHÂSSER
ÉMAILLANT	ÉMERGEANT	EMPIRISTE	ENCHÂTELÉ
ÉMAILLEUR	ÉMERGENCE	EMPLOYANT	ENCHAUSSÉ
ÉMANATION	ÉMERGENTE	EMPLOYEUR	ENCLAVANT
ÉMANCIPÉE	ÉMERILLON	EMPLUMANT	ENCLENCHÉ
ÉMANCIPER	ÉMERISANT	EMPOCHANT	ENCLOSURE
ÉMARGEANT	ÉMÉTISANT	EMPOIGNÉE	ENCLOUAGE
ÉMASCULÉE	ÉMETTRICE	EMPOIGNER	ENCLOUANT
ÉMASCULER	ÉMEUTIÈRE	EMPORTANT	ENCLOUURE
EMBALLAGE	ÉMIETTANT	EMPOSIEUS	ENCOCHAGE
EMBALLANT	ÉMIGRANTE	EMPOURPRÉ	ENCOCHANT
EMBALLEUR	**ÉMIRIENNE**	EMPREINTE	ENCOLLAGE
EMBARQUÉE	ÉMISSAIRE	EMPRESSÉE	ENCOLLANT
EMBARQUER	EMMANCHÉE	EMPRESSER	ENCOMBRÉE
EMBARRANT	EMMANCHER	EMPRÉSURÉ	ENCOMBRER
EMBARRURE	EMMÉNAGER	EMPRUNTÉE	ENCORDANT
EMBAUCHÉE	EMMENTHAL	EMPRUNTER	ENCORNANT
EMBAUCHER	**EMMENTHAL**	EMPUANTIE	ENCOUBLÉE
EMBAUMANT	EMMERDANT	EMPUANTIR	ENCOUBLER
EMBAUMEUR	EMMERDEUR	ÉMULATEUR	ENCOURAGÉ
EMBÉGUINÉ	EMMÉTROPE	ÉMULATION	ENCOURANT
EMBÊTANTE	EMMIELLÉE	ÉMULSIFIÉ	ENCRASSÉE
EMBLAVAGE	EMMIELLER	ENAMOURÉE	ENCRASSER
EMBLAVANT	ÉMOLLIENT	ENAMOURER	ENCROÛTÉE
EMBLAVURE	ÉMOLUMENT	ÉNANTHÈME	ENCROÛTER
EMBOBINÉE	ÉMONDEUSE	ENCABANÉE	ENDÉMIQUE
EMBOBINER	ÉMOTIONNÉ	ENCABANER	EN DESSOUS
EMBOÎTAGE	ÉMOTIVITÉ	ENCABLURE	ENDETTANT
EMBOÎTANT	ÉMOTTEUSE	ENCADRANT	ENDEUILLÉ
EMBOÎTURE	ÉMOUSSANT	ENCADREUR	ENDIABLÉE
EMBOSSAGE	ÉMOUVANTE	ENCAGEANT	ENDIABLER
EMBOSSANT	EMPAILLÉE	ENCAGOULÉ	ENDIGUANT
EMBOUCHÉE	EMPAILLER	ENCAISSÉE	ENDOCARDE
EMBOUCHER	EMPALMANT	ENCAISSER	ENDOCARPE
EMBOUQUÉE	EMPANACHÉ	ENCALMINÉ	ENDOCRINE

ENDODERME	ENGOUFFRÉ	ENSOUFRÉE	ENTRETENU
ENDOGAMIE	ENGOURDIE	ENSOUFRER	ENTRETIEN
ENDOLORIE	ENGOURDIR	ENSUIVANT	ENTRE-TUÉE
ENDOLORIR	ENGRAISSÉ	ENSUIVIES	ENTRE-TUER
ENDOMÈTRE	ENGRANGÉE	ENTABLANT	ENTRE-TUÉS
ENDOMMAGÉ	ENGRANGER	ENTABLURE	**ENTREVAUX**
ENDORMANT	ENGRÊLURE	ENTACHANT	ENTREVOIE
ENDORMEUR	ENGRENAGE	ENTAILLÉE	ENTREVOIR
ENDOSCOPE	ENGRENANT	ENTAILLER	ENTREVOUS
ENDOSSANT	ENGRENURE	ENTARTRÉE	ENTROPION
ENDUCTION	ENGROSSÉE	ENTARTRER	ÉNUCLÉANT
ENDUISANT	ENGROSSER	ENTASSANT	ÉNUMÉRANT
ENDURABLE	ENGUEULÉE	ENTENDANT	ENVELOPPE
ENDURANCE	ENGUEULER	ENTENDEUR	ENVELOPPÉ
ENDURANTE	ENHERBANT	ENTÉNÉBRÉ	ENVENIMÉE
ÉNERGIQUE	ENIVRANTE	ENTÉRINÉE	ENVENIMER
ÉNERVANTE	ENJAMBANT	ENTÉRINER	ENVERGUÉE
ENFAÎTANT	ENJAVELÉE	ENTÉRIQUE	ENVERGUER
ENFAÎTEAU	ENJAVELER	ENTERRANT	ENVERGURE
ENFANTANT	ENJOINDRE	ENTÊTANTE	ENVERJURE
ENFANTINE	ENJÔLEUSE	ENTHALPIE	**ENVER PASA**
ENFARINÉE	ENJOLIVÉE	ENTHYMÈME	ENVIRONNÉ
ENFARINER	ENJOLIVER	ENTICHANT	ENVISAGÉE
ENFERMANT	ENJUGUANT	ENTIÈRETÉ	ENVISAGER
ENFERRANT	ENKYSTANT	ENTOILAGE	ENVOÛTANT
ENFICHANT	ENLUMINÉE	ENTOILANT	ENVOÛTEUR
ENFIELLÉE	ENLUMINER	ENTÔLEUSE	ENVOYEUSE
ENFIELLER	ENLUMINÉS	ENTONNAGE	**ÉOLIENNES**
ENFIÉVRÉE	ENNÉAGONE	ENTONNANT	ÉPAGNEULE
ENFIÉVRER	ENNUYANTE	ENTONNOIR	ÉPAISSEUR
ENFILEUSE	ENNUYEUSE	ENTOURAGE	ÉPAMPRAGE
ENFLAMMÉE	ENQUÉRANT	ENTOURANT	ÉPAMPRANT
ENFLAMMER	ENQUÊTANT	**ENTRAGUES**	ÉPANCHANT
ENFLEURÉE	ENQUÊTEUR	ENTRAIDÉE	ÉPANDEUSE
ENFLEURER	ENRACINÉE	ENTRAIDER	ÉPANNELÉE
ENFONÇANT	ENRACINER	ENTR'AIMÉE	ÉPANNELER
ENFONCEUR	ENRAGEANT	ENTR'AIMER	ÉPARGNANT
ENFONÇURE	ENRHUMANT	ENTRAÎNÉE	ÉPARPILLÉ
ENFOURCHÉ	ENROBEUSE	ENTRAÎNER	ÉPATEMENT
ENFOURNÉE	ENROCHANT	ENTRAVANT	ÉPAUFRURE
ENFOURNER	ENROULANT	ENTRECHAT	ÉPAULETTE
ENFREINTE	ENROULEUR	ENTRECÔTE	ÉPENTHÈSE
ENGAGEANT	ENRUBANNÉ	ENTRE-DEUX	ÉPÉPINANT
ENGAINANT	ENSABLANT	ENTREGENT	ÉPERONNÉE
ENGAZONNÉ	ENSACHAGE	ENTRE-HAÏE	ÉPERONNER
ENGELBERG	ENSACHANT	ENTRE-HAÏR	ÉPERVIÈRE
ENGENDRÉE	ENSEIGNÉE	ENTRE-HAÏS	ÉPHÉDRINE
ENGENDRER	ENSEIGNER	ENTRELACÉ	ÉPICENTRE
ENGERBAGE	ENSELLURE	ENTRELACS	ÉPICURIEN
ENGERBANT	ENSEMENCÉ	ENTREMÊLÉ	ÉPIDIDYME
ENGILBERT	ENSERRANT	ENTREMETS	ÉPIDURALE
ENGLOBANT	ENSEVELIE	ENTREMISE	ÉPIDURAUX
ENGLOUTIE	ENSEVELIR	**ENTREMONT**	ÉPIERRAGE
ENGLOUTIR	ENSIFORME	ENTREPONT	ÉPIERRANT
ENGOMMAGE	ENSILEUSE	ENTREPOSÉ	ÉPIERREUR
ENGOMMANT	**ENSISHEIM**	ENTREPRIS	ÉPIGASTRE
ENGONÇANT	ENSORCELÉ	ENTRE-RAIL	ÉPIGENÈSE

ÉPIGLOTTE	ÉRADIQUÉE	ESCORTEUR	ESTOMPAGE
ÉPIGRAMME	ÉRADIQUER	ESCRIMANT	ESTOMPANT
ÉPIGRAPHE	ÉRAILLANT	ESCRIMEUR	ESTOURBIE
ÉPILATEUR	ÉRAILLURE	ESCROQUÉE	ESTOURBIR
ÉPILATION	ÉRECTRICE	ESCROQUER	ESTRADIOT
ÉPILEPSIE	ÉREINTAGE	**ESKISEHIR**	ESTRAPADE
ÉPILOGUER	ÉREINTANT	**ESMÉRALDA**	**ESTRIENNE**
ÉPIMÉTHÉE	ÉREINTEUR	ESPAGNOLE	ESTROGÈNE
ÉPINACOIS	ÉRÉSIPÈLE	**ESPAGNOLE**	ESTROPIÉE
ÉPINCETÉE	ÉRÉTHISME	ESPARTERO	ESTROPIER
ÉPINCETER	ERGASTULE	ESPÉRANCE	ESTUARIEN
ÉPINGLAGE	ERGOLOGIE	ESPÉRANTO	ESTURGEON
ÉPINGLANT	ERGOMÈTRE	ESPINGOLE	**ESZTERGOM**
ÉPINICIES	ERGONOMIE	**ESPINOUSE**	ÉTAGEMENT
ÉPIPHANIE	ERGOTERIE	ESPIONITE	ÉTAIEMENT
ÉPIPHYTIE	ERGOTEUSE	ESPIONNÉE	ÉTALEMENT
ÉPISCOPAL	ERGOTISME	ESPIONNER	ÉTALINGUÉ
ÉPISCOPAT	ÉRISTIQUE	ESPLANADE	ÉTALONNÉE
ÉPISSOIRE	ERMINETTE	ESQUICHÉE	ÉTALONNER
ÉPISTAXIS	**ERMONTOIS**	ESQUICHER	**ÉTAMPOISE**
ÉPIZOOTIE	**ÉROSTRATE**	ESQUIMAUX	ÉTANCHANT
ÉPLUCHAGE	ÉROTISANT	**ESQUIMAUX**	ÉTANÇONNÉ
ÉPLUCHANT	ÉROTOMANE	ESQUINTÉE	**ÉTAPLOISE**
ÉPLUCHEUR	ERRATIQUE	ESQUINTER	ÉTARQUANT
ÉPLUCHURE	ERREMENTS	ESQUISSÉE	ÉTATISANT
ÉPONGEAGE	ÉRUDITION	ESQUISSER	**ÉTAT LIBRE**
ÉPONGEANT	ÉRUGINEUX	ESQUIVANT	ÉTAT-MAJOR
ÉPONTILLE	**ÉRYMANTHE**	ESSAIMAGE	**ÉTATS-UNIS**
ÉPOUILLÉE	ÉRYSIPÈLE	ESSAIMANT	ÉTAYEMENT
ÉPOUILLER	ÉRYTHRÉEN	**ESSAOUIRA**	ET CÆTERA
ÉPOUMONÉE	**ÉRYTHRÉEN**	ESSARTAGE	ÉTEIGNANT
ÉPOUMONER	ÉRYTHRINE	**ESSARTAIS**	ÉTEIGNOIR
ÉPOUSSETÉ	ÉRYTHROSE	ESSARTANT	**ÉTELLOISE**
ÉPOUVANTE	**ERZBERGER**	ESSAYEUSE	ÉTENDERIE
ÉPOUVANTÉ	ESBIGNANT	ESSAYISTE	ÉTERNELLE
ÉPREINDRE	ESBROUFÉE	ESSENTIEL	ÉTERNISÉE
ÉPREINTES	ESBROUFER	**ESSEQUIBO**	ÉTERNISER
ÉPROUVANT	ESCABEAUX	**ESSLINGEN**	ÉTERNUANT
ÉPUISABLE	ESCABÈCHE	**ESSONNIEN**	ÉTÊTEMENT
ÉPUISANTE	ESCABELLE	ESSOREUSE	ÉTHÉRIFIÉ
ÉPUISETTE	ESCALADÉE	ESSORILLÉ	ÉTHIOPIEN
ÉPURATEUR	ESCALADER	ESSOUCHÉE	**ÉTHIOPIEN**
ÉPURATION	ESCALATOR	ESSOUCHER	ETHMOÏDAL
ÉPURATIVE	ESCALOPÉE	ESSOUFFLÉ	ETHNARQUE
ÉPUREMENT	ESCALOPER	ESSUYEUSE	ETHNOCIDE
ÉQUERRAGE	ESCAMOTÉE	ESTAFETTE	ETHNONYME
ÉQUEUTAGE	ESCAMOTER	ESTAMINET	ÉTHOLOGIE
ÉQUEUTANT	**ESCAUDAIN**	ESTAMPAGE	ÉTHOLOGUE
ÉQUILIBRE	ESCLAFFÉE	ESTAMPANT	ÉTHYLIQUE
ÉQUILIBRÉ	ESCLAFFER	ESTAMPEUR	ÉTHYLISME
ÉQUINISME	ESCLANDRE	**ESTERHÁZY**	ÉTINCELER
ÉQUIPIÈRE	ESCLAVAGE	ESTÉRIFIÉ	ÉTINCELLE
ÉQUIPOLLÉ	**ESCOFFIER**	ESTHÉTISÉ	ÉTIOLOGIE
ÉQUITABLE	ESCOMPTÉE	ESTIMABLE	ÉTIOPATHE
ÉQUIVOQUE	ESCOMPTER	ESTIMATIF	ÉTIQUETÉE
ÉQUIVOQUÉ	ESCOPETTE	ESTIVANTE	ÉTIQUETER
ÉRABLIÈRE	ESCORTANT	ESTOMAQUÉ	ÉTIQUETTE

ÉTIREMENT
ETOBICOKE
ÉTONNANTE
ÉTOUFFADE
ÉTOUFFAGE
ÉTOUFFANT
ÉTOUFFOIR
ÉTOUPILLE
ÉTOUPILLÉ
ÉTOURNEAU
ÉTRANGÈRE
ÉTRANGETÉ
ÉTRANGLÉE
ÉTRANGLER
ÉTREINDRE
ÉTRENNANT
ÉTRÉPAGNY
ÉTRILLANT
ÉTRIQUANT
ÉTRIVIÈRE
ÉTRUSQUES
ETTERBEEK
ÉTUDIANTE
ÉTUVEMENT
EUCARYOTE
EUCLIDIEN
EUGÉNIQUE
EUGÉNISME
EUGÉNISTE
EUMÉNIDES
EUPATOIRE
EUPATRIDE
EUPHORISÉ
EUPHRAISE
EUPHUISME
EUROCORPS
EUROCRATE
EUROFRANC
EUROPOORT
EURYHALIN
EURYMÉDON
EURYSTHÉE
EURYTHMIE
EUSKARIEN
EUSKARIEN
EUSKÉRIEN
EUSKÉRIEN
EUTHÉRIEN
EUTOCIQUE
ÉVAHONIEN
ÉVALUABLE
ÉVALUATIF
ÉVAPORANT
ÉVAPORITE
ÉVASEMENT
ÉVEILLANT
ÉVEILLEUR

ÉVÉNEMENT
ÉVENTAIRE
ÉVENTRANT
ÉVENTREUR
ÉVERTUANT
ÉVIANAISE
ÉVIDEMENT
ÉVISCÉRÉE
ÉVISCÉRER
ÉVITEMENT
ÉVOCATEUR
ÉVOCATION
ÉVOLUTION
ÉVOLUTIVE
ÉVRONNAIS
EX ABRUPTO
EXACERBÉE
EXACERBER
EXAGÉRANT
EXALTANTE
EXAMINANT
EXANTHÈME
EXASPÉRÉE
EXASPÉRER
EXCÉDANTE
EXCELLANT
EXCELLENT
EXCENTRÉE
EXCENTRER
EXCEPTANT
EXCEPTION
EXCESSIVE
EXCIPIENT
EXCITABLE
EXCITANTE
EXCLAMANT
EXCLUSION
EXCLUSIVE
EXCORIANT
EXCRÉMENT
EXCRÉTANT
EXCRÉTEUR
EXCRÉTION
EXCURSION
EXCUSABLE
EXÉCRABLE
EXÉCUTANT
EXÉCUTEUR
EXÉCUTION
EXÉCUTIVE
EXEMPTANT
EXEMPTION
EXEQUATUR
EXERÇANTE
EXFILTRÉE
EXFILTRER
EXFOLIANT

EXHAUSSÉE
EXHAUSSER
EXHAUSTIF
EXHORTANT
EXIGEANTE
EXINSCRIT
EXISTANTE
EXISTENCE
EXONÉRANT
EXORBITÉE
EXORCISÉE
EXORCISER
EXORCISME
EXORCISTE
EXORÉIQUE
EXORÉISME
EXOSPHÈRE
EXOTOXINE
EXPANSION
EXPANSIVE
EXPATRIÉE
EXPATRIER
EXPECTANT
EXPECTORÉ
EXPÉDIANT
EXPÉDIENT
EXPÉDITIF
EXPERTISE
EXPERTISÉ
EXPIATEUR
EXPIATION
EXPIRANTE
EXPLÉTIVE
EXPLICITE
EXPLICITÉ
EXPLIQUÉE
EXPLIQUER
EXPLOITÉE
EXPLOITER
EXPLORANT
EXPLOSANT
EXPLOSEUR
EXPLOSION
EXPLOSIVE
EXPORTANT
EXPOSANTE
EXPRESSIF
EXPRIMAGE
EXPRIMANT
EXPROPRIÉ
EXPULSANT
EXPULSION
EXQUISITÉ
EXTASIANT
EXTATIQUE
EXTENDEUR
EXTENSEUR

EXTENSION
EXTENSIVE
EXTÉNUANT
EXTÉRIEUR
EXTERMINÉ
EXTINCTIF
EXTIRPANT
EXTORQUÉE
EXTORQUER
EXTORSION
EXTRACTIF
EXTRADANT
EXTRAFINE
EXTRAFORT
EXTRAPOLÉ
EXTRAVASÉ
EXTRAYANT
EXTRÉMALE
EXTRÉMAUX
EXTRÉMITÉ
EXTRUDANT
EXTRUSION
EXTRUSIVE
EXUBÉRANT
EYE-LINERS
EYGUIÈRES
EYMÉTOISE
EYSINAISE
FABRICANT
FABRIQUÉE
FABRIQUER
FABULEUSE
FABULISTE
FACE-À-FACE
FACE-À-MAIN
FACÉTIEUX
FACETTANT
FACILITÉE
FACILITER
FAÇONNAGE
FAÇONNANT
FAÇONNEUR
FAÇONNIER
FAC-SIMILÉ
FACTICITÉ
FACTIEUSE
FACTITIVE
FACTORIEL
FACTORING
FACTORISÉ
FACTUELLE
FACTURANT
FACTURIER
FAGOTIÈRE
FAIBLARDE
FAIBLESSE
FAIDHERBE

FAÏENÇAGE	FATIGUANT	**FERNANDEL**	FILIGRANE
FAÏENCIER	**FATIMIDES**	**FERNÁNDEZ**	FILIGRANÉ
FAIGNANTE	FAUCARDÉE	FÉROÏENNE	**FILLASTRE**
FAILLIBLE	FAUCARDER	**FÉROÏENNE**	FILLÂTRE
FAINÉANTE	FAUCHEUSE	FERRAILLE	FILMOGÈNE
FAINÉANTÉ	FAUFILAGE	FERRAILLÉ	FILOCHANT
FAIRBANKS	FAUFILANT	**FERRARAIS**	FILOGUIDÉ
FAIRE-PART	FAUFILURE	**FERRASSIE**	FILOSELLE
FAISANDÉE	FAUNESQUE	FERREMENT	FILOUTAGE
FAISANDER	FAUSSAIRE	**FERRIÈRES**	FILOUTANT
FAISCEAUX	FAUX-BORDS	FERROUTÉE	FILTRABLE
FAISSELLE	FAUX-FILET	FERROUTER	FILTRANTE
FALAISIEN	**FAVERGIEN**	FERRY-BOAT	FINALISÉE
FALCONIDÉ	FAVORABLE	**FERTÉSIEN**	FINALISER
FALLIÈRES	FAVORISÉE	FERTILISÉ	FINALISME
FALSIFIÉE	FAVORISER	FERTILITÉ	FINALISTE
FALSIFIER	**FAYDHERBE**	**FESTINGER**	FINANÇANT
FALUNIÈRE	**FAYENÇOIS**	FESTIVITÉ	FINANCIER
FAMECKOIS	FÉBRICULE	FESTONNÉE	FINASSANT
FAMÉLIQUE	FÉBRIFUGE	FESTONNER	FINASSEUR
FAMILIALE	FÉBRILITÉ	FESTOÙ-NOZ	FINASSIER
FAMILIAUX	**FÉCAMPOIS**	FESTOYANT	FINISSAGE
FAMILIÈRE	FÉCONDANT	FÉTICHEUR	FINISSANT
FANATIQUE	FÉCONDITÉ	**FEUERBACH**	FINISSEUR
FANATISÉE	FÉCULENCE	**FEUILLADE**	FINISSURE
FANATISER	FÉCULENTE	FEUILLAGE	**FINISTÈRE**
FANATISME	FÉCULERIE	FEUILLANT	FINITISME
FANCY-FAIR	FÉCULIÈRE	FEUILLARD	FIORITURE
FANS-CLUBS	FÉDÉRATIF	**FEUILLÈRE**	FIRMAMENT
FANTAISIE	FEIGNANTE	FEUILLETÉ	**FIROZABAD**
FANTASMER	**FEININGER**	FEUILLURE	FISCALISÉ
FANTASQUE	FEINTEUSE	FEULEMENT	FISCALITÉ
FANTASSIN	FELDSPATH	**FEYZINOIS**	FISSIONNÉ
FAOUËTAIS	FELDWEBEL	FIABILISÉ	FISSURANT
FARANDOLE	FÉLIBRIGE	FIABILITÉ	FISTULEUX
FARDOCHES	FÉLICITÉE	**FIBONACCI**	FISTULINE
FARIDABAD	FÉLICITER	FIBRINEUX	**FITZ-JAMES**
FARIGOULE	FELLATION	FIBROCYTE	**FIUMICINO**
FARINACÉE	FELLINIEN	FIDÉLISÉE	FIXATRICE
FARINELLI	FÉMINISÉE	FIDÉLISER	FLACHERIE
FARINEUSE	FÉMINISER	FIDJIENNE	FLACHEUSE
FARLOUCHE	FÉMINISME	**FIDJIENNE**	FLAGELLÉE
FARNÉSINE	FÉMINISTE	FIELLEUSE	FLAGELLER
FARNIENTE	FENDILLÉE	FIER-À-BRAS	FLAGELLUM
FASCICULE	FENDILLER	FIÈREMENT	FLAGEOLER
FASCICULÉ	FENESTRON	FIÉVREUSE	FLAGEOLET
FASCINAGE	FENÊTRAGE	**FIGEACOIS**	FLAGORNÉE
FASCINANT	FENÊTRANT	FIGNOLAGE	FLAGORNER
FASCISANT	FÉODALITÉ	FIGNOLANT	FLAGRANTE
FAST-FOODS	**FERDINAND**	FIGNOLEUR	FLAIREUSE
FASTIGIÉE	FÉRINGIEN	FIGURANTE	FLAMBANTE
FASTUEUSE	**FÉRINGIEN**	FIGURATIF	FLAMBEAUX
FATALISME	FERLOUCHE	FILARIOSE	FLAMBERGE
FATALISTE	FERMEMENT	FILIALISÉ	FLAMBEUSE
FATIDIQUE	FERMENTÉE	FILIATION	FLAMBOYER
FATIGABLE	FERMENTER	FILICINÉE	FLAMMÈCHE
FATIGANTE	FERMETURE	FILIFORME	**FLAMSTEED**

FLANCHANT
FLANQUANT
FLASH-BACK
FLASHEUSE
FLATTERIE
FLATTEUSE
FLATULENT
FLÉCHETTE
FLÉCHOISE
FLEMMARDE
FLEMMARDÉ
FLENSBURG
FLÉRIENNE
FLEURANCE
FLEURETER
FLEURETTE
FLEURISTE
FLEURONNÉ
FLEVOLAND
FLEXUEUSE
FLINGUANT
FLIRTEUSE
FLOCK-BOOK
FLOCONNER
FLOCULANT
FLONFLONS
FLORACOIS
FLORAISON
FLORALIES
FLORENNES
FLORENSAC
FLORENTIN
FLORENTIN
FLORICOLE
FLORIFÈRE
FLORILÈGE
FLOTTABLE
FLOTTANTE
FLOTTILLE
FLUCTUANT
FLUIDIFIÉ
FLUIDIQUE
FLUIDISÉE
FLUIDISER
FLUXMÈTRE
FOCALISÉE
FOCALISER
FOCOMÈTRE
FOGAZZARO
FOISONNER
FOLÂTRANT
FOLIATION
FOLIOTAGE
FOLIOTANT
FOLIOTEUR
FOLLEMENT
FOLLEREAU

FOLLICULE
FOMENTANT
FONÇAILLE
FONDATEUR
FONDATION
FONDEMENT
FONDRIÈRE
FONGICIDE
FONGOSITÉ
FONGUEUSE
FONSCHOIS
FONT-ROMEU
FONVIZINE
FORAMINÉE
FORCEMENT
FORCÉMENT
FORESTAGE
FORESTIER
FORESTOIS
FORFICULE
FORGEABLE
FORGIONNE
FORJETANT
FORLANCÉE
FORLANCER
FORLIGNER
FORLONGÉE
FORLONGER
FORMALISÉ
FORMALITÉ
FORMATAGE
FORMATANT
FORMATEUR
FORMATION
FORMATIVE
FORMIONNE
FORMOLANT
FORMULANT
FORNIQUER
FORRESTER
FORSYTHIA
FORTALEZA
FORTEMENT
FORTIFIÉE
FORTIFIER
FORTUNÉES
FORT WAYNE
FORT WORTH
FOSSILISÉ
FOSSOYANT
FOSSOYEUR
FOS-SUR-MER
FOUAILLÉE
FOUAILLER
FOUDROYÉE
FOUDROYER
FOUESNANT

FOUETTANT
FOUETTARD
FOUGERAIE
FOUGERAIS
FOUGUEUSE
FOUILLANT
FOUILLEUR
FOUINARDE
FOUINEUSE
FOUISSAGE
FOUISSANT
FOUISSEUR
FOULONNÉE
FOULONNER
FOURASTIÉ
FOURBERIE
FOURCHANT
FOURGONNÉ
FOURGUANT
FOURMILLÉ
FOURNAISE
FOURNAISE
FOURNEAUX
FOURRAGER
FOURREAUX
FOURRIÈRE
FOURVIÈRE
FOURVOYÉE
FOURVOYER
FOX-HOUNDS
FOYALAISE
FRACASSÉE
FRACASSER
FRACTURÉE
FRACTURER
FRAGILISÉ
FRAGILITÉ
FRAGMENTÉ
FRAGONARD
FRAGRANCE
FRAGRANTE
FRAÎCHEUR
FRAISEUSE
FRAISIÈRE
FRAMBOISE
FRAMBOISÉ
FRAMERIES
FRANÇAISE
FRANÇAISE
FRANC-BORD
FRANCESCA
FRANC-FIEF
FRANCFORT
FRANCHISE
FRANCHISÉ
FRANCIQUE
FRANCISÉE

FRANCISER
FRANCOLIN
FRANCONIE
FRANGEANT
FRANGLAIS
FRANKFORT
FRANKLAND
FRAPPANTE
FRATERNEL
FRAUDEUSE
FRAXINIEN
FRÉCHETTE
FREDONNÉE
FREDONNER
FREE-LANCE
FREE-SHOPS
FRÉGATAGE
FRÉGATANT
FRÉJUSIEN
FRELATAGE
FRELATANT
FRELUQUET
FRÉNATEUR
FRÉQUENCE
FRÉQUENTE
FRÉQUENTÉ
FRÈRE ÉLIE
FRESNOISE
FRÉTILLER
FREUDISME
FREYCINET
FRIANDISE
FRICASSÉE
FRICASSER
FRICATIVE
FRICOTAGE
FRICOTANT
FRICOTEUR
FRIEDLAND
FRIEDRICH
FRIGIDITÉ
FRILOSITÉ
FRIMOUSSE
FRINGANTE
FRINGUANT
FRISOTTÉE
FRISOTTER
FRISOTTIS
FRISSONNÉ
FRIVOLITÉ
FROBENIUS
FROBERGER
FROBISHER
FROISSANT
FROISSART
FROISSURE
FRÔLEMENT

FROMAGÈRE	GAGNE-PAIN	GARDE-VOIE	GÉNÉSIQUE
FROMENTIN	GAGUESQUE	GARDIENNE	GÉNÉTIQUE
FRONDEUSE	GAILLARDE	**GARENNOIS**	GÉNÉTISME
FRONTEAUX	GALACTOSE	GARGANTUA	**GENEVIÈVE**
FRONTENAC	GALAMMENT	**GARGANTUA**	GENEVOISE
FRONTENAY	GALANDAGE	GARGARISÉ	**GENEVOISE**
FRONTIÈRE	GALANTINE	**GARGEOISE**	GENÉVRIER
FROSINONE	**GALÁPAGOS**	GARGOTIER	GÉNIALITÉ
FROTTANTE	**GALBRAITH**	GARGOUSSE	**GÉNISSIAT**
FROTTEUSE	GALÉNIQUE	**GARIBALDI**	GÉNITRICE
FROUSSARD	GALERISTE	GARNEMENT	GÉNOMIQUE
FRUCTIDOR	GALÉRUQUE	GARNITURE	GENOUILLÉ
FRUCTIFIÉ	GALETTEUX	**GARRIGUES**	GENTILITÉ
FRUCTUEUX	GALHAUBAN	GARROTTÉE	GENTILLET
FRUGALITÉ	GALIPETTE	GARROTTER	GENTIMENT
FRUGEOISE	GALIPOTÉE	**GASCOIGNE**	GENTLEMAN
FRUGIVORE	GALIPOTER	**GASPÉSIEN**	GENTLEMEN
FRUITERIE	**GALITZINE**	GASPILLÉE	GÉOCHIMIE
FRUITIÈRE	GALLICANE	GASPILLER	GÉODÉSIEN
FRUSTRANT	GALLICOLE	GASTÉRALE	GÉOGLYPHE
FUÉGIENNE	**GALLIFFET**	GASTRIQUE	GÉOGRAPHE
FUÉGIENNE	**GALLIMARD**	GÂTE-SAUCE	GÉOMANCIE
FUKUSHIMA	GALLINACÉ	GÂTIFIANT	GÉOMÉTRAL
FULGURANT	GALLINULE	**GATINOISE**	GÉOMÉTRIE
FULLERÈNE	**GALLIPOLI**	GATTILIER	GÉOPHAGIE
FULMINANT	**GALLITZIN**	GAUCHERIE	GÉORGIQUE
FULMINATE	GALONNANT	GAUCHISME	GÉOSPHÈRE
FUMÉLOISE	GALOPANTE	GAUCHISTE	**GÉRARDMER**
FUMEROLLE	GALOPEUSE	GAUDRIOLE	GERCEMENT
FUMETERRE	GALVANISÉ	GAUFRETTE	**GERGOLIEN**
FUNABASHI	GALVAUDÉE	GAUFREUSE	GÉRIATRIE
FUNAMBULE	GALVAUDER	GAULEITER	**GÉRICAULT**
FUNÉRAIRE	GALVAUDÉS	GAULLISME	GERMANISÉ
FURETEUSE	**GAMACHOIS**	GAULLISTE	GERMANIUM
FURETIÈRE	GAMBADANT	**GAY-LUSSAC**	GERMICIDE
FURIBARDE	GAMBERGÉE	GAZÉIFIÉE	GERMINALE
FURIBONDE	GAMBERGER	GAZÉIFIER	GERMINAUX
FURTIVITÉ	**GAMBIENNE**	**GAZIANTEP**	**GERMISTON**
FUSARIOSE	GAMBILLER	GAZINIÈRE	**GERNSBACK**
FUSIFORME	GAMINERIE	GAZOMÈTRE	**GÉROMOISE**
FUSILLADE	GANADERIA	GAZONNAGE	**GERPINNES**
FUSILLANT	**GANDRANGE**	GAZONNANT	**GERZATOIS**
FUSILLEUR	**GANGEOISE**	GAZOUILLÉ	GESTATION
FUSINISTE	GANGRENÉE	GEIGNARDE	GESTICULÉ
FUSIONNÉE	GANGRENER	GÉLATINÉE	GESTUELLE
FUSIONNER	**GANNATOIS**	GÉLIFIANT	**GÉVRIENNE**
FUTURISME	**GANSHOREN**	GÉLINOTTE	GHANÉENNE
FUTURISTE	**GAPENÇAIS**	GÉMELLITÉ	**GHANÉENNE**
GABARDINE	GARAGISTE	GÉMISSANT	**GHAZIABAD**
GABARIAGE	**GARCHOISE**	GEMMATION	**GHILIZANE**
GABARRIER	GARÇONNET	GEMMIFÈRE	GIBBOSITÉ
GABCÍKOVO	GARDE-BOUE	GENDARMÉE	GIBECIÈRE
GABONAISE	GARDE-CÔTE	GENDARMER	GIBELOTTE
GABONAISE	GARDE-FEUX	**GÉNÉRALAT**	GIBOYEUSE
GADGÉTISÉ	GARDE-FOUS	GÉNÉRATIF	**GIBRALTAR**
GADOUILLE	GARDE-PORT	GÉNÉREUSE	GICLEMENT
GAGAOUZES	GARDE-ROBE	GÉNÉRIQUE	**GIENNOISE**

GIESEKING	GLOUSSANT	GOUALEUSE	**GRANVELLE**
GIGNACOIS	GLOUTONNE	GOUDRONNÉ	**GRANVILLE**
GILETIÈRE	GLUCOSIDE	GOUJONNÉE	GRAPHIOSE
GILGAMESH	GLUTAMATE	GOUJONNER	GRAPHIQUE
GILLESPIE	GLUTINEUX	GOULEYANT	GRAPHISME
GIMONTOIS	GLYCÉRIDE	GOULÛMENT	GRAPHISTE
GINGEMBRE	GLYCÉRINE	GOUPILLÉE	GRAPHITÉE
GINGIVALE	GLYCÉRINÉ	GOUPILLER	GRAPHITER
GINGIVAUX	GLYCÉROLÉ	GOUPILLON	**GRAPPELLI**
GINGIVITE	GLYCOGÈNE	GOURMANDE	GRAPPILLÉ
GIN-RUMMYS	GLYCOLYSE	GOURMANDÉ	GRASSERIE
GIORGIONE	GLYPTIQUE	GOURMETTE	GRASSEYÉE
GIRAFEAUX	GLYPTODON	GOURNABLE	GRASSEYER
GIRANDOLE	**GNEISENAU**	**GOUTHIÈRE**	**GRASSMANN**
GIRATOIRE	GNEISSEUX	GOUTTEUSE	**GRASSOISE**
GIRAUDOUX	GNOGNOTTE	GOUTTIÈRE	GRATIFIÉE
GIRAUMONT	GNOSTIQUE	GOUVERNÉE	GRATIFIER
GIROFLIER	**GOBANAISE**	GOUVERNER	GRATINANT
GIROMAGNY	GODAILLER	GOUVERNÉS	GRATITUDE
GIRONDINE	GODENDART	**GOYTISOLO**	GRATTE-CUL
GIRONDINE	GODILLANT	GRACIABLE	GRATTE-DOS
GIRONDINS	GODIVEAUX	GRACIEUSE	GRATTELLE
GIROUETTE	GOGUENARD	GRACILITÉ	GRATTERON
GISORSIEN	GOGUENOTS	GRADATION	GRATTEUSE
GÎTOLOGIE	GOINFRANT	**GRADIGNAN**	**GRAULENNE**
GIVERNOIS	GOITREUSE	GRADUELLE	GRAVELEUX
GIVETOISE	**GOLBÉENNE**	GRAFFEUSE	GRAVELURE
GIVORDINE	**GOLD COAST**	GRAFFITIS	GRAVEMENT
GJELLERUP	**GOLDSMITH**	GRAFIGNÉE	**GRAVEROTE**
GLACIAIRE	**GOLDSTEIN**	GRAFIGNER	GRAVIDITÉ
GLACIELLE	**GOLFE-JUAN**	GRAILLANT	GRAVILLON
GLADSTONE	**GOLITSYNE**	GRAINIÈRE	GRAVITANT
GLAIREUSE	GOMARISME	GRAISSAGE	**GRAYLOISE**
GLAISEUSE	GOMARISTE	GRAISSANT	GRÉCISANT
GLAISIÈRE	GOMMIFÈRE	GRAISSEUR	**GREENWICH**
GLAMORGAN	**GONÇALVES**	GRAISSEUX	GREFFIÈRE
GLANDEUSE	**GONDEBAUD**	**GRAMATOIS**	GRÉGARINE
GLANEMENT	**GONDOBALD**	GRAMMAIRE	GRÉGORIEN
GLAUCONIE	GONDOLAGE	**GRAMPIANS**	GRELOTTER
GLAZOUNOV	GONDOLANT	**GRAN CHACO**	GRELUCHON
GLISSANCE	GONDOLIER	**GRAND BELT**	**GRÉMILLON**
GLISSANDO	**GONESSIEN**	**GRANDBOIS**	GRENADAGE
GLISSANTE	GONFLABLE	GRANDELET	GRENADANT
GLISSIÈRE	GONFLANTE	GRANDETTE	GRENADEUR
GLISSOIRE	GONFLETTE	GRANDIOSE	**GRENADIEN**
GLOBALISÉ	GONOCOQUE	**GRAND-LIEU**	GRENADIER
GLOBALITÉ	GONOPHORE	GRAND-MÈRE	GRENADINE
GLOBULEUX	GONORRHÉE	**GRAND-MÈRE**	**GRENADINE**
GLOBULINE	GONOZOÏDE	GRAND-PAPA	GRENAILLE
GLOMÉRULE	**GORAKHPUR**	GRAND-PÈRE	GRENAILLÉ
GLORIETTE	**GORDIENNE**	**GRAND TREK**	GRENAISON
GLORIEUSE	**GOTTFRIED**	GRANITEUX	GRENELANT
GLORIFIÉE	**GÖTTINGEN**	GRANIVORE	**GRENVILLE**
GLORIFIER	**GOTTSCHED**	GRANULANT	GRÉSILLER
GLOSSAIRE	GOUACHANT	GRANULEUX	**GRÉSILLON**
GLOSSETTE	GOUAILLER	GRANULITE	**GRÉSYLIEN**
GLOTTIQUE	GOUALANTE	GRANULOME	GRIFFEUSE

GRIFFONNÉ	**GRÜNEWALD**	**GÜTERSLOH**	HAPPEMENT
GRIGNARDE	GRUPPETTI	GUTTURALE	HAPPENING
GRIGNOISE	GRUPPETTO	GUTTURAUX	HAPPY ENDS
GRIGNOTÉE	**GRUYÉRIEN**	GUYANAISE	HARA-KIRIS
GRIGNOTER	**GRYSÉLIEN**	**GUYANAISE**	HARANGUÉE
GRILLAGÉE	**GUADALUPE**	GYMNASIAL	HARANGUER
GRILLAGER	**GUANGDONG**	GYROMÈTRE	**HARARAISE**
GRILL-ROOM	**GUANGZHOU**	GYROMITRE	HARASSANT
GRIMAÇANT	**GUARDAFUI**	GYROPHARE	HARCELANT
GRIMACIER	**GUARRAZAR**	GYROSCOPE	HARDIESSE
GRIMPANTE	**GUARULHOS**	HABILITÉE	HARDIMENT
GRIMPETTE	**GUATEMALA**	HABILITER	**HARELBEKE**
GRIMPEUSE	**GUAYAQUIL**	HABILLAGE	HARENGÈRE
GRINÇANTE	GUÉGUERRE	HABILLANT	HARGNEUSE
GRINCHEUX	**GUÉPRATTE**	HABILLEUR	HARIDELLE
GRINGALET	**GUÉRANGER**	HABITABLE	HARMATTAN
GRINGOIRE	**GUÉRÉTOIS**	HABITACLE	HARMONICA
GRIOTTIER	**GUERLÉDAN**	HABITANTE	HARMONISÉ
GRIPPE-SOU	**GUERNESEY**	HABITUANT	HARMONIUM
GRISAILLE	GUERRIÈRE	**HABSBOURG**	HARNACHÉE
GRISAILLÉ	GUERROYER	HACHEMENT	HARNACHER
GRISOLLER	GUET-APENS	**HACHINOHE**	**HARNÉSIEN**
GRISOLLES	GUEULANTE	HACHURANT	HARPAILLE
GRISONNER	GUEULARDE	**HADRUMÈTE**	HARPONNÉE
GROENLAND	GUEULETON	**HAEBERLIN**	HARPONNER
GROGNASSE	GUEUSERIE	**HAHNEMANN**	**HARROGATE**
GROGNASSÉ	GUIDE-FILS	HAINUYÈRE	HARUSPICE
GROGNERIE	GUIDEROPE	**HAINUYÈRE**	HASARDANT
GROGNEUSE	GUIGNARDE	HAÏSSABLE	HASARDEUX
GROGNONNE	GUIGNOLET	HAÏTIENNE	HASCHISCH
GROGNONNÉ	**GUILDFORD**	**HAÏTIENNE**	**HASDRUBAL**
GROMMELÉE	GUILLAUME	**HALBWACHS**	**HASPARREN**
GROMMELER	**GUILLAUME**	HALETANTE	**HASSI RMEL**
GRONDANTE	GUILLEDOU	HALF COURT	HÂTIVEAUX
GRONDERIE	GUILLEMET	HALF-TRACK	HAUBANAGE
GRONDEUSE	**GUILLEMIN**	HALIOTIDE	HAUBANANT
GRONINGUE	GUILLEMOT	HALLOWEEN	**HAUPTMANN**
GROSEILLE	GUILLERET	**HALLSTADT**	**HAUSDORFF**
GROS-GRAIN	GUILLOCHÉ	**HALLSTATT**	HAUSSE-COL
GROS-MORNE	**GUILLOTIN**	HALLUCINÉ	HAUSSIÈRE
GROS-PLANT	**HALMAHERA**	**HALMAHERA**	**HAUSSMANN**
GROSSE-ÎLE	**GUILVINEC**	HALOGÉNÉE	**HAUT-ALPIN**
GROSSERIE	**GUIMARÃES**	HALOPHILE	**HAUT-BRION**
GROSSESSE	GUIMBARDE	HALOPHYTE	**HAUTEFORT**
GROSSIÈRE	GUINCHANT	HALOTHANE	HAUTEMENT
GROSSISTE	GUINDEAUX	HAMADRYAS	HAUTURIER
GROTESQUE	GUINÉENNE	HAMAMÉLIS	HAVANAISE
GROTEWOHL	**GUINÉENNE**	**HAMAMATSU**	**HAVANAISE**
GROTOWSKI	**GUIPÚZCOA**	HAMBURGER	HAVENEAUX
GROUILLÉE	GUIRLANDE	**HAMBURGER**	HAWAÏENNE
GROUILLER	**GUJANAISE**	HAMERLING	**HAWAÏENNE**
GROUILLOT	GUMMIFÈRE	**HAMMAGUIR**	**HAWTHORNE**
GRUDZIADZ	**GURDJIEFF**	HAMMAM-LIF	**HAYDAR ALI**
GRUIFORME	**GURU NANAK**	**HAMPSHIRE**	**HAZPANDAR**
GRUMELANT	GUSTATION	HANAFISME	**HEAVISIDE**
GRUMELEUX	GUSTATIVE	HANDICAPÉ	HÉBRAÏQUE
GRUNDTVIG	**GUTENBERG**	**HANOVRIEN**	HÉBRAÏSÉE

HÉBRAÏSER
HÉBRAÏSME
HÉBRAÏSTE
HÉCATOMBE
HÉDÉRACÉE
HÉDONISME
HÉDONISTE
HÉGÉMONIE
HEIDEGGER
HEILBRONN
HEINEMANN
HELGOLAND
HÉLIANTHE
HÉLICOÏDE
HÉLIODORE
HÉLIODORE
HÉLIOSTAT
HÉLIPORTÉ
HELLÉBORE
HELLÉNISÉ
HELMHOLTZ
HELMINTHE
HÉLODERME
HELSINGØR
HELVÉTIUS
HÉMATIQUE
HÉMATURIE
HÉMICORDÉ
HÉMICYCLE
HEMINGWAY
HÉMIOXYDE
HÉMIPTÈRE
HÉMOPHILE
HÉMOSTASE
HENDAYAIS
HENDERSON
HENDIADIS
HENDIADYS
HÉNINOISE
HENNEBONT
HENNUYÈRE
HENNUYÈRE
HÉPATIQUE
HEPTAÈDRE
HEPTAGONE
HÉRACLITE
HÉRACLIUS
HÉRAKLION
HERBAGÈRE
HERBICIDE
HERBIGNAC
HERBIVORE
HERBORISÉ
HERCHEUSE
HERCULANO
HERCULÉEN
HERCYNIEN

HERD-BOOKS
HERENTALS
HÉRÉTIQUE
HÉRICOURT
HÉRISSANT
HÉRITIÈRE
HERMANDAD
HERNÁNDEZ
HERNIAIRE
HÉRODIADE
HÉROÏCITÉ
HÉRONNEAU
HERSCHANT
HERSCHEUR
HESBIGNON
HESDINOIS
HÉSITANTE
HÉTÉROSIS
HEXACORDE
HEXAGONAL
HEXAMÈTRE
HEXASTYLE
HEZBOLLAH
HIBERNALE
HIBERNANT
HIBERNAUX
HIC ET NUNC
HIDEYOSHI
HIÉRARQUE
HIÉRODULE
HIGHLANDS
HIGHSMITH
HIGOUMÈNE
HILALIENS
HILARANTE
HILVERSUM
HIMALAYEN
HINDEMITH
HINDU KUCH
HIPPARION
HIPPARQUE
HIPPOLYTE
HIPPOPHAÉ
HIRATSUKA
HIRONDEAU
HIROSHIGE
HIROSHIMA
HIRSINGUE
HIRUDINÉE
HISTAMINE
HISTIDINE
HISTOLYSE
HISTORIÉE
HISTORIEN
HITCHCOCK
HITLÉRIEN
HIT-PARADE

HIVERNAGE
HIVERNALE
HIVERNANT
HIVERNAUX
HJELMSLEV
HOBEREAUX
HOCHEMENT
HÔ CHI MINH
HÖCHSTÄDT
HOCKEYEUR
HOHENLOHE
HÖLDERLIN
HOLLANDIA
HOLLERITH
HOLLYWOOD
HOLOSTÉEN
HOMÉCOURT
HOME FLEET
HOME GUARD
HOMÉRIQUE
HOMODONTE
HOMOFOCAL
HOMOGAMIE
HOMOLOGIE
HOMOLOGUE
HOMOLOGUÉ
HOMONCULE
HOMONYMIE
HOMOPHOBE
HOMOPHONE
HOMOPTÈRE
HOMUNCULE
HONDURIEN
HONDURIEN
HONGROISE
HONGROISE
HONGROYÉE
HONGROYER
HONNÊTETÉ
HONORABLE
HONORAIRE
HOOVER DAM
HOQUETANT
HORLOGÈRE
HORMONALE
HORMONAUX
HORODATÉE
HOROSCOPE
HORRIFIÉE
HORRIFIER
HORRIPILÉ
HORSE-BALL
HORS-LA-LOI
HORS-PISTE
HORS-PLACE
HORS-SÉRIE
HORS-TEXTE

HORTENSIA
HORTICOLE
HOSTILITÉ
HÔTEL-DIEU
HÔTELIÈRE
HOTEMANUS
HOTTENTOT
HOTTENTOT
HOUBLONNÉ
HOUCHARDE
HOUDANAIS
HOUILLÈRE
HOUPPETTE
HOURRITES
HOUSE-BOAT
HOUSPILLÉ
HOUSSINÉE
HOUSSINER
HOVERPORT
HUASCARÁN
HUBERTINE
HUGUENOTE
HUISSERIE
HUÎTRIÈRE
HUMANISÉE
HUMANISER
HUMANISME
HUMANISTE
HUMANOÏDE
HUMECTAGE
HUMECTANT
HUMECTEUR
HUMIDIFIÉ
HUMILIANT
HUMORISTE
HUNEDOARA
HUNTZIGER
HURLEMENT
HURRICANE
HU YAOBANG
HYACINTHE
HYACINTHE
HYBRIDANT
HYBRIDITÉ
HYBRIDOME
HYDATIQUE
HYDERABAD
HYDRACIDE
HYDRANTHE
HYDRARGIE
HYDRASTIS
HYDRATANT
HYDRAVION
HYDRAZINE
HYDROBASE
HYDROCÈLE
HYDROFOIL

HYDROFUGE	IDYLLIQUE	IMPARTIAL	INAMICAUX
HYDROFUGÉ	**IESSENINE**	IMPATIENS	INANITION
HYDROGÈNE	IGNIFUGÉE	IMPATIENT	INAPAISÉE
HYDROGÉNÉ	IGNIFUGER	IMPAYABLE	INAPERÇUE
HYDROLASE	**IGNISSOIS**	IMPÉDANCE	INASSOUVI
HYDROLYSE	IGNOMINIE	IMPÉRATIF	INATTENDU
HYDROLYSÉ	IGNORANCE	IMPÉRIALE	INAUDIBLE
HYDROXYDE	IGNORANTE	IMPÉRIAUX	INAUGURAL
HYDROXYLE	IGUANODON	IMPÉRIEUX	INAUGURÉE
HYGROSTAT	**ILDEFONSE**	IMPÉRITIE	INAUGURER
HYPALLAGE	ILLETTRÉE	IMPÉTRANT	INCAPABLE
HYPERBARE	ILLIMITÉE	IMPÉTUEUX	INCARCÉRÉ
HYPERBATE	ILLISIBLE	IMPLANTÉE	INCARNANT
HYPERBOLE	ILLOGIQUE	IMPLANTER	INCARNATE
HYPERÉMIE	ILLOGISME	IMPLICITE	INCARTADE
HYPERPLAN	ILLUMINÉE	IMPLIQUÉE	INCASIQUE
HYPHOLOME	ILLUMINER	IMPLIQUER	INCENDIÉE
HYPNOTISÉ	ILLUSOIRE	IMPLORANT	INCENDIER
HYPOCRITE	ILLUSTRÉE	IMPLOSANT	INCERTAIN
HYPODERME	ILLUSTRER	IMPLOSION	INCESSANT
HYPOMANIE	ILLUVIALE	IMPLOSIVE	INCHANGÉE
HYPOPHYSE	ILLUVIAUX	IMPLUVIUM	INCHOATIF
HYPOSODÉE	IMAGINALE	IMPORTANT	INCIDENCE
HYPOSTASE	IMAGINANT	IMPORTUNE	INCIDENTE
HYPOSTYLE	IMAGINAUX	IMPORTUNÉ	INCINÉRÉE
HYPOTAUPE	IMBRIQUÉE	IMPOSABLE	INCINÉRER
HYPOTENDU	IMBRIQUER	IMPOSANTE	INCITATIF
HYPOTHÈSE	IMBROGLIO	IMPOSTEUR	INCIVIQUE
HYPOTONIE	IMBUVABLE	IMPOSTURE	INCIVISME
HYPOXÉMIE	**IMÉRIENNE**	IMPOTENCE	INCLÉMENT
IAROSLAVL	IMITATEUR	IMPOTENTE	INCLINANT
IATROGÈNE	IMITATION	IMPRÉCISE	INCLUSION
IBÉRIQUES	IMITATIVE	IMPRÉGNÉE	INCLUSIVE
IBERVILLE	IMMACULÉE	IMPRÉGNER	INCOGNITO
IBN TUFAYL	IMMANENCE	IMPRESSIF	INCOMBANT
ICAUNAISE	IMMANENTE	IMPRIMANT	INCOMMODE
ICAUNAISE	IMMÉDIATE	IMPRIMEUR	INCOMMODÉ
ICE-CREAMS	IMMELMANN	IMPROBITÉ	INCOMPLET
ICE-SHELFS	IMMENSITÉ	IMPROMPTU	INCOMPRIS
ICHNEUMON	IMMÉRITÉE	IMPROVISÉ	INCONFORT
ICOSAÈDRE	IMMERSION	IMPRUDENT	INCONGRUE
ICTÉRIQUE	IMMERSIVE	IMPUDENCE	INCONSOLÉ
IDÉALISÉE	IMMIGRANT	IMPUDENTE	INCORPORÉ
IDÉALISER	IMMINENCE	IMPUDIQUE	INCORRECT
IDÉALISME	IMMINENTE	IMPULSANT	INCRÉDULE
IDÉALISTE	IMMISÇANT	IMPULSION	INCRÉMENT
IDÉE-FORCE	IMMIXTION	IMPULSIVE	INCRIMINÉ
IDENTIFIÉ	IMMODÉRÉE	IMPUTABLE	INCROYANT
IDENTIQUE	IMMODESTE	INABOUTIE	INCRUSTÉE
IDÉOLOGIE	IMMONDICE	INABRITÉE	INCRUSTER
IDÉOLOGUE	IMMOTIVÉE	INACHEVÉE	INCULPANT
IDIOLECTE	IMMUNISÉE	INACTIVÉE	INCULQUÉE
IDIOTISME	IMMUNISER	INACTIVER	INCULQUER
IDOLÂTRÉE	IMPACTITE	INADAPTÉE	INCULTURE
IDOLÂTRER	IMPALUDÉE	INADÉQUAT	INCUNABLE
IDOLÂTRIE	IMPARABLE	INALTÉRÉE	INCURABLE
IDRISIDES	IMPARFAIT	INAMICALE	INCURIEUX

INCURSION
INCURVANT
INDATABLE
INDÉCENCE
INDÉCENTE
INDÉFINIE
INDÉLICAT
INDEMNISÉ
INDEMNITÉ
INDICATIF
INDICIBLE
INDIFFÉRÉ
INDIGÉNAT
INDIGENCE
INDIGENTE
INDIGESTE
INDIGNANT
INDIGNITÉ
INDIQUANT
INDIRECTE
INDISCRET
INDISCUTÉ
INDISPOSÉ
IN-DIX-HUIT
INDO-ARYEN
INDOCHINE
INDOLENCE
INDOLENTE
INDOMPTÉE
INDONESIA
INDONÉSIE
INDUCTEUR
INDUCTION
INDUCTIVE
INDUISANT
INDULGENT
INDUSTRIE
INÉCOUTÉE
INEFFABLE
INÉGALITÉ
INÉLÉGANT
INEMPLOYÉ
INENTAMÉE
INÉPROUVÉ
INÉPUISÉE
INESPÉRÉE
INÉTENDUE
INEXAUCÉE
INEXÉCUTÉ
INEXERCÉE
INEXPERTE
INEXPLORÉ
INEXPRIMÉ
IN EXTENSO
INFAMANTE
INFANTILE
INFARCTUS

INFATUANT
INFÉCONDE
INFECTANT
INFECTION
INFÉODANT
INFÉRENCE
INFÉRIEUR
INFERNALE
INFERNAUX
INFERTILE
INFESTANT
INFILTRAT
INFILTRÉE
INFILTRER
INFINITIF
INFIRMANT
INFIRMIER
INFIRMITÉ
INFLATION
INFLÉCHIE
INFLÉCHIR
INFLEXION
INFLUENCE
INFLUENCÉ
INFLUENTE
INFLUENZA
INFORMANT
INFORMULÉ
INFORTUNE
INFORTUNÉ
INFUMABLE
INFUSETTE
INFUSIBLE
INFUSOIRE
INGÉNIANT
INGÉNIEUR
INGÉNIEUX
INGÉNUITÉ
INGÉRABLE
INGÉRENCE
INGESTION
INGOUCHES
INGOUCHIE
INGRESQUE
INGUINALE
INGUINAUX
INGURGITÉ
INHABITÉE
INHÉRENCE
INHÉRENTE
INHUMAINE
ININTÉRÊT
INITIALÉE
INITIALER
INJECTANT
INJECTEUR
INJECTION

INJECTIVE
INJONCTIF
INJOUABLE
INJURIANT
INJURIEUX
INJUSTICE
INLANDSIS
INNERVANT
INNOCENCE
INNOCENTE
INNOCENTÉ
INNOCUITÉ
INNOVANTE
INNSBRUCK
INOBSERVÉ
INOCCUPÉE
INOCULANT
INONDABLE
INOPÉRANT
INQUIÉTÉE
INQUIÉTER
INQUILINE
INRAYABLE
INSALUBRE
INSATURÉE
INSCULPÉE
INSCULPER
INSÉCABLE
INSELBERG
INSÉMINÉE
INSÉMINER
INSÉRABLE
INSERTION
INSIDIEUX
INSINCÈRE
INSINUANT
INSISTANT
INSOLENCE
INSOLENTE
INSOLUBLE
INSOUMISE
INSPECTÉE
INSPECTER
INSPIRANT
INSTALLÉE
INSTALLER
INSTAURÉE
INSTAURER
INSTIGUÉE
INSTIGUER
INSTILLÉE
INSTILLER
INSTITUÉE
INSTITUER
INSTRUIRE
INSTRUITE
INSUFFLÉE

INSUFFLER
INSULAIRE
INSULINDE
INSULTANT
INSULTEUR
INTÉGRALE
INTÉGRANT
INTÉGRAUX
INTÉGRITÉ
INTELLECT
INTENABLE
INTENDANT
INTENSITÉ
INTENSIVE
INTENTANT
INTENTION
INTERAGIR
INTERCALÉ
INTERCÉDÉ
INTERDIRE
INTERDITE
INTÉRESSÉ
INTERFACE
INTERFÉRÉ
INTÉRIEUR
INTERJETÉ
INTERLOCK
INTERLOPE
INTERLUDE
INTERMÈDE
INTERNANT
INTERPOLÉ
INTERPOSÉ
INTERROGÉ
INTERVENU
INTERVIEW
INTESTINE
INTIMIDÉE
INTIMIDER
INTIMISME
INTIMISTE
INTITULÉE
INTITULER
INTONATIF
INTOXIQUÉ
INTRÉPIDE
INTRIGANT
INTRIGUÉE
INTRIGUER
INTRIQUÉE
INTRIQUER
INTRODUIT
INTRONISÉ
INTRUSION
INTUITION
INTUITIVE
INUKTITUT

INUSUELLE	**ISAAC ANGE**	JALONNANT	**JOINVILLE**
INUTILISÉ	**ISARIENNE**	JALONNEUR	JONGLERIE
INUTILITÉ	**ISBERGUES**	JALOUSANT	JONGLEUSE
INVAINCUE	**ISCARIOTE**	JAMAÏCAIN	**JÖNKÖPING**
INVALIDÉE	**ISLAMABAD**	**JAMAÏCAIN**	**JONQUIÈRE**
INVALIDER	ISLAMIQUE	**JAMBLIQUE**	JONQUILLE
INVALIDES	ISLAMISÉE	JAMBOSIER	**JONZACAIS**
INVARIANT	ISLAMISER	**JAMESTOWN**	JORDANIEN
INVECTIVE	ISLAMISME	**JANSÉNIUS**	**JORDANIEN**
INVECTIVÉ	ISLAMISTE	**JANZÉENNE**	**JØRGENSEN**
INVENTANT	ISLANDAIS	JAPONAISE	**JOSEFINOS**
INVENTEUR	**ISLANDAIS**	**JAPONAISE**	**JOSÉPHINE**
INVENTION	ISMAÉLIEN	JAPONERIE	**JOSEPHSON**
INVENTIVE	ISMAÉLITE	JAPONISME	JOTTEREAU
INVERNESS	ISMAÏLIEN	JAPPEMENT	**JOTUNHEIM**
INVERSANT	ISOCARÈNE	JAQUELINE	JOUAILLER
INVERSEUR	ISOCHRONE	JAQUEMART	JOUISSANT
INVERSION	ISOCLINAL	JARDINAGE	JOUISSEUR
INVERTASE	ISOGLOSSE	JARDINANT	JOUISSIVE
INVÉTÉRÉE	ISOGREFFE	JARDINIER	**JOUKOVSKI**
INVÉTÉRER	ISOLATEUR	JARGONNER	**JOUMBLATT**
INVISIBLE	ISOLATION	**JARLANDIN**	JOVIALITÉ
INVITANTE	ISOLEMENT	**JARNACAIS**	JOYEUSETÉ
INVIVABLE	ISOLÉMENT	JARRETANT	JUBILAIRE
INVOLUCRE	ISOMÉRASE	JASPINANT	JUBILANTE
INVOLUTÉE	ISOMÉTRIE	JAVANAISE	JUDAÏCITÉ
INVOLUTIF	ISOMORPHE	**JAVANAISE**	JUDAÏSANT
INVOQUANT	ISOSÉISTE	JAVELEUSE	JUDICIEUX
IODOFORME	ISOSTASIE	JAVELLISÉ	JUGULAIRE
IONIENNES	ISOTHERME	JAZZ-BANDS	JUKE-BOXES
IONISANTE	ISOTROPIE	JAZZ-ROCKS	**JULLUNDUR**
IPHIGÉNIE	ISRAÉLIEN	**JEAN BODEL**	JUMBO-JETS
IPSO FACTO	**ISRAÉLIEN**	**JEAN BOSCO**	**JUMELLOIS**
IRAKIENNE	ISRAÉLITE	**JEAN EUDES**	JUPONNANT
IRAKIENNE	**ISSAMBRES**	**JEAN LE BON**	JURASSIEN
IRANIENNE	**ISSENHEIM**	JEANNETTE	**JURASSIEN**
IRANIENNE	**ISSOIRIEN**	**JÉBUSÉENS**	JURIDIQUE
IRASCIBLE	**ISSYK-KOUL**	**JEFFERSON**	JURIDISME
IRISATION	ISTHMIQUE	JÉRÉMIADE	JUSQUIAME
IRLANDAIS	**ISTRÉENNE**	JERSIAISE	JUSTEMENT
IRLANDAIS	ITALIENNE	**JERSIAISE**	JUSTICIER
IRONISANT	**ITALIENNE**	**JÉRUSALEM**	JUSTIFIÉE
IROQUOIEN	**ITELMÈNES**	JESPERSEN	JUSTIFIER
IROQUOISE	ITÉRATION	JET-STREAM	**JUSTINIEN**
IRRADIANT	ITÉRATIVE	JETTATURA	JUXTAPOSÉ
IRRAWADDY	ITINÉRANT	JEUNEMENT	**JYVÄSKYLÄ**
IRRÉALISÉ	IVOIRERIE	JEUNE-TURC	**KABOULIEN**
IRRÉALITÉ	JABORANDI	**JIANG QING**	**KABUTO-CHO**
IRRÉFUTÉE	JACARANDA	JOAILLIER	**KAGOSHIMA**
IRRÉSOLUE	JACASSANT	JOBARDANT	**KAHNAWAKE**
IRRESPECT	JACASSEUR	JOBARDISE	KALA-AZARS
IRRIGABLE	JACASSIER	**JOCASSIEN**	**KALMOUKIE**
IRRIGUANT	**JACCOTTET**	JOCONDIEN	**KALMTHOUT**
IRRITABLE	JACQUERIE	**JOHANNAIS**	**KAMARHATI**
IRRITANTE	**JACQUERIE**	JOIGNABLE	**KAMA-SUTRA**
IRRITATIF	**JAGELLONS**	JOINTOYÉE	**KAMPUCHÉA**
IRRUPTION	JALON-MIRE	JOINTOYER	**KANDINSKY**

KANGOUROU	KINÉSISTE	LABÉLISER	LAMBOURDE
KANTIENNE	**KINGSTOWN**	LABELLISÉ	LAMBRISSÉ
KAOHSIUNG	KIOSQUIER	**LA BÉRARDE**	LAMBSWOOL
KAOLINITE	**KIRCHHOFF**	LABIALISÉ	LAMELLEUX
KARA-BOGAZ	KIRIKKALE	LABORIEUX	**LA MENNAIS**
KARAGANDA	**KIROVABAD**	LABOURAGE	LAMENTANT
KARAGANDY	**KIROVAKAN**	LABOURANT	**LA METTRIE**
KARAKORAM	KISANGANI	LABOUREUR	LAMINAIRE
KARAKORUM	KISFALUDY	**LABOUREUR**	**LAMOIGNON**
KARAMAZOV	KISHIWADA	**LABROUSSE**	**LAMOUREUX**
KARAMZINE	KISSINGER	**LABROUSTE**	LAMPASSÉE
KARATCHAÏ	KITCHENER	**LA BRUYÈRE**	**LAMPEDUSA**
KARAVELOV	KITTITIEN	**LA CAPELLE**	LAMPOURDE
KARKEMISH	KITZBÜHEL	LACAUNAIS	**LAMPRECHT**
KARLFELDT	KLARSFELD	LACCOLITE	**LA NAPOULE**
KARLOWITZ	KLAXONNER	**LA CHARITÉ**	LANAUDOIS
KARLSRUHE	KLEMPERER	LÂCHEMENT	**LANCASTER**
KARNATAKA	KLOPSTOCK	**LACHENAIE**	**LANCASTRE**
KARSAVINA	KNOCK-DOWN	**LACHENOIS**	**LANCÉENNE**
KARSTIQUE	**KNOXVILLE**	**LACHINOIS**	LANCEMENT
KASSERINE	**KØBENHAVN**	**LACHUTOIS**	LANCÉOLÉE
KASTERLEE	**KOKOSCHKA**	LACONIQUE	LANCINANT
KATHAKALI	**KOMINFORM**	LACONISME	LANDERNAU
KATHIAWAR	**KOMINTERN**	**LA COROGNE**	LANDGRAVE
KATMANDOU	**KOROLENKO**	**LACQUOISE**	**LANDOWSKA**
KAWAGUCHI	KORRIGANE	LACRYMALE	**LANDOWSKI**
KAYAKABLE	**KORSAKOFF**	LACRYMAUX	**LANFRANCO**
KAYAKISTE	**KOSCIUSKO**	LACTARIUM	LANGAGIER
KECSKEMÉT	**KOULECHOV**	LACTATION	**LANGONAIS**
KÉMALISME	KOULIBIAC	LACTIFÈRE	LANGOUSTE
KERGUELEN	**KOUTAÏSSI**	LACUNAIRE	**LANGROISE**
KERKENNAH	**KOUTOUSOV**	LACUNEUSE	**LANGUEDOC**
KEYNÉSIEN	**KOUTOUZOV**	**LA FAYETTE**	LANGUETTE
KHÂGNEUSE	**KOUZNETSK**	**LAFAYETTE**	LANTANIER
KHAJURAHO	KOWEÏTIEN	**LAFÉROISE**	LANTERNER
KHAKASSES	KOWEÏTIEN	**LA GACILLY**	LANTERNON
KHAKASSIE	**KOZHIKODE**	**LA GARENNE**	**LANZAROTE**
KHARAGPUR	**KRAEPELIN**	LAGOTHRIX	**LAONNOISE**
KHÉDIVIAT	**KRASINSKI**	**LA GUERCHE**	LAOTIENNE
KHORSABAD	**KRASNODAR**	LAGUNAIRE	**LAOTIENNE**
KHOURIBGA	KRIVOÏ-ROG	LAÏCISANT	**LAPALISSE**
KHURSABAD	KRONECKER	LAIDEMENT	**LA PALLICE**
KHUZESTAN	KRONPRINZ	LAIMARGUE	**LA PASTURE**
KHUZISTAN	KRONPRINZ	LAITONNÉE	LAPEREAUX
KIDNAPPÉE	**KRONSTADT**	LAITONNER	**LA PÉROUSE**
KIDNAPPER	**KROUMIRIE**	LAÏUSSANT	**LAPERRINE**
KIESINGER	KRYVYÏ RIH	LAÏUSSEUR	LAPIDAIRE
KIÉVIENNE	KSHATRIYA	**LA LÉCHÈRE**	LAPINIÈRE
KIG HA FARZ	**KURASHIKI**	LALLATION	LAPINISME
KILOFRANC	**KURDISTAN**	**LALOUVESC**	**LAPLANCHE**
KILOHERTZ	**KUSTURICA**	**LA MACHINE**	LA PLUPART
KILOMÈTRE	**KUTNÁ HORA**	**LA MALBAIE**	**LAPPARENT**
KILOMÉTRÉ	**KUTUBIYYA**	**LA MARMORA**	**LA PRAIRIE**
KILOTONNE	**KYPRIANOÚ**	**LAMARTINE**	**LA RAVOIRE**
KIMBERLEY	**KYZYLKOUM**	LAMASERIE	**L'ARBRESLE**
KIM IL-SONG	**KYZYLORDA**	**LAMBARÉNÉ**	LARDONNÉE
KIM IL-SUNG	LABÉLISÉE	LAMBINANT	LARDONNER

LARGEMENT	**LECLANCHÉ**	LÉSIONNEL	LIGNICOLE
LARGHETTO	**LE CONQUET**	**LESNEVIEN**	LIGNIFIÉE
LARIFORME	**LE CORBIER**	**LESOTHANE**	LIGNIFIER
LARMORIEN	LE CREUSOT	**LES PENNES**	LILANGENI
LARMOYANT	**LE CROISIC**	LESSIVAGE	LIMETTIER
LARVICIDE	**LE FOLGOËT**	LESSIVANT	LIMINAIRE
LARYNGIEN	LÉGALISÉE	LESSIVIEL	LIMITATIF
LARYNGITE	LÉGALISER	LESSIVIER	LIMOGEAGE
LA SALETTE	LÉGALISME	LESTEMENT	LIMOGEANT
LASALLOIS	LÉGALISTE	**LE TELLIER**	LIMONAIRE
LASCIVETÉ	**LE GARDEUR**	LÉTHARGIE	LIMONEUSE
LASCIVITÉ	LÉGATAIRE	**LE THILLOT**	LIMONIÈRE
LA SKHIRRA	LÉGENDANT	**LE TOUQUET**	**LIMOURIEN**
LAS PALMAS	LÉGIFÉRER	**LE TRÉPORT**	LIMOUSINE
LASSITUDE	LÉGITIMÉE	LETTRISME	**LIMOUSINE**
LATÉCOÈRE	LÉGITIMER	LEUCOCYTE	**LIMOUXINE**
LATICLAVE	LÉGUMIÈRE	**LEUVIELLE**	LIMPIDITÉ
LATIFOLIÉ	**LE HAILLAN**	**LEVALLOIS**	**LINDBERGH**
LATINISÉE	LEICESTER	LEVANTINE	**LINDEMANN**
LATINISER	LÉIOMYOME	**LEVANTINE**	LINÉAMENT
LATINISME	LEITMOTIV	**LEVASSEUR**	LINÉARITÉ
LATINISTE	**LE LORRAIN**	LÈVE-GLACE	LINÉATURE
LATO SENSU	**LE LOUROUX**	**LE VERRIER**	LINGUETTE
LA TRANCHE	**LEMAISTRE**	**LE VÉSINET**	LINGUISTE
LATREILLE	LÉMANIQUE	LÈVE-VITRE	**LINKÖPING**
LA TRINITÉ	**LEMERCIER**	**LÉVIATHAN**	LINNÉENNE
LATTAQUIÉ	**LEMONNIER**	**LÉVITIQUE**	LINOLÉINE
LATUQUOIS	**LÉMOVICES**	LEVRETTÉE	LINOTYPIE
LAUDATEUR	LENDEMAIN	LEVRETTER	**LINSELLES**
LAUDATIVE	LÉNIFIANT	**LÉVY-BRUHL**	LIONCEAUX
LAUENBURG	**LENINABAD**	**LEYSENOND**	**LIOUVILLE**
LAURAGAIS	**LENINAKAN**	LÉZARDANT	LIPIDÉMIE
LAURENCIN	**LENINGRAD**	**LEZGUIENS**	LIPIDIQUE
LAURISTON	LÉNINISME	**L'HOSPITAL**	LIPOPHILE
LA VALETTE	LÉNINISTE	LIAISONNÉ	LIPOPHOBE
LAVALLOIS	**LE NOUVION**	**LIANCOURT**	LIQUATION
LAVE-AUTOS	LENTEMENT	**LIAOCHENG**	LIQUÉFIÉE
LAVE-GLACE	LENTICULE	LIBANAISE	LIQUÉFIER
LAVELANET	LENTICULÉ	**LIBANAISE**	LIQUIDANT
LAVE-LINGE	LENTIGINE	LIBELLANT	LIQUIDIEN
LAVE-MAINS	LENTISQUE	LIBELLULE	LIQUIDITÉ
LAVE-PONTS	**LÉOCHARÈS**	LIBÉRABLE	LIQUOREUX
LAVIGERIE	LEONHARDT	LIBÉRISTE	LISBONNIN
LAVOISIER	LÉOPARDÉE	LIBERTINE	**LISBONNIN**
LAVROVSKI	**LÉOVIGILD**	LIBIDINAL	**L'ISLE-ADAM**
LAZARISTE	**LE PASSAGE**	LIBRAIRIE	**LISPECTOR**
LAZZARONE	**LE PERREUX**	LIBRATION	**LISSAJOUS**
LAZZARONI	**LE PLESSIS**	LIBREMENT	**LISSITZKY**
LE BOURGET	**LE QUESNOY**	LICENCIÉE	LITHERGOL
LE BOUSCAT	LERMONTOV	LICENCIER	LITHOPONE
LE BUISSON	**LES ABYMES**	LIDOCAÏNE	LITIGIEUX
LE CANADEL	LESBIENNE	LIÉGEOISE	LITS-CAGES
LE CHAMBON	**LESBIENNE**	**LIÉGEOISE**	LITTÉRALE
LE CHÂTEAU	**LES CLAYES**	LIEUX-DITS	LITTÉRAUX
LÈCHEMENT	**LES EYZIES**	**LIÉVINOIS**	LITTORALE
LE CHESNAY	LÉSINERIE	LIGATURÉE	LITTORAUX
LÉCITHINE	LÉSINEUSE	LIGATURER	LITTORINE

LITUANIEN	LOTISSEUR	LYSERGIDE	MAGNÉTISÉ
LITUANIEN	LOUANGEUR	LYSIMAQUE	MAGNÉTITE
LIU SHAOQI	LOUCHERIE	**LYSIMAQUE**	MAGNÉTRON
LIUTPRAND	LOUCHEUSE	MACARONIS	MAGNIFIÉE
LIUVIGILD	**LOUDUNAIS**	**MACARTHUR**	MAGNIFIER
LIVERPOOL	**LOUISIADE**	**MACCABÉES**	**MAGNITOIS**
LIVRADOIS	**LOUISIANE**	MACCHABÉE	MAGNITUDE
LIVRAISON	LOUP-GAROU	**MACDONALD**	MAGNOLIER
LIVRESQUE	**LOURDAISE**	MACÉDOINE	**MAGNYCOIS**
LIXIVIANT	LOURDAUDE	**MACÉDOINE**	**MAGOGOISE**
LJUBLJANA	LOUVETEAU	**MACHECOUL**	MAGOUILLE
LLOBREGAT	LOUVETIER	MÂCHEMENT	MAGOUILLÉ
LOBOTOMIE	**LOUVETOUE**	MACHIAVEL	**MAGUELONE**
LOBULAIRE	LOUVOYAGE	**MACHIAVEL**	**MAHAJANGA**
LOCALISÉE	LOUVOYANT	MACHINALE	MAHOMÉTAN
LOCALISER	**LOVECRAFT**	MACHINANT	**MAHORAISE**
LOCATAIRE	LOYALISME	MACHINAUX	**MAIDSTONE**
LOCATELLI	LOYALISTE	MACHMÈTRE	**MAIDUGURI**
LOCHRISTI	**LUANDAISE**	MÂCHONNÉE	**MAIGNELAY**
LOCRIENNE	LUBRICITÉ	MÂCHONNER	MAIGRELET
LOCUTRICE	LUBRIFIÉE	MÂCHURANT	MAIL-COACH
LODÉVOISE	LUBRIFIER	**MACKENSEN**	MAILLOCHE
LOGICISME	**LUCKY LUKE**	**MACKENZIE**	MAILLOTIN
LOGOPÉDIE	**LUÇONNAIS**	**MACKINDER**	**MAIMONIDE**
LOGORRHÉE	**LUCQUOISE**	**MACLAURIN**	MAIN-FORTE
LOHENGRIN	LUCRATIVE	**MACMILLAN**	MAINLEVÉE
LOINTAINE	**LUC-SUR-MER**	MAÇONNAGE	MAINMORTE
LOMBALGIE	LUDOLOGUE	**MÂCONNAIS**	MAINTENIR
LOMBARDIE	**LUFTWAFFE**	MAÇONNANT	**MAINTENON**
LOMBOSTAT	LUMINAIRE	MACROLIDE	MAINTENUE
LONDONIEN	LUMINANCE	MACROPODE	MAÏOLIQUE
LONDONIEN	LUMINEUSE	MADAPOLAM	**MAIQUETÍA**
LONG BEACH	LUMINISME	MADELEINE	MAISONNÉE
LONGCHAMP	LUMINISTE	**MADELEINE**	MAÎTRESSE
LONG DRINK	LUNATIQUE	**MADELINOT**	MAÎTRISÉE
LONGÉVITÉ	**LUNCEFORD**	MADÉRISÉE	MAÎTRISER
LONGITUDE	**LUNELLOIS**	MADÉRISER	**MAIZIÈRES**
LONGTEMPS	**LUNENBURG**	MADRÉPORE	MAJOLIQUE
LONGUETTE	LUNETIÈRE	MADRIGAUX	MAJORDOME
LONGUEUIL	**LUNÉVILLE**	MADRILÈNE	**MAJORELLE**
LONGUE-VUE	**LUSAKOISE**	**MADRILÈNE**	MAJORETTE
LOON-PLAGE	LUSITAINE	MAELSTRÖM	MAJORQUIN
LOOSSOISE	**LUSITAINE**	**MAELSTRÖM**	**MAJORQUIN**
LOQUACITÉ	**LUSITANIA**	MAFFIEUSE	MAJUSCULE
LOQUETEAU	**LUSITANIE**	MAGASINER	**MAKARENKO**
LOQUETEUX	LUSOPHONE	**MAGDALENA**	**MAKEIEVKA**
LORD-MAIRE	LUSTRERIE	**MAGDUNOIS**	MALACHITE
LORETTAIN	LUTHÉRIEN	MAGHRÉBIN	MALADROIT
LORGNETTE	**LUXEMBURG**	**MAGHRÉBIN**	MAL-AIMÉES
LORICAIRE	LUXURIANT	MAGISTÈRE	**MALAISIEN**
LOROUSAIN	LUXURIEUX	MAGISTRAL	MALANDRIN
LORRIÇOIS	**LUZARCHES**	MAGISTRAT	**MALAPARTE**
LOS ALAMOS	**LYCABETTE**	MAGNANIER	MALAPPRIS
LOSCHMIDT	**LYCOPHRON**	MAGNANIME	**MALATESTA**
LOTIONNÉE	LYCOPHYTE	MAGNÉSIEN	**MALAUCÈNE**
LOTIONNER	LYMPHOÏDE	MAGNÉSITE	MALAVISÉE
LOTISSANT	**LYONNAISE**	MAGNÉSIUM	MALAYALAM

MALCHANCE	MANGEABLE	MARCHANTE	MAROUETTE
MALDIVIEN	MANGEOIRE	MARCHÉAGE	MAROUFLÉE
MALÉFIQUE	MANGEOTTÉ	MARCHEUSE	MAROUFLER
MALÉKISME	MANGE-TOUT	**MARCILLAC**	MARQUANTE
MALEVILLE	MANGOUSTE	**MARCOMANS**	**MARQUÉSAN**
MALEVITCH	**MANHATTAN**	**MARCO POLO**	MARQUETÉE
MALGRÉ QUE	MANICHÉEN	MARCOTTÉE	MARQUETER
MALHABILE	MANIEMENT	MARCOTTER	**MARQUETTE**
MALICIEUX	MANIFESTE	**MARDOCHÉE**	MARQUEUSE
MALIGNITÉ	MANIFESTÉ	**MARDONIOS**	MARQUISAT
MALIKISME	MANIGANCE	MARÉCHALE	**MARQUISES**
MALINOISE	MANIGANCÉ	MARÉCHAUX	**MARRAKECH**
MALINVAUD	**MANILLAIS**	MAREYEUSE	**MARSANNAY**
MALLÉABLE	MANIPULÉE	MARGARINE	**MARSEILLE**
MAL-LOGÉES	MANIPULER	**MARGARITA**	MARSUPIAL
MALMAISON	MANIVELLE	MARGAUDER	MARSUPIUM
MALMENANT	**MANIZALES**	**MARGERIDE**	MARTELAGE
MALONIQUE	MANNEQUIN	MARGINALE	MARTELANT
MALOUINES	MANŒUVRE	MARGINANT	MARTIENNE
MALPIGHIE	MANŒUVRÉ	MARGINAUX	**MARTIENNE**
MALPROPRE	MANOMÈTRE	MARGOTANT	**MARTIGNAC**
MALSÉANTE	**MANOSQUIN**	MARGOTTER	**MARTIGNAS**
MALTE-BRUN	MANQUANTE	MARGOULIN	**MARTIGUES**
MALTRAITÉ	MANSARDÉE	**MARIANNES**	**MARTINSON**
MALVOISIE	**MANSFIELD**	**MARIAZELL**	MARTYRISÉ
MALVOYANT	**MANSOURAH**	**MARIEMONT**	MARTYRIUM
MAMELONNÉ	**MANTOUANE**	**MARIENBAD**	**MARVEJOLS**
MAMELOUKS	MANUBRIUM	**MARIGNANE**	MARXIENNE
MAMERTINE	MANUCURÉE	MARIHUANA	MARXISANT
MAMMALIEN	MANUCURER	MARIJUANA	MASCARADE
MAMMIFÈRE	MANUÉLINE	**MARINETTI**	**MASCATAIS**
MANAGEANT	MANUSCRIT	**MARINGUES**	**MASCOUCHE**
MANAGEUSE	**MAO ZEDONG**	**MARINIDES**	MASCULINE
MANCHERON	**MAPUTAISE**	MARINIÈRE	**MASÉROISE**
MANCHETTE	MAQUEREAU	**MARIOUPOL**	**MASINISSA**
MANCHETTE	MAQUIGNON	MARITORNE	**MASKELYNE**
MANCHOISE	MAQUILLÉE	MARIVAUDÉ	MASSACRÉE
MANDARINE	MAQUILLER	MARKETING	MASSACRER
MANDATANT	MAQUISARD	**MARKOWITZ**	MASSEPAIN
MANDATURE	MARABOUTÉ	**MARKSTEIN**	**MASSICOIS**
MANDCHOUE	**MARACAIBO**	MARMAILLE	MASSICOTÉ
MANDCHOUE	MARAÎCHER	MARMELADE	MASSIFIÉE
MANDÉENNE	MARAÎCHIN	**MARMOLADA**	MASSIFIER
MANDÉISME	**MARAMURES**	MARMONNÉE	**MASSIGNON**
MANDELIEU	MARASQUIN	MARMONNER	**MASSILLON**
MANDEMENT	MARAUDAGE	**MARMONTEL**	**MASSINGER**
MANDIBULE	MARAUDANT	MARMORÉEN	MASSIVITÉ
MANDINGUE	MARAUDEUR	MARMOTTÉE	MASS MEDIA
MANDINGUE	MARAVÉDIS	MARMOTTER	MASSORÈTE
MANDOLINE	MARBRERIE	MARMOUSET	MASTICAGE
MANESSIER	MARBRIÈRE	MAROCAINE	MASTIQUÉE
MANGALORE	MARCASITE	**MAROCAINE**	MASTIQUER
MANGANATE	MARCASSIN	MAROILLES	MASTOCYTE
MANGANÈSE	**MARCELLIN**	**MAROILLES**	MASTURBÉE
MANGANEUX	**MARCELLUS**	MAROLLIEN	MASTURBER
MANGANINE	MARCHANDE	MARONNANT	MATABICHE
MANGANITE	MARCHANDÉ	MAROQUINÉ	**MATAMOROS**

MATANAISE
MATCHICHE
MATCH-PLAY
MATELASSÉ
MÂTEREAUX
MATÉRIAUX
MATERNAGE
MATERNANT
MATERNISÉ
MATERNITÉ
MATIFIANT
MATINEUSE
MATINIÈRE
MATISSANT
MATRAQUÉE
MATRAQUER
MATRIÇAGE
MATRIÇANT
MATRICIDE
MATRICIEL
MATRICLAN
MATRICULE
MATRONYME
MATSUMOTO
MATSUYAMA
MATTEOTTI
MATTHIOLE
MATUTINAL
MAUGRÉANT
MAUMUSSON
MAURANDIE
MAURESQUE
MAURICIEN
MAURICIEN
MAURIENNE
MAUVIETTE
MAX DE BADE
MAXIMISÉE
MAXIMISER
MAYENNAIS
MAYERLING
MAYFLOWER
MAZDÉENNE
MAZDÉISME
MAZOUTANT
MBABANAIS
MBUJI-MAYI
MCCORMICK
MCCULLERS
MÉCANIQUE
MÉCANISÉE
MÉCANISER
MÉCANISME
MÉCANISTE
MÉCHITHAR
MÉCONDUIT
MÉCONTENT

MÉCOPTÈRE
MÉCRÉANTE
MÉDAILLÉE
MÉDAILLER
MÉDAILLON
MEDAL PLAY
MÉDIASTIN
MÉDIATEUR
MÉDIATION
MÉDIATISÉ
MÉDICINAL
MÉDIÉVALE
MÉDIÉVAUX
MÉDISANCE
MÉDISANTE
MÉDITATIF
MÉDULLEUX
MÉGACÉROS
MÉGACÔLON
MÉGAFLOPS
MÉGAHERTZ
MÉGALITHE
MÉGAOCTET
MÉGAPHONE
MÉGAPTÈRE
MÉGATONNE
MEGHALAYA
MÉGISSANT
MÉGISSIER
MÉHARISTE
MEHUNOISE
MEILLEURE
MÉIOTIQUE
MEIRINGEN
MÉJUGEANT
MÉKHITHAR
MÉLAMPYRE
MÉLANÉSIE
MÉLANGEUR
MÉLANIQUE
MÉLANISME
MELBOURNE
MÊLÉ-CASSE
MELGORIEN
MÉLISANDE
MELITOPOL
MELLIFÈRE
MELLIFLUE
MÉLODIEUX
MÉLODIQUE
MÉLODISTE
MÉLODRAME
MÉLOMANIE
MÉLONGÈNE
MÉLONGINE
MÉLOPHAGE
MELPOMÈNE

MELUNAISE
MÉMORABLE
MÉMORIAUX
MÉMORISÉE
MÉMORISER
MENAÇANTE
MÉNAGEANT
MÉNAGERIE
MÉNAGISTE
MÉNAPIENS
MENCHEVIK
MENCHIKOV
MENDÉLIEN
MENDIANTE
MENDICITÉ
MENDIGOTE
MENDIGOTÉ
MÉNESTREL
MÉNÉTRIER
MÉNINGITE
MÉNISCALE
MÉNISCAUX
MENNONITE
MÉNOPAUSE
MENSONGER
MENSTRUEL
MENSTRUES
MENSUELLE
MENTALITÉ
MENTHOLÉE
MENTIONNÉ
MENTONNET
MENUISANT
MENUISIER
MÉNYANTHE
MÉPRENANT
MÉPRENDRE
MÉPRISANT
MERCAPTAN
MERCERISÉ
MERCUREUX
MERCURIEL
MERDOYANT
MÈRE-GRAND
MERELBEKE
MÉRÉVILLE
MÉRICOURT
MERINGUÉE
MERINGUER
MÉRINIDES
MÉRISTÈME
MÉRITANTE
MÉRITOIRE
MERLEBACH
MÉROSTOME
MERSEBURG
MERVEILLE

MÉRYCISME
MÉSALLIÉE
MÉSALLIER
MESA VERDE
MESCALINE
MÉSENTÈRE
MÉSESTIME
MÉSESTIMÉ
MÉSOCARPE
MÉSODERME
MÉSOMÉRIE
MÉSOPAUSE
MESSAGÈRE
MESSAGIER
MESSALINE
MESTRANCE
MESURABLE
MÉTACARPE
MÉTALLIER
MÉTALLISÉ
MÉTAMÉRIE
MÉTAPHASE
MÉTAPHORE
MÉTAPHYSE
MÉTASTASE
MÉTASTASE
MÉTASTASÉ
MÉTATARSE
MÉTATHÈSE
MÉTÉORITE
MÉTHADONE
MÉTHANIER
MÉTHANISÉ
MÉTHYLÈNE
MÉTISSAGE
MÉTISSANT
MÉTONYMIE
MÉTRONOME
MÉTROPOLE
MEUBLANTE
MEULANAIS
MEURSAULT
MEURSAULT
MEURTRIER
MEUSIENNE
MÉVENNAIS
MEXICAINE
MEXICAINE
MEXIMIEUX
MEYERBEER
MEYERHOLD
MEYLANAIS
MEYMACOIS
MEYRINOIS
MEZZANINE
MEZZA VOCE
MIAULÉTOU

MI-CARÊMES
MICHELINE
MICHELSON
MICOQUIEN
MICROBIEN
MICROFILM
MICROLITE
MICRONISÉ
MICRO-ONDE
MICROPYLE
MICROTOME
MIDINETTE
MIDRASHIM
MIELLEUSE
MIEUX-ÊTRE
MIÈVRERIE
MIGENNOIS
MIGMATITE
MIGNONNET
MIGNOTANT
MIGRATEUR
MIGRATION
MIKHALKOV
MILANAISE
MILANAISE
MILDIOUSÉ
MILIOUKOV
MILITAIRE
MILITANTE
MILK-SHAKE
MILLARDET
MILLAVOIS
MILLE-ÎLES
MILLENIUM
MILLÉPORE
MILLERAND
MILLÉSIME
MILLÉSIMÉ
MILLEVOYE
MILLIAIRE
MILLIASSE
MILLIVOLT
MILONAISE
MILOSEVIC
MILWAUKEE
MIMÉTIQUE
MIMÉTISME
MIMODRAME
MIMOLETTE
MIMOSACÉE
MINAUDANT
MINAUDIER
MINEHASSA
MINERVOIS
MINERVOIS
MINIATURE
MINIMEXÉE

MINIMISÉE
MINIMISER
MINISTÈRE
Mini-Vague
MINKOWSKI
MINNESANG
MINNESOTA
MINORATIF
MINORQUIN
MINORQUIN
MINORQUIN
MINOTAURE
MINOTERIE
MINUSCULE
MINUTAIRE
MINUTERIE
MINUTIEUX
MI-PARTIES
MIRABELLE
MIRABILIS
MIRACULÉE
MIRANDAIS
MIRANDOLE
MIRECOURT
MIRE-ŒUFS
MIRIFIQUE
MIRLIFLOR
MIRMILLON
MIROITANT
MIROITIER
MISANDRIE
MISÉRABLE
MISÉREUSE
MISOGYNIE
MISOURATA
MISPICKEL
MISSILIER
MISTOUFLE
MITIGEANT
MITONNANT
MITOTIQUE
MITOYENNE
MITRAILLE
MITRAILLÉ
MITRY-MORY
MIXTÈQUES
MIZOGUCHI
MNÉMOSYNE
MNÉSICLÈS
MOBILIÈRE
MOBILISÉE
MOBILISER
MOBYLETTE
MOCTEZUMA
MODANAISE
MODELEUSE
MODÉLISÉE
MODÉLISER

MODÉLISME
MODÉLISTE
MODERNISÉ
MODERNITÉ
MODIFIANT
MODULABLE
MODULAIRE
MODULANTE
MOELLEUSE
MOGADISHU
MOINILLON
MOÏSSEÏEV
MOISSONNÉ
MOLESKINE
MOLESTANT
MOLINISME
MOLINISTE
MOLLASSON
MOLLEMENT
MOLLUSCUM
MOLLUSQUE
MOLYBDÈNE
MOMENTANÉ
MOMIFIANT
MONADISME
MONARCHIE
MONASTÈRE
MONAURALE
MONAURAUX
MONDANITÉ
MONÉTAIRE
MONÉTIQUE
MONÉTISÉE
MONÉTISER
MONGOLIEN
MONILIOSE
MONISTROL
MONITOIRE
MONITORAT
MONITRICE
MÔN-KHMÈRE
MÔN-KHMERS
MONNAYAGE
MONNAYANT
MONNAYEUR
MONOACIDE
MONOAMINE
MONOCÂBLE
MONOCOQUE
MONOCORDE
MONOCORPS
MONOCYCLE
MONODIQUE
MONOGAMIE
MONOLITHE
MONOLOGUE
MONOLOGUÉ

MONOMANIE
MONOPHASÉ
MONOPLACE
MONOPSONE
MONOPTÈRE
MONOSPACE
MONOTONIE
MONOTRACE
MONOTRÈME
MONPAZIER
MONROVIEN
MONSIGNOR
MONTAGNAC
MONTAIGNE
MONTAIGUS
MONTAISON
MONTARGIS
MONTAUBAN
MONTBAZON
MONT-BLANC
MONT-BLANC
MONTCENIS
MONTENDRE
MONTE-PLAT
MONTEREAU
MONTERREY
MONTE-SACS
MONTESPAN
MONTESSON
MONTEZUMA
MONTGERON
MONTHERMÉ
MONTHOLON
MONTICOLE
MONTICULE
MONTIGNAC
MONTILIEN
MONTLHÉRY
MONT-LOUIS
MONTLUÇON
MONTMAGNY
MONTRABLE
MONTREDON
MONTREUIL
MONTREUSE
MONTROUGE
MONT-ROYAL
MONTSÉGUR
MONTS-JOIE
MONTUEUSE
MOQUETTÉE
MOQUETTER
MORADABAD
MORAILLON
MORALISÉE
MORALISER
MORALISME

MORALISTE	**MOTTERAIN**	MURALISME	**NADIR CHAH**
MORATOIRE	MOT-VALISE	MURALISTE	**NAGARJUNA**
MORATOISE	MOUCHARDE	**MURÉTAINE**	**NAGERCOIL**
MORBIDITÉ	MOUCHARDÉ	**MURIAUTIN**	**NAIROBIEN**
MORCELANT	MOUCHERON	MÛRISSAGE	NAISSANCE
MORDACITÉ	MOUCHETÉE	MÛRISSANT	NAISSANTE
MORDANCÉE	MOUCHETER	MURMURANT	NAÏVEMENT
MORDANCER	MOUCHETIS	**MUROMACHI**	**NAMUROISE**
MORDELLES	MOUCHETTE	MUSARDANT	**NANA SAHIB**
MORDICANT	**MOUCHOTTE**	MUSARDISE	**NANDA DEVI**
MORDILLÉE	MOUDJAHID	MUSCADIER	NANIFIANT
MORDILLER	MOUFETANT	MUSCADINE	NANOMÈTRE
MORDORURE	MOUFFETTE	MUSCARDIN	**NANTUCKET**
MORFONDRE	MOUFLETTE	MUSCARINE	NARGHILEH
MORFONDUE	MOUILLAGE	MUSCINALE	NARQUOISE
MORGANITE	MOUILLANT	MUSCINAUX	NARRATEUR
MORGARTEN	MOUILLÈRE	MUSCOVITE	NARRATION
MORGIENNE	MOUILLEUR	MUSCULEUX	NARRATIVE
MORIBONDE	MOUILLOIR	MUSELIÈRE	NASALISÉE
MORICAUDE	MOUILLURE	MUSEROLLE	NASALISER
MORIENVAL	MOUJINGUE	MUSIC-HALL	**NASHVILLE**
MORIGÉNÉE	MOULINAGE	**MUSSOLINI**	NASILLANT
MORIGÉNER	MOULINANT	MUSTÉLIDÉ	NASILLARD
MORLANAIS	**MOULINOIS**	MUSULMANE	NASILLEUR
MORONAISE	MOULURANT	MUTILANTE	NATALISTE
MORRICONE	**MOURMANSK**	MUTINERIE	NATATOIRE
MORTAISÉE	**MOURMELON**	**MUTSUHITO**	NATIONALE
MORTAISER	MOUSSANTE	MUTUALISÉ	NATIONAUX
MORTALITÉ	MOUSSERON	MUTUALITÉ	NATIVISME
MORT-HOMME	MOUSSEUSE	**MUYBRIDGE**	NATOUFIEN
MORTIFÈRE	MOUSTACHE	MYCODERME	NATURELLE
MORTIFIÉE	MOUSTACHU	MYCOLOGIE	NATURISME
MORTIFIER	**MOUSTIERS**	MYCOLOGUE	NATURISTE
MORTILLET	MOUSTIQUE	MYCORHIZE	**NAUCRATIS**
MORTS-BOIS	MOUTONNÉE	MYCOSIQUE	NAUFRAGÉE
MORTUAIRE	MOUTONNER	MYÉLINISÉ	NAUFRAGER
MORUTIÈRE	MOUVEMENT	MYÉLOCYTE	NAUMACHIE
MOSCOVITE	MOYENNANT	**MYKÉRINOS**	**NAUNDORFF**
MOSCOVITE	**MOYEN-PAYS**	**MYKERINUS**	NAUPATHIE
MOSELLANE	MUGISSANT	MYOCASTOR	NAUSÉEUSE
MOSSADEGH	MULASSIER	MYOPATHIE	NAUTONIER
MÖSSBAUER	MULE-JENNY	MYRIAPODE	NAVARRAIS
MOTIVANTE	MULETIÈRE	**MYRMIDONS**	**NAVARRAIS**
MOTO-BALLS	**MULTATULI**	MYROBALAN	NAVETTEUR
MOTOCISTE	MULTIPARE	MYROBOLAN	NAVIGABLE
MOTOCROSS	MULTIPLET	MYROXYLON	NAVIGANTE
MOTOCYCLE	MULTIPLEX	MYSTICÈTE	NAVIGUANT
MOTONEIGE	MULTIPLIÉ	MYSTIFIÉE	NAVIPLANE
MOTOPAVER	MULTITUBE	MYSTIFIER	NAVREMENT
MOTOPOMPE	MULTITUDE	MYTHIFIÉE	**NAZAIRIEN**
MOTOR-HOME	MULTIVOIE	MYTHIFIER	NÉANMOINS
MOTORISÉE	**MUNDURUKU**	MYTHOMANE	NÉANTISÉE
MOTORISER	MUNICHOIS	MYXŒDÈME	NÉANTISER
MOTORISTE	**MUNICHOIS**	**NABATÉENS**	NÉBULEUSE
MOTORSHIP	MUNICIPAL	**NACHTIGAL**	NÉBULISÉE
MOTRICITÉ	MUNISSANT	**NADER CHAH**	NÉBULISER
MOTS-CLEFS	MUNITIONS		NÉCESSITÉ

NÉCROLOGE	NÉVROGLIE	NOMMÉMENT	NUMÉROTÉE
NÉCROMANT	**NEWCASTLE**	NOMOTHÈTE	NUMÉROTER
NÉCROPOLE	**NEW JERSEY**	NON-ALIGNÉ	NUMISMATE
NÉCROPSIE	**NEW MEXICO**	NON ANIMÉE	NUMMULITE
NÉCROSANT	NEWTONIEN	NON ANIMÉS	**NUNGESSER**
NECTANEBO	NIAISERIE	NON-CUMULS	NURAGIQUE
NECTARINE	NIAISEUSE	NON-DROITS	**NUREMBERG**
NEDERLAND	**NICARAGUA**	NON-FUMEUR	NURSERIES
NÉFERTARI	**NICÉPHORE**	NON-INITIÉ	NUTRIMENT
NÉFERTITI	**NICHOLSON**	NON-MÉTAUX	NUTRITION
NÉGATRICE	NICKELAGE	NONPAREIL	NUTRITIVE
NÉGLIGENT	NICKELANT	NON-RETOUR	NYCTALOPE
NÉGOCIANT	NICOLAIER	NON-TISSÉS	NYMPHETTE
NÈGREPONT	NICOLAÏTE	NON-USAGES	**NYONNAISE**
NÉGRILLON	**NICOLETTE**	NON-VALEUR	**NYONSAISE**
NÉGRITUDE	**NICOLLIER**	NON-VOYANT	NYSTAGMUS
NEIGEOTER	**NICOMÉDIE**	NORDICITÉ	OBÉDIENCE
NEKRASSOV	**NICOPOLIS**	NORD-OUEST	OBÉISSANT
NÉMATIQUE	NICTITANT	**NORD-OUEST**	OBÉLISQUE
NÉMERTIEN	NIDIFIANT	NORMALIEN	**OBERKAMPF**
NEMRUT DAG	NIDS-DE-PIE	NORMALISÉ	OBITUAIRE
NÉOCORTEX	**NIEMÖLLER**	NORMALITÉ	OBJECTALE
NÉODOMIEN	**NIETZSCHE**	NORMATIVE	OBJECTANT
NÉOFORMÉE	NIGÉRIANE	**NORMANDIE**	OBJECTAUX
NÉOLOCALE	**NIGÉRIANE**	**NORTH YORK**	OBJECTEUR
NÉOLOCAUX	NIGHT-CLUB	NORVÉGIEN	OBJECTION
NÉONATALE	NIHILISME	**NORVÉGIEN**	OBJECTIVE
NÉOPILINA	NIHILISTE	NOSOLOGIE	OBJECTIVÉ
NÉOPLASIE	**NIKOLAÏEV**	NOSTALGIE	OBLIGEANT
NÉOPLASME	NILOTIQUE	NOTAMMENT	OBLIQUANT
NÉPALAISE	**NIORTAISE**	NOTARIALE	OBLIQUITÉ
NÉPALAISE	NITRATANT	NOTARIAUX	OBLITÉRÉE
NÉPENTHÈS	NITRATION	NOTATRICE	OBLITÉRER
NÉPHÉLINE	NITRIFIÉE	NOTIFIANT	OBNUBILÉE
NÉPHRIDIE	NITRIFIER	NOTIONNEL	OBNUBILER
NÉPOTISME	NITROGÈNE	NOTONECTE	**OBODRITES**
NEPTUNIUM	NITROSYLE	NOTORIÉTÉ	OBOMBRANT
NÉRACAISE	NITRURANT	**NOTRE-DAME**	**OBRADOVIC**
NÉRITIQUE	NIVELEURS	NOUGATINE	**OBRENOVIC**
NERVATION	NIVELEUSE	NOUMÉNALE	OBSCÉNITÉ
NERVOSITÉ	**NIVELLOIS**	NOUMÉNAUX	OBSCURCIE
NERVURANT	NIVERNAIS	NOUVEAU-NÉ	OBSCURCIR
N'EST-CE PAS	**NIVERNAIS**	NOUVEAUTÉ	OBSCURITÉ
NESTORIEN	NOBLEMENT	NOVATOIRE	OBSÉDANTE
NESTORIUS	NOCTUELLE	NOVATRICE	OBSERVANT
NETCHAÏEV	NODULAIRE	NOYAUTAGE	OBSESSION
NETTEMENT	NODULEUSE	NOYAUTANT	OBSTINANT
NETTOYAGE	**NOGENTAIS**	**NOYONNAIS**	OBSTRUANT
NETTOYANT	**NOHANT-VIC**	NUCLÉAIRE	OBTEMPÉRÉ
NETTOYEUR	**NOISÉENNE**	NUCLÉIQUE	OBTENTION
NEUCHÂTEL	NOISERAIE	**NUKUALOFA**	**OBWALDIEN**
NEUILLÉEN	NOISETIER	NULLEMENT	OCCIPITAL
NEURINOME	NOMADISER	NULLIPARE	**OCCITANIE**
NEURONALE	NOMADISME	NUMÉRAIRE	OCCLUSION
NEURONAUX	NOMBRABLE	NUMÉRIQUE	OCCLUSIVE
NEVERSOIS	NOMBREUSE	NUMÉRISÉE	OCCULTANT
NÉVRALGIE	NOMINATIF	NUMÉRISER	OCCUPANTE

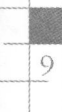

OCCURRENT	OLYMPISME	ORBITAIRE	**OSTROVSKI**
OCÉANIDES	OMBELLULE	ORCANETTE	OTO-RHINOS
OCÉANIQUE	OMBILICAL	**ORCHÉSIEN**	OTORRAGIE
OCTAVIANT	OMBILIQUÉ	ORCHESTRE	OTOSCOPIE
OCTEVILLE	OMBRAGEUX	ORCHESTRÉ	**OTTIGNIES**
OCTOGONAL	**OMBRIENNE**	**ORCHOMÈNE**	**OUAGALAIS**
OCTOSTYLE	OMBUDSMAN	ORDALIQUE	OUAOUARON
OCTROYANT	**OMDOURMAN**	ORDINAIRE	**OUARSENIS**
OCULOGYRE	**OMEYYADES**	ORDONNANT	OUATINANT
OCYTOCINE	OMMATIDIE	ORDURIÈRE	OUBLIABLE
ODALISQUE	ONAGRACÉE	OREILLARD	OUBLIETTE
ODONTOÏDE	ONCOLOGIE	**ORENBOURG**	OUBLIEUSE
ŒDÉMATIÉ	ONCOTIQUE	ORGANEAUX	**OUDMOURTE**
ŒDICNÈME	ONCTUEUSE	ORGANELLE	OUGANDAIS
OEHMICHEN	ONDEMÈTRE	ORGANIQUE	**OUGANDAIS**
ŒIL-DE-PIE	ONDOYANTE	ORGANISÉE	OUGRIENNE
ŒILLETON	ONDULANTE	ORGANISER	OUILLIÈRE
ŒILLETTE	ONDULEUSE	ORGANISME	**OULAN-OUDE**
ŒKOUMÈNE	**ONÉSIENNE**	ORGANISTE	**OULED NAÏL**
ŒNOLISME	ONGUICULÉ	ORGANSINÉ	OURLIENNE
ŒNOLOGIE	ONTOGÉNIE	**ORHAN GAZI**	**OURO PRETO**
ŒNOLOGUE	ONTOLOGIE	ORIENTALE	**OUROUMTSI**
ŒNOTHERA	ONUSIENNE	**ORIENTALE**	**OUSTIOURT**
ŒNOTHÈRE	OPACIFIÉE	ORIENTANT	**OUTAOUAIS**
ŒSOPHAGE	OPACIFIER	ORIENTAUX	OUTILLAGE
ŒUVRETTE	OPALISANT	**ORIENTAUX**	OUTILLANT
OFFENBACH	OPENFIELD	ORIENTEUR	OUTILLEUR
OFFENSANT	OPÉRATEUR	ORIFLAMME	OUTRAGEUX
OFFENSEUR	OPÉRATION	ORIGINALE	**OUTREMONT**
OFFENSIVE	OPERCULÉE	ORIGINAUX	OUTRE-RHIN
OFFICIANT	OPHIOLITE	**ORLÉANAIS**	OUVERTURE
OFFICIAUX	OPHTALMIE	ORNEMENTÉ	OUVRAISON
OFFICIEUX	OPINIÂTRE	ORNIÉRAGE	**OUYANG XIU**
OFFICINAL	OPIOMANIE	ORNITHOSE	OVALISANT
OFFUSQUÉE	**OPPENHEIM**	OROBANCHE	OVARIENNE
OFFUSQUER	**OPPENORDT**	OROGENÈSE	OVATIONNÉ
OGBOMOSHO	OPPORTUNE	ORPHELINE	OVERDRIVE
OGHAMIQUE	OPPOSABLE	**ORTHÉZIEN**	**OVILLOISE**
OIGNINOIS	OPPOSANTE	ORTHODOXE	**OVIMBUNDU**
OIGNONADE	OPPRESSÉE	ORTHOPNÉE	OVIPARITÉ
OISELIÈRE	OPPRESSER	ORTHOPTIE	OVISCAPTE
OLDENBURG	OPPRESSIF	OSCABRION	OVOGENÈSE
OLÉOMÈTRE	OPPRIMANT	OSCILLANT	OVULATION
OLFACTION	OPTIMISÉE	**OSMAN GAZI**	**OXFORDIEN**
OLFACTIVE	OPTIMISER	OSMOMÈTRE	OXHYDRYLE
OLIGOCÈNE	OPTIMISME	OSMOTIQUE	**OXONIENNE**
OLIGOMÈRE	OPTIMISTE	**OSNABRÜCK**	OXYDATION
OLIGOPOLE	OPTIONNEL	OSSEMENTS	OXYGÉNANT
OLIVAISON	OPTOMÈTRE	OSSIFIANT	**OYAMA IWAO**
OLIVERAIE	ORALEMENT	OSTÉALGIE	OZONATION
OLIVETAIN	ORALISANT	OSTENSOIR	PACAGEANT
OLIVÉTAIN	ORANGEADE	OSTÉOCYTE	PACEMAKER
OLLIOULES	**ORANGEOIS**	OSTÉOGÈNE	**PACHELBEL**
OLOGRAPHE	ORANGERIE	OSTÉOLYSE	PACIFIANT
OLORONAIS	ORANGETTE	OSTRACODE	PACIFIQUE
OLYMPIADE	ORANGISTE	OSTROGOTE	**PACIFIQUE**
OLYMPIQUE	ORATORIEN	OSTROGOTH	PACIFISME

PACIFISTE
PACKAGEUR
PACKAGING
PACOTILLE
PACTISANT
PADERBORN
PADISCHAH
PAESIELLO
PAGANISÉE
PAGANISER
PAGANISME
PAGAYEUSE
PAGE-ÉCRAN
PAGNOTANT
PAILLARDE
PAILLASSE
PAILLASSE
PAILLETÉE
PAILLETER
PAILLETTE
PAIMBŒUF
PAISIELLO
PAISSANCE
PAISSEAUX
PAKANBARU
PALABRANT
PALAFITTE
PALAISEAU
PALAISIEN
PALALDÉEN
PALANQUÉE
PALANQUER
PALANQUIN
PALANTINE
PALATIALE
PALATIAUX
PALATINAT
PALATINAT
PALEMBANG
PALÉOCÈNE
PALÉOGÈNE
PALESTINE
PALETTISÉ
PALILALIE
PALINODIE
PALISSADE
PALISSADÉ
PALISSAGE
PALISSANT
PÂLISSANT
PALLADIEN
PALLADIUM
PALLIATIF
PALMARIUM
PALMATURE
PALM BEACH
PALMERAIE

PALMIFIDE
PALMIPÈDE
PALMITINE
PALONNIER
PALPATION
PALPÉBRAL
PALPITANT
PALTOQUET
PALUDIÈRE
PALUDIQUE
PALUDISME
PAMPELUNE
PAMPHYLIE
PAMUKKALE
PANACHAGE
PANACHANT
PANACHURE
PANATELLA
PAN-BAGNAT
PANETERIE
PANETIÈRE
PANICULÉE
PANIFIANT
PANIQUANT
PANIQUARD
PANKHURST
PANMUNJOM
PANNEAUTÉ
PANNICULE
PANNONIEN
PANONCEAU
PANOSSANT
PANSEMENT
PANTELANT
PANTINOIS
PANTOMIME
PANTOUFLE
PANTOUFLÉ
PAPARAZZI
PAPELARDE
PAPERASSE
PAPETERIE
PAPETIÈRE
PAPILLOME
PAPILLOTE
PAPILLOTÉ
PAPOUASIE
PAPOUILLE
PAPULEUSE
PAQUETAGE
PAQUETANT
PARABIOSE
PARACELSE
PARACHEVÉ
PARACHUTE
PARACHUTÉ
PARADEUSE

PARADIGME
PARADOXAL
PARAFFINE
PARAFFINÉ
PARAGRÊLE
PARALLAXE
PARALLÈLE
PARALYSÉE
PARALYSER
PARALYSIE
PARAMÉCIE
PARAMÈTRE
PARAMÉTRÉ
PARANOÏDE
PARAPENTE
PARAPHANT
PARAPHEUR
PARAPHYSE
PARAPLUIE
PARASCÈVE
PARASITÉE
PARASITER
PARATEXTE
PARCHEMIN
PARCMÈTRE
PARCOURIR
PARCOURUE
PAR-DESSUS
PARDESSUS
PAR-DEVANT
PAR-DEVERS
PARDONNÉE
PARDONNER
PARDUBICE
PARE-BRISE
PARE-CHOCS
PARE-FUMÉE
PAREMENTÉ
PARENTALE
PARENTAUX
PARENTÈLE
PARESSANT
PARESSEUX
PARFILAGE
PARFILANT
PARFONDRE
PARFONDUE
PARFUMANT
PARFUMEUR
PARICUTÍN
PARIÉTALE
PARIÉTAUX
PARIPENNÉ
PARISETTE
PARITAIRE
PARJURANT
PARKINSON

PARLEMENT
PARMÉNIDE
PARMÉNION
PARMESANE
PARMESANE
PARODIANT
PARODIQUE
PARODISTE
PARODONTE
PAROLIÈRE
PARONYMIE
PARONYQUE
PAROXYSME
PAROXYTON
PARQUETÉE
PARQUETER
PARQUEUSE
PARQUIÈRE
PARRAINÉE
PARRAINER
PARRICIDE
PARSEMANT
PARSEMÉES
PARTAGEUR
PARTAGEUX
PARTHENAY
PARTHÉNON
PARTIAIRE
PARTICIPE
PARTICIPÉ
PARTICULE
PARTIELLE
PARTISANE
PARTITEUR
PARTITION
PARTITIVE
PARURERIE
PARURIÈRE
PARVENANT
PASCALIEN
PASDELOUP
PASO DOBLE
PASSAGÈRE
PASSATION
PASSAVANT
PASSE-HAUT
PASSÉISME
PASSÉISTE
PASSEMENT
PASSE-PIED
PASSE-PLAT
PASSEPOIL
PASSEPORT
PASSERAGE
PASSEREAU
PASSERINE
PASSEROSE

PASSE-VITE	**PAYERNOIS**	PENALTIES	PÉRICARPE
PASSIONNÉ	PAYSAGÈRE	PENDAISON	PÉRICLITÉ
PASSIVANT	PAYSANNAT	PENDENTIF	PÉRICYCLE
PASSIVITÉ	**PÉAGEOISE**	PENDILLER	PÉRIDURAL
PASTERNAK	PEAUFINÉE	PENDILLON	**PÉRIGUEUX**
PASTICHÉE	PEAUFINER	PENDULANT	PÉRIHÉLIE
PASTICHER	PEAU-ROUGE	PENDULIER	PÉRILLEUX
PASTORALE	**PEAU-ROUGE**	PÉNÉTRANT	PÉRIMÈTRE
PASTORAUX	PEAUSSIER	PÉNINSULE	PÉRINATAL
PASTORIEN	**PECH-MERLE**	PÉNITENCE	PÉRINÉALE
PATAGONIE	PÉCLOTANT	PÉNITENTE	PÉRINÉAUX
PATAÑJALI	PECTORALE	PÉNOLOGIE	PÉRIPÉTIE
PATATOÏDE	PECTORAUX	PENSE-BÊTE	PÉRIPTÈRE
PATAUGEUR	PÉDAGOGIE	PENSIONNÉ	PÉRISCOPE
PATCHOULI	PÉDAGOGUE	PENTAÈDRE	PÉRISSANT
PATCHWORK	PÉDALEUSE	PENTAGONE	PÉRISTOME
PATELINER	PÉDÉRASTE	**PENTAGONE**	PÉRISTYLE
PATENÔTRE	PÉDIATRIE	PENTAMÈRE	PÉRITHÈCE
PATENTAGE	PÉDICELLE	PENTAPOLE	PÉRITOINE
PATENTANT	PÉDICELLÉ	PENTATOME	PERMANENT
PATERNITÉ	PÉDICULÉE	PENTECÔTE	PERMÉABLE
PATHET LAO	PÉDIPALPE	PÉPIEMENT	PERMETTRE
PATHOGÈNE	PÉDOLOGIE	PÉPINIÈRE	PERMIENNE
PATIENTER	PÉDOLOGUE	PÉQUENAUD	PERMISSIF
PATINETTE	PÉDONCULE	PERBORATE	PERMUTANT
PATINEUSE	PÉDONCULÉ	PERCALINE	PÉRONIÈRE
PATINOIRE	PÉDOPHILE	PERCEMENT	PÉRONISME
PÂTISSANT	PEGMATITE	PERCEPTIF	PÉRONISTE
PÂTISSIER	PEIGNE-CUL	PERCEVANT	**PÉRONNAIS**
PATOISANT	PEIGNETTE	PERCEVOIR	PÉROREUSE
PATOUILLÉ	PEIGNEUSE	PERCHERON	PEROXYDÉE
PATRICIAT	PEIGNURES	**PERCHERON**	PEROXYDER
PATRICIEN	PEINTURÉE	PERCHEUSE	PERPÉTRÉE
PATRICLAN	PEINTURER	PERCHISTE	PERPÉTRER
PATRONAGE	PÉJORATIF	PERCUTANÉ	PERPÉTUÉE
PATRONALE	PÉKINOISE	PERCUTANT	PERPÉTUEL
PATRONAUX	**PÉKINOISE**	PERCUTEUR	PERPÉTUER
PATRONNÉE	PÉLAGIQUE	**PERDICCAS**	PERPIGNAN
PATRONNER	**PÉLISSIER**	PERDITION	**PERRÉGAUX**
PATRONYME	PELLETAGE	PERDREAUX	PERROQUET
PATTE-D'OIE	PELLETANT	PERDURANT	**PERROSIEN**
PÂTURABLE	PELLETEUR	PÉRENNANT	PERSÉCUTÉ
PAUCHOUSE	PELLETIER	PÉRENNISÉ	PERSÉIDES
PAUL ÉMILE	**PELLETIER**	PÉRENNITÉ	PERSÉVÉRÉ
PAULIENNE	PELLICULE	**PEREVALSK**	PERSIENNE
PAULINIEN	PELLICULÉ	PERFECTIF	PERSIFLÉE
PAULOWNIA	PELLUCIDE	PERFOLIÉE	PERSIFLER
PAUMOYANT	**PÉLOPIDAS**	PERFORAGE	PERSILLÉE
PAUPÉRISÉ	PELOTEUSE	PERFORANT	PERSISTER
PAUPIETTE	PELOTONNÉ	PERFUSANT	PERSONNEL
PAUSANIAS	PELUCHANT	PERFUSION	PERSUADÉE
PAUSE-CAFÉ	PELUCHEUX	**PERGOLÈSE**	PERSUADER
PAUVRESSE	PELVIENNE	**PÉRIANDRE**	PERSUASIF
PAUVRETTE	PEMPHIGUS	PÉRIANTHE	PERTINENT
PAVAROTTI	PÉNALISÉE	PÉRIASTRE	PERTURBÉE
PAVLOVIEN	PÉNALISER	**PÉRIBONKA**	PERTURBER
PAVOISANT	PÉNALISTE	PÉRICARDE	PERVENCHE

PERVERTIE	PHÉNOLATE	PIED-NOIRE	PISOLITHE
PERVERTIR	PHÉNOMÈNE	PIÉDOUCHE	PISSEMENT
PERVIBRÉE	PHÉNOTYPE	PIERREUSE	PISSENLIT
PERVIBRER	PHÉROMONE	PIES-MÈRES	PISTOLEUR
PESAMMENT	PHILANTHE	PIÉTAILLE	PISTONNÉE
PESANTEUR	**PHILIBERT**	PIÉTEMENT	PISTONNER
PÈSE-ACIDE	**PHILIPPES**	PIÉTINANT	PITCHOUNE
PÈSE-BÉBÉS	PHILIPPIN	PIFOMÈTRE	PITONNAGE
PÈSE-MOÛTS	**PHILIPPIN**	PIGEONNÉE	PITONNANT
PÈSE-SIROP	PHILISTIN	PIGEONNER	PITOYABLE
PESTICIDE	**PHILOMÈLE**	PIGMENTÉE	PIVOTANTE
PESTIFÉRÉ	PHLYCTÈNE	PIGMENTER	PIZZAIOLI
PÉTARADER	**PHNOM PENH**	PIGNOCHER	PIZZAIOLO
PETCHENGA	PHOCÉENNE	**PILCOMAYO**	PIZZICATI
PETERMANN	**PHOCÉENNE**	PILOCARPE	PIZZICATO
PÉTILLANT	PHONATEUR	PILONNAGE	**PLABENNEC**
PETIT BELT	PHONATION	PILONNANT	PLACARDÉE
PETIT-BOIS	PHONIATRE	**PILSUDSKI**	PLACARDER
PETITESSE	PHONOLITE	PILULAIRE	PLACEMENT
PETIT-FILS	PHOSPHATE	PIMENTANT	PLACIDITÉ
PETIT-FOUR	PHOSPHATÉ	PINAILLER	PLACOTAGE
PETIT-GRIS	PHOSPHÈNE	PINARDIER	PLACOTANT
PETIT-LAIT	PHOSPHINE	PINCELIER	PLAFONNÉE
PÉTITOIRE	PHOSPHITE	PINCEMENT	PLAFONNER
PETIT POIS	PHOSPHORE	**PINCEVENT**	PLAGIAIRE
PETLIOURA	PHOSPHORÉ	PINCHARDE	PLAIDABLE
PÉTOUILLÉ	PHOSPHURE	PING-PONGS	PLAIDANTE
PÉTRARQUE	PHOTOLYSE	PINGRERIE	PLAIDEUSE
PÉTRIFIÉE	PHOTOPILE	**PINGXIANG**	PLAIDOYER
PÉTRIFIER	PHOTOTYPE	**PINK FLOYD**	PLAIGNANT
PÉTROGALE	PHRAGMITE	PINNIPÈDE	**PLAINOISE**
PETROGRAD	PHRASEUSE	**PINOCCHIO**	PLAIN-PIED
PÉTROLIER	PHRÉNIQUE	PINTADEAU	PLAINTIVE
PÉTULANCE	PHTALÉINE	PINTADINE	PLAISANCE
PÉTULANTE	PHTALIQUE	PINTOCHER	**PLAISANCE**
PEUTINGER	PHTIRIASE	PIOCHEUSE	PLAISANTE
PEYROLLES	PHTISIQUE	PIONNIÈRE	PLAISANTÉ
PEYRONNET	PHYSICIEN	PIPELETTE	PLANCHANT
PFORZHEIM	PHYTOCIDE	PIPÉRACÉE	PLANCHÉIÉ
PHAGOCYTE	PIAFFANTE	PIPÉRONAL	PLANIFIÉE
PHAGOCYTÉ	PIAILLANT	PIQUE-FEUX	PLANIFIER
PHALANGER	PIAILLARD	PIQUE-NOTE	PLAN-MASSE
PHALAROPE	PIAILLEUR	PIQUETAGE	PLANQUANT
PHALLIQUE	PIANOTAGE	PIQUETANT	PLANTAIRE
PHALLOÏDE	PIANOTANT	PIQUETEUR	PLANTEUSE
PHANOTRON	**PIAZZETTA**	PIRATERIE	PLAQUETTE
PHANTASME	**PIAZZOLLA**	PIRIFORME	PLAQUEUSE
PHARAMOND	PICHOLINE	**PIRITHOOS**	PLASMIQUE
PHARILLON	**PICKERING**	PIROGUIER	PLASTIFIÉ
PHARISIEN	**PICQUIGNY**	PIROUETTE	PLASTIQUE
PHARMACIE	PICS-VERTS	PIROUETTÉ	PLASTIQUÉ
PHARYNGAL	PICTURALE	**PISANELLO**	PLASTISOL
PHARYNGÉE	PICTURAUX	**PISCÉNOIS**	PLATELAGE
PHÉACIENS	PIED-DE-ROI	PISCICOLE	PLATEMENT
PHÉNICIEN	PIED-DROIT	PISCIVORE	PLATINAGE
PHÉNICIEN	PIÉDESTAL	PISIFORME	PLATINANT
PHÉNIQUÉE			PLATINITE

PLATITUDE	POITEVINE	**POMÉRANIE**	**PORTINARI**
PLÂTRERIE	**POITEVINE**	POMMADANT	**PORT LOUIS**
PLÂTREUSE	POIVRIÈRE	POMMELANT	**PORT-LOUIS**
PLÂTRIÈRE	POLARISÉE	POMMERAIE	**PORTO-NOVO**
PLAUSIBLE	POLARISER	POMŒRIUM	**PORTO RICO**
PLEIN-VENT	POLÉMIQUE	POMOLOGIE	**PORT-ROYAL**
PLEKHANOV	POLÉMIQUÉ	POMOLOGUE	PORT-SALUT
PLÉNITUDE	POLÉMISTE	**POMPADOUR**	PORTUAIRE
PLÉONASME	**POLIAKOFF**	**POMPIGNAN**	PORTUGAIS
PLESSETSK	POLICEMAN	POMPONNÉE	**PORTUGAIS**
PLEURARDE	POLICEMEN	POMPONNER	POSEMÈTRE
PLEURÉSIE	POLICIÈRE	PONANTAIS	POSIDONIE
PLEUREUSE	**POLIPHILE**	PONCTUANT	POSOLOGIE
PLEURTUIT	**POLISARIO**	PONDAISON	POSSÉDANT
PLEUVASSÉ	POLISSAGE	PONDÉRALE	POSSESSIF
PLEUVINER	POLISSANT	PONDÉRANT	POSTDATÉE
PLEUVOTER	POLISSOIR	PONDÉRÉE	POSTDATER
PLEXIGLAS	**POLITBURO**	PONDÉREUX	POSTÉRITÉ
PLISSEUSE	POLITESSE	PONT-CANAL	POSTILLON
PLOIEMENT	POLITIQUE	**PONT-EUXIN**	POSTNATAL
PLOMBERIE	POLITISÉE	**PONTIANAK**	POSTPOSÉE
PLOMBEUSE	POLITISER	PONTIFIER	POSTPOSER
PLONGEANT	**POLLAIOLO**	**PONTIVYEN**	POSTULANT
PLONGEOIR	POLLINOSE	**PONT-L'ABBÉ**	POSTURALE
PLONGEUSE	POLLUANTE	PONT-LEVIS	POSTURAUX
PLOUBALAY	POLLUEUSE	**PONTORSON**	POTASSANT
PLOUESCAT	POLLUTION	PONT-ROUTE	POTASSIUM
PLUCHEUSE	**POLNAREFF**	PONTUSEAU	**POTEMKINE**
PLUMAISON	POLONAISE	**POPERINGE**	POTENTIEL
PLUM-CAKES	**POLONAISE**	POP MUSICS	POTINIÈRE
PLURALITÉ	POLTRONNE	POPULAIRE	POTOMANIE
PLURIELLE	POLYACIDE	POPULEUSE	POTOMÈTRE
PLUSIEURS	POLYAKÈNE	POPULISME	POT-POURRI
PLUS-VALUE	POLYAMIDE	POPULISTE	POTS-DE-VIN
PLUTARQUE	POLYAMINE	PORCHERIE	POUCE-PIED
PLUTONIUM	POLYANDRE	**PORDENONE**	**POUCHKINE**
PLUVIEUSE	**POLYCARPE**	**PORNICAIS**	POUDINGUE
PLUVIGNER	POLYCHÈTE	**PORNICHET**	POUDRERIE
PNEUMONIE	**POLYCLÈTE**	POROPHORE	POUDRETTE
POCHARDÉE	POLYCOPIÉ	PORPHYRIE	POUDREUSE
POCHARDER	**POLYCRATE**	PORTATIVE	POUDRIÈRE
PODGORICA	POLYESTER	**PORT BLAIR**	POUDROYER
PODGORNYÏ	POLYÉTHER	**PORT-BOUÊT**	POUILLARD
PODOLOGIE	**POLYEUCTE**	PORTE-BÉBÉ	POUILLEUX
PODOLOGUE	POLYGAMIE	PORTE-CLÉS	POULINANT
PODOMÈTRE	**POLYGNOTE**	PORTE-ÉPÉE	POUPONNER
POÉTISANT	POLYGONAL	PORTEFAIX	POURBOIRE
POIGNANTE	POLYGYNIE	PORTE-FORT	POURCEAUX
POIGNARDÉ	POLYLOBÉE	PORTE-LAME	POURFENDU
POINÇONNÉ	POLYMÉRIE	PORTELONE	POURLÈCHE
POINTEAUX	**POLYNÉSIE**	PORTEMENT	POURLÉCHÉ
POINTEUSE	POLYOSIDE	PORTE-MENU	POURPOINT
POINTILLÉ	POLYPHASÉ	PORTEMINE	POURRIDIÉ
POIREAUTÉ	**POLYPHÈME**	PORTE-VOIX	POURSUITE
POIROTANT	POLYPTÈRE	PORTFOLIO	POURSUIVI
POISSARDE	POLYSÉMIE	**PORTICCIO**	POURVU QUE
POISSEUSE	POLYTONAL	PORTILLON	POUSSETTE

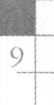

POUSSIÈRE	PRÉFAÇANT	PRESSANTE	PROCÉDANT
POUTARGUE	PRÉFACIER	PRESS-BOOK	PROCÉDURE
POUTRELLE	PRÉFÉRANT	PRESSENTI	PROCESSIF
POUZAUGES	PRÉFIGURÉ	PRESSEUSE	PROCESSUS
POUZZOLES	PRÉFIXALE	PRESSPAHN	PROCHAINE
POYAUDINE	PRÉFIXANT	PRESSURÉE	PROCLAMÉE
PRADÉENNE	PRÉFIXAUX	PRESSURER	PROCLAMER
PRAGUERIE	PRÉFIXION	PRESTANCE	PROCONSUL
PRAGUOISE	PRÉFORMÉE	PRESTESSE	PROCRÉANT
PRAGUOISE	PRÉFORMER	PRÉSUMANT	**PROCRUSTE**
PRAJAPATI	PRÉGNANCE	PRÉSURANT	PROCURANT
PRALINAGE	PRÉGNANTE	PRÉTENDRE	PROCUREUR
PRALINANT	PRÉJUDICE	PRÉTENDUE	PRODIGUÉE
PRALOGNAN	PRÉLASSÉE	PRÊTE-NOMS	PRODIGUER
PRANDIALE	PRÉLASSER	PRÉTÉRITÉ	PRODUCTIF
PRANDIAUX	PRÉLATINE	**PRÉTEXTAT**	PROFANANT
PRATICIEN	PRÉLATURE	PRÉTEXTÉE	PROFECTIF
PRATIQUÉE	PRÉLAVAGE	PRÉTEXTER	PROFÉRANT
PRATIQUER	PRÉLEVANT	PRÉTORIAL	PROFESSÉE
PRATOLINI	PRÉLUDANT	PRÉTORIEN	PROFESSER
PRAXITÈLE	PRÉMATURÉ	**PRETORIUS**	PROFILAGE
PRÉACCORD	PRÉMÉDITÉ	PRÉTRAITÉ	PROFILANT
PRÉALABLE	PREMIER-NÉ	PRÊTRESSE	PROFITANT
PRÉALPINE	**PREMINGER**	PRÉVALANT	PROFITEUR
PRÉAMBULE	PRÉMONTRÉ	PRÉVALOIR	PROFUSION
PRÉAVISÉE	**PRÉMONTRÉ**	PRÉVENANT	PROGÉNOTE
PRÉAVISER	PRÉNATALE	PRÉVENTIF	PROGICIEL
PRÉCARISÉ	PRÉNATALS	PRÉVISION	PROGNATHE
PRÉCARITÉ	PRÉNATAUX	PRÉVÔTALE	PROGRAMME
PRÉCÉDANT	PRÉNOMMÉE	PRÉVÔTAUX	PROGRAMMÉ
PRÉCÉDENT	PRÉNOMMER	PRÉVOYANT	PROGRESSÉ
PRÉCEINTE	PRÉNOTION	PRIAPISME	PROHIBANT
PRÊCHEUSE	PRÉOCCUPÉ	**PRIESTLEY**	PROJECTIF
PRÉCIEUSE	PRÉPARANT	**PRIGOGINE**	PROJETANT
PRÉCIPICE	PRÉPAYANT	PRIMARITÉ	**PROKHOROV**
PRÉCIPITÉ	PRÉPOSANT	PRIMATIAL	**PROKOFIEV**
PRÉCISANT	PRÉPRESSE	**PRIMATICE**	PROLAPSUS
PRÉCISION	PRÉRÉGLÉE	PRIMEROSE	PROLIFÉRÉ
PRÉCOCITÉ	PRÉRÉGLER	PRIME TIME	PROLIXITÉ
PRÉCOMPTE	PRÉROMANE	PRIMEVÈRE	PROLONGÉE
PRÉCOMPTÉ	**PRESBOURG**	PRIMIPARE	PROLONGER
PRÉCONÇUE	PRESBYTIE	PRIMIPILE	PROMENADE
PRÉCONISÉ	PRESCIENT	PRIMITIVE	PROMENANT
PRÉDATEUR	PRESCRIRE	**PRIMOGUET**	PROMENEUR
PRÉDATION	PRESCRITE	PRINCESSE	PROMENOIR
PRÉDICANT	PRÉSÉANCE	**PRINCETON**	**PROMÉTHÉE**
PRÉDICTIF	PRÉSÉNILE	PRINCIÈRE	PROMETTRE
PRÉDIGÉRÉ	PRÉSENTÉE	PRINCIPAL	PROMOTEUR
PRÉDIQUÉE	PRÉSENTER	PRINCIPAT	PROMOTION
PRÉDIQUER	PRÉSERVÉE	PRINTEMPS	PROMPTEUR
PRÉDISANT	PRÉSERVER	**PRITCHARD**	PROMULGUÉ
PRÉDOMINÉ	PRÉSIDANT	**PRIVADOIS**	PRONATEUR
PRÉEMPTÉE	PRÉSIDENT	PRIVATION	PRONATION
PRÉEMPTER	PRÉSIDIAL	PRIVATISÉ	PRONONCÉE
PRÉ-EN-PAIL	PRÉSIDIUM	PRIVATIVE	PRONONCER
PRÉÉTABLI	PRESQU'ÎLE	PRIVILÈGE	PRONOSTIC
PRÉEXISTÉ	PRÉS-SALÉS	PROBATION	PROPAGULE

PROPERGOL	PSALMODIE	PYLORIQUE	**QUIÉVRAIN**
PROPHÉTIE	PSALMODIÉ	**PYONGYANG**	QUILLEUSE
PROPOSANT	PSILOCYBE	PYRAMIDAL	**QUIMPERLÉ**
PROPRETTE	PSORALÈNE	PYRAMIDÉE	QUINCONCE
PROPRIANO	PSORIASIS	**PYRAMIDES**	**QUINOCÉEN**
PROPRIÉTÉ	PSYCHIQUE	PYROMANIE	QUINOLONE
PROPULSÉE	PSYCHISME	PYROMÈTRE	QUINQUINA
PROPULSER	PTÉROPODE	PYROPHORE	QUINTAINE
PROPULSIF	PTÉRYGOTE	PYROPHYTE	QUINTETTE
PROPYLÈNE	**PTOLÉMAÏS**	PYRRHIQUE	QUINTEUSE
PROSAÏQUE	PTYALISME	**PYTHAGORE**	QUINTOLET
PROSAÏSME	PUBESCENT	PYTHIENNE	QUINTUPLE
PROSATEUR	PUBLIABLE	PYTHIQUES	QUINTUPLÉ
PROSCRIRE	PUBLICAIN	**QACENTINA**	QUINZAINE
PROSCRITE	PUBLICITÉ	**QADHDHAFI**	QUINZIÈME
PROSÉLYTE	**PUBLICOLA**	QUADRETTE	QUINZISTE
PROSIMIEN	PUDIBONDE	QUADRILLE	QUIPROQUO
PROSPECTÉ	PUÉRILITÉ	QUADRILLÉ	QUIQUAJON
PROSPÉRER	PUERPÉRAL	QUADRIQUE	**QUITÉNIEN**
PROSTERNÉ	**PUFENDORF**	QUADRUPLE	QUITTANCE
PROSTHÈSE	PUGILISTE	QUADRUPLÉ	QUOTE-PART
PROSTITUÉ	PUGNACITÉ	QUALIFIÉE	QUOTIDIEN
PROTAMINE	**PUIFORCAT**	QUALIFIER	RABÂCHAGE
PROTÉINÉE	**PUIGCERDÁ**	QUANT-À-SOI	RABÂCHANT
PROTÉIQUE	PUISATIER	QUANTIÈME	RABÂCHEUR
PROTESTÉE	PUISEMENT	QUANTIFIÉ	RABAISSÉE
PROTESTER	PUISSANCE	QUANTIQUE	RABAISSER
PROTHALLE	PUISSANTE	**QUAREGNON**	**RABAN MAUR**
PROTHORAX	PUISSANTS	**QUARENGHI**	**RABASTENS**
PROTOCOLE	**PULCHÉRIE**	QUARTERON	RABAT-JOIE
PROTONÉMA	PULICAIRE	QUARTETTE	RABATTAGE
PROTOTYPE	**PULLIÉRAN**	QUARTZEUX	RABATTANT
PROTOXYDE	PULLOROSE	QUARTZITE	RABATTEUR
PROUSTIEN	PULL-OVERS	QUASIMENT	RABIBOCHÉ
PROUVABLE	PULLULANT	QUASIMODO	RABIOTANT
PROVENANT	PULSATION	**QUASIMODO**	RABOTEUSE
PROVENÇAL	PULVÉRISÉ	QUATRIÈME	RABOUGRIE
PROVENÇAL	PUNAISANT	QUAT'ZARTS	RABOUGRIR
PROVIGNÉE	PUNISSANT	QUÉBÉCOIS	RABOUTAGE
PROVIGNER	PUPITREUR	**QUÉBÉCOIS**	RABOUTANT
PROVINOIS	PURGATION	QUEBRACHO	RABROUANT
PROVISEUR	PURGATIVE	**QUELIMANE**	RACCORDÉE
PROVISION	PURIFIANT	QUELLE QUE	RACCORDER
PROVOCANT	PURITAINE	**QUELLINUS**	RACCOURCI
PROVOQUÉE	PURPURINE	QUELQU'UNE	RACCROCHÉ
PROVOQUER	PURULENCE	QUÉMANDÉE	RACÉMIQUE
PROXÉNÈTE	PURULENTE	QUÉMANDER	RACHETANT
PROXIMALE	PUSEYISME	QUERELLÉE	RACHIDIEN
PROXIMAUX	PUSTULEUX	QUERELLER	RACKETTÉE
PROXIMITÉ	PUTASSIER	**QUERÉTARO**	RACKETTER
PRUD'HOMAL	**PUTÉOLIEN**	QUÉRULENT	RACLEMENT
PRUD'HOMIE	PUTONGHUA	**QUETZALES**	RACOLEUSE
PRUD'HOMME	PUTRÉFIÉE	QUICAGEON	RACONTANT
PRUSSIATE	PUTRÉFIER	QUICONQUE	RACONTEUR
PRUSSIQUE	**PUY-DE-DÔME**	QUIESCENT	RADARISTE
PSALLIOTE	**PUYMORENS**	QUIÉTISME	**RADCLIFFE**
PSALMISTE	**PYGMALION**	QUIÉTISTE	**RADEGONDE**

RADIATEUR	RANDONNÉE	RATTRAPER	REBOISANT
RADIATION	RANDONNER	**RATZINGER**	REBORDANT
RADIATIVE	RANGEMENT	RAUWOLFIA	REBOUCHÉE
RADICANTE	RAPATRIÉE	RAVAGEANT	REBOUCHER
RADICELLE	RAPATRIER	RAVAGEUSE	REBOUTEUR
RADINERIE	RAPERCHÉE	**RAVAILLAC**	REBOUTEUX
RADIOLYSE	RAPERCHER	RAVAUDAGE	REBRODANT
RADIO-TAXI	RAPETASSÉ	RAVAUDANT	REBROUSSÉ
RADOTEUSE	RAPETISSÉ	RAVAUDEUR	REBRÛLANT
RADOUBANT	RAPICOLER	RAVENELLE	REBUFFADE
RADZIWILL	RAPIÉÇAGE	RAVE-PARTY	REBUTANTE
RAFFERMIE	RAPIÉÇANT	RAVIGOTÉE	RECACHETÉ
RAFFERMIR	RAPINERIE	RAVIGOTER	RECADRAGE
RAFFINAGE	RAPOINTIS	RAVISSANT	RECADRANT
RAFFINANT	RAPPARIÉE	RAVISSEUR	RECALCULÉ
RAFFINEUR	RAPPARIER	RAYONNAGE	RECARBURÉ
RAFFLESIA	RAPPELANT	RAYONNANT	RECAUSANT
RAFFLÉSIE	RAPPLIQUÉ	RAYONNEUR	RECELEUSE
RAFFOLANT	RAPPORTÉE	RÉABONNÉE	RÉCEMMENT
RAFFÛTANT	RAPPORTER	RÉABONNER	RECENSANT
RAFISTOLÉ	RAPPROCHÉ	RÉABSORBÉ	RECENSEUR
RAFRAÎCHI	RARÉFIANT	RÉACTANCE	RECENSION
RAGOÛTANT	RARESCENT	RÉACTIVÉE	RECENTRÉE
RAIDILLON	RARISSIME	RÉACTIVER	RECENTRER
RAILLERIE	**RAROTONGA**	RÉADAPTÉE	RÉCÉPISSÉ
RAILLEUSE	**RASMUSSEN**	RÉADAPTER	RÉCEPTEUR
RAIL-ROUTE	RASSASIÉE	READY-MADE	RÉCEPTION
RAINURAGE	RASSASIER	RÉAFFIRMÉ	RÉCEPTIVE
RAINURANT	RASSEMBLÉ	RÉAJUSTÉE	RECERCLÉE
RAISONNÉE	RASSÉRÉNÉ	RÉAJUSTER	RECERCLER
RAISONNER	RASSEYANT	RÉALÉSAGE	RÉCESSION
RAJASTHAN	**RAS SHAMRA**	RÉALÉSANT	RÉCESSIVE
RAJOUTANT	RASSORTIE	RÉALIGNÉE	RECEVABLE
RAJUSTANT	RASSORTIR	RÉALIGNER	RECEVEUSE
RALINGUÉE	RASSURANT	RÉALISANT	RÉCHAMPIE
RALINGUER	RASTAFARI	RÉAMÉNAGÉ	RÉCHAMPIR
RALLONGÉE	**RASTIGNAC**	RÉAMORCÉE	RECHANGÉE
RALLONGER	**RASTRELLI**	RÉAMORCER	RECHANGER
RALLUMANT	RATATINÉE	RÉANIMANT	RECHANTÉE
RAMAGEANT	RATATINER	RÉAPPARUE	RECHANTER
RAMASSAGE	RAT-DE-CAVE	RÉAPPRISE	RECHAPAGE
RAMASSANT	RÂTELEUSE	RÉARGENTÉ	RECHAPANT
RAMASSEUR	RATIBOISÉ	RÉARRANGÉ	RÉCHAPPÉE
RAMBUTEAU	RATIFIANT	RÉASSIGNÉ	RÉCHAPPER
RAMENDANT	RATINEUSE	RÉASSORTI	RECHARGÉE
RAMENDEUR	RATIOCINÉ	RÉASSURÉE	RECHARGER
RAMEUTANT	RATIONAUX	RÉASSURER	RECHASSÉE
RAMIFIANT	RATIONNÉE	REBAISSÉE	RECHASSER
RAMILLIES	RATIONNEL	REBAISSER	RÉCHAUFFÉ
RAMPEMENT	RATIONNER	REBAPTISÉ	RECHAUSSÉ
RAMPONEAU	RATISSAGE	REBATTANT	RECHERCHE
RANCARDÉE	RATISSANT	REBELLANT	RECHERCHÉ
RANCARDER	RATONNADE	RÉBELLION	RECHIGNER
RANÇONNÉE	**RATSIRAKA**	REBIFFANT	RECHUTANT
RANÇONNER	RATTACHÉE	REBIQUANT	RÉCIDIVER
RANCUNIER	RATTACHER	REBLANCHI	RÉCIPIENT
RANDOMISÉ	RATTRAPÉE	REBLOCHON	RÉCITANTE

RÉCITATIF	RÉCURRENT	REFAISANT	REGRIMPÉE
RÉCLAMANT	RÉCURSIVE	RÉFECTION	REGRIMPER
RECLASSÉE	RÉCUSABLE	REFENDANT	REGROSSIR
RECLASSER	RECYCLAGE	RÉFÉRENCE	REGROUPÉE
RECLOUANT	RECYCLANT	RÉFÉRENCÉ	REGROUPER
RÉCLUSION	RÉDACTEUR	REFERMANT	RÉGULIÈRE
RECOIFFÉE	RÉDACTION	RÉFLÉCHIE	RÉGURGITÉ
RECOIFFER	REDDITION	RÉFLÉCHIR	RÉHABITUÉ
RECOLLAGE	REDÉFAIRE	REFLÉTANT	REHAUSSÉE
RECOLLANT	REDÉFAITE	REFLEURIE	REHAUSSER
RÉCOLTANT	REDÉFINIE	REFLEURIR	RÉHYDRATÉ
RECOMBINÉ	REDÉFINIR	RÉFLEXION	**REICHSRAT**
RECOMPOSÉ	REDEMANDÉ	RÉFLEXIVE	**REICHSTAG**
RECOMPTÉE	REDÉMARRÉ	REFONDANT	RÉIMPORTÉ
RECOMPTER	REDÉPLOYÉ	REFORMAGE	RÉIMPOSÉE
RECONDUIT	REDEVABLE	REFORMANT	RÉIMPOSER
RÉCONFORT	REDEVANCE	RÉFORMANT	RÉIMPRIMÉ
RECONQUIS	REDEVENIR	REFORMEUR	RÉINCARNÉ
RECOPIANT	REDEVENUE	REFORMULÉ	**REINHARDT**
RECORDANT	REDIFFUSÉ	REFOUILLÉ	RÉINSCRIT
RECORDMAN	RÉDIGEANT	REFOULANT	RÉINSÉRÉE
RECORDMEN	REDINGOTE	REFOULOIR	RÉINSÉRER
RECORRIGÉ	REDISCUTÉ	RÉFRACTÉE	RÉINTÉGRÉ
RECOUCHÉE	REDONDANT	RÉFRACTER	RÉINVENTÉ
RECOUCHER	**REDONNAIS**	RÉFRÉNANT	RÉINVESTI
RECOUPAGE	REDONNANT	RÉFRIGÉRÉ	RÉINVITÉE
RECOUPANT	REDOUBLÉE	REFROIDIE	RÉINVITER
RECOURANT	REDOUBLER	REFROIDIR	RÉITÉRANT
RECOURBÉE	REDOUTANT	RÉFUGIANT	REJAILLIR
RECOURBER	REDRESSÉE	REFUSABLE	REJETABLE
RECOUSANT	REDRESSER	RÉFUTABLE	REJOINDRE
RECOUVERT	RÉDUCTEUR	REGAGNANT	REJUGEANT
RECOUVRÉE	RÉDUCTION	REGARDANT	RELÂCHANT
RECOUVRER	RÉDUISANT	REGARDEUR	RELAISSÉE
RECOUVRIR	RÉÉCOUTÉE	RÉGATIÈRE	RELAISSER
RECRACHÉE	RÉÉCOUTER	RÉGÉNÉRÉE	RELANÇANT
RECRACHER	RÉÉDIFIÉE	RÉGÉNÉRER	RELAXANTE
RÉCRÉANCE	RÉÉDIFIER	RÉGENTANT	RELAYEUSE
RÉCRÉATIF	RÉÉDITANT	REGIMBANT	RELECTURE
RECREUSÉE	RÉÉDITION	REGIMBEUR	RELÉGUANT
RECREUSER	RÉÉDUQUÉE	RÉGIONALE	RELEVABLE
RÉCRIMINÉ	RÉÉDUQUER	RÉGIONAUX	RELEVEUSE
RÉCRIVANT	RÉÉLISANT	RÉGISSANT	RELIGIEUX
RECROÎTRE	RÉEMPLOYÉ	RÉGISSEUR	RELOGEANT
RECRUTANT	RÉENGAGÉE	REGISTRÉE	RELOOKANT
RECRUTEUR	RÉENGAGER	REGISTRER	RELUISANT
RECTANGLE	RÉESSAYÉE	RÈGLEMENT	RELUQUANT
RECTIFIÉE	RÉESSAYER	REGONFLÉE	REMÂCHANT
RECTIFIER	RÉÉTUDIÉE	REGONFLER	REMAILLÉE
RECTITUDE	RÉÉTUDIER	REGRATTÉE	REMAILLER
RECTORALE	RÉÉVALUÉE	REGRATTER	RÉMANENCE
RECTORAUX	RÉÉVALUER	REGREFFÉE	RÉMANENTE
RECUEILLI	RÉEXAMINÉ	REGREFFER	REMANIANT
RECUISANT	RÉEXPÉDIÉ	RÉGRESSER	REMARCHER
RECULOTTÉ	RÉEXPORTÉ	RÉGRESSIF	REMARIAGE
RÉCUPÉRÉE	REFAÇONNÉ	REGRETTÉE	REMARIANT
RÉCUPÉRER	RÉFACTION	REGRETTER	REMARQUÉE

REMARQUER	REMPLACER	RENIFLANT	REPLÂTRÉE
REMBALLÉE	REMPLIANT	RENIFLARD	REPLÂTRER
REMBALLER	REMPLOYÉE	RENIFLEUR	RÉPLÉTION
REMBARQUÉ	REMPLOYER	RÉNIFORME	REPLIABLE
REMBARRÉE	REMPLUMÉE	RÉNITENTE	RÉPLIQUÉE
REMBARRER	REMPLUMER	**RENNEQUIN**	RÉPLIQUER
REMBAUCHÉ	REMPOCHÉE	RENOMMANT	REPLISSÉE
REMBLAVÉE	REMPOCHER	RENONÇANT	REPLISSER
REMBLAVER	REMPORTÉE	RENONCULE	REPLONGÉE
REMBLAYÉE	REMPORTER	RENOUVEAU	REPLONGER
REMBLAYER	REMPOTAGE	RENOUVELÉ	REPLOYANT
REMBOBINÉ	REMPOTANT	RENSEIGNÉ	RÉPONDANT
REMBOÎTÉE	REMPRUNTÉ	RENTAMANT	RÉPONDEUR
REMBOÎTER	**REMSCHEID**	RENTOILÉE	REPORTAGE
REMBOURRÉ	REMUEMENT	RENTOILER	REPORTANT
REMBOURSÉ	RÉMUNÉRÉE	RENTRAIRE	REPORTEUR
REMBRANDT	RÉMUNÉRER	RENTRAITE	REPOSANTE
REMBRUNIE	RENÂCLANT	RENTRAYÉE	REPOURVUE
REMBRUNIR	**RENANAISE**	RENTRANTE	REPOUSSÉE
REMBUCHÉE	RENARDEAU	RENTRAYÉE	REPOUSSER
REMBUCHER	RENAUDANT	RENTRAYER	REPRENANT
REMÉDIANT	**RENAUDINE**	RENVERSÉE	REPRENDRE
REMEMBRÉE	RENCAISSÉ	RENVERSER	REPRENEUR
REMEMBRER	RENCARDÉE	RENVIDAGE	RÉPRESSIF
REMÉMORÉE	RENCARDER	RENVIDANT	RÉPRIMANT
REMÉMORER	RENCHÉRIR	RENVIDEUR	REPRISAGE
REMERCIÉE	RENCOGNÉE	RENVOYANT	REPRISANT
REMERCIER	RENCOGNER	RÉOCCUPÉE	REPROCHÉE
REMETTANT	RENCONTRE	RÉOCCUPER	REPROCHER
REMEUBLÉE	RENCONTRÉ	RÉOPÉRANT	REPRODUIT
REMEUBLER	RENDEMENT	RÉORIENTÉ	RÉPROUVÉE
REMINGTON	RENDORMIE	REPAIRANT	RÉPROUVER
RÉMISSION	RENDORMIR	RÉPANDANT	REPTATION
RÉMITTENT	RENDOSSÉE	RÉPARABLE	REPTILIEN
REMMAILLÉ	RENDOSSER	REPARLANT	RÉPUDIANT
REMMANCHÉ	RENÉGOCIÉ	REPARTAGÉ	RÉPUGNANT
REMMENANT	**RENÉ LE BON**	REPARTANT	RÉPULSION
REMMOULÉE	RENFERMÉE	REPASSAGE	RÉPULSIVE
REMMOULER	RENFERMER	REPASSANT	REQUÉRANT
REMODELÉE	RENFILANT	REPASSEUR	REQUÊTANT
REMODELER	RENFLOUÉE	REPÊCHAGE	REQUINQUÉ
REMONTAGE	RENFLOUER	REPÊCHANT	REQUITTÉE
REMONTANT	RENFONCÉE	REPEINDRE	REQUITTER
REMONTOIR	RENFONCER	REPENDANT	RESCINDÉE
REMONTRÉE	RENFORCÉE	REPENSANT	RESCINDER
REMONTRER	RENFORCER	REPENTANT	RESCISION
REMORDANT	RENFORMIE	REPÉRABLE	RESCOUSSE
REMORQUÉE	RENFORMIR	REPERÇANT	RÉSECTION
REMORQUER	RENFORMIS	RÉPERCUTÉ	RÉSÉQUANT
REMOUILLÉ	RENFROGNÉ	REPERDANT	RÉSERPINE
RÉMOULADE	RENGAINÉE	RÉPÉTITIF	RÉSERVANT
REMOULAGE	RENGAINER	REPEUPLÉE	RÉSERVOIR
REMOULANT	RENGORGÉE	REPEUPLER	RÉSIDANAT
RÉMOULEUR	RENGORGER	REPIQUAGE	RÉSIDANTE
REMPAILLÉ	RENGRÉNÉE	REPIQUANT	RÉSIDENCE
REMPILANT	RENGRÉNER	REPLAÇANT	RÉSIDENTE
REMPLACÉE	RENIEMENT	REPLANTÉE	RÉSIGNANT

RÉSILIANT	RETENDANT	REVENDANT	RICERCARE
RÉSILIENT	RETENTANT	REVENDEUR	RICERCARI
RÉSINEUSE	RÉTENTEUR	RÉVERBÈRE	RICHELIEU
RÉSINIÈRE	RÉTENTION	RÉVERBÉRÉ	**RICHELIEU**
RÉSISTANT	**RETHONDES**	REVERCHON	RICHEMENT
RÉSOLUBLE	RÉTICENCE	REVERDOIR	**RICHEMONT**
RÉSOLUTIF	RÉTICENTE	RÉVÉRENCE	RICOCHANT
RÉSOLVANT	RÉTICULÉE	RÉVÉRENDE	**RIDELLOIS**
RÉSONANCE	RÉTICULER	**REVERMONT**	**RIECCOISE**
RÉSONANTE	RÉTICULUM	REVERSANT	RIGIDIFIÉ
RÉSONNANT	RÉTINOÏDE	RÉVERSION	RIGOLARDE
RÉSORBANT	RETIRABLE	REVERSOIR	RIGOLEUSE
RÉSORCINE	RETISSANT	REVIGORÉE	RIGORISME
RESPECTÉE	RETOMBANT	REVIGORER	RIGORISTE
RESPECTER	RETONDANT	RÉVISABLE	RIGOUREUX
RESPECTIF	RETORDAGE	RÉVISEUSE	RILLETTES
RESPIRANT	RETORDANT	REVISITÉE	**RILLIARDE**
RESPLENDI	RÉTORQUÉE	REVISITER	RIMAILLÉE
RESQUILLE	RÉTORQUER	REVISSANT	RIMAILLER
RESQUILLÉ	RÉTORSION	REVIVIFIÉ	RINGARDÉE
RESSAIGNÉ	RETOUCHÉE	RÉVOCABLE	RINGARDER
RESSAISIE	RETOUCHER	RÉVOLTANT	RINGUETTE
RESSAISIR	**RETOURNAC**	REVOLVING	**RIO BRANCO**
RESSASSÉE	RETOURNÉE	RÉVOQUANT	**RIO GRANDE**
RESSASSER	RETOURNER	REVOULANT	RIPAILLER
RESSAUTÉE	RETRAÇANT	REVOULOIR	RIPOLINÉE
RESSAUTER	RÉTRACTÉE	RÉVULSANT	RIPOLINER
RESSAYAGE	RÉTRACTER	RÉVULSION	RIPOSTANT
RESSAYANT	RÉTRACTIF	RÉVULSIVE	**RIQUEWIHR**
RESSEMANT	RETRADUIT	REWRITANT	RISSOLANT
RESSEMBLÉ	RETRAITÉE	REWRITING	RISTOURNE
RESSEMELÉ	RETRAITER	**REYKJAVÍK**	RISTOURNÉ
RESSENTIE	RETRANCHÉ	RHABILLÉE	RISTRETTE
RESSENTIR	RETRAYANT	RHABILLER	RITUALISÉ
RESSERRÉE	RÉTREINTE	RHAMNACÉE	**RIVA-BELLA**
RESSERRER	RETREMPÉE	RHAPSODIE	RIVALISER
RESSERVIE	RETREMPER	RHÉOLOGIE	RIVELAINE
RESSERVIR	RÉTRIBUÉE	RHINANTHE	RIVERAINE
RESSORTIE	RÉTRIBUER	RHIZOBIUM	RIVETEUSE
RESSORTIR	RETRIEVER	RHIZOPODE	RIVULAIRE
RESSOUDÉE	RÉTROAGIR	RHIZOTOME	**RIXENSART**
RESSOUDER	RÉTROCÉDÉ	RHODAMINE	ROAD-MOVIE
RESSOURCE	RETROUSSÉ	RHODANIEN	**ROANNAISE**
RESSOURCÉ	RETROUVÉE	**RHODANIEN**	ROAST-BEEF
RESSURGIR	RETROUVER	RHOMBIQUE	**ROBERTSON**
RESSUYANT	RÉUNIFIÉE	RHOMBOÏDE	ROBORATIF
RESTAURÉE	RÉUNIFIER	RHÔNALPIN	ROBOTIQUE
RESTAURER	RÉUTILISÉ	**RHÔNALPIN**	ROBOTISÉE
RESTITUÉE	REVACCINÉ	RHYNCHITE	ROBOTISER
RESTITUER	REVANCHÉE	RHYTIDOME	ROCAMBOLE
RESTREINT	REVANCHER	**RIBÉCOURT**	**ROCAMBOLE**
RÉSULTANT	RÊVASSANT	RIBOSOMAL	**ROCHEFORT**
RÉSURGENT	RÊVASSEUR	RIBOULANT	**ROCHELAIS**
RETAILLÉE	RÉVEILLÉE	RIBOVIRUS	ROCHE-MÈRE
RETAILLER	RÉVEILLER	RICANANTE	**ROCHESTER**
RETARDANT	RÉVEILLON	RICANEUSE	**ROCHEUSES**
RETASSURE	**REVÉLOISE**	**RICCOBONI**	RÔDAILLER

RODENBACH	**ROTTERDAM**	RUMINANTE	**SAHRAOUIE**
RODRIGUES	ROTURIÈRE	**RUNDSTEDT**	**SAID PACHA**
ROESELARE	ROUBLARDE	RURALISME	SAIGNANTE
ROETTIERS	ROUCOULÉE	RUSSIFIÉE	SAIGNEUSE
ROGATIONS	ROUCOULER	RUSSIFIER	SAILLANTE
ROGATOIRE	ROUCOULIS	RUSTICAGE	SAINEMENT
ROGNONNER	ROUDOUDOU	RUSTICITÉ	**SAINTAISE**
ROI DE ROME	**ROUENNAIS**	RUSTIQUÉE	**SAINT-ANGE**
ROI-SOLEIL	ROUE-PELLE	RUSTIQUER	**SAINT-CAST**
RÔLE-TITRE	ROUERGATE	RUTHÉNIUM	**SAINT-CÉRÉ**
ROMANAISE	**ROUERGATE**	RUTHÉNOIS	**SAINT-CIRQ**
ROMANÇANT	ROUGEÂTRE	**RUTHÉNOIS**	**SAINTE-FOY**
ROMANCERO	ROUGEAUDE	RUTILANCE	**SAINT-FONS**
ROMANCHES	**ROUGEMONT**	RUTILANTE	**SAINT-GALL**
ROMANCIER	ROUGEOYER	**RUWENZORI**	**SAINT-GOND**
ROMANÈCHE	ROUILLANT	**RUYSBROEK**	**SAINT-JEAN**
ROMANISÉE	ROUILLURE	RWANDAISE	**SAINT-JUST**
ROMANISER	ROUISSAGE	**RWANDAISE**	**SAINT-LARY**
ROMANISME	ROUISSANT	RYTHMIQUE	**SAINT-LÉON**
ROMANISTE	ROUISSOIR	**SABELLIUS**	**SAINT-LOIS**
RONCERAIE	ROULEAUTÉ	SABLONNÉE	**SAINT-LOUP**
RONCEVAUX	ROULEMENT	SABLONNER	**SAINT-MALO**
RONCHONNE	ROULOTTÉE	SABORDAGE	**SAINT-MARC**
RONCHONNÉ	ROUPILLER	SABORDANT	**SAINT-MARS**
RONDEMENT	ROUPILLON	SABOTERIE	**SAINT-MAUR**
ROND-POINT	ROUQUETTE	SABOTEUSE	**SAINT-MÉEN**
RONÉOTANT	ROUSPÉTER	SABOTIÈRE	**SAINT-OGAN**
RONÉOTYPÉ	ROUSSÂTRE	SABOULANT	**SAINTOISE**
RONFLANTE	ROUSSEAUX	SABURRALE	**SAINT-OMER**
RONFLEUSE	ROUSSETTE	SABURRAUX	**SAINTONGE**
RONGEMENT	ROUTINIER	SACCADANT	**SAINT-OUEN**
RONRONNER	ROUVERAIN	SACCAGEUR	**SAINT-PAUL**
ROOSEVELT	ROYALISME	SACCHARIN	SAINT-PÈRE
ROQUEFORT	ROYALISTE	**SACCHETTI**	**SAINT-PÈRE**
ROQUEFORT	ROYALTIES	SACCULINE	**SAINT-PONS**
ROQUENTIN	**ROYANNAIS**	SACERDOCE	**SAINT-QUAY**
RORSCHACH	ROYAUMANT	SACRALISÉ	**SAINT-RÉMY**
ROSCOVITE	**ROYAUMONT**	SACREBLEU	**SAKALAVES**
ROSE-CROIX	RUBANERIE	SACREDIEU	**SAKHALINE**
ROSE-CROIX	RUBANIÈRE	SACREMENT	**SALAFIYYA**
ROSELIÈRE	RUBÉFIANT	SACRÉMENT	SALANGANE
ROSENBERG	RUBÉOLEUX	SACRIFICE	SALARIALE
ROSENFELD	RUBESCENT	SACRIFIÉE	SALARIANT
ROSISSANT	RUBICONDE	SACRIFIER	SALARIAUX
ROSNÉENNE	RUBRIQUÉE	SACRILÈGE	SALICACÉE
ROSNY AÎNÉ	RUBRIQUER	SACRIPANT	SALICAIRE
ROSPORDEN	**RUBRUQUIS**	SACRISTIE	**SALICETTI**
ROSSIGNOL	RUDBECKIA	SADDUCÉEN	SALICORNE
ROSTRENEN	RUDENTURE	**SADOVEANU**	SALICYLÉE
ROTATOIRE	RUFFLETTE	**SAENREDAM**	SALIFIANT
ROTATRICE	RUGBYMANS	SAFRANANT	SALIGAUDE
ROTHÉNEUF	RUGISSANT	SAGE-FEMME	**SALINDRES**
RÔTISSAGE	**RUHMKORFF**	SAGITTALE	**SALISBURY**
RÔTISSANT	RUISSEAUX	SAGITTAUX	SALISSANT
RÔTISSEUR	RUISSELER	SAGOUTIER	SALISSURE
ROTONDITÉ	RUISSELET	**SAGRANIER**	SALIVAIRE
ROTOPLOTS	**RUITELOTE**	SAHRAOUIE	**SALLUMIUQ**

SALMONIDÉ	SAPINETTE	**SAUMUROIS**	SCHNAUZER
SALONAISE	SAPINIÈRE	SAUNAISON	**SCHNEIDER**
SALONARDE	SAPONACÉE	SAUPIQUET	**SCHNITTKE**
SALONIQUE	SAPONAIRE	SAUPOUDRÉ	SCHNORKEL
SALONNARD	SAPONIFIÉ	SAUT-DE-LIT	**SCHOMBERG**
SALOPERIE	SAPOTACÉE	SAUTEREAU	**SCHÖNBERG**
SALOPETTE	SAPOTILLE	SAUTERNES	**SCHRIBAUX**
SALOPIAUD	SAPROPÈLE	**SAUTERNES**	**SCHWECHAT**
SALOPIAUX	SARABANDE	SAUTILLER	**SCHWINGER**
SALPÊTRÉE	**SARAGOSSE**	SAUVAGEON	SCIATIQUE
SALPÊTRER	**SARANAISE**	SAUVAGINE	SCIEMMENT
SALTATION	SARBACANE	SAUVETAGE	SCINTILLÉ
SALUBRITÉ	**SARCELLES**	SAUVETEUR	**SCIONZIER**
SALUTAIRE	SARCLETTE	SAUVIGNON	SCLÉREUSE
SALUTISTE	**SARDAIGNE**	SAVAMMENT	SCLÉROSÉE
SALVAGNIN	SARDINIER	**SAVERNOIS**	SCLÉROSER
SALVATEUR	**SARGASSES**	SAVOISIEN	SCOLARISÉ
SALZBOURG	**SARLADAIS**	**SAVOISIEN**	SCOLARITÉ
SAMANIDES	SARMENTÉE	SAVONNAGE	SCOLIASTE
SAMARINDA	SARMENTER	SAVONNANT	SCOMBRIDÉ
SAMARKAND	**SARMIENTO**	SAVONNEUX	SCORIACÉE
SAMBOÏSTE	SARODISTE	SAVONNIER	SCOTCHANT
SAMOYÈDES	SARRASINE	SAVOURANT	SCOTOMISÉ
SAMUELSON	SARRIETTE	SAVOUREUX	SCOUMOUNE
SANANDADJ	**SARTENAIS**	SAVOYARDE	SCOUT-CARS
SAN-BENITO	**SARTHOISE**	**SAVOYARDE**	SCOUTISME
SANCTIFIÉ	**SASKATOON**	SAXIFRAGE	SCRABBLER
SANDHURST	SASOLBURG	SAXOPHONE	SCRATCHÉE
SANDWICHS	SASSAFRAS	SCABIEUSE	SCRATCHER
SANG-FROID	SASSANIDE	SCABREUSE	SCRATCHES
SANGLANTE	SASSEMENT	SCALDIQUE	**SCRIABINE**
SANGLOTER	SASSENAGE	**SCALIGERI**	SCRIBANNE
SANHÉDRIN	**SASSENAGE**	**SCAMANDRE**	SCRIPTEUR
SANISETTE	SATANIQUE	**SCAPA FLOW**	SCULPTANT
SANITAIRE	SATANISME	SCAPHOÏDE	SCULPTEUR
SAN MARTÍN	SATELLISÉ	SCARIEUSE	SCULPTURE
SAN MIGUEL	SATELLITE	SCARIFIÉE	SCYTHIQUE
SAN-PRIOTE	SATIATION	SCARIFIER	**SÉBASTIEN**
SANS-CŒUR	SATINETTE	**SCARLATTI**	SÉBORRHÉE
SANSCRITE	SATIRIQUE	SCÉLÉRATE	SÉCESSION
SANS-FAÇON	SATIRISÉE	SCÉNARISÉ	SÈCHEMENT
SANS-FAUTE	SATIRISER	SCEPTIQUE	**SECLINOIS**
SANS-GRADE	SATIRISTE	**SCHAEFFER**	SECONDANT
SANSKRITE	SATISFAIT	**SCHATZMAN**	SECOURANT
SANS-LE-SOU	SATURABLE	SCHEIDAGE	SECOUREUR
SANS-LOGIS	SATURANTE	**SCHELLING**	SECRÉTAGE
SANSONNET	SATURNIEN	**SCHERCHEN**	SECRÉTANT
SANSOVINO	SATURNINE	**SCHICKARD**	SÉCRÉTANT
SANS-PARTI	SATYRIQUE	SCHILLING	SÉCRÉTEUR
SANS-PLOMB	SAUCISSON	SCHINDANT	SÉCRÉTINE
SANS-SOUCI	SAUGRENUE	**SCHIRMECK**	SÉCRÉTION
SANTA ANNA	SAUMONEAU	SCHISTEUX	SECTATEUR
SANTA CRUZ	**SAULXURES**	SCHIZOÏDE	SECTIONNÉ
SANTANDER	**SAULXURON**	SCHLINGUÉ	SECTORIEL
SANTOLINE	SAUMONEAU	SCHLITTÉE	SECTORISÉ
SANTOMÉEN	SAUMURAGE	SCHLITTER	SÉCULAIRE
SÃO MIGUEL	SAUMURANT	SCHLITTER	SÉCULIÈRE

SÉCURISÉE	SÉNONAISE	**SÉVILLANE**	SILLANPÄÄ
SÉCURISER	**SÉNONAISE**	SÉVISSANT	**SILLÉENNE**
SEDANAISE	SENONCHES	**SEVRANAIS**	SILLEROIS
SÉDIMENTÉ	**SÉNOUSRET**	SÉVRIENNE	SILLONNÉE
SÉDITIEUX	SENSATION	**SÉVRIENNE**	SILLONNER
SÉDUCTEUR	SENSÉMENT	SEX-APPEAL	**SILVACANE**
SÉDUCTION	SENSITIVE	SEXOLOGIE	**SILVESTRE**
SÉDUISANT	SENSORIEL	SEXOLOGUE	SIMBLEAUX
SÉDUNOISE	SENSUELLE	SEX-RATIOS	SIMIESQUE
SÉFÉVIDES	SENTIMENT	SEX-SYMBOL	SIMILAIRE
SEGANTINI	SÉPARABLE	SEXTUPLÉE	SIMILISÉE
SEGMENTÉE	SÉPIOLITE	SEXTUPLER	SIMILISER
SEGMENTER	SEPTEMBRE	SEXTUPLÉS	SIMILISTE
SEGRÉENNE	**SEPTÉMOIS**	SEXUALISÉ	**SIMMENTAL**
SEIGNELAY	SEPTENNAL	SEXUALITÉ	SIMPLETTE
SEIGNOBOS	SEPTENNAT	**SEYNODIEN**	SIMPLIFIÉ
SEIGNOSSE	**SEPTILIEN**	**SEYSSELAN**	SIMPLISME
SÉISMIQUE	SEPTUPLÉE	**SEYSSINET**	SIMPLISTE
SÉJOURNER	SEPTUPLER	**SÉZANNAIS**	SIMULACRE
SÉLECTANT	SÉPULCRAL	SFORZANDO	SIMULTANÉ
SÉLECTEUR	SÉPULTURE	SGRAFFITE	SINAPISME
SÉLECTION	**SÉQUANAIS**	SHAKTISME	SINCÉRITÉ
SÉLECTIVE	SÉQUESTRE	SHAMPOING	**SINGAPOUR**
SÉLÉNIATE	SÉQUESTRÉ	SHANTOUNG	SINGLETON
SÉLÉNIEUX	SÉRAPHINE	**SHEFFIELD**	SINGULIER
SÉLÉNIQUE	**SÉRAPHINS**	SHIVAÏSME	SINISANTE
SÉLÉNIURE	SERFOUAGE	SHOGOUNAL	SINISTRÉE
SÉLINONTE	SÉRIALITÉ	SHOGUNALE	**SINNAMARY**
SELONGÉEN	SÉRIATION	SHOGUNAUX	SINOLOGIE
SEMAILLES	SERINETTE	SHORTHORN	SINOLOGUE
SEMAINIER	SERINGAGE	SHORT TONS	SINTÉRISÉ
SÉMANTÈME	SERINGUÉE	SHRAPNELL	SINUOSITÉ
SÉMAPHORE	SERINGUER	SIBILANTE	SINUSOÏDE
SEMBLABLE	SERLIENNE	SIBYLLINE	SIPHONNÉE
SEMENCIER	SERMONNÉE	**SICAMBRES**	SIPHONNER
SEMI-ARIDE	SERMONNER	SICCATIVE	**SIQUEIROS**
SEMI-FINIS	SÉROLOGIE	SIDÉRANTE	SIROPERIE
SÉMILLANT	SERPENTER	**SIEGFRIED**	SIRUPEUSE
SÉMINAIRE	SERPENTIN	**SIENNOISE**	SISMICITÉ
SÉMINOLES	**SERPOLLET**	**SIERROISE**	SITARISTE
SEMI-OUVRÉ	SERRANIDÉ	SIFFLANTE	SITOLOGUE
SÉMIRAMIS	SERRATULE	SIFFLEUSE	SITUATION
SÉMITIQUE	SERRE-FILE	SIFFLOTÉE	**SJAELLAND**
SÉMITISME	SERRE-FILS	SIFFLOTER	**SKAGERRAK**
SEMMERING	SERREMENT	**SIGEANAIS**	**SKRIABINE**
SEMONÇANT	SERRE-TÊTE	**SIGISMOND**	SLALOMANT
SEMOULIER	SERRURIER	SIGLAISON	SLALOMEUR
SEMUROISE	**SERTORIUS**	SIGNALANT	**SLAVEJKOV**
SENANCOUR	SERVIABLE	SIGNALEUR	**SLAVIANSK**
SENDERENS	SERVIETTE	SIGNALISÉ	SLAVISANT
SÉNÉCHAUX	SERVILITÉ	SIGNATURE	**SLOVAQUIE**
SENELLIER	SERVITEUR	SIGNIFIÉE	**SLOVIANSK**
SÉNESCENT	SERVITUDE	SIGNIFIER	**SMALKALDE**
SÉNILISME	SÉSAMOÏDE	SILICAGEL	SMECTIQUE
SÉNIORITÉ	**SÉSOSTRIS**	SILICEUSE	SMORZANDO
SENLISIEN	SEULEMENT	SILICIQUE	SNACK-BARS
SÉNOLOGIE	**SEURROISE**	SILICIURE	SNOBINARD

SNOW-BOOTS
SOAP OPERA
SOBREMENT
SOBRIQUET
SOCHALIEN
SOCIALISÉ
SOCIÉTALE
SOCIÉTAUX
SOCQUETTE
SODOMISÉE
SODOMISER
SŒURETTE
SOFT-DRINK
SOI-DISANT
SOIFFARDE
SOIGNANTE
SOIGNEUSE
SOISÉENNE
SOLANACÉE
SOLÉCISME
SOLENNISÉ
SOLENNITÉ
SOLÉNOÏDE
SOLENZARA
SOLEUROIS
SOLFATARE
SOLFERINO
SOLICITOR
SOLIDAIRE
SOLIDIFIÉ
SOLIFLORE
SOLILOQUE
SOLILOQUÉ
SOLITAIRE
SOLIVEAUX
SOLLICITÉ
SOLOGNOTE
SOLOGNOTE
SOLUTRÉEN
SOMATIQUE
SOMATISÉE
SOMATISER
SOMMATION
SOMMEILLÉ
SOMMELIER
SOMMIÈRES
SOMMITALE
SOMMITAUX
SOMNIFÈRE
SOMNOLANT
SOMNOLENT
SOMPTUEUX
SONNAILLE
SONNAILLÉ
SONOMÈTRE
SONORISÉE
SONORISER

SORDIDITÉ
SORELOISE
SORGUAISE
SORTILÈGE
SOSNOWIEC
SOSTENUTO
SOTTEMENT
SOTTISIER
SOUAHÉLIE
SOUBRETTE
SOUCHETTE
SOUCIEUSE
SOUDANAIS
SOUDANAIS
SOUDOYANT
SOUFFERTE
SOUFFLAGE
SOUFFLANT
SOUFFLARD
SOUFFLETÉ
SOUFFLEUR
SOUFFLURE
SOUFFRANT
SOUFREUSE
SOUFRIÈRE
SOUFRIÈRE
SOUHAITÉE
SOUHAITER
SOUILLANT
SOUILLARD
SOUILLURE
SOUIMANGA
SOUK AHRAS
SOUKHOUMI
SOULEVANT
SOULIGNÉE
SOULIGNER
SOUL MUSIC
SOULOUQUE
SOUMETTRE
SOUPÇONNÉ
SOUPESANT
SOUPIRAIL
SOUPIRANT
SOUPIRAUX
SOUPLESSE
SOURCILLÉ
SOURDEVAL
SOURD-MUET
SOURIANTE
SOURICEAU
SOURNOISE
SOUS-BARBE
SOUS-CHEFS
SOUSCRIRE
SOUSCRITE
SOUS-FAÎTE

SOUS-FIFRE
SOUS-GARDE
SOUS-GORGE
SOUS-HOMME
SOUS-LOUÉE
SOUS-LOUER
SOUS-LOUÉS
SOUS-MARIN
SOUS-NAPPE
SOUS-ORDRE
SOUS-PALAN
SOUS-PAYÉE
SOUS-PAYER
SOUS-PAYÉS
SOUS-PIEDS
SOUS-PLATS
SOUS-PULLS
SOUS-SEING
SOUSSIGNÉ
SOUS-TASSE
SOUSTELLE
SOUS-TENDU
SOUS-TITRE
SOUS-TITRÉ
SOUSTRAIT
SOUS-VERGE
SOUS-VERRE
SOUS-VIRER
SOUTACHÉE
SOUTACHER
SOUTENANT
SOUTENEUR
SOUTH BEND
SOUTHPORT
SOUTIRAGE
SOUTIRANT
SOUVENANT
SOUVERAIN
SOVIÉTISÉ
SPACIEUSE
SPADASSIN
SPAGHETTI
SPARADRAP
SPARTACUS
SPARTERIE
SPARTIATE
SPATANGUE
SPATIONEF
SPÉCIEUSE
SPÉCIFIÉE
SPÉCIFIER
SPECTACLE
SPECTRALE
SPECTRAUX
SPÉCULANT
SPÉCULAUS
SPÉCULOOS

SPERMATIE
SPHÉNODON
SPHÉNOÏDE
SPHÉRIQUE
SPHÉROÏDE
SPHINCTER
SPHINGIDÉ
SPICILÈGE
SPIELBERG
SPINALIEN
SPINALIEN
SPINNAKER
SPINOLIEN
SPIRITAIN
SPIRITUAL
SPIRITUEL
SPIROGYRE
SPIROÏDAL
SPIRULINE
SPITSBERG
SPITTELER
SPITZBERG
SPLENDEUR
SPLENDIDE
SPLÉNIQUE
SPONGIEUX
SPONGILLE
SPONSORAT
SPONTANÉE
SPORIFÈRE
SPOROGONE
SPORULANT
SPRINGBOK
SPRINKLER
SPRINTANT
SPUMOSITÉ
SQUAMEUSE
SQUATTANT
SQUEEZANT
SQUELETTE
SQUIRREUX
STABILISÉ
STABILITÉ
STAGIAIRE
STAGNANTE
STAINOISE
STAKHANOV
STALINIEN
STAMINALE
STAMINAUX
STANISLAS
STANKOVIC
STANNIQUE
STAPHYLIN
STARLETTE
STASSFURT
STATIONNÉ

STATUAIRE	STRIDULER	SUBVERSIF	SUPPLICIÉ
STATUETTE	STRIP-LINE	SUBVERTIE	SUPPLIQUE
STATUFIÉE	STRIPPING	SUBVERTIR	SUPPORTÉE
STATUFIER	**STROMBOLI**	SUCCÉDANÉ	SUPPORTER
STAVANGER	STRONGYLE	SUCCÉDANT	SUPPOSANT
STAVROPOL	STRONTIUM	SUCCESSIF	SUPPRIMÉE
STÉARIQUE	STRUCTURE	SUCCINCTE	SUPPRIMER
STÉGOMYIE	STRUCTURÉ	SUCCOMBER	SUPPURANT
STEINBECK	**STRUENSEE**	SUCCULENT	SUPPUTANT
STEINBERG	STRYCHNÉE	SUD-CORÉEN	SURABONDÉ
STEINBOCK	STRYCHNOS	**SUD-CORÉEN**	SURACTIVÉ
STELLAIRE	STUCATEUR	SUFFISANT	SURAJOUTÉ
STÉNOTYPE	STUD-BOOKS	SUFFIXALE	**SURAKARTA**
STEPPIQUE	**STUDENICA**	SUFFIXANT	SURBAISSÉ
STÉRADIAN	STUDIEUSE	SUFFIXAUX	SURCHARGE
STERCORAL	STUPÉFAIT	SUFFOCANT	SURCHARGÉ
STÉRILISÉ	STUPÉFIÉE	SUFFOQUÉE	SURCLASSÉ
STÉRILITÉ	STUPÉFIER	SUFFOQUER	SURCONTRE
STERNBACH	STUPIDITÉ	SUFFUSION	SURCONTRÉ
STERNBERG	STUPOREUX	SUGGÉRANT	SURCOUPÉE
STEVENAGE	**STUTTGART**	SUGGESTIF	SURCOUPER
STEVENSON	STYLICIEN	SUICIDANT	SURDOSAGE
STHÉNIQUE	STYLISANT	SUIFFEUSE	SURÉLEVÉE
STIEGLITZ	STYLOBATE	SUINTANTE	SURÉLEVER
STIMULANT	Stylomine	**SUISSESSE**	SUREMPLOI
STIMULINE	**STYMPHALE**	SUKHOTHAI	SURÉQUIPÉ
STIPENDIÉ	STYROLÈNE	SULFAMIDE	**SURESNOIS**
STIPULANT	SUAVEMENT	SULFATAGE	SURESTIMÉ
STOCK-CARS	SUBAÉRIEN	SULFATANT	SURÉVALUÉ
STOCKHOLM	SUBALPINE	SULFITAGE	SUREXCITÉ
STOCKISTE	SUBDIVISÉ	SULFOXYDE	SUREXPOSÉ
STOCKPORT	SUBÉREUSE	SULFURAGE	SURFAÇAGE
STOCK-SHOT	SUBISSANT	SULFURANT	SURFAÇANT
STOÏCISME	SUBJACENT	SULFUREUX	SURFILAGE
STOKOWSKI	SUBJECTIF	SULFURISÉ	SURFILANT
STOLYPINE	SUBJUGUÉE	**SULLOM VOE**	SURFONDUE
STOMACALE	SUBJUGUER	SULPICIEN	SURFUSION
STOMACAUX	**SUBLEYRAS**	**SUMÉRIENS**	SURGELANT
STOMATITE	SUBLIMANT	**SUNDANAIS**	SURHAUSSÉ
STOP-AND-GO	SUBLIMITÉ	**SUNDSVALL**	SURHUMAIN
STOPPEUSE	SUBMERGÉE	**SUN YAT-SEN**	SURIMPOSÉ
STRABIQUE	SUBMERGER	SUPERAMAS	SURISSANT
STRABISME	SUBODORÉE	SUPÉRETTE	SURJALANT
STRADELLA	SUBODORER	SUPERFINE	SURJECTIF
STRAFFORD	SUBORNANT	SUPERFLUE	SURJETANT
STRALSUND	SUBORNEUR	SUPER-HUIT	SURLIGNÉE
STRAMOINE	SUBSIDIÉE	SUPÉRIEUR	SURLIGNER
STRAPPING	SUBSIDIER	**SUPÉRIEUR**	SURLOUANT
STRATÉGIE	SUBSISTER	SUPERMANS	SURMENAGE
STRATFORD	SUBSTANCE	SUPERNOVA	SURMENANT
STRATIFIÉ	SUBSTITUÉ	SUPERPOSÉ	SURMONTÉE
STRATIOME	SUBSTITUT	SUPERSTAR	SURMONTER
STRESSANT	SUBSUMANT	SUPERVISÉ	SURMOULÉE
STRIATION	SUBTILISÉ	SUPPLANTÉ	SURMOULER
STRICTION	SUBTILITÉ	SUPPLÉANT	SURNOMBRE
STRIDENCE	SUBURBAIN	SUPPLÉTIF	SURNOMMÉE
STRIDENTE	SUBVENANT	SUPPLIANT	SURNOMMER

SUROXYDÉE	SYMPHONIE	TALONNADE	**TAVOLIERE**
SUROXYDER	SYMPOSIUM	TALONNAGE	TAXATRICE
SURPASSÉE	SYNAGOGUE	TALONNANT	TAXAUDIER
SURPASSER	SYNALÈPHE	TALONNEUR	TAXIMÈTRE
SURPAYANT	SYNARCHIE	TALQUEUSE	TAXINOMIE
SURPEUPLÉ	SYNCHRONE	TAMAZIGHT	TAXIPHONE
SURPIQUÉE	SYNCITIUM	TAMBOURIN	TAYLORISÉ
SURPIQUER	SYNCLINAL	**TAMIL NADU**	TCHARCHAF
SURPIQÛRE	SYNCOPALE	TAMISEUSE	TCHATCHER
SURPLOMBÉ	SYNCOPANT	TAMPONNÉE	**TCHIMKENT**
SURREMISE	SYNCOPAUX	TAMPONNER	TECHNIQUE
SURRÉNALE	SYNCYTIAL	TANDIS QUE	TEDDY-BEAR
SURRÉNAUX	SYNCYTIUM	TANGERINE	TEEN-AGERS
SURSATURÉ	SYNDICALE	TANNISAGE	TEE-SHIRTS
SURSAUTER	SYNDICAUX	TANNISANT	TÉGÉNAIRE
SURSOYANT	SYNDIQUÉE	TANTRIQUE	TEIGNEUSE
SURTAXANT	SYNDIQUER	TANTRISME	TEILLEUSE
SURTITRÉE	SYNERGIDE	TANZANIEN	TEINTANTE
SURTITRER	SYNGNATHE	**TANZANIEN**	TÉLÉACHAT
SURVEILLÉ	SYNODIQUE	**TAO-TÖ-KING**	TÉLÉBENNE
SURVENANT	SYNONYMIE	TAPAGEUSE	TÉLÉCARTE
SURVENDRE	SYNOSTOSE	TAPISSANT	TÉLÉCOPIE
SURVENDUE	SYNOVIALE	TAPISSIER	TÉLÉGUIDÉ
SURVIRAGE	SYNOVIAUX	TAPUSCRIT	**TÉLÉMAQUE**
SURVIRANT	SYPHILIDE	TAQUINANT	TÉLÉMÈTRE
SURVIREUR	**SZAPOLYAI**	TARABUSTÉ	TÉLÉNOMIE
SURVIVANT	TABAGIQUE	**TARASQUES**	TÉLÉPATHE
SURVOLANT	TABAGISME	TARAUDAGE	TÉLÉPÉAGE
SURVOLTÉE	TABASSAGE	TARAUDANT	TÉLÉPHONE
SURVOLTER	TABASSANT	TARBOUCHE	TÉLÉPHONÉ
SURVOLTÉS	TABATIÈRE	TARDILLON	TÉLÉRADAR
SUSCITANT	TABELLION	TARDIVETÉ	TÉLÉRADIO
SUS-JACENT	TABÉTIQUE	TARENTAIS	TÉLÉROMAN
SUSNOMMÉE	TABLATURE	**TARENTINE**	TÉLESCOPE
SUSPECTÉE	TABLETIER	TARENTULE	TÉLESCOPÉ
SUSPECTER	TABULAIRE	TARIFAIRE	TÉLÉSIÈGE
SUSPENDRE	TACHETANT	TARISSANT	TÉLÉTEXTE
SUSPENDUE	TACHETURE	**TARKOVSKI**	TÉLÉTOXIE
SUSPENSIF	TACITURNE	TARLATANE	TÉLÉVENTE
SUSPICION	TACTICIEN	**TARQUINIA**	TÉLÉVISÉE
SUSTENTÉE	TACTICITÉ	**TARRAGONE**	TÉLÉVISER
SUSTENTER	**TADOUSSAC**	TARSIENNE	TÉLEXISTE
SUSURRANT	TAEKWONDO	**TARTAGLIA**	TELLEMENT
SUZERAINE	**TAFILALET**	TARTINANT	TELLURURE
SVELTESSE	TAILLABLE	TARTREUSE	TELLUREUX
SWAZILAND	TAILLADÉE	TARTRIQUE	TELLURIEN
SWEELINCK	TAILLADER	**TASMANIEN**	TELLURURE
SWINBURNE	TAILLAULE	TASSEMENT	TÉLOPHASE
SWINGUANT	TAILLERIE	**TATABÁNYA**	TÉMÉRAIRE
SYKTYVKAR	TAÏWANAIS	**TATARSTAN**	**TEMIRTAOU**
SYLVESTER	**TAÏWANAIS**	TÂTONNANT	TÉMOIGNÉE
SYLVESTRE	**TAKAMATSU**	**TAULÉSIEN**	TÉMOIGNER
SYLVESTRE	**TAKATSUKI**	TAURILLON	**TEMPELHOF**
SYLVICOLE	**TALAT PASA**	TAUROBOLE	TEMPÉRANT
SYLVINITE	TALK-SHOWS	TAUTOMÈRE	TEMPÊTANT
SYMBOLISÉ	**TALLOIRES**	TAVERNIER	**TEMPLIERS**
SYMPATHIE	TALOCHANT	**TAVERNIER**	TEMPORALE

TEMPORAUX	TÊTE-À-TÊTE	**THORNDIKE**	**TIZI OUZOU**
TEMPORISÉ	TÊTE-BÊCHE	**THOUROTTE**	**TOAMASINA**
TENAILLÉE	TÉTERELLE	THRÉONINE	**TOCANTINS**
TENAILLER	TÉTRAÈDRE	THROMBINE	**TOGLIATTI**
TENAILLES	TÉTRAGONE	THROMBOSE	TOGOLAISE
TENANCIER	TÉTRAMÈRE	**THUCYDIDE**	**TOGOLAISE**
TENDASQUE	TÉTRAPODE	**THURGOVIE**	TOILETTÉE
TENDINEUX	TÉTRARQUE	**THURSTONE**	TOILETTER
TENDINITE	TEXTUELLE	THYLACINE	**TOISON D'OR**
TENDRESSE	TEXTURANT	THYRATRON	**TOJOLABAL**
TÉNÉBREUX	**TEYJATOIS**	THYRISTOR	TOKHARIEN
TÉNÉBRION	**THACKERAY**	THYROXINE	**TOKUSHIMA**
TÉNÉRIFFE	**THAÏLANDE**	**TIAN'ANMEN**	**TOLENTINO**
TENNESSEE	**THANJAVUR**	**TIBÉRIADE**	TOLÉRABLE
TENNISMAN	**THANNOISE**	TIBÉTAIN	TOLÉRANCE
TENNISMEN	**THAONNAIS**	**TIBÉTAINE**	TOLÉRANTE
TENONNANT	THÉÂTRALE	TIE-BREAKS	**TOLTÈQUES**
TÉNORISER	THÉÂTRAUX	TIÈDEMENT	TOLUIDINE
TÉNOTOMIE	THÉÂTREUX	TIERCELET	**TOMAKOMAI**
TENSORIEL	THÉBAÏQUE	TIERCERON	TOMBEREAU
TENTACULE	**THÉOCRITE**	TIMBALIER	**TOMBLAINE**
TENTATEUR	**THÉODAHAT**	**TIMISOARA**	TOMENTEUX
TENTATION	THÉODICÉE	TIMONERIE	TONDAISON
TENTATIVE	**THÉODORIC**	**TIMURIDES**	TONIFIANT
TEPHILLIN	**THÉODOROS**	TIMUR LANG	TONITRUER
TÉRÉBRANT	**THÉODULFE**	TINBERGEN	**TONKINOIS**
TERMINALE	THÉOGONIE	**TINDEMANS**	TONNELAGE
TERMINANT	**THÉOGONIE**	TINTEMENT	TONNELIER
TERMINAUX	THÉOLOGAL	**TINTÉNIAC**	TONOLOGIE
TERNEUZEN	THÉOLOGIE	**TIOURATAM**	TONSURANT
TERPINÉOL	THÉORIQUE	**TIPPERARY**	TONTINANT
TERRAQUÉE	THÉORISÉE	**TIPU SAHIB**	TOP-MODÈLE
TERRARIUM	THÉORISER	TIQUETURE	TOP MODELS
TERRASSÉE	THÉOSOPHE	TIRAILLÉE	TOP NIVEAU
TERRASSER	**THÉRAMÈNE**	TIRAILLER	TOPO-GUIDE
TERRASSON	THERAVADA	**TIRANAISE**	TOPOLOGIE
TERREAUTÉ	THÉRIAQUE	TIRE-AU-CUL	TOPONYMIE
TERRESTRE	THÉRIDION	TIRE-BONDE	TOP SECRET
TERRICOLE	THERIDIUM	TIRE-BOTTE	TORCHONNÉ
TERRIENNE	THERMIDOR	TIRE-CLOUS	TOROÏDALE
TERRIFIÉE	THERMIQUE	TIRE-D'AILE	TOROÏDAUX
TERRIFIER	THÉSAURUS	TIRE-LAINE	**TORONTAIS**
TERRIGÈNE	**THESSALIE**	TIRE-LIGNE	TORPILLÉE
TERRORISÉ	**THIAISIEN**	TIRE-VEINE	TORPILLER
TERTIAIRE	**THIBAUDET**	**TIRLEMONT**	TORRAILLÉ
TERVUEREN	**THIBÉRIEN**	TISANIÈRE	TORRÉFIÉE
TERZA RIMA	**THIÉRACHE**	TISONNANT	TORRÉFIER
TERZE RIME	**THIERNOIS**	TISONNIER	TORSADANT
TESSINOIS	**THILLOTIN**	TISSERAND	**TORTELIER**
TESSITURE	THIOACIDE	**TISSERAND**	TORTILLÉE
TESTAMENT	THIONIQUE	TITANIQUE	TORTILLER
TESTATEUR	THIOPHÈNE	**TITCHENER**	TORTILLON
TESTICULE	THIO-URÉES	**TITELOUZE**	TORTORANT
TEST-MATCH	**THIZEROTE**	TITILLANT	TORTUEUSE
TÉTANIQUE	**THONÉSIEN**	TITUBANTE	TORTURANT
TÉTANISÉE	**THONONAIS**	TITULAIRE	**TOSCANINI**
TÉTANISER	**THORBECKE**		TOTALISÉE

TOTALISER	TRACHÉAUX	TRAVAILLÉ	TRIALCOOL
TOTÉMIQUE	TRACHÉIDE	TRAVELAGE	TRIANDINE
TOTÉMISME	TRACHÉITE	TRAVERSÉE	TRIANDRIE
TOTONAQUE	**TRACIENNE**	TRAVERSER	TRIANGULÉ
TOUARÈGUE	TRACTABLE	TRAVERSIN	TRIASIQUE
TOUCHANTE	TRACTRICE	TRAVERTIN	TRIATHLON
TOUCHEAUX	TRADITION	TRAVESTIE	TRIBALLÉE
TOUCYCOIS	**TRAFALGAR**	TRAVESTIR	TRIBALLER
TOUGGOURT	TRAFICOTÉ	**TREBLINKA**	**TRIBONIEN**
TOUILLAGE	TRAFIQUÉE	TRÉBUCHER	TRIBOULET
TOUILLANT	TRAFIQUER	TRÉBUCHET	**TRIBOULET**
TOULOUGES	TRAGÉDIEN	TRÉFILAGE	TRIBUNAUX
TOUNGOUSE	TRAÎNANTE	TRÉFILANT	**TRICASTIN**
TOUNGOUZE	TRAÎNARDE	TRÉFILEUR	TRICENNAL
TOUPILLÉE	TRAÎNASSÉ	TRÉFLIÈRE	TRICHERIE
TOUPILLER	TRAÎNEAUX	**TRÉGASTEL**	TRICHEUSE
TOUPILLON	TRAÎNEUSE	**TRÉGOROIS**	TRICHROME
TOUPINANT	TRAINGLOT	TRÉHALOSE	TRICKSTER
TOURAILLE	TRAIN-PARC	TREILLAGE	TRICOISES
TOURANIEN	TRAITABLE	TREILLAGÉ	TRICOLORE
TOURANIEN	TRAITANTE	TREIZIÈME	TRICOTAGE
TOURBEUSE	TRAÎTRISE	TREIZISTE	TRICOTANT
TOURBIÈRE	TRANCHAGE	**TRÉLAZÉEN**	TRICOTEUR
TOURCOING	**TRANCHAIS**	**TRÉLONAIS**	TRIDENTÉE
TOURILLON	TRANCHANT	TRÉMATAGE	**TRIELLOIS**
TOURMALET	TRANCHEUR	TRÉMATANT	TRIENNALE
TOURMENTE	TRANCHOIR	TRÉMATODE	TRIENNAUX
TOURMENTÉ	TRANSCODÉ	TREMBLAIE	TRIFORIUM
TOURNANTE	TRANSCRIT	TREMBLANT	TRIGLYPHE
TOURNEDOS	TRANSFÉRÉ	**TREMBLANT**	TRIGRAMME
TOURNERIE	TRANSFERT	TREMBLEUR	TRIJUMEAU
TOURNESOL	TRANSFILÉ	TREMBLOTE	TRILINGUE
TOURNEUSE	TRANSFUGE	TREMBLOTÉ	TRILITÈRE
TOURNEVIS	TRANSFUSÉ	TRÉMOLITE	TRILOBITE
TOURNIOLE	TRANSHUMÉ	TRÉMOUSSÉ	TRIMARDER
TOURNIQUÉ	TRANSIGER	TREMPETTE	TRIMBALÉE
TOURNOYER	TRANSITÉE	TRÉMULANT	TRIMBALER
TOURTEAUX	TRANSITER	TRENTAINE	TRIMBALLÉ
TOURTIÈRE	TRANSITIF	TRENTE-SIX	TRIMESTRE
TOURVILLE	TRANSMISE	TRENTIÈME	TRIMÉTAUX
TOUSSAINT	TRANSMUÉE	TRÉPANANT	TRIMOTEUR
TOUSSERIE	TRANSMUER	TRÉPASSÉE	TRINGLANT
TOUSSEUSE	TRANSMUTÉ	TRÉPASSER	**TRINITAIN**
TOUSSOTER	TRANSPARU	**TRÉPASSÉS**	TRINQUANT
TOUSSUIRE	TRANSPIRÉ	TRÉPIDANT	TRINQUEUR
TOUT À FAIT	TRANSPORT	TRÉPIGNER	TRIOLISME
TOUT À TRAC	TRANSPOSÉ	TRÉPOINTE	TRIOMPHAL
TOUTEFOIS	**TRANSVAAL**	TRÉPONÈME	TRIOMPHER
TOUT-PARIS	TRANSVASÉ	TRÉSAILLE	TRIPAILLE
TOUT-PETIT	TRANSVIDÉ	TRESCHEUR	TRIPARTIE
TOYOHASHI	TRAPILLON	TRÉSORIER	TRIPHASÉE
TRABOULER	TRAPPISTE	TRESSAUTÉ	TRIPLETTE
TRACASSÉE	**TRAPPISTE**	**TRETSOISE**	TRIPLOÏDE
TRACASSER	TRAQUELET	TREUILLÉE	TRIPOTAGE
TRACASSIN	TRAQUEUSE	TREUILLER	TRIPOTANT
TRACEMENT	**TRASIMÈNE**	TRÉVIRANT	TRIPOTEUR
TRACHÉALE	TRATTORIA	**TRÉVISANE**	TRIPTYQUE

TRISAÏEUL	TUE-DIABLE	UNGUIFÈRE	VAGISSANT
TRISTESSE	**TUILERIES**	UNICOLORE	VAGOTOMIE
TRITICALE	TULARÉMIE	UNILINGUE	VAGOTOMIE
TRITURANT	**TULUNIDES**	**UNIONAISE**	VAGUEMENT
TRIVALENT	TUMÉFIANT	UNIONISME	VAILLANCE
TROCADÉRO	TUMESCENT	UNIONISTE	VAILLANTE
TROCHITER	TUMULAIRE	UNIOVULÉE	VAINEMENT
TROISGROS	TUNGSTATE	UNISEXUÉE	VAINQUANT
TROIS-HUIT	TUNGSTÈNE	UNISEXUEL	VAINQUEUR
TROISIÈME	TUNISOISE	UNIVALENT	VAISSEAUX
TROIS-MÂTS	**TUNISOISE**	UNIVERSEL	VAISSELLE
TROMPERIE	TUNNELIER	UNIVOCITÉ	**VALAISANE**
TROMPETÉE	**TUPINAMBA**	**UNTERWALD**	**VAL-BÉLAIR**
TROMPETER	TURBIDITÉ	**UPANISHAD**	**VAL D'AOSTE**
TROMPETTE	TURBINAGE	UPÉRISANT	VALDINGUÉ
TROMPEUSE	TURBINANT	UPWELLING	**VAL-D'ISÈRE**
TRONÇONNÉ	TURBULENT	URANIFÈRE	**VALDORIEN**
TRONDHEIM	**TURCKHEIM**	URANINITE	VALDÔTAIN
TRONQUANT	**TURINOISE**	URBANISÉE	**VALDÔTAIN**
TROPÉZIEN	**TURKESTAN**	URBANISER	**VALENCÉEN**
TROPHIQUE	TURLUPINÉ	URBANISME	**VALENCIEN**
TROPICALE	TURLUTUTU	URBANISTE	**VALENSOLE**
TROPICAUX	TURPITUDE	URÉDINALE	**VALENTINO**
TROP-PERÇU	TURQUERIE	URÉTÉRALE	VALÉRIANE
TROP-PLEIN	TURQUETTE	URÉTÉRAUX	VALÉRIQUE
TROQUEUSE	TURQUOISE	URÉTÉRITE	VALEUREUX
TROTTEUSE	TUSSILAGE	URÉTHANNE	VALIDEUSE
TROTTINER	TUTÉLAIRE	URGEMMENT	**VALKYRIES**
TROUBLANT	TUTEURAGE	URINIFÈRE	**VALLAURIS**
TROUBLEAU	TUTEURANT	UROBILINE	**VALLESPIR**
TROUPEAUX	**TUTICORIN**	UROKINASE	**VALLETAIS**
TROUPIALE	TUTOYEUSE	UROPYGIAL	VALLONNÉE
TROUSSAGE	**TUVULUANE**	UROPYGIEN	**VALLOTTON**
TROUSSANT	TUYAUTAGE	URTICACÉE	**VALNIGRIN**
TROUSSEUSE	TUYAUTANT	URTICAIRE	**VALOGNAIS**
TROUSSEAU	TYLENCHUS	URTICANTE	VALORISÉE
TROUSSEUR	TYMPANAUX	URUGUAYEN	VALORISER
TROU-TROUS	**TYNEMOUTH**	**URUGUAYEN**	**VALTELINE**
TROUVABLE	TYPOLOGIE	**USSELLOIS**	VAMPIRISÉ
TROUVEUSE	TYPOMÈTRE	USTENSILE	VANADIQUE
TROUVILLE	TYRANNEAU	USUCAPION	**VAN CAMPEN**
TRUANDANT	TYRANNISÉ	UTILEMENT	**VANCOUVER**
TRUCIDANT	**TZELTALES**	UTILISANT	VANDALISÉ
TRUCMUCHE	**TZOTZILES**	**UZÉTIENNE**	**VAN DONGEN**
TRUCULENT	UBIQUISTE	VACANCIER	**VAN GENNEP**
TRUFFIÈRE	**UHLENBECK**	VACATAIRE	**VANIÉROIS**
TRUQUEUSE	UKRAINIEN	VACCINALE	VANILLIER
TRUQUISTE	**UKRAINIEN**	VACCINANT	VANILLINE
TRUSQUINÉ	ULCÉREUSE	VACCINAUX	VANITEUSE
TSIRANANA	ULTÉRIEUR	VACHEMENT	**VAN MANDER**
TSITSIHAR	ULTIMATUM	VACILLANT	**VANNETAIS**
TUBÉRACÉE	ULTRAVIDE	VADE-MECUM	**VAN OSTADE**
TUBERCULE	ULULATION	VA-ET-VIENT	**VAN SCOREL**
TUBÉREUSE	ULULEMENT	VAGABONDE	**VANSÉENNE**
TUBÉRISÉE	**UMAYYADES**	VAGABONDÉ	**VANUA LEVU**
TUBULAIRE	UNANIMITÉ	VAGINISME	**VANUATUAN**
TUBULEUSE	**UNGARETTI**	VAGINISME	VA-NU-PIEDS

VAPOREUSE	VENDÉENNE	**VERRIÈRES**	VIDE-CAVES
VAPORISÉE	**VENDÉENNE**	VERSATILE	VIDÉO-CLIP
VAPORISER	**VENDEUVRE**	VERSEMENT	VIDÉOCLUB
VARAPPANT	**VENDÔMOIS**	VERSIFIÉE	VIDE-POCHE
VARAPPEUR	VÉNÉNEUSE	VERSIFIER	VIDE-POMME
VARENNOIS	VÉNÉRABLE	**VERTAIZON**	VIEILLARD
VARIATEUR	**VENEZIANO**	**VERTAVIEN**	VIELLEUSE
VARIATION	**VENEZUELA**	VERTÉBRAL	VIENNOISE
VARICELLE	VENGEANCE	VERTÉBRÉE	**VIENNOISE**
VARIÉTALE	VENIMEUSE	VERTEMENT	**VIENTIANE**
VARIÉTAUX	**VÉNISSIAN**	VERTICALE	VIF-ARGENT
VARILHOIS	**VENIZÉLOS**	VERTICAUX	**VIGANAISE**
VARIOLEUX	VENTAILLE	VERTUBLEU	VIGILANCE
VARIQUEUX	VENTILANT	VERTUCHOU	VIGILANTE
VARLOPANT	VENTILÉES	VERTUDIEU	**VIGNEAULT**
VARSOVIEN	VENTRIÈRE	VERTUEUSE	**VIGNEMALE**
VARSOVIEN	VÉPÉCISTE	**VERTUSIEN**	VIGNETAGE
VASOTOMIE	VERBALISÉ	**VERVINOIS**	VIGNETANT
VASOUILLÉ	VERBOQUET	**VESCOVATO**	VIGOUREUX
VASSALISÉ	VERBOSITÉ	VÉSICANTE	VILIPENDÉ
VASSALITÉ	**VERCHÈRES**	**VESPASIEN**	**VILLAINES**
VASSELAGE	VERDOYANT	VESPÉRALE	**VILLANDRY**
VASSILIEV	**VERDUNOIS**	VESPÉRAUX	**VILLEDIEU**
VASSIVEAU	VÉRÉTILLE	VESTIAIRE	**VILLEJUIF**
VASTEMENT	**VERGENNES**	VESTIBULE	**VILLEMAIN**
VATANAISE	VERGEOISE	VÉTÉCISTE	**VILLENAVE**
VATICINER	VERGETURE	VÉTÉTISTE	**VILLEREST**
VAUCANSON	VERGLACÉE	VÉTILLANT	**VILLERIER**
VAUCHÉRIE	VERGLACER	VÉTILLARD	**VILLERUPT**
VAUDÉMONT	**VERGNIAUD**	VÉTILLEUX	VILLOSITÉ
VAUDREUIL	VERGOBRET	**VEVEYSANE**	**VIMYNOISE**
VAUGNERAY	**VERHAEREN**	VEXATOIRE	VINAIGRÉE
VAUQUELIN	VÉRIDIQUE	VEXATRICE	VINAIGRER
VAURÉENNE	VÉRIFIANT	VIABILISÉ	VINCAMINE
VAURIENNE	VÉRIFIEUR	VIABILITÉ	**VINCENNES**
VAVASSEUR	VÉRITABLE	**VIAREGGIO**	VINGTAINE
VECTORIEL	VERMEILLE	VIBRATEUR	VINGT-DEUX
VÉGÉTATIF	VERMICIDE	VIBRATILE	VINGT-ET-UN
VÉHÉMENCE	VERMICULÉ	VIBRATION	VINGTIÈME
VÉHÉMENTE	VERMIFUGE	VIBRIONNÉ	VINIFIANT
VÉHICULÉE	VERMILLER	VICARIANT	**VINNYTSIA**
VÉHICULER	VERMILLON	VICELARDE	VINYLIQUE
VEILLEUSE	VERMINEUX	VICENNALE	VIOLAÇANT
VEINOSITÉ	VERMINOSE	VICENNAUX	VIOLATEUR
VÉLASQUEZ	VERMOULÉE	**VICENTINE**	VIOLATION
VELÁZQUEZ	VERMOULER	VICÉSIMAL	VIOLENTÉE
VÉLOCISTE	VERMOULUE	VICE VERSA	VIOLENTER
VÉLOCROSS	VERNATION	VICIATEUR	VIOLETANT
VÉLODROME	**VERNIOLAN**	VICIATION	VIOLONEUX
VELOUTANT	VERNISSÉE	**VICKSBURG**	VIPEREAUX
VELOUTEUX	VERNISSER	VICOMTALE	VIPÉRIAUX
VELOUTIER	**VERNOLIEN**	VICOMTAUX	VIREVOLTE
VELOUTINE	**VÉRONAISE**	**VICOMTOIS**	VIREVOLTÉ
VENAISSIN	VÉRONIQUE	**VICQ D'AZYR**	VIRGINALE
VENCESLAS	**VÉRONIQUE**	**VICQUOISE**	VIRGINAUX
VENDANGÉE	**VERRAZANE**	VICTORIEN	VIRGINITÉ
VENDANGER	**VERRAZANO**	VIDANGEUR	VIRILISÉE

VIRILISER	VOITURIER	WALLISIEN	XYLOPHAGE
VIRILISME	**VOJVODINE**	**WALLISIEN**	XYLOPHONE
VIRILOCAL	VOLAILLER	**WALPURGIS**	YACHT-CLUB
VIROLOGIE	VOL-AU-VENT	**WALVIS BAY**	YACHTMANS
VIROLOGUE	VOLETANTE	WARRANTÉE	YACHTSMAN
VIRTUELLE	**VOLGOGRAD**	WARRANTER	YACHTSMEN
VIRULENCE	VOLIGEAGE	**WASQUEHAL**	**YAMAGUCHI**
VIRULENTE	VOLIGEANT	WASSINGUE	**YAOUNDÉEN**
VISAGISME	VOLLEYANT	**WATERBURY**	**YGGDRASIL**
VISAGISTE	VOLLEYEUR	**WATERFORD**	**YINGCHENG**
VISCÉRALE	VOLTAÏQUE	WATERGANG	YOHIMBEHE
VISCÉRAUX	**VOLTAÏQUE**	**WATERGATE**	YOHIMBINE
VISCOSITÉ	VOLTE-FACE	WATER-POLO	**YOKKAICHI**
VISIGOTHS	VOLTIGEUR	WATERZOEI	YORKSHIRE
VISIONNÉE	VOLTMÈTRE	WATERZOOI	**YORKSHIRE**
VISIONNER	VOLUBILIS	WATTHEURE	**YOSA BUSON**
VISITEUSE	**VOLUBILIS**	WATTMÈTRE	**YOSHIHITO**
VISQUEUSE	VOLUCELLE	**WATTRELOS**	YOURCENAR
VISUALISÉ	VOLUMIQUE	**WEHRMACHT**	**YPSILANTI**
VITALISME	**VOLVICOIS**	WEISSHORN	YTTERBINE
VITALISTE	VOMIQUIER	**WELLESLEY**	YTTERBIUM
VITAMINÉE	VOMISSANT	**WERGELAND**	**YUNUS EMRE**
VITELLINE	VOMISSURE	**WESTMOUNT**	**YVELINOIS**
VITELLIUS	VOMITOIRE	**WEST POINT**	**YVETOTAIS**
VITELOTTE	VOSGIENNE	**WETTINGEN**	**ZACATECAS**
VITRÉENNE	**VOSGIENNE**	WHITEHALL	**ZAGRÉBOIS**
VITRIFIÉE	**VOULTAINE**	**WHITEHEAD**	**ZAHER CHAH**
VITRIFIER	VOUSSEAUX	**WIELICZKA**	**ZÁKYNTHOS**
VITRIOLÉE	VOUSSOYÉE	**WIESBADEN**	ZAMBIENNE
VITRIOLER	VOUSSOYER	**WILKINSON**	**ZAMBIENNE**
VITROLLES	VOUVOYANT	**WILLIBROD**	**ZAMBOANGA**
VITTORINI	**VOUZINOIS**	WILTSHIRE	**ZAMIATINE**
VITULAIRE	VOX POPULI	**WIMBLEDON**	**ZAOZHUANG**
VITUPÉRÉE	VOYAGEAGE	**WINGLOISE**	ZAPATEADO
VITUPÉRER	VOYAGEANT	**WINNICOTT**	**ZAPOROJIE**
VIVANDIER	VOYAGEUSE	**WINOGRAND**	**ZEEBRUGGE**
VIVAROISE	VOYAGISTE	**WISCONSIN**	**ZÉLANDAIS**
VIVERRIDÉ	VRAIS-FAUX	WISIGOTHE	ZÉLATRICE
VIVES-EAUX	**VRANITZKY**	**WISIGOTHS**	**ZELL AM SEE**
VIVIFIANT	VRILLETTE	**WLOCLAWEK**	ZÉNITHALE
VIVONNOIS	**VUILLEMIN**	**WOLFSBURG**	ZÉNITHAUX
VIZILLOIS	VULCANIEN	**WOLLASTON**	ZÉPHYRIEN
VOCALIQUE	VULCANISÉ	**WOODSTOCK**	**ZERAVCHAN**
VOCALISÉE	VULGARISÉ	**WORCESTER**	**ZERMATTEN**
VOCALISER	VULGARITÉ	**WOUWERMAN**	**ZHANJIANG**
VOCALISME	VULNÉRANT	**WUPPERTAL**	**ZHENGZHOU**
VOCIFÉRÉE	VULTUEUSE	WYANDOTTE	**ZHOU ENLAI**
VOCIFÉRER	**WADDENZEE**	**WYCHERLEY**	**ZIG ET PUCE**
VOGELHERD	**WÄDENSWIL**	XANTHIQUE	ZIGGOURAT
VOÏÉVODAT	WAGON-LITS	XÉNARTHRE	ZIGOUILLÉ
VOÏÉVODIE	WAHHABITE	**XÉNOCRATE**	ZIGZAGUER
VOILEMENT	**WALBRZYCH**	**XÉNOPHANE**	**ZIMMERMAN**
VOISEMENT	**WALDERSEE**	XÉNOPHILE	ZINCIFÈRE
VOISINAGE	**WALDSTEIN**	XÉNOPHOBE	ZIRCONIUM
VOISINANT	**WALKYRIES**	XÉROCOPIE	**ZLATOOUST**
VOITURAGE	WALLABIES	XÉROPHILE	ZODIACALE
VOITURANT	**WALLENSEE**	XÉROPHYTE	ZODIACAUX

10

AAR-GOTHARD
ABAISSABLE
ABAISSANTE
ABANDONNÉE
ABANDONNER
ABASOURDIE
ABASOURDIR
ABATTEMENT
ABBAS HILMI
ABBASSIDES
ABD AL-MUMIN
ABD EL-KADER
ABDEL WAHAB
ABDICATION
ABDOMINALE
ABDOMINAUX
ABDÜLHAMID
ABDÜLMECID
ABÉCÉDAIRE
ABENGOUROU
ABERRATION
ABÊTISSANT
ABIDJANAIS
AB INTESTAT
ABJURATION
ABNÉGATION
ABOLISSANT
ABOMINABLE
ABONDEMENT
ABONNEMENT
ABOU-SIMBEL
ABOUTEMENT
ABRAMOVITZ
ABRÉACTION
ABRÈGEMENT
ABRÉVIATIF

ABRICOTIER
ABROGATION
ABROGATIVE
ABROGEABLE
ABRUZZAISE
ABSOLUMENT
ABSOLUTION
ABSORBABLE
ABSORBANTE
ABSORPTION
ABSTENTION
ABSTINENCE
ABSTINENTE
ABSTRAYANT
ABYSSINIEN
ABYSSINIEN
ACADÉMIQUE
ACADÉMISME
ACALORIQUE
ACANTHACÉE
ACCABLANTE
ACCAPARANT
ACCAPAREUR
ACCASTILLÉ
ACCÉLÉRANT
ACCENTUANT
ACCEPTABLE
ACCEPTANTE
ACCESSIBLE
ACCESSOIRE
ACCIAIUOLI
ACCIDENTÉE
ACCIDENTEL
ACCIDENTER
ACCLIMATÉE
ACCLIMATER
ACCOINTANT
ACCOLEMENT
ACCOMMODAT
ACCOMMODÉE
ACCOMMODER
ACCOMPAGNÉ
ACCORDABLE
ACCORDEUSE
ACCOTEMENT
ACCOUCHANT
ACCOUCHEUR
ACCOUPLANT

ACCOUTRANT
ACCOUTUMÉE
ACCOUTUMER
ACCOUVEUSE
ACCRÉDITÉE
ACCRÉDITER
ACCRÉDITIF
ACCRESCENT
ACCROCHAGE
ACCROCHANT
ACCROCHEUR
ACCUEILLIE
ACCUEILLIR
ACCULTURÉE
ACCUMULANT
ACCUSATEUR
ACCUSATION
ACETABULUM
ACÉTIFIANT
ACÉTIMÈTRE
ACÉTOMÈTRE
ACÉTONÉMIE
ACÉTONURIE
ACHALANDÉE
ACHALANDER
ACHÉMÉNIDE
ACHEMINANT
ACHÈVEMENT
ACICULAIRE
ACIDIFIANT
ACIDIMÈTRE
ACIDIPHILE
ACIDOPHILE
ACŒLOMATE
A CONTRARIO
ACOQUINANT
ACOUMÉTRIE
ACOUSTIQUE
ACQUIESCER
ACQUISITIF
ACQUITTANT
ACROSTICHE
ACTIONNANT
ACTIONNEUR
ACTIVATEUR
ACTIVATION
ACTIVEMENT
ACTUALISÉE

ACTUALISER
ADAMANTINE
ADAPTATEUR
ADAPTATION
ADAPTATIVE
ADDIS-ABABA
ADDIS-ABEBA
ADDITIONNÉ
ADÉNOVIRUS
ADÉQUATION
ADHÉSIVITÉ
ADIRONDACK
ADJECTIVAL
ADJECTIVÉE
ADJECTIVER
ADJOIGNANT
ADJONCTION
ADJURATION
ADMINICULE
ADMINISTRÉ
ADMIRATEUR
ADMIRATION
ADMIRATIVE
ADMISSIBLE
ADMITTANCE
ADMONESTÉE
ADMONESTER
ADMONITION
ADOLESCENT
ADORATRICE
ADOSSEMENT
ADOUBEMENT
ADRÉNALINE
ADRIATIQUE
ADSORBANTE
ADSORPTION
ADULATRICE
ADULTÉRANT
ADULTÉRINE
ADVENTISTE
ADVERBIALE
ADVERBIAUX
ADVERSAIRE
ADVERSATIF
ADYGUÉENNE
AÉRAULIQUE
AÉROGRAMME
AÉROGRAPHE
AÉROMOBILE
AÉRONAVALE
AÉROPHAGIE
AÉROPORTÉE
AÉROPOSTAL
AFFABILITÉ
AFFABULANT
AFFAIRISME
AFFAIRISTE

AFFAISSANT
AFFALEMENT
AFFECTUEUX
AFFICHETTE
AFFICHEUSE
AFFICHISTE
AFFINEMENT
AFFIRMATIF
AFFLEURANT
AFFLICTION
AFFLICTIVE
AFFLIGEANT
AFFOLEMENT
AFFOUILLÉE
AFFOUILLER
AFFOURAGÉE
AFFOURAGER
AFFOURCHÉE
AFFOURCHER
AFFRANCHIE
AFFRANCHIR
AFFRIANDÉE
AFFRIANDER
AFFRIOLANT
AFFRONTANT
AFFRUITANT
AFICIONADO
AFRICANISÉ
AFRO-CUBAIN
AFRO-CUBAIN
AFTER-SHAVE
AGARS-AGARS
AGENCEMENT
AGENOUILLÉ
AGGLOMÉRAT
AGGLOMÉRÉE
AGGLOMÉRER
AGGLUTINÉE
AGGLUTINER
AGGRAVANTE
AGHLABIDES
AGISSEMENT
AGITATRICE
AGNOSTIQUE
AGONISANTE
AGONISSANT
AGRARIENNE
AGRÉGATION
AGRÉGATIVE
AGRÉMENTÉE
AGRÉMENTER
AGROCHIMIE
AGUICHANTE
AGUICHEUSE
AHMADNAGAR
AHURA-MAZDÂ
AHURISSANT

AHVENANMAA
AÏD-EL-KÉBIR
AIGRE-DOUCE
AIGRELETTE
AIGREMOINE
AIGRES-DOUX
AIGRISSANT
AIGUEPERSE
AIGUILLAGE
AIGUILLANT
AIGUILLETÉ
AIGUILLEUR
AIGUILLIER
AIRVAUDAIS
AJACCIENNE
AKKADIENNE
AKKADIENNE
À LA DÉROBÉE
ALAMBIQUÉE
ALAUNGPAYA
ALBE ROYALE
ALBIGEOISE
ALBIGEOISE
ALCALINISÉ
ALCALINITÉ
ALCHÉMILLE
ALCHIMIQUE
ALCHIMISTE
ALCOOLÉMIE
ALCOOLIQUE
ALCOOLISÉE
ALCOOLISER
ALCOOLISME
ALCOOLOGIE
ALCOOMÈTRE
ALCYONAIRE
ALDROVANDI
ALECHINSKY
ALECSANDRI
ALEIXANDRE
ALÉMANIQUE
ALÉMANIQUE
ALERTEMENT
ALEVINIÈRE
ALEXANDRIE
ALEXANDRIN
ALEXANDRIN
ALEXIS ANGE
AL-FARAZDAQ
ALGÉBRIQUE
ALGÉBRISTE
ALGÉRIENNE
ALGÉRIENNE
ALGONQUIEN
ALGONQUINE
ALGONQUINS
ALGORITHME

ALIBOUFIER
ALIÉNATION
ALIGNEMENT
ALIMENTANT
À L'INSTAR DE
AL-KHAREZMI
ALKYLATION
ALLANTOÏDE
ALLANTOÏNE
ALLÉCHANTE
ALLÉGATION
ALLÉGEANCE
ALLÈGEMENT
ALLÉGEMENT
ALLÉGRESSE
ALLEGRETTO
ALLERGIQUE
ALLOBROGES
ALLOCATION
ALLOCHTONE
ALLOCUTION
ALLOGREFFE
ALLONGEANT
ALLONNAISE
ALLOPATHIE
ALLOSTÉRIE
ALLOTROPIE
ALLUME-FEUX
À L'OPPOSITE
ALSACIENNE
ALSACIENNE
ALTÉRATION
ALTERNANCE
ALTERNANTE
ALTERNATIF
ALTIMÉTRIE
ALUMINERIE
ALUMINEUSE
ALUMINIAGE
ALUNISSAGE
ALUNISSANT
ALVÉOLAIRE
AMADOURIEN
AMADOUVIER
AMALASONTE
AMALÉCITES
AMALGAMANT
AMANDINOIS
AMAREYEUSE
AMARNIENNE
AMBARROISE
AMBERTOISE
AMBIANÇANT
AMBIDEXTRE
AMBIGUMENT
AMBISEXUÉE
AMBITIEUSE

AMBITIONNÉ
AMBIVALENT
AMBLYSTOME
AMÉLIORANT
AMÉNAGEANT
AMÉNAGEUSE
AMÉNAGISTE
AMENDEMENT
AMÉNORRHÉE
AMENUISANT
AMÉRICAINE
AMÉRICAINE
AMÉRINDIEN
AMERSFOORT
AMIDONNAGE
AMIDONNANT
AMIDONNIER
AMINOACIDE
AMMONIACAL
AMMONIAQUE
AMNIOTIQUE
AMNISTIANT
AMODIATEUR
AMODIATION
AMONCELANT
AMORALISME
AMOURACHÉE
AMOURACHER
AMOURETTES
AMPÉLOPSIS
AMPHICTYON
AMPHIGOURI
AMPHIMIXIE
AMPHINEURE
AMPHIPHILE
AMPHIPOLIS
AMPHISBÈNE
AMPHITRITE
AMPHITRYON
AMPHITRYON
AMPLIATION
AMPLIATIVE
AMPLIFIANT
AMPLI-TUNER
AMPUTATION
AMR IBN AL-AS
AMYGDALITE
ANABOLISME
ANACARDIER
ANACHORÈTE
ANACLINALE
ANACLINAUX
ANACOLUTHE
ÂNACROISÉS
ANALOGIQUE
ANALYSABLE
ANALYSANTE

ANALYTIQUE
ANAPHORÈSE
ANARCHIQUE
ANARCHISME
ANARCHISTE
ANASTOMOSE
ANASTOMOSÉ
ANASTROPHE
ANASTYLOSE
ANATOCISME
ANATOMIQUE
ANATOMISTE
ANCENIENNE
ANCERVILLE
ANCESTRALE
ANCESTRAUX
ANCIENNETÉ
ANCILLAIRE
ANCONITAIN
ANDALOUSIE
ANDELYSIEN
ANDERLECHT
ANDOUILLER
ANDRÉZIEUX
ANDRINOPLE
ANDROGÉNIE
ANDROGYNIE
ANDROLOGIE
ANDROMAQUE
ANDROPAUSE
ANECDOTIER
ANÉMOMÈTRE
ANÉMOPHILE
ANÉRECTION
ANESTHÉSIE
ANESTHÉSIÉ
ANÉVRISMAL
ANÉVRYSMAL
ANGÉRIENNE
ANGIOLOGIE
ANGLETERRE
ANGLICISÉE
ANGLICISER
ANGLICISME
ANGLICISTE
ANGLO-ARABE
ANGLOMANIE
ANGLOPHILE
ANGLOPHOBE
ANGLOPHONE
ANGLO-SAXON
ANGLO-SAXON
ANGOISSANT
ANGUIFORME
ANGUILLÈRE
ANGUILLULE
ANIMALCULE

ARCIMBOLDO	ARTÉRIELLE	ASSOIFFANT
ARCISIENNE	ARTÉSIENNE	ASSOLEMENT
ARCS-EN-CIEL	**ARTÉSIENNE**	ASSOMMANTE
ARDÉCHOISE	ARTHRALGIE	ASSOMMEUSE
ARDENNAISE	ARTHRODÈSE	ASSOMPTION
ARDENNAISE	ARTHROPODE	ASSONANCÉE
ARDENTAISE	ARTICULANT	ASSUJETTIE
ARDOISIÈRE	ARTIFICIEL	ASSUJETTIR
ARELIGIEUX	ARTIFICIER	ASSURÉMENT
ARÉOMÉTRIE	ARTILLERIE	ASSYRIENNE
ARGELANDER	ARTISANALE	**ASSYRIENNE**
ARGELÉSIEN	ARTISANAUX	**ASTÉRIENNE**
ARGENTAISE	ARTISTIQUE	ASTÉRISQUE
ARGENTERIE	ARTOCARPUS	ASTHÉNIQUE
ARGENTEUIL	ARTOTHÈQUE	ASTICOTANT
ARGENTIQUE	ARYTÉNOÏDE	ASTREINDRE
ARGENTRÉEN	ARYTHMIQUE	ASTRINGENT
ARGONAUTES	ASA FŒTIDA	ASTROBLÈME
ARGONNAISE	**ASBESTRIEN**	ASTROLOGIE
ARGOVIENNE	ASCENDANCE	ASTROLOGUE
ARGUMENTÉE	ASCENDANTE	ASTRONAUTE
ARGUMENTER	ASCLÉPIADE	ASTRONOMIE
ARGYRONÈTE	**ASCLÉPIADE**	ASTUCIEUSE
ARHLABIDES	ASCOMYCÈTE	**ASTURIENNE**
ARIÉGEOISE	ASCORBIQUE	ASYNCHRONE
ARISTARQUE	ASÉISMIQUE	ATERMOYANT
ARISTOBULE	ASEPTISANT	**ATHABASCAN**
ARLANCOISE	**ASHKÉNAZES**	**ATHAPASCAN**
ARLÉSIENNE	**ASNIÉROISE**	**ATHÉGIENNE**
ARLÉSIENNE	ASPARAGINE	ATHÉNIENNE
ARMÉE ROUGE	ASPARTIQUE	**ATHÉNIENNE**
ARMÉNIENNE	ASPERGEANT	ATHERMIQUE
ARMÉNIENNE	ASPERGILLE	ATHLÉTIQUE
ARMILLAIRE	ASPHALTAGE	ATHLÉTISME
ARMINIENNE	ASPHALTANT	À TIRE-D'AILE
ARMORICAIN	ASPHALTIER	ATLANTIQUE
ARMORICAIN	ASPHYXIANT	**ATLANTIQUE**
ARNAQUEUSE	ASPIDISTRA	ATLANTISME
ARNAY-LE-DUC	ASPIRATEUR	ATMOSPHÈRE
ARNOUVILLE	ASPIRATION	ATOCATIÈRE
AROMATIQUE	**ASPROMONTE**	ATROCEMENT
AROMATISÉE	ASSAILLANT	ATROPHIANT
AROMATISER	ASSAISONNÉ	ATTACHANTE
ARPENTEUSE	ASSASSINAT	ATTAQUABLE
ARRACHEUSE	ASSASSINÉE	ATTAQUANTE
ARRAGEOISE	ASSASSINER	ATTEIGNANT
ARRAISONNÉ	ASSEMBLAGE	ATTENTISME
ARRANGEANT	ASSEMBLANT	ATTENTISTE
ARRANGEUSE	ASSEMBLEUR	ATTÉNUANTE
ARRIÈRE-BAN	ASSERMENTÉ	ATTERRANTE
ARRIÈRE-BEC	ASSIDÛMENT	ATTIFEMENT
ARROSEMENT	ASSIÉGEANT	ATTISEMENT
ARROW-ROOTS	ASSIMILANT	ATTRACTION
ARSENICALE	ASSISTANAT	ATTRACTIVE
ARSENICAUX	ASSISTANCE	ATTRAYANTE
ARTAXERXÈS	ASSISTANTE	ATTRIBUANT
ARTÉMISION	ASSOCIATIF	ATTRIBUTIF

ATTRISTANT
ATTROUPANT
AUBAGNAISE
AUBARNOISE
AUBERGISTE
AUCHELLOIS
AUCUNEMENT
AUDACIEUSE
AU-DEDANS DE
AU-DEHORS DE
AUDENGEOIS
AU-DESSUS DE
AU-DEVANT DE
AUDIBILITÉ
AUDIENCIER
AUDIERNAIS
AUDIMÉTRIE
AUDIMUTITÉ
AUDINCOURT
AUDIOLOGIE
AUDIOMÈTRE
AUDIOPHONE
AUDITIONNÉ
AUDITORIUM
AUDOMAROIS
AUDOMAROIS
AUDONIENNE
AUDONIENNE
AUFKLÄRUNG
AUGMENTANT
AUJOURD'HUI
AULNAISIEN
AULNATOISE
AUNISIENNE
AUPARAVANT
AURANGABAD
AURÉLIENNE
AUSCITAINE
AUSCITAINE
AUSCULTANT
AUSTERLITZ
AUSTRALIEN
AUSTRALIEN
AUTANT-LARA
AUTARCIQUE
AUTERIVAIN
AUTISTIQUE
AUTOCENTRÉ
AUTOCHROME
AUTOCHTONE
AUTOCRATIE
AUTODICTÉE
AUTO-ÉCOLES
AUTOGRAPHE
AUTOGREFFE
AUTOGUIDÉE
AUTO-IMMUNE

AUTO-IMMUNS
AUTOMATION
AUTOMATISÉ
AUTOMOBILE
AUTOMOTEUR
AUTOPSIANT
AUTORISANT
AUTOSCOPIE
AUTOTRACTÉ
AUTOTROPHE
AUTRICHIEN
AUTRICHIEN
AUVERGNATE
AUVERGNATE
AUVERSOISE
AUXERROISE
AUXILIAIRE
AUXONNAISE
AUXQUELLES
AVANCEMENT
AVANT-CALES
AVANT-CLOUS
AVANT-CORPS
AVANT-COURS
AVANT-GARDE
AVANT-GOÛTS
AVANT-MAINS
AVANT-MONTS
AVANT-PLANS
AVANT-PORTS
AVANT-POSTE
AVANT-SCÈNE
AVANT-TEXTE
AVANT-TOITS
AVANT-TRAIN
AVANT-TROUS
AVARICIEUX
AVELLANEDA
AVENTURANT
AVENTUREUX
AVENTURIER
AVENTURINE
AVEUGLANTE
AVEUGLE-NÉE
AVEUGLETTE
AVICULTEUR
AVICULTURE
AVILISSANT
AVION-CARGO
AVION-ÉCOLE
AVIONNERIE
AVITAILLÉE
AVITAILLER
AVOCAILLON
AVOCASSIER
AVOISINANT
AVORTEMENT

AXÉROPHTOL
AXIOMATISÉ
AYANT CAUSE
AYANT DROIT
AZAÑA Y DÍAZ
AZNAR LÓPEZ
BABILLARDE
BABIROUSSA
BABOUVISME
BABYLONIEN
BABY-SITTER
BACCHANALE
BACHAMOISE
BACHELIÈRE
BACILLAIRE
BACKGAMMON
BACKGROUND
BACK-OFFICE
BADAKHCHAN
BADEN-BADEN
BADGASTEIN
BADIGEONNÉ
BADINIÈRES
BAFOUILLÉE
BAFOUILLER
BAGARREUSE
BAGNÉRAISE
BAGNOLAISE
BAGUENAUDE
BAGUENAUDÉ
BAHAMIENNE
BAHAWALPUR
BAHREÏNIEN
BAIE-COMEAU
BAIE-COMIEN
BAILLAIRGÉ
BÂILLEMENT
BÂILLONNÉE
BÂILLONNER
BAINS-MARIE
BAÏONNETTE
BALANCELLE
BALANCHINE
BALANÇOIRE
BALBUTIANT
BALEINEAUX
BALEINIÈRE
BALENCIAGA
BALGENCIEN
BALIKPAPAN
BALISTIQUE
BALKANIQUE
BALKANISÉE
BALKANISER
BALLAN-MIRÉ
BALLASTAGE
BALLASTANT

BALLONNANT
BALLOTTAGE
BALLOTTANT
BALLOTTINE
BALNÉOLAIS
BALOURDISE
BALOUTCHES
BALSAMIQUE
BALUSTRADE
BAMBOCHADE
BAMBOCHANT
BAMBOCHARD
BAMBOCHEUR
BANALEMENT
BANALISANT
BANANERAIE
BANCOULIER
BANDELETTE
BANDERILLE
BANDE-VIDÉO
BANDIAGARA
BANDINELLI
BANDITISME
BANDOLAISE
BANGKOKIEN
BANGLADAIS
BANGLADAIS
BANGLADESH
BANJULAISE
BANNISSANT
BANQUETANT
BANTOUSTAN
BAPALMOISE
BAPTISMALE
BAPTISMAUX
BAPTISTÈRE
BARAGOUINÉ
BARATINANT
BARATINEUR
BARBARISME
BARBAROSSA
BARBE-BLEUE
BARBEZIEUX
BARBIFIANT
BARBOTEUSE
BARBOUILLE
BARBOUILLÉ
BARCAROLLE
BARDDHAMAN
BARGUIGNER
BARISIENNE
BARJAQUANT
BARJOLAISE
BARLINOISE
BARLOTIÈRE
BAROMÉTRIE
BAROQUEUSE

BAROQUISME
BAROUDEUSE
BARRAGISTE
BARRICADÉE
BARRICADER
BARRISSANT
BARSACAISE
BAR-SUR-AUBE
BARTAVELLE
BARTHÉLEMY
BARTOLOMEO
BARYCENTRE
BARYONIQUE
BASALTIQUE
BASCULANTE
BAS-DE-CASSE
BASILICALE
BASILICATE
BASILICAUX
BAS-JOINTÉE
BAS-JOINTÉS
BASKET-BALL
BASKETTEUR
BAS-NORMAND
BAS-RELIEFS
BAS-RHINOIS
BASSE-FOSSE
BASSE-INDRE
BASSENAISE
BASSE-TERRE
BASSETERRE
BASSINANTE
BASSINOIRE
BASSONISTE
BASTINGAGE
BASTIONNÉE
BASTOGNARD
BASTONNADE
BASTONNANT
BASTRINGUE
BASUTOLAND
BAS-VENTRES
BATAILLANT
BATAILLEUR
BATARDEAUX
BATELLERIE
BATHYMÈTRE
BATIFOLAGE
BATIFOLANT
BATIFOLEUR
BÂTISSEUSE
BATON ROUGE
BATTAMBANG
BATZ-SUR-MER
BAUDELAIRE
BAUMGARTEN
BAYEUSAINE

BAYONNAISE
BAZEILLAIS
BEACHY HEAD
BÉATIFIANT
BÉATIFIQUE
BEAUFORTIN
BEAUJOLAIS
BEAUJOLAIS
BEAUMANOIR
BEAUSOLEIL
BEAUSSETAN
BEAUVAISIS
BEAUVALLON
BEAUX-PÈRES
BÉCASSEAUX
BÊCHEVETÉE
BÊCHEVETER
BECQUETANT
BECS-DE-CANE
BÉDARICIEN
BÉDARRIDES
BEDONNANTE
BÉGAIEMENT
BÉGARROISE
BÉKÉSCSABA
BÉLAIROISE
BELFORTAIN
BELGICISME
BELGIOJOSO
BELGRADOIS
BÉLIZIENNE
BELLE-DOCHE
BELLEDONNE
BELLE-FILLE
BELLEGAMBE
BELLEGARDE
BELLÊMOISE
BELLE-SŒUR
BELLÉTRIEN
BELLEVILLE
BELLEYSANE
BELLICISME
BELLICISTE
BELLILOISE
BELLINZONA
BELLIQUEUX
BÉMOLISANT
BÉNÉDICITÉ
BÉNÉDICTIN
BÉNÉFICIER
BENFELDOIS
BEN GOURION
BENI MELLAL
BÉNI-OUI-OUI
BÉNISSEUSE
BEN JELLOUN
BÉNODETOIS

BENVENISTE
BENZÉNIQUE
BENZYLIQUE
BÉQUILLANT
BÉQUILLARD
BERJALLIEN
BERLAIMONT
BERLINGUER
BERLINOISE
BERLINOISE
BERLUSCONI
BERNADOTTE
BERNARD GUI
BERNARDINE
BERNARDINO
BERNAYENNE
BERNISSART
BERRUGUETE
BERSAGLIER
BERTHOLLET
BERTOLUCCI
BESOGNEUSE
BESSARABIE
BESSÉGEOIS
BESTIALITÉ
BEST-SELLER
BÉTAILLÈRE
BETANCOURT
BÉTHUNOISE
BÊTIFIANTE
BÉTONNEUSE
BÉTONNIÈRE
BETTELHEIM
BETTIGNIES
BETTONNAIS
BEUGLEMENT
BEUZEVILLE
BEYROUTHIN
BHAVABHUTI
BHOUTANAIS
BIANCIOTTI
BIBERONNÉE
BIBERONNER
BICAMÉRALE
BICAMÉRAUX
BICHELAMAR
BICHONNAGE
BICHONNANT
BICHROMATE
BICIPITALE
BICIPITAUX
BICULTUREL
BICYCLETTE
BIDONNANTE
BIDONVILLE
BIDOUILLÉE
BIDOUILLER

BIÉLORUSSE
BIÉLORUSSE
BIEN-AIMÉES
BIEN-FONDÉS
BIENSÉANCE
BIENSÉANTE
BIENS-FONDS
BIFURQUANT
BIGARADIER
BIGARREAUX
BIGOPHONER
BIGORNEAUX
BIGOURDANE
BIGOURDANE
BIJOUTERIE
BIJOUTIÈRE
BILATÉRALE
BILATÉRAUX
BILINÉAIRE
BILIRUBINE
BILLBERGIA
BILLETDOUX
BILLEVESÉE
BILLOMOISE
BILLONNAGE
BIMESTRIEL
BINATIONAL
BINET-SIMON
BINOCLARDE
BINOMINALE
BINOMINAUX
BIOCŒNOSE
BIOÉLÉMENT
BIOÉNERGIE
BIOÉTHIQUE
BIOGRAPHIE
BIOLOGIQUE
BIOLOGISTE
BIOMÉDICAL
BIPARTISME
BIPOLARISÉ
BIPOLARITÉ
BIRATNAGAR
BIRÉACTEUR
BIRKENHEAD
BIRMINGHAM
BIROBIDJAN
BISCAÏENNE
BISCAYENNE
BISCOTEAUX
BISCUITANT
BISCUITIER
BISEAUTAGE
BISEAUTANT
BISEXUELLE
BISSECTEUR
BISSECTION

BISSEXTILE
BISTOUILLE
BISTOURNÉE
BISTOURNER
BISTROTIER
BITERROISE
BITERROISE
BITUMINEUX
BIUNIVOQUE
BIVITELLIN
BIVOUAQUER
BIZARRERIE
BIZARROÏDE
BLACKBOULÉ
BLACK JACKS
BLACKSTONE
BLAGNACAIS
BLAINVILLE
BLANC-ESTOC
BLANCHÂTRE
BLANCS-BECS
BLANC-SEING
BLANGEOISE
BLANQUETTE
BLANQUISME
BLANZYNOIS
BLASONNANT
BLASPHÉMÉE
BLASPHÉMER
BLASTOMÈRE
BLASTOPORE
BLÊMISSANT
BLENKINSOP
BLÉPHARITE
BLEUETERIE
BLEUETIÈRE
BLEUISSANT
BLEUSAILLE
BLOC-MOTEUR
BLOCS-NOTES
BLOODY MARY
BLOOMFIELD
BLUNTSCHLI
BOAT PEOPLE
BOCCANEGRA
BOCCHERINI
BODLÉIENNE
BOHÉMIENNE
BÖHM-BAWERK
BOISBRIAND
BOISROBERT
BOISSELIER
BOITILLANT
BOLBÉCAISE
BOLIVIENNE
BOLIVIENNE
BOLLÉNOISE

259

BOLOGNAISE
BOLOGNAISE
BOMBARDANT
BOMBARDIER
BOMBARDIER
BONASSERIE
BONDÉRISÉE
BONDÉRISER
BONDISSANT
BONHOEFFER
BONIFACIEN
BONIMENTER
BONNE FEMME
BONNE-MAMAN
BONNÉTABLE
BONNETEAUX
BONNETERIE
BONNETIÈRE
BONNEVILLE
BONNIÉROIS
BOOTLEGGER
BOQUETEAUX
BORBORYGME
BORDELAISE
BORDELAISE
BORDÉLIQUE
BORDEREAUX
BORDERLINE
BORDIGHERA
BORNANDINE
BOROILLOTE
BORRÉLIOSE
BORURATION
BOTSWANAIS
BOTTELEUSE
BOTTICELLI
BOUC-BEL-AIR
BOUCHARDÉE
BOUCHARDER
BOUCHARDON
BOUCHE-TROU
BOUCHOLEUR
BOUCHONNÉE
BOUCHONNER
BOUCHOTEUR
BOUDDHIQUE
BOUDDHISME
BOUDDHISTE
BOUDINEUSE
BOUFFONNER
BOUGONNANT
BOUGREMENT
BOUGUENAIS
BOUGUEREAU
BOUILLANTE
BOUILLASSE
BOUILLOIRE

BOUILLONNÉ
BOUILLOTTE
BOUILLOTTÉ
BOUIS-BOUIS
BOUKHARINE
BOULAGEOIS
BOULANGÈRE
BOULDER DAM
BOULEDOGUE
BOULEVERSÉ
BOULGANINE
BOULIMIQUE
BOULINGRIN
BOULLONGNE
BOULOCHAGE
BOULOCHANT
BOULODROME
BOULONNAGE
BOULONNAIS
BOULONNAIS
BOULONNANT
BOULOTTANT
BOUMEDIENE
BOUQUINANT
BOUQUINEUR
BOURBILLON
BOURBONIEN
BOURDALOUE
BOURDICHON
BOURDONNER
BOURGANEUF
BOURGEOISE
BOURGEONNÉ
BOURGUESAN
BOURGUISAN
BOURLINGUÉ
BOURONNANT
BOURRASQUE
BOURRATIVE
BOURRELIER
BOURRICHON
BOURRIENNE
BOURRIQUET
BOURSICOTÉ
BOURSOUFLÉ
BOUSCATAIS
BOUSCULADE
BOUSCULANT
BOUSILLAGE
BOUSILLANT
BOUSILLEUR
BOUT-DEHORS
BOUTEILLER
BOUTEILLON
BOUTEROLLE
BOUTILLIER
BOUTIQUIER

BOUTONNAGE
BOUTONNANT
BOUTONNEUX
BOUTONNIER
BOUTONS-D'OR
BOUTS-RIMÉS
BOUVERESSE
BOUVETEUSE
BOUXWILLER
BOUZOULAIS
BOW-STRINGS
BOW-WINDOWS
BOXER-SHORT
BOX-OFFICES
BOYAUDERIE
BOYAUDIÈRE
BOYCOTTAGE
BOYCOTTANT
BOYCOTTEUR
BRACHYCÈRE
BRACHYOURE
BRACONNAGE
BRACONNANT
BRACONNIER
BRAILLARDE
BRAILLEUSE
BRAIN-TRUST
BRANCARDÉE
BRANCARDER
BRANCHETTE
BRANCHIALE
BRANCHIAUX
BRANLEMENT
BRANTÔMAIS
BRAQUEMART
BRAQUEMENT
BRASILLACH
BRASILLANT
BRASSCHAAT
BRASSICOLE
BRATISLAVA
BRAVISSIMO
BRAY-DUNOIS
BREAKDANCE
BREDOUILLE
BREDOUILLÉ
BRÉMONTIER
BRÉSILLANT
BRETONNANT
BRETONNEAU
BREVETABLE
BRÉVILIGNE
BRICOLEUSE
BRICQUEBEC
BRIDGEPORT
BRIDGETOWN
BRIENNOISE

BRIÈVEMENT
BRIGANDAGE
BRIGANDANT
BRIGANTINE
BRIGNOLAIS
BRILLANTÉE
BRILLANTER
BRIMBALANT
BRIMBORION
BRIONNAISE
BRIQUETAGE
BRIQUETANT
BRIQUETEUR
BRIQUETIER
BRISE-BÉTON
BRISE-GLACE
BRISE-LAMES
BRIVADOISE
BROCANTANT
BROCANTEUR
BROCARDANT
BROCATELLE
BROEDERLAM
BRONCHIOLE
BRONCHIQUE
BRONGNIART
BROUETTAGE
BROUETTANT
BROUILLAGE
BROUILLANT
BROUILLARD
BROUILLEUR
BROUSSARDE
BROUSSILOV
BROUTEMENT
BRUCELLOSE
BRUGNONIER
BRUNDTLAND
BRUNÉIENNE
BRUNETIÈRE
BRUNISSAGE
BRUNISSANT
BRUNISSOIR
BRUNISSURE
BRUNOYENNE
BRUSQUERIE
BRUTALISÉE
BRUTALISER
BRUTALISME
BRUXELLOIS
BRUXELLOIS
BRUXOMANIE
BRUYAMMENT
BRUYÉROISE
BRYOZOAIRE
BUCENTAURE
BUCHENWALD

BÛCHERONNE
BUCKINGHAM
BUCKINOISE
BUCOLIQUES
BUDGÉTAIRE
BUDGÉTISÉE
BUDGÉTISER
BUFFETIÈRE
BULL-FINCHS
BULLYGEOIS
BUNDESBANK
BUNDESWEHR
BUONARROTI
BURCKHARDT
BURGAUDINE
BURGENLAND
BURKINAISE
BURKINAISE
BURLINGTON
BURNE-JONES
BURSÉRACÉE
BURUNDAISE
BURUNDAISE
BUSSENETTE
BUYS-BALLOT
CABANATUAN
CABANEMENT
CABARETIER
CABOCHARDE
CABOCHIENS
CABOTINAGE
CABOTINANT
CABRIOLANT
CAB-SIGNAUX
CACAHOUÈTE
CACAOTIÈRE
CACHANAISE
CACHE-CACHE
CACHE-CŒUR
CACHE-PRISE
CACHE-SEXES
CACHOTTIER
CACOGRAPHE
CACOPHONIE
CADASTRALE
CADASTRANT
CADASTRAUX
CADAVÉREUX
CADENASSÉE
CADENASSER
CAFARDEUSE
CAFOUILLER
CAFOUILLIS
CAGLIOSTRO
CAHOTEMENT
CAILLE-LAIT
CAILLEMENT

CAILLOUTÉE
CAILLOUTER
CAILLOUTIS
CAKCHIQUEL
CALABRAISE
CALAMINAGE
CALAMINANT
CALAMISTRÉ
CALAMITEUX
CALANCHANT
CALANDRAGE
CALANDRANT
CALCÉDOINE
CALCIFÉROL
CALCULABLE
CALCULETTE
CALCULEUSE
CALDAGUÈSE
CALÉDONIEN
CALÉDONIEN
CALE-ÉTALON
CALENDAIRE
CALENDRIER
CALFEUTRÉE
CALFEUTRER
CALIBREUSE
CALIFORNIE
CALLACOISE
CALLIMAQUE
CALMISSANT
CALOMNIANT
CALOMNIEUX
CALORIFÈRE
CALORIFUGE
CALORIFUGÉ
CALVINISME
CALVINISTE
CAMARÉTOIS
CAMARGUAIS
CAMARGUAIS
CAMBACÉRÈS
CAMBODGIEN
CAMBODGIEN
CAMBREMENT
CAMBRÉSIEN
CAMBRÉSIEN
CAMBRIENNE
CAMBRIOLÉE
CAMBRIOLER
CAMBROUSSE
CAMERAMANS
CAMERARIUS
CAMIONNAGE
CAMIONNANT
CAMIONNEUR
CAMOUFLAGE
CAMOUFLANT

CAMPAGNARD
CAMPANELLA
CAMPING-CAR
CAMPING-GAZ
CAMPINOISE
CAMPOBASSO
CANADIENNE
CANADIENNE
CANALICULE
CANALISANT
CANANÉENNE
CANANÉENNE
CANARDEAUX
CANARDIÈRE
CANARIENNE
CANAVÉROIS
CANCALAISE
CANCANIÈRE
CANCÉREUSE
CANCÉRISÉE
CANCÉRISER
CANDÉLABRE
CANDIACOIS
CANDISSANT
CANÉFICIER
CANGUILHEM
CANNABACÉE
CANNABIQUE
CANNABISME
CANNEBERGE
CANNELLONI
CANNETIÈRE
CANNETILLE
CANNETTANE
CANNIZZARO
CANONICITÉ
CANONISANT
CANONNIÈRE
CANTATILLE
CANTATRICE
CANTERBURY
CANTHARIDE
CANTILEVER
CANTINIÈRE
CANTONAISE
CANTONAISE
CANTONNANT
CANTONNIER
CANTORBÉRY
CAOUTCHOUC
CAPACITIVE
CAPCIRAISE
CAPELLOISE
CAPÉSIENNE
CAPESTERRE
CAPÉTIENNE
CAP-HAÏTIEN

CAPHARNAÜM
CAPHARNAÜM
CAP-HORNIER
CAPILLAIRE
CAPILOTADE
CAPITALISÉ
CAPITATION
CAPITOLINE
CAPITONNÉE
CAPITONNER
CAPITULANT
CAPITULARD
CAPONNIÈRE
CAPORALISÉ
CAPPA MAGNA
CAPPUCCINO
CAPRICANTE
CAPRICIEUX
CAPRICORNE
CAPRICORNE
CAPRYLIQUE
CAPTATRICE
CAPTIVANTE
CAPUCHONNÉ
CAPUCINADE
CAP-VERDIEN
CAPVERDIEN
CAPVERDIEN
CAQUETANTE
CARABINIER
CARACCIOLO
CARACOLANT
CARAMANLIS
CARAMBOLÉE
CARAMBOLER
CARAMÉLISÉ
CARAPATANT
CARAVANAGE
CARAVANIER
CARAVANING
CARBAMIQUE
CARBONADES
CARBONAROS
CARBONATÉE
CARBONATER
CARBONIQUE
CARBONISÉE
CARBONISER
CARBONNAIS
CARBONNIER
CARBONYLÉE
CARCAILLER
CARCINOÏDE
CARDINALAT
CARÉLIENNE
CARESSANTE
CAR-FERRIES

CARHAISIEN
CARIBÉENNE
CARIBÉENNE
CARICATURE
CARICATURÉ
CARILLONNÉ
CARITATIVE
CARMAGNOLA
CARMAGNOLE
CARMAUSINE
CARNACOISE
CARNASSIER
CARNAVALET
CAROTIDIEN
CAROTTEUSE
CAROTTIÈRE
CAROUGEOIS
CARPATIQUE
CARPENTIER
CARPENTRAS
CARPOCAPSE
CARPOPHORE
CARRIÉROIS
CARROSSAGE
CARROSSANT
CARROSSIER
CARSON CITY
CARTELLIER
CARTELLISÉ
CARTHAGÈNE
CARTONNAGE
CARTONNANT
CARTONNEUX
CARTONNIER
CARTON-PÂTE
CARTOPHILE
CARTULAIRE
CARTWRIGHT
CARVINOISE
CARYOGAMIE
CASABLANCA
CASCABELLE
CASCADEUSE
CASCATELLE
CASSAVETES
CASSE-PIEDS
CASSE-PIPES
CASSIDENNE
CASSIODORE
CASSISSIER
CASSOLETTE
CASTELLANE
CASTELLION
CASTILLANE
CASTILLANE
CASTORETTE
CASTRATEUR

CASTRATION
CASUS BELLI
CATABOLITE
CATACHRÈSE
CATACLYSME
CATAFALQUE
CATALEPSIE
ÇATAL HÖYÜK
CATALOGAGE
CATALOGUÉE
CATALOGUER
CATALYSANT
CATALYSEUR
CATAPLASME
CATAPLEXIE
CATAPULTÉE
CATAPULTER
CATARRHALE
CATARRHAUX
CATÉCHISÉE
CATÉCHISER
CATÉCHISME
CATÉCHISTE
CATÉGORIEL
CATÉGORISÉ
CATÉSIENNE
CATHARISME
CATHÉDRALE
CATHÉDRAUX
CATHODIQUE
CATHOLICOS
CATHOLIQUE
CATIONIQUE
CATOBLÉPAS
CATOVIENNE
CAUCASIQUE
CAUDANAISE
CAUDATAIRE
CAUDRÉSIEN
CAULINAIRE
CAUSSADAIS
CAUSSENARD
CAUSSENARD
CAUSTICITÉ
CAUTELEUSE
CAUTÉRISÉE
CAUTÉRISER
CAUTIONNÉE
CAUTIONNER
CAVALCADER
CAVALCANTI
CAVERNEUSE
CAVIARDANT
CAVITATION
CAYENNAISE
CAZÉRIENNE
CÉGÉPIENNE

CÉGÉSIMALE
CÉGÉSIMAUX
CEINTURAGE
CEINTURANT
CELLÉRIÈRE
CELLOPHANE
CELLULAIRE
CELTIBÈRES
CENDRILLON
CENDRILLON
CENONNAISE
CÉNOZOÏQUE
CENSITAIRE
CENSURABLE
CENTENAIRE
CENTENNALE
CENTENNAUX
CENTÉSIMAL
CENT-GARDES
CENTIGRADE
CENTILITRE
CENTIMÈTRE
CENTRALIEN
CENTRALISÉ
CENTRATION
CENTRIFUGE
CENTRIFUGÉ
CENTRIPÈTE
CENTROMÈRE
CENTROSOME
CENT-SUISSE
CENTUPLANT
CÉPHALIQUE
CÉPHALONIE
CERDAGNOLE
CERDAGNOLE
CÉRÉALIÈRE
CÉRÉMONIAL
CÉRÉMONIEL
CERF-VOLANT
CERGYSSOIS
CERTIFIANT
CERTIFICAT
CÉRULÉENNE
CÉRUMINEUX
CÉSARIENNE
CÉSARISANT
CESSONNAIS
CEYZÉRIATI
CHABLISIEN
CHAGNOTINE
CHAGRINANT
CHAH DJAHAN
CHAHUTEUSE
CHAÎNETIER
CHALAISIEN
CHALANDISE

CHALCOSINE
CHALCOSITE
CHALDÉENNE
CHALDÉENNE
CHALEUREUX
CHALIAPINE
CHALLENGER
CHALLÉSIEN
CHALONNAIS
CHALOUPANT
CHALUMEAUX
CHAMÆROPS
CHAMAILLÉE
CHAMAILLER
CHAMANISME
CHAMARRANT
CHAMARRURE
CHAMBARDÉE
CHAMBARDER
CHAMBELLAN
CHAMBÉRIEN
CHAMBERTIN
CHAMBOULÉE
CHAMBOULER
CHAMBOURCY
CHAMBRANLE
CHAMBRETTE
CHAMBRIÈRE
CHAMILLART
CHAMOISAGE
CHAMOISANT
CHAMOISEUR
CHAMOISINE
CHAMONIARD
CHAMONIARD
CHAMPAGNEY
CHAMPAIGNE
CHAMPENOIS
CHAMPENOIS
CHAMPIGNON
CHAMPIONNE
CHAMPLEVÉE
CHAMPLEVER
CHAMPLITTE
CHAMPMESLÉ
CHAMROUSSE
CHANCELADE
CHANCELANT
CHANCELIER
CHANCELLOR
CHANCRELLE
CHANDELEUR
CHANDELIER
CHANDIGARH
CHANFREINÉ
CHANGEABLE
CHANGEANTE

CHANGEMENT	CHASSE-ROUE	CHICANERIE
CHANITOISE	CHASSIEUSE	CHICANEUSE
CHANTELOUP	**CHASSIGNET**	CHICANIÈRE
CHANTONNAY	CHASTEMENT	CHICHEMENT
CHANTONNÉE	**CHÂTEAUDUN**	CHICHITEUX
CHANTONNER	**CHÂTEAULIN**	**CHICOUTIMI**
CHANTOURNÉ	**CHATEILLON**	CHIEN-ASSIS
CHAO PHRAYA	CHÂTELAINE	CHIENNERIE
CHAPARDAGE	CHATOUILLE	CHIFFONNÉE
CHAPARDANT	CHATOUILLÉ	CHIFFONNER
CHAPARDEUR	CHATOYANTE	CHIFFRABLE
CHAPEAUTÉE	CHATTEMITE	CHIFFREUSE
CHAPEAUTER	CHATTERTON	**CHILDEBERT**
CHAPELAINE	**CHATTERTON**	**CHIMBORAZO**
CHAPELIÈRE	CHAUDEMENT	CHIMÉRIQUE
CHAPERONNÉ	CHAUD-FROID	CHINCHILLA
CHAPITEAUX	CHAUFFANTE	CHINETOQUE
CHAPITRANT	CHAUFFE-EAU	CHINOISANT
CHAPONNAGE	CHAUFFERIE	**CHINONAISE**
CHAPONNANT	CHAUFFEUSE	CHIPOTEUSE
CHAPTALISÉ	**CHAURIENNE**	CHIROPTÈRE
CHARAVINES	CHAUSSANTE	**CHIROQUOIS**
CHARBONNÉE	CHAUSSETTE	CHIROUBLES
CHARBONNER	**CHAUVINOIS**	CHIRURGIEN
CHARCUTAGE	**CHAVILLOIS**	CHITINEUSE
CHARCUTANT	**CHAZELLOIS**	**CHITTAGONG**
CHARCUTIER	CHECK-LISTS	CHLAMYDIAE
CHARDONNAY	CHEFS-LIEUX	CHLAMYDIAS
CHARENTAIS	CHÉLIDOINE	CHLINGUANT
CHARENTAIS	**CHELTENHAM**	CHLORATION
CHARGEMENT	CHEMINEAUX	CHLORURANT
CHARIOTAGE	CHEMISERIE	CHOCOLATÉE
CHARIOTANT	CHEMISETTE	**CHOÉPHORES**
CHARITABLE	CHEMISIÈRE	**CHOISYENNE**
CHARITOISE	CHÊNE-LIÈGE	CHOKE-BORES
CHARLEBOIS	CHÈNEVIÈRE	CHOLAGOGUE
CHARLESTON	**CHERBULIEZ**	CHOLÉDOQUE
CHARLESTON	CHERCHEUSE	CHOLÉRIQUE
CHARLEVOIX	CHÉRISSANT	**CHOLETAISE**
CHARNYCOIS	**CHERSONÈSE**	CHONDRIOME
CHAROGNARD	**CHÉRUSQUES**	CHOROÏDIEN
CHAROLAISE	**CHESAPEAKE**	CHOSIFIANT
CHAROLAISE	**CHESTERTON**	CHOUCHOUTE
CHAROLLAIS	CHEVALERIE	CHOUCHOUTÉ
CHAROPHYTE	CHEVALIÈRE	CHOUCROUTE
CHARPENTÉE	CHEVAUCHÉE	CHOUQUETTE
CHARPENTER	CHEVAUCHER	CHOURAVANT
CHARRETIER	CHEVILLANT	CHOURINANT
CHARROYANT	CHEVILLARD	CHOUX-RAVES
CHARTRAINE	CHEVILLIER	CHOWS-CHOWS
CHARTRAINE	CHEVRONNÉE	CHRÉTIENNE
CHARTRAINS	CHEVROTAGE	CHRÉTIENTÉ
CHARTREUSE	CHEVROTAIN	Chris-Craft
CHARTREUSE	CHEVROTANT	CHRISTIQUE
CHASSE-CLOU	CHEVROTINE	**CHRISTOFLE**
CHASSÉENNE	**CHEVROTINE**	**CHRISTOPHE**
CHASSÉRIAU	CHEWING-GUM	**CHRODEGANG**

CHROMATIDE
CHROMATINE
CHROMISANT
CHROMOGÈNE
CHROMOSOME
CHRONICISÉ
CHRONICITÉ
CHRYSALIDE
CHRYSOLITE
CHRYSOMÈLE
CHTONIENNE
CHUCHOTANT
CHUCHOTEUR
CHUINTANTE
CHUQUISACA
CIBOULETTE
CICATRISÉE
CICATRISER
CIDAMBARAM
CIENFUEGOS
CIGOGNEAUX
CI-INCLUSES
CIMENTERIE
CIMMÉRIENS
CINACIENNE
CINCINNATI
CINDYNIQUE
CINÉPHILIE
CINGHALAIS
CINGHALAIS
CINNAMIQUE
CIOTADENNE
CIRCASSIEN
CIRCASSIEN
CIRCONCIRE
CIRCONCISE
CIRCONVENU
CIRCULAIRE
CIRCULANTE
CISAILLANT
CISÈLEMENT
CISTERCIEN
CITÉ-JARDIN
CITHARISTE
CITRONNADE
CITRONNIER
CITROUILLE
CIUDAD REAL
CIVILEMENT
CIVILISANT
CLABAUDAGE
CLABAUDANT
CLAIREMENT
CLAIRE-VOIE
CLAIRONNÉE
CLAIRONNER
CLAIRSEMÉE

CLAMARIOTE
CLAMARTOIS
CLANDESTIN
CLAPISSANT
CLAPOTANTE
CLAPOTEUSE
CLAPPEMENT
CLAPPERTON
CLAQUEMENT
CLAQUEMURÉ
CLAQUETANT
CLARIFIANT
CLARINETTE
CLASSEMENT
CLASSIFIÉE
CLASSIFIER
CLAUDICANT
CLAUDIQUER
CLAUSEWITZ
CLAUSTRALE
CLAUSTRANT
CLAUSTRAUX
CLAVELEUSE
CLAVICORDE
CLAYETTOIS
CLAYONNAGE
CLAYONNANT
CLEMENCEAU
CLÉMENTINE
CLEPTOMANE
CLERGYMANS
CLÉROUQUIE
CLIGNEMENT
CLIGNOTANT
CLIGNOTEUR
CLIMATIQUE
CLIMATISÉE
CLIMATISER
CLINOMÈTRE
CLINQUANTE
CLINS D'ŒIL
CLIPPERTON
CLIQUETANT
CLOCHE-PIED
CLOISONNÉE
CLOISONNER
CLOWNESQUE
CLOYSIENNE
CLUJ-NAPOCA
CLUNYSOISE
CNIDOCYSTE
COADJUTEUR
COAGULABLE
COAGULANTE
COALESÇANT
COALESCENT
COAPTATION

COASSEMENT
COASSOCIÉE
COBALAMINE
COCAÏNISME
COCARDIÈRE
COCASSERIE
COCCIDIOSE
COCCINELLE
COCHABAMBA
COCHENILLE
COCHLÉAIRE
COCHONCETÉ
COCHONNANT
COCOTERAIE
COCYCLIQUE
CODE-BARRES
CODÉBITEUR
CODÉCISION
CODOMINANT
CODONATEUR
COÉDITRICE
CŒLENTÉRÉ
CŒLOMIQUE
COÉQUIPIER
COERCITION
COERCITIVE
COËTQUIDAN
COEXISTANT
COEXTENSIF
COFFRE-FORT
COFINANCÉE
COFINANCER
COGITATION
COGNAÇAISE
COGNASSIER
COGNATIQUE
COGNERAUDE
COGOLINOIS
COHABITANT
COHÉRITANT
COHÉRITIER
COIMBATORE
COINCEMENT
COÏNCIDANT
COÏNCIDENT
COÏNCULPÉE
COKÉFIABLE
COLCHESTER
COLCHICINE
COLÉOPTÈRE
COLICITANT
COLIFICHET
COLINÉAIRE
COLISTIÈRE
COLLABORER
COLLATÉRAL
COLLECTAGE

COLLECTANT	COMMODITÉS	COMPROMISE
COLLECTEUR	COMMUNARDE	COMPTE-FILS
COLLECTION	COMMUNAUTÉ	COMPULSANT
COLLECTIVE	COMMUNIANT	COMPULSION
COLLÉGIALE	COMMUNIQUÉ	COMPULSIVE
COLLÉGIAUX	COMMUNISME	**CONAN DOYLE**
COLLEMBOLE	**COMMUNISME**	**CONCARNEAU**
COLLERETTE	COMMUNISTE	**CONCARNOIS**
COLLIGEANT	COMMUTABLE	CONCASSAGE
COLLOÏDALE	COMMUTATIF	CONCASSANT
COLLOÏDAUX	COMORIENNE	CONCASSEUR
COLLUSOIRE	**COMORIENNE**	CONCÉLÉBRÉ
COLLUTOIRE	COMOURANTS	CONCENTRÉE
COLOCATION	COMPACTAGE	CONCENTRER
COLONISANT	COMPACTANT	**CONCEPCIÓN**
COLONNETTE	COMPACTEUR	CONCEPTEUR
COLOPATHIE	COMPARABLE	CONCEPTION
COLOQUINTE	COMPARATIF	CONCEPTUEL
COLORATION	COMPASSION	CONCERNANT
COLORATURE	COMPATIBLE	CONCERTANT
COLORISANT	COMPENDIUM	CONCERTINO
COLOSCOPIE	COMPENSANT	CONCESSION
COLOSTOMIE	COMPÉTENCE	CONCESSIVE
COLPORTAGE	COMPÉTENTE	CONCEVABLE
COLPORTANT	COMPÉTITIF	CONCHOÏDAL
COLPORTEUR	COMPISSANT	CONCILIANT
COLUMÉRIEN	COMPLAINTE	CONCITOYEN
COLUMÉRINE	COMPLANTÉE	CONCLUANTE
COMBATTANT	COMPLANTER	CONCLUSION
COMBINABLE	COMPLÉMENT	CONCLUSIVE
COMBINARDE	COMPLÉTANT	CONCOCTANT
COMBI-SHORT	COMPLÉTION	CONCORDANT
COMBLEMENT	COMPLÉTIVE	CONCOURANT
COMBRAILLE	COMPLÉTUDE	CONCRÉTION
COMBURANTE	COMPLEXANT	CONCRÉTISÉ
COMBUSTION	COMPLEXION	CONCURRENT
COMÉDIENNE	COMPLEXITÉ	CONCUSSION
COMESTIBLE	COMPLICITÉ	CONDAMNANT
COMMANDANT	COMPLIMENT	CONDENSANT
COMMANDEUR	COMPLIQUÉE	CONDENSEUR
COMMANDEUR	COMPLIQUER	**CONDOMOISE**
COMMANDITE	COMPLOTANT	**CONDRUSIEN**
COMMANDITÉ	COMPLOTEUR	CONDUCTEUR
COMMÉMORÉE	COMPLUVIUM	CONDUCTION
COMMÉMORER	COMPORTANT	CONDUISANT
COMMENÇANT	COMPOSANTE	CONFECTION
COMMENSALE	COMPOSEUSE	CONFÉDÉRAL
COMMENSAUX	COMPOSTAGE	CONFÉDÉRÉE
COMMENTANT	COMPOSTANT	CONFÉDÉRER
COMMERÇANT	COMPOSTEUR	CONFÉDÉRÉS
COMMERCIAL	COMPRADORE	CONFÉRENCE
COMMERCIEN	COMPRENANT	CONFESSANT
COMMETTAGE	COMPRENDRE	CONFESSEUR
COMMETTANT	COMPRESSÉE	CONFESSION
COMMINUTIF	COMPRESSER	CONFIDENCE
COMMISSION	COMPRESSIF	CONFIRMAND
COMMISSURE	COMPRIMANT	CONFIRMANT

CONFISERIE
CONFISEUSE
CONFISQUÉE
CONFISQUER
CONFLANAIS
CONFLUENCE
CONFONDANT
CONFORMANT
CONFORMITÉ
CONFORTANT
CONFRONTÉE
CONFRONTER
CONGÉDIANT
CONGELABLE
CONGÉNITAL
CONGESTION
CONGESTIVE
CONGLOMÉRÉ
CONGO BELGE
CONGOLAISE
CONGOLAISE
CONGO-OCÉAN
CONGRATULÉ
CONGRUENCE
CONGRÛMENT
CONJECTURE
CONJECTURÉ
CONJONCTIF
CONJUGABLE
CONJUGUANT
CONNECTANT
CONNECTEUR
CONNÉTABLE
CONNIVENCE
CONNIVENTE
CONQUÉRANT
CONSACRANT
CONSANGUIN
CONSCIENCE
CONSCIENCE
CONSCIENTE
CONSÉCUTIF
CONSEILLÉE
CONSEILLER
CONSENSUEL
CONSENTANT
CONSÉQUENT
CONSERVANT
CONSERVEUR
CONSIDÉRÉE
CONSIDÉRER
CONSIGNANT
CONSISTANT
CONSOLABLE
CONSOLANTE
CONSOLIDÉE
CONSOLIDER

CONSOMMANT
CONSONANCE
CONSONANTE
CONSORTAGE
CONSORTIAL
CONSORTIUM
CONSPIRANT
CONSTANTAN
CONSTANTIN
CONSTATANT
CONSTELLÉE
CONSTELLER
CONSTERNÉE
CONSTERNER
CONSTIPANT
CONSTITUÉE
CONSTITUER
CONSTRUIRE
CONSTRUITE
CONSULAIRE
CONSULTANT
CONSULTEUR
CONTACTANT
CONTACTEUR
CONTAGIEUX
CONTAMINÉE
CONTAMINER
CONTEMPLÉE
CONTEMPLER
CONTENANCE
CONTENTANT
CONTENTION
CONTESTANT
CONTEXTUEL
CONTEXTURE
CONTIGUÏTÉ
CONTINENCE
CONTINENTE
CONTINGENT
CONTINUANT
CONTINUITÉ
CONTONDANT
CONTORSION
CONTOURNÉE
CONTOURNER
CONTRACTÉE
CONTRACTER
CONTRAINTE
CONTRARIÉE
CONTRARIER
CONTRASTÉE
CONTRASTER
CONTRE-ARCS
CONTREBUTÉ
CONTRE-CHOC
CONTRECOUP
CONTREDIRE

CONTREDITE
CONTREFAIT
CONTRE-FERS
CONTRE-FEUX
CONTRE-FILS
CONTREFORT
CONTRE-HAUT
CONTRE-JOUR
CONTRE-MINE
CONTRE-PIED
CONTRE-POIL
CONTRE-RAIL
CONTRESENS
CONTRETYPE
CONTRETYPÉ
CONTRE-VAIR
CONTREVENT
CONTREVENU
CONTRE-VOIE
CONTRIBUER
CONTRISTÉE
CONTRISTER
CONTRITION
CONTRÔLANT
CONTRÔLEUR
CONTRORDRE
CONTROUVÉE
CONVAINCRE
CONVAINCUE
CONVECTEUR
CONVECTION
CONVENABLE
CONVENANCE
CONVENTION
CONVENTUEL
CONVERGENT
CONVERSANT
CONVERSION
CONVICTION
CONVIVIALE
CONVIVIAUX
CONVOCABLE
CONVOITANT
CONVOITISE
CONVOLUTÉE
CONVOQUANT
CONVOYEUSE
CONVULSANT
CONVULSION
CONVULSIVE
COOCCUPANT
COOPÉRATIF
COOPTATION
COORDONNÉE
COORDONNER
COORDONNÉS
COPACABANA

COPENHAGUE
COPERMUTÉE
COPERMUTER
COPLANAIRE
COPOLYMÈRE
COPRODUIRE
COPRODUITE
COPROLALIE
COPROLITHE
COPROLOGIE
COPROPHAGE
COPROPHILE
COPULATEUR
COPULATION
COPULATIVE
COQUELEUSE
COQUELICOT
COQUELLOIS
COQUELUCHE
COQUERELLE
COQUETIÈRE
COQUILLAGE
COQUILLARD
COQUILLART
COQUILLIER
COQUINERIE
CORAILLEUR
CORBILLARD
CORDELETTE
CORDELIÈRE
CORDELIERS
CORDIALITÉ
CORDIÉRITE
CORDIFORME
CORDILLÈRE
CÓRDOBA ORO
CORDON-BLEU
CORDONNANT
CORDONNIER
CORÉE DU SUD
CORINTHIEN
CORINTHIEN
CORMEILLES
CORMELLOIS
CORMOPHYTE
CORNAQUANT
CORNED-BEEF
CORN FLAKES
CORNOUILLE
CORN-PICKER
CORNWALLIS
COROLLAIRE
COROMANDEL
CORONARIEN
CORONARITE
CORPORATIF
CORPORELLE

CORPS-MORTS
CORPULENCE
CORPULENTE
CORPUSCULE
CORRECTEUR
CORRECTION
CORRECTIVE
CORREGIDOR
CORRÉLATIF
CORRIENTES
CORRIGEANT
CORRIGIBLE
CORROBORÉE
CORROBORER
CORROIERIE
CORROMPANT
CORROYEUSE
CORRUPTEUR
CORRUPTION
CORSE-DU-SUD
CORSETIÈRE
CORTENAISE
CORTICOÏDE
CORTINAIRE
CORUSCANTE
COSMÉTIQUE
COSMODROME
COSMOGONIE
COSMOLOGIE
COSMOLOGUE
COSMONAUTE
COSTA BRAVA
COSTUMIÈRE
COSY-CORNER
COTANGENTE
CÔTE D'AMOUR
CÔTE D'OPALE
COTISATION
CÔTOIEMENT
COTONNERIE
COTONNEUSE
COTONNIÈRE
COUCHAILLÉ
COUCHE-TARD
COUCI-COUÇA
COUDRIENNE
COUILLONNÉ
COUINEMENT
COULEMELLE
COULISSANT
COULISSEAU
COUPAILLÉE
COUPAILLER
COUPE-CHOUX
COUPE-COUPE
COUPE-FILES
COUPE-GORGE

COUPONNAGE
COURAGEUSE
COURAILLER
COURAMIAUD
COURAMMENT
COURANT-JET
COURBATURE
COURBATURÉ
COURBEMENT
COURBEVOIE
COURCAILLÉ
COURCELLES
COURCHEVEL
COURMAYEUR
COURONNAIS
COURONNANT
COURRIÈRES
COURROUCÉE
COURROUCER
COURTAUDÉE
COURTAUDER
COURTELINE
COURTISANE
COURTISANT
COURTOISIE
COURT-VÊTUE
COURT-VÊTUS
COUS-DE-PIED
COUTANÇAIS
COUTELIÈRE
COUTRASIEN
COUTUMIÈRE
COUTURIÈRE
COUVENTINE
COUVERTURE
COUVRE-CHEF
COUVRE-FEUX
COUVRE-LITS
COUVREMENT
COUVRE-PIED
COUVRE-PLAT
COVARIANCE
COVENDEUSE
COVER-GIRLS
CRACHEMENT
CRACHOTANT
CRAMPILLON
CRAMPONNÉE
CRAMPONNER
CRAONNAISE
CRAPAHUTER
CRAPAUDINE
CRAPAÜTANT
CRAPONNAIS
CRAPOTEUSE
CRAPULERIE
CRAPULEUSE

CRAQUELAGE	CROISEMENT	CUPIDEMENT
CRAQUELANT	**CROISICAIS**	CUPROPLOMB
CRAQUELURE	**CROISIENNE**	CUPULIFÈRE
CRAQUEMENT	CROISILLON	CURABILITÉ
CRAQUETANT	CROISSANCE	CURARISANT
CRATERELLE	CROISSANTE	CURE-ONGLES
CRATÉRISÉE	**CROIX-DE-FEU**	CURIA REGIS
CRAVACHANT	**CROIX DU SUD**	CURRICULUM
CRAYONNAGE	**CROIX-ROUGE**	CURVILIGNE
CRAYONNANT	CROQUE-MORT	CURVIMÈTRE
CRAYONNEUR	CROSSWOMAN	**CUSSÉTOISE**
CRÉANCIÈRE	CROSSWOMEN	CYANOPHYTE
CRÉATININE	**CROTELLOIS**	CYBERNAUTE
CRÉATIVITÉ	CROUSTILLÉ	CYCLADIQUE
CRÉCERELLE	**CROZONNAIS**	CYCLO-CROSS
CRÉDIT-BAIL	CRUCIFIANT	CYCLOÏDALE
CRÉDITRICE	CRUCIFORME	CYCLOÏDAUX
CREILLOISE	**CRUIKSHANK**	CYCLONIQUE
CRÉMATISTE	**CRUSEILLES**	CYCLOSTOME
CRÉMATOIRE	CRYOCHIMIE	CYLINDRAGE
CRÉOLISANT	CRYOMÉTRIE	CYLINDRANT
CRÉOSOTAGE	CRYOSCOPIE	CYLINDREUR
CRÉOSOTANT	CRYPTOGAME	CYMBALAIRE
CRÉPINETTE	CTÉNOPHORE	CYMBALIÈRE
CRÉPISSAGE	**CUAUHTÉMOC**	CYMBALISTE
CRÉPISSANT	ČUBITAINER	CYNOGLOSSE
CRÉPUSCULE	CUBOMÉDUSE	CYNORHODON
CRÉPYNOISE	CUCURBITIN	CYPHOTIQUE
CRÊTE-DE-COQ	CUEILLETTE	CYRÉNAÏQUE
CRÉTINERIE	CUEILLEUSE	**CYRÉNAÏQUE**
CRÉTINISÉE	**CUERNAVACA**	CYRILLIQUE
CRÉTINISER	**CUGNALAISE**	**CYSONIENNE**
CRÉTINISME	CUIRASSANT	CYTOCHROME
CREUSEMENT	CUIRASSIER	CYTOPLASME
CREUSOTINE	CUISINETTE	DAHOMÉENNE
CREUTZWALD	CUISINIÈRE	**DAHOMÉENNE**
CREVASSANT	CUISINISTE	DALAÏ-LAMAS
CRÈVE-CŒUR	CUISSETTES	**DALÉCARLIE**
CRÈVECŒUR	CUISTRERIE	DALMATIQUE
CREVETTIER	CUL-DE-JATTE	DALTONISME
CRIAILLANT	CUL-DE-LAMPE	DAMALISQUE
CRIAILLEUR	CUL-DE-POULE	**DAMAN-ET-DIU**
CRIELLOISE	CULMINANTE	**DAMASKINOS**
CRIMINELLE	CULOTTIÈRE	DAMASQUINÉ
CRISPATION	CULS-BLANCS	DAME-JEANNE
CRISSEMENT	CULS-DE-FOUR	DAMOISEAUX
CRISTALLIN	CULS-DE-PORC	DAMOISELLE
CRISTOFORI	CUL-TERREUX	DANDINETTE
CRISTOLIEN	CULTIVABLE	DANGEREUSE
CRITICISME	CULTURELLE	**DANIEL-ROPS**
CRITICISTE	CULTURISME	DANSOTTANT
CRITIQUANT	CULTURISTE	DANUBIENNE
CRITIQUEUR	**CUMBERLAND**	**DAR EL-BEIDA**
CROCHE-PIED	CUMULATIVE	**DARJEELING**
CROCHETAGE	CUMULO-DÔME	**DARLINGTON**
CROCHETANT	CUNÉIFORME	DARWINISME
CROCHETEUR	**CUNNINGHAM**	DARWINISTE

DAUGAVPILS
DAUPHINOIS
DAUPHINOIS
DAVIDIENNE
DÉAMBULANT
DÉBAGOULÉE
DÉBAGOULER
DÉBALLONNÉ
DÉBAPTISÉE
DÉBAPTISER
DÉBARQUANT
DÉBARRASSÉ
DÉBAUCHAGE
DÉBAUCHANT
DÉBECQUETÉ
DÉBILEMENT
DÉBILITANT
DÉBILLARDÉ
DÉBITMÈTRE
DÉBLATÉRER
DÉBLOQUANT
DÉBOBINANT
DÉBONNAIRE
DÉBORDANTE
DÉBOSSELÉE
DÉBOSSELER
DÉBOUCHAGE
DÉBOUCHANT
DÉBOUCHEUR
DÉBOUCLANT
DÉBOULONNÉ
DÉBOUQUANT
DÉBOURBAGE
DÉBOURBANT
DÉBOURBEUR
DÉBOURRANT
DÉBOURSANT
DÉBOUSSOLÉ
DÉBOUTONNÉ
DÉBRAILLÉE
DÉBRAILLER
DÉBRANCHÉE
DÉBRANCHER
DÉBROCHAGE
DÉBROCHANT
DÉBROUILLE
DÉBROUILLÉ
DÉBROUSSÉE
DÉBROUSSER
DÉBUSQUANT
DÉCABRISTE
DÉCACHETÉE
DÉCACHETER
DÉCAFÉINÉE
DÉCAGONALE
DÉCAGONAUX

DÉCAISSANT
DÉCALAMINÉ
DÉCALCIFIÉ
DÉCALOTTÉE
DÉCALOTTER
DÉCALQUAGE
DÉCALQUER
DÉCALVANTE
DÉCANILLER
DÉCAPELANT
DÉCAPITANT
DÉCAPOTANT
DÉCAPSULÉE
DÉCAPSULER
DÉCARBURÉE
DÉCARBURER
DÉCARCASSÉ
DECAUVILLE
DÉCÉLÉRANT
DÉCEMVIRAT
DÉCENTRAGE
DÉCENTRANT
DÉCERCLANT
DÉCÉRÉBRÉE
DÉCÉRÉBRER
DÉCERVELÉE
DÉCERVELER
DÉCHAÎNANT
DÉCHANTANT
DÉCHARNANT
DÉCHAUMAGE
DÉCHAUMANT
DÉCHAUSSÉE
DÉCHAUSSER
DÉCHELETTE
DÉCHIFFRÉE
DÉCHIFFRER
DÉCHIQUETÉ
DÉCHIRANTE
DÉCHLORURÉ
DÉCIDÉMENT
DÉCIGRAMME
DÉCIMALISÉ
DÉCIMATEUR
DÉCIMATION
DÉCINTRAGE
DÉCINTRANT
DÉCLARANTE
DÉCLARATIF
DÉCLASSANT
DÉCLAVETÉE
DÉCLAVETER
DÉCLENCHÉE
DÉCLENCHER
DÉCLINABLE
DÉCLINANTE
DÉCLIQUETÉ

DÉCOFFRAGE
DÉCOFFRANT
DÉCOIFFANT
DÉCOINÇAGE
DÉCOINÇANT
DÉCOLÉRANT
DÉCOLLETÉE
DÉCOLLETER
DÉCOLLEUSE
DÉCOLONISÉ
DÉCOLORANT
DÉCOMMANDÉ
DÉCOMPENSÉ
DÉCOMPLEXÉ
DÉCOMPOSÉE
DÉCOMPOSER
DÉCOMPRIMÉ
DÉCOMPTANT
DÉCONCERTÉ
DÉCONGELÉE
DÉCONGELER
DÉCONNECTÉ
DE CONSERVE
DÉCONSIGNÉ
DÉCONVENUE
DÉCORATEUR
DÉCORATION
DÉCORATIVE
DÉCORTIQUÉ
DÉCOUCHANT
DÉCOUPEUSE
DÉCOUPLAGE
DÉCOUPLANT
DÉCOURAGÉE
DÉCOURAGER
DÉCOURONNÉ
DÉCOUVERTE
DÉCOUVRANT
DÉCOUVREUR
DÉCRASSAGE
DÉCRASSANT
DÉCRÉPITÉE
DÉCRÉPITER
DÉCREUSAGE
DÉCREUSANT
DÉCRISPANT
DÉCROCHAGE
DÉCROCHANT
DÉCROCHEUR
DÉCROISANT
DÉCROTTAGE
DÉCROTTANT
DÉCROTTEUR
DÉCROTTOIR
DÉCRYPTAGE
DÉCRYPTANT
DÉCUIVRANT

DÉCULOTTÉE
DÉCULOTTER
DÉCUVAISON
DÉDAIGNANT
DÉDAIGNEUX
DÉDALÉENNE
DÉDICAÇANT
DÉDOMMAGÉE
DÉDOMMAGER
DÉDOUANAGE
DÉDOUANANT
DÉDOUBLAGE
DÉDOUBLANT
DÉDUCTIBLE
DÉFAILLANT
DÉFAITISME
DÉFAITISTE
DÉFALQUANT
DÉFATIGANT
DÉFATIGUÉE
DÉFATIGUER
DÉFAUFILÉE
DÉFAUFILER
DÉFAUSSANT
DÉFAVORISÉ
DÉFÉCATION
DÉFECTUEUX
DÉFENDABLE
DÉFENESTRÉ
DÉFERLANTE
DÉFEUTRANT
DÉFICELANT
DÉFICIENCE
DÉFICIENTE
DÉFIGURANT
DÉFILEMENT
DÉFINITEUR
DÉFINITION
DÉFINITIVE
DÉFLAGRANT
DÉFLECTEUR
DÉFLOQUANT
DÉFOLIANTE
DÉFONCEUSE
DÉFORMABLE
DÉFORMANTE
DÉFOURNAGE
DÉFOURNANT
DÉFRAÎCHIE
DÉFRAÎCHIR
DÉFRICHAGE
DÉFRICHANT
DÉFRICHEUR
DÉFROISSÉE
DÉFROISSER
DÉFRONÇANT
DÉFROQUANT

DÉFRUITANT
DÉGAGEMENT
DÉGASOLINÉ
DÉGAZOLINÉ
DÉGAZONNÉE
DÉGAZONNER
DÉGÉNÉRANT
DÉGINGANDÉ
DÉGLINGUÉE
DÉGLINGUER
DÉGOBILLÉE
DÉGOBILLER
DÉGONFLAGE
DÉGONFLANT
DÉGORGEANT
DÉGORGEOIR
DÉGOULINER
DÉGOUPILLÉ
DÉGOÛTANTE
DÉGOUTTANT
DÉGRADANTE
DÉGRAISSÉE
DÉGRAISSER
DÉGRAVOYÉE
DÉGRAVOYER
DÉGRESSIVE
DÉGRILLAGE
DÉGRINGOLÉ
DÉGRIPPANT
DÉGROUILLÉ
DÉGROUPANT
DÉGUENILLÉ
DÉGUEULANT
DÉGUILLANT
DE GUINGOIS
DÉGURGITÉE
DÉGURGITER
DÉHANCHANT
DÉHARNACHÉ
DÉHISCENCE
DÉHISCENTE
DÉJAUGEANT
DÉLAI-CONGÉ
DÉLAISSANT
DÉLAMINAGE
DÉLASSANTE
DÉLECTABLE
DÉLÉGATEUR
DÉLÉGATION
DÉLÉGITIMÉ
DELESCLUZE
DÉLIBÉRANT
DÉLICIEUSE
DÉLICTUEUX
DÉLIGNEUSE
DÉLIMITANT
DÉLIMITEUR

DÉLINQUANT
DÉLITEMENT
DÉLIVRANCE
DELLA PORTA
DELLA SCALA
DELLA VALLE
DÉLOCALISÉ
DELPHINIDÉ
DELPHINIUM
DELTAPLANE
DELTOÏDIEN
DÉLUSTRAGE
DÉLUSTRANT
DÉMAILLAGE
DÉMAILLANT
DÉMAILLOTÉ
DÉMANCHANT
DEMANDEUSE
DÉMANGEANT
DÉMANTELÉE
DÉMANTELER
DÉMAQUILLÉ
DÉMARCATIF
DÉMARCHAGE
DÉMARCHANT
DÉMARCHEUR
DÉMARQUAGE
DÉMARQUANT
DÉMARQUEUR
DÉMASCLAGE
DÉMASCLANT
DÉMASQUANT
DÉMASTIQUÉ
DÉMATINANT
DÉMAZOUTÉE
DÉMAZOUTER
DÉMÊLEMENT
DÉMEMBRANT
DÉMÉNAGEUR
DÉMÉRITANT
DÉMEUBLANT
DEMI-CANTON
DEMI-CERCLE
DEMI-DEUILS
DEMI-DROITE
DÉMIELLANT
DEMI-FIGURE
DEMI-FINALE
DEMI-FRÈRES
DEMI-HEURES
DEMI-LITRES
DEMI-MESURE
DEMI-PAUSES
DEMI-PIÈCES
DEMI-PLACES
DEMI-POINTE
DEMI-QUEUES

DEMI-RELIEF	DÉPALISSER	DÉRAILLEUR
DEMI-RONDES	DÉPANNEUSE	DÉRAISONNÉ
DEMI-SAISON	DÉPAQUETÉE	DÉRANGEANT
DEMI-SŒURS	DÉPAQUETER	DÉRATISANT
DEMI-SOLDES	DÉPARASITÉ	DÉRÉGULANT
DEMI-SOUPIR	DÉPAREILLÉ	DÉRIVATION
DEMI-TARIFS	DÉPARTAGÉE	DÉRIVATIVE
DEMI-TEINTE	DÉPARTAGER	DÉRIVETANT
DEMI-VIERGE	DÉPATRIANT	DÉROGATION
DEMI-VOLÉES	DÉPAYSANTE	DÉROGEANCE
DÉMOBILISÉ	DÉPÈCEMENT	DÉROUILLÉE
DÉMOCRATIE	DÉPEIGNANT	DÉROUILLER
DÉMODULANT	DÉPENAILLÉ	DÉROULEUSE
DÉMOGRAPHE	DÉPÉNALISÉ	DÉROUTANTE
DEMOISELLE	DÉPENDANCE	DÉSABONNÉE
DÉMOLITION	DÉPENDANTE	DÉSABONNER
DÉMONÉTISÉ	DÉPENSIÈRE	DÉSABUSANT
DÉMONIAQUE	DÉPEUPLANT	DÉSACCORDÉ
DÉMONTABLE	DÉPIAUTANT	DÉSACTIVÉE
DÉMONTRANT	DÉPILATION	DÉSACTIVER
DÉMORALISÉ	DÉPLAFONNÉ	DÉSADAPTÉE
DÉMOSTHÈNE	DÉPLAISANT	DÉSADAPTER
DÉMOTIVANT	DÉPLANTAGE	DÉSAFFECTÉ
DÉMOUCHETÉ	DÉPLANTANT	DÉSAFFILIÉ
DÉMUSELANT	DÉPLANTOIR	DÉSAGRÉGÉE
DÉMYSTIFIÉ	DÉPLÂTRAGE	DÉSAGRÉGER
DÉMYTHIFIÉ	DÉPLÂTRANT	DÉSAIMANTÉ
DÉNASALISÉ	DÉPLIEMENT	DÉSAJUSTÉE
DÉNATALITÉ	DÉPLISSAGE	DÉSAJUSTER
DÉNATURANT	DÉPLISSANT	DÉSALIÉNÉE
DÉNAZIFIÉE	DÉPLOMBAGE	DÉSALIÉNER
DÉNAZIFIER	DÉPLOMBANT	DÉSALIGNÉE
DÉNÉBULANT	DÉPLORABLE	DÉSALIGNER
DÉNÉBULISÉ	DÉPOÉTISÉE	DÉSALTÉRÉE
DÉNÉGATION	DÉPOÉTISER	DÉSALTÉRER
DÉNEIGEANT	DÉPOLARISÉ	DÉSAMORCÉE
DÉNIAISANT	DÉPOLITISÉ	DÉSAMORCER
DÉNICHEUSE	DÉPOLLUANT	DÉSAPPARIÉ
DÉNIGREUSE	DÉPOSITION	DÉSAPPRISE
DÉNITRIFIÉ	DÉPOSSÉDÉE	DÉSARÇONNÉ
DÉNIVELANT	DÉPOSSÉDER	DÉSARÊTANT
DÉNOMBRANT	DÉPOTEMENT	DÉSARGENTÉ
DÉNOTATION	DÉPÔT-VENTE	DÉSARMANTE
DÉNOUEMENT	DÉPOUILLÉE	DÉSARRIMÉE
DÉNOYAUTÉE	DÉPOUILLER	DÉSARRIMER
DÉNOYAUTER	DÉPRAVANTE	DÉSASSORTI
DENSIFIANT	DÉPRÉCIANT	DÉSASTREUX
DENSIMÈTRE	DÉPRESSION	**DÉSAUGIERS**
DENT-DE-LION	DÉPRESSIVE	DÉSAVOUANT
DENTELAIRE	DÉPRIMANTE	**DESCARTOIS**
DENTELLIER	DÉPUCELAGE	DESCELLANT
DENTICULÉE	DÉPUCELANT	DESCENDANT
DENTIFRICE	DÉPURATIVE	DESCENDEUR
DÉNUDATION	DÉPUTATION	DESCRIPTIF
DÉPAILLAGE	DÉQUALIFIÉ	DÉSÉCHOUÉE
DÉPAILLANT	DÉRACINANT	DÉSÉCHOUER
DÉPALISSÉE	DÉRAILLANT	DÉSEMBUAGE

DÉSEMBUANT
DÉSEMPARÉE
DÉSEMPARER
DÉSENCADRÉ
DÉSENCLAVÉ
DÉSENCRAGE
DÉSENCRANT
DÉSENDETTÉ
DÉSENFLANT
DÉSENFUMÉE
DÉSENFUMER
DÉSENGAGÉE
DÉSENGAGER
DÉSENGORGÉ
DÉSENGRENÉ
DÉSENIVRÉE
DÉSENIVRER
DÉSENNUYÉE
DÉSENNUYER
DÉSENRAYÉE
DÉSENRAYER
DÉSENSABLÉ
DÉSENTOILÉ
DÉSENTRAVÉ
DÉSENVASÉE
DÉSENVASER
DÉSÉPAISSI
DÉSÉQUIPÉE
DÉSÉQUIPER
DÉSERTIFIÉ
DÉSERTIQUE
DÉSESPÉRÉE
DÉSESPÉRER
DÉSÉTATISÉ
DÉSEXCITÉE
DÉSEXCITER
DÉSHABILLÉ
DÉSHABITUÉ
DÉSHERBAGE
DÉSHERBANT
DÉSHÉRENCE
DÉSHÉRITÉE
DÉSHÉRITER
DÉSHONNÊTE
DÉSHONNEUR
DÉSHONORÉE
DÉSHONORER
DÉSHUILAGE
DÉSHUILANT
DÉSHUILEUR
DÉSHYDRATÉ
DESIDERATA
DÉSIDÉRIEN
DÉSINCARNÉ
DÉSINDEXÉE
DÉSINDEXER
DÉSINFECTÉ

DÉSINFORMÉ
DÉSINHIBÉE
DÉSINHIBER
DÉSINTÉGRÉ
DÉSINTÉRÊT
DÉSINVESTI
DÉSINVOLTE
DES JARDINS
DESLANDRES
DESMOULINS
DÉSOBLIGÉE
DÉSOBLIGER
DÉSOBSTRUÉ
DÉSODORISÉ
DÉSŒUVRÉE
DÉSOLATION
DÉSOPILANT
DÉSORDONNÉ
DÉSORIENTÉ
DÉSORPTION
DÉSOXYDANT
DÉSOXYGÉNÉ
DES PÉRIERS
DESPOTIQUE
DESPOTISME
DESQUAMANT
DESSABLAGE
DESSABLANT
DESSALINES
DESSANGLÉE
DESSANGLER
DESSAOULÉE
DESSAOULER
DESSÉCHANT
DESSELLANT
DESSERRAGE
DESSERRANT
DESSERVANT
DESSILLANT
DESSOUCHÉE
DESSOUCHER
DESSOUDANT
DESSOÛLANT
DESSUINTÉE
DESSUINTER
DESTITUANT
DÉSTOCKAGE
DÉSTOCKANT
DESTOUCHES
DESTRUCTIF
DÉSULFITÉE
DÉSULFITER
DÉSULFURÉE
DÉSULFURER
DÉTACHABLE
DÉTACHANTE
DÉTAILLANT

DÉTARTRAGE
DÉTARTRANT
DÉTARTREUR
DÉTAXATION
DÉTECTABLE
DÉTECTRICE
DÉTEIGNANT
DÉTENTRICE
DÉTERGEANT
DÉTERGENCE
DÉTERGENTE
DÉTÉRIORÉE
DÉTÉRIORER
DÉTERMINÉE
DÉTERMINER
DÉTERREUSE
DÉTESTABLE
DÉTONATEUR
DÉTONATION
DÉTORTILLÉ
DÉTOURNANT
DÉTRACTANT
DÉTRACTEUR
DÉTRACTION
DÉTRAQUANT
DE TRAVIOLE
DÉTREMPANT
DÉTRITIQUE
DÉTROMPANT
DÉTROQUAGE
DÉTROQUANT
DÉTROUSSÉE
DÉTROUSSER
DÉTRUISANT
DEUILLOISE
DEUX-PIÈCES
DEUX-POINTS
DEUX-QUATRE
DEUX-SÈVRES
DÉVALISANT
DÉVALORISÉ
DEVANAGARI
DEVANCIÈRE
DÉVELOPPÉE
DÉVELOPPER
DÉVERGONDÉ
DÉVERGUANT
DÉVIATRICE
DÉVIRILISÉ
DE VISSCHER
DÉVITALISÉ
DÉVITAMINÉ
DÉVITRIFIÉ
DÉVOIEMENT
DÉVOLUTION
DÉVOLUTION
DÉVOLUTIVE

DÉVONIENNE
DEVONSHIRE
DÉVORATEUR
DÉVOTEMENT
DÉVOUEMENT
DEXTROGYRE
DEXTRORSUM
DHAULAGIRI
DIABÉTIQUE
DIABLEMENT
DIABLERETS
DIABOLIQUE
DIABOLISÉE
DIABOLISER
DIACHROMIE
DIACHRONIE
DIACONESSE
DIAGNOSTIC
DIAGRAPHIE
DIALECTALE
DIALECTAUX
DIALECTISÉ
DIALOGIQUE
DIALOGUANT
DIAMANTANT
DIAMANTINE
DIAMÉTRALE
DIAMÉTRAUX
DIAPHRAGME
DIAPHRAGMÉ
DIARTHROSE
DIATHERMIE
DIATOMIQUE
DIATONIQUE
DIATONISME
DIAZOCOPIE
DICHLORURE
DICHOTOMIE
DICHROÏQUE
DICHROÏSME
DICTAPHONE
DIDACTIQUE
DIDACTISME
DIDASCALIE
DIEPENBEEK
DIÉSÉLISÉE
DIÉSÉLISER
DIÉSÉLISTE
DIÉTÉTIQUE
DIEULOUARD
DIFFAMANTE
DIFFÉRENCE
DIFFÉRENTE
DIFFICULTÉ
DIFFLUENCE
DIFFLUENTE
DIFFORMITÉ

DIFFRACTÉE
DIFFRACTER
DIFFUSABLE
DIFFUSANTE
DIGESTIBLE
DIGITALINE
DIGITALISÉ
DIGNITAIRE
DIGOINAISE
DIGRESSION
DIHOLOSIDE
DIJONNAISE
DILACÉRANT
DILAPIDANT
DILATATEUR
DILATATION
DILETTANTE
DILIGENTÉE
DILIGENTER
DILUVIENNE
DIMINUENDO
DIMINUTION
DIMINUTIVE
DINANDERIE
DINANDIÈRE
DINANNAISE
DINARDAISE
DINARIQUES
DINDONNANT
DINDONNEAU
DIOCÉSAINE
DIOCLÉTIEN
DIOPTRIQUE
DIPHTONGUE
DIPHTONGUÉ
DIPLOCOQUE
DIPLODOCUS
DIPLOMATIE
DIPSACACÉE
DIPSOMANIE
DIRECTOIRE
DIRECTOIRE
DIRECTORAT
DIRECTRICE
DIRIGEABLE
DIRIGEANTE
DISCERNANT
DISCIPLINE
DISCIPLINÉ
DISC-JOCKEY
DISCOÏDALE
DISCOÏDAUX
DISCOMPTÉE
DISCOMPTER
DISCONTINU
DISCONVENU
DISCOPHILE

DISCORDANT
DISCOUNTÉE
DISCOUNTER
DISCOURANT
DISCOUREUR
DISCRÉDITÉ
DISCRÉTION
DISCRIMINÉ
DISCULPANT
DISCURSIVE
DISCUSSION
DISCUTABLE
DISCUTEUSE
DISETTEUSE
DISGRACIÉE
DISGRACIER
DISJOINDRE
DISJONCTER
DISLOQUANT
DISNEYLAND
DISPATCHÉE
DISPATCHER
DISPENSANT
DISPERSANT
DISPERSION
DISPERSIVE
DISPONIBLE
DISPOSANTE
DISPOSITIF
DISRUPTION
DISRUPTIVE
DISSECTION
DISSÉMINÉE
DISSÉMINER
DISSENSION
DISSÉQUANT
DISSERTANT
DISSIDENCE
DISSIDENTE
DISSIMULÉE
DISSIMULER
DISSIPATIF
DISSOCIANT
DISSOLVANT
DISSONANCE
DISSONANTE
DISSUADANT
DISSUASION
DISSUASIVE
DISSYLLABE
DISTANÇANT
DISTANCIÉE
DISTANCIER
DISTENDANT
DISTENSION
DISTILLANT
DISTINCTIF

DISTINGUÉE
DISTINGUER
DISTORDANT
DISTORSION
DISTRACTIF
DISTRAYANT
DISTRIBUÉE
DISTRIBUER
DITHYRAMBE
DIURÉTIQUE
DIVAGATION
DIVERGEANT
DIVERGENCE
DIVERGENTE
DIVERSIFIÉ
DIVINATEUR
DIVINATION
DIVINEMENT
DIVINISANT
DIVIONNAIS
DIVONNAISE
DIVULGUANT
DIYARBAKIR
DJIBOUTIEN
DJIBOUTIEN
DJOUNGARIE
DOBRO POLJE
DOBZHANSKY
DOCILEMENT
DOCTORANTE
DOCTORESSE
DOCTRINALE
DOCTRINAUX
DOCUMENTÉE
DOCUMENTER
DODÉCAÈDRE
DODÉCAGONE
DODÉCANÈSE
DODELINANT
DOGMATIQUE
DOGMATISER
DOGMATISME
DOLGOROUKI
DOMBASLOIS
DOMBROWSKA
DOMBROWSKI
DOMESTIQUE
DOMESTIQUÉ
DOMICILIÉE
DOMICILIER
DOMINATEUR
DOMINATION
DOMINGUOIS
DOMINICAIN
DOMINICAIN
DOMINICALE
DOMINICAUX

DOMINIQUIN
DOMODEDOVO
DOMONTOISE
DONNEMARIE
DONZÉROISE
DORACHONNE
DORCHESTER
DORÉNAVANT
DORVALOISE
DOSIMÉTRIE
DOSSO DOSSI
DOUAIRIÈRE
DOUARNENEZ
DOUBLEMENT
DOUBLONNER
DOUCE-AMÈRE
DOUCEREUSE
DOUCISSAGE
DOUDEVILLE
DOUILLETTE
DOULOUREUX
DOUVAINOIS
DOUVRINOIS
DRACÉNOISE
DRAGÉIFIÉE
DRAGÉIFIER
DRAGEONNER
DRAGONNADE
DRAGONNIER
DRAGUIGNAN
DRAISIENNE
DRAMATIQUE
DRAMATISÉE
DRAMATISER
DRAMATURGE
DRANCÉENNE
DRAP-HOUSSE
DREADLOCKS
DREUX-BRÉZÉ
DREYFUSARD
DRIBBLEUSE
DRINGUELLE
DROITEMENT
DROITS-FILS
DROLATIQUE
DROMADAIRE
DROSOPHILE
DRY-FARMING
DUBITATIVE
DUBLINOISE
DU CHÂTELET
DUCLAIROIS
DUFFEL-COAT
DUFFLE-COAT
DU GUESCLIN
DULCIFIANT
DUMONSTIER

DUMOUSTIER
DUODÉCIMAL
DUPLICATAS
DUPLIQUANT
DURABILITÉ
DURAND-RUEL
DURCISSANT
DURCISSEUR
DURES-MÈRES
DÜRRENMATT
DÜSSELDORF
DYNAMISANT
DYNAMITAGE
DYNAMITANT
DYNAMITEUR
DYNASTIQUE
DYSARTHRIE
DYSCHROMIE
DYSCINÉSIE
DYSENTERIE
DYSGÉNÉSIE
DYSGÉNIQUE
DYSGRAPHIE
DYSHIDROSE
DYSKINÉSIE
DYSLEXIQUE
DYSMORPHIE
DYSPNÉIQUE
DYSPROSIUM
DYSTOCIQUE
DYSTROPHIE
DZERJINSKI
DZOUNGARIE
EAST ANGLIA
EASTBOURNE
EAST LONDON
EAUBONNAIS
EAUX-BONNES
EAUX-FORTES
EAUX-VANNES
ÉBAHISSANT
EBBINGHAUS
ÉBOULEMENT
ÉBOURIFFÉE
ÉBOURIFFER
ÉBRANCHAGE
ÉBRANCHANT
ÉBRANCHOIR
ÉBRASEMENT
ÉBROUEMENT
ÉBULLITION
ÉBURNÉENNE
ÉCAILLEUSE
ÉCARQUILLÉ
ÉCARTELANT
ÉCARTEMENT
ECCLÉSIALE

ECCLÉSIAUX
ÉCHAFAUDÉE
ÉCHAFAUDER
ÉCHALASSÉE
ÉCHALASSER
ÉCHANCRANT
ÉCHANCRURE
ÉCHANGEANT
ÉCHANGISME
ÉCHANGISTE
ÉCHARNEUSE
ÉCHAUFFANT
ÉCHÉANCIER
ÉCHELONNÉE
ÉCHELONNER
ÉCHENILLÉE
ÉCHENILLER
ÉCHEVELANT
ÉCHEVINAGE
ÉCHEVINALE
ÉCHEVINAUX
ÉCHIQUETÉE
ÉCHIROLLES
ÉCHOUEMENT
ECHTERNACH
ECKERSBERG
ÉCLABOUSSÉ
ÉCLAIRANTE
ÉCLAIREUSE
ÉCLATEMENT
ÉCLECTIQUE
ÉCLECTISME
ÉCLIPTIQUE
ÉCŒURANTE
ÉCOLOGIQUE
ÉCOLOGISME
ÉCOLOGISTE
ÉCOMMÉENNE
ÉCONOMÈTRE
ÉCONOMIQUE
ÉCONOMISÉE
ÉCONOMISER
ÉCONOMISME
ÉCONOMISTE
ÉCOPRODUIT
ÉCOSYSTÈME
ÉCOUENNAIS
ÉCOULEMENT
ÉCOUVILLON
ÉCRASEMENT
ÉCRÊTEMENT
ÉCRIVAILLÉ
ÉCRIVASSER
ÉCROUELLES
ECTOBLASTE
ECTOPLASME
ECTOPROCTE

ECTOTHERME
ÉCUSSONNÉE
ÉCUSSONNER
ECZÉMATEUX
ÉDITORIALE
ÉDITORIAUX
EDMOND RICH
EDMUNDSTON
ÉDUCATRICE
ÉDULCORANT
ÉDULCORÉES
ÉFAUFILANT
EFFACEMENT
EFFAREMENT
EFFAROUCHÉ
EFFARVATTE
EFFECTRICE
EFFECTUANT
EFFÉMINANT
EFFEUILLÉE
EFFEUILLER
EFFEUILLES
EFFICACITÉ
EFFICIENCE
EFFICIENTE
EFFILEMENT
EFFILOCHÉE
EFFILOCHER
EFFLANQUÉE
EFFLEURAGE
EFFLEURANT
EFFONDRANT
EFFRACTION
EFFRAYANTE
EFFROYABLE
ÉGALITAIRE
ÉGORGEMENT
ÉGOSILLANT
ÉGRATIGNÉE
ÉGRATIGNER
ÉGRILLARDE
ÉGYPTIENNE
ÉGYPTIENNE
EHRENBOURG
EINSIEDELN
EISENHOWER
EISENSTADT
EISENSTEIN
EKTACHROME
ÉLANCEMENT
ÉLASTHANNE
ÉLASTICITÉ
ÉLASTOMÈRE
ÉLECTIVITÉ
ÉLECTORALE
ÉLECTORAUX
ÉLECTRIFIÉ

ÉLECTRIQUE
ÉLECTRISÉE
ÉLECTRISER
ÉLECTUAIRE
ÉLÉGAMMENT
ÉLÉPHANTIN
ÉLÉVATOIRE
ÉLÉVATRICE
EL-HADJ OMAR
ELLIPSOÏDE
ELLIPTIQUE
ÉLONGATION
EL TENIENTE
ÉLUCUBRANT
ÉMACIATION
ÉMACIEMENT
ÉMAILLERIE
ÉMAILLEUSE
ÉMANCIPANT
ÉMARGEMENT
ÉMASCULANT
EMBALLEUSE
EMBARQUANT
EMBARRASSÉ
EMBASTILLÉ
EMBAUCHAGE
EMBAUCHANT
EMBAUCHOIR
EMBÉGUINÉE
EMBÉGUINER
EMBÊTEMENT
EMBIELLAGE
EMBOBELINÉ
EMBOBINANT
EMBOÎTABLE
EMBONPOINT
EMBOUCHANT
EMBOUCHOIR
EMBOUCHURE
EMBOUQUANT
EMBOURBANT
EMBRANCHÉE
EMBRANCHER
EMBRAQUANT
EMBRASSADE
EMBRASSANT
EMBRASSEUR
EMBRIGADÉE
EMBRIGADER
EMBRINGUÉE
EMBRINGUER
EMBROCHANT
EMBROUILLE
EMBROUILLÉ
EMBRUNAISE
EMBUSQUANT
ÉMERGEMENT

ÉMERVEILLÉ	EMPRUNTEUR	ENDOBLASTE
ÉMÉTISANTE	ÉMULSIFIÉE	ENDOCTRINÉ
ÉMIGRATION	ÉMULSIFIER	ENDODONTIE
ÉMINEMMENT	ÉMULSIONNÉ	ENDOMMAGÉE
EMMAGASINÉ	ENAMOURANT	ENDOMMAGER
EMMAILLOTÉ	ÉNARTHROSE	ENDOPLASME
EMMANCHANT	ENCABANAGE	ENDORÉIQUE
EMMANCHURE	ENCABANANT	ENDORÉISME
EMMÊLEMENT	ENCADREUSE	ENDORMANTE
EMMERDANTE	ENCAGEMENT	ENDORMEUSE
EMMERDEUSE	ENCAGOULÉE	ENDORPHINE
EMMÉTROPIE	ENCAISSAGE	ENDOSCOPIE
EMMIELLANT	ENCAISSANT	ENDOSPERME
EMMITOUFLÉ	ENCAISSEUR	ENDOSSABLE
ÉMOLLIENTE	ENCALMINÉE	ENDOTHERME
ÉMONCTOIRE	ENCANAILLÉ	ENDOTOXINE
ÉMOTIONNÉE	ENCARTEUSE	ÉNERGISANT
ÉMOTIONNEL	ENCASERNÉE	ÉNERGIVORE
ÉMOTIONNER	ENCASERNER	ÉNERGUMÈNE
ÉMOTTEMENT	ENCASTELÉE	ÉNERVATION
ÉMOUCHETTE	ENCASTELER	ÉNERVEMENT
ÉMOUSTILLÉ	ENCASTRANT	ENFAÎTEAUX
EMPAILLAGE	EN CATIMINI	ENFARINANT
EMPAILLANT	ENCEIGNANT	ENFICHABLE
EMPAILLEUR	ENCEINTANT	ENFIELLANT
EMPALEMENT	ENCENSEUSE	ENFIÉVRANT
EMPANACHÉE	ENCERCLANT	ENFLAMMANT
EMPANACHER	ENCHAÎNANT	ENFLÉCHURE
EMPAQUETÉE	ENCHANTANT	ENFLEURAGE
EMPAQUETER	ENCHANTEUR	ENFLEURANT
EMPÂTEMENT	ENCHÂSSANT	ENFONCEUSE
EMPATHIQUE	ENCHÂTELÉE	ENFOURCHÉE
EMPÊCHEUSE	ENCHÂTELER	ENFOURCHER
EMPHATIQUE	ENCHAUSSÉE	ENFOURNAGE
EMPHYTÉOSE	ENCHAUSSER	ENFOURNANT
EMPIERRANT	ENCHEVÊTRÉ	ENFREINDRE
EMPIFFRANT	ENCHIFRENÉ	ENFUTAILLÉ
EMPILEMENT	ENCLENCHÉE	ENGAGEANTE
EMPIRE INCA	ENCLENCHER	ENGAGEMENT
EMPLANTURE	ENCLIQUETÉ	ENGAINANTE
EMPLISSAGE	ENCLITIQUE	ENGAZONNÉE
EMPLISSANT	ENCOIGNURE	ENGAZONNER
EMPLOYABLE	ENCOLLEUSE	ENGENDRANT
EMPLOYEUSE	ENCOMBRANT	ENGLUEMENT
EMPOIGNADE	ENCOMIENDA	ENGORGEANT
EMPOIGNANT	ENCOPRÉSIE	ENGOUEMENT
EMPOINTURE	ENCOUBLANT	ENGOUFFRÉE
EMPOISONNÉ	ENCOURAGÉE	ENGOUFFRER
EMPOTEMENT	ENCOURAGER	ENGRAISSÉE
EMPOURPRÉE	ENCRASSANT	ENGRAISSER
EMPOURPRER	ENCROÛTANT	ENGROSSANT
EMPREINDRE	ENCYCLIQUE	ENGUEULADE
EMPRESSANT	ENDÉMICITÉ	ENGUEULANT
EMPRÉSURÉE	ENDEUILLÉE	ENHARMONIE
EMPRÉSURER	ENDEUILLER	ENIVREMENT
EMPRISONNÉ	ENDIABLANT	ENJAVELANT
EMPRUNTANT	ENDIMANCHÉ	ENJOIGNANT

ENJÔLEMENT	ENTRAÎNANT	ÉPIDÉMIQUE
ENJOLIVANT	ENTRAÎNEUR	ÉPIGRAPHIE
ENJOLIVEUR	ENTR'APERÇU	ÉPILATOIRE
ENJOLIVURE	ENTRAPERÇU	**ÉPILOGUANT**
ENJOUEMENT	ENTRE-BANDE	**ÉPINACOISE**
ENLACEMENT	ENTRECOUPÉ	ÉPINCETANT
ENLÈVEMENT	ENTREFILET	ÉPINEURIEN
ENLISEMENT	ENTR'ÉGORGÉ	ÉPINGLETTE
ENLUMINANT	ENTRE-HAÏES	ÉPIPHYSITE
ENLUMINÉES	ENTREJAMBE	ÉPISCOPALE
ENLUMINEUR	ENTRELACÉE	ÉPISCOPAUX
ENLUMINURE	ENTRELACER	ÉPISODIQUE
ENNÉAGONAL	ENTRELARDÉ	ÉPISPADIAS
ENNEIGEANT	ENTREMÊLÉE	ÉPISTOLIER
ENNOIEMENT	ENTREMÊLER	ÉPITHALAME
ENNUAGEANT	ENTRE-NŒUD	ÉPITHÉLIAL
ÉNONCIATIF	ENTREPOSÉE	ÉPITHÉLIUM
ÉNORMÉMENT	ENTREPOSER	ÉPLUCHETTE
ENQUÊTEUSE	ENTREPRISE	ÉPLUCHEUSE
ENQUÊTRICE	ENTRE-RAILS	ÉPOUILLAGE
ENQUIQUINÉ	ENTRE-TEMPS	ÉPOUILLANT
ENRACINANT	ENTRETENIR	ÉPOUMONANT
ENRAGEANTE	ENTRETENUE	ÉPOUSSETÉE
ENRAIEMENT	ENTRE-TISSÉ	ÉPOUSSETER
ENRAYEMENT	ENTRETOISE	ÉPOUVANTÉE
ENREGISTRÉ	ENTRETOISÉ	ÉPOUVANTER
ENRÊNEMENT	ENTRE-TUANT	ÉPOXYDIQUE
ENROBEMENT	ENTRE-TUÉES	ÉPREIGNANT
ENRÔLEMENT	ENTROUVERT	ÉPROUVANTE
ENROUEMENT	ENTROUVRIR	ÉPROUVETTE
ENROULABLE	ENTURBANNÉ	ÉPUISEMENT
ENROULEUSE	ÉNUMÉRATIF	ÉPURATOIRE
ENRUBANNÉE	ÉNURÉTIQUE	ÉQUANIMITÉ
ENRUBANNER	ENVASEMENT	ÉQUATORIAL
ENSACHEUSE	ENVELOPPÉE	ÉQUATORIEN
ENSEIGNANT	ENVELOPPER	**ÉQUATORIEN**
ENSEMBLIER	ENVENIMANT	ÉQUILATÈRE
ENSEMENCÉE	ENVERGEURE	ÉQUILIBRÉE
ENSEMENCER	ENVERGUANT	ÉQUILIBRER
ENSOLEILLÉ	ENVIRONNÉE	ÉQUINOXIAL
ENSORCELÉE	ENVIRONNER	ÉQUIPEMENT
ENSORCELER	ENVOÛTANTE	ÉQUIPOTENT
ENSOUFRANT	ENVOÛTEUSE	ÉQUITATION
ENTAILLAGE	ÉPANNELANT	ÉQUIVALANT
ENTAILLANT	ÉPARGNANTE	ÉQUIVALENT
ENTARTRAGE	ÉPARPILLÉE	ÉQUIVALOIR
ENTARTRANT	ÉPARPILLER	ÉQUIVOQUER
ENTÉLÉCHIE	ÉPAULÉ-JETÉ	ÉRADIQUANT
ENTÉNÉBRÉE	ÉPAULEMENT	ÉRAFLEMENT
ENTÉNÉBRER	ÉPEICHETTE	**ÉRAGNIENNE**
ENTÉRINANT	ÉPERDUMENT	ÉREINTANTE
ENTÊTEMENT	ÉPERONNANT	ÉREINTEUSE
ENTORTILLÉ	ÉPHÉMÉRIDE	ÉRÉMITIQUE
ENTOURNURE	ÉPICANTHUS	ÉRÉMITISME
ENTRAIDANT	ÉPICONDYLE	ERGOMÉTRIE
ENTRAILLES	ÉPICRÂNIEN	ERGOSTÉROL
ENTR'AIMANT	ÉPICURISME	ERGOTAMINE

ERLENMEYER
ERMONTOISE
ÉROTISANTE
ÉROTOLOGIE
ÉROTOLOGUE
ÉROTOMANIE
ERSTEINOIS
ÉRUBESCENT
ÉRUCTATION
ÉRUGINEUSE
ÉRYTHRASMA
ERZGEBIRGE
ESBROUFANT
ESBROUFEUR
ESCADRILLE
ESCALADANT
ESCALOPANT
ESCAMOTAGE
ESCAMOTANT
ESCAMOTEUR
ESCAMPETTE
ESCARBILLE
ESCARCELLE
ESCLAFFANT
ESCOGRIFFE
ESCOMPTANT
ESCOURGEON
ESCRIMEUSE
ESCROQUANT
ESKILSTUNA
ESMERALDAS
ÉSOTÉRIQUE
ÉSOTÉRISME
ESPACEMENT
ESPADRILLE
ESPIONNAGE
ESPIONNANT
ESPIONNITE
ESPRESSIVO
ESPRONCEDA
ESQUICHANT
ESQUIMAUDE
ESQUIMAUDE
ESQUINTANT
ESQUISSANT
ESSARTAISE
ESSENCERIE
ESSÉNIENNE
ESSORILLÉE
ESSORILLER
ESSOUCHAGE
ESSOUCHANT
ESSOUFFLÉE
ESSOUFFLER
ESSUIE-TOUT
ESTAFILADE
ESTAMPEUSE

ESTAMPILLE
ESTAMPILLÉ
ESTÉRIFIÉE
ESTÉRIFIER
ESTHÉTIQUE
ESTHÉTISÉE
ESTHÉTISER
ESTHÉTISME
ESTIMATEUR
ESTIMATION
ESTIMATIVE
ESTIVATION
ESTOMAQUÉE
ESTOMAQUER
ESTONIENNE
ESTONIENNE
ESTOUFFADE
ESTRAMAÇON
ESTROPIANT
ESZTERHÁZY
ÉTALAGEANT
ÉTALAGISTE
ÉTALINGUÉE
ÉTALINGUER
ÉTALONNAGE
ÉTALONNANT
ÉTAMPERCHE
ÉTANCHÉITÉ
ÉTANÇONNÉE
ÉTANÇONNER
ÉTANT DONNÉ
ÉTATS-UNIEN
ÉTATS-UNIEN
ÉTAU-LIMEUR
ÉTEMPERCHE
ÉTERNISANT
ÉTHANOÏQUE
ÉTHÉRIFIÉE
ÉTHÉRIFIER
ETHMOÏDALE
ETHMOÏDAUX
ETHNARCHIE
ETHNOLOGIE
ETHNOLOGUE
ÉTHOGRAMME
ÉTHYLAMINE
ÉTHYLOTEST
ÉTINCELAGE
ÉTINCELANT
ÉTIOLEMENT
ÉTIOPATHIE
ÉTIQUETAGE
ÉTIQUETANT
ÉTIQUETEUR
ÉTOILEMENT
ÉTONNEMENT
ÉTOUFFANTE

ÉTOUPILLÉE
ÉTOUPILLER
ÉTOURDERIE
ÉTOURNEAUX
ÉTRANGLANT
ÉTRANGLEUR
ÉTREIGNANT
ÉTRÉSILLON
ÉTRETATAIS
ÉTROITESSE
ÉTYMOLOGIE
EUBACTÉRIE
EUCALYPTUS
EUDIOMÈTRE
EUPHÉMIQUE
EUPHÉMISME
EUPHONIQUE
EUPHORIQUE
EUPHORISÉE
EUPHORISER
EUPHOTIQUE
EUPHRONIOS
EURAFRIQUE
EURASIENNE
EURASIENNE
EURE-ET-LOIR
EUROBANQUE
EURODÉPUTÉ
EURODEVISE
EURODOLLAR
EUROMARCHÉ
EUROPÉENNE
EUROPÉENNE
EUROVISION
EURYHALINE
EURYTHERME
EUSTACHOIS
EUSTATIQUE
EUSTATISME
EUTECTIQUE
EUTHANASIE
EUTHANASIÉ
ÉVACUATEUR
ÉVACUATION
ÉVALUATEUR
ÉVALUATION
ÉVALUATIVE
ÉVANESCENT
ÉVANGÉLISÉ
EVANSVILLE
ÉVAPORABLE
ÉVEILLEUSE
ÉVENTUELLE
EVERGLADES
ÉVIDEMMENT
ÉVINCEMENT
ÉVISCÉRANT

ÉVOCATOIRE
ÉVOCATRICE
ÉVRONNAISE
EXACERBANT
EXACTEMENT
EXACTITUDE
EXALTATION
EXASPÉRANT
EXAUCEMENT
EX CATHEDRA
EXCAVATEUR
EXCAVATION
EXCELLENCE
EXCELLENTE
EXCENTRANT
EXCITATEUR
EXCITATION
EXCLAMATIF
EXCOMMUNIÉ
EXCRÉTOIRE
EXCRÉTRICE
EXÉCRATION
EXÉCUTABLE
EXÉCUTANTE
EXÉCUTOIRE
EXÉCUTRICE
EXÉGÉTIQUE
EXEMPLAIRE
EXEMPLIFIÉ
EXERCISEUR
EXFILTRANT
EXFOLIANTE
EXHALAISON
EXHALATION
EXHAUSSANT
EXHAUSTEUR
EXHAUSTION
EXHAUSTIVE
EXHIBITION
EXHUMATION
EXINSCRITE
EXOGAMIQUE
EXORBITANT
EXORCISANT
EXOTÉRIQUE
EXPANSIBLE
EXPATRIANT
EXPECTANTE
EXPECTORÉE
EXPECTORER
EXPÉDIENTE
EXPÉDITEUR
EXPÉDITION
EXPÉDITIVE
EXPÉRIENCE
EXPERTISÉE
EXPERTISER

EXPIATOIRE
EXPIATRICE
EXPIRATEUR
EXPIRATION
EXPLICABLE
EXPLICATIF
EXPLICITÉE
EXPLICITER
EXPLIQUANT
EXPLOITANT
EXPLOITEUR
EXPLOSIBLE
EXPORTABLE
EXPOSITION
EXPRESSION
EXPRESSIVE
EXPRIMABLE
EXPROPRIÉE
EXPROPRIER
EXPURGEANT
EXSUDATION
EXTENSIBLE
EXTÉNUANTE
EXTÉRIEURE
EXTERMINÉE
EXTERMINER
EXTINCTEUR
EXTINCTION
EXTINCTIVE
EXTIRPABLE
EXTORQUANT
EXTRACTEUR
EXTRACTION
EXTRACTIVE
EXTRAFORTE
EXTRALÉGAL
EXTRA-MUROS
EXTRANÉITÉ
EXTRAPOLÉE
EXTRAPOLER
EXTRARÉNAL
EXTRAVAGUÉ
EXTRAVASÉE
EXTRAVASER
EXTRAVERTI
EXTRÉMISME
EXTRÉMISTE
EXTRUDEUSE
EXUBÉRANCE
EXUBÉRANTE
EYMOUTIERS
FABRICANTE
FABRIQUANT
FABULATEUR
FABULATION
FACES-À-MAIN

FACÉTIEUSE
FACILEMENT
FACILITANT
FAÇONNEUSE
FAÇONNIÈRE
FAC-SIMILÉS
FACTORERIE
FACTORISÉE
FACTORISER
FACTURETTE
FACTURIÈRE
FACULTATIF
FAHRENHEIT
FAIBLEMENT
FAÏENCERIE
FAÏENCIÈRE
FAINÉANTER
FAISALABAD
FAISANDAGE
FAISANDANT
FAISANDEAU
FAIT DIVERS
FAKHR AL-DIN
FALCIFORME
FALKENHAYN
FALLACIEUX
FALSIFIANT
FAMAGOUSTE
FAMECKOISE
FANATISANT
FANCY-FAIRS
FANFARONNE
FANFARONNÉ
FANGATAUFA
FANTASMANT
FAOUËTAISE
FARAMINEUX
FARCIENNES
FARCISSANT
FARFOUILLÉ
FASCIATION
FASCICULÉE
FASCINANTE
FASCISANTE
FASSBINDER
FASTIDIEUX
FATALEMENT
FAUBOURIEN
FAUCARDANT
FAUCHAISON
FAUCONNEAU
FAUCONNIER
FAUSSEMENT
FAUX-FILETS
FAUX-FUYANT
FAVORISANT
FAYENÇOISE

FÉCAMPOISE
FÉCONDABLE
FÉCONDANTE
FÉDÉRALISÉ
FÉDÉRATEUR
FÉDÉRATION
FÉDÉRATIVE
FÉLICITANT
FÉMINISANT
FEMMELETTE
FENDILLANT
FENESTRAGE
FÉODALISME
FER-À-CHEVAL
FERMENTANT
FERNEYSIEN
FÉROCEMENT
FERRAILLÉE
FERRAILLER
FERRARAISE
FERRIÉROIS
FERRONNIER
FERROUTAGE
FERROUTANT
FERRY-BOATS
FERRYVILLE
FERS-BLANCS
FERTILISÉE
FERTILISER
FESSENHEIM
FESTONNANT
FÉTICHISME
FÉTICHISTE
FEUDATAIRE
FEUILLANTS
FEUILLERET
FEUILLETÉE
FEUILLETER
FEUILLETIS
FEUILLETON
FEUILLETTE
FEYERABEND
FEYZINOISE
FIABILISÉE
FIABILISER
FIANNA FÁIL
FIBRINEUSE
FIBROMYOME
FIBROSCOPE
FICELLERIE
FICTIONNEL
FIDÈLEMENT
FIDÉLISANT
FIDUCIAIRE
FIERS-À-BRAS
FIFTY-FIFTY
FIGEACOISE

FIGNOLEUSE
FIGURATION
FIGURATIVE
FIGURÉMENT
FILANDIÈRE
FILANDREUX
FILIALISÉE
FILIALISER
FILIGRANÉE
FILIGRANER
FILMOLOGIE
FILOGUIDÉE
FILONIENNE
FILOUTERIE
FILTRATION
FINALEMENT
FINALISANT
FINANÇABLE
FINANCIÈRE
FINASSERIE
FINASSEUSE
FINASSIÈRE
FINAUDERIE
FINIGUERRA
FINISSANTE
FINISSEUSE
FINISTERRE
FINLANDAIS
FINLANDAIS
FISCALISÉE
FISCALISER
FISCALISTE
FISSIONNÉE
FISSIONNER
FISTULAIRE
FISTULEUSE
FITZGERALD
FLACCIDITÉ
FLACONNAGE
FLAGELLANT
FLAGEOLANT
FLAGORNANT
FLAGORNEUR
FLAMBEMENT
FLAMBOYANT
FLAMINGANT
FLAMININUS
FLAMMARION
FLANC-GARDE
FLATULENCE
FLATULENTE
FLATUOSITÉ
FLAVESCENT
FLEMMARDER
FLESSELLES
FLESSINGUE
FLEURANTIN

FLEURETANT
FLEURIATON
FLEURIMONT
FLEURONNÉE
FLEXIONNEL
FLEXUOSITÉ
FLIBUSTIER
FLINT-GLASS
FLOCK-BOOKS
FLOCONNANT
FLOCONNEUX
FLOIRACAIS
FLORACOISE
FLORENTINE
FLORENTINE
FLORISSANT
FLOTTAISON
FLOTTATION
FLOTTEMENT
FLUATATION
FLUCTUANTE
FLUIDIFIÉE
FLUIDIFIER
FLUIDISANT
FLUORATION
FLUVIATILE
FOCALISANT
FŒTOLOGIE
FOISONNANT
FOLÂTRERIE
FOLICHONNE
FOLKESTONE
FONCTIONNÉ
FONDATRICE
FONGIFORME
FONSCHOISE
FONTAINIER
FONTAINOIS
FONTANELLE
FONTARABIE
FONTENELLE
FONTEVRAUD
FONTFROIDE
FORBACHOIS
FORCISSANT
FORCLUSION
FORESTERIE
FORESTIÈRE
FORESTOISE
FORÊT-NOIRE
FORÊT-NOIRE
FORÉZIENNE
FORFAITURE
FORLANÇANT
FORLIGNANT
FORMALISÉE
FORMALISER

FORMALISME	FRANC-MAÇON	FROUFROUTÉ
FORMALISTE	FRANGIPANE	FROUS-FROUS
FORMARIAGE	FRANQUETTE	FROUSSARDE
FORMATRICE	FRANQUISME	FRUCTIFÈRE
FORMENTERA	FRANQUISTE	FRUCTIFIER
FORMIDABLE	FRAPPEMENT	FRUCTUEUSE
FORMULABLE	**FRATELLINI**	FRUSTRANTE
FORMULAIRE	FRATERNISÉ	FULGURANCE
FORNIQUANT	FRATERNITÉ	FULGURANTE
FORTERESSE	FRATRICIDE	FULIGINEUX
FORTIFIANT	FRAUDULEUX	FULMICOTON
FORTISSIMO	**FRAUENFELD**	FULMINANTE
FOSSILISÉE	**FRAUNHOFER**	FULMINIQUE
FOSSILISER	FRAXINELLE	**FUMACIENNE**
FOSSOYEUSE	**FRÉDÉGONDE**	FUMARIACÉE
FOUAILLANT	FREDONNANT	FUME-CIGARE
FOUDROYAGE	FREE-LANCES	FUMIGATEUR
FOUDROYANT	FREE-MARTIN	FUMIGATION
FOUGERAISE	**FRÉJORGUES**	FUMISTERIE
FOUILLEUSE	FRÉMISSANT	FUNÉRARIUM
FOUISSEUSE	FRÉNATRICE	FUSAINISTE
FOULONNANT	FRÉNÉTIQUE	FUSÉE-SONDE
FOULTITUDE	FRÉQUENTÉE	FUSÉOLOGIE
FOURCHETTE	FRÉQUENTER	FUSIBILITÉ
FOURGONNER	**FRÈRE-ORBAN**	FUSIONNANT
FOURMILIER	FRESQUISTE	FUSTANELLE
FOURMILION	FRÉTILLANT	FUSTIGEANT
FOURMILLER	FREUDIENNE	FUTILEMENT
FOURMISIEN	**FREYSSINET**	**GABALITAIN**
FOURNEYRON	FRIABILITÉ	**GABORONAIS**
FOURNIMENT	FRICADELLE	GADGÉTISÉE
FOURNITURE	FRICANDEAU	GADGÉTISER
FOURRAGÈRE	FRICASSANT	GADOLINIUM
FOURRAGEUR	FRICOTEUSE	GADROUILLE
FOURRE-TOUT	FRICTIONNÉ	GADROUILLÉ
FOURVOYANT	FRIGIDAIRE	GAGNE-PETIT
FOUTREMENT	FRIGORIFIÉ	**GAIGNIÈRES**
FOUTRIQUET	FRIGORISTE	**GAILLACOIS**
FOX-TERRIER	FRIPOUILLE	GAILLARDIE
FRACASSANT	FRISOTTANT	**GAILLARDIN**
FRACTIONNÉ	FRISQUETTE	**GAINSBOURG**
FRACTURANT	FRISSONNER	GALACTIQUE
FRAGILISÉE	**FRIVILLOIS**	GALANTERIE
FRAGILISER	FRIVOLITÉS	GALETTEUSE
FRAGMENTÉE	FRŒBÉLIEN	GALICIENNE
FRAGMENTER	FROIDEMENT	**GALICIENNE**
FRAISERAIE	FROISSABLE	GALILÉENNE
FRAMBOISÉE	FROMAGERIE	**GALILÉENNE**
FRAMBOISER	**FROMENTINE**	GALIMATIAS
FRANC-ALLEU	FRONCEMENT	GALIPOTANT
FRANCASTEL	FRONDAISON	GALLICISME
FRANCHISÉE	**FRONSADAIS**	GALLIFORME
FRANCHISER	FRONTALIER	GALLO-ROMAN
FRANCILIEN	FRONTALITÉ	**GALSWINTHE**
FRANCILIEN	FRONTIGNAN	**GALSWORTHY**
FRANCISANT	**FRONTIGNAN**	GALVANIQUE
FRANCISQUE	FROTTEMENT	GALVANISÉE

GALVANISER
GALVANISME
GALVAUDAGE
GALVAUDANT
GALVAUDÉES
GAMACHOISE
GAMBILLANT
GAMOPÉTALE
GAMOSÉPALE
GANGÉTIQUE
GANGRENANT
GANGRENEUX
GANNATOISE
GAPENÇAISE
GARÇONNIER
GARDANNAIS
GARDE-À-VOUS
GARDE-BŒUF
GARDE-CORPS
GARDE-CÔTES
GARDE-PÊCHE
GARDE-PLACE
GARDE-ROBES
GARDES-PORT
GARDES-VOIE
GARDE-TEMPS
GARENNOISE
GARGARISÉE
GARGARISER
GARGARISME
GARGILESSE
GARGOTIÈRE
GARGOUILLE
GARGOUILLÉ
GARIGLIANO
GARNIÉRITE
GARNISSAGE
GARNISSANT
GARROTTAGE
GARROTTANT
GASCONNADE
GASHERBRUM
GASPILLAGE
GASPILLANT
GASPILLEUR
GASTRALGIE
GASTRONOME
GASTROPODE
GÂTE-SAUCES
GAUCHEMENT
GAUCHISANT
GAULLIENNE
GAULTHERIA
GAULTHÉRIE
GAZÉIFIANT
GAZONNANTE
GAZOUILLER

GAZOUILLIS
GEIGNEMENT
GÉLATINEUX
GÉMELLAIRE
GÉMINATION
GÉMISSANTE
GEMMOLOGIE
GEMMOLOGUE
GENDARMANT
GÉNÉALOGIE
GÉNÉRALISÉ
GÉNÉRALITÉ
GÉNÉRATEUR
GÉNÉRATION
GÉNÉRATIVE
GÉNÉROSITÉ
GÉNÉSARETH
GENÉSIENNE
GÉNÉTICIEN
GENGIS KHAN
GENOUILLÉE
GÉNOVÉFAIN
GENTLEMANS
GÉODÉSIQUE
GÉOGRAPHIE
GÉOLOGIQUE
GÉOMÉTRALE
GÉOMÉTRAUX
GÉOMÉTRIDÉ
GEORGE TOWN
GEORGETOWN
GÉORGIENNE
GÉORGIENNE
GÉORGIQUES
GÉOSCIENCE
GÉOTEXTILE
GÉOTHERMIE
GÉRANIACÉE
GERMANDRÉE
GERMANICUS
GERMANIQUE
GERMANISÉE
GERMANISER
GERMANISME
GERMANISTE
GERMINATIF
GERSONIDES
GERZATOISE
GESTICULER
GESTUALITÉ
GETHSÉMANI
GETTYSBURG
GHELDERODE
GIACOMETTI
GIBRIAÇOIS
GIGANTISME
GIGNACOISE

GIGOTEMENT
GILLINGHAM
GIMONTOISE
GIOBERTITE
GIOTTESQUE
GIVERNOISE
GLACIATION
GLADIATEUR
GLANDULEUX
GLAPISSANT
GLARONNAIS
GLATISSANT
GLAUCONITE
GLISSEMENT
GLOBALISÉE
GLOBALISER
GLOBULAIRE
GLOBULEUSE
GLORIEUSES
GLORIFIANT
GLOUCESTER
GLOUGLOUTÉ
GLOUSSANTE
GLUCIDIQUE
GLUCOMÈTRE
GLUCONIQUE
GLUCOSERIE
GLUTAMIQUE
GLUTINEUSE
GLYCÉRINÉE
GLYCÉRINER
GLYCÉRIQUE
GLYCOCOLLE
GLYCOLIQUE
GLYCOSURIE
GNEISSEUSE
GNEISSIQUE
GNÉTOPHYTE
GNOMONIQUE
GOBERGEANT
GODAILLANT
GODELUREAU
GODERVILLE
GOG ET MAGOG
GOGUENARDE
GOINFRERIE
GOMBROWICZ
GOMME-GUTTE
GOMME-LAQUE
GONDOLANTE
GONFLEMENT
GONGORISME
GONIOMÈTRE
GONOCOCCIE
GONTCHAROV
GORBATCHEV
GORGONZOLA

GORGONZOLA
GORRONNAIS
GORTCHAKOV
GOSAINTHAN
GOTTWALDOV
GOUAILLANT
GOUAILLEUR
GOUDRONNÉE
GOUDRONNER
GOUGNAFIER
GOUJATERIE
GOUJONNANT
GOULEYANTE
GOUPILLANT
GOURMANDÉE
GOURMANDER
GOUTTEREAU
GOUVERNAIL
GOUVERNANT
GOUVERNEUR
GRABATAIRE
GRADUATION
GRAFFITEUR
GRAFIGNANT
GRAILLONNÉ
GRAINETIER
GRAISSEUSE
GRAMATOISE
GRAMINACÉE
GRANBYENNE
GRAND-ANGLE
GRAND CANAL
GRAND-CHAMP
GRAND-CHOSE
GRAND-CROIX
GRAND-DUCAL
GRAND-DUCHÉ
GRANDEMENT
GRAND-LIVRE
GRAND-MAMAN
GRAND-MÈRES
GRAND-MESSE
GRAND-ONCLE
GRAND-PEINE
GRAND-PLACE
GRANDPUITS
GRANDS-DUCS
GRANDS LACS
GRAND-TANTE
GRANDVILLE
GRAND-VOILE
GRANITEUSE
GRANITIQUE
GRANITOÏDE
GRANULAIRE
GRANULEUSE
GRAPE-FRUIT

GRAPHITANT
GRAPHITEUX
GRAPPILLÉE
GRAPPILLER
GRAPPILLON
GRAPTOLITE
GRAS-DOUBLE
GRASSEMENT
GRASSEYANT
GRATIFIANT
GRATTE-CIEL
GRATTEMENT
GRAUBÜNDEN
GRAVELEUSE
GRAVELINES
GRAVELOTTE
GRAVENHAGE
GRAVETTIEN
GRAVIDIQUE
GRAVIMÈTRE
GRAVISSANT
GRAVISSIME
GRÈCE D'ASIE
GRÉCO-LATIN
GREDINERIE
GREENPEACE
GREENSBORO
GRÉGAMISTE
GRÉGARISME
GRELOTTANT
GRENADILLE
GRENADINES
GRENAILLÉE
GRENAILLER
GRENOBLOIS
GRENOUILLE
GRENOUILLÉ
GRÉSILLANT
GRIBEAUVAL
GRIBOÏEDOV
GRIBOUILLE
GRIBOUILLÉ
GRIÈVEMENT
GRIFFONNÉE
GRIFFONNER
GRIGNOTAGE
GRIGNOTANT
GRIGORESCU
GRILLARDIN
GRILLE-PAIN
GRILL-ROOMS
GRIMAÇANTE
GRIMACIÈRE
GRIMAUDOIS
GRIMBERGEN
GRIMPEREAU
GRINCEMENT

GRINCHEUSE
GRIPPE-SOUS
GRISAILLÉE
GRISAILLER
GRISOLLAIS
GRISOLLANT
GRISONNANT
GRISOUTEUX
GRIVÈLERIE
GROGNASSER
GROGNEMENT
GROGNONNER
GROGNONNES
GROIZILLON
GROMMELANT
GRONDEMENT
GROS-GRAINS
GROS-PLANTS
GROSSO MODO
GROSS ROSEN
GROTESQUES
GROUILLANT
GROUPEMENT
GRUÉRIENNE
GRUMELEUSE
GRUPPETTOS
GUADARRAMA
GUADELOUPE
GUANAJUATO
GUANTÁNAMO
GUARNERIUS
GUAYASAMÍN
GUEBWILLER
GUÉRANDAIS
GUÉRÉTOISE
GUÉRILLERO
GUÉRISSANT
GUÉRISSEUR
GUERROYANT
GUETHARIAR
GUETS-APENS
GUÈVREMONT
GUGGENHEIM
GUICHARDIN
GUICHETIER
GUI D'AREZZO
GUILI-GUILI
GUILLAUMAT
GUILLAUMIN
GUILLEMETÉ
GUILLESTRE
GUILLOCHÉE
GUILLOCHER
GUILLOCHIS
GUILLOTINE
GUILLOTINÉ
GUINDAILLE

GUINEGATTE	HARMONIQUE	HELLÉNISME
GUINGUETTE	HARMONISÉE	HELLÉNISTE
GUINIZELLI	HARMONISER	**HELLESPONT**
GUITARISTE	HARMONISTE	**HELSINKIEN**
GUJRANWALA	HARNACHANT	HELVÉTIQUE
GULBENKIAN	**HARPIGNIES**	HELVÉTISME
GULF STREAM	HARPONNAGE	HÉMANGIOME
GUOMINDANG	HARPONNANT	HÉMATÉMÈSE
GUYANCOURT	HARPONNEUR	HÉMIPLÉGIE
GUYANIENNE	**HARRISBURG**	HÉMISPHÈRE
GYLLENSTEN	**HARTLEPOOL**	HÉMISTICHE
GYMNASIALE	HASARDEUSE	HÉMOGRAMME
GYMNASIAUX	**HASMONÉENS**	HÉMOPATHIE
GYMNOCARPE	HASSIDIQUE	HÉMOPHILIE
GYPSOPHILE	HASSIDISME	HÉMOPTYSIE
GYROCOMPAS	HÂTIVEMENT	HÉMORRAGIE
GYROPILOTE	**HAUBOURDIN**	HÉMORROÏDE
HABILEMENT	HAUSSE-COLS	**HENDAYAISE**
HABILITANT	HAUSSEMENT	HENDIADYIN
HABILLABLE	**HAUT-ALPINE**	**HENNEBIQUE**
HABILLEUSE	HAUTBOÏSTE	HENNISSANT
HABITATION	**HAUTECOMBE**	HÉPATALGIE
HABITUELLE	**HAUTE-CORSE**	HÉPATOCYTE
HACHÉMITES	**HAUTE-LOIRE**	**HÉPHAÏSTOS**
HACHIMITES	**HAUTE-MARNE**	HEPTAGONAL
HADRAMAOUT	**HAUTE-SAÔNE**	**HEPTAMÉRON**
HAGONDANGE	**HAUTEVILLE**	**HEPTARCHIE**
HALÈTEMENT	**HAUTE-VOLTA**	HEPTATHLON
HALF COURTS	HAUT-RELIEF	**HÉRACLIDES**
HALF-TRACKS	HAUTS-FONDS	HÉRALDIQUE
HALLEBARDE	HAUTURIÈRE	HÉRALDISTE
HALLUCINÉE	HAWAIIENNE	**HÉRAULTAIS**
HALLUCINER	**HAWAIIENNE**	HERBAGEANT
HALLUINOIS	**HAYANGEOIS**	**HERBLINOIS**
HALOGÉNURE	**HAZEBROUCK**	HERBORISER
HALQ EL-OUED	**HAZPANDARE**	HERBORISTE
HAMADRYADE	HÉBERGEANT	**HERBRETAIS**
HAMMADIDES	HÉBERTISME	**HERCULANUM**
HAMMERFEST	HÉBERTISTE	HERMÉTIQUE
HAMMERLESS	HÉBÉTEMENT	HERMÉTISME
HAMMOURABI	HÉBRAÏSANT	HERMÉTISTE
HAMMOU-RAPI	HECTOLITRE	HERMINETTE
HANBALISME	HECTOMÈTRE	**HERMOPOLIS**
HANCHEMENT	HÉGÉLIENNE	**HERMOSILLO**
HANDICAPÉE	**HEIDELBERG**	HÉRONNEAUX
HANDICAPER	**HEISENBERG**	HÉRONNIÈRE
HANDISPORT	HÉLICOÏDAL	**HÉROUVILLE**
HANTAVIRUS	**HÉLIGOLAND**	HERPÉTIQUE
HAPLOLOGIE	**HÉLIOGABAL**	**HERREWEGHE**
HAPTONOMIE	HÉLIOMARIN	**HERSCHBACH**
HARANGUANT	**HÉLIOPOLIS**	HERSCHEUSE
HARANGUEUR	HÉLIOTROPE	HERTZIENNE
HARASSANTE	HÉLIPORTÉE	**HESDINOISE**
HARCELANTE	HELLADIQUE	HÉSITATION
HARDENBERG	HELLÉNIQUE	**HESPÉRIDES**
HARENGUIER	HELLÉNISÉE	HÉSYCHASME
HARMONIEUX	HELLÉNISER	HÉTÉRODOXE

HÉTÉRODYNE
HÉTÉROGÈNE
HÉTÉRONOME
HÉTÉROSIDE
HEXADÉCANE
HEXAGONALE
HEXAGONAUX
HIBERNANTE
HIDDEN PEAK
HIÉRAPOLIS
HIÉRARCHIE
HIÉRATIQUE
HIÉRATISME
HIÉROGAMIE
HIGHLANDER
HILDEBRAND
HILDEGARDE
HILDESHEIM
HILFERDING
HINDENBURG
HINDOUISME
HINDOUISTE
HINDOUSTAN
HIPPOCAMPE
HIPPOCRATE
HIPPODROME
HIPPOLOGIE
HIRONDEAUX
HIRONDELLE
HIRSONNAIS
HIRSUTISME
HISPANIOLA
HISPANIQUE
HISPANISME
HISPANISTE
HISTIOCYTE
HISTOLOGIE
HISTORIQUE
HITLÉRISME
HIT-PARADES
HIVERNANTE
HOCHEQUEUE
HOCHFELDEN
HOCKEYEUSE
HODOGRAPHE
HOFSTADTER
HOLISTIQUE
HOLLANDAIS
HOLLANDAIS
HOLOCAUSTE
HOLOCAUSTE
HOLOGRAMME
HOLOGRAPHE
HOLOPHERNE
HOLOTHURIE
HOMARDERIE
HOMÉOPATHE

HOMÉOTIQUE
HOMOCENTRE
HOMOCERQUE
HOMOFOCALE
HOMOFOCAUX
HOMOGRAPHE
HOMOGREFFE
HOMOLOGUÉE
HOMOLOGUER
HOMOPHOBIE
HOMOPHONIE
HOMOSEXUEL
HOMOSPHÈRE
HOMOTHÉTIE
HOMOZYGOTE
HONGROYAGE
HONGROYANT
HONNISSANT
HONORAIRES
HONORARIAT
HORIZONTAL
HORKHEIMER
HORLOGERIE
HORNBLENDE
HORODATEUR
HORRIFIANT
HORRIFIQUE
HORRIPILÉE
HORRIPILER
HORSE-BALLS
HORSE-GUARD
HORS-ŒUVRE
HORS-PISTES
HORS-SÉRIES
HORS STATUT
HÔTELLERIE
HÔTELS-DIEU
HOTTENTOTE
HOTTENTOTE
HOTTENTOTS
HÖTZENDORF
HOUBLONNÉE
HOUBLONNER
HOUDANAISE
HOUNSFIELD
HOURTINAIS
HOUSE-BOATS
HOUSE MUSIC
HOUSPILLÉE
HOUSPILLER
HOUSSINANT
HOVERCRAFT
HUA GUOFENG
HUAXTÈQUES
HULULEMENT
HUMANISANT
HUMBLEMENT

HUMIDIFIÉE
HUMIDIFIER
HUMILIANTE
HUNINGUOIS
HUNTSVILLE
HURLUBERLU
HURONIENNE
HUSSEIN DEY
HYBRIDISME
HYDRAMNIOS
HYDRATABLE
HYDRATANTE
HYDROFUGÉE
HYDROFUGER
HYDROGÉNÉE
HYDROGÉNER
HYDROLOGIE
HYDROLOGUE
HYDROLYSÉE
HYDROLYSER
HYDROMÈTRE
HYDROPHILE
HYDROPHOBE
HYDROPHONE
HYDROPISIE
HYDROPTÈRE
HYGIAPHONE
HYGIÉNIQUE
HYGIÉNISTE
HYGROMÈTRE
HYGROPHILE
HYGROPHORE
HYGROSCOPE
HYLOZOÏSME
HYPERACTIF
HYPERDULIE
HYPERFOCAL
HYPERGAMIE
HYPERHÉMIE
HYPERMÉDIA
HYPERONYME
HYPERTÉLIE
HYPERTENDU
HYPERTEXTE
HYPERTONIE
HYPNOTIQUE
HYPNOTISÉE
HYPNOTISER
HYPNOTISME
HYPOCAPNIE
HYPOCAUSTE
HYPOCENTRE
HYPOCHROME
HYPOCONDRE
HYPOCRISIE
HYPOGASTRE
HYPOGLOSSE

HYPOKHÂGNE IMMÉMORIAL IMPROVISTE
HYPOPLASIE IMMERGEANT IMPRUDENCE
HYPOSTASIÉ IMMETTABLE IMPRUDENTE
HYPOTENDUE IMMIGRANTE IMPUDICITÉ
HYPOTENSIF IMMOBILIER IMPUISSANT
HYPOTÉNUSE IMMOBILISÉ IMPUNÉMENT
HYPOTHÉNAR IMMOBILITÉ IMPUREMENT
HYPOTHÈQUE IMMODESTIE IMPUTATION
HYPOTHÉQUÉ IMMOLATION INACCENTUÉ
HYPSOMÈTRE IMMORALITÉ INACCOMPLI
HYSTÉRÉSIS IMMORTELLE INACTIVANT
HYSTÉRIQUE IMMUNISANT INACTIVITÉ
IABLONOVYÏ IMMUNOGÈNE INACTUELLE
IBN BADJDJA IMPALPABLE INADÉQUATE
IBN BATTUTA IMPANATION INAMOVIBLE
IBN KHALDUN IMPARFAITE INAPPARENT
ICHINOMIYA IMPARTIALE INAPPLIQUÉ
ICHNOLOGIE IMPARTIAUX INAPPRÉCIÉ
ICHTYORNIS IMPASSIBLE INAPTITUDE
ICONOLOGIE IMPATIENCE INARTICULÉ
ICONOSCOPE IMPATIENTE INASSIMILÉ
ICONOSTASE IMPATIENTÉ INASSOUVIE
IDÉALEMENT IMPECCABLE INATTENDUE
IDÉALISANT IMPÉNITENT INATTENTIF
IDEMPOTENT IMPENSABLE INAUGURALE
IDENTIFIÉE IMPÉRATIVE INAUGURANT
IDENTIFIER IMPERATRIZ INAUGURAUX
IDÉOGRAMME IMPERDABLE INAVOUABLE
IDÉOMOTEUR IMPÉRIEUSE INCAPACITÉ
IDIOTEMENT IMPÉTRANTE INCARCÉRÉE
IDOLÂTRANT IMPÉTUEUSE INCARCÉRER
IGNIMBRITE IMPLACABLE INCASSABLE
IGNISSOISE IMPLANTANT INCENDIANT
IGNORANTIN IMPLIQUANT INCERTAINE
IJSSELMEER IMPLORANTE INCESSANTE
IKE NO TAIGA IMPOLIMENT INCESSIBLE
ILANG-ILANG IMPORTABLE INCESTUEUX
ILÉO-CÆCAL IMPORTANCE INCHOATIVE
ILIOUCHINE IMPORTANTE INCINÉRANT
ILLÉGALITÉ IMPORTUNÉE INCITATEUR
ILLÉGITIME IMPORTUNER INCITATION
ILLIBÉRIEN IMPOSITION INCITATIVE
ILLUMINANT IMPOSSIBLE INCLÉMENCE
ILLUSIONNÉ IMPRÉGNANT INCLÉMENTE
ILLUSTRANT IMPRENABLE INCLINABLE
ILLYRIENNE IMPRESARII INCOHÉRENT
ILLYRIENNE IMPRÉSARIO INCOLLABLE
IMAGINABLE IMPRESSION INCOMMODÉE
IMAGINAIRE IMPRESSIVE INCOMMODER
IMAGINATIF IMPRIMABLE INCOMPLÈTE
IMBATTABLE IMPRIMANTE INCOMPRISE
IMBIBITION IMPRIMATUR INCONDUITE
IMBRIQUANT IMPRIMERIE INCONSOLÉE
IMERCURIEN IMPROBABLE INCONSTANT
IMITATRICE IMPROMPTUE INCONTESTÉ
IMMATÉRIEL IMPROVISÉE INCONTRÔLÉ
IMMATURITÉ IMPROVISER INCORPORÉE

287

INCORPOREL
INCORPORER
INCORRECTE
INCRÉMENTÉ
INCREVABLE
INCRIMINÉE
INCRIMINER
INCROYABLE
INCROYANCE
INCROYANTE
INCRUSTANT
INCUBATEUR
INCUBATION
INCULQUANT
INCURIEUSE
INDÉCISION
INDÉLÉBILE
INDÉLICATE
INDEMNISÉE
INDEMNISER
INDÉNIABLE
INDEXATION
INDIANISME
INDIANISTE
INDICATEUR
INDICATION
INDICATIVE
INDICIAIRE
INDICIELLE
INDIFFÉRÉE
INDIFFÉRER
INDIGOTIER
INDIGOTINE
INDIGUIRKA
INDISCRÈTE
INDISCUTÉE
INDISPOSÉE
INDISPOSER
INDISTINCT
INDIVIDUEL
INDIVISION
INDO-ARYENS
INDOCILITÉ
INDONÉSIEN
INDONÉSIEN
INDOPHÉNOL
INDUCTANCE
INDUCTRICE
INDULGENCE
INDULGENTE
INDURATION
INDUSTRIEL
INÉDUCABLE
INEFFICACE
INÉGALABLE
INÉLÉGANCE
INÉLÉGANTE

INÉLIGIBLE
INEMPLOYÉE
INÉPROUVÉE
INÉQUATION
INERTIELLE
INÉVITABLE
INEXÉCUTÉE
INEXIGIBLE
INEXISTANT
INEXORABLE
INEXPIABLE
INEXPLIQUÉ
INEXPLOITÉ
INEXPLORÉE
INEXPRIMÉE
IN EXTREMIS
INFAISABLE
INFANTERIE
INFECTANTE
INFECTIEUX
INFÉRIEURE
INFIDÉLITÉ
INFILTRANT
INFINIMENT
INFINITIVE
INFINITUDE
INFIRMATIF
INFIRMERIE
INFIRMIÈRE
INFLEXIBLE
INFLIGEANT
INFLUENCÉE
INFLUENCER
INFORMATIF
INFORMELLE
INFORMULÉE
INFORTUNÉE
INFRACTION
INFRAROUGE
INGAGNABLE
INGEN-HOUSZ
INGÉNIERIE
INGÉNIEUSE
INGÉNUMENT
INGOLSTADT
INGRÉDIENT
INGURGITÉE
INGURGITER
INHABILETÉ
INHABILITÉ
INHABITUEL
INHALATEUR
INHALATION
INHIBITEUR
INHIBITION
INHOMOGÈNE
INHUMANITÉ

INHUMATION
INIMITABLE
INIQUEMENT
INITIALANT
INITIALISÉ
INITIATEUR
INITIATION
INITIATIVE
INJECTABLE
INJONCTION
INJONCTIVE
INJURIEUSE
INJUSTIFIÉ
INLASSABLE
INNOCENTÉE
INNOCENTER
INNOMMABLE
INNOVATEUR
INNOVATION
INOBSERVÉE
INOCULABLE
INOFFENSIF
INONDATION
INOPÉRABLE
INOPÉRANTE
INOPPORTUN
INORGANISÉ
INOXYDABLE
IN PARTIBUS
INQUIÉTANT
INQUIÉTUDE
INQUILISME
INSATIABLE
INSCRIVANT
INSCULPANT
INSÉCURITÉ
INSÉMINANT
INSENSIBLE
INSERMENTÉ
INSIDIEUSE
INSINUANTE
INSIPIDITÉ
INSISTANCE
INSISTANTE
INSOCIABLE
INSOLATION
INSOLVABLE
INSOMNIEUX
INSONDABLE
INSONORISÉ
INSONORITÉ
INSOUCIANT
INSOUCIEUX
INSPECTANT
INSPECTEUR
INSPECTION
INSPIRANTE

INSTALLANT	INTERPOLÉE	INVINCIBLE
INSTAMMENT	INTERPOLER	INVIOLABLE
INSTANTANÉ	INTERPOSÉE	INVITATION
INSTAURANT	INTERPOSER	INVOCATEUR
INSTIGUANT	INTERPRÈTE	INVOCATION
INSTILLANT	INTERPRÉTÉ	INVOLUTION
INSTINCTIF	INTERRÈGNE	INVOLUTIVE
INSTITUANT	**INTERRÈGNE**	**IOCHKAR-OLA**
INSTRUCTIF	INTERROGÉE	IODO-IODURÉ
INSTRUMENT	INTERROGER	IONISATION
INSUFFLANT	INTERROMPU	IONOGRAMME
INSULARITÉ	INTERSIGNE	IONOSPHÈRE
INSULTANTE	INTERSTICE	IPÉCACUANA
INSULTEUSE	INTERTIDAL	**IPOUSTEGUY**
INSUPPORTÉ	INTERTITRE	IRAQUIENNE
INSURGEANT	INTERTRIGO	**IRAQUIENNE**
INTANGIBLE	INTERVALLE	IRIDOLOGIE
INTÉGRABLE	INTERVENIR	IRLANDAISE
INTÉGRANTE	INTERVERTI	**IRLANDAISE**
INTÉGRATIF	INTERVIEWÉ	IRRADIANTE
INTÉGRISME	INTESTINAL	IRRAISONNÉ
INTÉGRISTE	INTIMATION	IRRÉALISÉE
INTEMPÉRIE	INTIMEMENT	IRRÉALISME
INTEMPOREL	INTIMIDANT	IRRÉALISTE
INTENDANCE	INTITULANT	IRRÉFLÉCHI
INTENDANTE	INTOLÉRANT	IRRÉGULIER
INTENSIFIÉ	INTONATION	IRRÉLIGION
INTERACTIF	INTONATIVE	IRRIGATION
INTERALLIÉ	INTOXIQUÉE	IRRITATION
INTERARABE	INTOXIQUER	IRRITATIVE
INTERARMES	INTRA-MUROS	ISALLOBARE
INTERCALÉE	INTRIGANTE	**ISBERGUOIS**
INTERCALER	INTRIGUANT	ISCHÉMIQUE
INTERCÉDER	INTRIQUANT	**ISKENDERUN**
INTERCEPTÉ	INTRODUIRE	ISLAMISANT
INTERCLUBS	INTRODUITE	ISLANDAISE
INTERCOURS	INTRONISÉE	**ISLANDAISE**
INTÉRESSÉE	INTRONISER	ISMAÉLIENNE
INTÉRESSER	INTROVERTI	ISOCLINALE
INTERFÉRER	INTUBATION	ISOCLINAUX
INTERFÉRON	INUTILISÉE	ISODYNAMIE
INTERFLUVE	INVALIDANT	ISOÉDRIQUE
INTÉRIEURE	INVALIDITÉ	ISOGLUCOSE
INTÉRIEURE	INVARIABLE	ISOÏONIQUE
INTERJETÉE	INVARIANCE	ISOLEUCINE
INTERJETER	INVARIANTE	ISOTONIQUE
INTERLAKEN	INVECTIVÉE	ISOTOPIQUE
INTERLIGNE	INVECTIVER	**IS-SUR-TILLE**
INTERLIGNÉ	INVENDABLE	ITALIANISÉ
INTERLOQUÉ	INVENTAIRE	ITINÉRAIRE
INTERMEZZO	INVENTORIÉ	ITINÉRANTE
INTERMODAL	INVENTRICE	**IVAN KALITA**
INTERNAUTE	INVERSABLE	IVOIRIENNE
INTERNONCE	INVERSIBLE	**IVOIRIENNE**
INTERPELLÉ	INVERTÉBRÉ	IVROGNERIE
INTERPHASE	INVESTIGUÉ	IVROGNESSE
INTERPHONE	INVÉTÉRANT	JACASSEUSE

JACASSIÈRE	JONZACAISE	KÉRATINISÉ
JACQUELINE	JOSÉPHISME	KÉRATOCÔNE
JACQUEMART	**JOTRANCIEN**	**KERMANCHAH**
JACQUEMART	JOTTEREAUX	**KESSELRING**
JALONNEUSE	JOUAILLANT	**KHABAROVSK**
JAMAÏCAINE	**JOUHANDEAU**	KHARIDJITE
JAMAÏCAINE	JOUISSANCE	**KHLEBNIKOV**
JAMAÏQUAIN	JOUISSANTE	**KIAROSTAMI**
JAMAÏQUAIN	JOUISSEUSE	KIBBOUTZIM
JAMBONNEAU	JOUR-AMENDE	KIDNAPPANT
JAM-SESSION	JOURNALIER	KIDNAPPEUR
JAMSHEDPUR	JOUVENCEAU	KIDNAPPING
JANISSAIRE	**JOVACIENNE**	**KIESLOWSKI**
JANSÉNISME	**JOVINIENNE**	KILOGRAMME
JANSÉNISTE	**JUAN CARLOS**	KILOMÉTRÉE
JAPONISANT	**JUAN DE FUCA**	KILOMÉTRER
JARDINERIE	**JUAN DE JUNI**	KIMBERLITE
JARDINIÈRE	**JUAN DE NOVA**	KIOSQUIÈRE
JARGONNANT	**JUBBULPORE**	KIOSQUISTE
JARLANDINE	JUBILATION	**KIRIBATIEN**
JARNACAISE	JUDICIAIRE	**KIRITIMATI**
JARNICOTON	JUDICIEUSE	**KIROVOGRAD**
JARRETELLE	**JUIF ERRANT**	**KIROVOHRAD**
JARRETIÈRE	**JUIZ DE FORA**	**KITA-KYUSHU**
JARUZELSKI	JUMELLOISE	**KITWE-NKANA**
JARVILLOIS	**JUMIÉGEOIS**	**KIZIL IRMAK**
JAUNISSANT	JUNONIENNE	**KLAGENFURT**
JAVELLISÉE	JUPITÉRIEN	KLAXONNANT
JAVELLISER	JURASSIQUE	KLEPTOMANE
JEAN DE DIEU	JUSTICIÈRE	**KLOSSOWSKI**
JEAN DE MEUN	JUSTIFIANT	**KOEKELBERG**
JEAN FISHER	JUVÉNILITÉ	**KOHLRAUSCH**
JEAN-FOUTRE	**JUVISIENNE**	**KOLAKOWSKI**
JEAN HYRCAN	JUXTAPOSÉE	KOLKHOZIEN
JEANNE D'ARC	JUXTAPOSER	**KOLMOGOROV**
JEANNE GREY	**KABALEVSKI**	**KOMPONG SOM**
JÉRÔMIENNE	KABBALISTE	**KONDRATIEV**
JERSEY CITY	KAFKAÏENNE	**KÖNIGSBERG**
JÉSUITIQUE	**KAHNWEILER**	**KÖNIGSMARK**
JÉSUITISME	**KALIMANTAN**	**KORTENBERG**
JET-SOCIETY	**KAMECHLIYÉ**	**KOSCIUSZKO**
JET-STREAMS	**KAMTCHATKA**	**KOSSYGUINE**
JEU DE PAUME	**KANDERSTEG**	**KOTA BAHARU**
JEUMONTOIS	**KANESATAKE**	**KOUÏBYCHEV**
JIANG ZEMIN	**KANO EITOKU**	**KRAGUJEVAC**
JINGDEZHEN	**KANSAS CITY**	**KRAMATORSK**
JOAILLERIE	**KARAKALPAK**	**KREMLINOIS**
JOAILLIÈRE	**KARAMANLÍS**	**KRETSCHMER**
JOÃO PESSOA	**KARATCHAÏS**	**KREUTZBERG**
JOBARDERIE	**KARAWANKEN**	**KRONCHTADT**
JOERGENSEN	**KARKONOSZE**	**KROPOTKINE**
JOGJAKARTA	**KARLSKRONA**	**KRUSNÉ HORY**
JOHANNAISE	**KAZAKHSTAN**	**KU KLUX KLAN**
JOHANNIQUE	**KEBNEKAISE**	**KURYLOWICZ**
JOINTOYANT	**KELDERMANS**	**LA BÉDOYÈRE**
JOLIETTAIN	**KELLERMANN**	LABÉLISANT
JONCHERAIE	**KENKO HOSHI**	LABELLISÉE

LABELLISER
LABIALISÉE
LABIALISER
LABORANTIN
LABORIEUSE
LABOURABLE
LABYRINTHE
LABYRINTHE
LACAUNAISE
LACÉDÉMONE
LACÉRATION
LA CHAPELLE
LA CHAUSSÉE
LACHENOISE
LACHINOISE
LACHUTOISE
LA CLAYETTE
LACORDAIRE
LA COURONNE
LACRETELLE
LACTESCENT
LACTOMÈTRE
LACTOSÉRUM
LA DÉSIRADE
LADOUMÈGUE
LA FONTAINE
LAFONTAINE
LA FRESNAYE
LAGERKVIST
LAGOMORPHE
LAGOTRICHE
LA GOULETTE
LAIDERONNE
L'AIGUILLON
LAITONNAGE
LAITONNANT
LAÏUSSEUSE
LAKE PLACID
LA LOUVIÈRE
L'ALPE-D'HUEZ
LAMBALLAIS
LAMBERSART
LAMBERTOIS
LAMBREQUIN
LAMBRISSÉE
LAMBRISSER
LAMELLAIRE
LAMELLEUSE
LAMENTABLE
LA MONTAGNE
LAMOURETTE
LAMPADAIRE
LANAUDIÈRE
LANAUDOISE
LANCASHIRE
LANCE-BOMBE
LANCE-FUSÉE

LANCINANTE
LANDAMMANN
LANDERNAUX
LANDERNEAU
LANDERNEAU
LANDERNÉEN
LANDRECIES
LANGAGIÈRE
LANGEADOIS
LANGERHANS
LANGONAISE
LANGOUREUX
LANJUINAIS
LANN-BIHOUÉ
LANNEMEZAN
LANSQUENET
LANTERNANT
LANTERNEAU
LANTHANIDE
LANUGINEUX
LAPIDATION
LA PRAIRIEN
LAQUEDIVES
LARDERELLO
LARDONNANT
LARGE WHITE
LARME-DE-JOB
LARMOYANTE
LA ROCHELLE
LA ROCHETTE
LA SABLIÈRE
LASALLOISE
LATÉRALISÉ
LATÉRALITÉ
LATICIFÈRE
LATIFOLIÉE
LATINISANT
LATUQUOISE
LA TURBALLE
LAUDATRICE
LAURENTIEN
LAURENTIEN
LAURIER-TIN
LAUSANNOIS
LA VALLIÈRE
LAVALLIÈRE
LAVALLOISE
LAVANDIÈRE
LAVE-GLACES
LAWRENCIUM
LAXOVIENNE
LAZARSFELD
LAZZARONES
LEADERSHIP
LEAMINGTON
LE BARCARÈS
LE BEAUSSET

LE CHÂTELET
LÈCHEFRITE
LE CHEYLARD
LE COUVREUR
LÉDONIENNE
LEEUWARDEN
LE FRANÇOIS
LÉGALEMENT
LÉGALISANT
LÉGENDAIRE
LÉGÈREMENT
LÉGIFÉRANT
LÉGISLATIF
LÉGITIMANT
LÉGITIMITÉ
LEISHMANIA
LEISHMANIE
LEITMOTIVE
LEITMOTIVS
LE LAMENTIN
LE LAVANDOU
LEMNISCATE
LE MONT-DORE
LENCLOÎTRE
LE NEUBOURG
LÉNIFIANTE
LENTICELLE
LENTICULÉE
LENTIVIRUS
LÉOGNANAIS
LÉONARDOIS
LE PELETIER
LE PELLERIN
LÉPIDOLITE
LÉPIDOSTÉE
LÉPISOSTÉE
LÉPROLOGIE
LÉPROSERIE
LEPTONIQUE
LEPTOSPIRE
LE RICOLAIS
LEROI JONES
LES ANDELYS
LES AUBRAIS
LES ÉPARGES
LES ESSARTS
LES HOUCHES
LES MUREAUX
LESPARRAIN
LESPINASSE
LES ROUSSES
LESSIVABLE
LESSIVEUSE
LETHBRIDGE
LE THORONET
LEUCÉMIQUE
LEUCOBRYUM

LEUCODERME
LEUCOPÉNIE
LEUCOPETRA
LEUCORRHÉE
LEUCOTOMIE
LE VAL-ANDRÉ
LÈVE-GLACES
LEVERKUSEN
LÈVE-VITRES
LÉVIGATION
LÉVISIENNE
LÉVITATION
LEXICALISÉ
LEXOVIENNE
LEYSENONDE
LEZAMA LIMA
LEZGUIENNE
LIAISONNÉE
LIAISONNER
LIANESCENT
LIBELLISTE
LIBÉRALISÉ
LIBÉRALITÉ
LIBÉRATEUR
LIBÉRATION
LIBÉRIENNE
LIBÉRIENNE
LIBERTAIRE
LIBIDINALE
LIBIDINAUX
LIBIDINEUX
LIBOURNAIS
LIBREVILLE
LICENCIANT
LICENCIEUX
LICITATION
LICITEMENT
LIEBKNECHT
LIEUTENANT
LIÉVINOISE
LIFFRÉENNE
LIGATURANT
LIGÉRIENNE
LIGÉRIENNE
LIGNIFIANT
LIGNOMÈTRE
LIGUGÉENNE
LIGURIENNE
LIGURIENNE
LILASIENNE
L'ÎLE-ROUSSE
LILIENTHAL
LILLEBONNE
LIMÉNIENNE
LIMITATION
LIMITATIVE
LIMITROPHE

LIMNOLOGIE
LIMONADIER
LIMOUGEAUD
LIMOUGEAUD
LINGOTIÈRE
LINGUATULE
LINOLÉIQUE
LION-SUR-MER
LIOUBERTSY
LIPOCHROME
LIPOGRAMME
LIPOTHYMIE
LIQUÉFIANT
LIQUIDABLE
LIQUIDATIF
LIQUOREUSE
LIQUORISTE
LISBONNAIS
LISBONNAIS
LISBONNINE
LISBONNINE
LISIBILITÉ
LISTÉRIOSE
LITHOLOGIE
LITHOPHAGE
LITIGIEUSE
LITTÉRAIRE
LITTLE NEMO
LITTLE ROCK
LITURGIQUE
LIVING-ROOM
LI XIANNIAN
LOBECTOMIE
LOCALEMENT
LOCALISANT
LOCOMOBILE
LOCOMOTEUR
LOCOMOTION
LOCOMOTIVE
LOCTUDISTE
LOEWENDAHL
LOGARITHME
LOGICIELLE
LOGICIENNE
LOGISTIQUE
LOGITHÈQUE
LOGOGRAPHE
LOGOGRIPHE
LOGOMACHIE
LOIR-ET-CHER
LOIS-CADRES
LOMBO-SACRÉ
LOMONOSSOV
LONDERZEEL
LONG DRINKS
LONGFELLOW
LONGICORNE

LONGILIGNE
LONG ISLAND
LONG-JOINTÉ
LONGJUMEAU
LONGUÉENNE
LONGUEMENT
LOPE DE VEGA
LOPHOPHORE
LOQUETEAUX
LOQUETEUSE
LORENZETTI
LORETTAINE
LORIENTAIS
LOROUSAINE
LORRIÇOISE
LOS ANGELES
LOSANGIQUE
LOTIONNANT
LOTISSEUSE
LÖTSCHBERG
LOUANGEANT
LOUANGEUSE
LOUBAVITCH
LOUCHEMENT
LOUDÉACIEN
LOUDUNAISE
LOUÉSIENNE
LOUHANNAIS
LOUISBOURG
LOUIS-MARIE
LOUISVILLE
LOURDEMENT
LOURDINGUE
LOUVERTURE
LOUVETEAUX
LOUVETERIE
LOUVIGNÉEN
LOVÉRIENNE
LOXODROMIE
LOYALEMENT
LOYALISTES
LOZÉRIENNE
LUBRIFIANT
LUBUMBASHI
LUCERNAIRE
LUCHONNAIS
LUCIDEMENT
LUCIENNOIS
LUCIFÉRIEN
LUCIFÉRINE
LUÇONNAISE
LUDENDORFF
LUDOTHÈQUE
LUDOVICIEN
LUIS DE LEÓN
LULUABOURG
LUMACHELLE

L U M I N O S I T É	M A G M A T I Q U E	M A L T R A I T É E
L U N D E G Å R D H	M A G M A T I S M E	M A L T R A I T E R
L U N E L L O I S E	M A G N A N E R I E	M A L V O Y A N T E
L U N E T T E R I E	M A G N A N I È R E	M A M E L O N N É E
L U P A R I E N N E	M A G N É T I Q U E	M A M I L L A I R E
L U P E R C A L E S	M A G N É T I S É E	M A M M A L O G I E
L U R C Y - L É V I S	M A G N É T I S E R	M A N A G E M E N T
L U S I T A N I E N	M A G N É T I S M E	**M A N A G U A Y E N**
L U S I T A N I E N	M A G N I F I A N T	**M A N A M É E N N E**
L U S T R A T I O N	M A G N I F I C A T	M A N C E N I L L E
L U T É I N I Q U E	M A G N I F I Q U E	**M A N C H E S T E R**
L U X E M B O U R G	**M A G N I T O I S E**	**M A N C O C Á P A C**
L U X O V I E N N E	**M A G N Y C O I S E**	M A N D A R I N A T
L U X U R I A N C E	**M A G N Y - C O U R S**	M A N D A T A I R E
L U X U R I A N T E	M A G O U I L L É E	**M A N D E L B R O T**
L U X U R I E U S E	M A G O U I L L E R	**M A N D E L S T A M**
L U Z E R N I È R E	**M A G U E L O N N E**	**M A N D E V I L L E**
L Y C O P E R D O N	M A H A R A D J A H	**M A N D I N G U E S**
L Y M P H O C Y T E	M A H O M É T A N E	M A N D R A G O R E
L Y M P H O K I N E	**M A Ï A K O V S K I**	M A N G A N I Q U E
L Y O P H I L I S É	M A Ï E U T I Q U E	M A N G E A I L L E
L Y S E R G I Q U E	M A I G R E M E N T	M A N G E O T T É E
M A A S T R I C H T	M A I G R I C H O N	M A N G E O T T E R
M A C A D A M I S É	M A I G R I O T T E	M A N G O N N E A U
M A C É D O N I E N	M A I L - C O A C H S	M A N G O U S T A N
M A C É D O N I E N	**M A I L L A N A I S**	M A N I É R I S M E
M A C É R A T E U R	M A I N T E N A N T	M A N I É R I S T E
M A C É R A T I O N	M A I N T E N E U R	M A N I F E S T É E
M A C H I N E R I E	**M A I S O N N A I S**	M A N I F E S T E R
M A C H I N I S M E	M A I S T R A N C E	M A N I G A N C É E
M A C H I N I S T E	M A Î T R I S A N T	M A N I G A N C E R
M Â C H O N N A N T	M A J E S T U E U X	M A N I G U E T T E
M Â C H O U I L L É	M A J O R A T I O N	**M A N I L L A I S E**
M A C K I N T O S H	M A J O R Q U I N E	M A N I P U L A N T
M Â C O N N A I S E	**M A J O R Q U I N E**	**M A N I T O U L I N**
M A Ç O N N E R I E	M A L A D R E R I E	**M A N K I E W I C Z**
M A Ç O N N I Q U E	M A L A D R E S S E	**M A N N E R H E I M**
M A C P H E R S O N	M A L A D R O I T E	M A N Œ U V R É E
M A C R O C O S M E	M A L A P P R I S E	M A N Œ U V R E R
M A C R O C Y S T E	M A L C O M M O D E	M A N O G R A P H E
M A C R O P H A G E	**M A L E B O P O O L**	M A N O M É T R I E
M A C R O S P O R E	M A L - E N - P O I N T	**M A N O S Q U I N E**
M A C U L A T U R E	M A L E N T E N D U	M A N O U V R I E R
M A D A G A S C A R	**M A L E S T R O I T**	M A N Q U E M E N T
M A D E L I N O I S	M A L F A I S A N T	**M A N S O N N I E N**
M A D E L I N O T E	M A L F A I T E U R	M A N S U É T U D E
M A D É R I S A N T	M A L H E U R E U X	**M A N T E U F F E L**
M A G A S I N A G E	M A L H O N N Ê T E	M A N U C U R A N T
M A G A S I N A N T	M A L I C I E U S E	M A N U S C R I T E
M A G A S I N I E R	**M A L I N O V S K I**	**M A N Z A N A R E S**
M A G D E B O U R G	**M A L I N O W S K I**	M A N Z A N I L L A
M A G D U N O I S E	M A L L E - P O S T E	**M A O T S Ö - T O N G**
M A G H R É B I N E	M A L L O P H A G E	M A P P E M O N D E
M A G H R É B I N E	M A L O D O R A N T	M A Q U E R E A U X
M A G I C I E N N E	**M A L P L A Q U E T**	M A Q U E R E L L E
M A G I S T R A L E	M A L S O N N A N T	M A Q U I L L A G E
M A G I S T R A U X	M A L T H U S I E N	M A Q U I L L A N T

MAQUILLEUR
MARABOUTÉE
MARABOUTER
MARAÎCHAGE
MARAÎCHÈRE
MARAÎCHINE
MARAUDEUSE
MARCASSITE
MARC AURÈLE
MARCESCENT
MARCHANDÉE
MARCHANDER
MARCHANTIA
MARCHEPIED
MARCINELLE
MARCOTTAGE
MARCOTTANT
MARÉCAGEUX
MARÉCHALAT
MARÉGRAPHE
MARÉMOTEUR
MARGAUDANT
MARGOTTANT
MARGOUSIER
MARGRAVIAT
MARGUERITE
MARGUERITE
MARIANISTE
MARIE TUDOR
MARIN DE TYR
MARINGOUIN
MARIOLOGIE
MARIVAUDER
MARIVERAIN
MARJOLAINE
MARLYCHOIS
MARLY-LE-ROI
MARMANDAIS
MARMENTEAU
MARMONNANT
MARMOTTANT
MARMOUTIER
MAROQUINÉE
MAROQUINER
MAROUFLAGE
MAROUFLANT
MARQUE-PAGE
MARQUÉSANE
MARQUETANT
MARQUETEUR
MARQUISIEN
MARRONNIER
MARSUPIALE
MARSUPIAUX
MARTENSITE
MARTINGALE
MARTINIQUE

MARTINISME
MARTYRISÉE
MARTYRISER
MARXISANTE
MASANIELLO
MASCARPONE
MASCATAISE
MASKINONGÉ
MASKOUTAIN
MASOCHISME
MASOCHISTE
MASSACRANT
MASSACREUR
MASSAGÈTES
MASSALIOTE
MASSALIOTE
MASSELOTTE
MASSIACOIS
MASSICOISE
MASSICOTÉE
MASSICOTER
MASSIFIANT
MASSINISSA
MASTIQUANT
MASTODONTE
MASTOÏDIEN
MASTOÏDITE
MASTOLOGIE
MASTROQUET
MASTURBANT
MATCH-PLAYS
MATELASSÉE
MATELASSER
MATELOTAGE
MATÉRIELLE
MATERNELLE
MATERNISÉE
MATHUSALEM
MATHUSALEM
MATIÉRISME
MATIÉRISTE
MATIFIANTE
MATO GROSSO
MATRAQUAGE
MATRAQUANT
MATRAQUEUR
MATRIARCAL
MATRIARCAT
MATRICAIRE
MATRILOCAL
MATRIOCHKA
MATSUSHIMA
MATTATHIAS
MATTERHORN
MATURATION
MATUTINALE
MATUTINAUX

MAUDISSANT
MAUPASSANT
MAUPERTUIS
MAURÉTANIE
MAURIACOIS
MAURITANIE
MAUTHAUSEN
MAXILLAIRE
MAXIMALISÉ
MAXIMILIEN
MAXIMISANT
MAXIPONTIN
MAYENNAISE
MAYONNAISE
MAZAMÉTAIN
MAZARINADE
MAZOWIECKI
MBABANAISE
MCCLINTOCK
MÉCANICIEN
MÉCANISANT
MÉCHAMMENT
MÉCHANCETÉ
MÉCONDUIRE
MÉCONDUITE
MÉCONTENTE
MÉCONTENTÉ
MÉDAILLANT
MÉDAILLEUR
MÉDAILLIER
MEDAL PLAYS
MÉDIATIQUE
MÉDIATISÉE
MÉDIATISER
MÉDIATRICE
MÉDICALISÉ
MÉDICAMENT
MÉDICASTRE
MÉDICATION
MÉDICINALE
MÉDICINAUX
MÉDICINIER
MÉDIÉVISME
MÉDIÉVISTE
MÉDIOCRITÉ
MÉDITATION
MÉDITATIVE
MÉDIUMNITÉ
MÉDULLAIRE
MÉDULLEUSE
MÉGALOMANE
MÉGALOPOLE
MÉGISSERIE
MÉHÉMET-ALI
MEIJI TENNO
MEISSONIER
MEITNERIUM

MÉLANCOLIE

MÉLANÉSIEN

MÉLANÉSIEN

MÉLANGEANT

MÉLANOCYTE

MÉLATONINE

MÉLÉAGRINE

MÊLÉ-CASSIS

MELENCOLIA

MÉLIORATIF

MÉLIS-MÉLOS

MELLIFIQUE

MÉLODIEUSE

MELONNIÈRE

MELTING-POT

MEMBRANEUX

MÉMORANDUM

MÉMORIELLE

MÉMORISANT

MÉNAGEMENT

MENDELEÏEV

MENDIGOTÉE

MENDIGOTER

MÉNINGIOME

MÉNOPAUSÉE

MÉNORRAGIE

MENSONGÈRE

MENSUALISÉ

MENSUALITÉ

MENTALISME

MENTIONNÉE

MENTIONNER

MENTONNAIS

MENTONNIER

MENUISERIE

MÉPHITIQUE

MÉPHITISME

MÉPRISABLE

MÉPRISANTE

MERCANTILE

MERCANTOUR

MERCATIQUE

MERCENAIRE

MERCERISÉE

MERCERISER

MERCURIALE

MERCURIQUE

MERDRIGNAC

MÈRES-GRAND

MÉRIDIENNE

MÉRIDIONAL

MÉRIDIONAL

MERINGUANT

MERRIFIELD

MÉRYSIENNE

MÉSALLIANT

MÉSANGETTE

MÉSAXONIEN

MÉSENCHYME

MÉSENTENTE

MÉSESTIMÉE

MÉSESTIMER

MESMÉRISME

MÉSOBLASTE

MÉSOMORPHE

MÉSOSPHÈRE

MÉSOTHORAX

MÉSOZOAIRE

MÉSOZOÏQUE

MESSAGERIE

MÉTABOLISÉ

MÉTABOLITE

MÉTACENTRE

MÉTALANGUE

MÉTALLERIE

MÉTALLIÈRE

MÉTALLIQUE

MÉTALLISÉE

MÉTALLISER

MÉTALLOÏDE

MÉTAMÉRISÉ

MÉTAPLASIE

MÉTASTABLE

MÉTASTASER

MÉTATHORAX

MÉTAZOAIRE

METCHNIKOV

MÉTÉORIQUE

MÉTÉORISME

MÉTHANIÈRE

MÉTHANISÉE

MÉTHANISER

MÉTHIONINE

MÉTHODIQUE

MÉTHODISME

MÉTHODISTE

MÉTHYLIQUE

MÉTICULEUX

MÉTROLOGIE

MÉTROLOGUE

METTERNICH

MEUDONNAIS

MEUGLEMENT

MEULANAISE

MEURTRIÈRE

MÉVENNAISE

MEYLANAISE

MEYMACOISE

MEYRINOISE

MEZZOTINTO

MIAULEMENT

MIAULÉTOUE

MICELLAIRE

MICHEL-ANGE

MICHELOZZO

MICKIEWICZ

MICROBILLE

MICROCLINE

MICROCOSME

MICROFIBRE

MICROFICHE

MICROFILMÉ

MICROFLORE

MICROFORME

MICROGRENU

MICROLITHE

MICROMÈTRE

MICRONÉSIE

MICRONISÉE

MICRONISER

MICRO-ONDES

MICROPHONE

MICROSCOPE

MICROSONDE

MICROSPORE

MIDDELBURG

MIDDLE JAZZ

MIDDLE WEST

MIDI D'OSSAU

MIÈVREMENT

MIGENNOISE

MIGNARDISE

MIGRAINEUX

MIGRATOIRE

MIGRATRICE

MIHAILOVIC

MILANKOVIC

MILDIOUSÉE

MILICIENNE

MILITARISÉ

MILK-SHAKES

MILLAVOISE

MILLEFIORI

MILLÉNAIRE

MILLERAIES

MILLERANDÉ

MILLÉSIMÉE

MILLÉSIMER

MILLILITRE

MILLIMÈTRE

MILLIMÉTRÉ

MINATITLÁN

MINAUDERIE

MINAUDIÈRE

MINAUDIÈRE

MINCISSANT

MINDSZENTY

MINÉRALIER

MINÉRALISÉ

MINESTRONE

MINICHAÎNE

MINIMALISÉ	**MOISSAGAIS**	**MONTATAIRE**
MINIMISANT	MOISSONNÉE	**MONTAUSIER**
MINIPILULE	MOISSONNER	**MONTBRISON**
MINORATION	MOITISSANT	**MONTCHANIN**
MINORATIVE	MOLLETIÈRE	**MONTDIDIER**
MINORQUINE	MOLLETONNÉ	**MONTE ALBÁN**
MINORQUINE	MOLLISSANT	**MONTEBOURG**
MINUTIEUSE	MOLYBDIQUE	**MONTE-CARLO**
MIRACIDIUM	MOMENTANÉE	**MONTEGO BAY**
MIRACULEUX	MONACHISME	**MONTÉLIMAR**
MIRANDAISE	MONADELPHE	**MONTEMAYOR**
MIREBALAIS	MONARCHIEN	**MONTÉNÉGRO**
MIRLIFLORE	MONASTIQUE	**MONTENOTTE**
MIROBOLANT	**MONCOUTANT**	MONTE-PLATS
MIROITANTE	**MONDEVILLE**	**MONTÉRÉGIE**
MIROITERIE	MONDIALISÉ	**MONTESSORI**
MIROITIÈRE	MONÉGASQUE	**MONTEVERDI**
MIROMESNIL	**MONÉGASQUE**	**MONTEVIDEO**
MISONÉISME	MONÉTISANT	**MONTFAUCON**
MISONÉISTE	MONGOLISME	**MONTFERRAT**
MISTASSINI	MONGOLOÏDE	**MONTGOMERY**
MISTER HYDE	MONITORAGE	**MONTHEYSAN**
MITHRADATE	MONITORING	**MONTICELLI**
MITHRAÏSME	MÔN-KHMÈRES	**MONTMAJOUR**
MITHRIAQUE	MONNAYABLE	**MONTMARTRE**
MITHRIDATE	MONOCHROME	**MONTMAURIN**
MITIGATION	MONOCLINAL	**MONTMÉDIEN**
MITRAILLÉE	MONOCLONAL	**MONTMÉLIAN**
MITRAILLER	MONOCOLORE	**MONTMIRAIL**
MITSOTÁKIS	MONOGATARI	**MONTPELIER**
MITSUBISHI	MONOGRAMME	MONTRACHET
MITTELLAND	MONOLINGUE	**MONTRACHET**
MITTERRAND	MONOLOGUER	**MONTRÉJEAU**
MNÉMONIQUE	**MONOMOTAPA**	**MONTSERRAT**
MNOUCHKINE	MONOMOTEUR	**MONT-VERDUN**
MOBILE HOME	MONONUCLÉÉ	MONUMENTAL
MOBILISANT	MONOPHASÉE	MOQUETTANT
MODÉLISANT	MONOPHONIE	MORAINIQUE
MODÉNATURE	MONOPLÉGIE	MORALEMENT
MODÉRATEUR	MONOPOLEUR	MORALISANT
MODÉRATION	MONOPOLISÉ	MORBIDESSE
MODÉRÉMENT	MONOSPERME	MORBILLEUX
MODERNISÉE	MONOVALENT	MORCELABLE
MODERNISER	MONOZYGOTE	MORDANÇAGE
MODERNISME	MONSIGNORE	MORDANÇANT
MODERNISTE	MONSIGNORI	MORDICANTE
MODIFIABLE	MONSTRANCE	MORDILLAGE
MODIGLIANI	MONSTRUEUX	MORDILLANT
MODULATEUR	**MONTAGNAIS**	MORFONDANT
MODULATION	MONTAGNARD	MORIGÉNANT
MOGADISCIO	MONTAGNEUX	**MORLAISIEN**
MOHAMMEDIA	**MONTAGNIER**	**MORLANAISE**
MOHOLY-NAGY	**MONTALIVET**	**MORLANWELZ**
MOINS-PERÇU	MONTANISME	**MORNE-À-L'EAU**
MOINS-VALUE	MONTANISTE	MORPHOGÈNE
MOISISSANT	**MONTARGOIS**	MORTADELLE
MOISISSURE	**MONTASTRUC**	**MORTAGNAIS**

MORTAISAGE
MORTAISANT
MORTES-EAUX
MORTIFIANT
MORTUACIEN
MORVANDEAU
MORVANDEAU
MORVANDIAU
MORVANDIAU
MOSTAGANEM
MOTHERWELL
MOTIVATION
MOTOR-HOMES
MOTORISANT
MOTTERAINE
MOTTEVILLE
MOUCHARDÉE
MOUCHARDER
MOUCHETANT
MOUCHETURE
MOUILLABLE
MOUILLANCE
MOUILLANTE
MOUILLERON
MOUILLETTE
MOULINETTE
MOULINOISE
MOULURIÈRE
MOUSQUETON
MOUSSELINE
MOUSTACHUE
MOUSTÉRIEN
MOUTARDIER
MOUTONNANT
MOUTONNEUX
MOUTONNIER
MOUVEMENTÉ
MOUZONNAIS
MOYENÂGEUX
MOYEN-CONGO
MOZAMBIQUE
MOZZARELLA
MOZZARELLE
MUDANJIANG
MUGISSANTE
MULASSIÈRE
MULÂTRESSE
MULE-JENNYS
MULHOUSIEN
MULTICARTE
MULTICOQUE
MULTIFORME
MULTIGRADE
MULTIMÉDIA
MULTIMÈTRE
MULTINORME
MULTIPLEXE

MULTIPLIÉE
MULTIPLIER
MULTIPOINT
MULTIPOSTE
MULTIPRISE
MULTISALLE
MULTITÂCHE
MULTIVARIÉ
MUNICHOISE
MUNICHOISE
MUNICIPALE
MUNICIPAUX
MUNIFICENT
MURIAUTINE
MÛRISSANTE
MÛRISSERIE
MURMURANTE
MUSARAIGNE
MUSCARDINE
MUSCULAIRE
MUSCULEUSE
MUSÉOLOGIE
MUSÉOLOGUE
MUSICALITÉ
MUSIC-HALLS
MUSICIENNE
MUSIQUETTE
MUTABILITÉ
MUTAGENÈSE
MUTAZILITE
MUTILATEUR
MUTILATION
MUTUALISÉE
MUTUALISER
MUTUALISME
MUTUALISTE
MYASTHÉNIE
MYCÉLIENNE
MYCÉNIENNE
MYCÉNIENNE
MYCOPLASME
MYÉLINISÉE
MYMENSINGH
MYOCARDITE
MYOGLOBINE
MYRTIFORME
MYSTÉRIEUX
MYSTICISME
MYSTIFIANT
MYTHIFIANT
MYTHOLOGIE
MYTHOLOGUE
MYTHOMANIE
MYXOMATOSE
MYXOMYCÈTE
NABATÉENNE
NABORIENNE

NADJAFABAD
NAHMANIDES
NAMBIKWARA
NAMIBIENNE
NAMIBIENNE
NANCÉIENNE
NANTERRIEN
NANTISSANT
NANTUATIEN
NAPA VALLEY
NAPHTALÈNE
NAPHTALINE
NAPOLITAIN
NAPOLITAIN
NARBONNAIS
NARCOTIQUE
NARRATRICE
NASALISANT
NASILLARDE
NASILLEUSE
NATITINGOU
NATURALISÉ
NAUFRAGEUR
NAUSÉABOND
NAVARRAISE
NAVARRAISE
NAVETTEUSE
NAVIGATEUR
NAVIGATION
NAVISPHÈRE
NAZARÉENNE
NAZARÉENNE
NEANDERTAL
NÉANTISANT
NÉBULISANT
NÉBULISEUR
NÉBULOSITÉ
NÉCESSAIRE
NÉCESSITÉE
NÉCESSITER
NECKARSULM
NÉCROLOGIE
NÉCROPHAGE
NÉCROPHILE
NÉCROPHORE
NÉCROTIQUE
NEERWINDEN
NÉGATIVITÉ
NÉGLIGEANT
NÉGLIGENCE
NÉGLIGENTE
NÉGOCIABLE
NÉGOCIANTE
NÉMATOCÈRE
NÉOGRECQUE
NÉOLOGIQUE
NÉOLOGISME

NÉONAZISME
NÉOPTOLÈME
NÉOUVIELLE
NÉPÉRIENNE
NEPTUNISME
NÉRONIENNE
NESSELRODE
NETTOYEUSE
NEUCHÂTEAU
NEUENGAMME
NEUFCHÂTEL
NEUFCHÂTEL
NEUMÜNSTER
NEUROLOGIE
NEUROLOGUE
NEURONIQUE
NEUROTOMIE
NEUROTONIE
NEUROTROPE
NEUTRALISÉ
NEUTRALITÉ
NEUVILLOIS
NE VARIETUR
NEVERSOISE
NÉVICIENNE
NÉVRITIQUE
NÉVROPATHE
NÉVROPTÈRE
NÉVROTIQUE
NEW ORLEANS
NEW WINDSOR
NEW-YORKAIS
NEW-YORKAIS
NIAISEMENT
NIAMÉYENNE
NIBELUNGEN
NICOLAÏSME
NICOSIENNE
NICTITANTE
NID-DE-POULE
NID-D'OISEAU
NIDWALDIEN
NIEMCEWICZ
NIGAUDERIE
NIGÉRIENNE
NIGÉRIENNE
NIGHT-CLUBS
NIJNEKAMSK
NINO PISANO
NITRIFIANT
NIVELLOISE
NIVERNAISE
NIVERNAISE
N'KONGSAMBA
NOBILIAIRE
NOBLAILLON
NOCTAMBULE

NOCTILUQUE
NOGAROLIEN
NOGENTAISE
NOISY-LE-SEC
NOMADISANT
NO MAN'S LAND
NOMINALISÉ
NOMINATION
NOMINATIVE
NON-ALIGNÉE
NON-ALIGNÉS
NONANCOURT
NON ANIMÉES
NONANTAINE
NONANTIÈME
NONCHALANT
NONCIATURE
NON-CROYANT
NON-FUMEURS
NON-FUMEUSE
NON-INITIÉE
NON-INITIÉS
NON-INSCRIT
NONOBSTANT
NON-RÉPONSE
NON-RESPECT
NON-RETOURS
NON-SALARIÉ
NON-VALEURS
NON-VIOLENT
NON-VOYANTE
NON-VOYANTS
NORD-CORÉEN
NORD-CORÉEN
NORDISSANT
NÖRDLINGEN
NORMALISÉE
NORMALISER
NORRKÖPING
NOSOCOMIAL
NOSOPHOBIE
NOTABILITÉ
NOTTINGHAM
NOUADHIBOU
NOUAKCHOTT
NOURRICIER
NOURRISSON
NOURRITURE
NOUVEAU-NÉE
NOUVEAU-NÉS
NOVA IGUAÇU
NOVA LISBOA
NOYONNAISE
NUCÉRIENNE
NUCLÉARISÉ
NUCLÉOLYSE
NUCLÉOSIDE

NUCLÉOTIDE
NUITAMMENT
NUMÉRATEUR
NUMÉRATION
NUMÉRISANT
NUMÉRISEUR
NUMÉROTAGE
NUMÉROTANT
NUMÉROTEUR
NUMMULAIRE
NUPTIALITÉ
NYASSALAND
NYCTALOPIE
NYCTHÉMÈRE
NYIRAGONGO
NYMPHALIDÉ
NYMPHOMANE
OBÉISSANCE
OBÉISSANTE
OBERHAUSEN
OBJECTIVÉE
OBJECTIVER
OBLIGATION
OBLIGEANCE
OBLIGEANTE
OBLITÉRANT
OBNUBILANT
OBSÉQUIEUX
OBSERVABLE
OBSERVANCE
OBSIDIENNE
OBSIDIONAL
OBSTRUCTIF
OBTEMPÉRER
OBTURATEUR
OBTURATION
OBTUSANGLE
OCCASIONNÉ
OCCIDENTAL
OCCIDENTAL
OCCIPITALE
OCCIPITAUX
OCCULTISME
OCCULTISTE
OCCUPATION
OCCURRENCE
OCCURRENTE
OCÉANIENNE
OCÉANIENNE
OCTODURIEN
OCTOGONALE
OCTOGONAUX
OCULARISTE
ODER-NEISSE
ODONTALGIE
ODONTOCÈTE
ŒDÉMATEUX

ŒDÉMATIÉE
ŒDIPIENNE
ŒIL-DE-CHAT
ŒILS-DE-PIE
ŒNOMÉTRIE
ŒNOTHÈQUE
ŒSTRADIOL
ŒSTROGÈNE
OFFENSANTE
OFFERTOIRE
OFFICIELLE
OFFICIEUSE
OFFICINALE
OFFICINAUX
OFFUSQUANT
OIGNINOISE
OISEAU-LYRE
OISELLERIE
OLAUS PETRI
OLÉAGINEUX
OLÉORÉSINE
OLIGARCHIE
OLIGOCHÈTE
OLIGOCLASE
OLIGOPSONE
OLIVETAINE
OLIVÉTAINE
OLORONAISE
OLYMPIENNE
OMBILICALE
OMBILICAUX
OMBILIQUÉE
OMBRAGEANT
OMBRAGEUSE
OMNICOLORE
OMNIPOTENT
OMNISCIENT
OMNISPORTS
ONCTUOSITÉ
ONDOIEMENT
ONDULATION
ONE-MAN-SHOW
ONGUICULÉE
ONOMATOPÉE
ONTARIENNE
ONTOGENÈSE
OOLITHIQUE
OPACIFIANT
OPALESCENT
OPÉRATOIRE
OPÉRATRICE
OPPOSITION
OPPRESSANT
OPPRESSEUR
OPPRESSION
OPPRESSIVE
OPPRIMANTE

OPTICIENNE
OPTIMALISÉ
OPTIMISANT
OPTOMÉTRIE
OPTRONIQUE
ORANGEOISE
ORANGERAIE
ORANG-OUTAN
ORCHESTRAL
ORCHESTRÉE
ORCHESTRER
ORCHIDACÉE
ORDINATEUR
ORDINATION
ORDONNANCE
ORDONNANCÉ
ORDOVICIEN
OREILLARDE
OREILLETTE
ORFÈVRERIE
ORGANICIEN
ORGANISANT
ORGANISEUR
ORGANSINÉE
ORGANSINER
ORGASMIQUE
ORGASTIQUE
ORICHALQUE
ORIENTABLE
ORIENTEUSE
ORIGINAIRE
ORIGINELLE
ORLÉANAISE
ORLÉANISME
ORLÉANISTE
ORNEMENTAL
ORNEMENTÉE
ORNEMENTER
OROGÉNIQUE
OROGRAPHIE
OROPHARYNX
ORPAILLAGE
ORPAILLEUR
ORPHELINAT
ORS Y ROVIRA
ORTHODOXIE
ORTHOGÉNIE
ORTHOGONAL
ORTHONORMÉ
ORTHOPÉDIE
ORTHOPTÈRE
ORTHOSTATE
ORTHOTROPE
ORYCTÉROPE
ORZESZKOWA
OSCILLAIRE
OSCILLANTE

OSCULATEUR
OSTENSIBLE
OSTÉOGÉNIE
OSTÉOLOGIE
OSTÉOPATHE
OSTÉOPHYTE
OSTÉOTOMIE
ÖSTERREICH
OSTRACISME
OSTRÉICOLE
OSTROGOTHE
OSTROGOTHS
OTTOBEUREN
OTTONIENNE
OUAD-MÉDANI
OUAGALAISE
OUANANICHE
OUARZAZATE
OUDENAARDE
OUDMOURTES
OUDMOURTIE
OUESSANTIN
OUGANDAISE
OUGANDAISE
OUISTREHAM
OULAN-BATOR
OULIANOVSK
OUM ER-REBIA
OUM KALSOUM
OURALIENNE
OURDISSAGE
OURDISSANT
OURDISSOIR
OUSSOURISK
OUTAOUAISE
OUTRAGEANT
OUTRAGEUSE
OUTRANCIER
OUTREPASSÉ
OUTRE-TOMBE
OUVRAGEANT
OUVRE-BOÎTE
OVALBUMINE
OVATIONNÉE
OVATIONNER
OVERIJSSEL
OVULATOIRE
OXHYDRIQUE
OXYCARBONÉ
OXYCOUPAGE
OXYSULFURE
OYONNAXIEN
OZOIRIENNE
PACÉNIENNE
PACHYDERME
PADEREWSKI
PAGANISANT

PAGINATION
PAILLASSON
PAILLETAGE
PAILLETANT
PAIMBLOTIN
PAIMPOLAIS
PALANQUANT
PALATALISÉ
PALÉOLOGUE
PALESTRINA
PALETTISÉE
PALETTISER
PALÉTUVIER
PÂLICHONNE
PALINDROME
PALISSADÉE
PALISSADER
PÂLISSANTE
PALISSONNÉ
PALLIATIVE
PALMERSTON
PALMITIQUE
PALPÉBRALE
PALPÉBRAUX
PALPITANTE
PALPLANCHE
PALSAMBLEU
PALUDÉENNE
PANAMÉENNE
PANAMÉENNE
PANAMIENNE
PANAMIENNE
PANCARTAGE
PANCKOUCKE
PANDATERIA
PANIFIABLE
PANIQUANTE
PANIQUARDE
PANNEAUTER
PANNERESSE
PANONCEAUX
PANOPTIQUE
PANTAGRUEL
PANTELANTE
PANTHÉISME
PANTHÉISTE
PANTINOISE
PANTOMÈTRE
PANTOUFLER
PAPARAZZIS
PAPAVÉRINE
PAPILLAIRE
PAPILLONNÉ
PAPILLOTER
PÂQUERETTE
PARABELLUM
PARACHEVÉE

PARACHEVER
PARACHIMIE
PARACHUTAL
PARACHUTÉE
PARACHUTER
PARADISIER
PARADJANOV
PARADOXALE
PARADOXAUX
PARAFFINÉE
PARAFFINER
PARAFISCAL
PARAFOUDRE
PARAGRAPHE
PARAGUAYEN
PARAGUAYEN
PARAISSANT
PARALYSANT
PARAMARIBO
PARAMÉTRÉE
PARAMÉTRER
PARANGONNÉ
PARANORMAL
PARAPHASIE
PARAPHRASE
PARAPHRASÉ
PARAPLÉGIE
PARAPUBLIC
PARASITANT
PARASITOSE
PARASTATAL
PARCELLISÉ
PARCHEMINÉ
PARCIMONIE
PARCOTRAIN
PARCOURANT
PAR-DESSOUS
PARDONNANT
PARE-BALLES
PARE-ÉCLATS
PAREMENTÉE
PAREMENTER
PARENCHYME
PARENTALES
PARENTÉRAL
PARENTHÈSE
PARE-SOLEIL
PARESSEUSE
PARFONDANT
PARFUMERIE
PARFUMEUSE
PARIDIGITÉ
PARIÉTAIRE
PARIPENNÉE
PARIS-BREST
PARISIENNE
PARISIENNE

PARLEMENTÉ
PAR MÉGARDE
PARMENTIER
PARNASSIEN
PARODIENNE
PARODONTAL
PAROISSIAL
PAROISSIEN
PARONOMASE
PAROTIDIEN
PAROTIDITE
PAROXYSMAL
PARPAILLOT
PARQUETAGE
PARQUETANT
PARQUETEUR
PARRAINAGE
PARRAINANT
PARRAINEUR
PARRHASIOS
PARTAGEANT
PARTAGEUSE
PARTENAIRE
PARTIALITÉ
PARTICELLI
PARTICIPER
PARTISANTE
PASARGADES
PAS-DE-PORTE
PASIONARIA
PASSE-BANDE
PASSE-DROIT
PASSE-LACET
PASSE-PASSE
PASSE-PIEDS
PASSE-PLATS
PASSEPOILÉ
PASSEREAUX
PASSERELLE
PASSE-TEMPS
PASSIFLORE
PASSIONNÉE
PASSIONNEL
PASSIONNER
PASTENAGUE
PASTEURIEN
PASTEURISÉ
PASTICHANT
PASTICHEUR
PASTILLAGE
PASTOUREAU
PATAUGEAGE
PATAUGEANT
PATAUGEUSE
PATELINANT
PATERNELLE
PATHÉTIQUE

PATHÉTISME
PATHOGÉNIE
PATHOLOGIE
PATHOMIMIE
PATICHONNE
PATIEMMENT
PATIENTANT
PÂTISSERIE
PÂTISSIÈRE
PATOISANTE
PATOUILLÉE
PATOUILLER
PATRIARCAL
PATRIARCAT
PATRIARCHE
PATRILOCAL
PATRIMOINE
PATROLOGIE
PATRONNANT
PATROUILLE
PATROUILLÉ
PATTADAKAL
PATTES-D'OIE
PAUL DIACRE
PAUPÉRISÉE
PAUPÉRISER
PAUPÉRISME
PAUSES-CAFÉ
PAUVREMENT
PAYERNOISE
PAYSAGISTE
PAYS BASQUE
PEAUFINANT
PEAUSSERIE
PECCADILLE
PECHBLENDE
PÉCHERESSE
PÉCOPTÉRIS
PÉCUNIAIRE
PÉDANTERIE
PÉDANTISME
PÉDÉRASTIE
PÉDICELLÉE
PÉDICULOSE
PÉDIPLAINE
PÉDOGENÈSE
PÉDONCULÉE
PÉDOPHILIE
PEENEMÜNDE
PEIGNE-CULS
PEINTURANT
PÉJORATIVE
PEKALONGAN
PÉLAGIENNE
PÈLERINAGE
PELISSANNE
PELLAGREUX

PELLE-BÊCHE
PELLETERIE
PELLETEUSE
PELLETIÈRE
PELLICULÉE
PELLICULER
PELLOUTIER
PELOTONNÉE
PELOTONNER
PELUCHEUSE
PÉNALEMENT
PÉNALISANT
PENDELOQUE
PENDERECKI
PENDILLANT
PENDOUILLÉ
PENDULAIRE
PENDULETTE
PENDULIÈRE
PÉNÉPLAINE
PÉNÉTRABLE
PÉNÉTRANTE
PÉNIBILITÉ
PENNIFORME
PENSE-BÊTES
PENSIONNAT
PENSIONNÉE
PENSIONNER
PENTAGONAL
PENTAMÈTRE
PENTARADIÉ
PENTARCHIE
PENTATHLON
PENTÉLIQUE
PENTHIÈVRE
PÉNULTIÈME
PEPPERMINT
PEPTIDIQUE
PÉQUENAUDE
PERCE-NEIGE
PERCEPTEUR
PERCEPTION
PERCEPTIVE
PERCEVABLE
PERCIFORME
PERCIPIENT
PERCUSSION
PERCUTANÉE
PERCUTANTE
PERDIGUIER
PERDITANCE
PÈRE DAMIEN
PÈRE GORIOT
PÉREMPTION
PÉRENNANTE
PÉRENNISÉE
PÉRENNISER

PERFECTION
PERFORANTE
PERFORMANT
PERGÉLISOL
PÉRICLITER
PÉRIDINIEN
PÉRIDOTITE
PÉRIDURALE
PÉRIDURAUX
PÉRIGORDIN
PÉRIGORDIN
PÉRILLEUSE
PÉRINATALE
PÉRINATALS
PÉRINATAUX
PÉRIODIQUE
PÉRIODIQUE
PÉRIOSTITE
PÉRIPHÉRIE
PÉRIPHRASE
PÉRISÉLÈNE
PÉRISPERME
PÉRISSABLE
PÉRISSOIRE
PÉRITONÉAL
PÉRITONITE
PÉRIURBAIN
PERLINGUAL
PERMAFROST
PERMANENCE
PERMANENTE
PERMETTANT
PERMISSION
PERMISSIVE
PERMUTABLE
PERNAMBOUC
PERNICIEUX
PÉRONNAISE
PÉRONNELLE
PÉRORAISON
PEROXYDANT
PEROXYDASE
PERPÉTRANT
PERPÉTUANT
PERPÉTUITÉ
PERPLEXITÉ
PERRONNEAU
PERRUQUIER
PERSÉCUTÉE
PERSÉCUTER
PERSÉPHONE
PERSÉPOLIS
PERSÉVÉRER
PERSICAIRE
PERSIFLAGE
PERSIFLANT
PERSIFLEUR

PERSILLADE
PERSILLÈRE
PERSISTANT
PERSONNAGE
PERSPECTIF
PERSPICACE
PERSUADANT
PERSUASION
PERSUASIVE
PERSULFATE
PERSULFURE
PERTHARITE
PERTINENCE
PERTINENTE
PERTUISANE
PERTURBANT
PÉRUVIENNE
PÉRUVIENNE
PERVERSION
PERVERSITÉ
PERVIBRAGE
PERVIBRANT
PESCADORES
PÈSE-ACIDES
PÈSE-ALCOOL
PÈSE-ESPRIT
PÈSE-LETTRE
PÈSE-SIROPS
PESSIMISME
PESSIMISTE
PESTALOZZI
PESTIFÉRÉE
PESTILENCE
PETAH-TIKVA
PÉTAINISTE
PÉTARADANT
PÉTAUDIÈRE
PÉTAURISTE
PET-DE-NONNE
PÉTILLANTE
PETIT-BOURG
PETITEMENT
PÉTITIONNÉ
PETIT-NÈGRE
PETIT-NEVEU
PETIT RENAU
PETITS-BOIS
PETITS-FILS
PETITS-GRIS
PETITS POIS
PÉTOUILLER
PÉTRIFIANT
PÉTRISSAGE
PÉTRISSANT
PÉTRISSEUR
PÉTROLETTE
PÉTROLEUSE

PÉTROLIÈRE
PÉTROLOGIE
PÉTROLOGUE
PETRÓPOLIS
PETROUCHKA
PEUPLEMENT
PEUPLERAIE
PHACOCHÈRE
PHAGOCYTÉE
PHAGOCYTER
PHALANGÈRE
PHALANGINE
PHALSBOURG
PHANARIOTE
PHARAONIEN
PHARMACIEN
PHARYNGALE
PHARYNGAUX
PHARYNGIEN
PHARYNGITE
PHASEMÈTRE
PHASIANIDÉ
PHELLOGÈNE
PHÉLYPEAUX
PHÉNÉTIQUE
PHÉNOLIQUE
PHÉNOLOGIE
PHÉNOMÉNAL
PHÉNYLIQUE
PHÉOPHYCÉE
PHÉRORMONE
PHILATÉLIE
PHILIPPINE
PHILIPPINE
PHILISTINS
PHILOCTÈTE
PHILOLOGIE
PHILOLOGUE
PHILOSOPHE
PHILOSOPHÉ
PHLÉBOTOME
PHOCOMÉLIE
PHONATOIRE
PHONATRICE
PHONÉMIQUE
PHONÉTIQUE
PHONÉTISME
PHONIATRIE
PHONOGÉNIE
PHONOLOGIE
PHONOLOGUE
PHOSPHATÉE
PHOSPHATER
PHOSPHORÉE
PHOSPHORER
PHOTOCOPIE
PHOTOCOPIÉ

PHOTODIODE
PHOTOMATON
PHOTOMÈTRE
PHOTONIQUE
PHOTOPHORE
PHOTO-ROBOT
PHOTO-ROMAN
PHOTOSTYLE
PHOTOTAXIE
PHOTOTYPIE
PHRASTIQUE
PHRÉATIQUE
PHRYGIENNE
PHRYGIENNE
PHYLACTÈRE
PHYLÉTIQUE
PHYLLOXÉRA
PHYLOGÉNIE
PHYTOPHAGE
PIACULAIRE
PIAFFEMENT
PIAILLARDE
PIAILLERIE
PIAILLEUSE
PIANISSIMI
PIANISSIMO
PIANOFORTE
PIANOS-BARS
PIAULEMENT
PICAILLONS
PICARESQUE
PICCADILLY
PICHENETTE
PICKPOCKET
PICOTEMENT
PIED-À-TERRE
PIED-DE-LION
PIED-DE-LOUP
PIED-DE-VEAU
PIÉDESTAUX
PIEDS-DE-ROI
PIEDS-NOIRS
PIEDS-NOIRS
PIEDS-PLATS
PIE-GRIÈCHE
PIÉMONTAIS
PIÉMONTAIS
PIERRAILLE
PIERRERIES
PIÉTINANTE
PIÉTONNIER
PIÈTREMENT
PIEUSEMENT
PIÉZOMÈTRE
PIGEONNANT
PIGEONNEAU
PIGEONNIER

PIGMENTANT	PLANIMÈTRE	POCHARDANT
PIGNOCHANT	PLANIPENNE	PODZOLIQUE
PIGNORATIF	PLAN-RELIEF	POIGNARDÉE
PILAT-PLAGE	PLANTATION	POIGNARDER
PILLOW-LAVA	**PLANTAUREL**	POINÇONNÉE
PILO-SÉBACÉ	PLANTUREUX	POINÇONNER
PINAILLAGE	PLAQUEMINE	POINSETTIA
PINAILLANT	PLASMOCYTE	POINT DE VUE
PINAILLEUR	PLASMODIUM	POINTILLÉE
PINNOTHÈRE	PLASMOLYSE	POINTILLER
PINOCYTOSE	PLASMOPARA	POIREAUTER
PINTADEAUX	PLASTICAGE	**POISEUILLE**
PINTOCHANT	PLASTICIEN	POLARISANT
PIQUE-BŒUF	PLASTICINE	POLARISEUR
PIQUE-FLEUR	PLASTICITÉ	POLATOUCHE
PIQUE-NIQUE	PLASTIFIÉE	POLÉMARQUE
PIQUE-NIQUÉ	PLASTIFIER	POLÉMIQUER
PIQUE-NOTES	PLASTIQUÉE	POLICEMANS
PIQUETEUSE	PLASTIQUER	POLISSABLE
PIRANDELLO	PLASTRONNÉ	POLISSEUSE
PIROUETTER	PLASTURGIE	POLISSONNE
PISCÉNOISE	PLATANISTE	POLISSONNÉ
PISCIACAIS	PLATE-BANDE	POLITICARD
PISCIFORME	PLATE-FORME	POLITICIEN
PISISTRATE	PLATINOÏDE	POLITISANT
PISSE-FROID	PLATONIQUE	POLLINIQUE
PISSOTIÈRE	PLATONISME	POLYALCOOL
PISTACHIER	PLATS-BORDS	POLYANDRIE
PISTONNANT	PLÉBÉIENNE	POLYCHROME
PITCHOUNET	PLÉBISCITE	POLYCOPIÉE
PITHIVIERS	PLÉBISCITÉ	POLYCOPIER
PITHIVIERS	PLÉCOPTÈRE	POLYDIPSIE
PITTSBURGH	PLEINEMENT	POLYGLOTTE
PITUITAIRE	PLEIN-TEMPS	POLYGONALE
PITYRIASIS	PLEURNICHÉ	POLYGONAUX
PIVOTEMENT	PLEUTRERIE	POLYGRAPHE
PIZZAIOLOS	PLEUVASSER	POLYIODURE
PIZZICATOS	PLISSEMENT	POLYMÉRISÉ
PLACARDANT	PLOMBAGINE	POLYMORPHE
PLACODERME	PLOMBIÈRES	POLYNÉSIEN
PLAFONNAGE	**PLOMBIÈRES**	**POLYNÉSIEN**
PLAFONNANT	PLOMBIFÈRE	POLYNOMIAL
PLAFONNEUR	PLONGEANTE	POLYPHASÉE
PLAFONNIER	PLONGEMENT	POLYPHONIE
PLAIDOIRIE	**PLOUFRAGAN**	POLYPLOÏDE
PLAIGNANTE	**PLOUGASTEL**	POLYPTYQUE
PLAIN-CHANT	**PLOUIGNEAU**	POLYTHERME
PLAISANTÉE	**PLOUMANAC'H**	POLYTONALE
PLAISANTER	PLUMASSIER	POLYTONAUX
PLAISANTIN	PLURALISME	POLYVALENT
PLAN CARPIN	PLURALISTE	POLYVINYLE
PLANCHÉIÉE	PLURIVOQUE	POMPÉIENNE
PLANCHÉIER	PLUS-VALUES	POMPONNANT
PLANCHETTE	PLUTONIQUE	PONANTAISE
PLANCHISTE	PLUTONISME	PONCTIONNÉ
PLANÉTAIRE	PLUVIOSITÉ	PONCTUELLE
PLANIFIANT	**POCATOISES**	PONDÉRABLE

PONDÉREUSE
PONDICHÉRY
PONT-À-MARCQ
PONTARLIER
PONTEVEDRA
PONTIFIANT
PONTIFICAL
PONTIFICAT
PONTOISIEN
PONTON-GRUE
PONTONNIER
PONTRESINA
PONT-SCORFF
PONTS-LEVIS
PONTS-RAILS
PONTUSEAUX
POOL MALEBO
PÖPPELMANN
POPULACIER
POPULARISÉ
POPULARITÉ
POPULATION
PORCARTOIS
PORCELAINE
PORCHAISON
PORCS-ÉPICS
PORNICAISE
PORPHYRINE
PORRENTRUY
PORT-ARTHUR
PORT-DE-BOUC
PORTE-À-FAUX
PORTE-AUTOS
PORTE-BALAI
PORTE-BARGE
PORTE-BÉBÉS
PORTE-CARTE
PORTE-CLEFS
PORTE-COPIE
PORTE-CROIX
PORTE-ÉPÉES
PORTE-LAMES
PORTE-MENUS
PORTE-OBJET
PORTE-OUTIL
PORTE-PLUME
PORTE-QUEUE
PORTE-SAVON
PORT-GENTIL
PORT-JÉRÔME
PORT-NAVALO
PORTO VELHO
PORTOVIEJO
PORTSMOUTH
PORT-SOUDAN
PORT TALBOT
PORTUGAISE

PORTUGAISE
PORT-VILAIS
POSIDONIUS
POSITIONNÉ
POSITIVITÉ
POSITONIUM
POSSÉDANTE
POSSESSEUR
POSSESSION
POSSESSIVE
POSTDATANT
POSTÉRIEUR
POST-MARCHÉ
POST MORTEM
POSTNATALE
POSTNATALS
POSTNATAUX
POST-PARTUM
POSTPOSANT
POSTULANTE
POTASSIQUE
POTENTILLE
POTESTATIF
POTIMARRON
POUDOVKINE
POUDROYANT
POUGATCHEV
POUILLERIE
POUILLEUSE
POUJADISME
POUJADISTE
POULAILLER
POULINIÈRE
POUPONNANT
POURCHASSÉ
POURFENDRE
POURFENDUE
POURLÉCHÉE
POURLÉCHER
POURRITURE
POURSUIVIE
POURSUIVRE
POURVOIRIE
POURVOYANT
POURVOYEUR
POUSSE-CAFÉ
POUTRAISON
POUZZOLANE
PRAESIDIUM
PRAETORIUS
PRANDTAUER
PRASÉODYME
PRATICABLE
PRATIQUANT
PRÉAVISANT
PRÉCARISÉE
PRÉCARISER

PRÉCAUTION
PRÉCÉDENTE
PRÉCEPTEUR
PRÉCESSION
PRÉCHAMBRE
PRÉCHAUFFÉ
PRÉCIOSITÉ
PRÉCIPITÉE
PRÉCIPITER
PRÉCOMPTÉE
PRÉCOMPTER
PRÉCONISÉE
PRÉCONISER
PRÉCORDIAL
PRÉCUISANT
PRÉCUISSON
PRÉCURSEUR
PRÉDATRICE
PRÉDÉCOUPÉ
PRÉDESTINÉ
PRÉDICABLE
PRÉDICATIF
PRÉDICTION
PRÉDICTIVE
PRÉDIGÉRÉE
PRÉDIQUANT
PRÉDISPOSÉ
PRÉDOMINER
PRÉEMBALLÉ
PRÉÉMINENT
PRÉEMPTANT
PRÉEMPTION
PRÉENCOLLÉ
PRÉÉTABLIE
PRÉÉTABLIR
PRÉEXISTER
PRÉFAILLES
PRÉFECTURE
PRÉFÉRABLE
PRÉFÉRENCE
PRÉFIGURÉE
PRÉFIGURER
PRÉFORMAGE
PRÉFORMANT
PRÉGÉNITAL
PRÉHENSEUR
PRÉHENSILE
PRÉHENSION
PRÉJUDICIÉ
PRÉJUGEANT
PRÉLASSANT
PRÉLOGIQUE
PRÉMATURÉE
PRÉMÉDITÉE
PRÉMÉDITER
PRÉMOLAIRE
PRÉMONTRÉE

PRÉNOMMANT
PRÉNUPTIAL
PRÉOCCUPÉE
PRÉOCCUPER
PRÉPARATIF
PRÉPENSION
PRÉPOSITIF
PRÉRÉGLAGE
PRÉRÉGLANT
PRÉRENTRÉE
PRÉSAGEANT
PRÉSALAIRE
PRESBYOPIE
PRESBYTÈRE
PRESCIENCE
PRESCIENTE
PRÉSENTANT
PRÉSENTOIR
PRÉSERVANT
PRÉSIDENCE
PRÉSIDENTE
PRÉSIDIAUX
PRÉSOMPTIF
PRESS-BOOKS
PRESSENTIE
PRESSENTIR
PRESSOSTAT
PRESSURAGE
PRESSURANT
PRESSURISÉ
PRESTATION
PRESTEMENT
PRÉSUMABLE
PRÉSUPPOSÉ
PRÉTENDANT
PRÉTENTION
PRÉTÉRITÉE
PRÉTÉRITER
PRÉTEXTANT
PRÉTORIALE
PRÉTORIAUX
PRÊTRAILLE
PRÉTRAITÉE
PRÉVALENCE
PRÉVENANCE
PRÉVENANTE
PRÉVENTION
PRÉVENTIVE
PRÉVISIBLE
PRÉVOYANCE
PRÉVOYANTE
PRILLIÉRAN
PRIMA DONNA
PRIMATIALE
PRIMATIAUX
PRIMAUGUET
PRIME DONNE

PRIME TIMES
PRIMORDIAL
PRIMULACÉE
PRIM Y PRATS
PRINCE NOIR
PRINCIPALE
PRINCIPAUX
PRINTANIER
PRISONNIER
PRIVADOISE
PRIVATISÉE
PRIVATISER
PRIVATISTE
PRIVILÉGIÉ
PRJEVALSKI
PROBATOIRE
PROCARYOTE
PROCÉDURAL
PROCESSEUR
PROCESSION
PROCESSIVE
PROCIDENCE
PROCLAMANT
PROCTALGIE
PROCUREURE
PROCYONIDÉ
PRODIGIEUX
PRODIGUANT
PRODUCTEUR
PRODUCTION
PRODUCTIVE
PRODUISANT
PROÉMINENT
PROFECTIVE
PROFESSANT
PROFESSEUR
PROFESSION
PROFITABLE
PROFITANTE
PROFITEUSE
PROFONDEUR
PROGLOTTIS
PROGRAMMÉE
PROGRAMMER
PROGRESSER
PROGRESSIF
PROHIBITIF
PROJECTEUR
PROJECTILE
PROJECTION
PROJECTIVE
PROLACTINE
PROLÉTAIRE
PROLIFÉRER
PROLIFIQUE
PROMENEUSE
PROMÉTHÉEN

PROMÉTHÉUM
PROMETTANT
PROMETTEUR
PROMOTRICE
PROMOUVANT
PROMOUVOIR
PROMULGUÉE
PROMULGUER
PRONATRICE
PRONOMINAL
PRONONÇANT
PROPADIÈNE
PROPAGANDE
PROPAGEANT
PROPENSION
PROPHÉTISÉ
PROPONTIDE
PROPORTION
PROPOSABLE
PROPREMENT
PROPRÉTEUR
PROPRÉTURE
PROPULSANT
PROPULSEUR
PROPULSION
PROPULSIVE
PROROGATIF
PROROGEANT
PROSCENIUM
PROSERPINE
PROSODIQUE
PROSOPOPÉE
PROSPECTÉE
PROSPECTER
PROSPECTIF
PROSPECTUS
PROSPÉRANT
PROSPÉRITÉ
PROSTATINE
PROSTERNÉE
PROSTERNER
PROSTITUÉE
PROSTITUER
PROTAGORAS
PROTANDRIE
PROTECTEUR
PROTECTION
PROTÉGEANT
PROTÈGE-BAS
PROTÉOLYSE
PROTESTANT
PROTIDIQUE
PROTOGYNIE
PROTONIQUE
PROTOPHYTE
PROTOPTÈRE
PROVENANCE

10

PROVENÇALE	PUTRÉFIANT	**QUEENSLAND**
PROVENÇALE	PUTSCHISTE	QUELCONQUE
PROVENÇAUX	**PUVIRNITUQ**	QUELLES QUE
PROVENÇAUX	**PUYLAURENS**	QUÉMANDANT
PROVERBIAL	**PUY-L'ÉVÊQUE**	QUÉMANDEUR
PROVIDENCE	PYCNOMÈTRE	QUENOUILLE
PROVIDENCE	**PYLA-SUR-MER**	QUERCINOIS
PROVIGNAGE	PYODERMITE	**QUERCINOIS**
PROVIGNANT	PYRACANTHA	**QUERCITAIN**
PROVINCIAL	PYRAMIDALE	QUERCITRON
PROVINOISE	PYRAMIDAUX	QUERCYNOIS
PROVISOIRE	PYRAMIDION	**QUERCYNOIS**
PROVOCANTE	PYRÉNÉENNE	QUERELLANT
PROVOQUANT	**PYRÉNÉENNE**	QUERELLEUR
PROXÉMIQUE	PYRÉTHRINE	QUÉRULENCE
PRUDEMMENT	PYRIDOXINE	QUÉRULENTE
PRUDHOE BAY	PYRIMIDINE	QUESTIONNÉ
PRUD'HOMALE	PYROCORISE	QUEUE-DE-PIE
PRUD'HOMAUX	PYROGALLOL	QUEUE-DE-RAT
PRUNELLIER	PYROGRAPHE	**QUEVILLAIS**
PRUSSIENNE	PYROLUSITE	**QUEZON CITY**
PRUSSIENNE	PYROMÉTRIE	QUIESCENCE
PSALMODIÉE	PYRRHONIEN	QUIESCENTE
PSALMODIER	PYRRHOTITE	**QUILLANAIS**
PSALTÉRION	PYRROLIQUE	**QUIMPÉROIS**
PSEUDONYME	PYTHONISSE	QUINOLÉINE
PSEUDOPODE	**QALAT SIMAN**	**QUINTILIEN**
PSILOPHYTE	**QATARIENNE**	QUINTUPLÉE
PSITTACIDÉ	QUADRANGLE	QUINTUPLER
PSITTACOSE	QUADRATURE	QUINTUPLÉS
PSYCHIATRE	QUADRICEPS	QUIRATAIRE
PSYCHOGÈNE	QUADRIFIDE	RABÂCHEUSE
PTÉRANODON	QUADRILLÉE	RABAISSANT
PTÉRYGOÏDE	QUADRILLER	RABATTABLE
PUBERTAIRE	QUADRILOBE	RABATTANTE
PUBESCENCE	QUADRIPÔLE	RABATTEUSE
PUBESCENTE	QUADRUMANE	RABBINIQUE
PUBLICISTE	QUADRUPÈDE	RABBINISME
PUBLIPHONE	QUADRUPLÉE	RABIBOCHÉE
PUÉRILISME	QUADRUPLER	RABIBOCHER
PUERPÉRALE	QUADRUPLÉS	RACCOMMODÉ
PUERPÉRAUX	QUADRUPLET	RACCORDANT
PUERTO RICO	QUADRUPLEX	RACCOURCIE
PUGET SOUND	QUAKERESSE	RACCOURCIR
PULLIÉRANE	QUALIFIANT	RACCROCHÉE
PULMONAIRE	QUALITATIF	RACCROCHER
PULSIONNEL	QUANTIFIÉE	RACHETABLE
PULTRUSION	QUANTIFIER	RACHIALGIE
PULVÉRISÉE	QUARTANIER	RACHITIQUE
PULVÉRISER	QUART-MONDE	RACHITISME
PUNISSABLE	QUARTZEUSE	RACKETTANT
PUPILLAIRE	QUASI-DÉLIT	RACKETTEUR
PUPITREUSE	QUATERNION	RACONTABLE
PURGATOIRE	QUATRE-MÂTS	RACONTEUSE
PURIFIANTE	QUÉBÉCISME	RADICALISÉ
PUSTULEUSE	QUÉBÉCOISE	RADICALITÉ
PUTASSIÈRE	**QUÉBÉCOISE**	RADICULITE

RADIOACTIF
RADIOGUIDÉ
RADIOLAIRE
RADIOLOGIE
RADIOLOGUE
RADIOMÈTRE
RADIOPHARE
RADIOSONDE
RADIO-TAXIS
RAFFINERIE
RAFFINEUSE
RAFISTOLÉE
RAFISTOLER
RAFRAÎCHIE
RAFRAÎCHIR
RAGOÛTANTE
RAIDISSANT
RAIDISSEUR
RAISONNANT
RAISONNEUR
RALINGUANT
RALLIEMENT
RALLIFORME
RAMAKRISNA
RAMASSETTE
RAMASSEUSE
RAMASSOIRE
RAMENDEUSE
RAMONVILLE
RAMPONEAUX
RAMPONNEAU
RANAVALONA
RANCARDANT
RANCISSANT
RANÇONNANT
RANÇONNEUR
RANCUNIÈRE
RANDOMISÉE
RANDOMISER
RANDONNANT
RANDONNEUR
RANIMATION
RANTANPLAN
RAON-L'ÉTAPE
RAPATRIANT
RAPERCHANT
RAPETASSÉE
RAPETASSER
RAPETISSÉE
RAPETISSER
RAPHAËLOIS
RAPICOLANT
RAPIDEMENT
RAPPARIANT
RAPPLIQUER
RAPPOINTIS
RAPPORTANT

RAPPORTEUR
RAPPRENANT
RAPPRENDRE
RAPPROCHÉE
RAPPROCHER
RAQUETTEUR
RARÉFIABLE
RARESCENTE
RASE-MOTTES
RASPOUTINE
RASSASIANT
RASSEMBLÉE
RASSEMBLER
RASSÉRÉNÉE
RASSÉRÉNER
RASSISSANT
RASSURANTE
RAS TANNURA
RATATINANT
RATIBOISÉE
RATIBOISER
RATIOCINER
RATIONNANT
RATISBONNE
RATS-DE-CAVE
RATS-TAUPES
RATTACHANT
RATTRAPAGE
RATTRAPANT
RAVALEMENT
RAVAUDEUSE
RAVE-PARTYS
RAVIGOTANT
RAVINEMENT
RAVISSANTE
RAVISSEUSE
RAVITAILLÉ
RAWALPINDI
RAYONNANTE
RAZ DE MARÉE
RÉABONNANT
RÉABSORBÉE
RÉABSORBER
RÉACTIVANT
RÉACTIVITÉ
RÉACTOGÈNE
RÉADAPTANT
RÉADMETTRE
READY-MADES
RÉAFFIRMÉE
RÉAFFIRMER
RÉAGISSANT
RÉAJUSTANT
RÉALIGNANT
RÉALISABLE
RÉAMÉNAGÉE
RÉAMÉNAGER

RÉAMORÇANT
RÉARGENTÉE
RÉARGENTER
RÉARMEMENT
RÉARRANGÉE
RÉARRANGER
RÉASSIGNÉE
RÉASSIGNER
RÉASSORTIE
RÉASSORTIR
RÉASSURANT
RÉASSUREUR
REBAISSANT
REBAPTISÉE
REBAPTISER
RÉBARBATIF
REBEYROLLE
REBLANCHIE
REBLANCHIR
REBOUCHAGE
REBOUCHANT
REBOUTEUSE
REBOUTONNÉ
REBROUSSÉE
REBROUSSER
RECACHETÉE
RECACHETER
RECALCIFIÉ
RECALCULÉE
RECALCULER
RÉCAPITULÉ
RECARBURÉE
RECENSEUSE
RECENTRAGE
RECENTRANT
RÉCEPTACLE
RÉCEPTRICE
RECERCLANT
RECHANTANT
RÉCHAPPANT
RECHASSANT
RÉCHAUFFÉE
RÉCHAUFFER
RECHAUSSÉE
RECHAUSSER
RECHERCHÉE
RECHERCHER
RECHIGNANT
RÉCIDIVANT
RÉCIPROQUE
RÉCIPROQUÉ
RÉCITATION
RÉCLAMANTE
RECLASSANT
RÉCOGNITIF
RECOIFFANT
RÉCOLEMENT

RÉCOLTABLE
RÉCOLTANTE
RECOMBINÉE
RECOMBINER
RECOMMANDÉ
RECOMMENCÉ
RÉCOMPENSE
RÉCOMPENSÉ
RECOMPOSÉE
RECOMPOSER
RECOMPTANT
RÉCONCILIÉ
RECONDUIRE
RECONDUITE
RÉCONFORTÉ
RECONQUÊTE
RECONQUISE
RECONVERTI
RECORDMANS
RECORRIGÉE
RECORRIGER
RECOUCHANT
RECOURBANT
RECOURBURE
RECOUVERTE
RECOUVRAGE
RECOUVRANT
RECRACHANT
RECRÉATION
RÉCRÉATION
RÉCRÉATIVE
RECREUSANT
RÉCRIMINER
RECRUTEUSE
RECTIFIANT
RECTILIGNE
RECUEILLIE
RECUEILLIR
RECULEMENT
RECULOTTÉE
RECULOTTER
RÉCUPÉRANT
RÉCURRENCE
RÉCURRENTE
RÉCURSOIRE
RÉCUSATION
RECYCLABLE
RÉDACTRICE
REDEMANDÉE
REDEMANDER
REDÉMARRER
RÉDEMPTEUR
RÉDEMPTION
REDÉPLOYÉE
REDÉPLOYER
REDESCENDU
REDEVENANT

REDIFFUSÉE
REDIFFUSER
REDISCUTÉE
REDISCUTER
REDONDANCE
REDONDANTE
REDONNAISE
REDOUBLANT
REDOUTABLE
REDRESSAGE
REDRESSANT
REDRESSEUR
RÉDUCTIBLE
RÉDUCTRICE
RÉÉCOUTANT
RÉÉCRITURE
RÉÉCRIVANT
RÉÉDIFIANT
RÉÉDUQUANT
RÉÉLECTION
RÉÉLIGIBLE
RÉELLEMENT
RÉEMBAUCHÉ
RÉÉMETTEUR
RÉEMPLOYÉE
RÉEMPLOYER
RÉEMPRUNTÉ
RÉESCOMPTE
RÉESCOMPTÉ
RÉESSAYAGE
RÉESSAYANT
RÉÉTUDIANT
RÉÉVALUANT
RÉEXAMINÉE
RÉEXAMINER
RÉEXPÉDIÉE
RÉEXPÉDIER
RÉEXPORTÉE
RÉEXPORTER
REFAÇONNÉE
REFAÇONNER
RÉFECTOIRE
RÉFÉRENCÉE
RÉFÉRENCER
RÉFÉRENDUM
RÉFLECTEUR
RÉFLEXIBLE
RÉFORMABLE
RÉFORMETTE
RÉFORMISME
RÉFORMISTE
REFORMULÉE
REFORMULER
REFOUILLÉE
REFOUILLER
RÉFRACTANT
RÉFRACTEUR

RÉFRACTION
RÉFRIGÉRÉE
RÉFRIGÉRER
RÉFRINGENT
RÉFUTATION
RÉGALEMENT
RÉGALIENNE
REGARDANTE
REGARDEUSE
RÉGÉNÉRANT
REGENSBURG
REGIMBEUSE
RÉGINÉENNE
RÉGIONALES
REGISTRANT
RÉGLEMENTÉ
REGONFLAGE
REGONFLANT
REGORGEANT
REGRATTAGE
REGRATTANT
REGRATTIER
REGREFFANT
RÉGRESSANT
RÉGRESSION
RÉGRESSIVE
REGRETTANT
REGRIMPANT
REGROUPANT
RÉGULARISÉ
RÉGULARITÉ
RÉGULATEUR
RÉGULATION
RÉGURGITÉE
RÉGURGITER
RÉHABILITÉ
RÉHABITUÉE
RÉHABITUER
REHAUSSANT
REHAUSSEUR
RÉHYDRATÉE
RÉHYDRATER
REICHSMARK
REICHSTADT
REICHSTETT
REICHSWEHR
RÉIMPLANTÉ
RÉIMPORTÉE
RÉIMPORTER
RÉIMPOSANT
RÉIMPRIMÉE
RÉIMPRIMER
RÉINCARNÉE
RÉINCARNER
RÉINSCRIRE
RÉINSCRITE
RÉINSÉRANT

RÉINSTALLÉ	RÉMITTENTE	RENOUVELER
RÉINTÉGRÉE	REMMAILLÉE	RÉNOVATEUR
RÉINTÉGRER	REMMAILLER	RÉNOVATION
RÉINVENTÉE	REMMANCHÉE	RENSEIGNÉE
RÉINVENTER	REMMANCHER	RENSEIGNER
RÉINVESTIE	REMMOULAGE	RENTOILAGE
RÉINVESTIR	REMMOULANT	RENTOILANT
RÉINVITANT	REMODELAGE	RENTOILEUR
RÉITÉRATIF	REMODELANT	RENTRAYANT
REJOIGNANT	REMONTANTE	RENVERSANT
REJOINTOYÉ	REMONTRANT	RÉOCCUPANT
RELAISSANT	REMORQUAGE	RÉORGANISÉ
RELATIVISÉ	REMORQUANT	RÉORIENTÉE
RELATIVITÉ	REMORQUEUR	RÉORIENTER
RELAXATION	REMOUILLÉE	REPAISSANT
RELECQUOIS	REMOUILLER	REPARAÎTRE
RELÉGATION	REMPAILLÉE	RÉPARATEUR
RELÈVEMENT	REMPAILLER	RÉPARATION
RELIGIEUSE	REMPAQUETÉ	REPARTAGÉE
RELIQUAIRE	REMPLAÇANT	REPARTAGER
RELOGEMENT	REMPLOYANT	REPARUTION
RÉLUCTANCE	REMPLUMANT	REPASSEUSE
RELUISANTE	REMPOCHANT	REPEIGNANT
REMAILLAGE	REMPORTANT	REPENTANCE
REMAILLANT	REMPRUNTÉE	REPENTANTE
REMANGEANT	REMPRUNTER	**REPENTIGNY**
REMANIABLE	RÉMUNÉRANT	RÉPERCUTÉE
REMAQUILLÉ	RENAISSANT	RÉPERCUTER
REMARCHANT	RENARDEAUX	RÉPERTOIRE
REMARQUANT	RENARDIÈRE	RÉPERTORIÉ
REMASTIQUÉ	RENCAISSÉE	RÉPÉTITEUR
REMBALLAGE	RENCAISSER	RÉPÉTITION
REMBALLANT	RENCARDANT	RÉPÉTITIVE
REMBARQUÉE	RENCOGNANT	REPEUPLANT
REMBARQUER	RENCONTRÉE	REPLANTANT
REMBARRANT	RENCONTRER	REPLÂTRAGE
REMBAUCHÉE	RENDEZ-VOUS	REPLÂTRANT
REMBAUCHER	RENDORMANT	REPLEUVANT
REMBLAVANT	RENDOSSANT	REPLEUVOIR
REMBLAYAGE	RENÉGOCIÉE	REPLIEMENT
REMBLAYANT	RENÉGOCIER	RÉPLIQUANT
REMBOBINÉE	**RENÉ GOUPIL**	REPLISSANT
REMBOBINER	RENFERMANT	RÉPONDANTE
REMBOÎTAGE	RENFLEMENT	RÉPONDEUSE
REMBOÎTANT	RENFLOUAGE	REPORTRICE
REMBOURRÉE	RENFLOUANT	REPOSE-PIED
REMBOURRER	RENFONÇANT	REPOSE-TÊTE
REMBOURSÉE	RENFORÇANT	REPOURVOIR
REMBOURSER	RENFROGNÉE	REPOUSSAGE
REMBUCHANT	RENFROGNER	REPOUSSANT
REMÉDIABLE	RENGAGEANT	REPOUSSOIR
REMEMBRANT	RENGAINANT	REPRÉSENTÉ
REMÉMORANT	RENGRAISSÉ	RÉPRESSEUR
REMERCIANT	RENGRÉNANT	RÉPRESSION
REMEUBLANT	RENIFLEUSE	RÉPRESSIVE
REMIREMONT	RENOUVEAUX	RÉPRIMANDE
RÉMISSIBLE	RENOUVELÉE	RÉPRIMANDÉ

REPROCHANT	RESTOROUTE	RÉVEILLANT
REPRODUIRE	RESTREINTE	RÉVÉLATEUR
REPRODUITE	RESTRICTIF	RÉVÉLATION
RÉPROUVANT	RÉSULTANTE	REVENDEUSE
RÉPUBLIQUE	RÉSURGENCE	REVENDIQUÉ
RÉPUGNANCE	RÉSURGENTE	RÉVERBÉRÉE
RÉPUGNANTE	RETAILLANT	RÉVERBÉRER
RÉPUTATION	RÉTICULANT	RÉVERSIBLE
REQUALIFIÉ	RÉTINIENNE	REVÊTEMENT
REQUÉRANTE	RETIRATION	REVIGORANT
REQUINQUÉE	RETOMBANTE	REVIREMENT
REQUINQUER	RÉTORQUANT	REVISITANT
REQUITTANT	RETOUCHANT	REVITALISÉ
RESCINDANT	RETOUCHEUR	REVIVIFIÉE
RESCISOIRE	RETOURNAGE	REVIVIFIER
RÉSERVISTE	RETOURNANT	RÉVOCATION
RÉSIDUAIRE	RÉTRACTANT	RÉVOLTANTE
RÉSIDUELLE	RÉTRACTILE	RÉVOLUTION
RÉSILIABLE	RÉTRACTION	**REZONVILLE**
RÉSILIENCE	RÉTRACTIVE	RHABILLAGE
RÉSILIENTE	RETRADUIRE	RHABILLANT
RÉSINIFÈRE	RETRADUITE	**RHEA SILVIA**
RÉSISTANCE	RETRAITANT	RHÉTORIQUE
RÉSISTANTE	RETRANCHÉE	RHÉTO-ROMAN
RÉSISTIBLE	RETRANCHER	RHINOCÉROS
RÉSOLUMENT	RETRANSMIS	RHINOLOPHE
RÉSOLUTION	RETRAVERSÉ	RHIZOCTONE
RÉSOLUTIVE	RETRAYANTE	RHIZOSTOME
RÉSOLVANTE	RÉTREINDRE	RHODOPSINE
RÉSONATEUR	RETREMPANT	RHOMBOÈDRE
RÉSONNANTE	RÉTRIBUANT	RHOMBOÏDAL
RÉSORBABLE	RÉTROACTES	RHÔNALPINE
RÉSORCINOL	RÉTROACTIF	**RHÔNALPINE**
RÉSORPTION	RÉTROCÉDÉE	**RHÔNE-ALPES**
RESPECTANT	RÉTROCÉDER	RHOTACISME
RESPECTIVE	RÉTROFLEXE	RHUMATISME
RESPIRABLE	RÉTROFUSÉE	RHUMATOÏDE
RESPLENDIR	RÉTROGRADE	RIBAMBELLE
RESQUILLÉE	RÉTROGRADÉ	**RIBBENTROP**
RESQUILLER	RETROUSSÉE	RIBOSOMALE
RESSAIGNER	RETROUSSER	RIBOSOMAUX
RESSASSANT	RETROUSSIS	RIBOULANTE
RESSAUTANT	RETROUVANT	RICANEMENT
RESSEMBLER	RÉTROVIRUS	**RICHARDSON**
RESSEMELÉE	RÉUNIFIANT	RICHISSIME
RESSEMELER	RÉUNISSAGE	**RICHTHOFEN**
RESSENTANT	RÉUNISSANT	RICKETTSIE
RESSERRANT	RÉUTILISÉE	**RIDELLOISE**
RESSERVANT	RÉUTILISER	RIDICULISÉ
RESSORTANT	**REUTLINGEN**	**RIEDISHEIM**
RESSOUDANT	REVACCINÉE	RIEMANNIEN
RESSOURCÉE	REVACCINER	**RIFT VALLEY**
RESSOURCER	REVALORISÉ	RIGIDEMENT
RESSOUVENU	REVANCHANT	RIGIDIFIÉE
RESSUSCITÉ	REVANCHARD	RIGIDIFIER
RESTAURANT	RÊVASSERIE	RIGOUREUSE
RESTITUANT	RÊVASSEUSE	RIMAILLANT

RIMAILLEUR	**ROMORANTIN**	**RUBINSTEIN**
RIMOUSKOIS	**ROMUALDIEN**	RUBRIQUANT
RINGARDAGE	RONCHONNER	**RUDA SLASKA**
RINGARDANT	ROND-DE-CUIR	RUDOIEMENT
RINGARDISÉ	RONDE-BOSSE	RUGISSANTE
RINK-HOCKEY	RONDELETTE	RUINIFORME
RIPAGÉRIEN	RONÉOTYPÉE	RUISSELANT
RIPAILLANT	RONÉOTYPER	RUMINATION
RIPAILLEUR	RONFLEMENT	RUSSIFIANT
RIPOLINANT	RONRONNANT	RUSSOPHILE
RIPPLE-MARK	**ROODEPOORT**	RUSSOPHONE
RIS-ORANGIS	**ROQUEBRUNE**	**RUSTENBURG**
RISQUE-TOUT	**ROQUEMAURE**	RUSTIQUANT
RISTOURNÉE	**ROQUEVAIRE**	RUTHÉNOISE
RISTOURNER	ROSANILINE	**RUTHÉNOISE**
RITARDANDO	**ROSEMÈROIS**	**RUTHERFORD**
RITUALISÉE	**ROSENZWEIG**	RUTILEMENT
RITUALISER	ROSIÉRISTE	**RUYSBROECK**
RITUALISME	**ROSNY JEUNE**	**RYDZ-SMIGLY**
RITUALISTE	**ROSSELLINI**	RYTHMICITÉ
RIVALISANT	**ROSSELLINO**	SABBATIQUE
RIVE-DE-GIER	ROSSINANTE	SABLONNANT
RIVESALTES	**ROSTRENOIS**	SABLONNEUX
RIVESALTES	**ROTHSCHILD**	**SABOLIENNE**
RIYADIENNE	RÔTISSERIE	SABRETACHE
RIZ-PAIN-SEL	RÔTISSEUSE	**SÁ-CARNEIRO**
ROAD-MOVIES	RÔTISSOIRE	SACCAGEANT
ROAST-BEEFS	ROTULIENNE	SACCAGEUSE
ROBERTIENS	**ROUBAISIEN**	SACCHARASE
ROBINETIER	**ROUBTSOVSK**	SACCHARATE
ROBORATIVE	ROUCOULADE	SACCHARIDE
ROBOTICIEN	ROUCOULANT	SACCHARINE
ROBOTISANT	**ROUENNAISE**	SACCHAROSE
ROBUSTESSE	**ROUFFIGNAC**	SACERDOTAL
ROCAILLAGE	ROUGE-GORGE	SACRALISÉE
ROCAILLEUX	ROUGEOLEUX	SACRALISER
ROCAMADOUR	ROUGEOYANT	**SACRAMENTO**
ROCAMADOUR	ROUGE-QUEUE	SACRÉ-CŒUR
ROCHAMBEAU	ROUGISSANT	**SACRÉ-CŒUR**
ROCHELAISE	ROULEAUTÉE	SACRIFIANT
ROCHETTOIS	ROULÉ-BOULÉ	SACRISTAIN
ROCK FOREST	**ROUMANILLE**	SACRISTINE
RÔDAILLANT	ROUPILLANT	SACRO-SAINT
RODTCHENKO	ROUSCAILLÉ	SADUCÉENNE
ROGNONNADE	ROUSPÉTANT	**SAGAMIHARA**
ROGNONNANT	ROUSPÉTEUR	SAGITTAIRE
ROIDISSANT	**ROUSSILLON**	**SAGITTAIRE**
ROLIVALOIS	ROUTINIÈRE	**SAGRANIÈRE**
ROLLER BALL	**ROWLANDSON**	**SAHARANPUR**
ROMANCIÈRE	ROYALEMENT	SAHARIENNE
ROMANESQUE	**ROYANNAISE**	**SAHARIENNE**
ROMANICHEL	**RUB AL-KHALI**	SAHÉLIENNE
ROMANISANT	RUBÉFIANTE	SAIGNEMENT
ROMAN-PHOTO	RUBÉNIENNE	**SAILLATAIS**
ROMANTIQUE	RUBÉOLEUSE	**SAINT-AMAND**
ROMANTISME	RUBESCENTE	**SAINT-AMANT**
ROMILLONNE	RUBIGINEUX	SAINT-AMOUR

10

SAINT-AMOUR	SALICYLATE	SAPINDACÉE
SAINT-ANDRÉ	SALIFIABLE	SAPONIFIÉE
SAINT-ANTON	**SALISIENNE**	SAPONIFIER
SAINT-AUBAN	SALISSANTE	SAPROPHAGE
SAINT-AUBIN	SALIVATION	SAPROPHYTE
SAINT-AVOLD	**SALLANCHES**	**SARAJÉVIEN**
SAINT-BRIAC	**SALMANASAR**	**SARCELLOIS**
SAINT-BRICE	SALMANAZAR	SARCOÏDOSE
SAINT-BRUNO	SALMONELLE	SARCOPHAGE
SAINT-CHÉLY	**SALOMONAIS**	SARDINELLE
SAINT-CIERS	SALONNARDE	SARDINERIE
SAINT CLAIR	SALPÊTRANT	SARDINIÈRE
SAINT-CLOUD	SALPINGITE	SARDONIQUE
SAINT-CYRAN	SALTATOIRE	**SARLADAISE**
SAINT DENIS	SALUTATION	SARMENTANT
SAINT-DENIS	SALVATRICE	SARMENTEUX
SAINT-DONAT	**SALZGITTER**	SARRACENIA
SAINTE-ANNE	SAMARITAIN	SARRACÉNIE
SAINT ELIAS	**SAMARITAIN**	**SARREBOURG**
SAINTEMENT	**SAMMARTINI**	**SARREBRUCK**
SAINTE-MÈRE	**SAMOTHRACE**	**SARRELOUIS**
SAINTE-ROSE	**SAN AGUSTÍN**	**SARRE-UNION**
SAINT-FLOUR	**SAN ANDREAS**	**SARTENAISE**
SAINT-GENIS	**SAN ANTONIO**	**SARZEAUTIN**
SAINT-GRAAL	**SAN-ANTONIO**	**SASSANIDES**
SAINT-HÉAND	SANATORIUM	**SATAVAHANA**
SAINT-IMIER	SAN-BENITOS	SATELLISÉE
SAINT-JACUT	**SANCERROIS**	SATELLISER
SAINT-JAMES	SANCTIFIÉE	SATIRISANT
SAINT JOHN'S	SANCTIFIER	SATISFAIRE
SAINT-JOUIN	SANCTIONNÉ	SATISFAITE
SAINT-JUÉRY	SANCTUAIRE	SATISFECIT
SAINT KILDA	SANDALETTE	**SATO EISAKU**
SAINT-LOISE	SANDARAQUE	SATURATEUR
SAINT LOUIS	SANDERLING	SATURATION
SAINT-LOUIS	SANDINISME	SATURNALES
SAINT-MANDÉ	SANDINISTE	SATURNISME
SAINT-MARIN	**SANDOMIERZ**	SATYRIASIS
SAINT-PÉRAY	SANDWICHES	**SAUJONNAIS**
SAINT-RENAN	**SANFLORAIN**	SAUMONEAUX
SAINT-SAËNS	SANG-DRAGON	SAUMONETTE
SAINT-SAVIN	SANGLOTANT	**SAUMUROISE**
SAINT-SEVER	SANITAIRES	SAUPOUDRÉE
SAINT-SIÈGE	**SAN LORENZO**	SAUPOUDRER
SAINT-SIMON	**SANNAZZARO**	SAURISSAGE
SAINT-TROND	SANS-EMPLOI	SAURISSEUR
SAINT-VAURY	SANSEVIÈRE	SAUROPSIDÉ
SAINT-VÉRAN	**SAN STEFANO**	SAUT-DE-LOUP
SAINT-VRAIN	**SANTA CLARA**	SAUTEREAUX
SAINT-YORRE	**SANTA MARIA**	SAUTERELLE
SAISISSANT	**SANTA MARTA**	SAUTILLANT
SAISONNIER	**SANTILLANA**	SAUTS-DE-LIT
SALAMALECS	**SANTO ANDRÉ**	SAUVAGERIE
SALAMANDRE	**SÃO GONÇALO**	SAUVEGARDE
SALAMANDRE	SAOUDIENNE	SAUVEGARDÉ
SALAMANQUE	**SAOUDIENNE**	**SAUVETERRE**
SALÉSIENNE	SAPIENTIEL	**SAVERNOISE**

SAVINIENNE
SAVONAROLE
SAVONNERIE
SAVONNERIE
SAVONNETTE
SAVONNEUSE
SAVONNIÈRE
SAVOUREUSE
SAXE-ANHALT
SAXE-WEIMAR
SCAFERLATI
SCALDIENNE
SCANDALEUX
SCANDALISÉ
SCANDERBEG
SCANDINAVE
SCANDINAVE
SCAPHANDRE
SCAPHOPODE
SCAPULAIRE
SCARABÉIDÉ
SCARIFIAGE
SCARIFIANT
SCARLATINE
SCATOLOGIE
SCATOPHILE
SCELLEMENT
SCÉNARISÉE
SCÉNARISER
SCÉNARISTE
SCHABRAQUE
SCHAERBEEK
SCHÉMATISÉ
SCHILIKOIS
SCHISTEUSE
SCHLEICHER
SCHLIEFFEN
SCHLIEMANN
SCHLINGUER
SCHLITTAGE
SCHLITTANT
SCHLITTEUR
SCHLŒSING
SCHNITZLER
SCHNORCHEL
SCHŒLCHER
SCHOENBERG
SCHOLIASTE
SCHÖNBRUNN
SCHONGAUER
SCHRIEFFER
SCHTROUMPF
SCHUMPETER
SCHWEITZER
SCHWITTERS
SCIENTISME
SCIENTISTE

SCINTILLER
SCISSIPARE
SCLÉRANTHE
SCLÉROSANT
SCOLARISÉE
SCOLARISER
SCORPÉNIDÉ
SCORSONÈRE
SCORZONÈRE
SCOTOMISÉE
SCOTOMISER
SCRABBLANT
SCRABBLEUR
SCRATCHANT
SCRATCHING
SCRIPT-GIRL
SCRIPTURAL
SCRUPULEUX
SCRUTATEUR
SCULPTRICE
SCULPTURAL
SÉBASTOPOL
SÈCHE-LINGE
SÈCHE-MAINS
SÉCHERESSE
SECLINOISE
SECONDAIRE
SECOND PITT
SECOUEMENT
SECOURABLE
SECOUREUSE
SECOURISME
SECOURISTE
SECRÉTAIRE
SÉCRÉTEUSE
SÉCRÉTOIRE
SÉCRÉTRICE
SECTARISME
SECTATRICE
SECTIONNÉE
SECTIONNER
SECTORISÉE
SECTORISER
SÉCULARISÉ
SÉCURISANT
SÉDÉLOCIEN
SÉDENTAIRE
SÉDIMENTÉE
SÉDIMENTER
SÉDITIEUSE
SÉDUCTRICE
SÉDUISANTE
SEERSUCKER
SEGMENTANT
SÉGRÉGATIF
SÉGUEDILLE
SEGUIDILLA

SEIGNEURIE
SÉISMICITÉ
SÉJOURNANT
SÉLEUCIDES
SEMAINIÈRE
SÉMANTIQUE
SEMBLANÇAY
SEMENCIÈRE
SEMESTRIEL
SEMI-ARIDES
SEMI-COCKES
SÉMILLANTE
SÉMINIFÈRE
SEMI-NOMADE
SÉMIOLOGIE
SÉMIOTIQUE
SEMI-OUVERT
SEMI-OUVRÉE
SEMI-OUVRÉS
SEMI-PEIGNÉ
SEMI-PUBLIC
SEMI-RIGIDE
SÉMITISANT
SEMMELWEIS
SEMOULERIE
SENANAYAKE
SÉNATORIAL
SENEFELDER
SÉNÉGALAIS
SÉNÉGALAIS
SÉNÉGAMBIE
SÉNESCENCE
SÉNESCENTE
SENONCHOIS
SENSUALITÉ
SENTINELLE
SEO DE URGEL
SÉOULIENNE
SÉPARATEUR
SÉPARATION
SÉPARÉMENT
SEPTÉMOISE
SEPTÉNAIRE
SEPTENNALE
SEPTENNAUX
SEPTICÉMIE
SEPTIMANIE
SEPTMONCEL
SEPTUPLANT
SÉPULCRALE
SÉPULCRAUX
SÉQUENÇAGE
SÉQUENCEUR
SÉQUENTIEL
SÉQUESTRÉE
SÉQUESTRER
SÉRAPHIQUE

SERFOUETTE	SIBÉRIENNE	SINUSOÏDAL
SÉRIALISME	**SIBÉRIENNE**	SIPHONNANT
SÉRICICOLE	SICILIENNE	SISMOLOGIE
SÉRICIGÈNE	**SICILIENNE**	SISMOLOGUE
SERINGUANT	SIDÉRATION	SISTER-SHIP
SERMONNANT	SIDÉROLITE	SITOSTÉROL
SERMONNEUR	SIDÉROSTAT	**SIXTE QUINT**
SÉROTONINE	SIDÉRURGIE	**SIYAD BARRE**
SERPA PINTO	**SIDI-BRAHIM**	**SKANDERBEG**
SERPENTANT	**SIERPINSKI**	SKATEBOARD
SERPENTEAU	SIFFLEMENT	**SKELLEFTEÅ**
SERPENTINE	SIFFLOTANT	SKIASCOPIE
SERPOUKHOV	**SIGEANAISE**	SKY-SURFING
SERRE-FILES	SIGILLAIRE	SLALOMEUSE
SERRE-JOINT	SIGMOÏDITE	**SLAUERHOFF**
SERRURERIE	SIGNALISÉE	SLAVISANTE
SERTISSAGE	SIGNALISER	SLAVOPHILE
SERTISSANT	SIGNATAIRE	**SLOCHTEREN**
SERTISSEUR	SIGNIFIANT	SMARAGDITE
SERTISSURE	**SIGNORELLI**	**SNAKE RIVER**
SERVANDONI	**SIKELIANÓS**	SNOBINARDE
SERVOFREIN	SILENCIEUX	SOAP OPERAS
SERVRANCKX	SILENTBLOC	SOCIALISÉE
SESTRIÈRES	SILÉSIENNE	SOCIALISER
SÉVÈREMENT	**SILÉSIENNE**	SOCIALISME
SEVRANAISE	SILHOUETTE	SOCIALISTE
SEXAGÉSIME	**SILHOUETTE**	SOCIÉTAIRE
SEX-APPEALS	SILHOUETTÉ	SOCINIENNE
SEXPARTITE	SILICICOLE	SOCIODRAME
SEX PISTOLS	**SILLEROISE**	SOCIOLOGIE
SEX-SYMBOLS	SILLONNANT	SOCIOLOGUE
SEXTILLION	SILURIENNE	SOCRATIQUE
SEXTUPLANT	**SIMFEROPOL**	**SÖDERTÄLJE**
SEXTUPLÉES	SIMILARITÉ	SODOMISANT
SEXUALISÉE	SIMILICUIR	SOFT-DRINKS
SEXUALISER	SIMILISAGE	**SOGNEFJORD**
SEYCHELLES	SIMILISANT	**SOKOLOVSKI**
SEYSSELANE	SIMILITUDE	SOLDANELLE
SÉZANNAISE	SIMONIAQUE	SOLENNELLE
SGANARELLE	**SIMONSTOWN**	SOLENNISÉE
SHACKLETON	SIMPLEMENT	SOLENNISER
SHAKUNTALA	SIMPLICITÉ	SOLÉNOÏDAL
SHAKYAMUNI	SIMPLIFIÉE	**SOLEUROISE**
SHAMPOOING	SIMPLIFIER	SOLIDARISÉ
SHAMPOUINÉ	SIMULATEUR	SOLIDARITÉ
SHAWINIGAN	SIMULATION	SOLIDEMENT
SHERBROOKE	SIMULTANÉE	SOLIDIFIÉE
SHINTOÏSME	SINE QUA NON	SOLIDIFIER
SHINTOÏSTE	SINGALETTE	SOLILOQUER
SHOGOUNALE	SINGULIÈRE	SOLIPSISME
SHOGOUNAUX	SINISATION	SOLLICITÉE
SHORT-TRACK	SINISTROSE	SOLLICITER
SHOWA TENNO	**SIN-LE-NOBLE**	SOLSTICIAL
SHREVEPORT	SINTÉRISÉE	SOLUBILISÉ
SHREWSBURY	SINTÉRISER	SOLUBILITÉ
SIALAGOGUE	**SINT-GILLIS**	SOLUTIONNÉ
SIALORRHÉE	SINUSIENNE	SOMALIENNE

SOMALIENNE	SOUS-ASSURÉ	SOVIÉTISÉE
SOMATISANT	SOUS-BARBES	SOVIÉTISER
SOMMEILLER	SOUS-CAVAGE	SPACE OPERA
SOMMELIÈRE	SOUS-CLASSE	SPALLATION
SOMMERFELD	SOUS-COMITÉ	**SPANIACIEN**
SOMMIÉROIS	SOUS-COUCHE	**SPARNACIEN**
SOMNAMBULE	SOUS-CUTANÉ	**SPARNONIEN**
SOMNOLENCE	SOUS-DIACRE	SPATIALISÉ
SOMNOLENTE	SOUS-EMPLOI	SPATIALITÉ
SOMOSIERRA	SOUS-ÉQUIPÉ	SPEAKERINE
SOMPTUAIRE	SOUS-ESPACE	SPÉCIALISÉ
SOMPTUEUSE	SOUS-ESPÈCE	SPÉCIALITÉ
SONAGRAMME	SOUS-ESTIMÉ	SPÉCIATION
SONAGRAPHE	SOUS-ÉVALUÉ	SPÉCIFIANT
SONDERBUND	SOUS-EXPOSÉ	SPÉCIFIQUE
SONÉGIENNE	SOUS-FAÎTES	SPÉCIOSITÉ
SONGE-CREUX	SOUS-FIFRES	SPECTATEUR
SONNAILLER	SOUS-GARDES	SPÉCULAIRE
SONORISANT	SOUS-GROUPE	SPÉCULATIF
SONOTHÈQUE	SOUS-HOMMES	SPERMACETI
SOPHONISBE	SOUS-JACENT	SPERMATIDE
SOPRANISTE	**SOUS-LE-VENT**	SPERMICIDE
SORBETIÈRE	SOUS-LOUANT	SPHÉNOÏDAL
SORBONNARD	SOUS-LOUÉES	SPHÉRICITÉ
SORLINGUES	SOUS-MARINE	SPHÉROÏDAL
SOSTRANIEN	SOUS-MARINS	**SPIEGELMAN**
SOTTEVILLE	SOUS-MARQUE	**SPILLIAERT**
SOUBRESAUT	SOUS-NAPPES	SPINOZISME
SOUDAINETÉ	SOUS-ŒUVRE	SPINOZISTE
SOUDANAISE	SOUS-ORDRES	SPIONCELLE
SOUDANAISE	SOUS-PAYANT	SPIRITISME
SOUFFLANTE	SOUS-PAYÉES	SPIRITUEUX
SOUFFLERIE	SOUS-PEUPLÉ	SPIROCHÈTE
SOUFFLETÉE	SOUS-PRÉFET	SPIROÏDALE
SOUFFLETER	SOUS-SATURÉ	SPIROÏDAUX
SOUFFLEUSE	SOUSSIGNÉE	SPIROMÈTRE
SOUFFRANCE	SOUS-SOLAGE	SPOLIATEUR
SOUFFRANTE	SOUS-TASSES	SPOLIATION
SOUHAITANT	SOUS-TENDRE	SPONDYLITE
SOUI-MANGAS	SOUS-TENDUE	SPONGIAIRE
SOULAGEANT	SOUS-TENDUS	SPONGIEUSE
SOULIGNAGE	SOUS-TITRÉE	SPONSORING
SOULIGNANT	SOUS-TITRER	SPONSORISÉ
SOUL MUSICS	SOUS-TITRES	SPORADIQUE
SOUMAROKOV	SOUS-TITRÉS	SPOROPHYTE
SOUMETTANT	SOUSTRAIRE	SPORTIVITÉ
SOUMISSION	SOUS-TRAITÉ	SPORTSWEAR
SOUNDANAIS	SOUSTRAITE	SPRINTEUSE
SOUPÇONNÉE	SOUS-VIRANT	SPUMESCENT
SOUPÇONNER	SOUS-VIREUR	SQUAMIFÈRE
SOUPLEMENT	SOUTACHANT	SRI LANKAIS
SOURCILIER	SOUTENABLE	**SRI LANKAIS**
SOURCILLER	SOUTENANCE	STABILISÉE
SOURDEMENT	SOUTERRAIN	STABILISER
SOURDINGUE	SOUVENANCE	STADHOUDER
SOURICEAUX	SOUVERAINE	STAGNATION
SOURICIÈRE	SOVIÉTIQUE	STALACTITE

STALAGMITE
STALINABAD
STALINGRAD
STALINISME
STANNIFÈRE
STAPHYLIER
STAPHYLINE
STAR-SYSTEM
STATHOUDER
STATIONNER
STATOCYSTE
STATUFIANT
STATUTAIRE
STAUDINGER
STAUROTIDE
STÉATOPYGE
STÉGOSAURE
STENAISIEN
STÉNOHALIN
STÉNOTYPIE
STÉPHANAIS
STÉPHANOIS
STÉPHANOIS
STEPHENSON
STERCORALE
STERCORAUX
STÉRÉOTYPE
STÉRÉOTYPÉ
STÉRILISÉE
STÉRILISER
STÉROÏDIEN
STERTOREUX
STÉSICHORE
STIGMATISÉ
STIMULANTE
STIPENDIÉE
STIPENDIER
STIPULANTE
STOCKFISCH
STOCK-OUTIL
STOCK-SHOTS
STOÏCIENNE
STOMOCORDÉ
STONEHENGE
STORY-BOARD
STRADIVARI
STRAPONTIN
STRASBOURG
STRATAGÈME
STRATIFIÉE
STRATIFIER
STRATONICE
STRAVINSKY
STRELITZIA
STRESEMANN
STRESSANTE
STRETCHING

STRIDULANT
STRIDULEUX
STRINDBERG
STRIP-LINES
STRIP-POKER
STRIP-TEASE
STROSMAJER
STRUCTURAL
STRUCTURÉE
STRUCTUREL
STRUCTURER
STRYCHNINE
STUPÉFAIRE
STUPÉFAITE
STUPÉFIANT
STUPOREUSE
SUBALTERNE
SUBCARENCE
SUBDÉLÉGUÉ
SUBDIVISÉE
SUBDIVISER
SUBDUCTION
SUBINTRANT
SUBITEMENT
SUBJACENTE
SUBJECTILE
SUBJECTIVE
SUBJONCTIF
SUBJUGUANT
SUBLIMINAL
SUBLINGUAL
SUBLUNAIRE
SUBMERSION
SUBODORANT
SUBORBITAL
SUBORDONNÉ
SUBORNEUSE
SUBREPTICE
SUBROGATIF
SUBROGEANT
SUBSÉQUENT
SUBSIDENCE
SUBSIDIANT
SUBSISTANT
SUBSONIQUE
SUBSTANTIF
SUBSTITUÉE
SUBSTITUER
SUBSTRATUM
SUBTERFUGE
SUBTILISÉE
SUBTILISER
SUBURBAINE
SUBVENTION
SUBVERSION
SUBVERSIVE
SUCCESSEUR

SUCCESSION
SUCCESSIVE
SUCCINIQUE
SUCCOMBANT
SUCCULENCE
SUCCULENTE
SUCCURSALE
SUCY-EN-BRIE
SUD-CORÉENS
SUD-CORÉENS
SUDORIFÈRE
SUDORIPARE
SUFFISANCE
SUFFISANTE
SUFFOCANTE
SUFFOQUANT
SUFFRAGANT
SUGGESTION
SUGGESTIVE
SUHRAWARDI
SUICIDAIRE
SUICIDANTE
SUI GENERIS
SUINTEMENT
SULCIFORME
SULFATEUSE
SULFUREUSE
SULFURIQUE
SULFURISÉE
SUMÉRIENNE
SUNDERLAND
SUPERACIDE
SUPERBESSE
SUPERFICIE
SUPERFORME
SUPER-GÉANT
SUPERGRAND
SUPÉRIEURE
SUPERLATIF
SUPER-LÉGER
SUPER-LOURD
SUPERNOVAE
SUPERORDRE
SUPEROXYDE
SUPERPOSÉE
SUPERPOSER
SUPERVISÉE
SUPERVISER
SUPINATEUR
SUPINATION
SUPPLANTÉE
SUPPLANTER
SUPPLÉANCE
SUPPLÉANTE
SUPPLÉMENT
SUPPLÉTIVE
SUPPLIANTE

SUPPLICIÉE
SUPPLICIER
SUPPORTANT
SUPPORTEUR
SUPPOSABLE
SUPPRIMANT
SUPRÉMATIE
SURABONDER
SURACTIVÉE
SURAJOUTÉE
SURAJOUTER
SURARBITRE
SURBAISSÉE
SURBAISSER
SURCHARGÉE
SURCHARGER
SURCHAUFFE
SURCHAUFFÉ
SURCHEMISE
SURCLASSÉE
SURCLASSER
SURCOMPOSÉ
SURCONTRÉE
SURCONTRER
SURCOUPANT
SURÉLEVANT
SURÉMINENT
SURENCHÈRE
SURENCHÉRI
SURÉQUIPÉE
SURÉQUIPER
SURESNOISE
SURESTARIE
SURESTIMÉE
SURESTIMER
SURÉVALUÉE
SURÉVALUER
SUREXCITÉE
SUREXCITER
SUREXPOSÉE
SUREXPOSER
SURFACEUSE
SURFACIQUE
SURFAISANT
SURGISSANT
SURHAUSSÉE
SURHAUSSER
SURHUMAINE
SURIMPOSÉE
SURIMPOSER
SURINAMAIS
SURINAMIEN
SURINFORMÉ
SURJECTION
SURJECTIVE
SUR-LE-CHAMP
SURLIGNANT

SURLIGNEUR
SURMONTANT
SURMONTOIR
SURMOULAGE
SURMOULANT
SURNAGEANT
SURNATUREL
SURNOMMANT
SUROXYDANT
SUROXYGÉNÉ
SURPASSANT
SURPEUPLÉE
SURPIQUANT
SURPLOMBÉE
SURPLOMBER
SURPRENANT
SURPRENDRE
SURPRODUIT
SURPROTÉGÉ
SURRECTION
SURSALAIRE
SURSATURÉE
SURSATURER
SURSAUTANT
SURSITAIRE
SURTENSION
SURTITRAGE
SURTITRANT
SURVEILLÉE
SURVEILLER
SURVENDANT
SURVIREUSE
SURVITESSE
SURVITRAGE
SURVIVANCE
SURVIVANTE
SURVOLTAGE
SURVOLTANT
SURVOLTÉES
SURVOLTEUR
SUS-DÉNOMMÉ
SUS-JACENTE
SUS-JACENTS
SUSPECTANT
SUSPENDANT
SUSPENSEUR
SUSPENSION
SUSPENSIVE
SUSPENSOIR
SUSPICIEUX
SUSTENTANT
SUS-TONIQUE
SUSURRANTE
SUTHERLAND
SVERDLOVSK
SWAMMERDAM
SWEAT-SHIRT

SWEDENBORG
SYCOPHANTE
SYKES-PICOT
SYLLABAIRE
SYLLABIQUE
SYLLOGISME
SYMBOLIQUE
SYMBOLISÉE
SYMBOLISER
SYMBOLISME
SYMBOLISTE
SYMÉTRIQUE
SYMPATHISÉ
SYMPHORINE
SYNAPTIQUE
SYNCHRONIE
SYNCINÉSIE
SYNCLINALE
SYNCLINAUX
SYNCYTIALE
SYNCYTIAUX
SYNDIQUANT
SYNECDOQUE
SYNERGIQUE
SYNERGISTE
SYNOPTIQUE
SYNTAXIQUE
SYNTHÉTASE
SYNTHÉTISÉ
SYSTÉMIQUE
SYSTOLIQUE
SZIGLIGETI
SZYMBORSKA
TABELLAIRE
TABERNACLE
TABLEAUTIN
TABLETIÈRE
TABULATEUR
TABULATION
TACHYMÈTRE
TACITEMENT
TADJ MAHALL
TAHITIENNE
TAHITIENNE
TAILLADANT
TAILLE-HAIE
TAÏWANAISE
TAÏWANAISE
TAKLA-MAKAN
TAKLIMAKAN
TALCAHUANO
TALENTUEUX
TALLEYRAND
TALMUDIQUE
TALMUDISTE
TALONNETTE
TALONNIÈRE

TAMARINIER	**TCHERENKOV**	TEMPÉRANCE
TAMBOUILLE	**TCHERKASSY**	TEMPÉRANTE
TAMBOURINÉ	**TCHERKESSE**	TEMPÉTUEUX
TAMMERFORS	**TCHERKESSK**	TEMPORAIRE
TAMPONNADE	**TCHERNENKO**	TEMPORELLE
TAMPONNAGE	**TCHERNIGOV**	TEMPORISER
TAMPONNANT	**TCHERNIHIV**	TENACEMENT
TAMPONNEUR	**TCHERNOBYL**	TENAILLANT
TAMPONNOIR	TCHERNOZEM	TENANCIÈRE
TANANARIVE	**TCHÉTCHÈNE**	**TENASSERIM**
TANEZROUFT	**TCHIATOURA**	TENDANCIEL
TANGANYIKA	TCHIN-TCHIN	TENDINEUSE
TANGE KENZO	**TCHIRTCHIK**	TENDREMENT
TANGENTIEL	**TCHOUKTCHE**	TÉNÉBREUSE
TANNENBERG	**TCHOUVACHE**	TENNISMANS
TANNHÄUSER	TECHNÉTIUM	TENONNEUSE
TAPE-À-L'ŒIL	TECHNICIEN	TÉNORISANT
TAPISSERIE	TECHNICISÉ	TENTATRICE
TAPISSIÈRE	TECHNICITÉ	TEPIDARIUM
TAPOTEMENT	TECHNOPOLE	TÉRATOGÈNE
TAQUINERIE	TECHNOPÔLE	TÉRÉBINTHE
TARABISCOT	TECTONIQUE	TÉRÉBRANTE
TARABUSTÉE	**TECTOSAGES**	**TERECHKOVA**
TARABUSTER	TEDDY-BEARS	**TÉRÉSIENNE**
TARARIENNE	**TÉHÉRANAIS**	TERGIVERSÉ
TARAUDEUSE	TEINTURIER	TERMITIÈRE
TARDIGRADE	**TEISSERENC**	TERNISSANT
TARENTAISE	**TEKAKWITHA**	TERNISSURE
TARENTAISE	TÉLÉALARME	TERPÉNIQUE
TARENTELLE	TÉLÉCABINE	TERRASSANT
TÂRGOVISTE	TÉLÉCHARGÉ	TERRASSIER
TÂRGU MURES	TÉLÉCINÉMA	TERREAUTÉE
TARISSABLE	TÉLÉGRAMME	TERREAUTER
TARMACADAM	TÉLÉGRAPHE	**TERREBONNE**
TARNOBRZEG	TÉLÉGUIDÉE	**TERRE DE FEU**
TAROUDANNT	TÉLÉGUIDER	TERRE-NEUVE
TARPÉIENNE	TÉLÉMESURE	**TERRE-NEUVE**
TARTELETTE	TÉLÉMÉTRIE	TERRE-PLEIN
TARTEMPION	TÉLÉOLOGIE	TERRIFIANT
TARTISSANT	TÉLÉONOMIE	TERRITOIRE
TARTUFERIE	TÉLÉOSTÉEN	TERRORISÉE
TASCHEREAU	TÉLÉPATHIE	TERRORISER
TATILLONNE	TÉLÉPHONÉE	TERRORISME
TÂTONNANTE	TÉLÉPHONER	TERRORISTE
TAUPINIÈRE	TÉLÉPHONIE	**TERTULLIEN**
TAUTOLOGIE	TÉLESCOPÉE	**TESSINOISE**
TAUTOMÉRIE	TÉLESCOPER	TESTACELLE
TAVERNIÈRE	TÉLÉVÉRITÉ	TESTATRICE
TAXIDERMIE	TÉLÉVISANT	TEST-MATCHS
TAYLORISÉE	TÉLÉVISEUR	TÉTANISANT
TAYLORISER	TÉLÉVISION	TÊTE-À-QUEUE
TAYLORISME	TÉLÉVISUEL	TÊTE-DE-CLOU
TCHADIENNE	**TELL AL-HIBA**	TÊTE-DE-LOUP
TCHADIENNE	**TELL HARIRI**	TÉTRACORDE
TCHARDJOOU	TELLURIQUE	TÉTRALOGIE
TCHATCHANT	TÉMOIGNAGE	TÉTRAMÈTRE
TCHEBYCHEV	TÉMOIGNANT	TÉTRAPTÈRE

10

TÉTRARCHIE
TÉTRASTYLE
TEUFS-TEUFS
TEUTONIQUE
TEUTONIQUE
TEWKESBURY
TEYJATOISE
THALAMIQUE
THAONNAISE
THÉÂTREUSE
THÉMATIQUE
THÉOCRATIE
THÉODEBALD
THÉODOLITE
THÉOLOGALE
THÉOLOGAUX
THÉOLOGIEN
THÉORICIEN
THÉORISANT
THÉOSOPHIE
THÉRAPEUTE
THERMALITÉ
THERMICIEN
THERMICITÉ
THERMOGÈNE
THERMOLYSE
THERMOSTAT
THÉROPSIDÉ
THÉSAURISÉ
THESSALIEN
THESSALIEN
THIERNOISE
THILLOTINE
THIMONNIER
THIONVILLE
THOMAS MORE
THONONAISE
THORACIQUE
THOUARSAIS
THOUTMOSIS
THRASYBULE
THUNDER BAY
THURGOVIEN
THYROÏDIEN
THYROÏDITE
THYSANOURE
TIAHUANACO
TICHODROME
TIÉDISSANT
TIERS-MONDE
TIERS-POINT
TILLANDSIA
TIMIDEMENT
TIMMERMANS
TIMOCHENKO
TIMOURIDES
TINCHEBRAY

TINCTORIAL
TINTAMARRE
TIRAILLANT
TIRAILLEUR
TIRE-BONDES
TIRE-BOTTES
TIRE-BRAISE
TIRE-FESSES
TIRE-LIGNES
TIRE-VEILLE
TIRE-VEINES
TISSANDIER
TISSERANDE
TISSULAIRE
TISSU-PAGNE
TITANESQUE
TITULARISÉ
TITULATURE
TLAPANÈQUE
TLATELOLCO
TOCOPHÉROL
TOILETTAGE
TOILETTANT
TOJO HIDEKI
TOKOROZAWA
TOMBEREAUX
TOMBOUCTOU
TOMENTEUSE
TONGUIENNE
TONIFIANTE
TONITRUANT
TONKINOISE
TONNERROIS
TONOMÉTRIE
TOP-MODÈLES
TOP NIVEAUX
TOPOGRAPHE
TOPO-GUIDES
TOPOMÉTRIE
TORCHONNÉE
TORCHONNER
TORD-BOYAUX
TOREUTIQUE
TORONNEUSE
TORONTAISE
TORPILLAGE
TORPILLANT
TORPILLEUR
TORQUEMADA
TORRAILLER
TORRÉFIANT
TORRENTIEL
TORRICELLI
TORRINGTON
TORTICOLIS
TORTILLAGE
TORTILLANT

TORTILLARD
TORTILLÈRE
TORTURANTE
TOTALEMENT
TOTALISANT
TOTALISEUR
TOTIPOTENT
TOTONAQUES
TOUCOULEUR
TOUCYCOISE
TOULONNAIS
TOULOUSAIN
TOUNGOUSES
TOUNGOUSKA
TOUPILLANT
TOUPILLEUR
TOURAILLON
TOURANGEAU
TOURANGEAU
TOURBILLON
TOURMALINE
TOURMENTÉE
TOURMENTER
TOURMENTIN
TOURNAILLÉ
TOURNANAIS
TOURNEFORT
TOURNEMAIN
TOURNEMIRE
TOURNE-VENT
TOURNICOTÉ
TOURNIQUER
TOURNIQUET
TOURNONAIS
TOURNOYANT
TOURNUSIEN
TOURTEREAU
TOUSSAINES
TOUSSOTANT
TOUTE-ÉPICE
TOUT-PETITS
TOUT-VENANT
TOWNSVILLE
TOXICOMANE
TOXIDERMIE
TOXOPLASME
TRABOULANT
TRACASSANT
TRACASSIER
TRACHÉENNE
TRACTATION
TRADE-UNION
TRADUCTEUR
TRADUCTION
TRADUISANT
TRAFICOTÉE
TRAFICOTER

TRAFIQUANT	TRAQUENARD	**TRIELLOISE**
TRAHISSANT	TRAUMATISÉ	TRIÉRARQUE
TRAÎNAILLÉ	TRAVAILLÉE	**TRIFLUVIEN**
TRAÎNASSER	TRAVAILLER	TRIFOLIOLÉ
TRAÎNEMENT	**TRAVANCORE**	TRIFOUILLÉ
TRAIN-TRAIN	TRAVELLING	TRIGONELLE
TRAITEMENT	TRAVERSANT	TRIJUMEAUX
TRAÎTRESSE	TRAVERSIER	TRILATÉRAL
TRALUISANT	TRAVERSINE	TRIMARDANT
TRAMONTANE	**TRÉBEURDEN**	TRIMARDEUR
TRAMPOLINE	**TRÉBIZONDE**	TRIMBALAGE
TRANCHAISE	TRÉBUCHANT	TRIMBALANT
TRANCHANTE	TRÉFILERIE	TRIMBALLÉE
TRANCHEUSE	TRÉFILEUSE	TRIMBALLER
TRANQUILLE	TRÉFONCIER	**TRINITAINE**
TRANSALPIN	**TRÉGOROISE**	TRINITAIRE
TRANSANDIN	**TRÉGORROIS**	**TRINITAIRE**
TRANSBORDÉ	TREILLAGÉE	TRINITRINE
TRANSCENDÉ	TREILLAGER	TRINQUETTE
TRANSCODÉE	TREILLISSÉ	TRINQUEUSE
TRANSCODER	**TRÉLONAISE**	TRIOMPHALE
TRANSCRIRE	TREMBLANTE	TRIOMPHANT
TRANSCRITE	TREMBLEUSE	TRIOMPHAUX
TRANSFÉRÉE	TREMBLOTER	TRIPARTITE
TRANSFÉRER	TRÉMOUSSÉE	TRIPLEMENT
TRANSFILÉE	TRÉMOUSSER	TRIPLICATA
TRANSFILER	TRÉMULANTE	TRIPLOÏDIE
TRANSFORMÉ	TRENCH-COAT	TRIPORTEUR
TRANSFUSÉE	TRÉPASSANT	TRIPOTEUSE
TRANSFUSER	TRÉPIDANTE	TRISAÏEULE
TRANSHUMÉE	TRÉPIGNANT	TRISANNUEL
TRANSHUMER	TRÉSORERIE	TRISECTEUR
TRANSISTOR	TRÉSORIÈRE	TRISECTION
TRANSITANT	TRESSAILLI	TRISOMIQUE
TRANSITION	TRESSAUTER	TRISTEMENT
TRANSITIVE	TREUILLAGE	TRISTOUNET
TRANSLATIF	TREUILLANT	TRISYLLABE
TRANSMIGRÉ	**TREVITHICK**	TRIUMVIRAT
TRANSMUANT	**TRÉVOLTIEN**	TRIVALENTE
TRANSMUTÉE	TRIANGULÉE	**TRIVANDRUM**
TRANSMUTER	TRIANGULER	TRIVIALITÉ
TRANSPERCÉ	TRIATHLÈTE	TROCHANTER
TRANSPIRER	TRIBALISME	TROCHILIDÉ
TRANSPLANT	TRIBALLANT	TROGLODYTE
TRANSPORTÉ	TRIBOLOGIE	TROIS-PONTS
TRANSPOSÉE	TRIBORDAIS	TROLLEYBUS
TRANSPOSER	TRIBUTAIRE	TROMBIDION
TRANSPOSON	TRICENNALE	TROMPETANT
TRANSSUDAT	TRICENNAUX	TRONCATION
TRANSVASÉE	TRICÉPHALE	TRONCATURE
TRANSVASER	TRICHINOSE	TRONÇONNÉE
TRANSVERSE	TRICHOLOME	TRONÇONNER
TRANSVIDÉE	TRICHROMIE	TROPOPAUSE
TRANSVIDER	TRICLINIUM	TROP-PERÇUS
TRAPÉZISTE	TRICOTEUSE	TROP-PLEINS
TRAPÉZOÏDE	TRICUSPIDE	TROTSKISME
TRAPPILLON	TRIDACTYLE	TROTSKISTE

TROTTE-MENU
TROTTINANT
TROUBADOUR
TROUBLANTE
TROUBLEAUX
TROUILLARD
TROU-MADAME
TROUSSEAUX
TROUVAILLE
TRUANDERIE
TRUCHEMENT
TRUCULENCE
TRUCULENTE
TRUSQUINÉE
TRUSQUINER
TSARÉVITCH
TSARITSYNE
TSKHINVALI
TSVETAÏEVA
TUBÉROSITÉ
TUE-MOUCHES
TUMESCENCE
TUMESCENTE
TUMULTUEUX
TUNGSTIQUE
TUNISIENNE
TUNISIENNE
TÚPAC AMARU
TUPINAMBIS
TURBOPOMPE
TURBOTIÈRE
TURBOTRAIN
TURBULENCE
TURBULENTE
TURCOPHONE
TURGESCENT
TURLUPINÉE
TURLUPINER
TURRITELLE
TUTOIEMENT
TUYAUTERIE
TUYÊN QUANG
TWICKENHAM
TYMPANIQUE
TYMPANISME
TYPOGRAPHE
TYPTOLOGIE
TYRANNEAUX
TYRANNIQUE
TYRANNISÉE
TYRANNISER
TYROLIENNE
TYROLIENNE
TYROSINASE
TZARÉVITCH
UBERLÂNDIA
UITLANDERS

ULCÉRATION
ULHASNAGAR
ULISSIENNE
ULTÉRIEURE
ULTRALÉGER
UNANIMISME
UNANIMISTE
UNGERSHEIM
UNIÈMEMENT
UNIFILAIRE
UNIFORMISÉ
UNIFORMITÉ
UNIGENITUS
UNILATÉRAL
UNINOMINAL
UNIPOLAIRE
UNIQUEMENT
UNIVALENTE
UNIVERSAUX
UNIVERSITÉ
URABI PACHA
URANOSCOPE
URBANISANT
URBI ET ORBI
URGENTISTE
URO-GÉNITAL
UROGRAPHIE
UROPYGIALE
UROPYGIAUX
URTICATION
USSELLOISE
USURPATEUR
USURPATION
UTILISABLE
UTILITAIRE
UTRAQUISTE
UTSUNOMIYA
UXORILOCAL
VACANCIÈRE
VACCINABLE
VACILLANTE
VACUOLAIRE
VADROUILLE
VADROUILLÉ
VAGABONDER
VAGISSANTE
VAGUELETTE
VAISONNAIS
VAISSELIER
VAKHTANGOV
VALAISANNE
VALAISANNE
VAL-DE-GRÂCE
VAL DE LOIRE
VAL-DE-MARNE
VAL-DE-REUIL
VALDÉS LEAL

VALDINGUER
VALDOISIEN
VALDÔTAINE
VALDÔTAINE
VALETAILLE
VALEUREUSE
VALIDATION
VALIDEMENT
VALLADOLID
VALLAURIEN
VALLEDUPAR
VALLETAISE
VALLONNAIS
VALLORBIER
VALLORCINE
VALNIGRINE
VALOGNAISE
VALORISANT
VALPARAÍSO
VAL-THORENS
VALVULAIRE
VAMPIRISÉE
VAMPIRISER
VAMPIRISME
VANADINITE
VAN BENEDEN
VANDALISÉE
VANDALISER
VANDALISME
VANDENBERG
VAN DE POELE
VAN DER GOES
VAN DER MEER
VAN DE VELDE
VANDŒUVRE
VAN HELMONT
VANIÉROISE
VANITY-CASE
VANNETAISE
VANTARDISE
VANUATUANE
VAN ZEELAND
VAPORISAGE
VAPORISANT
VARAPPEUSE
VARDHAMANA
VARENNOISE
VARICOCÈLE
VARILHOISE
VARIOLEUSE
VARIOLIQUE
VARIOMÈTRE
VARIQUEUSE
VARISTANCE
VARSOVIENS
VASALOPPET
VASCULAIRE

VASECTOMIE	VERMINEUSE	VIEILLESSE
VASOMOTEUR	VERMISSEAU	VIEILLOTTE
VASOUILLER	VERMOULANT	VIETNAMIEN
VASSALIQUE	VERMOULURE	**VIETNAMIEN**
VASSALISÉE	**VERNIOLANE**	**VIEUX-CONDÉ**
VASSALISER	VERNISSAGE	VIEUX-LILLE
VASSIVEAUX	VERNISSANT	VIGNERONNE
VASSIVIÈRE	VERNISSEUR	**VIGNEUSIEN**
VATICINANT	**VERNONNAIS**	VIGOUREUSE
VAUCLUSIEN	**VERRAZZANO**	**VIHIERSOIS**
VAUCLUSIEN	**VERROCCHIO**	**VIJAYAVADA**
VAUDEVILLE	VERROTERIE	VILIPENDÉE
VEGA CARPIO	VERROUILLÉ	VILIPENDER
VÉGÉTALIEN	VERRUQUEUX	VILLAGEOIS
VÉGÉTALISÉ	**VERSAILLES**	**VILLA-LOBOS**
VÉGÉTARIEN	VERSIFIANT	VILLANELLE
VÉGÉTATION	VERT-DE-GRIS	**VILLARDIEN**
VÉGÉTATIVE	VERTÉBRALE	**VILLARDOIS**
VÉHICULANT	VERTÉBRAUX	**VILLENAUXE**
VÉHICULEUR	VERTICILLE	**VILLENEUVE**
VÉLIZIENNE	VERTICILLÉ	**VILLEPINTE**
VÉLOCIPÈDE	VERTUGADIN	**VILLEQUIER**
VÉLOMOTEUR	**VERVINOISE**	**VILLERIÈRE**
VELOUTEUSE	VÉSICATION	**VIMOUTIERS**
VENDANGEUR	VÉSICULEUX	**VIÑA DEL MAR**
VENDÔMOISE	**VÉSIGONDIN**	VINAIGRANT
VÉNÉRATION	**VESTERÅLEN**	VINAIGRIER
VÉNÉRIENNE	**VÉSULIENNE**	**VINCENNOIS**
VENGERESSE	VÉTILLARDE	VINDICATIF
VÉNISSIANE	VÉTILLEUSE	**VINOGRADOV**
VÉNISSIEUX	**VÉZELIENNE**	**VINOLIENNE**
VÉNITIENNE	VIABILISÉE	**VINTIMILLE**
VÉNITIENNE	VIABILISER	VIOLATRICE
VENTILEUSE	VIBRAPHONE	VIOLEMMENT
VENTRICULE	VIBRATOIRE	VIOLENTANT
VÉNUSIENNE	**VIBRAYSIEN**	VIOLONISTE
VÉNUSIENNE	VIBRIONNER	VIRESCENCE
VERBALISÉE	VICARIANTE	VIREVOLTER
VERBALISER	VICE-AMIRAL	VIRILEMENT
VERBALISME	VICE-CONSUL	VIRILISANT
VERBÉNACÉE	VICÉSIMALE	VIRILOCALE
VERBRUGGEN	VICÉSIMAUX	VIRILOCAUX
VERDELETTE	VICHYSSOIS	VIRTUALITÉ
VERDISSAGE	**VICHYSSOIS**	VIRTUOSITÉ
VERDISSANT	VICIATRICE	VISIBILITÉ
VERDOYANTE	VICINALITÉ	VISIONIQUE
VERDUNOISE	**VIC-LE-COMTE**	VISIONNAGE
VERGERETTE	VICOMTESSE	VISIONNANT
VERGLAÇANT	**VICOMTOISE**	VISIOPHONE
VÉRIDICITÉ	**VIC-SUR-CÈRE**	VISITATION
VÉRIFIABLE	VICTORIEUX	VISONNIÈRE
VÉRIFIEUSE	VIDANGEANT	VISUALISÉE
VERMANDOIS	VIDÉO-CLIPS	VISUALISER
VERMICELLE	VIDE-POCHES	VITRIFIANT
VERMICULÉE	VIDE-POMMES	VITRIOLAGE
VERMIFORME	VIEILLARDE	VITRIOLANT
VERMILLANT	VIEILLERIE	VITRIOLEUR

VITROLLAIS
VITTELLOIS
VITUPÉRANT
VIVANDIÈRE
VIVIFIANTE
VIVIPARITÉ
VIVONNOISE
VIZILLOISE
VLISSINGEN
VOCALEMENT
VOCALISANT
VOCIFÉRANT
VOIRONNAIS
VOITURE-BAR
VOITURE-LIT
VOITURETTE
VOLAILLÈRE
VOLAILLEUR
VOLATILISÉ
VOLATILITÉ
VOLCANIQUE
VOLCANISME
VÖLKLINGEN
VOLKSWAGEN
VOLLEY-BALL
VOLLEYEUSE
VOLONTAIRE
VOLONTIERS
VOLTAIRIEN
VOLTAMÈTRE
VOLTAMPÈRE
VOLTIGEANT
VOLUBILITÉ
VOLUMÉTRIE
VOLUMINEUX
VOLUPTUEUX
VOLVICOISE
VORACEMENT
VORARLBERG
VOROCHILOV
VÖRÖSMARTY
VORTICELLE
VOUSSOYANT
VOUVRILLON
VOUZINOISE
VOYAGEMENT
VOYEURISME
VULCANISÉE
VULCANISER
VULGARISÉE
VULGARISER
VULNÉRABLE
VULNÉRAIRE

VULNÉRANTE
WAGON-POSTE
WAGONS-LITS
WAHHABISME
WALLINGANT
WALLONISME
WALL STREET
WARCOLLIER
WARNEMÜNDE
WARRANTANT
WARRINGTON
WASHINGTON
WASSELONNE
WASSERMANN
WASSEYENNE
WATERINGUE
WATER-POLOS
WATERPROOF
WATSON-WATT
WATTASIDES
WATTIGNIES
WAZIRISTAN
WEIZSÄCKER
WELLINGTON
WERTHEIMER
WESTERWALD
WESTPHALIE
WETTERHORN
WHEATSTONE
WHITEHORSE
WIENERWALD
WILHELMINE
WILLEBROEK
WILLEMSTAD
WILLIBRORD
WILMINGTON
WINCHESTER
WINCHESTER
WINTERTHUR
WITKIEWICZ
WITTENBERG
WITTENHEIM
WOLLONGONG
WORDSWORTH
WORLD MUSIC
WURTEMBERG
WUUSTWEZEL
WYSPIANSKI
XÉNOGREFFE
XÉNOPHILIE
XÉNOPHOBIE
XÉRANTHÈME
XÉRODERMIE

XIPHOÏDIEN
XIPHOPHORE
XIXABANGMA
YACHT-CLUBS
YACHTSMANS
YAOURTIÈRE
YASAR KEMAL
YATSUSHIRO
YAZILIKAYA
YLANG-YLANG
YOM KIPPOUR
YOUGOSLAVE
YOUGOSLAVE
YOUSSOUFIA
YPONOMEUTE
YSSINGEAUX
YUAN SHIKAI
YVELINOISE
YVETOTAISE
YVOISIENNE
YZEURIENNE
ZAFFARINES
ZAGRÉBOISE
ZAPORIJJIA
ZAPOROGUES
ZAPOTÈQUES
ZÉLANDAISE
ZÉNON D'ÉLÉE
ZÉZAIEMENT
ZHAO MENGFU
ZHAO ZIYANG
ZIDOVUDINE
ZIGOUILLÉE
ZIGOUILLER
ZIGUINCHOR
ZIGZAGUANT
ZIMBABWÉEN
ZIMBABWÉEN
ZIMMERMANN
ZINZENDORF
ZOANTHAIRE
ZOETERMEER
ZOLLVEREIN
ZOOLOGIQUE
ZOOLOGISTE
ZOOTECHNIE
ZOZOTEMENT
ZURBRIGGEN
ZURICHOISE
ZURICHOISE
ZYGOMORPHE
ZYGOMYCÈTE
ZYGOPÉTALE

11

ABAISSEMENT
ABANDONNANT
ABBEVILLOIS
ABD AL-RAHMAN
ABDICATAIRE
ABDUL RAHMAN
ABÊTISSANTE
ABIDJANAISE
ABJECTEMENT
ABOMINATION
ABONDONNANT
ABONNISSANT
ABOUCHEMENT
ABOUTISSANT
ABRACADABRA
ABRASIMÈTRE
ABRAYSIENNE
ABREUVEMENT
ABRÉVIATION
ABRÉVIATIVE
ABROGATOIRE
ABRUPTEMENT
ABRUTISSANT
ABSENTÉISME
ABSENTÉISTE
ABSOLUTISME
ABSOLUTISTE
ABSTRACTION
ABSURDEMENT
ABUSIVEMENT
ACADÉMICIEN
ACCABLEMENT
ACCAPAREUSE
ACCASTILLÉE
ACCASTILLER
ACCELERANDO
ACCENTUELLE
ACCEPTATION
ACCIDENTANT
ACCLAMATION
ACCLIMATANT
ACCOMMODANT
ACCOMPAGNÉE
ACCOMPAGNER
ACCORD-CADRE

ACCOUCHEUSE
ACCOUDEMENT
ACCOUTUMANT
ACCRÉDITANT
ACCRÉDITEUR
ACCRÉDITIVE
ACCRESCENTE
ACCROCHEUSE
ACCROISSANT
ACCUEILLANT
ACCUSATOIRE
ACCUSATRICE
ACÉTOBACTER
ACHALANDAGE
ACHALANDANT
ACHARNEMENT
ACHÉMÉNIDES
ACHEULÉENNE
ACHOPPEMENT
ACHROMATISÉ
ACIDE-ALCOOL
ACIDIFIABLE
ACIDIFIANTE
ACIDIMÉTRIE
ACIDOCÉTOSE
À CLOCHE-PIED
À CONTRE-POIL
ACOUSTICIEN
ACQUIESÇANT
ACQUISITION
ACQUISITIVE
ACQUITTABLE
ACRIMONIEUX
ACROBATIQUE
ACROCYANOSE
ACROMÉGALIE
À CROUPETONS
ACTANCIELLE
ACTINOLOGIE
ACTIONNABLE
ACTIONNAIRE
ACTIONNISME
ACTIVATRICE
ACTUALISANT
ACTUARIELLE
ACUPONCTEUR
ACUPONCTURE
ACUPUNCTEUR
ACUPUNCTURE
ADAM LE BOSSU
ADAPTATRICE
ADDITIONNÉE
ADDITIONNEL
ADDITIONNER
ADÉNOGRAMME
ADÉNOPATHIE
ADIABATIQUE

ADIRONDACKS
ADJECTIVALE
ADJECTIVANT
ADJECTIVAUX
ADJECTIVISÉ
ADMINISTRÉE
ADMINISTRER
ADMIRATRICE
ADMONESTANT
ADOLESCENCE
ADOLESCENTE
ADOUCISSANT
ADOUCISSEUR
ADROITEMENT
ADVERSATIVE
ÆGAGROPILE
AÉROGASTRIE
AÉROLOGIQUE
AÉROPOSTALE
AÉROPOSTAUX
AÉROSONDAGE
AÉROSPATIAL
AÉROSTATION
AFFABLEMENT
AFFACTURAGE
AFFADISSANT
AFFAIREMENT
AFFAITEMENT
AFFECTATION
AFFECTIONNÉ
AFFECTIVITÉ
AFFECTUEUSE
AFFILIATION
AFFIRMATION
AFFIRMATIVE
AFFLIGEANTE
AFFOUAGEANT
AFFOUAGISTE
AFFOUILLANT
AFFOURCHANT
AFFRÈTEMENT
AFFRIANDANT
AFFRIOLANTE
AFFUBLEMENT
AFGHANISTAN
AFRICANISÉE
AFRICANISER
AFRICANISME
AFRICANISTE
AFRIKAANDER
AFRIKAANDER
AFRIKAKORPS
AFRO-CUBAINE
AFRO-CUBAINE
AFRO-CUBAINS
AFRO-CUBAINS
AGENOUILLÉE

A GENOUILLER
AGGLOMÉRANT
AGGLUTINANT
AGGLUTININE
AGGRAVATION
AGNUS-CASTUS
AGORAPHOBIE
À GRAND-PEINE
AGRÉMENTANT
AGRESSIVITÉ
AGRICULTEUR
AGRICULTURE
AGRIPPEMENT
AGRONOMIQUE
AGUARDIENTE
AHURISSANTE
AÏD-EL-SÉGHIR
AIDE-MÉMOIRE
AIGUE-MARINE
AIGUILLETÉE
AIGUILLETER
AIGUILLETTE
AIGUILLONNÉ
AIGUISEMENT
AIMABLEMENT
AIMANTATION
AIRVAUDAISE
AIX-LES-BAINS
AJDUKIEWICZ
AJOURNEMENT
À LA REDRESSE
À LA SAUVETTE
ALBENASSIEN
ALBERTVILLE
ALBUMINURIE
ALBUQUERQUE
ALCALIFIANT
ALCALIMÈTRE
ALCALINISÉE
ALCALINISER
ALCMÉONIDES
ALCOOLATURE
ALCOOLISANT
ALCOOMÉTRIE
ALCOYLATION
ALDÉHYDIQUE
ALDOSTÉRONE
ALEIJADINHO
ALENÇONNAIS
ALEXANDRINE
ALEXANDRINE
ALEXANDRITE
ALEXITHYMIE
ALFORTVILLE
ALGOCULTURE
ALIMENTAIRE
ALIPHATIQUE

ALISMATACÉE
ALLAITEMENT
ALLAUDIENNE
ALLÉGORIQUE
ALLÈGREMENT
ALLERGISANT
ALLEVARDAIS
ALLOCATAIRE
ALLOCUTAIRE
ALLONGEMENT
ALLOTISSANT
ALMORAVIDES
AL-MUTANABBI
ALOXE-CORTON
ALPHABÉTISÉ
ALTERCATION
ALTERNATEUR
ALTERNATIVE
ALTKIRCHOIS
ALTOCUMULUS
ALTOSTRATUS
AMANDINOISE
AMARANTACÉE
AMATEURISME
AMAZONIENNE
AMAZONIENNE
AMBASSADEUR
AMBIOPHONIE
AMBITIONNÉE
AMBITIONNER
AMBIVALENCE
AMBIVALENTE
AMBLYOSCOPE
AMBOISIENNE
AMBROSIENNE
AMBULANCIER
AMBULATOIRE
AMÉLIORABLE
AMÉLIORANTE
AMÉNAGEABLE
AMÉNAGEMENT
AMÉRICANISÉ
AMÉRINDIENS
AMERRISSAGE
AMERRISSANT
AMEUBLEMENT
AMICALEMENT
AMIDONNERIE
AMIDONNIÈRE
AMINCISSANT
AMMONIACALE
AMMONIACAUX
AMNÉVILLOIS
AMNIOSCOPIE
AMNISTIABLE
AMNISTIANTE
AMODIATAIRE

AMODIATRICE
AMOLLISSANT
AMONTILLADO
AMORTISSANT
AMORTISSEUR
AMOUILLANTE
AMOURACHANT
AMOUR-EN-CAGE
AMOUR-PROPRE
AMOVIBILITÉ
AMPÉLIDACÉE
AMPÈREMÈTRE
AMPHÉTAMINE
AMPHIBOLITE
AMPLIFIANTE
AMUÏSSEMENT
AMUSE-BOUCHE
AMUSE-GUEULE
AMYOTROPHIE
ANABAPTISME
ANABAPTISTE
ANABOLISANT
ANACYCLIQUE
ANAÉROBIOSE
ANALEPTIQUE
ANALGÉSIQUE
ANALPHABÈTE
ANALYTICITÉ
ANAMORPHOSE
ANAPHORIQUE
ANAPHYLAXIE
ANARCHISANT
ANASTOMOSÉE
ANASTOMOSER
ANAXIMANDRE
ANCONITAINE
ANCY-LE-FRANC
ANDRÉSIENNE
ANDROGENÈSE
ANECDOTIÈRE
ANECDOTIQUE
ANÉLASTIQUE
ANÉMOGRAPHE
ANÉMOPHILIE
ANENCÉPHALE
ANÉPIGRAPHE
ANESTHÉSIÉE
ANESTHÉSIER
ANÉVRISMALE
ANÉVRISMAUX
ANÉVRYSMALE
ANÉVRYSMAUX
ANGÉIOLOGIE
ANGIECTASIE
ANGIOMATOSE
ANGIOSPERME
ANGLICISANT

ANGLO-ARABES
ANGLOPHILIE
ANGLOPHOBIE
ANGLO-SAXONS
ANGLO-SAXONS
ANGOISSANTE
ANGOUMOISIN
ANIMALISANT
ANISOTROPIE
ANKYLOSAURE
ANKYLOSTOME
ANNE COMNÈNE
ANNEMASSIEN
ANNOTATRICE
ANNUALISANT
ANOBLISSANT
ANODISATION
ANONYMEMENT
ANOREXIGÈNE
ANORGANIQUE
ANOVULATION
ANSÉRIFORME
ANTAGONIQUE
ANTAGONISME
ANTAGONISTE
ANTARCTIQUE
ANTARCTIQUE
ANTÉCÉDENCE
ANTÉCÉDENTE
ANTÉRIORITÉ
ANTÉROGRADE
ANTÉVERSION
ANTHOZOAIRE
ANTHRACNOSE
ANTHROPIQUE
ANTHROPOÏDE
ANTIADHÉSIF
ANTIBLOCAGE
ANTICABREUR
ANTICATHODE
ANTICHAMBRE
ANTICHÔMAGE
ANTICLINALE
ANTICLINAUX
ANTICYCLONE
ANTIDOULEUR
ANTIGÉNIQUE
ANTIGIVRANT
ANTIGONIDES
ANTIMATIÈRE
ANTIMISSILE
ANTIMONIATE
ANTIMONIURE
ANTINEUTRON
ANTINOMIQUE
ANTIOXYDANT
ANTIPODISTE

ANTIPUTRIDE
ANTIQUAILLE
ANTIQUISANT
ANTIRABIQUE
ANTIRACISME
ANTIRACISTE
ANTIROUILLE
ANTISOCIALE
ANTISOCIAUX
ANTISPORTIF
ANTISTROPHE
ANTISUDORAL
ANTITUSSIVE
ANTOFAGASTA
ANTOMMARCHI
ANTONMARCHI
ANTSIRANANA
APERCEPTION
APÉRIODIQUE
APICULTRICE
APITOIEMENT
APLANÉTIQUE
APLANÉTISME
APLANISSANT
APLATISSANT
APLATISSEUR
APODICTIQUE
APOLLINAIRE
APOPHYSAIRE
APOSTASIANT
A POSTERIORI
APOSTOLIQUE
APOSTROPHÉE
APOSTROPHER
APOTHICAIRE
APPALACHIEN
APPARATCHIK
APPAREILLÉE
APPAREILLER
APPAREMMENT
APPARENTANT
APPARIEMENT
APPARTEMENT
APPARTENANT
APPELLATION
APPELLATIVE
APPENDICITE
APPÉTISSANT
APPLICATEUR
APPLICATION
APPONTEMENT
APPRÉCIABLE
APPRÉCIATIF
APPRÉHENDÉE
APPRÉHENDER
APPRÉHENSIF
APPRIVOISÉE

APPRIVOISER
APPROBATEUR
APPROBATION
APPROBATIVE
APPROCHABLE
APPROCHANTE
APPROFONDIE
APPROFONDIR
APPROPRIANT
APPROUVABLE
APRÈS-DEMAIN
APRÈS-DÎNERS
APRÈS-GUERRE
APRÈS-RASAGE
APRÈS-SOLEIL
AQUACULTEUR
AQUACULTURE
AQUAPLANAGE
AQUAPLANING
AQUATINTIEN
AQUICULTEUR
AQUICULTURE
ARABISATION
ARACHNÉENNE
ARBALÉTRIER
ARBOISIENNE
ARBORESCENT
ARBRE-DE-NOËL
ARBRESLOISE
ARBRISSEAUX
ARC-DOUBLEAU
ARC-ET-SENANS
ARCHAÏSANTE
ARCHÉOLOGIE
ARCHÉOLOGUE
ARCHÉTYPALE
ARCHÉTYPAUX
ARCHIDIACRE
ARCHIMÉDIEN
ARCHIPRÊTRE
ARCUEILLAIS
ARCY-SUR-CURE
ARDRÉSIENNE
ARELIGIEUSE
ARÉNISATION
ARÉOGRAPHIE
ARGENTACOIS
ARGENTANAIS
ARGENTIFÈRE
ARGUMENTANT
ARISTOCRATE
ARISTOLOCHE
ARISTOPHANE
ARKHANGELSK
ARLEQUINADE
ARMENTIÈRES
ARMORICAINE

ARMORICAINE	ASSORTIMENT	AUTOCENTRÉE
AROMATISANT	ASTHMATIQUE	AUTOCÉPHALE
ARPAJONNAIS	ASTREIGNANT	AUTOCOLLANT
ARQUEBUSADE	ASTRINGENCE	AUTOCOPIANT
ARQUEBUSIER	ASTRINGENTE	AUTOCUISEUR
ARRACHE-CLOU	ASTROMÉTRIE	AUTODÉFENSE
ARRACHEMENT	ASYMÉTRIQUE	AUTODIDACTE
ARRACHE-PIED	ATÉLECTASIE	AUTOÉDITION
ARRAISONNÉE	ATEMPORELLE	AUTOFINANCÉ
ARRAISONNER	ATHÉMATIQUE	AUTOGESTION
ARRANGEABLE	**ATHÊNAGORAS**	AUTOGRAPHIE
ARRANGEANTE	ATHÉTOSIQUE	AUTOGUIDAGE
ARRANGEMENT	ATHYMHORMIE	AUTO-IMMUNES
ARRESTATION	ATOME-GRAMME	AUTOMATIQUE
ARRÊTE-BŒUF	ATOMISATION	AUTOMATISÉE
ARRIÉRATION	ATRABILAIRE	AUTOMATISER
ARRIÈRE-BANS	ATTACHÉ-CASE	AUTOMATISME
ARRIÈRE-BECS	ATTACHEMENT	AUTOMOTRICE
ARRIÈRE-COUR	ATTENTIONNÉ	AUTONOMISTE
ARRIÈRE-FOND	ATTÉNUATEUR	AUTOPLASTIE
ARRIÈRE-GOÛT	ATTÉNUATION	AUTOPORTANT
ARRIÈRE-MAIN	ATTESTATION	AUTOPORTEUR
ARRIÈRE-PAYS	ATTITUDINAL	AUTOPUNITIF
ARRIÈRE-PLAN	ATTRAPE-TOUT	AUTORÉGLAGE
ARRIÈRE-PORT	ATTRIBUABLE	AUTOREVERSE
ARROGAMMENT	ATTRIBUTION	AUTORITAIRE
ÁRROMANCHES	ATTRIBUTIVE	AUTOROUTIER
ARTÉRITIQUE	ATTRISTANTE	AUTOSEXABLE
ARTHRITIQUE	**AUCHELLOISE**	AUTOSOMIQUE
ARTHRITISME	AU DEMEURANT	AUTOTRACTÉE
ARTICULAIRE	**AUDENGEOISE**	AUTOTROPHIE
ARTIFICIEUX	AU-DESSOUS DE	AUXILIARIAT
ARTISTEMENT	**AUDIERNAISE**	AVACHISSANT
ASCARIDIASE	AUDIODISQUE	AVALANCHEUX
ASCARIDIOSE	AUDIOGRAMME	**AVALLONNAIS**
ASÉMANTIQUE	AUDIOMÉTRIE	AVANTAGEANT
ASIE MINEURE	AUDIOVISUEL	AVANT-BASSIN
ASPERGILLUS	AUDITIONNÉE	AVANT-CENTRE
ASPHYXIANTE	AUDITIONNER	AVANT-GARDES
ASPIRATOIRE	AUDOMAROISE	AVANT-GUERRE
ASSAGISSANT	**AUDOMAROISE**	AVANT-POSTES
ASSAILLANTE	AUGMENTATIF	AVANT-PROJET
ASSAISONNÉE	AUGUSTINIEN	AVANT-PROPOS
ASSAISONNER	**AUGUSTINOIS**	AVANT-SCÈNES
ASSARHADDON	AURICULAIRE	AVANT-SOIRÉE
ASSASSINANT	AURIGNACIEN	AVANT-TEXTES
ASSÈCHEMENT	**AURIGNACIEN**	AVANT-TRAINS
ASSEMBLEUSE	**AURILLACOIS**	AVANT-VEILLE
ASSENTIMENT	AUSTÈREMENT	AVARICIEUSE
ASSERMENTÉE	**AUTERIVAINE**	AVENTUREUSE
ASSERMENTER	AUTHENTIFIÉ	AVENTURIÈRE
ASSIÉGEANTE	AUTHENTIQUE	AVENTURISME
ASSIGNATION	AUTOADHÉSIF	AVENTURISTE
ASSIMILABLE	AUTOANALYSE	AVERTISSANT
ASSINIBOINE	AUTOCARISTE	AVERTISSEUR
ASSOCIATION	AUTOCENSURE	AVEUGLEMENT
ASSOCIATIVE	AUTOCENSURÉ	AVEUGLÉMENT

AVEUGLES-NÉS
AVEULISSANT
AVEYRONNAIS
AVICULTRICE
AVIGNONNAIS
AVILISSANTE
AVITAILLANT
AVITAILLEUR
AVITAMINOSE
AVOCASSERIE
AVOCASSIÈRE
AVOIRDUPOIS
AVOISINANTE
AVUNCULAIRE
AXIOLOGIQUE
AXIOMATIQUE
AXIOMATISÉE
AXIOMATISER
AXONOMÉTRIE
AYANTS CAUSE
AYANTS DROIT
AZERBAÏDJAN
AZOOSPERMIE
AZOTOBACTER
BAB AL-MANDAB
BAB EL-MANDEB
BABY-SITTERS
BABY-SITTING
BACK-OFFICES
BACTÉRICIDE
BACTÉRIÉMIE
BACTÉRIENNE
BADA SHANREN
BADEN-POWELL
BADIGEONNÉE
BADIGEONNER
BADIGOINCES
BAFOUILLAGE
BAFOUILLANT
BAFOUILLEUR
BAGDADIENNE
BAGNOLETAIS
BAGUENAUDER
BAHÍA BLANCA
BAHR EL-ABIAD
BAHR EL-AZRAK
BAIE-MAHAULT
BAILLERESSE
BAILLEULOIS
BÂILLONNANT
BALAI-BROSSE
BALANCEMENT
BALBUTIANTE
BALBYNIENNE
BALÉNOPTÈRE
BALISTICIEN
BALKANISANT

BALLASTIÈRE
BALLETOMANE
BALLON-SONDE
BALNÉOLAISE
BALZACIENNE
BAMBOCHARDE
BAMBOCHEUSE
BANANA SPLIT
BANCS-TITRES
BANDAR ABBAS
BANDES-VIDÉO
BANDOTHÈQUE
BANDOULIÈRE
BANGLADAISE
BANGLADAISE
BANGLADESHI
BANGLADESHI
BANGUISSOIS
BANLIEUSARD
BANNALÉCOIS
BANNOCKBURN
BANQUEROUTE
BARAGOUINÉE
BARAGOUINER
BARAQUEMENT
BARATINEUSE
BARBADIENNE
BARBARESQUE
BARBEROUSSE
BARBEZILIEN
BARBICHETTE
BARBOUILLÉE
BARBOUILLER
BARBOUILLIS
BARBUDIENNE
BARCELONAIS
BARCELONAIS
BARDONNÈCHE
BARENTINOIS
BARESTHÉSIE
BARGUIGNANT
BAROQUISANT
BARRICADANT
BAR-SUR-SEINE
BARTHOLOMÉE
BARYCHNIKOV
BARYSHNIKOV
BASCULEMENT
BAS-EN-BASSET
BAS-JOINTÉES
BASKET-BALLS
BASKETTEUSE
BAS-RHINOISE
BASSES-COURS
BASSE-TAILLE
BASSIN ROUGE
BASTOGNARDE

BATAILLEUSE
BATEAU-PHARE
BATEAU-POMPE
BATEAU-PORTE
BATEAUX-FEUX
BATHYMÉTRIE
BATHYSCAPHE
BATIFOLEUSE
BATTLE-DRESS
BAUDELOCQUE
BAUDRICOURT
BAUDRILLARD
BAUMGARTNER
BAVAISIENNE
BAZEILLAISE
BEACH-VOLLEY
BEAUCAIROIS
BEAUCERONNE
BEAUCERONNE
BEAUFORTAIN
BEAUFORTAIS
BEAUHARNAIS
BEAUJOLAISE
BEAUMONTOIS
BEAUPERTHUY
BEAUPORTOIS
BEAUREPAIRE
BEAUSSETANE
BEAUVAISIEN
BEAUX-FRÈRES
BEC-DE-LIÈVRE
BEC-HELLOUIN
BÊCHEVETANT
BECKENBAUER
BECS-CROISÉS
BÉDARRIDAIS
BEIDERBECKE
BEKTACHIYYA
BELFORTAINE
BELGRADOISE
BELIN-BÉLIET
BELLACHONNE
BELLE-DE-JOUR
BELLE-DE-NUIT
BELLÉROPHON
BELLES-DAMES
BELLES-MÈRES
BELLIGÉRANT
BELLIQUEUSE
BELŒILLOIS
BÉNÉDICTINE
BÉNÉDICTINE
BÉNÉDICTION
BÉNÉFICIANT
BENFELDOISE
BÉNODETOISE
BENOÎTEMENT

BENTIVOGLIO
BENZOPYRÈNE
BÉQUILLARDE
BERGAMASQUE
BERGAMASQUE
BERGAMOTIER
BERGERACOIS
BERMUDIENNE
BERRE-L'ÉTANG
BERRICHONNE
BERRICHONNE
BERTELSMANN
BERTIN L'AÎNÉ
BESSÉGEOISE
BESSONNIÈRE
BEST-SELLERS
BÉTHENCOURT
BETTEMBOURG
BETTERAVIER
BETTONNAISE
BEYNE-HEUSAY
BEYROUTHINE
BHARTRIHARI
BHILAINAGAR
BHOUTANAISE
BHUBANESWAR
BIBERONNANT
BIBLIOLOGIE
BIBLIOPHILE
BICAMÉRISME
BICARBONATE
BICARBONATÉ
BICATÉNAIRE
BIDOUILLAGE
BIDOUILLANT
BIDOUILLEUR
BIEDERMEIER
BIÉLORUSSIE
BIENFACTURE
BIENFAISANT
BIENFAITEUR
BIENHEUREUX
BIEN-PENSANT
BIFURCATION
BIGNONIACÉE
BIGOPHONANT
BILHARZIOSE
BILINGUISME
BILLETTERIE
BILLETTISTE
BIMBELOTIER
BIMENSUELLE
BINATIONALE
BINATIONAUX
BINOCULAIRE
BIOCHIMIQUE
BIOCHIMISTE

BIOLOGISANT
BIOMATÉRIAU
BIOMÉDICALE
BIOMÉDICAUX
BIOPHYSIQUE
BIOSCIENCES
BIOSYNTHÈSE
BIOTHÉRAPIE
BIOY CASARES
BIPARTITION
BIPOLARISÉE
BIQUOTIDIEN
BISANNUELLE
BISBROUILLE
BISCARROSSE
BISCHWILLER
BISCOTTERIE
BISCUITERIE
BISEXUALITÉ
BISSALIENNE
BISSECTRICE
BISTOURNAGE
BISTOURNANT
BISTROTIÈRE
BITUMINEUSE
BIVITELLINE
BIVOUAQUANT
BIZARDIENNE
BIZARREMENT
BLACKBOULÉE
BLACKBOULER
BLAGNACAISE
BLANCHAILLE
BLANCHIMENT
BLANC-MANGER
BLANCS-ÉTOCS
BLANQUEFORT
BLANZYNOISE
BLASPHÉMANT
BLASTODERME
BLAUE REITER
BLAVATSKAÏA
BLETTISSANT
BLETTISSURE
BLOC-CUISINE
BLOCS-ÉVIERS
BLONDINETTE
BLONDISSANT
BLOTTISSANT
BODHISATTVA
BOISMORTIER
BOLCHEVIQUE
BOLCHEVISME
BOLINGBROKE
BOLLANDISTE
BONAVENTURE
BONBONNIÈRE

BON-CHRÉTIEN
BONCOURTOIS
BONDÉRISANT
BONDOUFLOIS
BONIMENTANT
BONIMENTEUR
BONNEVALAIS
BONNIÉROISE
BORAGINACÉE
BOSSAS-NOVAS
BOSTONIENNE
BOTSWANAISE
BOTULINIQUE
BOUCHARDANT
BOUCHE-PORES
BOUCHE-TROUS
BOUCHONNANT
BOUCHONNIER
BOUFFETANCE
BOUFFISSAGE
BOUFFISSANT
BOUFFISSURE
BOUFFONNANT
BOUGILLONNE
BOUGIVALAIS
BOUGONNEUSE
BOUILLONNÉE
BOUILLONNER
BOUILLOTTER
BOULAGEOISE
BOULANGEANT
BOULANGERIE
BOULANGISME
BOULANGISTE
BOULEVERSÉE
BOULEVERSER
BOULONNAISE
BOULONNAISE
BOULONNERIE
BOULOUNENCQ
BOUQUETIÈRE
BOUQUINEUSE
BOUQUINISTE
BOURBONNAIS
BOURBONNAIS
BOURBOUILLE
BOURBOULIEN
BOURDONNANT
BOURGANIAUD
BOURGEOISIE
BOURGEONNER
BOURG-MADAME
BOURGMESTRE
BOURGUESANE
BOURGUIGNON
BOURGUIGNON
BOURGUISANE

BOURLINGUER
BOURNEMOUTH
BOURRELIÈRE
BOURSICOTER
BOURSOUFLÉE
BOURSOUFLER
BOUSCATAISE
BOUSILLEUSE
BOUTIQUIÈRE
BOUTONNEUSE
BOUTONNIÈRE
BOUTS-DEHORS
BOUZONVILLE
BOUZOULAISE
BOXER-SHORTS
BOYCOTTEUSE
BRABANÇONNE
BRABANÇONNE
BRACHIATION
BRACHIOPODE
BRACONNIÈRE
BRACQUEMOND
BRADYCARDIE
BRAHMAGUPTA
BRAHMANIQUE
BRAHMANISME
BRAILLEMENT
BRAIN-TRUSTS
BRANCARDAGE
BRANCARDANT
BRANCARDIER
BRANCHEMENT
BRANCHE-MÈRE
BRANDEBOURG
BRANDEBOURG
BRANDISSANT
BRANTÔMAISE
BRASILIENNE
BRAS-LE-CORPS
BRASSEMPOUY
BRAUCHITSCH
BRAY-DUNOISE
BRAZZAVILLE
BREDOUILLÉE
BREDOUILLER
BREDOUILLIS
BREMERHAVEN
BRÉSILIENNE
BRÉSILIENNE
BRESSUIRAIS
BRETOLIENNE
BRETONNANTE
BRÉVÉTOXINE
BRIGNOLAISE
BRILLAMMENT
BRILLANTAGE
BRILLANTANT

BRILLANTEUR
BRILLANTINE
BRILLANTINÉ
BRINGUEBALÉ
BRINQUEBALÉ
BRIQUETERIE
BRISE-GLACES
BRISE-MOTTES
BRISE-SOLEIL
BRITANNICUS
BRITANNIQUE
BRITANNIQUE
BRITTONIQUE
BROCANTEUSE
BROCÉLIANDE
BROMÉLIACÉE
BRONDILLANT
BRONTOSAURE
BROODTHAERS
BROQUEVILLE
BROSSARDOIS
BROSSOLETTE
BROUILLERIE
BROUILLONNE
BROUILLONNÉ
BROUSSAILLE
BRUAYSIENNE
BRUISSEMENT
BRÛLE-GUEULE
BRÛLE-PARFUM
BRUMISATEUR
BRUNSCHVICG
BRUNTRUTAIN
BRUSQUEMENT
BRUTALEMENT
BRUTALISANT
BRUXELLOISE
BRUXELLOISE
BRY-SUR-MARNE
BUCARAMANGA
BUCARESTOIS
BUCCINATEUR
BUDAPESTOIS
BUDGÉTISANT
BUDGÉTIVORE
BUENOS AIRES
BUFFALO BILL
BUFFLETERIE
BUISSONNAIS
BUISSONNEUX
BUISSONNIER
BUJUMBURIEN
BULL-FINCHES
BULLIONISME
BULL-TERRIER
BULLYGEOISE
BUONTALENTI

BUREAUCRATE
BUREAUTIQUE
BUSINESSMAN
BUSINESSMEN
BUTYROMÈTRE
BUZANCÉENNE
CABARETIÈRE
CABORA BASSA
CABOURGEAIS
CACHE-CŒURS
CACHECTIQUE
CACHE-FLAMME
CACHE-MISÈRE
CACHE-PRISES
CACHE-TAMPON
CACHOTTERIE
CACHOTTIÈRE
CACOGRAPHIE
CADAVÉREUSE
CADAVÉRIQUE
CADENASSANT
CADILLACAIS
CADUCIFOLIÉ
CADURCIENNE
CADURCIENNE
CAFÉ-CONCERT
CAFÉ-THÉÂTRE
CAFOUILLAGE
CAFOUILLANT
CAFOUILLEUR
CAFOUILLEUX
CAHORA BASSA
CAILLEBOTIS
CAILLEBOTTE
CAILLEBOTTE
CAILLOUTAGE
CAILLOUTANT
CAILLOUTEUX
CALAISIENNE
CALAMISTRÉE
CALAMITEUSE
CALCÉOLAIRE
CALCINATION
CALCITONINE
CALCSCHISTE
CALCULATEUR
CALEBASSIER
CALÉFACTION
CALFEUTRAGE
CALFEUTRANT
CALIBRATION
CALIFORNIEN
CALIFORNIEN
CALIFORNIUM
CALLICRATÈS
CALLIGRAMME
CALLIGRAPHE

CALOMNIEUSE
CALOPORTEUR
CALORIFIQUE
CALORIFUGÉE
CALORIFUGER
CALORIMÈTRE
CALVADOSIEN
CALVO SOTELO
CAMARADERIE
CAMARÉTOISE
CAMARGUAISE
CAMARGUAISE
CAMBRIOLAGE
CAMBRIOLANT
CAMBRIOLEUR
CAMBROUSARD
CAMERLINGUE
CAMEROUNAIS
CAMEROUNAIS
CAMIONNETTE
CAMPAGNARDE
CAMPANIENNE
CAMPING-CARS
CAMPO DEL ORO
CAMPOFORMIO
CAMPO GRANDE
CANAILLERIE
CANALISABLE
CANAPÉS-LITS
CANAVÉROISE
CANCÉRIGÈNE
CANCÉRISANT
CANCÉROGÈNE
CANDIACOISE
CANDIDATURE
CANDIDEMENT
CANDISATION
CANDRAGUPTA
CANEPETIÈRE
CANICULAIRE
CANNELLONIS
CANNES-ÉPÉES
CANNIBALISÉ
CANONISABLE
CANTABRIQUE
CANTACUZÈNE
CANTALIENNE
CANTALIENNE
CANTILIENNE
CANTONNIÈRE
CAOUTCHOUTÉ
CAPACIMÈTRE
CAPACITAIRE
CAPACITANCE
CAPARAÇONNÉ
CAP-D'AILLOIS
CAPDENACOIS

CAPESTANAIS
CAP-HORNIERS
CAPILLARITE
CAPILLARITÉ
CAPITALISÉE
CAPITALISER
CAPITALISME
CAPITALISTE
CAPITONNAGE
CAPITONNANT
CAPITULAIRE
CAPITULARDE
CAPODISTRIA
CAPORAL-CHEF
CAPORALISÉE
CAPORALISER
CAPORALISME
CAPPADOCIEN
CAPPADOCIEN
CAPPA MAGNAS
CAPRICIEUSE
CAPTATIVITÉ
CAPUCHONNÉE
CAQUÈTEMENT
CARACASSIEN
CARACTÉRIEL
CARACTÉRISÉ
CARAMBOLAGE
CARAMBOLANT
CARAMBOLIER
CARAMÉLISÉE
CARAMÉLISER
CARAVAGISME
CARAVAGISTE
CARAVANIÈRE
CARBOCATION
CARBOCHIMIE
CARBONATANT
CARBON-BLANC
CARBONIFÈRE
CARBONISAGE
CARBONISANT
CARBONNADES
CARBONNAISE
CARBORUNDUM
CARBOXYLASE
CARBURATEUR
CARBURATION
CARCAILLANT
CARCASSONNE
CARCINOGÈNE
CARDINALICE
CARDIOLOGIE
CARDIOLOGUE
CARDIOTOMIE
CARENTANAIS
CARENTIELLE

CARICATURAL
CARICATURÉE
CARICATURER
CARILLONNÉE
CARILLONNER
CARMONTELLE
CARNASSIÈRE
CARNON-PLAGE
CAROLINGIEN
CAROTÉNOÏDE
CAROUGEOISE
CARPENTARIE
CARPINIENNE
CARRIÉRISME
CARRIÉRISTE
CARRIÉROISE
CARROSSABLE
CARROSSERIE
CARTE-LETTRE
CARTELLISÉE
CARTELLISER
CARTÉSIENNE
CARTOGRAPHE
CARTOMANCIE
CARTONNERIE
CARTONNEUSE
CARTONNIÈRE
CARTOPHILIE
CARTOTHÈQUE
CARYOCINÈSE
CASERNEMENT
CASSE-CROÛTE
CASSE-GRAINE
CASSE-GUEULE
CASSE-PATTES
CASSE-PIERRE
CASSITÉRITE
CASTANÉENNE
CASTÉLORIEN
CASTIGLIONE
CASTLEREAGH
CASTRATRICE
CASUISTIQUE
CATABATIQUE
CATABOLISME
CATACLYSMAL
CATADIOPTRE
CATALOGUANT
CATALYTIQUE
CATAPULTAGE
CATAPULTANT
CATARHINIEN
CATASTROPHE
CATASTROPHÉ
CATATONIQUE
CATÉCHISANT
CATÉCHUMÈNE

CATÉGORIQUE
CATÉGORISÉE
CATÉGORISER
CATHARTIQUE
CATHELINEAU
CATHOLICITÉ
CATOPTRIQUE
CATTENOMOIS
CAUCASIENNE
CAUCASIENNE
CAUCHEMARDÉ
CAUSSADAISE
CAUSSENARDE
CAUSSENARDE
CAUTERÉSIEN
CAUTÉRISANT
CAUTIONNANT
CAVACO SILVA
CAVALAIROIS
CAVALCADANT
CAVERNICOLE
CAXIAS DO SUL
CAYLUSIENNE
CEDAR RAPIDS
CÉLASTRACÉE
CÉLÉBRATION
CÉLIBATAIRE
CÉMENTATION
CÉNESTHÉSIE
CÉNOBITIQUE
CÉNOBITISME
CENTÉSIMALE
CENTÉSIMAUX
CENTIGRAMME
CENTRALISÉE
CENTRALISER
CENTRALISME
CENTRALISTE
CENTRAL PARK
CENTRE-AVANT
CENTRE-VILLE
CENTRIFUGÉE
CENTRIFUGER
CENT-SUISSES
CÉPHALALGIE
CÉPHALOPODE
CÉRAMBYCIDÉ
CÉRAMOLOGUE
CERBÉRIENNE
CÉRÉBELLEUX
CÉRÉBRALITÉ
CÉRÉMONIEUX
CERF-VOLISTE
CERGYSSOISE
CÉRUMINEUSE
CERVICALGIE
CESSEZ-LE-FEU

CESSIBILITÉ
CESSONNAISE
CEYZÉRIATIE
CÉZANNIENNE
CHÆNICHTYS
CHAGRINANTE
CHAÎNETIÈRE
CHALCÉDOINE
CHALCIDIQUE
CHALEUREUSE
CHALLANDAIS
CHALLENGEUR
CHALONNAISE
CHALUSIENNE
CHAMAILLANT
CHAMAILLEUR
CHAMALIÈRES
CHAMBARDANT
CHAMBERLAIN
CHAMBLYENNE
CHAMBOULANT
CHAMOISERIE
CHAMOISEUSE
CHAMONIARDE
CHAMONIARDE
CHAMPAGNISÉ
CHAMPAGNOLE
CHAMP-DE-MARS
CHAMPDIVERS
CHAMPENOISE
CHAMPENOISE
CHAMPFLEURY
CHAMPIONNAT
CHAMPLEVANT
CHAMPOLLION
CHANCELANTE
CHANCELIÈRE
CHANCISSANT
CHANFREINÉE
CHANFREINER
CHANGARNIER
CHANOINESSE
CHANSONNIER
CHANTEFABLE
CHANTEMESSE
CHANTERELLE
CHANTIGNOLE
CHANTONNANT
CHANTOURNÉE
CHANTOURNER
CHAPARDEUSE
CHAPDELAINE
CHAPEAUTANT
CHAPELLENIE
CHAPELLERIE
CHAPERONNÉE
CHAPERONNER

CHAPTALISÉE
CHAPTALISER
CHARADRIIDÉ
CHARANÇONNÉ
CHARBONNAGE
CHARBONNANT
CHARBONNEUX
CHARBONNIER
CHARCUTERIE
CHARCUTIÈRE
CHARENTAISE
CHARENTAISE
CHARLEMAGNE
CHARLEMAGNE
CHARLES-JEAN
CHARLEVILLE
CHARLIANDIN
CHARNYCOISE
CHAROLLAISE
CHARPENTAGE
CHARPENTANT
CHARPENTIER
CHARPENTIER
CHARRETIÈRE
CHARRONNAGE
CHASSE-CLOUS
CHASSE-MARÉE
CHASSE-NEIGE
CHASSERESSE
CHASSE-ROUES
CHASTELLAIN
CHÂTAIGNIER
CHÂTEAUGUAY
CHÂTEAUNEUF
CHÂTEAUROUX
CHÂTELGUYON
CHÂTELLENIE
CHATOIEMENT
CHATOUILLÉE
CHATOUILLER
CHATOUILLIS
CHATS-HUANTS
CHATS-TIGRES
CHATT AL-ARAB
CHATTANOOGA
CHAUDE-PISSE
CHAUFFE-BAIN
CHAUFFE-PLAT
CHAUMONTAIS
CHAUMONTOIS
CHAUSSE-PIED
CHAUVINISME
CHAUVINOISE
CHAVILLOISE
CHAVIREMENT
CHAZELLOISE
CHEBIN EL-KOM

CHEF-D'ŒUVRE
CHÉIROPTÈRE
CHÉLICÉRATE
CHEMIN DE FER
CHEMINEMENT
CHENEVELIER
CHENILLETTE
CHENONCEAUX
CHERCHE-MIDI
CHÉRIFIENNE
CHERRAPUNJI
CHESNAYSIEN
CHESTROLAIS
CHÉTOGNATHE
CHEVALEMENT
CHEVAUCHANT
CHEVAU-LÉGER
CHEVILLETTE
CHEVRILLARD
CHEVROTANTE
CHEVTCHENKO
CHEWING-GUMS
CHIBOUGAMAU
CHICHE-KEBAB
CHICHÉN ITZÁ
CHICHITEUSE
CHIENS-ASSIS
CHIENS-LOUPS
CHIFFONNADE
CHIFFONNAGE
CHIFFONNANT
CHIFFONNIER
CHIFFREMENT
CHIMACIENNE
CHINOISERIE
CHIPPENDALE
CHIPPENDALE
CHIQUENAUDE
CHIROMANCIE
CHIROPRAXIE
CHIROQUOISE
CHIRURGICAL
CHLOROFIBRE
CHLOROFORME
CHLOROPHÈNE
CHOCOLATIER
CHOISISSANT
CHOISY-LE-ROI
CHOLESTÉROL
CHOMÉRACOIS
CHORÉGRAPHE
CHOUANNERIE
CHOUCHOUTÉE
CHOUCHOUTER
CHOUX-FLEURS
CHOUX-NAVETS
CHRISTALLER

CHRISTIANIA
CHRISTIANIA
CHROMATIQUE
CHROMATISME
CHROMINANCE
CHRONICISÉE
CHRONICISER
CHRONIQUEUR
CHRONOLOGIE
CHRONOMÈTRE
CHRONOMÉTRÉ
CHRYSOBÉRYL
CHRYSOCOLLE
CHRYSOPRASE
CHRYSOSTOME
CHTHONIENNE
CHUCHOTERIE
CHUCHOTEUSE
CHUINTEMENT
CHURRIGUERA
CIBA-GEIGY AG
CICATRICIEL
CICATRICULE
CICATRISANT
CIMENTATION
CINCINNATUS
CINÉMASCOPE
CINÉMATIQUE
CINÉMOMÈTRE
CINESTHÉSIE
CINGHALAISE
CINGHALAISE
CINQ NATIONS
CIRCADIENNE
CIRCASSIENS
CIRCONFLEXE
CIRCONSCRIT
CIRCONSPECT
CIRCONVENIR
CIRCONVENUE
CIRCULARISÉ
CIRCULARITÉ
CIRCULATION
CIRRHOTIQUE
CISJORDANIE
CITÉ-DORTOIR
CITIZEN BAND
CITOYENNETÉ
CITRONNELLE
CLABAUDERIE
CLADISTIQUE
CLADOGRAMME
CLAIR-OBSCUR
CLAIRONNANT
CLAIRVOYANT
CLAMARTOISE
CLAMECYCOIS

CLANDESTINE
CLAPOTEMENT
CLAQUEMURÉE
CLAQUEMURER
CLASSICISME
CLASSIFIANT
CLAUDICANTE
CLAUDIQUANT
CLAVIÉRISTE
CLAYETTOISE
CLEPTOMANIE
CLÉRAMBAULT
CLERMONTAIS
CLERMONTOIS
CLERMONTOIS
CLIGNOTANTE
CLIMATISANT
CLIMATISEUR
CLINICIENNE
CLIQUETANTE
CLISSONNAIS
CLITORIDIEN
CLOCHARDISÉ
CLODOALDIEN
CLOISONNAGE
CLOISONNANT
CLOPINETTES
CLOSE-COMBAT
CLOSTERMANN
CLOSTRIDIUM
CLOS-VOUGEOT
CLUNISIENNE
CNIDOBLASTE
COACQUÉREUR
COAGULATION
COALESCENCE
COALESCENTE
COARCTATION
COASSURANCE
COAST RANGES
COCAÏNOMANE
COCCYGIENNE
COCHINCHINE
COCHONNERIE
CODÉBITRICE
CODES-BARRES
CODÉTENTEUR
CODIRECTEUR
CODIRECTION
CODOMINANCE
CODOMINANTE
CODONATAIRE
CODONATRICE
COEFFICIENT
ŒLACANTHE
COÉQUIPIÈRE
COÉVOLUTION

COEXISTENCE
COEXTENSIVE
COFINANÇANT
COFONDATEUR
COGNITICIEN
COGOLINOISE
COHÉRITIÈRE
COÏNCIDENCE
COÏNCIDENTE
COKÉFACTION
COLBERTISME
COLÉGATAIRE
COLFONTAINE
COLIBACILLE
COLICITANTE
COLIN-TAMPON
COLLABORANT
COLLAGÉNOSE
COLLATÉRALE
COLLATÉRAUX
COLLATIONNÉ
COLLECTRICE
COLLÉGIENNE
COLLENCHYME
COLLIMATEUR
COLLIMATION
COLLINÉENNE
COLLIOURENC
COLLOCATION
COLMARIENNE
COLOCATAIRE
COLOMBIENNE
COLOMBIENNE
COLONISABLE
COLORIMÈTRE
COLPORTEUSE
COLPOSCOPIE
COLUMBARIUM
COMBARELLES
COMBATIVITÉ
COMBATTANTE
COMBINAISON
COMBINATEUR
COMBI-SHORTS
COMBRAILLES
COMBUSTIBLE
COMESTIBLES
COMIQUEMENT
COMITIALITÉ
COMMANDERIE
COMMANDITÉE
COMMANDITER
COMMÉMORANT
COMMENÇANTE
COMMENTAIRE
COMMENTRYEN
COMMERÇANTE

COMMERCIALE
COMMERCIAUX
COMMINUTIVE
COMMISSAIRE
COMMISSOIRE
COMMISSURAL
COMMODÉMENT
COMMOTIONNÉ
COMMUNALISÉ
COMMUNÉMENT
COMMUNIANTE
COMMUNICANT
COMMUNIQUÉE
COMMUNIQUER
COMMUNISANT
COMMUTATEUR
COMMUTATION
COMMUTATIVE
COMPACT DISC
COMPARAISON
COMPARAÎTRE
COMPARATEUR
COMPARATIVE
COMPARUTION
COMPATRIOTE
COMPENDIEUX
COMPENSABLE
COMPÉTITEUR
COMPÉTITION
COMPÉTITIVE
COMPIÉGNOIS
COMPILATEUR
COMPILATION
COMPLAISANT
COMPLANTANT
COMPLEXIFIÉ
COMPLIMENTÉ
COMPLIQUANT
COMPLOTEUSE
COMPONCTION
COMPOSITEUR
COMPOSITION
COMPOSTELLE
COMPRENETTE
COMPRESSANT
COMPRESSEUR
COMPRESSION
COMPRESSIVE
COMPRIMABLE
COMPTE RENDU
COMPTE-TOURS
CONCARNOISE
CONCÉLÉBRÉE
CONCÉLÉBRER
CONCENTRANT
CONCEPTACLE
CONCEPTISME

CONCEPTRICE
CONCERTANTE
CONCERTISTE
CONCHOÏDALE
CONCHOÏDAUX
CONCILIABLE
CONCILIAIRE
CONCILIANTE
CONCOMITANT
CONCORDANCE
CONCORDANTE
CONCOURANTE
CONCOURISTE
CONCRÉTISÉE
CONCRÉTISER
CONCUBINAGE
CONCURRENCE
CONCURRENCÉ
CONCURRENTE
CONDAMNABLE
CONDENSABLE
CONDESCENDU
CONDISCIPLE
CONDITIONNÉ
CONDOMINIUM
CONDOTTIERE
CONDOTTIERI
CONDUCTANCE
CONDUCTIBLE
CONDUCTRICE
CONDYLIENNE
CONFÉDÉRALE
CONFÉDÉRANT
CONFÉDÉRAUX
CONFINEMENT
CONFIRMANDE
CONFIRMATIF
CONFISCABLE
CONFISQUANT
CONFITURIER
CONFLANAISE
CONFLICTUEL
CONFONDANTE
CONFORMISME
CONFORMISTE
CONFORTABLE
CONFRÉRIQUE
CONFRONTANT
CONFUCÉENNE
CONFUSÉMENT
CONGÉDIABLE
CONGÉLATEUR
CONGÉLATION
CONGÉNITALE
CONGÉNITAUX
CONGLOMÉRAT
CONGLOMÉRÉE

CONGLOMÉRER
CONGRATULÉE
CONGRATULER
CONJECTURAL
CONJECTURÉE
CONJECTURER
CONJONCTEUR
CONJONCTION
CONJONCTIVE
CONJONCTURE
CONJUGAISON
CONJUGATEUR
CONJURATION
CONNAISSANT
CONNAISSEUR
CONNECTABLE
CONNECTICUT
CONNECTIQUE
CONNÉTABLIE
CONNOTATION
CONQUÉRANTE
CONSANGUINE
CONSÉCUTIVE
CONSEILLANT
CONSEILLÈRE
CONSEILLEUR
CONSENTANTE
CONSÉQUENCE
CONSÉQUENTE
CONSERVERIE
CONSIDÉRANT
CONSIDÉRANT
CONSISTANCE
CONSISTANTE
CONSISTOIRE
CONSOLATEUR
CONSOLATION
CONSOLIDANT
CONSOMMABLE
CONSOMPTION
CONSORTIALE
CONSORTIAUX
CONSTAMMENT
CONSTANTINE
CONSTATABLE
CONSTELLANT
CONSTERNANT
CONSTIPANTE
CONSTITUANT
CONSTITUTIF
CONSTRICTIF
CONSTRICTOR
CONSTRUCTIF
CONSULTABLE
CONSULTANTE
CONSULTATIF
CONTAGIEUSE

CONTAMINANT
CONTAMINARD
CONTEMPLANT
CONTEMPTEUR
CONTENTIEUX
CONTESTABLE
CONTINENTAL
CONTINGENCE
CONTINGENTE
CONTINGENTÉ
CONTINUELLE
CONTINÛMENT
CONTONDANTE
CONTOURNANT
CONTRACTANT
CONTRACTILE
CONTRACTION
CONTRACTUEL
CONTRACTURE
CONTRACTURÉ
CONTRAINDRE
CONTRARIANT
CONTRARIÉTÉ
CONTRASTANT
CONTRE-ALLÉE
CONTRE-APPEL
CONTREBANDE
CONTREBASSE
CONTREBUTÉE
CONTREBUTER
CONTRECARRÉ
CONTRECHAMP
CONTRE-CHANT
CONTRE-CHOCS
CONTRECŒUR
CONTRECOLLÉ
CONTREDANSE
CONTRE-DIGUE
CONTRE-ÉCROU
CONTRE-ESSAI
CONTREFAÇON
CONTREFAIRE
CONTREFAITE
CONTREFICHE
CONTREFICHÉ
CONTRE-FILET
CONTREFOUTU
CONTRE-FUGUE
CONTRE-JOURS
CONTRE-MINES
CONTRE-PASSÉ
CONTRE-PENTE
CONTRE-PIEDS
CONTREPOIDS
CONTREPOINT
CONTRE-PORTE
CONTRE-RAILS

CONTRESEING
CONTRESIGNÉ
CONTRE-SUJET
CONTRETEMPS
CONTRETYPÉE
CONTRETYPER
CONTRE-VAIRS
CONTREVENIR
CONTREVENTÉ
CONTRE-VOIES
CONTRIBUANT
CONTRISTANT
CONTRÔLABLE
CONTRÔLEUSE
CONTROVERSE
CONTROVERSÉ
CONTUSIONNÉ
CONURBATION
CONVAINCANT
CONVENANCES
CONVENTIONS
CONVENTUELS
CONVERGEANT
CONVERGENCE
CONVERGENTE
CONVERTIBLE
CONVOCATION
CONVOIEMENT
COOCCUPANTE
COOPÉRATEUR
COOPÉRATION
COOPÉRATIVE
COORDINENCE
COORDONNANT
COPATERNITÉ
COPERMUTANT
COPERNICIEN
COPPERFIELD
COPRÉSIDENT
COPROPHAGIE
COPROPHILIE
COPROPRIÉTÉ
COQUECIGRUE
COQUELLOISE
COQUETTERIE
COQUILLETTE
COQUILLIÈRE
CORAILLEUSE
CORALLIENNE
CORALLIFÈRE
CORBASIENNE
CORBEHEMOIS
CORDONNERIE
CORDONNIÈRE
CORÉE DU NORD
CORMEILLAIS
CORMELLOISE

CORNÉLIENNE
CORNEMUSEUR
CORNEMUSEUX
CORNER BROOK
CORNETTISTE
CORNOUAILLE
CORNOUILLER
CORN-PICKERS
CORN-SHELLER
COROSSOLIER
CORPORATION
CORPORATIVE
CORRECTRICE
CORRÉLATION
CORRÉLATIVE
CORRESPONDU
CORRÉZIENNE
CORRÉZIENNE
CORROBORANT
CORRUPTIBLE
CORRUPTRICE
COSMOPOLITE
COSTA DEL SOL
COSTA-GAVRAS
COSTARICAIN
COSTARICAIN
COSY-CORNERS
CÔTE D'ARGENT
CÔTE DES BARS
CÔTE D'IVOIRE
CÔTES-D'ARMOR
CÔTES-DU-NORD
COTONÉASTER
COTON-POUDRE
COTTERÉZIEN
COUCHAILLER
COUCHITIQUE
COUDEKERQUE
COUDOIEMENT
COUILLONNÉE
COUILLONNER
COULABILITÉ
COULEUVREAU
COULEUVRINE
COULISSANTE
COULISSEAUX
COULOMMIERS
COULOMMIERS
COULONGEOIS
COUPAILLANT
COUP-DE-POING
COUPE-CIGARE
COUPE-JAMBON
COUPE-JARRET
COUPE-ONGLES
COUPE-PAPIER
COUPE-RACINE

COURAILLANT
COURAMIAUDE
COURBATURÉE
COURBATURER
COURCAILLER
COURCAILLET
COURNEUVIEN
COURNONNAIS
COURONNAISE
COURROUÇANT
COURSANNAIS
COURSEULLES
COURTAUDANT
COURTILIÈRE
COURT-JOINTÉ
COURT-VÊTUES
COURVILLOIS
COUTANÇAISE
COUTEAU-SCIE
COUTELLERIE
COUVRE-CHEFS
COUVRE-JOINT
COUVRE-LIVRE
COUVRE-NUQUE
COUVRE-OBJET
COUVRE-PIEDS
COUVRE-PLATS
COVENANTERS
COVOITURAGE
COWANSVILLE
COXARTHROSE
COXO-FÉMORAL
CRACHOTANTE
CRACHOUILLÉ
CRACOVIENNE
CRAMPONNANT
CRAN-GEVRIER
CRAPAHUTANT
CRAPONNAISE
CRAPOUILLOT
CRASSULACÉE
CRAYONNEUSE
CRÉDIBILISÉ
CRÉDIBILITÉ
CRÉMAILLÈRE
CRÉMATORIUM
CRÉOLOPHONE
CRÉPITATION
CRÉPITEMENT
CRESSIACOIS
CREST-VOLAND
CRÊTES-DE-COQ
CRÉTINISANT
CRÈVE-LA-FAIM
CRIAILLERIE
CRIAILLEUSE
CRIEL-SUR-MER

CRIMINALISÉ
CRIMINALITÉ
CRIMINOGÈNE
CRISTALLINE
CRISTALLISÉ
CRISTALLITE
CRISTOPHINE
CRITICAILLÉ
CRITIQUABLE
CRITIQUEUSE
CROASSEMENT
CROC-EN-JAMBE
CROCHE-PATTE
CROCHE-PIEDS
CROCHETABLE
CROCODILIEN
CROISICAISE
CROMMELYNCK
CROQUE-AU-SEL
CROQUE-MORTS
CROQUIGNOLE
CROSSWOMANS
CROTELLOISE
CROUPISSANT
CROUSTILLER
CROZONNAISE
CRUCIFIXION
CRUELLEMENT
CRYOCLASTIE
CRYOGÉNIQUE
CRYPTOGAMIE
CRYPTOMERIA
CRYPTOPHYTE
CUCURBITAIN
CUEILLAISON
CULBUTEMENT
CULMINATION
CULPABILISÉ
CULPABILITÉ
CULS-DE-JATTE
CULS-DE-LAMPE
CULS-TERREUX
CULTIPACKER
CULTIVATEUR
CUMULO-DÔMES
CUNICULTURE
CUNNILINGUS
CUPRESSACÉE
CUPRONICKEL
CURARISANTE
CURE-OREILLE
CURIAE REGIS
CURIAS REGIS
CYANOPHYCÉE
CYANURATION
CYBERESPACE
CYCLISATION

CYCLOALCANE	DÉBLATÉRANT	DÉCIMALISÉE
CYCLOALCÈNE	DÉBOISEMENT	DÉCIMALISER
CYCLOHEXANE	DÉBOÎTEMENT	DÉCISIONNEL
CYCLOMOTEUR	DÉBORDEMENT	DÉCLAMATEUR
CYCLOPÉENNE	DÉBOSSELANT	DÉCLAMATION
CYCLO-POUSSE	DÉBOULONNÉE	DÉCLARATION
CYCLORAMEUR	DÉBOULONNER	DÉCLARATIVE
CYCLOTHYMIE	DÉBOUSSOLÉE	DÉCLAVETANT
CYLINDREUSE	DÉBOUSSOLER	DÉCLENCHANT
CYLINDRIQUE	DÉBOUTONNÉE	DÉCLENCHEUR
CYLINDROÏDE	DÉBOUTONNER	DÉCLINAISON
CYNÉGÉTIQUE	DÉBRAILLANT	DÉCLIQUETÉE
CYNIQUEMENT	DÉBRANCHANT	DÉCLIQUETER
CYNOCÉPHALE	DÉBRIDEMENT	DÉCLOISONNÉ
CYSTECTOMIE	DÉBROUILLÉE	DÉCOLLATION
CYSTICERQUE	DÉBROUILLER	DÉCOLLEMENT
CYSTOSCOPIE	DÉBROUSSANT	DÉCOLLETAGE
CYSTOSTOMIE	DÉBUDGÉTISÉ	DÉCOLLETANT
CYTAPHÉRÈSE	DÉCACHETAGE	DÉCOLONISÉE
CYTOLOGIQUE	DÉCACHETANT	DÉCOLONISER
CYTOLOGISTE	DÉCADENASSÉ	DÉCOLORANTE
CYTOLYTIQUE	DÉCALAMINÉE	DÉCOMMANDÉE
CYTOTOXIQUE	DÉCALAMINER	DÉCOMMANDER
CZARTORYSKI	DÉCALCIFIÉE	DÉCOMPENSÉE
CZESTOCHOWA	DÉCALCIFIER	DÉCOMPLEXÉE
DAKOTA DU SUD	DÉCALOTTANT	DÉCOMPLEXER
DALMATIENNE	DÉCANILLANT	DÉCOMPOSANT
DALTONIENNE	DÉCANTATION	DÉCOMPOSEUR
DAMASQUINÉE	DÉCAPOTABLE	DÉCOMPRESSÉ
DAMASQUINER	DÉCAPSULAGE	DÉCOMPRIMÉE
DANDINEMENT	DÉCAPSULANT	DÉCOMPRIMER
DANGEROSITÉ	DÉCAPSULEUR	DÉCONCENTRÉ
DARDANELLES	DÉCARBURANT	DÉCONCERTÉE
DAR ES-SALAAM	DÉCARCASSÉE	DÉCONCERTER
DARGOMYJSKI	DÉCARCASSER	DÉCONFITURE
DARWINIENNE	DÉCASYLLABE	DÉCONGELANT
DAUPHINELLE	DÉCATISSAGE	DÉCONNECTÉE
DAUPHINOISE	DÉCATISSANT	DÉCONNECTER
DAUPHINOISE	**DECAZEVILLE**	DÉCONNEXION
DEATH VALLEY	DÉCEMBRISTE	DÉCONSEILLÉ
DÉBAGOULANT	DÉCÉRÉBRANT	DÉCONSIDÉRÉ
DÉBÂILLONNÉ	DÉCERVELAGE	DÉCONSIGNÉE
DÉBALLONNÉE	DÉCERVELANT	DÉCONSIGNER
DÉBALLONNER	DÉCHARGEANT	DÉCONSTRUIT
DÉBAPTISANT	DÉCHAUMEUSE	DÉCONTAMINÉ
DÉBARCADÈRE	DÉCHAUSSAGE	DÉCONTRACTÉ
DÉBARRASSÉE	DÉCHAUSSANT	DÉCORATRICE
DÉBARRASSER	DÉCHETTERIE	DÉCORTICAGE
DÉBÂTISSANT	DÉCHIFFONNÉ	DÉCORTIQUÉE
DÉBATTEMENT	DÉCHIFFRAGE	DÉCORTIQUER
DÉBECQUETÉE	DÉCHIFFRANT	DÉCOURONNÉE
DÉBECQUETER	DÉCHIFFREUR	DÉCOURONNER
DÉBILITANTE	DÉCHIQUETÉE	DÉCOUVREUSE
DÉBILLARDÉE	DÉCHIQUETER	DÉCRÉPITANT
DÉBILLARDER	DÉCHIREMENT	DÉCRÉPITUDE
DÉBIRENTIER	DÉCHLORURÉE	DECRESCENDO
DÉBLAIEMENT	DÉCHLORURER	DÉCRETS-LOIS

DÉCROCHEUSE
DÉCROISSANT
DÉCULOTTANT
DÉCUPLEMENT
DÉDAIGNABLE
DÉDAIGNEUSE
DÉDICATAIRE
DÉDRAMATISÉ
DÉFAILLANCE
DÉFAILLANTE
DÉFALCATION
DÉFATIGANTE
DÉFATIGUANT
DÉFAUFILANT
DÉFAVORABLE
DÉFAVORISÉE
DÉFAVORISER
DÉFECTUEUSE
DÉFENESTRÉE
DÉFENESTRER
DÉFERLEMENT
DÉFERREMENT
DÉFICITAIRE
DÉFINISSANT
DÉFINITOIRE
DÉFISCALISÉ
DÉFLAGRANTE
DÉFLORAISON
DÉFLORATION
DÉFOLIATION
DÉFONCEMENT
DÉFORMATION
DÉFOULEMENT
DÉFRICHEUSE
DÉFROISSANT
DÉGASOLINÉE
DÉGASOLINER
DÉGAZOLINÉE
DÉGAZOLINER
DÉGAZONNAGE
DÉGAZONNANT
DÉGÉNÉRATIF
DÉGINGANDÉE
DÉGLACEMENT
DÉGLINGUANT
DÉGLUTITION
DÉGOBILLANT
DÉGORGEMENT
DÉGOULINADE
DÉGOULINANT
DÉGOUPILLÉE
DÉGOUPILLER
DÉGOÛTATION
DÉGRADATION
DÉGRAISSAGE
DÉGRAISSANT
DÉGRAISSEUR

DÉGRAVOYANT
DÉGRÈVEMENT
DÉGRINGOLÉE
DÉGRINGOLER
DÉGRISEMENT
DÉGROUILLÉE
DÉGROUILLER
DÉGUENILLÉE
DÉGUEULASSE
DÉGUISEMENT
DÉGURGITANT
DÉGUSTATEUR
DÉGUSTATION
DÉHARNACHÉE
DÉHARNACHER
DE HAVILLAND
DÉHOUSSABLE
DÉIFICATION
DÉLABREMENT
DÉLAITEMENT
DÉLASSEMENT
DÉLECTATION
DÉLÉGATAIRE
DÉLÉGATRICE
DÉLÉGITIMÉE
DÉLÉGITIMER
DELESTRAINT
DÉLIBÉRANTE
DÉLIBÉRATIF
DÉLICATESSE
DÉLICTUELLE
DÉLICTUEUSE
DÉLINÉAMENT
DÉLINÉATEUR
DÉLINQUANCE
DÉLINQUANTE
DÉLITESCENT
DELLA ROBBIA
DELLA ROVERE
DÉLOCALISÉE
DÉLOCALISER
DÉMAGNÉTISÉ
DÉMAGOGIQUE
DÉMAILLOTÉE
DÉMAILLOTER
DÉMANTELANT
DÉMANTIBULÉ
DÉMAQUILLÉE
DÉMAQUILLER
DÉMARCATION
DÉMARCATIVE
DÉMARCHEUSE
DÉMARQUEUSE
DÉMASTIQUÉE
DÉMASTIQUER
DÉMAZOUTANT
DÉMÉNAGEANT

DÉMÉNAGEUSE
DÉMENTIELLE
DEMI-BRIGADE
DEMI-CANTONS
DEMI-CERCLES
DEMI-COLONNE
DEMI-DROITES
DEMI-FIGURES
DEMI-FINALES
DEMI-JOURNÉE
DEMI-MESURES
DEMI-PENSION
DEMI-POINTES
DEMI-PORTION
DEMI-PRODUIT
DEMI-RELIEFS
DEMI-SAISONS
DEMI-SOMMEIL
DEMI-SOUPIRS
DÉMISSIONNÉ
DEMI-TEINTES
DEMI-VIERGES
DÉMOBILISÉE
DÉMOBILISER
DÉMOCRATISÉ
DÉMOGRAPHIE
DÉMOLISSAGE
DÉMOLISSANT
DÉMOLISSEUR
DÉMONÉTISÉE
DÉMONÉTISER
DÉMONOLOGIE
DÉMONTE-PNEU
DÉMONTRABLE
DÉMORALISÉE
DÉMORALISER
DÉMOTIVANTE
DÉMOUCHETÉE
DÉMOUCHETER
DÉMOUSTIQUÉ
DÉMULTIPLIÉ
DÉMUNISSANT
DÉMYSTIFIÉE
DÉMYSTIFIER
DÉMYTHIFIÉE
DÉMYTHIFIER
DENAISIENNE
DÉNASALISÉE
DÉNASALISER
DÉNATURANTE
DÉNAZIFIANT
DENDERLEEUW
DENDERMONDE
DENDRITIQUE
DÉNÉBULISÉE
DÉNÉBULISER
DÉNEIGEMENT

DÉNERVATION
DÉNIGREMENT
DÉNITRIFIÉE
DÉNITRIFIER
DÉNOMBRABLE
DÉNOMINATIF
DÉNOYAUTAGE
DÉNOYAUTANT
DÉNOYAUTEUR
DENSIMÉTRIE
DENTELLIÈRE
DENTISTERIE
DENTS-DE-LION
DÉNUTRITION
DÉODATIENNE
DÉONTOLOGIE
DÉPALISSANT
DÉPAQUETAGE
DÉPAQUETANT
DÉPARASITÉE
DÉPARASITER
DÉPAREILLÉE
DÉPAREILLER
DÉPARTEMENT
DÉPARTITEUR
DÉPASSEMENT
DÉPASSIONNÉ
DÉPATOUILLÉ
DÉPAYSEMENT
DÉPENAILLÉE
DÉPÉNALISÉE
DÉPÉNALISER
DÉPERDITION
DÉPÉRISSANT
DÉPHOSPHATÉ
DÉPHOSPHORÉ
DÉPILATOIRE
DÉPLACEMENT
DÉPLAFONNÉE
DÉPLAFONNER
DE PLAIN-PIED
DÉPLAISANTE
DÉPLOIEMENT
DÉPLORATION
DÉPOÉTISANT
DÉPOLARISÉE
DÉPOLARISER
DÉPOLISSAGE
DÉPOLISSANT
DÉPOLITISÉE
DÉPOLITISER
DÉPOLLUANTE
DÉPOLLUTION
DÉPORTATION
DÉPORTEMENT
DÉPOSITAIRE
DÉPOSSÉDANT

DÉPOUILLAGE
DÉPOUILLANT
DÉPOUSSIÉRÉ
DÉPRAVATION
DÉPRÉCATION
DÉPRÉCIATIF
DÉPRÉDATEUR
DÉPRÉDATION
DE PROFUNDIS
DÉPROGRAMMÉ
DÉQUALIFIÉE
DÉQUALIFIER
DÉRACINABLE
DÉRAISONNER
DÉRANGEANTE
DÉRANGEMENT
DÉRÈGLEMENT
DÉRÉLICTION
DERNIÈRE-NÉE
DERNIERS-NÉS
DÉROCHEMENT
DÉROGATOIRE
DÉROUILLANT
DÉROULEMENT
DÉROUTEMENT
DÉSABONNANT
DÉSACCORDÉE
DÉSACCORDER
DÉSACCOUPLÉ
DÉSACRALISÉ
DÉSACTIVANT
DÉSADAPTANT
DÉSAFFECTÉE
DÉSAFFECTER
DÉSAFFILIÉE
DÉSAFFILIER
DÉSAGRÉABLE
DÉSAGRÉMENT
DÉSAIMANTÉE
DÉSAIMANTER
DÉSAJUSTANT
DÉSALIÉNANT
DÉSALIGNANT
DÉSALTÉRANT
DÉSAMIDONNÉ
DÉSAMORÇAGE
DÉSAMORÇANT
DÉSAPPARIÉE
DÉSAPPARIER
DÉSAPPOINTÉ
DÉSAPPROUVÉ
DÉSARÇONNÉE
DÉSARÇONNER
DÉSARGENTÉE
DÉSARGENTER
DÉSARMEMENT
DÉSARRIMAGE

DÉSARRIMANT
DÉSARTICULÉ
DÉSASSEMBLÉ
DÉSASSORTIE
DÉSASSORTIR
DÉSASTREUSE
DÉSATELLISÉ
DÉSAVANTAGE
DÉSAVANTAGÉ
DESCARTOISE
DESCENDANCE
DESCENDANTE
DESCENDERIE
DESCENDEUSE
DÉSCOLARISÉ
DESCRIPTEUR
DESCRIPTION
DESCRIPTIVE
DÉSÉCHOUANT
DÉSECTORISÉ
DÉSEMBOURBÉ
DÉSEMPARANT
DÉSENCADRÉE
DÉSENCADRER
DÉSENCHAÎNÉ
DÉSENCHANTÉ
DÉSENCLAVÉE
DÉSENCLAVER
DÉSENCOMBRÉ
DÉSENCRASSÉ
DÉSENDETTÉE
DÉSENDETTER
DÉSENFUMAGE
DÉSENFUMANT
DÉSENGORGÉE
DÉSENGORGER
DÉSENGRENÉE
DÉSENGRENER
DÉSENIVRANT
DÉSENNUYANT
DÉSENRAYANT
DÉSENSABLÉE
DÉSENSABLER
DÉSENTOILÉE
DÉSENTOILER
DÉSENTRAVÉE
DÉSENTRAVER
DÉSENVASANT
DÉSENVENIMÉ
DÉSENVERGUÉ
DÉSÉPAISSIE
DÉSÉPAISSIR
DÉSÉQUIPANT
DÉSERTIFIÉE
DÉSERTIFIER
DÉSESCALADE
DÉSESPÉRANT

DÉSÉTATISÉE	DÉSTABILISÉ	DIACRITIQUE
DÉSÉTATISER	DÉSTALINISÉ	DIALECTIQUE
DÉSEXCITANT	DESTINATEUR	DIALECTISÉE
DÉSEXUALISÉ	DESTINATION	DIALECTISER
DÉSHABILLÉE	DESTITUABLE	DIALOGUISTE
DÉSHABILLER	DESTITUTION	DIALYPÉTALE
DÉSHABITUÉE	DESTRUCTEUR	DIALYSÉPALE
DÉSHABITUER	DESTRUCTION	DIAMANTAIRE
DÉSHERBANTE	DESTRUCTIVE	DIAMORPHINE
DÉSHÉRITANT	DÉSTRUCTURÉ	DIAPHRAGMÉE
DÉSHONORANT	DÉSULFITANT	DIAPHRAGMER
DÉSHUMANISÉ	DÉSULFURANT	DIAPOSITIVE
DÉSHYDRATÉE	DÉSUNISSANT	DIARRHÉIQUE
DÉSHYDRATER	DÉTACHEMENT	DIASTOLIQUE
DÉSIGNATION	DÉTAILLANTE	DIATHERMANE
DÉSILLUSION	DÉTARTRANTE	DICARBONYLÉ
DÉSINCARNÉE	DÉTÉRIORANT	DICTATORIAL
DÉSINCARNER	DÉTERMINANT	DICTYOPTÈRE
DÉSINCRUSTÉ	DÉTERREMENT	DIDACTHÈQUE
DÉSINDEXANT	DÉTESTATION	DIDACTICIEL
DÉSINENTIEL	DÉTORTILLÉE	**DIEFENBAKER**
DÉSINFECTÉE	DÉTORTILLER	**DIEGO GARCIA**
DÉSINFECTER	DÉTRACTRICE	**DIÉGO-SUAREZ**
DÉSINFORMÉE	DÉTRITIVORE	**DIÊN BIÊN PHU**
DÉSINFORMER	DÉTROUSSANT	DIENCÉPHALE
DÉSINHIBANT	DÉTROUSSEUR	DIÉSÉLISANT
DÉSINTÉGRÉE	**DEUTÉRONOME**	DIÉTÉTICIEN
DÉSINTÉGRER	**DEUTSCHLAND**	DIFFAMATEUR
DÉSINVESTIE	**DEUX-SÉVRIEN**	DIFFAMATION
DÉSINVESTIR	**DEUX-SICILES**	**DIFFERDANGE**
DÉSISTEMENT	DÉVALORISÉE	DIFFÉRENCIÉ
DÉSOBSTRUÉE	DÉVALORISER	DIFFÉRENTIÉ
DÉSOBSTRUER	DÉVALUATION-	DIFFRACTANT
DÉSOCIALISÉ	DEVANCEMENT	DIFFRACTION
DÉSODORISÉE	DÉVASTATEUR	DIFFUSÉMENT
DÉSODORISER	DÉVASTATION	DIGASTRIQUE
DÉSOPERCULÉ	DÉVELOPPANT	DIGITALIQUE
DÉSOPILANTE	DÉVELOPPEUR	DIGITALISÉE
DÉSORDONNÉE	DÉVERGONDÉE	DIGITALISER
DÉSORGANISÉ	DÉVERGONDER	DIGITIFORME
DÉSORIENTÉE	DÉVERSEMENT	DIGITIGRADE
DÉSORIENTER	DÉVESTITURE	DILATATRICE
DÉSOSSEMENT	DEVINERESSE	DILATOMÈTRE
DÉSOXYDANTE	DÉVIRGINISÉ	DILIGEMMENT
DÉSOXYGÉNÉE	DÉVIRILISÉE	DILIGENTANT
DÉSOXYGÉNER	DÉVIRILISER	DIMENSIONNÉ
DESSALAISON	DÉVISAGEANT	DIMORPHISME
DESSALEMENT	DEVISE-TITRE	DINDONNEAUX
DESSANGLANT	DÉVITALISÉE	DINOSAURIEN
DESSAOULANT	DÉVITALISER	DINOTHÉRIUM
DESSÉCHANTE	DÉVITAMINÉE	**DION CASSIUS**
DESSINATEUR	DÉVITRIFIÉE	DIONYSIAQUE
DESSOUCHAGE	DÉVITRIFIER	DIONYSIENNE
DESSOUCHANT	DÉVOILEMENT	**DIONYSIENNE**
DESSUINTAGE	DÉVORATRICE	DIPHTÉRIQUE
DESSUINTANT	**DHAMASKINÓS**	DIPHTONGUÉE
DESSUS-DE-LIT	DIABOLISANT	DIPHTONGUER

DIRECTEMENT
DIRECTIVITÉ
DIRECTORIAL
DISCERNABLE
DISCIPLINÉE
DISCIPLINER
DISC-JOCKEYS
DISCOMPTANT
DISCOMPTEUR
DISCOMYCÈTE
DISCONTINUE
DISCONTINUÉ
DISCONVENIR
DISCOPATHIE
DISCOPHILIE
DISCORDANCE
DISCORDANTE
DISCOTHÈQUE
DISCOUNTANT
DISCOUREUSE
DISCOURTOIS
DISCRÉDITÉE
DISCRÉDITER
DISCRIMINÉE
DISCRIMINER
DISCUTAILLÉ
DISERTEMENT
DISGRACIANT
DISGRACIEUX
DISHARMONIE
DISJOIGNANT
DISJONCTANT
DISJONCTEUR
DISJONCTION
DISLOCATION
DISPARAÎTRE
DISPARITION
DISPATCHANT
DISPATCHING
DISPENDIEUX
DISPENSABLE
DISPENSAIRE
DISPERSANTE
DISPOSITION
DISQUALIFIÉ
DISSÉMINANT
DISSIMULANT
DISSIPATEUR
DISSIPATION
DISSIPATIVE
DISSOCIABLE
DISSOLUTION
DISSOLVANTE
DISSYMÉTRIE
DISTANCIANT
DISTILLERIE
DISTINCTION

DISTINCTIVE
DISTINGUANT
DISTOMATOSE
DISTRACTION
DISTRACTIVE
DISTRAYANTE
DISTRIBUANT
DISTRIBUTIF
DIVERSEMENT
DIVERSIFIÉE
DIVERSIFIER
DIVERTICULE
DIVES-SUR-MER
DIVINATOIRE
DIVINATRICE
DIVIONNAISE
DIVULGATEUR
DIVULGATION
DIX-HUITIÈME
DIXIÈMEMENT
DIX-NEUVIÈME
DIX-SEPTIÈME
DJAMAL PACHA
DOCIMOLOGIE
DOCTRINAIRE
DOCUMENTANT
DODÉCAGONAL
DODÉCASTYLE
DOGMATISANT
DOLCHARDIEN
DOLGOROUKOV
DOLOMITIQUE
DOMANIALITÉ
DOMBASLOISE
DOMESTICITÉ
DOMESTIQUÉE
DOMESTIQUER
DOMFRONTAIS
DOMICILIANT
DOMINATRICE
DOMINGUOISE
DOMINICAINE
DOMINICAINE
DOMINIQUAIS
DOMINOTERIE
DOMMAGEABLE
DOMODOSSOLA
DOMPTE-VENIN
DONG QICHANG
DONJUANISME
DONZENACOIS
DORLOTEMENT
DORTMUND-EMS
DOSTOÏEVSKI
DOUAISIENNE
DOUBLE-CRÈME
DOUBLE-SCULL

DOUBLONNANT
DOUGLAS-HOME
DOULLENNAIS
DOULOUREUSE
DOURDANNAIS
D'OUTRE-TOMBE
DOUVAINOISE
DOUVRINOISE
DRACONIENNE
DRAGÉIFIANT
DRAGEONNANT
DRAKENSBERG
DRAMATISANT
DRAMATURGIE
DRAVEILLOIS
DRAVIDIENNE
DRAVIDIENNE
DREADNOUGHT
DREYFUSARDE
DRY-FARMINGS
DUCHÉ-PAIRIE
DUCLAIROISE
DUFFEL-COATS
DUFFLE-COATS
DUNAÚJVÁROS
DUNKERQUOIS
DUN-SUR-AURON
DUODÉCIMAIN
DUODÉCIMALE
DUODÉCIMAUX
DUPLICATEUR
DUPLICATION
DUPUY DE LÔME
DURABLEMENT
DYNAMISANTE
DYNAMITEUSE
DYNAMOMÈTRE
DYSCALCULIE
DYSEMBRYOME
DYSFONCTION
DYSHARMONIE
DYSMORPHOSE
DYSPAREUNIE
DYSPEPSIQUE
DYSPEPTIQUE
DYSTROPHINE
EAUBONNAISE
EAUX-CHAUDES
ÉBAUDISSANT
ÉBÉNISTERIE
ÉBLOUISSANT
ÉBORGNEMENT
ÉBOUILLANTÉ
ÉBOURGEONNÉ
ÉBOURIFFAGE
ÉBOURIFFANT
ÉBRANLEMENT

ÉBRÈCHEMENT
ÉBROÏCIENNE
ÉBROÏCIENNE
ÉBRUITEMENT
ÉCARQUILLÉE
ÉCARQUILLER
ÉCARTS-TYPES
ECCLÉSIASTE
ÉCHAFAUDAGE
ÉCHAFAUDANT
ÉCHALASSANT
ÉCHANGEABLE
ÉCHANTILLON
ÉCHAPPEMENT
ÉCHAUDEMENT
ÉCHAUGUETTE
ÉCHELONNANT
ÉCHENILLAGE
ÉCHENILLANT
ÉCHENILLOIR
ÉCHINOCOQUE
ÉCHINODERME
ÉCHIQUÉENNE
ÉCHIROLLOIS
ÉCHOGRAPHIE
ÉCHOGRAPHIÉ
ÉCHOSONDAGE
ÉCLABOUSSÉE
ÉCLABOUSSER
ÉCLAIREMENT
ÉCLAMPTIQUE
ÉCŒUREMENT
ÉCONDUISANT
ÉCONOMÉTRIE
ÉCONOMISANT
ÉCONOMISEUR
ÉCORCHEMENT
ÉCORECHARGE
ÉCORNIFLEUR
ÉCOUENNAISE
ÉCRABOUILLÉ
ÉCRIVAILLER
ÉCRIVAILLON
ÉCRIVASSANT
ÉCRIVASSIER
ÉCROUISSAGE
ÉCROUISSANT
ÉCROULEMENT
ÉCUSSONNAGE
ÉCUSSONNANT
ÉCUSSONNOIR
ECZÉMATEUSE
ÉDIFICATION
ÉDULCORANTE
EFFAROUCHÉE
EFFAROUCHER
EFFECTIVITÉ

EFFEUILLAGE
EFFEUILLANT
EFFILOCHAGE
EFFILOCHANT
EFFILOCHURE
EFFLORAISON
EFFRANGEANT
EFFRITEMENT
EFFRONTERIE
ÉGALISATEUR
ÉGALISATION
ÉGLETONNAIS
ÉGLISE-HALLE
ÉGOÏSTEMENT
ÉGOUTTEMENT
ÉGRATIGNANT
ÉGRATIGNURE
ÉGYPTOLOGIE
ÉGYPTOLOGUE
EICHENDORFF
EINSTEINIUM
ÉJACULATION
ÉLABORATION
ÉLARGISSANT
ELBEUVIENNE
ÉLECTRICIEN
ÉLECTRICITÉ
ÉLECTRIFIÉE
ÉLECTRIFIER
ÉLECTRISANT
ÉLECTROCHOC
ÉLECTROCUTÉ
ÉLECTROGÈNE
ÉLECTROLYSE
ÉLECTROLYSÉ
ÉLECTROLYTE
ELEKTROSTAL
ÉLÉMENTAIRE
ÉLÉPHANTEAU
ÉLÉPHANTINE
ÉLÉPHANTINE
ÉLIE D'ASSISE
ÉLIGIBILITÉ
ÉLIMINATEUR
ÉLIMINATION
ELLIPSOÏDAL
ÉLOIGNEMENT
ÉLOQUEMMENT
ELSTER NOIRE
ÉLUCIDATION
EMBALLEMENT
EMBARCADÈRE
EMBARCATION
EMBARDOUFLÉ
EMBARRASSÉE
EMBARRASSER
EMBASTILLÉE

EMBASTILLER
EMBAUMEMENT
EMBÉGUINANT
EMBLAVEMENT
EMBOBELINÉE
EMBOBELINER
EMBOÎTEMENT
EMBOUTEILLÉ
EMBRANCHANT
EMBRASEMENT
EMBRASSEUSE
EMBRÈVEMENT
EMBRIGADANT
EMBRINGUANT
EMBROCATION
EMBROUILLÉE
EMBROUILLER
EMBRYOGÉNIE
EMBRYOLOGIE
ÉMERILLONNÉ
ÉMERVEILLÉE
ÉMERVEILLER
ÉMIETTEMENT
EMMAGASINÉE
EMMAGASINER
EMMAILLOTÉE
EMMAILLOTER
EMMÉNAGEANT
EMMÉNAGOGUE
EMMERDEMENT
EMMITOUFLÉE
EMMITOUFLER
ÉMOTIONNANT
ÉMOUSTILLÉE
ÉMOUSTILLER
EMPAILLEUSE
EMPANACHANT
EMPAQUETAGE
EMPAQUETANT
EMPATTEMENT
EMPÊCHEMENT
EMPIÈCEMENT
EMPIÉTEMENT
EMPLACEMENT
EMPOISONNÉE
EMPOISONNER
EMPOISSONNÉ
EMPORTEMENT
EMPOURPRANT
EMPOUSSIÉRÉ
EMPREIGNANT
EMPRÉSURANT
EMPRISONNÉE
EMPRISONNER
EMPRUNTEUSE
ÉMULSIFIANT
ÉMULSIONNÉE

ÉMULSIONNER
ÉNANTIOMÈRE
ENCADREMENT
ENCAISSABLE
ENCAISSANTE
ENCANAILLÉE
ENCANAILLER
ENCAQUEMENT
ENCARTOUCHÉ
ENCASERNANT
ENCASTELANT
ENCASTELURE
ENCASTRABLE
ENCAUSTIQUE
ENCAUSTIQUÉ
ENCENSEMENT
ENCÉPHALINE
ENCÉPHALITE
ENCHÂTELANT
ENCHAUSSANT
ENCHEVAUCHÉ
ENCHEVÊTRÉE
ENCHEVÊTRER
ENCHIFRENÉE
ENCLAVEMENT
ENCLENCHANT
ENCLENCHEUR
ENCLIQUETÉE
ENCLIQUETER
ENCOCHEMENT
ENCOMBRANTE
EN CONTREBAS
ENDETTEMENT
ENDEUILLANT
ENDIGUEMENT
ENDIMANCHÉE
ENDIMANCHER
ENDOCARDITE
ENDOCRINIEN
ENDOCTRINÉE
ENDOCTRINER
ENDOGAMIQUE
ENDOMÉTRITE
ENDOSSEMENT
ENDOTHÉLIAL
ENDOTHÉLIUM
ÉNERGÉTIQUE
ÉNERGISANTE
ENFAÎTEMENT
ENFANTEMENT
ENFERMEMENT
ENFONCEMENT
ENFOUISSANT
ENFOURCHANT
ENFOURCHURE
ENFREIGNANT
ENFUTAILLÉE

ENFUTAILLER
ENGAZONNANT
ENGHIENNOIS
ENGINEERING
ENGORGEMENT
ENGOUFFRANT
ENGOULEVENT
ENGRAISSAGE
ENGRAISSANT
ENGRAISSEUR
ENGRANGEANT
ENGUIRLANDÉ
ÉNIGMATIQUE
ENJAMBEMENT
ENJOLIVEUSE
ENKÉPHALINE
ENKYSTEMENT
ENLUMINEUSE
ENNÉAGONALE
ENNÉAGONAUX
ENNEIGEMENT
ÉNONCIATION
ÉNONCIATIVE
ÉNOPHTALMIE
ENORGUEILLI
ENQUÊTEUSES
ENQUÊTRICES
ENQUIQUINÉE
ENQUIQUINER
ENRÉGIMENTÉ
ENREGISTRÉE
ENREGISTRER
ENROCHEMENT
ENROULEMENT
ENRUBANNAGE
ENRUBANNANT
ENSABLEMENT
ENSANGLANTÉ
ENSEIGNANTE
ENSEMBLISTE
ENSEMENÇANT
ENSOLEILLÉE
ENSOLEILLER
ENSOMMEILLÉ
ENSORCELANT
ENSORCELEUR
ENTABLEMENT
ENTASSEMENT
ENTENDEMENT
ENTÉNÉBRANT
ENTÉROCOQUE
ENTÉROVIRUS
ENTERREMENT
ENTICHEMENT
ENTIÈREMENT
ENTOMOLOGIE
ENTOMOPHAGE

ENTOMOPHILE
ENTONNAISON
ENTONNEMENT
ENTORTILLÉE
ENTORTILLER
ENTOURLOUPE
ENTRAÎNABLE
ENTRAÎNANTE
ENTRAÎNEUSE
ENTR'APERÇUE
ENTRAPERÇUE
ENTREBÂILLÉ
ENTRE-BANDES
ENTRECHOQUÉ
ENTRECOUPÉE
ENTRECOUPER
ENTRECROISÉ
ENTRECUISSE
ENTRE-DÉVORÉ
ENTREFAITES
ENTR'ÉGORGÉE
ENTR'ÉGORGER
ENTRE-HEURTÉ
ENTREJAMBES
ENTRELAÇANT
ENTRELARDÉE
ENTRELARDER
ENTREMÊLANT
ENTREMETTRE
ENTRE-NŒUDS
ENTREPOSANT
ENTREPOSEUR
ENTRETAILLÉ
ENTRETENANT
ENTRE-TISSÉE
ENTRE-TISSER
ENTRE-TISSÉS
ENTRETOISÉE
ENTRETOISER
ENTREVOYANT
ENTROUVERTE
ENTROUVRANT
ENTURBANNÉE
ÉNUCLÉATION
ÉNUMÉRATION
ÉNUMÉRATIVE
ENVAHISSANT
ENVAHISSEUR
ENVELOPPANT
ENVIRONNANT
ENVISAGEANT
ENVOÛTEMENT
ENZYMATIQUE
ENZYMOLOGIE
ÉOSINOPHILE
ÉPAMINONDAS
ÉPAMPREMENT

ÉPANCHEMENT
ÉPARPILLANT
ÉPHÉMÉRIDES
ÉPICURIENNE
ÉPICYCLOÏDE
ÉPIDERMIQUE
ÉPIDIDYMITE
ÉPIERREMENT
ÉPILEPTIQUE
ÉPINOCHETTE
ÉPISCLÉRITE
ÉPISIOTOMIE
ÉPISTOLAIRE
ÉPISTOLIÈRE
ÉPITHÉLIALE
ÉPITHÉLIAUX
ÉPITHÉLIOMA
ÉPIZOOTIQUE
ÉPOUSAILLES
ÉPOUSSETAGE
ÉPOUSSETANT
ÉPOUSTOUFLÉ
ÉPOUVANTAIL
ÉPOUVANTANT
ÉQUATORIALE
ÉQUATORIAUX
ÉQUIDISTANT
ÉQUILATÉRAL
ÉQUILIBRAGE
ÉQUILIBRANT
ÉQUIMOLAIRE
ÉQUINOXIALE
ÉQUINOXIAUX
ÉQUIPOLLENT
ÉQUIPOTENCE
ÉQUIVALENCE
ÉQUIVALENTE
ÉQUIVOQUANT
ÉRADICATION
ÉRAILLEMENT
ÉRATOSTHÈNE
ÉRECHTHÉION
ÉREINTEMENT
ERGONOMIQUE
ERGONOMISTE
ERIK LE ROUGE
ÉROTISATION
ERPÉTOLOGIE
ERSTEINOISE
ÉRUBESCENTE
ÉRYTHRÉENNE
ÉRYTHRÉENNE
ÉRYTHROCYTE
ÉRYTHROSINE
ESBROUFEUSE
ESCAMOTABLE
ESCAMOTEUSE

ESCARBOUCLE
ESCARMOUCHE
ESCARPEMENT
ESCAUDINOIS
ESCOMPTABLE
ESCOUMINOIS
ESCROQUERIE
ESPACE-TEMPS
ESPERLUETTE
ESPIÈGLERIE
ESQUINTANTE
ESSARTEMENT
ESSENTIELLE
ESSONNIENNE
ESSORILLANT
ESSOUFFLANT
ESSUIE-GLACE
ESSUIE-MAINS
ESSUIE-PIEDS
ESSUIE-VERRE
EST-ALLEMAND
ESTAMPILLÉE
ESTAMPILLER
ESTÉRIFIANT
ESTHÉTICIEN
ESTHÉTISANT
ESTIMATOIRE
ESTOMAQUANT
ESTOMPEMENT
ESTREMADURA
ESTRÉMADURE
ESTUARIENNE
ESTUDIANTIN
ÉTABLISSANT
ÉTALINGUANT
ÉTANCHEMENT
ÉTANÇONNANT
ÉTATISATION
ÉTATS-MAJORS
ÉTATS-UNIENS
ÉTATS-UNIENS
ÉTERNUEMENT
ÉTHÉRIFIANT
ÉTHÉROMANIE
ÉTHIOPIENNE
ÉTHIOPIENNE
ETHNOGENÈSE
ETHNOGRAPHE
ÉTHOLOGIQUE
ÉTHYLÉNIQUE
ÉTHYLOMÈTRE
ÉTINCELANTE
ÉTIOLOGIQUE
ÉTIQUETEUSE
ÉTONNAMMENT
ÉTOUFFEMENT
ÉTOUPILLANT

ÉTOURDIMENT
ÉTRANGEMENT
ÉTRANGLEUSE
ÉTRÉCISSANT
ÉTRETATAISE
ÉTROITEMENT
EUCHARISTIE
EUCLIDIENNE
EUDÉMONISME
EUPHAUSIACÉ
EUPHORISANT
EUPLECTELLE
EURAFRICAIN
EUROMISSILE
EUROMONNAIE
EUROPÉANISÉ
EUROPÉENNES
EURYTHMIQUE
EUSKALDUNAK
EUSKARIENNE
EUSKARIENNE
EUSKÉRIENNE
EUSKÉRIENNE
EUSTACHOISE
EUTHANASIÉE
EUTHANASIER
ÉVACUATRICE
ÉVAGINATION
ÉVAHONIENNE
ÉVANESCENCE
ÉVANESCENTE
ÉVANGÉLIQUE
ÉVANGÉLISÉE
ÉVANGÉLISER
ÉVANGÉLISME
ÉVANGÉLISTE
ÉVAPORATEUR
ÉVAPORATION
ÉVASIVEMENT
ÉVENTRATION
ÉVENTUALITÉ
ÉVHÉMÉRISME
EVTOUCHENKO
EXAGÉRATION
EXAGÉRÉMENT
EXAMINATEUR
EXASPÉRANTE
EXCAVATRICE
EXCENTRIQUE
EXCITATRICE
EXCLAMATION
EXCLAMATIVE
EXCLUSIVITÉ
EXCOMMUNIÉE
EXCOMMUNIER
EXCORIATION
EXCURSIONNÉ

EXEMPLARITÉ
EXEMPLIFIÉE
EXEMPLIFIER
EXFOLIATION
EXHORTATION
EXIGIBILITÉ
EXISTENTIEL
EXOBIOLOGIE
EXONÉRATION
EXOPHTALMIE
EXORBITANTE
EXPANSIVITÉ
EXPECTATIVE
EXPECTORANT
EXPÉDITRICE
EXPÉRIMENTÉ
EXPERTEMENT
EXPERTISANT
EXPIRATOIRE
EXPLICATION
EXPLICATIVE
EXPLICITANT
EXPLOITABLE
EXPLOITANTE
EXPLOITEUSE
EXPLORATEUR
EXPLORATION
EXPONENTIEL
EXPORTATEUR
EXPORTATION
EXPROPRIANT
EXPURGATION
EXTEMPORANÉ
EXTÉNUATION
EXTÉRIORISÉ
EXTÉRIORITÉ
EXTERMINANT
EXTINCTRICE
EXTIRPATEUR
EXTIRPATION
EXTRACTIBLE
EXTRADITION
EXTRALÉGALE
EXTRALÉGAUX
EXTRALUCIDE
EXTRAPOLANT
EXTRARÉNALE
EXTRARÉNAUX
EXTRA-UTÉRIN
EXTRAVAGANT
EXTRAVAGUER
EXTRAVASANT
EXTRAVERTIE
EXTRÊMEMENT
EXTRINSÈQUE
FABRICATEUR
FABRICATION

FABULATRICE
FAÇONNEMENT
FACTICEMENT
FACTORIELLE
FACTORISANT
FACTURATION
FACULTATIVE
FAIBLISSANT
FAINÉANTANT
FAINÉANTISE
FAIRE-VALOIR
FAISABILITÉ
FAISANDEAUX
FAISANDERIE
FAITS DIVERS
FALAISIENNE
FALLACIEUSE
FALSIFIABLE
FAMEUSEMENT
FAMILIARISÉ
FAMILIARITÉ
FAMILISTÈRE
FANFARONNER
FANFRELUCHE
FANTAISISTE
FANTASTIQUE
FARAMINEUSE
FARFOUILLER
FARNBOROUGH
FASCINATEUR
FASCINATION
FASCISATION
FASTIDIEUSE
FAUCONNEAUX
FAUCONNERIE
FAULQUEMONT
FAUNISTIQUE
FAUSSE-ROUTE
FAUTIVEMENT
FAUX-BOURDON
FAUX-FUYANTS
FAVERGIENNE
FAVORISANTE
FAVORITISME
FAYA-LARGEAU
FÉBRILEMENT
FÉCONDATEUR
FÉCONDATION
FÉDÉRALISÉE
FÉDÉRALISER
FÉDÉRALISME
FÉDÉRALITÉ
FÉDÉRATRICE
FÉLIX LE CHAT
FELLETINOIS
FELLINIENNE
FÉMINISANTE

FERBLANTIER
FÉRINGIENNE
FÉRINGIENNE
FERMENTABLE
FERNANDO POO
FERRAILLAGE
FERRAILLANT
FERRAILLEUR
FERRÉDOXINE
FERRIÉROISE
FERROCÉRIUM
FERROCHROME
FERRONICKEL
FERRONNERIE
FERRONNIÈRE
FERROVIAIRE
FERRUGINEUX
FERS-À-CHEVAL
FERTÉSIENNE
FERTILISANT
FESTIVALIER
FESTOIEMENT
FEUILLAISON
FEUILLETAGE
FEUILLETANT
FIABILISANT
FIANÇAILLES
FIBRILLAIRE
FIBRINOGÈNE
FIBRINOLYSE
FIBROBLASTE
FIBROCIMENT
FIBROMATEUX
FIBROMATOSE
FIBROSCOPIE
FICHTREMENT
FICTIVEMENT
FIDÉICOMMIS
FILAMENTEUX
FILANDREUSE
FILIALEMENT
FILIALISANT
FILICOPHYTE
FILICOPSIDE
FILIGRANANT
FILMOTHÈQUE
FINANCEMENT
FINISTÉRIEN
FINLANDAISE
FINLANDAISE
FISCALEMENT
FISCALISANT
FISSIONNANT
FISSURATION
FLACON-POMPE
FLAGELLAIRE
FLAGEOLANTE

FLAGORNERIE
FLAGORNEUSE
FLAMANVILLE
FLAMBOYANTE
FLAMINGANTE
FLANQUEMENT
FLAVESCENTE
FLÉCHISSANT
FLÉCHISSEUR
FLEGMATIQUE
FLEMMARDANT
FLEMMARDISE
FLÉTRISSANT
FLÉTRISSURE
FLEURANTINE
FLEURDELISÉ
FLEURISSANT
FLEURYSSOIS
FLEXIBILISÉ
FLEXIBILITÉ
FLOCONNEUSE
FLOCULATION
FLOIRACAISE
FLORANGEOIS
FLORISSANTE
FLORISTIQUE
FLOSSENBÜRG
FLUCTUATION
FLUIDIFIANT
FLUORESCENT
FLUVIOMÈTRE
FŒTOPATHIE
FŒTOSCOPIE
FOIE-DE-BŒUF
FOISONNANTE
FOLKLORIQUE
FOLKLORISTE
FOLLICULITE
FOMENTATION
FONCTIONNEL
FONCTIONNER
FONDAMENTAL
FONTAINOISE
FONT-DE-GAUME
FONTVIEILLE
FOOTBALLEUR
FORBACHOISE
FORCALQUIER
FORFAITAIRE
FORFANTERIE
FORLONGEANT
FORMALISANT
FORMULATION
FORNICATEUR
FORNICATION
FORT-GOURAUD
FORTIFIANTE

FOSBURY FLOP
FOSSILIFÈRE
FOSSILISANT
FOUDROYANTE
FOUETTEMENT
FOUGEROLLES
FOURBISSAGE
FOURBISSANT
FOURGONNANT
FOURIÉRISME
FOURIÉRISTE
FOURMILIÈRE
FOURMILLANT
FOURNISSANT
FOURNISSEUR
FOURRAGEANT
FOUTA-DJALON
FOX-TERRIERS
FRA ANGELICO
FRACASSANTE
FRACTIONNÉE
FRACTIONNEL
FRACTIONNER
FRAGILISANT
FRAGMENTANT
FRAÎCHEMENT
FRAMBOISANT
FRAMBOISIER
FRANCE LIBRE
FRANCEVILLE
FRANCHEMENT
FRANCHISAGE
FRANCHISANT
FRANCHISEUR
FRANCHISING
FRANCISANTE
FRANCISCAIN
FRANCOPHILE
FRANCOPHOBE
FRANCOPHONE
FRANC-PARLER
FRANCS-BORDS
FRANCS-FIEFS
FRANC-TIREUR
FRATERNELLE
FRATERNISER
FRAUDULEUSE
FRAXINIENNE
FRAYSSINOUS
FREDERICTON
FREE-MARTINS
FREILIGRATH
FRÉJUSIENNE
FRÉMISSANTE
FRÉQUEMMENT
FRÉQUENTANT
FRÉQUENTIEL

FRESCOBALDI
FRESNOYSIEN
FRÉTILLANTE
FRICANDEAUX
FRICTIONNÉE
FRICTIONNEL
FRICTIONNER
FRIEDLINGEN
FRIGIDARIUM
FRIGORIFIÉE
FRIGORIFIER
FRIGORIGÈNE
FRINGILLIDÉ
FRIPONNERIE
FRISON-ROCHE
FRISOTTANTE
FRISSONNANT
FRITILLAIRE
FRIVILLOISE
FRIVOLEMENT
FROISSEMENT
FRONSADAISE
FRONTALIÈRE
FRONTISPICE
FRONTONNAIS
FROUFROUTER
FRUCTIFIANT
FRUGALEMENT
FRUMENTAIRE
FRUSTRATION
FULGURATION
FULIGINEUSE
FULL-CONTACT
FULMINATION
FUMEROLLIEN
FUNÉRAILLES
FUNESTEMENT
FUNICULAIRE
FURONCULEUX
FURONCULOSE
FÜRSTENBERG
FURTIVEMENT
FURTWÄNGLER
FUSTIGATION
FUTUROLOGIE
FUTUROLOGUE
FUTUROSCOPE
GABALITAINE
GABORONAISE
GADGÉTISANT
GADROUILLER
GAILLACOISE
GAILLARDINE
GAILLARDISE
GAILLONNAIS
GALACTOGÈNE
GALLO-ROMAIN

GALLO-ROMANE
GALLO-ROMANS
GALVANISANT
GALVANOTYPE
GAMBERGEANT
GAMÉTOPHYTE
GANDHINAGAR
GANGRENEUSE
GARCÍA LORCA
GARÇONNIÈRE
GARDANNAISE
GARDE-BŒUFS
GARDE-CHASSE
GARDE-MALADE
GARDE-MANGER
GARDE-MEUBLE
GARDEN-PARTY
GARDE-PLACES
GARDES-CÔTES
GARDES-PÊCHE
GARDES-PORTS
GARDES-VOIES
GARDIENNAGE
GARGARISANT
GARGOUILLER
GARGOUILLIS
GARGOULETTE
GARIBALDIEN
GASPÉSIENNE
GASPILLEUSE
GASTÉROPODE
GASTRONOMIE
GATTAMELATA
GAUCHISANTE
GAUCHISSANT
GAULOISERIE
GAZONNEMENT
GAZOUILLANT
GAZOUILLEUR
GÉLATINEUSE
GÉMISSEMENT
GEMMIPARITÉ
GENDARMERIE
GÉNÉRALISÉE
GÉNÉRALISER
GÉNÉRALISTE
GÉNÉRATRICE
GÉNIALEMENT
GENOUILLÈRE
GÉNOVÉFAINE
GENTAMICINE
GENTILESCHI
GENTILHOMME
GENTILLESSE
GENTILLETTE
GÉNUFLEXION
GÉOCHIMIQUE

GÉOCHIMISTE
GÉODÉSIENNE
GÉOMÉTRIQUE
GÉOPHYSIQUE
GÉOTROPISME
GERGOLIENNE
GÉRIATRIQUE
GERLACHOVKA
GERMANISANT
GERMINATION
GERMINATIVE
GESTALTISME
GESTICULANT
GHAZNÉVIDES
GHERARDESCA
GHIRLANDAIO
GHISONACCIA
GIAMBOLOGNA
GIBRIAÇOISE
GIGANTESQUE
GIOVANNETTI
GIRAVIATION
GIROMAGNIEN
GISLEBERTUS
GISORSIENNE
GLACIOLOGIE
GLACIOLOGUE
GLANDOUILLÉ
GLANDULAIRE
GLANDULEUSE
GLAPISSANTE
GLARONNAISE
GLOBALEMENT
GLOBALISANT
GLOBIGÉRINE
GLOSSODYNIE
GLOSSOLALIE
GLOUGLOUTER
GLOUSSEMENT
GLYCÉRINANT
GLYCOGENÈSE
GLYCOLIPIDE
GLYPTODONTE
GNOSÉOLOGIE
GNOSTICISME
GOAL-AVERAGE
GOBELETERIE
GOBE-MOUCHES
GODELUREAUX
GOLDSCHMIDT
GOMBERVILLE
GOMME-RÉSINE
GONADOTROPE
GONDOLEMENT
GONESSIENNE
GONFALONIER
GONFANONIER

GONFREVILLE
GONIOMÉTRIE
GÖNNERSDORF
GONOCYTAIRE
GONTCHAROVA
GORRONNAISE
GOUAILLERIE
GOUAILLEUSE
GOUDRONNAGE
GOUDRONNANT
GOUDRONNEUR
GOUDRONNEUX
GOUJONNETTE
GOUJONNIÈRE
GOURDONNAIS
GOURGANDINE
GOURMANDANT
GOURMANDISE
GOUTTELETTE
GOUTTEREAUX
GOUVERNABLE
GOUVERNANTE
GRACIEUSETÉ
GRADUALISME
GRAFFITEUSE
GRAILLONNER
GRAINETERIE
GRAINETIÈRE
GRAMMAIRIEN
GRAMMATICAL
GRAND BALLON
GRAND BASSIN
GRAND CANYON
GRAND COULEE
GRAND-DUCALE
GRAND-DUCAUX
GRANDE ARCHE
GRANDE-GRÈCE
GRANDELETTE
GRANDE-TERRE
GRANDISSANT
GRANDISSIME
GRAND-MAMANS
GRAND-MÉROIS
GRAND-MESSES
GRAND RAPIDS
GRANDS-CROIX
GRANDS-MÈRES
GRANDS-PAPAS
GRANDS-PÈRES
GRAND-TANTES
GRAND-VOILES
GRANGEMOUTH
GRANNY-SMITH
GRANULATION
GRANULOCYTE
GRANVILLAIS

GRAPE-FRUITS
GRAPHITEUSE
GRAPHITIQUE
GRAPHOLOGIE
GRAPHOLOGUE
GRAPPILLAGE
GRAPPILLANT
GRAPPILLEUR
GRAS-DOUBLES
GRASSEYANTE
GRATIENNOIS
GRATIFIANTE
GRATTE-PIEDS
GRATTOUILLÉ
GRAULHETOIS
GRAVELINOIS
GRAVILLONNÉ
GRAVIMÉTRIE
GRAVITATION
GRÉCO-LATINE
GRÉCO-LATINS
GRÉCO-ROMAIN
GRÉGORIENNE
GRELOTTANTE
GRENADIENNE
GRENAILLAGE
GRENAILLANT
GRENOBLOISE
GRENOUILLER
GRÉSILLONNE
GRÉSIVAUDAN
GRÉSYLIENNE
GRÉSY-SUR-AIX
GREZ-DOICEAU
GRIBOUILLÉE
GRIBOUILLER
GRIBOUILLIS
GRIFFONNAGE
GRIFFONNANT
GRIFFONNEUR
GRIGNOTEUSE
GRILLAGEANT
GRILLE-ÉCRAN
GRILLPARZER
GRIMAUDOISE
GRIMPEREAUX
GRINDELWALD
GRISAILLANT
GRISOLLAISE
GRISONNANTE
GRISOUMÈTRE
GRISOUTEUSE
GRIVOISERIE
GRŒNENDAEL
GROGNASSANT
GROGNONNANT
GROSEILLIER

GROS-PORTEUR
GROSSIÈRETÉ
GROSSISSANT
GROUILLANTE
GROUPUSCULE
GRUSS JUNIOR
GRUYÉRIENNE
GRYSÉLIENNE
GUADALAJARA
GUADALCANAL
GUAN HANQING
GUATÉMALIEN
GUÉRANDAISE
GUÉRISSABLE
GUÉRISSEUSE
GUERNESIAIS
GUETHARIARE
GUEULETONNÉ
GUICHETIÈRE
GUILLEMETÉE
GUILLEMETER
GUILLERETTE
GUILLOCHAGE
GUILLOCHANT
GUILLOCHURE
GUILLOTINÉE
GUILLOTINER
GUILVINISTE
GUINGAMPAIS
GUIPAVASIEN
GUSTAVE VASA
GUTTA-PERCHA
GYMNASTIQUE
GYMNOSPERME
GYNÉCOLOGIE
GYNÉCOLOGUE
HABILLEMENT
HABITUATION
HACHE-PAILLE
HAGIOGRAPHE
HAGUENOVIEN
HAILLONNEUX
HALIEUTIQUE
HALLUCINANT
HALLUCINOSE
HALLUINOISE
HANDBALLEUR
HANDICAPANT
HANDICAPEUR
HANOVRIENNE
HANSÉATIQUE
HARANGUEUSE
HARASSEMENT
HARCÈLEMENT
HARENGAISON
HARFLEURAIS
HARMONIEUSE

HARMONISANT
HARNÉSIENNE
HARNONCOURT
HATSHEPSOUT
HAUT-DE-FORME
HAUTE-CONTRE
HAUTES-ALPES
HAUTE-SAVOIE
HAUTE-VIENNE
HAUT-LE-CŒUR
HAUT-LE-CORPS
HAUT-MARNAIS
HAUTMONTOIS
HAUT-NORMAND
HAUT-PARLEUR
HAUT-RHINOIS
HAUT-SAÔNOIS
HAUT-SEINAIS
HAYANGEOISE
HÉBÉPHRÉNIE
HÉBERGEMENT
HÉBRAÏSANTE
HECTOGRAMME
HECTOPASCAL
HÉGÉMONIQUE
HÉGÉMONISME
HEILLECOURT
HÉLIANTHÈME
HÉLIANTHINE
HÉLICOÏDALE
HÉLICOÏDAUX
HÉLICOPTÈRE
HÉLIOGABALE
HÉLIOGRAPHE
HÉLIOMARINE
HÉLIPORTAGE
HELLÉNISANT
HELSINGBORG
HÉMARTHROSE
HÉMATOCRITE
HÉMATOLOGIE
HÉMATOLOGUE
HÉMATOPHAGE
HÉMÉRALOPIE
HÉMÉROCALLE
HÉMIANOPSIE
HÉMOCULTURE
HÉMODIALYSE
HÉMOGLOBINE
HÉMOLYTIQUE
HÉMORROÏDAL
HENDÉCAGONE
HENRI LE LION
HÉPATOLOGIE
HEPPLEWHITE
HEPTAGONALE
HEPTAGONAUX

HÉRAULTAISE
HERBLAYSIEN
HERBLINOISE
HERBORISANT
HERBRETAISE
HERCULÉENNE
HERCYNIENNE
HÉRÉDITAIRE
HÉRÉSIARQUE
HÉRISSEMENT
HERMANVILLE
HERMÉTICITÉ
HÉROÏNOMANE
HERTZSPRUNG
HERZÉGOVINE
HESBIGNONNE
HÉTÉROCLITE
HÉTÉROCYCLE
HÉTÉRODONTE
HÉTÉRODOXIE
HÉTÉROGAMIE
HÉTÉRONOMIE
HÉTÉROPTÈRE
HEURISTIQUE
HEXADÉCIMAL
HEXAÉDRIQUE
HIBERNATION
HIDEUSEMENT
HIÉRARCHISÉ
HIÉROGLYPHE
HIÉRONYMITE
HIÉROPHANTE
HILDEBRANDT
HIMALAYENNE
HINDOUSTANI
HIPPOGRIFFE
HIPPOMOBILE
HIPPOPHAGIE
HIPPOPOTAME
HIRSONNAISE
HISTOCHIMIE
HISTOGENÈSE
HISTOGRAMME
HISTORICITÉ
HISTORIENNE
HISTORIETTE
HITLÉRIENNE
HOHENLINDEN
HOLLANDAISE
HOLLANDAISE
HOLOGRAPHIE
HOMÉOMORPHE
HOMÉOPATHIE
HOMÉOSTASIE
HOMÉOTHERME
HOME-TRAINER
HOMOCHROMIE

HOMOGÉNÉISÉ
HOMOGÉNÉITÉ
HOMOGRAPHIE
HOMOLOGUANT
HOMONYMIQUE
HONDSCHOOTE
HONDURIENNE
HONDURIENNE
HONFLEURAIS
HONGKONGAIS
HONGROIERIE
HONNÊTEMENT
HONORIFIQUE
HOOGSTRATEN
HORIZONTALE
HORIZONTAUX
HORODATRICE
HORRIFIANTE
HORRIPILANT
HORS-D'ŒUVRE
HORSE-GUARDS
HOSPITALIER
HOSPITALISÉ
HOSPITALITÉ
HOSTELLERIE
HOSTILEMENT
HOUBLONNAGE
HOUBLONNANT
HOUBLONNIER
HOUPPELANDE
HOURTINAISE
HOUSE MUSICS
HOUSPILLANT
HUELGOATAIS
HUGUES CAPET
HUIT-REFLETS
HUMAINEMENT
HUMANITAIRE
HUMIDIFIANT
HUMIDIMÈTRE
HUMILIATION
HUNINGUOISE
HURLUBERLUE
HYALOPLASME
HYBRIDATION
HYDARTHROSE
HYDRATATION
HYDRAULIQUE
HYDROCOTYLE
HYDROCUTION
HYDROGÉNANT
HYDROGRAPHE
HYDROLYSANT
HYDROMÉTRIE
HYDROSPHÈRE
HYDROZOAIRE
HYGROMÉTRIE

HYGROSCOPIE
HYMÉNOPTÈRE
HYPERACTIVE
HYPERBORÉEN
HYPERCAPNIE
HYPERFOCALE
HYPERFOCAUX
HYPERMARCHÉ
HYPERMNÉSIE
HYPERPLASIE
HYPERSOMNIE
HYPERTENDUE
HYPERTENSIF
HYPNOTISANT
HYPNOTISEUR
HYPOACOUSIE
HYPOCONDRIE
HYPODERMOSE
HYPONEURIEN
HYPONOMEUTE
HYPOSPADIAS
HYPOSTASIÉE
HYPOSTASIER
HYPOSULFITE
HYPOTENSEUR
HYPOTENSION
HYPOTENSIVE
HYPOTHÉQUÉE
HYPOTHÉQUER
HYPOTHERMIE
HYPOTONIQUE
HYPOTROPHIE
HYPSOMÉTRIE
ICHTYOCOLLE
ICHTYOLOGIE
ICHTYOPHAGE
ICHTYOSAURE
ICHTYOSTÉGA
ICONOCLASME
ICONOCLASTE
ICONOGRAPHE
IDÉES-FORCES
IDEMPOTENTE
IDENTIFIANT
IDENTIFIEUR
IDENTITAIRE
IDÉOLOGIQUE
IDÉOMOTRICE
IDIOMATIQUE
IDOLÂTRIQUE
IGNIFUGEANT
IGNOBLEMENT
IGNOMINIEUX
ÎLE-DE-FRANCE
ILÉO-CÆCALE
ILÉO-CÆCAUX
ILLETTRISME

ILLUMINISME	IMPRÉCATEUR	INCONSTANTE
ILLUSIONNÉE	IMPRÉCATION	INCONTESTÉE
ILLUSIONNER	IMPRÉCISION	INCONTINENT
ILLUSTRATIF	IMPRÉVISION	INCONTRÔLÉE
ILLUVIATION	IMPRÉVOYANT	INCONVENANT
IMAGINATION	IMPROBATEUR	INCORPORANT
IMAGINATIVE	IMPROBATION	INCRÉDULITÉ
IMBÉCILLITÉ	IMPRODUCTIF	INCRÉMENTÉE
IMBRICATION	IMPROPRIÉTÉ	INCRÉMENTER
IMMANGEABLE	IMPROUVABLE	INCRIMINANT
IMMANQUABLE	IMPROVISANT	INCRUSTANTE
IMMATRICULÉ	IMPUBLIABLE	INCUBATRICE
IMMÉDIATETÉ	IMPUDEMMENT	INCULCATION
IMMÉMORIALE	IMPUISSANCE	INCULPATION
IMMÉMORIAUX	IMPUISSANTE	INCURIOSITÉ
IMMENSÉMENT	IMPULSIVITÉ	INCURVATION
IMMIGRATION	INABORDABLE	INDÉCEMMENT
IMMOBILIÈRE	INACCENTUÉE	INDÉCIDABLE
IMMOBILISÉE	INACCOMPLIE	INDÉCODABLE
IMMOBILISER	INACCOUTUMÉ	INDÉHISCENT
IMMOBILISME	INACTINIQUE	INDEMNISANT
IMMOBILISTE	INACTUALITÉ	INDÉMODABLE
IMMORALISME	INADAPTABLE	INDÉNOUABLE
IMMORALISTE	INALIÉNABLE	INDENTATION
IMMORTALISÉ	INALTÉRABLE	INDÉPENDANT
IMMORTALITÉ	INAMISSIBLE	INDÉSIRABLE
IMMUABILITÉ	INAPAISABLE	INDÉTERMINÉ
IMMUNITAIRE	INAPPARENTE	INDICATRICE
IMMUNOLOGIE	INAPPÉTENCE	INDIFFÉRANT
IMPARIPENNÉ	INAPPLIQUÉE	INDIFFÉRENT
IMPARTITION	INAPPRÉCIÉE	INDIGÉNISME
IMPATIENTÉE	INAPPROPRIÉ	INDIGESTION
IMPATIENTER	INARTICULÉE	INDIGNATION
IMPATRONISÉ	INASSIMILÉE	INDIGNEMENT
IMPEACHMENT	INATTENTION	INDISPOSANT
IMPÉCUNIEUX	INATTENTIVE	INDISTINCTE
IMPEDIMENTA	INCANTATION	INDIVISAIRE
IMPÉNITENTE	INCARCÉRANT	INDIVISIBLE
IMPÉRATRICE	INCARNATION	INDO-ARYENNE
IMPERFECTIF	INCENDIAIRE	INDOCHINOIS
IMPERMÉABLE	INCERTITUDE	**INDOCHINOIS**
IMPERSONNEL	INCESTUEUSE	INDOLEMMENT
IMPERTINENT	INCIDEMMENT	INDOMPTABLE
IMPESANTEUR	INCITATRICE	INDUBITABLE
IMPÉTRATION	INCLASSABLE	INDULGENCIÉ
IMPÉTUOSITÉ	INCLINAISON	INDUSTRIEUX
IMPITOYABLE	INCLINATION	INEFFAÇABLE
IMPLANTABLE	INCOERCIBLE	INÉGALEMENT
IMPLICATION	INCOHÉRENCE	INÉLASTIQUE
IMPLORATION	INCOHÉRENTE	INÉLUCTABLE
IMPOLITESSE	INCOMMODANT	INÉNARRABLE
IMPOLITIQUE	INCOMMODITÉ	INÉPUISABLE
IMPOPULAIRE	INCOMPÉTENT	INÉQUITABLE
IMPORTATEUR	INCONGRUITÉ	INESTIMABLE
IMPORTATION	INCONSCIENT	INEXCITABLE
IMPORTUNANT	INCONSIDÉRÉ	INEXCUSABLE
IMPORTUNITÉ	INCONSTANCE	INEXÉCUTION

INEXISTANTE INQUISITION INTERARMÉES
INEXISTENCE **INQUISITION** INTERCALANT
INEXPLIQUÉE INSALUBRITÉ INTERCÉDANT
INEXPLOITÉE INSATISFAIT INTERCEPTÉE
INEXPRESSIF INSCRIPTION INTERCEPTER
INFAILLIBLE INSCRIVANTE INTERCLASSE
INFANTICIDE INSECTARIUM INTERCLASSÉ
INFANTILISÉ INSECTICIDE INTERCOSTAL
INFATIGABLE INSECTIVORE INTERDISANT
INFATUATION INSÉPARABLE INTÉRESSANT
INFÉCONDITÉ INSINCÉRITÉ INTERFÉCOND
INFECTIEUSE INSINUATION INTERFÉRANT
INFÉODATION INSOLEMMENT INTERFÈRENT
INFÉRIORISÉ INSOMNIAQUE INTERFRANGE
INFÉRIORITÉ INSOMNIEUSE INTERGROUPE
INFERTILITÉ INSONORISÉE INTERHUMAIN
INFESTATION INSONORISER INTÉRIMAIRE
INFEUTRABLE INSOUCIANCE INTÉRIORISÉ
INFIRMATION INSOUCIANTE INTÉRIORITÉ
INFIRMATIVE INSOUCIEUSE INTERJECTIF
INFLAMMABLE INSOUPÇONNÉ INTERJETANT
INFLUENÇANT INSPECTORAT INTERLIGNÉE
INFOGRAPHIE INSPECTRICE INTERLIGNER
INFORMATEUR INSPIRATEUR INTERLOQUÉE
INFORMATION INSPIRATION INTERLOQUER
INFORMATISÉ INSTABILITÉ INTERMODALE
INFORMATIVE INSTANTANÉE INTERMODAUX
INFRANGIBLE INSTIGATEUR INTERNEMENT
INFRASONORE INSTIGATION INTEROSSEUX
INFRUCTUEUX INSTINCTIVE INTERPELLÉE
INGÉNIOSITÉ INSTINCTUEL INTERPELLER
INGRATITUDE INSTITUTEUR INTERPOLANT
INGURGITANT INSTITUTION INTERPOSANT
INHABITABLE INSTRUCTEUR INTERPRÉTÉE
INHIBITRICE INSTRUCTION INTERPRÉTER
INITIALISÉE INSTRUCTIVE INTERRACIAL
INITIALISER INSTRUISANT INTERROMPRE
INITIATIQUE INSTRUMENTÉ INTERROMPUE
INITIATRICE INSUFFISANT INTERSAISON
INJOIGNABLE INSULINIQUE INTERTIDALE
INJUSTEMENT INSUPPORTÉE INTERTIDAUX
INJUSTIFIÉE INSUPPORTER INTERURBAIN
INNERVATION INTÉGRALITÉ INTERVENANT
INNOCEMMENT INTÉGRATEUR INTERVERTIE
INNOCENTANT INTÉGRATION INTERVERTIR
INNOMBRABLE INTÉGRATIVE INTERVIEWÉE
INNOVATRICE INTÈGREMENT INTERVIEWER
INOCULATION INTELLIGENT INTESTINALE
INOFFENSIVE INTEMPÉRANT INTESTINAUX
INOPINÉMENT INTEMPESTIF INTIMIDABLE
INOPPORTUNE INTENSÉMENT INTIMIDANTE
INOPPOSABLE INTENSIFIÉE INTOLÉRABLE
INORGANIQUE INTENSIFIER INTOLÉRANCE
INORGANISÉE INTENTIONNÉ INTOLÉRANTE
INOUBLIABLE INTERACTION INTOUCHABLE
INQUIÉTANTE INTERACTIVE INTOXIQUANT
INQUISITEUR INTERALLIÉE INTRAITABLE

INTRANSITIF
INTRA-UTÉRIN
INTRÉPIDITÉ
INTRICATION
INTRINSÈQUE
INTRODUCTIF
INTRONISANT
INTROUVABLE
INTROVERTIE
INUKJUAMIUT
INUTILEMENT
INVALIDANTE
INVECTIVANT
INVENTIVITÉ
INVENTORIÉE
INVENTORIER
INVERSEMENT
INVERTÉBRÉE
INVESTIGUER
INVESTITURE
INVOCATOIRE
INVOCATRICE
IODHYDRIQUE
IODO-IODURÉE
IODO-IODURÉS
IONOPLASTIE
IRIDECTOMIE
IRISH-COFFEE
IROQUOIENNE
IRRADIATION
IRRAISONNÉE
IRRATIONNEL
IRRECEVABLE
IRRÉCUSABLE
IRRÉFLÉCHIE
IRRÉFLEXION
IRRÉFUTABLE
IRRÉGULIÈRE
IRRÉLIGIEUX
IRRÉPARABLE
IRRÉVÉRENCE
IRRÉVOCABLE
ISAAC JOGUES
ISBERGUOISE
ISCHIATIQUE
ISLAMOLOGIE
ISMAÉLIENNE
ISMAÏLIENNE
ISMAÏL PACHA
ISOMÉTRIQUE
ISOSTATIQUE
ISOTHÉRAPIE
ISRAÉLIENNE
ISRAÉLIENNE
ISSOIRIENNE
ISSOLDUNOIS
ITALIANISÉE

ITALIANISER
ITALIANISME
ITALIANISTE
IVAN LE GRAND
IZETBEGOVIC
JACASSEMENT
JACOBINISME
JACULATOIRE
JAILLISSANT
JAKARTANAIS
JALONNEMENT
JALONS-MIRES
JALOUSEMENT
JAMAÏQUAINE
JAMAÏQUAINE
JAMBONNEAUX
JAM-SESSIONS
JAPONISANTE
JARVILLOISE
JAUFRÉ RUDEL
JAUNISSANTE
JAVELLISANT
JAYAWARDENE
JAZZISTIQUE
JEAN CASIMIR
JEAN COMNÈNE
JEAN DE DAMAS
JEAN DE LEYDE
JEAN DE MATHA
JEAN DE MEUNG
JEAN LE GRAND
JEAN LE PIEUX
JELATCHITCH
JELENIA GÓRA
JÉSUS-CHRIST
JET-SOCIETYS
JEUMONTOISE
JEUNES-TURCS
JEUNES-TURCS
JEUNE-TURQUE
JIANG JIESHI
JOCASSIENNE
JOCONDIENNE
JOINVILLAIS
JOINVILLOIS
JOLIETTAINE
JOLIOT-CURIE
JONQUIÉROIS
JORDANIENNE
JORDANIENNE
JOSSELINAIS
JOURNALIÈRE
JOURNALISME
JOURNALISTE
JOUVENCEAUX
JOUVENCELLE
JOUY-EN-JOSAS

JOVIALEMENT
JOYEUSEMENT
JUAN-LES-PINS
JUBILATOIRE
JUMIÉGEOISE
JUPE-CULOTTE
JURASSIENNE
JURASSIENNE
JURIDICTION
JUSTAUCORPS
JUSTE-À-TEMPS
JUSTICIABLE
JUSTIFIABLE
JUSTIFIANTE
JUXTAPOSANT
KABOULIENNE
KAFR EL-DAWAR
KALACHNIKOV
KALININGRAD
KAMMERSPIEL
KANCHIPURAM
KANO SANRAKU
KAPILAVASTU
KARADJORDJE
KARAGEORGES
KARAKALPAKS
KARLOVY VARY
KAYSERSBERG
KAZANTZÁKIS
KÉRATINISÉE
KÉRATOTOMIE
KEROULARIOS
KEYNÉSIENNE
KHARIDJISME
KHMELNITSKI
KHORRAMABAD
KIDNAPPEUSE
KIERKEGAARD
KILOMÉTRAGE
KILOMÉTRANT
KIM YOUNG-SAM
KINESTHÉSIE
KINÉTOSCOPE
KING-CHARLES
KINGERSHEIM
KIRGHIZSTAN
KITCHENETTE
KITTITIENNE
KLEPTOMANIE
KLINEFELTER
KNOKKE-HEIST
KNUD LE GRAND
KNUD LE SAINT
KNUT LE GRAND
KNUT LE SAINT
KOCHANOWSKI
KOLAROVGRAD

KOMMOUNARSK
KÖNIGSMARCK
KORAÏCHITES
KOUIGN-AMANN
KOUO-MIN-TANG
KOWEÏTIENNE
KOWEÏTIENNE
KRAFFT-EBING
KRASNOÏARSK
KREMLINOISE
KREUZLINGEN
KRUGERSDORP
KSAR EL-KÉBIR
KUALA LUMPUR
KUBILAY KHAN
KULTURKAMPF
KUUJJUAMIUT
KWASHIORKOR
KWASNIEWSKI
LABELLISANT
LABIALISANT
LABORANTINE
LABORATOIRE
LA BOURBOULE
LABOUR PARTY
LABRUGUIÈRE
LACERTILIEN
LA CHALOTAIS
LA CONDAMINE
LA COURNEUVE
LACRYMOGÈNE
LACTESCENCE
LACTESCENTE
LA FERTÉ-MACÉ
LA FEUILLADE
LAFRANÇAISE
LAÏCISATION
LAKSHADWEEP
LA LAURENCIE
LA MADELEINE
LAMALOUSIEN
LAMARCKISME
LAMBALLAISE
LAMBERTOISE
LAMBRISSAGE
LAMBRISSANT
LAMENTATION
LAMORICIÈRE
LAMPISTERIE
LAMPROPHYRE
LANCE-AMARRE
LANCE-BOMBES
LANCE-FLAMME
LANCE-FUSÉES
LANCE-PIERRE
LANDERNEAUX
LANDGRAVIAT

LANDIVISIAU
LANDIVISIEN
LANDSTEINER
LANESTÉRIEN
LANGEADOISE
LANGEAISIEN
LANGOUREUSE
LANGOUSTIER
LANGOUSTINE
LANGUISSANT
LANNIONNAIS
LANTERNEAUX
LAPALISSADE
LAPALISSOIS
LAPAROTOMIE
LAPIS-LAZULI
LA POCATIÈRE
LA QUINTINIE
LARGENTIÈRE
LARGILLIÈRE
LA RICAMARIE
LARMES-DE-JOB
LARMOIEMENT
LARMORIENNE
LARMOR-PLAGE
LARYNGIENNE
L'ASSOMPTION
LATÉRALISÉE
LATÉRITIQUE
LATIFUNDIUM
LATIGNACIEN
LATINISANTE
LA TOUR-DU-PIN
LA TREMBLADE
LA TRÉMOILLE
LAURENTIDES
LAURIER-ROSE
LAUSANNOISE
LAUTERBOURG
LAUTRÉAMONT
LA VÉRENDRYE
LA VRILLIÈRE
LA WANTZENAU
LE CASTELLET
LE CHAPELIER
LE CHATELIER
LÈCHE-BOTTES
LE CORBUSIER
LEDRU-ROLLIN
LED ZEPPELIN
LEEUWENHOEK
LÉGIONNAIRE
LÉGISLATEUR
LÉGISLATION
LÉGISLATIVE
LÉGISLATURE
LÉGITIMISME

LÉGITIMISTE
LE GRAU-DU-ROI
LÉGUMINEUSE
LÉOGNANAISE
LÉONARDOISE
LEONCAVALLO
LÉON LE GRAND
LÉPIDOPTÈRE
LE POULIGUEN
LÉPROMATEUX
LEPTIS MAGNA
LESBIANISME
LÈSE-MAJESTÉ
LES HERBIERS
LÉSIONNAIRE
LÉSIONNELLE
LESNEVIENNE
LESPARRAINE
LESSIVIELLE
LESZCZYNSKI
LÉTHARGIQUE
LEUCODERMIE
LEUCOPLASIE
LEUCOPOÏÈSE
LE VAUDREUIL
LÉVI-STRAUSS
LEXICALISÉE
LEXICOLOGIE
LEXICOLOGUE
LÉZIGNANAIS
LIAISONNANT
LIANESCENTE
LIBÉRALISÉE
LIBÉRALISER
LIBÉRALISME
LIBÉRATOIRE
LIBÉRATRICE
LIBERTICIDE
LIBERTINAGE
LIBERUM VETO
LIBIDINEUSE
LIBOURNAISE
LIBRE-PENSÉE
LIBRETTISTE
LICENCIEUSE
LIDDELL HART
LIGAMENTEUX
LILLEHAMMER
LILLIPUTIEN
LIMONADIÈRE
LIMOUGEAUDE
LIMOUGEAUDE
LIMOURIENNE
LINAIGRETTE
LINE ISLANDS
LINGOLSHEIM
LINOGRAVURE

LINOTYPISTE
LIPOSOLUBLE
LIPOSUCCION
LIQUÉFIABLE
LIQUÉFIANTE
LIQUIDAMBAR
LIQUIDATEUR
LIQUIDATION
LIQUIDATIVE
LIQUIDIENNE
LISBONNAISE
LISBONNAISE
LISIBLEMENT
L'ISLE-D'ABEAU
LITHIASIQUE
LITHINIFÈRE
LITHOGRAPHE
LITHOPHANIE
LITHOSPHÈRE
LITHOTRITIE
LITTÉRALITÉ
LITTÉRARITÉ
LITTÉRATEUR
LITTÉRATURE
LITUANIENNE
LITUANIENNE
LIVING-ROOMS
LIVINGSTONE
LIVRY-GARGAN
LIXIVIATION
LLOYD GEORGE
LOCALISABLE
LOCOMOTRICE
LOFING-MATCH
LOGIQUEMENT
LOGISTICIEN
LOMBO-SACRÉE
LOMBO-SACRÉS
LONDONDERRY
LONDONIENNE
LONDONIENNE
LONGANIMITÉ
LONG-JOINTÉE
LONG-JOINTÉS
LONG-MÉTRAGE
LONGOVICIEN
LONGUENESSE
LONGUES-VUES
LONGUEVILLE
LORDS-MAIRES
LORENZACCIO
LORIENTAISE
LOTHARINGIE
LOTISSEMENT
LOUFOQUERIE
LOUHANNAISE
LOUISE-BONNE

LOUISE-MARIE
LOUIS-GENTIL
LOUIS LE GROS
LOUIS LE LION
LOUP-CERVIER
LOUPERIVOIS
LOUPS-GAROUS
LOUVOIEMENT
LUBRIFIANTE
LUCANOPHILE
LUCHONNAISE
LUCIENNOISE
LUGUBREMENT
LUKASIEWICZ
LUMINESCENT
LUMINOPHORE
LUNÉVILLOIS
LUNI-SOLAIRE
LUTHÉRIENNE
LUTOSLAWSKI
LYCANTHROPE
LYCOPODIALE
LYMPHANGITE
LYMPHATIQUE
LYMPHOPÉNIE
LYOPHILISAT
LYOPHILISÉE
LYOPHILISER
LYOPHILISÉS
LYRIQUEMENT
LYSERGAMIDE
MACADAMISÉE
MACADAMISER
MACARONIQUE
MACCARTISME
MACCHIAIOLI
MÂCHICOULIS
MACHINATION
MÂCHOUILLÉE
MÂCHOUILLER
MACHU PICCHU
MACROCHEIRE
MACROCYSTIS
MACROCYTOSE
MACROSÉISME
MADELEINOIS
MADELINOISE
MAETERLINCK
MAGASINIÈRE
MAGDALÉENNE
MAGDALÉNIEN
MAGIQUEMENT
MAGNAC-LAVAL
MAGNANIMITÉ
MAGNÉSIENNE
MAGNÉTISANT
MAGNÉTISEUR

MAGNOLIACÉE
MAGOUILLAGE
MAGOUILLANT
MAGOUILLEUR
MAHABHARATA
MAHARASHTRA
MAIGRELETTE
MAIGRISSANT
MAIL-COACHES
MAILLANAISE
MAILLECHORT
MAIN-D'ŒUVRE
MAINTENANCE
MAISONNAISE
MAISONNETTE
MAISONNEUVE
MAÎTRE-AUTEL
MAÎTRE-CHIEN
MAÎTRISABLE
MAJESTUEUSE
MAJORITAIRE
MALACOLOGIE
MALAISÉMENT
MALAISIENNE
MALAKOFFIOT
MALCHANCEUX
MALDIVIENNE
MALEBRANCHE
MALÉDICTION
MALENGUEULÉ
MALESHERBES
MALFAISANTE
MALHEUREUSE
MALIGNEMENT
MALLÉOLAIRE
MALLES-POSTE
MALLET DU PAN
MALLET-JORIS
MALMIGNATTE
MALODORANTE
MALPOSITION
MALPROPRETÉ
MALSONNANTE
MALTRAITANT
MALVEILLANT
MAMMALIENNE
MAMMECTOMIE
MAMMOTH CAVE
MANDARINIER
MANDAT-CARTE
MANDATEMENT
MANDCHOURIE
MANDIBULATE
MANDUCATION
MANGEOTTANT
MANGONNEAUX
MANGUYCHLAK

MANIABILITÉ
MANIAQUERIE
MANICHÉENNE
MANICHÉISME
MANICOUAGAN
MANIFESTANT
MANIGANÇANT
MANIPULABLE
MANŒUVRANT
MANŒUVRIER
MANUFACTURE
MANUFACTURÉ
MANUTENTION
MAO TSÉ-TOUNG
MAQUERAISON
MAQUETTISTE
MAQUIGNONNÉ
MAQUILLEUSE
MARABOUTAGE
MARABOUTANT
MARATHONIEN
MARC-ANTOINE
MARCESCENCE
MARCESCENTE
MARCHANDAGE
MARCHANDANT
MARCHANDEUR
MARCHANDISE
MARCHIENNES
MARCIONISME
MARCOPHILIE
MAR DEL PLATA
MARÉCAGEUSE
MARÉMOTRICE
MARGINALISÉ
MARGINALITÉ
MARGOUILLAT
MARGOUILLIS
MARGOULETTE
MARGUILLIER
MARIE-AMÉLIE
MARIE-JEANNE
MARIE-LOUISE
MARIE-LOUISE
MARIE-SALOPE
MARIE STUART
MARIGNANAIS
MARIONNETTE
MARIVAUDAGE
MARIVAUDANT
MARIVERAINE
MARLBOROUGH
MARLYCHOISE
MARMANDAISE
MARMENTEAUX
MARMORÉENNE
MAROQUINAGE

MAROQUINANT
MAROQUINIER
MARQUE-PAGES
MARQUETERIE
MARSEILLAIS
MARSEILLAIS
MARSHALLAIS
MARSHMALLOW
MARTÈLEMENT
MARTELLANGE
MARTYRISANT
MARTYROLOGE
MARVEJOLAIS
MASCOUCHOIS
MASCULINISÉ
MASCULINITÉ
MASKOUTAINE
MASQUE DE FER
MASSACRANTE
MASSACREUSE
MASSIACOISE
MASSICOTANT
MASSIVEMENT
MASTECTOMIE
MASTICATEUR
MASTICATION
MASTOPATHIE
MASTROIANNI
MATELASSAGE
MATELASSANT
MATELASSIER
MATELASSURE
MATÉRIALISÉ
MATÉRIALITÉ
MATHÉMATISÉ
MATRAQUEUSE
MATRIARCALE
MATRIARCAUX
MATRICIELLE
MATRILOCALE
MATRILOCAUX
MATRIMONIAL
MAUBEUGEOIS
MAUBOURGUET
MAULBERTSCH
MAURIACOISE
MAURICIENNE
MAURICIENNE
MAURITANIEN
MAURITANIEN
MAUSSADERIE
MAXILLIPÈDE
MAXIMALISÉE
MAXIMALISER
MAXIMALISME
MAXIMALISTE
MAXIMIN DAIA

MAXIPONTINE
MAZAMÉTAINE
MÉCONNAÎTRE
MÉCONTENTÉE
MÉCONTENTER
MÉDIATHÈQUE
MÉDIATISANT
MÉDICALISÉE
MÉDICALISER
MEDICINE HAT
MÉDICO-LÉGAL
MÉDIOCRATIE
MÉDIUMNIQUE
MÉGALOMANIE
MEGALOPOLIS
MÉGALOPOLIS
MÉGALOPTÈRE
MÉGATHÉRIUM
MEHMED FATIH
MEHMED RESAD
MEISSONNIER
MELANCHTHON
MÉLANÉSIENS
MÉLANODERME
MELGORIENNE
MÉLIORATIVE
MELTING-POTS
MELUN-SÉNART
MEMBRANAIRE
MEMBRANEUSE
MÉMORISABLE
MENCHEVIQUE
MENDÉLÉVIUM
MENDÉLIENNE
MENDELSSOHN
MENDES PINTO
MENDIGOTANT
MÉNEHILDIEN
MENSTRUELLE
MENSUALISÉE
MENSUALISER
MENSURATION
MENTALEMENT
MENTIONNANT
MENTONNAISE
MENTONNIÈRE
MERCATICIEN
MERCERISAGE
MERCERISANT
MERCURIELLE
MEREJKOVSKI
MÉRIDIONALE
MÉRIDIONALE
MÉRIDIONAUX
MÉRIDIONAUX
MÉROVINGIEN
MERS EL-KÉBIR

MERVEILLEUX
MÉRY-SUR-OISE
MÉSALLIANCE
MÉSAVENTURE
MÉSESTIMANT
MÉSOPOTAMIE
MESQUINERIE
MESSALI HADJ
MESSIANIQUE
MESSIANISME
MÉTABOLIQUE
MÉTABOLISÉE
MÉTABOLISER
MÉTABOLISME
MÉTACARPIEN
MÉTALANGAGE
MÉTALDÉHYDE
MÉTALLIFÈRE
MÉTALLISANT
MÉTALLISEUR
MÉTALLURGIE
MÉTALOGIQUE
MÉTAMÉRISÉE
MÉTASTASANT
MÉTATARSIEN
MÉTATHÉORIE
MÉTATHÉRIEN
METCHNIKOFF
MÉTHANISANT
MÉTHANOÏQUE
MÉTICULEUSE
MÉTONYMIQUE
MÉTRISATION
MÉTROPOLITE
MÉTRORRAGIE
MEUDONNAISE
MÉZIDONNAIS
MEZZOGIORNO
MIAJA MENANT
MIASMATIQUE
MICASCHISTE
MICKEY MOUSE
MICOCOULIER
MICOQUIENNE
MICROBIENNE
MICROCHIMIE
MICROCLIMAT
MICROCYTOSE
MICROFILMÉE
MICROFILMER
MICROGRENUE
MICROMÉTRIE
MICROMODULE
MICRONÉSIEN
MICRONÉSIEN
MICRONISANT
MICROPILULE

MICROSCOPIE
MICROSÉISME
MICROSILLON
MICROTUBULE
MIDDELKERKE
MIGNONNETTE
MIGRAINEUSE
MILITARISÉE
MILITARISER
MILITARISME
MILITARISTE
MILLE-FLEURS
MILLE-PATTES
MILLERANDÉE
MILLÉSIMANT
MILLEVACHES
MILLIAMPÈRE
MILLIGRAMME
MILLIMÉTRÉE
MILLIONIÈME
MIMIZANNAIS
MINABLEMENT
MINANGKABAU
MINAS GERAIS
MINÉRALISÉE
MINÉRALISER
MINÉRALOGIE
MINIATURISÉ
MINIMALISÉE
MINIMALISER
MINIMALISME
MINIMALISTE
MINISTÉRIEL
MINISTRABLE
MINITÉLISTE
MINNEAPOLIS
MINNESÄNGER
MINORITAIRE
MIRABELLIER
MIRABELLOIS
MIRACULEUSE
MIRAMASSÉEN
MIREBALAISE
MIRECURTIEN
MIROBOLANTE
MIROITEMENT
MISANTHROPE
MISCIBILITÉ
MISÉRICORDE
MISSISSAUGA
MISSISSIPPI
MISSOLONGHI
MISTINGUETT
MITCHOURINE
MITOYENNETÉ
MITRAILLADE
MITRAILLAGE

MITRAILLANT
MITRAILLEUR
MOBILE HOMES
MOBILISABLE
MODÉRATRICE
MODERN DANCE
MODERNISANT
MODERN STYLE
MODESTEMENT
MODIFICATIF
MODIQUEMENT
MODULATRICE
MOHENJO-DARO
MOHOROVICIC
MOINDREMENT
MOINS-DISANT
MOINS-PERÇUS
MOINS-VALUES
MOISSAGAISE
MOISSONNAGE
MOISSONNANT
MOISSONNEUR
MOLÉCULAIRE
MOLIÉRESQUE
MOLLASSERIE
MOLLASSONNE
MOLLETONNÉE
MOLLETONNER
MOLYBDÉNITE
MONADOLOGIE
MONADOLOGIE
MONARCHIQUE
MONARCHISME
MONARCHISTE
MONBAZILLAC
MONDIALISÉE
MONDIALISER
MONDIALISME
MONDIALISTE
MONDOVISION
MONÉTARISME
MONÉTARISTE
MONFLANQUIN
MONGOLIENNE
MONNERVILLE
MONOBASIQUE
MONOCAMÉRAL
MONOCHROMIE
MONOCLINALE
MONOCLINAUX
MONOCLONALE
MONOCLONAUX
MONOCRISTAL
MONOCULAIRE
MONOCULTURE
MONOGAMIQUE
MONOGÉNIQUE

MONOGÉNISME
MONOGRAPHIE
MONOLOGUANT
MONONUCLÉÉE
MONOPHYSITE
MONOPOLEUSE
MONOPOLISÉE
MONOPOLISER
MONOPOLISTE
MONOSÉMIQUE
MONOSYLLABE
MONOTHÉISME
MONOTHÉISTE
MONOVALENTE
MONROVIENNE
MONSEIGNEUR
MONSTRUEUSE
MONTAGNARDE
MONTAGNARDS
MONTAGNEUSE
MONTARGOISE
MONTBARDOIS
MONTBÉLIARD
MONTBÉLIARD
MONTCELLIEN
MONT-DAUPHIN
MONT-DE-PIÉTÉ
MONTE-CHARGE
MONTECRISTO
MONTE-EN-L'AIR
MONTÉNÉGRIN
MONTÉNÉGRIN
MONTÉRÉGIEN
MONTERELAIS
MONTESQUIEU
MONTÉVIDÉEN
MONTFERMEIL
MONTFERRAND
MONTFORTAIS
MONTGENÈVRE
MONTGOLFIER
MONTHERLANT
MONTHEYSANE
MONTILIENNE
MONT-LAURIER
MONTMORENCY
MONTMORENCY
MONTPELLIER
MONTPENSIER
MONTRÉALAIS
MONTRÉALAIS
MONTREUSIEN
MONTRICHARD
MONTROUGIEN
MONTS-BLANCS
MONUMENTALE
MONUMENTAUX

MORALISANTE
MORBILLEUSE
MOREAU L'AÎNÉ
MORGANFIELD
MORGENSTERN
MORPHINIQUE
MORPHOLOGIE
MORTAGNAISE
MORTAISEUSE
MORT-AUX-RATS
MORTE-SAISON
MORTIFIANTE
MORVANDEAUX
MORVANDEAUX
MORVANDELLE
MORVANDELLE
MORVANDIAUX
MORVANDIAUX
MOTEUR-FUSÉE
MOTOCULTEUR
MOTOCULTURE
MOTS CROISÉS
MOTS-VALISES
MOTU PROPRIO
MOUCHARDAGE
MOUCHARDANT
MOUCHERONNÉ
MOUDJAHIDIN
MOUILLEMENT
MOULIN-À-VENT
MOULIN-ROUGE
MOULURATION
MOUNET-SULLY
MOUNTBATTEN
MOUNT VERNON
MOUSSAILLON
MOUSSORGSKI
MOUTONNERIE
MOUTONNEUSE
MOUTONNIÈRE
MOUVEMENTÉE
MOUVEMENTER
MOUZONNAISE
MOXIBUSTION
MOYENÂGEUSE
MOYENNEMENT
MOYEN-ORIENT
MOZAMBICAIN
MOZAMBICAIN
MUDDY WATERS
MUGISSEMENT
MULTICOLORE
MULTICOUCHE
MULTILINGUE
MULTIPARITÉ
MULTIPLIANT
MULTIPLIEUR

MULTIPOINTS
MULTIRACIAL
MULTIRISQUE
MULTISALLES
MULTISTADES
MULTIVARIÉE
MÜNCHHAUSEN
MUNDOLSHEIM
MUNICIPALES
MUNIFICENCE
MUNIFICENTE
MÛRISSEMENT
MURS-RIDEAUX
MUSCULATION
MUSCULATURE
MUSELLEMENT
MUSÉOGRAPHE
MUSICOLOGIE
MUSICOLOGUE
MUSSITATION
MUTAZILISME
MUTILATRICE
MUTUALISANT
MUTUELLISME
MUTUELLISTE
MUZAFFARPUR
MYCOLOGIQUE
MYDRIATIQUE
MYÉLOGRAMME
MYÉLOMATOSE
MYÉLOPATHIE
MYOFIBRILLE
MYOMECTOMIE
MYORELAXANT
MYRIOPHYLLE
MYSTÉRIEUSE
MYSTIFIABLE
MYSTIFIANTE
NAGANO OSAMI
NAHUEL HUAPÍ
NAIROBIENNE
NAMAQUALAND
NANGA PARBAT
NAPOLÉONIEN
NAPOLITAINE
NAPOLITAINE
NARAYANGANJ
NARBONNAISE
NARCISSIQUE
NARCISSISME
NARCODOLLAR
NARCOLEPSIE
NASILLEMENT
NASONNEMENT
NATIONALISÉ
NATIONALITÉ
NATOUFIENNE

NATURALISÉE
NATURALISER
NATURALISME
NATURALISTE
NATUROPATHE
NAUFRAGEANT
NAUFRAGEUSE
NAUSÉABONDE
NAVIGATRICE
NAVIRE-ÉCOLE
NAVIRE-USINE
NAVRATILOVA
NAZAIRIENNE
NÉCESSITANT
NÉCESSITEUX
NÉCROMANCIE
NÉCROPHILIE
NECTARIFÈRE
NECTARIVORE
NÉERLANDAIS
NÉERLANDAIS
NÉGATIVISME
NÉGATOSCOPE
NÉGLIGEABLE
NÉGOCIATEUR
NÉGOCIATION
NÉGRILLONNE
NÉMATOCYSTE
NÉOCASTRIEN
NÉODOMIENNE
NÉOFASCISME
NÉOFASCISTE
NÉOGOTHIQUE
NÉOKANTISME
NÉOLITHIQUE
NÉOPLASIQUE
NÉORÉALISME
NÉORÉALISTE
NÉOTHOMISME
NÉPHRÉTIQUE
NÉPHROLOGIE
NÉPHROLOGUE
NESTORIENNE
NETTOIEMENT
NEUF-BRISACH
NEUFCHÂTEAU
NEUILLÉENNE
NEUNKIRCHEN
NEUROPATHIE
NEUROTOXINE
NEUTRALISÉE
NEUTRALISER
NEUTRALISME
NEUTRONIQUE
NEUTROPÉNIE
NEUTROPHILE
NEUVILLOISE

NÉVRALGIQUE
NÉVROPATHIE
NEWPORT NEWS
NEWTONIENNE
NEW-YORKAISE
NEW-YORKAISE
NGÔ DINH DIÊM
NICOTINIQUE
NIDS-DE-POULE
NIDS-D'OISEAU
NIEDERBRONN
NIETZSCHÉEN
NIGHTINGALE
NIJNI TAGUIL
NISHINOMIYA
NITRATATION
NITRATE-FUEL
NITRIFIANTE
NITROBACTER
NITROSATION
NITRURATION
NIVELLEMENT
NIVO-PLUVIAL
NOBÉLISABLE
NOCICEPTION
NOGENT-LE-ROI
NOIRCISSANT
NOIRCISSURE
NOIRMOUTIER
NOIRMOUTRIN
NOMBRILISME
NOMINALISÉE
NOMINALISER
NOMINALISIA
NOMINALISTE
NON ACCOMPLI
NON-ACTIVITÉ
NONAGÉNAIRE
NON-ALIGNÉES
NONCHALANCE
NONCHALANTE
NON-CROYANTE
NON-CROYANTS
NON DIRECTIF
NON-FUMEUSES
NON-INITIÉES
NON-INSCRITE
NON-INSCRITS
NON MARCHAND
NON-PAIEMENT
NONPAREILLE
NON-RECEVOIR
NON-RÉPONSES
NON-RÉSIDENT
NON-RESPECTS
NON-SALARIÉE
NON-SALARIÉS

NON STANDARD
NONTRONNAIS
NON-VIOLENCE
NON-VIOLENTE
NON-VIOLENTS
NON-VOYANTES
NORD-CORÉENS
NORD-CORÉENS
NORMALEMENT
NORMALIENNE
NORMALISANT
NORMATIVITÉ
NORMOGRAPHE
NORTHAMPTON
NORTHUMBRIE
NORVÉGIENNE
NORVÉGIENNE
NOSOCOMIALE
NOSOCOMIAUX
NOSOGRAPHIE
NOSTALGIQUE
NOSTRADAMUS
NOTABLEMENT
NOTIFICATIF
NOTIONNELLE
NOTOIREMENT
NOURRICIÈRE
NOURRISSAGE
NOURRISSANT
NOURRISSEUR
NOUVEAU-NÉES
NOUVELLISTE
NOUZONVILLE
NOVOROSSISK
NUCLÉARISÉE
NUCLÉARISER
NUCLÉONIQUE
NUCLÉOPHILE
NUDIBRANCHE
NUEVO LAREDO
NUMÉROLOGIE
NUMÉROLOGUE
NYCTHÉMÉRAL
NYÍREGYHÁZA
NYMPHOMANIE
NYSA LUZYCKA
OBJECTIVANT
OBJECTIVITÉ
OBJURGATION
OBLIGATAIRE
OBLIGATOIRE
OBLIQUEMENT
OBRÉNOVITCH
OBSCURÉMENT
OBSÉQUIEUSE
OBSERVATEUR
OBSERVATION

OBSIDIONALE
OBSIDIONAUX
OBSOLESCENT
OBSTÉTRICAL
OBSTÉTRIQUE
OBSTINATION
OBSTINÉMENT
OBSTRUCTION
OBSTRUCTIVE
OBTEMPÉRANT
OBTURATRICE
OBWALDIENNE
OCCASIONNÉE
OCCASIONNEL
OCCASIONNER
OCCIDENTALE
OCCIDENTALE
OCCIDENTAUX
OCCIDENTAUX
OCCITANISME
OCCULTATION
OCÉANOLOGIE
OCÉANOLOGUE
OCTAÉDRIQUE
OCTOGÉNAIRE
OCTOSYLLABE
OCULOMOTEUR
ODA NOBUNAGA
ODIEUSEMENT
ODONTOLOGIE
ODONTOMÈTRE
ODORIFÉRANT
ŒCOLAMPADE
ŒCUMÉNIQUE
ŒCUMÉNISME
ŒCUMÉNISTE
ŒDÉMATEUSE
ŒIL-DE-BŒUF
ŒIL-DE-TIGRE
ŒILLETONNÉ
ŒILS-DE-CHAT
OE KENZABURO
ŒNANTHIQUE
ŒNOLOGIQUE
ŒSOPHAGIEN
ŒSOPHAGITE
OFFICIALISÉ
OFFRANVILLE
OFFSETTISTE
OLÉAGINEUSE
OLÉICULTEUR
OLÉICULTURE
OLIGOPHRÈNE
OLIVER TWIST
OMBELLIFÈRE
OMNIPOTENCE
OMNIPOTENTE

OMNIPRÉSENT
OMNISCIENCE
OMNISCIENTE
ONDULATOIRE
ONGULIGRADE
ONIROMANCIE
ONOMASTIQUE
ONTOLOGIQUE
ONYCHOPHORE
ONZIÈMEMENT
OPACIMÉTRIE
OPALESCENCE
OPALESCENTE
OPALISATION
OPÉRA-BALLET
OPÉRA-BOUFFE
OPERCULAIRE
OPHIOGLOSSE
OPHTALMIQUE
OPINIÂTRETÉ
OPISTHODOME
OPPENHEIMER
OPPORTUNITÉ
OPPRESSANTE
OPTIMALISÉE
OPTIMALISER
OPTIONNELLE
ORANG-OUTANG
ORBICULAIRE
ORCHÉSIENNE
ORCHESTRALE
ORCHESTRANT
ORCHESTRAUX
ORDONNANCÉE
ORDONNANCER
ORDONNATEUR
ORGANICISME
ORGANICISTE
ORGANISABLE
ORGANOLOGIE
ORGANSINANT
ORGNAC-L'AVEN
ORGUEILLEUX
ORIENTATION
ORIENTEMENT
ORIGINALITÉ
ORNEMANISTE
ORNEMENTALE
ORNEMENTANT
ORNEMENTAUX
ORNITHOGALE
ORPHÉONISTE
ORTHÉZIENNE
ORTHOCENTRE
ORTHODONTIE
ORTHODROMIE
ORTHOGENÈSE

ORTHOGONALE
ORTHOGONAUX
ORTHOGRAPHE
ORTHONORMAL
ORTHONORMÉE
ORTHOPHONIE
ORTHOPTIQUE
ORTHOPTISTE
OSCILLATEUR
OSCILLATION
OSCULATRICE
OSTÉICHTYEN
OSTENTATION
OSTÉOBLASTE
OSTÉOCLASTE
OSTÉOGENÈSE
OSTÉOPATHIE
OSTÉOPOROSE
OTTAWA RIVER
OUAGADOUGOU
OUESSANTINE
OUTRAGEANTE
OUTRANCIÈRE
OUTRE-MANCHE
OUTREPASSÉE
OUTREPASSER
OUVERTEMENT
OUVRABILITÉ
OUVRE-BOÎTES
OUVRE-HUÎTRE
OUVRIÉRISME
OUVRIÉRISTE
OUZBÉKISTAN
OVALISATION
OVATIONNANT
OVIPOSITEUR
OVOVIVIPARE
OXENSTIERNA
OXFORDIENNE
OXYCARBONÉE
OXYCHLORURE
OXYGÉNATION
OZONOSPHÈRE
OZU YASUJIRO
PACHYDERMIE
PACY-SUR-EURE
PAGES-ÉCRANS
PAILLARDISE
PAIMBLOTINE
PAIMPOLAISE
PAIN DE SUCRE
PAIR-NON-PAIR
PAKISTANAIS
PAKISTANAIS
PALAISIENNE
PALAIS-ROYAL
PALALDÉENNE

PALANGROTTE
PALATALISÉE
PALATALISER
PALEFRENIER
PALÉOCLIMAT
PALÉOGRAPHE
PALÉORELIEF
PALÉOZOÏQUE
PALERMITAIN
PALESTINIEN
PALESTINIEN
PALETTISANT
PALETTISEUR
PALICINÉSIE
PALIMPSESTE
PALISSADANT
PALISSANDRE
PALISSONNÉE
PALISSONNER
PALLADIENNE
PALMATIFIDE
PALMATILOBÉ
PALPITATION
PALYNOLOGIE
PANAFRICAIN
PANARABISME
PANATHÉNÉES
PANCHEN-LAMA
PANCLASTITE
PANCRÉATITE
PANDÉMONIUM
PANÉGYRIQUE
PANÉGYRISTE
PANIER-REPAS
PANNEAUTANT
PANORAMIQUE
PANS-BAGNATS
PANSLAVISME
PANTELLERIA
PANTHALASSA
PANTOGRAPHE
PANTOUFLANT
PANTOUFLARD
PAOUSTOVSKI
PAPANDHRÉOU
PAPAVÉRACÉE
PAPELARDISE
PAPERASSIER
PAPHLAGONIE
PAPIER-ÉMERI
PAPILIONACÉ
PAPILLONNER
PAPILLOTAGE
PAPILLOTANT
PAPYROLOGIE
PAPYROLOGUE
PARABOLIQUE

PARABOLOÏDE
PARACENTÈSE
PARACÉTAMOL
PARACHEVANT
PARACHUTAGE
PARACHUTALE
PARACHUTANT
PARACHUTAUX
PARAFFINAGE
PARAFFINANT
PARAFFINÉES
PARAFISCALE
PARAFISCAUX
PARALANGAGE
PARALOGISME
PARALYSANTE
PARALYTIQUE
PARAMÉDICAL
PARAMÉTRANT
PARANGONNÉE
PARANGONNER
PARANOÏAQUE
PARANORMALE
PARANORMAUX
PARAPHRASÉE
PARAPHRASER
PARAPHRÉNIE
PARASITAIRE
PARASITISME
PARASTATALE
PARASTATAUX
PARCELLAIRE
PARCELLISÉE
PARCELLISER
PARCHEMINÉE
PAR-DERRIÈRE
PARDONNABLE
PARÉGORIQUE
PAREMENTANT
PAREMENTURE
PARENTALIES
PARENTÉRALE
PARENTÉRAUX
PARESTHÉSIE
PARIDIGITÉE
PARITARISME
PARLEMENTER
PARODONTALE
PARODONTAUX
PAROISSIALE
PAROISSIAUX
PAROPAMISUS
PAROXYSMALE
PAROXYSMAUX
PARPAILLOTE
PARTAGEABLE
PARTENARIAL

PARTENARIAT
PARTICIPANT
PARTICIPIAL
PARTICULIER
PARTURIENTE
PARTURITION
PASCALIENNE
PAS-DE-CALAIS
PAS DE LA CASE
PASSACAILLE
PASSAROWITZ
PASSE-DROITS
PASSE-LACETS
PASSEPOILÉE
PASSING-SHOT
PASSIONISTE
PASSIONNANT
PASSIVATION
PASSIVEMENT
PASTELLISTE
PASTEURELLA
PASTEURISÉE
PASTEURISER
PASTICHEUSE
PASTILLEUSE
PASTORIENNE
PASTOUREAUX
PASTOURELLE
PATALIPUTRA
PATAUGEOIRE
PATHOGENÈSE
PATIBULAIRE
PATOUILLANT
PATRIARCALE
PATRIARCAUX
PATRICIENNE
PATRILOCALE
PATRILOCAUX
PATRIMONIAL
PATRIOTIQUE
PATRIOTISME
PATRISTIQUE
PATRONNESSE
PATROUILLER
PATTE-DE-LOUP
PAUL-BONCOUR
PAULINIENNE
PAUPÉRISANT
PAVIMENTEUX
PAVLOVIENNE
PAVOISEMENT
PAYSANNERIE
PEARL HARBOR
PEAUX-ROUGES
PEAUX-ROUGES
PÉDAGOGIQUE
PÉDANTESQUE

PÉDIATRIQUE
PÉDICULAIRE
PEI IEOH MING
PEINTURLURÉ
PÉLARGONIUM
PELLAGREUSE
PELLE-PIOCHE
PELLICULAGE
PELLICULANT
PELLICULEUX
PÉLOPONNÈSE
PELOTONNANT
PELVIMÉTRIE
PÉNALISANTE
PENDOUILLER
PÉNÉTRATION
PÉNIBLEMENT
PÉNICILLINE
PÉNICILLIUM
PÉNITENCIER
PÉNITENTIEL
PENSIONNANT
PENSIVEMENT
PENTAGONALE
PENTAGONAUX
PENTARADIÉE
PENTATEUQUE
PENTHÉSILÉE
PÉPIN LE BREF
PERCE-PIERRE
PERCEPTIBLE
PERCHERONNE
PERCHERONNE
PERCHLORATE
PERCNOPTÈRE
PERCOLATEUR
PERCOLATION
PÉREMPTOIRE
PÉRENNISANT
PÉRÉQUATION
PERESTROÏKA
PÉREZ GALDÓS
PERFECTIBLE
PERFIDEMENT
PERFORATEUR
PERFORATION
PERFORMANCE
PERFORMANTE
PERFORMATIF
PÉRICARDITE
PÉRICHONDRE
PÉRICLITANT
PÉRIGORDIEN
PÉRIGORDINE
PÉRIGORDINE
PÉRIGOURDIN
PÉRIGOURDIN

PÉRIODICITÉ
PÉRITONÉALE
PÉRITONÉAUX
PÉRIURBAINE
PERLINGUALE
PERLINGUAUX
PERMUTATION
PERNICIEUSE
PERPÉTUELLE
PERROSIENNE
PERSÉCUTANT
PERSÉCUTEUR
PERSÉCUTION
PERSÉVÉRANT
PERSIFLEUSE
PERSISTANCE
PERSISTANTE
PERSONNELLE
PERSONNIFIÉ
PERSPECTIVE
PÈSE-ESPRITS
PÈSE-LETTRES
PÈSE-LIQUEUR
PÉTARADANTE
PÉTILLEMENT
PETIT-BEURRE
PETITE-FILLE
PETITE-NIÈCE
PÉTITIONNER
PETIT-MAÎTRE
PETITPIERRE
PETIT POUCET
PETIT PRINCE
PETITS-FOURS
PETITS-LAITS
PETIT-SUISSE
PÉTOUILLANT
PÉTRIFIANTE
PÉTRISSEUSE
PÉTROCHIMIE
PÉTRODOLLAR
PÉTROGENÈSE
PÉTROGLYPHE
PÉTROGRAPHE
PÉTROLIFÈRE
PETS-DE-NONNE
PEYREHORADE
PHAGOCYTANT
PHAGOCYTOSE
PHALANGETTE
PHALANGISTE
PHALANSTÈRE
PHALLOCRATE
PHAM VAN DÔNG
PHANARIOTES
PHANÉROGAME
PHARAONIQUE

PHARISAÏSME
PHARISIENNE
PHARMACOPÉE
PHASMOPTÈRE
PHELLODERME
PHÉNICIENNE
PHÉNICIENNE
PHÉNOMÉNALE
PHÉNOMÉNAUX
PHÉNOPLASTE
PHILIPPINES
PHILIPPIQUE
PHILIPSBURG
PHILOPŒMEN
PHILOSOPHER
PHILOSOPHIE
PHLÉBOLOGIE
PHLÉBOLOGUE
PHONÉTICIEN
PHONOGRAMME
PHONOGRAPHE
PHONOTHÈQUE
PHOSPHATAGE
PHOSPHATANT
PHOSPHATASE
PHOSPHORANT
PHOSPHOREUX
PHOSPHORITE
PHOSPHORYLE
PHOTOCHIMIE
PHOTOCOPIÉE
PHOTOCOPIER
PHOTO-FINISH
PHOTOGENÈSE
PHOTOGRAMME
PHOTOGRAPHE
PHOTOMÉTRIE
PHOTOPHOBIE
PHOTOSPHÈRE
PHOTOTHÈQUE
PHRÉNOLOGIE
PHYCOMYCÈTE
PHYLLOTAXIE
PHYLOGENÈSE
PHYSICIENNE
PHYSIOCRATE
PHYSIOLOGIE
PHYSIONOMIE
PHYSOSTIGMA
PHYTÉLÉPHAS
PHYTOZOAIRE
PIAILLEMENT
PIANISSIMOS
PIANISTIQUE
PIATRA NEAMT
PICCOLOMINI
PICTOGRAMME

PIED-DE-BICHE
PIED-DE-POULE
PIED-D'OISEAU
PIEDS-DE-LION
PIEDS-DE-LOUP
PIEDS-DE-VEAU
PIEDS-DROITS
PIEDS-NOIRES
PIÉMONTAISE
PIÉMONTAISE
PIERREFITTE
PIERREFONDS
PIERRELATTE
PIÉTINEMENT
PIÉTONNIÈRE
PIÉZOGRAPHE
PIGEONNANTE
PIGEONNEAUX
PIGMENTAIRE
PIGNORATIVE
PILLOW-LAVAS
PILOCARPINE
PILO-SÉBACÉE
PILO-SÉBACÉS
PIMPRENELLE
PINAILLEUSE
PINAR DEL RÍO
PINCOURTOIS
PIPISTRELLE
PIQUE-BŒUFS
PIQUE-FLEURS
PIQUE-NIQUER
PIQUE-NIQUES
PIROUETTANT
PISCIACAISE
PISOLITIQUE
PITEUSEMENT
PITHIATISME
PITHIVÉRIEN
PITTORESQUE
PITTOSPORUM
PIXERÉCOURT
PLACENTAIRE
PLACIDEMENT
PLACOPLÂTRE
PLAGIOCLASE
PLAISAMMENT
PLAISANCIER
PLAISANTANT
PLANCHÉIAGE
PLANCHÉIANT
PLAN-CONCAVE
PLAN-CONVEXE
PLANÉTARIUM
PLANIFIABLE
PLANIMÉTRIE
PLANISPHÈRE

PLANSICHTER
PLANS-MASSES
PLANTAGENÊT
PLANTIGRADE
PLANTUREUSE
PLASMATIQUE
PLASTIFIANT
PLASTIQUAGE
PLASTIQUANT
PLASTIQUEUR
PLASTRONNER
PLATERESQUE
PLATINIFÈRE
PLATONICIEN
PLÉBISCITÉE
PLÉBISCITER
PLEIN-EMPLOI
PLEINS-TEMPS
PLEINS-VENTS
PLÉISTOCÈNE
PLÉSIOSAURE
PLÉTHORIQUE
PLEURÉTIQUE
PLEURNICHER
PLEURODYNIE
PLOUTOCRATE
PLUMASSERIE
PLUMASSIÈRE
PLUM-PUDDING
PLURIANNUEL
PLURICAUSAL
PLURILINGUE
PLURIVALENT
PLUVIOMÈTRE
PNEUMATIQUE
PNEUMOCOQUE
PNEUMOLOGIE
PNEUMOLOGUE
POCHOTHÈQUE
POÉTISATION
POGONOPHORE
POIGNARDANT
POINÇONNAGE
POINÇONNANT
POINÇONNEUR
POINTE-NOIRE
POINTILLAGE
POINTILLANT
POINTILLEUX
POINTS DE VUE
POIREAUTANT
POISSON-CHAT
POISSON-ÉPÉE
POISSON-LUNE
POISSONNEUX
POISSONNIER
POISSON-SCIE

POITRINAIRE
POLARIMÈTRE
POLÉMIQUANT
POLÉMOLOGIE
POLICOLOGIE
POLISSONNER
POLITICARDE
POLITOLOGIE
POLITOLOGUE
POLLAKIURIE
POLONNARUWA
POLYCHROMIE
POLYCOPIANT
POLYCOURANT
POLYCULTURE
POLYÉDRIQUE
POLYGÉNIQUE
POLYGÉNISME
POLYGONACÉE
POLYMÉRISÉE
POLYMÉRISER
POLYNÉVRITE
POLYNOMIALE
POLYNOMIAUX
POLYOLÉFINE
POLYPEPTIDE
POLYSÉMIQUE
POLYSTYRÈNE
POLYSULFURE
POLYSYLLABE
POLYSYNODIE
POLYTHÉISME
POLYTHÉISTE
POLYVALENCE
POLYVALENTE
POMICULTEUR
POMOLOGISTE
POMPIÉRISME
PONCTIONNÉE
PONCTIONNER
PONCTUALITÉ
PONCTUATION
PONDÉRATEUR
PONDÉRATION
PONIATOWSKI
PONT-À-CELLES
PONTA GROSSA
PONT-AUDEMER
PONT-BASCULE
PONTCHÂTEAU
PONT-DE-ROIDE
PONTE-LECCIA
PONTIFIANTE
PONTIFICALE
PONTIFICAUX
PONTIVYENNE
PONT-L'ÉVÊQUE

PONT-L'ÉVÊQUE
PONTOPPIDAN
PONTS-CANAUX
PONTS-ROUTES
POPULACIÈRE
POPULARISÉE
POPULARISER
PORCARTOISE
PORNOGRAPHE
PORPHYRIQUE
PORPHYROÏDE
PORTABILITÉ
PORT-CARTIER
PORTE-AMARRE
PORTE-À-PORTE
PORTE-AVIONS
PORTE-BALAIS
PORTE-BARGES
PORTE-BILLET
PORTE-CARTES
PORTE-CIGARE
PORTE-COPIES
PORTE-CRAYON
PORTE-FANION
PORTE-GLAIVE
PORTE-GLAIVE
PORTE-GREFFE
PORTE-HAUBAN
PORTE-MONTRE
PORTE-OBJETS
PORTE-OUTILS
PORTE-PAPIER
PORTE-PAQUET
PORTE-PAROLE
PORTE-PLUMES
PORTE-QUEUES
PORTE-REVUES
PORTE-SAVONS
PORTES DE FER
PORT-ÉTIENNE
PORT-GRIMAUD
PORT-LYAUTEY
PORT MORESBY
PORTO ALEGRE
PORT OF SPAIN
PORTO-NOVIEN
PORTORICAIN
PORTORICAIN
PORTRAITURÉ
PORT-VENDRES
PORT-VILAISE
PORTZAMPARC
PORTZMOGUER
POSITIONNÉE
POSITIONNER
POSITIVISME
POSITIVISTE

POSITRONIUM
POSSESSOIRE
POSSIBILITÉ
POSTÉRIEURE
POSTILLONNÉ
POST-MARCHÉS
POSTMODERNE
POTAMOCHÈRE
POTAMOLOGIE
POTENTIELLE
POTESTATIVE
POTRON-MINET
POTS-POURRIS
POUCES-PIEDS
POUGATCHIOV
POULO CONDOR
POUPONNIÈRE
POURCENTAGE
POURCHASSÉE
POURCHASSER
POURFENDANT
POURFENDEUR
POURLÉCHANT
POURPARLERS
POURRISSAGE
POURRISSANT
POURRISSOIR
POURSUITEUR
POURSUIVANT
POURVOYEUSE
POUSSIÉREUX
POUSSINIÈRE
PRAGMATIQUE
PRAGMATISME
PRAGMATISTE
PRATICIENNE
PRATIQUANTE
PRÉCAMBRIEN
PRÉCAMPAGNE
PRÉCARISANT
PRÉCELLENCE
PRÉCEPTORAT
PRÉCEPTRICE
PRÉCHAUFFÉE
PRÉCHAUFFER
PRÉCIPITANT
PRÉCISÉMENT
PRÉCOCEMENT
PRÉCOMPTANT
PRÉCONISANT
PRÉCORDIALE
PRÉCORDIAUX
PRÉDÉCOUPÉE
PRÉDESTINÉE
PRÉDESTINER
PRÉDICATEUR
PRÉDICATION

PRÉDICATIVE
PRÉDICTIBLE
PRÉDISPOSÉE
PRÉDISPOSER
PRÉDOMINANT
PRÉEMBALLÉE
PRÉÉMINENCE
PRÉÉMINENTE
PRÉENCOLLÉE
PRÉEXISTANT
PRÉFABRIQUÉ
PRÉFECTORAL
PRÉFIGURANT
PRÉFIXATION
PRÉGÉNITALE
PRÉGÉNITAUX
PRÉHISTOIRE
PRÉHOMINIEN
PRÉJUDICIÉE
PRÉJUDICIEL
PRÉLÈVEMENT
PRÉMATURITÉ
PRÉMÉDITANT
PREMIÈRE-NÉE
PREMIER PITT
PREMIERS-NÉS
PRÉMONITION
PREMYSLIDES
PRÉNUPTIALE
PRÉNUPTIAUX
PRÉOCCUPANT
PRÉŒDIPIEN
PRÉPARATEUR
PRÉPARATION
PRÉPOSITION
PRÉPOSITIVE
PRÉPSYCHOSE
PRÉRETRAITE
PRÉRETRAITÉ
PRÉROGATIVE
PRESBYTÉRAL
PRÉSCOLAIRE
PRESCRIVANT
PRÉSENTABLE
PRÉSERVATIF
PRÉSOMPTION
PRÉSOMPTIVE
PRESSENTANT
PRESSE-PURÉE
PRESSIGNOIS
PRESSURISÉE
PRESSURISER
PRESTATAIRE
PRESTIGIEUX
PRESTISSIMO
PRÉSUPPOSÉE
PRÉSUPPOSER

PRÊT-À-COUDRE
PRÊT-À-MONTER
PRÉTANTAINE
PRÊT-À-PORTER
PRÉTENDANTE
PRÉTENTAINE
PRÉTENTIEUX
PRÉTÉRITANT
PRÉTÉRITION
PRÉTORIENNE
PRILLIÉRANE
PRIMEURISTE
PRIMORDIALE
PRIMORDIAUX
PRINCIPAUTÉ
PRINTANIÈRE
PRIORITAIRE
PRISCILLIEN
PRISMATIQUE
PRISONNIÈRE
PRIVATISANT
PRIVILÉGIÉE
PRIVILÉGIER
PROBABILITÉ
PROCÉDURALE
PROCÉDURAUX
PROCÉDURIER
PROCLITIQUE
PROCONSULAT
PROCRÉATEUR
PROCRÉATION
PROCTOLOGIE
PROCTOLOGUE
PROCURATEUR
PROCURATION
PRODIGALITÉ
PRODIGIEUSE
PRODROMIQUE
PRODUCTIBLE
PRODUCTIQUE
PRODUCTRICE
PROÉMINENCE
PROÉMINENTE
PROFANATEUR
PROFANATION
PROFESSORAL
PROFESSORAT
PROFITEROLE
PROGÉNITURE
PROGESTATIF
PROGRAMMANT
PROGRAMMEUR
PROGRESSANT
PROGRESSION
PROGRESSIVE
PROHIBITION
PROHIBITIVE

PROKOPIEVSK
PROLÉTARIAT
PROLÉTARIEN
PROLÉTARISÉ
PROLIFÉRANT
PROLONGEANT
PROMETTEUSE
PROMISCUITÉ
PROMONTOIRE
PROMPTEMENT
PROMPTITUDE
PROMULGUANT
PRONOMINALE
PRONOMINAUX
PRONONÇABLE
PRONOSTIQUE
PRONOSTIQUÉ
PROPAGATEUR
PROPAGATION
PROPHÉTESSE
PROPHÉTIQUE
PROPHÉTISÉE
PROPHÉTISER
PROPHÉTISME
PROPHYLAXIE
PROPITHÈQUE
PROPOSITION
PROPRE-À-RIEN
PROROGATION
PROROGATIVE
PROSCRIVANT
PROSPECTANT
PROSPECTEUR
PROSPECTION
PROSPECTIVE
PROSTATIQUE
PROSTERNANT
PROSTITUANT
PROSTRATION
PROTECTORAT
PROTECTRICE
PROTÈGE-SLIP
PROTÉIFORME
PROTÉINIQUE
PROTÉINURIE
PROTESTABLE
PROTESTANTE
PROTHÉSISTE
PROTHÉTIQUE
PROTOCOCCUS
PROTOÉTOILE
PROTOPLASMA
PROTOPLASME
PROTOTYPAGE
PROTOZOAIRE
PROTRACTILE
PROTUBÉRANT

PROUDHONIEN
PROUSTIENNE
PROVERBIALE
PROVERBIAUX
PROVINCIALE
PROVINCIAUX
PROVISIONNÉ
PROVITAMINE
PROVOCATEUR
PROVOCATION
PRURIGINEUX
PSALMODIANT
PSAMMÉTIQUE
PSILOCYBINE
PSITTACISME
PSYCHIATRIE
PSYCHODRAME
PSYCHOLOGIE
PSYCHOLOGUE
PSYCHOPATHE
PSYCHOPOMPE
PSYCHOTIQUE
PSYCHOTROPE
PTOLÉMAÏQUE
PUBLICATION
PUDIQUEMENT
PUÉRILEMENT
PUERTOLLANO
PUERTO MONTT
PUISSAMMENT
PUJOL I SOLEY
PULLULATION
PULLULEMENT
PULPECTOMIE
PULVÉRISANT
PULVÉRISEUR
PULVÉRULENT
PUNTA ARENAS
PUPILLARITÉ
PURITANISME
PUSILLANIME
PUTÉOLIENNE
PUTRÉFIABLE
PUTRESCENCE
PUTRESCIBLE
PYCNOGONIDE
PYOCYANIQUE
PYRIMIDIQUE
PYROGRAVURE
PYROLIGNEUX
PYROTECHNIE
PYRRHOCORIS
PYRRHONISME
QALAAT SIMAN
QUADRATIQUE
QUADRIENNAL
QUADRILLAGE

QUADRILLANT
QUADRUPLANT
QUADRUPLÉES
QUALIFIABLE
QUALIFIANTE
QUALITATIVE
QUALITICIEN
QUANTIFIANT
QUANTITATIF
QUARANTAINE
QUARANTIÈME
QUARTANNIER
QUART-DE-ROND
QUARTERONNE
QUARTZIFÈRE
QUASI-DÉLITS
QUATERNAIRE
QUATORZIÈME
QUATRE-TEMPS
QUATRE-VINGT
QUATRILLION
QUEDLINBURG
QUELQUEFOIS
QUELQUE PART
QUELQUES-UNS
QUÉMANDEUSE
QU'EN-DIRA-T-ON
QUERCINOISE
QUERCINOISE
QUERCITAINE
QUERCYNOIS
QUERCYNOISE
QUERELLEUSE
QUESNOYSIEN
QUESTEMBERT
QUESTIONNÉE
QUESTIONNER
QUEUES-DE-PIE
QUEUES-DE-RAT
QUEVILLAISE
QUICHENOTTE
QUILLANAISE
QUIMBOISEUR
QUIMPERLOIS
QUIMPÉROISE
QUINOCÉENNE
QUINQUENNAL
QUINQUENNAT
QUINTE-CURCE
QUINTILLION
QUINTUPLANT
QUINTUPLÉES
QUITÉNIENNE
QUOTES-PARTS
QUOTIDIENNE
QURAYCHITES
RABATTEMENT

RABELAISIEN
RABIBOCHANT
RABOUILLÈRE
RABOUILLEUR
RACCOMMODÉE
RACCOMMODER
RACCOMPAGNÉ
RACCROCHAGE
RACCROCHANT
RACHIDIENNE
RACHMANINOV
RACKETTEUSE
RACQUET-BALL
RADICALAIRE
RADICALISÉE
RADICALISER
RADICALISME
RADICOTOMIE
RADICULAIRE
RADIOACTIVE
RADIOBALISE
RADIOBALISÉ
RADIOCOBALT
RADIOCOMPAS
RADIO FRANCE
RADIOGUIDÉE
RADIOGUIDER
RADIOLARITE
RADIOLÉSION
RADIOPHONIE
RADIORÉVEIL
RADIOSCOPIE
RADIOSOURCE
RAFFINEMENT
RAFISTOLAGE
RAFISTOLANT
RAFSANDJANI
RAGAILLARDI
RAGEUSEMENT
RAGGAMUFFIN
RAGOUGNASSE
RAHAT-LOKOUM
RAISONNABLE
RAISONNEUSE
RAJAHMUNDRY
RAJUSTEMENT
RAKHMANINOV
RALLONGEANT
RAMAKRISHNA
RAMBOLITAIN
RAMBOUILLET
RAMÓN Y CAJAL
RAMPONNEAUX
RANÇONNEUSE
RANDOMISANT
RANDONNEUSE
RANJIT SINGH

RAPATRIABLE
RAPETASSAGE
RAPETASSANT
RAPETISSANT
RAPHAÉLIQUE
RAPHAËLOISE
RAPIÈCEMENT
RAPPAREILLÉ
RAPPLIQUANT
RAPPORTEUSE
RAPPROCHAGE
RAPPROCHANT
RAQUETTEUSE
RARÉFACTION
RAS AL-KHAYMA
RASKOLNIKOV
RASPOUTITSA
RASSEMBLANT
RASSEMBLEUR
RASSÉRÉNANT
RATATOUILLE
RATIBOISANT
RATIOCINANT
RATIONALISÉ
RATIONALITÉ
RATIONNAIRE
RATIONNELLE
RATTACHISTE
RATTRAPABLE
RAVENSBRÜCK
RAVE-PARTIES
RAVIGOTANTE
RAVILISSANT
RAVISSEMENT
RAVITAILLÉE
RAVITAILLER
RAYONNEMENT
RÉABSORBANT
RÉACCOUTUMÉ
RÉACTIONNEL
RÉACTUALISÉ
RÉADMETTANT
RÉADMISSION
RÉAFFIRMANT
RÉALISATEUR
RÉALISATION
REALITY-SHOW
REALPOLITIK
RÉANIMATEUR
RÉANIMATION
RÉAPPRENANT
RÉAPPRENDRE
RÉARGENTANT
RÉASSIGNANT
RÉASSURANCE
REBAPTISANT
RÉBARBATIVE

REBÂTISSANT
REBATTEMENT
REBOISEMENT
REBOUTONNÉE
REBOUTONNER
REBROUSSANT
RECACHETANT
RECALCIFIÉE
RECALCIFIER
RECALCULANT
RÉCAPITULÉE
RÉCAPITULER
RECENSEMENT
RÉCEPTIONNÉ
RÉCEPTIVITÉ
RÉCESSIVITÉ
RECHANGEANT
RECHARGEANT
RÉCHAUFFAGE
RÉCHAUFFANT
RÉCHAUFFEUR
RECHAUSSANT
RECHERCHANT
RÉCIDIVANTE
RÉCIDIVISTE
RÉCIPROCITÉ
RÉCIPROQUÉE
RÉCIPROQUER
RÉCLAMATION
RÉCOGNITION
RECOLLEMENT
RECOMBINANT
RECOMMANDÉE
RECOMMANDER
RECOMMENCÉE
RECOMMENCER
RÉCOMPENSÉE
RÉCOMPENSER
RECOMPOSANT
RÉCONCILIÉE
RÉCONCILIER
RÉCONFORTÉE
RÉCONFORTER
RECONNAÎTRE
RECONQUÉRIR
RECONQUISTA
RECONSIDÉRÉ
RECONSTITUÉ
RECONSTRUIT
RECONVERTIE
RECONVERTIR
RECORDWOMAN
RECORDWOMEN
RECOUPEMENT
RECOUVRABLE
RÉCRIMINANT
RECROISSANT

RECRUTEMENT
RECTIFIABLE
RECTIFIEUSE
RECTO-COLITE
RECTOSCOPIE
RECUEILLANT
RECULOTTANT
RÉCUPÉRABLE
RÉCURSIVITÉ
REDÉCOUVERT
REDÉCOUVRIR
REDÉFAISANT
REDEMANDANT
REDÉMARRAGE
REDÉMARRANT
RÉDEMPTRICE
REDÉPLOYANT
REDESCENDRE
REDESCENDUE
RÉDHIBITION
REDIFFUSANT
REDIFFUSION
REDISCUTANT
REDISTRIBUÉ
REDOUBLANTE
REDRESSEUSE
RÉÉDUCATION
RÉEMBAUCHÉE
RÉEMBAUCHER
RÉEMPLOYANT
RÉEMPRUNTÉE
RÉEMPRUNTER
RÉENGAGEANT
RÉENSEMENCÉ
RÉÉQUILIBRÉ
RÉESCOMPTÉE
RÉESCOMPTER
RÉEXAMINANT
RÉEXPÉDIANT
RÉEXPORTANT
REFAÇONNANT
RÉFÉRENÇANT
RÉFÉRENTIEL
RÉFLEXIVITÉ
RÉFLEXOGÈNE
REFONDATION
RÉFORMATEUR
RÉFORMATION
REFORMULANT
REFOUILLANT
REFOULEMENT
RÉFRACTAIRE
RÉFRANGIBLE
RÉFRÈNEMENT
RÉFRIGÉRANT
RÉFRINGENCE
RÉFRINGENTE

RÉGIONALISÉ
REGISTRAIRE
RÉGLEMENTÉE
RÉGLEMENTER
REGORGEMENT
REGRATTIÈRE
REGRETTABLE
RÉGULARISÉE
RÉGULARISER
RÉGULATRICE
RÉGURGITANT
RÉHABILITÉE
RÉHABILITER
RÉHABITUANT
RÉHYDRATANT
REICHENBACH
RÉIFICATION
RÉIMPLANTÉE
RÉIMPLANTER
RÉIMPORTANT
RÉIMPRIMANT
RÉINCARCÉRÉ
RÉINCARNANT
RÉINCORPORÉ
REINE-CLAUDE
REINE MARGOT
RÉINSERTION
RÉINSTALLÉE
RÉINSTALLER
RÉINTÉGRANT
RÉINTRODUIT
RÉINVENTANT
RÉITÉRATION
RÉITÉRATIVE
REJOINTOYÉE
REJOINTOYER
RÉJOUISSANT
RELÂCHEMENT
RELATIONNEL
RELATIVISÉE
RELATIVISER
RELATIVISME
RELATIVISTE
RELECQUOISE
RELEVAILLES
RELIGIOSITÉ
REMANIEMENT
REMAQUILLÉE
REMAQUILLER
REMARQUABLE
REMASTICAGE
REMASTIQUÉE
REMASTIQUER
REMBARQUANT
REMBAUCHANT
REMBLAYEUSE
REMBOBINANT

REMBOURRAGE
REMBOURRANT
REMBOURRURE
REMBOURSANT
REMMAILLAGE
REMMAILLANT
REMMAILLOTÉ
REMMANCHANT
REMONTRANCE
REMORQUEUSE
REMOUILLANT
REMPAILLAGE
REMPAILLANT
REMPAILLEUR
REMPAQUETÉE
REMPAQUETER
REMPLAÇABLE
REMPLAÇANTE
REMPLISSAGE
REMPLISSANT
REMPRUNTANT
REMUE-MÉNAGE
RENAISSANCE
RENAISSANCE
RENAISSANTE
RENCAISSAGE
RENCAISSANT
RENCONTRANT
RENÉGOCIANT
RENFROGNANT
RENGAGEMENT
RENGORGEANT
RENGRAISSER
RENIER DE HUY
RENIFLEMENT
RENONCEMENT
RENOUVELANT
RÉNOVATRICE
RENSEIGNANT
RENTABILISÉ
RENTABILITÉ
RENTOILEUSE
RENTRAITURE
RENVERSANTE
RÉORCHESTRÉ
RÉORGANISÉE
RÉORGANISER
RÉORIENTANT
RÉOUVERTURE
RÉPARATRICE
RÉPARTITEUR
RÉPARTITION
RÉPERCUTANT
RÉPERTORIÉE
RÉPERTORIER
RÉPÉTITRICE
REPLACEMENT

RÉPLICATION
REPLOIEMENT
REPLONGEANT
REPOLISSAGE
REPOLISSANT
REPOSE-PIEDS
REPOUSSANTE
REPRÉSENTÉE
REPRÉSENTER
RÉPRIMANDÉE
RÉPRIMANDER
RÉPROBATEUR
RÉPROBATION
REPRODUCTIF
REPROGRAMMÉ
REPTILIENNE
RÉPUBLICAIN
RÉPUDIATION
REQUALIFIÉE
REQUALIFIER
REQUINQUANT
REQUIN-TAUPE
RÉQUISITION
RESALISSANT
RESCINDABLE
RESCINDANTE
RÉSERVATION
RÉSIDENTIEL
RÉSIGNATION
RÉSILIATION
RESISTENCIA
RÉSISTIVITÉ
RESOCIALISÉ
RÉSOLUTOIRE
RESPECTABLE
RESPECTUEUX
RESPIRATEUR
RESPIRATION
RESPONSABLE
RESQUILLAGE
RESQUILLANT
RESQUILLEUR
RESSAIGNANT
RESSEMBLANT
RESSEMELAGE
RESSEMELANT
RESSOURÇANT
RESSOUVENIR
RESSOUVENUE
RESSUSCITÉE
RESSUSCITER
RESTITUABLE
RESTITUTION
RESTREINDRE
RESTRICTION
RESTRICTIVE
RESTRUCTURÉ

RETARDATEUR
RETARDEMENT
RÉTICULAIRE
RETORDEMENT
RETOUCHEUSE
RÉTRACTABLE
RETRAITANTE
RETRANCHANT
RETRANSCRIT
RETRANSMISE
RETRAVAILLÉ
RETRAVERSÉE
RETRAVERSER
RÉTREIGNANT
RÉTRIBUTION
RÉTROACTION
RÉTROACTIVE
RÉTROCÉDANT
RÉTROGRADÉE
RÉTROGRADER
RETROUSSANT
RÉTROVISEUR
RÉUNIONNAIS
RÉUNIONNAIS
RÉUNIONNITE
RÉUSSISSANT
RÉUTILISANT
REVACCINANT
REVALORISÉE
REVALORISER
REVANCHARDE
REVANCHISME
RÉVEILLONNÉ
RÉVÉLATRICE
REVENDIQUÉE
REVENDIQUER
RÉVERBÉRANT
REVERSEMENT
RÊVEUSEMENT
RÉVISIONNEL
REVITALISÉE
REVITALISER
REVIVIFIANT
REVIVISCENT
RÉVOCATOIRE
REZ-DE-JARDIN
RHADAMANTHE
RHAZNÉVIDES
RHÉOLOGIQUE
RHÉTORICIEN
RHÉTO-ROMANE
RHÉTO-ROMANS
RHEXISTASIE
RHINOSCOPIE
RHIZOMATEUX
RHODANIENNE
RHODANIENNE

RHODE ISLAND	**ROQUECOURBE**	**SAINT-BENOÎT**
RHODOPHYCÉE	ROSÉ-DES-PRÉS	**SAINT-BLAISE**
RHOMBOÏDALE	**ROSEMÈROISE**	**SAINT-BONNET**
RHOMBOÏDAUX	ROSH HA-SHANA	**SAINT-BRÉVIN**
RHUMATISANT	ROSICRUCIEN	**SAINT-BRIEUC**
RHUMATISMAL	**ROSTOPCHINE**	**SAINT-CALAIS**
RIBEAUVILLÉ	**ROSTRENOISE**	**SAINT-CÉRÉEN**
RIBOFLAVINE	ROTATIVISTE	**SAINT-CHÉRON**
RIBOSOMIQUE	ROTOGRAVURE	**SAINT-CLAUDE**
RICAMANDOIS	ROUBLARDISE	SAINT-CRÉPIN
RICHARD'S BAY	ROUCOULANTE	SAINT-CYRIEN
RIDICULISÉE	ROUES-PELLES	**SAINT-CYRIEN**
RIDICULISER	ROUGEOLEUSE	**SAINT-DIDIER**
RIEFENSTAHL	ROUGEOYANTE	**SAINT-DIZIER**
RIEUPEYROUX	ROUGISSANTE	SAINTE-BARBE
RIGIDIFIANT	ROUSCAILLER	**SAINTE-BAUME**
RIMAILLEUSE	ROUSPÉTANCE	**SAINTE-BEUVE**
RIMOUSKOISE	ROUSPÉTEUSE	**SAINTE-CROIX**
RINCE-BOUCHE	ROUSSEROLLE	**SAINT-ÉGRÈVE**
RINCE-DOIGTS	ROUSSISSANT	**SAINTE-JULIE**
RINFORZANDO	**ROZAY-EN-BRIE**	**SAINTE LIGUE**
RINGARDISÉE	RUBÉFACTION	**SAINTE-LUCIE**
RINGARDISER	RUBIGINEUSE	**SAINTE-MARIE**
RINK-HOCKEYS	RUGISSEMENT	SAINTE-MAURE
RIOURIKIDES	RUINE-DE-ROME	**SAINTE-MAURE**
RIPAILLEUSE	RUISSELANTE	**SAINTE-ODILE**
RIPPLE-MARKS	**RÜSSELSHEIM**	SAINT-ESPRIT
RISTOURNANT	SABLONNEUSE	**SAINT-ESPRIT**
RITOURNELLE	SABLONNIÈRE	**SAINT-ESTÈVE**
RITUALISANT	SABORDEMENT	**SAINTE UNION**
RIVERAINETÉ	SACCHARIFIÉ	**SAINTE-VEHME**
RIZICULTEUR	SACCHAROÏDE	**SAINT-GELAIS**
RIZICULTURE	SACERDOTALE	**SAINT-GENEST**
ROBERT BRUCE	SACERDOTAUX	**SAINT-GENIEZ**
ROBERT LE BON	SAC-POUBELLE	**SAINT GEORGE**
ROBERVALOIS	SACRALISANT	**SAINT-GILDAS**
ROBESPIERRE	SACRAMENTAL	**SAINT-GILLES**
ROCAILLEUSE	SACRAMENTEL	**SAINT-GIRONS**
ROCHES-MÈRES	SACRIFICIEL	**SAINT-GOBAIN**
ROCHETTOISE	SACRO-SAINTE	**SAINT HELENS**
ROCH HA-SHANA	SACRO-SAINTS	**SAINT-HÉLIER**
ROCK AND ROLL	SADDUCÉENNE	SAINT-HONORÉ
ROCKEFELLER	**SÁ DE MIRANDA**	**SAINT-HONORÉ**
RODOMONTADE	SADIQUE-ANAL	**SAINT-HUBERT**
ROHAN-CHABOT	SADIQUEMENT	**SAINT-ISMIER**
ROKOSSOVSKI	SAFARI-PHOTO	**SAINT-JAMAIS**
RÔLES-TITRES	SAGES-FEMMES	**SAINT-JEOIRE**
ROLIVALOISE	**SAILLATAISE**	**SAINT-JÉRÔME**
ROLLER BALLS	SAILLISSANT	**SAINT-JOSEPH**
ROMAINVILLE	**SAINT-ACHEUL**	**SAINT-JULIEN**
ROMAN-FLEUVE	**SAINT-AGRÈVE**	**SAINT-JUNIEN**
ROMÉ DE L'ISLE	**SAINT-AIGNAN**	**SAINT-LAZARE**
RONCHONNANT	**SAINT ALBANS**	**SAINT-LIZIER**
RONCHONNEUR	**SAINT-AMARIN**	**SAINT-LUCIEN**
RONDS-DE-CUIR	**SAINT-ARNAUD**	**SAINT-MARTIN**
RONDS-POINTS	**SAINT-ASTIER**	**SAINT-MÉDARD**
RONÉOTYPANT	**SAINT-AYGULF**	**SAINT-MICHEL**

SAINT-MIHIEL
SAINT-MORITZ
SAINT-OFFICE
SAINT-PALAIS
SAINT-PAULIA
SAINT-PAULIN
SAINT PHALLE
SAINT-PIERRE
SAINT-PIERRE
SAINT-PRIEST
SAINT-PRIVAT
SAINT-RÉMOIS
SAINT-ROMAIN
SAINT-SAULVE
SAINT-SERVAN
SAINTS-PÈRES
SAINT-SYNODE
SAINT THOMAS
SAINT-TROJAN
SAINT-TROPEZ
SAINT-VALERY
SAINT-VARENT
SAINT-VULBAS
SAINT-YRIEIX
SAISIE-ARRÊT
SAISISSABLE
SAISISSANTE
SAISONNIÈRE
SALDJUQIDES
SALICULTURE
SALICYLIQUE
SALLAUMINES
SALMIGONDIS
SALOMONAISE
SALPÊTRIÈRE
SALVADORIEN
SALVADORIEN
SAMARITAINE
SAMARITAINE
SAMBREVILLE
SAMMIELLOIS
SAMORY TOURÉ
SAN BERNARDO
SANCHO PANÇA
SANCLAUDIEN
SANCTIFIANT
SANCTIONNÉE
SANCTIONNER
SANDOUVILLE
SANFLORAINE
SANFORISAGE
SANGUINAIRE
SANGUISORBE
SANKT PÖLTEN
SAN SALVADOR
SANS-CULOTTE
SANS-PAPIERS

SANTA ISABEL
SANTA MONICA
SANTOMÉENNE
SÃO VINCENTE
SAPIENTIAUX
SAPONIFIANT
SAPOTILLIER
SARCASTIQUE
SARCELLOISE
SARCOMATEUX
SARDANAPALE
SARMENTEUSE
SARRANCOLIN
SARZEAUTINE
SATELLISANT
SATISFIABLE
SATURNIENNE
SAUCISSONNÉ
SAUF-CONDUIT
SAUJONNAISE
SAULXURONNE
SAUPOUDRAGE
SAUPOUDRANT
SAURISCHIEN
SAURISSERIE
SAURISSEUSE
SAUTE-MOUTON
SAUTILLANTE
SAUTS-DE-LOUP
SAUVAGEMENT
SAUVAGEONNE
SAUVEGARDÉE
SAUVEGARDER
SAVANNAKHET
SAVENAISIEN
SAVERDUNOIS
SAVOIR-FAIRE
SAVOIR-VIVRE
SAVOISIENNE
SAVOISIENNE
SAXE-COBOURG
SCANDALEUSE
SCANDALISÉE
SCANDALISER
SCANDINAVIE
SCANOGRAPHE
SCARAMOUCHE
SCARBOROUGH
SCÉNARIMAGE
SCÉNARISANT
SCÉNOGRAPHE
SCEPTICISME
SCHAFFHOUSE
SCHARNHORST
SCHÉMATIQUE
SCHÉMATISÉE
SCHÉMATISER

SCHÉMATISME
SCHICKHARDT
SCHIFFLANGE
SCHILIKOISE
SCHISTOSITÉ
SCHIZOGAMIE
SCHIZOGONIE
SCHLINGUANT
SCHLÖNDORFF
SCHRÖDINGER
SCHTROUMPFS
SCHUSCHNIGG
SCHWARZKOPF
SCHWEINFURT
SCIALYTIQUE
SCINTILLANT
SCLÉROSANTE
SCLÉROTIQUE
SCOLARISANT
SCOLASTICAT
SCOLASTIQUE
SCOLIOTIQUE
SCOLOPACIDÉ
SCOLOPENDRE
SCOOTÉRISTE
SCOPOLAMINE
SCORBUTIQUE
SCOT ÉRIGÈNE
SCOTOMISANT
SCRABBLEUSE
SCRIPT-GIRLS
SCRIPTURALE
SCRIPTURAUX
SCROFULAIRE
SCRUPULEUSE
SCRUTATRICE
SCULPTURALE
SCULPTURAUX
SCUTELLAIRE
SECOND-BAKOU
SECRÉTARIAT
SECRÈTEMENT
SÉCRÉTEUSES
SÉCRÉTRICES
SECTIONNANT
SECTIONNEUR
SECTORIELLE
SECTORISANT
SÉCULARISÉE
SÉCULARISER
SÉCURISANTE
SÉCURITAIRE
SÉDENTARISÉ
SÉDENTARITÉ
SÉDIMENTANT
SEFERIÁDHIS
SEGMENTAIRE

SEGONZACAIS
SÉGRÉGATION
SÉGRÉGATIVE
SEIGNEURIAL
SEIGNOSSAIS
SEINE-ET-OISE
SEI SHONAGON
SÉISMOLOGIE
SÉLAGINELLE
SÉLECTIONNÉ
SÉLECTIVITÉ
SÉLÉNOLOGIE
SÉLESTADIEN
SELF-CONTROL
SELF-MADE-MAN
SELF-MADE-MEN
SELF-SERVICE
SELONGÉENNE
SÉMANTICIEN
SÉMÉIOLOGIE
SEMI-DURABLE
SEMI-GLOBALE
SEMI-LIBERTÉ
SEMI-LUNAIRE
SÉMINARISTE
SEMI-NOMADES
SÉMIOTICIEN
SEMI-OUVERTE
SEMI-OUVERTS
SEMI-OUVRÉES
SEMI-PEIGNÉS
SEMI-POLAIRE
SEMI-PRODUIT
SEMI-PUBLICS
SEMI-RIGIDES
SÉMITISANTE
SEMI-VOYELLE
SEMPITERNEL
SÉNATORIALE
SÉNATORIAUX
SÉNÉGALAISE
SÉNÉGALAISE
SENLISIENNE
SENNACHÉRIB
SENONCHOISE
SENSIBILISÉ
SENSIBILITÉ
SENSIBLERIE
SENSORIELLE
SENSUALISME
SENSUALISTE
SENTENCIEUX
SENTIMENTAL
SÉPARATISME
SÉPARATISTE
SÉPARATRICE
SEPTANTAINE

SEPTANTIÈME
SEPTENTRION
SEPTILIENNE
SEPTOMYCÈTE
SÉQUESTRANT
SERBO-CROATE
SEREINEMENT
SÉRÉNISSIME
SERGENT-CHEF
SÉRIGRAPHIE
SERMONNAIRE
SERMONNEUSE
SÉROLOGIQUE
SÉRONÉGATIF
SÉROPOSITIF
SERPENTAIRE
SERPENTEAUX
SERPILLIÈRE
SERRE-JOINTS
SERRE-LIVRES
SERRE-PONÇON
SERTISSEUSE
SERVILEMENT
SERVOMOTEUR
SEXAGÉNAIRE
SEXAGÉSIMAL
SEXUALISANT
SEYCHELLOIS
SEYCHELLOIS
SEYNODIENNE
SHAFTESBURY
SHAKESPEARE
SHAMPOUINÉE
SHAMPOUINER
SHÉHÉRAZADE
SHERRINGTON
SHIMONOSEKI
SHORT-TRACKS
SHU QINGCHUN
SICCATIVITÉ
SIDÉROLITHE
SIDÉROXYLON
SIDI-FERRUCH
SIENKIEWICZ
SIERRA LEONE
SIGMARINGEN
SIGNALEMENT
SIGNALISANT
SIGNIFIANTE
SILENCIEUSE
SILHOUETTÉE
SILHOUETTER
SILICOTIQUE
SILLIMANITE
SILLON ALPIN
SILURIFORME
SILVERSTONE

SIMA XIANGRU
SIMPLIFIAN
SIMULATRICE
SINANTHROPE
SINCÈREMENT
SINGULARIS
SINGULARITÉ
SINTÉRISANT
SINT-TRUIDEN
SINUSOÏDALE
SINUSOÏDAU
SIPHOMYCÈTE
SISMOGRAMME
SISMOGRAPHE
SISMOMÉTRIE
SISTERONAI
SISTER-SHIPS
SITTING BULL
SIX-FOURNAIS
SIXIÈMEMENT
SKYE-TERRIER
SKY-SURFINGS
SLAVISTIQUE
SLEEPING-CAR
SMITHSONIT
SOCHALIENNE
SOCIABILISÉ
SOCIABILITÉ
SOCIALEMENT
SOCIALISAN
SOCIÉTARIAT
SOCIOGENÈSE
SOCIOGRAMME
SOCIOMÉTRIE
SOCIOPATHI.
SOISSONNAIS
SOIXANTAINE
SOIXANTE-DIX
SOIXANTIÈME
SOJALDICIEN
SOLDATESQUE
SOLENNISANT
SOLÉNOÏDALE
SOLÉNOÏDAU
SOLIDARISÉE
SOLIDARISER
SOLIDARNOSC
SOLIDIFIANT
SOLIFLUXION
SOLILOQUANT
SOLLICITANT
SOLLICITEUR
SOLLICITUDE
SOLLIÈS-PONT
SOLSTICIALE
SOLSTICIAUX
SOLUBILISÉE

SOLUBILISER
SOLUTIONNÉE
SOLUTIONNER
SOLUTRÉENNE
SOLVABILITÉ
SOLVATATION
SOMATOTROPE
SOMESTHÉSIE
SOMMEILLANT
SOMMELLERIE
SOMMIÉROISE
SOMNILOQUIE
SOMPTUOSITÉ
SONNAILLANT
SOPHISTIQUE
SOPHISTIQUÉ
SOPHROLOGIE
SOPHROLOGUE
SOPORIFIQUE
SORBONNARDE
SORCELLERIE
SORDIDEMENT
SORTIE-DE-BAL
SOT-L'Y-LAISSE
SOUBREVESTE
SOUDABILITÉ
SOUFFLEMENT
SOUFFLETANT
SOUFFRETEUX
SOUHAITABLE
SOUILLAGAIS
SOULAGEMENT
SOULÈVEMENT
SOÛLOGRAPHE
SOUPÇONNANT
SOUPÇONNEUX
SOUQUENILLE
SOURCILIÈRE
SOURCILLANT
SOURCILLEUX
SOURDS-MUETS
SOUS-ASSURÉE
SOUS-ASSURER
SOUS-ASSURÉS
SOUS-CALIBRÉ
SOUS-CAVAGES
SOUS-CLASSES
SOUS-CLAVIER
SOUS-COMITÉS
SOUS-COUCHES
SOUSCRIVANT
SOUS-CUTANÉE
SOUS-CUTANÉS
SOUS-DÉCLARÉ
SOUS-DIACRES
SOUS-EMPLOIS
SOUS-EMPLOYÉ

SOUS-ENTENDU
SOUS-ÉQUIPÉE
SOUS-ÉQUIPÉS
SOUS-ESPACES
SOUS-ESPÈCES
SOUS-ESTIMÉE
SOUS-ESTIMER
SOUS-ESTIMÉS
SOUS-ÉVALUÉE
SOUS-ÉVALUER
SOUS-ÉVALUÉS
SOUS-EXPOSÉE
SOUS-EXPOSER
SOUS-EXPOSÉS
SOUS-FAMILLE
SOUS-GROUPES
SOUS-JACENTE
SOUS-JACENTS
SOUS-MARINES
SOUS-MARQUES
SOUS-NORMALE
SOUS-ORBITAL
SOUS-PEUPLÉE
SOUS-PEUPLÉS
SOUS-PRÉFÈTE
SOUS-PRÉFETS
SOUS-PRODUIT
SOUS-SATURÉE
SOUS-SATURÉS
SOUS-SECTEUR
SOUS-SOLAGES
SOUS-SOLEUSE
SOUS-STATION
SOUS-SYSTÈME
SOUS-TENDANT
SOUS-TENDUES
SOUS-TENSION
SOUS-TITRAGE
SOUS-TITRANT
SOUS-TITRÉES
SOUSTRACTIF
SOUS-TRAITÉE
SOUS-TRAITER
SOUS-TRAITÉS
SOUSTRAYANT
SOUS-UTILISÉ
SOUS-VIREURS
SOUS-VIREUSE
SOUTÈNEMENT
SOUTERRAINE
SOUTHAMPTON
SOVIÉTISANT
SPACE OPERAS
SPALLANZANI
SPANISH TOWN
SPARTAKISME
SPARTAKISTE

SPASMODIQUE
SPASMOPHILE
SPATIALISÉE
SPATIALISER
SPATIONAUTE
SPÉCIALISÉE
SPÉCIALISER
SPÉCIALISTE
SPÉCIFICITÉ
SPECTATRICE
SPÉCULATEUR
SPÉCULATION
SPÉCULATIVE
SPÉLÉOLOGIE
SPÉLÉOLOGUE
SPERGULAIRE
SPERMAPHYTE
SPERMATIQUE
SPERMOPHILE
SPHÉNISCIDÉ
SPHÉNOÏDALE
SPHÉNOÏDAUX
SPHÉROÏDALE
SPHÉROÏDAUX
SPHÉROMÈTRE
SPINA-BIFIDA
SPINALIENNE
SPINALIENNE
SPINOLIENNE
SPIRITUELLE
SPIRITUEUSE
SPIROGRAPHE
SPIROMÉTRIE
SPOLIATRICE
SPONGIFORME
SPONGIOSITÉ
SPONSORISÉE
SPONSORISER
SPONTANÉITÉ
SPOROZOAIRE
SPORT-NATURE
SPORULATION
SPRINGFIELD
SPUMESCENTE
SQUATTÉRISÉ
SQUAW VALLEY
SRI LANKAISE
SRI LANKAISE
STABAT MATER
STABILISANT
STABULATION
STAGFLATION
STALINIENNE
STAMINIFÈRE
STANDARDISÉ
STANLEY POOL
STARA ZAGORA

STARISATION
STAROBINSKI
STAR-SYSTÈME
STAR-SYSTEMS
STATION-AVAL
STATIONNANT
STATISTIQUE
STATTHALTER
STÉATOPYGIE
STEENKERQUE
STEENVOORDE
STEINKERQUE
STÉNOGRAMME
STÉNOGRAPHE
STÉNOHALINE
STÉNOTHERME
STEPANAKERT
STÉPHANAISE
STÉPHANOISE
STÉPHANOISE
STERCORAIRE
STÉRÉOSCOPE
STÉRÉOTAXIE
STÉRÉOTOMIE
STÉRÉOTYPÉE
STÉRÉOTYPIE
STÉRILEMENT
STÉRILISANT
STERLITAMAK
STÉROÏDIQUE
STERTOREUSE
STÉTHOSCOPE
STIERNHIELM
STIGMATIQUE
STIGMATISÉE
STIGMATISER
STIGMATISME
STIGMOMÈTRE
STIMULATEUR
STIMULATION
STIPENDIANT
STIPULATION
STIRINGEOIS
STOCKHAUSEN
STOÏQUEMENT
STOLONIFÈRE
STOMACHIQUE
STORY-BOARDS
STRATÉGIQUE
STRATIFIANT
STRATOPAUSE
STRICTEMENT
STRIDULANTE
STRIDULEUSE
STRIOSCOPIE
STRIP-POKERS
STRIP-TEASES

STROBOSCOPE
STROMBOLIEN
STRONGYLOSE
STROPHANTUS
STROSSMAYER
STRUCTURALE
STRUCTURANT
STRUCTURAUX
STUPÉFIANTE
STUPIDEMENT
STYLICIENNE
STYLISATION
STYLISTIQUE
STYLO-FEUTRE
STYLOGRAPHE
SUBAÉRIENNE
SUBATOMIQUE
SUBDÉLÉGUÉE
SUBDÉLÉGUER
SUBDIVISANT
SUBDIVISION
SUBINTRANTE
SUBJONCTIVE
SUBLIMATION
SUBLIMINALE
SUBLIMINAUX
SUBLINGUALE
SUBLINGUAUX
SUBMERGEANT
SUBMERSIBLE
SUBORBITALE
SUBORBITAUX
SUBORDONNÉE
SUBORDONNER
SUBORNATION
SUBRÉCARGUE
SUBROGATEUR
SUBROGATION
SUBROGATIVE
SUBSAHARIEN
SUBSÉQUENTE
SUBSIDIAIRE
SUBSISTANCE
SUBSISTANTE
SUBSTANTIEL
SUBSTANTIVE
SUBSTANTIVÉ
SUBSTITUANT
SUBSTITUTIF
SUBTILEMENT
SUBTILISANT
SUBTROPICAL
SUCCENTURIÉ
SUCCESSIBLE
SUCCESSORAL
SUD-AFRICAIN
SUD-AFRICAIN

SUD-CORÉENNE
SUD-CORÉENNE
SUDORIFIQUE
SUFFIXATION
SUFFOCATION
SUFFRAGETTE
SUGGESTIBLE
SULFATATION
SULFHYDRYLE
SULFONATION
SULPICIENNE
SUPERBEMENT
SUPERCHERIE
SUPERFICIEL
SUPERFLUIDE
SUPERFLUITÉ
SUPER-GÉANTS
SUPÉRIORITÉ
SUPER-LÉGERS
SUPERLIORAN
SUPER-LOURDS
SUPERMARCHÉ
SUPERPOSANT
SUPERPROFIT
SUPERTANKER
SUPERVIELLE
SUPERVISANT
SUPERVISEUR
SUPERVISION
SUPPLANTANT
SUPPLÉTOIRE
SUPPLICIANT
SUPPORTABLE
SUPPORTRICE
SUPPOSITION
SUPPRESSEUR
SUPPRESSION
SUPPURATION
SUPPUTATION
SUPRÊMEMENT
SURABONDANT
SURACTIVITÉ
SURAJOUTANT
SURALIMENTÉ
SURARMEMENT
SURBAISSANT
SURCAPACITÉ
SURCHAUFFÉE
SURCHAUFFER
SURCLASSANT
SURCOMPOSÉE
SURCOMPRIMÉ
SURCONTRANT
SURDI-MUTITÉ
SUREFFECTIF
SURÉMINENTE
SURÉMISSION

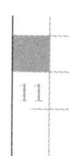

SURENCHÉRIR
SURENTRAÎNÉ
SURÉQUIPANT
SURESTIMANT
SURÉVALUANT
SUREXCITANT
SUREXPLOITÉ
SUREXPOSANT
SURGÉLATEUR
SURGÉLATION
SURHAUSSANT
SURIMPOSANT
SURINAMAISE
SURINFORMÉE
SURINFORMER
SURMONTABLE
SUROXYGÉNÉE
SURPÂTURAGE
SURPLOMBANT
SURPRENANTE
SURPRESSION
SURPRODUIRE
SURPRODUITE
SURPROTÉGÉE
SURPROTÉGER
SURRÉALISME
SURRÉALISTE
SURRÉNALIEN
SURSATURANT
SURVEILLANT
SURVÊTEMENT
SUSCEPTIBLE
SUSCRIPTION
SUS-DÉNOMMÉE
SUS-DÉNOMMÉS
SUS-JACENTES
SUSPICIEUSE
SUSQUEHANNA
SUS-TONIQUES
SUSURREMENT
SUZERAINETÉ
SWEAT-SHIRTS
SYBARITIQUE
SYBARITISME
SYLLABATION
SYMBIOTIQUE
SYMBOLISANT
SYMPATHIQUE
SYMPATHISER
SYMPHONIQUE
SYMPHONISTE
SYNARTHROSE
SYNCHRONISÉ
SYNCHROTRON
SYNCRÉTIQUE
SYNCRÉTISME
SYNCRÉTISTE

SYNDACTYLIE
SYNDICALISÉ
SYNDICATION
SYNESTHÉSIE
SYNGNATHIDÉ
SYNONYMIQUE
SYNOPTIQUES
SYNTHÉTIQUE
SYNTHÉTISÉE
SYNTHÉTISER
SYNTHÉTISME
SYNTONISEUR
SYSTÉMATISÉ
SZOMBATHELY
SZYMANOWSKI
TABERNACIEN
TABLETTERIE
TACHÉOMÈTRE
TACHYCARDIE
TACHYGRAPHE
TACHYPHÉMIE
TACTICIENNE
TADJIKISTAN
TAGLIATELLE
TAI-CHI-CHUAN
TAILLANDIER
TAILLEBOURG
TAILLE-DOUCE
TAILLE-HAIES
TAISHO TENNO
TALENTUEUSE
TALLAHASSEE
TAMANRASSET
TAMBOURINÉE
TAMBOURINER
TAMPONNEUSE
TANCARVILLE
TANEGASHIMA
TANGIBILITÉ
TANG TAIZONG
TANZANIENNE
TANZANIENNE
TAO YUANMING
TAPIS-BROSSE
TARABISCOTÉ
TARABUSTANT
TARDILLONNE
TARDIVEMENT
TARISSEMENT
TARSIIFORME
TARTIFLETTE
TARTUFFERIE
TASMANIENNE
TASSILUNOIS
TATE GALLERY
TÂTONNEMENT
TAULÉSIENNE

TAUROMACHIE
TAXI-BROUSSE
TAXINOMIQUE
TAXINOMISTE
TAYLORISANT
TCHAÏKOVSKI
TCHEBOKSARY
TCHÉRÉMISSE
TCHERKESSES
TCHERNIVTSI
TCHERNOVTSY
TCHERNOZIOM
TCHÉTCHÈNES
TCHÉTCHÉNIE
TCHOIBALSAN
TCHOUKTCHES
TCHOUVACHES
TCHOUVACHIE
TECHNICISÉE
TECHNICISER
TECHNICISTE
TECHNICOLOR
TECHNOCRATE
TECHNOLOGIE
TECHNOLOGUE
TEGUCIGALPA
TÉHÉRANAISE
TEHUANTEPEC
TEINTURERIE
TEINTURIÈRE
TÉLÉCHARGÉE
TÉLÉCHARGER
TÉLÉCOPIEUR
TÉLÉDIFFUSÉ
TÉLÉFÉRIQUE
TÉLÉGÉNIQUE
TÉLÉGESTION
TÉLÉGRAPHIE
TÉLÉGRAPHIÉ
TÉLÉGUIDAGE
TÉLÉGUIDANT
TÉLÉKINÉSIE
TÉLÉMATIQUE
TÉLÉPHONANT
TÉLESCOPAGE
TÉLESCOPANT
TÉLÉTRAVAIL
TÉLÉTRAVAUX
TÉLÉVENDEUR
TELLURIENNE
TÉLOLÉCITHE
TELUK BETUNG
TEMPÉRAMENT
TEMPÉRATURE
TEMPÉTUEUSE
TEMPORALITÉ
TEMPORISANT

TENDANCIEUX
TENNIS-ELBOW
TENSIOACTIF
TENSIOMÈTRE
TENSORIELLE
TÉNUIROSTRE
TEOTIHUACÁN
TÉRATOGÉNIE
TÉRATOLOGIE
TERBRUGGHEN
TÉRÉBRATULE
TERGIVERSER
TERMAILLAGE
TERMINAISON
TERMINATEUR
TERPSICHORE
TERRE À TERRE
TERREAUTAGE
TERREAUTANT
TERRE-NEUVAS
TERRE-PLEINS
TERRIFIANTE
TERRITORIAL
TERRORISANT
TESTIMONIAL
TEST-MATCHES
TÊTE-DE-MAURE
TÊTE-DE-NÈGRE
TÊTES-DE-CLOU
TÊTES-DE-LOUP
TÉTRADYNAME
TÉTRAPLÉGIE
TÉTRAPLOÏDE
TEXTURATION
TEZUKA OSAMU
THAÏLANDAIS
THAÏLANDAIS
THALASSÉMIE
THALIDOMIDE
THALLOPHYTE
THÉÂTRALISÉ
THÉÂTRALITÉ
THÉMISTOCLE
THÉOGONIQUE
THÉOLOGIQUE
THÉOPHRASTE
THÉORÉTIQUE
THERMALISME
THERMOCLINE
THERMOMÈTRE
THERMOPYLES
THERMOSCOPE
THÉSAURISÉE
THÉSAURISER
THESMOTHÈTE
THETFORDOIS
THIAISIENNE

THIBÉRIENNE
THIOSULFATE
THIXOTROPIE
THOMAS MORUS
THONÉSIENNE
THORVALDSEN
THOUARSAISE
THROMBOCYTE
THROMBOLYSE
THYRÉOTROPE
TIERS-MONDES
TIERS-POINTS
TIMBRE-POSTE
TIME-SHARING
TINCTORIALE
TINCTORIAUX
TIPPOO SAHIB
TIRE-AU-FLANC
TIRE-BOUCHON
TIRE-BRAISES
TIRE-LARIGOT
TIRUNELVELI
TISSAPHERNE
TISSU-ÉPONGE
TITILLATION
TITRIMÉTRIE
TITRISATION
TITULARISÉE
TITULARISER
TLAPANÈQUES
TOCQUEVILLE
TOLBOUKHINE
TOMBLAINOIS
TOMOGRAPHIE
TONITRUANTE
TONNACQUOIS
TONNELLERIE
TONNERROISE
TOPINAMBOUR
TOPOGRAPHIE
TOPOLOGIQUE
TOPONYMIQUE
TORCHONNANT
TORDESILLAS
TORRAILLANT
TORRENTUEUX
TORSTENSSON
TOTALITAIRE
TOTIPOTENCE
TOTIPOTENTE
TOUCHE-À-TOUT
TOULONNAISE
TOULOUSAINE
TOUPILLEUSE
TOURAILLAGE
TOURANGEAUX
TOURANGEAUX

TOURANGELLE
TOURANGELLE
TOURANIENNE
TOURANIENNE
TOURGUENIEV
TOURILLONNÉ
TOURISTIQUE
TOURLAVILLE
TOURMENTANT
TOURNAILLER
TOURNAISIEN
TOURNANAISE
TOURNEBOULÉ
TOURNICOTER
TOURNIQUANT
TOURNONAISE
TOURNOYANTE
TOURTEREAUX
TOURTERELLE
TOUT-À-L'ÉGOUT
TOUT-TERRAIN
TOXICOLOGIE
TOXICOLOGUE
TOXICOMANIE
TRAÇABILITÉ
TRACASSERIE
TRACASSIÈRE
TRACÉOLOGIE
TRACTORISTE
TRADE-UNIONS
TRADUCTRICE
TRADUISIBLE
TRAFICOTANT
TRAFIQUANTE
TRAGÉDIENNE
TRAÎNAILLER
TRAÎNASSANT
TRAINS-PARCS
TRAIT D'UNION
TRAJECTOIRE
TRANCHEFILE
TRANSACTION
TRANSALPINE
TRANSANDINE
TRANSBAHUTÉ
TRANSBORDÉE
TRANSBORDER
TRANSCENDÉE
TRANSCENDER
TRANSCODAGE
TRANSCODANT
TRANSCUTANÉ
TRANSFÉRANT
TRANSFÉRASE
TRANSFIGURÉ
TRANSFILANT
TRANSFORMÉE

TRANSFORMER	TRENCH-COATS	TRUSQUINANT
TRANSFUSANT	TRENTENAIRE	TRYPANOSOME
TRANSFUSION	TRÉPANATION	TRYPTOPHANE
TRANSGÉNOSE	TRÉPIDATION	**TSELINOGRAD**
TRANSGRESSÉ	TRESSAILLIR	**TSIOLKOVSKI**
TRANSHUMANT	TRESSAUTANT	TUBERCULEUX
TRANSIGEANT	**TRES ZAPOTES**	TUBERCULINE
TRANSISSANT	**TRIANGLE D'OR**	TUBERCULOSE
TRANSITAIRE	TRIANGULANT	TUBÉRIFORME
TRANSITOIRE	TRIATOMIQUE	TUBULIDENTÉ
TRANSLATION	TRIBOMÉTRIE	TUBULIFLORE
TRANSLATIVE	TRIBUNITIEN	TUMÉFACTION
TRANSLUCIDE	TRICALCIQUE	TUMULTUEUSE
TRANSMANCHE	TRICÉRATOPS	TUPI-GUARANI
TRANSMETTRE	TRICHOMONAS	TURBELLARIÉ
TRANSMIGRER	TRICHOPTÈRE	TURBOFORAGE
TRANSMUABLE	TRICLINIQUE	TURBOMOTEUR
TRANSMUTANT	TRICYCLIQUE	TURGESCENCE
TRANSOXIANE	TRIFOLIOLÉE	TURGESCENTE
TRANSPARENT	TRIFOUILLER	TURLUPINANT
TRANSPERCÉE	TRILATÉRALE	**TURRIPINOIS**
TRANSPERCER	TRILATÉRAUX	TUTTI FRUTTI
TRANSPIRANT	TRIMBALLAGE	TUTTI QUANTI
TRANSPLANTÉ	TRIMBALLANT	TYPHOÏDIQUE
TRANSPORTÉE	TRIMESTRIEL	TYPIQUEMENT
TRANSPORTER	TRINIDADIEN	TYPOGRAPHIE
TRANSPOSANT	**TRINIDADIEN**	TYPOLOGIQUE
TRANSSEXUEL	TRIOMPHANTE	TYRANNICIDE
TRANSVASANT	TRIPARTISME	TYRANNISANT
TRANSVERSAL	TRIPHTONGUE	**UEDA AKINARI**
TRANSVIDANT	TRIPLICATAS	UKRAINIENNE
TRANSYLVAIN	**TRIPOLITAIN**	**UKRAINIENNE**
TRANSYLVAIN	TRIQUEBALLE	**ULENSPIEGEL**
TRAPÉZOÏDAL	TRISECTRICE	ULTRAFILTRE
TRAPPISTINE	TRITHÉRAPIE	ULTRALÉGÈRE
TRAUMATIQUE	TRITURATEUR	ULTRA-PETITA
TRAUMATISÉE	TRITURATION	ULTRAPROPRE
TRAUMATISER	TROCHOPHORE	ULTRASONORE
TRAUMATISME	TROIS-QUARTS	ULTRAVIOLET
TRAVAILLANT	TROIS-QUATRE	UNANIMEMENT
TRAVAILLEUR	TROMBONISTE	UNDERGROUND
TRAVAILLOTÉ	TROMPE-L'ŒIL	UNIFICATEUR
TRAVERSABLE	TRONCONIQUE	UNIFICATION
TRAVERSANTE	TRONÇONNAGE	UNIFORMISÉE
TRAVERS-BANC	TRONÇONNANT	UNIFORMISER
TRAVERSIÈRE	TRONCULAIRE	UNIJAMBISTE
TRAVESTISME	**TROPÉZIENNE**	UNILATÉRALE
TRÉBUCHANTE	TROPICALISÉ	UNILATÉRAUX
TRÉFONCIÈRE	TROPOSPHÈRE	UNILINÉAIRE
TREILLISSÉE	TROTTINETTE	UNINOMINALE
TREILLISSER	**TROUBETSKOÏ**	UNINOMINAUX
TRÉLAZÉENNE	TROUBLE-FÊTE	UNISEXUELLE
TREMBLADAIS	TROUILLARDE	UNIVERSELLE
TREMBLEMENT	TROUS-MADAME	UNIVITELLIN
TREMBLOTANT	TROUSSE-PIED	UPÉRISATION
TRÉMOUSSANT	TROUSSEQUIN	**UQBA IBN NAFI**
TRÉMULATION	**TROUVILLAIS**	URO-GÉNITALE

11

375

URO-GÉNITAUX
UROPYGIENNE
URUGUAYENNE
URUGUAYENNE
USINABILITÉ
USUELLEMENT
USUFRUITIER
USURPATOIRE
USURPATRICE
UTILISATEUR
UTILISATION
UTRICULAIRE
UXELLODUNUM
UXORILOCALE
UXORILOCAUX
VACCINATION
VACILLEMENT
VADROUILLER
VAGABONDAGE
VAGABONDANT
VAGISSEMENT
VAGOLYTIQUE
VAGOTONIQUE
VAGUEMESTRE
VAILLAMMENT
VAISONNAISE
VALABLEMENT
VALCOLOROIS
VALDINGUANT
VALDORIENNE
VALENCÉENNE
VALENCIENNE
VALENTIGNEY
VALENTINIEN
VALENTINITE
VALENTINOIS
VALENTINOIS
VALLE-INCLÁN
VALLEYFIELD
VALLISNÉRIE
VALLONNAISE
VALLORBIÈRE
VALORISANTE
VALRAS-PLAGE
VALRÉASSIEN
VAMPIRISANT
VAN COEHOORN
VANDALISANT
VAN DE GRAAFF
VAN DEN BOSCH
VANDERSTEEN
VANDERVELDE
VAN DER WAALS
VANDOPÉRIEN
VANITY-CASES
VAN RUISDAEL
VAN RUYSDAEL

VAN SCHENDEL
VARGAS LLOSA
VARIABILITÉ
VARSOVIENNE
VARSOVIENNE
VASCO DE GAMA
VASCULARISÉ
VASOMOTRICE
VASOUILLANT
VASOUILLARD
VASSALISANT
VASSILEVSKI
VA-T-EN-GUERRE
VATNAJÖKULL
VAUCOULEURS
VECTORIELLE
VEDETTARIAT
VÉGÉTALISÉE
VÉGÉTALISER
VÉGÉTALISME
VÉGÉTALISTE
VÉGÉTARISME
VÉHICULAIRE
VÉLIVOLISTE
VELLÉITAIRE
VÉLOCIMÈTRE
VELOUTEMENT
VENDANGEANT
VENDANGEOIR
VENDANGEROT
VENDANGEUSE
VENDÉMIAIRE
VENDEUVROIS
VÉNÉZUÉLIEN
VÉNÉZUÉLIEN
VENTILATEUR
VENTILATION
VENTRILOQUE
VERBALEMENT
VERBALISANT
VERDOIEMENT
VEREENIGING
VERFEILLOIS
VÉRIFICATIF
VERKHOÏANSK
VERMICULURE
VERMILLONNÉ
VERMISSEAUX
VERNISSEUSE
VERNOLIENNE
VERNONNAISE
VERNOUILLET
VERROUILLÉE
VERROUILLER
VERRUCOSITÉ
VERRUQUEUSE
VERSAILLAIS

VERSAILLAIS
VERSATILITÉ
VERSICOLORE
VERTAVIENNE
VERT-DE-GRISÉ
VERTICALITÉ
VERTICILLÉE
VERTIGINEUX
VERTUSIENNE
VÉSICATOIRE
VÉSICULAIRE
VÉSICULEUSE
VÉSIGONDINE
VESPASIENNE
VESSE-DE-LOUP
VÉTÉRINAIRE
VEYRE-MONTON
VIABILISANT
VIBRIONNANT
VICE-AMIRAUX
VICE-CONSULS
VICE-RECTEUR
VICE-ROYAUTÉ
VIC-FEZENSAC
VICHYSSOISE
VICHYSSOISE
VICISSITUDE
VICTORIENNE
VICTORIEUSE
VICTUAILLES
VIDÉODISQUE
VIDÉOGRAMME
VIDE-ORDURES
VIDÉOTHÈQUE
VIEIL-ARMAND
VIENTIANAIS
VIERZONNAIS
VIFS-ARGENTS
VIGÉE-LEBRUN
VIGILAMMENT
VIGNETTISTE
VIHIERSOISE
VIJAYANAGAR
VILAINEMENT
VILEBREQUIN
VILIPENDANT
VILLAGEOISE
VILLARDOISE
VILLE-D'AVRAY
VILLEMOMBLE
VILLEMURIEN
VILLERSEXEL
VINAIGRERIE
VINAIGRETTE
VINBLASTINE
VINCENNOISE
VINDICATIVE

VINGT-QUATRE
VIOLONCELLE
VIREVOLTANT
VIRILISANTE
VIROLOGIQUE
VIROLOGISTE
VISHNOUISME
VISIBLEMENT
VISIOCASQUE
VISIONNAIRE
VISIONNEUSE
VISIOPHONIE
VISITANDINE
VISUALISANT
VITAMINIQUE
VITICULTEUR
VITICULTURE
VITRIFIABLE
VITRIOLEUSE
VITROLLAISE
VITROPHANIE
VITTELLOISE
VIVARO-ALPIN
VIVISECTION
VLAARDINGEN
VLADIKAVKAZ
VLADIVOSTOK
VOCABULAIRE
VOCERATRICE
VOIRONNAISE
VOITURE-LITS
VOLAILLEUSE
VOLATILISÉE
VOLATILISER

VOLLEY-BALLS
VOLONTARIAT
VOLTIGEMENT
VOLUMINEUSE
VOLUPTUEUSE
VOMISSEMENT
VOMITO NEGRO
VOUGLAISIEN
VOUVOIEMENT
VOYOUCRATIE
VRAIE-FAUSSE
VROMBISSANT
VULCANIENNE
VULCANISANT
VULGARISANT
VULGUM PECUS
WACKENRODER
WAGON-FOUDRE
WAGONS-POSTE
WAGON-TRÉMIE
WALLENSTEIN
WALLINGANTE
WALLISIENNE
WALLISIENNE
WALTER TYLER
WATER-CLOSET
WATTASSIDES
WEIERSTRASS
WEISSMULLER
WELWITSCHIA
WESTMINSTER
WHITE-SPIRIT
WILLSTÄTTER
WIMEREUSIEN

WINCKELMANN
WINTERGREEN
WINTZENHEIM
WISSEMBOURG
WITTELSBACH
WITTELSHEIM
WORLD MUSICS
WOUNDED KNEE
XANTHÉLASMA
XANTHODERME
XÉNOCRISTAL
XÉROGRAPHIE
XYLOGRAPHIE
YALONG JIANG
YANGZI JIANG
YAOUNDÉENNE
YELLOWKNIFE
YELLOWSTONE
YOUGOSLAVIE
YSSINGELAIS
ZELENTCHOUK
ZÉPHYRIENNE
ZHOUKOUDIAN
ZIELONA GÓRA
ZIGOUILLANT
ZOOFLAGELLÉ
ZOOPLANCTON
ZOOTHÉRAPIE
ZOROASTRIEN
ZOSTÉRIENNE
ZWIJNDRECHT
ZWINGLIENNE
ZYGOMATIQUE
ZYGOPETALUM

11

12

ABANDONNIQUE
ABBAS LE GRAND
ABBEVILLOISE
ABDALWADIDES
ABÊTISSEMENT
ABONDANCISTE
ABOUTISSANTS
À BRAS-LE-CORPS
ABRUTISSANTE
ABSORPTIVITÉ
ABU AL-ATAHIYA
ABYSSINIENNE
ABYSSINIENNE
ACCAPAREMENT
ACCASTILLAGE
ACCASTILLANT
ACCÉLÉRATEUR
ACCÉLÉRATION
ACCENTUATION

ACCESSOIRISÉ
ACCIDENTELLE
ACCLIMATABLE
ACCOINTANCES
ACCOMMODABTE
ACCOMPAGNANT
ACCORDAILLES
ACCOUCHEMENT
ACCOUPLEMENT
ACCOUTREMENT
ACCOUTUMANCE
ACCRÉDITEUSE
ACCROCHE-PLAT
ACCUEILLANTE
ACCUMULATEUR
ACCUMULATION
ACÉRICULTEUR
ACÉRICULTURE
ACÉTABULAIRE

ACÉTALDÉHYDE
ACÉTONÉMIQUE
ACÉTYLÉNIQUE
ACHEMINEMENT
ACHROMATIQUE
ACHROMATISÉE
ACHROMATISER

ACHROMATISME
ACIDO-BASIQUE
À CONTRECŒUR
ACOQUINEMENT
ACQUITTEMENT
ACRIMONIEUSE
ACROCÉPHALIE
ACTINOMÉTRIE
ACTINOMYCÈTE
ACTIONNARIAT
ACTORS STUDIO
ACTUELLEMENT
ACUPONCTRICE
ACUPUNCTRICE
ADAPTABILITÉ
ADDITIONNANT
ADDITIONNEUR
ADÉQUATEMENT
ADJECTIVISÉE
ADJECTIVISER
ADJUDANT-CHEF
ADJUDICATEUR
ADJUDICATION
ADMINISTRANT
ADOPTIANISME
ADORABLEMENT
ADOUCISSANTE
ADRÉNERGIQUE
ADULTÉRATION
AÉROGLISSEUR
AÉROMOBILITÉ
AÉRONAUTIQUE
AÉROSPATIALE
AÉROSPATIAUX
AÉROSTATIQUE
AFARS ET ISSAS
AFFABULATION
AFFADISSANTE
AFFAISSEMENT
AFFECTIONNÉE
AFFECTIONNER
AFFERMISSANT
AFFLEUREMENT
AFFOURAGEANT
AFFREUSEMENT
AFFRONTEMENT
AFRANCESADOS
AFRICANISANT
AFRIQUE DU SUD
AFRIQUE NOIRE
AFRO-CUBAINES
AFRO-CUBAINES
AGENOUILLANT
AGENOUILLOIR
AGGLUTINANTE
AGNÈS DE MÉRAN
AGNOSTICISME

AGRAMMATICAL
AGRAMMATISME
AGRANDISSANT
AGRANDISSEUR
AGRÉABLEMENT
AGRICULTRICE
AGRITOURISME
AGROCHIMIQUE
AGROPASTORAL
AGUERRISSANT
AHURISSEMENT
AIDE-SOIGNANT
AIGOS-POTAMOS
AIGREFEUILLE
AIGRES-DOUCES
AIGRISSEMENT
AIGUEPERSOIS
AIGUES-MORTES
AIGUILLETAGE
AIGUILLETANT
AIGUILLONNÉE
AIGUILLONNER
AILLY-SUR-NOYE
AIRE-SUR-LA-LYS
ALANGUISSANT
À L'AVEUGLETTE
ALBE LA LONGUE
ALCALÁ ZAMORA
ALCALIFIANTE
ALCALIMÉTRIE
ALCALINISANT
ALCOOLISABLE
ALENÇONNAISE
À L'ENCONTRE DE
ALÉOUTIENNES
ALEXANDRETTE
ALGONQUIENNE
ALIÉNABILITÉ
ALIMENTATION
À L'IMPROVISTE
ALIX DE SAVOIE
ALLANTOÏDIEN
ALLÉLOMORPHE
ALLERGISANTE
ALLERGOLOGIE
ALLERGOLOGUE
ALLEVARDAISE
ALLITÉRATION
ALLOPATHIQUE
ALLOSTÉRIQUE
ALLOTROPIQUE
ALLUME-CIGARE
ALLUSIVEMENT
ALMICANTARAT
ALOURDISSANT
ALPHABÉTIQUE
ALPHABÉTISÉE

ALPHABÉTISER
ALPHABÉTISME
ALTÉRABILITÉ
ALTKIRCHOISE
AMADOURIENNE
AMAIGRISSANT
AMALGAMATION
AMANDINOISES
AMBASSADRICE
AMBITIONNANT
AMBULACRAIRE
AMBULANCIÈRE
AMÉLIORATION
AMENUISEMENT
AMÉRICANISÉE
AMÉRICANISER
AMÉRICANISME
AMÉRICANISTE
AMÉRINDIENNE
AMEUBLISSANT
AMINCISSANTE
AMNÉVILLOISE
AMNIOCENTÈSE
AMOLLISSANTE
AMORTISSABLE
AMOURS-EN-CAGE
AMPHIBOLOGIE
AMPHICTYONIE
AMPHITHÉÂTRE
AMPLIS-TUNERS
AMUSE-BOUCHES
AMUSE-GUEULES
ANABOLISANTE
ANACARDIACÉE
ANACHRONIQUE
ANACHRONISME
ANAGLYPTIQUE
ANAPHRODISIE
ANARCHISANTE
ANASTOMOSANT
ANATHÉMATISÉ
ANCIENNEMENT
ANCUS MARTIUS
ANDELYSIENNE
ANDERSEN NEXØ
ANDOUILLETTE
ANDREA PISANO
ANDROCÉPHALE
ANDRZEJEWSKI
ANÉANTISSANT
ANÉLASTICITÉ
ANENCÉPHALIE
ANESTHÉSIANT
ANESTHÉSIQUE
ANESTHÉSISTE
ANGÈLE MERICI
ANGELOPOULOS

ANGIOCHOLITE
ANGIOGRAPHIE
ANGIOPLASTIE
ANGIOTENSINE
ANGLICANISME
ANGLO-NORMAND
ANGLO-NORMAND
ANGLO-SAXONNE
ANGLO-SAXONNE
ANGOUMOISINE
ANHARMONIQUE
ANHYDROBIOSE
ANNA IVANOVNA
ANNA KARENINE
ANNE DE CLÈVES
ANNÉE-LUMIÈRE
ANNIHILATION
ANNIVERSAIRE
ANNONCIATEUR
ANNONCIATION
ANNUELLEMENT
ANORMALEMENT
ANOVULATOIRE
ANTANANARIVO
ANTÉDILUVIEN
ANTHÉROZOÏDE
ANTHRACITEUX
ANTHROPONYME
ANTIACRIDIEN
ANTIADHÉSIVE
ANTIAÉRIENNE
ANTIAGRÉGANT
ANTIANGINEUX
ANTIANGOREUX
ANTIATOMIQUE
ANTIBIOTIQUE
ANTICALCAIRE
ANTICIPATION
ANTICLÉRICAL
ANTICYCLONAL
ANTIDÉRAPANT
ANTIDÉTONANT
ANTIÉMÉTIQUE
ANTIÉTATIQUE
ANTIFASCISTE
ANTIFONGIQUE
ANTIFRICTION
ANTIGIVRANTE
ANTIMÉRIDIEN
ANTINATIONAL
ANTIONCOGÈNE
ANTIPALUDÉEN
ANTIPARASITE
ANTIPARASITÉ
ANTIPATHIQUE
ANTIPHONAIRE
ANTIQUISANTE

ANTISEPTIQUE
ANTISISMIQUE
ANTISPORTIVE
ANTISTATIQUE
ANTISUDORALE
ANTISUDORAUX
ANTISYNDICAL
ANTITHÉTIQUE
ANTIULCÉREUX
ANTIVÉNÉNEUX
ANTIVÉNÉRIEN
ANTIVENIMEUX
ANTOINE-MARIE
ANURADHAPURA
ANXIEUSEMENT
ANXIOLYTIQUE
APOLLINIENNE
APOLOGÉTIQUE
APOPHANTIQUE
APOPLECTIQUE
APOSTOLICITÉ
APOSTROPHANT
APPARAISSANT
APPAREILLADE
APPAREILLAGE
APPAREILLANT
APPARTENANCE
APPENZELLOIS
APPÉTISSANTE
APPOGGIATURE
APPRÉCIATEUR
APPRÉCIATION
APPRÉCIATIVE
APPRÉHENDANT
APPRÉHENSION
APPRÉHENSIVE
APPRIVOISANT
APPROBATRICE
APPROXIMATIF
APRAGMATIQUE
APRAGMATISME
APRÈS-GUERRES
APRÈS-RASAGES
APRÈS-SOLEILS
APRIORITIQUE
AQUACULTRICE
AQUAFORTISTE
AQUARELLISTE
AQUARIOPHILE
AQUICULTRICE
ARABO-SWAHILI
ARBITRAGISTE
ARBORESCENCE
ARBORESCENTE
ARBORISATION
ARBRES-DE-NOËL
ARCACHONNAIS

ARC-BOUTEMENT
ARCHÉOPTÉRYX
ARCHÉTYPIQUE
ARCHIDIOCÈSE
ARCHIPHONÈME
ARCHITECTURE
ARCHITECTURÉ
ARCIS-SUR-AUBE
ARCS-BOUTANTS
ARCUEILLAISE
ARDANT DU PICQ
ARGELÉSIENNE
ARGENTACOISE
ARGENTANAISE
ARGENTIÉROIS
ARGENTONNAIS
ARGENTRÉENNE
ARGUMENTAIRE
ARGUMENTATIF
ARIAS SÁNCHEZ
ARISTOCRATIE
ARITHMÉTIQUE
ARITHMOMANIE
ARLES-SUR-TECH
ARMENTIÉROIS
ARMINIANISME
AROMATISANTE
ARPAJONNAISE
ARRACHE-CLOUS
ARRAISONNANT
ARRIÈRE-CORPS
ARRIÈRE-COURS
ARRIÈRE-FONDS
ARRIÈRE-GARDE
ARRIÈRE-GORGE
ARRIÈRE-GOÛTS
ARRIÈRE-MAINS
ARRIÈRE-NEVEU
ARRIÈRE-NIÈCE
ARRIÈRE-PLANS
ARRIÈRE-PORTS
ARRIÈRE-SALLE
ARRIÈRE-TRAIN
ARRONDISSANT
ARRONDISSURE
ARTÉRIOTOMIE
ARTHROPATHIE
ARTHROSCOPIE
ARTICULATEUR
ARTICULATION
ARTIFICIELLE
ARTIFICIEUSE
ARTIODACTYLE
ASBESTRIENNE
ASCENSIONNEL
ASCOLI PICENO
ASEPTISATION

ASIE CENTRALE
ASIE DU SUD-EST
ASPERGILLOSE
ASSAINISSANT
ASSAINISSEUR
ASSAISONNANT
ASSERMENTANT
ASSERTORIQUE
ASSERVISSANT
ASSIBILATION
ASSIMILATEUR
ASSIMILATION
ASSINIBOINES
ASSORTISSANT
ASSOUPISSANT
ASSOUVISSANT
ASSYRIOLOGIE
ASSYRIOLOGUE
ASTIGMATISME
ASTREIGNANTE
ASTROLOGIQUE
ASTRONOMIQUE
ASYMPTOTIQUE
ATERMOIEMENT
ATHIS-DE-L'ORNE
À TIRE-LARIGOT
ATLANTIC CITY
ATTENTATOIRE
ATTENTIONNÉE
ATTERRISSAGE
ATTERRISSANT
ATTIÉDISSANT
ATTITUDINALE
ATTITUDINAUX
ATTOUCHEMENT
ATTRACTIVITÉ
ATTRIBUTAIRE
ATTROUPEMENT
AUBUSSONNAIS
AUDITIONNANT
AUDRUICQUOIS
AUDUN-LE-ROMAN
AUGMENTATION
AUGMENTATIVE
AUGUSTINISME
AUGUSTINOISE
AULNAISIENNE
AUNAY-SUR-ODON
AURILLACOISE
AUSCULTATION
AUSTÉNITIQUE
AUSTRALIENNE
AUSTRALIENNE
AUSTRONÉSIEN
AUTHENTICITÉ
AUTHENTIFIÉE
AUTHENTIFIER

AUTOADHÉSIVE
AUTOALLUMAGE
AUTOAMORÇAGE
AUTOBLOQUEUR
AUTOBRONZANT
AUTOCARAVANE
AUTOCASSABLE
AUTOCENSURÉE
AUTOCENSURER
AUTOCHENILLE
AUTOCOLLANTE
AUTOCOPIANTE
AUTOCRATIQUE
AUTOCRITIQUE
AUTODÉRISION
AUTOÉROTIQUE
AUTOÉROTISME
AUTOFINANCÉE
AUTOFINANCER
AUTO-IMMUNITÉ
AUTOMATICIEN
AUTOMATICITÉ
AUTOMATISANT
AUTOPORTANTE
AUTOPORTEUSE
AUTOPORTRAIT
AUTOPROCLAMÉ
AUTOPROPULSÉ
AUTOPUNITION
AUTOPUNITIVE
AUTORISATION
AUTOROUTIÈRE
AUTO-STOPPEUR
AUTOTREMPANT
AUTRICHIENNE
AUTRICHIENNE
AVALANCHEUSE
AVALLONNAISE
AVANT-BASSINS
AVANT-CONTRAT
AVANT-COUREUR
AVANT-DERNIER
AVANT-GUERRES
AVANT-PROJETS
AVANT-SOIRÉES
AVANT-VEILLES
AVERTISSEUSE
AVEUGLES-NÉES
AVEYRONNAISE
AVIGNONNAISE
AVILISSEMENT
AVION-CITERNE
AVIONS-CARGOS
AVIONS-ÉCOLES
AVOIRDUPOIDS
AVRANCHINAIS
AXIOMATISANT

AX-LES-THERMES
AYLWIN AZÓCAR
AYUNTAMIENTO
AZAY-LE-RIDEAU
AZOTHYDRIQUE
BABYLONIENNE
BABY-SITTINGS
BACCALAURÉAT
BACHI-BOUZOUK
BADIGEONNAGE
BADIGEONNANT
BADIGEONNEUR
BAFOUILLEUSE
BAGNOLETAISE
BAGUENAUDANT
BAGUENAUDIER
BAGUETTISANT
BAHREÏNIENNE
BAHR EL-GHAZAL
BAIE-COMIENNE
BAIERIVERAIN
BAILLEULOISE
BAISE-EN-VILLE
BALANOGLOSSE
BALBUTIEMENT
BÂLE-CAMPAGNE
BALGENCIENNE
BALLETTOMANE
BALLONNEMENT
BALLOTTEMENT
BALTRUSAÏTIS
BANALISATION
BANDE-ANNONCE
BANDERILLERO
BANGIOPHYCÉE
BANGKOKIENNE
BANGUISSOISE
BANJERMASSIN
BANLIEUSARDE
BANNALÉCOISE
BANNISSEMENT
BANYULENCQUE
BANZER SUÁREZ
BARAGOUINAGE
BARAGOUINANT
BARAGOUINEUR
BARANOVITCHI
BARAQUEVILLE
BARBITURIQUE
BARBOUILLANT
BARBOUILLEUR
BARCELONAISE
BARCELONAISE
BARENTINOISE
BAROMÉTRIQUE
BAROQUISANTE
BARQUISIMETO

BARRAGE-POIDS
BARRAGE-VOÛTE
BARRANQUILLA
BARRISSEMENT
BARSURAUBOIS
BARTHOLINITE
BASSE-NAVARRE
BASSES-FOSSES
BASSE-TERRIEN
BASSOMPIERRE
BATEAU-LAVOIR
BATEAU-LAVOIR
BATEAU-MOUCHE
BATEAU-PILOTE
BATTELLEMENT
BEACH-VOLLEYS
BEACONSFIELD
BEAUCAIROISE
BEAUCHAMPOIS
BEAUCOURTOIS
BEAU DE ROCHAS
BEAUFORTAINE
BEAUFORTAISE
BEAUMARCHAIS
BEAUMONTOISE
BEAUPORTOISE
BEAUVILLIERS
BEAUX-PARENTS
BÉCANCOUROIS
BEC-DE-CORBEAU
BECHUANALAND
BECS-DE-LIÈVRE
BÉDARICIENNE
BÉDARRIDAISE
BEECHER-STOWE
BÉHAVIORISME
BÉHAVIORISTE
BÉLINOGRAMME
BÉLINOGRAPHE
BELLE-FAMILLE
BELLEFEUILLE
BELLEGARDIEN
BELLES-DE-JOUR
BELLES-DE-NUIT
BELLES-DOCHES
BELLES-FILLES
BELLES-SŒURS
BELLÉTRIENNE
BELLEVILLOIS
BELLIFONTAIN
BELLIFONTAIN
BELLIGÉRANCE
BELLIGÉRANTE
BELLIGÉRANTS
BELLOPRATAIN
BELŒILLOISE
BÉNÉFICIAIRE

BÉNÉVOLEMENT
BERBÉRIDACÉE
BERBÉROPHONE
BERGEN-BELSEN
BERGEN OP ZOOM
BERGERACOISE
BERJALLIENNE
BERTHEVINOIS
BERZÉ-LA-VILLE
BESTIALEMENT
BÊTABLOQUANT
BÊTATHÉRAPIE
BETTERAVIÈRE
BEUZEVILLAIS
BHAGAVAD-GITA
BIBLIOGRAPHE
BIBLIOPHILIE
BIBLIOTHÈQUE
BICARBONATÉE
BICENTENAIRE
BICULTURELLE
BIDOUILLEUSE
BIELSKO-BIALA
BIENFAISANCE
BIENFAISANTE
BIENFAITRICE
BIENHEUREUSE
BIEN-PENSANTE
BIEN-PENSANTS
BIENVEILLANT
BILATÉRALITÉ
BIMBELOTERIE
BIMBELOTIÈRE
BIMESTRIELLE
BIMÉTALLIQUE
BIMÉTALLISME
BIMILLÉNAIRE
BIOCARBURANT
BIODIVERSITÉ
BIOGRAPHIQUE
BIO-INDUSTRIE
BIOLOGISANTE
BIOMATÉRIAUX
BIOMÉCANIQUE
BIOMORPHIQUE
BIOMORPHISME
BIOTECHNIQUE
BIOTYPOLOGIE
BIRÉFRINGENT
BISCHHEIMOIS
BLACKBOULAGE
BLACKBOULANT
BLACK MUSLIMS
BLAINVILLAIS
BLAINVILLOIS
BLANCHE-NEIGE
BLANCHISSAGE

BLANCHISSANT
BLANCHISSEUR
BLANCS-ESTOCS
BLANCS-SEINGS
BLANKENBERGE
BLASCO IBÁÑEZ
BLASTOGENÈSE
BLÊMISSEMENT
BLENNORRAGIE
BLEUISSEMENT
BLOCS-MOTEURS
BLOEMFONTEIN
BODYBUILDING
BOIS-COLOMBES
BOISGUILBERT
BOISSELLERIE
BOÎTE-BOISSON
BOITILLEMENT
BOIT-SANS-SOIF
BOMBARDEMENT
BONAPARTISME
BONAPARTISTE
BONCOURTOISE
BONDIEUSERIE
BONDISSEMENT
BONDOUFLOISE
BONIFACIENNE
BONIFICATION
BONIMENTEUSE
BONNES FEMMES
BONNES-MAMANS
BONNÉTABLIEN
BONNEUILLOIS
BONNEVALAISE
BONNEVILLOIS
BOOGIE-WOOGIE
BOROSILICATE
BOROSILICATÉ
BORRAGINACÉE
BOSSELLEMENT
BOUCHERVILLE
BOUCHONNIÈRE
BOUFFONNERIE
BOUGAINVILLE
BOUGIVALAISE
BOUGONNEMENT
BOUILLARGUES
BOUILLONNANT
BOUILLOTTANT
BOULE-DE-NEIGE
BOULEVARDIER
BOULEVERSANT
BOURBONIENNE
BOURBON-LANCY
BOURBONNAINE
BOURBONNAISE
BOURDONNANTE

BOURGANIAUDE
BOURG-DE-PÉAGE
BOURGEOISIAL
BOURGEONNANT
BOURG-LA-REINE
BOURG-LÉOPOLD
BOURGUIGNONS
BOURLINGUANT
BOURLINGUEUR
BOURNONVILLE
BOURRÈLEMENT
BOURRELLERIE
BOURSICOTAGE
BOURSICOTANT
BOURSICOTEUR
BOURSOUFLAGE
BOURSOUFLANT
BOURSOUFLURE
BOUSSINGAULT
BOUSTIFAILLE
BOUTE-EN-TRAIN
BOUTEILLERIE
BOUTROS-GHALI
BRADYPSYCHIE
BRAHMAPOUTRE
BRANCARDIÈRE
BRANCHIOPODE
BRAY-SUR-SEINE
BREDOUILLAGE
BREDOUILLANT
BREDOUILLEUR
BREIL-SUR-ROYA
BRESSUIRAISE
BREST-LITOVSK
BRÉTIGNOLAIS
BRETTON WOODS
BRIANÇONNAIS
BRILLANTINÉE
BRILLANTINER
BRINDEZINGUE
BRINGUEBALÉE
BRINGUEBALER
BRINQUEBALÉE
BRINQUEBALER
BRINVILLIERS
BRISE-COPEAUX
BRITANNIQUES
BROMHYDRIQUE
BRONCHIOLITE
BRONCHITIQUE
BRONCHORRHÉE
BRONCHOSCOPE
BRONDILLANTE
BROSSARDOISE
BROUILLAMINI
BROUILLONNÉE
BROUILLONNER

BROWN-SÉQUARD
BRÛLE-PARFUMS
BRUNELLESCHI
BRUNISSEMENT
BRUNTRUTAINE
BUCARESTOISE
BUCCO-GÉNITAL
BUDAPESTOISE
BUENAVENTURA
BUENOS-AIRIEN
BUISSONNAISE
BUISSONNEUSE
BUISSONNIÈRE
BULBICULTURE
BULL-TERRIERS
BUREAUCRATIE
BUREAUTICIEN
BUSINESSMANS
BUSSY-RABUTIN
BYZANTINISME
BYZANTINISTE
CABALISTIQUE
CABESTANYENC
CABEZA DE VACA
CABOURGEAISE
CACHE-FLAMMES
CACHE-TAMPONS
CACOPHONIQUE
CADILLACAISE
CADUCIFOLIÉE
CAFOUILLEUSE
CAGAYAN DE ORO
CAGNES-SUR-MER
CAILLOUTEUSE
CALCULATRICE
CALÉDONIENNE
CALÉDONIENNE
CALES-ÉTALONS
CALIFOURCHON
CALLIGRAPHIE
CALLIGRAPHIÉ
CALOMNIATEUR
CALORIMÉTRIE
CALORISATION
CALTANISETTA
CALVAIRIENNE
CAMBODGIENNE
CAMBODGIENNE
CAMBRÉSIENNE
CAMBRÉSIENNE
CAMBRIOLEUSE
CAMBROUSSARD
CAMEROUNAISE
CAMEROUNAISE
CAMPANIFORME
CAMPANULACÉE
CANADIANISME

CANALISATION
CANCÉROLOGIE
CANCÉROLOGUE
CANCOILLOTTE
CANNIBALISÉE
CANNIBALISER
CANNIBALISME
CANONISATION
CANTABRIQUES
CANTHARIDINE
CANTONNEMENT
CANULARESQUE
CANY-BARVILLE
CAOUTCHOUTÉE
CAOUTCHOUTER
CAPARAÇONNÉE
CAPARAÇONNER
CAP-D'AILLOISE
CAPDENAC-GARE
CAPDENACOISE
CAPESTANAISE
CAPESTERRIEN
CAPITAINERIE
CAPITALISANT
CAPITULATION
CAPORALISANT
CAPROLACTAME
CAPSULE-CONGÉ
CAP-VERDIENNE
CAPVERDIENNE
CAPVERDIENNE
CARACTÉRISÉE
CARACTÉRISER
CARAMBOUILLE
CARAMÉLISANT
CARAVAGESQUE
CARBONARISME
CARBOXYLIQUE
CARCINOLOGIE
CARDIOPATHIE
CARENTANAISE
CARHAISIENNE
CARICATURALE
CARICATURANT
CARICATURAUX
CARILLONNANT
CARILLONNEUR
CAROLINGIENS
CAROLORÉGIEN
CAROLUS-DURAN
CAROTIDIENNE
CARPETBAGGER
CARPICULTURE
CARRY-LE-ROUET
CARTELLISANT
CARTE-RÉPONSE
CARTHAGINOIS

CARTHAGINOIS
CARTOGRAPHIE
CARTOGRAPHIÉ
CARTOMANCIEN
CARTON-FEUTRE
CARTON-PAILLE
CARTONS-PÂTES
CARTOUCHERIE
CARTOUCHIÈRE
CARYOLYTIQUE
CARYOPHYLLÉE
CASABLANCAIS
CASSE-PIERRES
CASSITÉRIDES
CASTAGNETTES
CASTELJALOUX
CASTELLANAIS
CASTELLINOIS
CASTELNOVIEN
CASTELVIROIS
CASTILLE-LEÓN
CATACLYSMALE
CATACLYSMAUX
CATALEPTIQUE
CATASTROPHÉE
CATASTROPHER
CATÉCHUMÉNAT
CATÉGORIELLE
CATÉGORISANT
CATHERINETTE
CATHÉTÉRISME
CATHÉTOMÈTRE
CATHOLICISME
CATON D'UTIQUE
CATTENOMOISE
CAUCHEMARDER
CAUDRÉSIENNE
CAULAINCOURT
CAVAILLÉ-COLL
CAVALAIROISE
CAVALIER BLEU
CAYEUX-SUR-MER
CELLULITIQUE
CELLULOSIQUE
CENT-ASSOCIÉS
CENTRALIENNE
CENTRALISANT
CENTRIFUGEUR
CÉRÉBELLEUSE
CÉRÉMONIELLE
CÉRÉMONIEUSE
CERFS-VOLANTS
CERRO BOLÍVAR
CERRO DE PASCO
CERRO PARANAL
CERTAINEMENT
CESKY KRUMLOV

CESSIONNAIRE
CHABAN-DELMAS
CHABLISIENNE
CHALAISIENNE
CHALCOPYRITE
CHALLANDAISE
CHALLÉSIENNE
CHAMAILLERIE
CHAMAILLEUSE
CHAMALIÉROIS
CHAMBÉRIENNE
CHAMBONNAIRE
CHAMPAGNISÉE
CHAMPAGNISER
CHANCELADAIS
CHANCELLERIE
CHANDERNAGOR
CHANDRAGUPTA
CHANFREINANT
CHANSONNETTE
CHANSONNIÈRE
CHANTEPLEURE
CHANTIGNOLLE
CHANTOURNANT
CHAPERONNANT
CHAPLINESQUE
CHAPOCHNIKOV
CHAPTALISANT
CHARANÇONNÉE
CHARBONNERIE
CHARBONNEUSE
CHARBONNIÈRE
CHARDONNERET
CHARLESBOURG
CHARLES-FÉLIX
CHARLES LE BEL
CHARLES QUINT
CHARLIANDINE
CHARPENTERIE
CHARPENTIÈRE
CHARTE-PARTIE
CHASSÉ-CROISÉ
CHÂTEAUBOURG
CHÂTEAUGIRON
CHÂTEAUGUOIS
CHÂTENAISIEN
CHATOUILLANT
CHATOUILLEUX
CHAUDRONNIER
CHAUDS-FROIDS
CHAUFFAGISTE
CHAUFFAILLES
CHAUFFAILLON
CHAUFFE-BAINS
CHAUFFE-PIEDS
CHAUFFE-PLATS
CHAUFFERETTE

CHAUMONTAISE
CHAUMONTOISE
CHAUSSE-PIEDS
CHAUSSE-TRAPE
CHAUVE-SOURIS
CHEESEBURGER
CHEF-BOUTONNE
CHEFS-D'ŒUVRE
CHEMINS DE FER
CHÉMOCEPTEUR
CHÊNES-LIÈGES
CHENEVELIÈRE
CHENNEVIÈRES
CHEREMETIEVO
CHESTERFIELD
CHESTROLAISE
CHEVAL-ARÇONS
CHEVAL-VAPEUR
CHEVARDNADZE
CHEVAUCHANTE
CHEVAU-LÉGERS
CHEVROTEMENT
CHIBOUGAMOIS
CHICHIMÈQUES
CHICOUTIMIEN
CHIFFONNIÈRE
CHIMIOTHÈQUE
CHIMIQUEMENT
CHIROMANCIEN
CHIROPRACTIE
CHIRURGICALE
CHIRURGICAUX
CHIRURGIENNE
CHLORHYDRATE
CHLOROMÉTRIE
CHLOROPHYCÉE
CHLOROPHYLLE
CHLOROPHYTUM
CHLOROPLASTE
CHOCOLATERIE
CHOCOLATIÈRE
CHOLÉCYSTITE
CHOLÉRÉTIQUE
CHOLÉRIFORME
CHOMÉRACOISE
CHONDROSTÉEN
CHOPPING-TOOL
CHORÉGRAPHIE
CHORÉGRAPHIÉ
CHOROÏDIENNE
CHOUCHOUTAGE
CHOUCHOUTANT
CHOUETTEMENT
CHRISTCHURCH
CHRISTIANISÉ
CHRISTOLOGIE
CHROMATOPSIE

CHROMISATION
CHROMOSPHÈRE
CHRONICISANT
CHRONIQUEUSE
CHRONOGRAMME
CHRONOGRAPHE
CHRONOMÉTRÉE
CHRONOMÉTRER
CHRONOMÉTRIE
CHRYSANTHÈME
CHRYSOMÉLIDÉ
CHRYSOPHYCÉE
CHUCHOTEMENT
CHUQUICAMATA
CICATRISANTE
CICLOSPORINE
CICONIIFORME
CID CAMPEADOR
CINÉMATHÈQUE
CINÉMOGRAPHE
CINQUANTAINE
CINQUANTIÈME
CINTEGABELLE
CIRCASSIENNE
CIRCASSIENNE
CIRCONCISANT
CIRCONCISION
CIRCONSCRIRE
CIRCONSCRITE
CIRCONSPECTE
CIRCONSTANCE
CIRCONVENANT
CIRCONVOISIN
CIRCULARISÉE
CIRCULARISER
CIRCULATOIRE
CIRROCUMULUS
CIRROSTRATUS
CISAILLEMENT
CISLEITHANIE
CISTERCIENNE
CITÉS-JARDINS
CITIZEN BANDS
CITLALTÉPETL
CIUDAD JUÁREZ
CIVILISATEUR
CIVILISATION
CLAIRES-VOIES
CLAIRONNANTE
CLAIRVOYANCE
CLAIRVOYANTE
CLAMECYCOISE
CLAQUEMURANT
CLAUDICATION
CLAUSTRATION
CLAVECINISTE
CLAYE-SOUILLY

CLÉGUÉRECOIS
CLÉMENTINIER
CLÉRICALISME
CLERMONTAISE
CLERMONTOISE
CLERMONTOISE
CLIENTÉLISME
CLIGNOTEMENT
CLIMATÉRIQUE
CLIMATOLOGIE
CLIMATOLOGUE
CLINIQUEMENT
CLIQUÈTEMENT
CLISSONNAISE
CLOCHARDISÉE
CLOCHARDISER
CLOISONNISME
CLOSE-COMBATS
CLYTEMNESTRE
COCAÏNOMANIE
COCHONNAILLE
COCONISATION
CODÉTENTRICE
CODICILLAIRE
CODIFICATEUR
CODIFICATION
CODIRECTRICE
CŒLIOSCOPIE
CŒNESTHÉSIE
COFFRES-FORTS
COFONDATRICE
COGNITIVISME
COHABITATION
COLA DI RIENZO
COLLATIONNÉE
COLLATIONNER
COLLECTIONNÉ
COLLECTIVISÉ
COLLECTIVITÉ
COLLÉGIALITÉ
COLOCOTRONIS
COLOGARITHME
COLOMB-BÉCHAR
COLOMBOPHILE
COLONIALISME
COLONIALISTE
COLONISATEUR
COLONISATION
COLONOSCOPIE
COLORIMÉTRIE
COLORISATION
COLUMBIFORME
COLUMÉRIENNE
COMANDATAIRE
COMBIENTIÈME
COMBINATOIRE
COMBLANCHIEN

COMBOURGEOIS
COMBS-LA-VILLE
COMMANDEMENT
COMMANDITANT
COMMÉMORATIF
COMMENCEMENT
COMMENTATEUR
COMMERCIENNE
COMMINATOIRE
COMMISSARIAT
COMMISSIONNÉ
COMMISSURALE
COMMISSURAUX
COMMONWEALTH
COMMOTIONNÉE
COMMOTIONNER
COMMUNALISÉE
COMMUNALISER
COMMUNICABLE
COMMUNICANTE
COMMUNICATIF
COMMUNIQUANT
COMMUNISANTE
COMMUTATRICE
COMPARATISME
COMPARATISTE
COMPARTIMENT
COMPATISSANT
COMPENDIEUSE
COMPENSATEUR
COMPENSATION
COMPÉTITRICE
COMPIÉGNOISE
COMPILATRICE
COMPLAISANCE
COMPLAISANTE
COMPLÈTEMENT
COMPLEXIFIÉE
COMPLEXIFIER
COMPLICATION
COMPLIMENTÉE
COMPLIMENTER
COMPOGRAVEUR
COMPOGRAVURE
COMPORTEMENT
COMPOSITRICE
COMPRÉHENSIF
COMPRESSIBLE
COMPROMETTRE
COMPTABILISÉ
COMPTABILITÉ
CONCÉLÉBRANT
CONCENTRIQUE
CONCEPTUELLE
CONCERTATION
CONCIERGERIE
CONCIERGERIE

CONCILIABULE
CONCILIATEUR
CONCILIATION
CONCITOYENNE
CONCOMITANCE
CONCOMITANTE
CONCRÈTEMENT
CONCRÉTISANT
CONCUPISCENT
CONCURRENCÉE
CONCURRENCER
CONDAMNATION
CONDENSATEUR
CONDENSATION
CONDESCENDRE
CONDITIONNÉE
CONDITIONNEL
CONDITIONNER
CONDOLÉANCES
CONDOTTIERES
CONDRUSIENNE
CONDUCTIVITÉ
CONFECTIONNÉ
CONFÉRENCIER
CONFIDENTIEL
CONFIRMATION
CONFIRMATIVE
CONFISCATION
CONFITURERIE
CONFITURIÈRE
CONFOLENTAIS
CONFORMATEUR
CONFORMATION
CONFRATERNEL
CONFUSIONNEL
CONGÉDIEMENT
CONGESTIONNÉ
CONGLOMÉRANT
CONGRATULANT
CONGRÉGATION
CONGRESSISTE
CONJECTURALE
CONJECTURANT
CONJECTURAUX
CONJONCTIVAL
CONJONCTUREL
CONJURATOIRE
CONNAISSABLE
CONNAISSANCE
CONNAISSEUSE
CONNECTIVITE
CONQUISTADOR
CONSCIEMMENT
CONSCIENTISÉ
CONSCRIPTION
CONSÉCRATION
CONSEILLEUSE

CONSENSUELLE
CONSENTEMENT
CONSERVATEUR
CONSERVATION
CONSIDÉRABLE
CONSIGNATION
CONSISTORIAL
CONSOLATRICE
CONSOMMATEUR
CONSOMMATION
CONSOMPTIBLE
CONSPIRATEUR
CONSPIRATION
CONSTATATION
CONSTERNANTE
CONSTIPATION
CONSTITUANTE
CONSTITUANTE
CONSTITUTION
CONSTITUTIVE
CONSTRICTEUR
CONSTRICTION
CONSTRICTIVE
CONSTRUCTEUR
CONSTRUCTION
CONSTRUCTIVE
CONSTRUISANT
CONSULTATION
CONSULTATIVE
CONSUMÉRISME
CONSUMÉRISTE
CONTAGIOSITÉ
CONTAINÉRISÉ
CONTAMINARDE
CONTEMPLATIF
CONTEMPORAIN
CONTEMPTRICE
CONTENEURISÉ
CONTENTEMENT
CONTENTIEUSE
CONTESTATEUR
CONTESTATION
CONTEXTUELLE
CONTINENTALE
CONTINENTAUX
CONTINGENCES
CONTINGENTÉE
CONTINGENTER
CONTINUATEUR
CONTINUATION
CONTORSIONNÉ
CONTRACEPTIF
CONTRACTANTE
CONTRACTURÉE
CONTRACTURER
CONTRAGESTIF
CONTRAIGNANT

CONTRARIANTE
CONTRASTANTE
CONTRE-ALLÉES
CONTRE-AMIRAL
CONTRE-APPELS
CONTREBASSON
CONTRE-BRAQUÉ
CONTREBUTANT
CONTRECARRÉE
CONTRECARRER
CONTRE-CHANTS
CONTRECOLLÉE
CONTRE-COURBE
CONTRE-DIGUES
CONTREDISANT
CONTRE-ÉCROUS
CONTRE-EMPLOI
CONTRE-ESSAIS
CONTREFICHÉE
CONTREFICHER
CONTRE-FILETS
CONTREFOUTRE
CONTREFOUTUE
CONTRE-FUGUES
CONTRE-LETTRE
CONTREMAÎTRE
CONTREMARCHE
CONTREMARQUE
CONTREMARQUÉ
CONTRE-MESURE
CONTREPARTIE
CONTRE-PASSÉE
CONTRE-PASSER
CONTRE-PASSÉS
CONTRE-PENTES
CONTREPLAQUÉ
CONTRE-POINTE
CONTREPOISON
CONTRE-PORTES
CONTRE-PROJET
CONTRESCARPE
CONTRESIGNÉE
CONTRESIGNER
CONTRE-SUJETS
CONTRE-TAILLE
CONTRE-TIMBRE
CONTRETYPANT
CONTRE-VALEUR
CONTREVENANT
CONTREVENTÉE
CONTREVENTER
CONTREVÉRITÉ
CONTRE-VISITE
CONTRIBUABLE
CONTRIBUTEUR
CONTRIBUTION
CONTROVERSÉE

12

CONTROVERSER
CONTUSIONNÉE
CONTUSIONNER
CONVAINCANTE
CONVAINQUANT
CONVALESCENT
CONVENTIONNÉ
CONVENTUELLE
CONVERSATION
CONVIVIALITÉ
CONVULSIONNÉ
COOCCURRENCE
COOPÉRATISME
COOPÉRATRICE
COORDINATEUR
COORDINATION
COPARTAGEANT
COPENHAGUOIS
COPIEUSEMENT
COPRÉSIDENCE
COPRÉSIDENTE
COPROCULTURE
COPRODUCTION
COPRODUISANT
COPROLOGIQUE
COQUELUCHEUX
COQUETTEMENT
CORACIIFORME
CORBEHEMOISE
CORDIALEMENT
CORDONS-BLEUS
CORINTHIENNE
CORINTHIENNE
CORMEILLAISE
CORNOUAILLES
CORN-SHELLERS
CORONARIENNE
CORONOGRAPHE
CORPORATISME
CORPORATISTE
CORRECTEMENT
CORRESPONDRE
COSIGNATAIRE
COSME L'ANCIEN
COSMÉTOLOGIE
COSMÉTOLOGUE
COSMOGONIQUE
COSMOGRAPHIE
COSMOLOGIQUE
COSMOLOGISTE
COSSÉ-BRISSAC
COSTARICAINE
COSTARICAINE
CÔTE-SAINT-LUC
CÔTES-DU-RHÔNE
COUCHAILLANT
COUILLONNADE

COUILLONNANT
COULEUVREAUX
COULISSEMENT
COULONGEOISE
COUPE-CIGARES
COUPE-CIRCUIT
COUPE-JARRETS
COUPE-LÉGUMES
COUPELLATION
COUPE-PAPIERS
COUPE-RACINES
COUPS-DE-POING
COURANTS-JETS
COURBATURANT
COURCAILLANT
COURNONNAISE
COURONNEMENT
COURRIÉRISTE
COURSANNAISE
COURSEULLAIS
COURT-CIRCUIT
COURTEPOINTE
COURT-JOINTÉE
COURT-JOINTÉS
COURT-MÉTRAGE
COURVILLOISE
COUSCOUSSIER
COÛTEUSEMENT
COUTRASIENNE
COUVRE-JOINTS
COUVRE-LIVRES
COUVRE-NUQUES
COUVRE-OBJETS
COXO-FÉMORALE
COXO-FÉMORAUX
CRACHOTEMENT
CRACHOUILLER
CRAQUÈLEMENT
CRAQUÈTEMENT
CRATÉRIFORME
CRAYON-FEUTRE
CRÉDIBILISÉE
CRÉDIBILISER
CRÉDIRENTIER
CRÉDITS-BAILS
CRÉOLISATION
CRÉPICORDIEN
CRESSIACOISE
CRESSONNETTE
CRESSONNIÈRE
CRÉTINISANTE
CRIAILLEMENT
CRIMINALISÉE
CRIMINALISER
CRIMINALISTE
CRIMINOLOGIE
CRIMINOLOGUE

CRISTALLERIE
CRISTALLISÉE
CRISTALLISER
CRISTE-MARINE
CRISTOLIENNE
CRITICAILLÉE
CRITICAILLER
CROCHE-PATTES
CROCS-EN-JAMBE
CROISIÉRISTE
CROQUE-MADAME
CROQUIGNOLET
CROSS-COUNTRY
CROSSING-OVER
CROUPISSANTE
CROUSTILLANT
CRUCIFIEMENT
CRYOFRACTURE
CRYOPHYSIQUE
CRYOTHÉRAPIE
CRYPTOGRAMME
CRYPTOGRAPHE
CUCURBITACÉE
CUIRASSEMENT
CULPABILISÉE
CULPABILISER
CULTÉRANISME
CULTIVATRICE
CULTURALISME
CULTURALISTE
CUMULO-NIMBUS
CUNNILINCTUS
CUPROALLIAGE
CURARISATION
CURCULIONIDÉ
CURE-OREILLES
CURIEUSEMENT
CUTI-RÉACTION
CYANHYDRIQUE
CYBERNÉTIQUE
CYCLIQUEMENT
CYCLOPENTANE
CYCLOSPORINE
CYRUS LE GRAND
CYRUS LE JEUNE
DACTYLOLOGIE
DAKOTA DU NORD
DALLAPICCOLA
DAMASQUINAGE
DAMASQUINANT
DAMES-JEANNES
D'ARRACHE-PIED
DAYTONA BEACH
DÉAMBULATION
DÉBÂILLONNÉE
DÉBÂILLONNER
DÉBALLASTAGE

DÉBALLONNANT
DÉBARBOUILLÉ
DÉBARQUEMENT
DÉBARRASSANT
DÉBECQUETANT
DÉBILLARDANT
DÉBIRENTIÈRE
DÉBONNAIRETÉ
DÉBOULONNAGE
DÉBOULONNANT
DÉBOUQUEMENT
DÉBOURREMENT
DÉBOURSEMENT
DÉBOUSSOLANT
DÉBOUTONNAGE
DÉBOUTONNANT
DÉBROUILLAGE
DÉBROUILLANT
DÉBROUILLARD
DÉBUDGÉTISÉE
DÉBUDGÉTISER
DÉBUSQUEMENT
DÉCADENASSÉE
DÉCADENASSER
DÉCAISSEMENT
DÉCALAMINAGE
DÉCALAMINANT
DÉCALCIFIANT
DÉCALCOMANIE
DÉCAMÉTRIQUE
DÉCAPITALISÉ
DÉCAPITATION
DÉCAPUCHONNÉ
DÉCARCASSANT
DÉCATHLONIEN
DÉCÉLÉRATION
DÉCENTRALISÉ
DÉCENTREMENT
DÉCHAÎNEMENT
DÉCHAPERONNÉ
DÉCHARGEMENT
DÉCHAUSSEUSE
DÉCHIFFONNÉE
DÉCHIFFONNER
DÉCHIFFRABLE
DÉCHIFFREUSE
DÉCHIQUETAGE
DÉCHIQUETANT
DÉCHIQUETEUR
DÉCHIQUETURE
DÉCHLORURANT
DÉCIDABILITÉ
DÉCIMALISANT
DÉCIMÉTRIQUE
DÉCINTREMENT
DÉCLAMATOIRE
DÉCLAMATRICE

DÉCLARATOIRE
DÉCLASSEMENT
DÉCLINATOIRE
DÉCLIQUETAGE
DÉCLIQUETANT
DÉCLOISONNÉE
DÉCLOISONNER
DÉCOINCEMENT
DÉCOLLETEUSE
DÉCOLONISANT
DÉCOLORATION
DÉCOMMANDANT
DÉCOMPLEXANT
DÉCOMPOSABLE
DÉCOMPRESSER
DÉCOMPRIMANT
DÉCONCENTRÉE
DÉCONCENTRER
DÉCONCERTANT
DÉCONGESTION
DÉCONNECTANT
DÉCONSEILLÉE
DÉCONSEILLER
DÉCONSIDÉRÉE
DÉCONSIDÉRER
DÉCONSIGNANT
DÉCONSTRUIRE
DÉCONSTRUITE
DÉCONTAMINÉE
DÉCONTAMINER
DÉCONTENANCÉ
DÉCONTRACTÉE
DÉCONTRACTER
DÉCORTIQUANT
DÉCOURAGEANT
DÉCOURONNANT
DÉCOUVERTURE
DÉCRASSEMENT
DÉCRÉPISSAGE
DÉCRÉPISSANT
DÉCRISPATION
DÉCROCHEMENT
DÉCROISEMENT
DÉCROISSANCE
DÉCROISSANTE
DÉCRYPTEMENT
DÉDOMMAGEANT
DÉDOUANEMENT
DÉDOUBLEMENT
DÉDRAMATISÉE
DÉDRAMATISER
DÉFAVORISANT
DÉFECTUOSITÉ
DÉFENDERESSE
DÉFENESTRANT
DÉFINISSABLE
DÉFISCALISÉE

DÉFISCALISER
DÉFLAGRATION
DÉFLUVIATION
DÉFOURNEMENT
DÉFRICHEMENT
DÉGARNISSAGE
DÉGARNISSANT
DÉGASOLINAGE
DÉGASOLINANT
DÉGAZOLINAGE
DÉGAZOLINANT
DÉGÉNÉRATIVE
DÉGLACIATION
DÉGLUTISSANT
DÉGONFLEMENT
DÉGOUPILLANT
DÉGOÛTAMMENT
DÉGRAISSANTE
DÉGRAISSEUSE
DÉGRESSIVITÉ
DÉGRINGOLADE
DÉGRINGOLANT
DÉGROUILLANT
DÉGROUPEMENT
DÉGUSTATRICE
DÉHANCHEMENT
DÉHARNACHANT
DÉICUSTODIEN
DEIR EL-BAHARI
DÉLAIS-CONGÉS
DÉLAISSEMENT
DÉLÉGITIMANT
DÉLIBÉRATION
DÉLIBÉRATIVE
DÉLIBÉRÉMENT
DÉLICATEMENT
DÉLIMITATION
DÉLIQUESCENT
DÉLITESCENCE
DÉLITESCENTE
DELLA QUERCIA
DÉLOCALISANT
DÉLOYALEMENT
DELPHINARIUM
DELTOÏDIENNE
DÉMAGNÉTISÉE
DÉMAGNÉTISER
DÉMAILLOTANT
DÉMANCHEMENT
DEMANDERESSE
DÉMANGEAISON
DÉMANTIBULÉE
DÉMANTIBULER
DÉMAQUILLAGE
DÉMAQUILLANT
DÉMASTIQUANT
DÉMÉDICALISÉ

DÉMEMBREMENT
DÉMÉNAGEMENT
DÉMESURÉMENT
DEMI-BRIGADES
DEMI-COLONNES
DEMI-DOUZAINE
DEMI-JOURNÉES
DÉMILITARISÉ
DEMI-LONGUEUR
DEMI-MONDAINE
DÉMINÉRALISÉ
DEMI-PENSIONS
DEMI-PORTIONS
DEMI-PRODUITS
DEMI-SOMMEILS
DÉMISSIONNÉE
DÉMISSIONNER
DÉMOBILISANT
DÉMOCRATIQUE
DÉMOCRATISÉE
DÉMOCRATISER
DÉMODULATEUR
DÉMODULATION
DÉMOLISSEUSE
DÉMONÉTISANT
DÉMONSTRATIF
DÉMONTE-PNEUS
DÉMORALISANT
DÉMOTIVATION
DÉMOUCHETANT
DÉMOUSTIQUÉE
DÉMOUSTIQUER
DÉMULTIPLEXÉ
DÉMULTIPLIÉE
DÉMULTIPLIER
DÉMUTISATION
DÉMYSTIFIANT
DÉMYTHIFIANT
DÉNANTISSANT
DÉNASALISANT
DÉNATURALISÉ
DÉNATURATION
DÉNÉBULATION
DÉNÉBULISANT
DENG XIAOPING
DÉNICOTINISÉ
DÉNITRIFIANT
DÉNOMBREMENT
DÉNOMINATEUR
DÉNOMINATION
DÉNOMINATIVE
DÉNONCIATEUR
DÉNONCIATION
DÉNUCLÉARISÉ
DENYS L'ANCIEN
DENYS LE JEUNE
DENYS LE PETIT

DÉPARASITANT
DÉPAREILLANT
DÉPARTAGEANT
DÉPARTISSANT
DÉPASSIONNÉE
DÉPASSIONNER
DÉPATOUILLÉE
DÉPATOUILLER
DÉPÉNALISANT
DÉPEUPLEMENT
DÉPHOSPHATÉE
DÉPHOSPHATER
DÉPHOSPHORÉE
DÉPHOSPHORER
DÉPIGEONNAGE
DÉPLAFONNANT
DÉPLANTATION
DÉPOITRAILLÉ
DÉPOLARISANT
DÉPOLITISANT
DÉPOPULATION
DÉPOSSESSION
DÉPÔTS-VENTES
DÉPOUSSIÉRÉE
DÉPOUSSIÉRER
DÉPRÉCIATEUR
DÉPRÉCIATION
DÉPRÉCIATIVE
DÉPRÉDATRICE
DÉPRESSURISÉ
DÉPROGRAMMÉE
DÉPROGRAMMER
DÉQUALIFIANT
DÉRACINEMENT
DÉRAIDISSANT
DÉRAILLEMENT
DÉRAISONNANT
DÉRATISATION
DÉRÉGLEMENTÉ
DÉRÉGULATION
DERMATOLOGIE
DERMATOLOGUE
DERMOGRAPHIE
DERNIÈREMENT
DÉROUGISSANT
DÉSACCORDANT
DÉSACCOUPLÉE
DÉSACCOUPLER
DÉSACCOUTUMÉ
DÉSACRALISÉE
DÉSACRALISER
DÉSAFFECTANT
DÉSAFFECTION
DÉSAFFILIANT
DÉSAGRÉGEANT
DÉSAIMANTANT
DÉSALTÉRANTE

DÉSAMBIGUÏSÉ
DÉSAMIDONNÉE
DÉSAMIDONNER
DÉSAPPARIANT
DÉSAPPOINTÉE
DÉSAPPOINTER
DÉSAPPRENANT
DÉSAPPRENDRE
DÉSAPPROUVÉE
DÉSAPPROUVER
DÉSARÇONNANT
DÉSARGENTANT
DÉSARTICULÉE
DÉSARTICULER
DÉSASSEMBLÉE
DÉSASSEMBLER
DÉSATELLISÉE
DÉSATELLISER
DÉSAVANTAGÉE
DÉSAVANTAGER
DESCELLEMENT
DÉSCOLARISÉE
DÉSCOLARISER
DESCRIPTIBLE
DESCRIPTRICE
DÉSECTORISÉE
DÉSECTORISER
DÉSEMBOURBÉE
DÉSEMBOURBER
DÉSENCADRANT
DÉSENCHAÎNÉE
DÉSENCHAÎNER
DÉSENCHANTÉE
DÉSENCHANTER
DÉSENCLAVANT
DÉSENCOMBRÉE
DÉSENCOMBRER
DÉSENCRASSÉE
DÉSENCRASSER
DÉSENDETTANT
DÉSENGAGEANT
DÉSENGRENANT
DÉSENSABLANT
DÉSENSORCELÉ
DÉSENTOILANT
DÉSENTRAVANT
DÉSENVELOPPÉ
DÉSENVENIMÉE
DÉSENVENIMER
DÉSENVERGUÉE
DÉSENVERGUER
DÉSÉQUILIBRE
DÉSÉQUILIBRÉ
DÉSERTIFIANT
DÉSESPÉRANCE
DÉSESPÉRANTE
DÉSÉTATISANT

DÉSEXUALISÉE
DÉSEXUALISER
DÉSHABILLAGE
DÉSHABILLANT
DÉSHABILUANT
DÉSHONORANTE
DESHOULIÈRES
DÉSHUMANISÉE
DÉSHUMANISER
DÉSHUMIDIFIÉ
DÉSHYDRATANT
DÉSHYDROGÉNÉ
DÉSIDÉRIENNE
DÉSINCARCÉRÉ
DÉSINCARNANT
DÉSINCRUSTÉE
DÉSINCRUSTER
DÉSINFECTANT
DÉSINFECTION
DÉSINFLATION
DÉSINFORMANT
DÉSINSECTISÉ
DÉSINSERTION
DÉSINTÉGRANT
DÉSINTÉRESSÉ
DÉSINTOXIQUÉ
DÉSINVOLTURE
DÉSOBÉISSANT
DÉSOBLIGEANT
DÉSOBSTRUANT
DÉSOCIALISÉE
DÉSODORISANT
DÉSOLIDARISÉ
DÉSOPERCULÉE
DÉSOPERCULER
DÉSORGANISÉE
DÉSORGANISER
DÉSORIENTANT
DÉSOXYDATION
DÉSOXYGÉNANT
DÉSOXYRIBOSE
DESQUAMATION
DESSABLEMENT
DESSÈCHEMENT
DESSERREMENT
DESSICCATEUR
DESSICCATION
DESSINATRICE
DÉSTABILISÉE
DÉSTABILISER
DÉSTALINISÉE
DÉSTALINISER
DESTELBERGEN
DESTINATAIRE
DESTRUCTIBLE
DESTRUCTRICE
DÉSTRUCTURÉE

DÉSTRUCTURER
DÉTERMINABLE
DÉTERMINANTE
DÉTERMINATIF
DÉTERMINISME
DÉTERMINISTE
DÉTORTILLANT
DÉTOURNEMENT
DÉTOXICATION
DÉTRAQUEMENT
DÉTUMESCENCE
DEUIL-LA-BARRE
DEUTSCHE MARK
DEUXIÈMEMENT
DÉVALORISANT
DÉVASTATRICE
DÉVELOPPABLE
DÉVELOPPANTE
DÉVERGONDAGE
DÉVERGONDANT
DÉVERNISSANT
DÉVERROUILLÉ
DÉVIRGINISÉE
DÉVIRGINISER
DÉVIRILISANT
DÉVITALISANT
DÉVITRIFIANT
DEXTROCARDIE
DIABÉTOLOGIE
DIABÉTOLOGUE
DIACHRONIQUE
DIACOUSTIQUE
DIAGNOSTIQUE
DIAGNOSTIQUÉ
DIALECTICIEN
DIALECTISANT
DIAMANTIFÈRE
DIAPHRAGMANT
DIATHERMIQUE
DICARBONYLÉE
DICHOTOMIQUE
DICOTYLÉDONE
DICTATORIALE
DICTATORIAUX
DICTIONNAIRE
DIÉLECTRIQUE
DIEULEFITOIS
DIFFAMATOIRE
DIFFAMATRICE
DIFFÉREMMENT
DIFFÉRENCIÉE
DIFFÉRENCIER
DIFFÉRENTIÉE
DIFFÉRENTIEL
DIFFÉRENTIER
DIGITALISANT
DILACÉRATION

DILAPIDATEUR
DILAPIDATION
DILATABILITÉ
DIMENSIONNÉE
DIMENSIONNEL
DIMENSIONNER
DINOFLAGELLÉ
DIOSCORÉACÉE
DIPHTONGUANT
DIPLOMATIQUE
DIRECTIONNEL
DIRECTIVISME
DIRECTORIALE
DIRECTORIAUX
DISACCHARIDE
DISCARTHROSE
DISCERNEMENT
DISCIPLINANT
DISCOGRAPHIE
DISCONTINUER
DISCONVENANT
DISCOURTOISE
DISCRÉDITANT
DISCRÈTEMENT
DISCRIMINANT
DISCULPATION
DISCUTAILLER
DISGRACIEUSE
DISPENDIEUSE
DISPENSATEUR
DISPERSEMENT
DISQUALIFIÉE
DISQUALIFIER
DISSEMBLABLE
DISSEMBLANCE
DISSENTIMENT
DISSERTATION
DISSIPATRICE
DISSOCIATION
DISTANCEMENT
DISTILLATEUR
DISTILLATION
DISTINGUABLE
DISTRIBUABLE
DISTRIBUTEUR
DISTRIBUTION
DISTRIBUTIVE
DIVERSIFIANT
DIVERTIMENTO
DIVERTISSANT
DIVINISATION
DIVISIBILITÉ
DIVORTIALITÉ
DIVULGATRICE
DIX-HUITIÈMES
DIX-NEUVIÈMES
DIX-SEPTIÈMES

12

DJIBOUTIENNE
DJIBOUTIENNE
DOCUMENTAIRE
DODÉCAGONALE
DODÉCAGONAUX
DODELINEMENT
DOKOUTCHAÏEV
DOLICHOCÔLON
DOMESTICABLE
DOMESTIQUANT
DOMFRONTAISE
DOMICILIAIRE
DOMINIQUAISE
DONJUANESQUE
DON QUICHOTTE
DON QUICHOTTE
DONZENACOISE
DOUARNENISTE
DOUBLE-CROCHE
DOUBLE-SCULLS
DOUCES-AMÈRES
DOUCETTEMENT
DOUDEVILLAIS
DOULLENNAISE
DOURA-EUROPOS
DOURDANNAISE
DOUTEUSEMENT
DOUWES DEKKER
DOUZIÈMEMENT
DRAMATISANTE
DRAPS-HOUSSES
DRAVEILLOISE
DRESSING-ROOM
DRYOPITHÈQUE
DUBOIS-CRANCÉ
DUGUAY-TROUIN
DULÇAQUICOLE
DUNKERQUOISE
DUN LAOGHAIRE
DUODÉCIMAINE
DUPONT-SOMMER
DURCISSEMENT
DUST MOHAMMAD
DYNAMISATION
DYSENTÉRIQUE
DYSGÉNÉSIQUE
DYSMÉNORRHÉE
DYSTROPHIQUE
EAST KILBRIDE
ÉBAHISSEMENT
ÉBLOUISSANTE
ÉBOUILLANTÉE
ÉBOUILLANTER
ÉBOURGEONNÉE
ÉBOURGEONNER
ÉBOURIFFANTE
ÉBRANCHEMENT

ÉBULLIOMÈTRE
ÉBULLIOSCOPE
EÇA DE QUEIRÓS
ÉCARQUILLANT
ÉCARTÈLEMENT
ÉCHAPPATOIRE
ÉCHAUFFEMENT
ÉCHAUFFOURÉE
ÉCHINOCACTUS
ÉCHIROLLOISE
ÉCHOGRAPHIÉE
ÉCHOGRAPHIER
ÉCHOLOCATION
ÉCLABOUSSANT
ÉCLABOUSSURE
ÉCLAIRAGISME
ÉCLAIRAGISTE
ÉCORNIFLEUSE
ÉCOUVILLONNÉ
ÉCRABOUILLÉE
ÉCRABOUILLER
ÉCRIVAILLANT
ÉCRIVAILLEUR
ÉCRIVASSIÈRE
ECTODERMIQUE
ECTOPARASITE
ÉDULCORATION
EFFAROUCHANT
EFFERVESCENT
EFFEUILLEUSE
EFFICACEMENT
EFFILOCHEUSE
EFFLEUREMENT
EFFLORESCENT
EFFONDREMENT
EFFRONTÉMENT
ÉGALISATRICE
ÉGALITARISME
ÉGLETONNAISE
ÉGOCENTRIQUE
ÉGOCENTRISME
ÉLANCOURTOIS
ÉLECTRIFIANT
ÉLECTRISABLE
ÉLECTRISANTE
ÉLECTROCOPIE
ÉLECTROCUTÉE
ÉLECTROCUTER
ÉLECTROLOGIE
ÉLECTROLYSÉE
ÉLECTROLYSER
ÉLECTROMÈTRE
ÉLECTRONIQUE
ÉLECTRONVOLT
ÉLECTROPHILE
ÉLECTROPHONE
ÉLECTROSCOPE

ÉLECTROVALVE
ÉLECTROVANNE
ÉLÉPHANTEAUX
ELF AQUITAINE
ÉLIMINATION
ÉLIMINATRICE
ÉLISABÉTHAIN
ELLIPSOÏDALE
ELLIPSOÏDAUX
EL-MOHAMMADIA
ÉLUCUBRATION
ÉMANCIPATEUR
ÉMANCIPATION
ÉMASCULATION
EMBARBOUILLÉ
EMBARDOUFLÉE
EMBARDOUFLER
EMBARQUEMENT
EMBARRASSANT
EMBASTILLANT
EMBELLISSANT
EMBLÉMATIQUE
EMBOBELINANT
EMBOLISATION
EMBOUQUEMENT
EMBOURGEOISÉ
EMBOUTEILLÉE
EMBOUTEILLER
EMBOUTISSAGE
EMBOUTISSANT
EMBRASSEMENT
EMBROCHEMENT
EMBROUILLAGE
EMBROUILLANT
EMBRYOGENÈSE
EMBRYONNAIRE
EMBRYOPATHIE
EMBRYOSCOPIE
ÉMERILLONNÉE
ÉMERVEILLANT
EMMAGASINAGE
EMMAGASINANT
EMMAILLOTANT
EMMANCHEMENT
EMMARCHEMENT
EMMÉNAGEMENT
EMMITOUFLANT
EMMOUSCAILLÉ
ÉMOTIONNABLE
ÉMOTIONNANTE
ÉMOTIONNELLE
ÉMOUSTILLANT
EMPIERREMENT
EMPOISONNANT
EMPOISONNEUR
EMPOISSONNÉE
EMPOISSONNER

EMPORTE-PIÈCE
EMPOUSSIÉRÉE
EMPOUSSIÉRER
EMPRESSEMENT
EMPRISONNANT
ÉMULSIFIABLE
ÉMULSIFIANTE
ÉMULSIONNANT
ÉNANTIOTROPE
ENCAISSEMENT
ENCANAILLANT
ENCAPUCHONNÉ
ENCARTOUCHÉE
ENCASTREMENT
ENCAUSTIQUÉE
ENCAUSTIQUER
ENCÉPAGEMENT
ENCÉPHALIQUE
ENCERCLEMENT
ENCHAÎNEMENT
ENCHANTEMENT
ENCHÂSSEMENT
ENCHÉRISSANT
ENCHÉRISSEUR
ENCHEVAUCHÉE
ENCHEVAUCHER
ENCHEVÊTRANT
ENCHEVÊTRURE
ENCLIQUETAGE
ENCLIQUETANT
ENCOMBREMENT
EN CONTRE-HAUT
ENCOURAGEANT
ENCRASSEMENT
ENCROÛTEMENT
EN CUL-DE-POULE
ENCYCLOPÉDIE
ENDIMANCHANT
ENDIVISIONNÉ
ENDOCTRINANT
ENDODERMIQUE
ENDOMÉTRIOSE
ENDOMMAGEANT
ENDOMORPHINE
ENDOPARASITE
ENDOSCOPIQUE
ENDOTHÉLIALE
ENDOTHÉLIAUX
ENDURCISSANT
ÉNERGÉTICIEN
ENFANTILLAGE
ENFOURNEMENT
ENFUTAILLANT
ENGENDREMENT
ENGHIENNOISE
ENGRAISSEUSE
ENGRANGEMENT

ENGUIRLANDÉE
ENGUIRLANDER
ENHARDISSANT
ENHARMONIQUE
ENJOLIVEMENT
ENLAIDISSANT
ENNOBLISSANT
ENORGUEILLIE
ENORGUEILLIR
ENQUIQUINANT
ENQUIQUINEUR
ENRACINEMENT
ENRÉGIMENTÉE
ENRÉGIMENTER
ENREGISTRANT
ENREGISTREUR
ENRÉSINEMENT
ENRICHISSANT
ENSANGLANTÉE
ENSANGLANTER
ENSEIGNEMENT
ENSOLEILLANT
ENSOMMEILLÉE
ENSORCELANTE
ENSORCELEUSE
ENTÉRINEMENT
ENTÉROCOLITE
ENTÉROKINASE
ENTHOUSIASMA
ENTHOUSIASMÉ
ENTHOUSIASTE
ENTOMOSTRACÉ
ENTORTILLAGE
ENTORTILLANT
ENTRAÎNEMENT
ENTREBÂILLÉE
ENTREBÂILLER
ENTRECHOQUÉE
ENTRECHOQUER
ENTRECOUPANT
ENTRECROISÉE
ENTRECROISER
ENTRE-DÉCHIRÉ
ENTRE-DÉVORÉE
ENTRE-DÉVORER
ENTRE-DÉVORÉS
ENTRÉE-SORTIE
ENTRE-HEURTÉE
ENTRE-HEURTER
ENTRE-HEURTÉS
ENTRELARDANT
ENTREMETTANT
ENTREMETTEUR
ENTREPRENANT
ENTREPRENDRE
ENTREPRENEUR
ENTRETAILLÉE

ENTRETAILLER
ENTRE-TISSANT
ENTRE-TISSÉES
ENTRETOISANT
ENVAHISSANTE
ENVELOPPANTE
ENVENIMATION
ENVIEUSEMENT
ENVIRONNANTE
ENVISAGEABLE
ENZENSBERGER
ENZYMOPATHIE
ÉPAISSISSANT
ÉPAISSISSEUR
ÉPANOUISSANT
ÉPAULÉS-JETÉS
ÉPICONDYLITE
ÉPICRÂNIENNE
ÉPICYCLOÏDAL
ÉPIGASTRIQUE
ÉPIGRAPHIQUE
ÉPIGRAPHISTE
ÉPINEURIENNE
ÉPINE-VINETTE
ÉPIPÉLAGIQUE
ÉPIPHÉNOMÈNE
ÉPISCOPALIEN
ÉPOUSTOUFLÉE
ÉPOUSTOUFLER
ÉPOUVANTABLE
ÉQUARRISSAGE
ÉQUARRISSANT
ÉQUARRISSEUR
ÉQUATORIENNE
ÉQUATORIENNE
ÉQUIDISTANCE
ÉQUIDISTANTE
ÉQUILATÉRALE
ÉQUILATÉRAUX
ÉQUILIBRANTE
ÉQUILIBRISTE
ÉQUIPOLLENCE
ÉQUIPOLLENTE
ÉQUIPROBABLE
ÉREUTOPHOBIE
ERGOTHÉRAPIE
ERMENONVILLE
ÉROTIQUEMENT
ÉRYTHÉMATEUX
ESCARGOTIÈRE
ESCARPOLETTE
ESCAUDINOISE
ESCHATOLOGIE
ESCLAVAGISME
ESCLAVAGISTE
ESCOUMINOISE
ESPACES-TEMPS

ESPAGNOLETTE
ESPALIONNAIS
ESPÉRANTISTE
ESQUIMAUTAGE
ESSOUCHEMENT
ESSUIE-GLACES
ESSUIE-VERRES
EST-ALLEMANDE
EST-ALLEMANDS
ESTAMPILLAGE
ESTAMPILLANT
ESTHÉTISANTE
ESTUDIANTINE
ÉTALONNEMENT
ÉTATS-UNIENNE
ÉTATS-UNIENNE
ÉTAUX-LIMEURS
ETCHMIADZINE
ETHNOGRAPHIE
ETHNOLOGIQUE
ÉTOURDISSANT
ÉTRANGLEMENT
ÉTRÉSILLONNÉ
ÉTYMOLOGIQUE
ÉTYMOLOGISTE
EUPHORBIACÉE
EUPHORISANTE
EURAFRICAINE
EURASIATIQUE
EUROPÉANISÉE
EUROPÉANISER
EUTHANASIANT
EUTHANASIQUE
ÉVANGÉLIAIRE
ÉVANGÉLISANT
ÉVANOUISSANT
ÉVAPORATOIRE
ÉVÉNEMENTIEL
ÉVISCÉRATION
EXACERBATION
EXAMINATRICE
EXASPÉRATION
EXCÉDENTAIRE
EXCELLEMMENT
EXCENTRATION
EXCENTRICITÉ
EXCEPTIONNEL
EXCITABILITÉ
EXCLUSIVISME
EXCOMMUNIANT
EXCRÉMENTIEL
EXCROISSANCE
EXCURSIONNER
EXEMPLIFIANT
EXFILTRATION
EXHAUSSEMENT
EXHAUSTIVITÉ

EXHÉRÉDATION
EXORCISATION
EXOSQUELETTE
EXOTHERMIQUE
EXPATRIATION
EXPECTORANTE
EXPÉRIMENTAL
EXPÉRIMENTÉE
EXPÉRIMENTER
EXPLOITATION
EXPLORATOIRE
EXPLORATRICE
EXPLOSIMÈTRE
EXPORTATRICE
EXPRESSÉMENT
EXPRESSIVITÉ
EXTEMPORANÉE
EXTENSIONNEL
EXTENSOMÈTRE
EXTÉRIORISÉE
EXTÉRIORISER
EXTÉROCEPTIF
EXTRA-COURANT
EXTRASOLAIRE
EXTRASYSTOLE
EXTRA-UTÉRINE
EXTRA-UTÉRINS
EXTRAVAGANCE
EXTRAVAGANTE
EXTRAVAGUANT
EXTRAVERSION
EXULCÉRATION
FABIUS PICTOR
FABRE D'OLIVET
FABRICATRICE
FÂCHEUSEMENT
FACILITATION
FACTIONNAIRE
FAIBLISSANTE
FAILLIBILITÉ
FAMILIARISÉE
FAMILIARISER
FANATISATION
FANFARONNADE
FANFARONNANT
FANTIN-LATOUR
FANTOMATIQUE
FARADISATION
FARFOUILLANT
FAROUCHEMENT
FASCINATRICE
FATHPUR-SIKRI
FATIGABILITÉ
FAUBOURIENNE
FAUX-BOURDONS
FAUX-SEMBLANT
FÉCONDATRICE

FÉDÉRALISANT
FELD-MARÉCHAL
FELLETINOISE
FÉMINISATION
FENDILLEMENT
FENESTRATION
FERBLANTERIE
FERMENTATION
FERNEYSIENNE
FERRICYANURE
FERROALLIAGE
FERROCYANURE
FERRUGINEUSE
FERTILISABLE
FERTILISANTE
FESSE-MATHIEU
FESTIVALIÈRE
FEUILLANTINE
FEUILLE-MORTE
FIANARANTSOA
FIBRILLATION
FIBROMATEUSE
FICTIONNELLE
FIDÉLISATION
FIFTY-FIFTIES
FILAMENTEUSE
FILDEFÉRISTE
FILMOGRAPHIE
FILTRE-PRESSE
FINALISATION
FINNO-OUGRIEN
FLAGELLATEUR
FLAGELLATION
FLAMBOIEMENT
FLANCS-GARDES
FLANDRICISME
FLEGMATISANT
FLEURDELISÉE
FLEURETTISTE
FLEURIATONNE
FLEURYSSOISE
FLEXIBILISÉE
FLEXIBILISER
FLEXIONNELLE
FLEXOGRAPHIE
FLINT-GLASSES
FLORANGEOISE
FLORENSACOIS
FLORICULTURE
FLOTTABILITÉ
FLUIDIFIANTE
FLUIDISATION
FLUORESCÉINE
FLUORESCENCE
FLUORESCENTE
FLUOTOURNAGE
FLUVIOGRAPHE

FOCALISATION
FOIES-DE-BŒUF
FOISONNEMENT
FOLLE-BLANCHE
FOLLICULAIRE
FOLSCHVILLER
FONCIÈREMENT
FONCTIONNANT
FONDAMENTALE
FONDAMENTAUX
FONTENAISIEN
FONTENAYSIEN
FOOTBALLEUSE
FORAMINIFÈRE
FORÊT D'ORIENT
FORÊT-GALERIE
FORÊTS-NOIRES
FORMALDÉHYDE
FORMELLEMENT
FORNICATRICE
FORT-DE-FRANCE
FORT McMURRAY
FORTUITEMENT
FOSBURY FLOPS
FOUDROIEMENT
FOUESNANTAIS
FOUETTE-QUEUE
FOUGEROLLAIS
FOURGONNETTE
FOURGON-POMPE
FOURMISIENNE
FOURNISSEUSE
FOURVOIEMENT
FRACASSEMENT
FRACTIONNANT
FRACTURATION
FRAGMENTAIRE
FRAÎCHISSANT
FRANC-COMTOIS
FRANC-COMTOIS
FRANCHE-COMTÉ
FRANCHEVILLE
FRANCHISSANT
FRANCILIENNE
FRANCILIENNE
FRANCISATION
FRANCISCAINE
FRANC-MAÇONNE
FRANCONVILLE
FRANCOPHILIE
FRANCOPHOBIE
FRANCOPHONIE
FRANCS-ALLEUX
FRANCS-MAÇONS
FRANGIPANIER
FRANKENSTEIN
FRANSQUILLON

FRATERNISANT
FREDONNEMENT
FREI MONTALVA
FRÉMISSEMENT
FRENCH CANCAN
FRÉQUENTABLE
FRÉQUENTATIF
FRÉTILLEMENT
FRIBOURGEOIS
FRICTIONNANT
FRIGORIFIANT
FRIGORIFIQUE
FRILEUSEMENT
FRISSONNANTE
FROBISHER BAY
FRŒBÉLIENNE
FRONTONNAISE
FROTTE-MANCHE
FROUFROUTANT
FUGITIVEMENT
FUKUI KENICHI
FULL-CONTACTS
FURIEUSEMENT
FURONCULEUSE
FUSÉES-SONDES
FUSIONNEMENT
GADROUILLANT
GAILLONNAISE
GAINE-CULOTTE
GAINSBOROUGH
GALACTOPHORE
GALLICANISME
GALLO-ROMAINE
GALLO-ROMAINS
GALLO-ROMANES
GALVANOMÈTRE
GALVANOTYPIE
GAMÉTOGENÈSE
GAMMAGRAPHIE
GANDRANGEOIS
GANGSTÉRISME
GARANTISSANT
GARDE-MEUBLES
GARDEN-PARTYS
GARDE-RIVIÈRE
GARDES-CHASSE
GARDES-MALADE
GARGILESSOIS
GARGOUILLANT
GARNIER-PAGÈS
GASTON DE FOIX
GASTRECTOMIE
GASTRULATION
GAULOISEMENT
GAZOUILLANTE
GAZOUILLEUSE
GEISPOLSHEIM

GÉLIFICATION
GÉLIFRACTION
GEMMOLOGISTE
GÉNÉALOGIQUE
GÉNÉALOGISTE
GÉNÉRALEMENT
GÉNÉRALISANT
GÉNÉTHLIAQUE
GÉNÉTICIENNE
GÉNOTHÉRAPIE
GÉOCENTRIQUE
GÉOCENTRISME
GÉODYNAMIQUE
GÉOGRAPHIQUE
GÉOPHYSICIEN
GÉOPOLITIQUE
GÉORGIE DU SUD
GÉOSTRATÉGIE
GÉOSYNCHRONE
GÉOSYNCLINAL
GÉOTECHNIQUE
GÉOTHERMIQUE
GERMANOPHILE
GERMANOPHOBE
GERMANOPHONE
GÉRONTOLOGIE
GÉRONTOLOGUE
GESTICULANTE
GESTIONNAIRE
GHEORGHIU-DEJ
GIBBÉRELLINE
GIF-SUR-YVETTE
GILLOCRUCIEN
GIULIO ROMANO
GLACIALEMENT
GLAGOLITIQUE
GLANDOUILLER
GLAPISSEMENT
GLOBALISANTE
GLOBE-TROTTER
GLOBICÉPHALE
GLOCKENSPIEL
GLOSSECTOMIE
GLOUGLOUTANT
GLOUTONNERIE
GLYCOGÉNIQUE
GLYCOSURIQUE
GLYNDEBOURNE
GLYPTOTHÈQUE
GOAL-AVERAGES
GOGUENARDISE
GOMMES-GUTTES
GOMMES-LAQUES
GONOCHORIQUE
GONOCHORISME
GORNO-ALTAÏSK
GOUDRONNEUSE

GOURDONNAISE
GOUVERNEMENT
GRADIGNANAIS
GRAILLONNANT
GRAMMATICALE
GRAMMATICAUX
GRAND DAUPHIN
GRAND-DUCALES
GRANDE BRIÈRE
GRANDE-SYNTHE
GRANDISSANTE
GRAND KHINGAN
GRAND LAC SALÉ
GRAND-MÉROISE
GRAND PARADIS
GRANDS-ANGLES
GRANDS-DUCHÉS
GRANDS-LIVRES
GRANDS-MAMANS
GRANDS-MESSES
GRANDS-ONCLES
GRANDS-TANTES
GRANDS-VOILES
GRAND TRIANON
GRANDVELLAIS
GRANDVILLARS
GRANVILLAISE
GRAPPILLEUSE
GRASSEYEMENT
GRASSOUILLET
GRATIENNOISE
GRATTE-PAPIER
GRATTOUILLÉE
GRATTOUILLER
GRATUITEMENT
GRAUFESENQUE
GRAULHETOISE
GRAVELINOISE
GRAVETTIENNE
GRAVILLONNÉE
GRAVILLONNER
GRÉCO-LATINES
GRÉCO-ROMAINE
GRÉCO-ROMAINS
GRELOTTEMENT
GRENOUILLAGE
GRENOUILLANT
GRENOUILLÈRE
GRÉSILLEMENT
GREVENMACHER
GRIBOUILLAGE
GRIBOUILLANT
GRIBOUILLEUR
GRIFFONNEUSE
GRIGNOTEMENT
GRIGOROVITCH
GRISONNEMENT

GROENLANDAIS
GROIZILLONNE
GROS-PORTEURS
GROSSE BERTHA
GROSSISSANTE
GROTHENDIECK
GROUILLEMENT
GUADALQUIVIR
GUADELOUPÉEN
GUADELOUPÉEN
GUERNESIAISE
GUEUGNONNAIS
GUEULE-DE-LOUP
GUEULETONNER
GUIDO D'AREZZO
GUILLEMETANT
GUILLOTINANT
GUINÉE-BISSAU
GUINGAMPAISE
GUINGUETTOIS
GUIRY-EN-VEXIN
GUJAN-MESTRAS
GUTTIFÉRACÉE
GYNÉCOMASTIE
GYROSCOPIQUE
HABEAS CORPUS
HABILITATION
HABITABILITÉ
HAGIOGRAPHIE
HAILLONNEUSE
HAINEUSEMENT
HALICARNASSE
HALLEBARDIER
HALLSTATTIEN
HALLUCINANTE
HALOGÉNATION
HALTÉROPHILE
HAMBOURGEOIS
HAMMARSKJÖLD
HAMPTON COURT
HAMPTON ROADS
HANDBALLEUSE
HANDICAPANTE
HARFLEURAISE
HARMONICISTE
HARNACHEMENT
HARPONNEMENT
HARTZENBUSCH
HAUTEFORTAIS
HAUTE-GARONNE
HAUTES-CONTRE
HAUTES-FAGNES
HAUTEVILLOIS
HAUT-FOURNEAU
HAUT-KARABAKH
HAUT-MARNAISE
HAUTMONTOISE

HAUT-PARLEURS
HAUT-RHINOISE
HAUT-SAÔNOISE
HAUT-SAVOYARD
HAUTS-DE-FORME
HAUTS-DE-SEINE
HAUT-SEINAISE
HAUTS-RELIEFS
HAUT-VIENNOIS
HEBDOMADAIRE
HÉDONISTIQUE
HÉGÉLIANISME
HEILIGENBLUT
HEILONGJIANG
HÉLIOGRAPHIE
HÉLIOGRAVEUR
HÉLIOGRAVURE
HÉLIOTROPINE
HÉLITREUILLÉ
HELMINTHIASE
HELSINKIENNE
HÉMATOPOÏÈSE
HÉMATOZOAIRE
HÉMIPLÉGIQUE
HÉMIPTÉROÏDE
HÉMORRAGIQUE
HÉMORROÏDALE
HÉMORROÏDAUX
HÉMOSTATIQUE
HENNEBONTAIS
HENNISSEMENT
HENRI LE CRUEL
HENRI LE SAINT
HEPTAÉDRIQUE
HEPTASYLLABE
HÉRICOURTOIS
HÉRIMONCOURT
HÉRITABILITÉ
HÉROÏ-COMIQUE
HÉROÏNOMANIE
HÉROÏQUEMENT
HÉRON L'ANCIEN
HÉROUVILLAIS
HERPÉTOLOGIE
HERTOGENWALD
HÉTÉROCERQUE
HÉTÉROGREFFE
HÉTÉROMORPHE
HÉTÉROPHONIE
HÉTÉROSEXUEL
HÉTÉROSPHÈRE
HÉTÉROTHERME
HÉTÉROTROPHE
HÉTÉROZYGOTE
HEUREUSEMENT
HEXACHLORURE
HEXADÉCIMALE

HEXADÉCIMAUX
HEXAFLUORURE
HIÉRARCHIQUE
HIÉRARCHISÉE
HIÉRARCHISER
HIGASHIOSAKA
HIPPOLOGIQUE
HIPPOTECHNIE
HISPANO-ARABE
HISPANOPHONE
HISTAMINIQUE
HISTOLOGIQUE
HISTORICISME
HISTORICISTE
HISTRIONISME
HOFMANNSTHAL
HOHENSTAUFEN
HOHENZOLLERN
HOJO TOKIMUNE
HOLLYWOODIEN
HOLOMÉTABOLE
HOLOPROTÉINE
HOMBOURGEOIS
HOMBOURG-HAUT
HOMÉOTHERMIE
HOME-TRAINERS
HOMINISATION
HOMOGÉNÉISÉE
HOMOGÉNÉISER
HOMOLOGATION
HOMOPHONIQUE
HOMOSEXUELLE
HOMOTHÉTIQUE
HONFLEURAISE
HONGKONGAISE
HONORABILITÉ
HONORIS CAUSA
HONTEUSEMENT
HOOLIGANISME
HORRIBLEMENT
HORRIPILANTE
HORTICULTEUR
HORTICULTURE
HOSPITALIÈRE
HOSPITALISÉE
HOSPITALISER
HOSPITALISME
HOUBLONNIÈRE
HOULIGANISME
HUBERTSBOURG
HUDDERSFIELD
HUELGOATAISE
HUITIÈMEMENT
HUMANISATION
HUMIFICATION
HUMORISTIQUE
HUSAYN iBN ALI

HYDRAULICIEN
HYDRE DE LERNE
HYDROCARBONÉ
HYDROCARBURE
HYDROCÉPHALE
HYDROFUGEANT
HYDROGRAPHIE
HYDROLOGIQUE
HYDROLOGISTE
HYDROLYSABLE
HYDROMINÉRAL
HYDROPONIQUE
HYDROQUINONE
HYDROSOLUBLE
HYDROTHERMAL
HYPERACOUSIE
HYPERBOLIQUE
HYPERBOLOÏDE
HYPERLIPÉMIE
HYPERMÉTROPE
HYPERSONIQUE
HYPERTENSEUR
HYPERTENSION
HYPERTENSIVE
HYPERTHERMIE
HYPERTONIQUE
HYPERTROPHIE
HYPERTROPHIÉ
HYPNAGOGIQUE
HYPNOTISEUSE
HYPOCALCÉMIE
HYPOCHLOREUX
HYPOCHLORITE
HYPOCYCLOÏDE
HYPODERMIQUE
HYPOESTHÉSIE
HYPOGLYCÉMIE
HYPOKALIÉMIE
HYPONATRÉMIE
HYPOPHYSAIRE
HYPOSTASIANT
HYPOSTATIQUE
HYPOTHALAMUS
HYPOTHÉCABLE
HYPOTHÉCAIRE
HYPOTHÉQUANT
HYPOTHÉTIQUE
IBN AL-HAYTHAM
IBN AL-MUQAFFA
IBRAHIM PACHA
ICONOGRAPHIE
ICONOLOGIQUE
IDÉALISATEUR
IDÉALISATION
IDENTIFIABLE
IDIOPATHIQUE
IELIZAVETPOL

IEVTOUCHENKO
IGNIFUGATION
IGNIFUGEANTE
IGNOMINIEUSE
ILANGS-ILANGS
ILÉO-CÆCALES
ILLÉGALEMENT
ILLÉGITIMITÉ
ILLIBÉRIENNE
ILLICITEMENT
ILLISIBILITÉ
ILLUMINATION
ILLUSIONNANT
ILLUSTRATEUR
ILLUSTRATION
ILLUSTRATIVE
IMBÉCILEMENT
IMERCURIENNE
IMMATÉRIELLE
IMMATRICULÉE
IMMATRICULER
IMMATURATION
IMMOBILISANT
IMMODÉRÉMENT
IMMORALEMENT
IMMORTALISÉE
IMMORTALISER
IMMUABLEMENT
IMMUNISATION
IMMUTABILITÉ
IMPALUDATION
IMPARIDIGITÉ
IMPARIPENNÉE
IMPARTIALITÉ
IMPARTISSANT
IMPATIEMMENT
IMPATIENTANT
IMPATRONISÉE
IMPATRONISER
IMPÉCUNIEUSE
IMPÉNÉTRABLE
IMPERFECTION
IMPERFECTIVE
IMPÉRIALISME
IMPÉRIALISTE
IMPÉRISSABLE
IMPERTINENCE
IMPERTINENTE
IMPLANTATION
IMPONDÉRABLE
IMPOPULARITÉ
IMPORTATRICE
IMPORT-EXPORT
IMPRATICABLE
IMPRÉCATOIRE
IMPRÉCATRICE
IMPRÉGNATION

IMPRESSIONNÉ
IMPRÉVISIBLE
IMPRÉVOYANCE
IMPRÉVOYANTE
IMPROBATRICE
IMPRODUCTIVE
IMPROPREMENT
IMPRUDEMMENT
IMPUTABILITÉ
INACCEPTABLE
INACCESSIBLE
INACCORDABLE
INACCOUTUMÉE
INACHÈVEMENT
INACTIVATION
INADAPTATION
INADÉQUATION
INADMISSIBLE
INADVERTANCE
INALIÉNATION
INANALYSABLE
INAPPLICABLE
INAPPRIVOISÉ
INAPPROPRIÉE
INATTAQUABLE
INAUGURATION
INCALCULABLE
INCANDESCENT
INCANTATOIRE
INCAPACITANT
INCESSAMMENT
INCHAUFFABLE
INCHAVIRABLE
INCHIFFRABLE
INCINÉRATEUR
INCINÉRATION
INCLINOMÈTRE
INCOAGULABLE
INCOMMODANTE
INCOMMUTABLE
INCOMPARABLE
INCOMPATIBLE
INCOMPÉTENCE
INCOMPÉTENTE
INCOMPLÉTUDE
INCONCEVABLE
INCONGRÛMENT
INCONSCIENCE
INCONSCIENTE
INCONSÉQUENT
INCONSIDÉRÉE
INCONSISTANT
INCONSOLABLE
INCONTINENCE
INCONTINENTE
INCONVENANCE
INCONVENANTE

INCONVÉNIENT
INCORPORABLE
INCORPORELLE
INCORRECTION
INCORRIGIBLE
INCRÉMENTANT
INCRÉMENTIEL
INCRIMINABLE
INCRUSTATION
INCULTIVABLE
INCURABILITÉ
INDÉCHIRABLE
INDÉCLINABLE
INDÉCOLLABLE
INDÉFECTIBLE
INDÉFENDABLE
INDÉFINIMENT
INDÉFORMABLE
INDÉFRISABLE
INDÉHISCENTE
INDÉLÉBILITÉ
INDEMNISABLE
INDEMNITAIRE
INDÉMONTABLE
INDÉPASSABLE
INDÉPENDANCE
INDÉPENDANTE
INDÉRÉGLABLE
INDÉTECTABLE
INDÉTERMINÉE
INDIANAPOLIS
INDIFFÉRENCE
INDIFFÉRENTE
INDISCIPLINE
INDISCIPLINÉ
INDISCRÉTION
INDISCUTABLE
INDISPONIBLE
INDISSOLUBLE
INDIVIDUELLE
INDO-ARYENNES
INDOCHINOISE
INDOCHINOISE
INDO-EUROPÉEN
INDO-EUROPÉEN
INDONÉSIENNE
INDONÉSIENNE
INDRE-ET-LOIRE
INDULGENCIÉE
INDULGENCIER
INDUSTRIELLE
INDUSTRIEUSE
INÉBRANLABLE
INEFFICACITÉ
INÉGALITAIRE
INÉLÉGAMMENT
INEMPLOYABLE

INÉS DE CASTRO
INESTHÉTIQUE
INEXACTEMENT
INEXACTITUDE
INEXÉCUTABLE
INEXPÉRIENCE
INEXPLICABLE
INEXPLORABLE
INEXPLOSIBLE
INEXPRESSIVE
INEXPRIMABLE
INEXPUGNABLE
INEXTENSIBLE
INEXTIRPABLE
INEXTRICABLE
INFANTILISÉE
INFANTILISER
INFANTILISME
INFÉRIORISÉE
INFÉRIORISER
INFIBULATION
INFIDÈLEMENT
INFILTRATION
INFLAMMATION
INFLUENÇABLE
INFORMATIQUE
INFORMATISÉE
INFORMATISER
INFORMATRICE
INFROISSABLE
INFRUCTUEUSE
INFUSIBILITÉ
INGÉNIERISTE
INHABITUELLE
INHARMONIEUX
INIMAGINABLE
ININTERROMPU
INITIALEMENT
INITIALISANT
INOBSERVABLE
INOBSERVANCE
INOCCUPATION
INQUISITOIRE
INQUISITRICE
INRACONTABLE
INSALISSABLE
INSATISFAITE
INSCRIPTIBLE
INSÉCABILITÉ
INSÉMINATEUR
INSÉMINATION
INSIGNIFIANT
INSOLUBILISÉ
INSOLUBILITÉ
INSONORISANT
INSOUMISSION
INSOUPÇONNÉE

INSOUTENABLE	INTERLIGNAGE	INVESTISSANT
INSPIRATOIRE	INTERLIGNANT	INVESTISSEUR
INSPIRATRICE	INTERLOQUANT	INVISIBILITÉ
INSTALLATEUR	INTERMINABLE	INVOLONTAIRE
INSTALLATION	INTERMITTENT	INVULNÉRABLE
INSTAURATEUR	INTERNÉGATIF	IODO-IODURÉES
INSTAURATION	INTÉROCEPTIF	IRASCIBILITÉ
INSTIGATRICE	INTEROSSEUSE	IRISH-COFFEES
INSTILLATION	INTERPELLANT	IRISH-TERRIER
INSTITUTRICE	INTERPÉNÉTRÉ	IRONIQUEMENT
INSTRUMENTAL	INTERPOSITIF	IRRÉALISABLE
INSTRUMENTÉE	INTERPRÉTANT	IRRÉDENTISME
INSTRUMENTER	INTERPRÉTEUR	IRRÉDUCTIBLE
INSUBORDONNÉ	INTERRACIALE	IRRÉFORMABLE
INSUFFISANCE	INTERRACIAUX	IRRÉFRAGABLE
INSUFFISANTE	INTERROGATIF	IRRÉGULARITÉ
INSUFFLATION	INTERROGEANT	IRRÉLIGIEUSE
INSUPPORTANT	INTERROMPANT	IRRÉMÉDIABLE
INSURRECTION	INTERRUPTEUR	IRRÉMISSIBLE
INTARISSABLE	INTERRUPTION	IRRÉSISTIBLE
INTELLECTION	INTERSECTION	IRRÉSOLUTION
INTELLECTUEL	INTERSESSION	IRRESPIRABLE
INTELLIGENCE	INTERSIDÉRAL	IRRÉVERSIBLE
INTELLIGENTE	INTERSTITIEL	IRRITABILITÉ
INTELLIGIBLE	INTERTEXTUEL	**ISAAC COMNÈNE**
INTEMPÉRANCE	INTERURBAINE	ISENTROPIQUE
INTEMPÉRANTE	INTERVENANTE	**ISIGNY-LE-BUAT**
INTEMPESTIVE	INTERVENTION	**ISIGNY-SUR-MER**
INTEMPORELLE	INTERVERSION	ISLAMISATION
INTENSIFIANT	INTERVIEWANT	ISOCHRONIQUE
INTENSIONNEL	INTERVIEWEUR	ISOCHRONISME
INTENTIONNÉE	INTIMIDATEUR	ISOMORPHISME
INTENTIONNEL	INTIMIDATION	**ISSOLDUNOISE**
INTERCALAIRE	INTOXICATION	ITALIANISANT
INTERCEPTANT	INTRACRÂNIEN	**IVRY-SUR-SEINE**
INTERCEPTEUR	INTRANSITIVE	**IVUJIVIMMIUQ**
INTERCEPTION	INTRA-UTÉRINE	**IWASZKIEWICZ**
INTERCESSEUR	INTRA-UTÉRINS	**JACKSONVILLE**
INTERCESSION	INTRAVEINEUX	JAILLISSANTE
INTERCLASSÉE	INTRODUCTEUR	**JAKARTANAISE**
INTERCLASSER	INTRODUCTION	**JANKÉLÉVITCH**
INTERCOSTALE	INTRODUCTIVE	JAPONAISERIE
INTERCOSTAUX	INTRODUISANT	JAROVISATION
INTERCOTIDAL	INTROJECTION	JAUNISSEMENT
INTERCURRENT	INTROMISSION	**JEAN-BAPTISTE**
INTERDICTION	INTROSPECTIF	**JEAN GUALBERT**
INTERDIGITAL	INTROVERSION	**JEANNE D'ANJOU**
INTÉRESSANTE	INTUMESCENCE	**JEAN SANS PEUR**
INTERFÉCONDE	**INUKJUAMIUTE**	**JEAN SOBIESKI**
INTERFÉRENCE	INUTILISABLE	JE-NE-SAIS-QUOI
INTERFÉRENTE	INVAGINATION	JET-SOCIETIES
INTERHUMAINE	INVALIDATION	**JIANG JINGGUO**
INTÉRIORISÉE	INVENTORIAGE	**JOHANNESBURG**
INTÉRIORISER	INVENTORIANT	**JOHORE BAHARU**
INTERJECTION	INVÉRIFIABLE	JOINTOIEMENT
INTERJECTIVE	INVERTISSANT	JOINT-VENTURE
INTERLEUKINE	INVESTIGUANT	**JOINVILLAISE**

JOINVILLOISE
JONQUIÉROISE
JOSSELINAISE
JOTRANCIENNE
JOUÉ-LÈS-TOURS
JOUJOUTHÈQUE
JOURS-AMENDES
JUÁREZ GARCÍA
JUILLETTISTE
JULIEVILLOIS
JUPITÉRIENNE
JURANÇONNAIS
JUSTIFICATIF
JUXTAPOSABLE
KALÉIDOSCOPE
KAMPTOZOAIRE
KANKAN MOUSSA
KANO MASANOBU
KANO MOTONOBU
KANTOROVITCH
KARAKALPAKIE
KHIEU SAMPHAN
KHMERS ROUGES
KHORRAMCHAHR
KHROUCHTCHEV
KILIMANDJARO
KILOMÉTRIQUE
KILOTONNIQUE
KIMBANGUISME
KIRGHIZISTAN
KIRIBATIENNE
KOLKHOZIENNE
KOLOKOTRÓNIS
KOMMANDANTUR
KOTA KINABALU
KOUIGN-AMANNS
KOVALEVSKAÏA
KREMENTCHOUG
KREMENTCHOUK
KRISTIANSAND
KRISTIANSTAD
KUUJJUAMIUTE
KUUJJUARAPIK
KWAZULU-NATAL
KYRIE ELEISON
LABANOTATION
LABIODENTALE
LABYRINTHITE
LA CALPRENÈDE
LACÉDÉMONIEN
LACÉDÉMONIEN
LA CHAISE-DIEU
LACRYMO-NASAL
LACTALBUMINE
LACTOFLAVINE
LA FERTÉ-ALAIS
LA FERTÉ-MILON

LA GRAND-COMBE
LA GRAND-CROIX
LA GRAND-MOTTE
LAISSÉ-COURRE
LAISSER-ALLER
LAKE DISTRICT
LA MEILLERAYE
LAMELLÉ-COLLÉ
LAMELLIFORME
LAMINECTOMIE
LAMPE-TEMPÊTE
LANCE-AMARRES
LANCE-FLAMMES
LANCE-GRENADE
LANCE-MISSILE
LANCE-PIERRES
LANDERNÉENNE
LANEUVEVILLE
LANGUE-DE-CERF
LANGUE-DE-CHAT
LANGUEDOCIEN
LANGUEDOCIEN
LANGUISSANTE
LANNIONNAISE
LAPALISSOISE
LAPAROSCOPIE
LA POSSESSION
LAPPEENRANTA
LAPRAIRIENNE
LARGILLIERRE
LARIBOISIÈRE
LA ROCHE-POSAY
LARYNGOLOGIE
LARYNGOSCOPE
LARYNGOTOMIE
LATÉRALEMENT
LATÉRISATION
LATIFUNDISTE
LATINISATION
LAURENTIDIEN
LAURENTIENNE
LAURENTIENNE
LAURIER-SAUCE
LAURIERS-TINS
LAVANDOURAIN
LAVELANÉTIEN
LE BAR-SUR-LOUP
LÈCHE-VITRINE
LECH-OBERLECH
LÉGALISATION
LE GARDEUROIS
LÉGIONELLOSE
LÉGISLATIVES
LÉGISLATRICE
LÉGITIMATION
LÉGITIMEMENT
LE GRAND-LEMPS

LEISHMANIOSE
LENTICULAIRE
LÉON LE KHAZAR
LEOPOLDSBURG
LÉOPOLDVILLE
LÉPROMATEUSE
LEPTOCÉPHALE
LEPTOSPIROSE
LE PUY-EN-VELAY
LEROI-GOURHAN
LE ROY LADURIE
LES DEUX-ALPES
LESDIGUIÈRES
LES ESCOUMINS
LES PAVILLONS
LES PONTS-DE-CÉ
LEUCOCYTAIRE
LE VAL-DE-MEUSE
LEVALLOISIEN
LEXICOGRAPHE
LÉZIGNANAISE
L'HAŸ-LES-ROSES
LIBANISATION
LIBÉRALEMENT
LIBÉRALISANT
LIBRE-ÉCHANGE
LIBRE-PENSEUR
LIBRE-SERVICE
LIBREVILLOIS
LICENCIEMENT
LICHTENSTEIN
LIGAMENTAIRE
LIGAMENTEUSE
LILLEBONNAIS
LIMNOLOGIQUE
LINÉAIREMENT
LINGUA FRANCA
LINGUISTIQUE
LIPOPROTÉINE
LIQUÉFACTEUR
LIQUÉFACTION
LIQUIDATRICE
L'ISLE-EN-DODON
LISLE-SUR-TARN
LISSITCHANSK
LITHOGRAPHIE
LITHOGRAPHIÉ
LITHOLOGIQUE
LITHOTRIPSIE
LITHOTRITEUR
LIZY-SUR-OURCQ
LOBATCHEVSKI
LOCALISATEUR
LOCALISATION
LOCMARIAQUER
LOCOTRACTEUR
LOGORRHÉIQUE

LOI-PROGRAMME
LOIS DE MENDEL
LOLLOBRIGIDA
LOMBO-SACRÉES
LONG-COURRIER
LONGITUDINAL
LONG-JOINTÉES
LONGUYONNAIS
LONGYEARBYEN
LORETTEVILLE
LOT-ET-GARONNE
LOUDÉACIENNE
LOUIS LE BÈGUE
LOUIS LE GRAND
LOUIS LE HUTIN
LOUIS LE JEUNE
LOUIS LE JUSTE
LOUIS L'ENFANT
LOUIS LE PIEUX
LOUPERIVOISE
LOUVECIENNES
LOUVIGNÉENNE
LOXODROMIQUE
LUANG PRABANG
LUBRIQUEMENT
LUCAS DE LEYDE
LUCIFÉRIENNE
LUDOTHÉCAIRE
LUDOVICIENNE
LUDWIGSHAFEN
LUMINESCENCE
LUMINESCENTE
LUNÉVILLOISE
LUNI-SOLAIRES
LUSITANIENNE
LUSITANIENNE
LUTHÉRANISME
LUXUEUSEMENT
LYCANTHROPIE
LYMPHANGIOME
LYMPHOBLASTE
LYMPHOCYTOSE
LYONS-LA-FORÊT
LYOPHILISANT
LYOPHILISÉES
LYS-LEZ-LANNOY
LYSSYTCHANSK
MAASMECHELEN
MACADAMISANT
MACCARTHYSME
MACÉDONIENNE
MACÉDONIENNE
MACHINE-OUTIL
MÂCHONNEMENT
MÂCHOUILLANT
MACÍAS NGUEMA
MACROCÉPHALE

MACROGRAPHIE
MACROSCÉLIDE
MADAME BOVARY
MADELEINOISE
MADEMOISELLE
MADÉRISATION
MADRÉPORAIRE
MADRIGALISTE
MAGISTRATURE
MAGNANARELLE
MAGNÉTISABLE
MAGNÉTISANTE
MAGNÉTISEUSE
MAGNÉTOMÈTRE
MAGNÉTOPAUSE
MAGNÉTOPHONE
MAGNÉTOSCOPE
MAGNÉTOSCOPÉ
MAGNIFICENCE
MAGNITOGORSK
MAGNY-EN-VEXIN
MAGNYMONTOIS
MAGOUILLEUSE
MAIGRICHONNE
MAILLY-LE-CAMP
MAINE DE BIRAN
MAINE-ET-LOIRE
MAINMORTABLE
MAINS-D'ŒUVRE
MAINVILLIERS
MAÎTRE-COUPLE
MAÎTRE ECKART
MAKHATCHKALA
MALACOSTRACÉ
MALADIVEMENT
MALAKOFFIOTE
MALCHANCEUSE
MALENGUEULÉE
MALENTENDANT
MALFORMATION
MALHONNÊTETÉ
MALLÉABILISÉ
MALLÉABILITÉ
MALNUTRITION
MALO-LES-BAINS
MALTHUSIENNE
MALTRAITANCE
MALVEILLANCE
MALVEILLANTE
MALVERSATION
MAMELONNAIRE
MAMMOGRAPHIE
MAMMOPLASTIE
MANAGUAYENNE
MANCENILLIER
MANDAT-LETTRE
MANDCHOUKOUO

MANDIBULAIRE
MANDOLINISTE
MANÉCANTERIE
MANIFESTANTE
MANIPULATEUR
MANIPULATION
MANŒUVRABLE
MANŒUVRIÈRE
MANOMÉTRIQUE
MANON LESCAUT
MANSONNIENNE
MANTEVILLOIS
MANUELLEMENT
MANUFACTURÉE
MANUFACTURER
MANU MILITARI
MAQUIGNONNÉE
MAQUIGNONNER
MARAIS BRETON
MARCHANDEUSE
MARCKOLSHEIM
MARCY-L'ÉTOILE
MARÉCHALERIE
MARÉCHAUSSÉE
MARGINALISÉE
MARGINALISER
MARGINALISME
MARGUERITTES
MARIE-GALANTE
MARIE-THÉRÈSE
MARIGNANAISE
MARITALEMENT
MARMONNEMENT
MARMOTTEMENT
MAROQUINERIE
MAROQUINIÈRE
MARQUENTERRE
MARQUISIENNE
MARSA EL-BREGA
MARSEILLAISE
MARSEILLAISE
MARSHALLAISE
MARTEAU-PILON
MARTIGNERAIN
MARTIN DU GARD
MARTINIQUAIS
MARTINIQUAIS
MARVEJOLAISE
MARX BROTHERS
MASCAREIGNES
MASCOUCHOISE
MASCULINISÉE
MASCULINISER
MASHTEUIATSH
MAS-SOUBEYRAN
MASTICATOIRE
MASTICATRICE

MASTOÏDIENNE
MASTURBATION
MATELASSIÈRE
MATÉRIALISÉE
MATÉRIALISER
MATÉRIALISME
MATÉRIALISTE
MATHÉMATIQUE
MATHÉMATISÉE
MATHÉMATISER
MATRILIGNAGE
MATRIMONIALE
MATRIMONIAUX
MAUBEUGEOISE
MAVROCORDATO
MAXIMALISANT
MAXIMISATION
MAZAR-E CHARIF
MÉCANICIENNE
MÉCANISATION
MÉCANOGRAPHE
MECKLEMBOURG
MÉCONDUISANT
MÉCONTENTANT
MÉDECINE-BALL
MÉDICALEMENT
MÉDICALISANT
MEDICINE-BALL
MÉDICO-LÉGALE
MÉDICO-LÉGAUX
MÉDICO-SOCIAL
MÉDIOCREMENT
MÉDITERRANÉE
MÉGALITHIQUE
MÉGALITHISME
MÉLANCOLIQUE
MÉLANÉSIENNE
MÉLANÉSIENNE
MÉLANODERMIE
MELCHISÉDECH
MÉLITOCOCCIE
MÉMORIALISTE
MÉMORISATION
MEMPHRÉMAGOG
MENDÈS FRANCE
MÉNILMONTANT
MÉNINGITIQUE
MÉNINGOCOQUE
MÉNOPAUSIQUE
MENSTRUATION
MENSUALISANT
MERGENTHALER
MÉRITOCRATIE
MERLEAU-PONTY
MÉROVINGIENS
MERS-LES-BAINS
MERVEILLEUSE

MÉSENCÉPHALE
MÉSENTÉRIQUE
MÉSO-AMÉRIQUE
MÉSODERMIQUE
MÉSOÉCONOMIE
MÉSOLITHIQUE
MÉSOPOTAMIEN
MÉSOPOTAMIEN
MÉSOTHÉRAPIE
MESQUINEMENT
MESSEIGNEURS
MÉTABOLISANT
MÉTALLIFÈRES
MÉTALLOGÉNIE
MÉTAMORPHISÉ
MÉTAMORPHOSE
MÉTAMORPHOSÉ
MÉTAPHORIQUE
MÉTAPHYSIQUE
MÉTASTATIQUE
MÉTEMPSYCOSE
MÉTENCÉPHALE
MÉTÉORITIQUE
MÉTÉOROLOGIE
MÉTÉOROLOGUE
MÉTHACRYLATE
MÉTHODOLOGIE
MÉTHYLORANGE
MÉTICULOSITÉ
MÉTROLOGIQUE
MÉTROLOGISTE
MEURTRISSANT
MEURTRISSURE
MÉZIDON-CANON
MÉZIDONNAISE
MEZZO-SOPRANO
MICHEL DOUKAS
MICROALVÉOLE
MICROANALYSE
MICROBALANCE
MICROCÉPHALE
MICROCIRCUIT
MICRO-CRAVATE
MICROCRISTAL
MICROCUVETTE
MICROÉDITION
MICROFILMANT
MICROGRAPHIE
MICROGRAVITÉ
MICROLITIQUE
MICROVOITURE
MIDI-PYRÉNÉES
MIEROSLAWSKI
MILFORD HAVEN
MILITANTISME
MILITARISANT
MILLE-FEUILLE

MILLÉNARISME
MILLÉNARISTE
MILLEPERTUIS
MILLERANDAGE
MILLIARDAIRE
MILLIARDIÈME
MILLIONNAIRE
MILLY-LA-FORÊT
MILNE-EDWARDS
MIMIZANNAISE
MINA AL-AHMADI
MINÉRALISANT
MINÉRALURGIE
MINIATURISÉE
MINIATURISER
MINIATURISTE
MINICASSETTE
MINICASSETTE
MINIMALISANT
MINIMISATION
MIRABELLOISE
MISANTHROPIE
MISCELLANÉES
MISHIMA YUKIO
MISSIONNAIRE
MITHRIACISME
MITHRIDATISÉ
MITOCHONDRIE
MITRAILLETTE
MITRAILLEUSE
MITSCHERLICH
MOBILISATEUR
MOBILISATION
MODALISATION
MODÉLISATION
MODERN DANCES
MODIFICATEUR
MODIFICATION
MODIFICATIVE
MODUS VIVENDI
MOHAMMAD REZA
MOINS-DISANTS
MOISSONNEUSE
MOLLETONNANT
MOMIFICATION
MONDEVILLAIS
MONDIALEMENT
MONDIALISANT
MONÉTISATION
MONOATOMIQUE
MONOCAMÉRALE
MONOCAMÉRAUX
MONOCLINIQUE
MONOCRISTAUX
MONOCYCLIQUE
MONOCYLINDRE
MONOLITHIQUE

MONOLITHISME
MONONUCLÉOSE
MONOPARENTAL
MONOPARTISME
MONOPHONIQUE
MONOPHYSISME
MONOPOLISANT
MONOTHÉLISME
MONSTRUOSITÉ
MONTALBANAIS
MONTALBANAIS
MONTALEMBERT
MONTATAIRIEN
MONTBARDOISE
MONTBÉLIARDE
MONT-DE-MARSAN
MONTDIDÉRIEN
MONTE-CHARGES
MONTECUCCOLI
MONTECUCCULI
MONTÉNÉGRINE
MONTÉNÉGRINE
MONTERELAISE
MONTES CLAROS
MONTFORTAISE
MONTGOLFIÈRE
MONTIER-EN-DER
MONTLOUISIEN
MONTMARTROIS
MONTMÉDIENNE
MONTMORILLON
MONTPARNASSE
MONTRÉALAISE
MONTRÉALAISE
MONTRÉAL-NORD
MONTS-DE-PIÉTÉ
MORALISATEUR
MORALISATION
MORANGISSOIS
MORBIHANNAIS
MORCELLEMENT
MORDILLEMENT
MORGANATIQUE
MORIANI-PLAGE
MORLAISIENNE
MORO-GIAFFERI
MORPHINOMANE
MORPHOGENÈSE
MORTELLEMENT
MORTUACIENNE
MOTOCYCLETTE
MOTOCYCLISME
MOTOCYCLISTE
MOTONAUTIQUE
MOTONAUTISME
MOTONEIGISME
MOTONEIGISTE

MOTORISATION
MOUCHARABIEH
MOUCHERONNER
MOUDJAHIDINE
MOUSQUETAIRE
MOUSQUETERIE
MOUSTÉRIENNE
MOUSTIQUAIRE
MOUTONNEMENT
MOUVEMENTANT
MOYEN-MÉTRAGE
MOZAMBICAINE
MOZAMBICAINE
MUCILAGINEUX
MUHAMMAD RIZA
MULHOUSIENNE
MULTIFENÊTRE
MULTIFILAIRE
MULTILATÉRAL
MULTINÉVRITE
MULTIPARTITE
MULTIPLEXAGE
MULTIPLEXEUR
MULTIPLIABLE
MULTIPLICITÉ
MULTIPOLAIRE
MULTIRACIALE
MULTIRACIAUX
MULTISERVICE
MUNICIPALISÉ
MUNICIPALITÉ
MURRUMBIDGEE
MUSÉOGRAPHIE
MUSICALEMENT
MUSICOGRAPHE
MUSSIPONTAIN
MUSSIPONTAIN
MUTUELLEMENT
MYCOBACTÉRIE
MYÉLOGRAPHIE
MYORELAXANTE
MYRMÉCOPHILE
MYTHOLOGIQUE
NABOPOLASSAR
NAGELMACKERS
NAKHITCHEVAN
NAKHON PATHOM
NANOPHYSIQUE
NANTERRIENNE
NANTISSEMENT
NANTUATIENNE
NARCOANALYSE
NASALISATION
NATIONALISÉE
NATIONALISER
NATIONALISME

NATIONALISTE
NATIONS UNIES
NATURALISANT
NATUROPATHIE
NAVALISATION
NAVIGABILITÉ
NAVIRE-JUMEAU
NÉBULISATION
NÉCESSITEUSE
NEC PLUS ULTRA
NÉCROLOGIQUE
NÉCROMANCIEN
NÉERLANDAISE
NÉERLANDAISE
NÉGATIVEMENT
NÉGLIGEMMENT
NÉGOCIATRICE
NÈGREPELISSE
NÉGUENTROPIE
NÉMATOBLASTE
NÉOCLASSIQUE
NÉOFORMATION
NÉOMORTALITÉ
NÉONATALOGIE
NÉO-ZÉLANDAIS
NÉO-ZÉLANDAIS
NÉPHRECTOMIE
NÉPHROPATHIE
NERVEUSEMENT
NEUCHÂTELOIS
NEURASTHÉNIE
NEUROLOGIQUE
NEUROPEPTIDE
NEUROTONIQUE
NEUTRALISANT
NEUVIÈMEMENT
NEWFOUNDLAND
NEW HAMPSHIRE
NEWSMAGAZINE
NEW-YORKAISES
NEW-YORKAISES
NIAGARA FALLS
NICARAGUAYEN
NICARAGUAYEN
NICOLA PISANO
NICOLAS-FAVRE
NICOTINAMIDE
NID-D'ABEILLES
NIDIFICATION
NIDWALDIENNE
NIELSBOHRIUM
NILO-SAHARIEN
NIMBO-STRATUS
NITROBENZÈNE
NITROSOMONAS
NIVO-PLUVIALE
NIVO-PLUVIAUX

NOBELTUSSOIS
NOËL CHABANEL
NOGAROLIENNE
NOIRMOUTRINE
NOISY-LE-GRAND
NOMENCLATURE
NOMENKLATURA
NOMINALEMENT
NOMINALISANT
NON ACCOMPLIE
NON ACCOMPLIS
NON-ACTIVITÉS
NON-AGRESSION
NON-COMPARANT
NON COMPTABLE
NON-CROYANTES
NON DIRECTIVE
NON EUCLIDIEN
NON-ÉVÉNEMENT
NON-EXÉCUTION
NON-EXISTENCE
NON-FIGURATIF
NON-INGÉRENCE
NON-INSCRITES
NON MARCHANDE
NON MARCHANDS
NON-PAIEMENTS
NON-RÉSIDENTS
NON-SALARIÉES
NONTRONNAISE
NON-VIOLENCES
NON-VIOLENTES
NORD-AFRICAIN
NORD-AFRICAIN
NORD-CORÉENNE
NORD-CORÉENNE
NORD-DU-QUÉBEC
NORDENSKJÖLD
NORT-SUR-ERDRE
NOSSEIGNEURS
NOTIFICATION
NOTIFICATIVE
NOURRISSANTE
NOUVELLEMENT
NOVÉLISATION
NOVOMOSKOVSK
NOVOSSIBIRSK
NUCLÉARISANT
NUE-PROPRIÉTÉ
NUMÉRISATION
NUMÉROTATION
NUMISMATIQUE
NUMMULITIQUE
NUTRITIONNEL
NYCTAGINACÉE
NYCTHÉMÉRALE
NYCTHÉMÉRAUX

OBERAMMERGAU
OBJECTIVISME
OBLIGEAMMENT
OBLITÉRATEUR
OBLITÉRATION
OBNUBILATION
CBSÉQUIOSITÉ
OBSERVATOIRE
OBSERVATRICE
OBSESSIONNEL
OBSOLESCENCE
OBSOLESCENTE
OBSTÉTRICALE
OBSTÉTRICAUX
OBSTÉTRICIEN
OCCASIONNANT
OCÉANOGRAPHE
OCTODURIENNE
OCULOMOTRICE
ODORIFÉRANTE
ŒILLETONNÉE
ŒILLETONNER
ŒILS-DE-BŒUF
ŒILS-DE-TIGRE
ŒNOMÉTRIQUE
ŒNOTHÉRACÉE
ŒSOPHAGIQUE
OFFICIALISÉE
OFFICIALISER
OGINO KYUSAKU
OISEAU-MOUCHE
OISEAUX-LYRES
OKLAHOMA CITY
OLÉICULTRICE
OLIGARCHIQUE
OLIGOÉLÉMENT
OLIGOPHRÉNIE
OLONNE-SUR-MER
OMNIDIRECTIF
OMNIPRÉSENCE
OMNIPRÉSENTE
ONCHOCERCOSE
ONIROMANCIEN
ONYCHOPHAGIE
OPÉRA-COMIQUE
OPÉRA-COMIQUE
OPÉRATIONNEL
OPHIOLITIQUE
OPISTHOTONOS
OPPORTUNISME
OPPORTUNISTE
OPPOSABILITÉ
OPTIMALISANT
OPTIMISATION
ORAGEUSEMENT
ORANGE-NASSAU
ORANGS-OUTANS

ORCADES DU SUD
ORDINOGRAMME
ORDJONIKIDZE
ORDONNANÇANT
ORDONNANCIER
ORDONNATRICE
ORDOVICIENNE
OREILLE-DE-MER
ORÉOPITHÈQUE
ORGANICIENNE
ORGANIGRAMME
ORGANISATEUR
ORGANISATION
ORGANOCHLORÉ
ORGANOGENÈSE
ORGUEILLEUSE
ORIENTALISME
ORIENTALISTE
ORLÉANSVILLE
ORMESSONNAIS
ORNITHOLOGIE
ORNITHOLOGUE
OROGRAPHIQUE
ORTHOGÉNISME
ORTHOGRAPHIÉ
ORTHONORMALE
ORTHONORMAUX
ORTHOPÉDIQUE
ORTHOPÉDISTE
OSCILLATOIRE
OSCILLOSCOPE
OSSÉTIE DU SUD
OSSIFICATION
OSTENTATOIRE
OSTÉOMALACIE
OSTÉOMYÉLITE
OSTÉOPLASTIE
OSTÉOSARCOME
OTOSPONGIOSE
OTTON LE GRAND
OUTPLACEMENT
OUTRECUIDANT
OUTREMONTAIS
OUTREPASSANT
OUVRE-HUÎTRES
OVARIECTOMIE
OYONNAXIENNE
PACIFICATEUR
PACIFICATION
PAILLASSONNÉ
PAISIBLEMENT
PAKISTANAISE
PAKISTANAISE
PALATALISANT
PALEFRENIÈRE
PALÉOGRAPHIE
PALÉOTHÉRIUM

PALERMITAINE	PARATYPHOÏDE	PEINARDEMENT
PALETTISABLE	PARAVALANCHE	PEINTURLURÉE
PALINGÉNÉSIE	PARCELLARISÉ	PEINTURLURER
PALISSADIQUE	PARCELLISANT	PÉLAGIANISME
PALISSONNANT	PARCIMONIEUX	PELLES-BÊCHES
PALMA LE JEUNE	PAREILLEMENT	PELLICULAIRE
PALMA LE VIEUX	PARFAITEMENT	PELLICULEUSE
PALMATILOBÉE	PARISIANISME	PÉNALISATION
PALMATISÉQUÉ	**PARK CHUNG-HEE**	PENDOUILLANT
PAMPHLÉTAIRE	PARKINSONIEN	PÉNÉTROMÈTRE
PAMPLEMOUSSE	PARLEMENTANT	PÉNINSULAIRE
PANAFRICAINE	PARNASSIENNE	PÉNITENCERIE
PANAMÉRICAIN	PAROISSIENNE	PÉNITENTIAUX
PANCHEN-LAMAS	PAROTIDIENNE	**PENNSYLVANIE**
PANCHRONIQUE	PAROXYSMIQUE	PENSIONNAIRE
PANCRÉATIQUE	PAROXYSTIQUE	PENTADACTYLE
PANIERS-REPAS	PARTENARIALE	PENTATONIQUE
PANIFICATION	PARTENARIAUX	PENTECÔTISME
PANISLAMIQUE	PARTIALEMENT	PENTECÔTISTE
PANISLAMISME	PARTICIPANTE	PÉPINIÉRISTE
PANOPHTALMIE	PARTICIPATIF	**PÉPIN L'ANCIEN**
PANTALONNADE	PARTICIPIALE	**PÉPIN LE JEUNE**
PANTOUFLARDE	PARTICIPIAUX	PERCE-OREILLE
PAPERASSERIE	PARTICULIÈRE	PERCE-PIERRES
PAPERASSIÈRE	PASSABLEMENT	PERCHLORIQUE
PAPIER-CALQUE	PASSEMENTIER	**PÈRE-LACHAISE**
PAPIER-FILTRE	PASSE-PARTOUT	**PÉREZ DE AYALA**
PAPIERS-ÉMERI	PASSÉRIFORME	PERFECTIONNÉ
PAPILIONACÉE	PASSE-VELOURS	PERFORATRICE
PAPILLONNAGE	PASSING-SHOTS	PERFORMATIVE
PAPILLONNANT	PASSIONNANTE	PÉRIARTHRITE
PAPILLONNEUR	PASSIONNELLE	PÉRICARDIQUE
PAPILLOTANTE	PASTEURIENNE	PÉRIGOURDINE
PARACHUTISME	PASTEURISANT	**PÉRIGOURDINE**
PARACHUTISTE	PASTORALISME	PÉRIPHÉRIQUE
PARADISIAQUE	PATAPHYSIQUE	PÉRIPHLÉBITE
PARAGUAYENNE	PATATI PATATA	PÉRISCOLAIRE
PARAGUAYENNE	PATERNALISME	PÉRISCOPIQUE
PARALLÉLISME	PATERNALISTE	PERLIMPINPIN
PARALYMPIQUE	PATHOGÉNIQUE	PERMANENCIER
PARAMÉDICALE	PATHOLOGIQUE	PERMANGANATE
PARAMÉDICAUX	PATHOLOGISTE	PERMÉABILITÉ
PARAMÉTRIQUE	PATRILIGNAGE	PERMISSIVITÉ
PARANGONNAGE	PATRIMONIALE	PERMITTIVITÉ
PARANGONNANT	PATRIMONIAUX	PERMSÉLECTIF
PARAPENTISTE	PATRONYMIQUE	PERPÉTRATION
PARAPHIMOSIS	PATROUILLANT	PERPÉTUATION
PARAPHLÉBITE	PATROUILLEUR	**PERPIGNANAIS**
PARAPHRASANT	PATTEMOUILLE	PERQUISITION
PARAPLÉGIQUE	PATTES-DE-LOUP	**PERROS-GUIREC**
PARAPUBLIQUE	PATTINSONAGE	PERSÉCUTRICE
PARASCOLAIRE	**PAULIN DE NOLA**	PERSÉVÉRANCE
PARASISMIQUE	PAVIMENTEUSE	PERSÉVÉRANTE
PARATHORMONE	PÉDÉRASTIQUE	PERSONA GRATA
PARATHYROÏDE	PÉDESTREMENT	PERSONNALISÉ
PARATONNERRE	PÉDICELLAIRE	PERSONNALITÉ
PARATYPHIQUE	PÉDONCULAIRE	PERSONNIFIÉE

PERSONNIFIER
PERSPICACITÉ
PERSPIRATION
PERTINEMMENT
PERTURBATEUR
PERTURBATION
PERVIBRATEUR
PERVIBRATION
PERVOOURALSK
PÈSE-LIQUEURS
PÈSE-PERSONNE
PESSÕA CÂMARA
PESTILENTIEL
PETCHENÈGUES
PETERBOROUGH
PETIT-DÉJEUNÉ
PÉTITIONNANT
PETIT KHINGAN
PETITS-BEURRE
PETITS-NEVEUX
PETIT TRIANON
PÉTRARQUISME
PÉTRIFONTAIN
PETRODVORETS
PÉTROGRAPHIE
PETROZAVODSK
PEUREUSEMENT
PHAGOCYTAIRE
PHALLOCRATIE
PHALLOTOXINE
PHARAONIENNE
PHARMACIENNE
PHARYNGIENNE
PHÉNANTHRÈNE
PHÉNOCRISTAL
PHÉNOMÉNISME
PHÉNOTYPIQUE
PHILADELPHIE
PHILANTHROPE
PHILATÉLIQUE
PHILATÉLISTE
PHILHARMONIE
PHILIPPE NERI
PHILIPPIQUES
PHILODENDRON
PHILOLOGIQUE
PHILOSOPHALE
PHILOSOPHANT
PHLOGISTIQUE
PHNOMPENHOIS
PHONÉMATIQUE
PHONOCAPTEUR
PHONOGÉNIQUE
PHONOLITIQUE
PHONOLOGIQUE
PHOSPHOREUSE
PHOSPHORIQUE

PHOTOCATHODE
PHOTOCOMPOSÉ
PHOTOCOPIANT
PHOTOCOPIEUR
PHOTOGÉNIQUE
PHOTOGRAPHIE
PHOTOGRAPHIÉ
PHOTOGRAVEUR
PHOTOGRAVURE
PHOTOMONTAGE
PHOTOPÉRIODE
PHOTOS-FINISH
PHOTOS-ROBOTS
PHOTOS-ROMANS
PHRASÉOLOGIE
PHTISIOLOGIE
PHYCOCYANINE
PHYLLOXÉRIEN
PHYLOGÉNIQUE
PHYSICALISME
PHYSIOCRATIE
PHYSIQUEMENT
PHYTOHORMONE
PICROCHOLINE
PICTOGRAPHIE
PIED-DE-CHEVAL
PIED-DE-MOUTON
PIEDS-DE-BICHE
PIEDS-DE-POULE
PIEDS-D'OISEAU
PIERRE-BÉNITE
PIERRE DAMIEN
PIES-GRIÈCHES
PIGMENTATION
PILO-SÉBACÉES
PINACOTHÈQUE
PINCE-OREILLE
PINCOURTOISE
PINTURICCHIO
PIQUE-NIQUANT
PIQUE-NIQUEUR
PIRIAC-SUR-MER
PIROPLASMOSE
PISCICULTEUR
PISCICULTURE
PISOLITHIQUE
PISSALADIÈRE
PITCHOUNETTE
PLACENTATION
PLAFONNEMENT
PLAINS-CHANTS
PLAISANCIÈRE
PLAISANTERIE
PLAN-CONCAVES
PLAN-CONVEXES
PLANCTONIQUE
PLANÉTOLOGIE

PLANIMÉTRAGE
PLAN-SÉQUENCE
PLANS-RELIEFS
PLAQUEMINIER
PLAQUE-MODÈLE
PLAQUETTAIRE
PLASTICIENNE
PLASTIQUEUSE
PLASTRONNANT
PLASTURGISTE
PLATEAU-REPAS
PLATES-BANDES
PLATES-FORMES
PLATYRHINIEN
PLAUSIBILITÉ
PLÉBISCITANT
PLÉONASTIQUE
PLÉSIOMORPHE
PLEURNICHANT
PLEURNICHARD
PLEURNICHEUR
PLINE L'ANCIEN
PLINE LE JEUNE
PLISSETSKAÏA
PLŒUC-SUR-LIÉ
PLOUGASTELLE
PLOUTOCRATIE
PLUM-PUDDINGS
PLURICAUSALE
PLURICAUSALS
PLURICAUSAUX
PLURILATÉRAL
PLURIVALENTE
PLUVIOMÉTRIE
PNEUMOPATHIE
PNEUMOTHORAX
POÉTIQUEMENT
POINÇONNEUSE
POINTE-À-PITRE
POINTE-CLAIRE
POINTILLEUSE
POINTILLISME
POINTILLISTE
POINT-VIRGULE
POISSON-GLOBE
POISSONNERIE
POISSONNEUSE
POISSONNIÈRE
POLARIMÉTRIE
POLARISATION
POLE POSITION
POLICHINELLE
POLICHINELLE
POLICLINIQUE
POLIOMYÉLITE
POLISSONNANT
POLITICIENNE

POLITISATION	PORTE-GREFFES	PRÉDÉTERMINÉ
POLTRONNERIE	PORTE-HAUBANS	PRÉDICATRICE
POLYADDITION	PORTE-MALHEUR	PRÉDILECTION
POLYARTHRITE	PORTEMANTEAU	PRÉDISPOSANT
POLYCARPIQUE	PORTE-MONNAIE	PRÉDOMINANCE
POLYCHLORURE	PORTE-MONTRES	PRÉDOMINANTE
POLYCHROÏSME	PORTE-PAPIERS	PRÉÉLECTORAL
POLYCLINIQUE	PORTE-PAQUETS	PRÉEXISTANTE
POLYCYCLIQUE	**PORT HARCOURT**	PRÉEXISTENCE
POLYDACTYLIE	**PORT-LOUISIEN**	PRÉFABRIQUÉE
POLYÉTHYLÈNE	PORTORICAINE	PRÉFABRIQUER
POLYGLOBULIE	**PORTORICAINE**	PRÉFECTORALE
POLYGONATION	**PORTO-VECCHIO**	PRÉFECTORAUX
POLYHOLOSIDE	PORTRAITISTE	PRÉFÉRENTIEL
POLYMÉRISANT	PORTRAITURÉE	PRÉFLORAISON
POLYNÉSIENNE	PORTRAITURER	PRÉFOLIAISON
POLYNÉSIENNE	**PORT-SUR-SAÔNE**	PRÉFOLIATION
POLYPHONIQUE	POSITIONNANT	PRÉFOURRIÈRE
POLYPHONISTE	POSITIONNEUR	PRÉGLACIAIRE
POLYTONALITÉ	POSITIVEMENT	PRÉHISTORIEN
POLYTROPIQUE	POSSESSIVITÉ	PRÉISLAMIQUE
POLYURÉTHANE	POSSIBLEMENT	PRÉLIMINAIRE
POLYVITAMINE	POSTÉRIORITÉ	PRÉMENSTRUEL
POMICULTRICE	POSTILLONNER	PREMIÈREMENT
POMME DE TERRE	POSTPOSITION	PRÉMILITAIRE
POMPEUSEMENT	POSTPRANDIAL	PRÉMONITOIRE
PONCTIONNANT	POSTSCOLAIRE	PRÉMUNISSANT
PONDÉRATRICE	POST-SCRIPTUM	PRÉOCCUPANTE
PONTA DELGADA	POTENTIALISÉ	PRÉOLYMPIQUE
PONT-À-MOUSSON	POTENTIALITÉ	PRÉPARATOIRE
PONT-DE-CHÉRUY	POUDROIEMENT	PRÉPARATRICE
PONT-DE-L'ARCHE	POURCHASSANT	PRÉPENSIONNÉ
PONTISSALIEN	POURFENDEUSE	PRÉPONDÉRANT
PONT-L'ABBISTE	POURRISSANTE	PRÉPROGRAMMÉ
PONTOISIENNE	POURSUITEUSE	PRÉRETRAITÉE
PONTONS-GRUES	POURSUIVANTE	PRESBYTÉRALE
PONT-SUR-YONNE	POUSSE-POUSSE	PRESBYTÉRAUX
POPOCATÉPETL	POUSSIÉREUSE	PRESBYTÉRIEN
POPULARISANT	POUSSIVEMENT	PRESCRIPTEUR
PORCELAINIER	**POZZO DI BORGO**	PRESCRIPTION
PORNOGRAPHIE	PRATIQUEMENT	PRÉSÉLECTEUR
PORQUEROLLES	**PRÉ-AUX-CLERCS**	PRÉSÉLECTION
PORT-AU-PRINCE	PRÉCAIREMENT	PRÉSENTATEUR
PORT-CAMARGUE	PRÉCANCÉREUX	PRÉSENTATION
PORTE-AMARRES	PRÉCAUTIONNÉ	PRÉSENTEMENT
PORTE-BAGAGES	PRÉCÉDEMMENT	PRÉSERVATEUR
PORTE-BILLETS	PRÉCÉRAMIQUE	PRÉSERVATION
PORTE-BONHEUR	PRÉCHAUFFAGE	PRÉSERVATIVE
PORTE-BOUQUET	PRÉCHAUFFANT	PRÉSIDENTIEL
PORTE-CIGARES	PRÊCHI-PRÊCHA	PRÉSIDIALITÉ
PORTE-COUTEAU	PRÉCIPUTAIRE	PRÉSOMPTUEUX
PORTE-CRAYONS	PRÉCLASSIQUE	PRESSE-AGRUME
PORTE-DRAPEAU	PRÉCOLOMBIEN	PRESSE-BOUTON
PORTE-FANIONS	PRÉCONSCIENT	PRESSE-CITRON
PORTE-FENÊTRE	PRÉCONTRAINT	PRESSE-ÉTOUPE
PORTEFEUILLE	PRÉDÉCESSEUR	**PRESSIGNOISE**
PORTE-GLAIVES	PRÉDESTINANT	PRESSURISANT

PRESTIGIEUSE
PRÉSUPPOSANT
PRÉTENDUMENT
PRÉTENTIEUSE
PRÊTS-À-COUDRE
PRÊTS-À-MONTER
PRÊTS-À-PORTER
PRÉVENTORIUM
PRÉVISIONNEL
PRIMATOLOGIE
PRIMATOLOGUE
PRIMESAUTIER
PRIM'HOLSTEIN
PRIMITIVISME
PRINCE ALBERT
PRINCE EUGÈNE
PRINCE GEORGE
PRINCE RUPERT
PRIVAT-DOCENT
PRIVATISABLE
PRIVILÉGIANT
PROBABILISME
PROBABILISTE
PROBABLEMENT
PROBOSCIDIEN
PROCÉDURIÈRE
PROCÈS-VERBAL
PROCHE-ORIENT
PROCLAMATION
PROCRÉATIQUE
PROCRÉATRICE
PRODUCTIVITÉ
PROFANATRICE
PROFESSORALE
PROFESSORAUX
PROFONDÉMENT
PROGESTATIVE
PROGESTÉRONE
PROGNATHISME
PROGRAMMABLE
PROGRAMMEUSE
PROGRESSISME
PROGRESSISTE
PROLÉGOMÈNES
PROLÉTARISÉE
PROLÉTARISER
PROLONGATEUR
PROLONGATION
PROLONGEMENT
PROMÉTHÉENNE
PROMOTIONNEL
PROMULGATION
PRONOSTIQUÉE
PRONOSTIQUER
PROPAGATRICE
PROPAROXYTON
PROPHÉTISANT

PROPITIATION
PROPORTIONNÉ
PROPRES-À-RIEN
PROPRIÉTAIRE
PROSCRIPTEUR
PROSCRIPTION
PROSÉLYTISME
PROSOBRANCHE
PROSPECTRICE
PROSTHÉTIQUE
PROSTITUTION
PROTACTINIUM
PROTAGONISTE
PROTÉAGINEUX
PROTÈGE-DENTS
PROTÈGE-SLIPS
PROTÈGE-TIBIA
PROTÉRANDRIE
PROTÉROGYNIE
PROTESTATION
PROTHROMBINE
PROTOCOLAIRE
PROTOGALAXIE
PROTONOTAIRE
PROTOPLANÈTE
PROTOSTOMIEN
PROTOTHÉRIEN
PROTUBÉRANCE
PROTUBÉRANTE
PROVIDENTIEL
PROVIGNEMENT
PROVISIONNÉE
PROVISIONNEL
PROVISIONNER
PROVOCATRICE
PROXÉNÉTISME
PRURIGINEUSE
PSEUDOTUMEUR
PSYCHANALYSE
PSYCHANALYSÉ
PSYCHIATRISÉ
PSYCHOGENÈSE
PSYCHOMÉTRIE
PSYCHOMOTEUR
PSYCHOPATHIE
PSYCHORIGIDE
PSYCHOSOCIAL
PSYCHROMÈTRE
PTÉRIDOPHYTE
PTÉROBRANCHE
PTÉRODACTYLE
PTÉROSAURIEN
PUBLICITAIRE
PUBLIPOSTAGE
PUBLIQUEMENT
PUDIBONDERIE
PUEBLO BONITO

PUÉRICULTEUR
PUÉRICULTURE
PUERTO LA CRUZ
PUGILISTIQUE
PULSIONNELLE
PULVÉRISABLE
PULVÉRULENCE
PULVÉRULENTE
PUNCHING-BALL
PUNTA DEL ESTE
PUPINISATION
PURIFICATEUR
PURIFICATION
PUTRÉFACTION
PUVATHÉRAPIE
PYRÉNOMYCÈTE
PYROGALLIQUE
PYROGÉNATION
PYROLIGNEUSE
PYROMÉTRIQUE
PYRRHONIENNE
PYTHAGORIQUE
PYTHAGORISME
QUADRAGÉSIME
QUADRIENNALE
QUADRIENNAUX
QUADRIJUMEAU
QUADRILATÈRE
QUADRIMOTEUR
QUADRIPHONIE
QUADRIPLÉGIE
QUADRIVALENT
QUALIFICATIF
QUANTIFIABLE
QUANTITATIVE
QUARTS-DE-ROND
QUARTS-MONDES
QUASI-CONTRAT
QUASI-CRISTAL
QUASI-MONNAIE
QUATRE-ÉPICES
QUATRE-QUARTS
QUATRE-QUATRE
QUATRE-VINGTS
QUATTROCENTO
QUELQUE CHOSE
QUELQUES-UNES
QUESTIONNANT
QUESTIONNEUR
QUETZALCÓATL
QUEUE-D'ARONDE
QUEUE-DE-MORUE
QUIBERONNAIS
QUIMPERLOISE
QUINCAILLIER
QUINDÉCEMVIR
QUINQUENNALE

QUINQUENNAUX
QUINTESSENCE
QUINZE-VINGTS
RABAISSEMENT
RABONNISSANT
RABOUILLEUSE
RACCOMMODAGE
RACCOMMODANT
RACCOMMODEUR
RACCOMPAGNÉE
RACCOMPAGNER
RACCORDEMENT
RACORNISSANT
RACQUET-BALLS
RADICALEMENT
RADICALISANT
RADICULALGIE
RADIESTHÉSIE
RADIOAMATEUR
RADIOBALISÉE
RADIOBALISER
RADIOCARBONE
RADIODERMITE
RADIODIFFUSÉ
RADIOÉLÉMENT
RADIOGALAXIE
RADIOGRAPHIE
RADIOGRAPHIÉ
RADIOGUIDAGE
RADIOGUIDANT
RADIO-ISOTOPE
RADIOLOGIQUE
RADIOLOGISTE
RADIONÉCROSE
RADIOSONDAGE
RADOUCISSANT
RAGAILLARDIE
RAGAILLARDIR
RAHAT-LOKOUMS
RAHAT-LOUKOUM
RAIDISSEMENT
RAISONNEMENT
RAJEUNISSANT
RALENTISSANT
RALENTISSEUR
RALLONGEMENT
RAMBOLITAINE
RAMIFICATION
RAMOLLISSANT
RANCISSEMENT
RANÇONNEMENT
RAPATRIEMENT
RAPHAÉLESQUE
RAPLATISSANT
RAPPAREILLÉE
RAPPAREILLER
RAPPARIEMENT

RASSASIEMENT
RASSEMBLEUSE
RASSISSEMENT
RASSORTIMENT
RASTAQUOUÈRE
RATIFICATION
RATIONALISÉE
RATIONALISER
RATIONALISME
RATIONALISTE
RATIONNEMENT
RATTACHEMENT
RAUSCHENBERG
RAVITAILLANT
RAVITAILLEUR
RÉABONNEMENT
RÉABSORPTION
RÉACCOUTUMÉE
RÉACCOUTUMER
RÉACTIVATION
RÉACTUALISÉE
RÉACTUALISER
RÉADAPTATION
RÉAJUSTEMENT
RÉALIGNEMENT
RÉALISATRICE
REALITY-SHOWS
RÉAMÉNAGEANT
RÉANIMATRICE
RÉAPPARAÎTRE
RÉAPPARITION
RÉARRANGEANT
REBONDISSANT
REBOUTONNANT
RECALCIFIANT
RÉCALCITRANT
RECAPITALISÉ
RÉCAPITULANT
RÉCEPTIONNÉE
RÉCEPTIONNER
RECEVABILITÉ
RECHARGEABLE
RECHARGEMENT
RECHERCHISTE
RÉCIPROQUANT
RECLASSEMENT
RÉCOLLECTION
RECOMBINANTE
RECOMMANDANT
RECOMMENÇANT
RÉCOMPENSANT
RECOMPOSABLE
RÉCONCILIANT
RECONDUCTION
RECONDUISANT
RÉCONFORTANT
RECONQUÉRANT

RECONSIDÉRÉE
RECONSIDÉRER
RECONSTITUÉE
RECONSTITUER
RECONSTRUIRE
RECONSTRUITE
RECONVENTION
RECONVERSION
RECORDWOMANS
RECORRIGEANT
RECOURBEMENT
RECOUVREMENT
RECRÉPISSAGE
RECRÉPISSANT
RECRUDESCENT
RECTIFICATIF
RECTO-COLITES
RÉCUPÉRATEUR
RÉCUPÉRATION
RÉDACTIONNEL
REDÉCOUVERTE
REDÉCOUVRANT
REDÉFINITION
REDESCENDANT
RÉDHIBITOIRE
REDISTRIBUÉE
REDISTRIBUER
REDOUBLEMENT
REDRESSEMENT
RÉEMBAUCHANT
RÉEMPRUNTANT
RÉENGAGEMENT
RÉENREGISTRÉ
RÉENSEMENCÉE
RÉENSEMENCER
RÉÉQUILIBRÉE
RÉÉQUILIBRER
RÉESCOMPTANT
RÉÉVALUATION
RÉEXPÉDITION
RÉFÉRENDAIRE
RÉFLECTORISÉ
RÉFORMATRICE
RÉFRIGÉRANTE
RÉFUTABILITÉ
REGARNISSANT
RÉGÉNÉRATEUR
RÉGÉNÉRATION
RÉGIMENTAIRE
RÉGIONALISÉE
RÉGIONALISER
RÉGIONALISME
RÉGIONALISTE
REGISTRATION
RÉGLEMENTANT
REGONFLEMENT
REGROUPEMENT

RÉGULARISANT
RÉHABILITANT
REHAUSSEMENT
REICHSHOFFEN
RÉIMPLANTANT
RÉIMPRESSION
RÉINCARCÉRÉE
RÉINCARCÉRER
RÉINCORPORÉE
RÉINCORPORER
REINE-DES-PRÉS
RÉINSCRIVANT
RÉINSTALLANT
RÉINTÉGRABLE
RÉINTÉGRANDE
RÉINTRODUIRE
RÉINTRODUITE
REJOINTOYANT
RÉJOUISSANCE
RÉJOUISSANTE
RÉLARGISSANT
RELATIVEMENT
RELATIVISANT
REMAQUILLANT
REMASTIQUANT
REMBLAIEMENT
REMBOÎTEMENT
REMBOURSABLE
REMBRANESQUE
REMBUCHEMENT
REMEMBREMENT
REMÉMORATION
REMERCIEMENT
REMILITARISÉ
RÉMINISCENCE
REMMAILLEUSE
REMMAILLOTÉE
REMMAILLOTER
REMNOGRAPHIE
REMONTE-PENTE
REMPAILLEUSE
REMPAQUETANT
REMPIÈTEMENT
REMPLACEMENT
REMPOISSONNÉ
RÉMUNÉRATEUR
RÉMUNÉRATION
RENFERMEMENT
RENFLOUEMENT
RENFONCEMENT
RENFORÇATEUR
RENFORCEMENT
RENGRAISSANT
RENONCIATEUR
RENONCIATION
RENONCULACÉE
RENOUVELABLE

RENOUVELANTE
RENTABILISÉE
RENTABILISER
RENTRE-DEDANS
RENVERSEMENT
RÉOCCUPATION
RÉORCHESTRÉE
RÉORCHESTRER
RÉORGANISANT
REPARAISSANT
REPARTAGEANT
RÉPARTISSANT
RÉPARTITRICE
REPENTIGNOIS
RÉPERCUSSION
RÉPERTORIANT
RÉPÉTITIVITÉ
REPEUPLEMENT
REPLANTATION
REPOPULATION
REPOSITIONNÉ
REPOURVOYANT
REPRÉSAILLES
REPRÉSENTANT
RÉPRIMANDANT
RÉPROBATRICE
REPRODUCTEUR
REPRODUCTION
REPRODUCTIVE
REPRODUISANT
REPROGRAMMÉE
REPROGRAMMER
REPROGRAPHIE
REPROGRAPHIÉ
RÉPUBLICAINE
REQUALIFIANT
RÉQUISITOIRE
RÉSERVATAIRE
RÉSIPISCENCE
RESOCIALISÉE
RESOCIALISER
RESPECTUEUSE
RESPIRATOIRE
RESQUILLEUSE
RESSEMBLANCE
RESSEMBLANTE
RESSENTIMENT
RESSERREMENT
RESSOUVENANT
RESSUSCITANT
RESTAURATEUR
RESTAURATION
RESTREIGNANT
RESTRUCTURÉE
RESTRUCTURER
RESURCHAUFFE
RESURCHAUFFÉ

RESURGISSANT
RÉSURRECTION
RÉTABLISSANT
RETARDATAIRE
RETARDATRICE
RETENTISSANT
RÉTICULATION
RÉTICULOCYTE
RÉTINOPATHIE
RETOURNEMENT
RÉTRACTATION
RÉTRACTILITÉ
RETRADUISANT
RETRAITEMENT
RETRANSCRIRE
RETRANSCRITE
RETRAVAILLÉE
RETRAVAILLER
RETRAVERSANT
RÉTRÉCISSANT
RÉTROCESSION
RÉTROGRADANT
RÉTROSPECTIF
RÉTROVERSION
RÉUNIONNAISE
RÉUNIONNAISE
RÉUTILISABLE
REVALORISANT
RÉVEILLONNER
REVENDICATIF
REVENDIQUANT
RÉVERBÉRANTE
REVERDISSANT
RÉVÉRENCIEUX
REVITALISANT
REVIVISCENCE
REVIVISCENTE
RÉVOCABILITÉ
RÉVOLUTIONNÉ
RHABDOMANCIE
RHÉTORIQUEUR
RHÉTO-ROMANES
RHINO-PHARYNX
RHINOPLASTIE
RHIZOMATEUSE
RHODODENDRON
RHÔNE-POULENC
RHUMATISANTE
RHUMATISMALE
RHUMATISMAUX
RHUMATOLOGIE
RHUMATOLOGUE
RHYNCHONELLE
RIBONUCLÉASE
RIBOULDINGUE
RICAMANDOISE
RICKETTSIOSE

RIDICULEMENT
RIDICULISANT
RIEC-SUR-BELON
RIEMANNIENNE
RINGARDISANT
RIO DE JANEIRO
RÍO DE LA PLATA
RIPAGÉRIENNE
RISORGIMENTO
RITUELLEMENT
RIZICULTRICE
ROBBE-GRILLET
ROBERT-HOUDIN
ROBERT LE FORT
ROBERT LE SAGE
ROBERVALOISE
ROBIN DES BOIS
ROBINETTERIE
ROBOTICIENNE
ROBOTISATION
ROCHECHOUART
ROCHEFORTAIS
ROCHE-MAGASIN
ROCKING-CHAIR
ROCQUENCOURT
ROI-GUILLAUME
ROISSY-EN-BRIE
ROLAND-GARROS
ROMAIN ARGYRE
ROMAINMÔTIER
ROMANICHELLE
ROMANISATION
ROMANS-PHOTOS
ROMEUFONTAIN
ROMUALDIENNE
RONCHONNEUSE
RONCHOPATHIE
RONDES-BOSSES
RONDOUILLARD
RONRONNEMENT
ROQUEBRUNOIS
ROQUECOURBIN
ROQUEMAUROIS
ROQUEVAIROIS
ROSÉS-DES-PRÉS
ROUBAISIENNE
ROUCOULEMENT
ROUFLAQUETTE
ROUGEOIEMENT
ROUGES-GORGES
ROUGES-QUEUES
ROUGISSEMENT
ROULÉS-BOULÉS
ROUSCAILLANT
ROUYN-NORANDA
ROYER-COLLARD
RUDIMENTAIRE

RUINES-DE-ROME
SABOT-DE-VÉNUS
SACCHARIFÈRE
SACCHARIFIÉE
SACCHARIFIER
SACHER-MASOCH
SACRAMENTAUX
SACRO-ILIAQUE
SACRO-SAINTES
SACS-POUBELLE
SÁ DA BANDEIRA
SADIQUE-ANALE
SAINT-AMBROIX
SAINT ANDREWS
SAINT-ANTOINE
SAINT-ARNOULT
SAINT-AVERTIN
SAINT-BERNARD
SAINT-CHAMOND
SAINT-CYPRIEN
SAINT-CYRIENS
SAINTE-ENIMIE
SAINTE-HÉLÈNE
SAINTE-MARIEN
SAINTE-MARTHE
SAINTE-MAXIME
SAINT-ÉMILION
SAINT-ÉMILION
SAINTE-ROSIEN
SAINTE-SAVINE
SAINTE-SOPHIE
SAINT-ESTÈPHE
SAINT-ÉTIENNE
SAINT-EXUPÉRY
SAINT-FARGEAU
SAINT-FERRÉOL
SAINT-FLORENT
SAINT-FONIARD
SAINT-FULGENT
SAINT-GALLOIS
SAINT-GALMIER
SAINT-GAUDENS
SAINT-GEORGES
SAINT-GERMAIN
SAINT-GERVAIS
SAINT-GILLOIS
SAINT-GOTHARD
SAINT-GRATIEN
SAINT-GUÉNOLÉ
SAINT-GUILHEM
SAINT-HILAIRE
SAINT-HONORAT
SAINT-JACQUES
SAINT-JAMAISE
SAINT-JUNIAUD
SAINT-LAMBERT
SAINT LAURENT

SAINT-LAURENT
SAINT-LÉONARD
SAINT-LUNAIRE
SAINT-MACAIRE
SAINT-MAIXENT
SAINT-MANDÉEN
SAINT-MAURICE
SAINT-MAURIEN
SAINT-MAXIMIN
SAINT-NAZAIRE
SAINT-NICOLAS
SAINT-NICOLAS
SAINTONGEAIS
SAINT-POL ROUX
SAINT-QUENTIN
SAINTRAILLES
SAINT-RAMBERT
SAINT-RAPHAËL
SAINT-RÉMOISE
SAINT-RIQUIER
SAINT-ROMUALD
SAINT-SAUVEUR
SAINT-SULPICE
SAINT-VALLIER
SAINT-VINCENT
SAISISSEMENT
SAISONNALITÉ
SALIFICATION
SALMONELLOSE
SALTIMBANQUE
SALT LAKE CITY
SAMMIELLOISE
SANARY-SUR-MER
SAN CRISTÓBAL
SANCTIFIANTE
SANCTIONNANT
SAN FRANCISCO
SANG-DE-DRAGON
SAN GIMIGNANO
SANGLOTEMENT
SANGUINAIRES
SANGUINOLENT
SANKT FLORIAN
SAN PEDRO SULA
SANS CONTESTE
SANS-CULOTTES
SANSKRITISTE
SANTOS-DUMONT
SÃO FRANCISCO
SAÔNE-ET-LOIRE
SAPIENTIELLE
SAPONIFIABLE
SARAJÉVIENNE
SARCOMATEUSE
SARGON D'AKKAD
SARTROUVILLE
SASKATCHEWAN

SASSENAGEOIS
SATELLISABLE
SATELLITAIRE
SATHONAY-CAMP
SATISFACTION
SATISFAISANT
SAUCISSONNÉE
SAUCISSONNER
SAUF-CONDUITS
SAUPOUDREUSE
SAUROPHIDIEN
SAUT-DE-MOUTON
SAUTILLEMENT
SAUVEGARDANT
SAUVE-QUI-PEUT
SAUVETERRIEN
SAVERDUNOISE
SAXIFRAGACÉE
SAXOPHONISTE
SCAMPI FRITTI
SCANDALISANT
SCANOGRAPHIE
SCAPHANDRIER
SCATOLOGIQUE
SCÉLÉRATESSE
SCÉNIQUEMENT
SCÉNOGRAPHIE
SCHÉHÉRAZADE
SCHÉMATISANT
SCHIAPARELLI
SCHILTIGHEIM
SCHIRMECKOIS
SCHISMATIQUE
SCHIZOPHASIE
SCHIZOPHRÈNE
SCHLUMBERGER
SCHOLASTIQUE
SCHOPENHAUER
SCHWEINFURTH
SCIENTIFIQUE
SCIENTOLOGIE
SCINTILLANTE
SCISSIPARITÉ
SCLÉRENCHYME
SCLÉRODERMIE
SCLÉROPHYLLE
SCOLARISABLE
SCOTLAND YARD
SCRIPOPHILIE
SCRIPTURAIRE
SCYPHOZOAIRE
SÈCHE-CHEVEUX
SÉCULARISANT
SÉCURISATION
SÉDÉLOCIENNE
SÉDENTARISÉE
SÉDENTARISER

SÉDIMENTAIRE
SEFER HA-ZOHAR
SEGMENTATION
SEGONZACAISE
SEIGNEURIALE
SEIGNEURIAUX
SEIGNOSSAISE
SEINE-ET-MARNE
SÉISMOGRAPHE
SEIZIÈMEMENT
SELDJOUKIDES
SÉLECTIONNÉE
SÉLECTIONNER
SELF-CONTROLS
SELF-MADE-MANS
SELF-SERVICES
SÉMASIOLOGIE
SEMESTRIELLE
SEMI-CHENILLÉ
SEMI-CONSERVE
SEMI-CONSONNE
SEMI-DRESSANT
SEMI-DURABLES
SEMI-GLOBALES
SEMI-LIBERTÉS
SEMI-LUNAIRES
SEMI-OFFICIEL
SÉMIOLOGIQUE
SEMI-OUVERTES
SEMI-POLAIRES
SEMI-PRODUITS
SEMI-PUBLIQUE
SEMI-REMORQUE
SEMI-VOYELLES
SEMPERVIRENT
SÉNATORIALES
SÉNÉCHAUSSÉE
SENESTRORSUM
SENSATIONNEL
SENSIBILISÉE
SENSIBILISER
SENSIBLEMENT
SENSITOMÈTRE
SENTENCIEUSE
SENTIMENTALE
SENTIMENTAUX
SEPTENNALITÉ
SEPTICÉMIQUE
SEPTIÈMEMENT
SEPTUAGÉSIME
SÉQUENTIELLE
SERBO-CROATES
SERFOUISSAGE
SERFOUISSANT
SERGENT-MAJOR
SÉRIEUSEMENT
SÉRONÉGATIVE

SÉROPOSITIVE
SÉROTHÉRAPIE
SERPENTEMENT
SERRICULTURE
SERVIABILITÉ
SEVERODVINSK
SEXAGÉSIMALE
SEXAGÉSIMAUX
SEXOTHÉRAPIE
SEXUELLEMENT
SEYCHELLOISE
SEYCHELLOISE
SHAHJAHANPUR
SHAMPOUINANT
SHAMPOUINEUR
SHERBROOKOIS
SHIJIAZHUANG
SHIPCHANDLER
SHISHA PANGMA
SHOW-BUSINESS
SIDÉRURGIQUE
SIDÉRURGISTE
SIDI BEL ABBES
SIFFLOTEMENT
SIGNALÉTIQUE
SIGNIFICATIF
SIKHOTE-ALINE
SILHOUETTANT
SIMPLIFIABLE
SIMULTANÉITÉ
SINDELFINGEN
SINGAPOURIEN
SINGAPOURIEN
SINGULARISÉE
SINGULARISER
SINISTRALITÉ
SINISTREMENT
SINO-TIBÉTAIN
SIPHONAPTÈRE
SIPHONOGAMIE
SIPHONOPHORE
SISMOLOGIQUE
SISTERONAISE
SIVAPITHÈQUE
SIX-FOURNAISE
SKYE-TERRIERS
SLEEPING-CARS
SNEL VAN ROYEN
SOCIABILISÉE
SOCIABILISER
SOCIALISANTE
SOCINIANISME
SOCIOLOGIQUE
SOCIOLOGISME
SOISSONNAISE
SOLIDARISANT
SOLJENITSYNE

SOLLICITEUSE
SOLUBILISANT
SOLUTIONNANT
SOMATISATION
SOMMAIREMENT
SONORISATION
SOPHISTIQUÉE
SOPHISTIQUER
SORTIE-DE-BAIN
SORTIES-DE-BAL
SOSTRANIENNE
SOTTEVILLAIS
SOUBASSEMENT
SOUDAINEMENT
SOUFFLENHEIM
SOUFFRETEUSE
SOUILLAGAISE
SOULAC-SUR-MER
SOULIGNEMENT
SOÛLOGRAPHIE
SOUMAINTRAIN
SOUMISSIONNÉ
SOUPÇONNABLE
SOUPÇONNEUSE
SOURCILLEUSE
SOURDE-MUETTE
SOURNOISERIE
SOUS-ALIMENTÉ
SOUS-ASSURANT
SOUS-ASSURÉES
SOUS-CALIBRÉE
SOUS-CALIBRÉS
SOUS-CLAVIÈRE
SOUS-CLAVIERS
SOUS-CORTICAL
SOUSCRIPTEUR
SOUSCRIPTION
SOUS-CUTANÉES
SOUS-DÉCLARÉE
SOUS-DÉCLARER
SOUS-DÉCLARÉS
SOUS-DIACONAT
SOUS-EFFECTIF
SOUS-EMPLOYÉE
SOUS-EMPLOYER
SOUS-EMPLOYÉS
SOUS-ENSEMBLE
SOUS-ENTENDRE
SOUS-ENTENDUE
SOUS-ENTENDUS
SOUS-ÉQUIPÉES
SOUS-ESTIMANT
SOUS-ESTIMÉES
SOUS-ÉVALUANT
SOUS-ÉVALUÉES
SOUS-EXPLOITÉ
SOUS-EXPOSANT

SOUS-EXPOSÉES
SOUS-FAMILLES
SOUS-HUMANITÉ
SOUS-JACENTES
SOUS-LOCATION
SOUS-MARINIER
SOUS-MINISTRE
SOUS-MULTIPLE
SOUS-NORMALES
SOUS-OFFICIER
SOUS-ORBITALE
SOUS-ORBITAUX
SOUS-PEUPLÉES
SOUS-PRÉFÈTES
SOUS-PRESSION
SOUS-PRODUITS
SOUS-SATURÉES
SOUS-SECTEURS
SOUS-SOLEUSES
SOUS-STATIONS
SOUS-SYSTÈMES
SOUS-TANGENTE
SOUS-TENSIONS
SOUS-TITRAGES
SOUSTRACTEUR
SOUSTRACTION
SOUSTRACTIVE
SOUS-TRAITANT
SOUS-TRAITÉES
SOUS-UTILISÉE
SOUS-UTILISER
SOUS-UTILISÉS
SOUS-VÊTEMENT
SOUS-VIREUSES
SOUTH SHIELDS
SOUTIEN-GORGE
SOUVERAINETÉ
SOVIÉTOLOGUE
SPANIACIENNE
SPARNACIENNE
SPARNONIENNE
SPASMOPHILIE
SPATIALISANT
SPÉCIALEMENT
SPÉCIALISANT
SPECTROMÈTRE
SPECTROSCOPE
SPÉCULATRICE
SPERMATOCYTE
SPERMOGRAMME
SPHINCTÉRIEN
SPIRIPONTAIN
SPIRITUALISÉ
SPIRITUALITÉ
SPIROCHÉTOSE
SPLANCHNIQUE
SPLÉNECTOMIE

SPONSORISANT
SPONTANÉISME
SPONTANÉMENT
SPORTIVEMENT
SPORTS-NATURE
SQUATTÉRISÉE
SQUATTÉRISER
SQUELETTIQUE
SRI LANKAISES
SRI LANKAISES
STABILISANTE
STALINOGORSK
STAMBOLIJSKI
STANDARDISÉE
STANDARDISER
STANDARDISTE
STANISLAVSKI
STANLEYVILLE
STAPHISAIGRE
STARA PLANINA
STAR-SYSTÈMES
STARTING-GATE
STATEN ISLAND
STATIONNAIRE
STATIONS-AVAL
STATIQUEMENT
STATISTICIEN
STAUFFENBERG
STEEPLE-CHASE
STÉGOCÉPHALE
STENAISIENNE
STÉNODACTYLO
STÉNOGRAPHIE
STÉNOGRAPHIÉ
STÉNOTYPISTE
STERCULIACÉE
STÉRÉOCHIMIE
STÉRÉOGNOSIE
STÉRÉOGRAMME
STÉRÉOMÉTRIE
STÉRÉOPHONIE
STÉRÉOSCOPIE
STÉRÉOVISION
STÉRILISANTE
STERNUTATION
STÉROÏDIENNE
STERPINACIEN
STIGMATISANT
STILLIGOUTTE
STIRINGEOISE
STOCHASTIQUE
STOCKHOLMOIS
STOCKS-OUTILS
STOKE-ON-TRENT
STOMATOLOGIE
STOMATOLOGUE
STRADIVARIUS

STRADIVARIUS
STRATOSPHÈRE
STREPSIPTÈRE
STREPTOCOQUE
STRICTO SENSU
STRIDULATION
STROBOSCOPIE
STRUCTURABLE
STRUCTURANTE
STRUCTURELLE
STUPÉFACTION
STURE L'ANCIEN
STURE LE JEUNE
STYLISTICIEN
SUBAQUATIQUE
SUBCONSCIENT
SUBDÉLÉGUANT
SUBJECTIVITÉ
SUBLIME-PORTE
SUBLIMINAIRE
SUBORDONNANT
SUBROGATOIRE
SUBSIDIARITÉ
SUBSTANTIVÉE
SUBSTANTIVER
SUBSTITUABLE
SUBSTITUTION
SUBSTITUTIVE
SUBSTRUCTION
SUBSTRUCTURE
SUBTROPICALE
SUBTROPICAUX
SUBURBICAIRE
SUBVENTIONNÉ
SUCCENTURIÉE
SUCCESSORALE
SUCCESSORAUX
SUD-AFRICAINE
SUD-AFRICAINE
SUD-AFRICAINS
SUD-AFRICAINS
SUD-AMÉRICAIN
SUD-AMÉRICAIN
SUD-CORÉENNES
SUD-CORÉENNES
SUFFISAMMENT
SUGGESTIONNÉ
SUGGESTIVITÉ
SULFHYDRIQUE
SUN ZHONGSHAN
SUPERALLIAGE
SUPERDÉVOLUY
SUPERFAMILLE
SUPERPOSABLE
SUPERSONIQUE
SUPERSTITION
SUPPLICATION

SUPPOSITOIRE
SUPRÉMATISME
SURABONDANCE
SURABONDANTE
SURALIMENTÉE
SURALIMENTER
SURBRILLANCE
SURCHARGEANT
SURCHAUFFANT
SURCHAUFFEUR
SURCOMPRIMÉE
SURCOMPRIMER
SURDÉTERMINÉ
SURDÉVELOPPÉ
SURDI-MUTITÉS
SURÉLÉVATION
SURENTRAÎNÉE
SURENTRAÎNER
SUREXCITABLE
SUREXCITANTE
SUREXPLOITÉE
SUREXPLOITER
SURGISSEMENT
SURINAMIENNE
SURINFECTION
SURINFORMANT
SURINTENDANT
SURINTENSITÉ
SURLENDEMAIN
SURMORTALITÉ
SURMULTIPLIÉ
SURNATURELLE
SURNUMÉRAIRE
SURPASSEMENT
SURPLOMBANTE
SURVEILLANCE
SURVEILLANTE
SUS-DÉNOMMÉES
SUS-DOMINANTE
SUS-HÉPATIQUE
SUSMENTIONNÉ
SUSTENTATION
SVEN TVESKÄGG
SYLVICULTEUR
SYLVICULTURE
SYMPATHISANT
SYNCHRONIQUE
SYNCHRONISÉE
SYNCHRONISER
SYNCHRONISME
SYNDICALISÉE
SYNDICALISER
SYNDICALISME
SYNDICALISTE
SYNDICATAIRE
SYNOVECTOMIE
SYNTACTICIEN

SYNTHÉTISANT
SYNTHÉTISEUR
SYPHILITIQUE
SYSTÉMATIQUE
SYSTÉMATISÉE
SYSTÉMATISER
SZENT-GYÖRGYI
TACHÉOMÉTRIE
TACHYPSYCHIE
TACTIQUEMENT
TADOUSSACIEN
TAGLIATELLES
TAI-CHI-CHUANS
TAILLANDERIE
TAILLE-CRAYON
TALANÇONNAIS
TALISMANIQUE
TALKIE-WALKIE
TAMANGHASSET
TAMBOURINAGE
TAMBOURINANT
TAMBOURINEUR
TAMBOUR-MAJOR
TAMPONNEMENT
TANANARIVIEN
TANGENTIELLE
TANGIBLEMENT
TAPIS-BROSSES
TARABISCOTÉE
TARASCONNAIS
TARASS BOULBA
TARIFICATION
TARRACONAISE
TASSILUNOISE
TAUPE-GRILLON
TAUTOLOGIQUE
TAXIDERMISTE
TAXIS-BROUSSE
TCHELIABINSK
TCHÉRÉMISSES
TCHEREMKHOVO
TCHEREPOVETS
TCHISTIAKOVO
TCHITCHERINE
TECHNICIENNE
TECHNICISANT
TECHNOCRATIE
TÉGUMENTAIRE
TEL-AVIV-JAFFA
TÉLÉACHETEUR
TÉLÉCOMMANDE
TÉLÉCOMMANDÉ
TÉLÉDIFFUSÉE
TÉLÉDIFFUSER
TÉLÉÉCRITURE
TÉLÉGRAPHIÉE
TÉLÉGRAPHIER

TÉLÉMÉDECINE
TÉLENCÉPHALE
TÉLÉOBJECTIF
TÉLÉOLOGIQUE
TÉLÉPAIEMENT
TÉLÉPATHIQUE
TÉLÉPHÉRIQUE
TÉLÉPHONIQUE
TÉLÉPHONISTE
TÉLÉPOINTAGE
TÉLESCOPIQUE
TÉLÉVENDEUSE
TÉLÉVISUELLE
TELL AL-AMARNA
TELLUROMÈTRE
TENAILLEMENT
TENDANCIELLE
TENDANCIEUSE
TENNIS-BALLON
TENNIS-ELBOWS
TENOCHTITLÁN
TENSIOACTIVE
TENTACULAIRE
TENZIN GYATSO
TÉRATOGENÈSE
TÉRÉBENTHINE
TERGIVERSANT
TERMINOLOGIE
TERMINOLOGUE
TERNISSEMENT
TERRASSEMENT
TERREBONNIEN
TERRE-NEUVIEN
TERRE-NEUVIEN
TERRE-NEUVIER
TERRIBLEMENT
TERRITORIALE
TERRITORIAUX
TERRORISANTE
TESTICULAIRE
TESTIMONIALE
TESTIMONIAUX
TESTOSTÉRONE
TÉTANISATION
TÊTES-DE-MAURE
TÉTRACYCLINE
TÉTRADRACHME
TÉTRAÉDRIQUE
TÉTRAPLOÏDIE
TÉTRASYLLABE
TEZCATLIPOCA
THAÏLANDAISE
THAÏLANDAISE
THANATOLOGIE
THANKSGIVING
THÉÂTRALISÉE
THÉÂTRALISER

THÉÂTRALISME
THÉÂTRE-LIBRE
THÉOCRATIQUE
THÉOLOGIENNE
THÉOPHYLLINE
THÉORICIENNE
THÉORISATION
THÉOSOPHIQUE
THERMICIENNE
THERMIDORIEN
THERMISTANCE
THERMOCHIMIE
THERMOCOUPLE
THERMOGENÈSE
THERMOMÉTRIE
THERMOSPHÈRE
THÉSAURISANT
THÉSAURISEUR
THESSALIENNE
THESSALIENNE
THETFORDOISE
THIONVILLOIS
THOMAS BECKET
THOMAS D'AQUIN
THORACENTÈSE
THORACOTOMIE
THROMBOPÉNIE
THROMBOTIQUE
THURGOVIENNE
THURIFÉRAIRE
THYROÏDIENNE
THYSANOPTÈRE
TIBÉTO-BIRMAN
TIBIO-TARSIEN
TIÉDISSEMENT
TIMBRE-AMENDE
TIMBRES-POSTE
TIME-SHARINGS
TINCHEBRAYEN
TINTINNABULÉ
TIRAILLEMENT
TIRE-BOUCHONS
TIROIR-CAISSE
TISSUS-PAGNES
TITULARISANT
TLALNEPANTLA
TOMBLAINOISE
TONNACQUOISE
TONNEINQUAIS
TORRÉFACTEUR
TORRÉFACTION
TORREMOLINOS
TORRENTIELLE
TORRENTUEUSE
TORTILLEMENT
TORTIONNAIRE
TOTALISATEUR

TOTALISATION
TOUCHE-TOUCHE
TOURBILLONNÉ
TOURILLONNÉE
TOURILLONNER
TOURNAILLANT
TOURNEBOULÉE
TOURNEBOULER
TOURNEBROCHE
TOURNE-DISQUE
TOURNE-PIERRE
TOURNICOTANT
TOURNOIEMENT
TOURNUSIENNE
TOURQUENNOIS
TOUSSOTEMENT
TOUTANKHAMON
TOUTES-ÉPICES
TOUT-PUISSANT
TOXOPLASMOSE
TRACHÉOTOMIE
TRADESCANTIA
TRADITIONNEL
TRAGI-COMÉDIE
TRAGI-COMIQUE
TRAGIQUEMENT
TRAÎNAILLANT
TRAITS D'UNION
TRANQUILLISÉ
TRANQUILLITÉ
TRANSAMINASE
TRANSBAHUTÉE
TRANSBAHUTER
TRANSBORDANT
TRANSBORDEUR
TRANSCENDANT
TRANSCRIVANT
TRANSCUTANÉE
TRANSDUCTEUR
TRANSDUCTION
TRANSFECTION
TRANSFÉRABLE
TRANSFIGURÉE
TRANSFIGURER
TRANSFORMANT
TRANSGÉNIQUE
TRANSGRESSÉE
TRANSGRESSER
TRANSHORIZON
TRANSHUMANCE
TRANSHUMANTE
TRANSITIVITÉ
TRANSLUMINAL
TRANSMETTANT
TRANSMETTEUR
TRANSMIGRANT
TRANSMISSION

TRANSMUTABLE	TRISTOUNETTE	**VALCOLOROISE**
TRANSNISTRIE	TRIVIALEMENT	**VAL-DE-MARNAIS**
TRANSPALETTE	TROCHOSPHÈRE	**VALDEMAR SEJR**
TRANSPARENCE	TROIS-ÉTOILES	**VALDOISIENNE**
TRANSPARENTE	**TROIS-ÉVÊCHÉS**	**VALENCE-D'AGEN**
TRANSPERÇANT	**TROIS-VALLÉES**	VALENCIENNE
TRANSPLANTÉE	TROMPE-LA-MORT	**VALENCIENNES**
TRANSPLANTER	TROMPETTISTE	VALENTINOISE
TRANSPOLAIRE	TRONÇONNEUSE	**VALENTINOISE**
TRANSPONDEUR	TROPHALLAXIE	**VALÈRE MAXIME**
TRANSPORTANT	TROPHOBLASTE	VALÉRIANACÉE
TRANSPORTEUR	TROPICALISÉE	VALÉRIANELLE
TRANSPOSABLE	TROPICALISER	**VALLAURIENNE**
TRANSSONIQUE	TROTTINEMENT	**VALLERY-RADOT**
TRANSURANIEN	TROUBLE-FÊTES	VALLONNEMENT
TRANSVERSALE	TROUSSE-QUEUE	VALORISATION
TRANSVERSAUX	**TROUVILLAISE**	VALPOLICELLA
TRANSYLVAINE	TRYPSINOGÈNE	**VALS-LES-BAINS**
TRANSYLVAINE	TUBERCULEUSE	**VAN ARTEVELDE**
TRANSYLVANIE	TUBERCULOÏDE	**VAN DEN BERGHE**
TRAPÉZOÏDALE	TUBÉRISATION	**VAN DER MEULEN**
TRAPÉZOÏDAUX	TURBIDIMÈTRE	**VAN DER WEYDEN**
TRÁS-OS-MONTES	TURBOMACHINE	**VAN HONTHORST**
TRAUMATISANT	**TURKMÉNISTAN**	**VAN RUUSBROEC**
TRAVAILLEUSE	**TURRIPINOISE**	VAPOCRAQUAGE
TRAVAILLISME	TYRANNOSAURE	VAPOCRAQUEUR
TRAVAILLISTE	TYROTHRICINE	VAPORISATEUR
TRAVAILLOTER	**TYRRHÉNIENNE**	VAPORISATION
TRAVERS-BANCS	**TZIN TZUN TZAN**	VASCULARISÉE
TRAVERSOUIRE	**UILENSPIEGEL**	VASOPRESSINE
TREILLAGEANT	**UJUNG PANDANG**	VASOUILLARDE
TREILLISSANT	ULTRABASIQUE	VATICINATEUR
TREMBLADAISE	ULTRAMODERNE	VATICINATION
TREMBLAYSIEN	ULTRAMONTAIN	VAUCLUSIENNE
TREMBLOTANTE	ULTRASONIQUE	**VAUCLUSIENNE**
TREMPABILITÉ	UNIFICATRICE	**VAULX-EN-VELIN**
TRÉPIGNEMENT	UNIFORMÉMENT	**VAUVENARGUES**
TRESSAILLANT	UNIFORMISANT	VÉGÉTALIENNE
TRÉVOLTIENNE	UNILOCULAIRE	VÉGÉTALISANT
TRIANGULAIRE	UNIPERSONNEL	VÉGÉTARIENNE
TRIBULATIONS	UNIVERSALISÉ	VÉLIDELTISTE
TRICHINOPOLY	UNIVERSALITÉ	VÉLOCIMÉTRIE
TRICHOGRAMME	UNIVITELLINE	**VENDEUVROISE**
TRICHOPHYTON	URBANISATION	VENTRIPOTENT
TRIFLUVIENNE	URBANISTIQUE	VERBEUSEMENT
TRIFOUILLANT	URO-GÉNITALES	VERDISSEMENT
TRIGLYCÉRIDE	USTILAGINALE	**VERFEILLOISE**
TRILOCULAIRE	**ÚSTÍ NAD LABEM**	VÉRIFICATEUR
TRIMBALEMENT	USUFRUITIÈRE	VÉRIFICATION
TRINQUEBALLE	UTILISATRICE	VÉRIFICATIVE
TRIOMPHATEUR	UTILITARISME	VERMICULAIRE
TRIPARTITION	UTILITARISTE	VERMILLONNER
TRIPATOUILLÉ	**UTTAR PRADESH**	VERNACULAIRE
TRIPHOSPHATE	VACCINOSTYLE	VERROUILLAGE
TRIPOLITAINE	VADROUILLANT	VERROUILLANT
TRIRECTANGLE	VADROUILLEUR	VERROUILLEUR
TRISANNUELLE	VAISSELLERIE	VERSAILLAISE

VERSAILLAISE
VERS-LIBRISTE
VERT-DE-GRISÉE
VERT-DE-GRISÉS
VERTIGINEUSE
VESPERTILION
VESSES-DE-LOUP
VESTIBULAIRE
VEXILLOLOGIE
VIBO VALENTIA
VIBRAYSIENNE
VIBROMASSEUR
VICE-CONSULAT
VIC-EN-BIGORRE
VICE-RECTEURS
VICE-ROYAUTÉS
VICIEUSEMENT
VICTIMOLOGIE
VICTOR-AMÉDÉE
VIDE-GRENIERS
VIDÉOGRAPHIE
VIDÉOLECTEUR
VIEILLEVILLE
VIEILLISSANT
VIELÉ-GRIFFIN
VIENNOISERIE
VIENTIANAISE
VIERZONNAISE
VIETNAMIENNE
VIETNAMIENNE
VIEUX-CONDÉEN
VIEUX-CROYANT
VIGNEUSIENNE
VILLACOUBLAY
VILLAHERMOSA
VILLARDIENNE
VILLAVICIOSA
VILLECRESNES
VILLE-DORTOIR
VILLEFRANCHE
VILLÉGIATURE
VILLÉGIATURÉ
VILLEJUIFOIS

VILLENEUVIEN
VILLENEUVOIS
VILLEPARISIS
VILLEPINTOIS
VILLERS-LE-LAC
VILLERUPTIEN
VILLETANEUSE
VILLEURBANNE
VINIFICATEUR
VINIFICATION
VIOLLET-LE-DUC
VIRILISATION
VIROFLAYSIEN
VISCOSIMÈTRE
VISUELLEMENT
VITICULTRICE
VITIVINICOLE
VITUPÉRATION
VIVARO-ALPINS
VIVIFICATEUR
VIVIFICATION
VOCALISATEUR
VOCALISATION
VOCIFÉRATEUR
VOCIFÉRATION
VOITURE-BALAI
VOITURE-POSTE
VOITURES-BARS
VOITURES-LITS
VOLATILISANT
VOLCANOLOGIE
VOLCANOLOGUE
VOLONTARISME
VOLONTARISTE
VOLTAIRIENNE
VOLTA REDONDA
VOLUCOMPTEUR
VOLUMÉTRIQUE
VO NGUYÊN GIAP
VOSGES DU NORD
VOSNE-ROMANÉE
VOUVRILLONNE
VULCANOLOGIE

VULCANOLOGUE
VULGAIREMENT
WAGON-CITERNE
WARWICKSHIRE
WASQUEHALIEN
WASSELONNAIS
WASSERBILLIG
WATER-CLOSETS
WATTRELOSIEN
WELLINGTONIA
WEST BROMWICH
WESTER WEMYSS
WESTINGHOUSE
WESTMOUNTAIS
WHITE-SPIRITS
WINNIPEGOSIS
WINNIPEGUIEN
WINSTON-SALEM
WINTERHALTER
WISIGOTHIQUE
WITTGENSTEIN
WORLD WIDE WEB
XAINTRAILLES
XANTHOPHYCÉE
XANTHOPHYLLE
XÉNOCRISTAUX
XÉROPHTALMIE
XIPHOÏDIENNE
YAMOUSSOUKRO
YLANGS-YLANGS
YSSINGELAISE
YUKAWA HIDEKI
ZARATHOUSTRA
ZARATHUSHTRA
ZIMBABWÉENNE
ZIMBABWÉENNE
ZINGIBÉRACÉE
ZINJANTHROPE
ZOOMORPHIQUE
ZOOMORPHISME
ZOOTECHNIQUE
ZOROASTRISME

ABAISSE-LANGUE
ABÂTARDISSANT
ABBAYE-AUX-BOIS
ABERDEEN-ANGUS
ABONNISSEMENT
ABOUTISSEMENT
ABRACADABRANT
ABRI-SOUS-ROCHE
ABRUTISSEMENT
ABSTRAITEMENT

ACADÉMICIENNE
À CALIFOURCHON
ACCÉLÉRATRICE
ACCÉLÉROMÈTRE
ACCEPTABILITÉ
ACCESSIBILITÉ
ACCESSOIRISÉE
ACCESSOIRISER
ACCESSOIRISTE
ACCLIMATATION

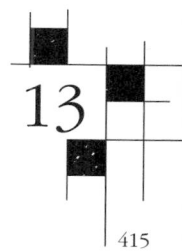

13

ACCLIMATEMENT
ACCOMMODATION
ACCOMMODEMENT
ACCOMPLISSANT
ACCORDÉONISTE
ACCORDS-CADRES
ACCOURCISSANT
ACCRÉDITATION
ACCROCHE-CŒUR
ACCROCHE-PLATS
ACCROISSEMENT
ACCROUPISSANT
ACCULTURATION
ACÉRICULTRICE
ACÉTIFICATION
ACÉTYLCHOLINE
ACHROMATISANT
ACHROMATOPSIE
ACIDES-ALCOOLS
ACIDIFICATION
ACIDO-BASIQUES
ACOUSTICIENNE
ACQUIESCEMENT
ACRYLONITRILE
ACTUALISATION
ADAM DE LA HALLE
ADDITIONNELLE
ADJECTIVEMENT
ADJECTIVISANT
ADJUDICATAIRE
ADJUDICATRICE
ADMINISTRATIF
ADMIRABLEMENT
ADMISSIBILITÉ
ADMONESTATION
ADOUCISSEMENT
ADRÉNOLYTIQUE
AÉRODYNAMIQUE
AÉRODYNAMISME
AÉROMODÉLISME
AÉROPORTUAIRE
AÉROTECHNIQUE
AÉROTERRESTRE
AÉROTHERMIQUE
AFFADISSEMENT
AFFAIBLISSANT
AFFECTIONNANT
AFFOUILLEMENT
AFFOURAGEMENT
AFRIQUE DU NORD
AFRO-AMÉRICAIN
AFRO-AMÉRICAIN
AFRO-ASIATIQUE
AFRO-BRÉSILIEN
AFRO-BRÉSILIEN
AGGIORNAMENTO
AGGLOMÉRATION

AGGLUTINATION
AGGLUTINOGÈNE
AGNÈS DE FRANCE
AGRAMMATICALE
AGRAMMATICAUX
AGRESSIVEMENT
AGRO-INDUSTRIE
AGROPASTORALE
AGROPASTORAUX
AGRUMICULTURE
AHMAD IBN TULUN
AIDE-SOIGNANTE
AIGUEPERSOISE
AIGUES-MARINES
AIGUES-MORTAIS
AIGUILLONNANT
AÏN TÉMOUCHENT
AIRE-SUR-L'ADOUR
AISEAU-PRESLES
AIX-EN-PROVENCE
AIXE-SUR-VIENNE
AIX-LA-CHAPELLE
AKADEMGORODOK
ALAIN-FOURNIER
ALBENASSIENNE
ALBERT LE GRAND
ALBERTVILLOIS
ALCOOLISATION
ALÉATOIREMENT
ALEKSANDROPOL
ALEXIS COMNÈNE
ALFORTVILLAIS
ALFRED LE GRAND
ALGORITHMIQUE
ALLOCENTRISME
ALLUME-CIGARES
ALLUVIONNAIRE
AL-NAHHAS PACHA
ALPHABÉTISANT
ALPHONSE LE BON
ALPHONSE-MARIE
ALTO-SÉQUANAIS
ALUMINISATION
AMADIS DE GAULE
AMAIGRISSANTE
AMAN ALLAH KHAN
AMARYLLIDACÉE
AMBARTSOUMIAN
AMÉRICANISANT
AMÉRIC VESPUCE
AMÉRIQUE DU SUD
AMIANTE-CIMENT
AMINCISSEMENT
AMOINDRISSANT
AMOLLISSEMENT
AMONCELLEMENT
AMORTISSEMENT

AMOUREUSEMENT
AMOURS-PROPRES
AMPÉLOGRAPHIE
AMPHIARTHROSE
AMPHIGOURIQUE
AMPLIFICATEUR
AMPLIFICATION
ANACRÉONTIQUE
ANATHÉMATISÉE
ANATHÉMATISER
ANDHRA PRADESH
ANESTHÉSIANTE
ANFRACTUOSITÉ
ANGÉLIQUEMENT
ANGLICISATION
ANGLO-NORMANDE
ANGLO-NORMANDE
ANGLO-NORMANDS
ANGLO-NORMANDS
ANGLO-SAXONNES
ANGLO-SAXONNES
ANIMADVERSION
ANNECY-LE-VIEUX
ANNE D'AUTRICHE
ANNE DE BEAUJEU
ANNÉES-LUMIÈRE
ANNEMASSIENNE
ANNEXIONNISTE
ANNONCIATRICE
ANNUALISATION
ANOBLISSEMENT
ANTÉHYPOPHYSE
ANTÉISLAMIQUE
ANTHRACITEUSE
ANTHRAQUINONE
ANTHROPOLOGIE
ANTHROPOLOGUE
ANTHROPONYMIE
ANTHROPOPHAGE
ANTHROPOPHILE
ANTIBIOGRAMME
ANTICANCÉREUX
ANTICIPATOIRE
ANTICLÉRICALE
ANTICLÉRICAUX
ANTICOAGULANT
ANTICORROSION
ANTICYCLONALE
ANTICYCLONAUX
ANTIDÉRAPANTE
ANTIDÉTONANTE
ANTIÉMÉTISANT
ANTIKOMINTERN
ANTIMITOTIQUE
ANTIMYCOSIQUE
ANTINATALISTE
ANTINATIONALE

ANTINATIONAUX
ANTINUCLÉAIRE
ANTIPALUDIQUE
ANTIPARASITÉE
ANTIPARASITER
ANTIPARTICULE
ANTIPERSONNEL
ANTIPOLLUTION
ANTIPYRÉTIQUE
ANTIRADIATION
ANTIRELIGIEUX
ANTISALISSURE
ANTISATELLITE
ANTISÉMITISME
ANTI-SOUS-MARIN
ANTISYNDICALE
ANTISYNDICAUX
ANTITÉTANIQUE
ANTIULCÉREUSE
ANTIVÉNÉNEUSE
ANTIVENIMEUSE
ANTOINE DANIEL
APATHIQUEMENT
APHRODISIAQUE
APLANISSEMENT
APLATISSEMENT
APOCALYPTIQUE
APONÉVROTIQUE
APPALACHIENNE
APPARENTEMENT
APPAUVRISSANT
APPENZELLOISE
APPERTISATION
APPLAUDIMÈTRE
APPLAUDISSANT
APPLAUDISSEUR
APPLICABILITÉ
APPOINTEMENTS
APPRÉCIATRICE
APPRENTISSAGE
APPRIVOISABLE
APPROPRIATION
APPROVISIONNÉ
APPROXIMATION
APPROXIMATIVE
AQUARIOPHILIE
AQUATINTIENNE
AQUATUBULAIRE
ARABO-PERSIQUE
ARBITRALEMENT
ARBORICULTEUR
ARBORICULTURE
ARCACHONNAISE
ARCHÉOLOGIQUE
ARCHIDUCHESSE
ARCHIMANDRITE
ARCHIMÉDIENNE

ARCHITECTURAL
ARCHITECTURÉE
ARCHITECTURER
ARCHIVISTIQUE
ARCS-DOUBLEAUX
ARGELÈS-GAZOST
ARGELÈS-SUR-MER
ARGENTIÉROISE
ARGENTONNAISE
ARGUMENTATEUR
ARGUMENTATION
ARGUMENTATIVE
ARISTOTÉLISME
ARITHMÉTICIEN
ARITHMOMANCIE
ARMENTIÉROISE
AROMATHÉRAPIE
AROMATISATION
ARRIÈRE-CHŒUR
ARRIÈRE-COUSIN
ARRIÈRE-GARDES
ARRIÈRE-GORGES
ARRIÈRE-NEVEUX
ARRIÈRE-NIÈCES
ARRIÈRE-PENSÉE
ARRIÈRE-SAISON
ARRIÈRE-SALLES
ARRIÈRE-TRAINS
ARRIÈRE-VASSAL
ARS-SUR-FORMANS
ARS-SUR-MOSELLE
ARTÉRIECTOMIE
ARTÉRIOPATHIE
ARTHROGRAPHIE
ARTHROPLASTIE
ARTICHAUTIÈRE
ARTICULATOIRE
ASCHAFFENBURG
ASCLÉPIADACÉE
ASOMATOGNOSIE
ASPIRO-BATTEUR
ASSAGISSEMENT
ASSERVISSANTE
ASSIMILATRICE
ASSOCIATIVITÉ
ASSOMBRISSANT
ASSOUPISSANTE
ASSOUPLISSANT
ASSOUPLISSEUR
ASSOURBANIPAL
ASSOURDISSANT
ASTACICULTURE
ASTÉRÉOGNOSIE
ASTHÉNOSPHÈRE
ASTROMÉTRISTE
ASTROMÉTRISTE
ASTRONAUTIQUE

ASTROPHYSIQUE
ASYNCHRONISME
ATMOSPHÉRIQUE
ATOMES-GRAMMES
À TOUCHE-TOUCHE
ATTACHÉS-CASES
ATTENDRISSANT
ATTENDRISSEUR
ATTENTIVEMENT
ATTRAPE-MOUCHE
ATTRAPE-NIGAUD
AUBERGENVILLE
AUBERT DE GASPÉ
AUBERVILLIERS
AUBUSSONNAISE
AUDINCOURTOIS
AUDIOVISUELLE
AUDRUICQUOISE
AUGUSTINIENNE
AUNG SAN SUU KYI
AUREC-SUR-LOIRE
AURIGNACIENNE
AURIGNACIENNE
AUSCULTATOIRE
AUTHENTIFIANT
AUTO-ANTICORPS
AUTOBRONZANTE
AUTOCENSURANT
AUTOCINÉTISME
AUTOCOUCHETTE
AUTODIRECTEUR
AUTOÉLÉVATEUR
AUTOFINANÇANT
AUTO-IMMUNITÉS
AUTO-INDUCTION
AUTOMOBILISTE
AUTOMORPHISME
AUTONETTOYANT
AUTOPALPATION
AUTOPROCLAMÉE
AUTOPROCLAMER
AUTOPROPULSÉE
AUTORÉFÉRENCE
AUTORÉPARABLE
AUTORITARISME
AUTO-STOPPEURS
AUTO-STOPPEUSE
AUTOSUFFISANT
AUTOTREMPANTE
AUVERS-SUR-OISE
AUXI-LE-CHÂTEAU
AVACHISSEMENT
AVANT-CONTRATS
AVANT-COUREURS
AVANT-DERNIÈRE
AVANT-DERNIERS
AVANT-GARDISME

AVANT-GARDISTE
AVANT-PREMIÈRE
AVANTS-CENTRES
AVERTISSEMENT
AVEULISSEMENT
AVITAILLEMENT
AVRANCHINAISE
AXISYMÉTRIQUE
AXONOMÉTRIQUE
BACHI-BOUZOUKS
BACHKORTOSTAN
BACTÉRIOLOGIE
BACTÉRIOPHAGE
BADIGEONNEUSE
BAIERIVERAINE
BAIE-SAINT-PAUL
BÂILLONNEMENT
BAINS-LES-BAINS
BALAIS-BROSSES
BALISTICIENNE
BALKANISATION
BALLONS-SONDES
BALOUCHISTAN
BANCARISATION
BANQUEROUTIER
BANYULS-SUR-MER
BARBEZILIENNE
BARBOUILLEUSE
BARCELONNETTE
BARRAGES-POIDS
BARSURAUBOISE
BAS-DE-CHAUSSES
BASIDIOMYCÈTE
BASILE LE GRAND
BASSAS DA INDIA
BASSE-AUTRICHE
BASSE-GOULAINE
BASSE-NORMANDE
BASSES-TAILLES
BASSIN-VERSANT
BATEAU-CITERNE
BATEAUX-PHARES
BATEAUX-POMPES
BATEAUX-PORTES
BATHYMÉTRIQUE
BAUME-LES-DAMES
BÉATIFICATION
BEAUCHAMPOISE
BEAUCOURTOISE
BEAUREPAIROIS
BEAUVAISIENNE
BEAUVILLÉSOIS
BÉCANCOUROISE
BECS-DE-CORBEAU
BELLE CORDIÈRE
BELLES-LETTRES

BELLEVILLOISE
BELLIFONTAINE
BELLIFONTAINE
BELLOPRATAINE
BELO HORIZONTE
BÉLOUTCHISTAN
BENOÎT D'ANIANE
BERCHTESGADEN
BERGERONNETTE
BERLAIMONTOIS
BERTHEVINOISE
BERTRAN DE BORN
BÊTABLOQUANTE
BÊTASTIMULANT
BETSIMISARAKA
BEUZEVILLAISE
BIBLIOGRAPHIE
BICAMÉRALISME
BICARBURATION
BIEN-PENSANTES
BIENVEILLANCE
BIENVEILLANTE
BIOCLIMATIQUE
BIOCOMPATIBLE
BIOCONVERSION
BIODÉGRADABLE
BIOÉLECTRIQUE
BIOGÉOGRAPHIE
BIO-INDUSTRIES
BIOMAGNÉTISME
BIQUOTIDIENNE
BIRÉFRINGENCE
BIRÉFRINGENTE
BISCHHEIMOISE
BISSAU-GUINÉEN
BLACK PANTHERS
BLAINVILLAISE
BLAINVILLOISE
BLANCHISSANTE
BLANCHISSERIE
BLANCHISSEUSE
BLANCS-MANGERS
BLASPHÉMATEUR
BLETTISSEMENT
BLOC-CYLINDRES
BLOC-DIAGRAMME
BLOCS-CUISINES
BLUE MOUNTAINS
BOBO-DIOULASSO
BOCAGE NORMAND
BOCAGE VENDÉEN
BOEING COMPANY
BOISBRIANNAIS
BOIS-GUILLAUME
BOISSY D'ANGLAS
BONDÉRISATION
BONHEUR-DU-JOUR

BONNEUILLOISE
BONNEVILLOISE
BONS-CHRÉTIENS
BOOGIE-WOOGIES
BORIS GODOUNOV
BORNE-FONTAINE
BOROSILICATÉE
BORT-LES-ORGUES
BOUCHE-À-BOUCHE
BOUFFONNEMENT
BOUGAINVILLÉE
BOUGUENAISIEN
BOUILLABAISSE
BOUILLON-BLANC
BOUILLONNANTE
BOULAY-MOSELLE
BOULES-DE-NEIGE
BOULEVARDIÈRE
BOULEVERSANTE
BOULOUNENCQUE
BOURBON-SICILE
BOURBOULIENNE
BOURBOURGEOIS
BOURDONNEMENT
BOURG-ARGENTAL
BOURG-EN-BRESSE
BOURGEOISIALE
BOURGEOISIAUX
BOURGUIGNONNE
BOURGUIGNONNE
BOURLINGUEUSE
BOURSICOTEUSE
BOUSTROPHÉDON
BOUTON-D'ARGENT
BOUZONVILLOIS
BRABANT WALLON
BRACHYCÉPHALE
BRAINE-L'ALLEUD
BRAINE-LE-COMTE
BRAINSTORMING
BRANCHES-MÈRES
BRAZZAVILLOIS
BREDOUILLEUSE
BREITSCHWANTZ
BRÉTIGNOLAISE
BRIANÇONNAISE
BRIAND-KELLOGG
BRICK-GOÉLETTE
BRICQUEBÉTAIS
BRIÈRE DE L'ISLE
BRIGADIER-CHEF
BRILLANTINANT
BRINGUEBALANT
BRINQUEBALANT
BRITISH MUSEUM
BRONCHECTASIE
BRONCHOSCOPIE

13

BROUILLONNANT
BROUSSAILLEUX
BRUAY-EN-ARTOIS
BUCCO-DENTAIRE
BUCCO-GÉNITALE
BUCCO-GÉNITAUX
BUDGÉTISATION
BUISSON-ARDENT
BUJUMBURIENNE
BULLY-LES-MINES
BUREAUCRATISÉ
BUREAU VERITAS
BURLESQUEMENT
BUSINESSWOMAN
BUSINESSWOMEN
BUSSY D'AMBOISE
CAFÉS-CONCERTS
CAFÉS-THÉÂTRES
CALCIFICATION
CALCIOTHERMIE
CALCULABILITÉ
CALEMBREDAINE
CALFEUTREMENT
CALIDIFONTAIN
CALIFORNIENNE
CALIFORNIENNE
CALLIGRAPHIÉE
CALLIGRAPHIER
CALOMNIATRICE
CALORIFUGEAGE
CALORIFUGEANT
CALTANISSETTA
CALVADOSIENNE
CAMARET-SUR-MER
CAMBO-LES-BAINS
CAMÉLÉONESQUE
CAMION-CITERNE
CAMPINA GRANDE
CANADIAN RIVER
CANAL IMPÉRIAL
CANCÉRISATION
CANCÉROGENÈSE
CANCÉROPHOBIE
CANNE-BÉQUILLE
CANNIBALESQUE
CANNIBALISANT
CANONIQUEMENT
CANTHARELLALE
CANTONS-DE-L'EST
CAOUTCHOUTAGE
CAOUTCHOUTANT
CAOUTCHOUTEUX
CAPARAÇONNANT
CAPBRETONNAIS
CAPITALISABLE
CAPITAL-RISQUE
CAPORAUX-CHEFS

CAPPADOCIENNE
CAPPADOCIENNE
CAPRIFICATION
CAPRIFOLIACÉE
CARACASSIENNE
CARACTÉRIELLE
CARACTÉRISANT
CARAVANSÉRAIL
CARBONATATION
CARBONISATION
CARBURÉACTEUR
CARCASSONNAIS
CARCINOGENÈSE
CARCINOMATEUX
CARDIOMÉGALIE
CARDIOTONIQUE
CARÊME-PRENANT
CARICATURISTE
CARILLONNEUSE
CARNAVALESQUE
CAROLINE DU SUD
CAROLINGIENNE
CARQUEFOLLIEN
CARRERO BLANCO
CARTÉSIANISME
CARTES-LETTRES
CARTES-RÉPONSE
CARTHAGINOISE
CARTILAGINEUX
CARTOGRAPHIÉE
CARTOGRAPHIER
CARTOPHILISTE
CASABLANCAISE
CASÉIFICATION
CASIMIR-PERIER
CASSE-NOISETTE
CASTELLANAISE
CASTELLINOISE
CASTELNAUDAIS
CASTELNAUDARY
CASTELNEUVIEN
CASTELNEUVOIS
CASTELO BRANCO
CASTÉLORIENNE
CASTELROUSSIN
CASTELVIROISE
CASTILLONNAIS
CATACLYSMIQUE
CATALAUNIQUES
CATAPLECTIQUE
CATASTROPHANT
CATÉCHOLAMINE
CATHERINE PARR
CAUCHEMARDANT
CAUCHEMARDEUX
CAUDEBECQUAIS

CAUTERÉSIENNE
CAUTÉRISATION
CAUTIONNEMENT
CAVAILLONNAIS
CAVALIÈREMENT
CÉNESTHÉSIQUE
CENTIMÉTRIQUE
CENTRAFRICAIN
CENTRAFRICAIN
CENTRES-VILLES
CENTRIFUGEANT
CENTRIFUGEUSE
CÉPHALOTHORAX
CERCOPITHÈQUE
CÉRÉBRO-SPINAL
CERFS-VOLISTES
CERTIFICATEUR
CERTIFICATION
CÉSALPINIACÉE
CESSON-SÉVIGNÉ
CHALCOCONDYLE
CHALCOGRAPHIE
CHAMALIÉROISE
CHAMBARDEMENT
CHAMBONNIÈRES
CHAMBOULEMENT
CHAMPAGNISANT
CHAMPAGNOLAIS
CHAMPS ÉLYSÉES
CHANCELADAISE
CHANDRASEKHAR
CHANTONNEMENT
CHARENTONNAIS
CHARISMATIQUE
CHARLATANERIE
CHARLATANISME
CHARLES-ALBERT
CHARLES D'ANJOU
CHARLES LE GROS
CHARLES LE SAGE
CHARLES MARTEL
CHARLES ROBERT
CHARLOTTETOWN
CHARNELLEMENT
CHASSE-PIERRES
CHÂSSIS-PRESSE
CHÂTAIGNERAIE
CHÂTEAU-ARNOUX
CHÂTEAU-BOUGON
CHATEAUBRIAND
CHATEAUBRIAND
CHÂTEAUBRIANT
CHÂTEAUBRIANT
CHÂTEAU-CHINON
CHÂTEAU-DU-LOIR
CHÂTEAU-D'YQUEM
CHÂTEAUGUOISE

CHÂTEAU-LAFITE
CHÂTEAU-LANDON
CHÂTEAU-LATOUR
CHÂTEAULINOIS
CHÂTEAUPONSAC
CHÂTEAURENARD
CHÂTEAU-SALINS
CHÂTELLERAULT
CHÂTILLONNAIS
CHATOUILLEUSE
CHAUDES-AIGUES
CHAUDES-PISSES
CHAUDFONTAINE
CHAUDRONNERIE
CHAUDRONNIÈRE
CHAUSSE-TRAPES
CHAUSSE-TRAPPE
CHAUVES-SOURIS
CHÉLEUTOPTÈRE
CHÉMOCEPTRICE
CHÉNOPODIACÉE
CHÈQUE-SERVICE
CHERBOURGEOIS
CHESNAYSIENNE
CHEVAL-D'ARÇONS
CHEVALERESQUE
CHEVAUCHEMENT
CHEVAUX-VAPEUR
CHEVEU-DE-VÉNUS
CHEVILLY-LARUE
CHÈVREFEUILLE
CHIBOUGAMOISE
CHICHES-KEBABS
CHIFFONNEMENT
CHILLY-MAZARIN
CHIROPRACTEUR
CHIROPRATIQUE
CHLAMYDOMONAS
CHLORHYDRIQUE
CHOLINERGIQUE
CHONDRICHTYEN
CHONDROMATOSE
CHOPPING-TOOLS
CHORÉGRAPHIÉE
CHORÉGRAPHIER
CHOSIFICATION
CHOSTAKOVITCH
CHRESTOMATHIE
CHRISTIANISÉE
CHRISTIANISER
CHRISTIANISME
CHROMATOPHORE
CHROMOSOMIQUE
CHRONIQUEMENT
CHRONOLOGIQUE
CHRONOMÉTRAGE
CHRONOMÉTRANT

CHRONOMÉTREUR
CHRYSOSTOMIEN
CICATRICIELLE
CICATRISATION
CINESTHÉSIQUE
CINO DA PISTOIA
CINQUIÈMEMENT
CIRCONFÉRENCE
CIRCONSTANCIÉ
CIRCONVOISINE
CIRCULARISANT
CIRCUMDUCTION
CIRCUMPOLAIRE
CITÉ INTERDITE
CITÉS-DORTOIRS
CIUDAD BOLÍVAR
CIUDAD DEL ESTE
CIUDAD GUAYANA
CIUDAD OBREGÓN
CIVILISATRICE
CIVITAVECCHIA
CLAIRS-OBSCURS
CLANDESTINITÉ
CLARIFICATION
CLARINETTISTE
CLASSIQUEMENT
CLAUSTROPHOBE
CLÉGUÉRECOISE
CLIENT-SERVEUR
CLIMATISATION
CLIQUETTEMENT
CLITORIDIENNE
CLOCHARDISANT
CLODOALDIENNE
CLOISONNEMENT
CLOPIN-CLOPANT
COATZACOALCOS
COBALTHÉRAPIE
COBELLIGÉRANT
COCARCINOGÈNE
COCONTRACTANT
COCOTTE-MINUTE
CODIFICATRICE
CŒUR-DE-PIGEON
COFINANCEMENT
COGNITICIENNE
COLIBACILLOSE
COLIN-MAILLARD
COLLABORATEUR
COLLABORATION
COLLATIONNANT
COLLATIONNURE
COLLECTIONNÉE
COLLECTIONNER
COLLECTIVISÉE
COLLECTIVISER
COLLECTIVISME

COLLECTIVISTE
COLLIOURENQUE
COLLISIONNEUR
COLLOR DE MELLO
COLOMBOPHILIE
COLONISATRICE
COLOSSALEMENT
COMBOURGEOISE
COMESTIBILITÉ
COMMANDITAIRE
COMMÉMORAISON
COMMÉMORATION
COMMÉMORATIVE
COMMENDATAIRE
COMMENSALISME
COMMENSURABLE
COMMENTATRICE
COMMENTRYENNE
COMMERCIALISÉ
COMMISÉRATION
COMMISSIONNÉE
COMMISSIONNER
COMMOTIONNANT
COMMUNALISANT
COMMUNAUTAIRE
COMMUNICATEUR
COMMUNICATION
COMMUNICATIVE
COMMUTATIVITÉ
COMPAGNONNAGE
COMPARABILITÉ
COMPARAISSANT
COMPARTIMENTÉ
COMPASSIONNEL
COMPATIBILITÉ
COMPATISSANTE
COMPENSATOIRE
COMPENSATRICE
COMPÈRE-LORIOT
COMPÉTITIVITÉ
COMPLEXIFIANT
COMPLIMENTANT
COMPLIMENTEUR
COMPRÉHENSION
COMPRÉHENSIVE
COMPROMETTANT
COMPROMISSION
COMPTABILISÉE
COMPTABILISER
COMPTE CHÈQUES
COMPTE-GOUTTES
COMPTES RENDUS
COMPULSIONNEL
CONCATÉNATION
CONCENTRATEUR
CONCENTRATION
CONCEPTUALISÉ

CONCILIATOIRE
CONCILIATRICE
CONCORDATAIRE
CONCUPISCENCE
CONCUPISCENTE
CONCURREMMENT
CONCURRENÇANT
CONCURRENTIEL
CONDESCENDANT
CONDITIONNANT
CONDITIONNEUR
CONFECTIONNÉE
CONFECTIONNER
CONFÉDÉRATION
CONFÉRENCIÈRE
CONFESSIONNAL
CONFESSIONNEL
CONFIGURATION
CONFISCATOIRE
CONFLAGRATION
CONFLICTUELLE
CONFOLENTAISE
CONFORMÉMENT À
CONFRATERNITÉ
CONFRONTATION
CONFUCIANISME
CONFUCIANISTE
CONGESTIONNÉE
CONGESTIONNER
CONGO-KINSHASA
CONGRÉGANISTE
CONJOINTEMENT
CONJONCTIVALE
CONJONCTIVAUX
CONJONCTIVITE
CONJUGALEMENT
CONNAISSEMENT
CONQUISTADORS
CONSANGUINITÉ
CONSCIENCIEUX
CONSCIENTISÉE
CONSCIENTISER
CONSÉQUEMMENT
CONSERVATISME
CONSERVATOIRE
CONSERVATRICE
CONSIDÉRATION
CONSIGNATAIRE
CONSISTORIALE
CONSISTORIAUX
CONSOLIDATION
CONSOMMATRICE
CONSONANTIQUE
CONSONANTISME
CONSPIRATRICE
CONSTANTINIEN
CONSTANTINOIS

CONSTELLATION
CONSTERNATION
CONSTRUCTIBLE
CONSTRUCTRICE
CONTAINÉRISÉE
CONTAINÉRISER
CONTAMINATION
CONTEMPLATEUR
CONTEMPLATION
CONTEMPLATIVE
CONTEMPORAINE
CONTENEURISÉE
CONTENEURISER
CONTESTATAIRE
CONTESTATRICE
CONTINGENTANT
CONTINUATRICE
CONTORSIONNÉE
CONTORSIONNER
CONTOURNEMENT
CONTRACEPTION
CONTRACEPTIVE
CONTRACTILITÉ
CONTRACTUELLE
CONTRACTURANT
CONTRADICTEUR
CONTRADICTION
CONTRAGESTIVE
CONTRAIGNABLE
CONTRAIGNANTE
CONTRAROTATIF
CONTRAVENTION
CONTRE-AMIRAUX
CONTRE-ATTAQUE
CONTRE-ATTAQUÉ
CONTREBALANCÉ
CONTREBANDIER
CONTRE-BRAQUÉ
CONTRE-BRAQUER
CONTRE-BRAQUÉS
CONTRECARRANT
CONTRE-COURANT
CONTRE-COURBES
CONTRE-CULTURE
CONTRE-EMPLOIS
CONTRE-ENQUÊTE
CONTRE-ÉPREUVE
CONTRE-EXEMPLE
CONTREFACTEUR
CONTREFAISANT
CONTRE-FENÊTRE
CONTREFICHANT
CONTREFOUTANT
CONTRE-HERMINE
CONTRE-INDIQUÉ
CONTRE-LETTRES
CONTREMARQUÉE

CONTREMARQUER
CONTRE-MESURES
CONTRE-PASSANT
CONTRE-PASSÉES
CONTREPÈTERIE
CONTREPLACAGE
CONTREPLAQUÉE
CONTREPLAQUER
CONTRE-PLONGÉE
CONTRE-POINTES
CONTRE-POUVOIR
CONTRE-PROJETS
CONTRE-RÉFORME
CONTRESIGNANT
CONTRE-SOCIÉTÉ
CONTRE-TAILLES
CONTRE-TIMBRES
CONTRE-VALEURS
CONTREVENANTE
CONTREVENTANT
CONTRE-VISITES
CONTREXÉVILLE
CONTRIBUTRICE
CONTROLATÉRAL
CONTROVERSANT
CONTUSIONNANT
CONVALESCENCE
CONVALESCENTE
CONVENTIONNÉE
CONVENTIONNEL
CONVENTIONNER
CONVERTISSAGE
CONVERTISSANT
CONVERTISSEUR
CONVOLVULACÉE
CONVULSIONNÉE
CONVULSIONNER
COORDINATRICE
COORDONNATEUR
COPARTAGEANTE
COPARTICIPANT
COPENHAGUOISE
COPERNICIENNE
COQUELUCHEUSE
CORDES-SUR-CIEL
CORESPONSABLE
CORNOUAILLAIS
CORONOGRAPHIE
CORPUS CHRISTI
CORPUSCULAIRE
CORRECTIONNEL
CORRESPONDANT
CORROBORATION
COSSÉ-LE-VIVIEN
CÔTE-DE-BEAUPRÉ
CÔTE D'ÉMERAUDE
CÔTE VERMEILLE

COTONS-POUDRES
COTTERÉZIENNE
COUCHE-CULOTTE
COUDEKERQUOIS
COUPE-CIRCUITS
COUPON-RÉPONSE
COURBEVOISIEN
COURCOURONNES
COURNEUVIENNE
COURSEULLAISE
COURT-BOUILLON
COURT-CIRCUITÉ
COURT-COURRIER
COURTISANERIE
COURT-JOINTÉES
COURTOISEMENT
COUTEAUX-SCIES
COWANSVILLOIS
COXO-FÉMORALES
CRACHOUILLANT
CRAINTIVEMENT
CRAMPONNEMENT
CRANIOSTÉNOSE
CRAPAUD-BUFFLE
CRAQUETTEMENT
CRÉATIONNISME
CRÉATIONNISTE
CRÉBILLON FILS
CRÉDIBILISANT
CRÉDIRENTIÈRE
CRÉNOTHÉRAPIE
CRÉPUSCULAIRE
CRÉPY-EN-VALOIS
CRÉTINISATION
CREYS-MALVILLE
CRIMINALISANT
CRISTALLINIEN
CRISTALLISANT
CRISTALLISOIR
CRITICAILLANT
CROQUEMBOUCHE
CROQUE-MITAINE
CROSS-COUNTRYS
CROUPISSEMENT
CROUSTILLANTE
CRUCIVERBISTE
CRYOCHIRURGIE
CRYOTECHNIQUE
CRYOTURBATION
CRYPTOGAMIQUE
CRYPTOGRAPHIE
CRYPTORCHIDIE
CSOKONAI VITÉZ
CULPABILISANT
CURIETHÉRAPIE
CUTI-RÉACTIONS
CYANOACRYLATE

CYANOBACTÉRIE
CYBERNÉTICIEN
CYCLOTHYMIQUE
CYCLOTOURISME
CYLINDRE-SCEAU
CYNOSCÉPHALES
CYPHOSCOLIOSE
CYTOGÉNÉTIQUE
CYTOPLASMIQUE
CYTOSQUELETTE
DACRYOCYSTITE
DACTYLOGRAMME
DACTYLOGRAPHE
DACTYLOSCOPIE
DAGUERRÉOTYPE
DARIOS CODOMAN
DÉAMBULATOIRE
DÉBÂILLONNANT
DÉBARBOUILLÉE
DÉBARBOUILLER
DÉBRANCHEMENT
DÉBROUILLARDE
DÉBROUSSAILLÉ
DÉBUDGÉTISANT
DÉCADENASSANT
DÉCAPITALISER
DÉCAPUCHONNÉE
DÉCAPUCHONNER
DÉCARBURATION
DÉCAVAILLONNÉ
DECAZEVILLOIS
DÉCENTRALISÉE
DÉCENTRALISER
DÉCÉRÉBRATION
DÉCHAPERONNÉE
DÉCHAPERONNER
DÉCHAUSSEMENT
DÉCHIFFONNANT
DÉCHIFFREMENT
DÉCISIONNAIRE
DÉCISIONNELLE
DÉCLENCHEMENT
DÉCLOISONNANT
DÉCOMPOSITION
DÉCOMPRESSANT
DÉCOMPRESSEUR
DÉCOMPRESSION
DÉCONCENTRANT
DÉCONCERTANTE
DÉCONDITIONNÉ
DÉCONGÉLATION
DÉCONSEILLANT
DÉCONSIDÉRANT
DÉCONTAMINANT
DÉCONTENANCÉE
DÉCONTENANCER
DÉCONTRACTANT

DÉCONTRACTION
DÉCORTICATION
DÉCOURAGEANTE
DÉCOURAGEMENT
DÉCRÉDIBILISÉ
DÉCRIMINALISÉ
DÉCROISSEMENT
DÉCULPABILISÉ
DÉCULTURATION
DÉDIFFÉRENCIÉ
DÉDOMMAGEMENT
DÉDRAMATISANT
DÉDUCTIBILITÉ
DÉFENSIVEMENT
DÉFERVESCENCE
DÉFEUILLAISON
DÉFINITIONNEL
DÉFISCALISANT
DÉFLEURISSANT
DÉFORESTATION
DÉGAUCHISSAGE
DÉGAUCHISSANT
DÉGAZONNEMENT
DÉGLUTINATION
DÉGOULINEMENT
DÉGOURDISSANT
DÉGRAVOIEMENT
DÉGROSSISSAGE
DÉGROSSISSANT
DÉGUERPISSANT
DE KEERSMAEKER
DÉLIBÉRATOIRE
DÉLIQUESCENCE
DÉLIQUESCENTE
DELPHINOLOGIE
DÉMAGNÉTISANT
DÉMAIGRISSANT
DÉMANTÈLEMENT
DÉMANTIBULANT
DÉMAQUILLANTE
DÉMATÉRIALISÉ
DÉMÉDICALISÉE
DÉMÉDICALISER
DEMI-BOUTEILLE
DEMI-DOUZAINES
DEMI-FINALISTE
DÉMILITARISÉE
DÉMILITARISER
DEMI-LONGUEURS
DEMI-MONDAINES
DÉMINÉRALISÉE
DÉMINÉRALISER
DÉMISSIONNANT
DEMI-TENDINEUX
DÉMOBILISABLE
DÉMOCRATISANT
DÉMOGRAPHIQUE

DÉMONSTRATEUR
DÉMONSTRATION
DÉMONSTRATIVE
DÉMORALISANTE
DÉMOUSTIQUANT
DÉMULTIPLEXÉE
DÉMULTIPLEXER
DÉMULTIPLIANT
DÉMYSTIFIANTE
DÉNATIONALISÉ
DÉNATURALISÉE
DÉNATURALISER
DÉNICOTINISÉE
DÉNICOTINISER
DÉNITRATATION
DÉNIVELLATION
DÉNIVELLEMENT
DÉNONCIATRICE
DENSIFICATION
DENSIMÉTRIQUE
DÉNUCLÉARISÉE
DÉNUCLÉARISER
DÉONTOLOGIQUE
DÉPARTEMENTAL
DÉPASSIONNANT
DÉPATOUILLANT
DÉPÉRISSEMENT
DÉPHOSPHATANT
DÉPHOSPHORANT
DÉPOITRAILLÉE
DÉPOLARISANTE
DÉPOLISSEMENT
DÉPOUILLEMENT
DÉPOUSSIÉRAGE
DÉPOUSSIÉRANT
DÉPOUSSIÉREUR
DÉPRÉCIATRICE
DÉPRESSURISÉE
DÉPRESSURISER
DÉPROGRAMMANT
DÉRAISONNABLE
DÉRÉALISATION
DÉRÉGLEMENTÉE
DÉRÉGLEMENTER
DÉRISOIREMENT
DERMATOGLYPHE
DERNIÈRES-NÉES
DÉSACCOUPLANT
DÉSACCOUTUMÉE
DÉSACCOUTUMER
DÉSACRALISANT
DÉSACTIVATION
DÉSADAPTATION
DÉSAGRÉGATION
DÉSALIGNEMENT
DÉSAMBIGUÏSÉE
DÉSAMBIGUÏSER

DÉSAMIDONNANT
DÉSAPPOINTANT
DÉSAPPROUVANT
DÉSARTICULANT
DÉSASSEMBLANT
DÉSATELLISANT
DÉSAVANTAGEUX
DÉSCOLARISANT
DÉSECTORISANT
DÉSÉGRÉGATION
DÉSEMBOURBANT
DÉSEMPLISSANT
DÉSENCHAÎNANT
DÉSENCHANTANT
DÉSENCOMBRANT
DÉSENCRASSANT
DÉSENGAGEMENT
DÉSENGORGEANT
DÉSENSIBILISÉ
DÉSENSORCELÉE
DÉSENSORCELER
DÉSENTORTILLÉ
DÉSENVELOPPÉE
DÉSENVELOPPER
DÉSENVENIMANT
DÉSENVERGUANT
DÉSÉQUILIBRÉE
DÉSÉQUILIBRER
DÉSERTISATION
DÉSESPÉRÉMENT
DÉSEXCITATION
DÉSEXUALISANT
DÉSHÉRITEMENT
DÉSHUMANISANT
DÉSHUMIDIFIÉE
DÉSHUMIDIFIER
DÉSHYDRATANTE
DÉSHYDROGÉNÉE
DÉSHYDROGÉNER
DÉSILLUSIONNÉ
DÉSINCARCÉRÉE
DÉSINCARCÉRER
DÉSINCRUSTANT
DÉSINENTIELLE
DÉSINFECTANTE
DÉSINSECTISÉE
DÉSINSECTISER
DÉSINTÉRESSÉE
DÉSINTÉRESSER
DÉSINTOXIQUÉE
DÉSINTOXIQUER
DESMODROMIQUE
DÉSOBÉISSANCE
DÉSOBÉISSANTE
DÉSOBLIGEANTE
DÉSODORISANTE
DÉSŒUVREMENT

DÉSOLIDARISÉE
DÉSOLIDARISER
DÉSOPERCULANT
DÉSORBITATION
DÉSORGANISANT
DESSAISISSANT
DESSERTISSAGE
DESSERTISSANT
DESSOUS-DE-BRAS
DESSOUS-DE-PLAT
DESSUS-DE-PORTE
DÉSTABILISANT
DÉSTALINISANT
DESTRUCTURANT
DÉSULFURATION
DÉSYNCHRONISÉ
DÉTÉRIORATION
DÉTERMINATION
DÉTERMINATIVE
DEUS EX MACHINA
DEUTSCHE MARKS
DEUX-MONTAGNES
DEUX-SÉVRIENNE
DÉVALORISANTE
DÉVELOPPEMENT
DÉVERROUILLÉE
DÉVERROUILLER
DÉVIRGINISANT
DEVISES-TITRES
DIAGNOSTIQUÉE
DIAGNOSTIQUER
DIAGONALEMENT
DIALECTALISME
DIALECTOLOGIE
DIALECTOLOGUE
DIALECTOPHONE
DIAMAGNÉTIQUE
DIAMAGNÉTISME
DIANE DE FRANCE
DIANE DE VALOIS
DIEFFENBACHIA
DIENTZENHOFER
DIÉSÉLISATION
DIÉTÉTICIENNE
DIÉTHYLÉNIQUE
DIEULEFITOISE
DIFFÉRENCIANT
DIFFÉRENTIANT
DIFFICILEMENT
DIFFICULTUEUX
DIGESTIBILITÉ
DIGITOPLASTIE
DIGNE-LES-BAINS
DILAPIDATRICE
DILETTANTISME
DILSEN-STOKKEM
DIMENSIONNANT

DIOGÈNE LAËRCE
DIPHTONGAISON
DISCIPLINABLE
DISCIPLINAIRE
DISCONTINUANT
DISCONTINUITÉ
DISCONVENANCE
DISCOTHÉCAIRE
DISCOURTOISIE
DISCRIMINANTE
DISCUTAILLANT
DISCUTAILLEUR
DISPARAISSANT
DISPENSATRICE
DISPONIBILITÉ
DISPROPORTION
DISQUALIFIANT
DISSÉMINATION
DISSIMILATION
DISSIMILITUDE
DISSIMULATEUR
DISSIMULATION
DISSYLLABIQUE
DISSYMÉTRIQUE
DISTANCIATION
DISTINCTEMENT
DISTRAITEMENT
DISTRIBUTAIRE
DISTRIBUTRiCE
DITHYRAMBIQUE
DIVERTICULOSE
DIVERTISSANTE
DIVISIONNAIRE
DIVISIONNISME
DIVISIONNISTE
DOCTEUR JEKYLL
DOCTEUR JIVAGO
DOCTORALEMENT
DOCUMENTATION
DODÉCASYLLABE
DOLCHARDIENNE
DOL-DE-BRETAGNE
DOLLARISATION
DOMESTICATION
DOMICILIATION
DONNEAU DE VISÉ
DORA-MITTELBAU
DOUBLE-FENÊTRE
DOUBLES-CRÈMES
DOUDEVILLAISE
DOWNING STREET
DRAGEONNEMENT
DRAMATISATION
DRÉPANOCYTOSE
DRESSING-ROOMS
DRUMMONDVILLE
DUCHAMP-VILLON

DUCHÉS-PAIRIES
DUCOS DU HAURON
DUCRAY-DUMINIL
DUMBARTON OAKS
DUPONT DE L'EURE
DUQUE DE CAXIAS
DYNAMIQUEMENT
ÉBLOUISSEMENT
ÉBOUILLANTAGE
ÉBOUILLANTANT
ÉBOURGEONNAGE
ÉBOURGEONNANT
ÉBULLIOMÉTRIE
ÉBULLIOSCOPIE
ECCLÉSIOLOGIE
ÉCHANTILLONNÉ
ÉCHELONNEMENT
ÉCHINOCOCCOSE
ÉCHOGRAPHIANT
ÉCLAIRCISSAGE
ÉCLAIRCISSANT
ÉCONOMÉTRIQUE
ÉCOUVILLONNÉE
ÉCOUVILLONNER
ÉCRABOUILLAGE
ÉCRABOUILLANT
ÉCRIVAILLEUSE
ECTOBLASTIQUE
EDGAR ATHELING
ÉDIMBOURGEOIS
ÉDITORIALISTE
EFFECTIVEMENT
EFFERVESCENCE
EFFERVESCENTE
EFFEUILLAISON
EFFEUILLEMENT
EFFLORESCENCE
EFFLORESCENTE
ÉGLISES-HALLES
EKATERINBOURG
ÉLANCOURTOISE
ÉLARGISSEMENT
ÉLECTORALISME
ÉLECTORALISTE
ÉLECTRICIENNE
ÉLECTRISATION
ÉLECTROAIMANT
ÉLECTROCHIMIE
ÉLECTROCUTANT
ÉLECTROCUTION
ÉLECTROFAIBLE
ÉLECTROLYSANT
ÉLECTROLYSEUR
ÉLECTROMÉTRIE
ÉLECTROMOTEUR
ÉLECTRONICIEN
ÉLECTRO-OSMOSE

ÉLÉPHANTESQUE
ÉLÉPHANTIASIS
ÉLISABÉTHAINE
ÉLOGIEUSEMENT
ELSTER BLANCHE
ÉMANCIPATRICE
EMBARBOUILLÉE
EMBARBOUILLER
EMBARDOUFLANT
EMBARRASSANTE
EMBERLIFICOTÉ
EMBOURGEOISÉE
EMBOURGEOISER
EMBOUTEILLAGE
EMBOUTEILLANT
EMBOUTISSEUSE
EMBRANCHEMENT
EMBRIGADEMENT
EMBROUSSAILLÉ
EMBRYOLOGIQUE
ÉMILIE-ROMAGNE
EMMOUSCAILLÉE
EMMOUSCAILLER
ÉMOUSTILLANTE
EMPHYSÉMATEUX
EMPHYTÉOTIQUE
EMPIRE OTTOMAN
EMPIRIQUEMENT
EMPOISONNANTE
EMPOISONNEUSE
EMPOISSONNANT
EMPORTE-PIÈCES
EMPOUSSIÉRANT
EMPUANTISSANT
ÉMULSIONNABLE
ÉMULSIONNANTE
ÉNANTIOMORPHE
ENCAPUCHONNÉE
ENCAPUCHONNER
ENCAUSTIQUAGE
ENCAUSTIQUANT
ENCHANTERESSE
ENCHÉRISSEUSE
ENCHEVAUCHANT
ENCHEVAUCHURE
ENCLENCHEMENT
ENCOURAGEANTE
ENCOURAGEMENT
ENDIVISIONNÉE
ENDIVISIONNER
ENDOBLASTIQUE
ENDOCRINIENNE
ENDOLORISSANT
ENDOMMAGEMENT
ENDOMORPHISME
ENDOPLASMIQUE

ENDOTHERMIQUE
ÉNERGIQUEMENT
ENFOUISSEMENT
ENFOURCHEMENT
ENGAZONNEMENT
ENGLOUTISSANT
ENGOUFFREMENT
ENGOURDISSANT
ENGRAISSEMENT
ENGUIRLANDANT
ENQUIQUINANTE
ENQUIQUINEUSE
ENRÉGIMENTANT
ENREGISTRABLE
ENREGISTREUSE
ENRICHISSANTE
ENSANGLANTANT
ENSEMENCEMENT
ENSEVELISSANT
ENTÉROPNEUSTE
ENTHOUSIASMÉE
ENTHOUSIASMER
ENTOMOLOGIQUE
ENTOMOLOGISTE
ENTREBÂILLANT
ENTREBÂILLEUR
ENTRECASTEAUX
ENTRECHOQUANT
ENTRECROISANT
ENTRE-DÉCHIRÉE
ENTRE-DÉCHIRER
ENTRE-DÉCHIRÉS
ENTRE-DEUX-MERS
ENTRE-DÉVORANT
ENTRE-DÉVORÉES
ENTR'ÉGORGEANT
ENTRE-HAÏSSANT
ENTRE-HEURTANT
ENTRE-HEURTÉES
ENTRELACEMENT
ENTREMÊLEMENT
ENTREMETTEUSE
ENTREPRENANTE
ENTREPRENEUSE
ENTRETAILLANT
ENVAHISSEMENT
ENVELOPPEMENT
ENVIRONNEMENT
ÉPAISSISSANTE
ÉPANOUISSANTE
ÉPARPILLEMENT
ÉPICYCLOÏDALE
ÉPICYCLOÏDAUX
ÉPIDÉMIOLOGIE
ÉPISCOPALISME
ÉPISTÉMOLOGIE
ÉPISTÉMOLOGUE

ÉPOUSTOUFLANT
ÉQUATO-GUINÉEN
ÉQUILIBRATION
ÉQUIPARTITION
ÉQUIPEMENTIER
ÉQUIPOTENTIEL
ÉQUISÉTOPHYTE
ÉQUITABLEMENT
ERGASTOPLASME
ERNEST-AUGUSTE
ERPÉTOLOGIQUE
ERPÉTOLOGISTE
ÉRYTHÉMATEUSE
ÉRYTHROBLASTE
ÉRYTHRODERMIE
ÉRYTHROPHOBIE
ÉRYTHROPOÏÈSE
ESPALIONNAISE
ESPÍRITO SANTO
ESSENTIALISME
ESSEY-LÈS-NANCY
ESSOUFFLEMENT
ESTABLISHMENT
EST-ALLEMANDES
ESTHÉTICIENNE
ESTOURBISSANT
ÉTABLES-SUR-MER
ÉTABLISSEMENT
ÉTANÇONNEMENT
ÉTANT DONNÉ QUE
ÉTATS-UNIENNES
ÉTATS-UNIENNE
ÉTERNELLEMENT
ETHNOBIOLOGIE
ÉTIENNE-MARTIN
ÉTINCELLEMENT
ÉTOILE-D'ARGENT
ÉTOURDISSANTE
ÉTRÉSILLONNÉE
ÉTRÉSILLONNER
EUCHARISTIQUE
EUDOXE DE CNIDE
EUROCENTRISME
EUROPÉANISANT
EUROSCEPTIQUE
ÉVAUX-LES-BAINS
ÉVIAN-LES-BAINS
EXCESSIVEMENT
EXCLUSIVEMENT
EXCURSIONNANT
EXÉCRABLEMENT
EXISTENTIELLE
EXOPHTALMIQUE
EXPANSIBILITÉ
EXPECTORATION
EXPÉRIMENTALE
EXPÉRIMENTANT

EXPÉRIMENTAUX
EXPLICITATION
EXPLICITEMENT
EXPLOSIBILITÉ
EXPONENTIELLE
EXPROPRIATION
EXTENSIBILITÉ
EXTÉRIORISANT
EXTERMINATEUR
EXTERMINATION
EXTÉROCEPTIVE
EXTRACONJUGAL
EXTRACORPOREL
EXTRA-COURANTS
EXTRAPOLATION
EXTRASCOLAIRE
EXTRASENSIBLE
EXTRA-UTÉRINES
EXTRÊME-ORIENT
FABIAN SOCIETY
FABULEUSEMENT
FACTORISATION
FALSIFICATEUR
FALSIFICATION
FAMILIARISANT
FAMILIÈREMENT
FANATIQUEMENT
FANGOTHÉRAPIE
FANTASMAGORIE
FANTASMATIQUE
FASTUEUSEMENT
FAUSSES-ROUTES
FAUX-MONNAYEUR
FAUX-SEMBLANTS
FAVORABLEMENT
FELD-MARÉCHAUX
FELDSPATHIQUE
FELDSPATHOÏDE
FÉLICITATIONS
FERENC RÁKÓCZI
FERRALLITIQUE
FERRER GUARDIA
FERROSILICIUM
FERTILISATION
FESSE-MATHIEUX
FIÉVREUSEMENT
FILIALISATION
FINISTÉRIENNE
FINNO-OUGRIENS
FISCALISATION
FLACONS-POMPES
FLAGELLATRICE
FLATTEUSEMENT
FLAVIUS VALENS
FLÉCHISSEMENT
FLEURIMONTOIS
FLEURY-MÉROGIS

FLEXIBILISANT
FLINS-SUR-SEINE
FLORENSACOISE
FLORIANÓPOLIS
FLORIDABLANCA
FLUORHYDRIQUE
FŒTO-MATERNEL
FONCTIONNAIRE
FONCTIONNELLE
FONTAINEBLEAU
FONTAINEBLEAU
FORCALQUIÉREN
FOREIGN OFFICE
FORGES-LES-EAUX
FORMALISATION
FORTIFICATION
FOSSILISATION
FOUESNANTAISE
FOUETTE-QUEUES
FOUGEROLLAISE
FOUGUEUSEMENT
FOULQUES NERRA
FOURMILLEMENT
FRACTIONNAIRE
FRACTIONNELLE
FRACTIONNISME
FRACTIONNISTE
FRAGILISATION
FRAGMENTATION
FRANC-COMTOISE
FRANC-COMTOISE
FRANCE TÉLÉCOM
FRANCHISSABLE
FRANC-MAÇONNES
FRANÇOIS RÉGIS
FRANCORCHAMPS
FRANC-QUARTIER
FRANCS-COMTOIS
FRANCS-COMTOIS
FRANCS-PARLERS
FRANCS-TIREURS
FRÉDÉRIC-HENRI
FREDERIKSBERG
FREDERIKSBORG
FREI RUIZ-TAGLE
FRENCH CANCANS
FRÉQUENTATION
FRÉQUENTATIVE
FRÉQUENTIELLE
FRESNOYSIENNE
FRIBOURGEOISE
FRICTIONNELLE
FRIPOUILLERIE
FRISSONNEMENT
FRONTIGNANAIS
FROTTE-MANCHES
FROUFROUTANTE

FUERTEVENTURA
FUME-CIGARETTE
FUMEROLLIENNE
FUNAMBULESQUE
GAILLARDEMENT
GALÉOPITHÈQUE
GALLA PLACIDIA
GALLO-ROMAINES
GALVANISATION
GANDRANGEOISE
GANGLIONNAIRE
GARCÍA MÁRQUEZ
GARDE-BARRIÈRE
GARDE-CHIOURME
GARDEN-PARTIES
GARDES-CHASSES
GARDES-MALADES
GARDES-RIVIÈRE
GARGANTUESQUE
GARGILESSOISE
GARIBALDIENNE
GASTÉROMYCÈTE
GASTRONOMIQUE
GAUCHISSEMENT
GAULE CELTIQUE
GAULE CHEVELUE
GAZÉIFICATION
GAZOUILLEMENT
GÉLITURBATION
GELSENKIRCHEN
GEMMOTHÉRAPIE
GÉNÉRALISABLE
GÉNÉRALISANTE
GÉNÉRALISSIME
GENERAL MOTORS
GENERAL SANTOS
GÉNÉRATIONNEL
GÉNÉREUSEMENT
GÉNÉTIQUEMENT
GENNEVILLIERS
GEOFFROI LE BEL
GÉOMAGNÉTIQUE
GÉOMAGNÉTISME
GÉOSTROPHIQUE
GÉOSYNCLINAUX
GÉOTECHNICIEN
GÉRARD LE GRAND
GERBIER-DE-JONC
GERMANISATION
GERMANOPHILIE
GERMANOPHOBIE
GÉRONTOCRATIE
GÉRONTOPHILIE
GESTICULATION
GHETTOÏSATION
GIGANTOMACHIE
GIGANTOSTRACÉ

GIROMAGNIENNE
GLACIOLOGIQUE
GLANDOUILLANT
GLOBALISATEUR
GLOBALISATION
GLOBE-TROTTERS
GLORIEUSEMENT
GLORIFICATEUR
GLORIFICATION
GLOUTONNEMENT
GLYCOPROTÉINE
GOEPPERT-MAYER
GOMMES-RÉSINES
GONÇALVES DIAS
GONFREVILLAIS
GONIOMÉTRIQUE
GONPONTOLVIEN
GORGE-DE-PIGEON
GOURNAY-EN-BRAY
GOUSSAINVILLE
GOUTTE-À-GOUTTE
GRÂCE-HOLLOGNE
GRACIEUSEMENT
GRADIGNANAISE
GRADUELLEMENT
GRAFFENSTADEN
GRAMMAIRIENNE
GRAND-COURONNE
GRANDE RIVIÈRE
GRAND-FOUGERAY
GRANDILOQUENT
GRANDISSEMENT
GRANDS MOGHOLS
GRANDS-PARENTS
GRAND-SYNTHOIS
GRANDVILLIERS
GRANULOMÉTRIE
GRAPHIQUEMENT
GRAPHOLOGIQUE
GRATIFICATION
GRATTOUILLANT
GRAVILLONNAGE
GRAVILLONNANT
GRAVIMÉTRIQUE
GREAT SALT LAKE
GREAT YARMOUTH
GRÉCO-ROMAINES
GRENOUILLETTE
GRIBOUILLEUSE
GRILLES-ÉCRANS
GRISÉOFULVINE
GROENLANDAISE
GROMMELLEMENT
GROSSGLOCKNER
GROSSIÈREMENT
GROSSISSEMENT
GUATÉMALIENNE

GUATÉMALTÈQUE
GUATÉMALTÈQUE
GUEBWILLEROIS
GUÉMENÉ-PENFAO
GUERNICA Y LUNO
GUEUGNONNAISE
GUEULES-DE-LOUP
GUEULETONNANT
GUI DE LUSIGNAN
GUILLAUME TELL
GUIMARÃES ROSA
GUINGUETTOISE
GUIPAVASIENNE
GUTTAS-PERCHAS
GYNÉCOLOGIQUE
HAGONDANGEOIS
HAGUENOVIENNE
HAILÉ SÉLASSIÉ
HALLUCINATION
HALLUCINOGÈNE
HALTE-GARDERIE
HALTÉROPHILIE
HAMBOURGEOISE
HAMILCAR BARCA
HARALD BLÅTAND
HARGNEUSEMENT
HARMONISATION
HARUN AL-RACHID
HASSI MESSAOUD
HAUBOURDINOIS
HAUT-DE-CHAUSSE
HAUTE-AUTRICHE
HAUTE-FIDÉLITÉ
HAUTEFORTAISE
HAUTE-NORMANDE
HAUTEVILLOISE
HAUT-GARONNAIS
HAUT-SAVOYARDE
HAUT-VIENNOISE
HAZEBROUCKOIS
HECTOMÉTRIQUE
HÉLICICULTEUR
HÉLICICULTURE
HÉLIOGRAVEUSE
HÉLIOTHÉRAPIE
HÉLITREUILLÉE
HELLÉNISATION
HELLÉNISTIQUE
HÉMATOLOGIQUE
HÉMATOLOGISTE
HÉMISPHÉRIQUE
HÉMODYNAMIQUE
HÉMORROÏDAIRE
HÉMOVIGILANCE
HÉNIN-BEAUMONT
HENNEBONTAISE
HENRI LE SÉVÈRE

HÉPATOMÉGALIE
HERBE-AUX-CHATS
HERBORISATION
HERBORISTERIE
HÉRICOURTOISE
HERMAPHRODITE
HERMAPHRODITE
HERMÉNEUTIQUE
HÉRODE AGRIPPA
HÉRODE ANTIPAS
HÉRODE LE GRAND
HÉROÏ-COMIQUES
HÉROUVILLAISE
HERTFORDSHIRE
HÉTÉROGÉNÉITÉ
HÉTÉROMORPHIE
HEUSDEN-ZOLDER
HIÉRARCHISANT
HIPPOCRATIQUE
HIPPOCRATISME
HIPPOPHAGIQUE
HISPANO-ARABES
HODJATOLESLAM
HOLOGRAPHIQUE
HOMBOURGEOISE
HOMÉOPATHIQUE
HOMME-SANDWICH
HOMOCENTRIQUE
HOMOCINÉTIQUE
HOMOGAMÉTIQUE
HOMOGÉNÉISANT
HOMOGRAPHIQUE
HOMOMORPHIQUE
HOMOSEXUALITÉ
HONORABLEMENT
HORIZONTALITÉ
HORRIPILATEUR
HORRIPILATION
HORTICULTRICE
HORTILLONNAGE
HOSPITALISANT
HRADEC KRÁLOVÉ
HUANG GONGWANG
HUGUES DE CLUNY
HUGUES DE PAINS
HUGUES DE PAYNS
HUGUES LE BLANC
HUGUES LE GRAND
HUMANITARISME
HUNDERTWASSER
HYALOCLASTITE
HYDRARGYRISME
HYDROCARBONÉE
HYDROCÉPHALIE
HYDROCLASSEUR
HYDROCRAQUAGE

HYDROFILICALE
HYDROFUGATION
HYDROGÉNATION
HYDROGÉOLOGIE
HYDROGÉOLOGUE
HYDROGLISSEUR
HYDROMINÉRALE
HYDROMINÉRAUX
HYDRONÉPHROSE
HYDROPEROXYDE
HYDROSILICATE
HYDROSTATIQUE
HYDROTHÉRAPIE
HYDROTHERMALE
HYDROTHERMAUX
HYDROTIMÉTRIE
HYDROXYLAMINE
HYGROMÉTRIQUE
HYGROSCOPIQUE
HYPERACTIVITÉ
HYPERBORÉENNE
HYPERCALCÉMIE
HYPERESTHÉSIE
HYPERGLYCÉMIE
HYPERKALIÉMIE
HYPERMÉTROPIE
HYPERNATRÉMIE
HYPERRÉALISME
HYPERRÉALISTE
HYPERSENSIBLE
HYPERSTATIQUE
HYPERTROPHIÉE
HYPERTROPHIER
HYPOCALCÉMIE
HYPOCRITEMENT
HYPOCYCLOÏDAL
HYPOGASTRIQUE
HYPONEURIENNE
HYPOPHOSPHITE
HYPOSULFUREUX
HYPOTHYROÏDIE
HYPSOMÉTRIQUE
HYSTÉRECTOMIE
HYSTÉROMÉTRIE
HYSTÉROSCOPIE
ICHTYOLOGIQUE
ICHTYOLOGISTE
IDÉALISATRICE
IDENTIQUEMENT
IDÉOGRAPHIQUE
IDIOSYNCRASIE
IEKATERINODAR
ILLE-ET-VILAINE
ILLISIBLEMENT
ILLOGIQUEMENT
ILLUSIONNISME
ILLUSIONNISTE

ILLUSOIREMENT
ILLUSTRATRICE
ILLUSTRISSIME
IMMARCESCIBLE
IMMATÉRIALITÉ
IMMATRICULANT
IMMÉDIATEMENT
IMMORTALISANT
IMMUNODÉPRIMÉ
IMMUNOLOGIQUE
IMMUNOLOGISTE
IMPARDONNABLE
IMPARIDIGITÉE
IMPARTAGEABLE
IMPASSIBILITÉ
IMPATRONISANT
IMPÉCUNIOSITÉ
IMPERCEPTIBLE
IMPERFECTIBLE
IMPERFORATION
IMPÉRIALEMENT
IMPERSONNELLE
IMPERTURBABLE
IMPLACABILITÉ
IMPLICITEMENT
IMPOLARISABLE
IMPORTUNÉMENT
IMPOSSIBILITÉ
IMPRÉDICTIBLE
IMPRÉPARATION
IMPRESSIONNÉE
IMPRESSIONNER
IMPRIMABILITÉ
IMPROBABILITÉ
IMPRONONÇABLE
IMPROVISATEUR
IMPROVISATION
IMPUDIQUEMENT
IMPULSIVEMENT
IMPUTRESCIBLE
INACCEPTATION
INAFFECTIVITÉ
INAMOVIBILITÉ
INAPPLICATION
INAPPRÉCIABLE
INAPPRIVOISÉE
INAPPROCHABLE
INASSIMILABLE
INAUTHENTIQUE
INCANDESCENCE
INCANDESCENTE
INCAPACITANTE
INCARCÉRATION
INCESSIBILITÉ
INCLUSIVEMENT
INCOMBUSTIBLE
INCONCILIABLE

INCONDITIONNÉ
INCONFORTABLE
INCONSÉQUENCE
INCONSÉQUENTE
INCONSISTANCE
INCONSISTANTE
INCONSOMMABLE
INCONSTATABLE
INCONTESTABLE
INCONTRÔLABLE
INCONVERTIBLE
INCORPORATION
INCORRUPTIBLE
INCRÉDIBILITÉ
INCRIMINATION
INCROCHETABLE
INCURABLEMENT
INDÉCROTTABLE
INDE FRANÇAISE
INDÉFRICHABLE
INDÉLICATESSE
INDÉMAILLABLE
INDEMNISATION
INDÉMONTRABLE
INDÉNOMBRABLE
INDÉRACINABLE
INDICIBLEMENT
INDIFFÉRENCIÉ
INDIRECTEMENT
INDISCERNABLE
INDISCIPLINÉE
INDISPENSABLE
INDISPOSITION
INDISSOCIABLE
INDIVIDUALISÉ
INDIVIDUALITÉ
INDIVIDUATION
INDO-EUROPÉENS
INDO-EUROPÉENS
INDULGENCIANT
INDUSTRIALISÉ
INÉCHANGEABLE
INEFFABLEMENT
INÉLIGIBILITÉ
INEXIGIBILITÉ
INEXORABILITÉ
INEXPÉRIMENTÉ
INEXPLOITABLE
INEXTINGUIBLE
INFALSIFIABLE
INFANTILISANT
INFECTIOLOGIE
INFÉRIORISANT
INFINITÉSIMAL
INFLAMMATOIRE
INFLÉCHISSANT
INFLEXIBILITÉ

INFLORESCENCE
INFOGRAPHISTE
INFORMATICIEN
INFORMATISANT
INGOUVERNABLE
INGUÉRISSABLE
INGURGITATION
INHARMONIEUSE
INHOSPITALIER
INHUMAINEMENT
ININFLAMMABLE
ININTELLIGENT
ININTÉRESSANT
ININTERROMPUE
INJUSTIFIABLE
INOBSERVATION
INOPPORTUNITÉ
INORGANISABLE
INQUALIFIABLE
INQUISITORIAL
INSAISISSABLE
INSATIABILITÉ
INSÉMINATRICE
INSENSIBILISÉ
INSENSIBILITÉ
INSIGNIFIANCE
INSIGNIFIANTE
INSOLUBILISÉE
INSOLUBILISER
INSOLVABILITÉ
INSTALLATRICE
INSTANTANÉITÉ
INSTAURATRICE
INSTINCTUELLE
INSTRUMENTALE
INSTRUMENTANT
INSTRUMENTAUX
INSUBMERSIBLE
INSUBORDONNÉE
INSUPPORTABLE
INSURMONTABLE
INSURPASSABLE
INTANGIBILITÉ
INTÉGRALEMENT
INTEMPORALITÉ
INTENSIVEMENT
INTERACTIVITÉ
INTERAFRICAIN
INTERAGISSANT
INTERALLEMAND
INTERBANCAIRE
INTERCALATION
INTERCLASSANT
INTERCOMMUNAL
INTERCONNECTÉ
INTERCOTIDALE
INTERCOTIDAUX

INTERCULTUREL	IRRÉCOUVRABLE	JUXTALINÉAIRE
INTERCURRENTE	IRRÉCUPÉRABLE	JUXTAPOSITION
INTERDIGITALE	IRREMPLAÇABLE	KABBALISTIQUE
INTERDIGITAUX	IRRÉPRESSIBLE	**KAHRAMANMARAS**
INTÉRESSEMENT	IRRÉPROCHABLE	**KANGCHENJUNGA**
INTERETHNIQUE	IRRESPECTUEUX	KAOLINISATION
INTÉRIORISANT	IRRESPONSABLE	**KAPOUSTINE IAR**
INTERLOCUTEUR	ISOÉLECTRIQUE	**KARL-MARX-STADT**
INTERMÉDIAIRE	ISOMÉRISATION	KÉRATOPLASTIE
INTERMITTENCE	ISOSYLLABIQUE	KEYNÉSIANISME
INTERMITTENTE	ITALIANISANTE	KILOWATTHEURE
INTERNATIONAL	ITÉRATIVEMENT	KINESTHÉSIQUE
INTÉROCEPTIVE	ITHYPHALLIQUE	KREMLINOLOGUE
INTERPÉNÉTRÉE	**JACQUES STUART**	**KUROSAWA AKIRA**
INTERPÉNÉTRER	JAILLISSEMENT	**KYOKUTEI BAKIN**
INTERPOLATION	JARGONAPHASIE	**LA BOURDONNAIS**
INTERPOSITION	**JAURÉGUIBERRY**	LABYRINTHIQUE
INTERPRÉTABLE	JAVELLISATION	LACONIQUEMENT
INTERPRÉTATIF	**JEAN BERCHMANS**	LACRYMO-NASAUX
INTERQUARTILE	**JEAN DAMASCÈNE**	**LADISLAS ÁRPÁD**
INTERRÉGIONAL	**JEAN DE BRÉBEUF**	**LA FAUTE-SUR-MER**
INTERROGATEUR	**JEAN DE BRIENNE**	**LAGNY-SUR-MARNE**
INTERROGATION	**JEAN DE LA CROIX**	LAISSER-COURRE
INTERROGATIVE	**JEAN DE LA LANDE**	LAISSÉS-COURRE
INTERROGEABLE	**JEAN LE CLÉMENT**	LAISSEZ-PASSER
INTERSIDÉRALE	**JEAN LE FORTUNÉ**	**LAMALOUSIENNE**
INTERSIDÉRAUX	**JEAN LE PARFAIT**	**LAMBERSARTOIS**
INTERSYNDICAL	**JEANNE D'ALBRET**	LAMELLIROSTRE
INTERTROPICAL	**JEANNE LA FOLLE**	**LA MOTHE-ACHARD**
INTERVIEWEUSE	**JEANNE SEYMOUR**	**LA MOTTE-FOUQUÉ**
INTIMIDATRICE	**JEAN SANS TERRE**	LAMPES-TEMPÊTE
INTRA-ATOMIQUE	**JEAN TZIMISKÈS**	LANCE-GRENADES
INTRADERMIQUE	**JEFFERSON CITY**	**LANCELOT DU LAC**
INTRADUISIBLE	JE-M'EN-FICHISME	LANCE-MISSILES
INTRANSIGEANT	JE-M'EN-FICHISTE	LANCE-ROQUETTE
INTRAOCULAIRE	JE-M'EN-FOUTISME	LANCE-TORPILLE
INTRA-UTÉRINES	JE-M'EN-FOUTISTE	**LANDIVISIENNE**
INTRAVEINEUSE	JEUNES-TURQUES	LANDSGEMEINDE
INTRÉPIDEMENT	JOINT-VENTURES	**LANESTÉRIENNE**
INTRODUCTRICE	JOURNELLEMENT	**LANGEAISIENNE**
INTRONISATION	**JOUY-LE-MOUTIER**	LANGUE-DE-BŒUF
INTROSPECTION	**JUAN D'AUTRICHE**	LANGUE-DE-CHIEN
INTROSPECTIVE	**JUAN FERNÁNDEZ**	LANGUES-DE-CERF
INTUITIVEMENT	**JUDAS MACCABÉE**	LANGUES-DE-CHAT
INVARIABILITÉ	JUDÉO-ALLEMAND	**LANS-EN-VERCORS**
INVESTIGATEUR	JUDÉO-CHRÉTIEN	**LA QUEUE-EN-BRIE**
INVESTIGATION	JUDÉO-ESPAGNOL	**LARGENTIÉROIS**
INVESTISSEUSE	**JULIEVILLOISE**	**LA ROCHE-SUR-YON**
INVINCIBILITÉ	JUPES-CULOTTES	LARYNGECTOMIE
INVIOLABILITÉ	**JURANÇONNAISE**	LARYNGOSCOPIE
INVISIBLEMENT	JURIDIQUEMENT	**LA SEYNE-SUR-MER**
IONOSPHÉRIQUE	JURISCONSULTE	**LA SOUTERRAINE**
IRISH-TERRIERS	JURISPRUDENCE	LA TESTE-DE-BUCH
IRLANDE DU NORD	JUSTIFICATEUR	**LATIGNACIENNE**
IRRATIONALITÉ	JUSTIFICATION	**LATOUR-DE-CAROL**
IRRATIONNELLE	JUSTIFICATIVE	**LA TOUR-DE-PEILZ**
IRRATTRAPABLE	**JUVISY-SUR-ORGE**	**LAUGERIE-HAUTE**

MÉCANOGRAPHIE
MÉCONNAISSANT
MÉDECINE-BALLS
MÉDIAPLANNEUR
MÉDIAPLANNING
MÉDIATISATION
MÉDICAMENTEUX
MEDICINE-BALLS
MÉDICO-LÉGALES
MÉDICO-SOCIALE
MÉDICO-SOCIAUX
MÉDICO-SPORTIF
MÉDITERRANÉEN
MÉDITERRANÉEN
MÉGACARYOCYTE
MÉGALÉRYTHÈME
MEHUN-SUR-YÈVRE
MELLIFICATION
MÉNEHILDIENNE
MENÉNDEZ PIDAL
MENSUELLEMENT
MENTALISATION
MERCANTILISME
MERCANTILISTE
MERCATICIENNE
MERCHANDISING
MERCUROCHROME
MERDRIGNACIEN
MÉROVINGIENNE
MERTHYR TYDFIL
MESLAY-DU-MAINE
MÉSO-AMÉRICAIN
MÉSOBLASTIQUE
MESSERSCHMITT
MÉTACARPIENNE
MÉTACENTRIQUE
MÉTACOGNITION
MÉTALLISATION
MÉTALLURGIQUE
MÉTALLURGISTE
MÉTAMORPHIQUE
MÉTAMORPHISÉE
MÉTAMORPHISER
MÉTAMORPHISME
MÉTAMORPHOSÉE
MÉTAMORPHOSER
MÉTAPHYSICIEN
MÉTAPSYCHIQUE
MÉTATARSIENNE
MÉTÉORISATION
MÉTHACRYLIQUE
MÉTROPOLITAIN
MEUNG-SUR-LOIRE
MEZZO-SOPRANOS
MICHEL LE BÈGUE
MICHEL LE BRAVE
MICHEL RANGABÉ

MICROBIOLOGIE
MICROCASSETTE
MICROCÉPHALIE
MICROCOSMIQUE
MICROCRISTAUX
MICROÉCONOMIE
MICROLITHIQUE
MICROMÉTRIQUE
MICROMUTATION
MICRONÉSIENNE
MICRONÉSIENNE
MICRONISATION
MICROPHONIQUE
MICROPHYSIQUE
MICROSCOPIQUE
MICROSPORANGE
MICROTRACTEUR
MICRO-TROTTOIR
MIDDLESBROUGH
MIDI DE BIGORRE
MIELLEUSEMENT
MILITAIREMENT
MILLE-FEUILLES
MILLIMÉTRIQUE
MINÉRALOGIQUE
MINÉRALOGISTE
MINIATURISANT
MINISATELLITE
MINISTÉRIELLE
MINO DA FIESOLE
MINUCIUS FELIX
MIRAMASSÉENNE
MIRCEA LE GRAND
MIRECURTIENNE
MISÉRABILISME
MISÉRABILISTE
MISÉRABLEMENT
MISSI DOMINICI
MITHRIDATISÉE
MITHRIDATISER
MITHRIDATISME
MOBILISATRICE
MODERNISATEUR
MODERNISATION
MODIFICATRICE
MOELLEUSEMENT
MOMENTANÉMENT
MONDEVILLAISE
MONNAIE-DU-PAPE
MONOCAMÉRISME
MONOCATÉNAIRE
MONOCINÉTIQUE
MONOGRAPHIQUE
MONOLINGUISME
MONONUCLÉAIRE
MONOPARENTALE
MONOPARENTAUX

MONS-EN-BARŒUL
MONTAGNE NOIRE
MONTALBANAISE
MONTALBANAISE
MONTARVILLOIS
MONTCELLIENNE
MONTCHANINOIS
MONTCHRESTIEN
MONTÉRÉGIENNE
MONTESSONNAIS
MONTÉVIDÉENNE
MONTGERONNAIS
MONTIVILLIERS
MONTLUÇONNAIS
MONTMARTROISE
MONTMORENCÉEN
MONTREUILLOIS
MONTREUSIENNE
MONTROUGIENNE
MONUMENTALITÉ
MORALISATRICE
MORANGISSOISE
MORBIHANNAISE
MOREAU LE JEUNE
MORELOS Y PAVÓN
MORETO Y CABAÑA
MORET-SUR-LOING
MORPHINOMANIE
MORPHOLOGIQUE
MORTES-SAISONS
MORTIFICATION
MOTEURS-FUSÉES
MOTS-CROISISTE
MOUCHERONNANT
MOUILLABILITÉ
MOYEN-COURRIER
MOYEN-ORIENTAL
MUCILAGINEUSE
MUCOVISCIDOSE
MUHAMMAD ABDUH
MULTICULTUREL
MULTIETHNIQUE
MULTIFONCTION
MULTILATÉRALE
MULTILATÉRAUX
MULTILINÉAIRE
MULTINATIONAL
MULTIPARTISME
MULTIPLICANDE
MULTIPLICATIF
MULTISOUPAPES
MULTISTANDARD
MUNICIPALISÉE
MUNICIPALISER
MUR-DE-BRETAGNE
MUSICOGRAPHIE
MUSICOLOGIQUE

MUSSIPONTAINE
MUSSIPONTAINE
MUSSY-SUR-SEINE
MUTATIONNISME
MUTATIONNISTE
MUZAFFAR AL-DIN
MYÉLENCÉPHALE
MYSTIFICATEUR
MYSTIFICATION
MYTHOMANIAQUE
MYTILICULTEUR
MYTILICULTURE
NAGUMO CHUICHI
NAPOLÉONIENNE
NAQSH-I ROUSTEM
NATSUME SOSEKI
NATIONALISANT
NATURELLEMENT
NAVAS DE TOLOSA
NAVIRE-ATELIER
NAVIRE-CITERNE
NAVIRE-HÔPITAL
NAVIRES-ÉCOLES
NAVIRES-USINES
NAY-BOURDETTES
NÉANDERTALIEN
NÉGATIONNISME
NÉGOCIABILITÉ
NÉGRO-AFRICAIN
NÉO-CALÉDONIEN
NÉO-CALÉDONIEN
NÉOCASTRIENNE
NÉOCOMMUNISME
NÉODARWINISME
NÉOPLATONISME
NÉOTECTONIQUE
NÉO-ZÉLANDAISE
NÉO-ZÉLANDAISE
NÉPHÉLÉMÉTRIE
NÉRIS-LES-BAINS
NESTORIANISME
NEUCHÂTELOISE
NEUCHÂTELOISE
NEUROBIOLOGIE
NEUROLEPTIQUE
NEUROPLÉGIQUE
NEUROSCIENCES
NEUTRALISANTE
NEUVES-MAISONS
NEVADO DEL RUIZ
NEVEU DE RAMEAU
NEW PROVIDENCE
NICOLAS DE CUES
NICOLAS DE FLUE
NIDS-D'ABEILLES
NIETZSCHÉENNE
NIJNEVARTOVSK

NIJNI NOVGOROD
NILO-SAHARIENS
NITRATES-FUELS
NITRIFICATION
NIVO-GLACIAIRE
NIVO-PLUVIALES
NOBELTUSSOISE
NOCTAMBULISME
NŒUX-LES-MINES
NOGENT-SUR-OISE
NOIRCISSEMENT
NON ACCOMPLIES
NON-AGRESSIONS
NON-ALIGNEMENT
NON-ASSISTANCE
NONCHALAMMENT
NON-COMBATTANT
NON-COMPARANTE
NON-COMPARANTS
NON COMPTABLES
NON-CONFORMITÉ
NON DESTRUCTIF
NON DIRECTIVES
NON EUCLIDIENS
NON-ÉVÉNEMENTS
NON-EXÉCUTIONS
NON-EXISTENCES
NON-FIGURATIFS
NON-FIGURATION
NON-FIGURATIVE
NON-INGÉRENCES
NON-JOUISSANCE
NON MARCHANDES
NORADRÉNALINE
NORD-AFRICAINE
NORD-AFRICAINE
NORD-AFRICAINS
NORD-AFRICAINS
NORD-AMÉRICAIN
NORD-AMÉRICAIN
NORD-CORÉENNES
NORD-CORÉENNES
NORMALISATEUR
NORMALISATION
NOUAKCHOTTOIS
NOUVEAU-QUÉBEC
NOVOKOUZNETSK
NUMA POMPILIUS
NUMÉRIQUEMENT
OBJECTIVATION
OBJECTIVEMENT
OBLITÉRATRICE
OBSCURANTISME
OBSCURANTISTE
OBSCURCISSANT
OCCASIONNELLE
OCCIDENTALISÉ

OCÉANOGRAPHIE
OCÉANOLOGIQUE
ODONTOLOGISTE
ŒIL-DE-PERDRIX
ŒILLETONNAGE
ŒILLETONNANT
ŒSOPHAGIENNE
OFFENSIVEMENT
OFFICIALISANT
OJOS DEL SALADO
OLIGOTHÉRAPIE
OMNIDIRECTIVE
OMNIPRATICIEN
ONET-LE-CHÂTEAU
ONIROTHÉRAPIE
ONOMASIOLOGIE
ONOMATOPÉIQUE
OPACIFICATION
OPÉRAS-BALLETS
OPÉRAS-BOUFFES
OPHTALMOLOGIE
OPHTALMOLOGUE
OPHTALMOMÈTRE
OPHTALMOSCOPE
OPINIÂTREMENT
OPPORTUNÉMENT
OPPOSITIONNEL
ORANGS-OUTANGS
ORCHESTRATEUR
ORCHESTRATION
ORDINAIREMENT
OREILLES-DE-MER
ORGANIQUEMENT
ORGANISATRICE
ORGANOCHLORÉE
ORIGINALEMENT
ORMESSONNAISE
ORNEMENTATION
ORNITHISCHIEN
ORNITHOMANCIE
ORNITHOPHILIE
ORNITHORYNQUE
ORTEGA Y GASSET
ORTHODONTISTE
ORTHODROMIQUE
ORTHOGONALITÉ
ORTHOGRAPHIÉE
ORTHOGRAPHIER
ORTHOPHONIQUE
ORTHOPHONISTE
ORTHOSCOPIQUE
ORTHOSTATIQUE
ORTHOSTATISME
OSCILLOGRAMME
OSCILLOGRAPHE
OSIÉRICULTURE
OSSÉTIE DU NORD

OSTÉOSYNTHÈSE
OSTERMUNDIGEN
OSTRÉICULTEUR
OSTRÉICULTURE
OSTROGOTHIQUE
OUBANGUI-CHARI
OUEST-ALLEMAND
OUTRECUIDANCE
OUTRECUIDANTE
OUTREMONTAISE
OVOVIVIPARITÉ
PACHUCA DE SOTO
PACIFICATRICE
PACIFIQUEMENT
PAILLASSONNÉE
PAILLASSONNER
PAILLE-EN-QUEUE
PALAIS-BOURBON
PALÉOCHRÉTIEN
PALÉOÉCOLOGIE
PALÉOLITHIQUE
PALÉONTOLOGIE
PALÉONTOLOGUE
PALÉOSIBÉRIEN
PALESTINIENNE
PALESTINIENNE
PALETTISATION
PALLADIANISME
PALMATISÉQUÉE
PANAMÉRICAINE
PANAMÉRICAINE
PANGERMANISME
PANGERMANISTE
PANHELLÉNIQUE
PANTOTHÉNIQUE
PAPADHÓPOULOS
PAPIER-MONNAIE
PAPIERS-CALQUE
PAPILLONNANTE
PAPILLONNEUSE
PAPILLOTEMENT
PARACHÈVEMENT
PARACHRONISME
PARAFISCALITÉ
PARALLACTIQUE
PARALLÈLEMENT
PARAMILITAIRE
PARAPÉTROLIER
PARAPHARMACIE
PARAPSYCHIQUE
PARASEXUALITÉ
PARASITOLOGIE
PARAY-LE-MONIAL
PARCELLARISÉE
PARCELLARISER
PARCIMONIEUSE
PÂRIS-DUVERNEY

PARKÉRISATION
PARLEMENTAIRE
PARODONTOLYSE
PARTHENAISIEN
PARTICIPATION
PARTICIPATIVE
PARTICULARISÉ
PARTICULARITÉ
PARTIELLEMENT
PASCAL-SECONDE
PAS-GRAND-CHOSE
PASSAGÈREMENT
PASSAMAQUODDY
PASSE-CRASSANE
PASSEMENTERIE
PASSEMENTIÈRE
PASSE-MONTAGNE
PASSIONNÉMENT
PASTEURELLOSE
PATERFAMILIAS
PATRILINÉAIRE
PATTE-MÂCHOIRE
PAUL DE LA CROIX
PAUPÉRISATION
PAUSE-CARRIÈRE
PAVILLONNAIRE
PAVILLONNERIE
PAZ ESTENSSORO
PEINTURLURANT
PÉLÉCANIFORME
PELLES-PIOCHES
PÉLOPONNÉSIEN
PÉLOPONNÉSIEN
PELOTONNEMENT
PÉNÉTRABILITÉ
PÉNICILLINASE
PÉNITENTIAIRE
PÉNITENTIELLE
PENNE-D'AGENAIS
PENNSYLVANIEN
PENTADÉCAGONE
PENTÉDÉCAGONE
PÉPIN DE LANDEN
PERCE-MURAILLE
PERCE-OREILLES
PÉRÉGRINATION
PÉRENNISATION
PERFECTIONNÉE
PERFECTIONNER
PÉRIGLACIAIRE
PÉRINATALOGIE
PÉRISTALTIQUE
PÉRISTALTISME
PERMANENCIÈRE
PERMANGANIQUE
PERMSÉLECTIVE
PERMUTABILITÉ

PERPIGNANAISE
PERSÉVÉRATION
PERSONNALISÉE
PERSONNALISER
PERSONNALISME
PERSONNALISTE
PERSONNIFIANT
PERTURBATRICE
PERVERTISSANT
PÈSE-PERSONNES
PETIT-COURONNE
PETIT DÉJEUNER
PETIT-DÉJEUNER
PETITE-ENTENTE
PETITES-FILLES
PETITES-NIÈCES
PÉTITIONNAIRE
PETITS-ENFANTS
PETITS-MAÎTRES
PETITS-SUISSES
PÉTRIFICATION
PÉTRIFONTAINE
PÉTROCHIMIQUE
PÉTROCHIMISTE
PETROPAVLOVSK
PHARMACOLOGIE
PHARMACOLOGUE
PHENCYCLIDINE
PHÉNOBARBITAL
PHÉNOCRISTAUX
PHÉNOTHIAZINE
PHÉNYLALANINE
PHILADELPHIEN
PHILANTHROPIE
PHILIPPE LE BEL
PHILIPPE LE BON
PHILIPPEVILLE
PHILISTINISME
PHILOSOPHIQUE
PHLÉBOGRAPHIE
PHNOMPENHOISE
PHONÉTICIENNE
PHONOCAPTRICE
PHOSPHATATION
PHOSPHOLIPIDE
PHOTOCHIMIQUE
PHOTOCOMPOSÉE
PHOTOCOMPOSER
PHOTOCOPIEUSE
PHOTOÉMETTEUR
PHOTOGÉOLOGIE
PHOTOGRAPHIÉE
PHOTOGRAPHIER
PHOTOMÉTRIQUE
PHOTOPOLYMÈRE
PHOTOSENSIBLE
PHOTOSTOPPEUR

PHOTOSYNTHÈSE
PHOTOTACTISME
PHOTOTHÉRAPIE
PHOTOTROPISME
PHYLLOXÉRIQUE
PHYSICO-CHIMIE
PHYSIOLOGIQUE
PHYSIOLOGISTE
PHYSIONOMISTE
PHYSISORPTION
PHYTOFLAGELLÉ
PHYTOPLANCTON
PHYTOTHÉRAPIE
PICTORIALISME
PIED-D'ALOUETTE
PIEDS-DE-CHEVAL
PIEDS-DE-MOUTON
PIERO DI COSIMO
PIERRE FOURIER
PIERRE LE CRUEL
PIERRE LE GRAND
PIERRE L'ERMITE
PIERRE LOMBARD
PIÉZOMÉTRIQUE
PINCE-OREILLES
PINCE-SANS-RIRE
PIQUE-ASSIETTE
PIQUE-NIQUEURS
PIQUE-NIQUEUSE
PISCICULTRICE
PISSE-VINAIGRE
PITHIVÉRIENNE
PITOYABLEMENT
PLAINTIVEMENT
PLANARISATION
PLANIFICATEUR
PLANIFICATION
PLANIMÉTRIQUE
PLASMAPHÉRÈSE
PLASMOCYTAIRE
PLASTICULTURE
PLATEAUX-REPAS
PLATHELMINTHE
PLATONICIENNE
PLÉBISCITAIRE
PLÉLAN-LE-GRAND
PLÉSIOMORPHIE
PLEUMEUR-BODOU
PLEURNICHARDE
PLEURNICHERIE
PLEURNICHEUSE
PLOMB DU CANTAL
PLOUDALMÉZEAU
PLURIANNUELLE
PLURIETHNIQUE
PLURILATÉRALE
PLURILATÉRAUX

PLURIPARTISME
PNEUMATOPHORE
PNEUMOCONIOSE
PNEUMOCYSTOSE
POBEDONOSTSEV
PODZOLISATION
PŒCILOTHERME
POÏKILOTHERME
POIL-DE-CAROTTE
POINÇONNEMENT
POISSONS-CHATS
POISSONS-ÉPÉES
POISSONS-LUNES
POISSONS-SCIES
POLAROGRAPHIE
POLDÉRISATION
POLE POSITIONS
POLIORCÉTIQUE
POLISSONNERIE
POLITIQUEMENT
POLLICITATION
POLLINISATION
POLYACRYLIQUE
POLYBUTADIÈNE
POLYCARBONATE
POLYCENTRIQUE
POLYCENTRISME
POLYCONDENSAT
POLYEMBRYONIE
POLYMÉRISABLE
POLYMORPHISME
POLYNUCLÉAIRE
POLYPROPYLÈNE
POLYTECHNIQUE
POLYTRANSFUSÉ
POLYURÉTHANNE
POLYVINYLIQUE
POMMES DE TERRE
PONTCHARTRAIN
PONT-DU-CHÂTEAU
PONT-PROMENADE
PONTS-BASCULES
POPULAIREMENT
POPULICULTEUR
POPULICULTURE
PORCELAINIÈRE
PORT-DE-BOUCAIN
PORTE-AÉRONEFS
PORTE-AIGUILLE
PORTE-BANNIÈRE
PORTE-BOUQUETS
PORTE-BRANCARD
PORTE-COUTEAUX
PORTE-DOCUMENT
PORTE-DRAPEAUX
PORTE-ÉTENDARD
PORT ELIZABETH

PORTEMANTEAUX
PORT-JOINVILLE
PORTO-NOVIENNE
PORTRAIT-ROBOT
PORTRAITURANT
POSSESSIONNEL
POSTCLASSIQUE
POSTGLACIAIRE
POSTHYPOPHYSE
POSTILLONNANT
POSTMODERNITÉ
POSTPRANDIALE
POSTPRANDIAUX
POTENTIALISÉE
POTENTIALISER
POTENTIOMÈTRE
POTRON-JACQUET
POURRISSEMENT
PRÉADOLESCENT
PRÉALABLEMENT
PRÉCAMBRIENNE
PRÉCANCÉREUSE
PRÉCARISATION
PRÉCAUTIONNÉE
PRÉCAUTIONNER
PRÉCIEUSEMENT
PRÉCIPITATION
PRÉCOMBUSTION
PRÉCONCEPTION
PRÉCONISATION
PRÉCONTRAINTE
PRÉCORDIALGIE
PRÉDÉLINQUANT
PRÉDÉTERMINÉE
PRÉDÉTERMINER
PRÉÉLECTORALE
PRÉÉLECTORAUX
PRÉENREGISTRÉ
PRÉEXCELLENCE
PRÉFABRIQUANT
PRÉFIGURATION
PRÉHELLÉNIQUE
PRÉHISPANIQUE
PRÉHISTORIQUE
PRÉINDUSTRIEL
PRÉJUDICIABLE
PRÉJUDICIELLE
PRÉLIMINAIRES
PRÉMATURÉMENT
PRÉMÉDICATION
PRÉMÉDITATION
PREMIÈRES-NÉES
PRÉOCCUPATION
PRÉŒDIPIENNE
PRÉOPÉRATOIRE
PRÉPENSIONNÉE
PRÉPONDÉRANCE

PRÉPONDÉRANTE
PRÉPROGRAMMÉE
PRÉRAPHAÉLITE
PRÉROMANTIQUE
PRÉROMANTISME
PRESCRIPTIBLE
PRÉSENTATRICE
PRÉSERVATRICE
PRÉSOCRATIQUE
PRÉSOMPTUEUSE
PRESSE-AGRUMES
PRESSE-CITRONS
PRESSE-ÉTOUPES
PRESSENTIMENT
PRESSE-PAPIERS
PRÊTRE-OUVRIER
PRÉVARICATEUR
PRÉVARICATION
PRÉVISIBILITÉ
PRIMESAUTIÈRE
PRIMITIVEMENT
PRIMO DE RIVERA
PRIMOGÉNITURE
PRINCE-ÉDOUARD
PRINCIÈREMENT
PRIVAT-DOCENTS
PRIVATISATION
PROBLÉMATIQUE
PROCÈS-VERBAUX
PROCHAINEMENT
PROCONSULAIRE
PRODUCTIVISME
PRODUCTIVISTE
PROFESSIONNEL
PROFILOGRAPHE
PROGRAMMATEUR
PROGRAMMATION
PROGRESSIVITÉ
PROKOP LE GRAND
PROLÉTARIENNE
PROLÉTARISANT
PROLIFÉRATION
PRONONCIATION
PRONOSTIQUANT
PRONOSTIQUEUR
PRO-OCCIDENTAL
PROPAGANDISTE
PROPÉDEUTIQUE
PROPHARMACEUS
PROPITIATOIRE
PROPORTIONNÉE
PROPORTIONNEL
PROPORTIONNER
PROPRIOCEPTIF
PROSAÏQUEMENT
PROSENCÉPHALE
PROSOPAGNOSIE

PROSTERNATION
PROSTERNEMENT
PROTÉAGINEUSE
PROTÈGE-CAHIER
PROTÈGE-TIBIAS
PROTÉOLYTIQUE
PROTÉROZOÏQUE
PROTESTATAIRE
PROTOHISTOIRE
PROUDHONIENNE
PROVISIONNANT
PRUSSE-RHÉNANE
PSEUDARTHROSE
PSEUDOSCIENCE
PSYCHANALYSÉE
PSYCHANALYSER
PSYCHANALYSTE
PSYCHASTHÉNIE
PSYCHÉDÉLIQUE
PSYCHIATRIQUE
PSYCHIATRISÉE
PSYCHIATRISER
PSYCHOKINÉSIE
PSYCHOLOGIQUE
PSYCHOLOGISME
PSYCHOMOTRICE
PSYCHOSOCIALE
PSYCHOSOCIAUX
PSYCHOTONIQUE
PSYCHROMÉTRIE
PTOLÉMÉE SÔTÊR
PUÉRICULTRICE
PUERTO CABELLO
PULSORÉACTEUR
PULVÉRISATEUR
PULVÉRISATION
PUNCHING-BALLS
PURIFICATOIRE
PURIFICATRICE
PUSILLANIMITÉ
PYÉLONÉPHRITE
PYROCLASTIQUE
PYROMÉCANISME
PYROTECHNIQUE
PYTHAGORICIEN
QIN SHI HUANGDI
QUADRAGÉNAIRE
QUADRAGÉSIMAL
QUADRICHROMIE
QUADRIJUMEAUX
QUADRIPARTITE
QUADRIPOLAIRE
QUADRISYLLABE
QUADRIVALENTE
QUALIFICATION
QUALIFICATIVE
QUALITICIENNE

QUARANTENAIRE
QUART-BOUILLON
QUASI-CONTRATS
QUASI-CRISTAUX
QUASI-MONNAIES
QUATRE-CANTONS
QUATRE-SAISONS
QUATRIÈMEMENT
QUEIPO DE LLANO
QUESNOYSIENNE
QUESTIONNAIRE
QUESTIONNEUSE
QUEUE-DE-CHEVAL
QUEUE-DE-COCHON
QUEUE-DE-RENARD
QUEUES-D'ARONDE
QUEUES-DE-MORUE
QUEZALTENANGO
QUIBERONNAISE
QUINCAILLERIE
QUINCAILLIÈRE
QUINQUAGÉSIME
QUINTEFEUILLE
QUINZIÈMEMENT
QUOTIDIENNETÉ
RABELAISIENNE
RABEMANANJARA
RABOUGRISSANT
RACCOMMODABLE
RACCOMMODEUSE
RACCOMPAGNANT
RADIOACTIVITÉ
RADIOBALISAGE
RADIOBALISANT
RADIOBIOLOGIE
RADIOCASSETTE
RADIOCOMMANDE
RADIODIFFUSÉE
RADIODIFFUSER
RADIOGRAPHIÉE
RADIOGRAPHIER
RADIO-ISOTOPES
RADIONAVIGANT
RADIOPHONIQUE
RADIOREPÉRAGE
RADIOTÉLÉVISÉ
RADIOTHÉRAPIE
RADIOTROTTOIR
RAFFERMISSANT
RAHAT-LOUKOUMS
RAJEUNISSANTE
RAMBERVILLERS
RAMOLLISSANTE
RANDOMISATION
RAPETISSEMENT
RAPPAREILLANT
RAPPROCHEMENT

RASSEMBLEMENT
RASSORTISSANT
RATIOCINATION
RATIONALISANT
RAVITAILLEUSE
RÉACCOUTUMANT
RÉACTIONNAIRE
RÉACTIONNELLE
RÉACTUALISANT
RÉAMÉNAGEMENT
RÉARRANGEMENT
RÉASSIGNATION
RÉASSORTIMENT
REBROUSSEMENT
REBROUSSE-POIL
RÉCALCITRANTE
RECAPITALISÉE
RECAPITALISER
RÉCAPITULATIF
RECARBURATION
RÉCEPTIONNANT
RÉCHAMPISSAGE
RÉCHAMPISSANT
RÉCHAUFFEMENT
RECHAUSSEMENT
RÉCIPIENDAIRE
RECOMBINAISON
RECOMMANDABLE
RECOMPOSITION
RECONDUCTIBLE
RÉCONFORTANTE
RECONNAISSANT
RECONSIDÉRANT
RECONSTITUANT
RÉCRIMINATEUR
RÉCRIMINATION
RECRISTALLISÉ
RECROQUEVILLÉ
RECRUDESCENCE
RECRUDESCENTE
RECTANGULAIRE
RECTIFICATEUR
RECTIFICATION
RECTIFICATIVE
RECTILINÉAIRE
RECUEILLEMENT
RÉCUPÉRATRICE
REDÉFINISSANT
RÉDEMPTORISTE
REDÉPLOIEMENT
REDIMENSIONNÉ
REDISTRIBUANT
RÉDUCTIBILITÉ
RÉDUPLICATION
RÉÉDIFICATION
RÉENREGISTRÉE
RÉENREGISTRER

RÉENSEMENÇANT
RÉÉQUILIBRAGE
RÉÉQUILIBRANT
RÉEXPORTATION
RÉFÉRÉ-LIBERTÉ
RÉFÉRENCEMENT
RÉFÉRENTIELLE
REFINANCEMENT
RÉFLÉCHISSANT
RÉFLECTORISÉE
REFLEURISSANT
RÉFLEXOGRAMME
REFORESTATION
RÉFRACTOMÈTRE
RÉFRIGÉRATEUR
RÉFRIGÉRATION
REFROIDISSANT
REFROIDISSEUR
RÉGÉNÉRATRICE
RÉGINABORGIEN
REGIOMONTANUS
RÉGIONALISANT
RÉGLEMENTAIRE
REGROSSISSANT
RÉGULIÈREMENT
RÉGURGITATION
RÉHABILITABLE
RÉIMPORTATION
RÉINCARCÉRANT
RÉINCARNATION
RÉINCORPORANT
REINES-CLAUDES
REINES-DES-PRÉS
RÉINSCRIPTION
RÉINTÉGRATION
REJAILLISSANT
RELATIONNELLE
RELATIONNISTE
RELECQ-KERHUON
RELIGIONNAIRE
REMBARQUEMENT
REMBOURSEMENT
REMBRUNISSANT
REMILITARISÉE
REMILITARISER
REMMAILLOTANT
REMONTE-PENTES
REMPOISSONNÉE
REMPOISSONNER
REMUE-MÉNINGES
RÉMUNÉRATOIRE
RÉMUNÉRATRICE
RENCAISSEMENT
RENCHÉRISSANT
RENCHÉRISSEUR
RENÉE DE FRANCE
RENÉGOCIATION

RENFORMISSANT
RENGER-PATZSCH
RENONCIATAIRE
RENONCIATRICE
RENSEIGNEMENT
RENTABILISANT
RÉORCHESTRANT
RÉORIENTATION
REPENTIGNOISE
REPOSITIONNÉE
REPOSITIONNER
RÉPRÉHENSIBLE
REPRÉSENTABLE
REPRÉSENTANTE
REPRÉSENTATIF
REPRODUCTIBLE
REPRODUCTRICE
REPROGRAMMANT
REPROGRAPHIÉE
REPROGRAPHIER
REQUIN-MARTEAU
REQUIN-PÈLERIN
REQUINS-TAUPES
RÉQUISITIONNÉ
RÉQUISITORIAL
RÉSIDENTIELLE
RESOCIALISANT
RESSAISISSANT
RESSORTISSANT
RESSOURCEMENT
RESSURGISSANT
RESTAURATRICE
RESTRUCTURANT
RESURCHAUFFÉE
RESURCHAUFFER
RETENTISSANTE
RETRANCHEMENT
RETRANSMETTRE
RETRAVAILLANT
RÉTROACTIVITÉ
RÉTROAGISSANT
RÉTROCONTRÔLE
RÉTROGRESSION
RÉTROPÉDALAGE
RÉTROSPECTIVE
RETROUSSEMENT
RETROUVAILLES
RÉUNIFICATION
RÉUTILISATION
REVACCINATION
REVASCULARISÉ
RÉVEILLE-MATIN
RÉVEILLONNANT
REVENDICATEUR
REVENDICATION
REVENDICATIVE
RÉVERBÉRATION

13

436

RÉVÉRENCIEUSE
RÉVERSIBILITÉ
RÉVISIONNELLE
RÉVISIONNISME
RÉVISIONNISTE
RÉVOLUTIONNÉE
RÉVOLUTIONNER
REZ-DE-CHAUSSÉE
RHABDOMANCIEN
RHÉTORICIENNE
RHINENCÉPHALE
RHINO-PHARYNGÉ
RHIZOFLAGELLÉ
RHOMBOÉDRIQUE
RIBEAUVILLÉEN
RIBEIRÃO PRETO
RIBONUCLÉIQUE
RICHARD-LENOIR
RIESENGEBIRGE
RITUALISATION
RIVIÈRE-DU-LOUP
RIVIÈRE-PILOTE
ROBERT LE NOBLE
ROBERT LE PIEUX
ROCAMBOLESQUE
ROCHEFORTAISE
ROCHESERVIÈRE
ROCKING-CHAIRS
ROJAS ZORRILLA
ROLLING STONES
ROLL ON-ROLL OFF
ROMAIN DIOGÈNE
ROMANS-FLEUVES
ROMARIMONTAIN
ROMEUFONTAINE
ROMORANTINAIS
RONCHONNEMENT
RONDOUILLARDE
ROQUEBRUNOISE
ROQUECOURBINE
ROQUEMAUROISE
ROQUEVAIROISE
ROSICRUCIENNE
ROSNY-SOUS-BOIS
ROSTROPOVITCH
ROUGET DE LISLE
ROUSSISSEMENT
ROUYNORANDIEN
RUISSELLEMENT
RUPIFICALDIEN
RURBANISATION
RUSSIE BLANCHE
RUSSIFICATION
SABELLIANISME
SABOTS-DE-VÉNUS
SACCHARIFIANT
SACCHARIMÈTRE

SACCHAROMYCES
SACHSENHAUSEN
SACRALISATION
SACRAMENTAIRE
SACRAMENTELLE
SACRIFICATEUR
SACRIFICIELLE
SACRO-ILIAQUES
SADIQUES-ANAUX
SAFARIS-PHOTOS
SAINT-AFFRIQUE
SAINT-AMANDOIS
SAINT-AVOLDIEN
SAINT-BERTRAND
SAINT-CÉRÉENNE
SAINT-CONSTANT
SAINT-CYRIENNE
SAINT-CYRIENNE
SAINT-DOMINGUE
SAINTE-ADRESSE
SAINTE-HERMINE
SAINTE-LIVRADE
SAINTE-PÉLAGIE
SAINTES-BARBES
SAINTES-MARIES
SAINTE-SUZANNE
SAINTE-THÉRÈSE
SAINT-EUSTACHE
SAINT-ÉVREMOND
SAINT-FONIARDE
SAINT-FRANÇOIS
SAINT-FRUSQUIN
SAINT-GALLOISE
SAINT-GAULTIER
SAINT-GHISLAIN
SAINT-GILLOISE
SAINT-GLINGLIN
SAINT-HERBLAIN
SAINT-JEANNAIS
SAINT-JUNIAUDE
SAINT-LUCIENNE
SAINT-MANDRIER
SAINT-MARINAIS
SAINT-NECTAIRE
SAINT-NECTAIRE
SAINTONGEAISE
SAINT-PHILBERT
SAINT-POLITAIN
SAINT-POURÇAIN
SAINT-SAVINIEN
SAINT-SÉPULCRE
SAINT-SIMONIEN
SAINTS-SYNODES
SAISIE-BRANDON
SAISIE-GAGERIE
SAISIES-ARRÊTS
SALAISONNERIE

SALIES-DE-BÉARN
SALIES-DU-SALAT
SALIN-DE-GIRAUD
SALSEPAREILLE
SALVADORIENNE
SALVADORIENNE
SALZKAMMERGUT
SAN BERNARDINO
SANCHE RAMÍREZ
SANCLAUDIENNE
SANGUINOLENTE
SAN LUIS POTOSÍ
SANS CONTREDIT
SANTA CATARINA
SAPEUR-POMPIER
SARRALBIGEOIS
SARREGUEMINES
SASSENAGEOISE
SATELLISATION
SATIRIQUEMENT
SATISFAISANTE
SAUCISSONNAGE
SAUCISSONNANT
SAUTS-DE-MOUTON
SAVENAISIENNE
SCARIFICATEUR
SCARIFICATION
SCHAFFHOUSOIS
SCHIRMECKOISE
SCHIZOPHRÉNIE
SCHWARZENBERG
SCIENTIFICITÉ
SCINTIGRAPHIE
SCINTILLATEUR
SCINTILLATION
SCINTILLEMENT
SCISSIONNISTE
SCOLARISATION
SCRIBOUILLARD
SCRIBOUILLEUR
SECRÉTAIRERIE
SECTIONNEMENT
SECTORISATION
SÉDENTARISANT
SÉDIMENTATION
SÉGRÉGABILITÉ
SEINE-MARITIME
SÉLECTIONNANT
SÉLECTIONNEUR
SÉLECTIVEMENT
SÉLÉNHYDRIQUE
SÉLÉNOGRAPHIE
SÉLESTADIENNE
SELF-INDUCTION
SELLES-SUR-CHER
SÉMANTICIENNE
SEMBLABLEMENT

SÉMÉIOLOGIQUE
SEMI-CHENILLÉE
SEMI-CHENILLÉS
SEMI-CONSERVES
SEMI-CONSONNES
SEMI-DRESSANTS
SEMI-GROSSISTE
SEMI-NOMADISME
SEMI-OFFICIELS
SÉMIOTICIENNE
SEMIPALATINSK
SEMI-PERMÉABLE
SEMI-PUBLIQUES
SEMI-REMORQUES
SEMNOPITHÈQUE
SEMPERVIRENTE
SEMPITERNELLE
SEMUR-EN-AUXOIS
SÉNÈQUE LE PÈRE
SENESTROCHÈRE
SENSIBILISANT
SENSITOMÉTRIE
SENSORI-MOTEUR
SEPTENTRIONAL
SEPTIME SÉVÈRE
SEPTUAGÉNAIRE
SÉQUESTRATION
SERGENTS-CHEFS
SÉRICICULTEUR
SÉRICICULTURE
SERPENTIFORME
SÉRUMALBUMINE
SERVOCOMMANDE
SÈVRE NANTAISE
SEXUALISATION
SHAMPOUINEUSE
SHAWINIGANAIS
SHAWINIGAN-SUD
SHERBROOKOISE
SHETLAND DU SUD
SHOTOKU TAISHI
SIDÉROLITIQUE
SIERRA-LÉONAIS
SIGISMOND VASA
SIGNALISATION
SIGNIFICATION
SIGNIFICATIVE
SIHANOUKVILLE
SILICON VALLEY
SIMÉON L'ANCIEN
SIMÉON LE GRAND
SIMÉON STYLITE
SIMILIGRAVURE
SIMON DE BRUGES
SIMULTANÉISME
SIMULTANÉMENT
SINGULARISANT

SINO-TIBÉTAINE
SINO-TIBÉTAINS
SINTÉRISATION
SION-VAUDÉMONT
SISMOTHÉRAPIE
SIX-QUATRE-DEUX
SOCIABILISANT
SOCIALISATION
SOCIOBIOLOGIE
SOCIOCRITIQUE
SOCIOCULTUREL
SOCIO-ÉDUCATIF
SOCIOTHÉRAPIE
SOIGNEUSEMENT
SOJALDICIENNE
SOLIDAIREMENT
SOLITAIREMENT
SOLLICITATION
SOMNAMBULIQUE
SOMNAMBULISME
SOPHISTIQUANT
SORTIES-DE-BAIN
SOTTEVILLAISE
SOUCIEUSEMENT
SOUMISSIONNÉE
SOUMISSIONNER
SOUPHANOUVONG
SOURNOISEMENT
SOUS-ACQUÉREUR
SOUS-ALIMENTÉE
SOUS-ALIMENTER
SOUS-ALIMENTÉS
SOUS-CALIBRÉES
SOUS-CLAVIÈRES
SOUS-CONTINENT
SOUS-CORTICALE
SOUS-CORTICAUX
SOUS-DÉCLARANT
SOUS-DÉCLARÉES
SOUS-DÉVELOPPÉ
SOUS-DIACONATS
SOUS-DIRECTEUR
SOUS-DOMINANTE
SOUS-EFFECTIFS
SOUS-EMPLOYANT
SOUS-EMPLOYÉES
SOUS-ENSEMBLES
SOUS-ENTENDANT
SOUS-ENTENDUES
SOUS-EXPLOITÉE
SOUS-EXPLOITER
SOUS-EXPLOITÉS
SOUS-GLACIAIRE
SOUS-HUMANITÉS
SOUS-LOCATAIRE
SOUS-LOCATIONS
SOUS-MAÎTRESSE

SOUS-MARINIERS
SOUS-MINISTRES
SOUS-MULTIPLES
SOUS-OFFICIERS
SOUS-ORBITALES
SOUS-PRESSIONS
SOUS-PROGRAMME
SOUS-TANGENTES
SOUS-TRAITANCE
SOUS-TRAITANTS
SOUS-UTILISANT
SOUS-UTILISÉES
SOUS-VENTRIÈRE
SOUS-VÊTEMENTS
SOUTHEND-ON-SEA
SOUTIENS-GORGE
SOUVENIR-ÉCRAN
SOUVERAINISTE
SPACIEUSEMENT
SPASMOLYTIQUE
SPÉCIEUSEMENT
SPÉCIFICATION
SPECTACULAIRE
SPECTROGRAMME
SPECTROGRAPHE
SPECTROMÉTRIE
SPECTROSCOPIE
SPÉLÉOLOGIQUE
SPERMATOGONIE
SPERMATOPHORE
SPERMATOPHYTE
SPERMATOZOÏDE
SPIRIPONTAINE
SPIRITUALISÉE
SPIRITUALISER
SPIRITUALISME
SPIRITUALISTE
SPLENDIDEMENT
SPLÉNOMÉGALIE
SPOROTRICHOSE
SQUATTÉRISANT
STAAL DE LAUNAY
STABILISATEUR
STABILISATION
STAËL-HOLSTEIN
STAFFELFELDEN
STAKHANOVISME
STAKHANOVISTE
STANDARDISANT
STAPHYLOCOQUE
STARTING-BLOCK
STARTING-GATES
STATIONNEMENT
STATORÉACTEUR
STATUE-COLONNE
STEEPLE-CHASES
STÉNOGRAPHIÉE

STÉNOGRAPHIER
STÉRÉO-ISOMÈRE
STÉRILISATEUR
STÉRILISATION
STERNUTATOIRE
STIRING-WENDEL
STOCKHOLMOISE
STRANGULATION
STRATIGRAPHIE
STRATO-CUMULUS
STRÉPINIACOIS
STREPTOCOCCIE
STRIP-TEASEUSE
STROMBOLIENNE
STRUCTURATION
STUDIEUSEMENT
STURM UND DRANG
STYLOS-FEUTRES
SUBCONSCIENTE
SUBDÉSERTIQUE
SUBÉQUATORIAL
SUBJECTIVISME
SUBJECTIVISTE
SUBORDINATION
SUBSAHARIENNE
SUBSÉQUEMMENT
SUBSTANTIELLE
SUBSTANTIVANT
SUBTILISATION
SUBVENTIONNÉE
SUBVENTIONNER
SUBVERTISSANT
SUCCINCTEMENT
SUCCURSALISME
SUCCURSALISTE
SUD-AFRICAINES
SUD-AFRICAINES
SUD-AMÉRICAINE
SUD-AMÉRICAINE
SUD-AMÉRICAINS
SUD-AMÉRICAINS
SUD-VIETNAMIEN
SUD-VIETNAMIEN
SUGGESTIONNÉE
SUGGESTIONNER
SUISSE SAXONNE
SULFINISATION
SULLY-SUR-LOIRE
SULPICE SÉVÈRE
SUPERBAGNÈRES
SUPERBÉNÉFICE
SUPERCHAMPION
SUPERCRITIQUE
SUPERFICIELLE
SUPERFINITION
SUPERFLUIDITÉ
SUPERMOLÉCULE

SUPERPOSITION
SUPERSTITIEUX
SUPRANATIONAL
SUPRASENSIBLE
SURALIMENTANT
SURBAISSEMENT
SURCOMPRIMANT
SURCREUSEMENT
SURDÉTERMINÉE
SURDÉTERMINER
SURDÉVELOPPÉE
SURENTRAÎNANT
SURÉQUIPEMENT
SURESTIMATION
SURÉVALUATION
SUREXCITATION
SUREXPLOITANT
SUREXPOSITION
SURGÉNÉRATEUR
SURGÉNÉRATION
SURHAUSSEMENT
SURIMPOSITION
SURIMPRESSION
SURINTENDANCE
SURINTENDANTE
SURMÉDICALISÉ
SURMULTIPLIÉE
SURPEUPLEMENT
SURPLOMBEMENT
SURPOPULATION
SURPRODUCTEUR
SURPRODUCTION
SURPRODUISANT
SURPROTECTION
SURPROTÉGEANT
SURRÉNALIENNE
SURSATURATION
SUS-DOMINANTES
SUS-HÉPATIQUES
SUSMENTIONNÉE
SVEND TVESKAEG
SYLLOGISTIQUE
SYLVICULTRICE
SYMBOLISATION
SYMPATHISANTE
SYMPTOMATIQUE
SYNAPOMORPHIE
SYNCHRONISANT
SYNCHRONISEUR
SYNDICALISANT
SYNOVIORTHÈSE
SYNTAGMATIQUE
SYNTHÉTISABLE
SYNTONISATEUR
SYNTONISATION
SYRINGOMYÉLIE
SYSTÉMATICIEN

SYSTÉMATISANT
TABERNACIENNE
TACHISTOSCOPE
TACHYARYTHMIE
TAILLE-CRAYONS
TAILLES-DOUCES
TALANÇONNAISE
TAMBOURINAIRE
TAMBOURINEUSE
TAPAGEUSEMENT
TARASCONNAISE
TARIQ IBN ZIYAD
TARN-ET-GARONNE
TAUROMACHIQUE
TAYLORISATION
TCHANG KAÏ-CHEK
TECHNIQUEMENT
TECHNOCRATISÉ
TECHNOLOGIQUE
TECHNOLOGISTE
TECHNOSCIENCE
TÉLÉACHETEUSE
TÉLÉAFFICHAGE
TÉLÉCHARGEANT
TÉLÉCOMMANDÉE
TÉLÉCOMMANDER
TÉLÉDÉTECTION
TÉLÉDIFFUSANT
TÉLÉDIFFUSION
TÉLÉGRAPHIANT
TÉLÉGRAPHIQUE
TÉLÉGRAPHISTE
TÉLÉIMPRIMEUR
TÉLÉMARKETING
TÉLÉPROMPTEUR
TÉLÉSCRIPTEUR
TÉLÉSOUFFLEUR
TÉMISCAMINGUE
TEMPORISATEUR
TEMPORISATION
TENNIS-BALLONS
TÉRÉPHTALIQUE
TERRE-NEUVIENS
TERRE-NEUVIENS
TERRE-NEUVIERS
TESSIN LE JEUNE
TESTAMENTAIRE
TÉTRACHLORURE
TÉTRAPLÉGIQUE
TÉTRODOTOXINE
TEXTUELLEMENT
THANATOPRAXIE
THÉÂTRALEMENT
THÉÂTRALISANT
THÉOCENTRISME
THÉORIQUEMENT
THÉOULE-SUR-MER

THÉRAPEUTIQUE	**TRANSCAUCASIE**	TRIGONOMÉTRIE
THÉRÈSE D'ÁVILA	TRANSCENDANCE	TRIMBALLEMENT
THERMIQUEMENT	TRANSCENDANTE	TRIMESTRIELLE
THERMOCLASTIE	TRANSCRIPTEUR	TRINIDADIENNE
THERMOCOLLAGE	TRANSCRIPTION	**TRINIDADIENNE**
THERMOCOLLANT	TRANSCULTUREL	TRIOMPHALISME
THERMOFORMAGE	TRANSDERMIQUE	TRIOMPHALISTE
THERMOGRAPHIE	TRANSFÈREMENT	TRIOMPHATRICE
THERMOÏONIQUE	TRANSFIGURANT	TRIPATOUILLÉE
THÉSAURISEUSE	TRANSFORMABLE	TRIPATOUILLER
THESMOPHORIES	TRANSFORMANTE	**TRIPLE-ENTENTE**
THESSALONIQUE	TRANSFORMISME	TRISYLLABIQUE
THETFORD MINES	TRANSFORMISTE	TROGLODYTIQUE
THIONVILLOISE	**TRANSGABONAIS**	TROISIÈMEMENT
THOMAS A KEMPIS	TRANSGRESSANT	**TROIS-RIVIÈRES**
THOMAS BECKETT	TRANSGRESSION	TROMBINOSCOPE
THROMBOPOÏÈSE	**TRANSHIMALAYA**	TROMPEUSEMENT
TIBÉTO-BIRMANS	TRANSISTORISÉ	TRONÇONNEMENT
TIBIO-TARSIENS	TRANSITIONNEL	TROPICALISANT
TIERCEFEUILLE	**TRANSJORDANIE**	TROUILLOMÈTRE
TIERS-MONDISME	TRANSLOCATION	**TRUCHTERSHEIM**
TIERS-MONDISTE	TRANSLUCIDITÉ	**TRUCIAL STATES**
TINTINNABULER	TRANSLUMINALE	TRUFFICULTURE
TIRE-BOUCHONNÉ	TRANSLUMINAUX	TRUTTICULTURE
TIRSO DE MOLINA	TRANSMISSIBLE	**TSARSKOÏE SELO**
TISSUS-ÉPONGES	TRANSMUTATION	**TUC-D'AUDOUBERT**
TOLUCA DE LERDO	TRANSNATIONAL	TURBORÉACTEUR
TONICARDIAQUE	TRANSPARAÎTRE	TWIRLING BÂTON
TONNEINQUAISE	TRANSPIRATION	TYPOGRAPHIQUE
TOPOGRAPHIQUE	TRANSPLANTANT	ULTRAMONTAINE
TORRE DEL GRECO	TRANSPORTABLE	ULTRAPRESSION
TORRES QUEVEDO	TRANSPORTEUSE	ULTRAPROPRETÉ
TORTUEUSEMENT	TRANSPOSITEUR	ULTRASENSIBLE
TOSA MITSUNOBU	TRANSPOSITION	ULTRAVIOLETTE
TOTALITARISME	TRANSPYRÉNÉEN	UNICELLULAIRE
TOURBILLONNER	TRANSSAHARIEN	**UNITED KINGDOM**
TOURILLONNANT	TRANSSEXUELLE	UNIVERSALISÉE
TOURNAISIENNE	**TRANSSIBÉRIEN**	UNIVERSALISER
TOURNAN-EN-BRIE	TRANSSTOCKEUR	UNIVERSALISME
TOURNE-À-GAUCHE	TRANSVASEMENT	UNIVERSALISTE
TOURNEBOULANT	TRANSVESTISME	UNIVERSITAIRE
TOURNE-DISQUES	TRANSYLVANIEN	URÉTÉROSTOMIE
TOURNEFEUILLE	**TRANSYLVANIEN**	USUFRUCTUAIRE
TOURNE-PIERRES	TRAUMATISANTE	**UZTARIZTARRAK**
TOUR-OPÉRATEUR	TRAUMATOLOGIE	VADROUILLEUSE
TOURQUENNOISE	TRAUMATOLOGUE	**VAL-DE-MARNAISE**
TOUT-PUISSANTS	TRAVAILLOTANT	VALENCE-GRAMME
TOXICOLOGIQUE	TRAVESTISSANT	**VALENCIENNOIS**
TOXI-INFECTION	TREIZIÈMEMENT	VALÉTUDINAIRE
TRACHÉE-ARTÈRE	TREMBLOTEMENT	**VALLÉE DES ROIS**
TRAGI-COMÉDIES	TRÉMOUSSEMENT	**VALRÉASSIENNE**
TRAGI-COMIQUES	TRÉPONÉMATOSE	**VAN DER MEERSCH**
TRAÎNE-SAVATES	TRIANGULATION	**VANDOPÉRIENNE**
TRANCHE-SUR-MER	TRIBUNITIENNE	**VAN HEEMSKERCK**
TRANQUILLISÉE	TRICENTENAIRE	VANITEUSEMENT
TRANQUILLISER	TRICHOCÉPHALE	**VAN RUYSBROECK**
TRANSBAHUTANT	**TRIEL-SUR-SEINE**	VARIOLISATION

VASOMOTRICITÉ
VATICINATRICE
VAUX-LE-VICOMTE
VECTORISATION
VÉHÉMENTEMENT
VELIKO TARNOVO
VÉNÉZUÉLIENNE
VÉNÉZUÉLIENNE
VENTRICULAIRE
VENTRIPOTENTE
VERBALISATEUR
VERBALISATION
VERBICRUCISTE
VERBIGÉRATION
VERCINGÉTORIX
VÉRIDIQUEMENT
VÉRIFICATRICE
VÉRITABLEMENT
VERMILLONNANT
VERNALISATION
VERNIX CASEOSA
VERSIFICATEUR
VERSIFICATION
VERS-LIBRISTES
VERTACOMIRIEN
VERT-DE-GRISÉES
VERTICALEMENT
VERTUEUSEMENT
VESTIMENTAIRE
VIARDOT-GARCÍA
VIBRAPHONISTE
VICE-CONSULATS
VICE-PRÉSIDENT
VICTORIAVILLE
VIDE-BOUTEILLE

VIDÉOCASSETTE
VIEILLISSANTE
VIEIRA DA SILVA
VIEUX-CROYANTS
VILLARD-DE-LANS
VILLAVICENCIO
VILLECRESNOIS
VILLEFONTAINE
VILLÉGIATURER
VILLEHARDOUIN
VILLEJUIFOISE
VILLEMOMBLOIS
VILLEMURIENNE
VILLENEUVOISE
VILLEPARISIEN
VILLEPINTOISE
VILLERS-BOCAGE
VILLERS-SUR-MER
VILLIERS-LE-BEL
VIMONASTÉRIEN
VINCENT DE PAUL
VINGTIÈMEMENT
VINIFICATRICE
VIRGINIA BEACH
VIRTUELLEMENT
VIRY-CHÂTILLON
VISAKHAPATNAM
VISCÉRALEMENT
VISUALISATION
VITRIFICATEUR
VITRIFICATION
VITRY-EN-ARTOIS
VITRY-SUR-SEINE
VIVIFICATRICE
VOCALISATRICE

VOCIFÉRATRICE
VOITURES-POSTE
VOLATILISABLE
VOMITOS NEGROS
VOUGLAISIENNE
VRAIES-FAUSSES
VRAISEMBLABLE
VRAISEMBLANCE
VROMBISSEMENT
VULCANISATION
VULGARISATEUR
VULGARISATION
VULNÉRABILISÉ
VULNÉRABILITÉ
WAGNER-JAUREGG
WAGONS-FOUDRES
WAGONS-TRÉMIES
WASHINGTONIEN
WASSELONNAISE
WESTMOUNTAISE
WILHELMSHAVEN
WIMEREUSIENNE
WINDISCHGRÄTZ
WITWATERSRAND
WOLVERHAMPTON
XANTHOGÉNIQUE
XYLOGRAPHIQUE
ZEAMI MOTOKIYO
ZÉNON DE CITIUM
ZÉNON DE KITION
ZOOGÉOGRAPHIE
ZOOTECHNICIEN
ZOROASTRIENNE
ZWINGLIANISME

ABAISSE-LANGUES
ABASOURDISSANT
ABOLITIONNISME
ABOLITIONNISTE
ABOMINABLEMENT
ABRACADABRANTE
ABRIS-SOUS-ROCHE
ACADÉMIQUEMENT
ACANTHOCÉPHALE
ACCÉLÉROGRAPHE
ACCESSOIREMENT
ACCESSOIRISANT
ACCIDENTOLOGIE
ACCOMPAGNATEUR
ACCOMPAGNEMENT
ACCROCHE-CŒURS
ACHONDROPLASIE
ACQUIT-À-CAUTION

ACTINOTHÉRAPIE
ACTION RESEARCH
ADÉNOCARCINOME
ADÉNOÏDECTOMIE
ADIPOSO-GÉNITAL
ADJUDANTS-CHEFS

ADMINISTRATEUR
ADMINISTRATION
ADMINISTRATIVE
ADMIRATIVEMENT
ADVERBIALEMENT
AÉROCONDENSEUR
AÉROGÉNÉRATEUR
AÉROTRANSPORTÉ
AFFAIBLISSANTE
AFFERMISSEMENT
AFFRANCHISSANT
AFRICANISATION
AFRIQUE ROMAINE
AFRO-AMÉRICAINE
AFRO-AMÉRICAINE
AFRO-AMÉRICAINS
AFRO-AMÉRICAINS
AFRO-ASIATIQUES
AFRO-BRÉSILIENS
AFRO-BRÉSILIENS
AGENOUILLEMENT
AGRANDISSEMENT
AGRANULOCYTOSE
AGRO-INDUSTRIEL
AGRO-INDUSTRIES
AGUASCALIENTES
AIDES-SOIGNANTS
AIGUES-MORTAISE
À LA CROQUE-AU-SEL
ALANGUISSEMENT
ALBERTVILLOISE
ALCATEL ALSTHOM
ALFORTVILLAISE
ALGÉBRIQUEMENT
ALLANTOÏDIENNE
ALLENDE GOSSENS
ALLERGOLOGISTE
ALLUVIONNEMENT
ALMEIDA GARRETT
ALOURDISSEMENT
ALPES-MARITIMES
ALPES RHÉTIQUES
ALPHANUMÉRIQUE
ALPHONSE LE SAGE
ALSACE-LORRAINE
ALTO-SÉQUANAISE
ALUMINOTHERMIE
AMAIGRISSEMENT
AMBITIEUSEMENT
AMÉDÉE DE SAVOIE
AMÉRIQUE DU NORD
AMÉRIQUE LATINE
AMEUBLISSEMENT
AMMONIOS SACCAS
AMPHÉTAMINIQUE
AMPHIBOLOGIQUE
AMPLIFICATRICE

AMSTELLODAMIEN
AMYGDALECTOMIE
ANAGRAMMATIQUE
ANAGRAMMATISME
ANALOGIQUEMENT
ANALPHABÉTISME
ANALYTIQUEMENT
ANAPHYLACTIQUE
ANARCHIQUEMENT
ANATHÉMATISANT
ANATOMIQUEMENT
ANDREA DEL SARTO
ANÉANTISSEMENT
ANGLO-AMÉRICAIN
ANGLO-AMÉRICAIN
ANGLO-NORMANDES
ANGLO-NORMANDES
ANHYPOTHÉTIQUE
ANNE DE BRETAGNE
ANNE DE GONZAGUE
ANTÉDILUVIENNE
ANTÉPÉNULTIÈME
ANTÉPRÉDICATIF
ANTÉRIEUREMENT
ANTHROPOMÉTRIE
ANTHROPOMORPHE
ANTHROPOPHAGIE
ANTHROPOSOPHIE
ANTIACRIDIENNE
ANTIALCOOLIQUE
ANTIALLERGIQUE
ANTIBROUILLAGE
ANTIBROUILLARD
ANTICANCÉREUSE
ANTICOAGULANTE
ANTICOMMUNISME
ANTICOMMUNISTE
ANTICYCLONIQUE
ANTIDÉFLAGRANT
ANTIDÉPRESSEUR
ANTIDIURÉTIQUE
ANTIÉCONOMIQUE
ANTIEFFRACTION
ANTIÉMÉTISANTE
ANTIHYGIÉNIQUE
ANTI-INFECTIEUX
ANTIMIGRAINEUX
ANTIOCHOS MÉGAS
ANTIPALUDÉENNE
ANTIPARASITANT
ANTIPERSPIRANT
ANTIRELIGIEUSE
ANTI-SOUS-MARINE
ANTI-SOUS-MARINS
ANTISOVIÉTIQUE
ANTISYMÉTRIQUE
ANTITERRORISTE

ANTITHYROÏDIEN
ANTIVARIOLIQUE
ANTIVÉNÉRIENNE
ANTOINE LE GRAND
ANTONIN LE PIEUX
APPAREILLEMENT
APPENDICULAIRE
APPESANTISSANT
APPLAUDISSEUSE
APPRÉCIABILITÉ
APPRIVOISEMENT
APPROVISIONNÉE
APPROVISIONNER
ARABIE SAOUDITE
ARABO-ISLAMIQUE
ARBITRAIREMENT
ARBORICULTRICE
ARCHÉOBACTÉRIE
ARCHICHLAMYDÉE
ARCHICONFRÉRIE
ARCHIÉPISCOPAL
ARCHIÉPISCOPAT
ARCHITECTURALE
ARCHITECTURANT
ARCHITECTURAUX
ARCS-BOUTEMENTS
À REBROUSSE-POIL
ARGENTEUILLAIS
ARGUMENTATRICE
ARISTOCRATIQUE
ARISTOCRATISME
ARISTOTÉLICIEN
ARNAC-POMPADOUR
ARPAJON-SUR-CÈRE
ARRAISONNEMENT
ARRIÈRE-CHŒURS
ARRIÈRE-COUSINE
ARRIÈRE-COUSINS
ARRIÈRE-CUISINE
ARRIÈRE-PENSÉES
ARRIÈRE-SAISONS
ARRIÈRE-VASSAUX
ARRONDISSEMENT
ARTÉRIOGRAPHIE
ARTISANALEMENT
ARTISTIQUEMENT
ASCENSIONNELLE
ASPIRO-BATTEURS
ASSAINISSEMENT
ASSAISONNEMENT
ASSERMENTATION
ASSERVISSEMENT
ASSOUPISSEMENT
ASSOURDISSANTE
ASSOUVISSEMENT
ASSUJETTISSANT
ASTROPHYSICIEN

ASTUCIEUSEMENT
ASYMPTOMATIQUE
ATHÉROSCLÉROSE
À TOUT BERZINGUE
ATTENDRISSANTE
ATTERRISSEMENT
ATTIÉDISSEMENT
ATTRAPE-MOUCHES
ATTRAPE-NIGAUDS
AUBIGNY-SUR-NÈRE
AUDACIEUSEMENT
AUDINCOURTOISE
AUDIOFRÉQUENCE
AUDIONUMÉRIQUE
AU FUR ET À MESURE
AULNAY-SOUS-BOIS
AUSTRO-HONGROIS
AUSTRO-HONGROIS
AUSTRONÉSIENNE
AUTOACCUSATEUR
AUTOACCUSATION
AUTOBIOGRAPHIE
AUTOCASTRATION
AUTOCONDUCTION
AUTOCOUCHETTES
AUTODIRECTRICE
AUTODISCIPLINE
AUTOÉLÉVATRICE
AUTOEXCITATEUR
AUTO-INDUCTANCE
AUTO-INDUCTIONS
AUTOLIMITATION
AUTOLUBRIFIANT
AUTOMATICIENNE
AUTOMATISATION
AUTOMÉDICATION
AUTOMUTILATION
AUTONETTOYANTE
AUTONOMISATION
AUTOPROCLAMANT
AUTOPROPULSEUR
AUTOPROPULSION
AUTORÉGULATEUR
AUTORÉGULATION
AUTO-STOPPEUSES
AUTOSUFFISANCE
AUTOSUFFISANTE
AUTOSUGGESTION
AVANT-DERNIÈRES
AVANT-GARDISMES
AVANT-GARDISTES
AVANT-PREMIÈRES
AVESNES-LE-COMTE
AVIONS-CITERNES
AXIOMATISATION
AZERBAÏDJANAIS
AZERBAÏDJANAIS

AZIDOTHYMIDINE
BADE-WURTEMBERG
BAGNOLS-SUR-CÈZE
BAIN-DE-BRETAGNE
BALNÉOTHÉRAPIE
BALUCHITHÉRIUM
BANDES-ANNONCES
BANQUE MONDIALE
BANQUEROUTIÈRE
BANSKÁ BYSTRICA
BARBE-DE-CAPUCIN
BARCLAY DE TOLLY
BARRAGES-VOÛTES
BASSE-NORMANDIE
BASSE-TERRIENNE
BATEAUX-LAVOIRS
BATEAUX-MOUCHES
BATEAUX-PILOTES
BEAT GENERATION
BEAULIEU-SUR-MER
BEAUREPAIROISE
BEAUSOLEILLOIS
BEAUVILLÉSOISE
BEAUVOIR-SUR-MER
BÉBÉ-ÉPROUVETTE
BEC-DE-PERROQUET
BELLEFEUILLOIS
BELLEGARDIENNE
BELLES-FAMILLES
BENOÎT DE NURSIE
BENZODIAZÉPINE
BERCENAY-EN-OTHE
BERLAIMONTOISE
BERNARD-L'ERMITE
BERNERIE-EN-RETZ
BERZÉLAVILLIEN
BÊTASTIMULANTE
BIBLIOTHÉCAIRE
BICULTURALISME
BIDIMENSIONNEL
BIHEBDOMADAIRE
BILATÉRALEMENT
BILLAUD-VARENNE
BIODÉGRADATION
BIOLUMINESCENT
BIOSPÉLÉOLOGIE
BIOTECHNOLOGIE
BIPOLARISATION
BISCHWILLEROIS
BLANCHISSEMENT
BLANC-MESNILOIS
BLASPHÉMATOIRE
BLASPHÉMATRICE
BLENNORRAGIQUE
BLOCS-CYLINDRES
BOISBRIANNAISE
BOISGUILLEBERT

BOÎTES-BOISSONS
BONHEURS-DU-JOUR
BONNE-ESPÉRANCE
BONNÉTABLIENNE
BONNET-DE-PRÊTRE
BOPHUTHATSWANA
BOTHRIOCÉPHALE
BOUCHE-À-OREILLE
BOUCHERVILLOIS
BOUCHES-DU-RHÔNE
BOUCOURECHLIEV
BOUGAINVILLIER
BOUG MÉRIDIONAL
BOUG OCCIDENTAL
BOUILLONNEMENT
BOULEVERSEMENT
BOULOGNE-SUR-MER
BOURBOURGEOISE
BOURGEOISEMENT
BOURGEONNEMENT
BOURGTHEROULDE
BOURSE-À-PASTEUR
BOURSOUFLEMENT
BOUTON-PRESSION
BOUTONS-D'ARGENT
BOUZONVILLOISE
BRABANT FLAMAND
BRACELET-MONTRE
BRAZZAVILLOISE
BREDOUILLEMENT
BREUIL-CERVINIA
BRICQUEBÉTAISE
BRIDES-LES-BAINS
BRILLAT-SAVARIN
BRONCHIECTASIE
BROUSSAILLEUSE
BRÛLE-POURPOINT
BUCCO-DENTAIRES
BUCCO-GÉNITALES
BUENOS-AIRIENNE
BUREAUCRATIQUE
BUREAUCRATISÉE
BUREAUCRATISER
BUREAUTICIENNE
BURES-SUR-YVETTE
BUSINESSWOMANS
BYZANTINOLOGIE
BYZANTINOLOGUE
CÂBLO-OPÉRATEUR
CABRERA INFANTE
CACHE-BRASSIÈRE
CACHE-POUSSIÈRE
CACHE-RADIATEUR
CALIDIFONTAINE
CALLIGRAPHIANT
CALLIGRAPHIQUE
CALORIMÉTRIQUE

CALUIRE-ET-CUIRE
CANCÉROLOGIQUE
CAOUTCHOUTEUSE
CAPBRETONNAISE
CAPESTERRIENNE
CAPILLICULTEUR
CAPILLICULTURE
CAPITALISATION
CAPSULES-CONGÉS
CARACTÉROLOGIE
CARAMBOUILLAGE
CARAMÉLISATION
CARBONBLANNAIS
CARCASSONNAISE
CARCINOMATEUSE
CARDIO-TRAINING
CARILLONNEMENT
CAROLINE DU NORD
CAROLOMACÉRIEN
CAROLORÉGIENNE
CARPENTRASSIEN
CARROZ-D'ARÂCHES
CARTELLISATION
CARTES-RÉPONSES
CARTIER-BRESSON
CARTILAGINEUSE
CARTOGRAPHIANT
CARTOGRAPHIQUE
CARTOMANCIENNE
CARTONS-FEUTRES
CARTONS-PAILLES
CARYOPHYLLACÉE
CASIMIR LE GRAND
CASSE-NOISETTES
CASSETTOTHÈQUE
CASTEL DEL MONTE
CASTEL GANDOLFO
CASTELNAUDAISE
CASTELNAU-LE-LEZ
CASTELNEUVOISE
CASTELNOVIENNE
CASTELROUSSINE
CASTELSALINOIS
CASTELSARRASIN
CASTILLONNAISE
CASTOR ET POLLUX
CASTRAMÉTATION
CASTRO Y BELLVÍS
CATADIOPTRIQUE
CATASTROPHIQUE
CATASTROPHISME
CATASTROPHISTE
CATÉGORISATION
CATHOLIQUEMENT
CAUCHEMARDEUSE
CAUDEBEC-EN-CAUX
CAUDEBECQUAISE

CAVAILLONNAISE
CELLES-SUR-BELLE
CÉNESTHOPATHIE
CENTRAFRICAINE
CENTRAFRICAINE
CENTRALISATEUR
CENTRALISATION
CENTRAMÉRICAIN
CENTRAMÉRICAIN
CENTRIFUGATION
CÉPHALOSPORINE
CÉRÉALICULTURE
CÉRÉBRO-SPINALE
CÉRÉBRO-SPINAUX
CHABRA AL-KHAYMA
CHALAND-CITERNE
CHALCOLITHIQUE
CHALLES-LES-EAUX
CHALON-SUR-SAÔNE
CHAMPAGNOLAISE
CHAMPIGNEULLES
CHAMPS-SUR-MARNE
CHANTONNAISIEN
CHANTOURNEMENT
CHAPTALISATION
CHARADRIIFORME
CHARENTONNAISE
CHARITABLEMENT
CHARLATANESQUE
CHARLES GARNIER
CHARLES GUSTAVE
CHARLES LE GRAND
CHARLES LE NOBLE
CHARTES-PARTIES
CHASSE-GOUPILLE
CHASSÉS-CROISÉS
CHÂSSIS-PRESSES
CHÂTEAU-D'OLONNE
CHÂTEAU-GONTIER
CHÂTEAULINOISE
CHÂTEAU-MARGAUX
CHÂTEAU-QUEYRAS
CHÂTEAU-RENAULT
CHÂTEAU-THIERRY
CHÂTENAISIENNE
CHÂTILLONNAISE
CHATOUILLEMENT
CHAUFFAILLONNE
CHAUFFE-BIBERON
CHAUSSE-TRAPPES
CHAUX-DE-FONNIER
CHEMIN DES DAMES
CHÉMORÉCEPTEUR
CHÈQUES-SERVICE
CHERBOURGEOISE
CHEVAUX-D'ARÇONS
CHEVEUX-DE-VÉNUS

CHICOUTIMIENNE
CHIMIOSYNTHÈSE
CHIMIOTACTISME
CHIMIOTHÉRAPIE
CHIROGRAPHAIRE
CHIROMANCIENNE
CHIROPRATICIEN
CHLOROPHYLLIEN
CHOLEM ALEICHEM
CHOLINESTÉRASE
CHONDROSARCOME
CHORÉGRAPHIANT
CHORÉGRAPHIQUE
CHRÉTIENNEMENT
CHRISTIANISANT
CHRISTIAN-JAQUE
CHROMATOGRAMME
CHRONOBIOLOGIE
CHRONOMÉTREUSE
CHRONOMÉTRIQUE
CINÉMATOGRAPHE
CINÉTHÉODOLITE
CINQUANTENAIRE
CINTEGABELLOIS
CIRCONLOCUTION
CIRCONSCRIVANT
CIRCONSPECTION
CIRCONSTANCIÉE
CIRCONSTANCIEL
CIRCONVOLUTION
CIRCULAIREMENT
CIUDAD TRUJILLO
CIUDAD VICTORIA
CLASSIFICATEUR
CLASSIFICATION
CLAUDE DE FRANCE
CLAUDIUS CAECUS
CLAUSTROPHOBIE
CLICHY-SOUS-BOIS
CLIMATOLOGIQUE
COBELLIGÉRANTE
COCONTRACTANTE
CODE THÉODOSIEN
CŒURS-DE-PIGEON
COLIN-MAILLARDS
COLLABORATRICE
COLLECTIONNANT
COLLECTIONNEUR
COLLECTIONNITE
COLLECTIVEMENT
COLLECTIVISANT
COLLÉGIALEMENT
COLLOT D'HERBOIS
COLOCALISATION
COMBUSTIBILITÉ
COMMERCIALISÉE
COMMERCIALISER

COMMISSIONNANT
COMMUNICATRICE
COMPAGNONNIQUE
COMPARTIMENTÉE
COMPARTIMENTER
COMPLAISAMMENT
COMPLÉMENTAIRE
COMPLIMENTEUSE
COMPORTEMENTAL
COMPRÉHENSIBLE
COMPROMETTANTE
COMPROMISSOIRE
COMPTABILISANT
COMPTES CHÈQUES
COMPTON-BURNETT
CONCÉLÉBRATION
CONCEPTUALISÉE
CONCEPTUALISER
CONCEPTUALISME
CONCHES-EN-OUCHE
CONCRÉTISATION
CONDESCENDANCE
CONDESCENDANTE
CONDITIONNELLE
CONDUCTIBILITÉ
CONFECTIONNANT
CONFECTIONNEUR
CONFESSIONNAUX
CONFIDENTIELLE
CONFRATERNELLE
CONFUSIONNELLE
CONFUSIONNISME
CONGESTIONNANT
CONGLOMÉRATION
CONJONCTURELLE
CONJONCTURISTE
CONON DE BÉTHUNE
CONQUISTADORES
CONSCIENCIEUSE
CONSCIENTISANT
CONSTANTINOISE
CONSTANTINOPLE
CONSUBSTANTIEL
CONTAINÉRISANT
CONTEMPLATRICE
CONTENEURISANT
CONTINENTALITÉ
CONTORSIONNANT
CONTRACTUALISÉ
CONTRADICTOIRE
CONTRAIREMENT À
CONTRAPONTISTE
CONTRAPUNTIQUE
CONTRAPUNTISTE
CONTRAROTATIVE
CONTRE-ATTAQUÉE
CONTRE-ATTAQUER

CONTRE-ATTAQUES
CONTRE-ATTAQUÉS
CONTREBALANCÉE
CONTREBALANCER
CONTREBANDIÈRE
CONTREBASSISTE
CONTREBATTERIE
CONTRE-BRAQUANT
CONTRE-BRAQUÉES
CONTREBUTEMENT
CONTRE-COURANTS
CONTRE-CULTURES
CONTRE-ENQUÊTES
CONTRE-ÉPREUVES
CONTRE-ESPALIER
CONTRE-EXEMPLES
CONTREFACTRICE
CONTRE-FENÊTRES
CONTRE-HERMINES
CONTRE-INDIQUÉE
CONTRE-INDIQUER
CONTRE-INDIQUÉS
CONTRE-LA-MONTRE
CONTREMARQUANT
CONTREPLAQUANT
CONTRE-PLONGÉES
CONTRE-POUVOIRS
CONTRE-SOCIÉTÉS
CONTRÔLABILITÉ
CONTROLATÉRALE
CONTROLATÉRAUX
CONTROVERSABLE
CONTROVERSISTE
CONVENABLEMENT
CONVENTIONNANT
CONVERTIBILITÉ
CONVULSIONNANT
CONVULSIVEMENT
COORDONNATRICE
COPARTICIPANTE
COPROPRIÉTAIRE
COQUILHATVILLE
CORNELIUS NEPOS
CORNOUAILLAISE
CORONAROPATHIE
CORPORELLEMENT
CORRÉLATIONNEL
CORRESPONDANCE
CORRESPONDANTE
COSMOGRAPHIQUE
COSMOPOLITISME
COSTARMORICAIN
CÔTE DES PIRATES
COUDEKERQUOISE
COUPONS-RÉPONSE
COURAGEUSEMENT
COURCOURONNAIS

COURT-CIRCUITÉE
COURT-CIRCUITER
COURT-CIRCUITÉS
COURT-COURRIERS
COURTS-CIRCUITS
COURTS-MÉTRAGES
COWANSVILLOISE
CRANACH L'ANCIEN
CRANACH LE JEUNE
CRANS-SUR-SIERRE
CRAPULEUSEMENT
CRAYONS-FEUTRES
CRÉPICORDIENNE
CRIMINELLEMENT
CRIMINOLOGISTE
CRISTALLISABLE
CRISTALLISANTE
CRISTES-MARINES
CROISSANT-ROUGE
CROQUE-MITAINES
CROQUE-MONSIEUR
CROQUIGNOLETTE
CROSS-COUNTRIES
CRYOCONDUCTEUR
CULPABILISANTE
CULTURELLEMENT
CUMULATIVEMENT
CUPROALUMINIUM
CYCLOMOTORISTE
CYTODIAGNOSTIC
DACTYLOGRAPHIE
DACTYLOGRAPHIÉ
DAGUERRÉOTYPIE
DAMMARIE-LES-LYS
DANGEREUSEMENT
DANTE ALIGHIERI
DAPHNIS ET CHLOÉ
DÉBARBOUILLAGE
DÉBARBOUILLANT
DÉBONNAIREMENT
DÉBOULONNEMENT
DE BRIC ET DE BROC
DÉBROUSSAILLÉE
DÉBROUSSAILLER
DÉCAPITALISANT
DÉCAPUCHONNANT
DÉCASYLLABIQUE
DÉCAVAILLONNÉE
DÉCAVAILLONNER
DECAZEVILLOISE
DÉCENTRALISANT
DÉCHAPERONNANT
DÉCHRISTIANISÉ
DÉCIMALISATION
DÉCOLLECTIVISÉ
DÉCOLONISATION
DÉCOMPENSATION

DÉCONDITIONNÉE
DÉCONDITIONNER
DÉCONGESTIONNÉ
DÉCONSTRUCTION
DÉCONSTRUISANT
DÉCONTENANÇANT
DÉCONVENTIONNÉ
DÉCRÉDIBILISÉE
DÉCRÉDIBILISER
DÉCRIMINALISÉE
DÉCRIMINALISER
DÉCROCHEZ-MOI-ÇA
DÉCULPABILISÉE
DÉCULPABILISER
DÉDIFFÉRENCIÉE
DÉDIFFÉRENCIER
DÉFENESTRATION
DÉFIBRILLATEUR
DÉFIBRILLATION
DÉFINITIVEMENT
DÉFLATIONNISTE
DÉFRAÎCHISSANT
DÉGAUCHISSEUSE
DÉGÉNÉRESCENCE
DÉICUSTODIENNE
DÉLICIEUSEMENT
DELLA FRANCESCA
DELLA SCALIGERI
DÉLOCALISATION
DÉMATÉRIALISÉE
DÉMATÉRIALISER
DÉMÉDICALISANT
DÉMÉTRIOS SÔTER
DEMI-BOUTEILLES
DEMI-FINALISTES
DÉMILITARISANT
DÉMINÉRALISANT
DÉMISSIONNAIRE
DÉMOBILISATEUR
DÉMOBILISATION
DÉMONSTRATRICE
DÉMONTRABILITÉ
DÉMORALISATEUR
DÉMORALISATION
DÉMOUSTICATION
DÉMULTIPLEXAGE
DÉMULTIPLEXANT
DÉNASALISATION
DÉNATIONALISÉE
DÉNATIONALISER
DÉNATURALISANT
DÉNAZIFICATION
DÉNÉBULISATION
DÉNICOTINISANT
DÉNICOTINISEUR
DENIS LE LIBÉRAL
DÉNUCLÉARISANT

DÉPARTEMENTALE
DÉPARTEMENTAUX
DÉPÉNALISATION
DÉPERSONNALISÉ
DÉPIGMENTATION
DÉPLAFONNEMENT
DÉPLORABLEMENT
DÉPOLARISATION
DÉPOLITISATION
DÉPRESSURISANT
DÉRÉGLEMENTANT
DERMATOLOGIQUE
DERMATOMYOSITE
DERMOGRAPHISME
DÉSACCOUTUMANT
DÉSAFFECTATION
DÉSAIMANTATION
DÉSAISONNALISÉ
DÉSAMBIGUÏSANT
DÉSAPPROBATEUR
DÉSAPPROBATION
DÉSASSORTIMENT
DÉSAVANTAGEANT
DÉSAVANTAGEUSE
DÉSEMBOUTEILLÉ
DÉSENCADREMENT
DÉSENCLAVEMENT
DÉSENDETTEMENT
DÉSENSABLEMENT
DÉSENSIBILISÉE
DÉSENSIBILISER
DÉSENSORCELANT
DÉSENTORTILLÉE
DÉSENTORTILLER
DÉSENVELOPPANT
DÉSÉQUILIBRANT
DÉSHUMANISANTE
DÉSHUMIDIFIANT
DÉSHYDRATATION
DÉSHYDROGÉNANT
DÉSIDÉRABILITÉ
DÉSILLUSIONNÉE
DÉSILLUSIONNER
DÉSINCARCÉRANT
DÉSINCRUSTANTE
DÉSINFORMATEUR
DÉSINFORMATION
DÉSINSECTISANT
DÉSINTÉGRATION
DÉSINTÉRESSANT
DÉSINTOXIQUANT
DÉSOBSTRUCTION
DÉSOLIDARISANT
DÉSORIENTATION
DÉSOXYGÉNATION
DESPOTIQUEMENT
DESSOUS-DE-TABLE

DÉSTABILISANTE
DESTUTT DE TRACY
DÉSYNCHRONISÉE
DÉSYNCHRONISER
DÉTESTABLEMENT
DEUTÉROSTOMIEN
DEUTSCHE BANK AG
DEUX-MONTAGNAIS
DÉVALORISATION
DÉVERROUILLAGE
DÉVERROUILLANT
DÉVIATIONNISME
DÉVIATIONNISTE
DÉVIRILISATION
DÉVITALISATION
DIABOLIQUEMENT
DIAGNOSTIQUANT
DIALECTICIENNE
DIAMÉTRALEMENT
DIAPHANOSCOPIE
DIATONIQUEMENT
DIDACTIQUEMENT
DIES ACADEMICUS
DIFFÉRENTIABLE
DIFFÉRENTIELLE
DIFFICULTUEUSE
DIFFUSIONNISME
DIFFUSIONNISTE
DIGITOPUNCTURE
DIMENSIONNELLE
DIMITRI DONSKOÏ
DINITROTOLUÈNE
DION DE SYRACUSE
DIPLOBLASTIQUE
DIRECTIONNELLE
DISCOGRAPHIQUE
DISCRIMINATION
DISCUTAILLEUSE
DISSIMULATRICE
DISSOCIABILITÉ
DISTRIBUTIVITÉ
DIVERTISSEMENT
DNIPROPETROVSK
DOCUMENTALISTE
DOCUMENTARISTE
DODÉCAPHONIQUE
DODÉCAPHONISME
DODÉCAPHONISTE
DOGMATIQUEMENT
DOLICHOCÉPHALE
DOLNÍ VESTONICE
DOMICILIATAIRE
DONAUESCHINGEN
DONS QUICHOTTES
DOPAMINERGIQUE
DOUBLES-CROCHES
DOUCEREUSEMENT

DOUCHY-LES-MINES
DOUÉ-LA-FONTAINE
DOUILLETTEMENT
DOUR-SHARROUKÊN
DRAMATIQUEMENT
DROSTE-HÜLSHOFF
DUBITATIVEMENT
DUBOIS DE CRANCÉ
DUMONT D'URVILLE
DUPETIT-THOUARS
DUPONT DE L'ÉTANG
DYNAMOMÉTRIQUE
ECCLÉSIASTIQUE
ÉCHANTILLONNÉE
ÉCHANTILLONNER
ÉCLABOUSSEMENT
ÉCOLOGIQUEMENT
ÉCONOMÉTRICIEN
ÉCONOMIQUEMENT
ÉCOTOXICOLOGIE
ÉCOUVILLONNANT
EDGAR AETHELING
ÉDIMBOURGEOISE
ÉDOUARD L'ANCIEN
EFFAROUCHEMENT
EFFROYABLEMENT
ÉLASTICIMÉTRIE
ÉLECTRIQUEMENT
ÉLECTRODIALYSE
ÉLECTROÉROSION
ÉLECTROFORMAGE
ÉLECTROLYSABLE
ÉLECTROLYTIQUE
ÉLECTROMÉNAGER
ÉLECTROMOTRICE
ÉLECTRONÉGATIF
ÉLECTRO-OSMOSES
ÉLECTROPHORÈSE
ÉLECTROPOSITIF
ÉLECTROTHERMIE
ÉLECTROVALENCE
ÉLIE DE BEAUMONT
ÉLISABETHVILLE
ELLIPTIQUEMENT
EL-MARSA EL-KEBIR
EMBARBOUILLANT
EMBELLISSEMENT
EMBERLIFICOTÉE
EMBERLIFICOTER
EMBOURGEOISANT
EMBROUILLAMINI
EMBROUILLEMENT
EMBROUSSAILLÉE
EMBROUSSAILLER
ÉMERVEILLEMENT
EMMAGASINEMENT
EMMAILLOTEMENT

449

EMMOUSCAILLANT
EMPHATIQUEMENT
EMPHYSÉMATEUSE
EMPIRE BYZANTIN
EMPOISONNEMENT
EMPRISONNEMENT
ENCANAILLEMENT
ENCAPUCHONNANT
ENCHÉRISSEMENT
ENCHEVÊTREMENT
ENCORBELLEMENT
ENCYCLOPÉDIQUE
ENCYCLOPÉDISME
ENCYCLOPÉDISTE
ENDÉMOÉPIDÉMIE
ENDIVISIONNANT
ENDOCRINOLOGIE
ENDOCRINOLOGUE
ENDOCTRINEMENT
ENDORMISSEMENT
ENDURCISSEMENT
ÉNERGÉTICIENNE
ENLAIDISSEMENT
ENNOBLISSEMENT
ENQUIQUINEMENT
ENREGISTREMENT
ENRICHISSEMENT
ENSOLEILLEMENT
ENSORCELLEMENT
ENTÉROBACTÉRIE
ENTHOUSIASMANT
ENTORTILLEMENT
ENTOURLOUPETTE
ENTR'APERCEVANT
ENTRAPERCEVANT
ENTR'APERCEVOIR
ENTRAPERCEVOIR
ENTRE-DÉCHIRANT
ENTRE-DÉCHIRÉES
ENTRÉES-SORTIES
ENTREPOSITAIRE
ENTRETOISEMENT
ÉPAISSISSEMENT
ÉPANOUISSEMENT
ÉPICONTINENTAL
ÉPIGRAMMATIQUE
ÉPINAY-SUR-SEINE
ÉPINES-VINETTES
ÉPISCOPALIENNE
ÉPISODIQUEMENT
ÉPLUCHE-LÉGUMES
ÉPOUSTOUFLANTE
ÉQUEURDREVILLE
ERCILLA Y ZÚÑIGA
ERGOCALCIFÉROL
ERGOTHÉRAPEUTE
ÉRYTHROCYTAIRE

ESCHATOLOGIQUE
ESCH-SUR-ALZETTE
ESTÉRIFICATION
ESTHÉTIQUEMENT
ESTIENNE D'ORVES
ÉTATS DE L'ÉGLISE
ÉTHÉRIFICATION
ETHNOCENTRIQUE
ETHNOCENTRISME
ETHNOGRAPHIQUE
ÉTIENNE BÁTHORY
ÉTIENNE DE BLOIS
ÉTIENNE LE GRAND
ÉTIENNE NEMANJA
ÉTOILES-D'ARGENT
ÉTOURDISSEMENT
ÉTRÉSILLONNANT
EURO-OBLIGATION
EUSTHENOPTERON
EUTROPHISATION
ÉVANGÉLISATEUR
ÉVANGÉLISATION
ÉVANOUISSEMENT
EVANS-PRITCHARD
ÉVÉNEMENTIELLE
ÉVENTUELLEMENT
ÉVOLUTIONNISME
ÉVOLUTIONNISTE
ÉVRY-PETIT-BOURG
EXCEPTIONNELLE
EXCRÉMENTIELLE
EXCURSIONNISTE
EXEMPLAIREMENT
EXHAUSTIVEMENT
EXPANSIONNISME
EXPANSIONNISTE
EXPÉDITIVEMENT
EXPRESSIVEMENT
EXTENSIONNELLE
EXTÉRIEUREMENT
EXTERMINATRICE
EXTRACONJUGALE
EXTRACONJUGAUX
EXTRAORDINAIRE
EXTRAPYRAMIDAL
EXTRASENSORIEL
EXTRATERRESTRE
EXTRÊME-ONCTION
FACÉTIEUSEMENT
FALSIFIABILITÉ
FALSIFICATRICE
FANFAN LA TULIPE
FAUX-MONNAYEURS
FEIRA DE SANTANA
FERMENTESCIBLE
FERNEY-VOLTAIRE
FERROMANGANÈSE

FERROMOLYBDÈNE
FEUILLETONISTE
FIBRINOLYTIQUE
FIDUCIAIREMENT
FILTRES-PRESSES
FINANCIÈREMENT
FINLANDISATION
FINNBOGADÓTTIR
FINNO-OUGRIENNE
FINSTERAARHORN
FISCHER-DIESKAU
FLAMINGANTISME
FLAVIUS JOSÈPHE
FLEURIMONTOISE
FLUIDIFICATION
FLUVIOMÉTRIQUE
FŒTO-MATERNELS
FOLLES-BLANCHES
FONCTIONNALISÉ
FONCTIONNALITÉ
FONCTIONNARIAT
FONCTIONNARISÉ
FONCTIONNEMENT
FONTAINEBLEAUX
FONTENAISIENNE
FONTENAYSIENNE
FORÊTS-GALERIES
FORMIDABLEMENT
FORT LAUDERDALE
FORT-MAHON-PLAGE
FOULQUES LE NOIR
FOURGONS-POMPES
FRACTIONNEMENT
FRANC-BOURGEOIS
FRANC-COMTOISES
FRANC-COMTOISES
FRANCHEVILLOIS
FRANCHISSEMENT
FRANCHOUILLARD
FRANCO-CANADIEN
FRANCO-CANADIEN
FRANCO-FRANÇAIS
FRANÇOIS BORGIA
FRANÇOIS-JOSEPH
FRANÇOIS XAVIER
FRANCONVILLOIS
FRANSQUILLONNÉ
FRATERNISATION
FRÉDÉRIC LE SAGE
FRÉNÉTIQUEMENT
FRÉQUENCEMÈTRE
FRESNOY-LE-GRAND
FREUDO-MARXISME
FROMENT-MEURICE
FRONTIGNANAISE
FROUFROUTEMENT
FRUCTIFICATION

FRUCTUEUSEMENT
FURIUS CAMILLUS
GAÉTAN DE THIENE
GAINES-CULOTTES
GALVANOPLASTIE
GAMMAGLOBULINE
GARCÍA CALDERÓN
GARDE-FRANÇAISE
GARDES-BARRIÈRE
GARDES-CHIOURME
GARDES-RIVIÈRES
GARGOUILLEMENT
GASTRO-ENTÉRITE
GAULE CISALPINE
GÉMISTE PLÉTHON
GÉNÉRALISATEUR
GÉNÉRALISATION
GÉNITO-URINAIRE
GENTILHOMMIÈRE
GENTLEMAN-RIDER
GÉOCHRONOLOGIE
GÉOLOGIQUEMENT
GÉOMÉTRISATION
GÉOMORPHOLOGIE
GÉOMORPHOLOGIE
GÉOPHYSICIENNE
GÉOSTATISTIQUE
GÉOSTRATÉGIQUE
GÉOTHERMOMÈTRE
GERAARDSBERGEN
GEWURZTRAMINER
GILLOCRUCIENNE
GIOVANNI PISANO
GIRAUD-SOULAVIE
GIRODET-TRIOSON
GLOBALISATRICE
GLORIFICATRICE
GÓMEZ DE LA SERNA
GONADOTROPHINE
GONFREVILLAISE
GÓNGORA Y ARGOTE
GORDIEN LE PIEUX
GOUVERNEMENTAL
GOYA Y LUCIENTES
GRAMMATICALITÉ
GRAND-ANGULAIRE
GRANDE BARRIÈRE
GRANDE-DUCHESSE
GRANDE MURAILLE
GRANDE-ROQUETTE
GRANDES PLAINES
GRANDES ROUSSES
GRANDILOQUENCE
GRANDILOQUENTE
GRAND-SYNTHOISE
GRAPHITISATION
GRASSOUILLETTE

GRAVITATIONNEL
GREENFIELD PARK
GRÉOUX-LES-BAINS
GRIMMELSHAUSEN
GUADELOUPÉENNE
GUADELOUPÉENNE
GUEBWILLEROISE
GUI DE DAMPIERRE
GUILLAUME DE TYR
GUSTAVE ADOLPHE
GUYON DU CHESNOY
GYROMAGNÉTIQUE
HABITUELLEMENT
HAGIOGRAPHIQUE
HAGONDANGEOISE
HALLSTATTIENNE
HALLUCINATOIRE
HARALD HÅRDRÅDE
HARALD HÅRFAGER
HARMONIQUEMENT
HAROUN AL-RACHID
HARTMANN VON AUE
HARUNOBU SUZUKI
HASDRUBAL BARCA
HAUBOURDINOISE
HAUT-DE-CHAUSSES
HAUTE-NORMANDIE
HAUTES-PYRÉNÉES
HAUT-GARONNAISE
HAUTS-DE-CHAUSSE
HAUTS-FOURNEAUX
HAZEBROUCKOISE
HÉBOÏDOPHRÉNIE
HÉCATÉE DE MILET
HEILLECOURTOIS
HEIST-OP-DEN-BERG
HÉLICICULTRICE
HÉLIOCENTRIQUE
HÉLIOCENTRISME
HÉLIOSYNCHRONE
HÉLITRANSPORTÉ
HÉLITREUILLAGE
HEMEL HEMPSTEAD
HÉMOCHROMATOSE
HÉMOGLOBINURIE
HENDÉCASYLLABE
HENLEY-ON-THAMES
HENRI BEAUCLERC
HENRI LE BOITEUX
HENRI LE MALADIF
HENRI L'OISELEUR
HÉPATOPANCRÉAS
HERBES-AUX-CHATS
HERMAPHRODISME
HERMÉTIQUEMENT
HERPÉTOLOGIQUE
HERPÉTOLOGISTE

HERRERA LE JEUNE
HERRERA LE VIEUX
HÉTÉROCYCLIQUE
HÉTÉROMÉTABOLE
HÉTÉROPROTÉINE
HÉTÉROSEXUELLE
HIÉRATIQUEMENT
HIÉROGLYPHIQUE
HILAIREMONTAIS
HISTORIOGRAPHE
HISTORIQUEMENT
HÔ CHI MINH-VILLE
HOLBEIN LE JEUNE
HOLLYWOODIENNE
HOLOCRISTALLIN
HOLOPHRASTIQUE
HOMÉOMORPHISME
HOMME-ORCHESTRE
HORATIUS COCLES
HUMIDIFICATEUR
HUMIDIFICATION
HUON DE BORDEAUX
HYDRAULICIENNE
HYDROCARBONATE
HYDROCORTISONE
HYDRODYNAMIQUE
HYDROGRAPHIQUE
HYDROMÉCANIQUE
HYPERÉMOTIVITÉ
HYPERFRÉQUENCE
HYPERINFLATION
HYPERLIPIDÉMIE
HYPERTHYROÏDIE
HYPERTROPHIANT
HYPERTROPHIQUE
HYPOCONDRIAQUE
HYPOCORISTIQUE
HYPOCYCLOÏDALE
HYPOCYCLOÏDAUX
HYPOGLYCÉMIANT
HYPOTHALAMIQUE
HYPOVITAMINOSE
HYSTÉROGRAPHIE
IAROSLAV LE SAGE
ICONOGRAPHIQUE
IDENTIFICATEUR
IDENTIFICATION
IEKATERINBOURG
IGNACE DE LOYOLA
ILHA DO PRÍNCIPE
ILLÉGITIMEMENT
ILLIERS-COMBRAY
IMMOBILISATION
IMMUNODÉPRIMÉE
IMMUNOTHÉRAPIE
IMPARFAITEMENT
IMPARTIALEMENT

IMPASSIBLEMENT
IMPECCABLEMENT
IMPÉRATIVEMENT
IMPÉRIEUSEMENT
IMPERMÉABILISÉ
IMPERMÉABILITÉ
IMPERSONNALITÉ
IMPÉTUEUSEMENT
IMPLACABLEMENT
IMPORTS-EXPORTS
IMPRESSIONNANT
IMPRODUCTIVITÉ
IMPROVISATRICE
INALIÉNABILITÉ
INALTÉRABILITÉ
INAUTHENTICITÉ
INCOERCIBILITÉ
INCOMMUNICABLE
INCOMPLÈTEMENT
INCOMPRÉHENSIF
INCOMPRESSIBLE
INCONDITIONNÉE
INCONDITIONNEL
INCONNAISSABLE
INCONSCIEMMENT
INCONTOURNABLE
INCOORDINATION
INCORRECTEMENT
INCRÉMENTIELLE
INCROYABLEMENT
INDÉCHIFFRABLE
INDÉCOMPOSABLE
INDÉFINISSABLE
INDÉNIABLEMENT
INDÉPENDAMMENT
INDESCRIPTIBLE
INDESTRUCTIBLE
INDÉTERMINABLE
INDÉTERMINISME
INDIFFÉREMMENT
INDIFFÉRENCIÉE
INDISCRÈTEMENT
INDIVIDUALISÉE
INDIVIDUALISER
INDIVIDUALISME
INDIVIDUALISTE
INDIVISIBILITÉ
INDO-EUROPÉENNE
INDO-EUROPÉENNE
INDO-GANGÉTIQUE
INDOLE-ACÉTIQUE
INDUSTRIALISÉE
INDUSTRIALISER
INDUSTRIALISME
INEFFICACEMENT
INÉVITABLEMENT
INEXCITABILITÉ

INEXORABLEMENT
INEXPÉRIMENTÉE
INFAILLIBILITÉ
INFANTILISANTE
INFÉRIEUREMENT
INFINITÉSIMALE
INFINITÉSIMAUX
INFLAMMABILITÉ
INFLATIONNISTE
INFLEXIBLEMENT
INFORMATIONNEL
INFORMATISABLE
INFRALIMINAIRE
INFRASTRUCTURE
INFRÉQUENTABLE
INGÉNIEUSEMENT
INHOSPITALIÈRE
ININTELLIGENCE
ININTELLIGENTE
ININTELLIGIBLE
ININTÉRESSANTE
INITIALISATION
INJURIEUSEMENT
INLASSABLEMENT
INOPPOSABILITÉ
INORGANISATION
INQUISITORIALE
INQUISITORIAUX
INSATIABLEMENT
INSATISFACTION
INSATISFAISANT
INSENSIBILISÉE
INSENSIBILISER
INSENSIBLEMENT
INSIDIEUSEMENT
INSOLUBILISANT
INSONORISATION
INSOUPÇONNABLE
INSTANTANÉMENT
INSTITUTIONNEL
INSTRUMENTAIRE
INSTRUMENTISTE
INSUFFISAMMENT
INTELLECTUELLE
INTELLIGEMMENT
INTELLIGENTSIA
INTENSIONNELLE
INTENTIONNELLE
INTERACTIONNEL
INTERAFRICAINE
INTERALLEMANDE
INTERAMÉRICAIN
INTERCOMMUNALE
INTERCOMMUNAUX
INTERCONNECTÉE
INTERCONNECTER
INTERCONNEXION

INTERDÉPENDANT
INTERFÉRENTIEL
INTERFÉROMÈTRE
INTERGLACIAIRE
INTÉRIEUREMENT
INTERLOCUTOIRE
INTERLOCUTRICE
INTERMÉDIATION
INTERNATIONALE
INTERNATIONALE
INTERNATIONAUX
INTEROCÉANIQUE
INTERPELLATION
INTERPÉNÉTRANT
INTERPERSONNEL
INTERPRÉTARIAT
INTERPRÉTATION
INTERPRÉTATIVE
INTERRÉGIONALE
INTERRÉGIONAUX
INTERROGATOIRE
INTERROGATRICE
INTERRO-NÉGATIF
INTERSTELLAIRE
INTERSTITIELLE
INTERSUBJECTIF
INTERSYNDICALE
INTERSYNDICAUX
INTERTEXTUELLE
INTERTROPICALE
INTERTROPICAUX
INTERVERTÉBRAL
INTERVOCALIQUE
INTRA-ATOMIQUES
INTRACARDIAQUE
INTRACRÂNIENNE
INTRANSIGEANCE
INTRANSIGEANTE
INTRANSITIVITÉ
INTRANUCLÉAIRE
INTUITIONNISME
INVARIABLEMENT
INVESTIGATRICE
INVESTISSEMENT
INVINCIBLEMENT
IRRATIONALISME
IRRATIONALISTE
IRRECEVABILITÉ
IRRÉFUTABILITÉ
IRRESPECTUEUSE
IRRÉVÉRENCIEUX
IRRÉVOCABILITÉ
ISOLATIONNISME
ISOLATIONNISTE
IVAN LE TERRIBLE
IVANO-FRANKIVSK
IVRY-LA-BATAILLE

IVUJIVIMMIUQUE
JACOPONE DA TODI
JACQUES BARADAÏ
JACQUES BARADÉE
JACQUES LE JUSTE
JALAPA ENRÍQUEZ
JAQUES-DALCROZE
JEAN DE MONTFORT
JEAN LE POSTHUME
JEANNE DE FRANCE
JEANNE DE VALOIS
JEAN PALÉOLOGUE
JE-M'EN-FICHISMES
JE-M'EN-FICHISTES
JE-M'EN-FOUTISMES
JE-M'EN-FOUTISTES
JOACHIM DE FLORE
JOSQUIN DES PRÉS
JOURNALISTIQUE
JUDAS ISCARIOTE
JUDÉO-ALLEMANDE
JUDÉO-ALLEMANDS
JUDÉO-CHRÉTIENS
JUDÉO-ESPAGNOLS
JUDICIEUSEMENT
JULIEN L'APOSTAT
JULIO-CLAUDIENS
JURIDICTIONNEL
JUSTIFICATRICE
KAISERSLAUTERN
KARADJORDJEVIC
KARSTIFICATION
KÉRATINISATION
KHATCHATOURIAN
KINÉSITHÉRAPIE
KINOSHITA JUNJI
KLOSTERNEUBURG
KONSTANTINOVKA
KOSTIANTYNIVKA
LABORIEUSEMENT
LACAZE-DUTHIERS
LACÉDÉMONIENNE
LACÉDÉMONIENNE
LA CHAUX-DE-FONDS
LA COLLE-SUR-LOUP
LACRIMA-CHRISTI
LA FERTÉ-BERNARD
LA FERTÉ-GAUCHER
LA GALISSONIÈRE
LAMBERSARTOISE
LAMELLÉS-COLLÉS
LAMELLIBRANCHE
LAMENTABLEMENT
LA MOTHE LE VAYER
LAMOTTE-BEUVRON
LA MOTTE-PICQUET
LANCE-ROQUETTES

LANCE-TORPILLES
LANEUVEVILLOIS
LANGUEDOCIENNE
LANGUEDOCIENNE
LANGUES-DE-BŒUF
LANGUES-DE-CHIEN
LANGUISSAMMENT
LARGENTIÉROISE
LARGO CABALLERO
LATÉRALISATION
LATÉRITISATION
LA TOUR MAUBOURG
LAURENTIDIENNE
LAURIERMONTOIS
LA VALETTE-DU-VAR
LAVELANÉTIENNE
LE BOURG-D'OISANS
LE BOURGET-DU-LAC
LECONTE DE LISLE
LEEWARD ISLANDS
LE GRAND-BORNAND
LÉONARD DE VINCI
LEUCOPOÏÉTIQUE
LEUZE-EN-HAINAUT
LEVALLOISIENNE
LE VERDON-SUR-MER
LEXICALISATION
LIBÉRALISATION
LIBÉRO-LIGNEUSE
LIBRES-ÉCHANGES
LIBRES-PENSEURS
LIBRES-SERVICES
LICINIUS STOLON
LIGNY-EN-BARROIS
L'ISLE-D'ESPAGNAC
LITHOGRAPHIANT
LITHOGRAPHIQUE
LITHOSPHÉRIQUE
LITTÉRAIREMENT
LOÈCHE-LES-BAINS
LOIS-PROGRAMMES
LONGJUMELLOISE
LONGUÉ-JUMELLES
LONGUENESSOISE
LONGUEUILLOISE
LÓPEZ DE MENDOZA
LORETTEVILLOIS
LORIOL-SUR-DRÔME
LOT-ET-GARONNAIS
LOUIS DE BAVIÈRE
LOUIS D'OUTREMER
LOUISE DE SAVOIE
LOUVECIENNOISE
LUXEMBOURGEOIS
LUXEMBOURGEOIS
LYOPHILISATION
MACAIRE D'ÉGYPTE

MACHADO DE ASSIS
MACHINES-OUTILS
MACROGLOBULINE
MACROGRAPHIQUE
MACRONUTRIMENT
MADAME ADÉLAÏDE
MADAME SANS-GÊNE
MAGISTRALEMENT
MAGNÉTOMOTRICE
MAGNÉTO-OPTIQUE
MAGNÉTOSCOPANT
MAGNIFIQUEMENT
MAGNUS ERIKSSON
MAHMUD DE GHAZNI
MAINTENONNAISE
MAÎTRE-CYLINDRE
MAÎTRE PATHELIN
MAÎTRES-À-DANSER
MAÎTRES-COUPLES
MALADROITEMENT
MALENCONTREUSE
MALHONNÊTEMENT
MALICIEUSEMENT
MALINTENTIONNÉ
MALLÉABILISANT
MALTHUSIANISME
MANDATS-LETTRES
MANUFACTURIÈRE
MANUTENTIONNÉE
MANUTENTIONNER
MARAIS POITEVIN
MARCQ-EN-BARŒUL
MARIÁNSKÉ LÁZNE
MARIE-CHRISTINE
MARIE DE MAGDALA
MARIE DE MÉDICIS
MARIE MADELEINE
MARIONNETTISTE
MARTEAUX-PILONS
MARTIN-CHASSEUR
MARTÍNEZ CAMPOS
MATÉRIELLEMENT
MATERNELLEMENT
MAVROKORDHÁTOS
MAXILLO-FACIALE
MAXILLO-FACIAUX
MAXIMALISATION
MÉCANOTHÉRAPIE
MÉCONNAISSABLE
MÉCONNAISSANCE
MÉCONTENTEMENT
MÉDECIN-CONSEIL
MÉDICALISATION
MÉDICAMENTEUSE
MEDICI-RICCARDI
MÉDICO-SOCIALES
MÉDICO-SPORTIFS

MÉDICO-SPORTIVE
MÉGALOMANIAQUE
MÉLODIEUSEMENT
MÉLODRAMATIQUE
MELOZZO DA FORLI
MÉNISCOGRAPHIE
MENSONGÈREMENT
MENSUALISATION
MÉPHISTOPHÉLÈS
MÉSO-AMÉRICAINE
MÉSO-AMÉRICAINS
MÉSOPOTAMIENNE
MÉSOPOTAMIENNE
MÉTAL-CARBONYLE
MÉTALLOCHROMIE
MÉTALLOGRAPHIE
MÉTAMORPHISANT
MÉTAMORPHOSANT
MÉTÉOROLOGIQUE
MÉTÉOROLOGISTE
MÉTHÉMOGLOBINE
MÉTHODIQUEMENT
MÉTHODOLOGIQUE
MÉTROPOLITAINE
MICHEL L'IVROGNE
MICROBOUTURAGE
MICROCHIRURGIE
MICROGLOBULINE
MICROGRAPHIQUE
MICROMÉCANIQUE
MICROMÉTÉORITE
MICRONUTRIMENT
MICRO-ORGANISME
MICROPESANTEUR
MICROPODIFORME
MICROSATELLITE
MICROS-CRAVATES
MICROSTRUCTURE
MICROTECHNIQUE
MIES VAN DER ROHE
MILAN OBRENOVIC
MILITARISATION
MILLIVOLTMÈTRE
MILLY-LAMARTINE
MILON DE CROTONE
MILOS OBRENOVIC
MINÉRALISATEUR
MINÉRALISATION
MINIMALISATION
MINI-ORDINATEUR
MINUTIEUSEMENT
MISANTHROPIQUE
MISÉRICORDIEUX
MITHRIDATISANT
MIZOGUCHI KENJI
MNÉMOTECHNIQUE
MODERNISATRICE

MOISSY-CRAMAYEL
MOLÉCULE-GRAMME
MOLITG-LES-BAINS
MONDIALISATION
MONNAIES-DU-PAPE
MONOCHROMATEUR
MONOCOTYLÉDONE
MONOMÉTALLISME
MONOMÉTALLISTE
MONOPOLISATEUR
MONOPOLISATION
MONOPOLISTIQUE
MONOPROCESSEUR
MONOSACCHARIDE
MONOSYLLABIQUE
MONSU DESIDERIO
MONTAIGU-ZICHEM
MONTANA-VERMALA
MONTARVILLOISE
MONTATAIRIENNE
MONTBÉLIARDAIS
MONTBRISONNAIS
MONTCHANINOISE
MONT-DAUPHINOIS
MONTDIDÉRIENNE
MONTESSONNAISE
MONTGERONNAISE
MONTLOUISIENNE
MONTLUÇONNAISE
MONTPELLIÉRAIN
MONTRE-BRACELET
MONTREUILLOISE
MORATÍN LE JEUNE
MORSANG-SUR-ORGE
MOTS-CROISISTES
MOUTON-DUVERNET
MOYEN-COURRIERS
MOYEN-ORIENTALE
MOYEN-ORIENTAUX
MOYENS-MÉTRAGES
MOYEUVRE-GRANDE
MULTIDIFFUSION
MULTIFONCTIONS
MULTILINGUISME
MULTINATIONALE
MULTINATIONAUX
MULTIPLICATEUR
MULTIPLICATION
MULTIPLICATIVE
MULTIPROGRAMMÉ
MULTIPROPRIÉTÉ
MULTITUBULAIRE
MULTIVIBRATEUR
MUNICIPALISANT
MUSICOTHÉRAPIE
MYSTIFICATRICE
MYTILICULTRICE

NABUCHODONOSOR
NABUCHODONOSOR
N Æ V O - C A R C I N O M E
N A T U R A L I S A T I O N
N A V I R E S - J U M E A U X
N É C E S S A I R E M E N T
N É C R O M A N C I E N N E
N É E R L A N D O P H O N E
N É G R O - A F R I C A I N E
N É G R O - A F R I C A I N S
N E G R O S P I R I T U A L
N E I S S E D E L U S A C E
N É M A T H E L M I N T H E
N E - M E - T O U C H E Z - P A S
N É O - C A L É D O N I E N S
N É O - C A L É D O N I E N S
N É O C L A S S I C I S M E
N É O G R A M M A I R I E N
N É O L I B É R A L I S M E
N É O L I T H I S A T I O N
N É O P L A S T I C I S M E
N É O P L A T O N I C I E N
N É O P O S I T I V I S M E
N É O P O S I T I V I S T E
N É O - Z É L A N D A I S E S
N É O - Z É L A N D A I S E S
N E U B R A N D E N B U R G
N E U R A S T H É N I Q U E
N E U R O C H I R U R G I E
N E U R O M É D I A T E U R
N E U R O V É G É T A T I F
N E U T R A L I S A T I O N
N E W W E S T M I N S T E R
N G U Y Ê N V A N T H I Ê U
N I C A R A G U A Y E N N E
N I C A R A G U A Y E N N E
N I C O L A S L E G R A N D
N I E D E R B R O N N A I S
N I L O - S A H A R I E N N E
N I T R O C E L L U L O S E
N I T R O G L Y C É R I N E
N I V O - G L A C I A I R E S
N O G E N T - L E - R O T R O U
N O G E N T - S U R - M A R N E
N O G E N T - S U R - S E I N E
N O M I N A T I V E M E N T
N O N - A L I G N E M E N T S
N O N - A S S I S T A N C E S
N O N - B E L L I G É R A N T
N O N - C O M B A T T A N T E
N O N - C O M B A T T A N T S
N O N - C O M P A R A N T E S
N O N - C O M P A R U T I O N
N O N - C O N C U R R E N C E
N O N - C O N F O R M I S M E
N O N - C O N F O R M I S T E
N O N - C O N F O R M I T É S

N O N D E S T R U C T I F S
N O N D E S T R U C T I V E
N O N - D I R E C T I V I T É
N O N E U C L I D I E N N E
N O N - F I G U R A T I O N S
N O N - F I G U R A T I V E S
N O N - J O U I S S A N C E S
N O N - S P É C I A L I S T E
N O R D - A F R I C A I N E S
N O R D - A F R I C A I N E S
N O R D - A M É R I C A I N E
N O R D - A M É R I C A I N E
N O R D - A M É R I C A I N S
N O R D - A M É R I C A I N S
N O R D - V I E T N A M I E N
N O R D - V I E T N A M I E N
N O R M A L I S A T R I C E
N O R M A N D I E - M A I N E
N O R T H U M B E R L A N D
N O U A K C H O T T O I S E
N O U V E A U - M E X I Q U E
N O U V E L L E - É C O S S E
N O U V E L L E - F R A N C E
N O U V E L L E - G U I N É E
N O U V E L L E - Z E M B L E
N O V O T C H E R K A S S K
N U C L É A R I S A T I O N
N U C L É O P R O T É I D E
N U C L É O P R O T É I N E
N U C L É O S Y N T H È S E
N U E S - P R O P R I É T É S
N U M E R U S C L A U S U S
N U - P R O P R I É T A I R E
N U R A L - D I N M A H M U D
N U T R I T I O N N E L L E
N U T R I T I O N N I S T E
O B S E S S I O N N E L L E
O B S T É T R I C I E N N E
O C C I D E N T A L I S É E
O C C I D E N T A L I S E R
O C C I D E N T A L I S T E
O C T O S Y L L A B I Q U E
O E H L E N S C H L Ä G E R
Œ I L S - D E - P E R D R I X
O F F I C I E L L E M E N T
O F F I C I E U S E M E N T
O I S E A U X - M O U C H E S
O L A V H A R A L D S S O N
O L D E N B A R N E V E L T
O L O F S K Ö T K O N U N G
O L U F H A A K O N S S O N
O M A L I U S D ' H A L L O Y
O N I R O M A N C I E N N E
O P É R A S - C O M I Q U E S
O P É R A T I O N N E L L E
O P H T A L M O M É T R I E
O P H T A L M O S C O P I E

OPISTHOBRANCHE
OPTIMALISATION
ORCHESTRATRICE
ORDONNANCEMENT
ORGANOLEPTIQUE
ORIGINAIREMENT
ORIGINELLEMENT
ORNITHOLOGIQUE
ORNITHOLOGISTE
ORTHOGRAPHIANT
ORTHOGRAPHIQUE
ORTHORHOMBIQUE
OSTENSIBLEMENT
OSTÉOCHONDRITE
OSTÉOCHONDROSE
OSTRÉICULTRICE
OTTOKAR PREMYSL
OUEST-ALLEMANDE
OUEST-ALLEMANDS
OURALO-ALTAÏQUE
OUTRAGEUSEMENT
OUVRE-BOUTEILLE
OXYDORÉDUCTASE
OXYDORÉDUCTION
OXYHÉMOGLOBINE
PAILLASSONNAGE
PAILLASSONNANT
PAILLES-EN-QUEUE
PALATALISATION
PALÉOBOTANIQUE
PALÉOGRAPHIQUE
PAMPLEMOUSSIER
PANAFRICANISME
PANCHROMATIQUE
PANTAGRUÉLIQUE
PAOLO VENEZIANO
PAPE-CARPANTIER
PAPIERS-FILTRES
PAPILLOMAVIRUS
PAPILLONNEMENT
PARADIGMATIQUE
PARADOXALEMENT
PARALITTÉRAIRE
PARAMAGNÉTIQUE
PARAMAGNÉTISME
PARAPÉTROLIÈRE
PARAPHRASTIQUE
PARATHYROÏDIEN
PARCELLARISANT
PARCELLISATION
PARE-ÉTINCELLES
PARENCHYMATEUX
PARENTIS-EN-BORN
PARESSEUSEMENT
PARISYLLABIQUE
PARKINSONIENNE
PARODONTOLOGIE

PARTHÉNOGENÈSE
PARTHÉNOPÉENNE
PARTICULARISÉE
PARTICULARISER
PARTICULARISME
PASCALS-SECONDE
PASSE-MONTAGNES
PASSE-TOUT-GRAIN
PASTEURISATION
PATERNELLEMENT
PATHÉTIQUEMENT
PAUL ET VIRGINIE
PAUSES-CARRIÈRE
PAVILLONS-NOIRS
PÉCUNIAIREMENT
PÉDOPSYCHIATRE
PEINTRE-GRAVEUR
PEISEY-NANCROIX
PÉJORATIVEMENT
PELLETIER-DOISY
PÉPIN DE HERSTAL
PERCE-MURAILLES
PERCEPTIBILITÉ
PÉREZ DE CUÉLLAR
PERFECTIBILITÉ
PERFECTIONNANT
PÉRILLEUSEMENT
PÉRIODIQUEMENT
PÉRIPATÉTICIEN
PÉRIPHRASTIQUE
PÉRISSODACTYLE
PÉRITÉLÉPHONIE
PÉRITÉLÉVISION
PERQUISITIONNÉ
PERSONNALISANT
PESTILENTIELLE
PETIT-BOURGEOIS
PETIT-DÉJEUNANT
PETITE-ROSSELLE
PÉTROGRAPHIQUE
PEUPLES DE LA MER
PHALLOCRATIQUE
PHARMACEUTIQUE
PHÉNOMÉNOLOGIE
PHÉNOMÉNOLOGUE
PHILHARMONIQUE
PHILIPPE DE LYON
PHILIPPE L'ARABE
PHILIPPE LE BEAU
PHILIPPE LE LONG
PHONÉTIQUEMENT
PHONOGRAPHIQUE
PHOSPHORESCENT
PHOTOCOMPOSANT
PHOTOCOMPOSEUR
PHOTOCOPILLAGE
PHOTOÉMETTRICE

PHOTOGRAPHIANT
PHOTOGRAPHIQUE
PHOTOMÉCANIQUE
PHOTORÉCEPTEUR
PHOTOREPORTAGE
PHOTORÉSISTANT
PHOTOSTOPPEUSE
PHOTOVOLTAÏQUE
PHYCOÉRYTHRINE
PHYLLOXÉRIENNE
PHYLOGÉNÉTIQUE
PHYSICO-CHIMIES
PHYSIOGNOMONIE
PHYSIOTHÉRAPIE
PHYTOPHARMACIE
PHYTOSANITAIRE
PIAZZA ARMERINA
PICTOGRAPHIQUE
PIEDS-D'ALOUETTE
PIERRE CANISIUS
PIERRE CÉLESTIN
PIERRE-DE-BRESSE
PIERRE MAUCLERC
PIERRE NOLASQUE
PINOCHET UGARTE
PIQUE-ASSIETTES
PIQUE-NIQUEUSES
PITHÉCANTHROPE
PLANCHE-CONTACT
PLANÉTAIREMENT
PLANIFICATRICE
PLANS-SÉQUENCES
PLAQUES-MODÈLES
PLASTIFICATION
PLATONIQUEMENT
PLEURNICHEMENT
PLOUTOCRATIQUE
PLURILINGUISME
PLURISÉCULAIRE
PLUS-QUE-PARFAIT
PLUVIOMÉTRIQUE
PNEUMALLERGÈNE
PNEUMONECTOMIE
POINTE-CLAIRAIS
POINTS-VIRGULES
POISSON-PARADIS
POISSONS-GLOBES
POIX-DE-PICARDIE
POLYMÉRISATION
POLYMÉTALLIQUE
POLYPEPTIDIQUE
POLYPLACOPHORE
POLYSACCHARIDE
POLYSYLLABIQUE
POLYTECHNICIEN
POLYTRANSFUSÉE
PONCTUELLEMENT

PONTAUDEMÉRIEN
PONTÉPISCOPIEN
PONTISSALIENNE
PONTRAMBERTOIS
PONTS-PROMENADE
POPULARISATION
POPULICULTRICE
PORNOGRAPHIQUE
PORPHYROGÉNÈTE
PORT-AU-PRINCIEN
PORT-DE-BOUCAINE
PORT-DES-BARQUES
PORTE-AIGUILLES
PORTE-BANNIÈRES
PORTE-BOUTEILLE
PORTE-BRANCARDS
PORTE-CIGARETTE
PORTE-DOCUMENTS
PORTE-ÉTENDARDS
PORTE-ÉTRIVIÈRE
PORTE-PARAPLUIE
PORTE-SERVIETTE
PORTES-FENÊTRES
PORT-LA-NOUVELLE
PORT-LOUISIENNE
PORT-SAINT-LOUIS
POSITIONNEMENT
POSTCOMBUSTION
POSTCOMMUNISME
POSTCOMMUNISTE
POSTINDUSTRIEL
POSTMODERNISME
POSTOPÉRATOIRE
POSTPRODUCTION
POSTROMANTIQUE
POTENTIALISANT
POUGUES-LES-EAUX
POURBUS L'ANCIEN
POURBUS LE JEUNE
POUSSETTE-CANNE
PRÉADOLESCENCE
PRÉADOLESCENTE
PRÉCAUTIONNANT
PRÉCAUTIONNEUX
PRÉCIPITAMMENT
PRÉCISIONNISME
PRÉCOLOMBIENNE
PRÉDÉLINQUANTE
PRÉDESTINATION
PRÉDÉTERMINANT
PRÉDICTIBILITÉ
PRÉDISPOSITION
PRÉÉLÉMENTAIRE
PRÉENREGISTRÉE
PRÉÉTABLISSANT
PRÉFABRICATION
PRÉFÉRABLEMENT

PRÉFÉRENTIELLE
PRÉFINANCEMENT
PRÉHISTORIENNE
PRÉINSCRIPTION
PRÉMENSTRUELLE
PRÉPOSITIONNEL
PRÉRAPHAÉLISME
PRESBYOPHRÉNIE
PRESBYTÉRIENNE
PRÉSÉLECTIONNÉ
PRÉSIDENTIABLE
PRÉSIDENTIELLE
PRESSE-RAQUETTE
PRESSURISATION
PRÉSUPPOSITION
PRÉTENSIONNEUR
PRETIUM DOLORIS
PRÉVARICATRICE
PRÉVENTIVEMENT
PRÉVISIONNELLE
PRÉVISIONNISTE
PRIMO-INFECTION
PRINCE-DE-GALLES
PRINCE-DE-GALLES
PRINCIPALEMENT
PRINTANISATION
PROBATIONNAIRE
PROCHE-ORIENTAL
PRODUCTIBILITÉ
PROGRAMMATIQUE
PROGRAMMATRICE
PROKOP LE CHAUVE
PROMOTIONNELLE
PRONOSTIQUEUSE
PRO-OCCIDENTALE
PRO-OCCIDENTAUX
PROPHYLACTIQUE
PROPORTIONNANT
PROPOSITIONNEL
PROPRIOCEPTIVE
PROSKOURIAKOFF
PROSPECTIVISTE
PROSTAGLANDINE
PROSTATECTOMIE
PROTÈGE-CAHIERS
PROTESTANTISME
PROTOHISTORIEN
PROTOPLASMIQUE
PROVIDENTIELLE
PROVINCES-UNIES
PROVINCIALISME
PROVISIONNELLE
PROVISOIREMENT
PSEUDOMEMBRANE
PSYCHANALYSANT
PSYCHIATRISANT
PSYCHOAFFECTIF

PSYCHOBIOLOGIE
PSYCHOCRITIQUE
PSYCHOLEPTIQUE
PSYCHOPHYSIQUE
PSYCHORIGIDITÉ
PSYCHOTHÉRAPIE
PTÉRIDOSPERMÉE
PUBLIREPORTAGE
PYROSULFURIQUE
PYROTECHNICIEN
QUADRAGÉSIMALE
QUADRAGÉSIMAUX
QUADRANGULAIRE
QUADRIRÉACTEUR
QUANTIFICATEUR
QUANTIFICATION
QUARTIER-MAÎTRE
QUATRE-FEUILLES
QUATRE-VINGT-DIX
QUENTIN DURWARD
QUESTIONNEMENT
QUEUES-DE-CHEVAL
QUEUES-DE-COCHON
QUEUES-DE-RENARD
QUINQUAGÉNAIRE
RACCOMMODEMENT
RACCOURCISSANT
RACHIANALGÉSIE
RACORNISSEMENT
RADCLIFFE-BROWN
RADICALISATION
RADIESTHÉSISTE
RADIOALTIMÈTRE
RADIOASTRONOME
RADIODIFFUSANT
RADIODIFFUSION
RADIOFRÉQUENCE
RADIOGRAPHIANT
RADIOGRAPHIQUE
RADIORÉCEPTEUR
RADIOREPORTAGE
RADIOTECHNIQUE
RADIOTÉLÉPHONE
RADIOTÉLESCOPE
RADIOTÉLÉVISÉE
RADOUCISSEMENT
RAFRAÎCHISSANT
RAJEUNISSEMENT
RALENTISSEMENT
RAMASSE-MIETTES
RAMOLLISSEMENT
RAVITAILLEMENT
RÉAPPARAISSANT
RÉASSORTISSANT
REBLANCHISSANT
REBONDISSEMENT
RECAPITALISANT

RÉCAPITULATION
RÉCAPITULATIVE
RÉCEPTIONNAIRE
RÉCEPTIONNISTE
RECHRISTIANISÉ
RÉCIPROQUEMENT
RECKLINGHAUSEN
RÉCLUSIONNAIRE
RECOMMANDATION
RECOMMENCEMENT
RÉCONCILIATION
RECONNAISSABLE
RECONNAISSANCE
RECONNAISSANTE
RECONSTITUANTE
RECONSTITUTION
RECONSTRUCTEUR
RECONSTRUCTION
RECONSTRUISANT
RÉCRIMINATRICE
RECRISTALLISÉE
RECRISTALLISER
RECROQUEVILLÉE
RECROQUEVILLER
RÉDACTIONNELLE
REDIMENSIONNÉE
REDIMENSIONNER
REDISTRIBUTION
REDOUTABLEMENT
RÉDUCTIONNISME
RÉENREGISTRANT
RÉFLÉCHISSANTE
RÉFRANGIBILITÉ
RÉGLEMENTATION
RÉGULARISATION
RÉHABILITATION
RÉIMPLANTATION
REINE-CHARLOTTE
REINE-ÉLISABETH
RÉINSCRIPTIBLE
RÉINSTALLATION
RÉINTRODUCTION
RÉINTRODUISANT
RÉINVESTISSANT
REJOINTOIEMENT
RELATIVISATION
RELIGIEUSEMENT
REMILITARISANT
RÉMIRE-MONTJOLY
REMPOISSONNANT
RENCHÉRISSEUSE
RENOUVELLEMENT
RENTABILISABLE
RÉORGANISATEUR
RÉORGANISATION
REPOSITIONNANT
REPRÉSENTATION

REPRÉSENTATIVE
REPROGRAPHIANT
RÉPUBLICANISME
RÉQUISITIONNÉE
RÉQUISITIONNER
RÉQUISITORIALE
RÉQUISITORIAUX
RESPECTABILISÉ
RESPECTABILITÉ
RESPECTIVEMENT
RESPLENDISSANT
RESPONSABILISÉ
RESPONSABILITÉ
RESSORTISSANTE
RESURCHAUFFANT
RESURCHAUFFEUR
RÉTABLISSEMENT
RETENTISSEMENT
RÉTRACTABILITÉ
RETRANSCRIVANT
RETRANSMETTANT
RETRANSMISSION
RÉTRÉCISSEMENT
RÉTROGRADATION
REVALORISATION
REVASCULARISÉE
REVASCULARISER
REVENDICATRICE
REVITALISATION
REVIVIFICATION
RÉVOLUTIONNANT
RHINO-PHARYNGÉE
RHINO-PHARYNGÉS
RHOMBENCÉPHALE
RHUMATOLOGIQUE
RHYNCHOCÉPHALE
RHYTHM AND BLUES
RICCI-CURBASTRO
RIGOUREUSEMENT
RILLIEUX-LA-PAPE
RIMSKI-KORSAKOV
RINCE-BOUTEILLE
RIO GRANDE DO SUL
ROBERT GUISCARD
ROBERT LE DIABLE
ROBINSON CRUSOÉ
ROCHE-LA-MOLIÈRE
ROCHE-RÉSERVOIR
ROCHES-MAGASINS
ROISSY-EN-FRANCE
ROMAIN LÉCAPÈNE
ROMANS-SUR-ISÈRE
ROMARIMONTAINE
ROMORANTINAISE
ROSTOV-SUR-LE-DON
ROUGON-MACQUART
ROUSSILLONNAIS

ROUSSILLONNAIS
RUEIL-MALMAISON
SABLÉ-SUR-SARTHE
SACCHARIMÉTRIE
SACRIFICATRICE
SADIQUES-ANALES
SADOMASOCHISME
SADOMASOCHISTE
SAINS-EN-GOHELLE
SAINT-AMANDOISE
SAINT-BERTHEVIN
SAINT-CHAMONAIS
SAINT-CYRIENNES
SAINT-CYR-L'ÉCOLE
SAINT-CYR-SUR-MER
SAINT-DOULCHARD
SAINTE-ALLIANCE
SAINTE-CHAPELLE
SAINTE-MARIENNE
SAINTE-NITOUCHE
SAINTE-ROSIENNE
SAINTE-SIGOLÈNE
SAINTE-VICTOIRE
SAINT-FLORENTIN
SAINT-FLORENTIN
SAINT-GAUDINOIS
SAINT-GERMANOIS
SAINT-GERVELAIN
SAINT-GERVOLAIN
SAINT-GIRONNAIS
SAINT-HIPPOLYTE
SAINT-HYACINTHE
SAINT-JEAN-D'ACRE
SAINT-JEAN-DE-LUZ
SAINT-JEANNAISE
SAINT-JOHN PERSE
SAINT-MANDÉENNE
SAINT-MARCELLIN
SAINT-MARCELLIN
SAINT-MARINAISE
SAINT-MAURIENNE
SAINT-PALAISIEN
SAINT-POL-DE-LÉON
SAINT-POLITAINE
SAINT-POL-SUR-MER
SAINT-PORCHAIRE
SAINT-SACREMENT
SAINT-SÉBASTIEN
SAINT-SIMONIENS
SAINT-SIMONISME
SAINT-THÉGONNEC
SALIDIURÉTIQUE
SALINS-LES-BAINS
SALMONICULTURE
SALTATIONNISME
SANCTIFICATEUR
SANCTIFICATION

SAN JUAN DE PASTO
SAÔNE-ET-LOIRIEN
SAPERLIPOPETTE
SAPONIFICATION
SARDONIQUEMENT
SARLAT-LA-CANÉDA
SARRALBIGEOISE
SARREBOURGEOIS
SARREGUEMINOIS
SARTROUVILLOIS
SATIRE MÉNIPPÉE
SAUVETERRIENNE
SAVIGNY-SUR-ORGE
SAVOUREUSEMENT
SCAPULO-HUMÉRAL
SCEAU-DE-SALOMON
SCÉNOGRAPHIQUE
SCHAFFHOUSOISE
SCHÉMATISATION
SCHISTOSOMIASE
SCHLEIERMACHER
SCHOLA CANTORUM
SCIENCE-FICTION
SCIPION ÉMILIEN
SCLÉROPROTÉINE
SCLÉROTHÉRAPIE
SCRIBOUILLEUSE
SCROFULARIACÉE
SÉCESSIONNISTE
SECONDAIREMENT
SÉCULARISATION
SÉDIMENTOLOGIE
SÉDIMENTOLOGUE
SEILLE LORRAINE
SEINE-ET-MARNAIS
SÉLECTIONNEUSE
SELF-GOVERNMENT
SELF-INDUCTANCE
SELF-INDUCTIONS
SEMI-AUXILIAIRE
SEMI-CHENILLÉES
SEMI-CIRCULAIRE
SEMI-CONDUCTEUR
SEMI-GROSSISTES
SEMI-NOMADISMES
SEMI-OFFICIELLE
SEMI-PERMÉABLES
SENSATIONNELLE
SENSIBILISANTE
SENSORI-MOTEURS
SENSORI-MOTRICE
SENTIMENTALITÉ
SEPTENTRIONALE
SEPTENTRIONAUX
SEPTICOPYOÉMIE
SERGENTS-MAJORS
SERGUIEV POSSAD

SÉRICICULTRICE
SÉROCONVERSION
SÉRODIAGNOSTIC
SÉROPOSITIVITÉ
SERRE-CHEVALIER
SERVIUS TULLIUS
SERVOMÉCANISME
SÈVRE NIORTAISE
SHAWINIGANAISE
SHÉRARDISATION
SHIMAZAKI TOSON
SIDÉROLITHIQUE
SIDÉROLITIQUES
SIERRA-LÉONAISE
SIGER DE BRABANT
SIGILLOGRAPHIE
SIMONIDE DE CÉOS
SIMPLIFICATEUR
SIMPLIFICATION
SINGAPOURIENNE
SINGAPOURIENNE
SINGULIÈREMENT
SINO-TIBÉTAINES
SINT-GILLIS-WAAS
SITUATIONNISME
SITUATIONNISTE
SOCIAL-CHRÉTIEN
SOCIO-ÉDUCATIFS
SOCIO-ÉDUCATIVE
SOCIOPOLITIQUE
SOIT-COMMUNIQUÉ
SOLENNELLEMENT
SOLIDIFICATION
SOLLIÈSPONTOIS
SOLUBILISATION
SOMATOTROPHINE
SOMPTUEUSEMENT
SOPHISTICATION
SOUDAN FRANÇAIS
SOUFFRE-DOULEUR
SOULTZ-HAUT-RHIN
SOUMISSIONNANT
SOURDES-MUETTES
SOUS-ACQUÉREURS
SOUS-ADMINISTRÉ
SOUS-ALIMENTANT
SOUS-ALIMENTÉES
SOUS-AMENDEMENT
SOUS-ARBRISSEAU
SOUS-COMMISSION
SOUS-CONTINENTS
SOUS-CORTICALES
SOUS-DÉVELOPPÉE
SOUS-DÉVELOPPÉS
SOUS-DIRECTEURS
SOUS-DIRECTRICE
SOUS-DOMINANTES

SOUS-ÉQUIPEMENT
SOUS-ESTIMATION
SOUS-ÉVALUATION
SOUS-EXPLOITANT
SOUS-EXPLOITÉES
SOUS-EXPOSITION
SOUS-GLACIAIRES
SOUS-GOUVERNEUR
SOUS-LIEUTENANT
SOUS-LOCATAIRES
SOUS-MAÎTRESSES
SOUS-MAXILLAIRE
SOUS-MÉDICALISÉ
SOUS-PEUPLEMENT
SOUS-PRÉFECTURE
SOUS-PRODUCTION
SOUS-PROGRAMMES
SOUS-PROLÉTAIRE
SOUS-SCAPULAIRE
SOUS-SECRÉTAIRE
SOUS-TRAITANCES
SOUS-VENTRIÈRES
SOUVANNA PHOUMA
SOUVERAINEMENT
SPASMOPHILIQUE
SPATIALISATION
SPATIO-TEMPOREL
SPÉCIALISATION
SPÉCIFIQUEMENT
SPECTROGRAPHIE
SPERMATOGENÈSE
SPHINCTÉRIENNE
SPIRITUALISANT
SPORADIQUEMENT
SPRINGER VERLAG
STABILISATRICE
STAPHYLOCOCCIE
STARTING-BLOCKS
STATION-SERVICE
STATISTICIENNE
STATUTAIREMENT
STÉNOGRAPHIANT
STÉNOGRAPHIQUE
STÉRÉOCHIMIQUE
STÉRÉO-ISOMÈRES
STÉRÉO-ISOMÉRIE
STÉRÉOMÉTRIQUE
STÉRÉOPHONIQUE
STÉRÉORÉGULIER
STÉRÉOSCOPIQUE
STERPINACIENNE
STIGMATISATION
STOCKTON-ON-TEES
STŒCHIOMÉTRIE
STOMATOLOGISTE
STRASBOURGEOIS
STRASBOURGEOIS

STRATIFICATION
STRÉPINIACOISE
STRIP-TEASEUSES
STROBOSCOPIQUE
STRUCTURALISME
STRUCTURALISTE
STYLISTICIENNE
SUBÉQUATORIALE
SUBÉQUATORIAUX
SUBJECTIVEMENT
SUBREPTICEMENT
SUBSTANTIALITÉ
SUBSTANTIFIQUE
SUBVENTIONNANT
SUCCESSIBILITÉ
SUCCESSIVEMENT
SUD-AMÉRICAINS
SUD-AMÉRICAINES
SUD-VIETNAMIENS
SUD-VIETNAMIENS
SUGGESTIBILITÉ
SUGGESTIONNANT
SUISSE NORMANDE
SULLY PRUDHOMME
SUPERCARBURANT
SUPERFÉTATOIRE
SUPÉRIEUREMENT
SUPERINTENDANT
SUPERPHOSPHATE
SUPERPLASTIQUE
SUPERPUISSANCE
SUPERSTITIEUSE
SUPERSTRUCTURE
SUPPLÉMENTAIRE
SUPRANATIONALE
SUPRANATIONAUX
SUPRASEGMENTAL
SUPRATERRESTRE
SURABONDAMMENT
SURCOMPRESSION
SURDÉTERMINANT
SURDIMENSIONNÉ
SURENDETTEMENT
SURFACTURATION
SURGÉNÉRATRICE
SURINFORMATION
SURMÉDICALISÉE
SURMÉDICALISER
SURPRISE-PARTIE
SURPRODUCTRICE
SURRÉSERVATION
SUSCEPTIBILITÉ
SYMBOLIQUEMENT
SYMÉTRIQUEMENT
SYMPATHECTOMIE
SYNTACTICIENNE
SZÉKESFEHÉRVÁR

TADOUSSACIENNE
TAIN-L'HERMITAGE
TALKIES-WALKIES
TAMBOURINEMENT
TAMBOURS-MAJORS
TANANARIVIENNE
TARQUIN L'ANCIEN
TAUPES-GRILLONS
TAXCO DE ALARCÓN
TCHÉCOSLOVAQUE
TCHÉCOSLOVAQUE
TCHERNIKHOVSKY
TCHERNYCHEVSKI
TCHERRAPOUNDJI
TCHICAYA U TAM'SI
TECHNOCRATIQUE
TECHNOCRATISÉE
TECHNOCRATISER
TÉLANGIECTASIE
TÉLÉCHARGEMENT
TÉLÉCOMMANDANT
TÉLÉCONFÉRENCE
TÉLÉDIAGNOSTIC
TÉLÉIMPRESSION
TÉLÉMERCATIQUE
TÉLÉMESSAGERIE
TÉLÉSPECTATEUR
TÉLÉTRAITEMENT
TELLURHYDRIQUE
TEMPORAIREMENT
TEMPORISATRICE
TENSIOACTIVITÉ
TERGIVERSATION
TERMINOLOGIQUE
TERREBONNIENNE
TERRE-NEUVIENNE
TERRE-NEUVIENNE
TERRITORIALITÉ
TERTIARISATION
THABIT IBN QURRA
THALASSOCRATIE
THAON-LES-VOSGES
THERMIDORIENNE
THERMOCHIMIQUE
THERMOCOLLANTE
THERMOMÉTRIQUE
THERMOPROPULSÉ
THERMOSTATIQUE
THERMOTACTISME
THÉSAURISATION
THIOSULFURIQUE
THOMAS DE CELANO
THONON-LES-BAINS
THORACOCENTÈSE
THORENS-GLIÈRES
THYROÏDECTOMIE
TIBIO-TARSIENNE

TIERS-MONDISMES
TIERS-MONDISTES
TIGRANE LE GRAND
TIMBRES-AMENDES
TINCHEBRAYENNE
TINTINNABULANT
TIRE-BOUCHONNÉE
TIRE-BOUCHONNER
TIRE-BOUCHONNÉS
TIROIRS-CAISSES
TIRUCHIRAPALLI
TITULARISATION
TOGO HEIHACHIRO
TOKUGAWA IEYASU
TONNAY-CHARENTE
TORIGNI-SUR-VIRE
TORRES RESTREPO
TOUKHATCHEVSKI
TOURBILLONNANT
TOUR-OPÉRATEURS
TOUSSUS-LE-NOBLE
TOUTE-PUISSANCE
TOUTE-PUISSANTE
TOXICOMANIAQUE
TOXICOMANOGÈNE
TOXI-INFECTIONS
TRADITIONNELLE
TRAÎTREUSEMENT
TRANQUILLEMENT
TRANQUILLISANT
TRANSACTIONNEL
TRANSBORDEMENT
TRANSCAUCASIEN
TRANSCENDANTAL
TRANSFORMATEUR
TRANSFORMATION
TRANSFUSIONNEL
TRANSISTORISÉE
TRANSISTORISER
TRANSITIVEMENT
TRANSLEITHANIE
TRANSMIGRATION
TRANSNATIONALE
TRANSNATIONAUX
TRANSOCÉANIQUE
TRANSPLANTABLE
TRANSVERSALITÉ
TREMBLAYSIENNE
TRESSAILLEMENT
TRIFONCTIONNEL
TRIOMPHALEMENT
TRIPATOUILLAGE
TRIPATOUILLANT
TRIPATOUILLEUR
TRIPLE-ALLIANCE
TRISTAN DA CUNHA
TRISTAN ET ISEUT

TROPOSPHÉRIQUE
TRYPANOSOMIASE
TSUBOUCHI SHOYO
TUBERCULINIQUE
TURBOCOMPRESSÉ
TWIRLING BÂTONS
TYMPANOPLASTIE
TYNDALLISATION
TYRANNIQUEMENT
ULTÉRIEUREMENT
ULTRAORTHODOXE
ULTRAROYALISTE
UNIFORMISATION
UNION FRANÇAISE
UNIPERSONNELLE
UNIVERSALISANT
UNTER DEN LINDEN
UTHMAN IBN AFFAN
VAIRES-SUR-MARNE
VALENCIENNOISE
VALEUREUSEMENT
VALLON-PONT-D'ARC
VAN DE WOESTIJNE
VAN LEEUWENHOEK
VASCULO-NERVEUX
VASODILATATEUR
VASODILATATION
VAUDEVILLESQUE
VÉGÉTALISATION
VÉLEZ DE GUEVARA
VÉLIPLANCHISTE
VERBALISATRICE
VERMEER DE DELFT
VERNET-LES-BAINS
VERSIFICATRICE
VESTMANNAEYJAR
VICE-PRÉSIDENCE
VICE-PRÉSIDENTE
VICE-PRÉSIDENTS
VICTOR-EMMANUEL
VICTORIA NYANZA
VIDE-BOUTEILLES
VIDÉOFRÉQUENCE
VIDÉOGRAPHIQUE
VIEILLISSEMENT
VIEUX-CONDÉENNE
VIGOUREUSEMENT
VILA NOVA DE GAIA
VILLECRESNOISE
VILLEFRANCHOIS
VILLÉGIATURANT
VILLEMOMBLOISE
VILLENEUVIENNE
VILLERS-LA-VILLE
VILLERS-SEMEUSE
VILLERUPTIENNE
VILLE-SATELLITE

VILLES-DORTOIRS
VILLEURBANNAIS
VINCENT FERRIER
VIOLONCELLISTE
VIROFLAYSIENNE
VISCHER L'ANCIEN
VISCOÉLASTIQUE
VISCOPLASTIQUE
VISHAKHAPATNAM
VITROCÉRAMIQUE
VITTORIO VENETO
VOITURES-BALAIS
VOLATILISATION
VOLCANOLOGIQUE
VOLONTAIREMENT
VOLTAIRIANISME
VOROCHILOVGRAD

VOULTE-SUR-RHÔNE
VULCANOLOGIQUE
VULGARISATRICE
VULNÉRABILISÉE
VULNÉRABILISER
WAGONS-CITERNES
WAGON-TOMBEREAU
WALLIS-ET-FUTUNA
WASQUEHALIENNE
WATTRELOSIENNE
WILHELM MEISTER
WINNIPEGUIENNE
WOLLSTONECRAFT
YAMOUSSOUKROIS
YVES DE CHARTRES
ZORRILLA Y MORAL

15

ABASOURDISSANTE
ABÂTARDISSEMENT
À BRÛLE-POURPOINT
ABSORPTIOMÉTRIE
ABSTENTIONNISME
ABSTENTIONNISTE
ACCOMPAGNATRICE
ACCOMPLISSEMENT
ACCOURCISSEMENT
ACCROUPISSEMENT
ACÉTYLCOENZYME A
ACQUITS-À-CAUTION
ADÉMAR DE MONTEIL
ADIPOSO-GÉNITALE
ADIPOSO-GÉNITAUX
ADMINISTRATRICE
ADOLPHE DE NASSAU
ADOLPHE-FRÉDÉRIC
AEMILIUS LEPIDUS
AÉROTRANSPORTÉE
AFFAIBLISSEMENT
AFFECTUEUSEMENT
AFFIRMATIVEMENT
AFFRANCHISSABLE

AFIBRINOGÉNÉMIE
AFRO-AMÉRICAINES
AFRO-AMÉRICAINES
AFRO-BRÉSILIENNE
AFRO-BRÉSILIENNE
AGRIPPINE L'AÎNÉE
AGROALIMENTAIRE
AGRO-INDUSTRIELS
AIDES-SOIGNANTES
AIGUILLES-ROUGES
AIRBUS INDUSTRIE
AIREDALE-TERRIER
ALCALÁ DE HENARES
ALCALINO-TERREUX
ALCOOLIFICATION
ALEXANDRE NEVSKI
ALEXANDRE SÉVÈRE
ALIX DE CHAMPAGNE
ALLÉGORIQUEMENT
ALPES FRANÇAISES
ALPHABÉTISATION
ALPHONSE LE GRAND
ALPHONSE LE NOBLE
ALTERNATIVEMENT
ALUMINOSILICATE
AMBÉRIEU-EN-BUGEY
AMÉRICANISATION
AMIANTES-CIMENTS
AMMIEN MARCELLIN
AMOINDRISSEMENT
ANAPHRODISIAQUE
ANDRONIC COMNÈNE
ANESTHÉSIOLOGIE
ANGELUS SILESIUS
ANGLO-AMÉRICAINE
ANGLO-AMÉRICAINE

ANGLO-AMÉRICAINS
ANGLO-AMÉRICAINS
ANJERO-SOUDJENSK
ANTÉPRÉDICATIVE
ANTHROPOLOGIQUE
ANTHROPOLOGISTE
ANTIASTHMATIQUE
ANTIAUTORITAIRE
ANTIBIOTHÉRAPIE
ANTICAPITALISTE
ANTICONFORMISME
ANTICONFORMISTE
ANTIDÉFLAGRANTE
ANTIDÉPLACEMENT
ANTIDIPHTÉRIQUE
ANTI-INFECTIEUSE
ANTIMIGRAINEUSE
ANTIMILITARISME
ANTIMILITARISTE
ANTIMONARCHISTE
ANTINÉVRALGIQUE
ANTIPATRIOTIQUE
ANTIPATRIOTISME
ANTIPERSPIRANTE
ANTIPRURIGINEUX
ANTIPSYCHIATRIE
ANTIPSYCHOTIQUE
ANTIRÉPUBLICAIN
ANTI-SOUS-MARINES
ANTISPASMODIQUE
ANTITUBERCULEUX
ANTOINE DE PADOUE
APOLIPOPROTÉINE
APOSTOLIQUEMENT
APPAUVRISSEMENT
APPENDICECTOMIE
APPLAUDISSEMENT
APPROBATIVEMENT
APPROFONDISSANT
APPROVISIONNANT
APPROVISIONNEUR
ARABO-ISLAMIQUES
ARCHICHANCELIER
ARCHIÉPISCOPALE
ARCHIÉPISCOPAUX
ARCHITECTONIQUE
ARGENTEUILLAISE
ARITHMÉTICIENNE
ARNAUD DE BRESCIA
ARNOLFO DI CAMBIO
ARRIÈRE-BOUTIQUE
ARRIÈRE-COUSINES
ARRIÈRE-CUISINES
ARTÉRIOSCLÉREUX
ARTÉRIOSCLÉROSE
ASIE MÉRIDIONALE
ASSOCIATED PRESS

ASSOMBRISSEMENT
ASSOMPTIONNISTE
ASSOMPTIONNISTE
ASSOUPLISSEMENT
ASSOURDISSEMENT
ASSUJETTISSANTE
ASSURANCE-CRÉDIT
À TOUTE BERZINGUE
ATRACTYLIGÉNINE
ATTENDRISSEMENT
AUDIOCONFÉRENCE
AULNOYE-AYMERIES
AURIGE DE DELPHES
AUSTRO-HONGROISE
AUSTRO-HONGROISE
AUTHENTIQUEMENT
AUTOACCUSATRICE
AUTOCÉLÉBRATION
AUTOCOMMUTATEUR
AUTOCONCURRENCE
AUTODESTRUCTEUR
AUTODESTRUCTION
AUTOEXCITATRICE
AUTOFÉCONDATION
AUTOFINANCEMENT
AUTO-INDUCTANCES
AUTOLUBRIFIANTE
AUTOMATIQUEMENT
AUTORÉGULATRICE
AUTORITAIREMENT
AUTO SACRAMENTAL
AUTOS-COUCHETTES
AUTOSUBSISTANCE
AUTOTRANSFUSION
AUTRICHE-HONGRIE
AVALOKITESHVARA
AVENTUREUSEMENT
AVESNES-SUR-HELPE
AZERBAÏDJANAISE
AZERBAÏDJANAISE
BACTÉRIOLOGIQUE
BACTÉRIOLOGISTE
BAGNOLES-DE-L'ORNE
BAGNOLS-LES-BAINS
BALARUC-LES-BAINS
BALLET-PANTOMIME
BANSKÁ STIAVNICA
BARBES-DE-CAPUCIN
BARÈRE DE VIEUZAC
BAROTRAUMATISME
BARRANCABERMEJA
BAS-SAINT-LAURENT
BASSE-CALIFORNIE
BASSINS-VERSANTS
BATEAUX-CITERNES
BEAUMES-DE-VENISE
BEAUMONT-LE-ROGER

BEAUMONT-SUR-OISE
BEAUNE-LA-ROLANDE
BEAUSOLEILLOISE
BÉBÉS-ÉPROUVETTE
BECS-DE-PERROQUET
BÈDE LE VÉNÉRABLE
BELLEFEUILLOISE
BERNARD-L'HERMITE
BETHMANN-HOLLWEG
BIBLIOGRAPHIQUE
BIENVEILLAMMENT
BIOCLIMATOLOGIE
BIOLUMINESCENCE
BIOLUMINESCENTE
BISCHWILLEROISE
BISSAU-GUINÉENNE
BLANC-MESNILOISE
BLANGY-SUR-BRESLE
BLOCS-DIAGRAMMES
BOKARO STEEL CITY
BONNETS-DE-PRÊTRE
BORNES-FONTAINES
BOUCHERVILLOISE
BOUÉ DE LAPEYRÈRE
BOUGUENAISIENNE
BOUILLONS-BLANCS
BOULAINVILLIERS
BOURG-LÈS-VALENCE
BOURGNEUF-EN-RETZ
BOURGOIN-JALLIEU
BOURSES-À-PASTEUR
BOUTONS-PRESSION
BRANDEBOURGEOIS
BRANDEBOURGEOIS
BRÉTIGNY-SUR-ORGE
BRICKS-GOÉLETTES
BRIE-COMTE-ROBERT
BRIGADIERS-CHEFS
BRUAY-SUR-L'ESCAUT
BUCKINGHAMSHIRE
BUISSONS-ARDENTS
BULLETIN-RÉPONSE
BUREAUCRATISANT
CABESTANYENCQUE
CÂBLO-OPÉRATEURS
CACHE-BRASSIÈRES
CACHE-RADIATEURS
CALOMNIEUSEMENT
CALPURNIUS PISON
CAMIONS-CITERNES
CAMPAGNE ROMAINE
CAMPIVALLENSIEN
CANNES-BÉQUILLES
CANNIBALISATION
CAPILLICULTRICE
CAPRICIEUSEMENT
CARABISTOUILLES

CARACTÉRISATION
CARACTÉRISTIQUE
CARBONBLANNAISE
CARDIOMYOPATHIE
CARDIO-TRAININGS
CARÊMES-PRENANTS
CARHAIX-PLOUGUER
CARQUEFOLLIENNE
CARRIER-BELLEUSE
CASIMIR JAGELLON
CASTANET-TOLOSAN
CASTELBRIANTAIS
CASTELGIRONNAIS
CASTELJALOUSAIN
CASTELNEUVIENNE
CASTELPERRONIEN
CASTELSALINOISE
CASTROGONTÉRIEN
CATÉGORIQUEMENT
CATHERINE HOWARD
CAUCHEMARDESQUE
CAVALAIRE-SUR-MER
CENTRALISATRICE
CENTRAMÉRICAINE
CENTRAMÉRICAINE
CÉRÉBRO-SPINALES
CESKÉ BUDEJOVICE
CHALEUREUSEMENT
CHÂLONS-SUR-MARNE
CHAMPAGNISATION
CHAMPIGNEULLAIS
CHAMPIGNONNIÈRE
CHAMPIGNONNISTE
CHARENTON-LE-PONT
CHARLES BORROMÉE
CHARLES-DE-GAULLE
CHARLES-EMMANUEL
CHARLES LE CHAUVE
CHARLES LE SIMPLE
CHARLOTTESVILLE
CHASSE-GOUPILLES
CHÂTEAU-GAILLARD
CHÂTEAUMEILLANT
CHÂTELGUYONNAIS
CHÂTELLERAUDAIS
CHÂTELPERRONIEN
CHÂTENAY-MALABRY
CHAUFFE-ASSIETTE
CHAUFFE-BIBERONS
CHAUMONT-EN-VEXIN
CHAUVEAU-LAGARDE
CHAUX-DE-FONNIÈRE
CHAVÍN DE HUANTAR
CHÉMORÉCEPTRICE
CHLORO-ORGANIQUE
CHOLÉCALCIFÉROL
CHOLESTÉROLÉMIE

CHROMATOGRAPHIE
CHROMODYNAMIQUE
CHRYSANTHÉMIQUE
CHRYSÉLÉPHANTIN
CHRYSOSTOMIENNE
CHURRIGUERESQUE
CINÉMATOGRAPHIE
CINTEGABELLOISE
CIRCONSCRIPTION
CIRCONVALLATION
CIRCUMTERRESTRE
CLANDESTINEMENT
CLASSIFICATOIRE
CLASSIFICATRICE
CLERMONT-FERRAND
CLÉRY-SAINT-ANDRÉ
CLITORIDECTOMIE
CLOCHARDISATION
CLOYES-SUR-LE-LOIR
COBALTOTHÉRAPIE
COCCOLITHOPHORE
COLLATIONNEMENT
COLLECTIONNEUSE
COLLECTIONNISME
COLORADO SPRINGS
COMINES-WARNETON
COMMERCIALEMENT
COMMERCIALISANT
COMMISSIONNAIRE
COMMISSUROTOMIE
COMMUNAUTARISME
COMPARATIVEMENT
COMPARTIMENTAGE
COMPARTIMENTANT
COMPASSIONNELLE
COMPÈRES-LORIOTS
COMPLÉMENTARITÉ
COMPLÉMENTATION
COMPORTEMENTALE
COMPORTEMENTAUX
COMPRESSIBILITÉ
COMPULSIONNELLE
COMTAT VENAISSIN
CONCEPTUALISANT
CONCESSIONNAIRE
CONCHYLICULTEUR
CONCHYLICULTURE
CONCURRENTIELLE
CONCUSSIONNAIRE
CONDÉ-SUR-L'ESCAUT
CONDÉ-SUR-NOIREAU
CONDITIONNEMENT
CONFECTIONNEUSE
CONFESSIONNELLE
CONFIDENTIALITÉ
CONFORMATIONNEL
CONFORTABLEMENT

CONGÉNITALEMENT
CONGRATULATIONS
CONRAD LE SALIQUE
CONSÉCUTIVEMENT
CONSTANCE CHLORE
CONSTANTINIENNE
CONSTITUTIONNEL
CONSTRUCTIVISME
CONSTRUCTIVISTE
CONTEMPORANÉITÉ
CONTINGENTEMENT
CONTINUELLEMENT
CONTORSIONNISTE
CONTRACTUALISÉE
CONTRACTUALISER
CONTRE-ASSURANCE
CONTRE-ATTAQUANT
CONTRE-ATTAQUÉES
CONTREBALANÇANT
CONTRE-EMPREINTE
CONTRE-ESPALIERS
CONTRE-EXPERTISE
CONTRE-EXTENSION
CONTRE-INDIQUANT
CONTRE-INDIQUÉES
CONTREMAÎTRESSE
CONTRE-MANIFESTÉ
CONTRE-OFFENSIVE
CONTRE-PASSATION
CONTREPOINTISTE
CONTRE-PRODUCTIF
CONTRE-PUBLICITÉ
CONTRE-TRANSFERT
CONTREVALLATION
CONTREVENTEMENT
CONVENTIONNELLE
CONVERSATIONNEL
CONVULSIONNAIRE
COPARTICIPATION
CORALLI PERACINI
CORBEIL-ESSONNES
CORELIGIONNAIRE
CORNE DE L'AFRIQUE
CORNEILLE DE LYON
CORONAROGRAPHIE
CORPOPÉTRUSSIEN
CORRECTIONNELLE
CORRÉLATIVEMENT
CORTICOSTÉROÏDE
CORTICOSURRÉNAL
CORTICOTHÉRAPIE
CORTINA D'AMPEZZO
COSTARMORICAINE
COUCHES-CULOTTES
COUPOLE DU ROCHER
COURBEVOISIENNE
COURCOURONNAISE

COURSE-CROISIÈRE
COURSE-POURSUITE
COURT-CIRCUITANT
COURT-CIRCUITÉES
COURTS-BOUILLONS
COUSIN-MONTAUBAN
COUVE DE MURVILLE
CRAPAUDS-BUFFLES
CRÉCY-EN-PONTHIEU
CRÉCY-LA-CHAPELLE
CRIMINALISTIQUE
CRISTALLINIENNE
CRISTALLISATION
CRISTALLOCHIMIE
CRISTALLOGENÈSE
CRISTALLOGRAPHE
CRISTALLOMANCIE
CROSSOPTÉRYGIEN
CRYOCONDUCTRICE
CRYOTEMPÉRATURE
CRYPTOGÉNÉTIQUE
CRYPTOGRAPHIQUE
CUL-DE-BASSE-FOSSE
CULPABILISATION
CUNICULICULTURE
CUPROAMMONIAQUE
CURRICULUM VITAE
CYANOCOBALAMINE
CYBERNÉTICIENNE
CYLINDRES-SCEAUX
CYTOMÉGALOVIRUS
DACTYLOGRAPHIÉE
DACTYLOGRAPHIER
DAME-D'ONZE-HEURES
DANICAN-PHILIDOR
DÉBARBOUILLETTE
DÉBROUILLARDISE
DÉBROUSSAILLAGE
DÉBROUSSAILLANT
DÉBUDGÉTISATION
DÉBUREAUCRATISÉ
DÉCALCIFICATION
DÉCARBOXYLATION
DÉCAVAILLONNANT
DÉCHRISTIANISÉE
DÉCHRISTIANISER
DÉCINES-CHARPIEU
DÉCLOISONNEMENT
DÉCOLLECTIVISÉE
DÉCOLLECTIVISER
DÉCONCENTRATION
DÉCONDITIONNANT
DÉCONGESTIONNÉE
DÉCONGESTIONNER
DÉCONSIDÉRATION
DÉCONTAMINATION
DÉCONVENTIONNÉE

DÉCONVENTIONNER
DÉCRÉDIBILISANT
DÉCRIMINALISANT
DÉCULPABILISANT
DÉDAIGNEUSEMENT
DÉDIFFÉRENCIANT
DÉFAVORABLEMENT
DÉFECTUEUSEMENT
DÉFINITIONNELLE
DÉGAUCHISSEMENT
DÉGOURDISSEMENT
DÉGROSSISSEMENT
DELIRIUM TREMENS
DÉMAGNÉTISATION
DÉMAIGRISSEMENT
DÉMATÉRIALISANT
DÉMOBILISATRICE
DÉMOCRATISATION
DÉMORALISATRICE
DÉMYSTIFICATEUR
DÉMYSTIFICATION
DÉMYTHIFICATION
DÉNATIONALISANT
DÉNITRIFICATION
DÉPERSONNALISÉE
DÉPERSONNALISER
DÉPHOSPHATATION
DÉPHOSPHORATION
DÉPRESSIONNAIRE
DÉPROGRAMMATION
DÉQUALIFICATION
DÉSACCOUTUMANCE
DÉSACRALISATION
DÉSAGRÉABLEMENT
DÉSAISONNALISÉE
DÉSAISONNALISER
DÉSAPPOINTEMENT
DÉSAPPROBATRICE
DÉSARTICULATION
DÉSASSORTISSANT
DÉSASTREUSEMENT
DÉSATELLISATION
DÉSCOLARISATION
DÉSECTORISATION
DÉSEMBOURGEOISÉ
DÉSEMBOUTEILLÉE
DÉSEMBOUTEILLER
DÉSENCHANTEMENT
DÉSENCOMBREMENT
DÉSENSIBILISANT
DÉSENTORTILLANT
DÉSÉPAISSISSANT
DÉSERTIFICATION
DÉSHUMANISATION
DÉSILLUSIONNANT
DÉSINCRUSTATION
DÉSINFORMATRICE

DÉSINTOXICATION
DÉSINVESTISSANT
DÉSOBLIGEAMMENT
DÉSOCIALISATION
DÉSORGANISATEUR
DÉSORGANISATION
DESSAISISSEMENT
DÉSTABILISATEUR
DÉSTABILISATION
DÉSTALINISATION
DÉSTRUCTURATION
DÉSYNCHRONISANT
DEUTSCHLANDLIED
DEUX-MONTAGNAISE
DÉVILLE-LÈS-ROUEN
DÉVITRIFICATION
DIALECTIQUEMENT
DIANE DE POITIERS
DIAPHRAGMATIQUE
DICTIONNAIRIQUE
DIFFÉRENCIATEUR
DIFFÉRENCIATION
DIFFÉRENTIATEUR
DIFFÉRENTIATION
DIODORE DE SICILE
DIOGÈNE DE LAËRTE
DION CHRYSOSTOME
DISCRÉTIONNAIRE
DISCRIMINATOIRE
DISPROPORTIONNÉ
DISTRIBUTIONNEL
DIVERSIFICATION
DIVONNE-LES-BAINS
DJALAL AL-DIN RUMI
DNIEPROPETROVSK
DNIPRODZERJYNSK
DONATION-PARTAGE
DONQUICHOTTISME
DOUBLES-FENÊTRES
DOUDART DE LAGRÉE
DOULOUREUSEMENT
DRIEU LA ROCHELLE
DRUMMONDVILLOIS
DUPLESSIS-MORNAY
DUPONT DE NEMOURS
DURG-BHILAINAGAR
DYSCHROMATOPSIE
DYSEMBRYOPLASIE
DYSORTHOGRAPHIE
DYSTROPHISATION
ÉBOURGEONNEMENT
ÉCHANTILLONNAGE
ÉCHANTILLONNANT
ÉCHANTILLONNEUR
ÉCHOTOMOGRAPHIE
ÉCLAIRCISSEMENT
ÉCRABOUILLEMENT

ÉLECTRIFICATION
ÉLECTROAFFINITÉ
ÉLECTROBIOLOGIE
ÉLECTROCHIMIQUE
ÉLECTROLOCATION
ÉLECTROMÉNAGÈRE
ÉLECTRONÉGATIVE
ÉLECTRONICIENNE
ÉLECTROPONCTURE
ÉLECTROPORTATIF
ÉLECTROPOSITIVE
ÉLECTROPUNCTURE
ÉLECTROSTATIQUE
ÉLECTROTHÉRAPIE
ÉLECTROTROPISME
EMBERLIFICOTANT
EMBERLIFICOTEUR
EMBROUSSAILLANT
EMPOISSONNEMENT
EMPUANTISSEMENT
ENCÉPHALOPATHIE
ENDOLORISSEMENT
ENGHIEN-LES-BAINS
ENGLOUTISSEMENT
ENGOURDISSEMENT
ÉNIGMATIQUEMENT
ENSEVELISSEMENT
ENTHOUSIASMANTE
ENTREBÂILLEMENT
ENTRECHOQUEMENT
ENTRECROISEMENT
ENTREPRENEURIAL
ENVIRONNEMENTAL
ÉPICONTINENTALE
ÉPICONTINENTAUX
ÉPIDÉMIOLOGIQUE
ÉPIDÉMIOLOGISTE
ÉPISTÉMOLOGIQUE
ÉPISTÉMOLOGISTE
ÉQUATO-GUINÉENNE
ÉQUIPOTENTIELLE
ERIK DE POMÉRANIE
ERIK JEDVARDSSON
ÉRYTHROPOÏÉTINE
ESNAULT-PELTERIE
ESQUIMAU-ALÉOUTE
ESSENTIELLEMENT
ÉTIENNE NEMANJIC
ÉTOUFFE-CHRÉTIEN
EURO-OBLIGATIONS
EUROPÉANISATION
EUSÈBE DE CÉSARÉE
ÉVANGÉLIQUEMENT
ÉVANGÉLISATRICE
EXCENTRIQUEMENT
EXCOMMUNICATION
EXEMPLIFICATION

EXHIBITIONNISME
EXHIBITIONNISTE
EXISTENTIALISME
EXISTENTIALISTE
EXPÉDITIONNAIRE
EXPÉRIMENTATEUR
EXPÉRIMENTATION
EXPERT-COMPTABLE
EXPRESSIONNISME
EXPRESSIONNISTE
EXTÉRIORISATION
EXTRACORPORELLE
EXTRAGALACTIQUE
EXTRAJUDICIAIRE
EXTRAPYRAMIDALE
EXTRAPYRAMIDAUX
EXTRASTATUTAIRE
EXTRÊME-ORIENTAL
FABRE D'ÉGLANTINE
FACHES-THUMESNIL
FACULTATIVEMENT
FALLACIEUSEMENT
FAMILIARISATION
FANTASMAGORIQUE
FANTASTIQUEMENT
FASTIDIEUSEMENT
FÈRE-CHAMPENOISE
FÈRE-EN-TARDENOIS
FERRIMAGNÉTISME
FERROÉLECTRIQUE
FERROMAGNÉTIQUE
FERROMAGNÉTISME
FINNO-OUGRIENNES
FLEGMATIQUEMENT
FLORIS DE VRIENDT
FLUVIO-GLACIAIRE
FŒTO-MATERNELLE
FONCTIONNALISÉE
FONCTIONNALISER
FONCTIONNALISME
FONCTIONNALISTE
FONCTIONNARISÉE
FONCTIONNARISER
FONDAMENTALISME
FONDAMENTALISTE
FONTAINE-L'ÉVÊQUE
FONTENAY-LE-COMTE
FORCALQUIÉRENNE
FORFAITAIREMENT
FORT-ARCHAMBAULT
FOULQUES LE JEUNE
FRANCE D'OUTRE-MER
FRANCHEVILLOISE
FRANCHOUILLARDE
FRANC-MAÇONNERIE
FRANCO-CANADIENS
FRANCO-CANADIENS

FRANCO-FRANÇAISE
FRANÇOIS D'ASSISE
FRANÇOIS DE PAULE
FRANÇOIS DE SALES
FRANÇOIS RÁKÓCZI
FRANCONVILLOISE
FRANCO-PROVENÇAL
FRANCS-BOURGEOIS
FRANCS-QUARTIERS
FRANSQUILLONNER
FRATERNELLEMENT
FRAUDULEUSEMENT
FRÉDÉRIC-AUGUSTE
FRÉDÉRIC-CHARLES
FRÉDÉRIC LE GRAND
FREUDO-MARXISMES
FRIEDRICHSHAFEN
GABRIEL LALEMANT
GARCÍA GUTIÉRREZ
GARDES-BARRIÈRES
GARDES-CHIOURMES
GARIN DE MONGLANE
GASTRO-ENTÉRITES
GAUTIER DE COINCY
GÉLATINO-BROMURE
GÉNÉRALISATRICE
GÉNÉRATIONNELLE
GÉNITO-URINAIRES
GENJI MONOGATARI
GENTLEMAN-FARMER
GENTLEMEN-RIDERS
GÉOMÉTRIQUEMENT
GÉOSTATIONNAIRE
GÉOTECHNICIENNE
GERMAIN D'AUXERRE
GESTALT-THÉRAPIE
GIOTTO DI BONDONE
GIOVANNI DA UDINE
GISCARD D'ESTAING
GLOMÉRULOPATHIE
GLUCOCORTICOÏDE
GONADOSTIMULINE
GONPONTOLVIENNE
GONZÁLEZ MÁRQUEZ
GOUSSAINVILLOIS
GOUVERNEMENTALE
GOUVERNEMENTAUX
GOUVION-SAINT-CYR
GRACIÁN Y MORALES
GRANDES JORASSES
GRAND-QUEVILLAIS
GRANOCLASSEMENT
GRÉCO-BOUDDHIQUE
GRÉGOIRE DE NYSSE
GRÉGOIRE DE TOURS
GRÉGOIRE LE GRAND
GRÉGOIRE PALAMAS

GUIBERT DE NOGENT
GUILLAUME D'OCCAM
GUILLAUME LE LION
GUILLAUME LE ROUX
GUINÉE ESPAGNOLE
GUITTONE D'AREZZO
GUYANE FRANÇAISE
GUYTON DE MORVEAU
HALTES-GARDERIES
HANSE TEUTONIQUE
HARDOUIN-MANSART
HARMONIEUSEMENT
HAUT-COMMISSAIRE
HAUTES-FIDÉLITÉS
HAUTS-DE-CHAUSSES
HEILLECOURTOISE
HÉLITRANSPORTÉE
HÉMATOPOÏÉTIQUE
HÉRÉDITAIREMENT
HÉRIMONCOURTOIS
HÉTÉROGAMÉTIQUE
HÉTÉROMORPHISME
HÉTÉROSEXUALITÉ
HEXACORALLIAIRE
HIÉRARCHISATION
HILAIREMONTAISE
HIMACHAL PRADESH
HIPPOPOTAMESQUE
HISPANO-MORESQUE
HISTORIOGRAPHIE
HOLOCRISTALLINE
HOMME-GRENOUILLE
HOMMES-SANDWICHS
HOMOGÉNÉISATEUR
HOMOGÉNÉISATION
HORIZONTALEMENT
HORMONOTHÉRAPIE
HOSPITALISATION
HOUPHOUËT-BOIGNY
HUNTINGTON BEACH
HYDROCHARITACÉE
HYDROÉLECTRIQUE
HYDROTRAITEMENT
HYPERCORRECTION
HYPERGLYCÉMIANT
HYPERVITAMINOSE
HYPOCHLORHYDRIE
HYPOGLYCÉMIANTE
HYPOŒSTROGÉNIE
HYPOPHOSPHOREUX
HYPOVENTILATION
IDENTIFICATOIRE
IMMANQUABLEMENT
IMMATRICULATION
IMMORTALISATION
IMMUNOCOMPÉTENT
IMMUNOGLOBULINE

IMMUNOSTIMULANT
IMPATRONISATION
IMPÉNÉTRABILITÉ
IMPERMÉABILISÉE
IMPERMÉABILISER
IMPITOYABLEMENT
IMPONDÉRABILITÉ
IMPRATICABILITÉ
IMPRESCRIPTIBLE
IMPRESSIONNABLE
IMPRESSIONNANTE
IMPRESSIONNISME
IMPRESSIONNISTE
IMPRÉVISIBILITÉ
INACCESSIBILITÉ
INADMISSIBILITÉ
INAPPRIVOISABLE
INCOMMENSURABLE
INCOMMUTABILITÉ
INCOMPATIBILITÉ
INCOMPRÉHENSION
INCOMPRÉHENSIVE
INCONSÉQUEMMENT
INCONSIDÉRÉMENT
INCONSTRUCTIBLE
INDÉBOULONNABLE
INDÉBROUILLABLE
INDÉFECTIBILITÉ
INDÉPENDANTISME
INDÉPENDANTISTE
INDES ORIENTALES
INDÉTERMINATION
INDIFFÉRENTISME
INDISPONIBILITÉ
INDISSOLUBILITÉ
INDISTINCTEMENT
INDIVIDUALISANT
INDO-EUROPÉENNES
INDO-EUROPÉENNES
INDOLE-ACÉTIQUES
INDUBITABLEMENT
INDUSTRIALISANT
INÉLUCTABLEMENT
INÉPUISABLEMENT
INEXTENSIBILITÉ
INFAILLIBILISTE
INFAILLIBLEMENT
INFANTILISATION
INFATIGABLEMENT
INFÉRIORISATION
INFLÉCHISSEMENT
INFORMATICIENNE
INFORMATISATION
INFRANCHISSABLE
INOPPORTUNÉMENT
INSATISFAISANTE
INSENSIBILISANT

INSÉPARABLEMENT
INSTINCTIVEMENT
INSTRUMENTATION
INSUBORDINATION
INSURRECTIONNEL
INTELLECTUALISÉ
INTELLECTUALITÉ
INTELLIGIBILITÉ
INTENSIFICATION
INTENTIONNALITÉ
INTERAMÉRICAINE
INTERATTRACTION
INTERCELLULAIRE
INTERCHANGEABLE
INTERCLASSEMENT
INTERCONNECTANT
INTERCULTURELLE
INTERDÉPENDANCE
INTERDÉPENDANTE
INTERFÉROMÉTRIE
INTERGALACTIQUE
INTERINDIVIDUEL
INTERINDUSTRIEL
INTÉRIORISATION
INTERMÉTALLIQUE
INTERNALISATION
INTERPLANÉTAIRE
INTERPROFESSION
INTERRO-NÉGATIFS
INTERRO-NÉGATIVE
INTERSPÉCIFIQUE
INTERSUBJECTIVE
INTERTEXTUALITÉ
INTERVENTIONNEL
INTERVERTÉBRALE
INTERVERTÉBRAUX
INTERVERTISSANT
INTRACELLULAIRE
INTRAMONTAGNARD
INTRAMUSCULAIRE
INTRANSMISSIBLE
INTRANSPORTABLE
INTRINSÈQUEMENT
INVRAISEMBLABLE
INVRAISEMBLANCE
INVULNÉRABILITÉ
IRRÉCONCILIABLE
IRRÉDUCTIBILITÉ
IRRÉFUTABLEMENT
IRRÉGULIÈREMENT
IRRÉPARABLEMENT
IRRÉPRÉHENSIBLE
IRRÉTRÉCISSABLE
IRRÉVÉRENCIEUSE
IRRÉVERSIBILITÉ
IRRÉVOCABLEMENT
JACQUES LE MAJEUR

JACQUES LE MINEUR
JASTRZEBIE-ZDRÓJ
JEAN CANTACUZÈNE
JEAN CHRYSOSTOME
JEAN DE CAPISTRAN
JEAN D'OUTREMEUSE
JEANNE DE NAVARRE
JEANNE-FRANÇOISE
JOINVILLE-LE-PONT
JOUFFROY D'ABBANS
JUDÉO-ALLEMANDES
JUDÉO-CHRÉTIENNE
JUDITH DE BAVIÈRE
JUGE-COMMISSAIRE
JURISPRUDENTIEL
JUSQU'AU-BOUTISME
JUSQU'AU-BOUTISTE
KALÉIDOSCOPIQUE
KAMENSK-OURALSKI
KAMERLINGH ONNES
KARAKALPAKISTAN
KAUNITZ-RIETBERG
KERSCHENSTEINER
KOLAR GOLD FIELDS
KUALA TERENGGANU
LA CHÂTAIGNERAIE
LACRETELLE L'AÎNÉ
LACTODENSIMÈTRE
LA GALISSONNIÈRE
LAMALOU-LES-BAINS
LA MOTTE-SERVOLEX
LANEUVEVILLOISE
LANGOUREUSEMENT
LANGUE-DE-SERPENT
LA ROCHEFOUCAULD
LA ROCHE-SUR-FORON
LA SUZE-SUR-SARTHE
LATINO-AMÉRICAIN
LATINO-AMÉRICAIN
LA TOUR D'AUVERGNE
LA TRANCHE-SUR-MER
LA TRINITÉ-SUR-MER
LAURIERMONTOISE
LAURIERS-CERISES
LAUTERBOURGEOIS
LA VALLÉE-POUSSIN
LAWRENCE D'ARABIE
LEFÈVRE D'ÉTAPLES
LE GOND-PONTOUVRE
LE GRAND-QUEVILLY
LEMAIRE DE BELGES
LEMAISTRE DE SACY
LÉONARD DE NOBLAT
LE PETIT-QUEVILLY
LEPRINCE-RINGUET
LE RELECQ-KERHUON
LES AIX-D'ANGILLON

LES ANCIZES-COMPS
LETTRE-TRANSFERT
LEVALLOIS-PERRET
LEXICOGRAPHIQUE
LIBÉRO-LIGNEUSES
LIBRE-ÉCHANGISME
LIBRE-ÉCHANGISTE
LIMEIL-BRÉVANNES
L'ISLE-SUR-LE-DOUBS
LIVRES-CASSETTES
LOCATION-GÉRANCE
LOCATIONS-VENTES
LOIRE-ATLANTIQUE
LOIR-ET-CHÉRIENNE
LORETTEVILLOISE
LOUIS DE GONZAGUE
LOUIS LE BIEN-AIMÉ
LOUIS LE FAINÉANT
LOURENÇO MARQUES
LUCIEN D'ANTIOCHE
LUXEMBOURGEOISE
LUXEMBOURGEOISE
LUXEUIL-LES-BAINS
LUZ-SAINT-SAUVEUR
MACROÉCONOMIQUE
MACRO-ORDINATEUR
MACROSOCIOLOGIE
MADELEINE-SOPHIE
MAGNÉSIOTHERMIE
MAGNÉTOCASSETTE
MAGNÉTO-OPTIQUES
MAGNÉTOSTATIQUE
MAGNY-LES-HAMEAUX
MAHAUT DE FLANDRE
MAISONS-LAFFITTE
MAÎTRES-PENSEURS
MAJESTUEUSEMENT
MAJORITAIREMENT
MALHEUREUSEMENT
MALINTENTIONNÉE
MANŒUVRABILITÉ
MANUEL LE FORTUNÉ
MANUTENTIONNANT
MARANGE-SILVANGE
MARCHE-EN-FAMENNE
MARCILLAC-VALLON
MARÉCHAL-FERRANT
MARGINALISATION
MARGUERITE-MARIE
MARIANNES DU NORD
MARIE-ANTOINETTE
MARIE DE BRAGANCE
MARSANNAY-LA-CÔTE
MARSILE DE PADOUE
MARTEAUX-PIOLETS
MARTINS-PÊCHEURS
MASCULINISATION

MATÉRIALISATION
MATHÉMATICIENNE
MATHÉMATISATION
MATO GROSSO DO SUL
MAULÉON-LICHARRE
MAURE-DE-BRETAGNE
MAURICE DE NASSAU
MAXILLO-FACIALES
MÉCANOGRAPHIQUE
MÉDICO-SPORTIVES
MÉDINET EL-FAYOUM
MÉDITERRANÉENNE
MÉDITERRANÉENNE
MÉHALLET EL-KOBRA
MENENIUS AGRIPPA
MENZEL-BOURGUIBA
MERDRIGNACIENNE
MÉSINTELLIGENCE
MÉSO-AMÉRICAINES
MÉTALLOPROTÉINE
MÉTAMORPHOSABLE
MÉTAPHYSICIENNE
MÉTAPSYCHOLOGIE
MÉTHYLACRYLIQUE
MÉTICULEUSEMENT
MICHEL OBRENOVIC
MICROBIOLOGISTE
MICRODISSECTION
MICROÉCONOMIQUE
MICRO-INTERVALLE
MICRO-IRRIGATION
MICRO-ORDINATEUR
MICRO-ORGANISMES
MICROPROCESSEUR
MICROSOCIOLOGIE
MICROS-TROTTOIRS
MINAS DE RÍOTINTO
MINÉRALISATRICE
MINIATURISATION
MINI-ORDINATEURS
MIRACULEUSEMENT
MISÉRICORDIEUSE
MITTELLANDKANAL
MÖNCHENGLADBACH
MONDORF-LES-BAINS
MONOCAMÉRALISME
MONOCHROMATIQUE
MONOCYLINDRIQUE
MONOPOLISATRICE
MONSTRUEUSEMENT
MONTAGNE BLANCHE
MONTBÉLIARDAISE
MONTBRISONNAISE
MONT-DAUPHINOISE
MONTFERMEILLOIS
MONTFORT-L'AMAURY
MONTIGNY-LÈS-METZ

MONTMORENCÉENNE
MONTMORILLONITE
MONTPELLIÉRAINE
MONTREUIL-BELLAY
MONTREUIL-SUR-MER
MONT-SAINT-AIGNAN
MONT-SAINT-MARTIN
MOYEN-ORIENTALES
MUHAMMAD AL-SADUQ
MULTICELLULAIRE
MULTICULTURELLE
MULTIPLICATRICE
MULTIPROCESSEUR
MULTIPROGRAMMÉE
MULTITRAITEMENT
MURASAKI SHIKIBU
MUSICOGRAPHIQUE
MUTATIS MUTANDIS
MYOCARDIOPATHIE
MYSTÉRIEUSEMENT
NÆVO-CARCINOMES
NANOTECHNOLOGIE
NARCOTRAFIQUANT
NATIONALISATION
NAVIRES-ATELIERS
NAVIRES-CITERNES
NAVIRES-HÔPITAUX
NÉANDERTALIENNE
NÈGRO-AFRICAINES
NEGRO SPIRITUALS
NÉO-CALÉDONIENNE
NÉO-CALÉDONIENNE
NÉOCOLONIALISME
NETZAHUALCÓYOTL
NEUILLY-EN-THELLE
NEUILLY-SUR-MARNE
NEUILLY-SUR-SEINE
NEUROCHIRURGIEN
NEURODÉPRESSEUR
NEUROMUSCULAIRE
NEUROPSYCHIATRE
NEUROVÉGÉTATIVE
NEUTRONOGRAPHIE
NEUVILLE-AUX-BOIS
NICÉPHORE PHOKAS
NICOLAS DE VERDUN
NICOLO DELL'ABATE
NIEDERBRONNAISE
NIGÉRO-CONGOLAIS
NILO-SAHARIENNES
NON-BELLIGÉRANCE
NON-BELLIGÉRANTE
NON-BELLIGÉRANTS
NON-COMBATTANTES
NON-COMPARUTIONS
NON-CONCILIATION
NON-CONCURRENCES

NON-CONFORMISMES
NON-CONFORMISTES
NON-DÉNONCIATION
NON DESTRUCTIVES
NON-DIRECTIVITÉS
NON EUCLIDIENNES
NON-INTERVENTION
NON-SPÉCIALISTES
NORD-AMÉRICAINES
NORD-AMÉRICAINES
NORD-MONTRÉALAIS
NORD-PAS-DE-CALAIS
NORD-VIETNAMIENS
NORD-VIETNAMIENS
NORODOM SIHANOUK
NOUVELLE-ESPAGNE
NOUVELLE-GRENADE
NOUVELLE HÉLOÏSE
NOUVELLE-IRLANDE
NOUVELLE-SIBÉRIE
NOUVELLE-ZÉLANDE
NOYELLES-GODAULT
NUE-PROPRIÉTAIRE
OBERLAND BERNOIS
OBLIGATOIREMENT
OBSCURCISSEMENT
OBSÉQUIEUSEMENT
OCCASIONNALISME
OCCIDENTALISANT
OCÉANOGRAPHIQUE
OCTOCORALLIAIRE
OFFICIALISATION
OISEAU-TROMPETTE
OLAV TRYGGVESSON
OLÉOPNEUMATIQUE
OLIGODENDROCYTE
OMNIPRATICIENNE
OPHTALMOLOGIQUE
OPHTALMOLOGISTE
OPPOSITIONNELLE
ORADOUR-SUR-GLANE
OREILLE-DE-SOURIS
ORGANISATIONNEL
ORGANOMAGNÉSIEN
ORGANOPHOSPHORÉ
ORTHOGONALEMENT
OUEST-ALLEMANDES
OURALO-ALTAÏQUES
OUSMANE DAN FODIO
OUST-KAMENOGORSK
OUTRE-ATLANTIQUE
OUVRE-BOUTEILLES
OUZOUER-SUR-LOIRE
OXYACÉTYLÉNIQUE
OXYGÉNOTHÉRAPIE
OZOIR-LA-FERRIÈRE
PALAVAS-LES-FLOTS

PALÉOCHRÉTIENNE
PALÉOGÉOGRAPHIE
PALÉOHISTOLOGIE
PALÉOMAGNÉTISME
PALÉONTOLOGIQUE
PALÉONTOLOGISTE
PALÉOSIBÉRIENNE
PALMA DE MAJORQUE
PANAMÉRICANISME
PANCRÉATECTOMIE
PAPIERS-MONNAIES
PARABOLIQUEMENT
PARALITTÉRATURE
PARALLÉLÉPIPÈDE
PARALLÉLOGRAMME
PARANÉOPLASIQUE
PARAPSYCHOLOGIE
PARAPSYCHOLOGUE
PARASYMPATHIQUE
PARASYNTHÉTIQUE
PARENCHYMATEUSE
PARLEMENTARISME
PARODONTOPATHIE
PARTHENAISIENNE
PARTICULARISANT
PATHOGNOMONIQUE
PATRIOTIQUEMENT
PATTES-MÂCHOIRES
PÉDAGOGIQUEMENT
PÉDOPSYCHIATRIE
PÉLOPONNÉSIENNE
PÉLOPONNÉSIENNE
PEMATANGSIANTAR
PENNSYLVANIENNE
PERCEPTIBLEMENT
PERCUSSIONNISTE
PÉREMPTOIREMENT
PERFECTIONNISME
PERFECTIONNISTE
PERMISSIONNAIRE
PERNICIEUSEMENT
PERPENDICULAIRE
PERPÉTUELLEMENT
PERQUISITIONNÉE
PERQUISITIONNER
PERREUX-SUR-MARNE
PERSONNELLEMENT
PERVERTISSEMENT
PETITE-MAÎTRESSE
PETITS-BOURGEOIS
PETITS DÉJEUNERS
PHALLOCENTRISME
PHARMACODYNAMIE
PHARMACOLOGIQUE
PHARMACOLOGISTE
PHÉNAKISTISCOPE
PHÉNOMÉNALEMENT

PHÉNYLCÉTONURIE
PHILADELPHIENNE
PHILANTHROPIQUE
PHILIBERT LE BEAU
PHILIPPE AUGUSTE
PHILIPPE DE VITRY
PHILIPPE ÉGALITÉ
PHILIPPE LE HARDI
PHLÉBOTHROMBOSE
PHOSPHOCALCIQUE
PHOSPHOPROTÉINE
PHOSPHORESCENCE
PHOSPHORESCENTE
PHOSPHORYLATION
PHOTOCOMPOSEUSE
PHOTOCONDUCTEUR
PHOTOCONDUCTION
PHOTOÉLASTICITÉ
PHOTOÉLECTRIQUE
PHOTOGRAMMÉTRIE
PHOTOPÉRIODISME
PHOTORÉSISTANTE
PHOTOTRANSISTOR
PHYSICO-CHIMIQUE
PHYTOGÉOGRAPHIE
PHYTOPATHOLOGIE
PHYTOSOCIOLOGIE
PHYTOTHÉRAPEUTE
PIERRE DE CORTONE
PIETRO DA CORTONA
PIÉZO-ÉLECTRIQUE
PILÂTRE DE ROZIER
PLANÉTARISATION
PLANS DE PROVENCE
PLANTUREUSEMENT
PLÉNEUF-VAL-ANDRÉ
PLURICELLULAIRE
PLUS-QUE-PARFAITS
PNEUMOGASTRIQUE
PNEUMOPÉRITOINE
POINTE-CLAIRAISE
POISSONS-PARADIS
POITOU-CHARENTES
POLIOMYÉLITIQUE
POLYÉLECTROLYTE
POLYSYNTHÉTIQUE
POLYTOXICOMANIE
POLYTRAUMATISME
PONSON DU TERRAIL
PONTRAMBERTOISE
PONT-SAINT-ESPRIT
PONTS-PROMENADES
POPULATIONNISTE
PORT-AUX-FRANÇAIS
PORTE-BOUTEILLES
PORTE-CIGARETTES
PORTE-CONTENEURS

PORTE-ÉTRIVIÈRES
PORTE-PARAPLUIES
PORTE-SERVIETTES
PORTRAITS-ROBOTS
POSSESSIONNELLE
POSTÉRIEUREMENT
POSTSYNCHRONISÉ
POTENTIELLEMENT
POUILLY-SUR-LOIRE
PRÉCAUTIONNEUSE
PRÉINDUSTRIELLE
PRÉSÉLECTIONNÉE
PRÉSÉLECTIONNER
PRÉSONORISATION
PRESSE-RAQUETTES
PRÊTRES-OUVRIERS
PRIEUR-DUVERNOIS
PRIMEL-TRÉGASTEL
PRIMO-INFECTIONS
PRIORITAIREMENT
PROCESSIONNAIRE
PROCHE-ORIENTALE
PROCHE-ORIENTAUX
PRODIGIEUSEMENT
PROFESSIONNELLE
PROGRESSIVEMENT
PROJECTIONNISTE
PROLÉTARISATION
PRONOMINALEMENT
PRONUNCIAMIENTO
PRO-OCCIDENTALES
PROPHARMACIENNE
PROPHÉTIQUEMENT
PROPORTIONNELLE
PROTECTIONNISME
PROTECTIONNISTE
PROTOHISTORIQUE
PROVERBIALEMENT
PRUSSE-ORIENTALE
PSYCHANALYTIQUE
PSYCHASTHÉNIQUE
PSYCHOAFFECTIVE
PSYCHOCHIRURGIE
PSYCHOGÉNÉTIQUE
PSYCHOLINGUISTE
PSYCHOMÉTRICIEN
PSYCHOMOTRICITÉ
PSYCHOPÉDAGOGIE
PSYCHOPÉDAGOGUE
PSYCHOSENSORIEL
PSYCHOSOMATIQUE
PSYCHOSTIMULANT
PSYCHOTECHNIQUE
PUCELLE D'ORLÉANS
PUY-SAINT-VINCENT
PYROÉLECTRICITÉ
PYTHAGORICIENNE

QUALITATIVEMENT
QUARANTE-HUITARD
QUATORZIÈMEMENT
QUATRE-DE-CHIFFRE
QUATRE-VINGTIÈME
QUESNOY-SUR-DEÛLE
QUINTILIUS VARUS
QUOTIDIENNEMENT
RACHIANESTHÉSIE
RADARASTRONOMIE
RADIOACTIVATION
RADIOALIGNEMENT
RADIOASTRONOMIE
RADIOCONDUCTEUR
RADIODIAGNOSTIC
RADIOÉLECTRIQUE
RADIOGONIOMÈTRE
RADIOMESSAGERIE
RADIO MONTE-CARLO
RADIONAVIGATION
RADIOPROTECTION
RADIORÉSISTANCE
RADIOTÉLÉPHONIE
RADIOTÉLÉVISION
RADIOTHÉRAPEUTE
RAFFERMISSEMENT
RAFRAÎCHISSANTE
RAIMOND BÉRENGER
RAISONNABLEMENT
RANDSTAD HOLLAND
RATIONALISATION
RATIONNELLEMENT
RÉACTUALISATION
RÉAPPROVISIONNÉ
RECALCIFICATION
RECHERCHE-ACTION
RECHRISTIANISÉE
RECHRISTIANISER
RECONSTRUCTRICE
RECONVENTIONNEL
RECONVERTISSANT
RECRISTALLISANT
RECROQUEVILLANT
REDIMENSIONNANT
RÉÉCHELONNEMENT
RÉENSEMENCEMENT
RÉFÉRÉS-LIBERTÉS
REFROIDISSEMENT
RÉGINABORGIENNE
RÉGIONALISATION
RÉGLEMENTARISME
RÉINCARCÉRATION
REINE-MARGUERITE
REJAILLISSEMENT
RELEASING FACTOR
REMARQUABLEMENT
RENCHÉRISSEMENT

RENTABILISATION
RÉORCHESTRATION
RÉORGANISATRICE
REQUALIFICATION
REQUINS-MARTEAUX
REQUINS-PÈLERINS
RÉQUISITIONNANT
RESOCIALISATION
RESPECTABILISÉE
RESPECTABILISER
RESPLENDISSANTE
RESPONSABILISÉE
RESPONSABILISER
RESSAISISSEMENT
RESTRUCTURATION
RETRANSCRIPTION
RÉTROACTIVEMENT
RÉTROPROJECTEUR
REVASCULARISANT
RÉVOLUTIONNAIRE
REZA CHAH PAHLAVI
RHABDOMANCIENNE
RHINO-PHARYNGÉES
RHINO-PHARYNGIEN
RHINO-PHARYNGITE
RIBEAUVILLÉENNE
RIEMENSCHNEIDER
RINCE-BOUTEILLES
RIOM-ÈS-MONTAGNES
ROBERT BELLARMIN
ROBERT DE COURÇON
ROCHECHOUARTAIS
ROMAN-FEUILLETON
ROMANOS LE MÉLODE
ROMÉO ET JULIETTE
ROMILLY-SUR-SEINE
ROUSSILLONNAISE
ROUSSILLONNAISE
ROUYNORANDIENNE
ROYAL DUTCH-SHELL
RUELLE-SUR-TOUVRE
RUPIFICALDIENNE
SABRE-BAÏONNETTE
SAINT-AVERTINOIS
SAINT-AVOLDIENNE
SAINT-BARTHÉLEMY
SAINT CATHARINES
SAINT-CHAMONAISE
SAINTE-CATHERINE
SAINTE-GENEVIÈVE
SAINTE-MENEHOULD
SAINT-GAUDINOISE
SAINT-GENIEZ-D'OLT
SAINT-GENIS-LAVAL
SAINT-GERMANOISE
SAINT-GERVELAINE
SAINT-GERVOLAINE

SAINT-GIRONNAISE
SAINT-JEAN-DU-GARD
SAINT-JULIENNOIS
SAINT-LARY-SOULAN
SAINT-LÉGER LÉGER
SAINT-LEU-LA-FORÊT
SAINT-MAIXENTAIS
SAINT-MARTIN-DE-RÉ
SAINT-PAUL-LÈS-DAX
SAINT-PÈRE-EN-RETZ
SAINT PETERSBURG
SAINT-POURCINOIS
SAINT-QUENTINOIS
SAINT-SIMONIENNE
SAINT-SIMONISMES
SAINT-SYMPHORIEN
SAISIE-EXÉCUTION
SAISIES-BRANDONS
SAISIES-GAGERIES
SAKAIDA KAKIEMON
SALON-DE-PROVENCE
SAMOA ORIENTALES
SAMPIERO D'ORNANO
SANCHE O POVOADOR
SANCTIFICATRICE
SANGALLO L'ANCIEN
SANGALLO LE JEUNE
SAN JOSÉ DE CÚCUTA
SANTA FE DE BOGOTÁ
SÃO JOÃO DE MERITI
SAPEURS-POMPIERS
SARATOGA SPRINGS
SARCASTIQUEMENT
SARREBOURGEOISE
SARREGUEMINOISE
SARTROUVILLOISE
SAVIGNY-LE-TEMPLE
SAVIGNY-SUR-BRAYE
SCANDALEUSEMENT
SCAPULO-HUMÉRALE
SCAPULO-HUMÉRAUX
SCEAUX-DE-SALOMON
SCHÉMATIQUEMENT
SCHIZOPHRÉNIQUE
SCHWÄBISCH GMÜND
SCOTTISH-TERRIER
SCRUPULEUSEMENT
SE CLOCHARDISANT
SÉDENTARISATION
SEDIA GESTATORIA
SEINE-ET-MARNAISE
SEINE-SAINT-DENIS
SEKONDI-TAKORADI
SÉLÉNOGRAPHIQUE
SÉLEUCOS NIKATÔR
SELF-GOVERNMENTS
SELF-INDUCTANCES

SELIM LE TERRIBLE
SEMI-AUTOMATIQUE
SEMI-AUXILIAIRES
SEMI-CIRCULAIRES
SEMI-CONDUCTEURS
SEMI-CONDUCTRICE
SEMI-CONVERGENTE
SEMI-OFFICIELLES
SEMI-SUBMERSIBLE
SÉNATUS-CONSULTE
SENNECEY-LE-GRAND
SENSIBILISATEUR
SENSIBILISATION
SENSORI-MOTRICES
SENTIMENTALISME
SERGE DE RADONÈGE
SÉROVACCINATION
SERVIETTE-ÉPONGE
SÉVÈRE ALEXANDRE
SEVERNAÏA ZEMLIA
SEXTUS EMPIRICUS
SILENCIEUSEMENT
SILLON RHODANIEN
SILVESTRE DE SACY
SIMON LE MAGICIEN
SIMPLIFICATRICE
SNORRI STURLUSON
SOCIAL-DÉMOCRATE
SOCIOCULTURELLE
SOCIO-ÉCONOMIQUE
SOCIO-ÉDUCATIVES
SOIXANTE-DIXIÈME
SOIXANTE-HUITARD
SOLIGNY-LA-TRAPPE
SOLLIÈSPONTOISE
SONY CORPORATION
SOPHIA-ANTIPOLIS
SOUABE-FRANCONIE
SOUMISSIONNAIRE
SOUS-ADMINISTRÉE
SOUS-ADMINISTRÉS
SOUS-AMENDEMENTS
SOUS-ARBRISSEAUX
SOUS-COMMISSIONS
SOUS-DÉVELOPPÉES
SOUS-DIRECTRICES
SOUS-ÉQUIPEMENTS
SOUS-ESTIMATIONS
SOUS-ÉVALUATIONS
SOUS-EXPOSITIONS
SOUS-GOUVERNEURS
SOUS-LIEUTENANTS
SOUS-MAXILLAIRES
SOUS-MÉDICALISÉE
SOUS-MÉDICALISÉS
SOUS-PEUPLEMENTS
SOUS-PRÉFECTORAL

SOUS-PRÉFECTURES
SOUS-PRODUCTIONS
SOUS-PROLÉTAIRES
SOUS-PROLÉTARIAT
SOUS-SCAPULAIRES
SOUS-SECRÉTAIRES
SOUVENIRS-ÉCRANS
SPANIOMÉNORRHÉE
SPARRING-PARTNER
SPATIO-TEMPORELS
SPECTROCHIMIQUE
SPECTROMÉTRIQUE
SPECTROSCOPIQUE
SPIRITUELLEMENT
SPONDYLARTHRITE
STANDARDISATION
STATIONS-SERVICE
STATISTIQUEMENT
STATUES-COLONNES
STATURO-PONDÉRAL
STÉRÉOGRAPHIQUE
STÉRÉO-ISOMÉRIES
STÉRÉORÉGULIÈRE
STRASBOURGEOISE
STRASBOURGEOISE
STRATÉGIQUEMENT
STRATFORD-ON-AVON
STRATIGRAPHIQUE
STRATOSPHÉRIQUE
SUBSTANTIALISME
SUBSTANTIALISTE
SUBSTANTIVATION
SUBSTANTIVEMENT
SUD-VIETNAMIENNE
SUD-VIETNAMIENNE
SUPERCHAMPIONNE
SUPERFORTERESSE
SUPERORDINATEUR
SUPERPLASTICITÉ
SUPERPRODUCTION
SUPRACONDUCTEUR
SUPRACONDUCTION
SUPRASEGMENTALE
SUPRASEGMENTAUX
SURACCUMULATION
SURALIMENTATION
SURCOMPENSATION
SURCONSOMMATION
SURDIMENSIONNÉE
SURENCHÉRISSANT
SURENCHÉRISSEUR
SURENTRAÎNEMENT
SUREXPLOITATION
SURMÉDICALISANT
SURRÉGÉNÉRATEUR
SURRÉGÉNÉRATION
SYMPATHIQUEMENT

SYMPATHOLYTIQUE
SYMPTOMATOLOGIE
SYNALLAGMATIQUE
SYNCHRONISATION
SYNDICALISATION
SYNTHÉTIQUEMENT
SYSTÉMATICIENNE
SYSTÉMATISATION
TARN-ET-GARONNAIS
TASSILI DES AJJER
TCHÉCOSLOVAQUIE
TECHNOCRATISANT
TECHNOSTRUCTURE
TECTONOPHYSIQUE
TÉGLATH-PHALASAR
TÉLÉMAINTENANCE
TÉLÉSPECTATRICE
TERRE-NEUVIENNES
TERRE-NEUVIENNES
TERTIAIRISATION
TÉTRASYLLABIQUE
THANKSGIVING DAY
THÉODOSE LE GRAND
THÉOLOGIQUEMENT
THERMODYNAMIQUE
THERMONUCLÉAIRE
THERMOPLASTIQUE
THERMOPROPULSÉE
THERMOPROPULSIF
THERMORÉCEPTEUR
THERMORÉSISTANT
THERMOSPHÉRIQUE
THROMBOPHLÉBITE
THYRÉOSTIMULINE
TIBIO-TARSIENNES
TIMBRE-QUITTANCE
TIRE-BOUCHONNANT
TIRE-BOUCHONNÉES
TOITURE-TERRASSE
TORRE ANNUNZIATA
TOSHUSAI SHARAKU
TOULOUSE-LAUTREC
TOURBILLONNAIRE
TOURBILLONNANTE
TOURNON-SUR-RHÔNE
TRACHÉES-ARTÈRES
TRADITIONALISME
TRADITIONALISTE
TRAFALGAR SQUARE
TRAJECTOGRAPHIE
TRANQUILLISANTE
TRANSATLANTIQUE
TRANS-AVANT-GARDE
TRANSCENDANTALE
TRANSCENDANTAUX
TRANSCULTURELLE
TRANSFIGURATION

TRANSFORMATRICE
TRANSFRONTALIER
TRANSISTORISANT
TRANSITIONNELLE
TRANSMODULATION
TRANSMUTABILITÉ
TRANSPARAISSANT
TRANSPHRASTIQUE
TRANSPLANTATION
TRANSPYRÉNÉENNE
TRANSSAHARIENNE
TRANSSEXUALISME
TRANSYLVANIENNE
TRANSYLVANIENNE
TRAUMATOLOGIQUE
TRAUMATOLOGISTE
TRAVELLER'S CHECK
TRAVESTISSEMENT
TRÉSORIER-PAYEUR
TRIBOÉLECTRIQUE
TRIDIMENSIONNEL
TRIGONOMÉTRIQUE
TRINITÉ-ET-TOBAGO
TRINITROTOLUÈNE
TRIPATOUILLEUSE
TRIPLOBLASTIQUE
TRISTAN L'HERMITE
TRITH-SAINT-LÉGER
TROIS GLORIEUSES
TROPHOBLASTIQUE
TROPICALISATION
TROUVILLE-SUR-MER
TRUJILLO Y MOLINA
TUBERCULINATION
TULLUS HOSTILIUS
TUMULTUEUSEMENT
TURBOCOMPRESSÉE
TURBOPROPULSEUR
TURBOSOUFFLANTE
TUXTLA GUTIÉRREZ
ULTRAFILTRATION
ULTRAMICROSCOPE
ULTRAMONTANISME
UNIDIMENSIONNEL
UNIDIRECTIONNEL
UNILATÉRALEMENT
UNION EUROPÉENNE
UNIVERSELLEMENT
VACCINOTHÉRAPIE
VAISON-LA-ROMAINE
VALDEMAR LE GRAND
VALENCES-GRAMMES
VAL-SAINT-LAMBERT
VALSE-HÉSITATION
VAN RYSSELBERGHE
VASCULARISATION
VASCULO-NERVEUSE

16

ANTIDÉMOCRATIQUE
ANTIESCLAVAGISTE
ANTIGUA-ET-BARBUDA
ANTIGUA GUATEMALA
ANTIHISTAMINIQUE
ANTI-IMPÉRIALISME
ANTI-IMPÉRIALISTE
ANTI-INFECTIEUSES
ANTIPELLICULAIRE
ANTIPHLOGISTIQUE
ANTIPRURIGINEUSE
ANTIRÉPUBLICAINE
ANTISCIENTIFIQUE
ANTITHYROÏDIENNE
ANTITUBERCULEUSE
ANTOINE DE BOURBON
APAMÉE-SUR-L'ORONTE
APPESANTISSEMENT
APPROVISIONNEUSE
ARCHÉOMAGNÉTISME
ARGENT-SUR-SAULDRE
ARISTOTÉLICIENNE
ARITHMÉTIQUEMENT
ARQUES-LA-BATAILLE
ARRIÈRE-BOUTIQUES
ARRIÈRE-GRAND-MÈRE
ARRIÈRE-GRAND-PÈRE
ARRIÈRE-PETIT-FILS
ARTÉRIOSCLÉREUSE
ARTIFICIELLEMENT
ARTIFICIEUSEMENT
ARUNACHAL PRADESH
ASNIÈRES-SUR-SEINE
ASSOCIATIONNISME
ASSUJETTISSEMENT
ASTRONOMIQUEMENT
ASTROPHYSICIENNE
AUDIOPROTHÉSISTE
AURICULOTHÉRAPIE
AUSTRALOPITHÈQUE
AUSTRO-HONGROISES
AUSTRO-HONGROISES
AUTHENTIFICATION
AUTOBIOGRAPHIQUE
AUTOCONSOMMATION
AUTODESTRUCTRICE
AUTOGESTIONNAIRE
AUTO-IMMUNISATION
AUTOMITRAILLEUSE
AUTORADIOGRAPHIE
AUTOSATISFACTION
AUTOSURVEILLANCE
BACILLARIOPHYCÉE
BACTÉRIOSTATIQUE
BAGNÈRES-DE-LUCHON
BAIE-SAINT-PAULOIS
BALLONS DES VOSGES

BARBEY D'AUREVILLY
BEAUFORT-EN-VALLÉE
BEHREN-LÈS-FORBACH
BERGISCH GLADBACH
BERLINER ENSEMBLE
BERNARD DE MENTHON
BERZÉLAVILLIENNE
BIACHE-SAINT-VAAST
BIDIMENSIONNELLE
BIGOT DE PRÉAMENEU
BIOBIBLIOGRAPHIE
BIODÉGRADABILITÉ
BLAGOVECHTCHENSK
BOILEAU-DESPRÉAUX
BOISSY-SAINT-LÉGER
BONNEUIL-SUR-MARNE
BORDJ BOU ARRÉRIDJ
BORGNIS-DESBORDES
BORMES-LES-MIMOSAS
BOURGEOIS DE PARIS
BOURG-SAINT-ANDÉOL
BRACELETS-MONTRES
BRANDEBOURGEOISE
BRANDEBOURGEOISE
BRIENNE-LE-CHÂTEAU
BRITISH PETROLEUM
BRIVE-LA-GAILLARDE
BRONCHO-PNEUMONIE
BRUAY-LA-BUISSIÈRE
BRUNON DE QUERFURT
BRUYÈRES-LE-CHÂTEL
BUCKINGHAM PALACE
BUIS-LES-BARONNIES
BULLETINS-RÉPONSE
CALDERA RODRÍGUEZ
CAP-DE-LA-MADELEINE
CARBONITRURATION
CARDIO-PULMONAIRE
CARDIO-VASCULAIRE
CAROLOMACÉRIENNE
CARPENTRASSIENNE
CARREÑO DE MIRANDA
CASTELBRIANTAISE
CASTELGIRONNAISE
CASTELJALOUSAINE
CASTELNAU-DE-MÉDOC
CASTILLE-LA MANCHE
CATHERINE D'ARAGON
CATHERINE LABOURÉ
CEP COMMUNICATION
CÉPHALO-RACHIDIEN
CÉRÉMONIEUSEMENT
CHALANDS-CITERNES
CHALETTE-SUR-LOING
CHAMBOLLE-MUSIGNY
CHAMBRAY-LÈS-TOURS
CHAMITO-SÉMITIQUE

DÉMILITARISATION

DÉMINÉRALISATION

DEMI-PENSIONNAIRE

DÉMOCRATIQUEMENT

DÉMULTIPLICATEUR

DÉMULTIPLICATION

DÉMYSTIFICATRICE

DÉNATURALISATION

DENFERT-ROCHEREAU

DÉNICOTINISATION

DÉNUCLÉARISATION

DENYS L'ARÉOPAGITE

DÉPARTEMENTALISÉ

DÉPERSONNALISANT

DÉPIGEONNISATION

DÉPOLYMÉRISATION

DÉPRESSURISATION

DÉRÉGLEMENTATION

DÉRESPONSABILISÉ

DÉSAFFÉRENTATION

DÉSAISONNALISANT

DÉSAMBIGUÏSATION

DÉSAPPROVISIONNÉ

DESBORDES-VALMORE

DÉSEMBOURGEOISÉE

DÉSEMBOURGEOISER

DÉSEMBOUTEILLANT

DÉSHYDROGÉNATION

DÉSINCARCÉRATION

DÉSINDUSTRIALISÉ

DÉSINSECTISATION

DÉSINTÉRESSEMENT

DÉSORGANISATRICE

DÉSPÉCIALISATION

DÉSTABILISATRICE

DEUTÉROCANONIQUE

DIACÉTYLMORPHINE

DICTATORIALEMENT

DIESEL-ÉLECTRIQUE

DIFFÉRENCIATRICE

DIOGÈNE LE CYNIQUE

DIPLOMATIQUEMENT

DISCOURTOISEMENT

DISPENDIEUSEMENT

DISPROPORTIONNÉE

DISQUALIFICATION

DOMRÉMY-LA-PUCELLE

DORSALE GUINÉENNE

DOUANIER ROUSSEAU

DRUMMONDVILLOISE

DUQUESNOY LE VIEUX

DVINA OCCIDENTALE

DYNAMOÉLECTRIQUE

DYSCHONDROPLASIE

ÉCHANTILLONNEUSE

ÉCHOLOCALISATION

ÉCONOMÉTRICIENNE

EDGAR LE PACIFIQUE

EISENHÜTTENSTADT

ÉLECTROCINÉTIQUE

ÉLECTRODYNAMIQUE

ÉLECTROMÉCANIQUE

ÉLECTROMÉNAGISTE

ÉLECTROMYOGRAMME

ÉLECTRONIQUEMENT

ÉLECTRONUCLÉAIRE

ÉLECTROPORTATIVE

ÉLECTROSTRICTION

ÉLECTROTECHNIQUE

ÉLISABETH FARNÈSE

EMBERLIFICOTEUSE

EMBOURGEOISEMENT

ENCÉPHALOMYÉLITE

ENDOCRINOLOGISTE

ENORGUEILLISSANT

ENTRECOLONNEMENT

ENTRE-DEUX-GUERRES

ENTREPRENEURIALE

ENTREPRENEURIAUX

ENVIRONNEMENTALE

ENVIRONNEMENTAUX

ÉPINAY-SOUS-SÉNART

ÉPIPALÉOLITHIQUE

ÉPITHÉLIONEURIEN

ÉPOUVANTABLEMENT

ÉQUEURDREVILLAIS

ERCKMANN-CHATRIAN

ÉTATS PONTIFICAUX

ETHNOMUSICOLOGIE

ETHNOPSYCHIATRIE

ETHNOPSYCHOLOGIE

ÉTIENNE UROS DUSAN

ÉTRÉSILLONNEMENT

ÉTYMOLOGIQUEMENT

EUROPÉOCENTRISME

EXPÉRIMENTATRICE

EXTERRITORIALITÉ

EXTRAPATRIMONIAL

EXTRASENSORIELLE

EXTRATERRITORIAL

EXTRAVÉHICULAIRE

EXTRÊME-ORIENTALE

EXTRÊME-ORIENTAUX

EXTRÊMES-ONCTIONS

EXXON CORPORATION

FERDINAND LE GRAND

FERDINAND LE SAINT

FERROÉLECTRICITÉ

FICTIONALISATION

FISCHER VON ERLACH

FLANDRE-ORIENTALE

FLEURY-LES-AUBRAIS

FLEURY-SUR-ANDELLE

FLUVIO-GLACIAIRES

FŒTO-MATERNELLES
FONCTIONNALISANT
FONCTIONNARISANT
FONDAMENTALEMENT
FONTAINE-LÈS-DIJON
FONTENAY-AUX-ROSES
FONTENAY-LE-FLEURY
FONTENAY-SOUS-BOIS
FORD MOTOR COMPANY
FOULQUES LE RÉCHIN
FOUQUIER-TINVILLE
FRAGMENTAIREMENT
FRANCHET D'ESPEREY
FRANC-MAÇONNERIES
FRANCO-CANADIENNE
FRANCO-CANADIEN
FRANCO-FRANÇAISES
FRANÇOISE ROMAINE
FRANCO-PROVENÇALE
FRANCO-PROVENÇAUX
FRANSQUILLONNANT
FRÉDÉRIC DE STYRIE
FRÉDÉRIC LE SIMPLE
FRESNAY-SUR-SARTHE
FUSIL-MITRAILLEUR
GALVANOPLASTIQUE
GARDES-FRANÇAISES
GARGES-LÈS-GONESSE
GASTRO-INTESTINAL
GAUTIER SANS AVOIR
GÉLATINO-BROMURES
GÉLATINO-CHLORURE
GÉNÉRATION PERDUE
GENTLEMANS-RIDERS
GENTLEMEN-FARMERS
GÉOCHRONOLOGIQUE
GÉOGRAPHIQUEMENT
GÉOMORPHOLOGIQUE
GERBERT D'AURILLAC
GERLACHE DE GOMERY
GERTRUDE LA GRANDE
GESTALT-THÉRAPIES
GEVREY-CHAMBERTIN
GIULIANO DA MAIANO
GLOSSO-PHARYNGIEN
GLYCÉROPHTALIQUE
GODESCALC D'ORBAIS
GOUSSAINVILLOISE
GRAMMATICALEMENT
GRANADOS Y CAMPIÑA
GRANDE-CHARTREUSE
GRANDES-DUCHESSES
GRAND-QUEVILLAISE
GRANDS-ANGULAIRES
GRAN SASSO D'ITALIA
GRAVITATIONNELLE
GRÉCO-BOUDDHIQUES

GRENADE-SUR-L'ADOUR
GUILLAUME D'OCKHAM
GUILLAUME D'ORANGE
GUILLAUME LE GRAND
GUINÉE PORTUGAISE
HAUT-COMMISSARIAT
HAUT-KŒNIGSBOURG
HEBDOMADAIREMENT
HENRI DE BOURGOGNE
HENRI L'IMPUISSANT
HENRI PLANTAGENÊT
HÉRIMONCOURTOISE
HÉRON D'ALEXANDRIE
HÉTÉROCHROMOSOME
HIDALGO Y COSTILLA
HIÉRARCHIQUEMENT
HISPANO-AMÉRICAIN
HISPANO-AMÉRICAIN
HISPANO-MAURESQUE
HISPANO-MORESQUES
HOMMES-ORCHESTRES
HOMOGÉNÉISATRICE
HOROKILOMÉTRIQUE
HURTADO DE MENDOZA
HYDROCORALLIAIRE
HYDROÉLECTRICITÉ
HYDROMÉTALLURGIE
HYDROPNEUMATIQUE
HYPERCHLORHYDRIE
HYPERCONTINENTAL
HYPERGLYCÉMIANTE
HYPERLEUCOCYTOSE
HYPERŒSTROGÉNIE
HYPERPLAQUETTOSE
HYPERSENSIBILITÉ
HYPERVENTILATION
HYPOALLERGÉNIQUE
HYPOTHÉTIQUEMENT
IGNOMINIEUSEMENT
IMMUNOCOMPÉTENTE
IMMUNODÉFICIENCE
IMMUNODÉPRESSEUR
IMMUNODÉPRESSION
IMMUNOSTIMULANTE
IMPARISYLLABIQUE
IMPERCEPTIBILITÉ
IMPERMÉABILISANT
IMPERTURBABILITÉ
IMPRÉDICTIBILITÉ
IMPUTRESCIBILITÉ
INASSOUVISSEMENT
INCOMBUSTIBILITÉ
INCOMPARABLEMENT
INCOMPRÉHENSIBLE
INCONCEVABLEMENT
INCONDITIONNELLE
INCONVERTIBILITÉ

INCORRIGIBLEMENT
INCORRUPTIBILITÉ
INDÉFECTIBLEMENT
INDISCUTABLEMENT
INDISSOLUBLEMENT
INDIVIDUELLEMENT
INDUSTRIELLEMENT
INÉBRANLABLEMENT
INEXPLICABLEMENT
INEXTRICABLEMENT
INFORMATIONNELLE
INFORMATIQUEMENT
INFRUCTUEUSEMENT
INFUNDIBULIFORME
INGÉNIEUR-CONSEIL
INSTITUTIONNELLE
INSTRUMENTALISME
INSUBMERSIBILITÉ
INSULINOTHÉRAPIE
INTARISSABLEMENT
INTELLECTUALISÉE
INTELLECTUALISER
INTELLECTUALISME
INTELLECTUALISTE
INTELLIGIBLEMENT
INTEMPESTIVEMENT
INTERACTIONNELLE
INTERACTIONNISME
INTERCIRCULATION
INTERCONNECTABLE
INTERCONTINENTAL
INTERENTREPRISES
INTERFÉRENTIELLE
INTERMINABLEMENT
INTERMINISTÉRIEL
INTERMOLÉCULAIRE
INTERNATIONALISÉ
INTERNATIONALITÉ
INTERPÉNÉTRATION
INTERPERSONNELLE
INTERRO-NÉGATIVES
INTRAMOLÉCULAIRE
INTRAMONTAGNARDE
INTRANSITIVEMENT
INVOLONTAIREMENT
IOUJNO-SAKHALINSK
IRRÉDUCTIBLEMENT
IRRÉMÉDIABLEMENT
IRRÉMISSIBLEMENT
IRRÉSISTIBLEMENT
IRRESPONSABILITÉ
IRRÉVERSIBLEMENT
ISABEAU DE BAVIÈRE
ISABELLE DE FRANCE
ISIDORE DE SÉVILLE
IZANAGI ET IZANAMI
JEAN DE LUXEMBOURG

JEAN L'ÉVANGÉLISTE
JEAN-MARIE VIANNEY
JEMEPPE-SUR-SAMBRE
JOSEPH D'ARIMATHIE
JUDÉO-CHRÉTIENNES
JUNIOR ENTREPRISE
JURIDICTIONNELLE
JUSQU'AU-BOUTISMES
JUSQU'AU-BOUTISTES
JUVÉNAL DES URSINS
KAWABATA YASUNARI
KINÉSITHÉRAPEUTE
KINGSTON-UPON-HULL
KUTCHUK-KAÏNARDJI
LA BAULE-ESCOUBLAC
LA CÔTE-SAINT-ANDRÉ
LADISLAS JAGELLON
LADISLAS LOKIETEK
LA FORÊT-FOUESNANT
L'AIGUILLON-SUR-MER
LAISSÉ-POUR-COMPTE
L'ANCIENNE-LORETTE
LANGUES-DE-SERPENT
LARAGNE-MONTÉGLIN
LA ROCHEJAQUELEIN
LATINO-AMÉRICAINE
LATINO-AMÉRICAINE
LATINO-AMÉRICAINS
LATINO-AMÉRICAINS
LATTRE DE TASSIGNY
LAUTERBOURGEOISE
LA VOULTE-SUR-RHÔNE
LE CHÂTEAU-D'OLÉRON
LE CHÂTELET-EN-BRIE
LEFÈVRE D'ORMESSON
LE GRAND-PRESSIGNY
LE KREMLIN-BICÊTRE
LÉON LE PHILOSOPHE
LE PLESSIS-TRÉVISE
LES SABLES-D'OLONNE
LEUCO-ENCÉPHALITE
LEXINGTON-FAYETTE
LIBRE-ÉCHANGISMES
LIBRE-ÉCHANGISTES
LIECHTENSTEINOIS
LINGUISTIQUEMENT
L'ISLE-SUR-LA-SORGUE
LIVIUS ANDRONICUS
LOMÉNIE DE BRIENNE
LORENZO VENEZIANO
LOUISE DE MARILLAC
LOUVIGNÉ-DU-DÉSERT
LUCIEN DE SAMOSATE
LYMPHORÉTICULOSE
MACHINE-TRANSFERT
MACRO-INSTRUCTION
MACROMOLÉCULAIRE

MACRO-ORDINATEURS
MAGNÉSIE DU SIPYLE
MAGNÉTODYNAMIQUE
MAGNÉTOSTRICTION
MAÎTRES-CYLINDRES
MAIZIÈRES-LÈS-METZ
MALAYO-POLYNÉSIEN
MALLÉABILISATION
MANIACO-DÉPRESSIF
MANSART DE SAGONNE
MANUEL PALÉOLOGUE
MANUTENTIONNAIRE
MARGUERITE D'ANJOU
MARIA CHAPDELAINE
MARIE DE BOURGOGNE
MARIE L'ÉGYPTIENNE
MARIE LESZCZYNSKA
MARTÍNEZ DE LA ROSA
MARTÍNEZ MONTAÑÉS
MARTINS-CHASSEURS
MASDJED-E SOLEYMAN
MASDJID-I SULAYMAN
MASSIF ARMORICAIN
MATHÉMATIQUEMENT
MAUZÉ-SUR-LE-MIGNON
MAXIMILIEN DE BADE
MAXIMILIEN JOSEPH
MÉDECINS-CONSEILS
MÉDULLOSURRÉNALE
MEHMED VAHIDEDDIN
MÉLANCOLIQUEMENT
MÉPHISTOPHÉLIQUE
MÉRIBEL-LES-ALLUES
MERVEILLEUSEMENT
MÉTACONNAISSANCE
MÉTALINGUISTIQUE
MÉTALLOGRAPHIQUE
MÉTALLOPLASTIQUE
MÉTAMATHÉMATIQUE
MÉTAPHORIQUEMENT
MÉTAPHOSPHORIQUE
MÉTAPHYSIQUEMENT
MÉTAUX-CARBONYLES
MEURTHE-ET-MOSELLE
MICHEL PALÉOLOGUE
MICRO-INTERVALLES
MICRO-IRRIGATIONS
MICRO-ORDINATEURS
MICROPROPAGATION
MICROTRAUMATISME
MILLIAMPÈREMÈTRE
MITHRIDATISATION
MOLÉCULES-GRAMMES
MONOAMINE-OXYDASE
MONTCEAU-LES-MINES
MONTECATINI-TERME
MONTFERMEILLOISE

MONTMORILLONNAIS
MONTRES-BRACELETS
MONT-SAINT-HILAIRE
MORTAGNE-AU-PERCHE
MORTAGNE-SUR-SÈVRE
MOURMELON-LE-GRAND
MUHAMMAD IBN YUSUF
MÜLHEIM AN DER RUHR
MULTIRÉCIDIVISTE
MUNICIPALISATION
MUSTAFA KEMAL PASA
NAKASONE YASUHIRO
NAKHON RATCHASIMA
NARCOTRAFIQUANTE
NAVARRE FRANÇAISE
NÉO-CALÉDONIENNES
NÉO-CALÉDONIENNES
NÉOGRAMMAIRIENNE
NÉOMERCANTILISME
NÉOPLATONICIENNE
NEUFCHÂTEL-EN-BRAY
NEUILLY-PLAISANCE
NEUROCHIRURGICAL
NEUROENDOCRINIEN
NEUROFIBROMATOSE
NEUROPHYSIOLOGIE
NEUROPSYCHIATRIE
NEUROPSYCHOLOGIE
NEUROPSYCHOLOGUE
NEUVILLE-DE-POITOU
NEUVILLE-SUR-SAÔNE
NIGÉRO-CONGOLAISE
NOGENT-EN-BASSIGNY
NON-BELLIGÉRANCES
NON-BELLIGÉRANTES
NON-CONCILIATIONS
NON-CONTRADICTION
NON-DÉNONCIATIONS
NON-DISSÉMINATION
NON-INTERVENTIONS
NON-PROLIFÉRATION
NORD-MONTRÉALAISE
NORD-VIETNAMIENNE
NORD-VIETNAMIENNE
NOTRE-DAME DE PARIS
NOUVEAU-BRUNSWICK
NOUVELLE-BRETAGNE
NOYELLES-SOUS-LENS
NUAGES DE MAGELLAN
NUS-PROPRIÉTAIRES
OBSTRUCTIONNISME
OBSTRUCTIONNISTE
OLÉOPROTÉAGINEUX
OMNIDIRECTIONNEL
OPTOÉLECTRONIQUE
OREILLES-DE-SOURIS
ORGANOMÉTALLIQUE

16

ORGANOPHOSPHORÉE
ORGUEILLEUSEMENT
ORMESSON-SUR-MARNE
ORTHOCHROMATIQUE
ORTHOSYMPATHIQUE
OTTON DE BRUNSWICK
PALÉOTEMPÉRATURE
PARATHYROÏDIENNE
PARCELLARISATION
PARTICULIÈREMENT
PASSIONNELLEMENT
PATHOLOGIQUEMENT
PEINTRES-GRAVEURS
PEINTURE-ÉMULSION
PERFECTIONNEMENT
PÉRI-INFORMATIQUE
PÉRIPATÉTICIENNE
PERPENDICULARITÉ
PERQUISITIONNANT
PERSONNALISATION
PERSONNIFICATION
PETITE-BOURGEOISE
PHÉNOMÉNOLOGIQUE
PHÉOCHROMOCYTOME
PHILIPPE DE SOUABE
PHILIPPE DE VALOIS
PHOTOCOMPOSITEUR
PHOTOCOMPOSITION
PHOTOCONDUCTRICE
PHOTOÉLECTRICITÉ
PHOTOJOURNALISME
PHOTOJOURNALISTE
PHOTOSENSIBILITÉ
PHOTOSYNTHÉTIQUE
PHYSICO-CHIMIQUES
PHYSIOPATHOLOGIE
PIC DE LA MIRANDOLE
PIERRE D'ALCÁNTARA
PIETERMARITZBURG
PIÉZO-ÉLECTRICITÉ
PIÉZO-ÉLECTRIQUES
PINCE-MONSEIGNEUR
PLAISANCE-DU-TOUCH
PLANCHES-CONTACTS
PLÉNIPOTENTIAIRE
PLESTIN-LES-GRÈVES
PLEURONECTIFORME
POCHETTE-SURPRISE
POISSON-PERROQUET
POLITIQUE-FICTION
POLYCONDENSATION
POLYTECHNICIENNE
PONTAUDEMÉRIENNE
PONTAULT-COMBAULT
PONTÉPISCOPIENNE
PORT-AU-PRINCIENNE
PORTE-JARRETELLES

PORTES-LÈS-VALENCE
POSTINDUSTRIELLE
POSTSYNCHRONISÉE
POSTSYNCHRONISER
POTENTIALISATION
POUSSETTES-CANNES
PRÉAMPLIFICATEUR
PRÉAPPRENTISSAGE
PRÉDÉTERMINATION
PRÉIMPLANTATOIRE
PRÉPOSITIONNELLE
PRESBYTÉRIANISME
PRÉSÉLECTIONNANT
PRÉSIDENTIALISME
PRESTIDIGITATEUR
PRESTIDIGITATION
PRÉTENTIEUSEMENT
PROCELLARIIFORME
PROCHE-ORIENTALES
PROFESSIONNALISÉ
PROHIBITIONNISTE
PROPORTIONNALITÉ
PROPOSITIONNELLE
PROTOHISTORIENNE
PSEUDOMEMBRANEUX
PSYCHIATRISATION
PSYCHOPATHOLOGIE
PSYCHOPLASTICITÉ
PSYCHOSOCIOLOGIE
PSYCHOSOCIOLOGUE
PSYCHOSTIMULANTE
PSYCHOTECHNICIEN
PSYCHOTHÉRAPEUTE
PSYCHOTHÉRAPIQUE
PTOLÉMÉE CÉSARION
PTOLÉMÉE ÉPIPHANE
PTOLÉMÉE ÉVERGÈTE
PUBLI-INFORMATION
PUVIS DE CHAVANNES
PYROPHOSPHORIQUE
PYROTECHNICIENNE
QUADRISYLLABIQUE
QUANTITATIVEMENT
QUARANTE-HUITARDE
QUARANTE-HUITARDS
QUARTIERS-MAÎTRES
QUATRE-VINGTIÈMES
QUEVEDO Y VILLEGAS
RACCOURCISSEMENT
RADIOCHRONOLOGIE
RADIOÉLECTRICIEN
RADIOÉLECTRICITÉ
RADIOGONIOMÉTRIE
RADIO-IMMUNOLOGIE
RADIOSENSIBILITÉ
RADIOTÉLÉGRAPHIE
RAFRAÎCHISSEMENT

RAGAILLARDISSANT
RAMASSEUSE-PRESSE
RÉAPPROVISIONNÉE
RÉAPPROVISIONNER
RECHRISTIANISANT
RÉENREGISTREMENT
REGGIO DI CALABRIA
REGGIO NELL'EMILIA
RELEASING FACTORS
REMILITARISATION
REMPOISSONNEMENT
RENAU D'ÉLIÇAGARAY
RENAU ÉLISSAGARAY
REPRÉSENTATIVITÉ
REPRODUCTIBILITÉ
RÉPUBLIQUE BATAVE
RESPECTABILISANT
RESPECTUEUSEMENT
RESPLENDISSEMENT
RESPONSABILISANT
RÉTROSYNTHÉTIQUE
Réunion-Téléphone
REVIGNY-SUR-ORNAIN
RHINO-PHARYNGIENS
RHINO-PHARYNGITES
RHODE-SAINT-GENÈSE
RHÔMANOS LE MÉLODE
RÍO BRAVO DEL NORTE
RIO GRANDE DO NORTE
ROBERT D'ARBRISSEL
ROBERT DE MOLESMES
ROBERT LE VAILLANT
ROCHECHOUARTAISE
ROCHEFORT-EN-TERRE
ROCHES-RÉSERVOIRS
ROMAINMÔTIER-ENVY
ROMANÈCHE-THORINS
ROMULUS AUGUSTULE
SABLES-D'OR-LES-PINS
SACCHARIFICATION
SAHARA OCCIDENTAL
SAILLAT-SUR-VIENNE
SAINT-ALBAN-LEYSSE
SAINT-APOLLINAIRE
SAINT-AUBIN-SUR-MER
SAINT-AVERTINOISE
SAINT-BRIAC-SUR-MER
SAINT-CIRQ-LAPOPIE
SAINT-CYR-SUR-LOIRE
SAINTE-ANNE-D'AURAY
SAINTE-FOY-LÈS-LYON
SAINTE-MÈRE-ÉGLISE
SAINT-ÉMILIONNAIS
SAINTES-NITOUCHES
SAINT-JEAN-D'ANGÉLY
SAINT-JEAN-DE-BRAYE
SAINT-JEAN-DE-LOSNE

SAINT-JEAN-DE-MONTS
SAINT-JEAN-LE-BLANC
SAINT-JULIENNAISE
SAINT-MAIXENTAISE
SAINT-MÉEN-LE-GRAND
SAINT-OUEN-L'AUMÔNE
SAINT-PALAISIENNE
SAINT-PAUL-DE-VENCE
SAINT-PÉTERSBOURG
SAINT-POURCINOISE
SAINT-QUENTINOISE
SAINT-ROMAIN-EN-GAL
SAINT-SIMONIENNES
SALINAS DE GORTARI
SAMOA AMÉRICAINES
SAN-MARTINO-DI-LOTA
SÃO JOSÉ DOS CAMPOS
SAÔNE-ET-LOIRIENNE
SAULT-SAINTE-MARIE
SCAPULO-HUMÉRALES
SCIENCES-FICTIONS
SCIENTIFIQUEMENT
SCIPION L'AFRICAIN
SCOTTISH-TERRIERS
SÉGRÉGATIONNISME
SÉGRÉGATIONNISTE
SEICHES-SUR-LE-LOIR
SEMESTRIELLEMENT
SEMI-AUTOMATIQUES
SEMI-CONDUCTRICES
SEMI-CONVERGENTES
SEMI-PRÉSIDENTIEL
SEMI-SUBMERSIBLES
SEMUR-EN-BRIONNAIS
SÉNATUS-CONSULTES
SÉNÈQUE LE RHÉTEUR
SENSATIONNALISME
SENSIBILISATRICE
SENTENCIEUSEMENT
SENTIMENTALEMENT
SÉQUANODIONYSIEN
SESTO SAN GIOVANNI
SÉVÉRAC-LE-CHÂTEAU
SEYSSINET-PARISET
SIGILLOGRAPHIQUE
SIGISMOND LE VIEUX
SILLÉ-LE-GUILLAUME
SINT-GENESIUS-RODE
SINT-MARTENS-LATEM
SINT-PIETERS-LEEUW
SOCIAL-DÉMOCRATIE
SOCIALE-DÉMOCRATE
SOCIAUX-CHRÉTIENS
SOCIO-ÉCONOMIQUES
SOCIOLOGIQUEMENT
SOIXANTE-DIXIÈMES
SOIXANTE-HUITARDE

SOIXANTE-HUITARDS
SORGUE DE VAUCLUSE
SOULTZ-SOUS-FORÊTS
SOUPÇONNEUSEMENT
SOUS-ADMINISTRÉES
SOUS-ALIMENTATION
SOUS-CONSOMMATION
SOUS-ENTREPRENEUR
SOUS-EXPLOITATION
SOUS-MÉDICALISÉES
SOUS-PRÉFECTORALE
SOUS-PRÉFECTORAUX
SOUS-PROLÉTARIATS
SPARRING-PARTNERS
SPATIO-TEMPORELLE
SPECTROGRAPHIQUE
SPHYGMOMANOMÈTRE
SPIRITUALISATION
SPISSKÉ PODHRADIE
STATURO-PONDÉRALE
STATURO-PONDÉRAUX
STÉRÉORÉGULARITÉ
STÉRÉOSPÉCIFIQUE
STŒCHIOMÉTRIQUE
STRATOFORTERESSE
STRUCTURELLEMENT
SUBDIVISIONNAIRE
SUD-OUEST AFRICAIN
SUD-VIETNAMIENNES
SUD-VIETNAMIENNES
SUPERCALCULATEUR
SUPRACONDUCTRICE
SUPRAMOLÉCULAIRE
SUPRANATIONALITÉ
SURALCOOLISATION
SURAMPLIFICATEUR
SURDÉTERMINATION
SURENCHÉRISSEUSE
SURPRISES-PARTIES
SURRÉGÉNÉRATRICE
SYMPLÉSIOMORPHIE
SYNCHROCYCLOTRON
SYNCHRONIQUEMENT
SYSTÉMATIQUEMENT
TAILLEUR-PANTALON
TANGENTIELLEMENT
TARN-ET-GARONNAISE
TARQUIN LE SUPERBE
TASSIN-LA-DEMI-LUNE
TEISSERENC DE BORT
TÉLÉDISTRIBUTION
TÉLÉENSEIGNEMENT
TÉLÉINFORMATIQUE
TÉLÉMANIPULATEUR
TÉLÉPHONIQUEMENT
TÉLÉRADIOGRAPHIE
TÉLÉSURVEILLANCE

TÉLÉTRANSMISSION
TENDANCIEUSEMENT
TERAUCHI HISAICHI
TERRITORIALEMENT
THALASSOTHÉRAPIE
THÉODORE LASCARIS
THÉODORIC LE GRAND
THÉON D'ALEXANDRIE
THÉOPHILANTHROPE
THERMODYNAMICIEN
THERMOÉLECTRIQUE
THERMOPROPULSION
THERMOPROPULSIVE
THERMORÉGULATEUR
THERMORÉGULATION
THERMORÉSISTANTE
THORIGNY-SUR-MARNE
THROMBOEMBOLIQUE
THYMOANALEPTIQUE
TILL EULENSPIEGEL
TOMODENSITOMÈTRE
TORRENTIELLEMENT
TOURBILLONNEMENT
TOUTES-PUISSANTES
TRACHÉO-BRONCHITE
TRANSACTIONNELLE
TRANSAMAZONIENNE
TRANS-AVANT-GARDES
TRANSCAUCASIENNE
TRANSCONTINENTAL
TRANSFRONTALIÈRE
TRANSFUSIONNELLE
TRANSLITTÉRATION
TRANSMISSIBILITÉ
TRANSVERSALEMENT
TRAVELLER'S CHECKS
TRAVELLER'S CHEQUE
TREMBLAY-EN-FRANCE
TRENTE-ET-QUARANTE
TRENTE GLORIEUSES
TRENTIN-HAUT-ADIGE
TRIBOÉLECTRICITÉ
TRICHLORÉTHYLÈNE
TRIFONCTIONNELLE
TRIPHÉNYLMÉTHANE
TURBOALTERNATEUR
TURBOCOMPRESSEUR
UNIVERSALISATION
VALDEMAR ATTERDAG
VAN MUSSCHENBROEK
VASCULO-NERVEUSES
VASOCONSTRICTEUR
VASOCONSTRICTION
VENAREY-LÈS-LAUMES
VERDUN-SUR-GARONNE
VERNEUIL-SUR-SEINE
VERTÉBROTHÉRAPIE

17

CAMPIVALLENSIENNE
CANET-EN-ROUSSILLON
CARDIO-PULMONAIRES
CARDIO-VASCULAIRES
CAROLINE BONAPARTE
CARRIÈRES-SUR-SEINE
CASTELSARRASINOIS
CASTROGONTÉRIENNE
CATHERINE DE SIENNE
CATHERINE LA GRANDE
CAUDEBEC-LÈS-ELBEUF
CAVELIER DE LA SALLE
CÉPHALO-RACHIDIENS
CHALONNES-SUR-LOIRE
CHAMITO-SÉMITIQUES
CHAMONIX-MONT-BLANC
CHAMPIGNY-SUR-MARNE
CHAPEAUX ET BONNETS
CHARLESBOURGEOISE
CHARLES DE BELGIQUE
CHARLES LE BIEN-AIMÉ
CHARLOTTE DE NASSAU
CHASSEUR-CUEILLEUR
CHÂTEAU-CHINONAISE
CHÂTEAULANDONNAIS
CHÂTEAUNEUF-DU-FAOU
CHÂTEAUNEUF-DU-PAPE
CHÂTELAILLONNAISE
CHÂTELAILLON-PLAGE
CHÂTELPERRONIENNE
CHÂTILLON-SUR-INDRE
CHÂTILLON-SUR-LOIRE
CHÂTILLON-SUR-SEINE
CHAUSSÉE DES GÉANTS
CHIMILUMINESCENCE
CHODERLOS DE LACLOS
CHONDRODYSTROPHIE
CHORIO-ÉPITHÉLIOME
CHRÉTIEN-DÉMOCRATE
CHRISTINE DE FRANCE
CHRONOLOGIQUEMENT
CHRONOTACHYGRAPHE
CINÉMATOGRAPHIQUE
CLAUDIUS MARCELLUS
COLLIN D'HARLEVILLE
COLONNES D'HÉRAKLÈS
COMMERCIALISATION
COMODORO RIVADAVIA
COMPARTIMENTATION
COMPRÉHENSIBILITÉ
CONCEPTUALISATION
CONFESSIONNALISME
CONFLANS-EN-JARNISY
CONFORMATIONNELLE
CONSTANTIN LE GRAND
CONSTANTIN LE JEUNE
CONSTITUTIONNELLE

CONSUBSTANTIALITÉ
CONSUBSTANTIATION
CONTRACTUELLEMENT
CONTRE-ESPIONNAGES
CONTRE-INDICATIONS
CONTRE-MANIFESTANT
CONTRE-PERFORMANCE
CONTRE-PRESTATIONS
CONTRE-PRODUCTIVES
CONTRE-PROPAGANDES
CONTRE-PROPOSITION
CONTRE-RÉVOLUTIONS
CONTRE-TERRORISMES
CONTRE-TERRORISTES
CONTRE-TORPILLEURS
CONVENTIONNALISME
CONVERSATIONNELLE
CORBEILLES-D'ARGENT
CORBEILLESSONNOIS
CORNEILLE DE LA HAYE
CORPOPÉTRUSSIENNE
CORRECTIONNALISÉE
CORRECTIONNALISER
COUDENHOVE-KALERGI
COURSES-CROISIÈRES
COURSES-POURSUITES
COURSEULLES-SUR-MER
CRANIOPHARYNGIOME
CRÈVECŒUR-LE-GRAND
CRIQUETOT-L'ESNEVAL
CRISTALLOPHYLLIEN
CURZON OF KEDLESTON
DANIELE DA VOLTERRA
DÉBROUSSAILLEMENT
DÉBUREAUCRATISANT
DÉCENTRALISATRICE
DÉCONDITIONNEMENT
DÉCULPABILISATION
DÉDIFFÉRENCIATION
DE LA MADRID HURTADO
DÉMATÉRIALISATION
DEMI-PENSIONNAIRES
DÉMOCRATE-CHRÉTIEN
DÉMONSTRATIVEMENT
DÉNATIONALISATION
DENDROCHRONOLOGIE
DÉPARTEMENTALISÉE
DÉPARTEMENTALISER
DÉRAISONNABLEMENT
DÉRESPONSABILISÉE
DÉRESPONSABILISER
DÉSAPPROVISIONNÉE
DÉSAPPROVISIONNER
DÉSEMBOURGEOISANT
DÉSENSIBILISATION
DÉSHUMIDIFICATEUR
DÉSHUMIDIFICATION

INCONDITIONNALITÉ
INCONFORTABLEMENT
INCONSTITUTIONNEL
INCONTESTABLEMENT
INDES OCCIDENTALES
INDESTRUCTIBILITÉ
INDIFFÉRENCIATION
INDIVIDUALISATION
INDUSTRIALISATION
ININTELLIGIBILITÉ
INSENSIBILISATION
INSTITUTIONNALISÉ
INSULINODÉPENDANT
INSURRECTIONNELLE
INTELLECTUALISANT
INTERCONTINENTALE
INTERCONTINENTAUX
INTERINDIVIDUELLE
INTERINDUSTRIELLE
INTERNATIONALISÉE
INTERNATIONALISER
INTERNATIONALISME
INTERNATIONALISTE
INTERROGATIVEMENT
INTERSUBJECTIVITÉ
INTERVENTIONNELLE
INTERVENTIONNISME
INTERVENTIONNISTE
IRRÉPROCHABLEMENT
ISABELLE DE BAVIÈRE
ISABELLE DE HAINAUT
ISSY-LES-MOULINEAUX
JACQUES DE VORAGINE
JEANBON SAINT-ANDRÉ
JEAN-FRANÇOIS RÉGIS
JEFFERSON AIRPLANE
JEREZ DE LA FRONTERA
JOUVENEL DES URSINS
JUAN JOSÉ D'AUTRICHE
JUGES-COMMISSAIRES
JURISPRUDENTIELLE
KABARDINO-BALKARIE
KUUJJUARAAPIMMIUT
LA CELLE-SAINT-CLOUD
LA CHAPELLE-LA-REINE
LA CHARITÉ-SUR-LOIRE
LA CIERVA Y CODORNÍU
LA FERTÉ-SAINT-AUBIN
LA GARENNE-COLOMBES
LAISSÉE-POUR-COMPTE
LAISSÉS-POUR-COMPTE
LA NOUVELLE-ORLÉANS
LASSAY-LES-CHÂTEAUX
LATINO-AMÉRICAINES
LATINO-AMÉRICAINES
LE CATEAU-CAMBRÉSIS
LE LOROUX-BOTTEREAU

LE MONT-SAINT-MICHEL
LE MOYNE D'IBERVILLE
LENINSK-KOUZNETSKI
LE PERREUX-SUR-MARNE
LE PLESSIS-ROBINSON
LE PRÉ-SAINT-GERVAIS
LES BAUX-DE-PROVENCE
LES CLAYES-SOUS-BOIS
LES PENNES-MIRABEAU
LETTRES-TRANSFERTS
LEUCO-ENCÉPHALITES
LÉZIGNAN-CORBIÈRES
LIECHTENSTEINOISE
LIEUTENANT-COLONEL
LOCATION-ACCESSION
LOCATIONS-GÉRANCES
LONGITUDINALEMENT
LOUIS LE DÉBONNAIRE
LOUIS LE GERMANIQUE
LUSSAC-LES-CHÂTEAUX
MACROGLOBULINÉMIE
MACRO-INSTRUCTIONS
MACROPHOTOGRAPHIE
MAGNÉSIE DU MÉANDRE
MAGNÉTOÉLECTRIQUE
MAIGNELAY-MONTIGNY
MALAYO-POLYNÉSIENS
MANIACO-DÉPRESSIFS
MANIACO-DÉPRESSIVE
MARAÑÓN Y POSADILLO
MARÉCHAUX-FERRANTS
MARGUERITE DE PARME
MARQUETTE-LEZ-LILLE
MARTIGNAS-SUR-JALLE
MARTINEZ PASQUALIS
MARXISME-LÉNINISME
MARXISTE-LÉNINISTE
MATHILDE DE FLANDRE
MÉDICO-PÉDAGOGIQUE
MERLIN L'ENCHANTEUR
MÉTHÉMOGLOBINÉMIE
MICHEL FEDOROVITCH
MICROÉLECTRONIQUE
MICRO-INFORMATIQUE
MICROMANIPULATEUR
MICROPHOTOGRAPHIE
MITHRIDATE EUPATOR
MITHRIDATE LE GRAND
MOIRANS-EN-MONTAGNE
MONISTROL-SUR-LOIRE
MONODÉPARTEMENTAL
MONTFORT-LE-GESNOIS
MONTIGNY-EN-GOHELLE
MONTLOUIS-SUR-LOIRE
MONTMORILLONNAISE
MONTOIR-DE-BRETAGNE
MONTOIRE-SUR-LE-LOIR

MONTPON-MÉNESTÉROL
MONTREUIL-SOUS-BOIS
MORPHOPSYCHOLOGIE
MULTICULTURALISME
MULTICULTURALISTE
MULTIDIMENSIONNEL
MULTIMILLIARDAIRE
MULTIMILLIONNAIRE
MURVIEL-LÈS-BÉZIERS
MUSCULO-MEMBRANEUX
NATIONAL-POPULISME
NAUCALPAN DE JUÁREZ
NEUILLY-SAINT-FRONT
NEUROCHIRURGICALE
NEUROCHIRURGICAUX
NEUROCHIRURGIENNE
NEUROLINGUISTIQUE
NEUROTRANSMETTEUR
NEUROTRANSMISSION
NEUVILLE-EN-FERRAIN
NEWCASTLE UPON TYNE
NIGÉRO-CONGOLAISES
NOIRMOUTIER-EN-L'ÎLE
NON-CONTRADICTIONS
NON-DISCRIMINATION
NON-DISSÉMINATIONS
NON-PROLIFÉRATIONS
NON-REPRÉSENTATION
NORD-VIETNAMIENNES
NORD-VIETNAMIENNES
NOUVELLE-AMSTERDAM
NOUVELLE-CALÉDONIE
NOUVELLES-HÉBRIDES
NUES-PROPRIÉTAIRES
NUITS-SAINT-GEORGES
OCCASIONNELLEMENT
OCCIDENTALISATION
ODORIC DA PORDENONE
ŒSTROPROGESTATIF
OISEAUX-TROMPETTES
OLÉOPROTÉAGINEUSE
OLORON-SAINTE-MARIE
ORGANISATIONNELLE
ORTHOPHOSPHORIQUE
PALÉOCLIMATOLOGIE
PAPOUAN-NÉO-GUINÉEN
PARAPSYCHOLOGIQUE
PARCIMONIEUSEMENT
PARTHÉNOGÉNÉTIQUE
PARTICULARISATION
PÉRI-INFORMATIQUES
PERSONNE-RESSOURCE
PESEUSE-ENSACHEUSE
PETITES-MAÎTRESSES
PETIT-SAINT-BERNARD
PHARMACOCINÉTIQUE
PHARMACODYNAMIQUE

PHARMACOVIGILANCE
PHILIPPE DE ROUVRES
PHILON D'ALEXANDRIE
PHILOSOPHIQUEMENT
PHOTODISSOCIATION
PHOTOLITHOGRAPHIE
PHOTOLUMINESCENCE
PHYSIOLOGIQUEMENT
PIERRE CHRYSOLOGUE
PIERRE DE COURTENAY
PIERRE DE MONTREUIL
PIERRE FEDOROVITCH
PIERRE LE JUSTICIER
PIERRE LE VÉNÉRABLE
PIERRE-SAINT-MARTIN
PIÉZO-ÉLECTRICITÉS
PINCES-MONSEIGNEUR
PLOUGASTEL-DAOULAS
PLURIDIMENSIONNEL
PONT-SAINTE-MAXENCE
PORTE-HÉLICOPTÈRES
PORT-SAINT-LOUISIEN
POSTSYNCHRONISANT
PRESTIDIGITATRICE
PRINCESSE DE CLÈVES
PRINCESSE PALATINE
PROBLÉMATIQUEMENT
PROFESSIONNALISÉE
PROFESSIONNALISER
PROFESSIONNALISME
PROSPER D'AQUITAINE
PRUSSE-OCCIDENTALE
PSEUDOMEMBRANEUSE
PSYCHOANALEPTIQUE
PSYCHODYSLEPTIQUE
PSYCHOLOGIQUEMENT
PSYCHOMÉTRICIENNE
PSYCHOPHYSIOLOGIE
PSYCHORÉÉDUCATEUR
PSYCHOSENSORIELLE
PUBLI-INFORMATIONS
PULIGNY-MONTRACHET
QUADRUPLE-ALLIANCE
QUARANTE-HUITARDES
RADETZKY VON RADETZ
RADICAL-SOCIALISME
RADICAL-SOCIALISTE
RADIOCONCENTRIQUE
RADIO-IMMUNOLOGIES
RADIOLOCALISATION
RADIOTÉLÉPHONISTE
RAIMOND DE PEÑAFORT
RAYMOND DE PEÑAFORT
RÉAPPROVISIONNANT
RECHERCHES-ACTIONS
RECONVENTIONNELLE
RECRISTALLISATION

RÉGLEMENTAIREMENT
REINES-MARGUERITES
RENAUD DE CHÂTILLON
REPORTER-CAMERAMAN
RÉPUBLIQUE TCHÈQUE
RÉTIF DE LA BRETONNE
RÉTROSPECTIVEMENT
REVASCULARISATION
RÉVOLUTIONNARISME
RHÉNANIE-PALATINAT
RHINO-PHARYNGIENNE
RHODES-EXTÉRIEURES
RHODES-INTÉRIEURES
ROBERT COURTEHEUSE
ROBERT DE COURTENAY
ROBERTS OF KANDAHAR
ROHRBACH-LÈS-BITCHE
ROMANS-FEUILLETONS
SABRES-BAÏONNETTES
SAINT-AMAND-LES-EAUX
SAINT-ANDRÉ-DE-L'EURE
SAINT-CAST-LE-GUILDO
SAINT-CHÉLY-D'APCHER
SAINT-CLAIR-SUR-EPTE
SAINT-CYR-AU-MONT-D'OR
SAINT-DENIS-D'OLÉRON
SAINTE-CATHERINOIS
SAINTE-FOY-LA-GRANDE
SAINT-ÉMILIONNAISE
SAINT-GILLES-DU-GARD
SAINT-JACUT-DE-LA-MER
SAINT-JEAN-BRÉVELAY
SAINT-JEAN-EN-ROYANS
SAINT-KITTS-ET-NEVIS
SAINT-LAURENT-DU-VAR
SAINT-LAURENT-MÉDOC
SAINT-LAURENT-NOUAN
SAINT-LEU-D'ESSERENT
SAINT-MARCELLINOIS
SAINT-MARS-LA-JAILLE
SAINT-MARTIN-DE-CRAU
SAINT-MARTIN-D'HÈRES
SAINT-MAURICE-L'EXIL
SAINT-PALAIS-SUR-MER
SAINT-PIERRE-D'IRUBE
SAINT-VALERY-EN-CAUX
SAISIES-EXÉCUTIONS
SANTIAGO DEL ESTERO
SÃO LUÍS DO MARANHÃO
SÃO TOMÉ ET PRÍNCIPE
SAVORGNAN DE BRAZZA
SCHLESWIG-HOLSTEIN
SECRÉTARIAT-GREFFE
SEDIAS GESTATORIAS
SEMI-LOGARITHMIQUE
SEMI-PRÉSIDENTIELS
SEMPITERNELLEMENT

SERRANO Y DOMÍNGUEZ
SERVIETTES-ÉPONGES
SIGISMOND JAGELLON
SIGNIFICATIVEMENT
SINT-JANS-MOLENBEEK
SINT-JOOST-TEN-NOODE
SINT-PIETERS-WOLUWE
SIX-FOURS-LES-PLAGES
SOCIAL-DÉMOCRATIES
SOCIALE-CHRÉTIENNE
SOCIAUX-DÉMOCRATES
SOCIOLINGUISTIQUE
SOIXANTE-HUITARDES
SOPHIE ALEKSEÏEVNA
SOUS-ALIMENTATIONS
SOUS-CONSOMMATIONS
SOUS-DÉVELOPPEMENT
SOUS-EMBRANCHEMENT
SOUS-ENTREPRENEURS
SOUS-EXPLOITATIONS
SOUS-PRÉFECTORALES
SPATIO-TEMPORELLES
SPECTROPHOTOMÈTRE
STATURO-PONDÉRALES
STÉRÉOCOMPARATEUR
STÉRÉOSPÉCIFICITÉ
STRATFORD-UPON-AVON
SUBSTANTIELLEMENT
SUPERFICIELLEMENT
SUPRACONDUCTIVITÉ
SURCAPITALISATION
SURENCHÉRISSEMENT
SURINVESTISSEMENT
SURMULTIPLICATION
SYMPATHOMIMÉTIQUE
TALAVERA DE LA REINA
TALLEMANT DES RÉAUX
TANIZAKI JUNICHIRO
TARASCON-SUR-ARIÈGE
TEILHARD DE CHARDIN
TÉLÉCOMMUNICATION
TÉLÉGRAPHIQUEMENT
TÉLÉSIGNALISATION
THÉOPHILANTHROPIE
THERMODURCISSABLE
THERMOÉLECTRICITÉ
THERMORÉGULATRICE
THIERRY D'ARGENLIEU
THOMAS D'ANGLETERRE
TIMBRES-QUITTANCES
TOITURES-TERRASSES
TOMASI DI LAMPEDUSA
TOMODENSITOMÉTRIE
TOYOTOMI HIDEYOSHI
TRACHÉO-BRONCHITES
TRANSCONTINENTALE
TRANSCONTINENTAUX

TRANSFORMATIONNEL
TRANSILLUMINATION
TRANSISTORISATION
TRAVELLER'S CHEQUES
TRAVERSÉE-JONCTION
TRÉSORIERS-PAYEURS
TRIBOLUMINESCENCE
TRIDIMENSIONNELLE
TRIMESTRIELLEMENT
TROMPETTE-DE-LA-MORT
TROMPETTE-DES-MORTS
TUBERCULINISATION
UNIDIMENSIONNELLE
UNIDIRECTIONNELLE
UNION SUD-AFRICAINE
VAILLANT-COUTURIER
VALERIUS PUBLICOLA
VALSES-HÉSITATIONS
VAN DE VELDE LE JEUNE
VARENNES-SUR-ALLIER
VARENNES-VAUZELLES
VASOCONSTRICTRICE

VASSIEUX-EN-VERCORS
VELVET UNDERGROUND
VENDEUVRE-SUR-BARSE
VÊPRES SICILIENNES
VERDAGUER I SANTALÓ
VÉRIFICATIONNISME
VERNOUX-EN-VIVARAIS
VIDÉOSURVEILLANCE
VIDÉOTRANSMISSION
VIEILLE-CATHOLIQUE
VILLEBON-SUR-YVETTE
VILLÉNOGARENNOISE
VILLES-CHAMPIGNONS
VINCENT DE BEAUVAIS
VLADIMIR MONOMAQUE
VOITURE-RESTAURANT
VOYAGEUR-KILOMÈTRE
VRAISEMBLABLEMENT
WAGONS-RESTAURANTS
WOLUWE-SAINT-PIERRE
YORKSHIRE-TERRIERS
ZOÉ PORPHYROGÉNÈTE

ABU AL-ABBAS ABD ALLAH
ACIDO-ALCALIMÉTRIES
ADMINISTRATIVEMENT
AGAMMAGLOBULINÉMIE
AIGREFEUILLE-D'AUNIS
AKUTAGAWA RYUNOSUKE
À LA BONNE FRANQUETTE
ALEXANDRA FEDOROVNA
ALEXANDRE OBRENOVIC
ALPES AUSTRALIENNES
ALPHONSE DE POITIERS
ANDRÉZIEUX-BOUTHÉON
ANDRONIC PALÉOLOGUE
ANTHÉMIOS DE TRALLES
ANTICONJONCTURELLE
ANTIGOUVERNEMENTAL
ANTI-INFLAMMATOIRES
ANTI-INFLATIONNISTE

ANTILLES FRANÇAISES
ANTONELLO DA MESSINA
APOLLONIOS DE RHODES
ARISTOCRATIQUEMENT
ARNAUD DE VILLENEUVE
ARNOLD DE WINKELRIED
ARRIÈRE-GRANDS-MÈRES
ARRIÈRE-GRANDS-PÈRES
ARRIÈRE-PETITE-FILLE
ARRIÈRE-PETITE-NIÈCE
ARSINOÉ PHILADELPHE
ATTALOS PHILADELPHE
AUTOS SACRAMENTALES
BALLON DE GUEBWILLER
BARBOTAN-LES-THERMES
BARNEVILLE-CARTERET
BASILE LE MACÉDONIEN
BAUDOUIN DE BOULOGNE
BELLERIVE-SUR-ALLIER
BELLEVILLE-SUR-LOIRE
BERNARD DE CLAIRVAUX
BERNARD DE VENTADOUR
BÉROALDE DE VERVILLE
BERTRADE DE MONTFORT
BOHAIN-EN-VERMANDOIS
BONIFACE DE QUERFURT
BRIENON-SUR-ARMANÇON
CAPESTERRE-BELLE-EAU
CARBOXYHÉMOGLOBINE
CASTELLÓN DE LA PLANA
CASTELSARRASINOISE

CASTELTHÉODORICIEN
CASTROTHÉODORICIEN
CATHERINE DE MÉDICIS
CÉPHALO-RACHIDIENNE
CÉSARÉE DE CAPPADOCE
CHÂLONS-EN-CHAMPAGNE
CHAMISSO DE BONCOURT
CHARLES DE HABSBOURG
CHARLES LE TÉMÉRAIRE
CHARLOTTE-ÉLISABETH
CHARTRES-DE-BRETAGNE
CHÂTEAULANDONNAISE
CHÂTENOIS-LES-FORGES
CHIRURGIEN-DENTISTE
CHORIO-ÉPITHÉLIOMES
CHROMOLITHOGRAPHIE
CHRONOPHOTOGRAPHIE
CLÉMENT D'ALEXANDRIE
COLLABORATIONNISTE
COMMISSAIRE-PRISEUR
COMMUNAUTARISATION
COMMUNICATIONNELLE
COMPORTEMENTALISME
CONCENTRATIONNAIRE
CONDITIONNELLEMENT
CONFIDENTIELLEMENT
CONGRÉGATIONALISME
CONGRÉGATIONALISTE
CONSCIENCIEUSEMENT
CONSTITUTIONNALISÉ
CONSTITUTIONNALITÉ
CONTRACTUALISATION
CONTRADICTOIREMENT
CONTRE-DÉNONCIATION
CONTRE-MANIFESTANTE
CONTRE-MANIFESTANTS
CONTRE-PERFORMANCES
CONTRE-PROPOSITIONS
CONVULSIVOTHÉRAPIE
CORBEILLESSONNOISE
CORRECTIONNALISANT
COSNE-COURS-SUR-LOIRE
COUDEKERQUE-BRANCHE
CRISTALLOGRAPHIQUE
CUIRY-LES-CHAUDARDES
CUISSONS-EXTRUSIONS
DÉCHRISTIANISATION
DÉCONGESTIONNEMENT
DÉMÉTRIOS DE PHALÈRE
DENYS D'HALICARNASSE
DÉPARTEMENTALISANT
DÉPERSONNALISATION
DÉRESPONSABILISANT
DÉSAPPROVISIONNANT
DÉSAVANTAGEUSEMENT
DÉSINDUSTRIALISANT
DESSOUS-DE-BOUTEILLE

DIESELS-ÉLECTRIQUES
DOMBASLE-SUR-MEURTHE
DOMPIERRE-SUR-BESBRE
DONNEMARIE-DONTILLY
DUCHENNE DE BOULOGNE
ÉLECTROCAPILLARITÉ
ÉLECTROCOAGULATION
ÉLECTRODYNAMOMÈTRE
ÉLECTROLUMINESCENT
ÉLECTROMÉTALLURGIE
ÉLECTROPHYSIOLOGIE
ÉLISABETH D'AUTRICHE
ÉVAPOTRANSPIRATION
EXCEPTIONNELLEMENT
EXTRAORDINAIREMENT
EXTRAPARLEMENTAIRE
FEDERAL RESERVE BANK
FERDINAND DE BOURBON
FLANDRE-OCCIDENTALE
FLUSHING MEADOW PARK
FONCTIONNARISATION
FRANCFORT-SUR-LE-MAIN
FRIVILLE-ESCARBOTIN
FUSILS-MITRAILLEURS
GASTRO-ENTÉROLOGIES
GASTRO-ENTÉROLOGUES
GASTRO-INTESTINALES
GENEVIÈVE DE BRABANT
GEORGES DE PODEBRADY
GLOSSO-PHARYNGIENNE
GODEFROI DE BOUILLON
GONFREVILLE-L'ORCHER
GORZÓW WIELKOPOLSKI
GRAMMATICALISATION
GRANDE MADEMOISELLE
GRAND-GUIGNOLESQUES
GRANIER DE CASSAGNAC
GRÉGOIRE DE NAZIANZE
GRIGNION DE MONTFORT
GRIMOD DE LA REYNIÈRE
GUILLAUME DE CONCHES
GUILLAUME DE MACHAUT
GUILLAUME DE RUBROEK
HAUTS-COMMISSARIATS
HERRADE DE LANDSBERG
HISPANO-AMÉRICAINES
HISPANO-AMÉRICAINES
HISTOCOMPATIBILITÉ
HYDRODÉSULFURATION
ÎLE-DU-PRINCE-ÉDOUARD
IMMUNOFLUORESCENCE
IMPERMÉABILISATION
IMPRESCRIPTIBILITÉ
IMPRESSIONNABILITÉ
INCOMMENSURABILITÉ
INDOCHINE FRANÇAISE
INGÉNIEURS-CONSEILS

POLITIQUES-FICTIONS
POLYNÉSIE FRANÇAISE
PRALOGNAN-LA-VANOISE
PRÉFÉRENTIELLEMENT
PROFESSIONNALISANT
PROSPECTEUR-PLACIER
PROVIDENTIELLEMENT
PROVINCES MARITIMES
PRUNELLI-DI-FIUMORBO
PSYCHOLINGUISTIQUE
PSYCHORÉÉDUCATRICE
PSYCHOTECHNICIENNE
PYRÉNÉES-ORIENTALES
QUATRE-VINGT-DIXIÈME
RADICAL-SOCIALISMES
RADIOCOMMUNICATION
RADIOÉLECTRICIENNE
RADIOTÉLÉGRAPHISTE
RAMASSEUSES-PRESSES
RAYOL-CANADEL-SUR-MER
REPORTERS-CAMERAMEN
RESPONSABILISATION
RESTIF DE LA BRETONNE
RHINO-PHARYNGIENNES
RICHARD CŒUR DE LION
RICHMOND UPON THAMES
ROBERT LE MAGNIFIQUE
ROLAND DE LA PLATIÈRE
ROSIÈRES-EN-SANTERRE
RUTHERFORD OF NELSON
SAINT-AMAND-MONTROND
SAINT-ANDRÉ-DE-CUBZAC
SAINT-AUBIN-D'AUBIGNÉ
SAINT-BASILE-LE-GRAND
SAINT-BRÉVIN-LES-PINS
SAINT-BRICE-EN-COGLÈS
SAINT-CYR-COËTQUIDAN
SAINT-DIDIER-EN-VELAY
SAINTE-CATHERINOISE
SAINT-GERMAIN-EN-LAYE
SAINT-GILDAS-DE-RHUYS
SAINT-GILDAS-DES-BOIS
SAINT-JEAN-CAP-FERRAT
SAINT-JEAN-DE-BOURNAY
SAINT-JEAN-DE-LOSNAIS
SAINT-JOSSE-TEN-NOODE
SAINT-JOUIN-DE-MARNES
SAINT-JULIEN-DU-SAULT
SAINT-LAURENT-BLANGY
SAINT-LAURENT-DU-PONT
SAINT-MAIXENT-L'ÉCOLE
SAINT-MARCELLINOISE
SAINT-MAUR-DES-FOSSÉS
SAINT-MICHEL-SUR-ORGE
SAINT-NICOLAS-DE-PORT
SAINT-NOM-LA-BRETÈCHE

SAINT-PIERRE-D'OLÉRON
SAINT-QUAY-PORTRIEUX
SAINT-VAAST-LA-HOUGUE
SAINT-VINCENT-DE-PAUL
SAN MIGUEL DE TUCUMÁN
SAN SALVADOR DE JUJUY
SÃO BERNARDO DO CAMPO
SELLERIE-GARNISSAGE
SEMI-LOGARITHMIQUES
SEMI-PRÉSIDENTIELLE
SEPTÈMES-LES-VALLONS
SÉQUANODIONYSIENNE
SIDOINE APOLLINAIRE
SIGEBERT DE GEMBLOUX
SINT-KATELIJNE-WAVER
SOCIALES-DÉMOCRATES
SOCIOPROFESSIONNEL
SOTTEVILLE-LÈS-ROUEN
SOUS-DÉVELOPPEMENTS
SOUS-EMBRANCHEMENTS
SPECTROHÉLIOGRAPHE
SPECTROPHOTOMÉTRIE
STÉRÉOPHOTOGRAPHIE
STRAITS SETTLEMENTS
STRATON DE LAMPSAQUE
SUPERSTITIEUSEMENT
TAILLEURS-PANTALONS
TALLEYRAND-PÉRIGORD
TARTARIN DE TARASCON
TASCHER DE LA PAGERIE
TECHNICO-COMMERCIAL
THERMODYNAMICIENNE
THERMOÉLECTRONIQUE
THERMOLUMINESCENCE
THEROULDEBOURGEOIS
TOMONAGA SHINICHIRO
TRADITIONNELLEMENT
TRANSATMOSPHÉRIQUE
TREMBLAY-LÈS-GONESSE
TROMPETTES-DE-LA-MORT
TROMPETTES-DES-MORTS
ULTRACENTRIFUGEUSE
VANDŒUVRE-LÈS-NANCY
VÉLIZY-VILLACOUBLAY
VERRIÈRES-LE-BUISSON
VIDÉOCOMMUNICATION
VILLEDIEU-LES-POÊLES
VILLEFRANCHE-SUR-MER
VILLENAUXE-LA-GRANDE
VILLENEUVE-DE-MARSAN
VILLENEUVE-SUR-YONNE
WATERMAEL-BOITSFORT
WOLUWE-SAINT-LAMBERT
YORCK VON WARTENBURG
ZEDILLO PONCE DE LEÓN
ZITA DE BOURBON-PARME

19

GIL BLAS DE SANTILLANE
GLOSSO-PHARYNGIENNES
GODOY ÁLVAREZ DE FARIA
GOVERNADOR VALADARES
GUILLAUME DE MACHAULT
HAM-SUR-HEURE-NALINNES
HARLAY DE CHAMPVALLON
HARTMANNSWILLERKOPF
HÉLINAND DE FROIDMONT
HENRIETTE-ANNE STUART
HOLLANDE-MÉRIDIONALE
HONDURAS BRITANNIQUE
HOUTHALEN-HELCHTEREN
HUGUES DE SAINT-VICTOR
HYPERFONCTIONNEMENT
HYPOTHÉTICO-DÉDUCTIF
INCOMMENSURABLEMENT
INCOMPRÉHENSIBILITÉ
INCONSTITUTIONNELLE
INSTITUTIONNALISANT
INTELLECTUALISATION
INTERDÉPARTEMENTALE
INTERDÉPARTEMENTAUX
INTERDISCIPLINARITÉ
INTERGOUVERNEMENTAL
INTRADERMO-RÉACTIONS
INVRAISEMBLABLEMENT
IRRÉVÉRENCIEUSEMENT
JACQUELINE DE BAVIÈRE
JACQUES LE CONQUÉRANT
JARVILLE-LA-MALGRANGE
JOSEPH LE RÉFORMATEUR
JUAN CARLOS DE BOURBON
JUDÉO-CHRISTIANISMES
KEKULÉ VON STRADONITZ
KERGUELEN DE TRÉMAREC
KOMSOMOLSK-SUR-L'AMOUR
LA CHAPELLE-AUX-SAINTS
LADISLAS LE MAGNANIME
LA GUERCHE-DE-BRETAGNE
LA GUERCHE-SUR-L'AUBOIS
LANGUEDOC-ROUSSILLON
LA NOUVELLE-AMSTERDAM
LA RÉVELLIÈRE-LÉPEAUX
L'ARGENTIÈRE-LA-BESSÉE
LAURENTIUS VALLENSIS
LAURENT LE MAGNIFIQUE
LE LARDIN-SAINT-LAZARE
LE TOUQUET-PARIS-PLAGE
LIEUTENANTS-COLONELS
LOCATIONS-ACCESSIONS
LOUISE-MARIE D'ORLÉANS
LUDOVIC SFORZA LE MORE
LUDWIGSHAFEN AM RHEIN
LYMPHOGRANULOMATOSE
MACHAULT D'ARNOUVILLE
MALAYO-POLYNÉSIENNES

MANDAT-CONTRIBUTIONS
MARGUERITE BOURGEOYS
MARGUERITE D'AUTRICHE
MARIE DE L'INCARNATION
MARXISTES-LÉNINISTES
MÉDICO-PSYCHOLOGIQUE
MENGISTU HAILÉ MARIAM
MÉNINGO-ENCÉPHALITES
MENTHON-SAINT-BERNARD
METTERNICH-WINNEBURG
MICROPHOTOGRAPHIQUE
MILITARO-INDUSTRIELS
MINÉRALIER-PÉTROLIER
MONTAUBAN-DE-BRETAGNE
MONTEREAU-FAULT-YONNE
MONTGOMERY OF ALAMEIN
MONTSAINTAIGNANAISE
MULTIDIMENSIONNELLE
MUSCULO-MEMBRANEUSES
NATIONALE-SOCIALISTE
NÉO-IMPRESSIONNISMES
NÉO-IMPRESSIONNISTES
NEUROENDOCRINOLOGIE
NEUVY-SAINT-SÉPULCHRE
NIEDERBRONN-LES-BAINS
NOUVELLE-GALLES DU SUD
ORGANISATEUR-CONSEIL
PALÉO-OCÉANOGRAPHIES
PARASYMPATHOLYTIQUE
PASTEUR VALLERY-RADOT
PERPENDICULAIREMENT
PERSONNES-RESSOURCES
PESEUSES-ENSACHEUSES
PÉTROLIER-MINÉRALIER
PEYROLLES-EN-PROVENCE
PHILIPPE LE MAGNANIME
PHOTOÉLASTICIMÉTRIE
PHOTO-INTERPRÉTATION
PHOTOMULTIPLICATEUR
PHYSICO-MATHÉMATIQUE
PIERO DELLA FRANCESCA
PIERREFITTE-SUR-SEINE
PIERRE LE CÉRÉMONIEUX
PIEYRE DE MANDIARGUES
PISTOLET-MITRAILLEUR
PLURIDIMENSIONNELLE
PLURIDISCIPLINARITÉ
POLYCHLOROBIPHÉNYLE
POLYRADICULONÉVRITE
PORT-EN-BESSIN-HUPPAIN
PORT-SAINT-LOUISIENNE
POSTIMPRESSIONNISME
POSTIMPRESSIONNISTE
POSTSYNCHRONISATION
PRÉCAUTIONNEUSEMENT
PROFESSIONNELLEMENT
PROPORTIONNELLEMENT

20

504

SAINT-GERVAIS-LES-BAINS
SAINT-GUILHEM-LE-DÉSERT
SAINT-HIPPOLYTE-DU-FORT
SAINT-JEAN-CHRYSOSTOME
SAINT-JEAN-DE-JÉRUSALEM
SAINT-JEAN-DE-MAURIENNE
SAINT-LAURENT-DU-MARONI
SAINT-LÉONARD-DE-NOBLAT
SAINT-MARTIN-DE-LONDRES
SAINT-PIERRE-LE-MOÛTIER
SAINT-PONS-DE-THOMIÈRES
SAINT-ROMAIN-DE-COLBOSC
SAINT-SYMPHORIEN-D'OZON
SANCHE GARCÉS EL GRANDE
SCHERPENHEUVEL-ZICHEM
SELLERIE-BOURRELLERIE
SELLERIE-MAROQUINERIE
SELLERIES-GARNISSAGES

SERGENTS DE LA ROCHELLE
SINT-LAMBRECHTS-WOLUWE
SOCIOPROFESSIONNELLE
SOISY-SOUS-MONTMORENCY
SPORADES ÉQUATORIALES
STANISLAS LESZCZYNSKI
SUFFREN DE SAINT-TROPEZ
TANCRÈDE DE HAUTEVILLE
TECHNICO-COMMERCIALES
TERRASSON-LA-VILLEDIEU
THIBAUD LE CHANSONNIER
UKRAINE SUBCARPATIQUE
VALERA Y ALCALÁ GALIANO
VILLEFRANCHE-SUR-SAÔNE
VILLENEUVE-LÈS-AVIGNON
WATTIGNIES-LA-VICTOIRE
WOLFRAM VON ESCHENBACH
YOSEMITE NATIONAL PARK

21

ABU AL-FARADJ AL-ISFAHANI
ALEXANDRE DE BATTENBERG
AMÉLIE-LES-BAINS-PALALDA
ANALYSTES-PROGRAMMEURS
ANTICONSTITUTIONNELLE
ANTILLES NÉERLANDAISES
APOLLODORE LE DAMASCÈNE
ARCHIVISTE-PALÉOGRAPHE
BELSUNCE DE CASTELMORON
BENEDETTI MICHELANGELI
BERNIÈRES-SAINT-NICOLAS
BESSE-ET-SAINT-ANASTAISE
CHAPELLE-LEZ-HERLAIMONT
CHOMEDEY DE MAISONNEUVE
CHRÉTIENNES-DÉMOCRATES
CINÉMATOGRAPHIQUEMENT
CONSTITUTIONNELLEMENT
CONTRE-ÉLECTROMOTRICES
CONTRE-INTERROGATOIRES
CONTRE-RÉVOLUTIONNAIRE
DECAZES ET DE GLÜCKSBERG
DELAMARE-DEBOUTTEVILLE
DÉMOCRATES-CHRÉTIENNES
ENSEIGNANTS-CHERCHEURS
EUSTACHE DE SAINT-PIERRE
EXSANGUINO-TRANSFUSION
FERDINAND LE CATHOLIQUE
FRANÇOIS DE NEUFCHÂTEAU
FREYMING-MERLEBACHOISE
FRIOUL-VÉNÉTIE JULIENNE
GARMISCH-PARTENKIRCHEN
GOTTFRIED DE STRASBOURG
GRÉGOIRE L'ILLUMINATEUR
GUILLAUME DE CHAMPLITTE
GUILLAUME DE SAINT-AMOUR

GUILLAUME LE CONQUÉRANT
HEXACHLOROCYCLOHEXANE
HORTENSE DE BEAUHARNAIS
HYPOTHÉTICO-DÉDUCTIVES
ILLKIRCH-GRAFFENSTADEN
INSTITUTIONNALISATION
JEAN-BAPTISTE DE LA SALLE
KARATCHAÏS-TCHERKESSES
LES CONTAMINES-MONTJOIE
LOTHAIRE DE SUPPLINBURG
MAGNÉTOHYDRODYNAMIQUE
MARIE-THÉRÈSE D'AUTRICHE
MASSIF SCHISTEUX RHÉNAN
MILITARO-INDUSTRIELLES
MINÉRALIERS-PÉTROLIERS
MONTIGNY-LÈS-CORMEILLES
NATIONALES-SOCIALISTES
NICOLAS PETROVIC NJEGOS
NOTRE-DAME-DE-BELLECOMBE
NOTRE-DAME-DE-BONDEVILLE
NOTRE-DAME-DE-GRAVENCHON
OLAV HARALDSSON LE SAINT
ORGANISATEURS-CONSEILS
OTO-RHINO-LARYNGOLOGIES
PARASYMPATHOMIMÉTIQUE
PÉTROLIERS-MINÉRALIERS
PHOTOS-INTERPRÉTATIONS
PISTOLETS-MITRAILLEURS
PONTELLOIS-COMBALUSIEN
PORT-SAINT-LOUIS-DU-RHÔNE
RADIOCRISTALLOGRAPHIE
RECONVENTIONNELLEMENT
REPORTERS-PHOTOGRAPHES
RÉPUBLIQUE DOMINICAINE
RÉTICULO-ENDOTHÉLIALES
RIBÉCOURT-DRESLINCOURT
ROTHENBURG OB DER TAUBER
RUIZ DE ALARCÓN Y MENDOZA
RUTHÉNIE SUBCARPATIQUE
SAINT-BARTHÉLEMY-D'ANJOU
SAINTE-MAURE-DE-TOURAINE
SAINT-ÉTIENNE-DE-MONTLUC
SAINT-ÉTIENNE-DU-ROUVRAY
SAINT-GEORGES-DE-DIDONNE
SAINT-GILLES-CROIX-DE-VIE
SAINT-JACQUES-DE-LA-LANDE
SAINT-JEAN-SUR-RICHELIEU
SAINT-JULIEN-EN-GENEVOIS
SAINT-JUST-SAINT-RAMBERT
SAINT-MARTIN-DE-SEIGNANX
SAINT-MICHEL-DE-PROVENCE
SAINT-NICOLAS-DE-LA-GRAVE
SAINT-PAUL-DE-FENOUILLET
SAINT-PIERRE-ET-MIQUELON
SAINT-PIERRE-MONTLIMART
SAINT-SAUVEUR-LE-VICOMTE
SAINT-VINCENT-DE-TYROSSE

21

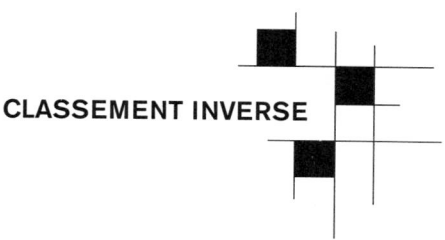

CLASSEMENT INVERSE

1

A	D	H	L	Ô	S	W
À	E	I	M	P	T	X
B	F	J	N	Q	U	Y
C	G	K	O	R	V	Z

2

A A	A C	R E	H I	T M	N P		
A A	**D C**	R É	L I	A N	A R		
B A	O C	**R É**	**L I**	E N	B R		
B Â	P C	**R Ê**	MI-	IN-	C R		
C A	S C	S E	M I	I N	D R		
Ç A	T C	T E	N I	M N	E R		
Ç À	W.-C.	V É	P I	O N	F R		
D A	B D	X E	Q I	R N	G R		
F A	C D	C F	R I	S N	IR-		
G A	G D	H F	S I	U N	I R		
H A	**K D**	I F	T I	Z N	K R		
K A	M D	**I F**	X I	B O	L R	U S	O U
L A	N D	K F	Z I	C O	O R	V S	O Ù
L À	P D	**R F**	D J	D O	P R	**Y S**	P U
M A	B E	V F	P J	**F O**	**S-R**	A T	R U
N A	C E	A G	B K	G O	S R	E T	S U
P A	**C E**	H G	O.K.	H O	**U R**	J T	T U
R A	D E	M G	P K	**H O**	Z R	M T	V U
R Â	D É	Q G	**U K**	**I O**	A S	P T	W U
S A	F E	**R G**	A L	J.O.	C S	U T	C V
S A	G E	A H	C L	K.-O.	E-S	A U	P.-V.
T A	**G É**	E H	I L-	M O	E S	B U	T V
V A	**G Ê**	O H	I L	N O	È S	C U	U V
C B	H E	P H	T L	N Ô	H S	D U	**A X**
N B	H É	R H	A M	P O	**I S**	D Û	C X
O B	J E	T H	C M	**P Ô**	N S	E U	EX-
P B	L E	A Ï	F M	V O	O S	**E U**	E X
R B	L É	B I	IM-	**B P**	P.-S.	L U	**A Y**
S B	M E	C I	P M	C P	**P S**	M U	D Y
T B	N E	F I	S M	L P	Q S	M Û	**E Y**
Y B	N É	G I			**S S**	N U	C Z

		NBC	OUD	ZOÉ	RAF	EUH	CRI
		PCC	SUD	ZOÉ	PCF	BAI	TRI
		BEC	SUD	IPÉ	SDF	GAI	URI
		MEC	PVD	OPE	UDF	HAÏ	KSI
		SEC	SAE	ARE	A.-É.F.	LAI	PSI
		TEC	UBE	ÈRE	NEF	MAI	CUI
		CFC	ACE	GRÉ	OFF	RAI	FUI
		CGC	EDE	IRE	PFF	RAÏ	GUI
		Bic	IDE	ÖRE	GIF	SAÏ	GUI
		FIC	ODE	ØRE	KIF	TAI	HUI
		GIC	BÉE	PRÉ	PIF	FBI	HUI
		HIC	BÉÉ	URE	RIF	OBI	LUI
ABA	BVA	PIC	CEE	ASE	RIF	CCI	NUI
DCA	TVA	SIC	DEE	ISE	TIF	ICI	OUI
ICA	KWA	TIC	EEE	OSE	VIF	OCI	OUÏ
ADA	EXA-	VIC	FÉE	OSÉ	VIF	PCI	QUI
IDA	BAB	MJC	LEE	USÉ	ZIF	SCI	REJ
RDA	CAB	OMC	NÉE	ÉTÉ	MLF	CD-I	NRJ
BEA	DAB	RMC	RÉÉ	ÔTÉ	JMF	CDI	YAK
CEA	RAB	VMC	SÉE	BUE	BNF	EDI	ECK
DEA	RAB	ANC	TEE	DUE	A.-O.F.	BEI	LEK
LÉA	ZAB	CNC	ZÉE	EUE	BOF	CEI	LEK
OEA	PCB	INC	IFE	GUÉ	LOF	KEI	TEK
RÉA	DEB	ONC	AGE	HUE	RPF	LEI	NHK
CFA	WEB	DOC	ÂGE	HUÉ	CRF	PEI	KOK
RFA	KGB	FOC	ÂGÉ	HUÊ	ISF	FFI	NOK
CIA	DIB	JOC	CGE	LUE	TSF	AGI	KRK
DIA	NIB	ROC	OHÉ	MUE	OUF	KHI	BAL
LIA	PIB	SOC	THÉ	MUÉ	TUF	PHI	CAL
RIA	RIB	TOC	AÏE	NUE	LVF	UJI	DAL
VIA	PNB	VPC	CIE	NUÉ	WWF	SKI	GAL
OKA	BOB	ARC	GIE	PUÉ	GAG	ALI	HAL
OKA	COB	ARC	DIE	QUE	TAG	ILI	MAL
SKA	COB	TTC	FIÉ	RUE	BCG	AMI	PAL
HLA	FOB	UTC	GIE	RUÉ	P-DG	PLI	SAL
ILA	JOB	VTC	LIE	RUE	AEG	AMI	VAL
OLA	JOB	BUC	LIÉ	SUE	MÉG-	FMI	BEL
PLA	KOB	LUC	MIE	SUÉ	REG	OMI	BÊL
IMA	LOB	SUC	NIÉ	SUÉ	GIG	PMI	GEL
ENA	MOB	PVC	OIE	TUE	TIG	RMI	SEL
INA	PPB	LAD	PIE	TUÉ	ZIG	UNI	TEL
BOA	ORB	RAD	VIE	VUE	ZIG	COI	FFL
GOA	PUB	ZAD	YUE	YUE	ONG	FOI	AIL
MOA	TUB	CDD	ALE	AVE	GOG	GOÏ	CIL
OPA	BAC	MHD	BLÉ	ÈVE	ZOG	LOI	FIL
SPA	CAC	CID	CLÉ	IVE	ZOG	MOI	KIL
SPA	DAC	KID	ÎLE	OVE	BUG	MOI	MIL
ARA	FAC	NID	OLÉ	OVÉ	BUG	MOÏ	NIL
DRA	LAC	OJD	ÂME	EWE	IVG	ROI	OÏL
IRA	MAC	PLD	IME	AXE	BAH	SOI	VIL
KRA	SAC	CND	PME	AXÉ	VÁH	TOI	WIL
CSA	TAC	COD	SME	BYE	OCH	API	ILL
ESA	ZAC	LOD	ÂNE	MYE	CFH	ÉPI	GNL
USA	ABC	COE	UNE	RYE	VIH	PPI	BOL
ETA	ABC	SPD	NOÉ	ÈZE	VIH	SPI	COL
ÊTA	BBC	USD	NOÉ	CAF	DRH	SPI	DOL
OUA	NBC	LSD	POE	PAF	ATH	BRI	DOL

FOL	VAN	**GAO**	HOP	QSR	DOS	TNT	GLU
MOL	**VAN**	LAO	POP	**SSR**	**FOS**	BOT	PLU
MOL	ADN	**NAO**	TOP	DUR	**ÍOS**	DOT	ÉMU
SOL	**SDN**	PAO	**ARP**	FUR	**JOS**	HOT	PMU
VOL	BEN	**SAO**	**MRP**	MUR	MOS	KOT	**ONU**
GPL	**FEN**	TAO	VRP	MÛR	POS	LOT	COU
ORL	SEN	**YAO**	QSP	**MUR**	SOS	**LOT**	**DOU**
RTL	**SEN**	**ÂBO**	ATP	**OUR**	GPS	MOT	FOU
CUL	YEN	**IBO**	BTP	PUR	ARS	POT	HOU
NUL	ZEN	**ECO**	**FTP**	SUR	**ARS**	**POT**	MOU
CAM	**IGN**	ADO	ZUP	SÛR	CRS	ROT	POU
DAM	**AIN**	**EDO**	**BVP**	**TYR**	ERS	RÔT	SOU
DAM	FIN	**MEO**	S.V.P.	BAS	BTS	SOT	ZOU
HAM	GIN	EGO	EXP	CAS	BUS	TÔT	BRU
LAM	LIN	**AHO**	COQ	JAS	**BUS**	**APT**	CRU
MAM	MIN	RHÔ	**AAR**	LAS	GUS	ART	CRÛ
RAM	**NIN**	**WHO**	BAR	MAS	**HUS**	**DST**	DRU
SAM	PIN	BIO	**BAR**	**OAS**	JUS	EST	**DRU**
IBM	**QIN**	**CIO**	CAR	PAS	PUS	**EST**	**KRU**
QCM	**SIN**	**OMO**	FAR	RAS	SUS	MST	**CSU**
F.É.M.	TIN	ZOO	JAR	SAS	LYS	OST	**FSU**
HEM	VIN	**APO**	**MAR**	TAS	**LYS**	PST	**PSU**
HEM	YIN	PRO	PAR	ABS	BÂT	**ATT**	**TSU**
NEM	**FLN**	**ASO**	SAR	**CBS**	DAT	**ITT**	BTU
REM	ILN	**ESO**	**SÂR**	RDS	FAT	**PTT**	**OZU**
SEM	RMN	ISO	TAR	**BÈS**	MAT	VTT	CDV
OHM	**CNN**	**ISO**	VAR	DES	MÂT	BUT	LEV
OHM	**INN**	**STO**	**VAR**	DÈS	**NAT**	CUT	MEV
HLM	BON	DUO	**HCR**	**FÈS**	PAT	DUT	NGV
ILM	**BON**	**IWO**	PCR	LÈS	QAT	FÛT	TGV
ULM	CON	OXO	**UDR**	SES	RAT	IUT	FIV
ULM	DON	**OYO**	BER	CGS	TAT	LUT	HIV
AMM	**DON**	CAP	DER	**IGS**	DDT	OUT	**TIV**
DOM	ÉON	GAP	**DER**	CHS	CET	RUT	PLV
NOM	**ÉON**	**GAP**	FER	IHS	JET	ZUT	OPV
QOM	**FON**	RAP	**FER**	QHS	LET	**FYT**	**LAW**
ROM	ION	**ACP**	MER	VHS	NET	ÂZT	**OKW**
SOM	MON	CCP	**MER**	AIS	PET	BAU	WWW
PPM	**MØN**	SCP	TER	BIS	SET	EAU	**DAX**
IRM	NON	BEP	VER	**FIS**	TÊT	**PAU**	FAX
HUM	SON	CEP	UFR	**KIS**	UHT	**RAU**	**MAX**
GYM	TON	HEP	AIR	LIS	BIT	TAU	**SAX**
PYM	WON	**NEP**	**AÏR**	MIS	**BIT**	VAU	WAX
BAN	ARN	PEP	**GIR**	**NIS**	DIT	**UBU**	**BEX**
DAN	BUN	SEP	KIR	PIS	GÎT	ÉCU	**GEX**
DAN	**DUN**	TEP	MIR	RIS	KIT	**CDU**	TEX
FAN	FUN	**AF-P**	SIR	SIS	LIT	FEU	**AIX**
GAN	**KUN**	BIP	TIR	**VIS**	**MIT**	HEU	DIX
HAN	**MUN**	KIP	**CNR**	ILS	**OIT**	JEU	SIX
HAN	**YUN**	TIP	**UNR**	**EMS**	VIT	LEU	**VIX**
KAN	**FYN**	VIP	**BOR**	**OMS**	**CLT**	PEU	BOX
MAN	CAO	ZIP	COR	**ANS**	**OLT**	**YEU**	FOX
MAN	**CÃO**	**OLP**	FOR	ENS	**VLT**	CHU	FOX
PAN	DAO	AMP	**TOR**	**ENS**	GMT	**DIU**	MOX
PAN	**DAO**	**BNP**	OPR	COS		ALU	EUX
SAN	EAO	**TNP**	**RPR**	**COS**		ÉLU	LUX
TAN	**FAO**	BOP					GAY

GAY	RAY	DEY	AMY	BRY	HUY	RAZ	RIZ
JAY	SAY	NEY	BOY	DRY	PUY	RAZ	LUZ
NAY	TAY	NEY	FOY	FRY	PUY	FEZ	RUZ
NAY	ADY	REY	GOY	PSY	GAZ	LEZ	
RAY	BEY	ELY	ROY	GUY	PAZ	NEZ	

4

		ARIA	LIMA	VARA	KOTA	RÉAC
		FRIA	SIMA	ACRA	NOTA	CLAC
		QUIA	ALMA	ODRA	ROTA	FLAC
		IXIA	COMA	FÉRA	ÁRTA	CNAC
		NAJA	MOMA	GERA	SKUA	ARAC
		RAJA	SOMA	HÉRA	JAVA	CRAC
		BEJA	PUMA	TÉRA-	JAVA	DRAC
		BÉJA	BANA	AGRA	KAVA	FRAC
		DÉJÀ	CANA	INRA	LEVA	FRAC
		CNJA	DANA	BORA	NEVA	TRAC
		SOJA	FANA	KORA	ÇIVA	VRAC
		PUJA	KANA	TORA	DIVA	GAEC
FAAA	HEDA	HAKA	MANA	AURA	SIVA	RIEC
DRAA	LÉDA	TAKA	NANA	JURA	TIVA	AREC
B.A.-BA	VEDA	NIKA	SANA	TURA	HOVA	GREC
BABA	NIDA	MOKA	TANA	SYRA	NOVA	GREC
DABA	SIDA	MOKA	IÉNA	EZRA	SUVA	AVEC
GABA	CODA	GALA	JENA	HASA	KAWA	PEGC
KABA	SODA	LALA	LENA	NASA	ADWA	LAÏC
SABA	JUDA	TALA	JINA	VASA	BIWA	CHIC
EMBA	LÜDA	EBLA	KINA	MESA	SIWA	CLIC
TOBA	ÉDÉA	BÉLA	VINA	VISA	IOWA	FLIC
ISBA	RHÉA	CELA	ULNA	MKSA	TAXA	SMIC
BUBA	AIEA	CELA	ENNA	ROSA	MOXA	À-PIC
CUBA	ALÉA	DELÀ	DOÑA	TOSA	GAYA	SPIC
JUBA	BREA	GELA	JONA	XOSA	MAYA	BRIC
KUBA	ALFA	RILA	ZONA	ISSA	MAYA	CRIC
LUBA	SOFA	VILA	ISNA	OSSA	RAYA	ERIC
NUBA	URFA	COLA	ETNA	BAT'A	BIYA	FRIC
TUBA	OUFA	COLA	BUNA	BATA	IL Y A	TALC
CACA	GAGA	HOLÀ	CUNA	KATA	POYA	TELC
PACA	NAGA	KOLA	DUNA	RATA	ROYA	BANC
RACA	RAGA	KOLA	KUNA	TATA	GAZA	ZINC
CECA	SAGA	POLA	KUNA	TATA	TAZA	DONC
DÉCA-	MÉGA-	ZOLA	LUNA	BÊTA	SIZA	JONC
DÉCA	MÉGA	AULA	PUNA	FETA	CUZA	CHOC
DEÇÀ	GIGA-	PULA	CHOA	GETA	GHAB	VIOC
MICA	RIGA	PULA	CAPA	MÉTA	RHAB	BLOC
PICA	INGA	TULA	PAPA	ŒTA	MOAB	FLOC
INCA	YOGA	PYLA	PIPA	PETA-	MZAB	PLOC
INCA	NAHA	GAMA	KOPA	ZÊTA	WEBB	BROC
COCA	ABHA	HAMA	BARA	MITA	CRIB	CROC
COCA	AGHA	KAMA	KARA	OITA	LAMB	FROC
ROCA	DOHA	LAMA	NARA	PITA	RUMB	TROC
DADA	GAIA	RAMA	PARA	ZITA	SNOB	MARC
FADA	MAÏA	ZAMA	PARÁ	ÉKTA	CLUB	MARC
ADDA	RAÏA	TEMA	SARA	IOTA	UBAC	PARC
EDDA	APIA	CIMA	TARA	JOTA	ADAC	PORC

TURC	**BUND**	**DACE**	CODÉ	GAGÉ	**ÉLIE**	**YALE**
TURC	**LUND**	FACE	GODÉ	MAGE	GLIE	**ÉBLÉ**
FISC	**SUND**	**GACÉ**	IODE	NAGE	PLIE	**AELE**
RISC	**WOOD**	LACÉ	IODÉ	NAGÉ	PLIÉ	BÊLÉ
NTSC	DARD	**MACÉ**	MODE	PAGE	AMIE	CELÉ
BUSC	FARD	RACE	RODÉ	RAGE	**KNIE**	FÊLÉ
MUSC	**GARD**	RACÉ	RÔDÉ	RAGÉ	UNIE	GELÉ
CFTC	HARD	**WACE**	SODÉ	SAGE	FOIE	HÉLÉ
BOUC	JARD	**DÈCE**	**AUDE**	**TAGE**	JOIE	MÊLÉ
TRUC	LARD	LICE	**BUDÉ**	LÈGE	MOIE	PELÉ
STUC	NARD	**NICE**	**EUDE**	**LÈGE**	SOIE	**PELÉ**
ADAD	TARD	VICE-	**JUDE**	**LEGÉ**	VOIE	TÉLÉ
HEAD	YARD	VICE	RUDE	FIGÉ	ÉPIÉ	**UÉLÉ**
MEAD	**BERD**	**INCE**	**RUDE**	LIGE	BRIE	VÊLÉ
JOAD	**BIRD**	ONCE	**HYDE**	PIGE	**BRIE**	**ZELE**
ARAD	BORD	NOCE	IDÉE	PIGÉ	CRIÉ	ZÈLE
ASAD	**FORD**	**CSCE**	ÂGÉE	TIGE	**ÉRIÉ**	ZÉLÉ
FUAD	GORD	**OSCE**	**ÉGÉE**	ANGE	PRIÉ	AILE
PEBD	LORD	DUCE	**RHEE**	**ANGE**	TRIÉ	AILÉ
SGBD	NORD	**LUCE**	FIÉE	DOGE	**ASIE**	BILE
PGCD	**NORD**	**LUCÉ**	LIÉE	GOGÉ	FUIE	BILÉ
TODD	**BYRD**	PUCE	NIÉE	LOGE	OUÏE	FILE
JUDD	ETTD	**PUCE**	**ÉLÉE**	LOGÉ	SUIE	FILÉ
REED	BAUD	SUCÉ	**KLEE**	TOGE	**JIJÉ**	HILE
SHED	**BAUD**	**BADE**	**ÉNÉE**	CPGE	CAKE	MILE
LIED	**LAUD**	CADE	ÉPÉE	ORGE	SAKÉ	PILE
PIED	TAUD	FADE	**ÉPÉE**	URGÉ	**WAKE**	PILÉ
SIED	**VAUD**	FADÉ	**CREE**	AUGE	BÉKÉ	SILÉ
BLED	**KNUD**	GADE	CRÉÉ	**AUGE**	**TÉKÉ**	VILE
INED	**PNUD**	JADE	GRÉÉ	**AUGÉ**	**YEKE**	ALLÉ
FRED	**ROUD**	**JADE**	ORÉE	JUGE	**BOKÉ**	ELLE
OUED	**NKVD**	RADE	URÉE	JUGÉ	COKE	OLLÉ
WAFD	**YAZD**	RADÉ	OSÉE	LUGE	DYKE	**COLE**
C.Q.F.D.	**YEZD**	**SADE**	**OSÉE**	LUGÉ	BALE	**DOLE**
FAHD	DABE	**OCDE**	USÉE	MUGE	**BÂLE**	DÔLE
PEHD	**LABÉ**	AÈDE	ÔTÉE	**MAHÉ**	CALE	**DÔLE**
TVHD	RABE	**BÈDE**	BUÉE	ACHE	CALÉ	**ÉOLE**
CAÏD	ABBÉ	CÉDÉ	HUÉE	ÈCHE	**DALE**	**IOLE**
LAID	BÉBÉ	**LEDE**	MUÉE	ÉCHÉ	GALE	MOLE
RAID	**ALBE**	MÈDE	NUÉE	**REHE**	**HALE**	MÔLE
REID	**ELBE**	**MÈDE**	RUÉE	**OTHE**	HÂLE	**MOLÉ**
MUID	GOBÉ	PÉDÉ	SUÉE	BAIE	HALÉ	**POLE**
QUID	**KOBE**	**ZÉDÉ**	TUÉE	GAIE	HÂLÉ	PÔLE
VELD	LOBE	**AGDE**	OVÉE	HAIE	KALÉ	RÔLE
GAND	LOBÉ	AIDE	UVÉE	HAÏE	MÂLE	SOLE
LAND	ROBE	AIDÉ	AXÉE	LAIE	**MÂLE**	TÔLE
RAND	ROBÉ	BIDE	CAFÉ	MAIE	**MALÉ**	VOLE
RAND	ORBE	**GIDE**	MAFÉ	PAIE	PALE	VOLÉ
SAND	**ORBE**	RIDE	NIFE	RAIE	PÂLE	YOLE
ZEND	AUBE	RIDÉ	PIFÉ	SAIE	PALÉ	ORLE
SIND	**AUBE**	VIDE	ELFE	TAIE	RÂLE	**ISLE**
BOND	CUBE	VIDÉ	LOFÉ	SCIE	RÂLÉ	CULÉ
BOND	CUBÉ	**ALDE**	**URFÉ**	SCIÉ	SALE	IULE
FOND	JUBÉ	**INDE**	PTFE	GEIE	SALÉ	**IULE**
GOND	TUBE	ONDE	CAGE	AGIE	**SALÉ**	MULE
GOND	TUBÉ	ONDÉ	**CAGE**	CHIÉ	TALÉ	**DYLE**
ROND	DACE	CODE	GAGE	SKIÉ	WALÉ	**RYLE**

4

CAME	GÊNE	PIPE	CIRÉ	CASE	HÂTÉ	ESTE
CAMÉ	GÊNÉ	PIPÉ	DIRE	CASÉ	MATE	**ESTE**
DAME	MENÉ	RIPE	**ÉIRE**	HASE	MATÉ	**BUTE**
DAMÉ	**MENÉ**	RIPÉ	LIRE	JASÉ	MÂTÉ	BUTÉ
FAMÉ	NÉNÉ	TIPÉ	**LIRÉ**	NASE	PÂTE	FUTÉ
LAME	PÊNE	ALPE	MIRE	RASE	PÂTÉ	JUTE
LAMÉ	RÊNE	**ANPE**	MIRÉ	RASÉ	RATE	JUTÉ
PÂMÉ	**RENÉ**	DOPE	PIRE	VASE	RATÉ	LUTÉ
RAME	SÉNÉ	DOPÉ	**PIRE**	LÈSE-	RATÉ	MUTÉ
RAMÉ	IGNÉ	LOPE	RIRE	LÉSÉ	TÂTÉ	PUTE
SAME	AINE	**LOPE**	SIRE	PESÉ	**VATÉ**	**LAUE**
ACMÉ	AÎNÉ	POPE	TIRE	**DGSE**	ACTE	FEUE
DÈME	BINÉ	**POPE**	TIRÉ	AISE	ACTÉ	IGUE
MÊME	CINÉ	TOPÉ	VIRE	AISÉ	BÊTE	**NIUE**
MÉMÉ	DÎNÉ	ASPE	VIRÉ	BISE	FÊTE	ÉLUE
SÈME	FINE	**ASPE**	**VIRÉ**	BISÉ	FÊTÉ	ÉLUÉ
SEMÉ	KINÉ	DUPE	BORE	LISE	PÉTÉ	FLUÉ
AIME	MINE	DUPÉ	CORÉ	MISE	**SÈTE**	ÉMUE
AIMÉ	MINÉ	JUPE	**CORÉ**	MISÉ	TÊTE	BOUE
CIME	VINÉ	PUPE	**DORE**	OISE	TÉTÉ	**COUÉ**
DÎME	**ELNE**	RUPÉ	DORÉ	**PISE**	BITE	**DOUÉ**
LIME	**ANNE**	TYPE	**DORÉ**	PISÉ	CITÉ	DOUÉ
LIMÉ	INNÉ	TYPÉ	FORÉ	SISE	**CITÉ**	HOUE
MIME	**BÔNE**	**AARE**	KORÊ	**VISÉ**	DITE	HOUÉ
MIMÉ	CÔNE	FARÉ	**MORE**	**ANSE**	GÎTE	JOUE
RIME	GONE	GARE	MORE	ANSE	GÎTÉ	JOUÉ
RIMÉ	NONE	GARÉ	PORE	ANSÉ	LITÉ	LOUE
BÔME	ZONE	LARE	SORE	**BOSE**	MITE	**LOUÉ**
BÔMÉ	ZONÉ	MARE	TORE	DOSE	MITÉ	MOUE
CÔME	**ERNE**	**MARÉ**	ÂPRE	DOSÉ	PITE	NOUE
DÔME	ORNE	**PARÉ**	ERRE	POSE	RITE	NOUÉ
DÔME	ORNE	PARÉ	ERRÉ	POSÉ	SITE	ROUE
HOME	**ORNÉ**	RARE	ÂTRE	POSÉ	TITE	ROUÉ
HOME	URNE	TARE	ÊTRE	**ROSE**	VITE	SOUE
LOMÉ	AUNE	TARÉ	**AURE**	ROSÉ	ANTE	TOUÉ
MÔME	DUNE	ACRE	BURE	ROSÉ	ENTE	VOUÉ
NOME	HUNE	**ACRE**	CURE	ERSE	ENTÉ	CRUE
NOMÉ	LUNE	ÂCRE	CURÉ	**ASSE**	BOTE	DRUE
ROME	LUNÉ	OCRE	DURE	ESSE	COTE	GRUE
TOME	**PUNE**	OCRÉ	DURÉ	BUSE	CÔTE	BAVE
ARME	RUNE	AÉRÉ	**EURE**	BUSÉ	COTÉ	BAVÉ
ARMÉ	TUNE	ÉRÉ	HURE	**DUSE**	CÔTÉ	CAVE
ORME	FLOE	**CÈRE**	JURE	FUSÉ	DOTÉ	CAVÉ
FUMÉ	CAPE	**FÈRE**	JURÉ	MUSE	HÔTE	GAVE
HUME	CAPÉ	GÉRÉ	**KURE**	MUSÉ	LOTE	GAVÉ
HUMÉ	LAPÉ	HÈRE	**LURE**	RUSE	NOTE	HÂVE
AYMÉ	PAPE	**HÉRÉ**	MÛRE	RUSÉ	NOTÉ	HAVÉ
CYME	RÂPE	MÈRE	MURÉ	**SUSE**	POTE	LAVE
CANE	RÂPÉ	NÉRÉ	PURE	**ZUSE**	ROTE	LAVÉ
CANÉ	SAPE	PÈRE	SURE	LYSE	ROTÉ	PAVÉ
FANE	SAPÉ	SÉRÉ	SÛRE	LYSÉ	VOTE	RAVE
FANÉ	TAPE	OGRE	**SÛRE**	BÂTE	VOTÉ	**SAVE**
PANÉ	TAPÉ	**OHRE**	IVRE	DATE	APTE	FÈVE
ACNÉ	CÈPE	AIRE	**EYRE**	DATÉ	**EPTE**	LEVÉ
BENE	NÈPE	**AIRE**	LYRE	DATÉ	OPTÉ	NÉVÉ
CÈNE	PÉPÉ	AIRÉ	BASE	GÂTÉ	**ARTE**	RÊVE
GÈNE	BIPÉ	CIRE	BASÉ	HÂTE	**ERTÉ**	RÊVÉ

SÈVE	**GRAF**	**TANG**	RASH	**BAKI**	QUOI	AMUÏ
CIVE	**RTBF**	YANG	**WASH**	KAKI	PAPI	FOUI
DIVE	**SNCF**	DING	**GISH**	MAKI	TAPI	JOUI
LIVE	CHEF	**KING**	**KISH**	RAKI	KÉPI	ROUI
PIVE	BIEF	**LING**	BUSH	SAKI	PIPI	ÉTUI
RIVE	FIEF	**MING**	**BUSH**	KIKI	TIPI	RAVI
RIVÉ	KIEF	OING	RUSH	**ENKI**	MMPI	**RAVI**
VIVE	CLEF	**QING**	BATH	**BALI**	**OMPI**	**LEVI**
ULVE	BREF	RING	**BATH**	**CALI**	**COPI**	**LÉVI**
HOVE	RIFF	**TING**	MATH	**DALÍ**	**HOPI**	SÉVI
LOVÉ	**BOFF**	**DONG**	ACTH	**KALI**	**TUPI**	**KIVI**
NOVÉ	**YOFF**	DÔNG	**SETH**	**MALI**	**MU QI**	ENVI
ARVE	**ORFF**	GONG	**LOTH**	MALI	**BARI**	KIWI
CUVE	**BAÏF**	**KONG**	**ROTH**	PALI	CARI	MAXI
CUVÉ	NAÏF	LONG	LUTH	PÂLI	DARI	TAXI
LOWE	**TAIF**	**LONG**	**RUTH**	SALI	GARI	**CIXI**
FAXÉ	SKIF	**SONG**	PEUH	WALI	LARI	**JIXI**
SAXE	SNIF	TONG	GEAI	**HÉLI**	**MARI**	**AUXI**
SAXE	SOIF	**JUNG**	CHAI	**DILI**	SARI	**WUXI**
TAXE	**CRIF**	**KUNG**	THAÏ	**YILI**	TARI	**ANYI**
TAXÉ	JUIF	**KÜNG**	SKAÏ	**COLI**	ABRI	**PUYI**
SEXE	**JUIF**	**BYNG**	BRAI	JOLI	**NERI**	NAZI
VEXÉ	SUIF	SMOG	FRAI	POLI	PÉRI	ZIZI
FIXE	SELF	GROG	VRAI	KAMI	**PÉRI**	**LOZI**
FIXÉ	GOLF	**BERG**	ÉTAI	RAMI	**OMRI**	**MOZI**
MIXÉ	**WOLF**	**BORG**	GUAI	DEMI	**INRI**	**LUZI**
NIXE	RINF	**HAUG**	HUAI	GÉMI	**CORI**	HADJ
RIXE	**OLOF**	DEUG	QUAI	NEMI	LORI	**CLUJ**
BOXE	ROOF	THUG	NABI	**REMI**	**PORI**	**DEÁK**
BOXÉ	PROF	**BOUG**	BIBI	MIMI	**GURI**	ARAK
FOXÉ	**CNPF**	JOUG	**ALBI**	**OLMI**	MÛRI	**ARAK**
LUXE	CERF	**ZOUG**	**GOBI**	VOMI	SURI	**IRAK**
LUXÉ	NERF	CHAH	**LOBI**	**MANI**	**IASI**	KRAK
BAYÉ	SERF	SHAH	SUBI	RANI	**RISI**	**BACK**
LAYE	SURF	**OLAH**	**TUBI**	ZANI	ROSI	JACK
PAYE	TURF	**NOAH**	CECI	**BENI**	**ROSI**	PACK
PAYÉ	**BASF**	**PTAH**	DÉCI-	BÉNI	BÂTI	RACK
RAYÉ	SAUF	**UTAH**	DÉCI	DÉNI	CATI	YACK
YÉ-YÉ	KEUF	**BACH**	CADI	**RENI**	MATI	**KECK**
SKYE	MEUF	MACH	**SADI**	**IFNI**	PÂTI	NECK
MOYE	NEUF	**MACH**	CÉDI	**AGNI**	SATI	**PECK**
MOYÉ	ŒUF	**CECH**	MIDI	FINI	**TATI**	TECK
NOYÉ	VEUF	**LECH**	**MIDI**	**FINI**	**BETI**	KICK
ROYE	**OLUF**	**BICH**	**LODI**	MINI	**SÉTI**	BOCK
GUYE	POUF	**FOCH**	OBÉI	BONI	YETI	**BOCK**
GAZE	ROUF	**KOCH**	**SAFI**	**BONI**	TITI	DOCK
GAZÉ	RAAG	LOCH	DÉFI	**CONI**	COTI	ROCK
LAZE	B.C.B.G.	**ROCH**	HI-FI	**ERNI**	LOTI	**BUCK**
NAZE	**GREG**	**ESCH**	PAGI	MUNI	**LOTI**	TREK
BÈZE	**HAIG**	**AUCH**	VAGI	PUNI	RÔTI	**TREK**
MÈZE	WHIG	**OUDH**	MÉGI	**ZUÑI**	ASTI	**HAÏK**
PÈZE	BANG	**ACEH**	RÉGI	OVNI	**ASTI**	PAIK
REZÉ	**FANG**	SIKH	**RIGI**	ABOI	CUTI	**ERIK**
ONZE	GANG	**IPOH**	YOGI	**KHOÏ**	**MUTI**	PALK
PIAF	**LANG**	**SARH**	MUGI	ALOI	AGUI	**MELK**
PIAF	RANG	CASH	RUGI	**ÉLOI**		FOLK
OLAF	SANG	**NASH**	**FUJI**	ÉMOI	AGUI	**POLK**

RANK	NIEL	COOL	DAIM	JUAN	SKIN	LYON
TANK	RIEL	POOL	FAIM	YUAN	BLIN	NYON
GENK	RIEL	STOL	HEIM	YUAN	CLIN	TARN
MONK	DOEL	VTOL	GOÏM	IVAN	ZLÍN	BERN
FUNK	JOËL	EARL	MALM	IWAN	AMIN	CERN
PUNK	NOËL	MARL	FILM	SWAN	COIN	BORN
BLOK	NOËL	SARL	HOLM	CYAN	FOIN	HORN
AMOK	BREL	BERL	HAMM	ISBN	LOIN	JORN
BOOK	OREL	MERL	THOM	CAEN	SOIN	ZORN
COOK	ÉTEL	GIRL	RIOM	JAÉN	SPIN	ISSN
LOOK	DUEL	EURL	BOOM	ADEN	BRIN	JEUN
MARK	FUEL	CISL	ZOOM	EDEN	CRIN	AHUN
PARK	QUEL	MAUL	PERM	ÉDEN	ÉRIN	ALUN
BERK	AXEL	PAUL	WÜRM	AGEN	ORIN	BRUN
JERK	FIGL	SAÜL	DAUM	BIEN	TRIN	IRÚN
SIRK	DAHL	ACUL	KEUM	GIEN	JUIN	DUUN
CORK	KEHL	PEUL	RHUM	LIEN	JUIN	CFAO
YORK	COHL	SEUL	BLUM	MIEN	OVIN	CIAO
RASK	KOHL	SOUL	BOUM	RIEN	ZWIN	MIAO
OMSK	BAIL	SOÛL	DOUM	SIEN	KÖLN	IMAO
ORSK	FAIL	TOUL	GOUM	TIEN	MANN	PRAO
SOUK	MAIL	YAWL	SOUM	VIEN	BENN	GABO
ZOUK	RAIL	KAYL	ARUM	WIEN	PENN	LABO
NUUK	ŒIL	WEYL	THYM	OLEN	BONN	NÉBO
BAAL	VEIL	OCAM	IBAN	AMEN	FAON	IGBO
TAAL	WEIL	ADAM	DEAN	BOËN	KAON	LI BO
VAAL	BHIL	ÉDAM	JEAN	OPEN	LAON	ZIBO
WAAL	FOIL	CHAM	JEAN	BREN	PAON	BOBO
FÉAL	POIL	MIAM	KEAN	WREN	RAON	BOBO
REAL	BRIL	SIAM	LEAN	AVEN	TAON	ESBO
RÉAL	GRIL	CLAM	PÉAN	SVEN	ACON	JACO
ÉGAL	GUIL	ÉLAM	PÉAN	OWEN	ODON	TACO
RIAL	EXIL	IMAM	AHAN	HAHN	DÉON	WACO
SIAL	EXIL	CNAM	CHAN	KAHN	LÉON	DÉCO
AMAL	BALL	MNAM	KHAN	LEHN	LEÓN	PECO
ANAL	GALL	ARAM	KHAN	FÖHN	NÉON	DICO
BOAL	HALL	CRAM	PIAN	KUHN	PÉON	PICO-
GOAL	HALL	DRAM	SIAN	BAIN	THON	VICO
ARAL	BELL	GRAM	TIAN	BAIN	BION	COCO
ORAL	TELL	TRAM	VIAN	CAÏN	DION	FADO
ORAL	TELL	ASAM	XI'AN	GAIN	FION	YEDO
ÉTAL	BILL	GUAM	AKAN	JAÏN	LION	LIDO
DUAL	BILL	ICBM	CLAN	MAIN	LION	LIDO
AVAL	GILL	SLBM	ÉLAN	MAIN	PION	DODO
UVAL	MILL	IRBM	FLAN	NAIN	RION	ORDO
ÖZAL	TILL	MRBM	PLAN	PAIN	SION	JUDO
JODL	BÖLL	PPCM	VLAN	SAIN	AMON	OC-ÈO
ABEL	BULL	CAEM	AMAN	TAIN	ÂNON	ISEO
OBEL	BULL	F.C.É.M.	AMAN	TAIN	GNON	YAFO
GEEL	FULL	IDEM	OMAN	VAIN	ROON	INFO
NÉEL	HULL	DIÊM	ONAN	ZAIN	ARON	DAGO
PEEL	PULL	DJEM	ARAN	ODIN	BRON	BEGO
RÉEL	SGML	ITEM	BRAN	HEIN	ATON	LEGO
CIEL	CHOL	STEM	CRAN	REIN	ETON	VIGO
FIEL	KHÔL	IUFM	IRAN	SEIN	HUON	ANGO
KIEL	VIOL	BÖHM	ORAN	SEIN	MUON	GOGO
MIEL	ÉNOL	RÖHM	OTAN	RHIN	AVON	LOGO

TOGO	TOPO	**OPEP**	CHER	**BERR**	TRÈS	DANS
HUGO	EXPO	STEP	**CHER**	**KERR**	ASES	**LANS**
LUGO	TYPO	SKIP	FIER	BIRR	**CUES**	SANS
ÉCHO	**CARO**	CLIP	HIER	TORR	**IVES**	CENS
ÉCHO	FARO	SLIP	LIER	BRRR	**YVES**	GENS
MOHO	**FARO**	TRIP	NIER	**BAUR**	**UZÈS**	LENS
SOHO	**GARO**	CAMP	AMER	GAUR	LEGS	SENS
SFIO	HARO	VAMP	**YMER**	**MAUR**	**OCHS**	**SENS**
AGIO	TARO	LUMP	**ASER**	SAUR	DAIS	BIN'S
CHIO	**EBRO**	**IFOP**	OSER	BEUR	JAIS	PIN'S
OHIO	ZÉRO	**DIOP**	USER	HEUR	LAIS	**PINS**
THIO	AFRO	FLOP	**YSER**	LEUR	**LAÏS**	**ENNS**
CLIO	**GIRO**	DROP	ATER	PEUR	MAIS	**LONS**
BRIO	MIRO	TROP	ÔTER	**CHUR**	MAÏS	**MONS**
TRIO	**MIRÓ**	STOP	**GUER**	BOUR	**RAIS**	**PONS**
BAJO	CORO	**BOPP**	HUER	COUR	RAÏS	**HUNS**
DOJO	**MORO**	WASP	MUER	**DOUR**	SAÏS	LAOS
JOJO	MASO	LISP	NUER	FOUR	IBIS	NAOS
AKKO	PESO	**RATP**	**NUER**	GOUR	**ACIS**	ADOS
CALO	**YESO**	COUP	PUER	JOUR	REIS	**NIÓS**
HALO	**TISO**	HOUP	RUER	POUR	**AGIS**	CLOS
LALO	**VISO**	LOUP	SUER	**SOUR**	AMIS	**AMOS**
MALO	SUSO	**LOUP**	TUER	TOUR	ÉMIS	**BOOS**
SALO	NATO	YOUP	**TVER**	AZUR	OMIS	**LOOS**
MÉLO	**LÉTO**	**CUYP**	AXER	**MAYR**	ANIS	**CROS**
VÉLO	**NETO**	**IRAQ**	OXER	**WAAS**	RNIS	**ÉROS**
KILO-	VETO	**LACQ**	**AYER**	EGAS	BOIS	GROS
KILO	DITO	**VICQ**	BOHR	CHAS	FOIS	**GROS**
MILO	**MITO**	CINQ	**RUHR**	DIAS	GOIS	LAPS
SILO	**TITO**	**BAAR**	HAÏR	**DIAS**	GOÏS	REPS
SILO	ALTO	MAAR	PAIR	LIAS	MOIS	SEPS
ALLÔ	KOTO	**LEAR**	VAIR	GLAS	POIS	MIPS
COLO	LOTO	**AFAR**	**VAIR**	AMAS	**APIS**	COPS
LOLO	MOTO	**AGAR**	MEIR	**BOAS**	BRIS	**ROPS**
POLO	**NOTO**	CHAR	AGIR	UPAS	**CRIS**	**FARS**
POLO	**SOTO**	**CHAR**	ÉMIR	BRAS	GRIS	GARS
SOLO	TOTO	**THAR**	**YMIR**	GRAS	**GRIS**	JARS
SOLO	**TOTO**	**AJAR**	UNIR	KVAS	IRIS	MARS
OSLO	ATTO-	**OMAR**	COIR	KWAS	PRIS	MARS
DÉMO	**OTTO**	**UMAR**	HOIR	MSBS	**ISIS**	VARS
HOMO	AUTO	ANAR	LOIR	SSBS	BUIS	**VARS**
SUMO	FLUO	ÉPAR	**LOIR**	LACS	HUIS	CERS
CANO	**HAXO**	**ISAR**	NOIR	**PÉCS**	**LUIS**	FERS
KANO	SAXO	KSAR	**NOIR**	LODS	PUIS	**GERS**
RENO	**NEXØ**	TSAR	SOIR	**LODS**	AVIS	**MERS**
TENO	**PEYO**	STAR	VOIR	BAES	AXIS	PERS
LINO	Yo-Yo	HVAR	**ASIR**	**WAES**	HALS	**SERS**
MIÑO	**ENZO**	CZAR	CUIR	IDES	**HALS**	VERS
NIÑO	**GOZO**	TZAR	**SÉES**	SÉES	VALS	**CNRS**
MONO	ZOZO	MICR-	OUÏR	WIES	VALS	FORS
NONO	OUZO	**BADR**	**ADOR**	**ALÈS**	**WELS**	HORS
SONO	**GIAP**	ABER	GHOR	CNES	**IGLS**	**LORS**
ARNO	CLAP	**ADER**	**THOR**	**INÉS**	AILS	MORS
BRNO	DRAP	**ODER**	**DIOR**	**ARÈS**	FILS	**TORS**
KAPO	SWAP	BÉER	**GYÖR**	**GRÈS**	PILS	**OURS**
PIPO	JEEP	RÉER	**BARR**	GRÈS	**WOLS**	**OURS**
SIPO	**ALEP**	EGER	**KARR**	ORES	**HOMS**	**BASS**
				PRÈS		

4

JASS	ÉTAT	**KANT**	HOST	URDU	REPU	INOX
TASS	KYAT	TANT	**MOST**	DIEU	**DARU**	**KNOX**
YASS	OYAT	CENT	**FUST**	LIEU	PARU	**MARX**
DESS	TACT	DENT	**FÜST**	PIEU	ÉCRU	BAUX
HESS	HECT-	GENT	MUST	BLEU	FÉRU	**CAUX**
MESS	**CFDT**	**KENT**	OUST	**BLEU**	**MÉRU**	EAUX
NESS	**TODT**	LENT	**GATT**	ÉMEU	GURU	FAUX
MISS	BLET	VENT	WATT	PNEU	KURU	MAUX
RISS	**CLET**	**VENT**	**WATT**	V ŒU	VISU	TAUX
BOSS	FLET	OINT	**PITT**	AREU	INSU	VAUX
ROSS	ÎLET	DONT	**WITT**	AVEU	ISSU	**VAUX**
VOSS	**ANET**	MONT	**MOTT**	**IDFU**	OSSU	CEUX
URSS	**ONET**	PONT	**POTT**	**GIFU**	**OTSU**	DEUX
LATS	SPET	**PONT**	**BUTT**	**MIFU**	**BATU**	FEUX
METS	CRÊT	**HUNT**	PUTT	**KOFU**	VATU	JEUX
RETS	FRET	ÉCOT	HAUT	TOFU	FÉTU	LEUX
CAUS	PRÊT	**SCOT**	SAUT	**DU FU**	TÊTU	YEUX
ABUS	GUET	PHOT	PFUT	**QUFU**	VÊTU	FLUX
OBUS	**HUET**	**THOT**	CHUT	BÉGU	HOTU	DOUX
PCUS	MUET	**BIOT**	**CNUT**	HOTU	POTU	HOUX
REUS	SUET	FLOT	**KNUT**	POTU	**HUTU**	**JOUX**
ZEUS	RAFT	ÎLOT	AOÛT	**ZOGU**	TUTU	POUX
PLUS	**TAFT**	PLOT	BOUT	DAHU	**TUTU**	ROUX
ANUS	PFFT	FOOT	COÛT	**OAHU**	REVU	**ROUX**
NOUS	LIFT	SPOT	GOÛT	ÉCHU	**KIVU**	TOUX
SOUS	RIFT	**SPOT**	MOÛT	**JÉHU**	ADAV	ONYX
SOUS	LOFT	TROT	TOUT	**WUHU**	**OLAV**	**PNYX**
VOUS	SOFT	STOT	BRUT	TÉJU	**KIEV**	ORYX
OPUS	BAHT	**LYOT**	**PRUT**	PALU	**LVIV**	**STYX**
PRUS	FAIT	RAPT	BEAU	VALU	**KYÏV**	**AGAY**
URUS	LAIT	SEPT	**LÉAU**	**YALU**	**LVOV**	**CLAY**
ÉSUS	RAIT	**BART**	PEAU	RELU	**AZOV**	**AMAY**
USUS	OBIT	FART	SEAU	VELU	**MERV**	**BRAY**
OXUS	ZCIT	KART	VEAU	TOLU	MIRV	GRAY
NEWS	ÉDIT	PART	**THAU**	LULU	**SHAW**	**GRAY**
PAYS	SHIT	**BERT**	**VIAU**	OULU	SHOW	**WRAY**
RAYS	COÏT	VERT	**BLAU**	**SULU**	**BLOW**	K-WAY
GOYS	DOIT	**VERT**	UNAU	**ZULU**	SLOW	BABY
ATYS	SOIT	FORT	**CRAU**	SAMU	**CROW**	TOBY
GUYS	TOIT	**FORT**	GRAU	**MANU**	**SFAX**	**AUBY**
PUYS	FRIT	**GORT**	**ÉSAÜ**	MENU	**AJAX**	**DUBY**
MAÂT	CUIT	MORT	ÉTAU	TENU	APAX	**JUBY**
ABAT	HUIT	**MORT**	**CABU**	TÉNU	TRAX	**TUBY**
SCAT	NUIT	**NORT**	**CEBU**	VENU	**ONEX**	**PACY**
BEAT	EXIT	**OORT**	REBU	CHOU	APEX	**LUCY**
BÉAT	**FIJT**	PORT	ZÉBU	**THOU**	FAIX	**SUCY**
DÉAT	MALT	SORT	EMBU	CLOU	PAIX	LADY
MÉAT	**SALT**	TORT	IMBU	FLOU	**PAIX**	**EDDY**
AFAT	**BELT**	HAST	ACCU	ÉMOU	**ALIX**	**INDY**
CHAT	KILT	LEST	DÉÇU	**ANOU**	**FOIX**	BODY
KHAT	SILT	**PEST**	REÇU	GNOU	NOIX	**GREY**
FIAT	TILT	TEST	VÉCU	BROU	POIX	**UREY**
IKAT	COLT	**WEST**	COCU	**BROU**	VOIX	**DUFY**
FLAT	VOLT	ZEST	REDÛ	PROU	PRIX	**NAGY**
PLAT	**AULT**	**LIST**	INDU	TROU	**ICKX**	**LELY**
PRAT	**SYLT**	**RIST**	DODU	**ISOU**	AULX	**ORLY**
VSAT	GANT	ZIST	ARDU	ITOU	LYNX	**ISLY**

LYLY	AMOY	BURY	ROTY	GRAZ	BELZ	GETZ
LAMY	PAPY	JURY	HAÜY	LODZ	RANZ	METZ
MAMY	CARY	ÉVRY	JOUY	BAEZ	BENZ	RETZ
DEMY	GARY	IVRY	MOUY	PÁEZ	LENZ	WITZ
REMY	MARY	AISY	DAVY	DIEZ	BINZ	WITZ
VIMY	DÉRY	COSY	SEXY	RIEZ	LINZ	LUTZ
CANY	MÉRY	ASSY	BUXY	SUEZ	GÜNZ	YUTZ
GÉNY	AIRY	ISSY	JAZY	QUIZ	BOOZ	BRUZ
IGNY	TORY	BATY	LIZY	RUIZ	HARZ	CRUZ
OSNY	TORY	CITY	LUZY	AVIZ	MERZ	JAZZ
BLOY	ORRY	COTY	DÍAZ		BATZ	

4

5

BEKAA	GADDA	VALGA	MELIA		
SANAA	LYDDA	VOLGA	IULIA		
BEQAA	BREDA	GANGA	JULIA		
KAABA	SAÏDA	MANGA	ZULIA		
SHABA	BLIDA	MANGA	DAMIA		
AKABA	AMIDA	TANGA	LAMÍA		
AQABA	WAJDA	LINGA	TAMIA		
CHIBA	OUJDA	CONGA	ZAMIA		
GALBA	FULDA	TONGA	TÉNIA		
MELBA	GANDA	VARGA	SÉPIA		
GAMBA	PANDA	VERGA	APPIA		
KAMBA	VANDA	IORGA	PARIA		
MAMBA	BENDA	TORGA	VARIA	TRNKA	VILLA
SAMBA	VENDA	DURGA	ZARIA	AÇOKA	MULLA
BEMBA	FONDA	OURGA	BERIA	KUPKA	SULLA
PEMBA	LUNDA	OMAHA	FERIA	MARKA	SYLLA
NIMBA	MUNDA	SEBHA	DORIA	PARKA	SIMLA
ZOMBA	BARDA	KACHA	NORIA	FURKA	SAOLA
RUMBA	VARDA	MÁCHA	SORIA	RUSKA	ÉBOLA
SUMBA	BORDA	PACHA	FURIA	KOTKA	SCOLA
BARBA	KORDA	AÏCHA	LURIA	NJUKA	NDOLA
ENSB-A	ZHUDA	ROCHA	À QUIA	HOUKA	DIOLA
NOUBA	GOUDA	MUCHA	BEDJA	STUKA	AKOLA
ARUBA	GOUDA	SAKHA	HODJA	ZIZKA	IMOLA
TSUBA	SAYDA	CUNHA	ÉCIJA	SCALA	ISOLA
ABACA	COBÉA	ALPHA	JINJA	VIALA	COPLA
VRACA	MÉDÉA	CERHA	RIOJA	SMALA	TESLA
ATACA	LULEÅ	MATHA	RIOJA	KOALA	TESLA
DACCA	FNSEA	BOTHA	ABUJA	TABLA	MITLA
TACCA	HÉVÉA	GOTHA	CHAKA	QIBLA	TOULA
DECCA	FOVEA	GOTHA	DHAKA	VOILÀ	UVULA
YUCCA	JAFFA	DAWHA	OSAKA	MSILA	ABYLA
IPÉCA	DIFFA	HOXHA	NEBKA	ÁVILA	GUZLA
ARICA	LUFFA	PRAIA	BUBKA	HEKLA	TUZLA
TALCA	HAÏFA	TIBIA	VODKA	BALLA	GLÅMA
PANCA	LOOFA	MÉDIA	KAFKA	FALLA	PADMA
LENCA	BLAGA	MAFIA	HAKKA	GALLA	ULÉMA
BROCA	BRAGA	TAFIA	POLKA	VALLA	TRÉMA
ATOCA	OMÉGA	SOFIA	PANKA	CELLA	MAGMA
LORCA	ONEGA	BAHIA	TANKA	PELLA	SIGMA
CAUCA	SAÏGA	ASKIA	DINKA	HILLA	BALMA
NAZCA	TAÏGA	MALIA	TONKA	VILLA	PALMA

5

TALMA	RAQQA	COSSA	ORIYA	ASDIC	ÖLAND
GAMMA	ZARQA	PLATA	KENYA	DOLIC	AMAND
COMMA	CEARÁ	RECTA	KONYA	PANIC	GRAND
KARMA	AMARA	THÊTA	SURYA	BINIC	STAND
LERMA	TZARA	PIETÀ	THUYA	TEPIC	QUAND
KOSMA	SABRA	DZÊTA	ICAZA	ASPIC	TREND
FATMA	COBRA	NAFTA	IBIZA	AURIC	SVEND
RAUMA	COBRA	KEITA	COLZA	LYRIC	BLOND
DOUMA	DOBRA	SEITA	SANZA	BASIC	POUND
ADANA	ACCRA	AKITA	PENZA	COUIC	ROUND
AGANA	LICRA	UNITA	MONZA	BLANC	ÉPHOD
GHANA	LYCRA	SUITA	HUNZA	BLANC	MONOD
OHANA	INDRA	IALTA	TISZA	FLANC	FLOOD
SHANA	MUDRA	MALTA	COUZA	FRANC	SAROD
THANA	SUDRA	SALTA	PIZZA	AJONC	ÉGARD
PIANA	HYDRA	YALTA	NABAB	TRONC	LIARD
GRANA	OPÉRA	DELTA	RABAB	MÉDOC	ÉRARD
ASANA	BRERA	DELTA	REBAB	MÉDOC	ISARD
HODNA	INFRA	VOLTA	ACHAB	AD HOC	ITARD
PYDNA	NAIRA	MANTA	ASSAB	SINOC	HUARD
FAENA	BEIRA	MANTA	AKYAB	MAROC	TYARD
ADENA	AGORA	TANTA	GLUBB	DUROC	BAIRD
ALENA	THORA	QUOTA	ACHEB	ESTOC	LAIRD
ARÉNA	VLORA	GUPTA	HOREB	CLERC	ABORD
TAFNA	EVORA	WARTA	KATEB	CADUC	FJORD
CAGNA	ÉVORA	CIRTA	SAHIB	LEDUC	GOURD
JAÏNA	CAPRA	HORTA	NAMIB	TU DUC	HOURD
MAÏNA	COPRA	BASTA	CARIB	DELUC	LOURD
JAMNA	SUPRA	RASTA	PLOMB	LE LUC	SOURD
JUMNA	CARRÀ	VESTA	RHUMB	PLOUC	TOURD
SENNA	LARRA	MATTA	CRUMB	BAGAD	CHAUD
CINNA	SERRA	NATTA	JACOB	TCHAD	NŒUD
SUNNA	BASRA	ZETTA-	GHARB	AKKAD	FREUD
SHONA	MÁTRA	BOTTA	RHARB	ÁRPÁD	NUFUD
POONA	PÉTRA	MOTTA	SCRUB	FARAD	PALUD
ÉPONA	NITRA	YOTTA-	ISAAC	MURAD	MULUD
KRONA	ULTRA	CEUTA	TABAC	ENSAD	CLOUD
VARNA	SUTRA	OMUTA	LUBAC	FOUAD	LLOYD
BATNA	EXTRA	NAHUA	LE GAC	RIYAD	DANAÉ
PATNA	SAURA	CAOUA	GAÏAC	TWEED	PIRAE
SAUNA	PIURA	ADOUA	DULAC	TWEED	NOVAE
DALOA	GOURA	JURUÁ	HAMAC	AHMED	ARABE
SAMOA	KOURA	ÁLAVA	SUMAC	PLAID	ARABE
AMAPÁ	LAVRA	OPAVA	NÉRAC	IRBID	CRABE
PRÉPA	VAASA	CUEVA	SÉRAC	FROID	LABBE
WEIPA	GAFSA	NEIVA	DIRAC	OHRID	NIÉBÉ
PAMPA	BALSA	SHIVA	COUAC	DAVID	GLÈBE
PAMPA	SALSA	OLIVA	REBEC	NADJD	PLÈBE
TAMPA	TULSA	CALVA	ORBEC	NEDJD	GRÈBE
SYMPA	XHOSA	HALVA	ÉCHEC	WEALD	AMIBE
CAPPA	XHOSA	SELVA	BRIEC	FIELD	BRIBE
KAPPA	MJØSA	NARVA	PEREC	FJELD	GALBE
KIPPA	AROSA	NERVA	PÉREC	FOULD	GALBÉ
COPPA	BURSA	TOUVA	AUREC	GOULD	BULBE
FOPPA	MASSA	URAWA	ORSEC	ÅLAND	CAMBÉ
VESPA	YASSA	FATWA	KABIC	ÉLAND	IAMBE
STUPA	LISSA	OMIYA	INDIC	GLAND	JAMBE

LIMBE	**RANCE**	GUÈDE	**SONDE**	**ELBÉE**	CELÉE
NIMBE	**RANCÉ**	SUÈDE	SONDÉ	COBÉE	FÊLÉE
NIMBÉ	TANCÉ	SUÉDE	GÉODE	GOBÉE	GELÉE
BOMBE	PENCE	**SUÈDE**	DIODE	LOBÉE	HÉLÉE
BOMBÉ	**TENCE**	SUÉDÉ	ANODE	ROBÉE	MÊLÉE
COMBE	**VENCE**	LAIDE	APODE	CUBÉE	PELÉE
TOMBE	MINCE	ACIDE	ÉPODE	**EUBÉE**	**PELÉE**
TOMBÉ	PINCE	SÉIDE	BRODÉ	TUBÉE	**PÉLÉE**
ADOBE	PINCÉ	ÉGIDE	**ÉRODE**	JACÉE	ZÉLÉE
NIOBÉ	RINCÉ	**ÉLIDE**	ÉRODÉ	LACÉE	AILÉE
GLOBE	FONCÉ	ÉLIDÉ	EXODE	RACÉE	BILÉE
SNOBÉ	JONCÉ	AMIDE	IXODE	**NICÉE**	FILÉE
PROBE	NONCE	IMIDE	BARDE	SUCÉE	PILÉE
BARBE	PONCE	**CNIDE**	BARDÉ	LYCÉE	ALLÉE
BARBE	**PONCE**	ROIDE	CARDE	FADÉE	BOLÉE
BARBÉ	PONCÉ	APIDE	CARDÉ	RADÉE	COLÉE
GERBE	RONCE	ARIDE	DARDÉ	CÉDÉE	TÔLÉE
GERBÉ	**CROCE**	BRIDE	FARDE	**MÉDÉE**	VOLÉE
HERBE	DARCE	BRIDÉ	FARDÉ	AIDÉE	CULÉE
SERBE	FARCE	OSIDE	GARDE	RIDÉE	CAMÉE
SERBE	GARCE	GUIDE	**GARDE**	VIDÉE	DAMÉE
VERBE	BERCE	**GUIDE**	GARDÉ	ONDÉE	FAMÉE
BIRBE	BERCÉ	GUIDÉ	HARDE	CODÉE	LAMÉE
SORBE	GERCE	SUIDÉ	JARDE	IODÉE	PÂMÉE
TÜRBE	GERCÉ	AVIDE	LARDÉ	RODÉE	RAMÉE
DAUBE	PERCE	ÉVIDÉ	SARDE	SODÉE	**LE MÉE**
DAUBÉ	PERCÉ	**OVIDE**	**SARDE**	**JUDÉE**	**NÉMÉE**
LAUBE	**PERCÉ**	GILDE	**TARDE**	CRÉÉE	SEMÉE
TAUBE	**CIRCÉ**	TILDE	TARDÉ	GRÉÉE	AIMÉE
AGACE	FORCE	**WILDE**	MERDE	PIFÉE	LIMÉE
AGACÉ	FORCÉ	**NOLDE**	MERDÉ	GAGÉE	MIMÉE
GLACE	**KORÇË**	SOLDE	BORDE	NAGÉE	RIMÉE
GLACE	MORCE	SOLDÉ	BORDÉ	**TÉGÉE**	BÔMÉE
GLACÉ	FASCE	BANDE	CORDE	**AGGÉE**	ARMÉE
PLACE	FASCÉ	BANDÉ	CORDÉ	FIGÉE	FUMÉE
PLACÉ	VESCE	**CANDÉ**	HORDE	PIGÉE	HUMÉE
GRÂCE	SAUCE	MANDÉ	NORDÉ	GOGÉE	FANÉE
TRACE	SAUCÉ	LANDE	KURDE	LOGÉE	PANÉE
TRACÉ	DOUCE	**MANDÉ**	**KURDE**	AUGÉE	GÊNÉE
STACE	POUCE	**ZANDÉ**	CAUDÉ	JUGÉE	MENÉE
LECCE	ÉPUCÉ	**MENDE**	GAUDE	LUGÉE	**RENÉE**
SDECE	**BRUCE**	MENDÉ	TAUDE	ÉCHÉE	IGNÉE
NIÈCE	**JOYCE**	PENDE	LEUDE	ATHÉE	AÎNÉE
PIÈCE	**BAADE**	**TENDE**	ÉLUDÉ	SCIÉE	BINÉE
BOÈCE	**MEADE**	DINDE	BOUDÉ	CHIÉE	MINÉE
GRÈCE	**READE**	**LINDE**	COUDE	PLIÉE	VINÉE
ALICE	CLADE	**PINDE**	COUDÉ	ÉPIÉE	ANNÉE
SLICE	BRADÉ	BONDE	SOUDE	CRIÉE	INNÉE
SLICÉ	CRADE	BONDÉ	SOUDÉ	PRIÉE	ZONÉE
JOICE	GRADE	CONDÉ	PRUDE	TRIÉE	APNÉE
ÉPICE	GRADÉ	**CONDÉ**	ÉTUDE	CALÉE	**ERNÉE**
ÉPICÉ	STADE	FONDÉ	HALÉE	HALÉE	ORNÉE
ERICE	RUADE	MONDE	**LEYDE**	HÂLÉE	USNÉE
GANCE	ÉVADÉ	**MONDE**	**CLYDE**	PALÉE	AUNÉE
LANCE	DYADE	MONDÉ	OXYDE	SALÉE	LUNÉE
LANCÉ	**EGEDE**	RONDE	OXYDÉ	TALÉE	CAPÉE
RANCE	TIÈDE	SONDE	**ALBEE**	**VALÉE**	CAPÉÉ

LAPÉE	DOSÉE	NOVÉE	**ADIGE**	BAUGE	NICHÉ
NAPÉE	POSÉE	BUVÉE	BEIGE	**BAUGÉ**	RICHE
RÂPÉE	ROSÉE	CUVÉE	NEIGE	JAUGE	**ELCHE**
SAPÉE	BUSÉE	FAXÉE	**NEIGE**	JAUGÉ	ANCHE
TAPÉE	FUSÉE	TAXÉE	NEIGÉ	SAUGE	BOCHE
CÉPÉE	JUSÉE	VEXÉE	ÉPIGÉ	**KLUGE**	COCHE
L'ÉPÉE	MUSÉE	FIXÉE	ÉRIGÉ	BOUGE	COCHÉ
PÉPÉE	RUSÉE	MIXÉE	EXIGÉ	BOUGÉ	CÔCHÉ
BIPÉE	LYSÉE	BOXÉE	BELGE	GOUGE	**HOCHE**
PIPÉE	BATÉE	FOXÉE	**BELGE**	**NOUGÉ**	HOCHÉ
RIPÉE	BÂTÉE	LUXÉE	BULGE	ROUGE	LOCHE
TIPÉE	DATÉE	PAYÉE	**BANGE**	**ROUGÉ**	LOCHÉ
DOPÉE	GÂTÉE	RAYÉE	**CANGE**	**SOUGE**	MOCHE
DUPÉE	HÂTÉE	MOYÉE	**DANGÉ**	VOUGE	**MOCHE**
RUPÉE	MATÉE	NOYÉE	FANGE	GRUGÉ	POCHE
TYPÉE	MÂTÉE	GAZÉE	**GANGE**	**BRAHE**	POCHÉ
GARÉE	PÂTÉE	BAFFE	LANGE	BÂCHE	ROCHE
MARÉE	RATÉE	GAFFE	LANGÉ	BÂCHÉ	ROCHÉ
PARÉE	TÂTÉE	GAFFÉ	MANGÉ	CACHE	ARCHE
TARÉE	ACTÉE	TAFFE	RANGÉ	CACHÉ	ESCHE
OCRÉE	FÊTÉE	BIFFE	TENGE	FÂCHÉ	ESCHÉ
AÉRÉE	JETÉE	BIFFÉ	VENGÉ	GÂCHE	BÛCHE
GÉRÉE	PÉTÉE	PIFFE	LINGE	GÂCHÉ	BÛCHÉ
NÉRÉE	TÉTÉE	RIFFE	SINGE	HACHE	DUCHÉ
PÉRÉE	CITÉE	TIFFE	SINGÉ	HACHÉ	HUCHE
AGRÉÉ	LITÉE	**GOLFE**	CONGE	KACHE	HUCHÉ
CIRÉE	MITÉE	**WOLFE**	CONGÉ	LÂCHE	JUCHÉ
MIRÉE	**ANTÉE**	SURFÉ	LONGE	LÂCHÉ	OUCHE
TIRÉE	ENTÉE	ADAGE	LONGÉ	MÂCHE	**OUCHE**
VIRÉE	COTÉE	PÉAGE	**MONGE**	MÂCHÉ	PUCHE
BORÉE	DOTÉE	PHAGE	**PONGE**	TACHE	RUCHE
CORÉE	NOTÉE	LIAGE	PONGÉ	TÂCHE	RUCHÉ
DORÉE	POTÉE	PLAGE	RONGÉ	TACHÉ	**HAI HE**
FORÉE	VOTÉE	IMAGE	SONGE	TÂCHÉ	RAPHÉ
GORÉE	BUTÉE	IMAGÉ	SONGÉ	VACHE	HYPHE
MORÉE	FUTÉE	ORAGE	**BUNGE**	BÊCHE	**NASHE**
TORÉE	LUTÉE	USAGE	**SYNGE**	BÊCHÉ	**MOSHÉ**
SPREE	MUTÉE	USAGÉ	BARGE	DÈCHE	**MATHÉ**
ARRÉE	ÉLUÉE	ÉTAGE	LARGE	LÈCHE	**PATHÉ**
CURÉE	BOUÉE	ÉTAGÉ	MARGE	LÉCHÉ	**BETHE**
DURÉE	DOUÉE	OTAGE	MARGÉ	MÈCHE	**LÉTHÉ**
JURÉE	HOUÉE	STAGE	TARGE	MÉCHÉ	**BOTHE**
MURÉE	JOUÉE	NUAGE	BERGE	PÊCHE	MYTHE
PURÉE	LOUÉE	SUAGE	**HERGÉ**	PÊCHÉ	THAÏE
IVRÉE	NOUÉE	BADGÉ	SERGE	PÉCHÉ	CLAIE
BASÉE	ROUÉE	LIÈGE	**SERGE**	RÊCHE	PLAIE
CASÉE	TOUÉE	**LIÈGE**	SERGÉ	SÈCHE	CRAIE
RASÉE	VOUÉE	LIÉGÉ	VERGE	SÉCHÉ	VRAIE
LÉSÉE	CAVÉE	PIÈGE	VERGÉ	AICHE	**ÉSAÏE**
PESÉE	GAVÉE	PIÉGÉ	FORGE	AICHÉ	**ISAÏE**
AISÉE	HAVÉE	SIÈGE	FORGÉ	BICHE	LABIÉ
BISÉE	LAVÉE	SIÉGÉ	GORGE	BICHÉ	GOBIE
MISÉE	PAVÉE	DRÈGE	GORGÉ	FICHE	**TOBIE**
RISÉE	LEVÉE	**FREGE**	**NORGE**	FICHÉ	LUBIE
VISÉE	RÊVÉE	GRÈGE	PURGE	LICHÉ	**NUBIE**
ANSÉE	RIVÉE	POGGE	PURGÉ	MICHE	SUBIE
INSEE	LOVÉE			NICHE	**DACIE**

SICIÉ	PROIE	RAVIE	RÂBLÉ	RÉGLÉ	BILLÉ
VICIÉ	**TROIE**	OBVIE	SABLE	AIGLE	CILLÉ
LUCIE	LAPIÉ	OBVIÉ	SABLÉ	AIGLE	FILLE
LYCIE	TAPIE	DÉVIÉ	SABLÉ	BIGLE	**LILLE**
DADIÉ	PÉPIE	**LIVIE**	TABLE	BIGLÉ	**MILLE**
RADIÉ	PÉPIÉ	ENVIE	TABLÉ	SIGLE	MILLE
BÉDIÉ	IMPIE	ENVIÉ	YÈBLE	SIGLÉ	NILLE
DÉDIÉ	COPIE	**BOWIE**	**BIBLE**	ANGLE	PILLÉ
MÉDIE	COPIÉ	**LOWIE**	BIBLE	ONGLE	**SILLÉ**
RÉDIE	EXPIÉ	TAXIE	CIBLE	ONGLÉ	TILLE
LYDIE	CARIE	LEXIE	CIBLÉ	BUGLE	TILLÉ
OBÉIE	**CARIE**	DIXIE	PIBLE	**ZAHLÉ**	VILLE
DÉFIÉ	CARIÉ	NAZIE	AMBLE	ÉDILE	COLLE
MÉFIÉ	**MARIE**	GADJÉ	AMBLÉ	**ODILE**	COLLÉ
MAGIE	MARIÉ	**MEIJE**	OMBLE	AGILE	FOLLE
MÉGIE	PARIÉ	POLJÉ	NOBLE	**ÉMILE**	MOLLE
RÉGIE	TARIE	KOTJE	BÂCLE	POILÉ	**ROLLE**
LIGIE	VARIÉ	**BLAKE**	BÂCLÉ	TOILE	TOLLÉ
VIGIE	ÉCRIE	**DRAKE**	MACLE	VOILE	BULLE
ALGIE	FÉRIE	**LÜBKE**	MACLÉ	VOILÉ	BULLÉ
BOGIE	FÉRIÉ	**LOCKE**	RACLE	ÉPILÉ	**LULLE**
ORGIE	SÉRIE	**SPEKE**	RACLÉ	ASILE	NULLE
PÂLIE	SÉRIÉ	**RILKE**	TACLE	UTILE	TULLE
SALIE	GIRIE	**RANKE**	TACLÉ	HUILE	**TULLE**
DÉLIÉ	BORIE	CHOKE	**UCCLE**	HUILÉ	OBOLE
RELIÉ	STRIE	**HOOKE**	CICLE	TUILE	ÉCOLE
VÉLIE	STRIÉ	JERKÉ	GICLÉ	TUILÉ	IDOLE
CILIÉ	CURIE	**BURKE**	SICLE	EXILÉ	GEÔLE
ALLIÉ	**CURIE**	**HAWKE**	ONCLE	BALLE	DHOLE
ENLIÉ	FURIE	**SAALE**	SOCLE	BALLÉ	FIOLE
ÉOLIE	MÛRIE	ÉCALE	CYCLE	DALLE	VIOLE
FOLIE	KYRIE	ÉCALÉ	IODLE	DALLÉ	VIOLÉ
FOLIÉ	**SYRIE**	DEALÉ	JODLÉ	GALLE	**NKOLE**
JOLIE	**BASIE**	FÉALE	YODLÉ	**GALLE**	GNÔLE
POLIE	**MÉSIE**	RÉALE	OBÈLE	GALLÉ	**BOOLE**
DULIE	ROSIE	ÉGALE	VIÈLE	HALLE	**POOLE**
JULIE	**SOSIE**	ÉGALÉ	**GLÉLÉ**	**HALLE**	**OPOLE**
LAMIE	SOSIE	CHÂLE	POÈLE	**MALLE**	DRÔLE
MAMIE	**MYSIE**	ANALE	POÊLÉ	MALLE	FRÔLE
RAMIE	BÂTIE	OPALE	ÉPELÉ	PALLE	GROLE
DEMIE	CATIE	ORALE	FRÊLE	SALLE	ISOLÉ
MOMIE	MATIE	ÉTALE	GRÊLE	**SALLÉ**	ÉTOLE
VOMIE	**SATIE**	ÉTALÉ	GRÊLÉ	TALLE	AMPLE
MANIE	PITIÉ	DUALE	PRÈLE	TALLÉ	ASPLE
MANIÉ	COTIE	AVALÉ	PRÊLE	BELLE	**CARLE**
SANIE	LOTIE	OVALE	ATÈLE	CELLE	HARLE
BÉNIE	RÔTIE	UVALE	STÈLE	**CELLE**	**KARLE**
DÉNIE	SOTIE	AWALÉ	RAFLE	**DELLE**	**MARLE**
GÉNIE	ORTIE	CÂBLE	RAFLÉ	MELLE	PARLÉ
HENIE	**OSTIE**	CÂBLÉ	NÈFLE	PELLE	FERLÉ
RENIÉ	PLUIE	FABLE	GIFLE	PELLÉ	MERLE
FINIE	AMUÏE	**GABLE**	GIFLÉ	SELLE	PERLE
IONIE	FOUIE	GÂBLE	RIFLE	SELLÉ	PERLÉ
SONIE	ROUIE	JABLE	ENFLÉ	TELLE	BURLE
MUNIE	TRUIE	JABLÉ	MOFLÉ	AILLÉ	HURLÉ
PUNIE	PAVIE	NABLE	MUFLE	BILLE	OURLÉ
GROIE	**PAVIE**	RÂBLE	RÈGLE	**BILLE**	**NESLE**

VESLE	STYLE	GOMME	BRUME	SIGNE	**QUINE**
LISLE	STYLE	GOMMÉ	GRUME	SIGNÉ	QUINÉ
BAULE	**SAAME**	HOMME	ABYME	VIGNE	RUINE
GAULE	AGAME	**LOMME**	CHYME	COGNE	RUINÉ
GAULE	BLÂME	NOMMÉ	AZYME	COGNÉ	AVINÉ
GAULÉ	BLÂMÉ	POMME	AHANÉ	POGNE	OVINE
MAULE	CLAMÉ	POMMÉ	THANE	ROGNE	OVINÉ
SAULE	BRAME	SOMME	DIANE	ROGNÉ	AULNE
TAULE	BRAMÉ	**SOMME**	**DIANE**	BUGNE	**AULNE**
TAULÉ	CRAMÉ	SOMMÉ	LIANE	CYGNE	DAMNÉ
ÉCULÉ	DRAME	TOMME	FLÂNE	DAINE	**TEMNE**
ADULÉ	PRAME	CHÔMÉ	FLÂNÉ	FAÎNE	HYMNE
DEULE	TRAME	BIOME	GLANE	GAINE	BANNE
FEULE	TRAMÉ	AMOME	GLANÉ	GAINÉ	CANNE
MEULE	ÉTAMÉ	GNOME	PLANE	HAINE	CANNÉ
MEULÉ	THÈME	ZOOMÉ	PLANÉ	JAÏNE	MANNE
SEULE	NIÈME	ARÔME	ÉMANÉ	LAINE	PANNE
VEULE	BLÊME	BROME	**CRANE**	LAINÉ	PANNÉ
THULÉ	NOÈME	BROMÉ	CRÂNE	**MAINE**	TANNE
ULULE	POÈME	DROME	CRÂNÉ	NAINE	TANNÉ
ÉMULE	BRÈME	**DRÔME**	HYDNE	**PAINE**	VANNE
ÉMULÉ	**BRÊME**	**PROME**	ÉBÈNE	RAINÉ	VANNÉ
INULE	CRÈME	ATOME	SCÈNE	SAINE	BENNE
BOULE	CRÉMÉ	MYOME	CHÊNE	**TAINE**	HENNÉ
BOULE	TAGME	CARME	DIÈNE	VAINE	PENNE
BOULÉ	DOGME	LARME	**WIENE**	**UDINE**	**PENNE**
BOULÊ	**VEHME**	PARME	AKÈNE	**HEINE**	PENNÉ
COULE	**BÖHME**	**PARME**	ALÊNE	**LEINE**	RENNE
COULÉ	ABÎME	BERME	GLÈNE	PEINE	SENNE
FOULE	ABÎMÉ	DERME	AMÈNE	PEINÉ	**SENNE**
FOULÉ	ÉCIMÉ	FERME	AMENÉ	REINE	**YENNE**
GOULE	SEIME	FERMÉ	FOÈNE	SEINE	**LINNÉ**
HOULE	ÉLIMÉ	GERME	ARÈNE	**SEINE**	**MINNE**
IOULÉ	ANIMÉ	GERMÉ	FRÊNE	VEINE	PINNE
JOULE	BRIMÉ	TERME	GRENÉ	VEINÉ	BONNE
JOULE	CRIME	FIRME	**IRÈNE**	ZÉINE	CONNE
MOULE	FRIME	CORME	AXÈNE	**ÉGINE**	DONNE
MOULÉ	FRIMÉ	FORME	HYÈNE	**UGINE**	**DONNE**
POULE	GRIMÉ	FORMÉ	OZÈNE	CHINE	DONNÉ
ROULÉ	PRIME	**LORME**	BAGNE	**CHINE**	NONNE
SOULE	PRIMÉ	NORME	CAGNE	CHINÉ	SONNÉ
SOÛLE	TRIMÉ	NORMÉ	GAGNE	**RHINE**	TONNE
SOÛLÉ	OXIME	**COSME**	FAGNE	**PLINE**	TONNÉ
BRÛLÉ	CALME	BAUME	GAGNÉ	AMINE	**YONNE**
OVULE	CALMÉ	**GAUME**	**MAGNE**	AMINÉ	**SAÔNE**
OVULÉ	PALME	PAUME	MAGNÉ	IMINE	ICÔNE
UVULE	**PALME**	PAUMÉ	PAGNE	KOINÈ	LEONE
GÄVLE	PALMÉ	ÉCUME	RÈGNE	MOINE	**LEONE**
BAYLE	FILMÉ	ÉCUMÉ	RÉGNÉ	ÉPINE	PHONE
ACYLE	GAMME	NEUME	DIGNE	OPINÉ	**RHÔNE**
BEYLE	**HAMME**	RHUME	**DIGNE**	TRINE	CLONE
CHYLE	FEMME	RHUMÉ	LIGNE	URINE	CLONÉ
AMYLE	GEMME	**FIUME**	**LIGNE**	URINÉ	ANONE
BOYLE	GEMMÉ	GLUME	LIGNÉ	USINE	**BOONE**
DOYLE	LEMME	PLUME	**LIGNÉ**	USINÉ	DRONE
HOYLE	COMME	PLUMÉ	**MIGNE**	PUÎNÉ	IRONE
ARYLE	**DOMME**	BOUMÉ	PIGNE	QUINE	KRONE

PRÔNE	**SILOÉ**	NIPPÉ	**SACRÉ**	AIGRE	CIPRE
PRÔNÉ	**COMOÉ**	TIPPÉ	**RÉCRÉ**	BIGRE	**DUPRÉ**
TRÔNE	CANOË	ZIPPÉ	ANCRE	MIGRÉ	BARRE
TRÔNÉ	**FÉROÉ**	HUPPE	**ANCRE**	TIGRE	**BARRE**
ATONE	**MÉROÉ**	HUPPÉ	ANCRÉ	**TIGRE**	BARRÉ
STONE	AGAPE	**JUPPÉ**	ENCRE	TIGRÉ	CARRE
AXONE	CHAPE	CARPE	ENCRÉ	**TIGRÉ**	CARRÉ
OZONE	CHAPÉ	HARPE	LUCRE	**INGRÉ**	JARRE
OZONÉ	**SHAPE**	HERPE	SUCRE	FAIRE	**JARRE**
HYPNE	DRAPÉ	SERPE	**SUCRE**	HAIRE	MARRE
CARNE	ÉTAPE	**GASPÉ**	SUCRÉ	MAIRE	MARRÉ
CARNÉ	CRÊPE	JASPE	CADRE	PAIRE	NARRÉ
CARNÉ	CRÊPÉ	JASPÉ	CADRÉ	RAIRE	**SARRE**
DARNE	GUÊPE	GAUPE	LADRE	TAIRE	**BERRE**
MARNE	CHIPÉ	TAUPE	**MADRE**	VAIRÉ	FERRÉ
MARNE	FRIPE	TAUPÉ	MADRÉ	ZAÏRE	**FERRÉ**
MARNÉ	FRIPÉ	COUPE	CÈDRE	**ZAÏRE**	PERRÉ
BERNE	TRIPE	COUPÉ	CIDRE	SBIRE	SERRE
BERNE	STIPE	LOUPE	**ANDRÉ**	BOIRE	**SERRE**
BERNÉ	GUIPÉ	LOUPÉ	**INDRE**	ÉLIRE	SERRÉ
CERNE	**CALPÉ**	POUPE	**ERDRE**	BOIRE	TERRE
CERNÉ	PALPE	SOUPE	ORDRE	**COIRE**	TERRÉ
HERNE	PALPÉ	SOUPÉ	ORDRÉ	**DOIRE**	VERRE
LERNE	SALPE	DRUPE	HYDRE	FOIRE	CIRRE
TERNE	PULPE	**ICARE**	**CAERE**	FOIRÉ	PÂTRE
VERNE	CAMPÉ	SCARE	IBÈRE	MOIRE	HÊTRE
VERNE	HAMPE	ÉGARÉ	OBÉRÉ	**MOIRE**	MÈTRE
BORNE	LAMPE	**O'HARE**	ACÉRÉ	MOIRÉ	MÉTRÉ
BORNÉ	LAMPÉ	PHARE	CHÈRE	NOIRE	LITRE
CORNE	RAMPE	TIARE	BIÈRE	**NOIRE**	MITRE
CORNÉ	RAMPÉ	TIARÉ	FIÈRE	POIRE	**MITRE**
MORNE	VAMPÉ	AVARE	**IKERE**	POIRÉ	MITRÉ
TORNE	**SEMPÉ**	CABRÉ	**BLÉRÉ**	VOIRE	NITRE
TURNE	TEMPE	**FABRE**	AMÈRE	**ÉPIRE**	NITRÉ
LASNE	LOMPE	**HABRÉ**	**ÉPIRE**	SPIRE	PITRE
AISNE	POMPE	LABRE	MOERE	**SPIRE**	TITRE
COSNE	POMPÉ	SABRE	OPÉRÉ	FRIRE	TITRÉ
FAUNE	ÉCOPE	SABRÉ	FRÈRE	ÉTIRÉ	VITRE
JAUNE	ÉCOPÉ	ZABRE	**FRÈRE**	BUIRE	VITRÉ
JAUNE	SCOPE	**DEBRÉ**	**ISÈRE**	CUIRE	**VITRÉ**
SAUNÉ	CHOPE	ZÈBRE	STÈRE	LUIRE	ANTRE
JEUNE	CHOPÉ	ZÉBRÉ	STÉRÉ	NUIRE	ENTRE
JEÛNE	CLOPE	FIBRE	GUÈRE	GENRE	ENTRÉ
JEÛNÉ	DROPÉ	LIBRE	AVÉRÉ	ACORE	COTRE
THUNE	TROPE	**TIBRE**	**EVERE**	SCORE	NOTRE
ALUNÉ	**ÉSOPE**	VIBRÉ	BÂFRÉ	ADORÉ	NÔTRE
BRUNE	MYOPE	AMBRE	CAFRE	**NKORE**	VOTRE
BRUNE	HAPPE	AMBRÉ	SAFRE	CLORE	VÔTRE
PRUNE	HAPPÉ	OMBRE	**AFFRE**	FLORE	ASTRE
RIVNE	JAPPÉ	OMBRÉ	OFFRE	**FLORE**	AUTRE
PAYNE	NAPPE	SOBRE	FIFRE	**VLORË**	OUTRE
WAYNE	NAPPÉ	ARBRE	PAGRE	**MOORE**	OUTRÉ
VEYNE	ZAPPÉ	MACRE	DEGRÉ	SPORE	**AYTRÉ**
BOYNE	CIPPE	NACRE	NÈGRE	STORE	**FAURE**
DEFOE	LIPPE	NACRÉ	PÈGRE	CÂPRE	**FAURÉ**
MÉLOÉ	**LIPPE**	SACRE	**SÈGRE**	LÈPRE	LAURE
CHLOÉ	NIPPE	SACRÉ	**SEGRÉ**	**LE PRÉ**	LAURÉ

MAURE	NOÈSE	CHOSE	**CISSÉ**	**GAÈTE**	VOLTE
MAURE	GRÉSÉ	ALOSE	HISSE	DIÈTE	VOLTÉ
SAURÉ	BAISE	CLOSE	HISSÉ	PIÉTÉ	CULTE
TAURE	**BAÏSE**	GLOSE	LISSE	**VIÈTE**	COMTE
ÉCURÉ	BAISÉ	GLOSÉ	LISSÉ	GNÈTE	**COMTE**
HEURE	**MEISE**	GNOSE	PISSE	BOÈTE	COMTÉ
LIURE	ALISE	**OROSE**	PISSÉ	POÈTE	**DANTE**
AMURE	ÉMISE	PROSE	TISSÉ	ARÊTE	**FANTE**
AMURÉ	OMISE	PTÔSE	VISSÉ	**CRÈTE**	GANTÉ
BOURE	ANISÉ	**LIPSE**	BOSSE	CRÊTE	HANTÉ
GOURÉ	**BOISE**	GYPSE	**BOSSE**	CRÊTE	JANTE
LOURE	BOISÉ	DARSE	BOSSÉ	FRÉTÉ	MANTE
LOURÉ	MOISE	TARSE	COSSE	PRÊTE	PANTE
TOURÉ	MOÏSE	HERSE	COSSÉ	PRÊTÉ	SANTÉ
APURÉ	**MOÏSE**	HERSÉ	**COSSÉ**	ÉTÊTÉ	TANTE
ÉPURE	MOISÉ	PERSE	DOSSE	GUÈTE	VANTÉ
ÉPURÉ	NOISE	**PERSE**	FOSSE	QUÊTE	**XANTE**
USURE	POISE	VERSE	FOSSÉ	QUÊTÉ	**ZANTE**
STURE	TOISE	VERSÉ	GOSSE	CAFTÉ	DENTÉ
AZURÉ	TOISÉ	CIRSE	ROSSE	LIFTÉ	FENTE
FAVRE	VOISÉ	CORSE	ROSSÉ	APHTE	LENTE
HAVRE	ARISÉ	**CORSE**	TOSSÉ	FAITE	PENTE
NAVRÉ	BRISE	CORSÉ	GUSSE	FAÎTE	RENTE
WAVRE	BRISÉ	MORSE	RUSSE	GAÎTÉ	RENTÉ
LÈVRE	CRISE	**MORSE**	**RUSSE**	LAITÉ	SENTE
SEVRÉ	FRISE	TORSE	**ROTSÉ**	SAÏTE	TENTE
GIVRE	**FRISE**	NURSE	CAUSE	ÉDITÉ	TENTÉ
GIVRÉ	FRISÉ	OURSE	CAUSÉ	DÉITÉ	VENTE
LIVRE	GRISE	**OURSE**	LAUSE	AGITÉ	VENTÉ
LIVRÉ	GRISÉ	BASSE	PAUSE	**WHITE**	OINTE
VIVRE	IRISÉ	CASSE	PAUSÉ	ALITÉ	PINTE
OUVRÉ	PRISE	CASSÉ	ABUSÉ	ÉLITE	PINTÉ
LEYRE	PRISÉ	**HASSE**	**MEUSE**	IMITÉ	TINTÉ
VEYRE	GUISE	LASSE	YEUSE	UNITÉ	BONTÉ
KOYRÉ	**GUISE**	LASSÉ	CLUSE	BOÎTE	CONTE
APYRE	PUISÉ	MASSE	AMUSÉ	BOÎTÉ	CONTÉ
CHASE	AVISÉ	MASSÉ	BOUSE	COITE	**CONTÉ**
PHASE	VALSE	NASSE	HOUSE	COÏTÉ	FONTE
UKASE	VALSÉ	PASSE	PAYSE	MOITE	HONTE
BLASE	**CELSE**	PASSÉ	PHYSE	FRITE	MONTE
BLASÉ	**HULSE**	SASSÉ	**ABATE**	USITÉ	MONTÉ
ANASE	PULSÉ	TASSE	BÉATE	OTITE	PONTE
COASE	DANSE	**TASSE**	AGATE	CUITE	PONTÉ
ARASÉ	DANSÉ	TASSÉ	SKATE	CUITÉ	TONTE
BRASÉ	GANSE	**BESSE**	PLATE	DUITE	JUNTE
CRASE	GANSÉ	CESSE	ÉPATE	FUITE	À-CÔTÉ
FRASÉ	HANSE	CESSÉ	ÉPATÉ	SUITE	**LHOTE**
OTASE	**HANSE**	FESSE	URATE	ÉVITÉ	RIOTÉ
STASE	MANSE	FESSÉ	OUATE	BALTE	**FLOTE**
ÉVASÉ	PANSE	GESSE	OUATÉ	**BALTE**	ILOTE
OBÈSE	PANSÉ	**HESSE**	JACTÉ	CALTÉ	PROTE
THÈSE	CENSÉ	MESSE	LACTÉ	HALTE	AZOTE
DIÈSE	DENSE	PESSE	PACTE	**MALTE**	AZOTÉ
ALÈSE	MENSE	VESSE	BECTÉ	MALTÉ	CAPTÉ
ALÉSÉ	PENSÉ	VESSÉ	SECTE	CELTE	LEPTE
BLÉSÉ	SENSÉ	BISSE	DICTÉ	**CELTE**	COPTE
TMÈSE	**RONSE**	BISSÉ	DOCTE	PELTÉ	CARTE

CARTÉ	LATTÉ	BRUTE	COHUE	ASQUE	GRIVE
FARTÉ	MATTE	GRUTÉ	**BALUE**	OSQUE	PRIVÉ
MARTE	NATTE	SEXTE	SALUÉ	NUQUE	JUIVE
TARTE	NATTÉ	TEXTE	VALUE	TUQUE	**JUIVE**
FERTÉ	PATTE	MIXTE	RELUE	ÉCRUE	AVIVÉ
PERTE	PATTÉ	SIXTE	VELUE	FÉRUE	SALVE
SERTE	RATTE	**SIXTE**	DILUÉ	MORUE	VALVE
VERTE	BETTE	**LEYTE**	REMUE	SPRUE	VALVÉ
AORTE	CETTE	ALYTE	REMUÉ	**JOSUÉ**	SELVE
CORTE	DETTE	REBUE	DÉNUÉ	ISSUE	VOLVE
FORTE	**JETTE**	EMBUE	MENUE	OSSUE	VULVE
MORTE	LETTE	EMBUÉ	TENUE	TÊTUE	SYLVE
MORTE	NETTE	IMBUE	TÉNUE	VÊTUE	SANVE
PORTE	BITTE	DÉÇUE	VENUE	SITUÉ	LARVE
PORTE	**VITTE**	REÇUE	SINUÉ	POTUE	LARVÉ
PORTÉ	**WITTE**	VÉCUE	**ÉBOUÉ**	BÉVUE	VARVE
SORTE	BOTTE	COCUE	CLOUÉ	REVUE	**HERVE**
MYRTE	BOTTÉ	REDUE	FLOUE	SEXUÉ	SERVE
SYRTE	COTTE	INDUE	FLOUÉ	AGAVE	VERVE
BASTE	**COTTE**	DODUE	ÉNOUÉ	AGAVÉ	MORVE
BASTÉ	HOTTE	ARDUE	FROUÉ	**PIAVE**	TORVE
CASTE	HOTTÉ	LIEUE	PROUE	CLAVE	FAUVE
FASTE	LOTTE	BLEUE	TROUÉ	ÉLAVÉ	MAUVE
HASTÉ	MOTTE	QUEUE	AVOUÉ	SLAVE	SAUVE
VASTE	MOTTÉ	BAGUE	REPUE	**SLAVE**	SAUVÉ
CESTE	SOTTE	DAGUE	CAQUE	ÉPAVE	NEUVE
GESTE	BUTTE	**HAGUE**	CAQUÉ	BRAVE	ŒUVÉ
LESTE	BUTTÉ	RAGUÉ	**ÉAQUE**	BRAVÉ	VEUVE
LESTÉ	HUTTE	TAGUÉ	JAQUE	CRAVE	COUVÉ
PESTE	LUTTE	VAGUE	LAQUE	DRAVE	DOUVE
PESTÉ	LUTTÉ	VAGUÉ	LAQUÉ	**DRAVE**	**JOUVE**
RESTE	PUTTÉ	BÈGUE	MAQUÉ	DRAVÉ	LOUVE
RESTÉ	FAUTE	BÉGUÉ	PÂQUE	GRAVE	ÉTUVE
TESTÉ	FAUTÉ	LÉGUÉ	RAQUÉ	**GRAVE**	ÉTUVÉ
VESTE	HAUTE	AIGUË	SAQUÉ	GRAVÉ	**KABWE**
ZESTE	SAUTE	BIGUE	TAQUE	SUAVE	BIAXE
ZESTÉ	SAUTÉ	CIGUË	TAQUÉ	**SCÈVE**	**ARAXE**
CISTE	MEUTE	DIGUE	VAQUÉ	ÉLÈVE	**UBAYE**
LISTE	CHUTE	FIGUE	BIQUE	ÉLEVÉ	ÉGAYÉ
LISTÉ	CHUTÉ	GIGUE	**MIQUE**	BRÈVE	**BLAYE**
PISTE	BLUTÉ	LIGUE	NIQUE	CRÈVE	DRAYÉ
PISTÉ	FLÛTE	LIGUÉ	NIQUÉ	CREVÉ	FRAYÉ
AOSTE	FLÛTÉ	ZIGUE	PIQUE	DRÈVE	**YSAYE**
POSTE	AOÛTÉ	ALGUE	PIQUÉ	GRÈVE	ÉTAYÉ
POSTÉ	BOUTÉ	BOGUE	TIQUE	**GRÈVE**	DEBYE
BUSTE	COÛTÉ	DOGUE	TIQUÉ	GREVÉ	**DEBYE**
JUSTE	DOUTE	ROGUE	COQUE	TRÈVE	**LIBYE**
JUSTE	DOUTÉ	ROGUÉ	LOQUE	**JAHVÉ**	**SELYE**
OUSTE	GOÛTÉ	VOGUE	MOQUE	**YAHVÉ**	ABOYÉ
YUSTE	JOUTE	VOGUÉ	MOQUÉ	NAÏVE	CHOYÉ
KYSTE	JOUTÉ	**VOGÜE**	POQUÉ	OGIVE	PLOYÉ
XYSTE	ROUTE	ARGUÉ	ROQUE	**CLIVE**	BROYÉ
BATTE	ROUTÉ	ORGUE	ROQUÉ	CLIVÉ	**BARYE**
DATTE	SOUTE	FUGUE	TOQUE	OLIVE	BLAZE
GATTÉ	TOUTE	FUGUÉ	TOQUÉ	**BRIVE**	PEDZÉ
JATTE	VOÛTE	ÉCHUE	ARQUÉ	DRIVE	PIÈZE
LATTE	VOÛTÉ		ORQUE	DRIVÉ	ALÉZÉ

BRÉZÉ	SÉTIF	POUAH	ANETH	RAIDI	HARKI
GUÈZE	MOTIF	LEACH	SMITH	ROIDI	GORKI
GAIZE	VOTIF	COACH	TRITH	CANDI	HUBLI
LAIZE	BOUIF	LOACH	LINTH	HINDI	OUBLI
TAIZÉ	SHELF	ROACH	BOOTH	BONDI	HUGLI
SEIZE	WOOLF	KRACH	BARTH	GONDI	CHILI
ALIZE	WOLOF	REICH	HARTH	LUNDI	CHILI
ALIZÉ	WOLOF	RANCH	PERTH	HARDI	MOILI
BRIZE	WHARF	HENCH	FIRTH	MARDI	AVILI
AVIZE	WHORF	WINCH	FORTH	PARDI	MILLI-
JANZÉ	SMURF	MÖNCH	WORTH	TARDI	MOLLI
WANZE	BEAUF	LUNCH	FÜRTH	VERDI	LULLI
HENZE	BŒUF	MUNCH	ABDUH	VERDI	PAOLI
BONZE	CHOUF	PUNCH	BAHAÏ	NORDI	ABOLI
GONZE	PLOUF	LYNCH	BÉHAÏ	OURDI	AÏOLI
BERZÉ	DIOUF	BLOCH	BOHAI	GAUDÍ	REPLI
EAUZE	SOHAG	ÉNOCH	SAKAI	JEUDI	AMPLI
LAUZE	OFLAG	HOOCH	JÓKAI	HEBEI	EMPLI
MAUZÉ	GRIEG	BROCH	TOKAÏ	HUBEI	MARLI
LEUZE	BRAGG	PASCH	BALAI	HEFEI	SIRLI
DOUZE	FRIGG	FESCH	DÉLAI	UNKEI	FORLI
DRUZE	CRAIG	BOSCH	SINAÏ	SEMEÏ	MUSLI
DRUZE	ZADIG	KUSCH	CORAÏ	SUFFI	RÜTLI
GRAAF	ZWEIG	CATCH	KORAI	SOUFI	PAULI
PILAF	ANTI-G	MATCH	KASAÏ	RÉAGI	GAZLI
TARAF	MÉZIG	PATCH	MASAI	CHIGI	AGAMI
MATAF	SÉZIG	PATCH	ASSAI	GOLGI	MIAMI
GRIEF	TÉZIG	KETCH	ESSAI	GOLGI	DJAMI
LE KEF	XIANG	KITCH	ALTAÏ	SURGI	ITAMI
CHLEF	SLANG	PITCH	DOUAI	ROUGI	À DEMI
BÉNEF	ÉTANG	KOTCH	HAWAÏ	ÉBAHI	BLÊMI
BÉSEF	LAING	ROUCH	RABBI	SPAHI	FRÉMI
BÉZEF	SEING	AOUDH	ALIBI	TRAHI	ATÉMI
BLAFF	COING	ATJEH	HALBI	RACHI	CALMI
GRAFF	LOING	ESNÈH	JAMBI	RACHI	OTOMI
STAFF	POING	GIZEH	LAMBI	KOCHI	PARMI
RUEFF	DRING	NEAGH	ZOMBI	BODHI	FERMI
SKIFF	EWING	LEIGH	RICCI	RIGHI	DORMI
SNIFF	SWING	HOOGH	COCCI	DELHI	NURMI
WOLFF	SWING	KROGH	VOICI	AMPHI	ROUMI
BANFF	ALONG	WAUGH	PULCI	KASHI	CHENI
LWOFF	MEUNG	ROUGH	RANCI	RASHI	MBINI
BLUFF	YOUNG	ALEPH	SANCI	HUSHI	ACINI
RÉCIF	MAGOG	STOPH	CENCI	SUSHI	BLINI
NOCIF	KHARG	CLASH	MINCI	SUSHI	LUINI
GÉLIF	BOURG	FLASH	VINCI	ASCII	BANNI
CANIF	BOURG	SLASH	FARCI	TORII	ZANNI
MANIF	RABAH	SMASH	MERCI	HADJI	HENNI
TARIF	SABAH	CRASH	FORCI	FIDJI	NENNI
PÉRIF	RAJAH	AMISH	DURCI	TAIJI	NENNI
OISIF	ALLAH	WALSH	DOUCI	MEIJI	HONNI
DATIF	SHOAH	BLUSH	SOUCI	SHIJI	LEONI
HÂTIF	SARAH	FLUSH	SAADI	KANJI	AGONI
MATIF	TORAH	BAATH	ALADI	XINJI	NGONI
NATIF	SURAH	HEATH	GADDI	OGAKI	OGONI
ACTIF	SYRAH	SPATH	TIÉDI	IWAKI	RIONI
RÉTIF	PHTAH		MAHDI	KINKI	GARNI

BERNI	AINSI	GRAVI	**KNOCK**	RÉGAL	**FÉVAL**
TERNI	LAPSI	SUIVI	**GROCK**	TEGAL	REVAL
TERNI	FARSI	**CALVI**	STOCK	JUGAL	NIVAL
VERNI	PARSI	CARVI	**BERCK**	GLIAL	RIVAL
JAUNI	**KISSI**	NERVI	**YORCK**	TRIAL	**ORVAL**
RÉUNI	**SISSI**	**NERVI**	**GLUCK**	AXIAL	**DUVAL**
ALUNI	**MOSSI**	SERVI	**KLUCK**	**CAJAL**	COXAL
BRUNI	**ROSSI**	COUVI	TRUCK	**AIJAL**	GAYAL
HANOI	AUSSI	**GLAWI**	UZBEK	**MAKAL**	RIYAL
MONOÏ	**TUTSI**	**LOEWI**	**UZBEK**	**TIKAL**	LOYAL
PAROI	GLATI	**CRAXI**	**ZADEK**	HALAL	ROYAL
ARROI	**AMATI**	**BENXI**	**CAPEK**	**BILAL**	**RIZAL**
ENVOI	COATI	**GUO XI**	**HASEK**	HILAL	LEIBL
OKAPI	ABÊTI	**ZHU XI**	**HAYEK**	**KEMAL**	STAËL
CLAPI	**RIETI**	**BELYÏ**	CHEIK	**UXMAL**	**BABEL**
FLAPI	**PRETI**	SWAZI	**IZNIK**	BANAL	LABEL
GLAPI	MUFTI	**SWAZI**	**NASIK**	CANAL	**BEBEL**
CRÉPI	**LAHTI**	ZANZI	BATIK	FANAL	**LE BEL**
HAMPI	**HAÏTI**	**SUN ZI**	**FRANK**	PÉNAL	LEBEL
LIPPI	MOITI	**LAOZI**	**BRINK**	RÉNAL	**REBEL**
COPPI	**BALTI**	LAZZI	DRINK	VÉNAL	NOBEL
YOUPI	**SOLTI**	**PAZZI**	**BROOK**	FINAL	**NOBEL**
BENQI	**FANTI**	**GOZZI**	**BROOK**	ANNAL	RECEL
CHARI	NANTI	TOKAJ	KAPOK	SONAL	**VEDEL**
INARI	CENTI-	**TOKAJ**	**YUROK**	TONAL	**BODEL**
CABRI	MENTI	**SPAAK**	**CLARK**	ZONAL	**GÖDEL**
LABRI	SENTI	**ISAAK**	**STARK**	PAPAL	**MODEL**
DÉCRI	**CONTI**	BREAK	QUARK	**NÉPAL**	IDÉEL
INDRI	**MONTI**	STEAK	**OZARK**	COPAL	**EFFEL**
CHÉRI	**PONTI**	ZAMAK	BEURK	NOPAL	**EIFEL**
ÉMERI	**MOPTI**	**POMAK**	**BIISK**	FÉRAL	**KAGEL**
GUÉRI	**MARTÍ**	KANAK	**TOMSK**	VIRAL	PAGEL
AZÉRI	PARTI	**KANAK**	**MINSK**	MORAL	DÉGEL
AZÉRI	TARTI	**NANAK**	**SULUK**	DURAL	**HEGEL**
NEGRI	SERTI	GOPAK	PLOUK	MURAL	REGEL
AIGRI	**CORTI**	HOPAK	**GRAAL**	**OURAL**	URGEL
GUMRI	SORTI	**HUSÁK**	KRAAL	RURAL	**SAHEL**
HENRI	**MISTI**	**BATAK**	**STAAL**	SURAL	**AMIEL**
MAORI	INSTI	**DAYAK**	**IQBAL**	BASAL	**CRIEL**
DIORI	RÖSTI	KAYAK	FÉCAL	NASAL	ORIEL
CAPRI	**GATTI**	BLACK	BOCAL	SISAL	**TRIEL**
BARRI	**HATTI**	**BLACK**	FOCAL	FATAL	**JIJEL**
MARRI	**PITTI**	SNACK	LOCAL	NATAL	**MEMEL**
FERRI	PUTTI	ARACK	VOCAL	**NATAL**	**GOMEL**
TERRI	TUTTI	CRACK	DUCAL	OCTAL	**FUMEL**
PETRI	**MBUTI**	**PIECK**	HADAL	LÉTAL	JUMEL
PÉTRI	**PIAUÍ**	**TIECK**	**VIDAL**	MÉTAL	PANEL
CAURI	BLEUI	CLICK	**WIDAL**	**RITAL**	**VANEL**
AHURI	ENFUI	BRICK	MODAL	VITAL	PINEL
HOURI	**ANHUI**	**CRICK**	NODAL	**VITAL**	MONEL
SOURI	**FUKUI**	STICK	IDÉAL	DOTAL	**LUNEL**
STASI	CELUI	QUICK	ILÉAL	TOTAL	NAPEL
QUASI	RELUI	**PENCK**	**BRÉAL**	FUTAL	APPEL
SAISI	ENNUI	**FONCK**	TAGAL	JOUAL	**FAREL**
MOISI	INOUÏ	**MONCK**	**TAGAL**	**LAVAL**	**BOREL**
GRISI	TEPUI	BLOCK	VAGAL	NAVAL	**FOREL**
HANSI	APPUI	**PLOCK**	LÉGAL	RAVAL	**SOREL**

BASEL	STIJL	SALAM	FORUM	RAMAN	SEVAN
USSEL	TRAKL	ISLAM	FATUM	DE MAN	DIVAN
RATEL	ABELL	MÉNAM	TATUM	LEMAN	TEXAN
VATEL	GSELL	ANNAM	TAXUM	LÉMAN	TEXAN
BÉTEL	LYELL	CÉRAM	OPCVM	ZEMAN	DAYAN
UNTEL	NEILL	AGRAM	CABAN	LIMAN	ROYAN
HÔTEL	WEILL	HIRAM	LABAN	AMMAN	BRYAN
MOTEL	THILL	ENSAM	RABAN	ROMAN	KAZAN
ARTEL	DRILL	ASSAM	KEBAN	TOMAN	NIZAN
AUTEL	GRILL	MODEM	LIBAN	ARMAN	NIZAN
CRUEL	KRILL	DUHEM	ZIBAN	OSMAN	HAYDN
USUEL	CROLL	SALEM	ALBAN	ATMAN	ŒBEN
DAVEL	TROLL	BELÉM	RUBAN	NANAN	RUBEN
HAVEL	ATOLL	GOLEM	LACAN	YAN'AN	BADEN
JAVEL	COBOL	KANEM	RACAN	HENAN	EMDEN
NAVEL	TOBOL	SANEM	DÉCAN	RENAN	LODEN
RAVEL	LICOL	MENEM	PÉCAN	SÉNAN	ARDEN
TAVEL	NICOL	HAREM	ENCAN	AGNAN	AUDEN
REVEL	NICOL	TOTEM	PADAN	DINAN	SCÉEN
TEXEL	ALDOL	CLAIM	MEDAN	JINAN	AGÉEN
PIXEL	SHÉOL	ICHIM	MÉDAN	SINAN	ÉGÉEN
STAHL	ALGOL	SELIM	REDAN	CONAN	GREEN
BRÜHL	GOGOL	KILIM	SEDAN	HUNAN	GREEN
E-MAIL	ERGOL	DENIM	ALDAN	EMPAN	STEEN
ÉMAIL	JEHOL	ARNIM	PÆAN	COPÁN	AXÉEN
TRAIL	KOHOL	TARIM	OCÉAN	SARAN	HAGEN
BABIL	THIOL	PERIM	CLEAN	VARAN	EIGEN
ARBIL	TRIOL	VITIM	ASEAN	ÉCRAN	RÜGEN
ERBIL	BÉMOL	GOYIM	PAGAN	TIRAN	COHEN
CECIL	CAROL	STAMM	SAGAN	CORAN	PAÏEN
VIEIL	TYROL	STEMM	LOGAN	CORAN	CHIEN
BREIL	ENVOL	GRIMM	MAHAN	JORAN	ÎLIEN
CREIL	TAXOL	FROMM	BEHAN	LORAN	ARIEN
BUEIL	FAYOL	RADOM	HI-HAN	DURAN	IRIEN
RUEIL	MAYOL	RENOM	ROHAN	TYRAN	AIKEN
ÉVEIL	RAYOL	BLOOM	WUHAN	HASAN	BALEN
VIGIL	MAËRL	GROOM	SAÏAN	MASAN	ALLEN
IDJIL	KABUL	VROOM	TAI'AN	PISAN	SOLEN
ENLIL	RECUL	CD-ROM	IRIAN	PISAN	YÉMEN
TAMIL	CUCUL	EPROM	ÉVIAN	ULSAN	ILMEN
TAMIL	AÏEUL	EPSOM	SÉJAN	MOSAN	EMMEN
FENIL	MÉHUL	BYTOM	GUJAN	PUSAN	LUMEN
GENIL	ELLUL	STORM	PÉKAN	PATAN	RUMEN
PÉNIL	CUMUL	SÉBUM	PALAN	SATAN	SUMEN
BARIL	RAOUL	ALBUM	SALAN	VATAN	YUMEN
PÉRIL	SAOUL	SEDUM	CELAN	GITAN	HYMEN
VIRIL	SÉOUL	OLÉUM	UHLAN	GITAN	MENEN
TORIL	FIOUL	BÉGUM	BILAN	MITAN	DONEN
AVRIL	CRAWL	OPIUM	MILAN	TITAN	LÜNEN
FUSIL	BÉRYL	VÉLUM	MILAN	TITAN	PAPEN
MUSIL	KYZYL	PILUM	GOLAN	ANTAN	LE PEN
OUTIL	HERZL	FANUM	HOLAN	HOTAN	EUPEN
DEUIL	OCCAM	BROUM	ATLAN	WOTAN	KAREN
FEUIL	SECAM	VROUM	DYLAN	AUTAN	YAREN
SEUIL	NICAM	AXOUM	DAMAN	ROUAN	LOREN
CIVIL	IRCAM	SÉRUM	DAMAN	LAVAN	NORÉN
ANVIL	PRIAM		MAMAN	BEVAN	BUREN

DÜREN	PLEIN	ALPIN	DIVIN	**DOGON**	TIMON
IBSEN	FREIN	LOPIN	BOVIN	ARGON	**AMMON**
ASSEN	**STEIN**	ORPIN	**LEWIN**	**ORGON**	JOMON
ESSEN	ENFIN	**DUPIN**	**NE WIN**	**MAHÓN**	ARMON
OLTEN	VAGIN	LUPIN	**ERWIN**	**OTHON**	CANON
ROUEN	**BEGIN**	**LUPIN**	**VEXIN**	SCION	CAÑON
ELVEN	**BÉGIN**	RUPIN	**FUXIN**	ILION	FANON
BOWEN	**ELGIN**	SUPIN	**BAZIN**	**ILION**	**CENON**
MAYEN	ENGIN	**GARIN**	**ANZIN**	PLION	**DENON**
PAYEN	TCHIN	MARIN	LUZIN	ANION	PENON
DOYEN	**BA JIN**	TARIN	**THANN**	UNION	RENON
FOYEN	**BAKIN**	**VARIN**	**BRENN**	APION	TENON
MOYEN	**DAKIN**	**WARIN**	DJINN	**ARION**	XÉNON
ROYEN	**PA KIN**	ÉCRIN	**QUINN**	BRION	**ZÉNON**
ARYEN	PÉKIN	SERIN	**BRÜNN**	**BRION**	**AGNON**
PLZEN	**PÉKIN**	VÉRIN	**FLYNN**	ORION	LINON
BOZEN	CÂLIN	BORIN	**THAON**	PRION	SINON
F ŒHN	MALIN	DORIN	**CRAON**	AVION	**CONON**
CHAIN	SALIN	**KORIN**	**GABON**	**AVION**	**DONON**
DJAÏN	**SALIN**	**MORIN**	**ABBON**	IXION	**JUNON**
ALAIN	**BELIN**	BURIN	**EBBON**	**DIJON**	CAPON
BLAIN	FÉLIN	**JURIN**	**LE BON**	**GIJÓN**	JAPON
CLAIN	VÉLIN	MURIN	**LEBON**	**NIKON**	**JAPON**
PLAIN	**AHLIN**	PURIN	AMBON	**YUKON**	LAPON
DRAIN	**OHLIN**	SURIN	**ARBON**	GALON	**LAPON**
GRAIN	FILIN	**TURIN**	BUBON	JALON	TAPON
TRAIN	**JILIN**	GYRIN	BACON	SALON	PÉPON
ÉTAIN	COLIN	BASIN	**BACON**	TALON	IPPON
ÉTAIN	**COLIN**	**BASIN**	FAÇON	**TALON**	JUPON
YVAIN	**DOLIN**	LUSIN	**MACON**	BELON	TYPON
TWAIN	**ROLIN**	CATIN	MÂCON	**BELON**	**AARON**
GABIN	SOLIN	LATIN	**MÂCON**	**DELON**	BARON
RABIN	**SOLIN**	**LATIN**	MAÇON	FÉLON	**BARON**
SABIN	**WOLIN**	MATIN	TACON	**GÉLON**	**CARON**
YIBIN	GAMIN	MÂTIN	ACCON	MELON	**FARON**
ROBIN	**TEMIN**	PATIN	LEÇON	SELON	VARON
ROBIN	CUMIN	**PATIN**	COCON	FILON	HÉRON
TOBIN	CANIN	SATIN	ARÇON	**MILON**	**HÉRON**
AUBIN	**JANIN**	TÉTIN	**LUÇON**	PILON	**NÉRON**
AUBIN	**MANIN**	SIT-IN	SUÇON	**PILON**	**PERÓN**
FICIN	TANIN	**ANTIN**	RADON	COLON	**BIRON**
RICIN	BÉNIN	POTIN	BEDON	CÔLON	CIRON
SOCIN	**BÉNIN**	ROTIN	**REDON**	**COLÓN**	GIRON
BADIN	MENIN	**ARTIN**	BIDON	**FOLON**	**MIRON**
GADIN	**MENIN**	BUTIN	**DIDON**	**HOLON**	**OIRON**
LADIN	VENIN	LUTIN	**SIDON**	**SOLON**	PIRON
RADIN	**BONIN**	MUTIN	CODON	**ARLON**	**AKRON**
ALDIN	RÔNIN	**THUIN**	ODÉON	ORLON	CORON
ANDIN	KHOIN	**BOUIN**	**ODÉON**	MULON	**MORÓN**
ANDIN	GROIN	**GOUIN**	**THÉON**	NYLON	TORON
ONDIN	LAPIN	**AQUIN**	**CLÉON**	**RAMON**	ÉTRON
BODIN	**PAPIN**	ÉQUIN	ILÉON	DÉMON	**AURON**
RODIN	RAPIN	RAVIN	**CRÉON**	**HÉMON**	BURON
AYDIN	SAPIN	**AÇVIN**	FRÉON	**CIMON**	HURON
RHEIN	TAPIN	**BEVIN**	LAGON	LIMON	**HURON**
FLEIN	PÉPIN	DEVIN	WAGON	**LIMÓN**	JURON
KLEIN	**PÉPIN**	**REVIN**	ANGON	**SIMON**	LURON

LURON	RAYON	SECCO	MACHO	PIANO	**SALTO**
MÛRON	SAYON	HOCCO	**JOCHO**	**PIANO**	**DOLTO**
ÉVRON	**NOYON**	**GRECO**	**MINHO**	GUANO	FEMTO-
BYRON	**GUYON**	**GRÉCO**	**SAPHO**	STÉNO	**KANTO**
MYRON	GAZON	DELCO	XIPHO	**OGINO**	**CENTO**
JASON	**ALZON**	BANCO	**BASHO**	PHONO	LENTO
MÉSON	**LUZON**	**BIOCO**	LITHO	**GIONO**	**CINTO**
PESON	**BÉARN**	CROCO	SOTHO	PORNO	**PINTO**
BISON	**STERN**	**CARCO**	**SOTHO**	**BRUNO**	**TINTO**
DISON	CAIRN	CASCO	**MYTHO**	**ROVNO**	PHOTO
MISON	**BRAUN**	DISCO	RADIO	IGLOO	**KROTO**
OISON	AUCUN	BOSCO	AUDIO	**ESPOO**	**KYOTO**
PISON	**AUDUN**	**BOSCO**	HÉLIO	DIAPO	ZEPTO-
TISON	À JEUN	**CUZCO**	FOLIO	**SWAPO**	**SARTO**
VISON	**MEHUN**	**AMADO**	POLIO	QUIPO	**FERTÖ**
BOSON	CAJUN	CRADO	FONIO	**MOKPO**	PORTO
BOSON	**CAJUN**	**PRADO**	**DARÍO**	CAMPO	**PORTO**
BUSON	**JUKUN**	HEBDO	**DARÍO**→BERIO	**NAMPO**	**PASTO**
BÂTON	FALUN	CREDO	MORIO	TEMPO	RESTO
CATON	**MELUN**	**VALDO**	**BOSIO**	**POOPÓ**	HOSTO
MATON	IMMUN	BOLDO	PATIO	**TAUPO**	**LOTTO**
PÂTON	KANUN	KENDO	MACRO→RATIO	MACRO	POTTO
RATON	QANUN	**HONDO**	**ANZIO**	ACCRO	PUTTO
BÉTON	**TORUN**	KONDO	**ENZIO**	MICRO-	SEXTO
JETON	**OSSUN**	RONDO	GADJO	MICRO	TEXTO
PETON	PÉTUN	CLODO	BANJO	**PIERO**	BRAVO
SÉTON	**TETUN**	KYUDO	BARJO	**MOERO**	**NIEVO**
TÉTON	**AUTUN**	VIDÉO	SHAKO	APÉRO	**SVEVO**
GITON	**LU XUN**	RODÉO	GECKO	FUERO	**BORVO**
PITON	**SHAWN**	**ORFEO**	NIKKO	**NEGRO**	**TOKYO**
COTON	CLOWN	**ROMÉO**	**BIOKO**	**NUORO**	DIAZO
COTON	**BROWN**	RONÉO	PABLO	IMPRO	**ZAZZO**
GOTON	CROWN	**CUNEO**	RÉGLO	**ZORRO**	**POZZO**
POTON	**KATYN**	PARÉO	**PABLO**	MÉTRO	**LE CAP**
TOTON	CACAO	MÉTÉO	PHILO	RÉTRO	JALAP
ASTON	**MACAO**	**CGT-FO**	**EEKLO**	**DOURO**	HANAP
OTTON	TCHAO	IMAGO	**GOURO**→GALLO	**GOURO**	CÉGEP
FUTON	**NÉKAO**	**ARAGO**	GALLO	**ORURO**	MONEP
LUTON	CALAO	**RIEGO**	**GALLO**→BELLO	AVISO	MANIP
TAUON	FILAO	FRIGO	**BELLO**→HELLO	VERSO	SCALP
GLUON	**DAMÃO**	VULGO	**TELLO**	**TIRSO**	CHAMP
DRUON	**DURÃO**	TANGO	MOLLO	CORSO	CLAMP
GRUON	**DAVAO**	BINGO	**VENLO**	LASSO	TRAMP
BAVON	**BALBO**	DINGO	ÉCOLO	**ROSSO**	**TROMP**
SAVON	**CAMBO**	**BONGO**	NIOLO	**ÉRATO**	BE-BOP
DEVON	MAMBO	**BONGO**	**NIOLO**	**PRATO**	GALOP
SUWON	SAMBO	**CONGO**	PROLO	FACTO	SALOP
SUWON	**BEMBO**	**KONGO**	STYLO	HECTO-	**SINOP**
PAXON	COMBO	**LONGO**	ALAMO	HECTO	SCOOP
SAXON	GOMBO	**MONGO**	PRIMO	RECTO	SLOOP
SAXON	JUMBO	MUNGO	**MALMÖ**	YOCTO-	SIROP
TAXON	**GLOBO**	À GOGO	OROMO	**ANETO**	**ALSOP**
NEXON	**GARBO**	CARGO	**OROMO**	**ÉDITO**	**SHEPP**
NIXON	TURBO	LARGO	**BOITO**→IZUMO	**BOITO**	**KRUPP**
HAYON	**CHACO**	**BORGO**		**QUITO**	PIN-UP
LAYON	**SACCO**	**IDAHO**	**PEANO**	**AALTO**	À-COUP
LAYON	**LECCO**	FACHO	**CIANO**	SALTO	CROUP

BUNAQ	BAZAR	URGER	LAMER	OCRER	LITER
GRACQ	**BALDR**	JUGER	**MAMER**	AÉRER	MITER
RONCQ	**POSDR**	LUGER	PÂMER	GÉRER	ENTER
MARCQ	**SCAËR**	**SUGER**	RAMER	**SERER**	INTER
SERCQ	BABER	ÉCHER	**SAMER**	AIRER	COTER
OURCQ	HABER	**POHER**	SEMER	CIRER	DOTER
FARUQ	**GEBER**	ÉTHER	KHMER	MIRER	NOTER
AKBAR	WEBER	OBIER	**KHMER**	TIRER	ROTER
OSCAR	**WEBER**	ACIER	AIMER	VIRER	VOTER
OSCAR	LIBER	SCIER	LIMER	DORER	OPTER
JÚCAR	GOBER	**MEIER**	MIMER	FORER	ASTER
KÁDÁR	LOBER	CHIER	RIMER	ERRER	ESTER
NADAR	ROBER	SKIER	**AJMER**	CURER	**USTER**
RADAR	**AUBER**	**BLIER**	**RÖMER**	DURER	BUTER
ZADAR	**BUBER**	**OLIER**	VOMER	**DÜRER**	JUTER
LIFAR	CUBER	PLIER	ARMER	JURER	LUTER
SAGAR	**HUBER**	ÂNIER	FUMER	MURER	MUTER
ABGAR	SUBER	ÉPIER	HUMER	**MURER**	**BAUER**
EDGAR	TUBER	CRIER	**SUMER**	BASER	ÉLUER
ELGAR	LACER	PRIER	**BANÉR**	CASER	FLUER
LAHAR	RACER	TRIER	CANER	JASER	DOUER
LEHÁR	**BUCER**	OSIER	FANER	LASER	HOUER
BIHAR	SUCER	ÉTIER	PANER	MASER	JOUER
ZOHAR	**NADER**	ÉVIER	**ABNER**	RASER	LOUER
DAKAR	RADER	**AJJER**	GÊNER	LÉSER	NOUER
TIKAR	CÉDER	**BOJER**	MENER	PESER	ROUER
ISKAR	AIDER	**BAKER**	BINER	**WESER**	TOUER
VÉLAR	EIDER	JOKER	DÎNER	BISER	VOUER
VILAR	RIDER	POKER	LINER	MISER	BAVER
POLAR	VIDER	CALER	MINER	RISER	CAVER
TOLAR	CODER	HALER	VINER	VISER	GAVER
SAMAR	GODER	HÂLER	TONER	DOSER	HAVER
GOMAR	IODER	RÂLER	ZONER	LOSER	LAVER
TOMAR	RODER	SALER	ORNER	POSER	**LAVER**
NANAR	RÔDER	TALER	TUNER	ROSER	PAVER
DENAR	**SPEER**	**ADLER**	CAPER	BUSER	LEVER
DINAR	CRÉER	BÊLER	LAPER	FUSER	RÊVER
SONAR	GRÉER	CELER	RÂPER	MUSER	HIVER
ESPAR	MI-FER	FÊLER	SAPER	RUSER	RIVER
HARAR	PIFER	GELER	TAPER	LYSER	**DOVER**
ADRAR	ENFER	HÉLER	**IEPER**	BÂTER	LOVER
CÉSAR	LOFER	MÊLER	**NEPER**	DATER	NOVER
CÉSAR	GAGER	PELER	BIPER	GÂTER	CUVER
KATAR	NAGER	VÊLER	PIPER	HÂTER	FAXER
QATAR	RAGER	BILER	RIPER	MATER	TAXER
TATAR	LÉGER	FILER	TIPER	MÂTER	VEXER
TATAR	**LÉGER**	MILER	IMPER	PATER	FIXER
SETAR	**REGER**	PILER	DOPER	**PATER**	MIXER
SITAR	**EIGER**	SILER	TOPER	RATER	BOXER
ATTAR	FIGER	ALLER	DUPER	TÂTER	LUXER
SHUAR	**NIGER**	VOLER	RUPER	ACTER	BAYER
DOUAR	PIGER	CULER	SUPER	FÊTER	**BAYER**
ÌNVAR	**SIGER**	**EULER**	HYPER	JETER	**MAYER**
DEWAR	**ALGER**	**TYLER**	TYPER	PÉTER	PAYER
DEWAR	GOGER	**WYLER**	GARER	TÉTER	RAYER
NEWAR	LOGER	CAMER	PARER	CITER	**MEYER**
NAYAR	**ROGER**	DAMER	TARER	GÎTER	**BOYER**

5

FOYER	RÔTIR	NAMUR	ASSAS	JAMES	LAZES
LOYER	THUIR	FÉMUR	ISSAS	HIMES	MENGS
NOYER	AMUÏR	SEMUR	PATAS	LIMES	SACHS
VOYER	FOUIR	ADOUR	LITAS	NÎMES	RASHS
GAZER	JOUIR	AJOUR	CRUAS	SOMES	RUSHS
CHAIR	ROUIR	AMOUR	HAVAS	CUMES	MATHS
BLAIR	RAVIR	AMOUR	RIVAS	EANES	GOTHS
CLAIR	SÉVIR	KSOUR	SIVAS	MÂNES	REAIS
CLAIR	VIZIR	KSOUR	TIVAS	MANÈS	THAÏS
FLAIR	GABOR	IMPUR	TEXAS	VANES	BIAIS
ÉPAIR	TABOR	FUTUR	MAYAS	BENES	LIAIS
KABIR	TABOR	FREYR	BAZAS	GÊNES	NIAIS
SABIR	DÉCOR	STEYR	GIBBS	GENÈS	BLAIS
SUBIR	MUCOR	CABAS	CLEBS	MÉNÈS	ÉPAIS
NADIR	NADOR	LÀ-BAS	KREBS	AGNÈS	DRAIS
OBÉIR	FÉDOR	ABBAS	COMBS	FINES	FRAIS
KÉFIR	VIDOR	LE BAS	DOUBS	JONES	GUAIS
VAGIR	WIDOR	MI-BAS	AWACS	NONES	OUAIS
MÉGIR	TUDOR	EN-CAS	DODDS	DUNES	NABIS
RÉGIR	ANGOR	LUCAS	LEEDS	FUNÈS	PUBIS
MUGIR	BOGOR	CYCAS	LIEDS	ALOÈS	RUBIS
RUGIR	BIHOR	MIDAS	POIDS	CAPES	LACIS
FAKIR	MAJOR	JUDAS	FONDS	VAPES	MACIS
PÂLIR	MAJOR	JUDAS	GABÈS	ALPES	OCCIS
SALIR	CUKOR	DEGAS	TABÈS	FARÈS	JADIS
POLIR	TYLOR	ALIAS	AMBÈS	PARÉS	RADIS
PAMIR	TIMOR	ELIAS	ABCÈS	CÉRÈS	ÉLÉIS
GÉMIR	ARMOR	GOIÁS	ACCÈS	PERES	MÉGIS
VOMIR	TÉNOR	TRIAS	DÉCÈS	XERES	LOGIS
IZMIR	AFNOR	ROJAS	FÈCES	XÉRÈS	BUGIS
BÉNIR	TOPOR	CUJAS	RECÈS	AGRÈS	ATHIS
TENIR	KOROR	DUKAS	VÉCÉS	KORÊS	TAKIS
VENIR	ENSOR	CALAS	EXCÈS	APRÈS	PALIS
FINIR	ESSOR	HÉLAS	GADES	YPRES	COLIS
MUNIR	KOTOR	LILAS	HADÈS	ÊTRES	VOLIS
PUNIR	ROTOR	ELLÁS	MÈDES	AURÈS	AULIS
SEOIR	BUTOR	ATLAS	ANDES	BURES	TAMIS
CHOIR	BUTOR	ATLAS	INDES	MURES	ADMIS
AVOIR	FLUOR	DAMAS	EUDES	ROSES	DÉMIS
OZOIR	ARVOR	DAMAS	DREES	MUSES	FEMIS
SAPIR	NAZOR	FAMAS	BAGES	GATES	REMIS
TAPIR	VIAUR	RAMAS	JUGES	OATES	SEMIS
TARIR	BABUR	DUMAS	GYGÈS	JUTES	KOMIS
FÉRIR	TIBUR	LINAS	BAÏES	BLUES	TANIS
PÉRIR	ODEUR	NINAS	VÉIES	DAVES	CENIS
MÛRIR	RIEUR	JONAS	THIÈS	NAVES	DENIS
SURIR	SIEUR	PSOAS	ARIÈS	DIVES	PÉNIS
DÉSIR	FLEUR	PAPAS	VRIES	RIVES	AUNIS
GÉSIR	PLEUR	TAPAS	HALES	BOVES	TUNIS
ROSIR	CŒUR	REPAS	WALES	NOVES	DIOIS
BÂTIR	CŒUR	APPAS	GELÉS	VOVES	BLOIS
CATIR	SŒUR	HARAS	WILES	DAWES	TROIS
MATIR	LUEUR	BORÅS	ELLES	COWES	LAPIS
PÂTIR	SUEUR	ARRAS	ARLES	BAYES	TAPIS
VÊTIR	TUEUR	STRAS	JULES	HAYES	MARIS
COTIR	REGUR	DURAS	JULES	KAYES	PARIS
LOTIR	SÉGUR	ROSAS	EAMES	REYES	PÂRIS

IDRIS	LIONS	CORPS	RÉBUS	MOTUS	SQUAT		
NÉRIS	SKONS	AFARS	GIBUS	ARTUS	VIVAT		
BORIS	NYONS	ÉPARS	ARBUS	FAVUS	ROYAT		
DORIS	BURNS	AVARS	CACUS	ANZUS	DRYAT		
DORIS	SKUNS	GIERS	REÇUS	LADYS	TRACT		
LORIS	DOWNS	TIERS	FICUS	DENYS	EXACT		
ÉPRIS	CHAOS	FLERS	INCUS	PEPYS	BILDT		
OASIS	DU BOS	BOERS	LOCUS	TORYS	KUNDT		
ASSIS	DUBOS	CUERS	FUCUS	COSYS	WUNDT		
PÂTIS	COCOS	AVERS	MUCUS	BEUYS	HARDT		
FÉTIS	DUCOS	CHORS	INDUS	RHUYS	GERDT		
MÉTIS	BIDOS	ALORS	ILÉUS	LOUYS	CABET		
ATTIS	ENDOS	DOORS	CREUS	POWYS	DÉBET		
LOUIS	ORDOS	MAURS	REFUS	LABAT	GIBET		
LOUIS	SPÉOS	BEURS	PAGUS	RABAT	TIBET		
DAVIS	LAGOS	FEURS	NÉGUS	RABAT	BOBET		
LAVIS	LOGOS	COURS	ARGUS	DÉBAT	BOBET		
DEVIS	ARGOS	TOURS	ARGUS	RIBAT	LACET		
LÉVIS	ATHOS	MIASS	ÂRHUS	VICAT	TACET		
NEVIS	ETHOS	GLASS	GAIUS	DUCAT	CADET		
DIVIS	ALIOS	GRASS	LAÏUS	EXEAT	BIDET		
LEWIS	PALOS	LŒSS	ARIUS	DÉGÂT	GODET		
LEXIS	ÉCLOS	SUESS	MALUS	LÉGAT	SKEET		
HICKS	DÉLOS	WEISS	MALUS	ACHAT	DÉFET		
BANKS	ALLOS	CRISS	TALUS	DALAT	EFFET		
LINKS	VÓLOS	KRISS	CAMUS	OBLAT	CAGET		
TURKS	PYLOS	JOOSS	CAMUS	ÉCLAT	PAGET		
HAWKS	SAMOS	CROSS	RAMUS	DOMAT	ATGET		
ÉTALS	TÊNOS	GROSS	REMUS	ASMAT	AUGET		
GAËLS	MINOS	STOSS	HUMUS	À-PLAT	PUGET		
CIELS	TÍNOS	GAUSS	JANUS	QUIET			
DIELS	NEPOS	GAUSS	LANÚS	DOMAT	OBJET		
ŒILS	REPOS	MAUSS	VÉNUS	ASMAT	REJET		
WELLS	MAROS	HEUSS	VÉNUS	BANAT	SUJET		
DÉOLS	PAROS	NEUSS	MINUS	BANAT	PÉKET		
PEULS	PÁROS	REUSS	SINUS	MANAT	GALET		
POULS	SAROS	GRUSS	BONUS	SÉNAT	MALET		
RAWLS	HÉROS	ABATS	TONUS	AGNAT	PALET		
ADAMS	PER OS	ÉBATS	MAOUS	DONAT	TALET		
REIMS	PÕROS	KEATS	PAPUS	APPÂT	VALET		
FLIMS	RØROS	YEATS	LUPUS	CARAT	FILET		
WORMS	SUROS	GHATS	VARUS	HARAT	GILET		
DRUMS	SYROS	PRATS	VARUS	MARAT	MILET		
CÉANS	IPSOS	TRETS	VERUS	PARAT	PILET		
JEANS	ISSOS	PUITS	XÉRUS	CÉRAT	BOLET		
JEANS	MATOS	FONTS	VIRUS	HERAT	COLET		
RIANS	BITOS	MONTS	HORUS	OÏRAT	DOLET		
CRANS	DAVOS	SCOTS	MORUS	DORAT	TOLET		
STANS	DE VOS	BOOTS	PURUS	JORAT	VOLET		
EVANS	DEVOS	VERTS	CYRUS	MORAT	MULET		
GIENS	NAXOS	SMUTS	JÉSUS	SPRAT	SAMET		
OWENS	NÁXOS	BOUTS	JÉSUS	JURAT	ARMET		
JOHNS	HOYOS	CLAUS	ISSUS	MURAT	ORMET		
SAINS	BLAPS	KLAUS	OBTUS	SURAT	FUMET		
FLINS	CHIPS	UNAUS	ICTUS	ROSAT	EYMET		
MOINS	TEMPS	KRAUS	TITUS	LYSAT	CANET		
PÉONS	FLOPS	CABUS	LOTUS	HOUAT	JANET		
				TOUAT			

MANET	BIZET	RÉANT	**RIBOT**	**COROT**	**GANTT**
BENÊT	**BIZET**	SÉANT	ELBOT	PUROT	**MONTT**
GENET	KRAFT	CHANT	ROBOT	**PITOT**	**SCOTT**
GENET	**SWIFT**	**THANT**	JACOT	SITÔT	CHOTT
GENÊT	**DELFT**	FIANT	TACOT	PAVOT	CHAUT
VENET	**HOOFT**	LIANT	ACCOT	DÉVOT	**DÉBUT**
BINET	DOIGT	NIANT	BÉCOT	PIVOT	REBUT
MINET	VINGT	RIANT	BICOT	FAYOT	**EN-BUT**
VINET	**RACHT**	PLANT	**NICOT**	**AMYOT**	**ISEUT**
MONET	YACHT	AMANT	PICOT	GUYOT	**AFFÛT**
CAPET	**RECHT**	**BRANT**	**ASCOT**	MAZOT	BAHUT
CAPET	**WIGHT**	**GRANT**	**DIDOT**	**BUZOT**	SALUT
PAPET	TRAIT	ORANT	**BAGOT**	ÉCART	**SALUT**
CARET	**DABIT**	OSANT	CAGOT	SMART	CANUT
FARET	HABIT	USANT	FAGOT	ÉPART	RAOUT
HARET	DÉBIT	ÉTANT	MAGOT	OP ART	ABOUT
TARET	SUBIT	ÔTANT	RAGOT	SPART	**ABOUT**
ADRET	RÉCIT	HUANT	MÉGOT	**START**	SCOUT
BÉRET	DÉDIT	MUANT	BIGOT	HUART	**AGOUT**
CÉRET	LEDIT	NUANT	GIGOT	QUART	ÉGOUT
PÉRET	MÉDIT	PUANT	LIGOT	**EBERT**	AJOUT
SIRET	REDIT	RUANT	ARGOT	**IBERT**	KNOUT
TIRET	ON-DIT	SUANT	ERGOT	**EVERT**	BROUT
VIRET	AUDIT	TUANT	CAHOT	FLIRT	**PROUT**
FORET	DUDIT	AVANT	IDIOT	SHORT	ATOUT
FORÊT	CI-GÎT	AXANT	CHIOT	**NIORT**	STOUT
GORET	DÉLIT	AYANT	**ELIOT**	SPORT	INPUT
MORET	**SPLIT**	ADENT	GRIOT	**YPORT**	**ASYUT**
ARRÊT	**ARLIT**	AGENT	PAJOT	HEURT	BIZUT
FURET	SAMIT	**TRENT**	CALOT	COURT	**LISZT**
FURET	**IZMIT**	AVENT	DALOT	**PIAST**	**BACAU**
MURET	**TANIT**	ÉVENT	FALOT	TOAST	SCEAU
MURET	BÉNIT	MAINT	**MALOT**	**PABST**	FLÉAU
SURET	CROÎT	SAINT	PALOT	ID EST	PRÉAU
BISET	DROIT	CEINT	PÂLOT	**DIEST**	**BAJAU**
OCTET	DÉPIT	FEINT	DÉLOT	**BREST**	**PALAU**
MOTET	RÉPIT	GEINT	VELOT	**CREST**	**BELAU**
BLUET	PIPIT	PEINT	**LILOT**	OUEST	**EYLAU**
FLUET	**YU'PIT**	TEINT	PILOT	**ZEIST**	**CA MAU**
FOUET	ÉCRIT	**FLINT**	**COLOT**	WHIST	**HANAU**
GOUET	ÉFRIT	JOINT	BULOT	TWIST	**LENAU**
JOUET	DURIT	POINT	CULOT	**AALST**	SENAU
NOUET	PETIT	POINT	MULOT	**ZEMST**	**DONAU**
ROUET	**PETIT**	**POINT**	**JAMOT**	RANST	**AARAU**
VOUET	INUIT	SUINT	CANOT	ERNST	**OSSAU**
CAVET	**INUIT**	AMONT	**GENOT**	**ALOST**	**MITAU**
NAVET	BRUIT	FRONT	PINOT	**FROST**	GLUAU
CIVET	FRUIT	SHUNT	**PONOT**	**PROST**	GRUAU
GIVET	SMALT	**BLUNT**	**JUNOT**	KARST	**LE VAU**
LIVET	**TIELT**	**POUNT**	SHOOT	**KARST**	BOYAU
RIVET	SMOLT	CABOT	CAPOT	HORST	HOYAU
RIVET	MOULT	**CABOT**	DÉPÔT	**FÜRST**	JOYAU
BOVET	**SOULT**	JABOT	IMPÔT	**FAUST**	NOYAU
ORVET	**KLIMT**	NABOT	**SOPOT**	DEUST	TUYAU
DUVET	BÉANT	RABOT	**MAROT**	TRUST	**BUZAU**
MAYET	GÉANT	SABOT	TAROT	**PRATT**	TRIBU
POYET	NÉANT	REBOT	LÉROT	PSITT	BARBU

HERBU	**CHENU**	QUIPU	ADDAX	**THEUX**	**RUGBY**
URUBU	GRENU	ROMPU	RELAX	AÏEUX	**DOLBY**
CONÇU	AVENU	LIPPU	PANAX	**CIEUX**	**DANBY**
PERÇU	CONNU	**THARU**	DONAX	DIEUX	DERBY
FENDU	**INÖNÜ**	**OTARU**	HAPAX	LIEUX	**DERBY**
PENDU	CORNU	ACCRU	ALPAX	MIEUX	**KIRBY**
RENDU	**HORNU**	DÉCRU	BORAX	PIEUX	**VISBY**
TENDU	MIAOU	RECRU	FURAX	VIEUX	**TRACY**
VENDU	TABOU	RECRÛ	CEDEX	VŒUX	**CHÉCY**
FONDU	**SEBOU**	**GWERU**	INDEX	CREUX	**CRÉCY**
PONDU	HIBOU	**MWERU**	CODEX	**DREUX**	**LANCY**
TONDU	LICOU	**NEHRU**	TÉLEX	FREUX	**NANCY**
PERDU	ROCOU	**PATRU**	SILEX	PREUX	**SANCY**
PERDU	**CADOU**	**BAURU**	SOLEX	GUEUX	**MARCY**
MORDU	PADOU	**NAURU**	RUMEX	QUEUX	**BERCY**
TORDU	**EDFOU**	**UHURU**	CAREX	AVEUX	**PERCY**
ENFEU	BAGOU	**ELURU**	SIREX	VELUX	**TORCY**
CAÏEU	CAGOU	COURU	LUREX	CHOUX	**LURCY**
ADIEU	SAGOU	**GANSU**	MUREX	SIOUX	**COUCY**
ÉPIEU	**SÉGOU**	PANSU	PYREX	**SIOUX**	**TOUCY**
ENJEU	**PIGOU**	**MASSU**	**ESSEX**	ÉPOUX	CADDY
LEKEU	**AEIOU**	FESSU	LATEX	**ORBAY**	PADDY
ALLEU	CAJOU	TISSU	**ÉTAIX**	**MCCAY**	**SODDY**
VIMEU	**PAJOU**	BOSSU	**CADIX**	**DU FAY**	DANDY
NEVEU	SAJOU	COSSU	**FÉLIX**	**DUFAY**	**KANDY**
CAYEU	BIJOU	**METSU**	HÉLIX	TOKAY	**D'INDY**
MOYEU	**ANJOU**	COUSU	CHOIX	**TOKAY**	**BONDY**
TAEGU	**BAKOU**	BANTU	CROIX	**DELAY**	**FUNDY**
EXIGU	**DUKOU**	**BANTU**	**CROIX**	**VELAY**	**HARDY**
XINGU	**DALOU**	PENTU	**GROIX**	INLAY	**LARDY**
ENUGU	IGLOU	**TARTU**	**VAULX**	**MOLAY**	**ARUDY**
DÉCHU	FILOU	VERTU	**BRONX**	GAMAY	**TOBEY**
FICHU	PILOU	TORTU	REDOX	**LIMAY**	**DUCEY**
SIBIU	GENOU	BATTU	PALOX	**FUMAY**	**BUGEY**
HAEJU	**RENOU**	PATTU	PHLOX	**PANAY**	**BRIEY**
CHEJU	**AÏNOU**	FOUTU	INTOX	**PINAY**	**HALEY**
HAÏKU	MINOU	PRÉVU	**DIERX**	**VINAY**	**AILEY**
TURKU	PAPOU	**HAN YU**	BEAUX	**ARNAY**	**RILEY**
ALUKU	**PAPOU**	**XINYU**	FÉAUX	**AUNAY**	**CINEY**
EXCLU	RIPOU	SICAV	**MEAUX**	**PARAY**	PONEY
RÉÉLU	GAROU	**JELEV**	PEAUX	**MORAY**	**CAREY**
GOGLU	ÉCROU	**ZELEV**	RÉAUX	SPRAY	**MAREY**
POILU	MÉROU	**KONEV**	SEAUX	**AURAY**	**PEREY**
FALLU	**PÉROU**	**BOTEV**	VEAUX	**PASAY**	**SIREY**
UPOLU	VESOU	**PSKOV**	ÉGAUX	**ORSAY**	**COREY**
DÉPLU	BISOU	**ORLOV**	CHAUX	**HATAY**	**LOSEY**
REPLU	MATOU	**POPOV**	**CHAUX**	**PATAY**	**ESSEY**
CARLU	**PATOU**	**KIROV**	**NIAUX**	**BRUAY**	**PUSEY**
MERLU	TATOU	**VAZOV**	ÉMAUX	**BAVAY**	**VEVEY**
GOULU	**LAXOU**	PILAW	ANAUX	**OTWAY**	**DEWEY**
MOULU	BAYOU	SQUAW	UNAUX	**LEZAY**	BUGGY
VOULU	VOYOU	**NAREW**	ORAUX	**NOZAY**	**CERGY**
RAIMU	ZAZOU	**ARZEW**	ÉTAUX	**ROZAY**	**LEAHY**
CHIMÚ	BIZOU	**SOLOW**	DUAUX	**LIBBY**	VICHY
JAMMU	**AOZOU**	**BÜLOW**	**ÉVAUX**	HOBBY	**VICHY**
PROMU	TRAPU	**GAMOW**	UVAUX	LOBBY	**IMPHY**
CHENU	CRÉPU	**ARROW**	ICEUX	RUGBY	SULKY

5

FUNKY	MAGNY	AVERY	NOISY	ACHAZ	IMROZ
JUNKY	LIGNY	GEHRY	SOISY	LA PAZ	SZASZ
GORKY	VIGNY	THIRY	MASSY	AHVAZ	REISZ
HUSKY	FANNY	CUIRY	PASSY	GÖNCZ	HILSZ
MABLY	JENNY	GUIRY	WASSY	RECEZ	GROSZ
BOËLY	PENNY	HENRY	BUSSY	RODEZ	ABETZ
BALLY	PRONY	HENRY	MUSSY	HAFEZ	BLETZ
LALLY	PARNY	FLORY	HILTY	NÚÑEZ	LEITZ
KELLY	DERNY	BARRY	CONTY	JEREZ	OPITZ
AILLY	MORNY	CARRY	ZLOTY	PÉREZ	SPITZ
KILLY	ROSNY	CARRY	MARTY	FOREZ	SPITZ
MILLY	CLUNY	JARRY	RORTY	MOREZ	FRITZ
TILLY	GODOY	PARRY	GETTY	TOREZ	RUITZ
BULLY	SEMOY	BERRY	BADUY	ASSEZ	SELTZ
LULLY	VINOY	FERRY	DEGUY	VITEZ	WILTZ
PULLY	LE ROY	FERRY	PÉGUY	POTEZ	HERTZ
SULLY	LEROY	LORRY	LE MUY	NAVEZ	HERTZ
PENLY	SAVOY	CURRY	LE PUY	CÁDIZ	WURTZ
MARLY	TAVOY	TATRY	ERQUY	HAFIZ	VADUZ
VALMY	CRÉPY	MITRY	DURUY	RÉMIZ	RAMUZ
MAMMY	HIPPY	VITRY	GRÉVY	KÖNIZ	ORMUZ
SAMMY	GUPPY	MAURY	SAUVY	MONIZ	HAOUZ
TOMMY	PEARY	GIVRY	NEUVY	RUOLZ	TAIZZ
SOUMY	FABRY	LIVRY	LOEWY	MAINZ	
ARANY	OUDRY	LOWRY	ÉPOXY	HEINZ	
GAGNY	CLÉRY	GRÉSY	THIZY	CULOZ	
LAGNY	ÉMERY	LOISY	JAZZY	CHOOZ	

6

	MARACA	MÉRIDA	HAIFFA	GEISHA
	OAXACA	QASIDA	DJELFA	HARSHA
	BOYACÁ	SKIKDA	MALAGA	LEITHA
	ZENICA	ARANDA	MÁLAGA	BERTHA
	ARNICA	LUANDA	SANAGA	PLOUHA
	MARICA	RUANDA	ALPAGA	BÉJAÏA
	DE SICA	RWANDA	TÉLÉGA	MAMAIA
	CUENCA	RWANDA	ORTEGA	TUPAÏA
	BRONCA	AGENDA	FRIGGA	RUBBIA
	HUESCA	OLINDA	DOUGGA	ACACIA
	MUISCA	KAUNDA	PA'ANGA	GARCÍA
	TOLUCA	BARODA	THONGA	FASCIA
DJAMAA	JOIADA	NERUDA	TSONGA	STADIA
DJEMAA	HAMADA	COBÆA	TSONGA	KINDIA
VANTAA	ARMADA	ÉPICÉA	LADOGA	CARDIA
CUIABÁ	ARMADA	MIRCEA	BÉLUGA	MAFFIA
ANNABA	CANADA	ORADEA	KWACHA	FOGGIA
KOUBBA	CANADA	GOUDÉA	REICHA	LOGGIA
KARIBA	MASADA	QUÉLÉA	DATCHA	BORGIA
JOJOBA	NEVADA	NOUMÉA	SANGHA	ISCHIA
DJERBA	LAMBDA	CYANEA	SEBKHA	SEGHIA
AUCUBA	DJEDDA	ALINÉA	GURKHA	RAPHIA
BAKUBA	ÁGREDA	MOOREA	BOUKHA	ARALIA
BALUBA	RÉSÉDA	RUSAFA	VIELHA	DAHLIA
DJOUBA	OPPIDA	SRAFFA	PYRRHA	DHULIA
YORUBA	LÉRIDA	STAFFA	ILESHA	OURMIA

KHANIÁ	IMPALA	SMEGMA	MASINA	LAVÉRA
TÆNIA	KERALA	BREGMA	LATINA	RIVERA
ZINNIA	MUSALA	STIGMA	KHULNA	BIAFRA
MARNIA	MOTALA	ZEUGMA	SALONA	KOUFRA
SARNIA	POTALA	BRAHMA	KATONA	ANDHRA
GDYNIA	DOUALA	KOHIMA	ZOURNA	MITHRA
CHARIA	KAVÁLA	TOLIMA	KISTNA	VIEIRA
IKARÍA	OUVALA	MINIMA	KADUNA	SEBKRA
ANDRIA	BLA-BLA	FATIMA	YAMUNA	BISKRA
ALÉRIA	PUEBLA	FÁTIMA	KIRUNA	TABORA
PEORIA	AU-DELÀ	OPTIMA	KORUNA	DEBORA
GLORIA	ÊTRE-LÀ	MAXIMA	FUTUNA	ANGORA
KERRIA	TETELA	GUELMA	HRIVNA	ELLORA
YTTRIA	AZUELA	GLOMMA	BALBOA	ZAMORA
LOURIA	FAVELA	TACOMA	BALBOA	RÉMORA
ALÉSIA	FLA-FLA	DODOMA	LISBOA	MENORA
KENTIA	BRAILA	SODOMA	GAGNOA	CAMPRA
BASTIA	ULFILA	ZYGOMA	QUINOA	SIERRA
HESTIA	ORFILA	NUJOMA	LEIPOA	HOURRA
SEGUIA	MAKILA	STROMA	VARROA	MANTRA
ZAOUÏA	DALILA	DHARMA	PESSOA	TANTRA
CHOUIA	TOTILA	PLASMA	MACAPÁ	SINTRA
LLÍVIA	ATTILA	ALISMA	JALAPA	CONTRA
RAZZIA	TAXILA	TRAUMA	MAZEPA	CASTRA
TORAJA	BARKLA	STRUMA	PETIPA	MISTRA
NAVAJA	PAELLA	KOLYMA	CHAMPA	NEUTRA
GANDJA	BIELLA	VIMANA	EUROPA	SOUTRA
GRANJA	VIELLA	CUMANÁ	GRAPPA	MADURA
BAROJA	STELLA	ESPAÑA	SCARPA	JAPURÁ
MELAKA	AZOLLA	PARANÁ	SHERPA	YAPURÁ
TANAKA	SCYLLA	TIRANA	SHERPA	GOPURA
BARAKA	NICOLA	TORANA	STOUPA	DATURA
LUSAKA	ANGOLA	PURANA	ATBARA	TIPASA
JATAKA	ORIOLA	TSWANA	ANGARA	GERASA
BOUBKA	AKMOLA	TSWANA	SAHARA	WALESA
TCHEKA	BITOLA	GUYANA	MÉHARA	TERESA
RIJEKA	FIBULA	ATHÉNA	VIHARA	STRESA
TOPEKA	MACULA	HELENA	AMHARA	MANISA
EURÊKA	RADULA	MÉLÉNA	ANKARA	MIMOSA
EURÊKA	DIOULA	MORENA	CÂMARA	LHASSA
KOFFKA	DIOULA	CESENA	SAMARA	NYASSA
BANGKA	MORULA	JAFFNA	SAMARA	ODESSA
VEDIKA	INSULA	MICHNA	ASMARA	ÉLISSA
TROÏKA	CEUX-LÀ	MISHNA	AYMARA	ORISSA
MARKKA	SAJAMA	MACINA	AYMARA	PURUSA
GLINKA	PYJAMA	ENCINA	APSARA	GALATA
JUDOKA	MANAMA	MÉDINA	JUVARA	ZENATA
ASHOKA	PANAMA	REGINA	HAZARA	NAPATA
CHAPKA	PANAMÁ	KALIÑA	CRACRA	ZAPATA
IGARKA	TARAMA	ZILINA	QUADRA	ERRATA
ALASKA	ALSAMA	MOLINA	SHUDRA	PATATA
POLSKA	TOYAMA	FEMINA	LIBERA	MULETA
VIATKA	VIEDMA	GOMINA	RIBERA	MESETA
SUZUKA	SCHÉMA	FARINA	KAGERA	PESETA
SÉGALA	OULÉMA	MARINA	VALERA	MECHTA
SÉGALA	CINÉMA	MARINA	CAMÉRA	NAPHTA
CANALA	ECZÉMA	MERINA	MATERA	GUAÏTA

TCHITA	KRLEZA	VITRAC	DELLUC	SECOND
NIKITA	CUANZA	BARSAC	MONLUC	EDMOND
LOLITA	KWANZA	PESSAC	GSTAAD	LEMOND
LOLITA	KWANZA	RESSAC	BAGDAD	DUPOND
NARITA	MWANZA	LUSSAC	TIMGAD	GIROND
RESITA	FAENZA	TIC-TAC	DJIHAD	FREUND
AOUITA	OUENZA	QUÉZAC	ERSHAD	ASHDOD
VUELTA	SFORZA	BALZAC	CONRAD	GOUNOD
AJANTA	YAKUZA	JONZAC	MOURAD	SEYNOD
QUANTA	CORYZA	LARZAC	AL-ASAD	ATWOOD
QUANT À	PIAZZA	CHEBEC	TAN-SAD	NEMROD
BOGOTÁ	BRAZZA	QUÉBEC	MOSSAD	BOBARD
DAKOTA	OREZZA	MALBEC	NYSTAD	JOBARD
LAKOTA	BAOBAB	BOLBEC	BEHZAD	TUBARD
TOYOTA	TOUBAB	KARDEC	BIHZAD	BÉCARD
OMERTA	HIDJAB	RUFFEC	CNUCED	PICARD
HUERTA	SKYLAB	GALLEC	NANDED	PICARD
FIESTA	CHENAB	GALLEC	SZEGED	SICARD
CUESTA	MIHRAB	FENNEC	BIPIED	BOCARD
AVESTA	ZAGREB	TANREC	MEHMED	NOCARD
ELISTA	TOUBIB	TENREC	ALFRED	ROCARD
QUETTA	GHALIB	PARSEC	ØRSTED	TOCARD
CÚCUTA	GOTLIB	GOSSEC	EL-OUED	BÉDARD
PUSZTA	COLOMB	BELZEC	OZALID	MÉDARD
LENGUA	APLOMB	CFE-CGC	MADRID	GODARD
JINHUA	SKI-BOB	LAMBIC	DJÉRID	CAFARD
PAPOUA	SCHWOB	SYNDIC	ASTRID	HAGARD
GAROUA	RADOUB	TRAFIC	HASSID	SAGARD
MAROUA	TOMBAC	PUBLIC	NORWID	BÉGARD
NANTUA	FIGEAC	DÉCLIC	BONALD	BÉGARD
UNGAVA	SÉMÉAC	STAMIC	HARALD	REGARD
SUMAVA	ZODIAC	PORNIC	OBWALD	ACHARD
MORAVA	PIRIAC	AGARIC	KOBOLD	ERHARD
VLTAVA	CALLAC	ALARIC	ALFÖLD	CHIARD
MOSKVA	BELLAC	DOBRIC	INGOLD	THIARD
HUELVA	TILLAC	ANDRIC	ARNOLD	BRIARD
CANOVA	SOULAC	ODORIC	HAROLD	BRIARD
OSHAWA	MICMAC	VOLVIC	HÉROLD	CRIARD
TARAWA	MICMAC	NEUVIC	ARCAND	BALARD
OTTAWA	TARMAC	ARLANC	LIGAND	MALARD
OJIBWA	MEYMAC	MÉZENC	BRIAND	PELARD
SADOWA	GIGNAC	MANIOC	FRIAND	POLARD
RÉDOWA	SIGNAC	TLALOC	KOKAND	TÔLARD
LULUWA	COGNAC	PÉBROC	UHLAND	CULARD
CUNAXA	COGNAC	ACCROC	ROLAND	MULARD
CELAYA	ROGNAC	ESCROC	ARLAND	CAMARD
WILAYA	ORGNAC	RADSOC	ROMAND	HOMARD
PIRAYA	ÉPINAC	TRISOC	ROMAND	CANARD
VISAYA	CARNAC	MASTOC	ARMAND	PANARD
ZAWIYA	JARNAC	NOSTOC	MORAND	BÉNARD
ZAWIYA	CORNAC	DU PARC	STRAND	LENARD
LAGOYA	PIBRAC	DUPARC	TRUAND	RENARD
NAGOYA	AUBRAC	ZAMOSC	REFEND	RENARD
MAURYA	RIC-RAC	VIADUC	REBOND	DINARD
VAISYA	CHIRAC	BOLDUC	SEBOND	PINARD
CAITYA	FLORAC	PLŒUC	FÉCOND	PINARD
TIPAZA			SECOND	CONARD

ZONARD	**RENAUD**	TÉORBE	ESPÈCE	**TIERCÉ**
IZOARD	FINAUD	BOURBE	**LUTÈCE**	EXERCÉ
GÉRARD	**ARNAUD**	COURBE	VIBICE	**PEIRCE**
HASARD	FARAUD	COURBÉ	INDICE	ÉCORCE
VASARD	MARAUD	FOURBE	OFFICE	ÉCORCÉ
BUSARD	TARAUD	TOURBE	CALICE	AMORCE
MUSARD	**GIRAUD**	**THISBÉ**	**GALICE**	AMORCÉ
BÂTARD	MIRAUD	**HÉCUBE**	MALICE	SOURCE
FÊTARD	PATAUD	INCUBE	DÉLICE	**BEAUCE**
PÉTARD	**PATAUD**	INCUBÉ	HÉLICE	EXAUCÉ
RETARD	**ARTAUD**	JUJUBE	CILICE	**MANUCE**
TÊTARD	**MAHMUD**	**DANUBE**	MILICE	ASTUCE
MITARD	**TALMUD**	ADOUBÉ	SILICE	AUBADE
MOTARD	**NEFOUD**	TITUBE	**ELLICE**	FAÇADE
POTARD	**PÉGOUD**	ENTUBÉ	POLICE	DÉCADE
ELUARD	**LIKOUD**	INTUBÉ	POLICÉ	ALCADE
COUARD	BAROUD	**POLYBE**	COMICE	ROCADE
BAVARD	**ORMUZD**	**NOSY BE**	LANICE	TOCADE
SAVARD	REGGAE	SÉBACÉ	VARICE	ARCADE
REVARD	**PHILAE**	MICACÉ	**SIRICE**	ORÉADE
BUVARD	**BASSÆ**	AUDACE	**KOSICE**	SCHADÉ
COWARD	CACABÉ	EFFACÉ	NATICE	NAÏADE
HOWARD	**MUGABE**	BIFACE	COTICE	CHIADÉ
BAYARD	CARABE	SAGACE	NOTICE	**ELIADE**
FAYARD	**SORABE**	FUGACE	NOVICE	**ILIADE**
BOYARD	**SOUABE**	OPIACÉ	**KIELCE**	TRIADE
FOYARD	**CRABBE**	PALACE	BÉANCE	BALADE
FUYARD	CUBÈBE	SALACE	SÉANCE	BALADÉ
BAZARD	**ACHEBE**	DÉLACÉ	CHANCE	MALADE
HAZARD	ÉPHÈBE	ENLACÉ	FIANCÉ	SALADE
LÉZARD	**EUSÈBE**	LIMACE	ÉLANCÉ	PELADE
LIZARD	REBIBE	PANACE	**FRANCE**	**PYLADE**
BÂBORD	IMBIBÉ	MENACE	STANCE	NOMADE
SABORD	INHIBÉ	MENACÉ	NUANCE	MANADE
DEBORD	EXHIBÉ	TENACE	NUANCÉ	PANADE
DÉBORD	TALIBÉ	**IGNACE**	AVANCE	MÉNADE
REBORD	CARIBE	RAPACE	AVANCÉ	GONADE
IN-BORD	SCRIBE	IN PACE	AGENCE	MONADE
ACCORD	**SCRIBE**	ESPACE	AGENCÉ	**TROADE**
RECORD	**FOULBÉ**	ESPACÉ	ÉMINCÉ	PARADE
RICORD	FLAMBE	THRACE	COINCÉ	PARADÉ
OXFORD	FLAMBÉ	**THRACE**	GRINCÉ	TIRADE
OXFORD	CRAMBE	**HORACE**	PRINCE	DORADE
MILORD	RHOMBE	VORACE	**PRINCE**	RASADE
BITORD	PLOMBE	BESACE	ÉVINCÉ	PESADE
SIGURD	PLOMBÉ	**ALSACE**	PIONCÉ	NOYADE
RIBAUD	TROMBE	**ALSACE**	ÉNONCÉ	DRYADE
TACAUD	ENGOBE	ROSACE	OPONCE	ABCÉDÉ
BÉCAUD	ENGOBÉ	ROSACÉ	FRONCE	ACCÉDÉ
BADAUD	BILOBÉ	**LUSACE**	FRONCÉ	DÉCÉDÉ
NADAUD	COLOBE	CÉTACÉ	NÉGOCE	RECÉDÉ
NIGAUD	**ARNOBE**	SÉTACÉ	VÉLOCE	EXCÉDÉ
RIGAUD	DÉROBÉ	ROTACÉ	FÉROCE	SPEEDÉ
BLIAUD	ENROBÉ	FOUACE	ATROCE	**TOLÈDE**
SALAUD	**AKTOBE**	VIVACE	**NIÉPCE**	**LA MÈDE**
PELAUD	ÉBARBÉ	**VÉGÈCE**	TIERCE	REMÈDE
PENAUD	ACERBE	DÉPECÉ	TIERCÉ	PINÈDE

BIPÈDE	VIANDÉ	**LE LUDE**	CARDÉE	LÉCHÉE
OBSÉDÉ	CLANDÉ	DÉNUDÉ	DARDÉE	MÉCHÉE
PLAIDE	GLANDE	**FROUDE**	FARDÉE	PÊCHÉE
CÉBIDÉ	GLANDÉ	EXSUDÉ	GARDÉE	SÉCHÉE
DÉCIDÉ	AMANDE	GALBÉE	LARDÉE	AICHÉE
LUCIDE	BRANDE	CAMBÉE	MERDÉE	FICHÉE
GADIDÉ	GRANDE	NIMBÉE	BORDÉE	LICHÉE
ÉNÉIDE	**GRANDE**	BOMBÉE	CORDÉE	**MICHÉE**
AFFIDÉ	AGENDÉ	TOMBÉE	CAUDÉE	NICHÉE
BIFIDE	BLENDE	SNOBÉE	ÉLUDÉE	COCHÉE
RIGIDE	AMENDE	BARBÉE	BOUDÉE	CÔCHÉE
ALGIDE	AMENDÉ	GERBÉE	COUDÉE	HOCHÉE
APHIDÉ	SCINDÉ	DAUBÉE	SOUDÉE	LOCHÉE
VALIDE	AFIN DE	AGACÉE	OXYDÉE	POCHÉE
VALIDÉ	CHINDÉ	GLACÉE	AGRÉÉE	ESCHÉE
FÉLIDÉ	BLINDÉ	PLACÉE	GAFFÉE	BÛCHÉE
BOLIDE	ÉLINDE	ARACÉE	BIFFÉE	HUCHÉE
ÉOLIDE	GUINDÉ	TRACÉE	PIFFÉE	JUCHÉE
SOLIDE	ABONDÉ	SLICÉE	IMAGÉE	RUCHÉE
TIMIDE	BLONDE	ÉPICÉE	DRAGÉE	LYCHEE
HUMIDE	ÉMONDÉ	LANCÉE	USAGÉE	**ALPHÉE**
NUMIDE	INONDÉ	TANCÉE	ÉTAGÉE	**ORPHÉE**
NUMIDE	**SPONDE**	PINCÉE	LIÉGÉE	LABIÉE
CANIDÉ	ARONDE	RINCÉE	PIÉGÉE	VICIÉE
RANIDÉ	FRONDE	FONCÉE	ÉPIGÉE	RADIÉE
GÉOÏDE	**FRONDE**	JONCÉE	ÉRIGÉE	DÉDIÉE
FROIDE	FRONDÉ	PONCÉE	EXIGÉE	DÉFIÉE
OVOÏDE	GRONDÉ	**PHOCÉE**	LANGÉE	MÉFIÉE
HYOÏDE	EXONDÉ	BERCÉE	MANGÉE	DÉLIÉE
LAPIDÉ	DÉCODÉ	GERCÉE	**PANGÉE**	**HÉLIÉE**
RAPIDE	ENCODÉ	PERCÉE	RANGÉE	RELIÉE
SAPIDE	PAGODE	FORCÉE	VENGÉE	CILIÉE
LÉPIDE	TRIODE	FASCÉE	SINGÉE	ALLIÉE
LIPIDE	DÉMODÉ	SAUCÉE	LONGÉE	ENLIÉE
CUPIDE	SYNODE	ÉPUCÉE	PONGÉE	FOLIÉE
DÉRIDÉ	SARODE	BRADÉE	RONGÉE	MANIÉE
DORIDE	**HÉRODE**	GRADÉE	APOGÉE	DÉNIÉE
MURIDÉ	DÉSODÉ	ÉVADÉE	MARGÉE	RENIÉE
BASIDE	LIARDÉ	**AMÉDÉE**	VERGÉE	COPIÉE
ABSIDE	ABORDÉ	SUÉDÉE	FORGÉE	EXPIÉE
RÉSIDE	CHORDE	ÉLIDÉE	GORGÉE	CARIÉE
APSIDE	CHORDÉ	BRIDÉE	PURGÉE	MARIÉE
URSIDÉ	EXORDE	GUIDÉE	JAUGÉE	PARIÉE
FÉTIDE	BOURDE	ÉVIDÉE	BOUGÉE	VARIÉE
FLUIDE	GOURDE	SOLDÉE	GRUGÉE	ÉCRIÉE
ÉQUIDÉ	HOURDÉ	BANDÉE	BÂCHÉE	FÉRIÉE
DRUIDE	LOURDE	MANDÉE	CACHÉE	SÉRIÉE
DÉVIDÉ	LOURDÉ	**VENDÉE**	FÂCHÉE	STRIÉE
LIVIDE	SOURDE	BONDÉE	GÂCHÉE	DÉVIÉE
BOVIDÉ	TOURDE	FONDÉE	HACHÉE	ENVIÉE
PYXIDE	**DRESDE**	MONDÉE	LÂCHÉE	YANKEE
SCALDE	**GUESDE**	SONDÉE	MÂCHÉE	ÉCALÉE
CHILDE	CHAUDE	SACHÉE	SACHÉE	DEALEE
GHILDE	**CLAUDE**	ÉLODÉE	TACHÉE	ÉGALÉE
GUILDE	FRAUDE	BRODÉE	TÂCHÉE	TRÂLÉE
SCANDÉ	FRAUDÉ	ÉRODÉE	**ZACHÉE**	ÉTALÉE
VIANDE	PALUDE	BARDÉE	BÊCHÉE	AVALÉE

544

AZALÉE	ADULÉE	GRENÉE	ÉPOPÉE	FERRÉE
CÂBLÉE	MEULÉE	**IRÉNÉE**	DROPÉE	SERRÉE
JABLÉE	ÉMULÉE	GAGNÉE	HAPPÉE	TERRÉE
RÂBLÉE	COULÉE	MAGNÉE	NAPPÉE	VERRÉE
SABLÉE	FOULÉE	LIGNÉE	LIPPÉE	TORRÉE
TABLÉE	GOULÉE	SIGNÉE	NIPPÉE	MÉTRÉE
CIBLÉE	MOULÉE	COGNÉE	TIPPÉE	MITRÉE
EMBLÉE	ROULÉE	ROGNÉE	ZIPPÉE	NITRÉE
BÂCLÉE	SOÛLÉE	GAINÉE	**COPPÉE**	TITRÉE
MACLÉE	**APULÉE**	LAINÉE	**POPPÉE**	VITRÉE
RACLÉE	BRÛLÉE	RAINÉE	HUPPÉE	ENTRÉE
TACLÉE	STYLÉE	PEINÉE	JASPÉE	**ASTRÉE**
CICLÉE	BLÂMÉE	VEINÉE	TAUPÉE	OUTRÉE
GICLÉE	CLAMÉE	CHINÉE	COUPÉE	LAURÉE
SICLÉE	**APAMÉE**	AMINÉE	LOUPÉE	SAURÉE
NUCLÉE	CRAMÉE	URINÉE	POUPÉE	ÉCURÉE
POÊLÉE	FRAMÉE	USINÉE	ÉGARÉE	AMURÉE
ÉPELÉE	TRAMÉE	GUINÉE	CABRÉE	COURÉE
GRÊLÉE	ÉTAMÉE	**GUINÉE**	SABRÉE	GOURÉE
RAFLÉE	**CADMÉE**	PUÎNÉE	ZÉBRÉE	LOURÉE
GIFLÉE	CRÉMÉE	QUINÉE	VIBRÉE	APURÉE
ENFLÉE	PYGMÉE	RUINÉE	AMBRÉE	ÉPURÉE
MOFLÉE	**PYGMÉE**	AVINÉE	OMBRÉE	AZURÉE
RÉGLÉE	ABÎMÉE	DAMNÉE	NACRÉE	NAVRÉE
BIGLÉE	ÉCIMÉE	LIMNÉE	SACRÉE	SEVRÉE
SIGLÉE	ÉLIMÉE	CANNÉE	RECRÉÉ	GIVRÉE
ONGLÉE	ANIMÉE	PANNÉE	RÉCRÉÉ	LIVRÉE
POILÉE	BRIMÉE	TANNÉE	ANCRÉE	OUVRÉE
VOILÉE	**CRIMÉE**	VANNÉE	ENCRÉE	BLASÉE
ÉPILÉE	GRIMÉE	PENNÉE	INCRÉÉ	ARASÉE
HUILÉE	PRIMÉE	DONNÉE	SUCRÉE	BRASÉE
TUILÉE	CALMÉE	SONNÉE	CADRÉE	FRASÉE
EXILÉE	PALMÉE	DIONÉE	MADRÉE	ÉVASÉE
DALLÉE	FILMÉE	CLONÉE	ORDRÉE	**THÉSÉE**
VALLÉE	GAMMÉE	PRÔNÉE	OBÉRÉE	ALÉSÉE
GELLÉE	GEMMÉE	OZONÉE	ACÉRÉE	GRÉSÉE
PELLÉE	GOMMÉE	CARNÉE	OPÉRÉE	BAISÉE
SELLÉE	NOMMÉE	MARNÉE	STÉRÉE	**ÉLISÉE**
AILLÉE	POMMÉE	BERNÉE	AVÉRÉE	ANISÉE
BILLÉE	SOMMÉE	CERNÉE	BÂFRÉE	BOISÉE
PILLÉE	CHÔMÉE	BORNÉE	RAGRÉÉ	MOISÉE
TILLÉE	IPOMÉE	CORNÉE	DÉGRÉÉ	TOISÉE
BOLLÉE	BROMÉE	ALUNÉE	REGRÉÉ	VOISÉE
COLLÉE	FERMÉE	DRAPÉE	TIGRÉE	ARISÉE
BULLÉE	GERMÉE	CRÊPÉE	**OUGRÉE**	BRISÉE
VIOLÉE	VERMÉE	CHIPÉE	MOIRÉE	FRISÉE
FRÔLÉE	FORMÉE	FRIPÉE	POIRÉE	GRISÉE
ISOLÉE	NORMÉE	GUIPÉE	SOIRÉE	IRISÉE
PARLÉE	PAUMÉE	PALPÉE	SPIRÉE	PRISÉE
FERLÉE	ÉCUMÉE	CAMPÉE	ÉTIRÉE	PUISÉE
PERLÉE	**IDUMÉE**	LAMPÉE	DENRÉE	AVISÉE
HURLÉE	RHUMÉE	VAMPÉE	ADORÉE	VALSÉE
OURLÉE	PLUMÉE	POMPÉE	CHORÉE	PULSÉE
ATTLEE	GLANÉE	**POMPÉE**	BARRÉE	DANSÉE
GAULÉE	PLANÉE	ÉCOPÉE	CARRÉE	GANSÉE
SAULÉE	CYANÉE	CHOPÉE	MARRÉE	PANSÉE
ÉCULÉE	AMENÉE	FLOPÉE	NARRÉE	CENSÉE

PENSÉE	VANTÉE	DÉNUÉE	BRIEFÉ	SALAGE
SENSÉE	DENTÉE	SINUÉE	PIAFFÉ	**DELAGE**
GLOSÉE	RENTÉE	CLOUÉE	TIAFFE	PELAGE
HERSÉE	TENTÉE	FLOUÉE	STAFFÉ	**PÉLAGE**
PERSÉE	VENTÉE	ÉNOUÉE	FIEFFÉ	VÊLAGE
VERSÉE	PINTÉE	TROUÉE	GREFFE	FILAGE
CORSÉE	TINTÉE	AVOUÉE	GREFFÉ	PILAGE
CASSÉE	CONTÉE	CAQUÉE	CHIFFE	RÔLAGE
LASSÉE	MONTÉE	LAQUÉE	SNIFFÉ	VOLAGE
MASSÉE	PONTÉE	MAQUÉE	COIFFE	DAMAGE
PASSÉE	PROTÉE	RAQUÉE	COIFFÉ	LAMAGE
SASSÉE	**PROTÉE**	SAQUÉE	BRIFFÉ	RAMAGE
TASSÉE	AZOTÉE	TAQUÉE	GRIFFE	RAMAGÉ
CESSÉE	CAPTÉE	BÉQUÉE	GRIFFÉ	LIMAGE
FESSÉE	CARTÉE	NIQUÉE	SUIFFÉ	FUMAGE
BISSÉE	FARTÉE	PIQUÉE	ÉTOFFE	HUMAGE
HISSÉE	PORTÉE	MOQUÉE	ÉTOFFÉ	FANAGE
LISSÉE	**TYRTÉE**	TOQUÉE	BLUFFÉ	**MANAGE**
PISSÉE	HASTÉE	ARQUÉE	BOUFFE	MANAGÉ
TISSÉE	LESTÉE	SITUÉE	BOUFFÉ	MÉNAGE
VISSÉE	RESTÉE	SEXUÉE	**GOUFFÉ**	**MÉNAGE**
BOSSÉE	TESTÉE	**CHAVÉE**	POUFFÉ	MÉNAGÉ
ROSSÉE	ZESTÉE	CLAVÉE	TOUFFE	BINAGE
CAUSÉE	LISTÉE	ÉLAVÉE	TRUFFE	FINAGE
NAUSÉE	PISTÉE	BRAVÉE	TRUFFÉ	MINAGE
ABUSÉE	POSTÉE	DRAVÉE	**RECIFE**	VINAGE
AMUSÉE	GATTÉE	GRAVÉE	CALIFE	ZONAGE
ÉLYSÉE	JATTÉE	TRAVÉE	TARIFÉ	**ARNAGE**
ABATÉE	LATTÉE	ÉLEVÉE	ATTIFÉ	TUNAGE
PLATÉE	NATTÉE	CREVÉE	GUELFE	RÂPAGE
ÉPATÉE	PATTÉE	GREVÉE	LIBAGE	TAPAGE
OUATÉE	BOTTÉE	CLIVÉE	ROBAGE	CÉPAGE
CACTÉE	HOTTÉE	DRIVÉE	CUBAGE	**LEPAGE**
LACTÉE	MOTTÉE	PRIVÉE	TUBAGE	RIPAGE
BECTÉE	BUTTÉE	AVIVÉE	LAÇAGE	ALPAGE
DICTÉE	SAUTÉE	VALVÉE	PACAGE	DOPAGE
CRÊTÉE	BLUTÉE	LARVÉE	PACAGÉ	GARAGE
FRÉTÉE	FLÛTÉE	CORVÉE	RACAGE	PARAGE
PRÊTÉE	AOÛTÉE	SAUVÉE	PICAGE	TARAGE
ÉTÊTÉE	BOUTÉE	ŒUVÉE	ENCAGÉ	AÉRAGE
QUÊTÉE	COÛTÉE	COUVÉE	BOCAGE	DÉRAGÉ
CAFTÉE	DOUTÉE	ÉTUVÉE	RIDAGE	CIRAGE
LIFTÉE	GOÛTÉE	ÉGAYÉE	VIDAGE	MIRAGE
LAITÉE	ROUTÉE	DRAYÉE	CODAGE	TIRAGE
ÉDITÉE	VOÛTÉE	FRAYÉE	GODAGE	VIRAGE
AGITÉE	GRUTÉE	ÉTAYÉE	RODAGE	ENRAGÉ
ALITÉE	EMBUÉE	CHOYÉE	BAGAGE	DORAGE
IMITÉE	BAGUÉE	PLOYÉE	DÉGAGÉ	FORAGE
USITÉE	TAGUÉE	BROYÉE	ENGAGÉ	CURAGE
CUITÉE	LÉGUÉE	ALÉZÉE	SCIAGE	MURAGE
NUITÉE	LIGUÉE	CARAFE	PLIAGE	RASAGE
SUITÉE	ROGUÉE	PARAFE	ÉPIAGE	**LESAGE**
ÉVITÉE	ARGUÉE	PARAFÉ	TRIAGE	PESAGE
MALTÉE	FUGUÉE	AGRAFE	**URIAGE**	LISAGE
PELTÉE	SALUÉE	AGRAFÉ	ÉTIAGE	VISAGE
GANTÉE	DILUÉE	GIRAFE	CALAGE	DOSAGE
HANTÉE	REMUÉE	**RÉSAFÉ**	HALAGE	DATAGE

MATAGE	FRANGÉ	**LOÈCHE**	PERCHE	**BERTHE**
RATAGE	GRANGE	BRÈCHE	**PERCHE**	**OURTHE**
JETAGE	ORANGE	CRÈCHE	PERCHÉ	**MOUTHE**
VÊTAGE	**ORANGE**	CRÉCHÉ	PORCHE	SCYTHE
MITAGE	ORANGÉ	DRÈCHE	TORCHE	**LA BAIE**
POTAGE	BRINGE	PRÊCHE	TORCHÉ	PAGAIE
MUTAGE	GRINGE	PRÊCHÉ	CATCHÉ	PAGAÏE
FLUAGE	ÉLONGÉ	ÉVÊCHÉ	**BITCHE**	SAGAIE
FOUAGE	PLONGE	LAÎCHE	FAUCHE	**ACHAÏE**
LOUAGE	PLONGÉ	MAÎCHE	FAUCHÉ	ORMAIE
NOUAGE	ÉPONGE	**MAÎCHE**	GAUCHE	AUNAIE
ROUAGE	ÉPONGÉ	SEICHE	RAUCHÉ	IVRAIE
TOUAGE	ORONGE	CHICHE	PLUCHÉ	FUTAIE
CAVAGE	DÉLOGÉ	CLICHÉ	BOUCHE	**ARABIE**
GAVAGE	RELOGÉ	**ANICHE**	BOUCHÉ	**TRÉBIE**
HAVAGE	LIMOGÉ	FRICHE	COUCHE	STIBIÉ
LAVAGE	HYPOGÉ	TRICHE	COUCHÉ	**GAMBIE**
PAVAGE	ABROGÉ	TRICHÉ	DOUCHE	**ZAMBIE**
RAVAGE	DÉROGÉ	GUICHE	DOUCHÉ	ZOMBIE
RAVAGÉ	ARROGÉ	QUICHE	**FOUCHÉ**	PHOBIE
LEVAGE	CHARGE	**QUICHÉ**	LOUCHE	ANOBIE
RIVAGE	CHARGÉ	VELCHE	LOUCHÉ	**SERBIE**
CUVAGE	ÉMARGÉ	WELCHE	MOUCHE	**CORBIE**
NEW AGE	CIERGE	BANCHE	MOUCHÉ	ÉMACIÉ
SEXAGE	VIERGE	BANCHÉ	SOUCHE	GRACIÉ
FIXAGE	**VIERGE**	CANCHE	TOUCHE	ZOÉCIE
MIXAGE	CLERGÉ	HANCHE	TOUCHÉ	MANCIE
RAYAGE	ÉMERGÉ	HANCHÉ	BRUCHE	RANCIE
VOYAGE	**GEORGE**	MANCHE	CRUCHE	MINCIE
VOYAGÉ	ÉGORGÉ	**MANCHE**	PRUCHE	FARCIE
GAZAGE	COURGE	RANCHE	PSYCHE	**MERCIE**
BRIDGE	ÉPURGE	**SANCHE**	**PSYCHÉ**	FORCIE
BRIDGÉ	REFUGE	TANCHE	**HOOGHE**	DURCIE
ARIÈGE	**LIGUGÉ**	PENCHÉ	**HUYGHE**	**MURCIE**
ALLÈGE	ADJUGÉ	**BINCHE**	GRAPHE	FASCIÉ
ALLÉGÉ	DÉJUGÉ	JONCHÉ	**CAÏPHE**	DOUCIE
MANÈGE	MÉJUGÉ	LYNCHÉ	SILPHE	SOUCIÉ
ARPÈGE	REJUGÉ	MIOCHE	SYLPHE	**ACADIE**
ARPÉGÉ	CALUGÉ	PIOCHE	LYMPHE	CADDIE
ABRÉGÉ	DÉLUGE	PIOCHÉ	NYMPHE	CADDIE
AGRÉGÉ	ÉGRUGÉ	CLOCHE	SYRPHE	TIÉDIE
BRUGGE	STRYGE	CLOCHÉ	GLYPHE	RAIDIE
RÉDIGÉ	ÉCACHÉ	FLOCHE	CIRRHE	ROIDIE
DREIGE	**BIACHE**	AMOCHÉ	MYRRHE	IRIDIÉ
OBLIGÉ	FLACHE	BROCHE	FLASHÉ	CANDIE
VOLIGE	APACHE	BROCHÉ	SMASHÉ	**CANDIE**
VOLIGÉ	**APACHE**	CROCHE	CRASHÉ	MENDIÉ
RÉMIGE	CRACHE	CROCHÉ	**LAO SHE**	RHODIÉ
DIRIGÉ	DRACHE	PROCHE	**AGATHE**	AMODIÉ
STRIGE	DRACHÉ	TROCHE	SPATHE	HARDIE
AURIGE	**BUACHE**	**SUOCHE**	**GOETHE**	VERDIE
LITIGE	**ABÉCHÉ**	**LARCHE**	**XANTHE**	OURDIE
MITIGÉ	CHÈCHE	MARCHE	MENTHE	ÉTUDIÉ
ATTIGE	BLÈCHE	**MARCHE**	SYNTHÉ	**RUFFIÉ**
CHANGE	FLÈCHE	MARCHÉ	**MARTHE**	ÉDIFIÉ
CHANGÉ	FLÉCHÉ	HERCHÉ	**SARTHE**	DÉIFIÉ
FRANGE	ÉMÉCHÉ	LERCHE	BERTHE	RÉIFIÉ

UNIFIÉ	HONNIE	SCORIE	PRAXIE	INHALÉ
SOLFIÉ	AGONIE	APORIE	ATAXIE	EXHALÉ
CONFIÉ	PHONIE	**BARRIE**	ALEXIE	CHIALÉ
SOUFIE	**FIONIE**	**JARRIE**	ANOXIE	GLIALE
PLAGIÉ	CLONIE	MARRIE	**SWAZIE**	AXIALE
ÉLÉGIE	IRONIE	**FERRIÉ**	RAZZIÉ	**TAMALE**
BOGGIE	ATONIE	KERRIE	GALÉJÉ	**AUMALE**
BOUGIE	GARNIE	LATRIE	**SKOPJE**	BANALE
BOUGIE	HERNIE	PATRIE	BINTJE	PÉNALE
ROUGIE	HERNIÉ	PÉTRIE	REMAKE	RÉNALE
ÉBAHIE	TERNIE	**ESTRIE**	KANAKE	VÉNALE
TRAHIE	VERNIE	**ISTRIE**	**KANAKE**	FINALE
ORPHIE	**MISNIE**	ÉCURIE	**BOUAKÉ**	ANNALE
PYTHIE	**BOSNIE**	AHURIE	**MIYAKE**	TONALE
JUNKIE	**BOTNIE**	ANURIE	**COECKE**	ZONALE
COOKIE	JAUNIE	TOURIE	STOCKÉ	PAPALE
HARKIE	RÉUNIE	PYURIE	**BRÜCKE**	SÉPALE
THALIE	BRUNIE	**STYRIE**	**HANDKE**	TÉPALE
ITALIE	ORMOIE	POÉSIE	**BATÉKÉ**	BIPALE
OUBLIE	**SAVOIE**	SAISIE	**UPDIKE**	EMPALÉ
OUBLIÉ	FLAPIE	MOISIE	**MÖRIKE**	FÉRALE
PUBLIÉ	CRÉPIE	GNOSIE	SLIKKE	VIRALE
ADÉLIE	CHIPIE	PARSIE	**CLARKE**	MORALE
AVILIE	SCOPIE	CASSIE	**MOLTKE**	DURALE
PALLIÉ	UTOPIE	MESSIE	CABALE	MURALE
RALLIÉ	MYOPIE	VESSIE	CABALÉ	RURALE
MOLLIE	HIPPIE	**RUSSIE**	PIBALE	SURALE
ABOLIE	YUPPIE	AMUSIE	BUBALE	PYRALE
SCOLIE	HARPIE	CHÂTIÉ	DÉCALÉ	BASALE
COOLIE	ROUPIE	ABÊTIE	FÉCALE	**LA SALE**
SPOLIÉ	TOUPIE	**RHÉTIE**	RECALÉ	NASALE
ÉTOLIE	ATYPIE	**BOÉTIE**	FOCALE	RESALÉ
DÉPLIÉ	**ACARIE**	GOÉTIE	LOCALE	**VÉSALE**
REPLIÉ	**ICARIE**	AMITIÉ	VOCALE	FATALE
EMPLIE	OTARIE	INITIÉ	ESCALE	NATALE
POULIE	STARIE	MOITIE	DUCALE	OCTALE
APULIE	AVARIE	MOITIÉ	**MYCALE**	DÉTALÉ
ÉPULIE	AVARIÉ	NANTIE	HADALE	LÉTALE
AGAMIE	**OMBRIE**	SENTIE	DÉDALE	PÉTALE
CADMIÉ	DÉCRIÉ	SCOTIE	**DÉDALE**	**RITALE**
ANÉMIE	RÉCRIÉ	**BÉOTIE**	PÉDALE	VITALE
ANÉMIÉ	HYDRIE	PARTIE	PÉDALÉ	DOTALE
TRÉMIE	**IBÉRIE**	SERTIE	MODALE	TOTALE
URÉMIE	FÉERIE	SORTIE	NODALE	SQUALE
CHIMIE	ÉGÉRIE	**BASTIÉ**	IDÉALE	CAVALE
AMIMIE	**ÉGÉRIE**	HOSTIE	ILÉALE	CAVALÉ
ANOMIE	CHÉRIE	SOTTIE	RAFALE	NAVALE
STOMIE	ÂNERIE	BLEUIE	AFFALÉ	RAVALÉ
KETMIE	GUÉRIE	ENFUIE	FAGALE	DÉVALÉ
THYMIE	TUERIE	INOUÏE	VAGALE	NIVALE
SCANIE	AZÉRIE	ESSUIE	LÉGALE	RIVALE
PHANIE	**AZÉRIE**	GRAVIE	RÉGALE	ARVALE
URANIE	AIGRIE	SUIVIE	RÉGALÉ	COXALE
URANIE	MAIRIE	CONVIÉ	CIGALE	LOYALE
AVANIE	PAIRIE	SERVIE	JUGALE	ROYALE
ETHNIE	HOIRIE	SURVIE	MYGALE	CHÂBLE
BANNIE	VOIRIE	EXUVIE	DÉHALÉ	CHABLÉ

DIABLE	AGNELÉ	NUBILE	MAILLÉ	RIGOLÉ
FIABLE	ANNELÉ	FACILE	PAILLE	**AIHOLE**
NIABLE	CAPELÉ	**CÉCILE**	PAILLÉ	GNIOLE
VIABLE	APPELÉ	DÉCILE	RAILLÉ	ORIOLE
ARABLE	BURÈLE	**SICILE**	TAILLE	ÉTIOLÉ
ÉRABLE	BURELÉ	DOCILE	TAILLÉ	CAJOLÉ
ÉTABLE	CISELÉ	DÉFILÉ	SCILLE	ENJÔLÉ
ÉTABLÉ	FUSELÉ	REFILÉ	**REILLE**	SAMOLE
STABLE	MUSELÉ	AFFILÉ	SEILLE	IMMOLÉ
HUBBLE	RÂTELÉ	EFFILÉ	**SEILLE**	DIPÔLE
HIÈBLE	DÉTELÉ	ENFILÉ	TEILLE	PAROLE
FAIBLE	CÔTELÉ	VAGILE	TEILLÉ	VÉROLE
À PIBLE	POTELÉ	VIGILE	VEILLE	VÉROLÉ
CRIBLE	ATTELÉ	ARGILE	VEILLÉ	PIROLE
CRIBLÉ	BOUÉLÉ	SÉNILE	SMILLE	VIROLE
SEMBLÉ	JAVELÉ	ÉTOILE	BOILLE	ENRÔLÉ
COMBLE	TAVELÉ	**ÉTOILE**	ROILLE	PYROLE
COMBLÉ	RÉVÉLÉ	ÉTOILÉ	ROILLÉ	DÉSOLÉ
HUMBLE	NIVELÉ	DÉPILÉ	ARILLE	INSOLÉ
MEUBLE	CUVELÉ	EMPILE	BRILLÉ	ASSOLÉ
MEUBLÉ	ÉRAFLÉ	EMPILÉ	DRILLE	PÉTOLE
DOUBLE	TRÈFLE	AGRILE	GRILLE	ENTÔLÉ
DOUBLÉ	TRÉFLÉ	VIRILE	GRILLÉ	REVOLÉ
ROUBLE	BAFFLE	**BASILE**	TRILLE	ENVOLÉ
TRUBLE	RAFFLE	DÉSILÉ	TRILLÉ	GAZOLE
ORACLE	RIFFLE	ENSILÉ	VRILLE	TRIPLE
SIÈCLE	SIFFLÉ	FUTILE	VRILLÉ	TRIPLÉ
CHICLE	BUFFLE	MUTILÉ	OUILLE	SAMPLE
CHICLÉ	RENFLÉ	RUTILE	OUILLÉ	SAMPLÉ
CINCLE	GONFLE	RUTILÉ	QUILLE	SEMPLE
SARCLÉ	GONFLÉ	CIVILE	CROLLE	TEMPLE
CERCLE	RONFLÉ	THALLE	CROLLÉ	**TEMPLE**
CERCLÉ	MORFLÉ	STALLE	GROLLE	SIMPLE
MUSCLE	MOUFLE	ICELLE	TROLLE	PEUPLE
MUSCLÉ	BEAGLE	OCELLE	**ZWOLLE**	PEUPLÉ
MOT-CLÉ	**BEAGLE**	OCELLÉ	**GAULLE**	COUPLE
BOUCLE	**L'AIGLE**	SCELLÉ	**BOULLE**	COUPLÉ
BOUCLÉ	SEIGLE	RÉELLE	IDYLLE	SOUPLE
PUDDLÉ	TRIGLE	BIELLE	PSYLLE	**SEARLE**
CYBÈLE	MANGLE	MIELLÉ	BRANLE	PAIRLE
DÉCELÉ	SANGLE	NIELLE	BRANLÉ	**BRESLE**
RECELÉ	SANGLÉ	NIELLÉ	BABOLÉ	**NESTLÉ**
FICELÉ	CINGLÉ	VIELLE	EMBOLE	CHAULÉ
FIDÈLE	JINGLE	MOELLE	RACOLÉ	MIAULÉ
MODÈLE	SINGLE	**APELLE**	ACCOLÉ	PIAULE
MODELÉ	JONGLÉ	ASELLE	RÉCOLÉ	PIAULÉ
STEELE	JUNGLE	DUELLE	**NICOLE**	GNAULE
DÉGELÉ	BEUGLÉ	QUELLE	PICOLÉ	ÉPAULE
REGELÉ	MEUGLÉ	RUELLE	COCOLÉ	ÉPAULÉ
ANGÈLE	HABILE	BAILLE	**ARCOLE**	FABULÉ
ANHÉLÉ	LABILE	BAILLÉ	INDOLE	TABULÉ
THIÈLE	DÉBILE	BÂILLÉ	FLÉOLE	FIBULE
ALLÈLE	SÉBILE	CAILLE	OLÉ OLÉ	LOBULE
DÉMÊLÉ	MOBILE	CAILLÉ	ARÉOLE	LOBULÉ
SÉMÉLÉ	**MOBILE**	FAILLE	CRÉOLE	TUBULE
EMMÊLÉ	**NOBILE**	FAILLÉ	AFFOLÉ	TUBULÉ
JUMELÉ	JUBILÉ	MAILLE	RIGOLE	FACULE

MACULE	NOTULE	RYTHME	SPASME	BANANE
MACULÉ	ROTULE	RYTHMÉ	**ÉRASME**	**SÉNANE**
ACCULÉ	MUTULE	DÉCIME	**ORESME**	CHOANE
FÉCULE	LUZULE	DÉCIMÉ	DÉISME	BORANE
FÉCULÉ	CRAWLÉ	REDIMÉ	SÉISME	**MORANE**
PÉCULE	KABYLE	RÉDIMÉ	ALISME	BASANE
RECULÉ	**KABYLE**	INFIME	PRISME	BASANÉ
OSCULE	ÉTHYLE	RÉGIME	TRISME	PISANE
CÉDULE	ALKYLE	RANIMÉ	MOUSMÉ	**PISANE**
BIDULE	ALLYLE	MINIME	HEAUME	TISANE
RIDULE	VINYLE	PÉRIMÉ	CHAUME	INSANE
ONDULÉ	BÉTYLE	ARRIMÉ	CHAUMÉ	MOSANE
MODULE	COTYLE	ULTIME	PSAUME	**CATANE**
MODULÉ	BUTYLE	INTIME	ENFUMÉ	**MATANE**
NODULE	PUZZLE	INTIMÉ	LÉGUME	SATANÉ
GUDULE	MADAME	ESTIME	INHUMÉ	TATANE
AÏEULE	VIDAME	ESTIMÉ	EXHUMÉ	OCTANE
ÉTEULE	AFFAMÉ	MAXIME	ALLUMÉ	CÉTANE
GUEULE	INFÂME	**MAXIME**	VOLUME	GITANE
GUEULÉ	BIGAME	FLAMME	OKOUMÉ	**GITANE**
INFULE	ENGAMÉ	FLAMMÉ	AGRUME	TITANE
RÉGULE	CALAME	GRAMME	**KURUME**	BUTANE
RÉGULÉ	BILAME	**GRAMME**	RÉSUMÉ	CUTANÉ
LIGULE	**PANAME**	FLEMME	ASSUMÉ	IGUANE
LIGULÉ	IGNAME	**PACÔME**	BITUME	DOUANE
ONGULÉ	**PARAMÉ**	RADÔME	BITUMÉ	HAVANE
JUGULÉ	CÉRAME	**SODOME**	**DIDYME**	PAVANE
KEKULÉ	DÉRAMÉ	IDIOME	ABZYME	PAVANÉ
GÉLULE	**PYRAME**	GLIOME	ENZYME	SAVANE
PILULE	SÉSAME	AXIOME	CABANE	HEXANE
HULULÉ	RÉTAMÉ	SALOME	CABANÉ	TEXANE
RAMULE	ENTAME	**SALOMÉ**	RABANE	**TEXANE**
LIMULE	ENTAMÉ	GÉNOME	**ALBANE**	**ROXANE**
SIMULÉ	SQUAME	BINÔME	RUBANÉ	**GUYANE**
CUMULÉ	ŒDÈME	INNOMÉ	PACANE	MÉCÈNE
CANULE	SCHÈME	MONÔME	BÉCANE	**MÉCÈNE**
CANULÉ	BOHÈME	LIPOME	RICANÉ	ALCÈNE
ANNULÉ	BOHÊME	**GÉRÔME**	ALCANE	ÉOCÈNE
LUNULE	**BOHÈME**	GÉROMÉ	ARCANE	LYCÈNE
BAOULÉ	ÉNIÈME	**JÉRÔME**	LUCANE	CADÈNE
SAOULE	UNIÈME	CHROME	PADANE	INDÈNE
SAOULÉ	**FALÉMÉ**	CHROMÉ	BÉDANE	**MODÈNE**
ABOULÉ	XYLÈME	BUTOME	**MODANE**	**KLEENE**
ÉBOULÉ	SÉMÈME	RÉARMÉ	OCÉANE	**GREENE**
ÉCOULÉ	MONÈME	CHARME	**OCÉANE**	**EUGENE**
SIOULE	BARÈME	CHARMÉ	EFFANÉ	**EUGÈNE**
CROULE	CARÊME	ALARME	MAGANÉ	ZYGÈNE
CROULÉ	**CARÊME**	ALARMÉ	ENGANE	SPHÈNE
PAPULE	ÉCRÉMÉ	INERME	ORGANE	SCIÈNE
TIPULE	CHRÊME	SPERME	ÉTHANE	ALIÉNÉ
COPULE	BIRÈME	**DHORME**	**ANIANE**	**PRIÈNE**
COPULÉ	LEXÈME	ÉNORME	**ARIANE**	GALÈNE
CUPULE	FLEGME	FOURME	**RÉJANE**	HALENÉ
FÉRULE	ÉNIGME	GOURME	BALANE	**HÉLÈNE**
MÉRULE	ZEUGME	GOURMÉ	SILANE	SÉLÈNE
CURULE	ASTHME	PHASME	BIMANE	SILÈNE
URSULE	ISTHME	MIASME	ROMANE	**SILÈNE**

ALLÈNE	POUGNÉ	TAJINE	SURINÉ	MIENNE
MOLÈNE	DAPHNÉ	PÉKINÉ	GÉSINE	SIENNE
MOLÈNE	**DAPHNÉ**	**FOKINE**	LÉSINE	**SIENNE**
XYLÈNE	CHAÎNE	CÂLINE	LÉSINÉ	TIENNE
RAMENÉ	CHAÎNÉ	CÂLINÉ	RÉSINE	**VIENNE**
DÉMENÉ	DJAÎNE	SALINE	RÉSINÉ	**DJENNÉ**
EMMENÉ	**FLAINE**	VALINE	ÉOSINE	**BRENNE**
DOMÈNE	PLAINE	**CÉLINE**	ARSINE	**CRENNE**
ISMÈNE	**BRAINE**	FÉLINE	LYSINE	DRENNE
PINÈNE	DRAINE	**MÉLINE**	GÂTINE	PAONNE
TROÈNE	DRAINÉ	DOLINE	**GÂTINE**	ABONNÉ
CARÈNE	GRAINE	BYLINE	LATINE	ADONNÉ
CARÉNÉ	GRAINÉ	FAMINE	**LATINE**	LIONNE
ÉGRENÉ	TRAÎNE	GAMINE	MÂTINE	**LIONNE**
THRÈNE	TRAÎNÉ	GAMINÉ	MÂTINÉ	PIONNE
SIRÈNE	BABINE	LAMINÉ	PATINE	**OLONNE**
ENRÊNÉ	CABINE	DÉMINÉ	PATINÉ	ÂNONNÉ
MORÈNE	SABINE	GÉMINÉ	RATINE	ÉTONNÉ
MURÈNE	DÉBINE	DOMINÉ	RATINÉ	**ANCÔNE**
CYRÈNE	DÉBINÉ	GOMINÉ	SATINÉ	MADONE
PYRÈNE	BIBINE	NOMINÉ	RÉTINE	**DODONE**
MISÈNE	BOBINE	RUMINÉ	TÉTINE	**SAGONE**
ELSENE	BOBINÉ	CANINE	POTINÉ	**LOGONE**
ASSENÉ	RACINE	**PANINE**	BUTINÉ	OOGONE
ASSÉNÉ	**RACINE**	**LÉNINE**	CUTINE	APHONE
LA TÈNE	UNCINÉ	MENINE	LUTINE	**SALONE**
PATÈNE	MUCINE	RÉNINE	LUTINÉ	**SILONE**
CÉTÈNE	BADINE	IDOINE	MUTINE	PYLÔNE
BUTÈNE	BADINÉ	ÉGOÏNE	MUTINÉ	RAMONÉ
FOUÈNE	**MADINE**	AVOINE	RUTINE	DÉMONE
KHÂGNE	PADINE	**AVOINE**	COUINÉ	**POMONE**
STAGNÉ	RADINE	LAPINE	FOUINE	AUMÔNE
DUÈGNE	RADINÉ	LAPINÉ	FOUINÉ	**DANONE**
BAIGNÉ	**FEDINE**	RAPINE	GOUINE	ANNONE
DAIGNÉ	**MÉDINE**	RAPINÉ	ÉQUINE	IONONE
SAIGNÉ	ALDINE	SAPINE	BRUINE	LAPONE
BEIGNE	ANDINE	TAPINÉ	BRUINÉ	**LAPONE**
PEIGNE	**ANDINE**	**LÉPINE**	PRUINE	**GÉRONE**
PEIGNÉ	ONDINE	**REPINE**	RAVINE	PÉRONÉ
TEIGNE	DODINE	ALPINE	RAVINÉ	**VÉRONE**
ALIGNÉ	DODINÉ	COPINE	DEVINÉ	ERRONÉ
CLIGNÉ	THÉINE	COPINÉ	DIVINE	**AUSONE**
AMIGNE	OLÉINE	RUPINE	ENVINÉ	**LATONE**
POIGNE	PLEINE	FARINE	BOVINE	CÉTONE
SOIGNÉ	À PEINE	FARINÉ	BOVINÉ	DÉTONÉ
GRIGNE	FREINÉ	MARINE	ARVINE	**SAVONE**
GRIGNÉ	AFFINE	**MARINE**	TOXINE	BRYONE
GUIGNE	AFFINÉ	MARINÉ	AUXINE	EVZONE
GUIGNÉ	PAGINÉ	NARINE	MYXINE	LIERNE
GROGNE	SAGINE	**SARINE**	**RAZINE**	**PIERNÉ**
GROGNÉ	TAGINE	SERINE	**MEZINE**	**VIERNE**
TROGNE	ALGINE	SÉRINE	JEANNE	STERNE
HARGNE	ANGINE	SERINÉ	CHANNE	**STERNE**
VERGNE	RUGINE	VÉRINE	**JEANNE**	**EDIRNE**
BORGNE	VAHINÉ	BORINE	**JOANNE**	ÉCORNÉ
LORGNÉ	ÉCHINE	BURINÉ	**ROANNE**	PIORNE
JOUGNE	ÉCHINÉ	PURINE	**BIENNE**	PIORNÉ

VIORNE	OLYMPE	EMPARÉ	MOUDRE	REPÈRE
HOORNE	**OLYMPE**	**HARARE**	POUDRE	REPÉRÉ
ÉBURNÉ	LYCOPE	TARARE	POUDRÉ	VIPÈRE
VEURNE	GALOPÉ	**TARARE**	**LIBÈRE**	AMPÈRE
DIURNE	SALOPE	CURARE	LIBÉRÉ	**AMPÈRE**
TOURNE	SALOPÉ	TATARE	**TIBÈRE**	ESPÉRÉ
TOURNÉ	ÉCLOPÉ	**TATARE**	AUBÈRE	SUPÈRE
SMYRNE	CANOPE	**PETARE**	PUBÈRE	PARÈRE
DAISNE	**CANOPE**	**MUTARE**	LACÉRÉ	**SÉRÈRE**
HUISNE	**SINOPE**	SQUARE	MACÉRÉ	LISERÉ
CROSNE	**EUROPE**	**NOVARE**	ULCÈRE	MISÈRE
MORT-NÉ	HYSOPE	**LAZARE**	ULCÉRÉ	INSÉRÉ
BEAUNE	MÉTOPE	**NAZARÉ**	MADÈRE	PATÈRE
LACUNE	**CHAPPE**	GLABRE	**MADÈRE**	ICTÈRE
PÉCUNE	CLAPPÉ	GUÈBRE	**ABDÈRE**	ALTÉRÉ
AUCUNE	FRAPPE	GUIBRE	FÉDÉRÉ	APTÈRE
LAGUNE	FRAPPÉ	**CAMBRE**	SIDÉRÉ	ARTÈRE
FALUNÉ	GRAPPE	CAMBRÉ	MODÉRÉ	RÉVÉRÉ
IMMUNE	TRAPPE	**SAMBRE**	**LA FÈRE**	SÉVÈRE
THOUNE	**TRAPPE**	MEMBRE	DÉFÉRÉ	**SÉVÈRE**
PÉTUNÉ	TRAPPÉ	MEMBRÉ	RÉFÉRÉ	TUYÈRE
BROWNE	**DIEPPE**	TIMBRE	INFÈRE	**VÉZÈRE**
ALCYNE	STEPPE	TIMBRÉ	INFÉRÉ	**ANZÈRE**
PHRYNÉ	FLIPPÉ	NOMBRE	LÉGÈRE	**LOZÈRE**
HAÜYNE	KLIPPE	NOMBRÉ	MÉGÈRE	**LIFFRÉ**
CHILOÉ	GRIPPE	SOMBRE	**MÉGÈRE**	COFFRE
MONROE	GRIPPÉ	SOMBRÉ	DIGÉRÉ	COFFRÉ
DÉCAPÉ	DROPPÉ	MARBRE	INGÉRÉ	**JOFFRE**
PRIAPE	STOPPÉ	MARBRÉ	COGÉRÉ	GAUFRE
CANAPÉ	HOUPPE	DIACRE	ADHÉRÉ	GAUFRÉ
DÉRAPÉ	**SCARPE**	**DIACRE**	SPHÈRE	SOUFRE
RETAPE	SCIRPE	FIACRE	ÉTHÉRÉ	SOUFRÉ
RETAPÉ	USURPÉ	**FIACRE**	ACIÉRÉ	ONAGRE
GOUAPE	CRISPÉ	EXÉCRÉ	ÂNIÈRE	MAIGRE
RECEPÉ	OCCUPÉ	CANCRE	**BRIÈRE**	VAIGRE
EXCIPÉ	CROUPE	**PHÈDRE**	PRIÈRE	ÉMIGRÉ
ŒDIPE	GROUPE	DIÈDRE	TRIÈRE	MALGRÉ
ŒDIPE	GROUPÉ	EXÈDRE	GALÈRE	PINGRE
TULIPE	TROUPE	SANDRE	**GALÈRE**	CONGRE
MANIPE	ÉTOUPE	CENDRE	GALÉRÉ	HONGRE
ÉTRIPÉ	ÉTOUPÉ	CENDRÉ	SCLÈRE	HONGRÉ
EURIPE	POLYPE	FENDRE	COLÈRE	BOUGRE
ÉQUIPE	GABARE	GENDRE	TOLÉRÉ	LOUGRE
ÉQUIPÉ	**KADARÉ**	PENDRE	MÉMÈRE	CHAIRE
SCALPÉ	**ARÉARÉ**	RENDRE	MÉMÉRÉ	ALAIRE
INALPE	EFFARÉ	TENDRE	RÉMÉRÉ	BLAIRÉ
INALPÉ	**MÉGARE**	VENDRE	KHMÈRE	CLAIRE
COULPE	CIGARE	OINDRE	**KHMÈRE**	**CLAIRE**
POULPE	**BRIARE**	FONDRE	DIMÈRE	FLAIRÉ
CRAMPE	HILARE	PONDRE	**HIMÈRE**	GLAIRE
TREMPE	SAMARE	TONDRE	**ALMERE**	PLAIRE
TREMPÉ	**POMARÉ**	PERDRE	**HOMÈRE**	ARAIRE
GRIMPE	**TÉNARE**	MORDRE	GÉNÉRÉ	BRAIRE
GRIMPÉ	IGNARE	TORDRE	**TÉNÉRÉ**	PRAIRE
GUIMPE	DÉPARÉ	**SEUDRE**	VÉNÉRÉ	TRAIRE
TROMPE	RÉPARÉ	COUDRE	**LEPÈRE**	SUAIRE
TROMPÉ	SÉPARÉ	FOUDRE	PÉPÈRE	OVAIRE

OCCIRE	PÉRORÉ	CINTRE	AUGURÉ	OBTURÉ
DÉDIRE	AURORE	CINTRÉ	SCIURE	VÊTURE
MÉDIRE	ESSORÉ	CONTRE	CHIURE	BITURE
REDIRE	**MYSORE**	CONTRÉ	PLIURE	BITURÉ
CHEIRE	FLUORÉ	MONTRE	ABJURÉ	ENTURE
ÉPEIRE	DÉVORÉ	MONTRÉ	ADJURÉ	ROTURE
FREIRE	DIAPRÉ	APÔTRE	DE JURE	FUTURE
HÉGIRE	PAMPRE	DARTRE	INJURE	SUTURE
LA HIRE	ROMPRE	MARTRE	GALURE	SUTURÉ
DÉLIRE	PROPRE	**SARTRE**	SALURE	NOUURE
DÉLIRÉ	STUPRE	TARTRE	TALURE	BAVURE
RELIRE	CHARRE	TERTRE	DÉLURÉ	LAVURE
RAMIRE	AMARRE	CASTRÉ	FÊLURE	LEVURE
ADMIRÉ	AMARRÉ	ŒSTRE	GELURE	RIVURE
LEMIRE	LIERRE	BISTRE	PELURE	LUXURE
RÉMIRE	**LIERRE**	BISTRÉ	SILURE	RAYURE
GLOIRE	PIERRE	CISTRE	ALLURE	OXYURE
CROIRE	**PIERRE**	SISTRE	ALLURÉ	**FEBVRE**
IVOIRE	PIERRÉ	ROSTRE	MOLURE	CHÈVRE
EMPIRE	**SIERRE**	LUSTRE	**LA MURE**	CHEVRÉ
EMPIRÉ	GUERRE	LUSTRÉ	RAMURE	BIÈVRE
ASPIRE	BEURRE	RUSTRE	LÉMURE	FIÈVRE
EXPIRÉ	BEURRÉ	BATTRE	EMMURÉ	LIÈVRE
ÉCRIRE	LEURRE	LETTRE	ARMURE	MIÈVRE
DÉSIRÉ	LEURRÉ	LETTRÉ	FUMURE	**NIÈVRE**
SATIRE	**SEURRE**	METTRE	PANURE	PLÈVRE
RETIRÉ	BOURRE	**LITTRÉ**	CÉNURE	**WOËVRE**
ATTIRÉ	BOURRÉ	VAUTRÉ	MÉNURE	ENIVRÉ
BRUIRE	COURRE	FEUTRE	TENURE	**MOIVRE**
NAVIRE	FOURRE	FEUTRÉ	ZONURE	POIVRE
DÉVIRÉ	FOURRÉ	NEUTRE	LUNURE	POIVRÉ
ARBORÉ	MOURRE	BOUTRE	CHOURÉ	CUIVRE
ACCORE	CHÂTRÉ	COUTRE	AJOURÉ	CUIVRÉ
DÉCORE	PLÂTRE	FOUTRE	ANOURE	GUIVRE
PÉCORE	PLÂTRÉ	LOUTRE	RÂPURE	SUIVRE
PICORÉ	QUATRE	POUTRE	TAPURE	PAUVRE
ENCORE	PIÈTRE	DEXTRE	DÉPURÉ	ŒUVRE
DÉDORÉ	PRÊTRE	ÉLYTRE	IMPURE	ŒUVRÉ
REDORÉ	URÈTRE	RÉCURÉ	PIQÛRE	**LOUVRE**
INDORE	GUÊTRE	ARCURE	PARURE	ROUVRE
TAGORE	GUÊTRÉ	VIDURE	BORURE	**LA HYRE**
LAHORE	MAÎTRE	ENDURÉ	DORURE	SATYRE
ÉPHORE	NAÎTRE	INDURÉ	FORURE	EMBASE
MAJORÉ	PAÎTRE	IODURE	MASURE	OCCASE
ÉCLORE	REÎTRE	IODURÉ	CÉSURE	RECASÉ
CHLORE	GOITRE	ORDURE	MESURE	PÉGASE
CHLORÉ	ÉPÎTRE	FLEURÉ	MESURÉ	**PÉGASE**
ELLORE	HUÎTRE	PLEURÉ	ASSURÉ	LIGASE
COLORÉ	FILTRE	APEURÉ	MATURE	OUKASE
ÉPLORÉ	FILTRÉ	ÉPEURÉ	MÂTURE	**GÉLASE**
PYLORE	CANTRE	**YZEURE**	NATURE	**DAMASE**
MAMORÉ	CENTRE	PAGURE	PÂTURE	ZYMASE
TIMORÉ	**CENTRE**	FIGURE	PÂTURÉ	KINASE
IGNORÉ	CENTRÉ	FIGURÉ	RATURE	LIPASE
MINORÉ	RENTRÉ	LIGURE	RATURÉ	ABRASÉ
HONORÉ	VENTRE	**LIGURE**	SATURÉ	ÉBRASÉ
SONORE		AUGURE		ÉCRASÉ

PHRASE	ASSISE	CLASSÉ	GOUSSE	ÉPOUSÉ
PHRASÉ	**ASSISE**	AMASSÉ	HOUSSE	GROUSE
PÉTASE	BÊTISE	COASSÉ	HOUSSÉ	EMPUSE
EXTASE	ALTISE	BRASSE	LOUSSE	CÉRUSE
ENVASE	COTISE	BRASSÉ	MOUSSE	CÉRUSE
ASCÈSE	ATTISÉ	CRASSE	MOUSSÉ	MÉSUSÉ
ÉPHÈSE	CYTISE	GRASSE	POUSSE	OBTUSE
GENÈSE	**LOUISE**	**GRASSE**	POUSSÉ	**ABBATE**
CINÈSE	MOUISE	**GRASSÉ**	ROUSSE	DÉBÂTÉ
EMPESÉ	ÉPUISÉ	**ÉDESSE**	**SOUSSE**	**HÉCATE**
VARÈSE	RAVISÉ	DÉESSE	TOUSSÉ	**SADATE**
PAVESE	DEVISE	LIESSE	**PRUSSE**	IODATE
CHAISE	DEVISÉ	BLESSÉ	**RAYSSE**	ÉLÉATE
BIAISE	RÉVISE	ÂNESSE	ABYSSE	OLÉATE
BIAISÉ	DIVISE	**BRESSE**	ALYSSE	RÉGATE
NIAISE	DIVISÉ	DRESSÉ	**ULYSSE**	RÉGATÉ
NIAISÉ	CLAMSÉ	PRESSE	**BUYSSE**	UNIATE
ALAISE	TRANSE	PRESSÉ	BLETSE	ASIATE
ALAISÉ	**ODENSE**	TRESSE	TSÉ-TSÉ	GALATE
GLAISE	**ORENSE**	TRESSÉ	**SUN TSE**	OBLATE
APAISÉ	SCONSE	BAISSE	**LHOTSE**	ÉCLATÉ
BRAISE	RIBOSE	BAISSÉ	POUTSÉ	**BELATE**
BRAISÉ	LYCOSE	CAISSE	CLAUSE	RELATÉ
FRAISE	MYCOSE	LAISSE	**MABUSE**	**VELATE**
FRAISÉ	ALDOSE	LAISSÉ	REBUSE	DILATÉ
OCCISE	MÉIOSE	**NEISSE**	ACCUSÉ	**PILATE**
INCISE	ARKOSE	CLISSE	RÉCUSÉ	DÉMÂTÉ
INCISÉ	GÉLOSE	CLISSÉ	INCUSE	TOMATE
EXCISE	OSMOSE	GLISSE	**BOCUSE**	AGNATE
EXCISÉ	DÉPOSE	GLISSÉ	EXCUSE	ANNATE
BALISE	DÉPOSÉ	PLISSÉ	EXCUSÉ	SONATE
BALISÉ	REPOSE	POISSE	MÉDUSE	CROATE
VALISE	REPOSÉ	POISSÉ	**MÉDUSE**	**CROATE**
ÉGLISE	IMPOSÉ	ÉPISSÉ	MÉDUSÉ	EMPÂTÉ
ENLISÉ	APPOSÉ	CRISSÉ	LIEUSE	APPÂTÉ
MOLISE	OPPOSÉ	DRISSE	PIEUSE	KARATÉ
NOLISÉ	EXPOSÉ	TRISSÉ	RIEUSE	DÉRATÉ
TAMISE	VIROSE	CUISSE	CREUSE	**OÏRATE**
TAMISÉ	MOROSE	SUISSE	**CREUSE**	PIRATE
ADMISE	ARROSÉ	**SUISSE**	CREUSÉ	PIRATÉ
DÉMISE	CÉTOSE	**ÉCOSSE**	GUEUSE	BORATE
REMISE	MITOSE	ÉCOSSÉ	GUEUSÉ	BORATÉ
REMISÉ	NIVÔSE	ADOSSÉ	TUEUSE	STRATE
NANISÉ	HEXOSE	BROSSE	REFUSÉ	SURATE
TANISÉ	ÉPARSE	**BROSSE**	INFUSE	PATATE
VANISÉ	À VERSE	BROSSÉ	INFUSÉ	RETÂTÉ
VENISE	AVERSE	CROSSE	**RAGUSE**	ASTATE
SINISÉ	BOURSE	CROSSÉ	ÉTHUSE	SAVATE
IONISÉ	COURSE	DROSSE	ÉCLUSE	**DRYATE**
DIOISE	COURSÉ	DROSSÉ	ÉCLUSÉ	ÉPACTE
CROISÉ	THYRSE	GROSSE	**PÉLUSE**	TRACTÉ
IROISE	AGASSE	CAUSSE	CAMUSE	EXACTE
CERISE	CHASSE	FAUSSE	CANUSE	ÉJECTÉ
MERISE	CHÂSSE	FAUSSÉ	BLOUSE	ÉDICTÉ
ÉGRISÉ	CHASSÉ	GAUSSÉ	BLOUSÉ	ÉRUCTÉ
ÉPRISE	LIASSE	HAUSSE	FLOUSE	BÉBÊTE
ARRISÉ	CLASSE	HAUSSÉ	ÉPOUSE	HÉBÉTÉ

EMBÊTÉ	RÉCITÉ	VISITE	TEINTE	CAPOTE
ASCÈTE	LICITE	VISITÉ	TEINTÉ	**CAPOTE**
AFFÉTÉ	LICITÉ	MATITÉ	JOINTE	CAPOTÉ
TAGÈTE	INCITÉ	RATITE	POINTE	PAPOTÉ
VÉGÉTÉ	ASCITE	AÉTITE	POINTÉ	SAPOTE
ACHÈTE	LUCITE	PETITE	QUINTE	TAPOTÉ
ACHETÉ	EXCITÉ	ENTITÉ	QUINTÉ	DÉPOTÉ
GAIETÉ	LADITE	MUTITÉ	SUINTÉ	EMPOTÉ
QUIÈTE	DÉDITE	ACUITÉ	ÉHONTÉ	POPOTE
DÉJETÉ	MÉDITÉ	ÉQUITÉ	ÉPONTE	TYPOTE
REJETÉ	REDITE	BRUITÉ	**BRONTË**	SIROTÉ
CALETÉ	AUDITÉ	FRUITÉ	DRONTE	LITOTE
GALETÉ	NUDITÉ	TRUITE	**ORONTE**	DÉVOTE
HALETÉ	ILÉITE	TRUITÉ	SHUNTE	REVOTÉ
SALETÉ	UVÉITE	CAVITÉ	CABOTÉ	PIVOTÉ
FILETÉ	DIGITÉ	VA-VITE	NABOTE	VIVOTÉ
MOLETÉ	COGITÉ	LÉVITE	RABOTÉ	FAYOTÉ
VOLETÉ	OPHITE	INVITE	SABOTÉ	COYOTE
GAMÈTE	CHIITE	INVITÉ	RIBOTE	ZOZOTÉ
COMÈTE	HALITE	LAXITÉ	ACCOTÉ	ADAPTÉ
ZÉNÈTE	DÉLITÉ	FIXITÉ	BÉCOTÉ	INAPTE
ISOÈTE	VÉLITE	MIXITÉ	DÉCOTE	ADEPTE
RÉPÉTÉ	MILITÉ	EXALTÉ	MI-CÔTE	INEPTE
ARPÈTE	ILLITE	SVELTE	PICOTE	COMPTE
BARÉTÉ	COLITE	ADULTE	PICOTÉ	COMPTÉ
RARETÉ	OOLITE	SOULTE	COCOTÉ	DOMPTÉ
ÂCRETÉ	TOLITE	**VOULTE**	SUÇOTÉ	ADOPTÉ
ÉCRÊTÉ	APLITE	EXULTÉ	RADOTÉ	COOPTÉ
ÂPRETÉ	SÉMITE	BÉANTE	CAGOTE	**ÉGYPTE**
ARRÊTÉ	**SÉMITE**	GÉANTE	FAGOTÉ	CRYPTE
CURETÉ	LIMITE	SÉANTE	RAGOTE	CRYPTÉ
DURETÉ	LIMITÉ	CHANTÉ	DÉGOTÉ	ÉCARTÉ
FURETÉ	COMITÉ	LIANTE	MÉGOTÉ	CHARTE
PURETÉ	SOMITE	RIANTE	BIGOTE	CLARTÉ
SÛRETÉ	ERMITE	PLANTE	GIGOTÉ	APARTÉ
OSSÈTE	VANITÉ	PLANTÉ	LIGOTÉ	SPARTE
EN-TÊTE	BÉNITE	AMANTE	ERGOTÉ	**SPARTE**
ENTÊTÉ	SINITÉ	BRANTE	ZYGOTE	**DUARTE**
FIVETÉ	BONITE	CRANTÉ	CAHOTÉ	QUARTE
RIVETÉ	GUNITE	ORANTE	IDIOTE	QUARTÉ
DUVETÉ	GUNITÉ	USANTE	MIJOTÉ	**SWARTE**
MOUFTÉ	DROITE	PUANTE	FALOTE	CHERTÉ
DOIGTÉ	CAPITE	SUANTE	BELOTE	FIERTÉ
FICHTE	DÉPITÉ	TUANTE	PELOTE	ALERTE
NAPHTE	PÉPITE	EX ANTE	PELOTÉ	ALERTÉ
JEPHTÉ	KARITÉ	ÉDENTÉ	ZÉLOTE	INERTE
TRAITE	PARITÉ	FIENTE	HILOTE	INERTÉ
TRAITÉ	ABRITÉ	FIENTÉ	**LILOTE**	FLIRTÉ
HABITÉ	ÉCRITE	TRENTE	PILOTE	AVORTÉ
DÉBITÉ	HÉRITÉ	**TRENTE**	PILOTÉ	HEURTÉ
ALBITE	MÉRITE	ÉVENTÉ	CANOTÉ	COURTE
ORBITE	MÉRITÉ	MAINTE	DÉNOTÉ	IOURTE
ORBITÉ	VÉRITÉ	SAINTE	**GENOTE**	TOURTE
SUBITE	SORITE	CEINTE	ANNOTÉ	YOURTE
TACITE	IRRITÉ	FEINTE	**PONOTE**	CHASTE
TACITE	PYRITE	FEINTÉ	SHOOTÉ	PLASTE
CÉCITÉ	HÉSITÉ	PEINTE	**GROOTE**	SIESTE

ORESTE	DÉBUTÉ	MORDUE	VOULUE	PACQUÉ
PRESTE	REBUTÉ	TORDUE	COMMUÉ	SACQUÉ
PRESTÉ	PIEUTÉ	**IBAGUÉ**	PROMUE	**BECQUE**
DÉISTE	ZIEUTÉ	BLAGUE	CHENUE	SOCQUE
AJISTE	BLEUTÉ	BLAGUÉ	GRENUE	CHÈQUE
RMISTE	AMEUTÉ	ÉLAGUÉ	AVENUE	THÈQUE
TRISTE	ÉMEUTE	DRAGUE	CONNUE	ÉVÊQUE
TWISTE	QUEUTÉ	DRAGUÉ	CORNUE	CAÏQUE
EXISTÉ	ZYEUTÉ	**PRAGUE**	TABOUE	LAÏQUE
APOSTÉ	RÉFUTÉ	BRIGUE	SECOUÉ	CHIQUE
VERSTE	AFFÛTÉ	**BRIGUE**	ROCOUÉ	CHIQUÉ
AJUSTÉ	ENFÛTÉ	BRIGUÉ	GADOUE	CLIQUE
ROUSTE	CAHUTE	EXIGUË	PADOUE	CLIQUÉ
FRUSTE	TALUTÉ	CANGUE	**PADOUE**	FLIQUÉ
TRUSTE	SOLUTÉ	GANGUE	BAFOUÉ	INIQUE
TRUSTÉ	VOLUTE	GANGUÉ	ENGOUÉ	UNIQUE
CHATTE	MINUTE	LANGUE	ÉCHOUÉ	APIQUÉ
BLATTE	MINUTÉ	MANGUE	BAJOUE	ÉPIQUE
FLATTÉ	ABOUTÉ	TANGUE	DÉJOUÉ	BRIQUE
GRATTE	ÉBOUTÉ	TANGUÉ	REJOUÉ	BRIQUÉ
GRATTÉ	ÉCOUTE	DENGUE	ENJOUÉ	CRIQUE
MIETTE	ÉCOUTÉ	DINGUE	RELOUÉ	FRIQUÉ
BLETTE	SCOUTE	DINGUÉ	ALLOUÉ	TRIQUE
BOETTE	CHOUTE	LINGUE	**LA NOUE**	URIQUE
BRETTE	AJOUTE	ZINGUÉ	**BÉNOUÉ**	ÉTIQUE
FRETTE	AJOUTÉ	LONGUE	DÉNOUÉ	OTIQUE
FRETTÉ	CLOUTÉ	**LONGUE**	RENOUÉ	**UTIQUE**
GUETTE	BROUTÉ	DROGUE	**OGOOUÉ**	CALQUE
GUETTÉ	CROÛTE	DROGUÉ	**CAPOUE**	CALQUÉ
LUETTE	CROÛTÉ	CARGUE	PAPOUE	TALQUÉ
MUETTE	DÉPUTÉ	CARGUÉ	**PAPOUE**	PULQUE
QUETTE	RÉPUTÉ	**FARGUE**	ÉBROUÉ	BANQUE
SUETTE	AMPUTÉ	LARGUE	ÉCROUÉ	BANQUÉ
IVETTE	IMPUTÉ	LARGUÉ	ENROUÉ	MANQUE
BOITTE	SCRUTÉ	NARGUÉ	TATOUÉ	MANQUÉ
FRITTE	**MATUTE**	TARGUÉ	DÉVOUÉ	MINQUE
FRITTÉ	BIZUTÉ	VERGUE	ZAZOUE	CONQUE
QUITTE	JOUXTÉ	MORGUE	TRAPUE	JONQUE
QUITTÉ	**COCYTE**	FOUGUE	CRÉPUE	CHOQUÉ
CHOTTE	OOCYTE	**HOUGUE**	ROMPUE	PHOQUE
FLOTTE	BARYTE	**ADYGUÉ**	LIPPUE	VIOQUE
FLOTTE	ÉCOBUÉ	DÉCHUE	ABAQUE	BLOQUÉ
FLOTTÉ	BARBUE	FICHUE	ICAQUE	CLOQUE
GLOTTE	HERBUE	ÉVALUÉ	CHAQUE	CLOQUÉ
ÉMOTTÉ	ÉVACUÉ	EXCLUE	CLAQUE	FLOQUÉ
CROTTE	CONÇUE	RÉÉLUE	CLAQUÉ	ÉPOQUE
CROTTÉ	PERÇUE	REFLUÉ	FLAQUE	CROQUÉ
FROTTÉ	GRADUÉ	AFFLUÉ	PLAQUE	TROQUE
GROTTE	FENDUE	INFLUÉ	PLAQUÉ	TROQUÉ
TROTTE	PENDUE	DÉGLUÉ	OPAQUE	PSOQUE
TROTTÉ	RENDUE	ENGLUÉ	BRAQUE	ÉVOQUÉ
GOUTTE	TENDUE	POILUE	**BRAQUE**	BARQUE
GOUTTÉ	VENDUE	POLLUÉ	BRAQUÉ	MARQUE
BEAUTÉ	FONDUE	ÉVOLUÉ	CRAQUE	MARQUÉ
BEAUTÉ	PONDUE	BERLUE	CRAQUÉ	PARQUÉ
PIAUTE	TONDUE	GOULUE	TRAQUE	CERQUE
PLAUTE	PERDUE	MOULUE	TRAQUÉ	CIRQUE

PORQUE	**MOHAVE**	CHAUVE	RALLYE	PENSIF
TORQUE	**MOJAVE**	DÉCUVÉ	ONDOYÉ	ÉROSIF
TURQUE	DÉLAVÉ	ENCUVÉ	RUDOYÉ	CURSIF
TURQUE	RELAVÉ	RÉDUVE	ÉPLOYÉ	MASSIF
BASQUE	**GONÂVE**	FLEUVE	DÉNOYÉ	PASSIF
BASQUE	DÉPAVÉ	PREUVE	ENNOYÉ	ABUSIF
CASQUE	REPAVÉ	FLOUVE	CÔTOYÉ	ÉLUSIF
CASQUÉ	MORAVE	PROUVE	TUTOYÉ	STATIF
MASQUE	**MORAVE**	**PROUVÉ**	DÉVOYÉ	FICTIF
MASQUÉ	ÉTRAVE	TROUVÉ	ENVOYÉ	CHÉTIF
VASQUE	BATAVE	**STRUVE**	ENNUYÉ	ÉMOTIF
BISQUE	**BATAVE**	**VÉSUVE**	APPUYÉ	CAPTIF
BISQUÉ	OCTAVE	**CHOKWE**	ESSUYÉ	FURTIF
DISQUE	**OCTAVE**	**SITTWE**	DÉGAZÉ	FESTIF
RISQUE	ZOUAVE	**VELUWE**	TOPAZE	**RESTIF**
RISQUÉ	GOYAVE	UNIAXE	BALÈZE	FAUTIF
BUSQUÉ	**MORDVE**	MALAXÉ	MÉLÈZE	ESQUIF
JUSQUE	ENDÊVÉ	RELAXE	**FRAIZE**	**ARNULF**
MUSQUÉ	**LODÈVE**	RELAXÉ	**TUBIZE**	BICHOF
RAUQUE	**MEGÈVE**	DÉSAXÉ	**DECIZE**	**NEUHOF**
RAUQUÉ	ACHEVÉ	DÉTAXE	TREIZE	**EKELÖF**
ÉDUQUÉ	**SALÈVE**	DÉTAXÉ	**BELIZE**	OUOLOF
ÉNUQUÉ	RELÈVE	INDEXÉ	PEZIZE	**OUOLOF**
COUQUE	RELEVÉ	TÉLEXÉ	ZWANZE	**DYOLOF**
FOUQUÉ	ENLEVÉ	ANNEXE	ZWANZÉ	**BABEUF**
HOUQUE	**GENÈVE**	ANNEXÉ	**KLENZE**	ELBEUF
SOUQUÉ	SÉNEVÉ	AFFIXE	**DEINZE**	CHNOUF
TOUQUE	**ESTÈVE**	AFFIXÉ	QUINZE	BAROUF
TRUQUÉ	GLAIVE	INFIXE	BRONZE	AIR BAG
STUQUÉ	VACIVE	**EUDOXE**	BRONZÉ	STALAG
ACCRUE	NOCIVE	ABBAYE	**ZABRZE**	**ELBLAG**
DÉCRUE	ENDIVE	COBAYE	**ANDUZE**	GOULAG
RECRUE	SALIVE	AYE-AYE	**DIEUZE**	**KURTÁG**
VERRUE	SALIVÉ	PAGAYE	**GREUZE**	ZIGZAG
COURUE	GÉLIVE	PAGAYÉ	GUEUZE	TALWEG
PANSUE	SOLIVE	BÉGAYÉ	FLOUZE	**LIEBIG**
MASSUE	**NINIVE**	**LA HAYE**	**LA SUZE**	**KŒNIG**
FESSUE	DÉRIVE	BALAYÉ	**NADJAF**	HENNIG
RESSUE	DÉRIVÉ	DÉLAYÉ	**URSSAF**	**BINNIG**
BOSSUE	ARRIVÉ	RELAYÉ	**EDF-GDF**	WITTIG
BOSSUÉ	OISIVE	RIMAYE	**UNICEF**	**FIGUIG**
COSSUE	DATIVE	PAPAYE	RELIEF	**HEDWIG**
MATSUE	HÂTIVE	REPAYÉ	**JÓZSEF**	**ELAZIG**
COUSUE	NATIVE	CIPAYE	**CANIFF**	**DANZIG**
STATUE	ACTIVE	IMPAYÉ	**LE GOFF**	**MUTZIG**
STATUÉ	ACTIVÉ	DÉRAYÉ	**KEMPFF**	LADANG
LAITUE	RÉTIVE	ENRAYÉ	ROSBIF	**PADANG**
PENTUE	MOTIVÉ	ESSAYÉ	CALCIF	**HEGANG**
TORTUE	VOTIVE	**BOUAYE**	PONCIF	**POHANG**
TORTUE	ESTIVE	**REZAYE**	LASCIF	**MALANG**
BATTUE	ESTIVÉ	ZÉZAYÉ	TARDIF	**SALANG**
PATTUE	RAVIVÉ	BYE-BYE	KIF-KIF	**SEMANG**
FOUTUE	ALCÔVE	CAPEYÉ	**WYCLIF**	**DA NANG**
PRÉVUE	RÉNOVÉ	**POPEYE**	**CHÉLIF**	**PENANG**
ASEXUÉ	**NINOVE**	OUPEYE	CHÉRIF	**KUPANG**
DÉCAVÉ	INNOVÉ	FASEYÉ	SHÉRIF	**LI TANG**
EXCAVÉ	ÉNERVÉ	**SONGYE**	ÉVASIF	ROTANG

ANYANG	MULLAH	**QADESH**	SAMEDI	NÉPALI
POYANG	**BRAMAH**	FINISH	BRANDI	RESALI
LI PENG	**JINNAH**	**HEWISH**	GRANDI	**ÉTABLI**
HARENG	COPRAH	**LAMETH**	**ÉFENDI**	**FAIBLI**
TUBING	HURRAH	HADITH	BLONDI	ANOBLI
FADING	**HOWRAH**	**JUDITH**	**URUNDI**	**CHADLI**
WADING	PESSAH	**LILITH**	**GUARDI**	**MOHÉLI**
BOEING	TUSSAH	ZÉNITH	ÉBAUDI	**SANGLI**
YIJING	**TANTAH**	**AVIOTH**	BOGHEI	SIMILI
VIKING	**SIOUAH**	**EBERTH**	NIKKEI	RAVILI
ÖSLING	**MADÁCH**	**OBERTH**	**CISKEI**	BAILLI
TIMING	**BÜLACH**	**DULUTH**	**BRUNEI**	FAILLI
XINING	**BANACH**	BIZUTH	**TAIPEI**	JAILLI
HONING	SPEECH	CHLEUH	**POMPÉI**	SAILLI
COPING	**LAMECH**	**CHLEUH**	**MATTEI**	AMOLLI
DAQING	VARECH	**OUADAÏ**	BOUFFI	TRULLI
BÉRING	**REMICH**	**VALDAÏ**	RIFIFI	**DÉMOLI**
GÖRING	**MUNICH**	**SENDAI**	**AMALFI**	**DÉPOLI**
STRING	**ZURICH**	**BAO DAI**	**PETOFI**	REPOLI
TURING	**FRENCH**	CONGAÏ	ASSAGI	IMPOLI
EYRING	TRENCH	CABIAI	FROMGI	**NÉROLI**
CASING	BRUNCH	HAÏKAÏ	JUDOGI	**RIVOLI**
RATING	MOLOCH	DÉBLAI	ÉLARGI	**TIVOLI**
LIVING	**MOLOCH**	**ADONAÏ**	ENVAHI	REMPLI
IRVING	**HÉNOCH**	**KORNAI**	AVACHI	MUESLI
FIXING	**CHURCH**	**BIDPAI**	**SECCHI**	**FÜSSLI**
OUDONG	**FRISCH**	**SÉRRAI**	FLÉCHI	**GRÜTLI**
ZIGONG	**MERSCH**	**PÁTRAI**	TAI-CHI	AVEULI
DUGONG	KIRSCH	**KANSAI**	CHICHI	TUMULI
GUGONG	KITSCH	BONSAÏ	**RANCHI**	**LUTULI**
MA-JONG	PUTSCH	**KASSAÏ**	**KARCHI**	**FUZULI**
MÉKONG	**BAUSCH**	**MASSAÏ**	LETCHI	**BADAMI**
OBLONG	FLYSCH	**TESSAI**	LITCHI	SALAMI
DULONG	SKETCH	**HANTAÏ**	**SOTCHI**	**BEL-AMI**
SARONG	SCOTCH	**YANTAI**	GAUCHI	**KANAMI**
DATONG	SCOTCH	**TUBUAÏ**	**GANDHI**	TATAMI
GURUNG	**KERTCH**	**BOLYAI**	DIVEHI	**NEZAMI**
HOT DOG	**BARUCH**	**POLABÍ**	**LONGHI**	**NIZAMI**
QUAHOG	**IRTYCH**	OURÉBI	**AKASHI**	ENNEMI
PRELOG	TURBEH	CAGIBI	**XÁNTHI**	BRAHMI
PROLOG	SAKIEH	**GALIBI**	**TS'EU-HI**	SURIMI
KHOROG	**MINÎÊH**	BIRIBI	**SAVAII**	CH'TIMI
HERZOG	**ZAHLEH**	VROMBI	**HAWAII**	**ENGÔMI**
SUPER-G	**GUIZÈH**	**JACOBI**	**PANAJI**	**ENKOMI**
ÅLBORG	**ARMAGH**	FOURBI	**HIMEJI**	FOURMI
VYBORG	RALEGH	GOURBI	**KAINJI**	**GUAYMI**
MOLITG	**SLOUGH**	GRISBI	**RUDAKI**	VÉLANI
TAUSUG	**LADAKH**	ÉBAUBI	**SOSEKI**	APLANI
STAWUG	KAZAKH	ÉTRÉCI	RIKIKI	ROMANI
CASBAH	**KAZAKH**	CHANCI	**TARSKI**	**ANAGNI**
DADDAH	CHEIKH	AMINCI	KABUKI	DÉFINI
RUPIAH	**JOSEPH**	NOIRCI	BUZUKI	INFINI
RADJAH	PÉRIPH	ADOUCI	ALCALI	BIKINI
SMALAH	**GUELPH**	CEUX-CI	**KIGALI**	**BIKINI**
FELLAH	**LAGASH**	AFFADI	SOMALI	**RIMINI**
MELLAH	SQUASH	**MARADI**	**SOMALI**	**JOMINI**
MOLLAH	**KADESH**	**MATADI**	**BEN ALI**	PANINI

558

PANINI	**KAVIRI**	**XIA GUI**	**OLENEK**	GALGAL
VANINI	**LABORI**	**BANGUI**	**GIEREK**	**NERGAL**
PAPINI	**TABORI**	LANGUI	**MROZEK**	TERGAL
MARINI	PILORI	TARGUI	**DOMAGK**	FRUGAL
PARINI	**AOMORI**	ICELUI	SCHEIK	**TSAHAL**
ORSINI	SATORI	**GLAOUI**	**TADJIK**	**BRÉHAL**
LATINI	FAVORI	ENFOUI	**TADJIK**	**IMPHAL**
ABONNI	AMERRI	RÉJOUI	MOUJIK	LABIAL
BODONI	NOURRI	ÉBLOUI	**BIALIK**	TIBIAL
BENONI	POURRI	ÉCROUI	**RYBNIK**	FACIAL
CARONÍ	FLÉTRI	**CRÉQUI**	**PERNIK**	RACIAL
MARONI	**AMAURI**	SESQUI-	**PUTNIK**	FÉCIAL
MORONI	FLEURI	AUTRUI	TUGRIK	ONCIAL
BUSONI	JORURI	RESSUI	**NARVIK**	SOCIAL
FOURNI	**LIKASI**	PEHLVI	**WERVIK**	RADIAL
DÉMUNI	**DALASI**	À L'ENVI	**INUVIK**	**BÉLIAL**
IMPUNI	**KUMASI**	**MALAWI**	**LOMBOK**	FILIAL
DÉSUNI	CHOISI	**KANGXI**	**BARTÓK**	LILIAL
EMPLOI	**IDRISI**	JINGXI	**NEWARK**	GÉNIAL
NON-MOI	**JHANSI**	**SHANXI**	**GDANSK**	MARIAL
SURMOI	TRANSI	**CHIAYI**	**SLUPSK**	SERIAL
ROCROI	TIFOSI	**BIELYÏ**	**KOURSK**	CURIAL
EFFROI	**RÁKOSI**	**BO JUYI**	**BRATSK**	FÉTIAL
OCTROI	**KAPOSI**	**MENGZI**	**IJEVSK**	GAVIAL
UBU ROI	**POTOSÍ**	RIENZI	**KIRKUK**	JOVIAL
RENVOI	**ALESSI**	**PIAZZI**	**FAROUK**	**BAÏKAL**
CONVOI	GROSSI	HADJDJ	**OUROUK**	**HAYKAL**
BARZOÏ	RÉUSSI	**SUTLEJ**	**MOHAWK**	HIÉMAL
GÉNÉPI	ROUSSI	**BITOLJ**	**KOUMYK**	ANIMAL
SCAMPI	**CHIUSI**	KODIAK	**HRABAL**	PRIMAL
CHAMPI	**SANUSI**	OUMIAK	TRIBAL	ANOMAL
CIOMPI	DÉBÂTI	**KORIAK**	**POMBAL**	NORMAL
CRESPI	REBÂTI	KOULAK	TOMBAL	SISMAL
CRISPI	DÉCATI	**ODANAK**	**GLOBAL**	**DAUMAL**
CROUPI	**GALATI**	**KARNAK**	VERBAL	CHENAL
PÉCARI	APLATI	ANORAK	CHACAL	SIGNAL
SAFARI	**TURATI**	**DVORÁK**	BUCCAL	**ÉPINAL**
NAGARI	PATATI	**ROHTAK**	CÆCAL	SPINAL
FIGARI	**LIGETI**	**ARAWAK**	AMICAL	URINAL
PAHARI	**CHIETI**	**VOTYAK**	APICAL	ATONAL
MÉHARI	MUPHTI	OSTYAK	BANCAL	AZONAL
SOLARI	ARDITI	**OSTYAK**	AFOCAL	VERNAL
CANARI	**TAHITI**	**LÜBECK**	PASCAL	**RAYNAL**
LIPARI	WAPITI	**FAMECK**	**PASCAL**	**RAMPAL**
VASARI	ALLOTI	KOPECK	DISCAL	**BHOPAL**
HOUARI	AVERTI	**PLANCK**	FISCAL	**CABRAL**
JAVARI	**CHORTI**	**FRANCK**	QUE DAL	SACRAL
YAVARI	AMORTI	YAPOCK	FÉODAL	ZICRAL
CRICRI	RŒSTI	**STARCK**	**MYRDAL**	CHIRAL
QUADRI	BLETTI	NUBUCK	CAUDAL	AMIRAL
VOCERI	**ONETTI**	CHEBEK	PINÉAL	FOIRAL
CÉLERI	**VIOTTI**	**BALBEK**	BORÉAL	SPIRAL
DÉPÉRI	BLOTTI	**KAZBEK**	MUSÉAL	CHORAL
KAVERI	ABOUTI	OUZBEK	LUTÉAL	FLORAL
MAIGRI	AGOUTI	**OUZBEK**	NIVÉAL	AMORAL
GRI-GRI	ABRUTI	**DUBCEK**	MORFAL	CORRAL
KEDIRI	CUI-CUI	**OSIJEK**	INÉGAL	MITRAL

ASTRAL	IRRÉEL	IJSSEL	LE TEIL	AURIOL
NEURAL	EIFFEL	KOSSEL	MÉTEIL	ESHKOL
PLURAL	DUFFEL	CHÂTEL	ORTEIL	RASKOL
CRURAL	WERFEL	KEITEL	ÉCUEIL	FORMOL
DORSAL	MACHEL	DHÔTEL	RÉVEIL	THYMOL
VASSAL	RACHEL	CARTEL	PROFIL	PHÉNOL
CAUSAL	MICHEL	MARTEL	MORFIL	PAGNOL
FAYSAL	AUCHEL	MARTEL	SURFIL	LON NOL
HIATAL	FRÉHEL	HERTEL	FAUFIL	ALCOOL
RECTAL	RETHEL	MORTEL	HASKIL	STÉROL
ACÉTAL	DANIEL	CASTEL	CHAMIL	FERROL
FŒTAL	VÉNIEL	PASTEL	GRÉMIL	PYRROL
COMTAL	SÉRIEL	RASTEL	CHENIL	CAYROL
CANTAL	HURIEL	LISTEL	GAS-OIL	CRÉSOL
CANTAL	TECKEL	POSTEL	COMPIL	CONSOL
SANTAL	NICKEL	FUSTEL	GOUPIL	SURVOL
DENTAL	MOCKEL	VATTEL	AMARIL	POLYOL
MENTAL	SHEKEL	VITTEL	PUÉRIL	PODZOL
SEPTAL	HILLEL	LEFUEL	TERRIL	BENZOL
PORTAL	FLAMEL	GOGUEL	BRASIL	PEYOTL
PORTAL	PRIMEL	PALUEL	FRASIL	RABAUL
DURTAL	KEMMEL	SAMUEL	BRÉSIL	CALCUL
COSTAL	RIMMEL	MANUEL	BRÉSIL	NABEUL
POSTAL	SIMMEL	MANUEL	GRÉSIL	DEZFUL
BRUTAL	LOMMEL	ANNUEL	PERSIL	BANJUL
ÖTZTAL	ROMMEL	BUÑUEL	SUBTIL	IATMUL
CHAVAL	HUMMEL	LEQUEL	GENTIL	KABOUL
CHEVAL	KUMMEL	AUQUEL	GENTIL	MABOUL
CHEVAL	RUMMEL	DUQUEL	PONTIL	SOBOUL
OGIVAL	CARMEL	TERUEL	TORTIL	SADOUL
NARVAL	FORMEL	CASUEL	PISTIL	FRIOUL
DERVAL	MURMEL	VISUEL	COUTIL	TAMOUL
NERVAL	CHANEL	ACTUEL	BREUIL	TAMOUL
SERVAL	OPINEL	RITUEL	TREUIL	ARNOUL
DORVAL	TUNNEL	MUTUEL	BACALL	BÉROUL
NEZVAL	BRUNEL	SEXUEL	ANTALL	VESOUL
CHAZAL	CHAPEL	CREVEL	GESELL	RISOUL
ISMAËL	SEIPEL	NOUVEL	CAVELL	CONSUL
ISRAËL	RAPPEL	NOUVEL	WAVELL	JAMBYL
HEBBEL	GOSPEL	PLEYEL	LOWELL	CRÉSYL
DJEBEL	SOSPEL	MAAZEL	POWELL	RHOVYL
LAMBEL	COYPEL	MENZEL	ORWELL	MCADAM
FRÖBEL	CARREL	GLOZEL	O'NEILL	QUIDAM
MARCEL	PÉTREL	RATZEL	BOFILL	RAMDAM
MARCEL	LAUREL	HETZEL	ARGYLL	VAN DAM
BRADEL	DIESEL	TETZEL	JEKYLL	LINGAM
HÄNDEL	DIESEL	DU FAIL	JAMBOL	GRAHAM
MANDEL	WIESEL	CAMAIL	TORCOL	DUNHAM
MENDEL	ROISEL	ISMAÏL	GLYCOL	DIRHAM
WENDEL	PERSEL	SÉRAIL	BANDOL	DURHAM
FINDEL	CASSEL	CORAIL	SCHÉOL	DURHAM
MINDEL	KASSEL	CORAIL	MONGOL	LITHAM
RONDEL	BESSEL	BÉTAIL	MONGOL	MIRIAM
GARDEL	KESSEL	DÉTAIL	WARHOL	JHELAM
BORDEL	BISSEL	SOLEIL	BALIOL	DAMMAM
SCHEEL	MISSEL	LIMEIL	MARIOL	HAMMAM
DÉRÉEL	OISSEL	PAREIL	LORIOL	OZANAM

PUTNAM	MUSÉUM	**DUNCAN**	DEKKAN	**AIGNAN**
ROBOAM	PARFUM	CARCAN	**BALKAN**	**PIGNAN**
WAGRAM	TARGUM	**HYRCAN**	**KANKAN**	**HAINAN**
ASHRAM	**BOCHUM**	TOSCAN	**PLÉLAN**	**TAINAN**
BAÏRAM	ZYTHUM	**TOSCAN**	**BOÉLAN**	**YUNNAN**
BEÏRAM	LABIUM	BOUCAN	BRELAN	**POZNAN**
BAYRAM	ERBIUM	TOUCAN	RAGLAN	SAMOAN
LITSAM	RADIUM	**ABADAN**	**RAGLAN**	**SAMOAN**
TAM-TAM	MEDIUM	**IBADAN**	**PELLAN**	TRÉPAN
WIGWAM	OÏDIUM	**BOGDAN**	**TOLLAN**	**CAMPAN**
BAT YAM	INDIUM	**HANDAN**	**KAPLAN**	SAMPAN
IBIDEM	PODIUM	CARDAN	BIPLAN	TYMPAN
TANDEM	SODIUM	**CARDAN**	**DARLAN**	TARPAN
EDEGEM	HÉLIUM	**MARDAN**	MERLAN	**GIBRAN**
IZEGEM	OSMIUM	CERDAN	PERLAN	CADRAN
SACHEM	MINIUM	**CERDAN**	VERLAN	**AUDRAN**
SICHEM	OMNIUM	**JORDAN**	**MEULAN**	**ISERAN**
ARNHEM	CÉRIUM	**CAUDAN**	**CEYLAN**	SAFRAN
CHELEM	ATRIUM	HOUDAN	**MEYLAN**	**QUMRAN**
SKOLEM	CURIUM	**HOUDAN**	CHAMAN	**CIORAN**
HARLEM	CÉSIUM	**SOUDAN**	**TUBMAN**	**LIORAN**
DRANEM	**LATIUM**	**SIGEAN**	**ZEEMAN**	SERRAN
BORNEM	**ACTIUM**	**MÉJEAN**	**ALEMÁN**	**LATRAN**
ÉPHREM	**JHELUM**	**NEPEAN**	**WIGMAN**	ESTRAN
KASSEM	PÉPLUM	**STEFAN**	**RAHMAN**	**SEVRAN**
MÉGOHM	PHYLUM	**REAGAN**	CAÏMAN	**NAZRAN**
LE DAIM	SUMMUM	**ILIGAN**	**LOKMAN**	**SYZRAN**
BEHAIM	**GLANUM**	ORIGAN	**ULLMAN**	FAISAN
ESSAIM	PLÉNUM	**KALGAN**	DOLMAN	**GUISAN**
RÓHEIM	MAGNUM	**MINGAN**	**TOLMAN**	RILSAN
PANJIM	**BARNUM**	TONGAN	YEOMAN	**WONSAN**
SIKKIM	LOKOUM	SLOGAN	**LUQMAN**	**KUNSAN**
POURIM	**SALOUM**	**GORGAN**	BARMAN	PERSAN
PASSIM	**BAMOUM**	**MORGAN**	**FARMAN**	**PERSAN**
TOUTIM	**AKSOUM**	**CACHAN**	KARMAN	**HASSAN**
NAPALM	**BATOUM**	**KACHAN**	**KARMAN**	PAYSAN
DIRCOM	**FAYOUM**	AFGHAN	**KERMAN**	FLÉTAN
SITCOM	SACRUM	**AFGHAN**	BIRMAN	**CAFTAN**
CONDOM	QUORUM	**WAKHAN**	**BIRMAN**	**MULTAN**
CONDOM	NATRUM	**LESHAN**	FIRMAN	SULTAN
SLALOM	PENSUM	**ANSHAN**	**FORMAN**	D'ANTAN
CHILOM	RECTUM	**FOSHAN**	**NORMAN**	**MONTAN**
SHILOM	GNETUM	**NATHAN**	**TASMAN**	**KHOTAN**
BILLOM	SEPTUM	**PATHAN**	DESMAN	**CARTAN**
CRÉNOM	BARYUM	RADIAN	**BATMAN**	TARTAN
PRÉNOM	**CANAAN**	MÉDIAN	HETMAN	TARTAN
PRONOM	**GRÉBAN**	RUFIAN	**ALTMAN**	**SISTAN**
SURNOM	**SERBAN**	**FUJIAN**	**HOTMAN**	**LÊ DUAN**
POGROM	FORBAN	**DALIAN**	NAUMAN	CHOUAN
KEESOM	**DURBAN**	**KYLIAN**	**TRUMAN**	**BUTUAN**
DOM-TOM	TURBAN	BANIAN	**NEWMAN**	**MA YUAN**
ORSTOM	HAUBAN	FENIAN	**CAYMAN**	**QU YUAN**
CUSTOM	**VAUBAN**	**OSSIAN**	**GUZMÁN**	**EREVAN**
INSERM	**KOUBAN**	**TRAJAN**	RHÉNAN	**ERIVAN**
CÆCUM	**DECCAN**	**ABAKAN**	**GLÉNAN**	**MORVAN**
DUM-DUM	VOLCAN	**ARAKAN**	MAGNAN	**TAÏWAN**
TE DEUM	CANCAN	**SEIKAN**	**MAGNAN**	HILWAN

KENYAN	NUBIEN	CARMEN	DÉDAIN	GREDIN
KENYAN	PUBIEN	GERMEN	LE DAIN	DANDIN
BUNYAN	CACIEN	SAANEN	ANDAIN	GANDIN
RIAZAN	ANCIEN	TIENEN	RIFAIN	RONDIN
ALEZAN	LUCIEN	SARNEN	RIFAIN	ANODIN
KENZAN	INDIEN	MINOEN	REGAIN	CARDIN
TARZAN	INDIEN	KÖPPEN	BOHAIN	JARDIN
TARZAN	LYDIEN	DAIREN	UJJAIN	HESDIN
FEZZAN	LYDIEN	BARREN	LEKAIN	BAUDIN
GRABEN	SAGIEN	WARREN	VILAIN	GAUDIN
LEOBEN	ARGIEN	MÜRREN	DEMAIN	NAUDIN
OGADEN	ARGIEN	GOUREN	ROMAIN	BOUDIN
COBDEN	GALIEN	KELSEN	ROMAIN	BOUDIN
WADDEN	MALIEN	VELSEN	SOMAIN	MADE IN
TILDEN	MALIEN	PILSEN	HUMAIN	ESMEIN
GOLDEN	SALIEN	HANSEN	DENAIN	MONEIN
SÖLDEN	ÉOLIEN	NANSEN	LE NAIN	SEREIN
GULDEN	ÉOLIEN	JENSEN	COPAIN	SEREIN
MINDEN	JULIEN	FINSEN	BERAIN	DASEIN
DRYDEN	JULIEN	BUNSEN	DERAIN	BAFFIN
SABÉEN	DAMIEN	LARSEN	AIRAIN	BIFFIN
SABÉEN	SIMIEN	FERSEN	BORAIN	MUFFIN
EUBÉEN	PÉNIEN	HESSEN	BORAIN	PUFFIN
GACÉEN	IONIEN	PECTEN	FORAIN	SURFIN
NOCÉEN	IONIEN	KLOTEN	FORAIN	PIDGIN
ORCÉEN	ULPIEN	AUSTEN	DURAIN	MANGIN
DUCÉEN	APPIEN	SUSTEN	FUSAIN	LONGIN
LUCÉEN	DARIEN	WITTEN	PÉTAIN	CHAHIN
LYCÉEN	DARIÉN	HUTTEN	PUTAIN	CACHIN
FIDÉEN	O'BRIEN	GLUTEN	LEVAIN	KACHIN
SIDÉEN	ADRIEN	PLAUEN	SIXAIN	MACHIN
ACHÉEN	AÉRIEN	JAGUEN	DIZAIN	COCHIN
ACHÉEN	DORIEN	ÉCOUEN	SIZAIN	KEIHIN
PÉLÉEN	ARRIEN	PLEVEN	ONZAIN	MUSHIN
SPLEEN	SYRIEN	ALFVÉN	RABBIN	POTHIN
LOMÉEN	SYRIEN	SLIVEN	BAMBIN	NANKIN
LINÉEN	TYRIEN	SIRVEN	LAMBIN	NANKIN
ERNÉEN	TYRIEN	LEUVEN	SAMBIN	TONKIN
LUPÉEN	OASIEN	BLIXEN	MOMBIN	RUSKIN
ALRÉEN	TATIEN	LIBYEN	HARBIN	ZETKIN
CORÉEN	TITIEN	LIBYEN	LARBIN	OPALIN
CORÉEN	JOVIEN	ASCYEN	HERBIN	PRALIN
ISSÉEN	JOVIEN	TROYEN	FORBIN	AVALIN
FUXÉEN	BEXIEN	TROYEN	TURBIN	HYALIN
REZÉEN	LUZIEN	ÉVRYEN	VACCIN	DÖBLIN
SIEGEN	LAEKEN	IVRYEN	BUCCIN	DUBLIN
WENGEN	VEBLEN	HERZEN	SUCCIN	LUBLIN
JONGEN	BAILÉN	LÜTZEN	CALCIN	DÉCLIN
BERGEN	MEILEN	DESIGN	TENCIN	SECLIN
HORGEN	NIJLEN	URBAIN	FARCIN	ENCLIN
AACHEN	POLLEN	URBAIN	LARCIN	GMELIN
LICHEN	KJØLEN	AUBAIN	HIRCIN	DRELIN
RIEHEN	XIAMEN	CUBAIN	PORCIN	GRELIN
WU ZHEN	EXAMEN	CUBAIN	PASCIN	GUILIN
PRAÏEN	NIÉMEN	RICAIN	DOUCIN	BALLIN
FABIEN	DOLMEN	RICAIN	ALADIN	ROLLIN
NUBIEN	YEOMEN	LUCAIN	GRADIN	DULLIN

KAOLIN	LUTRIN	COQUIN	BONDON	**PÉLION**
UGOLIN	SAURIN	**LIÉVIN**	DONDON	CAMION
JOPLIN	TAURIN	ALEVIN	**LONDON**	FANION
BARLIN	**GOURIN**	**GRÉVIN**	DIODON	**L'UNION**
CARLIN	TOURIN	**STEVIN**	CARDON	PAPION
MARLIN	**ATURIN**	**ASHVIN**	GARDON	COPION
VARLIN	**MEYRIN**	**CALVIN**	**GARDON**	ARPION
BERLIN	TOCSIN	KELVIN	JARDON	ESPION
MERLIN	RAISIN	**KELVIN**	LARDON	SUPION
MERLIN	VOISIN	PROVIN	PARDON	**MARION**
ROSLIN	**VOISIN**	**CARVIN**	**VERDON**	AGRION
PAULIN	**MERSIN**	**CERVIN**	CORDON	VIRION
BOULIN	**YERSIN**	NERVIN	**GORDON**	HORION
MOULIN	HORSIN	**CORVIN**	**MEUDON**	MORION
MOULIN	OURSIN	**COUVIN**	**BOUDON**	PORION
POULIN	BASSIN	**KAZVIN**	**HOUDON**	TURION
CHEMIN	**CASSIN**	**QAZVIN**	**GÉDÉON**	LÉSION
CARMIN	**TASSIN**	**GODWIN**	PIGEON	VISION
JASMIN	**BESSIN**	**DARWIN**	**SIMÉON**	FUSION
JASMIN	DESSIN	PINYIN	**FÉNÉON**	CATION
COGNIN	MESSIN	ZINZIN	**ACTÉON**	DATION
TANNIN	**MESSIN**	TAUZIN	**BUFFON**	GÂTION
HENNIN	**TESSIN**	**FEYZIN**	**ARAGON**	NATION
LÉONIN	BOUSIN	**HAMANN**	DRAGON	RATION
BERNIN	COUSIN	LYCAON	FRAGON	ACTION
SERNIN	**COUSIN**	**KUMAON**	**OREGON**	**PÉTION**
ALBOÏN	**LEYSIN**	**YANAON**	**SAIGON**	LOTION
RECOIN	GRATIN	GIBBON	**LANGON**	MOTION
DIGOIN	PIÉTIN	**GIBBON**	TANGON	NOTION
TÉMOIN	**ARÉTIN**	**TREBON**	JARGON	POTION
ÉBROÏN	CRÉTIN	**CAMBON**	**SARGON**	OPTION
BESOIN	FRETIN	JAMBON	MORGON	**DIVION**
SCAPIN	PANTIN	BONBON	BOUGON	**TAEJON**
CRÉPIN	**PANTIN**	BARBON	**BOUGON**	**DANJON**
VULPIN	TINTIN	**SORBON**	MÂCHON	DONJON
CAMPIN	**TINTIN**	FLACON	BICHON	**SAUJON**
CHOPIN	**PLOTIN**	GLAÇON	NICHON	GOUJON
JOSPIN	**MARTIN**	**DRACON**	**INCHON**	**GOUJON**
TAUPIN	**BERTIN**	CHICON	COCHON	**HAAKON**
POUPIN	FORTIN	BALCON	POCHON	**CHALON**
TOUPIN	DESTIN	LANÇON	**LUCHON**	DRALON
CLARÍN	FESTIN	RANÇON	SIPHON	ÉTALON
MACRIN	**AUSTIN**	PINÇON	TYPHON	**AVALON**
SUCRIN	**JUSTIN**	FLOCON	PYTHON	SABLON
ALDRIN	BOTTIN	GARÇON	**PYTHON**	RIBLON
PLÉRIN	**BOTTIN**	**GARÇON**	ZYTHON	RUCLON
UTÉRIN	HAUTIN	ZIRCON	GABION	POÊLON
GUÉRIN	**ALCUIN**	GASCON	**ALBION**	FRELON
KEIRIN	BÉGUIN	**GASCON**	PODION	GRÊLON
FLORIN	**SEGUIN**	FAUCON	LUDION	**TRÉLON**
ILORIN	**SÉGUIN**	**PHÉDON**	LÉGION	TEFLON
AZORÍN	**DAQUIN**	**AVEDON**	RÉGION	AIGLON
CAPRIN	FAQUIN	AMIDON	GALION	**AIGLON**
COPRIN	TAQUIN	BRIDON	TALION	TIGLON
CYPRIN	PÉQUIN	GUIDON	HÉLION	ONGLON
PERRIN	REQUIN	TENDON	**HÉLION**	**ODILON**
PÉTRIN	SEQUIN	DINDON	**LE LION**	**PHILON**

QUILON	**VERNON**	MOURON	**BRETON**	DEUTON
ZYKLON	**BRUNON**	TOURON	**ASHTON**	TEUTON
BALLON	SALOON	LEVRON	LAITON	PLUTON
GALLON	CHAPON	**STYRON**	CHITON	**PLUTON**
TALLON	CRÉPON	BLASON	BOITON	BOUTON
VALLON	FRIPON	**GIBSON**	FRITON	MOUTON
WALLON	RAMPON	**HOBSON**	TRITON	**MOUTON**
WALLON	TAMPON	PACSON	**NUITON**	NEWTON
BILLON	POMPON	**TUCSON**	**DALTON**	**NEWTON**
DILLON	PIN-PON	**HUDSON**	**GALTON**	**PAXTON**
SILLON	NIPPON	MAISON	**PELTON**	**DAYTON**
VILLON	**NIPPON**	RAISON	**MILTON**	RHYTON
ROLLON	HARPON	SAISON	**BOLTON**	**GUYTON**
CHO LON	TARPON	**VAISON**	**FULTON**	OXYTON
VIOLON	COUPON	**EDISON**	CANTON	SLAVON
STOLON	POUPON	FOISON	**CANTON**	ÉLEVON
MERLON	**CHARON**	POISON	**DANTON**	KLAXON
PERLON	**SHARON**	TOISON	SANTON	CLAYON
MEULON	**HÉBRON**	FRISON	MENTON	CRAYON
BOULON	DACRON	**FRISON**	**MENTON**	TRAYON
FOULON	MICRON	GRISON	PONTON	ALCYON
SOÛLON	MUCRON	**GRISON**	TONTON	PLEYON
TOULON	HADRON	PRISON	PHOTON	CANYON
ÉPULON	**CÉDRON**	**NELSON**	CROTON	BARYON
BRÛLON	GODRON	TELSON	PROTON	**GÉRYON**
BEAMON	**OBERON**	**GILSON**	LEPTON	**MERYON**
ARAMON	**HIÉRON**	**WILSON**	**BARTON**	**QUEZÓN**
ARAMON	**PIÉRON**	**SAMSON**	CARTON	**D'ALZON**
GOÉMON	**FLÉRON**	**LANSON**	**FERTON**	**PINZÓN**
MAMMON	**OLÉRON**	**SANSON**	**MERTON**	**CROZON**
LEMMON	ÉPERON	TENSON	**VIRTON**	**CURZON**
GNOMON	OPÉRON	PINSON	CORTON	**MOUZON**
GERMON	**FRÉRON**	**VINSON**	**HORTON**	**TROARN**
HERMON	TIGRON	**JONSON**	**MORTON**	**WEBERN**
PERMON	VAIRON	**PONSON**	**BURTON**	**VÄNERN**
SERMON	**CHIRON**	PAQSON	BASTON	**TAUERN**
MORMON	**COIRON**	**CARSON**	**GASTON**	**SEVERN**
SAUMON	**VOIRON**	**GERSON**	FESTON	**BAYERN**
POUMON	AVIRON	**HIRSON**	**HESTON**	AUBURN
ÉTYMON	RONRON	OURSON	TESTON	TRIBUN
STÉNON	THORON	BASSON	VESTON	CHACUN
GUENON	**OLORON**	**MASSON**	**WESTON**	**CANCÚN**
GUÉNON	**SOPRON**	BESSON	FISTON	**MAO DUN**
LIGNON	CARRON	**BESSON**	LISTON	**VERDUN**
MIGNON	LARRON	**CESSON**	MISTON	**LOUDUN**
OIGNON	MARRON	TESSON	PISTON	**SHOGUN**
PIGNON	VARRON	**WATSON**	BOSTON	**YICHUN**
PIGNON	**VARRON**	**DAWSON**	**BOSTON**	**FUSHUN**
VIGNON	**FERRON**	**LOYSON**	**HUSTON**	**LÜSHUN**
POGNON	PERRON	**KEATON**	**PATTON**	**EL-AIUN**
ROGNON	**GORRON**	CHATON	**BETTON**	**KUNLUN**
CHINON	NATRON	**PLATON**	LETTON	COMMUN
MEMNON	PATRON	CRATON	**LETTON**	**ARGOUN**
HANNON	CITRON	NECTON	**COTTON**	**IRGOUN**
PENNON	LITRON	DICTON	**DUTTON**	**MIMOUN**
PHONON	MITRON	PIÉTON	**HUTTON**	SIMOUN
THONON	**MAURON**	BRETON	**LYTTON**	**LEBRUN**

EMBRUN	**BORNÉO**	**APOLLO**	**JIVARO**	**KOSOVO**
EMBRUN	STÉRÉO	**TRULLO**	**GABBRO**	**TAMAYO**
HAMSUN	**SENUFO**	GIGOLO	**ÖREBRO**	DAIMYO
SAMSUN	**TOBAGO**	RIGOLO	VELCRO	ARROYO
LAUZUN	ASIAGO	BAROLO	CUADRO	**ARROYO**
HUSAYN	GALAGO	**AIROLO**	LIBERO	**RIENZO**
BAILYN	VIRAGO	AMERLO	VOCERO	**ISONZO**
BILBAO	**JIVAGO**	**MODULO**	BOLÉRO	COROZO
CAO CAO	INDIGO	POPULO	NUMÉRO	**UDERZO**
CÔN DAO	GINKGO	**DYNAMO**	**HERERO**	**STURZO**
GALEÃO	**LOANGO**	**TERAMO**	TORERO	**AREZZO**
NÉCHAO	GRINGO	**BAYAMO**	HÉTÉRO	**CARNAP**
RIZHAO	ALBUGO	ESKIMO	**AVEIRO**	**PRILEP**
CALLAO	PONCHO	**ESKIMO**	**BORORO**	BIP-BIP
SHI TAO	GAUCHO	**COSIMO**	**DNIPRO**	**FÉCAMP**
SERTÃO	SORGHO	CHROMO	**KHOSRÔ**	**DU CAMP**
MALABO	**SAPPHO**	MÉCANO	**CASTRO**	HIP-HOP
LAVABO	**CAN THO**	**ELCANO**	BISTRO	**BISHOP**
NOCEBO	**NEBBIO**	**TUCANO**	ENDURO	**MAÏKOP**
SASEBO	**BOBBIO**	**NAGANO**	**MAJURO**	**PROKOP**
NINGBO	**GUBBIO**	**LUGANO**	**EL PASO**	**DUNLOP**
HUAMBO	**IBIBIO**	**MAIANO**	**JANCSÓ**	**NATORP**
PIOMBO	**DUCCIO**	**TUKANO**	**SEVESO**	HOLD-UP
MONACO	**AFL-CIO**	**CELANO**	**TROMSØ**	PICK-UP
CARACO	RANCIO	**ORNANO**	**ALONSO**	**GALLUP**
ZYDECO	**MINCIO**	**MERANO**	ARIOSO	**LE PECQ**
HÉLICO	**TERCIO**	**MURANO**	**DONOSO**	**LECOCQ**
ILLICO	STUDIO	**CYRANO**	**CARUSO**	**VIDOCQ**
MEXICO	**MACEIÓ**	**PISANO**	**SÁBATO**	**TAWFIQ**
TOXICO	ADAGIO	**KLADNO**	**AMBATO**	**ANABAR**
BLANCO	**REGGIO**	**GRODNO**	RUBATO	MINBAR
FRANCO-	**FANGIO**	**MORENO**	LEGATO	CROBAR
FRANCO	**SAGLIO**	TECHNO	**PARETO**	LOUBAR
FRANCO	**SERLIO**	**URBINO**	**MORETO**	LASCAR
ROCOCO	DAÏMIO	LADINO	**SOWETO**	**LESCAR**
SIROCO	**KUOPIO**	DOMINO	PACHTO	**CLÉDAR**
FIASCO	DEUSIO	**EL NIÑO**	**PACHTO**	**GONDAR**
OSASCO	TERTIO	**MARINO**	**LOBITO**	**VARDAR**
ENESCO	BAGUIO	CASINO	SUBITO	SIRDAR
UNESCO	**BAGUIO**	LATINO	COGITO	**TULÉAR**
TEMUCO	DEUZIO	**AQUINO**	**RIALTO**	**ALVEAR**
OROZCO	**MARAJÓ**	KIMONO	TIENTO	**HOGGAR**
ABBADO	**NAVAJO**	CHRONO	SHINTO	HANGAR
MIKADO	**AHIDJO**	**ADORNO**	QUINTO	**CONGAR**
SALADO	**BAMAKO**	**OSORNO**	ZIGOTO	TUNGAR
MANADO	**ROTHKO**	**FRESNO**	**SOKOTO**	**BÉCHAR**
MENADO	**CRANKO**	**VAN LOO**	EX-VOTO	**MECIAR**
ALBÉDO	PÉDALO	**KARROO**	QUARTO	CAVIAR
OVIEDO	MÉGALO	DA CAPO	PRESTO	**QADJAR**
TOLEDO	**PUEBLO**	**QUEIPO**	GHETTO	**BANJAR**
OLMEDO	**ALMELO**	**OULIPO**	DUETTO	**OTAKAR**
LAREDO	POMELO	FIGARO	**GIOTTO**	**NECKAR**
LIVEDO	**ILOILO**	**FIGARO**	**BHUTTO**	**BALKAR**
LIBIDO	**IVAJLO**	**NOGARO**	TENUTO	TABLAR
AÏKIDO	FOLKLO	**PESARO**	**MAPUTO**	**JUGLAR**
BRANDO	**OTELLO**	**MATARÓ**	IN VIVO	DOLLAR
ESCUDO	**CUELLO**		EX VIVO	**KOLLÁR**

GOSLAR	JONCER	**FEYDER**	BÂCHER	MÉFIER
KEVLAR	PONCER	OXYDER	CACHER	**ROGIER**
WEIMAR	BERCER	**DE GEER**	FÂCHER	**AUGIER**
CALMAR	GERCER	CAPÉER	GÂCHER	CAHIER
KALMAR	PERCER	AGRÉER	HACHER	**FALIER**
COLMAR	FORCER	TORÉER	LÂCHER	PALIER
WISMAR	SAUCER	GAFFER	MÂCHER	ABLIER
THÉNAR	ÉPUCER	BIFFER	**PACHER**	BÉLIER
MOLNÁR	LEADER	PIFFER	TACHER	**BÉLIER**
MANNAR	LOADER	À MI-FER	TÂCHER	DÉLIER
CASOAR	BRADER	CONFER	VACHER	RELIER
GASPAR	ÉVADER	WOOFER	BÊCHER	AILIER
JASPAR	**TEDDER**	SURFER	LÉCHER	PILIER
QUASAR	**RAEDER**	PÉAGER	MÉCHER	ALLIER
PULSAR	FEEDER	VIAGER	PÉCHER	**ALLIER**
AVATAR	LIEDER	USAGER	PÊCHER	ENLIER
NECTAR	RAIDER	ÉTAGER	SÉCHER	BOLIER
SEHTAR	ÉLIDER	BADGER	AICHER	TÔLIER
ISHTAR	SPIDER	BICHER	BICHER	DAMIER
INSTAR	BRIDER	PIÉGER	FICHER	LAMIER
COSTAR	GUIDER	SIÉGER	LICHER	RAMIER
MOSTAR	ÉVIDER	JIGGER	NICHER	TAMIER
JAGUAR	**BALDER**	DOGGER	**RICHER**	ZAMIER
MAGYAR	**CALDER**	**FUGGER**	COCHER	**GÉMIER**
MAGYAR	**WILDER**	**GEIGER**	CÔCHER	CIMIER
FALZAR	POLDER	NEIGER	HOCHER	LIMIER
GLABER	SOLDER	ÉRIGER	**KOCHER**	**NIMIER**
KLÉBER	**ZOLDER**	EXIGER	LOCHER	ORMIER
GALBER	BANDER	DANGER	NOCHER	FUMIER
FELBER	**GANDER**	LANGER	POCHER	CANIER
CAMBER	LÄNDER	MANGER	ROCHER	LANIER
NIMBER	MANDER	RANGER	ARCHER	MANIER
BOMBER	**SANDER**	**SANGER**	ESCHER	PANIER
TOMBER	**BENDER**	**TANGER**	BÛCHER	**VANIER**
HUMBER	TENDER	**MENGER**	HUCHER	DENIER
SNOBER	**LINDER**	VENGER	JUCHER	DÉNIER
BARBER	**ZINDER**	**BINGER**	RUCHER	RENIER
GERBER	FONDER	SINGER	CASHER	LINIER
DAUBER	MONDER	**SINGER**	KASHER	MINIER
FAUBER	SONDER	LONGER	**FISHER**	RÔNIER
GRUBER	BRODER	RONGER	**ESTHER**	ZONIER
GRÜBER	ÉRODER	SONGER	**LUTHER**	HUNIER
KHYBER	BARDER	**JÜNGER**	**ROUHER**	**NAPIER**
AGACER	CARDER	MARGER	GABIER	PAPIER
GLACER	DARDER	BERGER	GIBIER	PÉPIER
PLACER	FARDER	**BERGER**	AUBIER	PIPIER
TRACER	GARDER	VERGER	**DACIER**	COPIER
SOCCER	LARDER	FORGER	LICIER	JUPIER
SLICER	TARDER	GORGER	VICIER	EXPIER
ÉPICER	**HERDER**	BURGER	PUCIER	CARIER
CANCER	MERDER	**BÜRGER**	RADIER	MARIER
CANCER	BORDER	**MURGER**	**BÉDIER**	PARIER
LANCER	CORDER	PURGER	DÉDIER	VARIER
TANCER	ÉLUDER	JAUGER	**DIDIER**	ÉCRIER
PINCER	BOUDER	BOUGER	**NODIER**	**PERIER**
RINCER	COUDER	GRUGER	THÉIER	SÉRIER
FONCER	SOUDER	**KRUGER**	DÉFIER	CIRIER

ÉTRIER	SABLER	**MÜLLER**	GOMMER	**RENNER**
STRIER	TABLER	VIOLER	NOMMER	DONNER
MÛRIER	CIBLER	FRÔLER	POMMER	SONNER
CASIER	AMBLER	ISOLER	SOMMER	TONNER
GÉSIER	BÂCLER	**KEPLER**	**KUMMER**	CLONER
LISIER	RACLER	PARLER	**SUMMER**	KRONER
GOSIER	TACLER	FERLER	CHÔMER	PRÔNER
ROSIER	CICLER	PERLER	BOOMER	TRÔNER
RATIER	GICLER	HURLER	ZOOMER	OZONER
MÉTIER	**HODLER**	OURLER	FERMER	**GARNER**
SETIER	IODLER	**HITLER**	GERMER	MARNER
ALTIER	JODLER	**ORTLER**	**GERMER**	BERNER
ENTIER	YODLER	**BUTLER**	FORMER	CERNER
CÔTIER	OUDLER	**MESMER**	PAUMER	**WERNER**
LOTIER	POÊLER	GAULER	ÉCUMER	BORNER
POTIER	ÉPELER	**TAULER**	RHUMER	CORNER
PUTIER	GRÊLER	ADULER	PLUMER	**CORNER**
DAVIER	RAFLER	FEULER	BOUMER	**TURNER**
RAVIER	GIFLER	MEULER	**DOUMER**	**GESNER**
OBVIER	ENFLER	ULULER	AHANER	SAUNER
DÉVIER	MOFLER	ÉMULER	FLÂNER	JEÛNER
FÉVIER	RÉGLER	BOULER	GLANER	ALUNER
LEVIER	BIGLER	COULER	PLANER	**BRUNER**
LEVIER	**KAHLER**	FOULER	ÉMANER	DRAPER
VIVIER	**MAHLER**	IOULER	CRÂNER	**DRAPER**
VIVIER	**KÖHLER**	MOULER	**WIENER**	CRÊPER
ENVIER	**WÖHLER**	ROULER	AMENER	CHIPER
CUVIER	**MAILER**	SOÛLER	GRENER	FRIPER
CUVIER	**SAILER**	BRÛLER	GAGNER	GUIPER
GAZIER	POILER	OVULER	MAGNER	**KUIPER**
HOZIER	VOILER	**FOWLER**	**WAGNER**	PALPER
SHAKER	ÉPILER	STYLER	RÉGNER	CAMPER
QUAKER	HUILER	BLÂMER	**TEGNÉR**	DAMPER
BECKER	TUILER	CLAMER	LIGNER	LAMPER
NECKER	EXILER	BRAMER	SIGNER	RAMPER
KICKER	BALLER	CRAMER	**WIGNER**	VAMPER
COCKER	DALLER	TRAMER	COGNER	POMPER
DOCKER	TALLER	ÉTAMER	ROGNER	DUMPER
ROCKER	**WALLER**	**BODMER**	**RAHNER**	ÉCOPER
DEKKER	**DELLER**	CRÉMER	GAINER	CHOPER
FOKKER	**KELLER**	**KREMER**	LAINER	**COOPER**
TANKER	PELLER	**ROHMER**	RAINER	DROPER
BUNKER	SELLER	ABÎMER	PEINER	HAPPER
JUNKER	AILLER	ÉCIMER	VEINER	JAPPER
HOOKER	BILLER	ANIMER	CHINER	NAPPER
BROKER	CILLER	BRIMER	OPINER	ZAPPER
STOKER	**CILLER**	FRIMER	URINER	KIPPER
PARKER	**MILLER**	GRIMER	USINER	NIPPER
JERKER	PILLER	PRIMER	RUINER	RIPPER
ÉCALER	TILLER	TRIMER	AVINER	TIPPER
DEALER	COLLER	**BALMER**	DAMNER	ZIPPER
ÉGALER	ROLLER	CALMER	CANNER	**HOPPER**
THALER	**TOLLER**	PALMER	TANNER	**POPPER**
ÉTALER	BULLER	**PALMER**	**TANNER**	JASPER
AVALER	**FULLER**	FILMER	VANNER	**JASPER**
CÂBLER	**MULLER**	GEMMER	**JENNER**	TAUPER
JABLER	MÜLLER			COUPER

COUPER	OUVRER	VISSER	CAPTER	ARGUER
LOUPER	TEASER	BOSSER	CARTER	FUGUER
SOUPER	BLASER	COSSER	**CARTER**	SALUER
COWPER	**GLASER**	ROSSER	FARTER	DILUER
COWPER	ARASER	TOSSER	PORTER	REMUER
ÉGARER	BRASER	CAUSER	**PORTER**	DÉNUER
CABRER	FRASER	**HAUSER**	BASTER	SINUER
SABRER	**FRASER**	MAUSER	LESTER	CLOUER
ZÉBRER	ÉVASER	PAUSER	PESTER	FLOUER
VIBRER	ALÉSER	ABUSER	RESTER	ÉNOUER
AMBRER	BLÉSER	AMUSER	TESTER	FROUER
OMBRER	GRÉSER	GEYSER	ZESTER	TROUER
NACRER	BAISER	ÉPATER	LISTER	AVOUER
SACRER	KAISER	OUATER	**LISTER**	CAQUER
ANCRER	**KAISER**	QUATER	PISTER	LAQUER
ENCRER	**REISER**	JACTER	**ULSTER**	MAQUER
SUCRER	ANISER	BECTER	**FOSTER**	RAQUER
CADRER	BOISER	DICTER	POSTER	SAQUER
OBÉRER	MOISER	PIÉTER	GATTER	TAQUER
ACÉRER	TOISER	FRÉTER	LATTER	VAQUER
OPÉRER	ARISER	PRÊTER	NATTER	NIQUER
STÉRER	BRISER	ÉTÊTER	GETTER	PIQUER
AVÉRER	FRISER	QUÊTER	SETTER	TIQUER
BÂFRER	GRISER	**EXETER**	BITTER	MOQUER
MIGRER	IRISER	CAFTER	**RITTER**	POQUER
ROHRER	PRISER	LIFTER	BOTTER	ROQUER
FÜHRER	PUISER	ÉDITER	HOTTER	TOQUER
FOIRER	AVISER	AGITER	MOTTER	ARQUER
MOIRER	VALSER	ALITER	**POTTER**	SITUER
ÉTIRER	**WALSER**	IMITER	BUTTER	**WEAVER**
ADORER	PULSER	BOITER	CUTTER	CLAVER
BARRER	DANSER	COÏTER	LUTTER	BRAVER
CARRER	GANSER	CUITER	PUTTER	DRAVER
KARRER	PANSER	ÉVITER	FAUTER	GRAVER
MARRER	PENSER	**AALTER**	**LAUTER**	ÉLEVER
NARRER	**DJOSER**	CALTER	SAUTER	CREVER
FERRER	GLOSER	MALTER	CHUTER	GREVER
SERRER	HERSER	**WALTER**	BLUTER	CLIVER
TERRER	VERSER	WELTER	**SLUTER**	**OLIVER**
MÉTRER	CORSER	**HOLTER**	BOUTER	DRIVER
NITRER	CASSER	VOLTER	COÛTER	PRIVER
TITRER	**GASSER**	CANTER	DOUTER	AVIVER
VITRER	LASSER	GANTER	GOÛTER	**DENVER**
ENTRER	MASSER	HANTER	JOUTER	**HOOVER**
OUTRER	**NASSER**	**SANTER**	ROUTER	SAUVER
SAURER	PASSER	VANTER	VOÛTER	COUVER
ÉCURER	SASSER	RENTER	GRUTER	ÉTUVER
AMURER	TASSER	TENTER	**RUYTER**	ÉGAYER
GOURER	CESSER	VENTER	EMBUER	DRAYER
LOURER	FESSER	PINTER	**BREUER**	FRAYER
APURER	MESSER	**PINTER**	BAGUER	ÉTAYER
ÉPURER	VESSER	TINTER	RAGUER	STAYER
AZURER	BISSER	CONTER	TAGUER	**BAEYER**
NAVRER	HISSER	MONTER	VAGUER	**DREYER**
SEVRER	LISSER	PONTER	LÉGUER	ABOYER
GIVRER	PISSER	HUNTER	LIGUER	CHOYER
LIVRER	TISSER	RIOTER	VOGUER	PLOYER

BROYER	TERNIR	GLATIR	CODEUR	JUREUR
PROYER	VERNIR	ABÊTIR	RÔDEUR	JASEUR
CARYER	JAUNIR	MOITIR	ARDEUR	RASEUR
DU RYER	RÉUNIR	NANTIR	PUDEUR	PESEUR
ÉCUYER	ALUNIR	MENTIR	GRÉEUR	DISEUR
HEUYER	BRUNIR	SENTIR	GAGEUR	LISEUR
BLAZER	SUÇOIR	PARTIR	NAGEUR	VISEUR
FRAZER	RIDOIR	TARTIR	RAGEUR	DOSEUR
PEDZER	VIDOIR	SERTIR	LOGEUR	POSEUR
PANZER	RODOIR	SORTIR	JUGEUR	ROSEUR
MÜNZER	ÉCHOIR	BLEUIR	LUGEUR	DATEUR
BUTZER	PLIOIR	ENFUIR	MAÏEUR	TÂTEUR
ABWEHR	HÂLOIR	GRAVIR	SCIEUR	ACTEUR
MOHAIR	SALOIR	SERVIR	SKIEUR	JETEUR
ÉCLAIR	VALOIR	ÉLIXIR	PLIEUR	PÉTEUR
IMPAIR	SEMOIR	**THABOR**	ÉPIEUR	COTEUR
DU VAIR	FUMOIR	**KALDOR**	CRIEUR	MOTEUR
DJABIR	MANOIR	**VAL-D'OR**	PRIEUR	AUTEUR
RANCIR	**LENOIR**	**BENDOR**	TRIEUR	BUTEUR
MINCIR	**RENOIR**	CONDOR	MAJEUR	TUTEUR
CAPCIR	ESPOIR	**CONDOR**	**MAJEUR**	BOUEUR
FARCIR	PAROIR	**MONDOR**	HALEUR	JOUEUR
FORCIR	MIROIR	**FIODOR**	PÂLEUR	LOUEUR
DURCIR	TIROIR	**SAUGOR**	RÂLEUR	TOUEUR
AGADIR	RASOIR	**HATHOR**	VALEUR	FAVEUR
TIÉDIR	MUSOIR	SENIOR	FILEUR	GAVEUR
RAIDIR	MATOIR	JUNIOR	VOLEUR	LAVEUR
ROIDIR	BUTOIR	**ANGKOR**	RAMEUR	PAVEUR
CANDIR	BAVOIR	**TAYLOR**	SEMEUR	SAVEUR
BENDIR	LAVOIR	**LARMOR**	LIMEUR	RÊVEUR
BONDIR	RAVOIR	**LOB NOR**	RIMEUR	VIVEUR
VERDIR	SAVOIR	INDOOR	FUMEUR	BUVEUR
NORDIR	DEVOIR	TRÉSOR	HUMEUR	MIXEUR
OURDIR	REVOIR	TUSSOR	RUMEUR	BOXEUR
RÉAGIR	RIVOIR	STATOR	TUMEUR	MAYEUR
SURGIR	VIVOIR	**HECTOR**	FANEUR	PAYEUR
ROUGIR	DIAPIR	**VICTOR**	GÊNEUR	VOYEUR
ÉBAHIR	CLAPIR	**CANTOR**	MENEUR	**TOZEUR**
TRAHIR	GLAPIR	**KANTOR**	TENEUR	**ARTHUR**
MENHIR	CRÉPIR	MENTOR	VENEUR	**SUKKUR**
SAPHIR	SOUPIR	**MENTOR**	BINEUR	**VELLUR**
KÉPHIR	**DJARIR**	CASTOR	DÎNEUR	**SAUMUR**
AVILIR	CHÉRIR	CASTOR	MINEUR	GIAOUR
MOLLIR	GUÉRIR	**NESTOR**	CHŒUR	LABOUR
ABOLIR	QUÉRIR	OCTUOR	SAPEUR	**DUFOUR**
EMPLIR	OFFRIR	**LOUXOR**	TAPEUR	SÉJOUR
SHAMIR	AIGRIR	**DNIEPR**	VAPEUR	HUMOUR
BLÊMIR	BARRIR	**LAVAUR**	PIPEUR	**ASSOUR**
FRÉMIR	PÉTRIR	OBSCUR	DUPEUR	**LA TOUR**
CALMIR	AHURIR	LABEUR	CIREUR	DÉTOUR
DORMIR	COURIR	GOBEUR	MIREUR	RETOUR
AVENIR	MOURIR	LACEUR	TIREUR	ENTOUR
BANNIR	OUVRIR	NOCEUR	VIREUR	AUTOUR
HENNIR	SAISIR	SUCEUR	DOREUR	**CAVOUR**
HONNIR	LOISIR	FADEUR	FOREUR	**NAGPUR**
AGONIR	MOISIR	HIDEUR	ERREUR	**JAIPUR**
GARNIR	RASSIR	VIDEUR	FUREUR	**RAIPUR**

RAMPUR	**TATRAS**	**DONGES**	**HOLMES**	AUPRÈS
KANPUR	**TÉTRAS**	**GARGES**	**JAMMES**	EXPRÈS
DISPUR	**FOURAS**	**BORGES**	HERMÈS	CYPRÈS
GUNTUR	**KANSAS**	**FORGES**	**HERMÈS**	**BARRÈS**
ANADYR	SENSAS	**MORGES**	KERMÈS	**SERRES**
ZÉPHYR	**BARTAS**	**VOSGES**	**BORMES**	VERRÈS
TAÏMYR	**TARTAS**	**BAUGES**	**FISMES**	**YERRES**
MARTYR	**CESTAS**	**MAUGES**	**EVÈNES**	**GÖRRES**
VESAAS	**KAPUAS**	**GOUGES**	**CAGNES**	**TORRES**
ICI-BAS	**CUEVAS**	**BRUGES**	**TIGNES**	**DURRËS**
ROMBAS	**PRIVAS**	**FRUGES**	**LOGNES**	**ISTRES**
AROBAS	**TOUVAS**	**LOCHES**	**GUÎNES**	**CAURES**
CORBAS	**JACOBS**	**ARCHES**	**MEKNÈS**	**JAURÈS**
FRACAS	**MOHÁCS**	**DUCHÉS**	**CANNES**	**MAURES**
TRACAS	**LUKÁCS**	**HUGHES**	**LANNES**	SÈVRES
HALDAS	ÉCHECS	ARRHES	**VANNES**	**SÈVRES**
GILDAS	COMICS	RASHES	**GENNES**	**SALSES**
MORÉAS	**FRANCS**	RUSHES	**RENNES**	**RAMSÈS**
TAIFAS	**FIELDS**	BRAIES	**CONNES**	**NARSÈS**
VARGAS	À-FONDS	FACIÈS	LEONES	**CLUSES**
BURGAS	**MOGODS**	LADIES	PÉONES	**DRUSES**
NICIAS	**LLOYD'S**	**SALIES**	**THÔNES**	**ÉGATES**
AUGIAS	**HOBBES**	**MÉLIÈS**	**BARNES**	**PICTES**
HÉLIAS	**THÈBES**	NÉNIES	**HARNES**	**BALTES**
NAMIAS	LIMBES	**TÀPIES**	**PERNES**	**CELTES**
JOSIAS	**COMBES**	TORIES	**VERNES**	**KOLTÈS**
LYSIAS	**DOMBES**	**FURIES**	**BORNES**	**MANTES**
PUSKAS	LOMBES	COSIES	**HORNES**	**NANTES**
DOUKAS	**BARBÈS**	**DAVIES**	**FURNES**	**CONTES**
CALLAS	**TARBES**	**WILKES**	**TOWNES**	**MONTES**
DALLAS	**GRÂCES**	STOKES	**BEYNES**	À-CÔTÉS
PALLAS	SUCCÈS	**STOKES**	**KEYNES**	**COPTES**
HELLAS	PROCÈS	**HAWKES**	**VEYNES**	CERTES
MILLAS	FORCES	REALES	**LUYNES**	SERTES
MILLAS	**PRADES**	**THALÈS**	**CAMÕES**	CORTES
FRIMAS	**QUADES**	CÂBLÉS	HERPÈS	**CORTÉS**
PALMAS	**AGIDES**	**BÈGLES**	**ÉTUPES**	SYRTES
THOMAS	**ALIDES**	**ANGLES**	**CHARÈS**	FASTES
THOMAS	**BRIDES**	**RUGLES**	**SOARES**	**COSTES**
ANANAS	**VALDÈS**	**AVILÉS**	**SUARÈS**	POSTES
KAUNAS	**VALDÉS**	**GALLES**	**SABRES**	**LATTES**
TRÉPAS	**LANDES**	**HALLES**	**ARDRES**	EMBUÉS
LAMPAS	**WENDES**	**VALLÈS**	**IBÈRES**	REÇUES
COMPAS	**RHODES**	**CELLES**	**MIERES**	GOGUES
SCOPAS	HARDES	**SELLES**	**CLÈRES**	**NOGUÈS**
MAUPAS	**SARDES**	**WELLES**	GUÈRES	ORGUES
REBRAS	**BORDES**	GILLES	**HYÈRES**	**HUGUES**
MADRAS	**CORDES**	**GILLES**	AFFRES	PÂQUES
MADRAS	**GORDES**	NILLES	**SOFRES**	**PÂQUES**
ESDRAS	LAUDES	**DULLES**	**INGRES**	ONQUES
DÉGRAS	GELÉES	**SHOLES**	**VAIRES**	**ARQUES**
VALRAS	MENÉES	**NAPLES**	**AÇORES**	**OSQUES**
WALRAS	PARÉES	**ORTLES**	**WEÖRES**	GRAVES
BARRAS	PROFÈS	**THAMES**	**FLORES**	**GRAVES**
FATRAS	TERFÈS	N-IÈMES	**FLORÈS**	**REEVES**
MATRAS	**NEIGES**	CRÉMÉS	**D'APRÈS**	**CLÈVES**
PATRAS	**GANGES**	OPIMES	VÊPRES	**TRÈVES**

SUÈVES	RUNGIS	RÉMOIS	NORRIS	ENGELS
VANVES	GÂCHIS	RÉMOIS	CAURIS	E-MAILS
XERXÈS	HACHIS	SEMOIS	SAURIS	ÉMAILS
SIEYÈS	RACHIS	NÎMOIS	TAURIS	OPHULS
ILLYÉS	ORCHIS	DANOIS	SOURIS	BAD EMS
CLOYES	SIALIS	DANOIS	BLASIS	CAROMS
TROYES	OXALIS	GÉNOIS	AMASIS	BRAHMS
DRUZES	TIFLIS	GÉNOIS	BRISIS	BIBANS
SWINGS	WALLIS	KINOIS	MANSIS	ALBANS
COACHS	MULLIS	KINOIS	PTÔSIS	DEDANS
RANCHS	GENLIS	MINOIS	MYOSIS	LE MANS
WINCHS	SENLIS	SINOIS	SURSIS	ROMANS
LUNCHS	GAULIS	VINOIS	CASSIS	ORNANS
MATCHS	ADULIS	DUNOIS	CASSIS	MARANS
CLASHS	COULIS	EMPOIS	LASSIS	MARANS
FLASHS	ROULIS	VAROIS	RASSIS	OISANS
SLASHS	ÉPULIS	FÉROIS	ABATIS	TITANS
SMASHS	BRÛLIS	AIROIS	GRATIS	ALBENS
CRASHS	THÉMIS	VIROIS	ISATIS	RUBENS
FLUSHS	SALMIS	NOROIS	THÉTIS	EYBENS
RABAIS	COMMIS	YPROIS	IRITIS	ENCENS
DADAIS	PROMIS	MATOIS	SÄNTIS	QUEENS
THIAIS	PERMIS	PATOIS	FONTIS	DÉFENS
BALAIS	VERMIS	SÉTOIS	SERTIS	ARGENS
CALAIS	HORMIS	CÔTOIS	PASTIS	AMIENS
MALAIS	KOUMIS	LOTOIS	LATTIS	KRIENS
MALAIS	SOUMIS	APTOIS	ELYTIS	VALENS
PALAIS	TENNIS	ARTOIS	LAGUIS	RENENS
VALAIS	ADONIS	HUTOIS	DALUIS	DÉPENS
RELAIS	BERNIS	PUTOIS	DEPUIS	WARENS
ALLAIS	PERNIS	PAVOIS	MAQUIS	MÉRENS
JAMAIS	VERNIS	BOVOIS	ACQUIS	ÉDUENS
HOMAIS	MI-BOIS	GEXOIS	REQUIS	LEVENS
PANAIS	ARBOIS	AIXOIS	ENQUIS	ARYENS
TANAÏS	AUBOIS	AIXOIS	EXQUIS	ALAINS
ORNAIS	DU BOIS	AUXOIS	ARAVIS	STAINS
AUNAIS	DUBOIS	BUXOIS	ALEVIS	SABINS
MARAIS	NIÇOIS	MÉZOIS	SUIVIS	RADINS
MARAIS	NIÇOIS	KEMPIS	PELVIS	AFFINS
KORAÏS	VICOIS	GLARIS	CLOVIS	SALINS
MORAIS	BUCOIS	DÉBRIS	PARVIS	ÉCRINS
RÉTAIS	LUÇOIS	PICRIS	TARVIS	LÉRINS
DIVAIS	BADOIS	IBÉRIS	MAUVIS	MORINS
NAYAIS	AUDOIS	MŒRIS	PRAXIS	URSINS
BREBIS	EUDOIS	AZÉRIS	ALEXIS	SÉNONS
ANUBIS	LUDOIS	LEIRIS	ZEUXIS	BROONS
GLACIS	VIFOIS	OSIRIS	ONYXIS	RÉPONS
PRÉCIS	BÂLOIS	FLORIS	SWAZIS	JEVONS
CONCIS	BÂLOIS	DÉPRIS	LAZZIS	SAXONS
BAUCIS	GALOIS	MÉPRIS	POMAKS	BEZONS
FONDIS	PALOIS	REPRIS	SMOCKS	CAJUNS
BARDIS	PALOIS	APPRIS	SKUNKS	CILAOS
TAUDIS	VALOIS	CYPRIS	BROOKS	OVIBOS
ELÆIS	DOLOIS	HARRIS	IDÉALS	LESBOS
NÉRÉIS	HAMOIS	GERRIS	FINALS	CAICOS
HAGGIS	HÉMOIS	LORRIS	FÉRALS	MARCOS
NANGIS		MORRIS	CASALS	ARADOS

GALDÓS · BICEPS · VINGTS · ACINUS · MASSYS
SURDOS · CYNIPS · BABITS · CLONUS · METSYS
ABYDOS · THRIPS · GÉANTS · TAUNUS · GRABAT
CHAGOS · BE-BOPS · CLOOTS · PRUNUS · SABBAT
BURGOS · CHÉOPS · OP ARTS · MAHOUS · COMBAT
AZYGOS · KHEOPS · EMMAÜS · REMOUS · WOMBAT
PAPHOS · PÉLOPS · MANAUS · AÏNOUS · LAÏCAT
PATHOS · MFLOPS · PHÉBUS · RIPOUS · AVOCAT
HÉLIOS · CRIPPS · EREBUS · ABSOUS · FORÇAT
AMNIOS · À-COUPS · PROBUS · CIXOUS · LURÇAT
DARIOS · ADJARS · AIRBUS · ZAZOUS · MUSCAT
BYBLOS · TATARS · PINCUS · CAMPUS · SOLDAT
LACLOS · ALBERS · BLOCUS · PAPPUS · MANDAT
DÉCLOS · ANDERS · CROCUS · CORPUS · ORGEAT
MI-CLOS · ENFERS · MARCUS · UTÉRUS · ARAFAT
ENCLOS · ANGERS · CAUCUS · CHORUS · CALFAT
DUCLOS · ROGERS · EXODUS · CIRRUS · MORGAT
THOLOS · THIERS · URÆUS · BURRUS · NOUGAT
CARLOS · SALERS · COLÉUS · CITRUS · RACHAT
CADMOS · SALERS · AUREUS · INTRUS · BICHAT
COSMOS · MAMERS · DIFFUS · TAURUS · BRÉHAT
PÁTMOS · SOMERS · CONFUS · RHÉSUS · ALCIAT
LLANOS · WATERS · PROFUS · CRÉSUS · MÉDIAT
LEMNOS · PETERS · TRAGUS · CRÉSUS · EFFIAT
LÍMNOS · HAVERS · VALGUS · LAPSUS · RAPIAT
CRONOS · DÉVERS · MINGUS · TARSUS · VIRIAT
KRONOS · NEVERS · FONGUS · VERSUS · GOUJAT
TARNOS · REVERS · LONGUS · CURSUS · TEYJAT
DESNOS · REVERS · TOPHUS · LASSUS · PIALAT
CAMPOS · DIVERS · TYPHUS · DESSUS · PRÉLAT
CAMPOS · RIVERS · AARHUS · NESSUS · VIOLAT
MOMPÓS · ANVERS · FABIUS · COSSUS · ISOLAT
PROPOS · ENVERS · MÖBIUS · BYSSUS · MÉPLAT
DISPOS · AUVERS · MÖBIUS · ABUSUS · REPLAT
PHAROS · BOXERS · DECIUS · HIATUS · SARLAT
CLAROS · NOYERS · RADIUS · CACTUS · BURLAT
ÍMBROS · CAHORS · MÉDIUS · RICTUS · IMAMAT
ANDROS · CAHORS · ENNIUS · FŒTUS · GRAMAT
ZAGROS · DEHORS · NONIUS · QUITUS · CLIMAT
LEGROS · DELORS · DARIUS · CONTUS · PRIMAT
NEGROS · GISORS · MARIUS · RAPTUS · BALMAT
REGROS · DÉTORS · SIRIUS · VERTUS · FERMAT
ZÁKROS · RETORS · TATIUS · PLUTUS · FORMAT
CARROS · GIVORS · AETIUS · BRUTUS · BAS-MÂT
GARROS · MŒURS · FRÉJUS · SIXTUS · KHANAT
PERROS · ATOURS · VERJUS · NÆVUS · GRENAT
COUROS · BY-PASS · CHÂLUS · PLEXUS · MAGNAT
KOUROS · STRASS · RECLUS · FLUXUS · COGNAT
SKYROS · STRESS · RECLUS · HOBBYS · AULNAT
HYKSOS · GNEISS · INCLUS · LOBBYS · GANNAT
NESSOS · SCHUSS · PAULUS · TÉTHYS · BONNAT
RÍTSOS · OBLATS · OCULUS · TOMMYS · DORPAT
SANTOS · À-PLATS · CAYLUS · KOUMYS · BHARAT
BASTOS · NENETS · ORÉMUS · GUPPYS · ARARAT
PUTTOS · DONETS · THYMUS · OPHRYS · CADRAT
EÖTVÖS · ADRETS · URANUS · FERRYS · CÉDRAT
RELAPS · AGUETS · MAGNUS · LORRYS · INGRAT

ÉMIRAT	DÉCHET	VARLET	**POIRET**	OLIVET
QUIRAT	FICHET	OURLET	APPRÊT	**OLIVET**
ODORAT	NICHET	SEULET	JARRET	VELVET
DUPRAT	PICHET	BOULET	FERRET	**SERVET**
FERRAT	**RICHET**	GOULET	**FERRET**	VERVET
VERRAT	COCHET	NOULET	**PERRET**	BOUVET
DAURAT	**COCHET**	POULET	**THURET**	**BOUVET**
SEURAT	HOCHET	**POULET**	TOURET	**JOUVET**
RESSAT	ROCHET	STYLET	LIVRET	LOUVET
PISSAT	**ROCHET**	**GUIMET**	**UNDSET**	**RAIZET**
DIKTAT	ARCHET	**HIKMET**	OFFSET	**CROZET**
VALTAT	**SUCHET**	SOMMET	GRISET	**BRECHT**
COMTAT	DUGHET	**CARMET**	**LIPSET**	**BRIGHT**
SETTAT	**SYLHET**	CERMET	VERSET	**WRIGHT**
AOÛTAT	**JAPHET**	VERMET	CORSET	DÉFAIT
BROYAT	**DOUHET**	PLUMET	**DORSET**	MÉFAIT
TROYAT	JOLIET	**FLUMET**	BASSET	REFAIT
GERZAT	**JOLIET**	**GRANET**	**CUSSET**	ACABIT
IMPACT	PUTIET	**ADENET**	**MUSSET**	GAMBIT
INTACT	SOVIET	CHENET	JET-SET	INÉDIT
AFFECT	TRAJET	**TRENET**	**PICTET**	CRÉDIT
INFECT	PROJET	MAGNET	PONTET	PRÉDIT
ABJECT	SURJET	**MIGNET**	PROTÊT	BANDIT
SÉLECT	RACKET	SIGNET	**LARTET**	PANDIT
ASPECT	**BECKET**	**QUINET**	FUSTET	LENDIT
DIRECT	TICKET	BONNET	**SAUTET**	NON-DIT
STRICT	ROCKET	**BONNET**	BLEUET	SUSDIT
BRANDT	**ROCKET**	**MONNET**	DAGUET	MAUDIT
ARENDT	SOCKET	SONNET	BOGUET	ÉRUDIT
BARBET	BASKET	**BARNET**	**HUGUET**	**KOWEÏT**
CARBET	**PHUKET**	CARNET	MUGUET	CONFIT
SORBET	CHALET	**VERNET**	MENUET	PROFIT
LOUBET	**POBLET**	CORNET	**CLOUET**	CHÂLIT
PLACET	REFLET	JAUNET	**AROUET**	**CARLIT**
EXOCET	RÉGLET	JEUNET	BROUET	GRANIT
EXOCET	ANGLET	BRUNET	**DROUET**	CHENIT
PERCET	**ANGLET**	CLAPET	BAQUET	ACONIT
TERCET	ONGLET	CLOPET	CAQUET	**BENOIT**
DOUCET	BALLET	ISOPET	PAQUET	BENOÎT
GUADET	**VALLET**	YSOPET	TAQUET	**BENOÎT**
BORDET	PELLET	**COPPET**	ACQUÊT	ADROIT
NORDET	BILLET	TOUPET	BÉQUET	NOROÎT
BAUDET	MILLET	**TIARET**	PÉQUET	ÉTROIT
DAUDET	**MILLET**	**LEBRET**	BIQUET	SUROÎT
PRÉFET	SILLET	**ALBRET**	PIQUET	PITPIT
RAFFET	COLLET	SACRET	**PIQUET**	**UGARIT**
BUFFET	FOLLET	DÉCRET	**RIQUET**	LABRIT
BUFFET	MOLLET	SECRET	COQUET	DÉCRIT
PIAGET	**MOLLET**	**CHÉRET**	HOQUET	RÉCRIT
GADGET	**NOLLET**	GUÉRET	LOQUET	ESPRIT
BUDGET	**HAMLET**	**GUÉRET**	POQUET	PRURIT
PINGET	**CHOLET**	MAGRET	ROQUET	TILSIT
GORGET	PIOLET	REGRET	SOQUET	**TILSIT**
ROUGET	VIOLET	**MAIRET**	DÉSUET	**FOOTIT**
CACHET	DRÔLET	**LOIRET**	CHEVET	INSTIT
SACHET	**CAPLET**	**NOIRET**	BREVET	POST-IT
BECHET	REPLET			RECUIT

6

INCUIT	CALANT	SAPANT	RATANT	VEXANT
ADDUIT	GALANT	TAPANT	TÂTANT	FIXANT
DÉDUIT	HALANT	BIPANT	ACTANT	MIXANT
RÉDUIT	HÂLANT	PIPANT	OCTANT	BOXANT
SÉDUIT	RÂLANT	RIPANT	FÊTANT	LUXANT
ENDUIT	SALANT	TIPANT	JETANT	BAYANT
INDUIT	TALANT	DOPANT	PÉTANT	PAYANT
DUGUIT	**TALANT**	TOPANT	TÉTANT	RAYANT
MINUIT	VALANT	DUPANT	VÊTANT	SEYANT
ACQUIT	BÊLANT	RUPANT	CITANT	NOYANT
KIKWIT	CELANT	TYPANT	GÎTANT	VOYANT
SEECKT	FÊLANT	GARANT	LITANT	FUYANT
COBALT	GELANT	PARANT	MITANT	GAZANT
ANHALT	HÉLANT	TARANT	ENTANT	ACCENT
BRAULT	MÊLANT	OCRANT	COTANT	DÉCENT
INDULT	PELANT	AÉRANT	DOTANT	RÉCENT
RAOULT	VÊLANT	GÉRANT	NOTANT	REDENT
AGOULT	BILANT	AIRANT	ROTANT	ARDENT
GOBANT	FILANT	CIRANT	VOTANT	RÉGENT
LOBANT	PILANT	MIRANT	OPTANT	**RÉGENT**
ROBANT	SILANT	TIRANT	AUTANT	**NOGENT**
CUBANT	ALLANT	VIRANT	BUTANT	ARGENT
TUBANT	VOLANT	DORANT	JUTANT	URGENT
LAÇANT	CULANT	FORANT	LUTANT	CLIENT
VACANT	CAMANT	ERRANT	MUTANT	ORIENT
SÉCANT	DAMANT	CURANT	ÉLUANT	**ORIENT**
SUÇANT	LAMANT	DURANT	FLUANT	TALENT
DADANT	PÂMANT	JURANT	GLUANT	RELENT
RADANT	RAMANT	MURANT	HOUANT	DOLENT
CÉDANT	SEMANT	BASANT	JOUANT	CÉMENT
PÉDANT	AIMANT	CASANT	LOUANT	DÉMENT
AIDANT	LIMANT	JASANT	NOUANT	CIMENT
RIDANT	MIMANT	RASANT	ROUANT	PIMENT
VIDANT	RIMANT	BESANT	TOUANT	MOMENT
CODANT	ARMANT	LÉSANT	VOUANT	DÛMENT
GODANT	FUMANT	PESANT	BRUANT	JUMENT
IODANT	HUMANT	BISANT	**BRUANT**	NÛMENT
RODANT	CANANT	DISANT	BAVANT	ARPENT
RÔDANT	FANANT	GISANT	CAVANT	PARENT
CRÉANT	MANANT	LISANT	GAVANT	**HERENT**
GRÉANT	PANANT	MISANT	HAVANT	ABSENT
PIFANT	GÊNANT	VISANT	LAVANT	LATENT
ENFANT	MENANT	DOSANT	PAVANT	PATENT
INFANT	TENANT	POSANT	SAVANT	FLUENT
LOFANT	VENANT	ROSANT	**TAVANT**	AUVENT
ÉCHANT	BINANT	BUSANT	DEVANT	PLAINT
NOHANT	**DINANT**	FUSANT	LEVANT	CRAINT
SCIANT	DÎNANT	JUSANT	**LEVANT**	ÉTEINT
CHIANT	MINANT	MUSANT	RÊVANT	**BALINT**
SKIANT	VINANT	RUSANT	RIVANT	FORINT
PLIANT	PONANT	LYSANT	VIVANT	SPRINT
ÉPIANT	ZONANT	BÂTANT	LOVANT	**EGMONT**
CRIANT	ORNANT	DATANT	NOVANT	**GIMONT**
DRIANT	**DUNANT**	GÂTANT	BUVANT	**DOMONT**
PRIANT	CAPANT	HÂTANT	CUVANT	**ERMONT**
TRIANT	LAPANT	MATANT	FAXANT	**CUMONT**
BALANT	RÂPANT	MÂTANT	TAXANT	**DU MONT**

DUMONT	SOÛLOT	EGBERT	CATGUT	MOREAU
LE PONT	BRÛLOT	ALBERT	CHAHUT	YPRÉAU
DUPONT	MARMOT	AMBERT	CHALUT	BUREAU
GRAUNT	PECNOT	ROBERT	AZIMUT	BUREAU
DÉFUNT	CUÉNOT	ROBERT	HANNUT	PUREAU
CHABOT	PAGNOT	HUBERT	DEBOUT	SUREAU
CHABOT	VIGNOT	OFFERT	EMBOUT	NASEAU
CLABOT	CUGNOT	ECKERT	DUBOUT	RÉSEAU
CRABOT	BONNOT	MAMERT	BAGOUT	BISEAU
TALBOT	CARNOT	RIPERT	RAGOÛT	CISEAU
TURBOT	JEUNOT	APPERT	DÉGOÛT	OISEAU
CHICOT	BRUNOT	APPERT	KOHOUT	ROSEAU
FRICOT	FLIPOT	RUPERT	RAJOUT	ROSEAU
TRICOT	TRIPOT	EXPERT	VA-TOUT	ERSEAU
SURCOT	POL POT	DÉSERT	DAVOUT	ASSEAU
LESCOT	SAMPOT	DISERT	MAZOUT	FUSEAU
BOSCOT	SUPPÔT	INSERT	BÉZOUT	MUSEAU
BOUCOT	LOUPOT	DUTERT	AUZOUT	BATEAU
CRADOT	CHÉROT	PIVERT	RAJPUT	GÂTEAU
BARDOT	FIÉROT	OUVERT	COMPUT	RATEAU
BARDOT	FRÉROT	T-SHIRT	OUTPUT	RÂTEAU
BAUDOT	POIROT	ACCORT	MEERUT	CÉTEAU
CAGEOT	BARROT	EFFORT	BIERUT	LITEAU
PAGEOT	BARROT	DÉPORT	BAYRUT	COTEAU
ALIGOT	GARROT	LE PORT	STATUT	POTEAU
LINGOT	PARROT	REPORT	KARBAU	CAVEAU
MARGOT	PERROT	EMPORT	SURBAU	NIVEAU
TURGOT	YVETOT	APPORT	BOUCAU	FIZEAU
BACHOT	TANTÔT	DU PORT	MOLDAU	AARGAU
CACHOT	CORTOT	ERFURT	LANDAU	TORGAU
HOHHOT	PLUTÔT	YAOURT	LANDAU	BURGAU
RABIOT	DROUOT	SUD-EST	LINDAU	DACHAU
FAFIOT	PRÉVÔT	DIGEST	LEBEAU	RAFIAU
RAFIOT	GUIZOT	GENEST	ARCEAU	ATRIAU
FOLIOT	SCRIPT	FOREST	PUCEAU	MILLAU
DORIOT	EXEMPT	KLEIST	CADEAU	CARNAU
GORIOT	PROMPT	CHRIST	RADEAU	MURNAU
LORIOT	ABRUPT	CHRIST	BEDEAU	BEZNAU
PETIOT	HOBART	RIEMST	RIDEAU	LA CRAU
BARJOT	ENCART	NERNST	TUFEAU	LE GRAU
RAJKOT	HOCART	EX POST	DALEAU	SARRAU
CÂBLOT	BIDART	HEARST	HAMEAU	NASSAU
HUBLOT	BOGART	PROUST	RAMEAU	PASSAU
OCELOT	BÉJART	OLCOTT	RAMEAU	DESSAU
GRELOT	ECKART	ESCAUT	GÉMEAU	BISSAU
BALLOT	MALART	DÉFAUT	ORMEAU	GOSSAU
CALLOT	RENART	LÀ-HAUT	JUMEAU	TUSSAU
GALLOT	SÉNART	MAHAUT	MENEAU	RESTAU
GALLOT	DÉPART	REHAUT	AGNEAU	LITTAU
BELLOT	POP ART	TAÏAUT	PINEAU	ALOYAU
BILLOT	STUART	BLIAUT	ANNEAU	BENGBU
ROLLOT	FAVART	ARNAUT	PIPEAU	THIMBU
MERLOT	JAVART	HÉRAUT	COPEAU	FOURBU
PERLOT	SAVART	ASSAUT	COPEAU	IGUAÇU
BOULOT	SAVART	TAYAUT	APPEAU	REVÉCU
GOULOT	MOZART	TRIBUT		VAINCU
POULOT	HÉBERT	RAFFUT	APPEAU	APERÇU

ENESCU	INGÉNU	GOUROU	**JOUKOV**	SYRINX
ULLUCU	OBTENU	**KOUROU**	**ZIVKOV**	**SYRINX**
DÉCIDU	DÉTENU	GRISOU	**PAVLOV**	LARYNX
RÉSIDU	RETENU	**GIRSOU**	**KRYLOV**	COW-POX
ASSIDU	ADVENU	**CASSOU**	**ADAMOV**	**MATTOX**
ÉPANDU	DEVENU	**KOSSOU**	**ASIMOV**	VOLVOX
ÉTENDU	REVENU	**CHATOU**	**JDANOV**	**DECAUX**
MBUNDU	**VISHNU**	**POITOU**	**IVANOV**	FÉCAUX
ÉPERDU	CHARNU	BANTOU	**LEONOV**	BOCAUX
VACIEU	**CHAUNU**	**BANTOU**	**KARPOV**	FOCAUX
TUDIEU	**AKTAOU**	**BAOTOU**	**TAIROV**	LOCAUX
MILIEU	BAMBOU	**VERTOU**	**KOVROV**	VOCAUX
MILIEU	BOUBOU	PISTOU	**BRASOV**	DUCAUX
JURIEU	**TOUBOU**	FOUTOU	**PRESOV**	HADAUX
ESSIEU	TORCOU	TOUTOU	**BASSOV**	**BEDAUX**
SCHLEU	**MOSCOU**	YOUYOU	**VERTOV**	MODAUX
DEBREU	COUCOU	**ITAIPÚ**	**ROSTOV**	NODAUX
HÉBREU	AMADOU	REPARU	OUTLAW	SCEAUX
HÉBREU	**AMADOU**	APPARU	SANDOW	**SCEAUX**
CHEVEU	**ÉRIDOU**	MEMBRU	**KRAKÓW**	IDÉAUX
GRIFFU	NANDOU	**LANDRU**	**PANKOW**	FLÉAUX
TOUFFU	HINDOU	**SEMERU**	**BELLOW**	ILÉAUX
KUNG-FU	**SARDOU**	**MASERU**	**BARLOW**	**PLEAUX**
BAKUFU	OURDOU	CONGRU	**HARLOW**	PRÉAUX
HULAGU	VAUDOU	JABIRU	**TARNÓW**	VAGAUX
AMBIGU	DOUDOU	BOURRU	**BARROW**	LÉGAUX
TELUGU	**CORFOU**	VENTRU	**SWATOW**	JUGAUX
COPAHU	GORFOU	**NAKURU**	**ROSTOW**	GLIAUX
CROCHU	FOUFOU	**IEYASU**	**SYPHAX**	AXIAUX
TROCHU	GRIGOU	DE VISU	SPALAX	BANAUX
HONSHU	CACHOU	**BOUSSU**	CLIMAX	CANAUX
SESSHU	**FUZHOU**	MOUSSU	THORAX	FANAUX
KYUSHU	**HUZHOU**	**KOETSU**	STORAX	PÉNAUX
RENQIU	**LUZHOU**	DÉVÊTU	STYRAX	RÉNAUX
ESPRIU	**QUZHOU**	REVÊTU	**VINDEX**	VÉNAUX
FRANJU	**SUZHOU**	IN SITU	REFLEX	FINAUX
CHINJU	**WUZHOU**	POINTU	SCOLEX	ANNAUX
CHONJU	**XUZHOU**	**POINTU**	DUPLEX	ZONAUX
GAGAKU	BINIOU	ABATTU	**THÔNEX**	PAPAUX
SODOKU	ACAJOU	ÉBATTU	**WESSEX**	FÉRAUX
EITOKU	JOUJOU	**MOBUTU**	**SUSSEX**	VIRAUX
MASUKU	**HAIKOU**	DÉJÀ-VU	VERTEX	CORAUX
CEFALU	**HANKOU**	**BUKAVU**	CORTEX	MORAUX
PAGALU	**BORKOU**	POURVU	VORTEX	DURAUX
MAKALU	**MACLOU**	**HONGWU**	**CASTEX**	MURAUX
REVALU	MARLOU	**RYUKYU**	LASTEX	RURAUX
TUVALU	LOULOU	**CHO OYU**	**RENAIX**	SURAUX
CONCLU	ZOULOU	**KIKUYU**	**DESAIX**	BASAUX
MAMELU	**ZOULOU**	**NUMAZU**	PRÉFIX	NASAUX
MAFFLU	**BORNOU**	**KONIEV**	**WEENIX**	OCTAUX
ABSOLU	**DAUNOU**	**DRUMEV**	PHÉNIX	LÉTAUX
RÉSOLU	NOUNOU	**LAPTEV**	**PHÉNIX**	MÉTAUX
DÉVOLU	QUIPOU	**NÉGUEV**	**MARNIX**	VITAUX
RÉVOLU	**SPIROU**	UME ÄLV	MI-VOIX	DOTAUX
COMPLU	**MARROU**	**TAMBOV**	**LE BRIX**	TOTAUX
ÉMOULU	VERROU	**MARKOV**	**MERCKX**	GLUAUX
KISUMU	**ROTROU**	**LESKOV**	SPHINX	GRUAUX

TAVAUX	SOYEUX	**SOLVAY**	JERSEY	**SAVARY**
DEVAUX	GAZEUX	**MIDWAY**	**JERSEY**	**BOVARY**
CIVAUX	REFLUX	**GALWAY**	**MERSEY**	**LANDRY**
NIVAUX	AFFLUX	**BOWLBY**	**MASSEY**	**CAUDRY**
RIVAUX	INFLUX	**GRANBY**	**HARVEY**	**GAUDRY**
COXAUX	**POLLUX**	**ROSSBY**	GROGGY	**VALÉRY**
BOYAUX	HIBOUX	**WHITBY**	**BLANGY**	**SAVERY**
HOYAUX	**DECOUX**	**ANNECY**	**CLICHY**	**THOIRY**
JOYAUX	**LEDOUX**	**DRANCY**	**CAUCHY**	**O. HENRY**
LOYAUX	REDOUX	**QUERCY**	**DOUCHY**	**MALORY**
NOYAUX	**GRÉOUX**	**POBEDY**	DINGHY	**MONORY**
ROYAUX	BIJOUX	BRANDY	**MURPHY**	**SATORY**
SOYAUX	**MIJOUX**	**ISABEY**	**ZWICKY**	CHERRY
TUYAUX	JALOUX	**GOLBEY**	WHISKY	SHERRY
CAZAUX	**LIMOUX**	**BRÉCEY**	**JANSKY**	**SPERRY**
HIDEUX	GENOUX	**MONCEY**	**MINSKY**	**GRATRY**
CAÏEUX	RIPOUX	**LEAKEY**	**KODÁLY**	**GRÉTRY**
ADIEUX	**LEROUX**	**BLAKEY**	**BAILLY**	**GUITRY**
ODIEUX	**LEZOUX**	**MICKEY**	**MAILLY**	**GENTRY**
ÉPIEUX	BOMBYX	HOCKEY	**SCILLY**	**TERTRY**
ENJEUX	COCCYX	JOCKEY	**AMILLY**	**DAUTRY**
GALEUX	**CAMBAY**	**BODLEY**	**BOILLY**	**AMAURY**
BILEUX	**BOMBAY**	**DUDLEY**	**PRILLY**	**FLEURY**
PILEUX	**D'ORBAY**	**HALLEY**	**JUILLY**	**HEVESY**
ALLEUX	**TORBAY**	**BELLEY**	**ÉCULLY**	**CHOISY**
ARLEUX	**NANÇAY**	COLLEY	**BRANLY**	**JUVISY**
FAMEUX	**OGODAY**	VOLLEY	**CHARLY**	**MOISSY**
RAMEUX	**CORDAY**	**HARLEY**	SHIMMY	**POISSY**
FUMEUX	MARGAY	**MARLEY**	**ALBANY**	**ROISSY**
VINEUX	**SACLAY**	**MORLEY**	**BÁRÁNY**	**ROUSSY**
ESNEUX	**BELLAY**	**WESLEY**	**CHAGNY**	**ALMATY**
RÂPEUX	**TANLAY**	**SISLEY**	**ÉRAGNY**	**BOUNTY**
SÉREUX	**FINLAY**	**COWLEY**	**BLÉGNY**	**BEATTY**
VÉREUX	**LE PLAY**	**HUXLEY**	**JOIGNY**	**DURBUY**
CIREUX	**HARLAY**	**CAYLEY**	**GRIGNY**	**TANGUY**
VIREUX	**MESLAY**	**NIAMEY**	**IRIGNY**	**CRÉQUY**
POREUX	**BOULAY**	**ABOMEY**	**ISIGNY**	**HALÉVY**
ÉVREUX	**CHIMAY**	**HEANEY**	**POUGNY**	**LONGWY**
VASEUX	**FRENAY**	**SIDNEY**	**BAKONY**	**DUBAYY**
OISEUX	**STENAY**	**RODNEY**	**ANTONY**	**VÉLIZY**
OSSEUX	**ÉPINAY**	**SYDNEY**	**CHARNY**	**CHANZY**
GÂTEUX	VOLNAY	**CRENEY**	**CZERNY**	**BLANZY**
PÂTEUX	**VOLNAY**	**VOLNEY**	**TOURNY**	ABKHAZ
PÉTEUX	**AULNAY**	**ROMNEY**	**CHAUNY**	**LAPIAZ**
MITEUX	**TONNAY**	**STONEY**	COW-BOY	**HEDJAZ**
PITEUX	**BERNAY**	**SARNEY**	**ANGLOY**	**CHIRAZ**
JUTEUX	**CERNAY**	**FERNEY**	**QUEMOY**	**PRAVAZ**
BOUEUX	**MORNAY**	**HORNEY**	**AULNOY**	**MÓRICZ**
NOUEUX	**LAUNAY**	**DISNEY**	**BRUNOY**	**AGADEZ**
AQUEUX	**PILPAY**	**FLOREY**	**DE TROY**	**VALDEZ**
BAVEUX	**MAN RAY**	**LARREY**	**MAUROY**	**BUCHEZ**
NEVEUX	**TERRAY**	**SURREY**	**FONTOY**	**ORTHEZ**
BAYEUX	**MURRAY**	**GEVREY**	**SNOOPY**	**EMBIEZ**
CAYEUX	**CIVRAY**	**O'CASEY**	**WOIPPY**	**BOULEZ**
CAYEUX	**RAMSAY**	**PEISEY**	**SANARY**	**SUÁREZ**
JOYEUX	**LASSAY**	**WOLSEY**	**SANARY**	**THOREZ**
MOYEUX	**PLOUAY**	**RAMSEY**	ROTARY	**MONTEZ**

TABRIZ	DALLOZ	NIMITZ	QUARTZ	SOÏOUZ
CURTIZ	MERMOZ	DÖNITZ	WIERTZ	SOYOUZ
RIVALZ	CARROZ	KONITZ	SCHÜTZ	SCHWYZ
SCHULZ	KALISZ	MORITZ	OLMÜTZ	
BRIENZ	MILOSZ	SOULTZ	PERUTZ	
LORENZ	ERSATZ	FRANTZ	MAHFUZ	
SBRINZ	SLODTZ	QUANTZ	QUELUZ	
YOCCOZ	KROETZ	CHINTZ	HORMUZ	

7

	FALLADA	KANANGA	ZIZANIA	NAGAOKA
	NARMADA	KATANGA	XIMENIA	TAKAOKA
	PIGNADA	MARINGÁ	MAGHNIA	MORIOKA
	MASSADA	SERINGA	BÉGONIA	BAZOOKA
	BEZWADA	MORINGA	MAHONIA	FUKUOKA
	HENZADA	MILONGA	ISERNIA	MAZURKA
	DELEDDA	MAJUNGA	PÉTUNIA	YAMASKA
	RHONDDA	VIRUNGA	PISTOIA	CHAPSKA
	VELLÉDA	KALOUGA	SÉQUOIA	FALBALA
	RIGVEDA	BÉLOUGA	OLYMPIA	KARBALA
	VOLOGDA	CHIBCHA	MALARIA	MANDALA
MARKKAA	CANDIDA	PADICHA	CUMBRIA	MACHALA
HIIUMAA	EL-BEIDA	BOUDDHA	LIBERIA	PATIALA
BOU CRAA	HODEÏDA	PUNAKHA	NIGERIA	TRALALA
RUFIYAA	MACHIDA	KHALKHA	ALMERÍA	CHAPALA
ALI BABA	DERRIDA	BATALHA	IMPERIA	KAMPALA
LUALABA	CORRIDA	COVILHÃ	DEVÉRIA	UPPSALA
UBERABA	UMBANDA	PIRANHA	ALEGRÍA	MARSALA
MASTABA	BAGANDA	GANESHA	SANGRIA	MARSALA
ORIZABA	BUGANDA	ONITSHA	CINGRIA	RINTALA
PARAÍBA	OUGANDA	PURUSHA	MELORIA	TARBELA
KOLAMBA	VÉRANDA	AL-DAWHA	VITORIA	CANDELA
MARIMBA	MIRANDA	USHUAIA	VITÓRIA	MANDELA
COLOMBA	ADDENDA	PICABIA	FREESIA	PAR-DELÀ
MACUMBA	BAMENDA	QUERCIA	FUCHSIA	CELLE-LÀ
LUMUMBA	FAZENDA	BRESCIA	DIVISIA	ESTRELA
CORDOBA	CABINDA	HEREDIA	QUASSIA	OUARGLA
CÓRDOBA	ROTONDA	OBALDIA	OPUNTIA	WULFILA
OSTRACA	SVOBODA	TARPEIA	CHAOUÏA	DJEMILA
MALACCA	FACHODA	BOUREÏA	MORAVIA	REVOILÀ
RÉBECCA	BARBUDA	RATAFIA	BATAVIA	BADUILA
FONSECA	BERMUDA	RACH GIA	BATAVIA	CELUI-LÀ
ARABICA	ALTHÆA	CHÉCHIA	NINGXIA	L'AQUILA
MOCHICA	NYMPHÉA	BOOTHIA	GORIZIA	TEQUILA
FORMICA	EL-GOLÉA	AYUTHIA	LIEPAJA	DE FALLA
LEGNICA	LA LÍNEA	CAHOKIA	MITIDJA	WHYALLA
AMERICA	CHELSEA	LAMBLIA	KOULDJA	BALILLA
TAPIOCA	SWANSEA	CAMÉLIA	CHARDJA	MELILLA
CARIOCA	RAÏATEA	MORELIA	LA RIOJA	MÉDULLA
CARIOCA	FALSAFA	AURELIA	LÁRNAKA	TOMBOLA
LAMBADA	FELLAGA	MONILIA	RUZICKA	STODOLA
NARBADA	CIÉNAGA	BONAMIA	NAGAÍKA	PERGOLA
FLAGADA	NORIEGA	GOIÂNIA	PAPRIKA	FABIOLA
JANGADA	COSSIGA	ROMANIA	GOMULKA	MOVIOLA
			SOYINKA	SPINOLA

SPÍNOLA	MAÏZENA	BERBERA	ALMA-ATA	CALUKYA
COPPOLA	ORCAGNA	GERBERA	TOCCATA	ANTALYA
CASSOLA	KRISHNA	BANDERA	NIIGATA	ZÁPOLYA
DRACULA	PIMBINA	KUNDERA	LA PLATA	NETANYA
KORCULA	TACHINA	RIVIERA	PRORATA	SAKARYA
FURCULA	TIGHINA	EUSKERA	WICHITA	MALATYA
SCAPULA	KRAJINA	CHOLÉRA	FOUJITA	MATANZA
NAMPULA	BURKINA	TEMPERA	PARTITA	COSENZA
NEURULA	JANNINA	CAPRERA	RIBALTA	POTENZA
WOJTYLA	BERNINA	CARRERA	ATLANTA	MENDOZA
ALABAMA	OCARINA	HERRERA	MARANTA	SPINOZA
ATACAMA	IMERINA	DROSERA	MAGENTA	CUSTOZA
NIIHAMA	KATSINA	CZIFFRA	MAGENTA	MARITZA
DIORAMA	RETSINA	TANAGRA	POLENTA	GODTHÂB
OKAYAMA	KARVINÁ	TANAGRA	LA VENTA	PENDJAB
HOBBEMA	KOLOMNA	MADEIRA	JAKARTA	BASARAB
EYADEMA	AL-BANNA	PEREIRA	ALBERTA	MAGHREB
RORAIMA	HOSANNA	PALMIRA	LA PORTA	NEWCOMB
IWO JIMA	COLONNA	LEMPIRA	SAGASTA	COULOMB
A MINIMA	CARMONA	GÓNGORA	CANASTA	COULOMB
A MAXIMA	ARIZONA	SOPHORA	CÉLESTA	FAN-CLUB
PROXIMA	MADERNA	ATAKORA	TURISTA	LOUDÉAC
LA PALMA	CADORNA	BASSORA	BATISTA	LANGEAC
DIGAMMA	KELOWNA	ALOMPRA	ROBUSTA	MEILHAC
HYGROMA	DELAGOA	SAMARRA	AUGUSTA	TOLBIAC
CHIASMA	BIÊN HOA	JUVARRA	ZAVATTA	CANDIAC
MAHATMA	MURUROA	CAMORRA	RICOTTA	PIPRIAC
MAHATMA	BON-PAPA	ONDATRA	BATOUTA	MAURIAC
CURCUMA	CATALPA	SUMATRA	MANAGUA	MASSIAC
ECTHYMA	TCHAMPA	SINATRA	ANTIGUA	PONTIAC
IKEBANA	MAZEPPA	KENITRA	QUECHUA	MUNTJAC
APADANA	AGRIPPA	SOCOTRA	QUECHUA	GAILLAC
BANDANA	AL-TABQA	BOROTRA	QUICHUA	POTOMAC
FERGANA	BAMBARA	MATHURA	TONGHUA	ESTOMAC
KUSHANA	BARBARA	ACHOURA	XUANHUA	LUZENAC
TUBIANA	BACCARA	TRIPURA	SUMBAVA	BLAGNAC
INDIANA	MASCARA	PURPURA	SUCEAVA	RIBÉRAC
JULIANA	MASCARA	SATPURA	JELGAVA	SÉVERAC
TURKANA	PESCARA	KATSURA	BAKLAVA	PADIRAC
SULLANA	TOLEARA	VENTURA	PALLAVA	FLOIRAC
ISOLANA	NIAGARA	MOMBASA	OSTRAVA	FRONSAC
CAMPANA	BAGGARA	ALI PASA	POLTAVA	MOISSAC
LAURANA	FOGGARA	MADRASA	CRAIOVA	BRISSAC
DARSANA	TANGARA	TARRASA	MOSKOVA	QUISSAC
SMETANA	TOLIARA	MANRESA	PAVLOVA	NAUSSAC
LANTANA	HONIARA	REYNOSA	SUMBAWA	ANÁHUAC
MENTANA	EUSKARA	MICIPSA	OKINAWA	KEROUAC
FONTANA	MARMARA	MEDERSA	KASHIWA	BIVOUAC
MONTANA	KANNARA	BOKASSA	COUNAXA	AMBAZAC
TIJUANA	CAPRARA	BALASSA	WILLAYA	GÉMOZAC
NIRVANA	GUEVARA	TÉBESSA	VINDHYA	GROS-BEC
HARYANA	ODAWARA	HARISSA	AYODHYA	RÉGALEC
MELÆNA	ALDABRA	LÁRISSA	VAISHYA	LAENNEC
BIBIENA	COIMBRA	AGLOSSA	OUGUIYA	LIBEREC
MAIRENA	ÉPHÉDRA	CANOSSA	MUAWIYA	NÉOGREC
BOLSENA	TOUNDRA	HAOUSSA	ANTAKYA	LAUTREC
MASSÉNA	SHKODRA	KAPITSA		PÈTE-SEC

RIANTEC	**DEFFAND**	**PICCARD**	**TIGNARD**	BALOURD
ALAMBIC	BRIGAND	SMICARD	**MAINARD**	**MI-LOURD**
AÉROBIC	**WEYGAND**	TRICARD	PEINARD	**DUTOURD**
JELACIC	**SIMIAND**	RANCARD	VEINARD	CLABAUD
ASSEDIC	**YARKAND**	RENCARD	**CHINARD**	**THIBAUD**
PAVELIC	CHALAND	PINÇARD	ÉPINARD	**RIMBAUD**
OMBILIC	**WIELAND**	CHOCARD	**BONNARD**	**LARBAUD**
BASILIC	GOÉLAND	BROCARD	CONNARD	**ROUBAUD**
TITANIC	**ENGLAND**	**GISCARD**	LÉONARD	BOUCAUD
ARSENIC	**OAKLAND**	FAUCARD	**LÉONARD**	**BUGEAUD**
LOMBRIC	**WELLAND**	**GODDARD**	**BARNARD**	**PERGAUD**
RODÉRIC	**BOLLAND**	FENDARD	**BERNARD**	RÉCHAUD
PLASTIC	**LOLLAND**	PENDARD	CORNARD	**MILHAUD**
LOUSTIC	**ROLLAND**	SOUDARD	**MAYNARD**	**ARTHAUD**
LONGVIC	**JYLLAND**	**BIGEARD**	BÉZOARD	**AILLAUD**
MISKOLC	**VINLAND**	BLAFARD	GUÉPARD	SOÛLAUD
LE BLANC	**COPLAND**	**BRAGARD**	LÉOPARD	GRIMAUD
LEBLANC	**GARLAND**	RINGARD	**GASPARD**	**GRIMAUD**
POULENC	**ZETLAND**	VACHARD	POUPARD	**FRÉNAUD**
MEMLINC	**GOTLAND**	RICHARD	**OUVRARD**	QUINAUD
LANVÉOC	**GUTLAND**	**RICHARD**	THÉSARD	**RAYNAUD**
CLINFOC	**JÜTLAND**	MOCHARD	**VOISARD**	**REYNAUD**
RACCROC	**DOWLAND**	POCHARD	GRISARD	CRAPAUD
POLYSOC	**ROWLAND**	**RUCHARD**	**GUISARD**	NOIRAUD
LECLERC	FLAMAND	**PANHARD**	PUISARD	**GOURAUD**
LAMBESC	**FLAMMAND**	**EINHARD**	**PONSARD**	**IBN SAUD**
HABACUC	**HELMAND**	**NITHARD**	**RONSARD**	COSTAUD
AQUEDUC	**HILMAND**	DEMIARD	**CASSARD**	RUSTAUD
OLÉODUC	**COMMAND**	TABLARD	COSSARD	**GIELGUD**
GAZODUC	NORMAND	**ABÉLARD**	DOSSARD	**MALAMUD**
MONTLUC	**NORMAND**	RIFLARD	ROSSARD	**EEKHOUD**
BALARUC	**DARNAND**	**SZILARD**	HUSSARD	MOULOUD
DHANBAD	**MONTAND**	**BALLARD**	HOUSARD	**NIMROUD**
BOGHEAD	**ROSTAND**	BILLARD	**BALTARD**	**HARI RUD**
BEOGRAD	WEEK-END	PILLARD	VANTARD	SYLLABE
NOVI SAD	**WEST END**	**VILLARD**	**LIOTARD**	**BARNABÉ**
MECHHED	PLAFOND	BOLLARD	**LYOTARD**	**ENTEBBE**
TRÉPIED	PROFOND	LOLLARD	CASTARD	CARAÏBE
MANFRED	BAS-FOND	MOLLARD	MASTARD	**CARAÏBE**
SCOURED	**BREMOND**	**VOLLARD**	PISTARD	PROHIBÉ
ŒRSTED	**RAIMOND**	NULLARD	COSTARD	**NOSSI-BÉ**
ŒRSTED	**HELMOND**	TAULARD	MOUTARD	INGAMBE
BARMAID	**LHOMOND**	FOULARD	ROUTARD	MI-JAMBE
EL-OBEÏD	**RAYMOND**	SOÛLARD	**ÉDOUARD**	**ENJAMBE**
RHODOÏD	**EKELUND**	TRIMARD	COQUARD	REGIMBÉ
TABLOÏD	**ØRESUND**	**GUIMARD**	TOQUARD	INCOMBÉ
BAYEZID	**MACLEOD**	POMMARD	CREVARD	PALOMBE
ROMUALD	**BACOLOD**	**POMMARD**	**HARVARD**	COLOMBE
NIDWALD	**MAZENOD**	PLUMARD	**BOUVARD**	**COLOMBE**
OSTWALD	CLÉBARD	**THENARD**	STEWARD	APLOMBÉ
KREFELD	**BOMBARD**	BAGNARD	TRIBORD	STROMBE
BENFELD	LOMBARD	CAGNARD	RACCORD	RETOMBÉ
LAWFELD	**LOMBARD**	FAGNARD	**CONCORD**	CORYMBE
WERGELD	CROBARD	**MAGNARD**	**BEDFORD**	ENGLOBÉ
LÉOPOLD	LOUBARD	**REGNARD**	**REDFORD**	ÉPILOBE
ARNAULD	PLACARD	MIGNARD	**RUMFORD**	TRILOBÉ
BIG BAND	RACCARD	**MIGNARD**	**BINFORD**	**MACROBE**

MICROBE	**MORRICE**	ABSENCE	POMMADE	OXALIDE
IMBERBE	MATRICE	ESSENCE	POMMADÉ	**EUCLIDE**
ENGERBÉ	MATRICÉ	LATENCE	GRENADE	NUCLIDE
ENHERBÉ	PATRICE	POTENCE	**GRENADE**	RALLIDÉ
SUPERBE	**PATRICE**	POTENCÉ	GRENADÉ	ÉPULIDE
VITERBE	ACTRICE	**MAXENCE**	PIGNADE	AGAMIDÉ
ADVERBE	MOTRICE	**FAYENCE**	TORNADE	DIAMIDE
THÉORBE	TUTRICE	**MAYENCE**	CHARADE	ARAMIDE
ABSORBÉ	**MAURICE**	DÉFONCE	**ANDRADE**	CNÉMIDE
ADSORBÉ	STATICE	DÉFONCÉ	DÉGRADÉ	OZONIDE
RÉSORBÉ	FACTICE	ENFONCÉ	FOIRADE	CUBOÏDE
SUCCUBE	JUSTICE	ENGONCÉ	FERRADE	GANOÏDE
RADOUBÉ	SERVICE	SEMONCE	TÉTRADE	CONOÏDE
CAROUBE	**GLIWICE**	SEMONCÉ	ESTRADE	HYPOÏDE
MARRUBE	VACANCE	DÉNONCE	EXTRADÉ	HÉROÏDE
INOCYBE	CRÉANCE	RENONCE	DAURADE	VIROÏDE
HERBACÉ	ENFANCE	RENONCÉ	TORSADE	ÉLAPIDÉ
BOCCACE	BALANCE	ANNONCE	TORSADÉ	TRÉPIDÉ
GALÉACE	**BALANCE**	ANNONCÉ	PASSADE	LIMPIDE
PRÉFACE	BALANCÉ	PRÉCOCE	PINTADE	TORPIDE
PRÉFACÉ	RELANCE	REPERCÉ	BOUTADE	TURPIDE
SURFACE	RELANCÉ	**LA FORCE**	TOQUADE	VESPIDÉ
SURFACÉ	ROMANCE	DÉFORCÉ	BRAVADE	HISPIDE
TOPHACÉ	ROMANCÉ	EFFORCÉ	COUVADE	STUPIDE
ALLIACÉ	**NUMANCE**	DIVORCE	SUCCÉDÉ	SPARIDÉ
FOLIACÉ	FINANCE	DIVORCÉ	PRÉCÉDÉ	DÉBRIDÉ
CORIACE	FINANCÉ	IMMISCÉ	CONCÉDÉ	HYBRIDE
DÉGLACÉ	GARANCE	PRÉPUCE	PROCÉDÉ	HYBRIDÉ
WALLACE	GÉRANCE	**VESPUCE**	**DIOMÈDE**	PICRIDE
VIOLACÉ	ERRANCE	TRIBADE	**LA BRÈDE**	**LOCRIDE**
LAPLACE	**DURANCE**	GAMBADE	POSSÉDÉ	IBÉRIDE
DÉPLACÉ	AISANCE	GAMBADÉ	DANAÏDE	PIÉRIDE
REPLACÉ	PITANCE	**BARBADE**	MORBIDE	**FLORIDE**
BIPLACE	**POUANCÉ**	SACCADE	TURBIDE	TORRIDE
AMYLACÉ	DEVANCÉ	SACCADÉ	BIACIDE	PUTRIDE
GRIMACE	VOYANCE	CASCADE	DIACIDE	**TAURIDE**
GRIMACÉ	**BYZANCE**	MUSCADE	PLACIDE	SUBSIDE
PUGNACE	DÉCENCE	**LEUCADE**	OXACIDE	PRÉSIDE
RETRACÉ	RÉCENCE	FOUCADE	DÉICIDE	PRÉSIDÉ
CRÉTACÉ	LICENCE	ALIDADE	SUICIDE	CAPSIDE
PULTACÉ	**VICENCE**	RONDADE	SUICIDÉ	ANATIDÉ
LOQUACE	CADENCE	ENNÉADE	**PHOCIDE**	PROTIDE
RAPIÉCÉ	CADENCÉ	BRIGADE	BIOCIDE	OVOTIDE
CLAMECÉ	RÉGENCE	POCHADE	ÉLUCIDÉ	PEPTIDE
LUCRÈCE	**RÉGENCE**	PLÉIADE	GLUCIDE	BASTIDE
SPADICE	URGENCE	**PLÉIADE**	TRUCIDÉ	**BASTIDE**
LAODICE	FAÏENCE	PÉLIADE	CANDIDE	SITTIDÉ
ÉDIFICE	FAÏENCÉ	PARIADE	**CANDIDE**	LIQUIDE
ORIFICE	SCIENCE	MYRIADE	SORDIDE	LIQUIDÉ
TEPLICE	**TALENCE**	THYIADE	TURDIDÉ	GRAVIDE
DUPLICE	VALENCE	BALLADE	NÉRÉIDE	RENVIDÉ
SULPICE	**VALENCE**	**HELLADE**	PERFIDE	CERVIDÉ
PROPICE	SILENCE	AILLADE	**BRIGIDE**	CORVIDÉ
HOSPICE	DÉMENCE	PHOLADE	FRIGIDE	**SCHILDE**
AUSPICE	SEMENCE	ROULADE	PONGIDÉ	DÉBANDÉ
AVARICE	CARENCE	CHAMADE	TURGIDE	FRIANDE
CAPRICE	**TÉRENCE**	BRIMADE	RAPHIDE	**LA LANDE**

LALANDE	VOÏVODE	DÉBORDÉ	EFFACÉE	GLANDÉE
ZÉLANDE	**KABARDE**	REBORDÉ	OPIACÉE	AGENDÉE
IRLANDE	DÉBARDÉ	ACCORDÉ	DÉLACÉE	AMENDÉE
ISLANDE	JOBARDE	DÉCORDÉ	ENLACÉE	SCINDÉE
DEMANDE	JOBARDÉ	RECORDÉ	ULMACÉE	BLINDÉE
DEMANDÉ	TUBARDÉ	ENCORDÉ	PANACÉE	GUINDÉE
LIMANDE	CACARDÉ	ABSURDE	MENACÉE	ÉMONDÉE
ROMANDE	PICARDE	RIBAUDE	PINACÉE	INONDÉE
ROMANDE	**PICARDE**	BADAUDE	ESPACÉE	FRONDÉE
MIRANDE	BOCARDÉ	NIGAUDE	MORACÉE	GRONDÉE
JURANDE	COCARDE	ÉCHAUDÉ	ROSACÉE	EXONDÉE
TRUANDE	TOCARDE	**PELAUDE**	MUSACÉE	DÉCODÉE
TRUANDÉ	CAFARDE	PENAUDE	SÉTACÉE	ENCODÉE
LAVANDE	CAFARDÉ	RENAUDÉ	VITACÉE	HÉLODÉE
LÉGENDE	HAGARDE	FINAUDE	ROTACÉE	DÉMODÉE
LÉGENDÉ	**LA GARDE**	MINAUDÉ	RUTACÉE	**ASMODÉE**
ALLENDE	MÉGARDE	FARAUDE	TAXACÉE	DÉSODÉE
RAMENDÉ	REGARDÉ	MARAUDE	GYNÉCÉE	ABORDÉE
OSTENDE	**ALGARDE**	MARAUDÉ	DÉPECÉE	HOURDÉE
SCHINDÉ	**BOGARDE**	TARAUDÉ	POLICÉE	LOURDÉE
LALINDE	ÉCHARDE	MIRAUDE	FIANCÉE	FRAUDÉE
DÉBONDÉ	BRIARDE	PATAUDE	ÉLANCÉE	DÉNUDÉE
SEBONDE	**BRIARDE**	RAVAUDÉ	NUANCÉE	NUCLÉÉE
FACONDE	CRIARDE	PRÉLUDE	AVANCÉE	RECRÉÉE
FÉCONDE	POLARDE	PRÉLUDÉ	AGENCÉE	RÉCRÉÉE
FÉCONDÉ	TÔLARDE	**DIXMUDE**	ÉMINCÉE	INCRÉÉE
SECONDE	MULARDE	**PLANUDE**	COINCÉE	RAGRÉÉE
SECONDÉ	CAMARDE	ACCOUDÉ	ÉVINCÉE	DÉGRÉÉE
JOCONDE	CANARDÉ	**BRIOUDE**	PIONCÉE	REGRÉÉE
REFONDÉ	PANARDE	BATOUDE	ÉNONCÉE	PARAFÉE
INFONDÉ	BÉNARDE	EXTRUDÉ	FRONCÉE	AGRAFÉE
MAKONDE	RENARDE	CISTUDE	TIERCÉE	BRIEFÉE
IMMONDE	CONARDE	BIOXYDE	EXERCÉE	STAFFÉE
ORMONDE	ZONARDE	DIOXYDE	ÉCORCÉE	FIEFFÉE
OSMONDE	HASARDÉ	ÉPOXYDE	AMORCÉE	GREFFÉE
GIRONDE	NASARDE	IMBIBÉE	EXAUCÉE	SNIFFÉE
GIRONDE	VASARDE	INHIBÉE	CADUCÉE	COIFFÉE
ROTONDE	MUSARDE	EXHIBÉE	RESUCÉE	BRIFFÉE
YAOUNDÉ	MUSARDÉ	FLAMBÉE	CHIADÉE	GRIFFÉE
INFÉODÉ	BÂTARDE	PLOMBÉE	BALADÉE	SUIFFÉE
CATHODE	FÊTARDE	**TOYNBEE**	**BARADÉE**	ÉTOFFÉE
MÉTHODE	RETARDÉ	ENGOBÉE	**THADDÉE**	BLUFFÉE
MÉTHODE	MOTARDE	BILOBÉE	ABCÉDÉE	BOUFFÉE
PÉRIODE	ATTARDÉ	DÉROBÉE	RECÉDÉE	TRUFFÉE
HÉSIODE	OUTARDE	ENROBÉE	EXCÉDÉE	TARIFÉE
COMMODE	COUARDE	ÉBARBÉE	OBSÉDÉE	ATTIFÉE
COMMODE	BAVARDE	COURBÉE	PLAIDÉE	AULOFÉE
TRIPODE	BAVARDÉ	FRISBEE	DÉCIDÉE	**SAAS FEE**
UROPODE	FUYARDE	INCUBÉE	AFFIDÉE	PACAGÉE
ISOPODE	BAZARDÉ	ADOUBÉE	VALIDÉE	ENCAGÉE
REBRODÉ	LÉZARDE	ENTUBÉE	LAPIDÉE	DÉGAGÉE
CORRODÉ	LÉZARDÉ	INTUBÉE	DÉRIDÉE	ENGAGÉE
ÉPISODE	DÉMERDÉ	**LILYBÉE**	**POTIDÉE**	RAMAGÉE
RAPSODE	EMMERDE	FABACÉE	DÉVIDÉE	MANAGÉE
PLATODE	EMMERDÉ	SÉBACÉE	**CHALDÉE**	MÉNAGÉE
CESTODE	SAPERDE	MICACÉE	SCANDÉE	ENRAGÉE
CUSTODE	SABORDÉ	OLÉACÉE	VIANDÉE	RAVAGÉE

ALLÉGÉE	DOUCHÉE	RAVALÉE	**GALILÉE**	RECULÉE
ARPÉGÉE	MOUCHÉE	DÉVALÉE	ÉTOILÉE	ONDULÉE
ABRÉGÉE	TOUCHÉE	CHABLÉE	DÉPILÉE	MODULÉE
AGRÉGÉE	NYMPHÉE	ÉTABLÉE	EMPILÉE	GUEULÉE
RÉDIGÉE	TROPHÉE	CRIBLÉE	DÉSILÉE	RÉGULÉE
OBLIGÉE	**MORPHÉE**	D'EMBLÉE	ENSILÉE	LIGULÉE
VOLIGÉE	GRYPHÉE	COMBLÉE	MUTILÉE	ONGULÉE
PÉRIGÉE	FLASHÉE	MEUBLÉE	**AQUILÉE**	JUGULÉE
DIRIGÉE	SMASHÉE	DOUBLÉE	OCELLÉE	SIMULÉE
MITIGÉE	CRASHÉE	SARCLÉE	SCELLÉE	CUMULÉE
CHANGÉE	STIBIÉE	CERCLÉE	MIELLÉE	CANULÉE
FRANGÉE	ÉMACIÉE	MUSCLÉE	NIELLÉE	ANNULÉE
GRANGÉE	GRACIÉE	ÉNUCLÉÉ	BAILLÉE	SAOULÉE
ORANGÉE	FASCIÉE	BOUCLÉE	CAILLÉE	ABOULÉE
BRINGÉE	SOUCIÉE	PUDDLÉE	FAILLÉE	ÉBOULÉE
ÉLONGÉE	IRIDIÉE	DÉCELÉE	MAILLÉE	ÉCOULÉE
PLONGÉE	MENDIÉE	RECELÉE	PAILLÉE	AFFAMÉE
ÉPONGÉE	RHODIÉE	FICELÉE	RAILLÉE	ENGAMÉE
DÉLOGÉE	AMODIÉE	MODELÉE	TAILLÉE	DÉRAMÉE
RELOGÉE	ÉTUDIÉE	DÉGELÉE	TEILLÉE	RÉTAMÉE
LIMOGÉE	ÉDIFIÉE	REGELÉE	VEILLÉE	ENTAMÉE
HYPOGÉE	DÉIFIÉE	DÉMÊLÉE	ROILLÉE	ÉCRÉMÉE
ABROGÉE	RÉIFIÉE	EMMÊLÉE	GRILLÉE	RYTHMÉE
ARROGÉE	UNIFIÉE	JUMELÉE	VRILLÉE	DÉCIMÉE
CHARGÉE	SOLFIÉE	AGNELÉE	OUILLÉE	REDIMÉE
ÉMARGÉE	CONFIÉE	ANNELÉE	CROLLÉE	RÉDIMÉE
ÉMERGÉE	PLAGIÉE	CAPELÉE	**BOULLÉE**	RANIMÉE
ÉGORGÉE	BANGIÉE	APPELÉE	BRANLÉE	**MÉRIMÉE**
ADJUGÉE	OUBLIÉE	BURELÉE	RACOLÉE	PÉRIMÉE
DÉJUGÉE	PUBLIÉE	CISELÉE	ACCOLÉE	ARRIMÉE
MÉJUGÉE	PALLIÉE	FUSELÉE	RÉCOLÉE	INTIMÉE
REJUGÉE	RALLIÉE	MUSELÉE	PICOLÉE	ESTIMÉE
ÉGRUGÉE	SPOLIÉE	RÂTELÉE	COCOLÉE	FLAMMÉE
ÉCACHÉE	DÉPLIÉE	DÉTELÉE	AFFOLÉE	INNOMÉE
CRACHÉE	REPLIÉE	CÔTELÉE	ÉTIOLÉE	CHROMÉE
TRACHÉE	CADMIÉE	POTELÉE	CAJOLÉE	RÉARMÉE
FLÉCHÉE	ANÉMIÉE	ATTELÉE	ENJÔLÉE	CHARMÉE
ÉMÉCHÉE	HERNIÉE	JAVELÉE	IMMOLÉE	ALARMÉE
PRÊCHÉE	AVARIÉE	TAVELÉE	VÉROLÉE	GOURMÉE
CLICHÉE	DÉCRIÉE	RÉVELÉE	ENRÔLÉE	CHAUMÉE
BANCHÉE	RÉCRIÉE	NIVELÉE	DÉSOLÉE	ENFUMÉE
HANCHÉE	JUSSIÉE	CUVELÉE	INSOLÉE	INHUMÉE
PENCHÉE	CHÂTIÉE	ÉRAFLÉE	ASSOLÉE	EXHUMÉE
JONCHÉE	INITIÉE	TRÉFLÉE	ENTÔLÉE	ALLUMÉE
LYNCHÉE	CONVIÉE	SIFFLÉE	ENVOLÉE	RÉSUMÉE
PIOCHÉE	RAZZIÉE	RENFLÉE	TRIPLÉE	ASSUMÉE
AMOCHÉE	STOCKÉE	GONFLÉE	SAMPLÉE	BITUMÉE
BROCHÉE	DÉCALÉE	SANGLÉE	SUPPLÉÉ	CABANÉE
CROCHÉE	RECALÉE	CINGLÉE	PEUPLÉE	RUBANÉE
TROCHÉE	AFFALÉE	ZOOGLÉE	COUPLÉE	**LA CANÉE**
PERCHÉE	RÉGALÉE	BEUGLÉE	CHAULÉE	EFFANÉE
TORCHÉE	DÉHALÉE	COCHLÉE	ÉPAULÉE	MAGANÉE
FAUCHÉE	INHALÉE	DÉFILÉE	LOBULÉE	ROMANÉE
RAUCHÉE	EXHALÉE	REFILÉE	TUBULÉE	BASANÉE
PLUCHÉE	EMPALÉE	AFFILÉE	MACULÉE	SATANÉE
BOUCHÉE	RESALÉE	EFFILÉE	ACCULÉE	CUTANÉE
COUCHÉE	CAVALÉE	ENFILÉE	FÉCULÉE	PAVANÉE

ATHÉNÉE	MUTINÉE	EXÉCRÉE	TIMORÉE	POIVRÉE
ATHÉNÉE	RAVINÉE	PROCRÉÉ	IGNORÉE	CUIVRÉE
ALIÉNÉE	DEVINÉE	CENDRÉE	MINORÉE	EMPYRÉE
HALENÉE	ENVINÉE	BONDRÉE	HONORÉE	RECASÉE
RAMENÉE	SCANNÉE	POUDRÉE	ESSORÉE	ABRASÉE
DÉMENÉE	ABONNÉE	LIBÉRÉE	FLUORÉE	ÉBRASÉE
EMMENÉE	ADONNÉE	LACÉRÉE	DÉVORÉE	ÉCRASÉE
HYMÉNÉE	ÂNONNÉE	MACÉRÉE	DIAPRÉE	PHRASÉE
CARÉNÉE	ÉTONNÉE	ULCÉRÉE	AMARRÉE	ENVASÉE
ÉGRENÉE	RAMONÉE	FÉDÉRÉE	PIERRÉE	EMPESÉE
ENRÊNÉE	ERRONÉE	SIDÉRÉE	BEURRÉE	BIAISÉE
ASSÉNÉE	DYSPNÉE	MODÉRÉE	LEURRÉE	ALAISÉE
BAIGNÉE	ÉCORNÉE	DÉFÉRÉE	BOURRÉE	APAISÉE
SAIGNÉE	ÉBURNÉE	RÉFÉRÉE	FOURRÉE	BRAISÉE
PEIGNÉE	FOURNÉE	INFÉRÉE	CHÂTRÉE	FRAISÉE
ALIGNÉE	JOURNÉE	DIGÉRÉE	PLÂTRÉE	INCISÉE
CLIGNÉE	TOURNÉE	INGÉRÉE	GUÊTRÉE	EXCISÉE
POIGNÉE	MORT-NÉE	COGÉRÉE	FILTRÉE	BALISÉE
SOIGNÉE	FALUNÉE	ÉTHÉRÉE	CENTRÉE	ENLISÉE
GUIGNÉE	DÉCAPÉE	ACIÉRÉE	RENTRÉE	**COLISÉE**
LORGNÉE	PRIAPÉE	TOLÉRÉE	VENTRÉE	NOLISÉE
CHAÎNÉE	RETAPÉE	PANERÉE	CINTRÉE	TAMISÉE
DRAINÉE	RECEPÉE	GÉNÉRÉE	CONTRÉE	REMISÉE
TRAÎNÉE	ÉTRIPÉE	VÉNÉRÉE	MONTRÉE	NANISÉE
DÉBINÉE	ÉQUIPÉE	REPÉRÉE	CASTRÉE	TANISÉE
BOBINÉE	SCALPÉE	ESPÉRÉE	**DESTRÉE**	VANISÉE
UNCINÉE	INALPÉE	LISERÉE	BISTRÉE	SINISÉE
RADINÉE	TREMPÉE	INSÉRÉE	LUSTRÉE	IONISÉE
FREINÉE	GRIMPÉE	ALTÉRÉE	LETTRÉE	CROISÉE
AFFINÉE	TROMPÉE	RÉVÉRÉE	VAUTRÉE	ÉGRISÉE
PAGINÉE	SALOPÉE	COFFRÉE	FEUTRÉE	ARRISÉE
ÉCHINÉE	ÉCLOPÉE	GAUFRÉE	RÉCURÉE	**TITISEE**
PÉKINÉE	MÉLOPÉE	SOUFRÉE	ENDURÉE	COTISÉE
CÂLINÉE	CANOPÉE	ÉMIGRÉE	INDURÉE	ATTISÉE
DÉLINÉE	CONOPÉE	CONGRÉE	IODURÉE	ÉPUISÉE
LAMINÉE	FRAPPÉE	HONGRÉE	PLEURÉE	RAVISÉE
DÉMINÉE	TRAPPÉE	MAUGRÉÉ	APEURÉE	DEVISÉE
GÉMINÉE	GRIPPÉE	BLAIRÉE	ÉPEURÉE	RÉVISÉE
DOMINÉE	DROPPÉE	FLAIRÉE	FIGURÉE	DIVISÉE
GOMINÉE	STOPPÉE	ADMIRÉE	AUGURÉE	**WANNSEE**
NOMINÉE	USURPÉE	**LE PIRÉE**	ABJURÉE	DÉPOSÉE
RUMINÉE	CRISPÉE	ASPIRÉE	ADJURÉE	REPOSÉE
RAPINÉE	OCCUPÉE	EXPIRÉE	DÉLURÉE	IMPOSÉE
FARINÉE	GROUPÉE	DÉSIRÉE	ALLURÉE	APPOSÉE
MARINÉE	ÉTOUPÉE	**DÉSIRÉE**	EMMURÉE	OPPOSÉE
PÉRINÉE	EFFARÉE	RETIRÉE	CHOURÉE	EXPOSÉE
SERINÉE	MÉHARÉE	ATTIRÉE	AJOURÉE	ARROSÉE
BURINÉE	DÉPARÉE	DÉVIRÉE	DÉPURÉE	COURSÉE
SURINÉE	RÉPARÉE	ARBORÉE	MESURÉE	CHASSÉE
RÉSINÉE	SÉPARÉE	DÉCORÉE	ASSURÉE	CLASSÉE
MATINÉE	EMPARÉE	PICORÉE	PÂTURÉE	AMASSÉE
MÂTINÉE	**CÉSARÉE**	DÉDORÉE	RATURÉE	BRASSÉE
PATINÉE	CAMBRÉE	REDORÉE	SATURÉE	BLESSÉE
RATINÉE	MEMBRÉE	MAJORÉE	OBTURÉE	DRESSÉE
SATINÉE	TIMBRÉE	CHLORÉE	BITURÉE	PRESSÉE
BUTINÉE	NOMBRÉE	COLORÉE	SUTURÉE	TRESSÉE
LUTINÉE	MARBRÉE	ÉPLORÉE	ENIVRÉE	BAISSÉE

LAISSÉE	MOLETÉE	MIJOTÉE	CLOUTÉE	APIQUÉE
CLISSÉE	RÉPÉTÉE	PELOTÉE	BROUTÉE	BRIQUÉE
GLISSÉE	ÉCRÊTÉE	PILOTÉE	DÉPUTÉE	FRIQUÉE
PLISSÉE	ARRÊTÉE	DÉNOTÉE	RÉPUTÉE	CALQUÉE
POISSÉE	CURETÉE	ANNOTÉE	AMPUTÉE	TALQUÉE
ÉPISSÉE	ENTÊTÉE	SHOOTÉE	IMPUTÉE	MANQUÉE
TRISSÉE	RIVETÉE	CAPOTÉE	SCRUTÉE	CHOQUÉE
ÉCOSSÉE	DUVETÉE	TAPOTÉE	BIZUTÉE	BLOQUÉE
ADOSSÉE	DOIGTÉE	DÉPOTÉE	JOUXTÉE	CLOQUÉE
BROSSÉE	TRAITÉE	EMPOTÉE	ÉCOBUÉE	FLOQUÉE
DROSSÉE	HABITÉE	SIROTÉE	ÉVACUÉE	CROQUÉE
FAUSSÉE	DÉBITÉE	REVOTÉE	GRADUÉE	TROQUÉE
GAUSSÉE	RÉCITÉE	ADAPTÉE	BLAGUÉE	ÉVOQUÉE
HAUSSÉE	LICITÉE	COMPTÉE	ÉLAGUÉE	MARQUÉE
HOUSSÉE	INCITÉE	DOMPTÉE	DRAGUÉE	PARQUÉE
POUSSÉE	EXCITÉE	ADOPTÉE	BRIGUÉE	CASQUÉE
ODYSSÉE	MÉDITÉE	COOPTÉE	GANGUÉE	MASQUÉE
ODYSSÉE	AUDITÉE	CRYPTÉE	ZINGUÉE	RISQUÉE
POUTSÉE	DIGITÉE	ÉCARTÉE	DROGUÉE	MOSQUÉE
ACCUSÉE	COGITÉE	QUARTÉE	CARGUÉE	BUSQUÉE
RÉCUSÉE	DÉLITÉE	ALERTÉE	LARGUÉE	MUSQUÉE
EXCUSÉE	LIMITÉE	INERTÉE	NARGUÉE	ÉDUQUÉE
MÉDUSÉE	GUNITÉE	AVORTÉE	TARGUÉE	ÉNUQUÉE
CREUSÉE	DÉPITÉE	HEURTÉE	**ADYGUÉE**	SOUQUÉE
REFUSÉE	ABRITÉE	PRESTÉE	ÉVALUÉE	TRUQUÉE
INFUSÉE	HÉRITÉE	APOSTÉE	DÉGLUÉE	STUQUÉE
ÉCLUSÉE	MÉRITÉE	AJUSTÉE	ENGLUÉE	BOSSUÉE
BLOUSÉE	IRRITÉE	TRUSTÉE	POLLUÉE	ASEXUÉE
ÉPOUSÉE	VISITÉE	TRUSTÉE	ÉVOLUÉE	DÉCAVÉE
CÉRUSÉE	BRUITÉE	ABATTÉE	COMMUÉE	EXCAVÉE
DÉBÂTÉE	FRUITÉE	FLATTÉE	SECOUÉE	DÉLAVÉE
HÉCATÉE	TRUITÉE	GRATTÉE	ROCOUÉE	RELAVÉE
GALATÉE	INVITÉE	FRETTÉE	BAFOUÉE	DÉPAVÉE
ÉCLATÉE	EXALTÉE	GUETTÉE	ENGOUÉE	REPAVÉE
RELATÉE	CHANTÉE	FRITTÉE	ÉCHOUÉE	ACHEVÉE
DILATÉE	PLANTÉE	QUITTÉE	DÉJOUÉE	RELEVÉE
DÉMÂTÉE	CRANTÉE	FLOTTÉE	REJOUÉE	ENLEVÉE
EMPÂTÉE	ÉDENTÉE	ÉMOTTÉE	ENJOUÉE	DÉRIVÉE
APPÂTÉE	ÉVENTÉE	CROTTÉE	RELOUÉE	ARRIVÉE
DÉRATÉE	FEINTÉE	FROTTÉE	ALLOUÉE	ACTIVÉE
PIRATÉE	TEINTÉE	TROTTÉE	DÉNOUÉE	MOTIVÉE
BORATÉE	POINTÉE	DÉBUTÉE	RENOUÉE	ESTIVÉE
RETÂTÉE	ÉHONTÉE	REBUTÉE	ÉBROUÉE	RAVIVÉE
BRACTÉE	SHUNTÉE	PIEUTÉE	ÉCROUÉE	RÉNOVÉE
TRACTÉE	RABOTÉE	ZIEUTÉE	ENROUÉE	**MÉROVÉE**
ÉJECTÉE	SABOTÉE	AMEUTÉE	TATOUÉE	ÉNERVÉE
ÉDICTÉE	ACCOTÉE	ZYEUTÉE	DÉVOUÉE	DÉCUVÉE
ÉRUCTÉE	BÉCOTÉE	RÉFUTÉE	CLAQUÉE	ENCUVÉE
HÉBÉTÉE	PICOTÉE	AFFÛTÉE	PLAQUÉE	PROUVÉE
EMBÊTÉE	SUÇOTÉE	ENFÛTÉE	BRAQUÉE	TROUVÉE
AFFÉTÉE	RADOTÉE	TALUTÉE	CRAQUÉE	MALAXÉE
ACHETÉE	FAGOTÉE	MINUTÉE	TRAQUÉE	RELAXÉE
DÉJETÉE	DÉGOTÉE	ABOUTÉE	PACQUÉE	DÉSAXÉE
REJETÉE	GIGOTÉE	ÉBOUTÉE	SACQUÉE	DÉTAXÉE
CALETÉE	LIGOTÉE	ÉCOUTÉE	BECQUÉE	INDEXÉE
GALETÉE	ERGOTÉE	AJOUTÉE	CHIQUÉE	TÉLEXÉE
FILETÉE	CAHOTÉE	AJOUTÉE	FLIQUÉE	ANNEXÉE

AFFIXÉE	RINÇAGE	RÉGLAGE	CARNAGE	LISSAGE
BÉGAYÉE	ZINCAGE	TOILAGE	MARNAGE	TISSAGE
BALAYÉE	FONÇAGE	VOILAGE	BORNAGE	VISSAGE
DÉLAYÉE	PONÇAGE	HUILAGE	CORNAGE	BOSSAGE
RELAYÉE	BLOCAGE	DALLAGE	SURNAGÉ	PAYSAGE
REPAYÉE	FLOCAGE	TALLAGE	SAUNAGE	ABATAGE
IMPAYÉE	PARCAGE	BILLAGE	ALUNAGE	FACTAGE
DÉRAYÉE	PERÇAGE	MILLAGE	CRÊPAGE	ÉTÊTAGE
ENRAYÉE	FORÇAGE	PILLAGE	GUIPAGE	FAÎTAGE
ESSAYÉE	LIT-CAGE	SILLAGE	POMPAGE	LAITAGE
ONDOYÉE	TRUCAGE	TILLAGE	PROPAGÉ	ÉVITAGE
RUDOYÉE	STUCAGE	VILLAGE	NAPPAGE	MALTAGE
ÉPLOYÉE	GUIDAGE	COLLAGE	COUPAGE	VOLTAGE
DÉNOYÉE	ÉVIDAGE	ÉCOLAGE	LOUPAGE	VENTAGE
ENNOYÉE	BANDAGE	**BERLAGE**	SABRAGE	VINTAGE
CÔTOYÉE	**SANDAGE**	GAULAGE	VIBRAGE	CONTAGE
TUTOYÉE	FENDAGE	MEULAGE	OMBRAGE	MONTAGE
DÉVOYÉE	PENDAGE	COULAGE	OMBRAGÉ	PONTAGE
ENVOYÉE	SONDAGE	FOULAGE	ANCRAGE	ÎLOTAGE
ENNUYÉE	BARDAGE	MOULAGE	ENCRAGE	CAPTAGE
APPUYÉE	CARDAGE	ROULAGE	SUCRAGE	FARTAGE
ESSUYÉE	FARDAGE	SOULAGÉ	CADRAGE	PARTAGE
DÉGAZÉE	CORDAGE	BRÛLAGE	PAIRAGE	PARTAGÉ
EGHEZÉE	TORDAGE	TRAMAGE	MOIRAGE	PORTAGE
BRONZÉE	SOUDAGE	ÉTAMAGE	ÉTIRAGE	LESTAGE
COETZEE	PARÉAGE	ÉCIMAGE	BARRAGE	TESTAGE
NESCAFÉ	BIFFAGE	GRIMAGE	FERRAGE	LISTAGE
DÉGRAFÉ	ÉLAGAGE	FILMAGE	SERRAGE	PISTAGE
SANTA FE	DRAGAGE	GEMMAGE	MÉTRAGE	POSTAGE
O'KEEFFE	LANGAGE	DOMMAGE	TITRAGE	BATTAGE
SENEFFE	TANGAGE	GOMMAGE	VITRAGE	LATTAGE
REBIFFÉ	RENGAGÉ	HOMMAGE	OUTRAGE	NATTAGE
AGRIFFÉ	ZINGAGE	CHÔMAGE	OUTRAGÉ	COTTAGE
CHAUFFE	LARGAGE	FROMAGE	SAURAGE	BUTTAGE
CHAUFFÉ	BÂCHAGE	FERMAGE	COURAGE	SAUTAGE
ÉTOUFFÉ	GÂCHAGE	FORMAGE	AZURAGE	AJUTAGE
KHALIFE	HACHAGE	ÉCUMAGE	SEVRAGE	BLUTAGE
ANATIFE	LÂCHAGE	PLUMAGE	GIVRAGE	ROUTAGE
PONTIFE	BÊCHAGE	GLANAGE	OUVRAGE	COCUAGE
BAROUFE	LÉCHAGE	PLANAGE	OUVRAGÉ	BAGUAGE
TARTUFE	MÉCHAGE	APANAGE	BRASAGE	REMUAGE
TARTUFE	SÉCHAGE	AMÉNAGÉ	ALÉSAGE	ENNUAGÉ
BABBAGE	FICHAGE	GRENAGE	GRÉSAGE	CLOUAGE
JAMBAGE	ROCHAGE	GAGNAGE	PRÉSAGE	**BROUAGE**
BOMBAGE	RELIAGE	LIGNAGE	PRÉSAGÉ	LAQUAGE
GERBAGE	ALLIAGE	ROGNAGE	BOISAGE	TAQUAGE
HERBAGE	COPIAGE	GAINAGE	FRISAGE	PIQUAGE
HERBAGÉ	MARIAGE	LAINAGE	PUISAGE	ÉLEVAGE
BURBAGE	PARIAGE	CHINAGE	PANSAGE	CLIVAGE
GLAÇAGE	PACKAGE	USINAGE	CAPSAGE	AVIVAGE
PLACAGE	LINKAGE	CANNAGE	HERSAGE	SERVAGE
TRAÇAGE	ÉTALAGE	TANNAGE	CORSAGE	SAÛVAGE
SACCAGE	ÉTALAGÉ	VANNAGE	NURSAGE	**SAUVAGE**
SACCAGÉ	CÂBLAGE	PENNAGE	CASSAGE	VEUVAGE
FLICAGE	SABLAGE	TONNAGE	MASSAGE	ÉTUVAGE
LANÇAGE	BÂCLAGE	ACONAGE	PASSAGE	DRAYAGE
PINÇAGE	RACLAGE	CLONAGE	MESSAGE	ÉTAYAGE

BROYAGE	HORLOGE	DÉPÊCHÉ	GALOCHE	**OLYNTHE**
ASTYAGE	SUBROGÉ	REPÊCHÉ	TALOCHE	**LA MOTHE**
BORZAGE	PROROGÉ	EMPÊCHÉ	TALOCHÉ	**MEURTHE**
SOLFÈGE	ÉPITOGE	ÉBRÉCHÉ	VALOCHE	**ÉGISTHE**
ASSIÉGÉ	**FABERGÉ**	ASSÉCHÉ	FILOCHÉ	LÉCYTHE
COLLÈGE	HÉBERGE	REVÊCHE	CINOCHE	CHLEUHE
CHORÈGE	HÉBERGÉ	LIVÈCHE	EMPOCHÉ	SAULAIE
CORRÈGE	GOBERGÉ	FRAÎCHE	**BAROCHE**	BOULAIE
PROTÉGÉ	AUBERGE	**LABICHE**	**LA ROCHE**	CHÊNAIE
CORTÈGE	IMMERGÉ	CIBICHE	DÉROCHÉ	FRÊNAIE
NORVÈGE	ASPERGE	GODICHE	ENROCHÉ	AULNAIE
GRÉBIGE	ASPERGÉ	ÉPEICHE	ARROCHE	CANNAIE
PRODIGE	DÉTERGÉ	AFFICHE	BASOCHE	MONNAIE
DÉNEIGÉ	DIVERGÉ	AFFICHÉ	PATOCHE	CÉDRAIE
RENEIGÉ	DÉGORGÉ	ENFICHÉ	PÉTOCHE	OSERAIE
ENNEIGÉ	REGORGÉ	CALICHE	CHERCHÉ	EFFRAIE
AFFLIGÉ	ENGORGÉ	CANICHE	**UZERCHE**	ORFRAIE
INFLIGÉ	**PANURGE**	DÉNICHÉ	ÉCORCHÉ	HÊTRAIE
NÉGLIGÉ	EXPURGÉ	PÉNICHE	FOURCHE	OLIVAIE
ZELLIGE	INSURGÉ	BONICHE	FOURCHÉ	ÉPHÉBIE
COLLIGÉ	DÉJAUGÉ	**LERICHE**	WELSCHE	**NAMIBIE**
CORRIGÉ	PATAUGÉ	FÉTICHE	HERSCHÉ	**BÉHOBIE**
VOLTIGE	GRABUGE	ENTICHÉ	SCOTCHÉ	**ZÉNOBIE**
VOLTIGÉ	APIFUGE	POTICHE	ÉBAUCHE	AÉROBIE
VERTIGE	PRÉJUGÉ	AGUICHE	ÉBAUCHÉ	FOURBIE
VESTIGE	CAROUGE	AGUICHÉ	**VEAUCHE**	ÉBAUBIE
FUSTIGÉ	**CAROUGE**	BLANCHE	DÉBUCHÉ	DONACIE
DU CANGE	RABÂCHE	**BLANCHE**	EMBÛCHE	ÉTRÉCIE
VIDANGE	DÉBÂCHÉ	FLANCHÉ	DÉJUCHÉ	OFFICIE
VIDANGÉ	MACACHE	PLANCHE	FALUCHE	**GALICIE**
ÉCHANGE	**BIDACHE**	**PLANCHE**	PALUCHE	**CILICIE**
ÉCHANGÉ	**LAGACHE**	PLANCHÉ	PELUCHE	AMINCIE
TIHANGE	RELÂCHE	ÉPANCHÉ	PELUCHÉ	NÉGOCIÉ
MÉLANGE	RELÂCHÉ	BRANCHE	**COLUCHE**	ASSOCIÉ
MÉLANGÉ	FOLACHE	BRANCHÉ	ÉPLUCHÉ	EUTOCIE
DÉMANGE	REMÂCHÉ	FRANCHE	NUNUCHE	NOIRCIE
REMANGÉ	GANACHE	TRANCHE	ABOUCHÉ	FIDUCIE
GONANGE	PANACHE	TRANCHÉ	CAPUCHE	ADOUCIE
MARANGE	PANACHÉ	ÉTANCHE	**MAPUCHE**	**ARCADIE**
DÉRANGÉ	ARRACHÉ	ÉTANCHÉ	NURAGHE	AFFADIE
ARRANGÉ	ENSACHÉ	CLENCHE	**HUANG HE**	MALADIE
ÉTRANGE	PATACHE	GRINCHE	KAZAKHE	IRRADIÉ
MÉSANGE	DÉTACHÉ	GUINCHÉ	**KAZAKHE**	REMÉDIÉ
LOSANGE	ENTACHÉ	BRONCHE	PARAPHE	COMÉDIE
LOSANGÉ	POTACHE	BRONCHÉ	PARAPHÉ	SINE DIE
PÉTANGE	ATTACHE	TRONCHE	**JOSÈPHE**	BIPÉDIE
LOUANGE	ATTACHÉ	CABOCHE	STROPHE	EXPÉDIÉ
LOUANGÉ	GOUACHE	**CABOCHE**	AMORPHE	**RUSHDIE**
HAYANGE	GOUACHÉ	SACOCHE	**SISYPHE**	CÉCIDIE
AUDENGE	HOUACHE	DÉCOCHÉ	AGNATHE	ASCIDIE
SPHINGE	CABÈCHE	RICOCHÉ	MARATHE	**NUMIDIE**
MÉNINGE	BOBÈCHE	ENCOCHE	**MARATHE**	CONIDIE
MÉNINGÉ	**BOBÈCHE**	ENCOCHÉ	OOLITHE	BRANDIE
ALLONGE	**ARDÈCHE**	BIDOCHE	CÉRITHE	GRANDIE
ALLONGÉ	CALÈCHE	BRIOCHE	ACANTHE	BLONDIE
LARYNGÉ	ALLÉCHÉ	BRIOCHÉ	**DRENTHE**	MÉLODIE
MAL-LOGÉ	DÉPÊCHE	**BRIOCHÉ**	PLINTHE	MONODIE

PARODIE	**EULALIE**	ATHYMIE	**SIBÉRIE**	**EURASIE**
PARODIÉ	SOMALIE	**ALBANIE**	LACERIE	EXTASIÉ
ÉBAUDIE	**SOMALIE**	LUCANIE	**ALGÉRIE**	**SILÉSIE**
RÉPUDIÉ	RESALIE	**OCÉANIE**	PAIERIE	**POLÉSIE**
COKÉFIÉ	ÉTABLIE	APLANIE	ACIÉRIE	KINÉSIE
TUMÉFIÉ	ANOBLIE	REMANIÉ	SCIERIE	AMNÉSIE
RARÉFIÉ	LOBÉLIE	VÉSANIE	SOIERIE	PARÉSIE
BOUFFIE	APHÉLIE	TÉTANIE	COKERIE	HÉRÉSIE
PACIFIÉ	HOMÉLIE	LITANIE	GALERIE	ATRÉSIE
NIDIFIÉ	**CARÉLIE**	ZIZANIE	TÔLERIE	**TUNISIE**
CODIFIÉ	PARÉLIE	INGÉNIÉ	VOLERIE	CHOISIE
MODIFIÉ	AURÉLIE	**EUGÉNIE**	MOMERIE	PHTISIE
SALIFIÉ	**BROGLIE**	VILENIE	MÔMERIE	TRANSIE
GÉLIFIÉ	CÉCILIE	XIMÉNIE	FUMERIE	**NICOSIE**
LAMIFIÉ	LUCILIE	**LOMÉNIE**	VÉNERIE	AGNOSIE
RAMIFIÉ	AFFILIÉ	**ARMÉNIE**	PIPERIE	APEPSIE
MOMIFIÉ	HUMILIÉ	ARSÉNIÉ	DUPERIE	ASEPSIE
NANIFIÉ	RÉSILIÉ	**OLTÉNIE**	GÂTERIE	BIOPSIE
PANIFIÉ	RAVILIE	DAPHNIE	HÉTÉRIE	ZOOPSIE
LÉNIFIÉ	**CAILLIÉ**	LACINIÉ	LITERIE	CHASSIE
VINIFIÉ	FAILLIE	DÉFINIE	COTERIE	GROSSIE
BONIFIÉ	SAILLIE	INFINIE	LOTERIE	RÉUSSIE
TONIFIÉ	AMOLLIE	ACTINIE	POTERIE	ROUSSIE
VÉRIFIÉ	PHYLLIE	BLENNIE	ASTÉRIE	DÉBÂTIE
PURIFIÉ	EMBOLIE	ABONNIE	ROUERIE	REBÂTIE
OSSIFIÉ	ANCOLIE	**LACONIE**	LAVERIE	DÉCATIE
GÂTIFIÉ	**PODOLIE**	APHONIE	RÊVERIE	**GALATIE**
RATIFIÉ	DÉFOLIÉ	FÉLONIE	RIZERIE	APLATIE
BÊTIFIÉ	EXFOLIÉ	COLONIE	MAIGRIE	HÉMATIE
NOTIFIÉ	ACHOLIE	SIMONIE	**HONGRIE**	**CROATIE**
VIVIFIÉ	SCHOLIE	**LAPONIE**	PRAIRIE	**HYPATIE**
COCUFIÉ	DÉMOLIE	**ESTONIE**	**PRAIRIE**	FACÉTIE
TABAGIE	DÉPOLIE	**LIVONIE**	EXCORIÉ	**VÉNÉTIE**
ASSAGIE	REPOLIE	FOURNIE	THÉORIE	CANITIE
GABEGIE	IMPOLIE	DÉMUNIE	CALORIE	IDIOTIE
EFFIGIE	REMPLIE	IMPUNIE	COLORIÉ	ALLOTIE
OTALGIE	REMPLIÉ	DÉSUNIE	ARMORIÉ	INEPTIE
MYALGIE	SUPPLIÉ	BROWNIE	CHARRIÉ	INERTIE
FRANGIÉ	**NAUPLIE**	**VALDOIE**	NOURRIE	AVERTIE
ÉLARGIE	AVEULIE	**OLYMPIE**	POURRIE	AMORTIE
ANERGIE	SIMULIE	RECOPIÉ	FRATRIE	PLASTIE
ÉNERGIE	ABOULIE	ECTOPIE	FLÉTRIE	**ORESTIE**
GÉORGIE	**KABYLIE**	YOUPPIE	DÉCURIE	NÉOTTIE
RÉFUGIÉ	ACHYLIE	CHARPIE	INCURIE	BLOTTIE
PHRYGIE	INFAMIE	CROUPIE	FLEURIE	ARGUTIE
SYZYGIE	BIGAMIE	GROUPIE	**FLEURIE**	MINUTIE
ENVAHIE	OOGAMIE	INEXPIÉ	**LIGURIE**	ABOUTIE
AVACHIE	ENDÉMIE	ANGARIE	INJURIÉ	ABRUTIE
FLÉCHIE	**NÉHÉMIE**	**ADJARIE**	PÉNURIE	LANGUIE
GAUCHIE	ENNEMIE	SALARIÉ	**ÉTRURIE**	TARGUIE
GRAPHIE	LIPÉMIE	**SAMARIE**	DYSURIE	ENFOUIE
APATHIE	**JÉRÉMIE**	DÉMARIÉ	**MAZURIE**	RÉJOUIE
XANTHIE	TOXÉMIE	REMARIÉ	**ILLYRIE**	ÉBLOUIE
SCYTHIE	SODOMIE	DÉPARIÉ	**ASSYRIE**	ÉCROUIE
ORDALIE	DOLOMIE	APPARIÉ	APHASIE	**TURQUIE**
ATHALIE	THERMIE	**TATARIE**	APLASIE	**MORAVIE**
ASIALIE	ANOSMIE	NOTARIÉ	**ASPASIE**	OCTAVIE

OCTAVIÉ	LUTÉALE	APÉTALE	DRIBBLE	BOSSELÉ
BOLIVIE	NIVÉALE	COMTALE	DRIBBLÉ	MANTELÉ
DEMI-VIE	MORFALE	TANTALE	AUDIBLE	PANTELÉ
LIXIVIÉ	INÉGALE	**TANTALE**	PÉNIBLE	DENTELÉ
SÉGOVIE	INÉGALÉ	DENTALE	LISIBLE	PROTÈLE
ARGOVIE	FRUGALE	MENTALE	RISIBLE	MARTELÉ
SYNOVIE	FRUGALE	**MONTALE**	VISIBLE	SITTÈLE
MAZOVIE	**OMPHALE**	CROTALE	FUSIBLE	BOTTELÉ
INDUVIE	LABIALE	SEPTALE	TREMBLE	CAUTÈLE
GALAXIE	TIBIALE	PORTALE	TREMBLÉ	CLAVELÉ
APRAXIE	FACIALE	VESTALE	IGNOBLE	GRIVELÉ
PYREXIE	RACIALE	DISTALE	AFFUBLÉ	**HERZELE**
EUTEXIE	ONCIALE	COSTALE	SOLUBLE	SOUFFLE
EUDOXIE	SOCIALE	POSTALE	TROUBLE	SOUFFLÉ
HYPOXIE	RADIALE	BRUTALE	TROUBLÉ	RENIFLÉ
SALAZIE	MÉDIALE	CHEVALÉ	DÉBÂCLE	GIROFLE
WENDAKE	FILIALE	OGIVALE	DÉBÂCLÉ	**DURUFLÉ**
QUINCKE	LILIALE	ACCABLÉ	EMBÂCLE	DÉRÉGLÉ
LEBBEKE	GÉNIALE	SÉCABLE	CÉNACLE	SHINGLE
OUZBÈKE	MONIALE	VOCABLE	**CÉNACLE**	ÉPINGLE
PERMEKE	MARIALE	OPÉABLE	RENÂCLÉ	ÉPINGLÉ
ZERNIKE	CURIALE	AFFABLE	PINACLE	TRINGLE
MALINKÉ	JOVIALE	SCIABLE	MIRACLE	TRINGLÉ
SONINKÉ	SURJALÉ	SKIABLE	MANICLE	AVEUGLE
KARAOKÉ	HIÉMALE	PLIABLE	SANICLE	AVEUGLÉ
RELOOKÉ	ANIMALE	AMIABLE	ARTICLE	REMUGLE
NETSUKE	PRIMALE	FRIABLE	**ÉTÉOCLE**	GRACILE
KABBALE	ANOMALE	VALABLE	**LE LOCLE**	URACILE
TRIBALE	NORMALE	FILABLE	BINOCLE	PŒCILE
TIMBALE	SISMALE	VOLABLE	MONOCLE	CONCILE
TOMBALE	SIGNALÉ	AIMABLE	RECYCLÉ	TRÉFILÉ
CYMBALE	SPINALE	FUMABLE	BICYCLE	RENFILÉ
GLOBALE	ATONALE	TENABLE	NDEBELE	PROFILÉ
VERBALE	AZONALE	MINABLE	BARBELÉ	PARFILÉ
BUCCALE	VERNALE	CAPABLE	ISOCÈLE	SURFILÉ
CÆCALE	TRIPALE	GÉRABLE	HARCELÉ	FAUFILÉ
AMICALE	SACRALE	CURABLE	MORCELÉ	FRAGILE
APICALE	CHIRALE	DURABLE	URODÈLE	**VIRGILE**
BANCALE	AMIRALE	ENSABLÉ	**SCHEELE**	ENTOILÉ
CANCALE	SPIRALE	DOSABLE	CONGELÉ	DÉVOILÉ
CANCALE	SPIRALÉ	DATABLE	SURGELÉ	REMPILÉ
AFOCALE	CHORALE	JETABLE	**SCHIELE**	COMPILÉ
PERCALE	FLORALE	RETABLE	**DANIELE**	POMPILE
PASCALE	AMORALE	ENTABLÉ	NICKELÉ	AMARILE
DISCALE	MITRALE	COTABLE	**VILLÈLE**	FÉBRILE
FISCALE	ASTRALE	NOTABLE	UKULÉLÉ	STÉRILE
MANDALE	NEURALE	POTABLE	POMMELÉ	PUÉRILE
SANDALE	PLURALE	ATTABLÉ	GRUMELÉ	NITRILE
VANDALE	CRURALE	MUTABLE	CRÈNELÉ	**MARSILE**
VANDALE	PRÉ-SALÉ	JOUABLE	CRÉNELÉ	SESSILE
FÉODALE	DORSALE	LOUABLE	GRENELÉ	FISSILE
CAUDALE	VASSALE	ROUABLE	CANNELÉ	MISSILE
PALE-ALE	DESSALÉ	LAVABLE	CRÊPELÉ	FOSSILE
PINÉALE	CAUSALE	VIVABLE	RAPPELÉ	SUBTILE
CÉRÉALE	HIATALE	BUVABLE	ENGRÊLÉ	TACTILE
BORÉALE	RECTALE	TAXABLE	CARRELÉ	DUCTILE
MUSÉALE	FŒTALE	PAYABLE	CORRÉLÉ	CENTILE

GENTILE	AIRELLE	FIFILLE	**VIZILLE**	DUOPOLE
GENTILÉ	GIRELLE	SIGILLÉ	DÉCOLLÉ	COUPOLE
VENTILÉ	MORELLE	**ACHILLE**	RECOLLÉ	SCAROLE
REPTILE	BURELLE	**DELILLE**	**NICOLLE**	AZEROLE
FERTILE	SURELLE	FAMILLE	ENCOLLÉ	PYRROLE
HOSTILE	BASELLE	RAMILLE	FOFOLLE	PÉTROLE
NAUTILE	**GISELLE**	**DE MILLE**	GIROLLE	**FIESOLE**
INUTILE	OISELLE	MANILLE	COROLLE	ANISOLE
TEXTILE	ENSELLÉ	**MANILLE**	**CAYOLLE**	CONSOLE
SERVILE	**MOSELLE**	VANILLE	**FAYOLLE**	CONSOLÉ
CABALLÉ	CATELLE	VANILLÉ	**TIBULLE**	DESSOLÉ
DÉBALLÉ	PATELLE	PAPILLE	**BÉRULLE**	RISSOLE
EMBALLÉ	ENTELLE	PUPILLE	**CATULLE**	RISSOLÉ
PIGALLE	MOTELLE	GORILLE	SIBYLLE	**MAUSOLE**
TRIALLE	ATTELLE	MORILLE	APHYLLE	**PACTOLE**
LA SALLE	TUTELLE	ZORILLE	ÉBRANLÉ	PISTOLE
LASALLE	ÉCUELLE	ÉTRILLE	GUIBOLE	SYSTOLE
GABELLE	DOUELLE	ÉTRILLÉ	SYMBOLE	VACUOLE
LABELLE	ROUELLE	**AVRILLÉ**	APICOLE	FRIVOLE
SABELLE	CRUELLE	**CYRILLE**	BRICOLE	CONVOLÉ
TABELLE	TRUELLE	NASILLÉ	BRICOLÉ	SURVOLÉ
REBELLE	USUELLE	RÉSILLE	AVICOLE	STEEPLE
REBELLÉ	JAVELLE	FUSILLÉ	MENDOLE	PÉRIPLE
LIBELLE	CIVELLE	PÉTILLE	GONDOLE	EXEMPLE
LIBELLÉ	NIVELLE	VÉTILLE	GONDOLÉ	SINOPLE
OMBELLE	**NIVELLE**	VÉTILLÉ	RUBÉOLE	**WHIPPLE**
OMBELLÉ	VOYELLE	TITILLÉ	URCÉOLE	DÉCUPLE
NACELLE	GAZELLE	OUTILLÉ	PHLÉOLE	DÉCUPLÉ
FICELLE	**GEZELLE**	FEUILLE	**LA RÉOLE**	OCTUPLE
MICELLE	ÉCAILLE	BOUILLE	AURÉOLE	DÉPARLÉ
NUCELLE	ÉCAILLÉ	COUILLE	AURÉOLÉ	REPARLÉ
PUCELLE	ÉGAILLÉ	DOUILLE	ROSÉOLE	DÉFERLÉ
PUCELLE	PIAILLÉ	DOUILLÉ	NIVÉOLE	EMPERLÉ
EXCELLÉ	ÉMAILLÉ	FOUILLE	ALVÉOLE	**SEATTLE**
RIDELLE	BRAILLE	FOUILLÉ	ALVÉOLÉ	**WHITTLE**
VIDELLE	**BRAILLE**	GOUILLE	RAFFOLE	**LA BAULE**
JODELLE	BRAILLÉ	HOUILLE	MONGOLE	**GRIAULE**
JUDELLE	CRAILLÉ	MOUILLE	**MONGOLE**	GLOBULE
IDÉELLE	DRAILLE	MOUILLÉ	BABIOLE	BARBULE
PAGELLE	ÉRAILLÉ	NOUILLE	LUCIOLE	ÉJACULÉ
NIGELLE	GRAILLÉ	**POUILLE**	FOLIOLE	SACCULE
TIGELLE	TRAILLE	ROUILLE	SÉPIOLE	SPÉCULÉ
ÉCHELLE	OUAILLE	ROUILLÉ	BARIOLE	ÉDICULE
CAMELLE	BABILLÉ	SOUILLE	DARIOLE	SPICULE
GAMELLE	HABILLÉ	SOUILLÉ	MARIOLE	CALCULÉ
LAMELLE	BACILLE	TOUILLE	VARIOLE	FLOCULÉ
LAMELLÉ	VACILLÉ	TOUILLÉ	PÉTIOLE	INOCULÉ
MAMELLE	OSCILLÉ	**VOUILLÉ**	PÉTIOLÉ	HERCULE
FEMELLE	CÉDILLE	ÉQUILLE	OSTIOLE	**HERCULE**
GÉMELLE	GODILLE	SQUILLE	RAVIOLE	CIRCULÉ
SEMELLE	GODILLÉ	**BÂVILLE**	INVIOLÉ	BASCULE
JUMELLE	ABEILLE	**DÉVILLE**	FORMOLÉ	BASCULE
CENELLE	VIEILLE	**NEVILLE**	BAGNOLE	CRÉDULE
VENELLE	OREILLE	**SÉVILLE**	FIGNOLÉ	ACIDULÉ
AGNELLE	TREILLE	MAXILLE	**VIGNOLE**	PENDULE
GONELLE	OSEILLE	VEXILLE	SOMNOLÉ	PENDULÉ
MARELLE	ÉVEILLÉ	**BAZILLE**	**WALPOLE**	

ESSEULÉ	**ESCHYLE**	EXPRIMÉ	**RÉFORME**	DÉPLUMÉ
ÉGUEULÉ	MÉTHYLE	VICTIME	REFORMÉ	EMPLUMÉ
COAGULÉ	**CARLYLE**	RAGTIME	RÉFORMÉ	EMBRUMÉ
MERGULE	URANYLE	CENTIME	INFORME	SUBSUMÉ
VIRGULE	PHÉNYLE	TOUTIME	INFORMÉ	PRÉSUMÉ
CELLULE	ALCOYLE	EMPALMÉ	**DELORME**	CONSUMÉ
PULLULÉ	DACTYLE	**ANSELME**	ORGASME	COSTUME
TRÉMULÉ	ACÉTYLE	DILEMME	CHIASME	COSTUMÉ
STIMULÉ	BENZYLE	**MAREMME**	MARASME	COUTUME
GEMMULE	DIFFAMÉ	**WAREMME**	TÉNESME	NÉODYME
FORMULE	MALFAMÉ	DÉGOMMÉ	BABISME	ANONYME
FORMULÉ	EXOGAME	ENGOMMÉ	CUBISME	ÉPONYME
PLUMULE	WARGAME	ROGOMME	RACISME	**MBABANE**
GRANULE	**BERGAME**	DÉNOMMÉ	SADISME	MIRBANE
GRANULÉ	**PERGAME**	RENOMMÉ	VÉDISME	HAUBANÉ
VEINULE	ACCLAMÉ	INNOMMÉ	LUDISME	CHICANE
PINNULE	DÉCLAMÉ	**MAROMME**	NUDISME	CHICANÉ
MABOULE	RÉCLAME	ASSOMMÉ	THÉISME	CANCANÉ
SABOULÉ	RÉCLAMÉ	SARCOME	ARÉISME	TOSCANE
TABOULÉ	EXCLAMÉ	BISCÔME	SCHISME	**TOSCANE**
DÉBOULÉ	MACRAMÉ	LEUCOME	CHIISME	BOUCANÉ
CIBOULE	LACTAME	**VENDÔME**	HOLISME	**HALDANE**
RIBOULÉ	DICTAME	ISODOME	NANISME	BARDANE
DÉCOULÉ	RENTAMÉ	SKYDOME	JINISME	SARDANE
THÉOULE	DIADÈME	OSTÉOME	ÉONISME	CERDANE
DÉFOULÉ	DIXIÈME	ANGIOME	MONISME	**CERDANE**
REFOULÉ	SIXIÈME	SLALOMÉ	CYNISME	PAS-D'ÂNE
CAGOULE	ONZIÈME	CŒLOME	MAOÏSME	DOS-D'ÂNE
CAGOULE	EMBLÈME	MYÉLOME	TAOÏSME	PROFANE
TAMOULE	**THÉLÈME**	DIPLÔME	ÉGOÏSME	PROFANÉ
DÉMOULÉ	**BELLÊME**	DIPLÔMÉ	PAPISME	**REGGANE**
LE MOULE	PHONÈME	ADÉNOME	LÉPISME	TSIGANE
SEMOULE	PHLOÈME	TRINÔME	MÉRISME	**TSIGANE**
AMPOULE	TRIRÈME	ÉCONOME	VÉRISME	TZIGANE
AMPOULÉ	SUPRÊME	FIBROME	CHRISME	**TZIGANE**
ÉCROULÉ	EXTRÊME	POGROME	PURISME	LONGANE
DÉROULÉ	PARSEMÉ	ACHROME	LYRISME	AFGHANE
ENROULÉ	RESSEMÉ	LÉPROME	GÂTISME	**AFGHANE**
CRAPULE	BAPTÊME	FANTÔME	TITISME	MÉTHANE
STIPULE	ABSTÈME	**SÃO TOMÉ**	AUTISME	BADIANE
STIPULÉ	SYSTÈME	SCOTOME	MUTISME	MÉDIANE
SERPULE	EMPYÈME	PROTOMÉ	TRUISME	**POMIANE**
REBRÛLÉ	DRACHME	RHIZOME	CIVISME	FENIANE
IMBRÛLÉ	MAL-AIMÉ	VACARME	LAXISME	**SUSIANE**
SPORULÉ	ESSAIMÉ	DÉSARMÉ	REXISME	**TRAJANE**
CAPSULE	SUBLIME	REFERMÉ	SEXISME	**SPOKANE**
CAPSULÉ	SUBLIMÉ	AFFERMÉ	FIXISME	**BERKANE**
RUSSULE	RÉANIMÉ	ENFERMÉ	NAZISME	**BOÉLANE**
SPATULE	INANIMÉ	DÉGERMÉ	EMBAUMÉ	**ISOLANE**
SPATULÉ	UNANIME	**PALERME**	EMPAUMÉ	FORLANE
NOCTULE	ESCRIME	ASPERME	ROYAUME	SOULANE
FISTULE	ESCRIMÉ	AFFIRMÉ	ROYAUMÉ	BIRMANE
VISTULE	DÉPRIME	INFIRME	PARFUMÉ	**BIRMANE**
POSTULÉ	DÉPRIMÉ	INFIRMÉ	ENRHUMÉ	RHÉNANE
PUSTULE	RÉPRIMÉ	DÉFORMÉ	ENCLUME	SAMOANE
VALVULE	IMPRIMÉ	MÉFORME	**SAMOANE**	
CONDYLE	OPPRIMÉ	RÉFORME	RALLUMÉ	TRÉPANÉ

CAMPANE	REMMENÉ	ÉPARGNÉ	PISCINE	VIOLINE
PROPANE	PROMENÉ	ÉBORGNÉ	LEUCINE	CARLINE
BUCRANE	SURMENÉ	RÉPUGNÉ	DOUCINE	BERLINE
SAFRANÉ	NOUMÈNE	**ARACHNÉ**	BRUCINE	**TATLINE**
TIGRANE	**COMNÈNE**	ÆSCHNE	GLYCINE	INULINE
BUGRANE	PROPÈNE	URBAINE	GRADINE	MOULINÉ
MARRANE	TERPÈNE	AUBAINE	GREDINE	POULINÉ
TOURANE	REFRÉNÉ	CUBAINE	SUÉDINE	DIAMINE
FAISANE	RÉFRÉNÉ	**CUBAINE**	DANDINÉ	FLAMINE
PERSANE	EFFRÉNÉ	RICAINE	ANODINE	CRAMINE
PERSANE	ENGRENÉ	**RICAINE**	JARDINÉ	ÉTAMINE
PLATANE	STYRÈNE	COCAINE	SARDINE	STAMINE
SULTANE	PANTÈNE	BEDAINE	BOUDINÉ	EXAMINÉ
PENTANE	HAPTÈNE	**SEDAINE**	CODÉINE	**LOCMINÉ**
FONTANE	**SARTÈNE**	RIFAINE	CAFÉINE	CHEMINE
HEPTANE	TOLUÈNE	**RIFAINE**	BALEINE	ÉLIMINÉ
SOUTANE	SLOVÈNE	DÉGAINE	BALEINÉ	CULMINÉ
PRYTANE	**SLOVÈNE**	DÉGAINÉ	HALEINE	FULMINÉ
RHÔXANE	PROXÈNE	ENGAINÉ	SEREINE	ABOMINÉ
KENYANE	BENZÈNE	ACHAINE	CASÉINE	CARMINÉ
KENYANE	COCAGNE	DÉLAINÉ	OSSÉINE	HERMINE
ALEZANE	**ASCAGNE**	VILAINE	DÉVEINE	TERMINÉ
BALZANE	REGAGNÉ	**VILAINE**	OLÉFINE	VERMINE
ÉCHIDNÉ	**BALAGNE**	SEMAINE	RAFFINÉ	ACUMINÉ
DEHAENE	**LIMAGNE**	DOMAINE	CONFINÉ	ALUMINE
SEMBENE	**LOMAGNE**	ROMAINE	SURFINE	ALUMINÉ
ÉPICÈNE	**ROMAGNE**	**ROMAINE**	IMAGINÉ	THYMINE
MIOCÈNE	HUMAGNE	HUMAINE	ORIGINE	ALANINE
FORCENÉ	**ESPAGNE**	PAPAÏNE	MARGINÉ	GUANINE
OBSCÈNE	LASAGNE	AGRAINÉ	**CHAHINE**	ADÉNINE
ÉRIGÈNE	ESBIGNÉ	ÉGRAINÉ	**LACHINE**	LIGNINE
ORIGÈNE	**AUBIGNÉ**	**UKRAINE**	MACHINE	QUININE
NÉOGÈNE	INDIGNE	BORAINE	MACHINÉ	LÉONINE
DIOGÈNE	INDIGNÉ	**BORAINE**	TACHINE	THONINE
ÉROGÈNE	MALIGNE	FORAINE	**TÉCHINÉ**	**BOUNINE**
OROGÈNE	**DELIGNE**	MORAINE	**ESCHINE**	**AMBOINE**
EXOGÈNE	BÉNIGNE	MISAINE	LITHINE	HÉROÏNE
PYOGÈNE	ÉLOIGNÉ	MITAINE	LITHINÉ	BÉTOINE
OXYGÈNE	DÉSIGNÉ	**BAZAINE**	**ZADKINE**	CÉTOINE
OXYGÉNÉ	RÉSIGNÉ	DIZAINE	**RANKINE**	**ANTOINE**
SAPHÈNE	INSIGNE	STIBINE	**LASKINE**	PIVOINE
RUTHÈNE	COSIGNÉ	LAMBINE	SEA-LINE	ALÉPINE
RUTHÈNE	ASSIGNÉ	LAMBINÉ	OPALINE	ÉPÉPINÉ
HYGIÈNE	**SÉVIGNÉ**	COMBINE	PRALINE	CRÉPINE
ZYRIÈNE	CIGOGNE	COMBINÉ	PRALINÉ	**CAMPINE**
STEKENE	GIGOGNE	GLOBINE	**STALINE**	CHOPINE
SCALÈNE	VIGOGNE	TURBINE	**AVALINE**	CLOPINÉ
PHALÈNE	**BOLOGNE**	TURBINÉ	HYALINE	INOPINÉ
EUGLÈNE	**COLOGNE**	VACCINE	DÉCLINE	TERPINE
ABILENE	**POLOGNE**	VACCINÉ	DICLINE	JASPINÉ
HELLÈNE	**SOLOGNE**	CALCINÉ	ENCLINE	POUPINE
BOLLÈNE	**LIMOGNE**	LANCINÉ	INCLINÉ	TOUPINE
AZULÈNE	IVROGNE	SARCINE	AVELINE	TOUPINÉ
AMYLÈNE	BESOGNE	HIRCINE	MYÉLINE	CLARINE
ALCMÈNE	BESOGNÉ	PORCINE	ANILINE	AMARINÉ
CHIMÈNE	ÉPARGNE	FASCINE	COLLINE	**OPARINE**
MALMENÉ		FASCINÉ	CHOLINE	TSARINE

TZARINE	**PONTINE**	ARIENNE	MARONNÉ	**NIPPONE**
PÉBRINE	TONTINE	**BRIENNE**	**PÉRONNE**	MATRONE
FIBRINE	TONTINÉ	IRIENNE	GIRONNÉ	DÉTRÔNÉ
OMBRINE	**KHOTINE**	**ÉTIENNE**	HURONNE	**PÉTRONE**
ENCRINE	BIOTINE	**FAMENNE**	**HURONNE**	NEURONE
SUCRINE	**SARTINE**	BIPENNE	LURONNE	PERSONE
ÉSÉRINE	TARTINE	BIPENNÉ	**LURONNE**	DISSONÉ
UTÉRINE	TARTINÉ	EMPENNE	RÉSONNÉ	LACTONE
THORINE	CORTINE	EMPENNÉ	TISONNÉ	ACÉTONE
CAPRINE	CASTINE	GARENNE	**ESSONNE**	**SUÉTONE**
CAPRINÉ	OBSTINÉ	PÉRENNE	BÂTONNE	SYNTONE
TERRINE	DESTINÉ	**PIRENNE**	MATONNE	ÉCOTONE
VERRINE	**CUSTINE**	ÉTRENNE	TÂTONNÉ	**CROTONE**
CITRINE	RUSTINE	ÉTRENNÉ	BÉTONNÉ	**CORTONE**
VITRINE	BOTTINE	**TURENNE**	DÉTONNÉ	HISTONE
TAURINE	POUTINE	ANTENNE	MITONNÉ	LETTONE
DOURINE	ROUTINE	COUENNE	PITONNÉ	**LETTONE**
ATURINE	**SOUTINE**	**RAVENNE**	ENTONNÉ	**SICYONE**
BAESINE	SEXTINE	**CAYENNE**	COTONNÉ	AMAZONE
RAISINÉ	**SIXTINE**	**MAYENNE**	SAVONNÉ	**AMAZONE**
SAISINE	RHYTINE	DOYENNE	**DIVONNE**	CANZONE
VOISINE	BÉGUINE	DOYENNÉ	**VIVONNE**	INCARNÉ
VOISINÉ	BIGUINE	**FOYENNE**	SAXONNE	LUCARNE
CUISINE	TAQUINE	MOYENNE	**SAXONNE**	ACHARNÉ
CUISINÉ	TAQUINÉ	MOYENNÉ	**AUXONNE**	ÉCHARNÉ
MYOSINE	COQUINE	**ROYENNE**	**BAYONNE**	GIBERNE
PEPSINE	ALEVINÉ	ARYENNE	RAYONNE	HIBERNÉ
BASSINE	OLIVINE	**GUYENNE**	RAYONNÉ	DÉCERNÉ
BASSINÉ	NERVINE	**CRAONNE**	GAZONNÉ	**LUCERNE**
CASSINE	PLUVINÉ	BOBONNE	CARBONE	BADERNE
MASSINE	DIOXINE	FAÇONNÉ	CARBONÉ	MODERNE
BESSINE	FANZINE	MAÇONNE	CHACONE	FALERNE
DESSINÉ	BENZINE	MAÇONNÉ	TRICÔNE	GALERNE
MESSINE	**MORZINE**	DÉCONNÉ	ZIRCONE	**SALERNE**
MESSINE	INDEMNE	ARÇONNÉ	SULFONE	CASERNE
ELTSINE	AUTOMNE	BEDONNÉ	SULFONÉ	CASERNÉ
COUSINE	**RABANNE**	REDONNÉ	ÉPIGONE	MATERNÉ
COUSINÉ	**LA PANNE**	BIDONNÉ	TRIGONE	PATERNE
PLATINE	DÉPANNÉ	ORDONNÉ	ISOGONE	CITERNE
PLATINÉ	EMPANNÉ	**ARGONNE**	GORGONE	ALTERNE
GRATINÉ	FURANNE	**BRIONNE**	HÉMIONE	ALTERNÉ
STATINE	SURANNÉ	**CALONNE**	CYCLONE	INTERNE
OUATINE	PYRANNE	GALONNÉ	**BELLONE**	INTERNÉ
OUATINÉ	ROUANNE	JALONNÉ	VIOLONÉ	POTERNE
PECTINE	**CÉZANNE**	TALONNÉ	ANÉMONE	EXTERNE
PECTINÉ	**SÉZANNE**	FÉLONNE	CRÉMONE	CAVERNE
PIÉTINÉ	**SUZANNE**	PILONNÉ	**CRÉMONE**	**SAVERNE**
ÉMÉTINE	**ANDENNE**	COLONNE	PULMONÉ	TAVERNE
ARÉTINE	**ARDENNE**	**COLONNE**	HORMONE	HIVERNÉ
CRÉTINE	**SCÉENNE**	CANONNÉ	MORMONE	**PAYERNE**
CHITINE	**AGÉENNE**	TENONNÉ	SAUMONÉ	LUZERNE
COLTINÉ	ÉGÉENNE	CAPONNE	BIGNONE	**OSBORNE**
CANTINE	**AXÉENNE**	LAPONNE	QUINONE	SUBORNÉ
TANTINE	GÉHENNE	**LAPONNE**	**VOLPONE**	DÉCORNÉ
DENTINE	PAÏENNE	JUPONNÉ	COMPONÉ	BICORNE
SENTINE	CHIENNE	BARONNE	**HIPPONE**	LICORNE
FONTINE	ÎLIENNE	**GARONNE**	NIPPONE	ENCORNÉ

TADORNE	ANTIOPE	**FERRARE**	BERBÈRE	ARRIÈRE
BIGORNE	**ANTIOPE**	HECTARE	CERBÈRE	ARRIÉRÉ
BIGORNÉ	CYCLOPE	GUITARE	**CERBÈRE**	VASIÈRE
LITORNE	**FALLOPE**	TARTARE	SINCÈRE	LISIÈRE
AJOURNÉ	VARLOPE	**TARTARE**	VISCÈRE	VISIÈRE
SATURNE	VARLOPE	**CYAXARE**	PONDÉRÉ	ROSIÈRE
LACAUNE	STÉNOPÉ	MAGYARE	CARDÈRE	MATIÈRE
LACAUNE	ESTROPE	**MAGYARE**	PRÉFÉRÉ	RATIÈRE
BÉJAUNE	BIOTOPE	MACABRE	DIFFÉRÉ	TÊTIÈRE
DELAUNE	ISOTOPE	**CALABRE**	CONFÉRÉ	LITIÈRE
TRIBUNE	ÉCHAPPÉ	PALABRE	PROFÉRÉ	ALTIÈRE
CHACUNE	SCHAPPE	PALABRÉ	PÉAGÈRE	ENTIÈRE
RANCUNE	**GENAPPE**	DÉLABRÉ	VIAGÈRE	CÔTIÈRE
DÉJEUNÉ	VARAPPE	CINABRE	ÉTAGÈRE	POTIÈRE
LE JEUNE	VARAPPÉ	ALGÈBRE	EXAGÉRÉ	**BAVIÈRE**
LEJEUNE	ÉGRAPPÉ	CÉLÈBRE	SUGGÉRÉ	CIVIÈRE
BÉTHUNE	GILEPPE	CÉLÉBRÉ	LINGÈRE	RIVIÈRE
COMMUNE	**VOREPPE**	FUNÈBRE	CONGÈRE	**RIVIÈRE**
NEPTUNE	**MÉNIPPE**	DÉFIBRÉ	BERGÈRE	GAZIÈRE
FORTUNE	AGRIPPÉ	CALIBRE	FOUGÈRE	RIZIÈRE
FORTUNE	**LYSIPPE**	CALIBRÉ	GOUGÈRE	MOUKÈRE
FORTUNÉ	ACHOPPÉ	CHAMBRE	CACHÈRE	**BÉCLÈRE**
LA SEYNE	ÉCHOPPE	CHAMBRÉ	JACHÈRE	**BILLÈRE**
ÉPIGYNE	ESCARPE	OBOMBRÉ	VACHÈRE	PIE-MÈRE
LEMOYNE	ESCARPÉ	**SIDOBRE**	PÊCHÈRE	CHIMÈRE
GORTYNE	**LA HARPE**	OCTOBRE	ENCHÈRE	TRIMÈRE
KAWAGOE	ÉCHARPE	LUGUBRE	COCHÈRE	COMMÈRE
IVANHOÉ	ÉCHARPÉ	SALUBRE	ANTHÈRE	COMMÉRÉ
NOMINOË	**EUTERPE**	**ODOACRE**	**CYTHÈRE**	ISOMÈRE
ARSINOÉ	EXTIRPÉ	POUACRE	**AUBIÈRE**	ÉNUMÉRÉ
ANTINOË	PANORPE	CHANCRE	**RODIÈRE**	PHANÈRE
RESCAPE	DÉCOUPE	VAINCRE	THÉIÈRE	EXONÉRÉ
RECHAPÉ	DÉCOUPÉ	RECADRÉ	PALIÈRE	**TAMPERE**
SOUPAPE	RECOUPE	ENCADRÉ	SALIÈRE	TEMPÉRÉ
SATRAPE	RECOUPÉ	ESCADRE	BÉLIÈRE	COMPÈRE
ATTRAPE	**LA LOUPE**	TRIÈDRE	FILIÈRE	RÉOPÉRÉ
ATTRAPÉ	BRADYPE	PARÈDRE	MOLIÈRE	COOPÉRÉ
DÉCRÊPÉ	BIOTYPE	**GUELDRE**	**MOLIÈRE**	**NYERERE**
SERGIPE	ISOBARE	**SAULDRE**	TÔLIÈRE	TESSÈRE
PHILIPE	BARBARE	**LÉANDRE**	VOLIÈRE	BLATÉRÉ
DÉFRIPÉ	**PINDARE**	MÉANDRE	LUMIÈRE	CRATÈRE
DISSIPÉ	**TYNDARE**	**MÉANDRE**	**LUMIÈRE**	STATÈRE
DÉSALPE	**BALÉARE**	**FLANDRE**	LANIÈRE	URETÈRE
INCULPÉ	FANFARE	ÉPANDRE	MANIÈRE	RÉITÉRÉ
DÉPULPÉ	BULGARE	PRENDRE	MANIÉRÉ	CRITÈRE
DÉCAMPÉ	**BULGARE**	ÉTENDRE	PANIÈRE	HALTÈRE
ESTAMPE	ESCHARE	CEINDRE	TANIÈRE	DIPTÈRE
ESTAMPÉ	CATHARE	FEINDRE	LINIÈRE	MASTÈRE
ESTOMPE	CITHARE	GEINDRE	MINIÈRE	ZOSTÈRE
ESTOMPÉ	DÉCLARÉ	PEINDRE	PINIÈRE	AUSTÈRE
SYNCOPE	GAMMARE	TEINDRE	ZONIÈRE	MYSTÈRE
SYNCOPÉ	PRÉPARÉ	JOINDRE	ORNIÈRE	MYSTÈRE
APOCOPE	UNIPARE	MOINDRE	RAPIÈRE	CAUTÈRE
APOCOPÉ	OVIPARE	POINDRE	PIPIÈRE	NAGUÈRE
PROCOPE	COMPARÉ	CHONDRE	JUPIÈRE	CLAYÈRE
RHODOPE	CARRARE	SOURDRE	TARIÈRE	FRAYÈRE
ARGIOPE	**CARRARE**	ANHYDRE	CIRIÈRE	ÉCUYÈRE

BRUYÈRE	VINAIRE	TRÉVIRE	ENTERRÉ	MEURTRE
GRUYÈRE	ULNAIRE	TRÉVIRÉ	ATTERRÉ	PIASTRE
TRUYÈRE	**BONAIRE**	SURVIRÉ	ÉQUERRE	**MAISTRE**
DONZÈRE	LUNAIRE	ÉLABORÉ	**NOVERRE**	CUISTRE
ZEUZÈRE	REPAIRE	NAUCORE	**AUXERRE**	MONSTRE
BALAFRE	REPAIRÉ	**ISIDORE**	SQUIRRE	PROSTRÉ
BALAFRÉ	IMPAIRE	PANDORE	**ANDORRE**	FLUSTRE
CHIFFRE	LARAIRE	**PANDORE**	ABHORRÉ	FRUSTRÉ
CHIFFRÉ	AGRAIRE	**DIODORE**	SCHORRE	ABATTRE
GOUFFRE	HORAIRE	INODORE	SUSURRÉ	ÉBATTRE
GOINFRE	**CÉSAIRE**	MORDORÉ	ALBÂTRE	ÉMETTRE
GOINFRÉ	ROSAIRE	MÉTÉORE	THÉÂTRE	OMETTRE
BEAUFRE	CATAIRE	PERFORÉ	PALÂTRE	PLEUTRE
PODAGRE	HÉTAÏRE	AMPHORE	**PILÂTRE**	**SOLUTRÉ**
ALLÈGRE	NOTAIRE	**TANJORE**	FOLÂTRE	EXHAURE
ALLÈGRE	**ASTAIRE**	DÉCLORE	FOLÂTRÉ	**MÉTAURE**
INTÈGRE	DOUAIRE	ENCLORE	MULÂTRE	PÉTAURE
INTÉGRÉ	PRÉDIRE	DÉFLORÉ	RANATRE	CARBURE
IMMIGRÉ	OUÏ-DIRE	**NELLORE**	MARÂTRE	CARBURÉ
DÉNIGRÉ	AVODIRÉ	**VELLORE**	PARÂTRE	GARBURE
CAMPHRE	MAUDIRE	DÉPLORÉ	VÉRATRE	GLAÇURE
CAMPHRÉ	**PEREIRE**	IMPLORÉ	ROSÂTRE	PLAÇURE
LOBAIRE	SUFFIRE	EXPLORÉ	**ÉLECTRE**	**ÉPICURE**
TUBAIRE	CONFIRE	OXYMORE	PLECTRE	PINÇURE
MACAIRE	DÉCHIRÉ	**GUAPORÉ**	SPECTRE	RINÇURE
LE CAIRE	RÉÉLIRE	ÉVAPORÉ	ANCÊTRE	PROCURE
PÉCAÏRE	**THOMIRE**	MASSORE	MAL-ÊTRE	PROCURÉ
FICAIRE	REBOIRE	**JESSORE**	PH-MÈTRE	GERÇURE
SICAIRE	CIBOIRE	TUSSORE	VUMÈTRE	MERCURE
VICAIRE	ENFOIRÉ	TORTORÉ	FENÊTRE	**MERCURE**
PODAIRE	HILOIRE	APIVORE	FENÊTRÉ	OBSCURE
DÉFAIRE	MÉMOIRE	ÉPAMPRÉ	PÉNÉTRÉ	ÉVIDURE
REFAIRE	ARMOIRE	POURPRE	NON-ÊTRE	PERDURÉ
AFFAIRE	**LE POIRÉ**	POURPRÉ	DÉPÊTRÉ	VERDURE
AFFAIRÉ	**ISSOIRE**	BEAUPRÉ	EMPÊTRÉ	BORDURE
ÉPIAIRE	**NATOIRE**	GABARRE	FICHTRE	SOUDURE
AVIAIRE	PÉTOIRE	**LA BARRE**	TRAÎTRE	GAGEURE
MAKAIRE	NOTOIRE	DÉBARRÉ	ARBITRE	MAÏEURE
MALAIRE	VAMPIRE	EMBARRÉ	ARBITRÉ	PRIEURE
SALAIRE	RESPIRE	BÉCARRE	TALITRE	PRIEURÉ
ÉCLAIRE	INSPIRÉ	**LE CARRÉ**	BÉLÎTRE	MAJEURE
ÉCLAIRÉ	SOUPIRÉ	BICARRE	DÉNITRÉ	**SOLEURE**
VÉLAIRE	DÉCRIRE	ESCARRE	CLOÎTRE	DEMEURE
FILAIRE	RÉCRIRE	BAGARRE	CLOÎTRÉ	DEMEURÉ
HILAIRE	SOURIRE	BAGARRÉ	CROÎTRE	MINEURE
HILAIRE	MESSIRE	BIGARRÉ	PUPITRE	ÉCŒURÉ
PILAIRE	SOUTIRÉ	DÉMARRÉ	ATTITRÉ	TUTEURÉ
ALLAIRE	RECUIRE	SIMARRE	PHILTRE	MAYEURE
MOLAIRE	DÉDUIRE	**JOUARRE**	CHANTRE	BIFFURE
MÔLAIRE	RÉDUIRE	**NAVARRE**	DIANTRE	SULFURE
POLAIRE	SÉDUIRE	BIZARRE	ÉVENTRÉ	SULFURÉ
POLAIRE	ENDUIRE	DÉFERRÉ	PEINTRE	FULGURÉ
SOLAIRE	INDUIRE	ENFERRÉ	**LE NÔTRE**	HACHURE
LEMAIRE	**CALUIRE**	ÉPIERRÉ	SCEPTRE	HACHURÉ
PANAIRE	RELUIRE	**DUPERRÉ**	DIOPTRE	MÂCHURE
BINAIRE	ESQUIRE	ENSERRÉ	CHARTRE	MÂCHURÉ
LINAIRE	CHAVIRÉ	DÉTERRÉ		OPHIURE

PALIURE	CARRURE	**COUTURE**	DIURÈSE	**AUBOISE**
RELIURE	FERRURE	COUTURÉ	FADAISE	NIÇOISE
OSMIURE	SERRURE	MOUTURE	JUDAÏSÉ	**NIÇOISE**
STRIURE	NITRURE	TEXTURE	BALAISE	**VICOISE**
CONJURÉ	NITRURÉ	TEXTURÉ	FALAISE	**BUCOISE**
PARJURE	GIVRURE	MIXTURE	**FALAISE**	**LUÇOISE**
PARJURÉ	BRASURE	ÉBAVURÉ	MALAISE	**BADOISE**
ÉCALURE	ÉVASURE	GRAVURE	MALAISÉ	ARDOISE
RACLURE	PRÉSURE	NERVURE	MALAISÉ	ARDOISÉ
MCCLURE	PRÉSURÉ	NERVURÉ	CIMAISE	**AUDOISE**
INCLURE	BRISURE	FLEXURE	CYMAISE	**EUDOISE**
EXCLURE	FRISURE	DASYURE	**ORNAISE**	**LUDOISE**
ENFLURE	CENSURE	CADAVRE	**AUNAISE**	**VIFOISE**
RÉGLURE	CENSURÉ	**LE HAVRE**	PUNAISE	DÉGOISÉ
VOILURE	TONSURE	**LEFÈVRE**	PUNAISÉ	BÂLOISE
TELLURE	TONSURÉ	ORFÈVRE	DARAISE	**BÂLOISE**
COLLURE	MORSURE	ORFÉVRÉ	MÉSAISE	PALOISE
PARLURE	CASSURE	BALÈVRE	**RÉTAISE**	**PALOISE**
COULURE	RASSURÉ	DÉGIVRÉ	**DIVAISE**	**HÉLOÏSE**
FOULURE	FISSURE	DÉLIVRE	**NAYAISE**	**DOLOISE**
MOULURE	FISSURÉ	DÉLIVRÉ	ARABISÉ	**HAMOISE**
MOULURÉ	TISSURE	VOUIVRE	**SOUBISE**	**HÉMOISE**
ROULURE	STATURE	REVIVRE	GRÉCISÉ	RÉMOISE
BRÛLURE	FACTURE	CHANVRE	PRÉCISE	**RÉMOISE**
ÉTAMURE	**FACTURE**	**HANOVRE**	PRÉCISÉ	**NÎMOISE**
PALMURE	FACTURÉ	PIEUVRE	LAÏCISÉ	ARMOISE
BROMURE	LECTURE	**CORCYRE**	CONCISE	DANOISE
MURMURE	PRÉTURE	COLLYRE	FASCISÉ	**DANOISE**
MURMURÉ	TOITURE	**PALMYRE**	ANODISÉ	**VANOISE**
SAUMURE	VOITURE	LAMPYRE	**ANCHISE**	GÉNOISE
SAUMURÉ	**VOITURE**	MARTYRE	**COCHISE**	**GÉNOISE**
CYANURE	VOITURÉ	**ANABASE**	RÉALISÉ	KINOISE
CYANURÉ	FRITURE	**ORIBASE**	ÉGALISÉ	**KINOISE**
CŒNURE	TRITURÉ	AROBASE	COALISÉ	**SINOISE**
GRENURE	CULTURE	**CAUCASE**	OPALISÉ	**VINOISE**
ROGNURE	DENTURE	OXYDASE	ORALISÉ	**DUNOISE**
RAINURE	PENTURE	DÉPHASÉ	DUALISÉ	**VAROISE**
RAINURÉ	TENTURE	BIPHASÉ	AVALISÉ	**FÉROISE**
VEINURE	MONTURE	DIPHASÉ	OVALISÉ	**AIROISE**
CHINURE	TONTURE	EMPHASE	CYCLISÉ	**VIROISE**
RUINURE	CLÔTURE	AMYLASE	UTILISÉ	**YPROISE**
VANNURE	CLÔTURÉ	GYMNASE	STYLISÉ	MATOISE
LABOURÉ	AZOTURE	DÉBRASÉ	CHEMISE	**SÉTOISE**
CIBOURE	CAPTURE	EMBRASÉ	CHEMISÉ	**CÔTOISE**
TAMOURÉ	CAPTURÉ	LACTASE	COMMISE	**LOTOISE**
DÉTOURÉ	LEPTURE	MALTASE	THOMISE	**APTOISE**
ENTOURÉ	RUPTURE	PROTASE	PROMISE	**HUTOISE**
SAVOURÉ	TORTURE	**LAMBÈSE**	ATOMISÉ	PAVOISÉ
CRÊPURE	TORTURÉ	DIOCÈSE	STOMISÉ	DÉVOISÉ
GUIPURE	**PASTURE**	EXÉGÈSE	PERMISE	**BOVOISE**
SUPPURÉ	POSTURE	ORTHÈSE	SOUMISE	**GEXOISE**
JASPURE	BATTURE	RÉALÉSÉ	TANNISÉ	AIXOISE
COUPURE	BITTURE	**FARNÈSE**	AGONISÉ	**AIXOISE**
ZÉBRURE	BITTURÉ	SOUPESÉ	IRONISÉ	**AUXOISE**
MADRURE	BOUTURE	**THÉRÈSE**	DÉBOISÉ	**BUXOISE**
HYDRURE	BOUTURÉ	DIÉRÈSE	REBOISÉ	**MÉZOISE**
MOIRURE	COUTURE	EXÉRÈSE	**AMBOISE**	ÉMERISÉ

UPÉRISÉ	LORDOSE	JACASSÉ	PARESSE	ÉMOUSSÉ
DÉFRISÉ	SURDOSE	BÉCASSE	PARESSÉ	BROUSSE
DÉGRISÉ	CYPHOSE	COCASSE	ADRESSE	**BROUSSE**
DÉPRISE	TYPHOSE	JOCASSE	ADRESSÉ	FROUSSE
DÉPRISÉ	ORTHOSE	DUCASSE	AGRESSÉ	TROUSSE
MÉPRISE	**SAN JOSE**	**DUCASSE**	OGRESSE	TROUSSÉ
MÉPRISÉ	**SAN JOSÉ**	FADASSE	STRESSÉ	RECAUSÉ
REPRISE	DÉCLOSE	BIDASSE	IVRESSE	CAMBUSE
REPRISÉ	MI-CLOSE	GODASSE	VITESSE	**MARCUSE**
EMPRISE	ENCLOSE	BAGASSE	ALTESSE	GOBEUSE
APPRISE	IMPLOSÉ	ÉCHASSE	HÔTESSE	LACEUSE
RASSISE	EXPLOSÉ	CHIASSE	ABAISSE	NOCEUSE
ÉTATISÉ	AMYLOSE	DÉLASSÉ	ABAISSÉ	SUCEUSE
PACTISÉ	GOMMOSE	MÉLASSE	ÉPAISSE	RADEUSE
POÉTISÉ	**FORMOSE**	FILASSE	**FRAISSE**	HIDEUSE
HANTISE	CYANOSE	FOLASSE	GRAISSE	VIDEUSE
ÉROTISÉ	CYANOSÉ	MOLASSE	GRAISSÉ	CODEUSE
BAPTISÉ	PYCNOSE	CULASSE	MÉGISSÉ	RÔDEUSE
SOTTISE	STÉNOSE	DAMASSÉ	HO! HISSE!	GAGEUSE
DÉGUISÉ	MANNOSE	RAMASSÉ	PALISSE	NAGEUSE
AIGUISÉ	ZOONOSE	**MANASSÉ**	ÉCLISSE	RAGEUSE
MENUISE	HYPNOSE	FINASSÉ	MÉLISSE	LOGEUSE
MENUISÉ	PRÉPOSÉ	PINASSE	PELISSE	JUGEUSE
ACQUISE	COMPOSE	VINASSE	CANISSE	LUGEUSE
REQUISE	PROPOSÉ	BONASSE	GÉNISSE	SCIEUSE
ENQUISE	SUPPOSÉ	CONASSE	FROISSÉ	ODIEUSE
EXQUISE	DISPOSE	CROASSÉ	TAPISSÉ	SKIEUSE
SLAVISÉ	DISPOSÉ	DÉPASSÉ	SARISSE	PLIEUSE
TRÉVISE	FIBROSE	REPASSÉ	HÉRISSE	ÉPIEUSE
TRÉVISE	NÉCROSE	BIPASSE	BÂTISSE	CRIEUSE
SUSVISÉ	NÉCROSÉ	IMPASSE	**MATISSE**	TRIEUSE
IMPULSÉ	**PENROSE**	HARASSE	PÂTISSÉ	GALEUSE
EXPULSÉ	NITROSÉ	HARASSÉ	RATISSÉ	HALEUSE
RÉVULSÉ	NÉVROSE	TIRASSE	MÉTISSE	RÂLEUSE
EXPANSÉ	NÉVROSÉ	BORASSE	MÉTISSÉ	VÊLEUSE
RECENSÉ	LACTOSE	MORASSE	RETISSÉ	BILEUSE
ENCENSÉ	MALTOSE	STRASSE	BRUISSÉ	FILEUSE
DÉFENSE	PENTOSE	BÊTASSE	**LAVISSE**	PILEUSE
DÉFENSE	VENTÔSE	ENTASSÉ	DÉVISSÉ	VOLEUSE
OFFENSE	MASTOSE	POTASSE	REVISSÉ	DAMEUSE
OFFENSÉ	RELAPSE	POTASSÉ	CABOSSE	FAMEUSE
IMMENSE	SYNAPSE	JOUASSE	CABOSSÉ	RAMEUSE
DÉPENSE	ÉCLIPSE	BAVASSÉ	EMBOSSÉ	SEMEUSE
DÉPENSÉ	ÉCLIPSÉ	LAVASSE	ENDOSSÉ	LIMEUSE
REPENSÉ	ELLIPSE	RÊVASSÉ	**LA FOSSE**	RIMEUSE
INSENSÉ	SYNOPSE	ABBESSE	COLOSSE	FUMEUSE
INTENSE	ADVERSE	RUDESSE	MOLOSSE	FANEUSE
RÉPONSE	DÉVERSÉ	SAGESSE	PANOSSE	GÊNEUSE
APPONSE	REVERSÉ	VANESSE	PANOSSÉ	MENEUSE
JAMBOSE	DIVERSE	AÎNESSE	DÉSOSSÉ	TENEUSE
NARCOSE	INVERSE	FINESSE	CHAUSSÉ	BINEUSE
VISCOSE	INVERSÉ	**GONESSE**	DÉCUSSÉ	DÎNEUSE
LEUCOSE	DÉTORSE	PAPESSE	GUGUSSE	VINEUSE
GLUCOSE	RETORSE	CUPESSE	LAÏUSSÉ	RÂPEUSE
GLUCOSÉ	ENTORSE	TYPESSE	MAOUSSE	TAPEUSE
ACIDOSE	**ACCURSE**	CARESSE	BLOUSSE	PIPEUSE
APODOSE	TABASSÉ	CARESSÉ	GLOUSSÉ	DUPEUSE

VAREUSE	JALOUSE	CITRATE	SURJETÉ	ALLAITÉ
SÉREUSE	JALOUSÉ	NITRATE	REFLÉTÉ	CARAÏTE
VÉREUSE	PELOUSE	NITRATÉ	ATHLÈTE	**CARAÏTE**
CIREUSE	**PÉROUSE**	SOURATE	PELLETÉ	KARAÏTE
MIREUSE	INTRUSE	CASSATE	BILLETÉ	**KARAÏTE**
TIREUSE	CONTUSE	**ÉLUSATE**	COLLETÉ	QARAÏTE
VIREUSE	DÉPAYSÉ	LACTATE	VIOLETÉ	**QARAÏTE**
DOREUSE	**CAMBYSE**	ACÉTATE	**SPOLÈTE**	ÇIVAÏTE
FOREUSE	DIALYSE	CANTATE	REPLÈTE	SIVAÏTE
POREUSE	DIALYSÉ	ALOUATE	BOULETÉ	MOABITE
JASEUSE	ANALYSE	CRAVATE	FERMETÉ	MZABITE
RASEUSE	ANALYSÉ	CRAVATÉ	PLANÈTE	**MZABITE**
VASEUSE	**MASBATE**	SOLVATE	VIGNETÉ	PROBITÉ
PESEUSE	**TAUBATÉ**	**ZELZATE**	**ÉGINÈTE**	OPACITÉ
DISEUSE	ZINCATE	INTACTE	HONNÊTE	SICCITÉ
LISEUSE	AVOCATE	DÉBECTÉ	SAYNÈTE	GRÉCITÉ
OISEUSE	**MASCATE**	AFFECTÉ	TEMPÊTE	PRÉCITÉ
POSEUSE	**LEUCATE**	INFECTE	TEMPÊTÉ	LAÏCITÉ
OSSEUSE	PRÉDATÉ	INFECTÉ	PERPÈTE	UNICITÉ
DATEUSE	SOLDATE	ABJECTE	ACCRÉTÉ	CALCITE
GÂTEUSE	MANDATÉ	OBJECTÉ	DÉCRÉTÉ	SUSCITÉ
PÂTEUSE	CALFATÉ	INJECTÉ	SECRÈTE	RAUCITÉ
JETEUSE	SULFATE	DÉLECTÉ	SECRÉTÉ	LEUCITE
PÉTEUSE	SULFATÉ	SÉLECTE	SÉCRÉTÉ	ALUCITE
MITEUSE	FRÉGATE	SÉLECTÉ	EXCRÉTÉ	LUDDITE
PITEUSE	FRÉGATÉ	HUMECTÉ	AFFRÉTÉ	RÉÉDITÉ
BUTEUSE	**VULGATE**	EUNECTE	APPRÊTÉ	INÉDITE
JUTEUSE	**MARGATE**	DIRECTE	JARRETÉ	COÉDITÉ
BOUEUSE	MÉDIATE	INSECTE	SARRÈTE	CRÉDITÉ
JOUEUSE	RAPIATE	DÉTECTÉ	CORSETÉ	PRÉDITE
LOUEUSE	**VIRIATE**	HALICTE	TUE-TÊTE	ACIDITÉ
NOUEUSE	OXALATE	STRICTE	NETTETÉ	ARIDITÉ
AQUEUSE	CHÉLATE	GYPAÈTE	CAQUETÉ	AVIDITÉ
BAVEUSE	FRELATÉ	DIABÈTE	PAQUETÉ	CORDITE
GAVEUSE	ÉNOLATE	**PAPEETE**	BÉQUETÉ	SURDITÉ
HAVEUSE	MÉPLATE	PRÉFÈTE	REQUÊTE	SUSDITE
LAVEUSE	TRÉMATÉ	SUFFÈTE	REQUETÉ	MAUDITE
RÊVEUSE	PRIMATE	MOUFETÉ	REQUÊTÉ	CRUDITÉ
VIVEUSE	DALMATE	BUDGÉTÉ	PIQUETÉ	ÉRUDITE
BUVEUSE	**DALMATE**	EXÉGÈTE	TIQUETÉ	ZAYDITE
BOXEUSE	COLMATÉ	VERGETÉ	ENQUÊTE	ECCÉITÉ
PAYEUSE	AROMATE	**TAYGÈTE**	ENQUÊTÉ	JADÉITÉ
JOYEUSE	BROMATE	CACHETÉ	COQUETÉ	JUDÉITÉ
JOYEUSE	STOMATE	LÂCHETÉ	HOQUETÉ	INNÉITÉ
SOYEUSE	FORMATÉ	RACHETÉ	DÉSUÈTE	OSTÉITÉ
VOYEUSE	URANATE	TACHETÉ	CLAVETÉ	SOFFITE
GAZEUSE	PHÉNATE	MOCHETÉ	BREVETÉ	SULFITE
DIFFUSE	MAINATE	ESTHÈTE	NAÏVETÉ	CONFITE
DIFFUSÉ	ODONATE	SOCIÉTÉ	HELVÈTE	PROFITÉ
CONFUSE	PICRATE	EMPIÉTÉ	SAUVETÉ	TERGITE
PROFUSE	**SOCRATE**	IMPIÉTÉ	CLEPHTE	ORCHITE
PERFUSÉ	SUCRATE	VARIÉTÉ	KLEPHTE	MELKITE
ÆTHUSE	HYDRATE	ÉBRIÉTÉ	JUDAÏTÉ	RÉALITÉ
LÉCLUSE	HYDRATÉ	SATIÉTÉ	DÉFAITE	ÉGALITÉ
RECLUSE	AGÉRATE	ANXIÉTÉ	REFAITE	ANALITÉ
INCLUSE	INGRATE	PROJETÉ	ENFAÎTÉ	ORALITÉ
ARBOUSE	FERRATE	FORJETÉ	DÉLAITÉ	DUALITÉ

QUALITÉ	CUPRITE	TUMULTE	SAVANTE	CHUINTÉ
HYALITE	FERRITE	RÉSULTÉ	VIVANTE	RACONTÉ
MYÉLITE	MÉTRITE	INSULTE	VEXANTE	REFONTE
ÉDILITÉ	NITRITE	INSULTÉ	PAYANTE	**SAGONTE**
AGILITÉ	AZURITE	**LECOMTE**	SEYANTE	VOLONTÉ
UTILITÉ	NÉVRITE	VICOMTE	VOYANTE	DÉMONTÉ
NULLITÉ	REWRITÉ	VICOMTÉ	FUYANTE	REMONTE
ZÉOLITE	OBÉSITÉ	BACANTE	**RUZANTE**	REMONTÉ
HOPLITE	BLÉSITÉ	VACANTE	DÉCENTE	**DA PONTE**
POPLITÉ	DENSITÉ	DÉCANTÉ	RÉCENTE	APPONTÉ
PERLITE	MYOSITE	SÉCANTE	**VICENTE**	**CARONTE**
STYLITE	KASSITE	TOCANTE	REDENTÉ	GÉRONTE
INIMITÉ	HUSSITE	CÉDANTE	AL DENTE	**GÉRONTE**
PALMITE	INUSITÉ	PÉDANTE	ARDENTE	DÉFUNTE
MAMMITE	APATITE	ANDANTE	RUDENTÉ	CACAOTÉ
SOMMITÉ	RECTITE	ENFANTÉ	RÉGENTE	CLABOTÉ
MARMITE	TECTITE	INFANTE	RÉGENTÉ	CRABOTÉ
DERMITE	BIOTITE	DÉGANTÉ	ARGENTÉ	BARBOTE
HERMITE	QUOTITÉ	SCIANTE	URGENTE	BARBOTÉ
TERMITE	PARTITE	ADIANTE	CLIENTE	PLACOTÉ
AMANITE	AORTITE	CHIANTE	ORIENTÉ	CHICOTE
INANITÉ	MASTITE	PLIANTE	DOLENTE	À MI-CÔTE
GRANITE	CYSTITE	AMIANTE	LAMENTÉ	FRICOTÉ
GRANITÉ	HITTITE	CRIANTE	CÉMENTÉ	TRICOTÉ
ADÉNITE	VACUITÉ	DÉJANTÉ	DÉMENTE	SURCOTE
AMÉNITÉ	RECUITE	GALANTE	CIMENTÉ	BAS-CÔTÉ
ARÉNITE	NOCUITÉ	RÂLANTE	PIMENTÉ	ÉPIDOTE
SYÉNITE	DÉDUITE	BÊLANTE	FOMENTÉ	JUGEOTE
DIGNITÉ	RÉDUITE	AILANTE	ARPENTÉ	RONÉOTÉ
LIGNITE	SÉDUITE	FILANTE	PARENTE	ALIGOTÉ
RHINITE	VIDUITÉ	ALLANTE	PARENTÉ	GARGOTE
TRINITÉ	ENDUITE	VOLANTE	TARENTE	MARGOTÉ
SAMNITE	INDUITE	ATLANTE	**TARENTE**	BACHOTÉ
MANNITE	TÉNUITÉ	AIMANTE	ABSENTE	CHAÏOTE
SUNNITE	ANNUITÉ	AIMANTÉ	ABSENTÉ	RABIOTÉ
ÉBONITE	ÉBRUITÉ	FUMANTE	LATENTE	**SOFIOTE**
ALUNITE	JÉSUITE	GÊNANTE	PATENTE	FOLIOTÉ
DÉBOÎTÉ	ENSUITE	TENANTE	PATENTÉ	AMNIOTE
EMBOÎTÉ	FATUITÉ	NONANTE	DÉTENTE	LÉPIOTE
BENOÎTE	PITUITE	TAPANTE	RETENTÉ	AGRIOTE
ADROITE	GRAVITÉ	**LÉPANTE**	ENTENTE	PETIOTE
MIROITÉ	SUAVITÉ	DOPANTE	INTENTÉ	PÉCLOTÉ
ÉTROITE	VULVITE	**BARANTE**	ATTENTE	BALLOTE
CRÉPITÉ	SYLVITE	GARANTE	ATTENTÉ	PARLOTE
PALPITÉ	SERVITE	MARANTE	FLUENTE	DORLOTÉ
PULPITE	BAUXITE	GÉRANTE	CRUENTÉ	SOÛLOTE
CHARITÉ	BASALTE	**MORANTE**	MÉVENTE	GOLMOTE
OVARITE	RÉCOLTE	ERRANTE	REVENTE	PIANOTÉ
DÉCRITE	RÉCOLTÉ	RASANTE	INVENTÉ	PAGNOTÉ
RÉCRITE	DÉVOLTÉ	PESANTE	PLAINTE	MIGNOTÉ
ÉMÉRITE	RÉVOLTE	GISANTE	CRAINTE	**MAÏNOTE**
YPÉRITE	RÉVOLTÉ	FUSANTE	ÉREINTÉ	GYMNOTE
GUÉRITE	**MÉAULTE**	OCTANTE	FREINTE	CONNOTÉ
EFFRITÉ	FACULTÉ	PÉTANTE	ÉTEINTE	CLAPOTÉ
SPIRITE	OCCULTE	VOTANTE	AJOINTÉ	CHIPOTÉ
QUIRITE	OCCULTÉ	MUTANTE	ÉJOINTÉ	TRIPOTÉ
DIORITE	INCULTE	GLUANTE	SPRINTÉ	REMPOTÉ

COMPOTE	DYNASTE	VÉRISTE	TAGETTE	LISETTE
DESPOTE	CÉRASTE	AORISTE	LOGETTE	RISETTE
FIÉROTE	DÉVASTÉ	CURISTE	AUGETTE	GOSETTE
CAIROTE	ASBESTE	JURISTE	ÉMIETTÉ	ROSETTE
CAIROTE	**ALCESTE**	PURISTE	ARIETTE	ASSETTE
POIROTÉ	INCESTE	DÉSISTÉ	SUJETTE	FUSETTE
BAISOTÉ	MODESTE	RÉSISTÉ	GALETTE	MUSETTE
DANSOTÉ	INFESTÉ	INSISTÉ	PALETTE	ALUETTE
MALTÔTE	**SÉGESTE**	ASSISTÉ	ABLETTE	BLUETTE
CREVOTÉ	DIGESTE	BATISTE	BELETTE	FLUETTE
PRÉVÔTÉ	**TRIESTE**	TITISTE	AILETTE	BOUETTE
VELVOTE	MAJESTÉ	ALTISTE	**COLETTE**	COUETTE
CHAYOTE	CÉLESTE	ARTISTE	MOLETTE	FOUETTÉ
TOKYOTE	DÉLESTÉ	AUTISTE	MULETTE	JOUETTE
TOKYOTE	MOLESTÉ	ZUTISTE	RAMETTE	MOUETTE
ACCEPTÉ	FUNESTE	CAVISTE	LIMETTE	BAVETTE
EXCEPTÉ	EMPESTÉ	LAXISTE	TOMETTE	LAVETTE
SCRIPTE	AGRESTE	REXISTE	FUMETTE	NAVETTE
SCULPTÉ	**LA TESTE**	SEXISTE	**HYMETTE**	CIVETTE
EXEMPTE	DÉTESTÉ	FIXISTE	CANETTE	**RIVETTE**
EXEMPTÉ	ATTESTÉ	**LACOSTE**	MANETTE	BUVETTE
ACOMPTE	**THYESTE**	ACCOSTÉ	GENETTE	CUVETTE
PROMPTE	CÉBISTE	**ARIOSTE**	GENETTE	FIXETTE
VOLUPTÉ	CIBISTE	RIPOSTE	**GENETTE**	LAYETTE
ABRUPTE	JOBISTE	RIPOSTÉ	NÉNETTE	MOYETTE
JUBARTE	CUBISTE	IMPOSTE	RÉNETTE	CAZETTE
ENCARTÉ	TUBISTE	ROBUSTE	VENETTE	GAZETTE
ESSARTÉ	RACISTE	ARBUSTE	BINETTE	MAZETTE
ASTARTÉ	JOCISTE	LOCUSTE	DÎNETTE	RIZETTE
IAXARTE	MODISTE	**LOCUSTE**	FINETTE	**ALZETTE**
LIBERTÉ	EUDISTE	DÉGUSTÉ	LINETTE	SAGITTÉ
PUBERTÉ	NUDISTE	AUGUSTE	MINETTE	MÉLITTE
LA FERTÉ	RUDISTE	**AUGUSTE**	TINETTE	**DE WITTE**
OFFERTE	SUDISTE	RAJUSTÉ	PONETTE	DÉBOTTÉ
NÉMERTE	THÉISTE	INJUSTE	DUNETTE	COCOTTE
EXPERTE	ÉPÉISTE	VÉNUSTÉ	LUNETTE	COCOTTÉ
CASERTE	GAGISTE	VÉTUSTE	LUNETTÉ	DÉGOTTÉ
DÉSERTE	LÉGISTE	VÉTUSTÉ	GÂPETTE	GIGOTTÉ
DÉSERTÉ	PIGISTE	ENKYSTÉ	PAPETTE	RIGOTTE
DISERTE	SCHISTE	DÉNATTÉ	TAPETTE	SCIOTTE
OUVERTE	LAKISTE	**MONATTE**	PIPETTE	CHIOTTE
BIZERTE	BALISTE	EMPATTÉ	LOPETTE	GRIOTTE
ACCORTE	HOLISTE	BARATTE	ARPETTE	CALOTTE
ESCORTE	POLISTE	BARATTÉ	JUPETTE	CALOTTÉ
ESCORTÉ	SOLISTE	SQUATTÉ	LIRETTE	PÂLOTTE
COHORTE	ULMISTE	BOBETTE	TIRETTE	CULOTTE
EXHORTÉ	FUMISTE	AUBETTE	LORETTE	CULOTTÉ
DÉPORTÉ	LANISTE	FACETTE	**LORETTE**	HULOTTE
REPORTÉ	MAOÏSTE	FACETTÉ	STRETTE	**LA MOTTE**
EMPORTÉ	TAOÏSTE	RECETTE	BURETTE	EMMOTTÉ
IMPORTÉ	ÉGOÏSTE	SUCETTE	CURETTE	MENOTTE
APPORTÉ	PAPISTE	CADETTE	LURETTE	LINOTTE
EXPORTÉ	DÉPISTÉ	VEDETTE	MURETTE	CAROTTE
ÉCOURTÉ	ALPISTE	ENDETTÉ	SURETTE	CAROTTÉ
SÉBASTE	COPISTE	MOFETTE	CASETTE	MAROTTE
JOCASTE	CARISTE	CAGETTE	RASETTE	GAVOTTE
NÉFASTE	MARISTE	SAGETTE	PESETTE	**GAXOTTE**
			DISETTE	

MAYOTTE	SCOLYTE	CONFLUÉ	**COSAQUE**	PANIQUÉ
CAZOTTE	**CIMABUE**	ABSOLUE	**ESTAQUE**	GÉNIQUE
ÉGOUTTÉ	FOURBUE	RÉSOLUE	ATTAQUE	CONIQUE
PAPAUTÉ	REVÉCUE	DÉVOLUE	ATTAQUÉ	IONIQUE
LEPAUTE	VAINCUE	RÉVOLUE	GRECQUE	**MONIQUE**
CRUAUTÉ	APERÇUE	ÉBERLUÉ	**GRECQUE**	SONIQUE
BOYAUTÉ	DÉCIDUE	ÉMOULUE	DÉFÉQUÉ	TONIQUE
LOYAUTÉ	ASSIDUE	INGÉNUE	TCHÈQUE	PUNIQUE
LOYAUTÉ	ÉPANDUE	OBTENUE	**TCHÈQUE**	RUNIQUE
NOYAUTÉ	ÉTENDUE	DÉTENUE	**SÉNÈQUE**	TUNIQUE
ROYAUTÉ	ÉPERDUE	RETENUE	SAPÈQUE	TUNIQUÉ
TUYAUTÉ	SCHLEUE	ATTÉNUÉ	RÉSÉQUÉ	CYNIQUE
CULBUTE	GRIFFUE	EXTÉNUÉ	MÉTÈQUE	DIOÏQUE
CULBUTÉ	TOUFFUE	REVENUE	AZTÈQUE	STOÏQUE
EXÉCUTÉ	ALPAGUÉ	DIMINUÉ	**AZTÈQUE**	QUOIQUE
PERCUTÉ	**BIRAGUE**	INSINUÉ	RABIQUE	AZOÏQUE
DISCUTÉ	DIVAGUÉ	CHARNUE	REBIQUÉ	DÉPIQUÉ
CUSCUTE	DÉLÉGUÉ	ÉTERNUÉ	CUBIQUE	REPIQUE
RAMEUTÉ	RELÉGUÉ	AMADOUÉ	CACIQUE	REPIQUÉ
ÉQUEUTÉ	TÉLÈGUE	HINDOUE	ABDIQUÉ	TOPIQUE
RAFFÛTÉ	ALLÉGUÉ	SURDOUÉ	MÉDIQUE	LUPIQUE
CHAHUTÉ	**NIMÈGUE**	**CORDOUE**	VÉDIQUE	TYPIQUE
LACHUTE	AMBIGUË	VAUDOUE	INDIQUÉ	DARIQUE
RECHUTE	ENDIGUÉ	ABAJOUE	IODIQUE	SÉRIQUE
RECHUTÉ	SARIGUE	DÉCLOUÉ	MODIQUE	**AFRIQUE**
VERJUTÉ	IRRIGUÉ	RECLOUÉ	SODIQUE	BORIQUE
AZIMUTÉ	BÉSIGUE	ENCLOUÉ	LUDIQUE	BORIQUÉ
COMMUTÉ	FATIGUE	SURLOUÉ	PUDIQUE	DORIQUE
PERMUTÉ	FATIGUÉ	ZOULOUE	OLÉIQUE	**NORIQUE**
CARNUTE	NAVIGUÉ	**ZOULOUE**	ARÉIQUE	TORIQUE
RABOUTÉ	MÉZIGUE	RABROUÉ	KUFIQUE	ÉTRIQUÉ
DÉBOUTÉ	SÉZIGUE	ENCROUÉ	MAGIQUE	AURIQUE
REDOUTE	TÉZIGUE	BANTOUE	ALGIQUE	PURIQUE
REDOUTÉ	ÉLINGUE	**BANTOUE**	LOGIQUE	LYRIQUE
REDOUTÉ	ÉLINGUÉ	**MANTOUE**	ÉTHIQUE	BASIQUE
ALÉOUTE	FLINGUE	INAVOUÉ	**LALIQUE**	NASIQUE
DÉGOÛTÉ	FLINGUÉ	CONSPUÉ	MALIQUE	MUSIQUE
RAJOUTÉ	BRINGUE	MACAQUE	SALIQUE	**BÉTIQUE**
IAKOUTE	BRINGUÉ	ENCAQUÉ	OBLIQUE	RÉTIQUE
YAKOUTE	FRINGUE	**ITHAQUE**	OBLIQUÉ	ANTIQUE
VELOUTÉ	FRINGUÉ	ILIAQUE	RELIQUE	ONTIQUE
FILOUTÉ	GRINGUE	ISIAQUE	VÉLIQUE	GOTIQUE
ÉCROÛTÉ	SWINGUÉ	VALAQUE	SILIQUE	OPTIQUE
DÉROUTE	DÉBOGUÉ	**VALAQUE**	COLIQUE	ASTIQUÉ
DÉROUTÉ	ÉGLOGUE	POLAQUE	DOLIQUE	ATTIQUE
BIROUTE	PIROGUE	CANAQUE	FOLIQUE	**ATTIQUE**
ABSOUTE	EXERGUE	**CANAQUE**	AULIQUE	MUTIQUE
ENVOÛTÉ	FOURGUE	ARNAQUE	SÉMIQUE	ZUTIQUE
MAZOUTÉ	FOURGUE	ARNAQUÉ	OHMIQUE	DYTIQUE
SUPPUTÉ	**LE BUGUE**	CLOAQUE	MIMIQUE	LYTIQUE
DISPUTE	ENJUGUÉ	BARAQUE	COMIQUE	**IQUIQUE**
DISPUTÉ	CROCHUE	BARAQUÉ	VOMIQUE	CIVIQUE
RECRUTÉ	DÉVALUÉ	CARAQUE	LEXIQUE	LEXIQUE
HIRSUTE	REVALUE	**URRAQUE**	OSMIQUE	**MEXIQUE**
CALIXTE	CONCLUE	OURAQUE	HUMIQUE	TOXIQUE
OVOCYTE	MAMELUE	CASAQUE	MANIQUE	**CYZIQUE**
ACOLYTE	MAFFLUE	COSAQUE	PANIQUE	QUEL QUE

QUELQUE	OBSTRUÉ	FICTIVE	TOUPAYE	**TAZIEFF**
FOULQUE	SANGSUE	CHÉTIVE	DÉBRAYÉ	**PITOËFF**
FOULQUE	MOUSSUE	CULTIVÉ	**VIBRAYE**	**CARDIFF**
HOULQUE	INFATUÉ	ÉMOTIVE	EMBRAYÉ	**CHELIFF**
FLANQUÉ	PONCTUÉ	CAPTIVE	DÉFRAYÉ	MASTIFF
PLANQUE	FLUCTUÉ	CAPTIVÉ	EFFRAYÉ	**ROSCOFF**
PLANQUÉ	DÉVÊTUE	FURTIVE	RETRAYÉ	TAKE-OFF
FRANQUE	REVÊTUE	FESTIVE	**PUISAYE**	**NEUHOFF**
SCINQUE	HABITUÉ	FAUTIVE	RESSAYÉ	**BÉNIOFF**
AFIN QUE	POINTUE	ESQUIVE	FISH-EYE	SOUS-OFF
BLINQUÉ	**POINTUE**	ESQUIVÉ	VOLLEYÉ	**KHNOPFF**
TRINQUÉ	ÉVERTUÉ	QUI VIVE	**KANGGYE**	CALECIF
TRONQUÉ	ABATTUE	QUI-VIVE	MERDOYÉ	MALADIF
BICOQUE	ÉBATTUE	CONVIVE	VERDOYÉ	ABRASIF
MANOQUE	POURVUE	BIVALVE	COUDOYÉ	INVASIF
CHNOQUE	BISEXUÉ	**CHENÔVE**	SOUDOYÉ	ADHÉSIF
CINOQUE	CONCAVE	**ALGARVE**	**ANGLOYE**	COHÉSIF
SINOQUE	MOLDAVE	MINERVE	DÉPLOYÉ	DÉCISIF
BAROQUE	**MOLDAVE**	**MINERVE**	REPLOYÉ	INCISIF
LAROQUE	EMBLAVÉ	INNERVÉ	EMPLOYÉ	ÉMULSIF
RÉVOQUÉ	ENCLAVE	OBSERVÉ	LARMOYÉ	DOLOSIF
INVOQUÉ	ENCLAVÉ	RÉSERVE	PAUMOYÉ	ÉMISSIF
NÉARQUE	ESCLAVE	RÉSERVÉ	BORNOYÉ	POUSSIF
ÉNARQUE	VELLAVE	INCURVÉ	CARROYÉ	EFFUSIF
ÉPARQUE	**VELLAVE**	**DENEUVE**	CORROYÉ	ALLUSIF
ÉTARQUÉ	**BARNAVE**	ABREUVÉ	OCTROYÉ	LOCATIF
EXARQUE	**LA GRAVE**	ÉPREUVE	FOSSOYÉ	VOCATIF
FIASQUE	AGGRAVÉ	EFFLUVE	CHATOYÉ	SÉDATIF
FLASQUE	DÉPRAVÉ	ÉPROUVÉ	APITOYÉ	CRÉATIF
BRASQUE	ENTRAVE	**STROUVE**	FESTOYÉ	NÉGATIF
FRASQUE	ENTRAVÉ	**VITRUVE**	NETTOYÉ	ERGATIF
ÉZASQUE	**PICTAVE**	**TSHOKWE**	RENVOYÉ	ABLATIF
FIESQUE	**GUSTAVE**	**MARLOWE**	CONVOYÉ	OBLATIF
FRESQUE	NEW WAVE	NÉVRAXE	LOUVOYÉ	RELATIF
PRESQUE	PRÉLEVÉ	SYNTAXE	VOUVOYÉ	CURATIF
BRISQUE	SOULEVÉ	SURTAXE	RESSUYÉ	DURATIF
PUISQUE	EMBREVÉ	SURTAXÉ	ABKHAZE	ROTATIF
KIOSQUE	DÉGREVÉ	RÉFLEXE	CHALAZE	OPTATIF
LORSQUE	GENCIVE	DUPLEXÉ	**TRÉLAZÉ**	PUTATIF
BRUSQUE	LASCIVE	CONNEXE	**ZAMBÈZE**	LAXATIF
BRUSQUÉ	KHÉDIVE	UNISEXE	SQUEEZE	FIXATIF
GIAUQUE	TARDIVE	CONVEXE	SQUEEZÉ	RÉACTIF
GLAUQUE	ARCHIVÉ	PRÉFIXE	TERFÈZE	INACTIF
CADUQUE	DÉCLIVE	PRÉFIXÉ	**VERGÈZE**	TRACTIF
RELUQUÉ	ÉVASIVE	SUFFIXE	PLANÈZE	ÉLECTIF
ULLUQUE	CENSIVE	SUFFIXÉ	TRAPÈZE	ADDITIF
EUNUQUE	PENSIVE	PROLIXE	**CORRÈZE**	AUDITIF
ENSUQUÉ	ÉROSIVE	STOMOXE	IN-SEIZE	FUGITIF
LA TUQUE	CURSIVE	**HESBAYE**	**FIRENZE**	VOLITIF
FÉTUQUE	MASSIVE	**BISCAYE**	**FROUNZE**	VOMITIF
REPARUE	PASSIVE	**HENDAYE**	**LE SAUZE**	GÉNITIF
MEMBRUE	PASSIVÉ	CONGAYE	**DELEUZE**	LÉNITIF
DELERUE	LESSIVE	DÉBLAYÉ	IN-DOUZE	PUNITIF
CONGRUE	LESSIVÉ	MONNAYÉ	**DE GRAAF**	POSITIF
CHARRUE	MISSIVE	PRÉPAYÉ	**BOUDIAF**	JOINTIF
BOURRUE	ABUSIVE	SURPAYE	MOT-CLEF	ADOPTIF
VENTRUE	ÉLUSIVE	SURPAYÉ	AÉRONEF	ÉRUPTIF

ABORTIF	SERAING	LANSING	JÉHOVAH	CORINTH
SPORTIF	ESTAING	NURSING	HOLBACH	HOGARTH
BOX-CALF	DANCING	LESSING	FORBACH	HAWORTH
AISTOLF	FORCING	KEATING	VILLACH	BISMUTH
ATHAULF	READING	MEETING	BARLACH	KOSSUTH
BEOWULF	REDDING	RAFTING	GERLACH	BARADAI
DEMIDOF	PUDDING	LIFTING	CRANACH	OUADDAÏ
BISCHOF	GOLDING	BANTING	REINACH	GALIGAÏ
KOUGLOF	HOLDING	FOOTING	SEMPACH	KASUGAI
WITLOOF	BAODING	KARTING	DJERACH	QINGHAI
MONDORF	HARDING	CASTING	SALZACH	SONGHAÏ
ALTDORF	POUDING	LASTING	ILLZACH	SONRHAÏ
HITTORF	DOWDING	LISTING	GOLFECH	BOCSKAI
LAUBEUF	JOGGING	PUTTING	MONTECH	REMBLAI
PLÉNEUF	KUCHING	HEYTING	TILLICH	VIRELAI
DIX-NEUF	CUSHING	JIAXING	EHRLICH	SHAHNAÏ
AL-HUFUF	BEIJING	DANDONG	ZÜLPICH	OBERNAI
SURCOUF	SHIJING	MAH-JONG	ALDRICH	TOURNAI
CHADOUF	SMOKING	GIA LONG	KONTICH	CAMBRAI
TINDOUF	PARKING	GEELONG	NORWICH	MINERAI
PIGNOUF	FEELING	BARLONG	IPSWICH	MADURAI
SCHNOUF	KEELING	KAESONG	MURDOCH	BRASSAÏ
DEN HAAG	PEELING	NANTONG	DE HOOCH	HOKUSAI
SANTIAG	MAILING	BALDUNG	DRIESCH	OLDUVAI
LANDTAG	MEMLING	BANDUNG	ALETSCH	CHRAÏBI
TOUAREG	QINLING	HAMHUNG	BORTSCH	KHATIBI
TOUAREG	KIPLING	KEELUNG	SCRATCH	ABITIBI
THALWEG	DARLING	WIRSUNG	WASATCH	NAIROBI
KELLOGG	CURLING	HARTUNG	STRETCH	BAROCCI
PFENNIG	OESLING	BULLDOG	MANYTCH	TANUCCI
SLESVIG	ESSLING	TAGALOG	ALLAUCH	CELLE-CI
HERTWIG	PAULING	TAGALOG	CHAOUCH	RÉTRÉCI
ZAGAZIG	BOWLING	RYDBERG	LELOUCH	REVOICI
LEIPZIG	FLEMING	ICEBERG	FAROUCH	PORTICI
DANTZIG	LEMMING	HEIBERG	KEFFIEH	CELUI-CI
BIG BANG	KUNMING	DALBERG	GEZIREH	INFARCI
CAO BANG	WYOMING	VALBERG	RALEIGH	ENDURCI
WEIFANG	HAINING	HOLBERG	VAN GOGH	GRAMSCI
HARFANG	CANNING	ARLBERG	DE HOOGH	RADOUCI
YUNGANG	MANNING	BAMBERG	BOROUGH	TOULADI
ROTGANG	NANNING	LEMBERG	VIC-BILH	HUNYADI
YICHANG	WARNING	ESBJERG	ANOUILH	ATTIÉDI
XI JIANG	BRÜNING	SEABORG	CAM RANH	AL-MAHDI
SIAMANG	ARLOING	AALBORG	NAM DINH	ENLAIDI
TRÉPANG	CYSOING	GARBORG	ALIGARH	DÉRAIDI
TRIPANG	TAIPING	TILBURG	SHAMASH	VIVALDI
SAMPANG	CAMPING	HAMBURG	MIDRASH	ORGANDI
LINSANG	DUMPING	MARBURG	KADDISH	AGRANDI
MORSANG	JUMPING	WARBURG	YIDDISH	MORANDI
PUR-SANG	LOOPING	CABOURG	GOLIATH	EFFENDI
BUSSANG	LAPPING	COBOURG	SARNATH	AL-KINDI
MUSTANG	ZAPPING	DU BOURG	NEURATH	REBONDI
YUEYANG	GOERING	IN SALAH	HORVÁTH	ARRONDI
GUIYANG	BEHRING	NKRUMAH	MACBETH	KIRUNDI
LUOYANG	STIRING	HAGANAH	LAMBETH	BURUNDI
KAIFENG	ROTRING	DÉBORAH	TALLITH	ENHARDI
GINSENG	LEASING	POUSSAH	ASQUITH	REVERDI

ALOURDI	SWAHILI	LUMBINI	DÉCRÉPI	CHIANTI
ÉTOURDI	TASSILI	CACCINI	RECRÉPI	DÉNANTI
EINAUDI	VASSILI	PUCCINI	THLASPI	GARANTI
BIGOUDI	CAVALLI	MANCINI	ASSOUPI	DESANTI
HAN WUDI	EMBELLI	CONCINI	IMABARI	RALENTI
DÉSOBÉI	CORELLI	BOLDINI	ZUCCARI	DÉMENTI
OPUS DEI	TORELLI	BELLINI	FOSCARI	REPENTI
LORELEI	LAVELLI	CELLINI	MUSCARI	RETENTI
WANG WEI	VIEILLI	FELLINI	ROTHARI	DÉPARTI
KADHAFI	CUEILLI	POLLINI	AKINARI	REPARTI
IZANAGI	LAPILLI	GIULINI	FERRARI	RÉPARTI
FROMEGI	BOUILLI	PANNINI	SASSARI	BIPARTI
RÉLARGI	RAMOLLI	CENNINI	WALTARI	MI-PARTI
RESURGI	OSMANLI	SONNINI	SCUTARI	IMPARTI
DÉROUGI	OSMANLI	GUARINI	COLIBRI	ALBERTI
KARACHI	PICCOLI	CASSINI	ENCHÉRI	ROBERTI
HITACHI	BROCOLI	ROSSINI	ALFIERI	DIVERTI
GNOCCHI	PASCOLI	PLATINI	SALIERI	INVERTI
FRAÎCHI	PACIOLI	MARTINI	POLIERI	ASSORTI
KAMICHI	RAVIOLI	MARTINI	GASPERI	TIBESTI
ENRICHI	AILLOLI	TARTINI	FERRERI	PLOESTI
BLANCHI	TRIPOLI	PERTINI	KAYSERI	PITESTI
FRANCHI	MALPOLI	MAZZINI	AMAIGRI	INVESTI
FIESCHI	LAETOLI	MITANNI	NILGIRI	BUGATTI
NURAGHI	GOZZOLI	RABONNI	SAÏMIRI	LIPATTI
SLOUGHI	LUTHULI	RONCONI	A PRIORI	CANETTI
LADAKHI	STIMULI	MARCONI	ÉQUARRI	MORETTI
MARATHI	NIAOULI	MARCONI	THIERRI	MENOTTI
HORYU-JI	DENIZLI	GOLDONI	SPOERRI	DÉGLUTI
SIRTAKI	GRIZZLI	ETZIONI	ATTERRI	EMBOUTI
OKAZAKI	ORIGAMI	MELLONI	AGUERRI	DURRUTI
POTOCKI	IZANAMI	MANNONI	MEURTRI	ALANGUI
WAIKIKI	TSUNAMI	TASSONI	DÉNUTRI	CHERGUI
VALMIKI	GIN-RAMI	CANZONI	LOPBURI	CHERGUI
PIROJKI	GOURAMI	MANZONI	VIIPURI	HAN SHUI
TABASKI	SASHIMI	DÉGARNI	VENTURI	CACAOUI
TÉLÉSKI	AFFERMI	REGARNI	VENTURI	SERFOUI
VOLJSKI	ENDORMI	GAVARNI	NEMEYRI	MÉCHOUI
WRONSKI	BATOUMI	DÉVERNI	MAFIOSI	VILIOUÏ
VÉLOSKI	FANFANI	RACORNI	REVERSI	ÉPANOUI
MONOSKI	AFGHANI	RAJEUNI	UVA-URSI	ÉVANOUI
TROTSKI	MORIANI	PRÉMUNI	BALASSI	BLANQUI
DMOWSKI	TAVIANI	RÍO MUNI	ÉPAISSI	PAHLAVI
TEOCALI	VIVIANI	DONSKOÏ	FIRDUSI	PAHLAVI
BENGALI	FOULANI	REMPLOI	JIAMUSI	CAPRIVI
BENGALI	MAGNANI	CHEZ-MOI	MALBÂTI	ENSUIVI
HALLALI	HERNANI	TOURNOI	GAUHATI	ASSERVI
UCAYALI	TRAPANI	VICE-ROI	RAPLATI	ASSOUVI
RÉTABLI	GUARANI	NITERÓI	BASMATI	JIANGXI
ENNOBLI	GUARANI	BEFFROI	COMPATI	GUANGXI
AMEUBLI	SOPRANI	ANTIROI	ISTRATI	SHAANXI
CHÉBÉLI	BASSANI	CHARROI	HASTATI	KÁROLYI
SHEBELI	GALVANI	CHEZ-SOI	BUZZATI	POLANYI
MORCELI	OTOPENI	TOLSTOÏ	FRICHTI	APPONYI
VRENELI	APUSENI	CHEZ-TOI	ANÉANTI	GROZNYÏ
ZWINGLI	TORIGNI	POURVOI	ASHANTI	NÉONAZI
SWAHILI	ASSAINI	TOPKAPI	CHIANTI	ANASAZI

RÁKÓCZI	BENEDEK	SETÚBAL	SÉISMAL	PLEURAL
ARGHEZI	DILBEEK	MONACAL	ÉTHANAL	BARISAL
SHIHEZI	BICHKEK	CLOACAL	LAKANAL	ABYSSAL
KOLWEZI	RUBROEK	CARACAL	PARANAL	SINUSAL
ALBIZZI	ZÁTOPEK	RADICAL	ARSENAL	PALATAL
STROZZI	MAASEIK	MÉDICAL	JUVÉNAL	FRACTAL
JACUZZI	SIWALIK	VÉSICAL	ORIGNAL	VÉGÉTAL
PERUZZI	KUBELÍK	MUSICAL	RACINAL	BIMÉTAL
SATLEDJ	MÉNÉLIK	METICAL	VICINAL	ORBITAL
VORONEJ	SOUSLIK	LEXICAL	ORDINAL	CUBITAL
PILNIAK	BEATNIK	BIFOCAL	VAGINAL	RÉCITAL
SANDJAK	RIOURIK	OVOÏDAL	SÉMINAL	DIGITAL
TOKAMAK	PRUSSIK	ABSIDAL	LIMINAL	GÉNITAL
CHARPAK	NUNAVIK	COTIDAL	VIMINAL	CAPITAL
NUNATAK	KATIVIK	SYNODAL	NOMINAL	HÔPITAL
SARAWAK	VAN DIJK	SOUZDAL	MATINAL	MARITAL
KORCZAK	SUFFOLK	NEW DEAL	BIENNAL	TZELTAL
COLBACK	NORFOLK	PALLÉAL	CORONAL	QUENTAL
POLLACK	ALFRINK	FLORÉAL	BITONAL	QUINTAL
KAOLACK	HAITINK	PERRÉAL	STERNAL	FRONTAL
CORMACK	OLENIOK	VAURÉAL	DIURNAL	SCROTAL
HARNACK	BANGKOK	UNGUÉAL	JOURNAL	CHAPTAL
CUTTACK	SZOLNOK	RÉCIFAL	JÉJUNAL	LIESTAL
SEEBECK	NEW-LOOK	ILLÉGAL	GRIPPAL	CRISTAL
HOHNECK	CHINOOK	SÉNÉGAL	GROUPAL	CRISTAL
BIFTECK	GANGTOK	FUNCHAL	LIBÉRAL	HERSTAL
WOYZECK	DE KLERK	MARCHAL	FÉDÉRAL	GLOTTAL
LAMBICK	SELKIRK	NYMPHAL	SIDÉRAL	LINGUAL
SCHLICK	NEW YORK	CAMBIAL	RUDÉRAL	AIGOUAL
GIMMICK	ATATÜRK	GLACIAL	SCLÉRAL	SAROUAL
MAUNICK	VITEBSK	SPÉCIAL	HUMÉRAL	ZEROUAL
KUBRICK	EKOFISK	ASOCIAL	NUMÉRAL	RORQUAL
F'DERICK	OURALSK	CRUCIAL	GÉNÉRAL	DE LAVAL
CARRICK	NORILSK	MONDIAL	MINÉRAL	ROSEVAL
GARRICK	PODOLSK	CARDIAL	LATÉRAL	ORCIVAL
DERRICK	BRIANSK	CORDIAL	SUDORAL	ESTIVAL
HERRICK	SARANSK	SPATIAL	PRÉORAL	REVIVAL
PATRICK	RYBINSK	INITIAL	MAÏORAL	AFFIXAL
WARWICK	ANGARSK	NUPTIAL	FÉMORAL	BATHYAL
BERWICK	ZAGORSK	MARTIAL	IMMORAL	DÉLOYAL
RYSWICK	DONETSK	MARTIAL	HUMORAL	QUETZAL
EYSENCK	LIPETSK	PARTIAL	TUMORAL	RAPHAËL
LUBBOCK	OKHOTSK	BESTIAL	CAPORAL	MIRABEL
PEACOCK	KARABÜK	TRIVIAL	SORORAL	JÉZABEL
HADDOCK	MAMELUK	ÉLUVIAL	AURORAL	DÉCIBEL
PADDOCK	SHILLUK	FLUVIAL	MAYORAL	MÉRIBEL
POLLOCK	CHIBOUK	PLUVIAL	URÉTRAL	MIRIBEL
SCHNOCK	HAÏDOUK	COAXIAL	CENTRAL	VROUBEL
OYAPOCK	FONDOUK	TOUBKAL	VENTRAL	PARACEL
ROSTOCK	MARDOUK	KARIKAL	ŒSTRAL	CHANCEL
POTTOCK	KALMOUK	DÉCIMAL	MISTRAL	FRIEDEL
LA MARCK	TOBROUK	DEMI-MAL	MISTRAL	HAENDEL
LAMARCK	NANSOUK	MINIMAL	ROSTRAL	BRENDEL
VAN DYCK	NANZOUK	OPTIMAL	AUSTRAL	BLONDEL
VAN EYCK	VOLAPÜK	MAXIMAL	AUSTRAL	BLONDEL
BAALBEK	MASARYK	THERMAL	LUSTRAL	ARUNDEL
JANÁCEK	ARRABAL	ANORMAL	FOUTRAL	CLAUDEL

BRAUDEL	FACTUEL	**AUNEUIL**	PARASOL	**GUILLEM**
STRUDEL	CULTUEL	**MAREUIL**	GÉLISOL	**SCHOLEM**
SURRÉEL	VIRTUEL	**ÉBREUIL**	ASANSOL	**HAARLEM**
SPIEGEL	GESTUEL	**MOREUIL**	AÉROSOL	**LESTREM**
BRUEGEL	TEXTUEL	**AUTEUIL**	HORS-SOL	AD LITEM
ANTIGEL	**GEMAYEL**	**LUXEUIL**	SOUS-SOL	**OUED-ZEM**
VRANGEL	BRETZEL	FENOUIL	NAPHTOL	**ÉPHRAÏM**
WRANGEL	**CLAUZEL**	INCIVIL	BRISTOL	**ANAHEIM**
AÉROGEL	**ECKMÜHL**	**BOURVIL**	**BRISTOL**	ROSHEIM
GLACIEL	BERCAIL	**THALWIL**	ANTIVOL	**RIXHEIM**
GABRIEL	**CAP-D'AIL**	**DUMÉZIL**	**HUSSERL**	**IBRAHIM**
PLURIEL	TRAMAIL	**TZOTZIL**	NAHUATL	**JOACHIM**
NOISIEL	TRÉMAIL	**DE STIJL**	AXOLOTL	**AL-HAKIM**
PARTIEL	GEMMAIL	TORBALL	**PRANDTL**	INTÉRIM
MURVIEL	FERMAIL	**KENDALL**	**NAIPAUL**	**GARIZIM**
HAECKEL	HARPAIL	**TYNDALL**	CARACUL	**MALCOLM**
HEINKEL	**RASPAIL**	**CHAGALL**	TAPECUL	**NORODOM**
DUHAMEL	FOIRAIL	**VAL-HALL**	FAUX-CUL	**ALSTHOM**
CARAMEL	**SARRAIL**	**WALSALL**	LINCEUL	CÉDÉROM
TROMMEL	VITRAIL	**REUBELL**	GLAÏEUL	**EURATOM**
AUBANEL	BOBTAIL	**REWBELL**	FILLEUL	**BELGAUM**
ESPINEL	VANTAIL	**PURCELL**	TILLEUL	OPPIDUM
CHANNEL	VENTAIL	**DANIELL**	LIGNEUL	**MITCHUM**
INCONEL	PORTAIL	BRINELL	KARAKUL	CAMBIUM
COLONEL	AIGUAIL	**PARNELL**	**TRÉBOUL**	NIOBIUM
CHARNEL	TRAVAIL	**FARRELL**	PICPOUL	TERBIUM
ÉTERNEL	**ARDABIL**	**DURRELL**	**MOSSOUL**	CALCIUM
FRESNEL	STENCIL	**RUSSELL**	MACADAM	IRIDIUM
QUESNEL	SOURCIL	**CATTELL**	**POTSDAM**	RHODIUM
SCALPEL	**BOABDIL**	**MARVELL**	**ABRAHAM**	LITHIUM
FREPPEL	**CORBEIL**	MAXWELL	**BEECHAM**	GALLIUM
PICAREL	**VERCEIL**	**MAXWELL**	**MAUGHAM**	PALLIUM
ESTEREL	**VERFEIL**	**CARROLL**	**MARKHAM**	THULIUM
DEMIREL	**BEG-MEIL**	PITBULL	**GRESHAM**	CADMIUM
NATUREL	SOMMEIL	GAÏACOL	**CHATHAM**	HOLMIUM
PÈSE-SEL	VERMEIL	BIERGOL	**BENTHAM**	FERMIUM
DEMI-SEL	**BEL ŒIL**	DIERGOL	**HOHOKAM**	URANIUM
MARIS EL	CONSEIL	**HUICHOL**	NUOC-MÂM	RHÉNIUM
GRIMSEL	**CRÉTEIL**	MENTHOL	**SOUMMAM**	HAFNIUM
BEERSEL	ACCUEIL	**BALLIOL**	SONGNAM	**SAMNIUM**
ZOERSEL	RECUEIL	**PLANIOL**	HUNGNAM	OXONIUM
ROUSSEL	**ARCUEIL**	VITRIOL	**SURINAM**	THORIUM
BRUSSEL	LIGUEIL	**MAILLOL**	**EL-ASNAM**	YTTRIUM
SEYSSEL	ORGUEIL	ÉTHANOL	**VIÊT NAM**	CÆSIUM
MORTSEL	**DRAVEIL**	CÉVENOL	**VIETNAM**	HASSIUM
CLAUSEL	FIL-À-FIL	**CÉVENOL**	**MATARAM**	TRITIUM
TÉLÉTEL	SANS-FIL	GUIGNOL	WOLFRAM	MINIMUM
MINITEL	**DANAKIL**	**GUIGNOL**	**WOLFRAM**	OPTIMUM
PÉRITEL	FOURNIL	RÉTINOL	**MIZORAM**	MAXIMUM
CHEPTEL	FUEL-OIL	**KURNOOL**	TRISTAM	LADANUM
CHASTEL	NOMBRIL	**PAIMPOL**	**KHAYYAM**	**PICENUM**
GRADUEL	**ESTORIL**	NIKOPOL	**WAREGEM**	STERNUM
MALOUEL	GROISIL	**RIVAROL**	**EVERGEM**	JÉJUNUM
SAROUEL	VOLATIL	CHABROL	**BERCHEM**	SURBOUM
MENSUEL	POINTIL	**CHABROL**	**OKEGHEM**	LOUKOUM
SENSUEL	**KLESTIL**	POMEROL	REQUIEM	PANTOUM
INUSUEL	**VINEUIL**	**POMEROL**	SCHELEM	LABARUM

DÉCORUM	CAPELAN	BARISAN	LANCÉEN	ANICIEN
CASTRUM	CHILLÁN	ARTISAN	PHOCÉEN	ACADIEN
ERZURUM	QUILLAN	COURSAN	PHOCÉEN	ACADIEN
OPOSSUM	ORTOLAN	BRESSAN	BOSCÉEN	ARÉDIEN
ERRATUM	TRIPLAN	BRESSAN	PRADÉEN	GARDIEN
PUNCTUM	ÉPERLAN	MOISSAN	CANDÉEN	GORDIEN
QUANTUM	ANDAMAN	YUCATÁN	MANDÉEN	GORDIEN
SCROTUM	WEIDMAN	CAFETAN	VENDÉEN	ASCÉIEN
PAESTUM	FRIDMAN	CAJETAN	VENDÉEN	FUÉGIEN
AD NUTUM	GOODMAN	CÉRETAN	CONDÉEN	FUÉGIEN
AQUAGYM	STEEMAN	OCCITAN	BARDEEN	MORGIEN
KHAREZM	COLEMAN	OCCITAN	MAZDÉEN	BURGIEN
ARTABAN	WISEMAN	GADITAN	ARCHÉEN	VOSGIEN
CALIBAN	GOFFMAN	CAPITAN	SILLÉEN	VOSGIEN
SCRIBAN	DROGMAN	SÉISTAN	BOOLÉEN	ENGHIEN
RUBICAN	BERGMAN	TRISTAN	ARAMÉEN	PYTHIEN
MOHICAN	SOLIMAN	DUNSTAN	GHANÉEN	FIDJIEN
PÉLICAN	AHRIMAN	ROUSTAN	GHANÉEN	FIDJIEN
VATICAN	TAXIMAN	BHOUTAN	GUINÉEN	IRAKIEN
MAGADAN	TUDJMAN	PALAUAN	GUINÉEN	IRAKIEN
PÉLADAN	EIJKMAN	PALAUAN	BALNÉEN	TOLKIEN
RAMADAN	WALKMAN	LICHUAN	LINNÉEN	ITALIEN
ZAHEDAN	BELLMAN	SICHUAN	CERNÉEN	ITALIEN
BURIDAN	PULLMAN	DOM JUAN	CORNÉEN	ABÉLIEN
DOURDAN	PULLMAN	SAN JUAN	ROSNÉEN	AMÉLIEN
JOURDAN	FEYNMAN	DON JUAN	ACCRÉEN	CHILIEN
TOURFAN	OTTOMAN	DON JUAN	SEGRÉEN	CHILIEN
OURAGAN	SHERMAN	FAN KUAN	TIGRÉEN	AZILIEN
YATAGAN	BOORMAN	PADOUAN	VITRÉEN	GALLIEN
MAZAGAN	WAKSMAN	ANJOUAN	ISTRÉEN	TALLIEN
ACHIGAN	GASSMAN	HÉLOUÃN	VAURÉEN	MOLLIEN
LE VIGAN	WHITMAN	CAPOUAN	AZURÉEN	BOOLIEN
CHANGAN	EASTMAN	ASSOUAN	AZURÉEN	OURLIEN
KHINGAN	WATTMAN	TÉTOUAN	NOISÉEN	PAULIEN
CADOGAN	GUTTMAN	NAURUAN	SOISÉEN	PERMIEN
CATOGAN	SCHUMAN	NAURUAN	VANSÉEN	CRÂNIEN
KOURGAN	FLAXMAN	TAIYUAN	BASSÉEN	IRANIEN
ISPAHAN	JAZZMAN	TAOYUAN	COSSÉEN	IRANIEN
VAUGHAN	BAMANAN	PALAWAN	ÉLYSÉEN	ASINIEN
DARKHAN	GRIGNAN	BURDWAN	JANZÉEN	OXONIEN
PAULHAN	LÉOGNAN	POPAYÁN	RÖNTGEN	FÉROÏEN
MCLUHAN	HUAINAN	BISAYAN	RÖNTGEN	FÉROÏEN
GARDIAN	TOURNAN	BAMIYAN	SPLÜGEN	CARPIEN
RUFFIAN	MATAPAN	SAROYAN	GUICHEN	ACARIEN
JULLIAN	ZAPOPAN	MIMIZAN	MÜNCHEN	ISARIEN
VULPIAN	HALBRAN	PLEYBEN	HAWAÏEN	OVARIEN
TAO QIAN	TÉHÉRAN	TLEMCEN	HAWAÏEN	OMBRIEN
FLORIAN	VÉTÉRAN	MOUKDEN	AMIBIEN	LOCRIEN
SERVIAN	LAVERAN	VIANDEN	GAMBIEN	HADRIEN
PLUVIAN	BOUGRAN	HAMPDEN	ZAMBIEN	FLÉRIEN
KARAJAN	DHAHRAN	DRESDEN	ZAMBIEN	IMÉRIEN
ABIDJAN	MURORAN	RAMSDEN	COMBIEN	ATÉRIEN
ZANDJAN	GONTRAN	GOLBÉEN	LESBIEN	OUGRIEN
ANDIJAN	BERTRAN	CORBÉEN	LESBIEN	ÉMIRIEN
CATALAN	FORTRAN	HAS BEEN	DOUBIEN	CYPRIEN
CATALAN	ELBASAN	CRÉCÉEN		TERRIEN
GAMELAN	KHOISAN	CALCÉEN	TRACIEN	ESTRIEN

7

SAURIEN	SUFFREN	HAUTAIN	KREMLIN	GRESSIN
VAURIEN	NIELSEN	VOÛTAIN	HERMLIN	TRISSIN
VAURIEN	MOMMSEN	SYLVAIN	DRUMLIN	COUSSIN
GÉVRIEN	THOMSEN	SYLVAIN	COGOLIN	POUSSIN
SÉVRIEN	MEISSEN	NEUVAIN	CIPOLIN	POUSSIN
ALÉSIEN	JANSSEN	COUVAIN	RIPOLIN	ROUSSIN
ONÉSIEN	GAUSSEN	DOUVAIN	CHAPLIN	ROUSSIN
ÉTÉSIEN	THYSSEN	LOUVAIN	PRASLIN	ABYSSIN
CAPSIEN	AERTSEN	DOUZAIN	LUPULIN	ABYSSIN
TARSIEN	LOFOTEN	CARABIN	MAXIMIN	THÉATIN
MEUSIEN	SCHOTEN	JACOBIN	GÉDYMIN	PALATIN
CLUSIEN	BRITTEN	KHARBIN	FÉMININ	PALATIN
ONUSIEN	SALOUEN	MÉDECIN	JEANNIN	BARATIN
GRATIEN	LIPOVEN	CAPUCIN	APENNIN	MORATÍN
CLÉTIEN	MI-MOYEN	BALADIN	ANTONIN	PLANTIN
UZÉTIEN	CITOYEN	PALADIN	BENJOIN	TRENTIN
HAÏTIEN	MITOYEN	CITADIN	CALEPIN	AVENTIN
HAÏTIEN	CARRYEN	DUNEDIN	GALOPIN	QUINTIN
KANTIEN	ALHAZEN	BLONDIN	GRAPPIN	CABOTIN
LAOTIEN	MAGHZEN	BLONDIN	CRESPIN	PICOTIN
LAOTIEN	MAKHZEN	GRONDIN	CRISPIN	BRIOTIN
BÉOTIEN	GENTZEN	CHARDIN	TABARIN	CALOTIN
BÉOTIEN	BAUTZEN	GOURDIN	TAGARIN	PILOTIN
MARTIEN	THÉBAIN	BRESDIN	TAMARIN	POPOTIN
MARTIEN	THÉBAIN	HOLBEIN	LE MARIN	PÉROTIN
AOÛTIEN	RURBAIN	HENLEIN	ROMARIN	PUROTIN
SOUTIEN	VULCAIN	BAHREÏN	PATARIN	HOURTIN
FLAVIEN	VULCAIN	BASSEIN	NAVARIN	PLESTIN
KIÉVIEN	BOUCAIN	DESSEIN	SAVARIN	FAUSTIN
PELVIEN	DOUÇAIN	HOSSEIN	MAZARIN	STETTIN
MARXIEN	MONDAIN	HUSSEIN	MANDRIN	CROTTIN
BATZIEN	HOUDAIN	EPSTEIN	MANDRIN	TROTTIN
LANAKEN	SOUDAIN	ERSTEIN	PÈLERIN	SCRUTIN
BROCKEN	MÉCHAIN	DRIVE-IN	PÈLERIN	HOLGUÍN
SEGALEN	FOLLAIN	POUDRIN	VIPÉRIN	SANGUIN
LENGLEN	POULAIN	ÉGLEFIN	SÉVERIN	GAUGUIN
BETHLEN	GERMAIN	COUFFIN	SIZERIN	HALLUIN
GUILLÉN	GERMAIN	FRANGIN	CHAGRIN	BABOUIN
HEERLEN	ROUMAIN	PÉRUGIN	IVOIRIN	BÉDOUIN
GRAULEN	ROUMAIN	CRACHIN	COMORIN	BÉDOUIN
DURAMEN	THÔNAIN	RONCHIN	BOURRIN	SAGOUIN
JINGMEN	CLARAIN	TROCHIN	VAUTRIN	PAHOUIN
LONGMEN	REFRAIN	DAUPHIN	MATURIN	MALOUIN
BUSHMEN	PARRAIN	BAS-RHIN	MATURÍN	MALOUIN
TAXIMEN	MERRAIN	MENUHIN	VAUTRIN	MILOUIN
ABDOMEN	TERRAIN	EL TAJÍN	GALURIN	TARQUIN
WATTMEN	LORRAIN	TIANJIN	MATURIN	TURQUIN
ALBUMEN	LORRAIN	HODGKIN	MATURÍN	LESQUIN
TIOUMEN	VITRAIN	SOROKIN	PÂTURIN	MESQUIN
CÉRUMEN	ENTRAIN	ALCALIN	DOUVRIN	JOSQUIN
JAZZMEN	MALSAIN	GIBELIN	MAGASIN	BOUQUIN
BRUNNEN	HORSAIN	GAMELIN	SARASIN	ROUQUIN
CITROËN	CHÂTAIN	PATELIN	CHAMSIN	ANGEVIN
MÄLAREN	HUITAIN	AQUILIN	KHAMSIN	ANGEVIN
MCLAREN	SEPTAIN	BÖCKLIN	LIMOSIN	ÉCHEVIN
LOKEREN	CERTAIN	QUELLIN	AGASSIN	PÈSE-VIN
BEVEREN	MORTAIN	KREMLIN	BRASSIN	TÂTE-VIN

ÉPARVIN	BRANDON	RÉUNION	MAMELON	**RANGOON**
ÉPERVIN	**BRANDON**	**RÉUNION**	**FÉNELON**	**KOWLOON**
CHAUVIN	**SWINDON**	**SOUNION**	BUFFLON	CARTOON
LIEUVIN	PAGODON	**SCIPION**	MOUFLON	CRAMPON
BALDWIN	RIGODON	LAMPION	SANGLON	**MONTPON**
FEDAYIN	CHARDON	MORPION	EPSILON	CROUPON
SARAZIN	**YVERDON**	VIBRION	UPSILON	MACARON
MUEZZIN	BOURDON	ALÉRION	AQUILON	MÉGARON
CARDIJN	**BOURDON**	CHORION	**AVALLON**	MEMBRON
LINCOLN	**GOURDON**	**LAURION**	MOELLON	OMICRON
RIEMANN	**SNOWDON**	ÉVASION	**BAILLON**	TENDRON
SPEMANN	DRAGEON	ÉLISION	BÂILLON	**CAUDRON**
HOFMANN	SURGEON	MULSION	**GAILLON**	GOUDRON
ULLMANN	ORPHÉON	PULSION	HAILLON	BIBERON
HERMANN	NUCLÉON	MANSION	MAILLON	**AUBERON**
BORMANN	**MAULÉON**	PENSION	PAILLON	**LUBERON**
NEUMANN	**TORREÓN**	TENSION	SEILLON	MACERON
SCHWANN	BALAFON	ÉROSION	**CHILLON**	**CICÉRON**
TALLINN	CARAFON	VERSION	**DOILLON**	PUCERON
JALGAON	GIRAFON	TORSION	**CRILLON**	AUGERON
MACHAON	GREFFON	**GASSION**	GRILLON	**AUGERON**
PHARAON	CHIFFON	PASSION	GUILLON	**ACHÉRON**
STRABON	GRIFFON	CESSION	APOLLON	**BRIÉRON**
CIREBON	BOUFFON	SESSION	**APOLLON**	PALERON
ANNOBÓN	**NIPIGON**	FISSION	**FOULLON**	SALERON
CHARBON	FOURGON	MISSION	**DEMOLON**	AILERON
BOURBON	**FRACHON**	JUSSION	**SIMPLON**	CULERON
BOURBON	FANCHON	STATION	**ZABULON**	**CAMERON**
AUDUBON	MANCHON	OVATION	TÉLAMON	GAPERON
LIMAÇON	RONCHON	FACTION	**BAYAMÓN**	HYPÉRON
CALEÇON	TORCHON	RECTION	PALÉMON	LISERON
HAMEÇON	**CAUCHON**	SECTION	FLEGMON	**COUËRON**
COMECON	FAUCHON	DICTION	ARTIMON	NÉPHRON
SÉNEÇON	BOUCHON	FICTION	**SALOMON**	CLAIRON
CAVEÇON	LOUCHON	MICTION	CABANON	**CLAIRON**
RUBICON	CRUCHON	ONCTION	**ORGANON**	POTIRON
VIDICON	**PRUD'HON**	ÉDITION	**TRIANON**	ENVIRON
HÉLICON	**AGULHON**	MENTION	**MARAÑÓN**	**SCARRON**
HÉLICON	**QUI NHON**	ÉMOTION	**BRIENON**	CHARRON
PLANÇON	**PYRRHON**	PORTION	**SIMENON**	**CHARRON**
ÉTANÇON	**MENTHON**	BASTION	CHIGNON	GUÊTRON
ALENÇON	**COUTHON**	GESTION	MOIGNON	COITRON
POINÇON	**SUCCION**	CAUTION	**GRIGNON**	POLTRON
TRONÇON	**PHOCION**	ÉLUTION	GUIGNON	**NONTRON**
SOUPÇON	**MARCION**	BRUTION	QUIGNON	CISTRON
ALARCÓN	**CLODION**	MIXTION	**AVIGNON**	NEUTRON
COURÇON	**GORDION**	ÉLUVION	GROGNON	FLEURON
COURÇON	**FORGION**	FLEXION	TROGNON	PATURON
VALADON	ISCHION	FLUXION	LORGNON	CHEVRON
CÉLADON	**AMPHION**	**ARPAJON**	BRUGNON	POIVRON
ESPADON	OPILION	**RÄTIKON**	CHAÎNON	**AVEYRON**
COMÉDON	BILLION	**ASCALON**	**SHANNON**	**ACHESON**
ÉDREDON	MILLION	**ABSALON**	**ÉPERNON**	**BATESON**
LANGDON	FERMION	CHABLON	**COURNON**	**LANG SON**
CUPIDON	**FORMION**	DOUBLON	**TOURNON**	**DÔNG SON**
MÉZIDON	OPINION	HOUBLON	**LAOCOON**	**BERGSON**
ABANDON	**LANNION**	ÉCHELON	**DRAGOON**	LIAISON

ORAISON	POSITON	**QINGDAO**	HIDALGO	**OTTERLO**
MADISON	STILTON	**LIN BIAO**	**LUBANGÓ**	**SAINT-LÔ**
ADDISON	FROMTON	**BEIPIAO**	**DURANGO**	DACTYLO
JAMISON	PLANTON	**TRISTÃO**	**FOLENGO**	**PETSAMO**
CLOISON	**STANTON**	COLLABO	MARENGO	**SAN REMO**
JACKSON	QUANTON	PLACEBO	**MARENGO**	**NANAIMO**
ERIKSON	**TRENTON**	**OSHOGBO**	**DOMINGO**	SEPTIMO
CARLSON	**CLINTON**	**LI TAIBO**	**BAKONGO**	PRO DOMO
CHAMSON	**QUINTON**	**ARECIBO**	**KORHOGO**	MECCANO
THOMSON	FRONTON	NÉLOMBO	EMBARGO	CHICANO
CHANSON	**FRONTON**	COLOMBO	**CAMARGO**	**CHOCANO**
CRANSON	**TAUNTON**	**COLOMBO**	**ARAPAHO**	**GARGANO**
GRANSON	PELOTON	NELUMBO	**JÉRICHO**	**MODIANO**
JOHNSON	MIROTON	**ABE KOBO**	**LESOTHO**	IN-PLANO
BRONSON	**CLAPTON**	**SUBIACO**	**AJACCIO**	SOPRANO
SIMPSON	**HAMPTON**	GUANACO	BROCCIO	**BASSANO**
PEARSON	**COMPTON**	QUÈSACO	**OYASHIO**	**CAETANO**
KHERSON	KRYPTON	SIROCCO	**AZEGLIO**	**PONTANO**
EMERSON	**WHARTON**	**PELLICO**	**ABELLIO**	**BOLZANO**
COURSON	**QUARTON**	TAMPICO	IN-FOLIO	RIPIENO
BRESSON	AVORTON	**TAMPICO**	**SAVINIO**	**STALINO**
CRESSON	**PRESTON**	**CHIRICO**	**OLYMPIO**	**CASSINO**
CRESSON	**MARSTON**	**IONESCO**	**SOLARIO**	**CALVINO**
CAISSON	**HOUSTON**	**JALISCO**	**ROSARIO**	**CHELMNO**
CLISSON	**GUITTON**	**SALGADO**	**ONTARIO**	**LOGROÑO**
UNISSON	GLOUTON	**DELGADO**	**SONDRIO**	**LOCARNO**
BOISSON	CROÛTON	**MACHADO**	**CASERIO**	**SUKARNO**
MOISSON	**DRAYTON**	**CANSADO**	PROPRIO	**MADERNO**
POISSON	BARYTON	**FURTADO**	**MAUGUIO**	A GIORNO
POISSON	SABAYON	**HURTADO**	**STELVIO**	**BELLUNO**
FRISSON	OTOCYON	**MEGIDDO**	**VALLEJO**	**UNAMUNO**
BUISSON	EMBRYON	TORPÉDO	AZULEJO	**GNIEZNO**
CUISSON	**CABEZÓN**	**QUEVEDO**	**BERMEJO**	**GESTAPO**
ÉMOSSON	HORIZON	**AZEVEDO**	**NECHAKO**	**LIMPOPO**
ÉCUSSON	**VIERZON**	**TOKAIDO**	**GROMYKO**	**NOUGARO**
MOUSSON	WESTERN	BUSHIDO	**MIESZKO**	**UTAMARO**
ALYSSON	PATTERN	**ROLANDO**	**BUFFALO**	**CORNARO**
ABAT-SON	**VÄTTERN**	**ORLANDO**	**HENGELO**	LAMPARO
BLOUSON	**CAPVERN**	NÉGONDO	**ZERMELO**	**FALIERO**
NÉGATON	KONZERN	SECUNDO	TRAVELO	PAMPERO
ROGATON	POP-CORN	NEGUNDO	**RAPALLO**	**MASPERO**
BALATON	LEGHORN	**LE BARDO**	MÉTALLO	BRASERO
NÉLATON	SAXHORN	**RICARDO**	**UCCELLO**	**PASSERO**
RIPATON	**RAEBURN**	**BOIARDO**	**MUGELLO**	IN UTERO
STRATON	**HEPBURN**	**MATSUDO**	**OTHELLO**	**ALMAGRO**
MONCTON	MESCLUN	**LANGREO**	INTELLO	ALLEGRO
PHAÉTON	**FERAOUN**	**ARNOLFO**	**RAVELLO**	**OBIHIRO**
PHAÉTON	SHOGOUN	TRANSFO	**UTRILLO**	**KUSHIRO**
REJETON	**CHAMOUN**	**SÉNOUFO**	**MURILLO**	**GOAJIRO**
CANETON	**SEMPRUN**	LOMBAGO	RAMOLLO	**GUAJIRO**
MANETON	NERPRUN	LUMBAGO	DIABOLO	**MINDORO**
PANETON	**FONTEYN**	**CHICAGO**	TOMBOLO	**SAPPORO**
CURETON	**KAPTEYN**	FARRAGO	PICCOLO	**PIZARRO**
LANGTON	**OLSZTYN**	**MONDEGO**	**FOSCOLO**	IN VITRO
DEMI-TON	DAZIBAO	**TURBIGO**	**DANDOLO**	MAESTRO
CAPITON	CURAÇAO	PRURIGO	TRÉMOLO	EXTENSO
	CURAÇAO	LENTIGO	**TIEPOLO**	**CARDOSO**

MAFIOSO	**NESEBAR**	INTUBER	FRONDER	BRIDGER
CALYPSO	**NICOBAR**	EFFACER	GRONDER	ALLÉGER
CALYPSO	ESCOBAR	DÉLACER	EXONDER	ARPÉGER
PICASSO	**KHAYBAR**	ENLACER	DÉCODER	ABRÉGER
CHIASSO	SIDE-CAR	MENACER	ENCODER	AGRÉGER
SIKASSO	MINICAR	ESPACER	**SHKODËR**	RÉDIGER
SPALATO	**ALENCAR**	DÉPECER	DÉMODER	OBLIGER
SFUMATO	AUTOCAR	POLICER	LIARDER	VOLIGER
VIBRATO	CHEDDAR	FIANCER	ABORDER	DIRIGER
DE FACTO	**DAMODAR**	ÉLANCER	HOURDER	MITIGER
ORVIETO	**ÜSKÜDAR**	NUANCER	LOURDER	ATTIGER
MAGNÉTO	**ROI LEAR**	AVANCER	FRAUDER	CHANGER
AKIHITO	SCHOFAR	AGENCER	DÉNUDER	FRANGER
MISKITO	BÉDÉGAR	ÉMINCER	EXSUDER	ORANGER
ASIENTO	**KACHGAR**	**SPENCER**	**RED DEER**	**KLINGER**
LAMENTO	RÉALGAR	COINCER	**VERMEER**	**USINGER**
MÉMENTO	**QIQIHAR**	GRINCER	RECRÉER	ÉLONGER
TORONTO	**AL-AZHAR**	ÉVINCER	RÉCRÉER	PLONGER
BISCOTO	KANDJAR	PIONCER	RAGRÉER	ÉPONGER
SUHARTO	MUDÉJAR	ÉNONCER	DÉGRÉER	DÉLOGER
MODESTO	DRAKKAR	FRONCER	REGRÉER	RELOGER
CHRISTO	**SHANKAR**	EXERCER	PARAFER	LIMOGER
IN PETTO	**OTTOKAR**	ÉCORCER	AGRAFER	ABROGER
RISOTTO	CANULAR	AMORCER	BRIEFER	DÉROGER
EX AEQUO	CALAMAR	**CHAUCER**	PIAFFER	ARROGER
CENTAVO	**HINCMAR**	EXAUCER	STAFFER	CHARGER
HASKOVO	**MYANMAR**	SCHADER	GREFFER	ÉMARGER
IVANOVO	**PALOMAR**	CHIADER	SNIFFER	ÉMERGER
TARNOVO	LUPANAR	BALADER	COIFFER	ÉGORGER
TIRNOVO	**CAMBOAR**	PARADER	BRIFFER	ADJUGER
GABROVO	COALTAR	ABCÉDER	GRIFFER	DÉJUGER
ZEMSTVO	COUGUAR	ACCÉDER	SUIFFER	MÉJUGER
CHORIZO	BOLIVAR	DÉCÉDER	ÉTOFFER	REJUGER
SCHERZO	**BOLÍVAR**	RECÉDER	**TÖPFFER**	CALUGER
DURAZZO	SAMOVAR	EXCÉDER	BLUFFER	ÉGRUGER
MELOZZO	**KOSOVAR**	SPEEDER	BOUFFER	ÉCACHER
IMHOTEP	**MEDAWAR**	OBSÉDER	POUFFER	CRACHER
ONE-STEP	ALCAZAR	PLAIDER	TRUFFER	DRACHER
DUCHAMP	**SALAZAR**	DÉCIDER	**LUCIFER**	FLÉCHER
ELSKAMP	**VAN LAER**	VALIDER	TARIFER	ÉMÉCHER
HARD BOP	CACABER	LAPIDER	**ANTIFER**	CRÉCHER
SEX-SHOP	**KROEBER**	DÉRIDER	ATTIFER	PRÊCHER
BOSKOOP	IMBIBER	RÉSIDER	PACAGER	CLICHER
BOTTROP	**KLEIBER**	DÉVIDER	ENCAGER	TRICHER
HARD-TOP	INHIBER	SCANDER	BOCAGER	BANCHER
NON-STOP	EXHIBER	VIANDER	DÉGAGER	HANCHER
KETCHUP	FLAMBER	GLANDER	ENGAGER	RANCHER
CHECK-UP	PLOMBER	AGENDER	RAMAGER	PENCHER
PRA-LOUP	ENGOBER	AMENDER	MANAGER	JONCHER
KASTRUP	DÉROBER	SCINDER	MÉNAGER	LYNCHER
DARRACQ	ENROBER	CHINDER	DÉRAGER	PIOCHER
BARSACQ	ÉBARBER	BLINDER	ENRAGER	CLOCHER
PONTACQ	COURBER	GUINDER	**ONSAGER**	AMOCHER
VAN LAAR	INCUBER	ABONDER	POTAGER	BROCHER
ALKMAAR	ADOUBER	ÉMONDER	RAVAGER	CROCHER
MALABAR	TITUBER	VOYAGER	VOYAGER	MARCHER
MALABAR	ENTUBER	INONDER	**VOYAGER**	HERCHER

PERCHER	RONDIER	CADMIER	RÉCRIER	**PORTIER**
KIRCHER	AMODIER	ANÉMIER	ENCRIER	POSTIER
PORCHER	FARDIER	CRÉMIER	SUCRIER	BUSTIER
TORCHER	MERDIER	PREMIER	MADRIER	DATTIER
FISCHER	VERDIER	PALMIER	NÉGRIER	NATTIER
VISCHER	BORDIER	GOMMIER	POIRIER	**NATTIER**
CATCHER	**CORDIER**	POMMIER	CÂPRIER	PATTIER
FAUCHER	ÉTUDIER	SOMMIER	CARRIER	BOTTIER
FAUCHER	CAFÉIER	LARMIER	**CARRIER**	POTTIER
GAUCHER	ÉDIFIER	FERMIER	**FERRIER**	**GAUTIER**
RAUCHER	DÉIFIER	CORMIER	**PERRIER**	SAUTIER
BLÜCHER	RÉIFIER	BAUMIER	TERRIER	MOUTIER
PLUCHER	UNIFIER	**DAUMIER**	VERRIER	ROUTIER
BOUCHER	SOLFIER	PLUMIER	VITRIER	SOUTIER
BOUCHER	CONFIER	GOUMIER	LAURIER	GRUTIER
COUCHER	PLAGIER	GRUMIER	**LAURIER**	BAGUIER
DOUCHER	IMAGIER	ÉBÉNIER	**COURIER**	**SÉGUIER**
LOUCHER	FICHIER	**CHÉNIER**	**FOURIER**	FIGUIER
MOUCHER	**RICHIER**	PLÉNIER	TOURIER	VIGUIER
TOUCHER	ROCHIER	GRENIER	USURIER	**ANGUIER**
SLIPHER	**POTHIER**	**RÉGNIER**	FÉVRIER	JAQUIER
FLASHER	LUTHIER	GAINIER	LÉVRIER	PIQUIER
SMASHER	CÂBLIER	LAINIER	VIVRIER	CLAVIER
CRASHER	SABLIER	**RAINIER**	OUVRIER	GRAVIER
NOETHER	TABLIER	ÉPINIER	BRASIER	OLIVIER
WALTHER	OUBLIER	CANNIER	ALISIER	**OLIVIER**
GÜNTHER	PUBLIER	VANNIER	CENSIER	JANVIER
WERTHER	ATELIER	**BONNIER**	GYPSIER	**JANVIER**
COCAÏER	NÉFLIER	**MONNIER**	TARSIER	**RANVIER**
COPAÏER	MUFLIER	ACONIER	CASSIER	CONVIER
GAMBIER	VOILIER	THONIER	MASSIER	PLUVIER
JAMBIER	HUILIER	CARNIER	FESSIER	BOUVIER
BARBIER	TUILIER	**GARNIER**	**MESSIER**	**BOUVIER**
GERBIER	HALLIER	**TARNIER**	**TESSIER**	**ROUVIER**
HERBIER	PALLIER	**BERNIER**	LISSIER	ALIZIER
VERBIER	RALLIER	DERNIER	DOSSIER	**CROZIER**
MORBIER	CELLIER	VERNIER	OBUSIER	RAZZIER
SORBIER	SELLIER	**VERNIER**	BOUSIER	GALÉJER
ÉCUBIER	**TELLIER**	CORNIER	CHÂTIER	SPEAKER
GLACIER	MILLIER	**DORNIER**	ARÊTIER	CRACKER
PLACIER	**TILLIER**	SAUNIER	FAÎTIER	KNICKER
ÉMACIER	COLLIER	MEUNIER	LIFTIER	STICKER
GRACIER	ROLLIER	**MEUNIER**	LAITIER	STOCKER
ÉPICIER	ÉCOLIER	**MOUNIER**	INITIER	**PLÜCKER**
LANCIER	GEÔLIER	PRUNIER	BOÎTIER	CLINKER
FONCIER	VIOLIER	**MOYNIER**	**PELTIER**	CABALER
RONCIER	SPOLIER	CLAPIER	GANTIER	DÉCALER
MERCIER	DÉPLIER	DRAPIER	DENTIER	RECALER
MERCIER	REPLIER	CRÊPIER	RENTIER	PÉDALER
PERCIER	**BERLIER**	GUÊPIER	SENTIER	AFFALER
SORCIER	PERLIER	FRIPIER	**MONTIER**	RÉGALER
SAUCIER	**MESLIER**	TRIPIER	PONTIER	DÉHALER
POUCIER	TAULIER	**DAMPIER**	ÎLOTIER	INHALER
SOUCIER	BOULIER	POMPIER	**CARTIER**	EXHALER
PRADIER	ROULIER	TAUPIER	MORTIER	CHIALER
LANDIER	SOULIER	AVARIER	**MORTIER**	EMPALER
MENDIER		DÉCRIER	PORTIER	RESALER

DÉTALER	MEUGLER	ENVOLER	DRUMMER	TRAÎNER
CAVALER	JUBILER	TRIPLER	**CRANMER**	DÉBINER
RAVALER	DÉFILER	SAMPLER	BLOOMER	BOBINER
DÉVALER	REFILER	**DOPPLER**	CHROMER	BADINER
CHABLER	AFFILER	PEUPLER	RÉARMER	RADINER
ÉTABLER	EFFILER	COUPLER	CHARMER	DODINER
CRIBLER	ENFILER	**VEKSLER**	ALARMER	FREINER
SEMBLER	SPOILER	**ELSSLER**	**BIERMER**	**STEINER**
COMBLER	ÉTOILER	**KASTLER**	**MESSMER**	AFFINER
MEUBLER	DÉPILER	CHAULER	CHAUMER	PAGINER
DOUBLER	EMPILER	MIAULER	ENFUMER	ÉCHINER
SARCLER	DÉSILER	PIAULER	INHUMER	**SCHINER**
CERCLER	ENSILER	ÉPAULER	EXHUMER	CÂLINER
MUSCLER	MUTILER	FABULER	ALLUMER	GAMINER
BOUCLER	RUTILER	MACULER	RÉSUMER	LAMINER
PUDDLER	**DAVILER**	ACCULER	ASSUMER	DÉMINER
HURDLER	SCELLER	FÉCULER	BITUMER	GÉMINER
DÉCELER	NIELLER	RECULER	CABANER	DOMINER
RECELER	BAILLER	ONDULER	RUBANER	GOMINER
FICELER	BÂILLER	MODULER	RICANER	NOMINER
MODELER	CAILLER	**BLEULER**	EFFANER	RUMINER
WHEELER	FAILLER	GUEULER	MAGANER	LAPINER
DÉGELER	MAILLER	RÉGULER	**BIKANER**	RAPINER
REGELER	PAILLER	JUGULER	BASANER	TAPINER
SCHELER	RAILLER	HULULER	PAVANER	COPINER
ANHÉLER	TAILLER	SIMULER	**GARDNER**	FARINER
DÉMÊLER	TEILLER	CUMULER	**WEGENER**	MARINER
EMMÊLER	VEILLER	CANULER	ALIÉNER	SERINER
JUMELER	ROILLER	ANNULER	HALENER	BURINER
AGNELER	BRILLER	SAOULER	RAMENER	SURINER
ANNELER	GRILLER	ABOULER	DÉMENER	LÉSINER
CAPELER	TRILLER	ÉBOULER	EMMENER	RÉSINER
APPELER	VRILLER	ÉCOULER	CARÉNER	MÂTINER
CISELER	**STILLER**	CROULER	ÉGRENER	PATINER
FUSELER	CUILLER	COPULER	ENRÊNER	RATINER
MUSELER	OUILLER	CRAWLER	ASSÉNER	SATINER
RÂTELER	**DAIMLER**	**GADAMER**	STAGNER	POTINER
DÉTELER	**HIMMLER**	STEAMER	**BOEGNER**	BUTINER
ATTELER	BRANLER	AFFAMER	BAIGNER	LUTINER
BOUÉLER	BABOLER	ENGAMER	DAIGNER	MUTINER
JAVELER	RACOLER	DÉRAMER	SAIGNER	COUINER
TAVELER	ACCOLER	RÉTAMER	PEIGNER	FOUINER
RÉVÉLER	RÉCOLER	ENTAMER	ALIGNER	BRUINER
NIVELER	PICOLER	ÉCRÉMER	CLIGNER	RAVINER
CUVELER	COCOLER	RYTHMER	SOIGNER	DEVINER
ÉRAFLER	AFFOLER	DÉCIMER	GRIGNER	**LUCKNER**
SIFFLER	RIGOLER	**RICIMER**	GUIGNER	SCANNER
RENFLER	ÉTIOLER	RÉDIMER	GROGNER	**BRANNER**
GONFLER	CAJOLER	**GÉLIMER**	LORGNER	**BRENNER**
RONFLER	ENJÔLER	RANIMER	POUGNER	**SKINNER**
MORFLER	IMMOLER	PÉRIMER	**FECHNER**	ABONNER
STIGLER	ENRÔLER	ARRIMER	**LOCHNER**	ADONNER
SANGLER	DÉSOLER	**LATIMER**	**BUCHNER**	ÂNONNER
CINGLER	INSOLER	INTIMER	**BÜCHNER**	ÉTONNER
JONGLER	ASSOLER	ESTIMER	CHAÎNER	RAMONER
FURGLER	ENTÔLER	**BELLMER**	DRAINER	CROONER
BEUGLER	REVOLER	TRIMMER	GRAINER	CORONER

613

DÉTONER	SOMBRER	HONORER	EMPESER	ÉCOSSER
KVARNER	MARBRER	PÉRORER	BIAISER	ADOSSER
STIRNER	EXÉCRER	ESSORER	NIAISER	BROSSER
ÉCORNER	CENDRER	DÉVORER	APAISER	DROSSER
PIORNER	POUDRER	DIAPRER	BRAISER	FAUSSER
TOURNER	LIBÉRER	AMARRER	FRAISER	GAUSSER
GESSNER	LACÉRER	BEURRER	INCISER	HAUSSER
MESSNER	MACÉRER	LEURRER	EXCISER	HOUSSER
PEVSNER	ULCÉRER	BOURRER	**DREISER**	MOUSSER
MEITNER	FÉDÉRER	FOURRER	BALISER	POUSSER
KÄSTNER	SIDÉRER	CHÂTRER	ENLISER	TOUSSER
BRAUNER	**DODERER**	PLÂTRER	NOLISER	POUTSER
TRAUNER	MODÉRER	GUÊTRER	TAMISER	ACCUSER
FALUNER	DÉFÉRER	FILTRER	REMISER	RÉCUSER
PÉTUNER	RÉFÉRER	CENTRER	NANISER	EXCUSER
DÉCAPER	INFÉRER	RENTRER	TANISER	MÉDUSER
SCRAPER	DIGÉRER	CINTRER	SINISER	CREUSER
DÉRAPER	INGÉRER	CONTRER	IONISER	GUEUSER
RETAPER	COGÉRER	MONTRER	CROISER	REFUSER
RECEPER	ADHÉRER	CASTRER	ÉGRISER	INFUSER
EXCIPER	ACIÉRER	LUSTRER	ARRISER	ÉCLUSER
ÉTRIPER	GALÉRER	VAUTRER	COTISER	BLOUSER
ÉQUIPER	TOLÉRER	FEUTRER	ATTISER	ÉPOUSER
SCALPER	MÉMÉRER	RÉCURER	ÉPUISER	MÉSUSER
INALPER	GÉNÉRER	ENDURER	CRUISER	DEBATER
TREMPER	VÉNÉRER	FLEURER	RAVISER	DÉBÂTER
GRIMPER	REPÉRER	PLEURER	DEVISER	SWEATER
QUIMPER	ESPÉRER	APEURER	RÉVISER	RÉGATER
TROMPER	LISERER	ÉPEURER	DIVISER	ÉCLATER
WHYMPER	INSÉRER	FIGURER	CLAMSER	RELATER
GALOPER	ALTÉRER	AUGURER	**SPENSER**	DILATER
SALOPER	RÉVÉRER	ABJURER	DÉPOSER	DÉMÂTER
CLAPPER	COFFRER	ADJURER	REPOSER	EMPÂTER
FRAPPER	GAUFRER	DÉLURER	IMPOSER	APPÂTER
TRAPPER	SOUFRER	EMMURER	APPOSER	PIRATER
STEPPER	ÉMIGRER	CHOURER	OPPOSER	RETÂTER
SKIPPER	HONGRER	AJOURER	EXPOSER	**LAVATER**
CLIPPER	BLAIRER	DÉPURER	ARROSER	TRACTER
FLIPPER	FLAIRER	MESURER	COURSER	ÉJECTER
GRIPPER	DÉLIRER	ASSURER	CHASSER	ÉDICTER
CHOPPER	ADMIRER	PÂTURER	CLASSER	ÉRUCTER
DROPPER	EMPIRER	RATURER	AMASSER	HÉBÉTER
STOPPER	ASPIRER	SATURER	COASSER	EMBÊTER
USURPER	EXPIRER	OBTURER	BRASSER	TWEETER
CRISPER	DÉSIRER	BITURER	BLESSER	VÉGÉTER
PROSPER	RETIRER	SUTURER	DRESSER	ACHETER
OCCUPER	ATTIRER	CHEVRER	PRESSER	DÉJETER
GROUPER	DÉVIRER	ENIVRER	TRESSER	REJETER
ÉTOUPER	ARBORER	POIVRER	BAISSER	CALETER
EFFARER	DÉCORER	CUIVRER	LAISSER	GALETER
DÉPARER	PICORER	ŒUVRER	CLISSER	HALETER
RÉPARER	DÉDORER	RECASER	GLISSER	FILETER
SÉPARER	REDORER	ABRASER	PLISSER	MOLETER
EMPARER	MAJORER	ÉBRASER	POISSER	VOLETER
CAMBRER	COLORER	ÉCRASER	ÉPISSER	**DÉMÉTER**
TIMBRER	IGNORER	PHRASER	CRISSER	RÉPÉTER
NOMBRER	MINORER	ENVASER	TRISSER	BARÉTER

ÉCRÊTER	COCOTER	MUNSTER	CARGUER	CASQUER
ARRÊTER	SUÇOTER	**MUNSTER**	LARGUER	MASQUER
CURETER	RADOTER	**MÜNSTER**	NARGUER	BISQUER
FURETER	FAGOTER	BOOSTER	TARGUER	RISQUER
ENTÊTER	DÉGOTER	APOSTER	**BOUGUER**	**COSQUER**
RIVETER	MÉGOTER	**VORSTER**	ÉVALUER	BUSQUER
DUVETER	GIGOTER	AJUSTER	REFLUER	RAUQUER
DRIFTER	LIGOTER	CLUSTER	AFFLUER	ÉDUQUER
STIFTER	ERGOTER	TRUSTER	INFLUER	ÉNUQUER
MOUFTER	CAHOTER	FLATTER	DÉGLUER	SOUQUER
DOIGTER	MIJOTER	GRATTER	ENGLUER	TRUQUER
RICHTER	PELOTER	FRETTER	POLLUER	STUQUER
TRAITER	PILOTER	GUETTER	ÉVOLUER	RESSUER
HABITER	CANOTER	FRITTER	COMMUER	BOSSUER
DÉBITER	DÉNOTER	QUITTER	SECOUER	STATUER
ORBITER	ANNOTER	FLOTTER	ROCOUER	DÉCAVER
RÉCITER	SCOOTER	ÉMOTTER	BAFOUER	EXCAVER
LICITER	SHOOTER	CROTTER	ENGOUER	DÉLAVER
INCITER	CAPOTER	FROTTER	ÉCHOUER	RELAVER
EXCITER	PAPOTER	TROTTER	DÉJOUER	**VINAVER**
MÉDITER	TAPOTER	FLUTTER	REJOUER	DÉPAVER
AUDITER	DÉPOTER	GOUTTER	RELOUER	REPAVER
COGITER	EMPOTER	DÉBUTER	ALLOUER	ENDÊVER
DÉLITER	SIROTER	REBUTER	DÉNOUER	ACHEVER
MILITER	REVOTER	PIEUTER	RENOUER	RELEVER
LIMITER	PIVOTER	ZIEUTER	ÉBROUER	ENLEVER
GUNITER	VIVOTER	AMEUTER	ÉCROUER	SALIVER
DÉPITER	FAYOTER	QUEUTER	ENROUER	DÉRIVER
JUPITER	ZOZOTER	ZYEUTER	TATOUER	ARRIVER
ABRITER	ADAPTER	RÉFUTER	DÉVOUER	ACTIVER
HÉRITER	COMPTER	AFFÛTER	**OUZOUER**	VÉTIVER
MÉRITER	DOMPTER	ENFÛTER	CLAQUER	MOTIVER
IRRITER	ADOPTER	MINUTER	PLAQUER	ESTIVER
HÉSITER	COOPTER	ABOUTER	BRAQUER	RAVIVER
VISITER	CRYPTER	ÉBOUTER	CRAQUER	RÉNOVER
BRUITER	ÉCARTER	ÉCOUTER	TRAQUER	INNOVER
INVITER	CHARTER	AJOUTER	PACQUER	ÉNERVER
SPALTER	STARTER	CLOUTER	SACQUER	DÉCUVER
EXALTER	QUARTER	BROUTER	**BÉCQUER**	ENCUVER
EXULTER	ALERTER	CROÛTER	CHIQUER	PROUVER
CHANTER	INERTER	DÉPUTER	CLIQUER	TROUVER
PLANTER	FLIRTER	AMPUTER	FLIQUER	**BROUWER**
CRANTER	AVORTER	IMPUTER	APIQUER	MALAXER
ÉDENTER	HEURTER	SCRUTER	BRIQUER	RELAXER
FIENTER	GÉASTER	BIZUTER	CALQUER	DÉSAXER
ÉVENTER	TOASTER	JOUXTER	TALQUER	DÉTAXER
FEINTER	**WEBSTER**	ÉCOBUER	BANQUER	INDEXER
TEINTER	CHESTER	ÉVACUER	MANQUER	TÉLEXER
POINTER	**CHESTER**	GRADUER	CHOQUER	ANNEXER
SUINTER	DIESTER	BLAGUER	BLOQUER	PAGAYER
SHUNTER	PRESTER	ÉLAGUER	CLOQUER	BÉGAYER
CABOTER	BLISTER	DRAGUER	FLOQUER	BALAYER
RABOTER	TWISTER	BRIGUER	CROQUER	DÉLAYER
SABOTER	EXISTER	TANGUER	TROQUER	RELAYER
ACCOTER	**FALSTER**	DINGUER	ÉVOQUER	PAPAYER
BÉCOTER	HOLSTER	ZINGUER	MARQUER	REPAYER
PICOTER	HAMSTER	DROGUER	PARQUER	COPAYER

DÉRAYER	ÉTABLIR	FERMOIR	ABRUTIR	PERCEUR
ENRAYER	FAIBLIR	GERMOIR	LANGUIR	DOUCEUR
ESSAYER	ANOBLIR	PLANOIR	ENFOUIR	TIÉDEUR
MÉTAYER	RAVILIR	URINOIR	RÉJOUIR	LAIDEUR
ZÉZAYER	JAILLIR	TERROIR	ÉBLOUIR	RAIDEUR
CAPEYER	SAILLIR	MOUROIR	ÉCROUIR	ROIDEUR
FASEYER	AMOLLIR	OUVROIR	**ARMAVIR**	SOLDEUR
LOCKYER	DÉMOLIR	ALÉSOIR	ELZÉVIR	CANDEUR
ONDOYER	DÉPOLIR	LINSOIR	**ELZÉVIR**	FENDEUR
RUDOYER	REPOLIR	BONSOIR	DUUMVIR	TENDEUR
BAJOYER	REMPLIR	VERSOIR	**ABU BAKR**	VENDEUR
CALOYER	AVEULIR	LISSOIR	**SOBIBÓR**	FONDEUR
ÉPLOYER	**CASIMIR**	PISSOIR	**MARIBOR**	PONDEUR
DÉNOYER	**JITOMIR**	BOSSOIR	PICADOR	RONDEUR
ENNOYER	APLANIR	MONTOIR	**MOGADOR**	SONDEUR
DUNOYER	OBTENIR	**MONTOIR**	TCHADOR	TONDEUR
CÔTOYER	DÉTENIR	DORTOIR	**BOJADOR**	BRODEUR
TUTOYER	RETENIR	BATTOIR	PARADOR	GARDEUR
DÉVOYER	ADVENIR	BUTTOIR	MIRADOR	VERDEUR
ENVOYER	DEVENIR	SAUTOIR	**MIRADOR**	TORDEUR
BERRYER	REVENIR	BLUTOIR	MATADOR	BOUDEUR
ENNUYER	DÉFINIR	BOUTOIR	**CÔTE-D'OR**	SOUDEUR
APPUYER	**PATINIR**	FOUTOIR	STRIDOR	GAFFEUR
ESSUYER	ABONNIR	TAQUOIR	**ANTHÉOR**	GOLFEUR
DÉGAZER	FOURNIR	PRÉVOIR	**SENGHOR**	SURFEUR
FREEZER	DÉMUNIR	COUVOIR	**GÜNTHÖR**	IMAGEUR
ZWANZER	DÉSUNIR	MOUVOIR	**GWALIOR**	PIÉGEUR
BRONZER	TRAÇOIR	POUVOIR	SIMILOR	JOGGEUR
MÜNTZER	LINÇOIR	CROUPIR	MODULOR	MANGEUR
KREUZER	PERÇOIR	DÉPÉRIR	ATHANOR	VENGEUR
BUCHEHR	FENDOIR	MAIGRIR	**ALIÉNOR**	RONGEUR
LECLAIR	PENDOIR	AMERRIR	**ANTÉNOR**	SONGEUR
DUCLAIR	FONDOIR	NOURRIR	**O'CONNOR**	LARGEUR
MÜSTAIR	PONDOIR	POURRIR	**WINDSOR**	MARGEUR
VROMBIR	TORDOIR	FLÉTRIR	SPONSOR	FORGEUR
FOURBIR	BOUDOIR	FLEURIR	**LOUQSOR**	PURGEUR
ÉTRÉCIR	ASSEOIR	COUVRIR	**MOLITOR**	ROUGEUR
CHANCIR	HACHOIR	ROUVRIR	**NUMITOR**	GÂCHEUR
AMINCIR	DÉCHOIR	PLAISIR	MONITOR	HACHEUR
NOIRCIR	SÉCHOIR	CHOISIR	STENTOR	LÂCHEUR
ADOUCIR	FICHOIR	**PLAISIR**	**STENTOR**	MÂCHEUR
AFFADIR	NICHOIR	TRANSIR	BIROTOR	BÊCHEUR
BRANDIR	POCHOIR	GROSSIR	QUATUOR	LÉCHEUR
GRANDIR	JUCHOIR	RÉUSSIR	SEPTUOR	PÊCHEUR
BLONDIR	CHALOIR	ROUSSIR	SEXTUOR	PÊCHEUR
ÉBAUDIR	À-VALOIR	DÉBÂTIR	**DNIESTR**	SÉCHEUR
BOUFFIR	AVALOIR	REBÂTIR	TOMBEUR	BÛCHEUR
ASSAGIR	JABLOIR	DÉCATIR	GERBEUR	MALHEUR
ÉLARGIR	RACLOIR	APLATIR	DAUBEUR	BONHEUR
ENVAHIR	RIFLOIR	DÉVÊTIR	PLACEUR	RELIEUR
AVACHIR	FALLOIR	REVÊTIR	TRACEUR	MANIEUR
FLÉCHIR	ISOLOIR	ALLOTIR	LANCEUR	COPIEUR
GAUCHIR	PARLOIR	AVERTIR	MINCEUR	MARIEUR
BACHKIR	COULOIR	AMORTIR	RINCEUR	PARIEUR
PALIKIR	FOULOIR	BLETTIR	FONCEUR	ROCKEUR
ABOUKIR	VOULOIR	BLOTTIR	FARCEUR	CHALEUR
RESALIR	BRÛLOIR	ABOUTIR	BERCEUR	AVALEUR

CÂBLEUR	SABREUR	MENTEUR	**BALFOUR**	**BAHAMAS**
HÂBLEUR	VIBREUR	SENTEUR	**DARFOUR**	**PALAMAS**
SABLEUR	ENCREUR	CONTEUR	OUÏGOUR	**PALAMÁS**
TABLEUR	CADREUR	MONTEUR	BONJOUR	**MIRAMAS**
AMBLEUR	BÂFREUR	CAPTEUR	GLAMOUR	**CABIMAS**
RACLEUR	OFFREUR	RUPTEUR	**SEYMOUR**	**GREIMAS**
GICLEUR	AIGREUR	PORTEUR	KIPPOUR	**AUBENAS**
RÉGLEUR	BARREUR	PASTEUR	**KIPPOUR**	**PÉZENAS**
ÉPILEUR	TERREUR	**PASTEUR**	**NIPPOUR**	**SALINAS**
DALLEUR	HORREUR	TESTEUR	CONTOUR	**LEVINAS**
PILLEUR	MÉTREUR	PISTEUR	**DESTOUR**	JACONAS
COLLEUR	COUREUR	BATTEUR	VAUTOUR	**ALAGOAS**
VIOLEUR	LIVREUR	METTEUR	**BIJAPUR**	**CHIAPAS**
FRÔLEUR	OUVREUR	BOTTEUR	**RANGPUR**	PAS-À-PAS
AMPLEUR	FAISEUR	BUTTEUR	**SHÂHPUR**	**SUIPPAS**
PARLEUR	BOISEUR	LUTTEUR	**JODHPUR**	PATARAS
HURLEUR	BRISEUR	FAUTEUR	**UDAIPUR**	**MAURRAS**
COULEUR	PRISEUR	HAUTEUR	**MANIPUR**	PLÂTRAS
DOULEUR	CUISEUR	SAUTEUR	**JYTOMYR**	**COUTRAS**
MOULEUR	VALSEUR	CHUTEUR	**MORLAÀS**	**QUEYRAS**
ROULEUR	DANSEUR	BOUTEUR	DEMI-BAS	GALETAS
BRÛLEUR	CENSEUR	DOUTEUR	ARROBAS	**VERITAS**
CLAMEUR	PENSEUR	GOÛTEUR	**PAYS-BAS**	**AMYNTAS**
ÉTAMEUR	SENSEUR	JOUTEUR	**CARACAS**	**PELOTAS**
FRIMEUR	TENSEUR	ROUTEUR	**PARACAS**	**EUROTAS**
PRIMEUR	HERSEUR	TAGUEUR	CHOUCAS	**BORDUAS**
GEMMEUR	VERSEUR	LIGUEUR	**POSADAS**	**PALAVAS**
LANMEUR	CURSEUR	RIGUEUR	CSARDAS	CANEVAS
CHÔMEUR	CASSEUR	VIGUEUR	CZARDAS	**METAXÁS**
DORMEUR	MASSEUR	FUGUEUR	**PYTHÉAS**	**VISAYAS**
ÉCUMEUR	PASSEUR	REMUEUR	**PELLÉAS**	**MARSYAS**
FLÂNEUR	LISSEUR	ÉBOUEUR	**VALRÉAS**	SKI-BOBS
GLANEUR	PISSEUR	LAQUEUR	**ARTIGAS**	**LES ARCS**
PLANEUR	TISSEUR	LIQUEUR	**CALCHAS**	TAN-SADS
CRÂNEUR	BOSSEUR	PIQUEUR	**PHIDIAS**	NU-PIEDS
PRENEUR	CAUSEUR	TIQUEUR	**MATHIAS**	DÉFENDS
GAGNEUR	AMUSEUR	MOQUEUR	**EXÉKIAS**	ACHARDS
CHINEUR	COUSEUR	**LE SUEUR**	**CALLIAS**	**EDWARDS**
CANNEUR	AMATEUR	FLAVEUR	**HIPPIAS**	REMORDS
TANNEUR	ORATEUR	DRAVEUR	**CTÉSIAS**	**SORABES**
VANNEUR	FACTEUR	GRAVEUR	**PRUSIAS**	**CÉLÈBES**
SENNEUR	LECTEUR	ÉLEVEUR	**CRITIAS**	**DELIBES**
DONNEUR	RECTEUR	DRIVEUR	**PENZIAS**	**ANTIBES**
HONNEUR	SECTEUR	SUIVEUR	**BARAJAS**	**HORACES**
SONNEUR	VECTEUR	FERVEUR	**CARAJÁS**	**OFFICES**
PRÔNEUR	LICTEUR	SERVEUR	**PALIKAS**	SÉVICES
OZONEUR	DOCTEUR	SAUVEUR	ÉCHALAS	**SALUCES**
JEÛNEUR	RHÉTEUR	**SAUVEUR**	**GIL BLAS**	**ORCADES**
RICŒUR	FRÉTEUR	FRAYEUR	**RUY BLAS**	**VARADES**
CHIPEUR	PRÉTEUR	TRAYEUR	**MÉNÉLAS**	**LAGIDES**
PALPEUR	PRÊTEUR	ABOYEUR	MATELAS	**NUMIDES**
CAMPEUR	QUÊTEUR	BROYEUR	FLA-FLAS	**ZIRIDES**
RAPPEUR	CAFTEUR	**TRICHUR**	VERGLAS	**ATRIDES**
TORPEUR	ÉDITEUR	**RÉAUMUR**	**DOUGLAS**	**FUALDÈS**
COUPEUR	MOITEUR	TAMBOUR	**ULFILAS**	**BRANDES**
SOUPEUR	MALTEUR	**LIMBOUR**	**NICOLAS**	ÉMONDES
STUPEUR	LENTEUR	**ORADOUR**	**SATOLAS**	**LOURDES**

CÂBLÉES	SAISIES	FRESNES	FARGUES	TARNAIS
CRÉMÉES	CHÂTIÉS	AVESNES	BERGUES	RESNAIS
LES MÉES	SUIVIES	MORT-NÉS	LORGUES	CHAPAIS
ESTRÉES	EVENKES	DE FUNÈS	SORGUES	SABRAIS
BRISÉES	CROOKES	BEDDOES	SAUGUES	SEGRAIS
PLATÉES	ANNALES	ÉTAMPES	POUGUES	ENGRAIS
EMBUÉES	MORALES	TRAPPES	ADYGUÉS	HAVRAIS
AMBAGES	ÉTABLES	SUIPPES	ZAZOUES	MARSAIS
PARAGES	HUMBLES	BÉNARÈS	JACQUES	ANÉTAIS
BARÈGES	ARBÈLES	LINARES	JACQUES	MALTAIS
VITIGÈS	ANGELES	CASARÈS	LECQUES	MALTAIS
GRANGES	ARGELÈS	CIMBRES	ONCQUES	MANTAIS
LIMOGES	WINGLES	LUMBRES	LUCQUES	NANTAIS
VIERGES	PICKLES	LONDRES	CLIQUES	PROTAIS
GEORGES	CHALLES	COUDRES	CONQUES	FAUTAIS
RIORGES	SCELLÉS	CÁCERES	PARQUES	DROUAIS
BOURGES	CHELLES	ACHÈRES	JUSQUES	LAQUAIS
IAPYGES	IXELLES	GLIÈRES	MORDVES	BRAVAIS
COACHES	ÉTAPLES	SÉRÈRES	ÉCOUVES	CALVAIS
APACHES	TRIPLÉS	SÉVÈRES	LUCAYES	GERVAIS
ARÊCHES	COUPLÉS	CAZÈRES	ÉRINYES	MAUVAIS
SEICHES	CHARLES	LANGRES	HARPYES	BLAYAIS
RANCHES	CHASLES	LANGRES	GLEIZES	NISIBIS
WINCHES	BEATLES	CONGRÈS	FORTIFS	INDÉCIS
CONCHES	SICULES	TONGRES	VIKINGS	MÉDICIS
LUNCHES	GUEULES	PROGRÈS	SPRINGS	FRANCIS
TROCHES	HÉRULES	COMORES	MA-JONGS	FRONCIS
GARCHES	GÉTULES	CI-APRÈS	HOT DOGS	PARADIS
MARCHES	RUTULES	DES PRÉS	SPEECHS	HOURDIS
MATCHES	QUILMES	CONTRES	BRUNCHS	SOURDIS
PLUCHES	CHARMES	CASTRES	AUROCHS	TAI-CHIS
NIVKHES	VIARMES	LIGURES	SKETCHS	PERCHIS
BRUNHES	CHERMÈS	BIÈVRES	SCOTCHS	TORCHIS
DELPHES	THERMES	DESVRES	TARBAIS	COUCHIS
CLASHES	RAISMES	DOUVRES	LANDAIS	MEMPHIS
FLASHES	RIEUMES	LOUVRES	LANDAIS	XENAKIS
SLASHES	DIDYMES	ACCISES	BORDAIS	KHALKÍS
SMASHES	SICANES	ASSISES	CORDAIS	CHAALIS
CRASHES	GUYANES	CHÂSSES	BAUDAIS	SOMALIS
FLUSHES	MYCÈNES	CLISSÉS	VAUDAIS	NOVALIS
BARTHES	ATHÈNES	BROSSES	CHALAIS	CHABLIS
PARTHES	EUMENÈS	CAUSSES	SABLAIS	CHABLIS
SCYTHES	SOIGNES	ÆGATES	BÉGLAIS	CIVILIS
STABIES	DÉCINES	PÉNATES	ANGLAIS	PAILLIS
HOBBIES	RADINES	OÏRATES	ANGLAIS	TAILLIS
LOBBIES	MALINES	SUDÈTES	MILLAIS	SURPLIS
LOCHIES	MALINES	TAGETES	GAUMAIS	COURLIS
ORCHIES	COMINES	VÉNÈTES	OMANAIS	ÉBOULIS
TOMMIES	MÉNINES	ZÉNÈTES	OMANAIS	LES ULIS
OIGNIES	MARINES	PÉPÈTES	ORANAIS	RÉADMIS
PENNIES	EYSINES	OSSÈTES	URANAIS	EUDÉMIS
TÖNNIES	MATINES	EN-TÊTES	AGENAIS	ARTÉMIS
GUPPIES	CAULNES	CRANTÉS	BAINAIS	CABANIS
HARPIES	LUGONES	FUENTES	RENNAIS	TARANIS
FERRIES	COLONES	SAINTES	YONNAIS	ANCENIS
LORRIES	SENONES	BONDUES	HARNAIS	LYCHNIS
DE VRIES	FRASNES	GRÈGUES	MARNAIS	DAPHNIS

PANINIS	FINNOIS	**LOUVOIS**	BORÉALS	**ROBBINS**
TOURNIS	**FINNOIS**	**CLAYOIS**	**MICHALS**	CONFINS
À MI-BOIS	**BONNOIS**	**BRUZOIS**	MARIALS	LEGGINS
RIÉCOIS	HARNOIS	**SARAPIS**	JOVIALS	**MOUGINS**
CRÉÇOIS	BERNOIS	**SÉRAPIS**	ATONALS	**WILKINS**
VENÇOIS	**BERNOIS**	CHAMPIS	CHORALS	**HOPKINS**
SPADOIS	**COSNOIS**	**SYBARIS**	CAUSALS	**HAWKINS**
SUÉDOIS	**AHUNOIS**	MÉHARIS	GAS-OILS	**COLLINS**
SUÉDOIS	**BEYNOIS**	TAMARIS	**MOGHOLS**	**ROLLINS**
BRIDOIS	**SEYNOIS**	**TAMARIS**	**BARJOLS**	**OULLINS**
MELDOIS	**VEYNOIS**	**CANARIS**	**BAGNOLS**	**TULLINS**
MELDOIS	**BLÉROIS**	**KANÁRIS**	**BOZOULS**	**MOULINS**
MENDOIS	**CLÉROIS**	PANARIS	BANYULS	**TIMMINS**
GARDOIS	**ISÉROIS**	**SALBRIS**	TAM-TAMS	**PONTINS**
VAUDOIS	**HYÉROIS**	LAMBRIS	ENDÉANS	**PROVINS**
VAUDOIS	ANGROIS	**SEFÉRIS**	**ORLÉANS**	**VERVINS**
GIFFOIS	ENGROIS	**NUMÉRIS**	**LOUHANS**	**GIBBONS**
PARFOIS	ZAÏROIS	COLORIS	**BALKANS**	**VASCONS**
PRAGOIS	**ZAÏROIS**	FAVORIS	**ALAMANS**	ABSCONS
PRAGOIS	**BARROIS**	COMPRIS	**CAÏMANS**	**LINGONS**
ANCHOIS	**SARROIS**	RAPPRIS	YEOMANS	**CHÂLONS**
LOCHOIS	**YERROIS**	SURPRIS	**DORMANS**	RILLONS
LOCLOIS	NORROIS	**VESTRIS**	**COUMANS**	**COIRONS**
GALLOIS	**MAUROIS**	**NÉMÉSIS**	**HEYMANS**	MARRONS
GALLOIS	BLÉSOIS	PARISIS	**MOIRANS**	**ÉBURONS**
CELLOIS	**BLÉSOIS**	**PARISIS**	**SARRANS**	**FOURONS**
DELLOIS	**VALSOIS**	SYCOSIS	**AUTRANS**	**GRISONS**
SELLOIS	**LENSOIS**	**AHMOSIS**	**FAISANS**	**PARSONS**
LILLOIS	**MONSOIS**	PYROSIS	**LES VANS**	À TÂTONS
COLLOIS	**GERSOIS**	CHÂSSIS	**ACHÉENS**	**PICTONS**
HULLOIS	**MERSOIS**	**PLESSIS**	NÉMÉENS	**SETTONS**
LISLOIS	**BASSOIS**	**ÉLEUSIS**	**HUYGENS**	**TEUTONS**
BAULOIS	**BESSOIS**	**POLÍTIS**	**SADIENS**	COMMUNS
GAULOIS	**HESSOIS**	PILOTIS	**DAMIENS**	**HAWKYNS**
GAULOIS	**HESSOIS**	AGROTIS	**DORIENS**	PRONAOS
TOULOIS	**LYSSOIS**	TRUSTIS	**DICKENS**	PARADOS
ADAMOIS	CRÉTOIS	ABATTIS	**EYSKENS**	LAVE-DOS
CHAMOIS	**CRÉTOIS**	FROTTIS	**HELLENS**	**CHANDOS**
SIAMOIS	**AULTOIS**	**SÃO LUÍS**	SIEMENS	PELAGOS
LOMMOIS	COMTOIS	RIBOUIS	**SIEMENS**	**PAPAGOS**
RIOMOIS	**COMTOIS**	CONQUIS	**SUENENS**	**PYRRHOS**
DRÔMOIS	GANTOIS	CROQUIS	**CAMOENS**	**XANTHOS**
FISMOIS	**GANTOIS**	MARQUIS	**SAMOËNS**	BENTHOS
BAUMOIS	PANTOIS	**PEYRUIS**	**COPPENS**	**PHOTIOS**
STANOIS	**CONTOIS**	PERTUIS	SUSPENS	**TAPAJÓS**
ALÉNOIS	MONTOIS	**PERTUIS**	**CLARENS**	**ATTALOS**
CAGNOIS	**MONTOIS**	PRÉAVIS	**BEHRENS**	**LENCLOS**
DIGNOIS	**PONTOIS**	VIS-À-VIS	**THORENS**	FORCLOS
UGINOIS	**BIOTOIS**	INDIVIS	**LAURENS**	**MORELOS**
CHINOIS	DARTOIS	**METSIJS**	**MELSENS**	**PSELLOS**
CHINOIS	**FERTOIS**	**KORIAKS**	NON-SENS	TRULLOS
BLINOIS	**PORTOIS**	**VOTYAKS**	**BASSENS**	**PATHMOS**
FLINOIS	**LATTOIS**	**OSTYAKS**	**MARTENS**	**SOLOMÓS**
GUÎNOIS	**BUGUOIS**	**KOUMYKS**	**STEVENS**	THERMOS
CANNOIS	GRAVOIS	TRIBALS	**TROYENS**	**ROMANOS**
SANNOIS	GRIVOIS	TOMBALS	**ALBAINS**	**OURANOS**
YENNOIS	**DERVOIS**	PASCALS	**ROMAINS**	TÉTANOS

TEMENOS	UNIVERS	PERTHUS	SANCTUS	CHARRAT
ALBINOS	CONVERS	MOEBIUS	FRUCTUS	POURRAT
MOLINOS	PERVERS	APICIUS	HABITUS	FILTRAT
MÉRINOS	VERCORS	MENCIUS	CUBITUS	CONTRAT
ICTINOS	DIX-CORS	CLODIUS	ANDREWS	CASTRAT
MYKONOS	FAVEURS	BERGIUS	DINGHYS	ADSTRAT
À-PROPOS	BOXEURS	OMALIUS	WHISKYS	TRANSAT
ATROPOS	DÉBOURS	CAELIUS	COW-BOYS	RÉMUSAT
VOCEROS	REBOURS	VILNIUS	CHERRYS	ÉTRETAT
ÁNDHROS	DÉCOURS	GROPIUS	SHERRYS	HABITAT
QUEIRÓS	RECOURS	CELSIUS	KHANTYS	CONSTAT
THÁSSOS	SECOURS	VOSSIUS	SHABBAT	APOSTAT
CNOSSOS	EN-COURS	PHOTIUS	CÉLIBAT	GRADUAT
KNOSSÓS	VELOURS	GROTIUS	DÉLICAT	ADÉQUAT
IQUITOS	MAMOURS	CURTIUS	BOURCAT	KUMQUAT
PLOUTOS	NEMOURS	NAEVIUS	THÉODAT	SALAVAT
SCHNAPS	LIMOURS	MILVIUS	EXSUDAT	HEDAYAT
TRICEPS	DONBASS	DE CUJUS	LAURÉAT	VITRYAT
FORCEPS	SCHLASS	PROCLUS	CALIFAT	ENNEZAT
LESSEPS	SENSASS	PERCLUS	SARAGAT	COMPACT
PHILIPS	BURGESS	ANGÉLUS	RENÉGAT	CONTACT
DECAMPS	TOPLESS	PHALLUS	AGRÉGAT	TEST ACT
MI-TEMPS	FITNESS	EMBOLUS	TORNGAT	INEXACT
CÉCROPS	LAXNESS	SURPLUS	FLACHAT	RESPECT
MI-CORPS	EXPRESS	REGULUS	CRACHAT	SUSPECT
BALKARS	MILLOSS	ROMULUS	PALGHAT	CORRECT
SELLARS	BICROSS	CUMULUS	LOUFIAT	VERDICT
VILLARS	STRAUSS	TUMULUS	PLAGIAT	RASTADT
THOUARS	BAS-MÂTS	CALAMUS	PRIPIAT	SCHWEDT
KHAZARS	GRAVATS	TRISMUS	INUPIAT	SCHEIDT
LUBBERS	LES GETS	RETENUS	BASTIAT	SCHMIDT
RANDERS	KUZNETS	SABINUS	PUGILAT	COURBET
WENDERS	STARETS	COSINUS	MIELLAT	GOURBET
SNYDERS	JET-SETS	LATINUS	SAILLAT	GRANDET
SEGHERS	NON-DITS	BRENNUS	ÀUDIMAT	BÉNODET
VIHIERS	BARENTS	TOURNUS	DÉCANAT	CHAUDET
ILLIERS	POP ARTS	TOURNUS	APLANAT	EN EFFET
JULIERS	ESSARTS	NOUKOUS	MÉCÉNAT	BOURGET
PAMIERS	T-SHIRTS	BURNOUS	JUVÉNAT	BRACHET
TENIERS	BAUHAUS	PEÏPOUS	BOUGNAT	BRÉCHET
PÉRIERS	PEDIBUS	TRIPOUS	CATINAT	GUICHET
RETIERS	MINIBUS	ELBROUS	COLONAT	JONCHET
VIVIERS	OMNIBUS	DESSOUS	APPARAT	BROCHET
BÉZIERS	ÀBRIBUS	DISSOUS	GUJERAT	CROCHET
YONKERS	RASIBUS	BELARUS	DOMÉRAT	PARCHET
JUNKERS	AUTOBUS	GOMARUS	MALFRAT	FAUCHET
LILLERS	POURBUS	HUMÉRUS	LÉVIRAT	LOUCHET
VILLERS	COTTBUS	ABSTRUS	VIZIRAT	MOUCHET
SOLLERS	BIFIDUS	ŒSTRUS	LE DORAT	MOUCHET
ROULERS	NUCLEUS	FLEURUS	ÉPHORAT	SOUCHET
SOMMERS	NUCLÉUS	PAPYRUS	MAÏORAT	JOLLIET
GOMPERS	DREYFUS	THAPSUS	PRIORAT	BERLIET
JASPERS	BACCHUS	CRASSUS	MAJORAT	FRÉMIET
LINTERS	PYRRHUS	TOUSSUS	HONORAT	INQUIET
REUTERS	ICHTHUS	CONATUS	SORORAT	CRICKET
WOUTERS	BALTHUS	STRATUS	TUTORAT	DOUBLET
TRAVERS	MALTHUS	TRACTUS	MAYORAT	ANACLET

TRACLET	**LANCRET**	**BÉNEZET**	**WEHNELT**	TENDANT
GOBELET	CONCRET	**TENSIFT**	**HASSELT**	VENDANT
ORGELET	DISCRET	**SCHACHT**	**BIDAULT**	FONDANT
AGNELET	ABLERET	**UTRECHT**	**PRÉAULT**	MONDANT
ANNELET	SOLERET	INSIGHT	**RENAULT**	PONDANT
CAPELET	LANERET	PARFAIT	**HINAULT**	SONDANT
PIPELET	INTÉRÊT	FORFAIT	**CUNAULT**	TONDANT
CISELET	COFFRET	SURFAIT	**HÉRAULT**	BRODANT
OISELET	**MAIGRET**	TÔT-FAIT	**HURAULT**	ÉRODANT
ROSELET	CLAIRET	SOUHAIT	**ROUAULT**	BARDANT
OSSELET	PROPRET	RETRAIT	**ORVAULT**	CARDANT
MUSELET	CHARRET	ENTRAIT	**HÉROULT**	DARDANT
BATELET	FLEURET	ATTRAIT	**TAZOULT**	FARDANT
SIFFLET	PAUVRET	EXTRAIT	BRABANT	GARDANT
MOUFLET	TWIN-SET	MÉGABIT	**BRABANT**	LARDANT
SINGLET	GRASSET	**GARABIT**	GALBANT	TARDANT
SIFILET	**GRASSET**	DÉFICIT	CAMBANT	MERDANT
GAILLET	**KNESSET**	LIEU-DIT	NIMBANT	PERDANT
MAILLET	**BOESSET**	RINGGIT	BOMBANT	BORDANT
MAILLET	**SAISSET**	**TLINGIT**	TOMBANT	CORDANT
MEILLET	**DAUSSET**	CONFLIT	SNOBANT	MORDANT
ŒILLET	FAUSSET	EXPLOIT	PROBANT	TORDANT
ÉPILLET	GOUSSET	ENDROIT	BARBANT	ÉLUDANT
JUILLET	**BOYSSET**	**DETROIT**	GERBANT	BOUDANT
SADOLET	CREUSET	DÉTROIT	DAUBANT	COUDANT
TRIOLET	QUINTET	INTROÏT	AGAÇANT	SOUDANT
TRIOLET	**BREGUET**	INCIPIT	GLAÇANT	OXYDANT
VIROLET	LONGUET	COCKPIT	PLAÇANT	GAGEANT
BAVOLET	**SAUGUET**	GABARIT	TRAÇANT	NAGEANT
TRIPLET	BRAQUET	**OUGARIT**	PECCANT	RAGEANT
SIMPLET	TRAQUET	RÉÉCRIT	SLIÇANT	FIGEANT
COMPLET	JACQUET	RESCRIT	ÉPIÇANT	PIGEANT
COUPLET	BECQUET	INSCRIT	LANÇANT	GOGEANT
STERLET	**PECQUET**	PRAKRIT	TANÇANT	LOGEANT
CUMULET	CLIQUET	**LABORIT**	PINÇANT	JUGEANT
MAZAMET	BRIQUET	CONTRIT	RINÇANT	LUGEANT
MAHOMET	CRIQUET	SECURIT	FONÇANT	ÉCHÉANT
GOURMET	FRIQUET	TRANSIT	JONÇANT	CAPÉANT
CALUMET	TRIQUET	APPÉTIT	PONÇANT	AGRÉANT
CADENET	BANQUET	PRÉCUIT	BERÇANT	TORÉANT
HAVENET	**FLOQUET**	CIRCUIT	GERÇANT	GAFFANT
BEIGNET	CROQUET	BISCUIT	PERÇANT	BIFFANT
POIGNET	TROQUET	TRADUIT	FORÇANT	PIFFANT
CABINET	**MARQUET**	CONDUIT	SAUÇANT	OLIFANT
ROBINET	PARQUET	PRODUIT	ÉPUÇANT	SURFANT
FREINET	**PIRQUET**	**MAUDUIT**	BRADANT	ÉLÉGANT
VIONNET	BOSQUET	DIX-HUIT	ÉVADANT	BÂCHANT
BARONET	**CHUQUET**	SIX-HUIT	ÉLIDANT	CACHANT
FASTNET	BOUQUET	TRALUIT	BRIDANT	FÂCHANT
PARAPET	**BOUQUET**	**SALLUIT**	GUIDANT	GÂCHANT
WHIPPET	**FOUQUET**	DÉTRUIT	ÉVIDANT	HACHANT
CABARET	**BOSSUET**	GRATUIT	SOLDANT	LÂCHANT
NOGARET	**JOLIVET**	FORTUIT	BANDANT	MÂCHANT
CAMARET	**GANIVET**	AQUAVIT	MANDANT	SACHANT
MINARET	**LE FAYET**	AKVAVIT	FENDANT	TACHANT
LAVARET	VILAYET	**DEHMELT**	PENDANT	TÂCHANT
LAZARET	**BAJAZET**	WEHNELT	RENDANT	BÊCHANT

DÉCHANT	SABLANT	COULANT	GAGNANT	HAPPANT
LÉCHANT	TABLANT	FOULANT	MAGNANT	JAPPANT
MÉCHANT	CIBLANT	IOULANT	RÉGNANT	NAPPANT
PÉCHANT	AMBLANT	MOULANT	LIGNANT	ZAPPANT
PÊCHANT	BÂCLANT	ROULANT	OIGNANT	NIPPANT
SÉCHANT	RACLANT	SOÛLANT	SIGNANT	TIPPANT
AICHANT	TACLANT	VOULANT	COGNANT	ZIPPANT
BICHANT	CICLANT	BRÛLANT	ROGNANT	JASPANT
FICHANT	GICLANT	OVULANT	GAINANT	TAUPANT
LICHANT	IODLANT	STYLANT	LAINANT	COUPANT
NICHANT	JODLANT	DIAMANT	RAINANT	LOUPANT
COCHANT	YODLANT	BLÂMANT	PEINANT	SOUPANT
CÔCHANT	POÊLANT	CLAMANT	VEINANT	ÉGARANT
HOCHANT	ÉPELANT	FLAMANT	CHINANT	CABRANT
LOCHANT	GRÊLANT	BRAMANT	OPINANT	SABRANT
POCHANT	RAFLANT	CRAMANT	URINANT	ZÉBRANT
ROCHANT	GIFLANT	**CRAMANT**	USINANT	VIBRANT
ESCHANT	ENFLANT	TRAMANT	RUINANT	AMBRANT
BÛCHANT	MOFLANT	ÉTAMANT	AVINANT	OMBRANT
HUCHANT	RÉGLANT	CRÊMANT	DAMNANT	NACRANT
JUCHANT	BIGLANT	ABÎMANT	CANNANT	SACRANT
RUCHANT	POILANT	ÉCIMANT	TANNANT	ANCRANT
AMBIANT	VOILANT	ANIMANT	VANNANT	ENCRANT
VICIANT	ÉPILANT	BRIMANT	DONNANT	SUCRANT
RADIANT	HUILANT	FRIMANT	SONNANT	CADRANT
DÉDIANT	TUILANT	GRIMANT	TONNANT	HYDRANT
DÉFIANT	EXILANT	PRIMANT	CLONANT	OBÉRANT
MÉFIANT	BALLANT	TRIMANT	PRÔNANT	ACÉRANT
AFFIANT	DALLANT	CALMANT	TRÔNANT	OPÉRANT
DÉLIANT	**GALLANT**	FILMANT	OZONANT	STÉRANT
RELIANT	TALLANT	GEMMANT	MARNANT	AVÉRANT
ALLIANT	PELLANT	GOMMANT	BERNANT	BÂFRANT
ENLIANT	SELLANT	NOMMANT	CERNANT	OFFRANT
MANIANT	AILLANT	POMMANT	**VERNANT**	MIGRANT
DÉNIANT	BILLANT	SOMMANT	BORNANT	FOIRANT
RENIANT	CILLANT	CHÔMANT	CORNANT	MOIRANT
PÉPIANT	PILLANT	ZOOMANT	**MORNANT**	ÉTIRANT
COPIANT	TILLANT	FERMANT	SAUNANT	ADORANT
EXPIANT	COLLANT	GERMANT	JEÛNANT	ODORANT
CARIANT	BULLANT	DORMANT	ALUNANT	BARRANT
MARIANT	**BULLANT**	FORMANT	DRAPANT	CARRANT
PARIANT	VIOLANT	**MORMANT**	CRÊPANT	MARRANT
VARIANT	FRÔLANT	PAUMANT	CHIPANT	NARRANT
ÉCRIANT	ISOLANT	ÉCUMANT	FRIPANT	WARRANT
SÉRIANT	IMPLANT	RHUMANT	TRIPANT	FERRANT
STRIANT	PARLANT	PLUMANT	GUIPANT	SERRANT
OBVIANT	FERLANT	BOUMANT	PALPANT	TERRANT
DÉVIANT	PERLANT	AHANANT	CAMPANT	MÉTRANT
ENVIANT	HURLANT	FLÂNANT	LAMPANT	NITRANT
JERKANT	OURLANT	GLANANT	RAMPANT	TITRANT
ÉCALANT	GAULANT	PLANANT	VAMPANT	VITRANT
DEALANT	ADULANT	ÉMANANT	PIMPANT	ENTRANT
ÉGALANT	FEULANT	CRÂNANT	POMPANT	INTRANT
ÉTALANT	MEULANT	AMENANT	ROMPANT	OUTRANT
AVALANT	ULULANT	GRENANT	ÉCOPANT	SAURANT
CÂBLANT	ÉMULANT	PRENANT	CHOPANT	ÉCURANT
JABLANT	BOULANT	AVENANT	DROPANT	AMURANT

COURANT	CESSANT	CARTANT	FLOUANT	ÉVIDENT
GOURANT	FESSANT	FARTANT	ÉNOUANT	SURDENT
LOURANT	VESSANT	PARTANT	FROUANT	PRUDENT
MOURANT	BISSANT	PORTANT	TROUANT	TANGENT
APURANT	HISSANT	SORTANT	AVOUANT	SERGENT
ÉPURANT	LISSANT	BASTANT	CAQUANT	PSCHENT
AZURANT	PISSANT	LESTANT	LAQUANT	ESCIENT
NAVRANT	TISSANT	PESTANT	MAQUANT	**LORIENT**
SEVRANT	VISSANT	RESTANT	RAQUANT	PATIENT
GIVRANT	**WISSANT**	TESTANT	SAQUANT	REVIENT
LIVRANT	BOSSANT	ZESTANT	TAQUANT	VIOLENT
OUVRANT	COSSANT	DISTANT	VAQUANT	OPULENT
BLASANT	ROSSANT	LISTANT	NIQUANT	CLÉMENT
ARASANT	TOSSANT	PISTANT	PIQUANT	**CLÉMENT**
BRASANT	CAUSANT	INSTANT	TIQUANT	ÉLÉMENT
FRASANT	PAUSANT	POSTANT	MOQUANT	NUEMENT
ÉVASANT	ABUSANT	BATTANT	POQUANT	SEGMENT
ALÉSANT	AMUSANT	GATTANT	ROQUANT	PIGMENT
BLÉSANT	COUSANT	LATTANT	TOQUANT	AUGMENT
GRÉSANT	ÉPATANT	NATTANT	ARQUANT	GAÎMENT
BAISANT	OUATANT	METTANT	SITUANT	ALIMENT
FAISANT	JACTANT	BOTTANT	CLAVANT	UNIMENT
TAISANT	BECTANT	HOTTANT	EN-AVANT	COMMENT
ÉLISANT	DICTANT	MOTTANT	BRAVANT	FROMENT
ANISANT	PIÉTANT	BUTTANT	DRAVANT	**FROMENT**
BOISANT	FRÉTANT	LUTTANT	GRAVANT	SARMENT
MOISANT	PRÊTANT	PUTTANT	ÉLEVANT	FERMENT
TOISANT	ÉTÊTANT	FAUTANT	CREVANT	SERMENT
ARISANT	QUÊTANT	SAUTANT	GREVANT	CRÛMENT
BRISANT	CAFTANT	CHUTANT	CLIVANT	ÉMINENT
FRISANT	LIFTANT	BLUTANT	DRIVANT	SERPENT
GRISANT	ÉDITANT	BOUTANT	PRIVANT	TORRENT
IRISANT	AGITANT	COÛTANT	SUIVANT	**LAURENT**
PRISANT	ALITANT	DOUTANT	AVIVANT	PRÉSENT
CUISANT	IMITANT	FOUTANT	SOLVANT	CONTENT
LUISANT	BOITANT	GOÛTANT	SERVANT	ONGUENT
NUISANT	COÏTANT	JOUTANT	SAUVANT	CONVENT
PUISANT	SPITANT	ROUTANT	COUVANT	FERVENT
AVISANT	CUITANT	VOÛTANT	MOUVANT	COUVANT
VALSANT	ÉVITANT	GRUTANT	POUVANT	COUVENT
PULSANT	CALTANT	SEXTANT	ÉTUVANT	SOUVENT
DANSANT	MALTANT	EMBUANT	ÉGAYANT	ENCEINT
GANSANT	VOLTANT	BAGUANT	BRAYANT	DÉPEINT
PANSANT	GANTANT	RAGUANT	DRAYANT	REPEINT
PENSANT	HANTANT	TAGUANT	FRAYANT	ÉPREINT
CLOSANT	VANTANT	VAGUANT	TRAYANT	ÉTREINT
GLOSANT	MENTANT	LÉGUANT	ÉTAYANT	DÉTEINT
HERSANT	RENTANT	LIGUANT	ABOYANT	ATTEINT
HERSANT	SENTANT	VOGUANT	CHOYANT	ADJOINT
VERSANT	TENTANT	ARGUANT	PLOYANT	REJOINT
CORSANT	PINTANT	FUGUANT	BROYANT	CI-JOINT
CASSANT	TINTANT	SALUANT	CROYANT	ENJOINT
LASSANT	CONTANT	DILUANT	BRUYANT	BIPOINT
MASSANT	MONTANT	REMUANT	PEDZANT	APPOINT
PASSANT	PONTANT	DÉNUANT	**FAIZANT**	REPRINT
SASSANT	RIOTANT	SINUANT	**VINCENT**	**GRAMONT**
TASSANT	CAPTANT	CLOUANT	TRIDENT	PIÉMONT
				PIÉMONT

BALMONT	COMPLOT	**MANSART**	**PRÉVOST**	PONCEAU
TALMONT	CHARLOT	NISSART	**AMHERST**	BLOC-EAU
HELMONT	**CHARLOT**	**GOSSART**	**ZERMATT**	**MARCEAU**
MARMONT	AMERLOT	**ASHTART**	**CASSATT**	BERCEAU
VERMONT	POTAMOT	COQUART	**RASTATT**	CERCEAU
LORMONT	DEMI-MOT	**STEWART**	**COBBETT**	MORCEAU
GAUMONT	BOBINOT	**GUIBERT**	**FAWCETT**	GUIDEAU
JEUMONT	**OUDINOT**	**GILBERT**	**BECKETT**	BANDEAU
DRUMONT	**MAGINOT**	HILBERT	**HAMMETT**	**SANDEAU**
REYMONT	COLINOT	**COLBERT**	**BENNETT**	RONDEAU
AFFRONT	**COURNOT**	**FULBERT**	**SENNETT**	BARDEAU
EMPRUNT	GALIPOT	**LAMBERT**	**TIPPETT**	FARDEAU
POULBOT	TALIPOT	**RAMBERT**	**GARRETT**	CORDEAU
POULBOT	JACKPOT	**HUMBERT**	**SCHMITT**	**TRUDEAU**
ÉTAMBOT	LIVAROT	**HERBERT**	**LEAVITT**	**FEYDEAU**
CALICOT	**LIVAROT**	**NORBERT**	**WALCOTT**	VIVE-EAU
HARICOT	CHABROT	FAUBERT	BOYCOTT	TUFFEAU
ABRICOT	**DIDEROT**	HAUBERT	GERFAUT	**DANGEAU**
ASTICOT	**LÖNNROT**	**JAUBERT**	NILGAUT	**JARGEAU**
CHARCOT	BIARROT	**GOUBERT**	**MACHAUT**	CÂBLEAU
PÉRIDOT	**BIARROT**	**JOUBERT**	**HAINAUT**	TABLEAU
PEUGEOT	PIERROT	CONCERT	**SARRAUT**	**BOILEAU**
VOUGEOT	**PIERROT**	**SEIFERT**	LEVRAUT	TUILEAU
MARIGOT	**POLTROT**	**HUPPERT**	SURSAUT	**BELLEAU**
MARIGOT	BISTROT	DESSERT	RESSAUT	VAU-L'EAU
PARIGOT	FOX-TROT	**MERTERT**	**BERTAUT**	BOULEAU
MANCHOT	POIVROT	PIC-VERT	**GASTAUT**	ROULEAU
BOUCHOT	**MORISOT**	SIEVERT	SCORBUT	CHAMEAU
BAGEHOT	CUISSOT	**PRÉVERT**	**CALICUT**	POMMEAU
PELLIOT	QUEUSOT	COLVERT	**BHARHUT**	PLUMEAU
POULIOT	PALETOT	**CAP-VERT**	**MONGKUT**	GRUMEAU
CORNIOT	LÈVE-TÔT	VAUVERT	**GODBOUT**	TRUMEAU
LOUPIOT	BIENTÔT	COUVERT	SURCOÛT	CHÉNEAU
CHARIOT	**AYENTÔT**	ROUVERT	**TORHOUT**	CRÉNEAU
AUBRIOT	CUISTOT	RAIFORT	**SALIOUT**	**QUENEAU**
BLÉRIOT	JACQUOT	**BELFORT**	**MARIOUT**	VIGNEAU
HANRIOT	**CLOUZOT**	RENFORT	**ASSIOUT**	MOINEAU
HENRIOT	CONCEPT	CONFORT	LOCK-OUT	PANNEAU
FLORIOT	DIX-SEPT	**SOMPORT**	VERMOUT	VANNEAU
HERRIOT	TRIBART	RAPPORT	FAITOUT	CONNEAU
VITRIOT	**SOMBART**	SUPPORT	PARTOUT	TONNEAU
GLAVIOT	**HERBART**	**GOSPORT**	SURTOUT	CARNEAU
CHEVIOT	DOG-CART	**NEWPORT**	**RESTOUT**	**GARNEAU**
SOUKKOT	RANCART	CONSORT	OCCIPUT	CERNEAU
SIALKOT	BROCART	RESSORT	KÉRABAU	**VERNEAU**
BIBELOT	TROCART	**DUFOURT**	**SPANDAU**	PRUNEAU
DIDELOT	LAND ART	YOGOURT	**ISABEAU**	CHAPEAU
ANGELOT	FENDART	**BELFAST**	LAMBEAU	DRAPEAU
CAMELOT	**ECKHART**	BALLAST	TOMBEAU	**VELPEAU**
FÉMELOT	**MELKART**	**MARRAST**	BARBEAU	CARPEAU
MATELOT	PRÉLART	NORD-EST	**MIRBEAU**	**CHAREAU**
JAVELOT	**CLAMART**	**NORD-EST**	CORBEAU	**CHÉREAU**
SANGLOT	**LIÉNART**	**EVEREST**	MANCEAU	POIREAU
CUBILOT	REMPART	**MIDWEST**	**MANCEAU**	**THOREAU**
MÉLILOT	**MELQART**	**FAR WEST**	PINCEAU	BARREAU
CAILLOT	**CONRART**	**KEY WEST**	RINCEAU	CARREAU
MAILLOT	HANSART	COMPOST	MONCEAU	TERREAU

OUTREAU	ENTENDU	FARFELU	SHANTOU	VIRCHOW
TAUREAU	ATTENDU	CHEVELU	COUSTOU	GLASHOW
TAUREAU	REVENDU	JOUFFLU	CANEZOU	KNOW-HOW
FOUREAU	INVENDU	FEUILLU	ILLAMPU	GUTZKOW
OUVREAU	REFONDU	DISSOLU	TSUGARU	LUCKNOW
LOISEAU	RÉPONDU	MANASLU	COMPARU	CHORZÓW
CLOSEAU	APPONDU	REMOULU	DISPARU	RZESZÓW
MARSEAU	RETONDU	REVOULU	CARUARU	TÉLÉFAX
VERSEAU	REPERDU	KÖPRÜLÜ	PALADRU	HALIFAX
VERSEAU	DÉMORDU	CONTENU	MALOTRU	FAIRFAX
CASSEAU	REMORDU	ABSTENU	ACCOURU	OYONNAX
TASSEAU	DÉTORDU	SOUTENU	RECOURU	ANTHRAX
AISSEAU	RETORDU	SUBVENU	SECOURU	CUISTAX
CHÂTEAU	PARE-FEU	PRÉVENU	ENCOURU	DEMODEX
PLATEAU	CAMAÏEU	MALVENU	JIANGSU	TUBIFEX
PLATEAU	PARDIEU	CONVENU	SHIATSU	NARTHEX
COCTEAU	TARDIEU	PROVENU	SOTATSU	TRIPLEX
TRÉTEAU	MATHIEU	PARVENU	JUJITSU	TRIPLEX
FAÎTEAU	NON-LIEU	SURVENU	DÉCOUSU	SIMPLEX
MANTEAU	TONLIEU	SOUVENU	RECOUSU	MINIMEX
LINTEAU	SAULIEU	CONTINU	VANUATU	KLEENEX
MARTEAU	CRÉMIEU	MÉCONNU	TUAMOTU	CHESSEX
MORTEAU	LAGNIEU	RECONNU	RABATTU	GORE-TEX
LISTEAU	ANDRIEU	INCONNU	DÉBATTU	DÉCITEX
WATTEAU	JUSSIEU	ATYRAOU	REBATTU	ROUBAIX
FLÛTEAU	MEYZIEU	CARIBOU	INFOUTU	SURFAIX
COUTEAU	ANTIJEU	PORT-BOU	IMPRÉVU	CARHAIX
CLAVEAU	HORS-JEU	MOUNDOU	ENTREVU	MORLAIX
CERVEAU	BEAUJEU	GUÉPÉOU	M'AS-TU-VU	DUPLEIX
NOUVEAU	COL-BLEU	SHIMIZU	PHOENIX
NOUVEAU	PARBLEU	MAUPEOU	KATAÏEV	PHŒNIX
SARZEAU	CORBLEU	SALAGOU	FADEÏEV	LACROIX
SUNDGAU	MORBLEU	CANIGOU	GOURIEV	À MI-VOIX
TOUCHAU	BAS-BLEU	MANCHOU	ROUBLEV	TAMARIX
FABLIAU	LAO-TSEU	MANCHOU	TUPOLEV	HENDRIX
NOBLIAU	DÉSAVEU	BADOHOU	KAMENEV	PERDRIX
DESPIAU	SUBAIGU	BARTHOU	BREJNEV	ASTÉRIX
BESTIAU	SURAIGU	GUIZHOU	PLOVDIV	BEATRIX
FLÛTIAU	CONTIGU	GANZHOU	VÉL'D'HIV	MORCENX
ZWICKAU	QUÔC-NGU	LANZHOU	KHARKIV	MOURENX
BRESLAU	INFICHU	WENZHOU	PITE ÄLV	PHARYNX
LACANAU	BRANCHU	JINZHOU	DEMIDOV	JUKE-BOX
TROPPAU	HSINCHU	MILDIOU	LIAKHOV	PALAFOX
DEBURAU	FOURCHU	HAURIOU	AKSAKOV	TRIBAUX
HERISAU	THIMPHU	SAPAJOU	NABOKOV	TOMBAUX
VUNG TAU	ARACAJU	YINGKOU	KHARKOV	GLOBAUX
SURVÉCU	KWANGJU	ANDALOU	ROMANOV	KARBAUX
ILIESCU	CHONGJU	ANDALOU	SIMONOV	VERBAUX
CHENGDU	KYONGJU	LAMALOU	VLASSOV	SURBAUX
RÉPANDU	SINUIJU	GABELOU	SARATOV	LES BAUX
DÉFENDU	SAIKAKU	CAILLOU	MOLOTOV	BUCCAUX
REFENDU	SHARAKU	TINAMOU	REMIZOV	CÆCAUX
DÉPENDU	SANRAKU	VISHNOU	CRASHAW	AMICAUX
REPENDU	BUNRAKU	BRENNOU	WROCLAW	APICAUX
APPENDU	SHIKOKU	COTONOU	BASEDOW	AFOCAUX
DÉTENDU	SEPPUKU	PACHTOU	GLASGOW	LASCAUX
RETENDU	PRÉVALU	MANITOU	SALCHOW	PASCAUX

DISCAUX	INÉGAUX	ASTRAUX	CARIEUX	PISSEUX
FISCAUX	MARGAUX	NEURAUX	SÉRIEUX	BOUSEUX
BOUCAUX	**MARGAUX**	PLURAUX	CURIEUX	APHTEUX
FÉODAUX	BURGAUX	CRURAUX	FURIEUX	LAITEUX
CAUDAUX	FRUGAUX	DORSAUX	**LISIEUX**	BOITEUX
ARCEAUX	DÉCHAUX	VASSAUX	ESSIEUX	VENTEUX
PUCEAUX	**MICHAUX**	TUSSAUX	ENVIEUX	HONTEUX
CADEAUX	**SOCHAUX**	CAUSAUX	ANXIEUX	**MONTEUX**
RADEAUX	**JOUHAUX**	HIATAUX	SABLEUX	PESTEUX
BEDEAUX	LABIAUX	RECTAUX	BIGLEUX	MOTTEUX
RIDEAUX	TIBIAUX	FŒTAUX	FRILEUX	COÛTEUX
TUFEAUX	FACIAUX	COMTAUX	HUILEUX	DOUTEUX
DALEAUX	RACIAUX	VANTAUX	CALLEUX	GOÛTEUX
HAMEAUX	FÉCIAUX	DENTAUX	GALLEUX	PÉGUEUX
RAMEAUX	ONCIAUX	MENTAUX	BULLEUX	RUGUEUX
GÉMEAUX	SOCIAUX	VENTAUX	HOULEUX	SINUEUX
GÉMEAUX	RADIAUX	SEPTAUX	CRÉMEUX	LAQUEUX
ORMEAUX	RAFIAUX	PORTAUX	GOMMEUX	PIQUEUX
JUMEAUX	FILIAUX	RESTAUX	ÉCUMEUX	MUQUEUX
MENEAUX	LILIAUX	DISTAUX	PLUMEUX	LUXUEUX
AGNEAUX	GÉNIAUX	COSTAUX	SPUMEUX	CHEVEUX
PINEAUX	MARIAUX	POSTAUX	BRUMEUX	NERVEUX
PINÉAUX	ATRIAUX	BRUTAUX	URANEUX	VERVEUX
ANNEAUX	CURIAUX	TRAVAUX	**BAGNEUX**	MORVEUX
PIPEAUX	FÉTIAUX	CHEVAUX	CAGNEUX	CRAYEUX
COPEAUX	JOVIAUX	**CREVAUX**	LIGNEUX	**BRIZEUX**
APPEAUX	**DUCLAUX**	OGIVAUX	**VIGNEUX**	**BENELUX**
BORÉAUX	HIÉMAUX	**DELVAUX**	ROGNEUX	**DARBOUX**
YPRÉAUX	ANIMAUX	**LANVAUX**	HAINEUX	JOUJOUX
BUREAUX	PRIMAUX	**MOUVAUX**	LAINEUX	**FALLOUX**
PUREAUX	GEMMAUX	ALOYAUX	VEINEUX	**VERNOUX**
SUREAUX	ANOMAUX	GIBBEUX	ÉPINEUX	TRIPOUX
NASEAUX	**CARMAUX**	BULBEUX	RUINEUX	**PERROUX**
RÉSEAUX	FERMAUX	HERBEUX	MARNEUX	**CATROUX**
BISEAUX	NORMAUX	VERBEUX	ADIPEUX	**LEVROUX**
CISEAUX	SISMAUX	PONCEUX	PULPEUX	**VENTOUX**
OISEAUX	CHENAUX	RONCEUX	POMPEUX	**TRÉVOUX**
ROSEAUX	SIGNAUX	MERDEUX	HÉBREUX	**PELVOUX**
ERSEAUX	**CUGNAUX**	CASÉEUX	**HÉBREUX**	TRIONYX
ASSEAUX	SPINAUX	ORAGEUX	FIBREUX	APTÉRYX
FUSEAUX	URINAUX	NUAGEUX	OMBREUX	**MARACAY**
MUSEAUX	ATONAUX	NEIGEUX	ONÉREUX	FARADAY
MUSÉAUX	AZONAUX	FANGEUX	AFFREUX	**FARADAY**
BATEAUX	CARNAUX	FÂCHEUX	FOIREUX	**HOLIDAY**
GÂTEAUX	**TERNAUX**	ROCHEUX	LÉPREUX	**HERBLAY**
RÂTEAUX	VERNAUX	PUCHEUX	FERREUX	**VÉZELAY**
CÉTEAUX	SACRAUX	MATHEUX	**PERREUX**	ARTENAY
CÎTEAUX	CHIRAUX	VACIEUX	TERREUX	**SAVENAY**
LITEAUX	AMIRAUX	VICIEUX	PÉTREUX	**AIZENAY**
COTEAUX	SPIRAUX	RADIEUX	NITREUX	**ANNONAY**
POTEAUX	**MALRAUX**	PÉDIEUX	VITREUX	**ÉPERNAY**
LUTÉAUX	CHORAUX	MAFIEUX	HEUREUX	**GOURNAY**
PUTEAUX	FLORAUX	BILIEUX	PEUREUX	**FRESNAY**
CAVEAUX	AMORAUX	MILIEUX	GIVREUX	**QUESNAY**
NIVEAUX	**MÉTRAUX**	**LEMIEUX**	GRÉSEUX	**GILLRAY**
NIVÉAUX	MITRAUX	SANIEUX	TAISEUX	**BEUVRAY**
FOVEAUX	VITRAUX	COPIEUX	GYPSEUX	**ROUVRAY**

VOUVRAY	DARNLEY	BATILLY	SCUDÉRY	TORD-NEZ
VOUVRAY	SHAPLEY	NEUILLY	SILLERY	JIMÉNEZ
HOUSSAY	PRESLEY	POUILLY	PRÉMERY	GRIS-NEZ
URUGUAY	PAISLEY	POUILLY	DENNERY	MERGUEZ
RIDGWAY	CRAWLEY	SOUILLY	NURSERY	SHOW-BIZ
TAXIWAY	CROWLEY	PAVILLY	CAUVERY	KIRGHIZ
TRAMWAY	DAHOMEY	RAZILLY	CONAKRY	KIRGHIZ
SHUMWAY	DEBENEY	DECROLY	GREGORY	LEIBNIZ
OLDOWAY	COCKNEY	TABARLY	BÁTHORY	ALBÉNIZ
FAIRWAY	HOCKNEY	SPRATLY	HICKORY	AGASSIZ
CERIZAY	VIANNEY	GRIZZLY	VIGNORY	BREGENZ
WALLABY	CHARNEY	DOMRÉMY	DU BARRY	KOBLENZ
BURNABY	WHITNEY	TIFFANY	THIERRY	MUTTENZ
STAND-BY	CHUTNEY	BOBIGNY	COUNTRY	KOLKHOZ
SOTHEBY	CHEYNEY	ORBIGNY	SUDBURY	SOVKHOZ
ALLENBY	MCCAREY	COLIGNY	TILBURY	BERLIOZ
GRIMSBY	VENAREY	POLIGNY	FOSBURY	BADAJOZ
WITKACY	HAWTREY	SOLIGNY	MATOURY	FEST-NOZ
CLAMECY	DEMPSEY	PULIGNY	ECSTASY	CONDROZ
MENNECY	MOUSSEY	MARIGNY	ANDRÉSY	BEDNORZ
REGENCY	CHAUSEY	AURIGNY	PALISSY	ELBOURZ
POBIEDY	LYAUTEY	ATTIGNY	CROISSY	KERTÉSZ
MALMÉDY	LARIVEY	SAVIGNY	DEBUSSY	HEIFETZ
KENNEDY	ÉTRÉCHY	REVIGNY	CHAKHTY	STIBITZ
REVERDY	GROUCHY	FIRMINY	PENALTY	GÖRLITZ
LOCTUDY	PALACKY	PEYRONY	LIBERTY	STAMITZ
DILTHEY	BRODSKY	TAVERNY	DURANTY	REGNITZ
MONTHEY	KREISKY	GIVERNY	ARLETTY	TIRPITZ
SOUTHEY	CHOMSKY	NOVOTNY	DÉVOLUY	SCHULTZ
WHISKEY	SLÁNSKY	PLAY-BOY	PONTIVY	LORENTZ
WEMBLEY	KAUTSKY	ÉCOMMOY	BROONZY	TAMMOUZ
BRADLEY	GRETZKY	FRESNOY	QUIERZY	ELBROUZ
MOSELEY	CHAMBLY	QUESNOY	AVORIAZ	FAYROUZ
LASHLEY	MAUCHLY	ROUVROY	FORCLAZ	GIN-FIZZ
SMALLEY	HOOGHLY	CALGARY	CHAPPAZ	
SHELLEY	GRAILLY	BELLARY	NARVÁEZ	
TROLLEY	ROMILLY	HILLARY	MOUCHEZ	
STANLEY	RUMILLY		MATHIEZ	

7

NAUSICAA	AMIN DADA	MAUNA KEA
EL-MENIAA	INTIFADA	RUTABAGA
SAAREMAA	COCANADA	ASHIKAGA
SOROCABA	ENSENADA	NOBUNAGA
DJELLABA	KAKINADA	CHURINGA
CURITIBA	DROGHEDA	CAATINGA
MANITOBA	KLAIPEDA	IPATINGA
SIMARUBA	EL-JADIDA	HUIZINGA
ALCOBAÇA	CHILLIDA	SARATOGA
TITICACA	BOUGANDA	GULBARGA
BOUDICCA	HACIENDA	BROUHAHA
POZA RICA	ANACONDA	AMITABHA
SUBOTICA	MEDJERDA	ALI PACHA
FLAMENCA	MASMOUDA	OUSTACHA
BOU SAADA	CALATHÉA	CACHUCHA

8

SARGODHA
FELLAGHA
SALDANHA

CHANGSHA	SARAMAKA	TSUSHIMA	BOUKHARA
GOLGOTHA	TOYONAKA	OKLAHOMA	BHATPARA
JUGURTHA	MOUSSAKA	TRICHOMA	FUJIWARA
GHARDAÏA	NAKHODKA	KOSTROMA	ALHAMBRA
ARAGUAIA	KARATÉKA	PRO FORMA	CARRIERA
CHARABIA	SVASTIKA	CHLOASMA	DE VALERA
COLUMBIA	SWASTIKA	KOUROUMA	HABANERA
BACICCIA	HINTIKKA	SANTA ANA	ET CETERA
ESTANCIA	HANOUKKA	LA HABANA	CHISTERA
PALENCIA	SRI LANKA	MARACANÃ	MONSTERA
VALENCIA	SHIZUOKA	HIRAGANA	SVIZZERA
SCIASCIA	NEBRASKA	FERGHANA	LA GUAIRA
BUDDLEIA	NIJINSKA	GYMKHANA	TERCEIRA
CHIOGGIA	SCHAPSKA	DARSHANA	CALDEIRA
LUDWIGIA	DARBOUKA	GUADIANA	BANDEIRA
MANGALIA	DERBOUKA	LUDHIANA	FERREIRA
MASSALIA	YOKOSUKA	HADRIANA	OLIVEIRA
CORNELIA	KADIEVKA	KATAKANA	ENVALIRA
COPPÉLIA	MAKIIVKA	GONDWANA	MUFULIRA
ISMAÏLIA	HORLIVKA	BOTSWANA	ALTAMIRA
BRASÍLIA	GORLOVKA	MAHAYANA	MAHAVIRA
CAMELLIA	LALIBALA	RAMAYANA	BORA BORA
MAGNOLIA	POLYGALA	HINAYANA	THÉODORA
SESBANIA	RAVENALA	PASADENA	CRNA GORA
GARDÉNIA	AGARTALA	LONGHENA	PETCHORA
PUCCINIA	KALEVALA	N'DJAMENA	DIASPORA
YERSINIA	LALIBELA	SOLIMENA	DIASPORA
RONDÔNIA	ROURKELA	LA SERENA	SOCOTORA
BIGNONIA	PANATELA	MANTEGNA	CANBERRA
PARANOÏA	BENGUELA	TIGRIGNA	VOLTERRA
BECCARIA	ZARZUELA	KATCHINA	FOUCHTRA
SYR-DARIA	PORT-VILA	CATILINA	DICENTRA
AVE MARIA	WALHALLA	LA MOLINA	CLAUSTRA
MONTERÍA	BEN BELLA	TAORMINA	QUNAYTRA
HATTÉRIA	MARBELLA	IOÁNNINA	DJURJURA
PIZZERIA	BRUCELLA	LONDRINA	KAMAKURA
VICTORIA	GUÉRILLA	TERESINA	GANDOURA
VICTORIA	TORTILLA	PRISTINA	JAYAPURA
PRETORIA	ANGUILLA	EL-AOUÏNA	KAMAYURÁ
MAESTRIA	COCA-COLA	BEREZINA	PORPHYRA
LAURASIA	AGRICOLA	PERPENNA	KALIDASA
FANTASIA	TCHITOLA	PORSENNA	KINSHASA
ECCLÉSIA	SCAEVOLA	MARADONA	HARGEISA
MALAYSIA	RAPLAPLA	BADALONA	POLLENSA
VALENTIA	CELLES-LÀ	GARIFUNA	CIMAROSA
PUNAAUIA	CALIGULA	AGUARUNA	FILITOSA
ALLÉLUIA	BAMBOULA	BIDASSOA	MOMBASSA
GUSTAVIA	GASTRULA	KRAKATOA	BORRASSÀ
VALDIVIA	BLASTULA	TSHIKAPA	BOURASSA
MONROVIA	GOYIGAMA	AREQUIPA	VINNITSA
LA SPEZIA	YOKOHAMA	MEA CULPA	HATTOUSA
MAHARAJA	PANORAMA	CAPYBARA	YAMAGATA
SANHADJA	WAKAYAMA	EDIACARA	TRAVIATA
KHADIDJA	FUJI-YAMA	VADODARA	HIRAKATA
NGAZIDJA	KORIYAMA	GANDHARA	KALAMÁTA
RAMANUJA	FUKUYAMA	ICHIHARA	MACERATA
MBANDAKA	KINECHMA	SHIKHARA	MISURATA

TARATATA	**LIPSCOMB**	BAT-FLANC	**PORTLAND**
MALADETA	SURPLOMB	**LANFRANC**	MARYLAND
YACIRETÁ	CINÉ-CLUB	ANTICHOC	**MARYLAND**
SEÑORITA	AÉRO-CLUB	MONOBLOC	ALLEMAND
RACOVITA	CALAMBAC	CINÉ-PARC	**ALLEMAND**
PLACENTA	**LAVARDAC**	GRAND-DUC	GOURMAND
DJAKARTA	AMMONIAC	**BAR-LE-DUC**	ORDINAND
RÉQUISTA	CLIC-CLAC	ARCHIDUC	**HÉLINAND**
KENYATTA	FLIC FLAC	**SAINT-LUC**	**COURNAND**
GAMBETTA	**CADILLAC**	**ILAHABAD**	**BOFFRAND**
PANCETTA	**MARILLAC**	**CARLSBAD**	**BELGRAND**
VENDETTA	**AURILLAC**	**KARLSBAD**	**BERTRAND**
MOLFETTA	**PAUILLAC**	SKINHEAD	RÉVÉREND
BARLETTA	**SOUILLAC**	**LINDBLAD**	**LAND'S END**
SASSETTA	**MUZILLAC**	**MUHAMMAD**	**DEMAVEND**
CALCUTTA	**APURÍMAC**	**TITOGRAD**	HAPPY END
NOWA HUTA	**CAPDENAC**	**FLAGSTAD**	**DEDEKIND**
ABEOKUTA	**DONZENAC**	**KARLSTAD**	**WEDEKIND**
TAMANDUA	ARMAGNAC	**HALMSTAD**	**JONGKIND**
JUSSIEUA	**ARMAGNAC**	**ZAANSTAD**	VAGABOND
RANCAGUA	**AUBIGNAC**	**LELYSTAD**	PUDIBOND
CHANGHUA	**POLIGNAC**	CALE-PIED	MORIBOND
ADAMAOUA	**MÉRIGNAC**	SOUS-PIED	FURIBOND
MASSAOUA	**AURIGNAC**	**MOHAMMED**	INFÉCOND
SAKALAVA	COTIGNAC	**RECCARED**	RUBICOND
PIASSAVA	**SAVIGNAC**	COLOURED	TIRE-FOND
JAYADEVA	**BERGERAC**	**BRØNSTED**	DEMI-FOND
NUKU-HIVA	**CHOMÉRAC**	**PORT-SAÏD**	HAUT-FOND
VAGANOVA	FRIC-FRAC	POLAROID	**GARAMOND**
CASANOVA	TRICTRAC	**CLODOALD**	**BOHÉMOND**
MAKAROVA	CUL-DE-SAC	**ODENWALD**	**RICHMOND**
LA CIERVA	HAVRESAC	**GRUNWALD**	**DORTMUND**
KAKOGAWA	MONTE-SAC	**GOTTWALD**	FOX-HOUND
TOKUGAWA	**PODENSAC**	**MANSFELD**	COMPOUND
ICHIKAWA	**LUBERSAC**	ICEFIELD	FAST-FOOD
TE KANAWA	**SEGONZAC**	**IDLEWILD**	**WEDGWOOD**
FUJISAWA	BLANC-BEC	MANIFOLD	**LONGWOOD**
KANAZAWA	**CAUDEBEC**	**FOUCAULD**	**EASTWOOD**
WARSZAWA	AVANT-BEC	JAZZ-BAND	**WESTWOOD**
CHIPPEWA	**KERMADEC**	**PREM CAND**	**BELGOROD**
SURABAYA	**BANNALEC**	MARCHAND	**NOVGOROD**
BODH-GAYA	**LE DANTEC**	**MARCHAND**	FURIBARD
HIMALAYA	**CARANTEC**	**SVEALAND**	**SVALBARD**
CATTLEYA	**GUNDULIC**	**NAGALAND**	CHAMBARD
LUANSHYA	**ANDRONIC**	**GÖTALAND**	FLAMBARD
IFRIQIYA	**COPERNIC**	HOMELAND	**MONTBARD**
SIGIRIYA	PORC-ÉPIC	**LANGLAND**	CHANÇARD
KSATRIYA	TÉRASPIC	**AUCKLAND**	BRANCARD
CHALUKYA	**FRÉDÉRIC**	**FALKLAND**	BRISCARD
STEGOMYA	**GEISÉRIC**	**KIRKLAND**	**GUISCARD**
TIGRINYA	**GENSÉRIC**	**VAILLAND**	STANDARD
MOULOUYA	POLYTRIC	**MAINLAND**	ÉTENDARD
BERGANZA	POP MUSIC	**NORRLAND**	SOIFFARD
PALLANZA	**CARNATIC**	SHETLAND	**YAZDGARD**
SIGÜENZA	**KARADZIC**	**SHETLAND**	PILCHARD
CUSTOZZA	CUL-BLANC	**SCOTLAND**	PINCHARD
SPACELAB	FER-BLANC	PORTLAND	CLOCHARD

FAUCHARD	HORS-BORD	PERTURBÉ	ENGEANCE
BOUCHARD	PLAT-BORD	MASTURBÉ	ÉCHÉANCE
HOUCHARD	FAUX-BORD	**MASSEUBE**	DOLÉANCE
MOUCHARD	WHIPCORD	DÉDICACE	**BRAGANCE**
TEILHARD	**BRADFORD**	DÉDICACÉ	ÉLÉGANCE
ÉGINHARD	HEREFORD	EFFICACE	AMBIANCE
BERNHARD	**STAFFORD**	**BONIFACE**	AMBIANCÉ
MILLIARD	BICKFORD	POSTFACE	RADIANCE
RILLIARD	**ROCKFORD**	SCORIACÉ	DÉFIANCE
FAIBLARD	**GUILFORD**	LOVELACE	MÉFIANCE
ROUBLARD	**STAMFORD**	**LOVELACE**	ALLIANCE
VICELARD	**HARTFORD**	VERGLACÉ	VARIANCE
PAPELARD	**HERTFORD**	TRIPLACE	DÉVIANCE
ABAILARD	**CRAWFORD**	REMPLACÉ	FORLANCÉ
GAILLARD	**PÉRIGORD**	SURPLACE	DORMANCE
GAILLARD	**OVERLORD**	POPULACE	**TORRANCE**
PAILLARD	**CÔTE-NORD**	FARINACÉ	OUTRANCE
VUILLARD	**CRAFOORD**	SAPONACÉ	GOURANCE
RIGOLARD	**PÉNICAUD**	**PHARNACE**	BRISANCE
ÉPAULARD	MORICAUD	CARAPACE	LUISANCE
GUEULARD	LOURDAUD	**AVEMPACE**	NUISANCE
CUMULARD	ROUGEAUD	PANCRACE	JACTANCE
HADAMARD	ÉCHAFAUD	TUBÉRACÉ	**LACTANCE**
FLEMMARD	SALIGAUD	DISGRÂCE	BECTANCE
CHAUMARD	**GOURGAUD**	CRUSTACÉ	LAITANCE
GEIGNARD	TOUCHAUD	EXERCICE	PARTANCE
POIGNARD	CORNIAUD	BLANDICE	PORTANCE
GRIGNARD	COURTAUD	**EURYDICE**	DISTANCE
GRIGNARD	**LÉAUTAUD**	MALÉFICE	DISTANCÉ
GUIGNARD	**IBN SÉOUD**	BÉNÉFICE	INSTANCE
GROGNARD	**PASIPHAÉ**	ARTIFICE	**SERVANCE**
TRAÎNARD	DIES IRAE	**LA PALICE**	MOUVANCE
FOUINARD	MOZARABE	**TRIPLICE**	CROYANCE
SALONARD	**MOZARABE**	COMPLICE	CRÉDENCE
FUNBOARD	PÈSE-BÉBÉ	SUPPLICE	ÉVIDENCE
FLODOARD	DIATRIBE	**BÉRÉNICE**	PRUDENCE
SALOPARD	DUC-D'ALBE	**POLYNICE**	**PRUDENCE**
PLEURARD	**SARRALBE**	ARUSPICE	EXIGENCE
CAMISARD	À MI-JAMBE	NOURRICE	**FULGENCE**
BRASSARD	SUCCOMBÉ	**BÉATRICE**	TANGENCE
POISSARD	DÉPLOMBÉ	AMATRICE	VERGENCE
CUISSARD	POLYLOBÉ	ORATRICE	AUDIENCE
BROSSARD	RHUBARBE	FACTRICE	SAPIENCE
LÈVE-TARD	JOUBARBE	LECTRICE	PATIENCE
PLANTARD	EXACERBÉ	RECTRICE	**COBLENCE**
BROUTARD	**MALHERBE**	TECTRICE	VIOLENCE
JACQUARD	DÉSHERBÉ	VECTRICE	OPULENCE
JACQUARD	PRÉVERBE	ÉDITRICE	CLÉMENCE
CHOQUARD	PROVERBE	FAUTRICE	COMMENCÉ
ALLEVARD	EUPHORBE	PRACTICE	ÉMINENCE
BONIVARD	**VALLORBE**	SOLSTICE	**CLARENCE**
WOODWARD	PLANORBE	**KATOWICE**	FLORENCE
SAVOYARD	SPIRORBE	**TRIVULCE**	**FLORENCE**
SAVOYARD	DÉBOURBÉ	BOMBANCE	**LAWRENCE**
BLIZZARD	EMBOURBÉ	GUIDANCE	PRÉSENCE
VERWOERD	**LECOURBE**	TENDANCE	SENTENCE
CHAMBORD	RECOURBÉ	MORDANCÉ	SÉQUENCE

PROVENCE	BIGARADE	INVALIDÉ	**HYPÉRIDE**
JOUVENCE	ALGARADE	ÉPHÉLIDE	ASTÉRIDE
DÉCOINCÉ	CAMARADE	CAMÉLIDÉ	LÉPORIDÉ
LEPRINCE	PÉTARADE	ANNÉLIDE	BOURRIDE
PROVINCE	PÉTARADÉ	**BASILIDE**	APATRIDE
RENFONCÉ	PIPERADE	**ARGOLIDE**	SCIURIDÉ
PRONONCÉ	**BELGRADE**	PÉLAMIDE	HOLOSIDE
RAIPONCE	BOURRADE	CÉRAMIDE	RUTOSIDE
DÉFRONCÉ	**BERTRADE**	PYRAMIDE	HYDATIDE
COMMERCE	POIVRADE	PYRAMIDÉ	CAROTIDE
COMMERCÉ	CROISADE	INTIMIDÉ	PAROTIDE
PROPERCE	GLISSADE	PHASMIDE	**ARISTIDE**
SESTERCE	**CAUSSADE**	PLASMIDE	LANGUIDE
INEXERCÉ	MAUSSADE	MURÉNIDÉ	NOCTUIDÉ
RENFORCÉ	ESCOUADE	HOMINIDÉ	IMPAVIDE
RÉAMORCÉ	PERSUADÉ	ACTINIDE	**KOKSIJDE**
CHAOURCE	DISSUADÉ	**NABONIDE**	VAN VELDE
CHAOURCE	**CHARYBDE**	**SIMONIDE**	**BATHILDE**
COALESCÉ	**ENSCHEDE**	PÉPONIDE	**MATHILDE**
INEXAUCÉ	**NICOMÈDE**	STURNIDÉ	**ROSKILDE**
DÉROBADE	**GANYMÈDE**	AMIBOÏDE	**CLOTILDE**
ESTACADE	**LACEPÈDE**	CRICOÏDE	SALBANDE
ESTOCADE	LAGOPÈDE	SARCOÏDE	BRIGANDÉ
BRANDADE	**TANCRÈDE**	DISCOÏDE	CHALANDE
CARNÉADE	SAMOYÈDE	SIPHOÏDE	HOLLANDE
GRIFFADE	**SAMOYÈDE**	XIPHOÏDE	**HOLLANDE**
BOURGADE	THÉBAÏDE	TYPHOÏDE	**FINLANDE**
SCHÉHADÉ	**THÉBAÏDE**	TABLOÏDE	FLAMANDE
COTRIADE	**ADÉLAÏDE**	CYCLOÏDE	**FLAMANDE**
MILTIADE	ENTRAIDE	CHÉLOÏDE	QUÉMANDÉ
GALÉJADE	ENTRAIDÉ	MYÉLOÏDE	COMMANDE
ESCALADE	CARABIDÉ	COLLOÏDE	COMMANDÉ
ESCALADÉ	**ITURBIDE**	HAPLOÏDE	**MARMANDE**
RÉGALADE	TRIACIDE	DIPLOÏDE	NORMANDE
MOUCLADE	RÉGICIDE	STYLOÏDE	**NORMANDE**
LANGLADE	HOMICIDE	SIGMOÏDE	OPÉRANDE
ENFILADE	TÉNICIDE	ETHMOÏDE	**GUÉRANDE**
TAILLADE	CORICIDE	ADÉNOÏDE	OFFRANDE
TAILLADÉ	RATICIDE	GLÉNOÏDE	FAISANDÉ
ŒILLADE	COÏNCIDÉ	CRINOÏDE	PRÉBENDE
GRILLADE	GÉNOCIDE	HYPNOÏDE	PRÉBENDÉ
PHYLLADE	VIROCIDE	ANDROÏDE	COMMENDE
ACCOLADE	VIRUCIDE	ANÉROÏDE	PROVENDE
RIGOLADE	ACRIDIDÉ	STÉROÏDE	RESCINDÉ
PEUPLADE	PLOCÉIDÉ	NÉGROÏDE	**GOLCONDE**
RECULADE	CÉPHÉIDE	CHOROÏDE	PROFONDE
TAPENADE	NUCLÉIDE	THYROÏDE	**TERMONDE**
SÉRÉNADE	ARANÉIDE	DELTOÏDE	PLASMODE
BAIGNADE	CLUPÉIDÉ	MASTOÏDE	DÉCAPODE
MARINADE	STRIGIDÉ	RHIZOÏDE	MÉGAPODE
LIMONADE	ARACHIDE	DILAPIDÉ	PARAPODE
CARONADE	**COLCHIDE**	CYNIPIDÉ	HEXAPODE
ESCAPADE	SYLPHIDE	**EURIPIDE**	COPÉPODE
GALOPADE	SYRPHIDÉ	INSIPIDE	ANTIPODE
CROUPADE	SYLVIIDÉ	SUBARIDE	LYCOPODE
SÉFARADE	INVALIDE	EUCARIDE	OCTOPODE
SÉFARADE	INVALIDÉ	VIPÉRIDÉ	POLYPODE

ALEURODE	VANTARDE	RETOMBÉE	ENFONCÉE
HYPOSODÉ	CASTARDE	ENGLOBÉE	ENGONCÉE
RHAPSODE	PISTARDE	TRILOBÉE	SEMONCÉE
NÉMATODE	MOUTARDE	ENGERBÉE	DÉNONCÉE
VOÏÉVODE	ROUTARDE	ENHERBÉE	RENONCÉE
RAMBARDE	CREVARDE	ABSORBÉE	ANNONCÉE
BOMBARDE	RACCORDÉ	ADSORBÉE	ANDROCÉE
BOMBARDÉ	CONCORDE	RÉSORBÉE	REPERCÉE
LOMBARDE	**CONCORDE**	SIGISBÉE	DÉFORCÉE
LOMBARDE	CONCORDÉ	RADOUBÉE	EFFORCÉE
PLACARDÉ	PROCORDÉ	HERBACÉE	DIVORCÉE
ANACARDE	UROCORDÉ	ARÉCACÉE	IMMISCÉE
SMICARDE	DISCORDE	ÉRICACÉE	SACCADÉE
TRICARDE	DISCORDÉ	JONCACÉE	POMMADÉE
RANCARDÉ	**VILVORDE**	IRIDACÉE	GRENADÉE
RENCARDÉ	ESGOURDE	PRÉFACÉE	DÉGRADÉE
PINÇARDE	BALOURDE	SURFACÉE	EXTRADÉE
BROCARDÉ	PALOURDE	TOPHACÉE	TORSADÉE
ISOCARDE	AUTOUR DE	TYPHACÉE	PRÉCÉDÉE
MYOCARDE	AUPRÈS DE	RUBIACÉE	CONCÉDÉE
FAUCARDÉ	CLABAUDÉ	MÉLIACÉE	POSSÉDÉE
PENDARDE	THIBAUDE	LILIACÉE	SUICIDÉE
BLAFARDE	MARGAUDÉ	ALLIACÉE	ÉLUCIDÉE
BRAGARDE	SOÛLAUDE	FOLIACÉE	TRUCIDÉE
RINGARDE	QUINAUDE	LAMIACÉE	ORCHIDÉE
RINGARDÉ	ÉMERAUDE	DÉGLACÉE	DÉBRIDÉE
VACHARDE	NOIRAUDE	VIOLACÉE	HYBRIDÉE
RICHARDE	COSTAUDE	DÉPLACÉE	FLORIDÉE
MOCHARDE	RUSTAUDE	REPLACÉE	PRÉSIDÉE
POCHARDE	GALVAUDÉ	AMYLACÉE	LIQUIDÉE
POCHARDÉ	IMPALUDÉ	PALMACÉE	RENVIDÉE
CAVIARDÉ	CONSOUDE	ÉBÉNACÉE	DÉBANDÉE
PILLARDE	DESSOUDÉ	ANONACÉE	DEMANDÉE
VILLARDE	RESSOUDÉ	CORNACÉE	TRUANDÉE
NULLARDE	**GERTRUDE**	ACÉRACÉE	LÉGENDÉE
TAULARDE	À L'INSU DE	RETRACÉE	RAMENDÉE
POULARDE	HÉBÉTUDE	LAURACÉE	DÉBONDÉE
SOÛLARDE	QUIÉTUDE	DIPSACÉE	FÉCONDÉE
TRIMARDÉ	HABITUDE	CACTACÉE	SECONDÉE
FAGNARDE	SOLITUDE	CRÉTACÉE	REFONDÉE
MIGNARDE	FINITUDE	PULTACÉE	INFONDÉE
TIGNARDE	LATITUDE	MYRTACÉE	INFÉODÉE
PEINARDE	ALTITUDE	AGAVACÉE	REBRODÉE
VEINARDE	APTITUDE	MALVACÉE	CORRODÉE
CONNARDE	ATTITUDE	RAPIÉCÉE	DÉBARDÉE
LÉONARDE	ALDÉHYDE	**BOADICÉE**	EMBARDÉE
LÉONARDE	PÉLAMYDE	**LAODICÉE**	JOBARDÉE
CHAPARDÉ	CHLAMYDE	MATRICÉE	BOCARDÉE
LÉOPARDÉ	MONOXYDE	BALANCÉE	CAFARDÉE
POUPARDE	PEROXYDE	RELANCÉE	REGARDÉE
THÉSARDE	PEROXYDÉ	ROMANCÉE	CANARDÉE
GUISARDE	SUROXYDÉ	FINANCÉE	HASARDÉE
MANSARDE	SCARABÉE	DEVANCÉE	RETARDÉE
MANSARDÉ	PROHIBÉE	CADENCÉE	ATTARDÉE
COSSARDE	ENJAMBÉE	FAÏENCÉE	BAZARDÉE
ROSSARDE	REGIMBÉE	POTENCÉE	LÉZARDÉE
HUSSARDE	APLOMBÉE	DÉFONCÉE	DÉMERDÉE

EMMERDÉE	MÉNINGÉE	ÉPLUCHÉE	DÉPARIÉE
SABORDÉE	ALLONGÉE	ABOUCHÉE	APPARIÉE
DÉBORDÉE	LARYNGÉE	PARAPHÉE	NOTARIÉE
REBORDÉE	MAL-LOGÉE	CORYPHÉE	EXCORIÉE
ACCORDÉE	SUBROGÉE	DIARRHÉE	COLORIÉE
DÉCORDÉE	PROROGÉE	OTORRHÉE	ARMORIÉE
RECORDÉE	HÉBERGÉE	PYORRHÉE	CHARRIÉE
ENCORDÉE	GOBERGÉE	**AMALTHÉE**	INJURIÉE
ÉCHAUDÉE	IMMERGÉE	**TIMOTHÉE**	EXTASIÉE
TARAUDÉE	ASPERGÉE	**DOROTHÉE**	LIXIVIÉE
RAVAUDÉE	DÉTERGÉE	NÉGOCIÉE	RELOOKÉE
ACCOUDÉE	DÉGORGÉE	ASSOCIÉE	**CHEROKEE**
EXTRUDÉE	ENGORGÉE	IRRADIÉE	INÉGALÉE
ÉNUCLÉÉE	EXPURGÉE	EXPÉDIÉE	CÉPHALÉE
SUPPLÉÉE	INSURGÉE	PARODIÉE	SURJALÉE
DÉLINÉÉE	PRÉJUGÉE	RÉPUDIÉE	SIGNALÉE
PROCRÉÉE	RABÂCHÉE	COKÉFIÉE	SPIRALÉE
CONGRÉÉE	DÉBÂCHÉE	TUMÉFIÉE	DESSALÉE
MAUGRÉÉE	RELÂCHÉE	RARÉFIÉE	CHEVALÉE
DÉGRAFÉE	REMÂCHÉE	PACIFIÉE	ACCABLÉE
REBIFFÉE	PANACHÉE	CODIFIÉE	ENSABLÉE
AGRIFFÉE	ARRACHÉE	MODIFIÉE	ENTABLÉE
AULOFFÉE	ENSACHÉE	SALIFIÉE	ATTABLÉE
CHAUFFÉE	DÉTACHÉE	GÉLIFIÉE	DRIBBLÉE
ÉTOUFFÉE	ENTACHÉE	LAMIFIÉE	TREMBLÉE
HERBAGÉE	ATTACHÉE	RAMIFIÉE	AFFUBLÉE
SACCAGÉE	GOUACHÉE	MOMIFIÉE	TROUBLÉE
RENGAGÉE	ALLÉCHÉE	NANIFIÉE	DÉBÂCLÉE
ÉTALAGÉE	DÉPÊCHÉE	PANIFIÉE	RECYCLÉE
SOULAGÉE	REPÊCHÉE	LÉNIFIÉE	BARBELÉE
AMÉNAGÉE	EMPÊCHÉE	VINIFIÉE	HARCELÉE
PROPAGÉE	ÉBRÉCHÉE	BONIFIÉE	MORCELÉE
OMBRAGÉE	ASSÉCHÉE	TONIFIÉE	CONGELÉE
OUTRAGÉE	AFFICHÉE	VÉRIFIÉE	SURGELÉE
OUVRAGÉE	ENFICHÉE	PURIFIÉE	NICKELÉE
PRÉSAGÉE	DÉNICHÉE	OSSIFIÉE	POMMELÉE
PARTAGÉE	ENTICHÉE	RATIFIÉE	GRUMELÉE
ENNUAGÉE	AGUICHÉE	NOTIFIÉE	CRÉNELÉE
ASSIÉGÉE	ÉPANCHÉE	VIVIFIÉE	GRENELÉE
PROTÉGÉE	BRANCHÉE	COCUFIÉE	CANNELÉE
DÉNEIGÉE	TRANCHÉE	RÉFUGIÉE	CRÊPELÉE
ENNEIGÉE	ÉTANCHÉE	AFFILIÉE	RAPPELÉE
AFFLIGÉE	DÉCOCHÉE	HUMILIÉE	ENGRÊLÉE
INFLIGÉE	ENCOCHÉE	RÉSILIÉE	CARRELÉE
NÉGLIGÉE	BRIOCHÉE	DÉFOLIÉE	CORRÉLÉE
COLLIGÉE	TALOCHÉE	EXFOLIÉE	BOSSELÉE
CORRIGÉE	EMPOCHÉE	REMPLIÉE	MANTELÉE
FUSTIGÉE	DÉROCHÉE	SUPPLIÉE	DENTELÉE
VIDANGÉE	ENROCHÉE	REMANIÉE	MARTELÉE
ÉCHANGÉE	CHERCHÉE	INGÉNIÉE	BOTTELÉE
MÉLANGÉE	ÉCORCHÉE	ARSÉNIÉE	CLAVELÉE
DÉMANGÉE	FOURCHÉE	LACINIÉE	GRIVELÉE
REMANGÉE	SCOTCHÉE	RECOPIÉE	SOUFFLÉE
DÉRANGÉE	ÉBAUCHÉE	INEXPIÉE	RENIFLÉE
ARRANGÉE	DÉBUCHÉE	SALARIÉE	GIROFLÉE
LOSANGÉE	DÉJUCHÉE	DÉMARIÉE	DÉRÉGLÉE
LOUANGÉE	PELUCHÉE	REMARIÉE	ÉPINGLÉE

TRINGLÉE	FORMOLÉE	OPPRIMÉE	INDIGNÉE
AVEUGLÉE	FIGNOLÉE	EXPRIMÉE	ÉLOIGNÉE
TROCHLÉE	BRISOLÉE	EMPALMÉE	DÉSIGNÉE
TRÉFILÉE	FRISOLÉE	DÉGOMMÉE	RÉSIGNÉE
D'AFFILÉE	CONSOLÉE	ENGOMMÉE	COSIGNÉE
RENFILÉE	DESSOLÉE	DÉNOMMÉE	ASSIGNÉE
PROFILÉE	RISSOLÉE	RENOMMÉE	ÉPARGNÉE
PARFILÉE	MAUSOLÉE	INNOMMÉE	ÉBORGNÉE
SURFILÉE	SURVOLÉE	ASSOMMÉE	DÉGAINÉE
FAUFILÉE	DÉCUPLÉE	DIPLÔMÉE	ENGAINÉE
ENTOILÉE	DÉFERLÉE	**BORROMÉE**	DÉLAINÉE
DÉVOILÉE	EMPERLÉE	DIATOMÉE	AGRAINÉE
REMPILÉE	ÉJACULÉE	DÉSARMÉE	ÉGRAINÉE
COMPILÉE	CALCULÉE	REFERMÉE	COMBINÉE
VENTILÉE	INOCULÉE	AFFERMÉE	TURBINÉE
DÉBALLÉE	BASCULÉE	ENFERMÉE	VACCINÉE
EMBALLÉE	ACIDULÉE	DÉGERMÉE	CALCINÉE
REBELLÉE	ESSEULÉE	AFFIRMÉE	DULCINÉE
LIBELLÉE	ÉGUEULÉE	INFIRMÉE	**DULCINÉE**
OMBELLÉE	COAGULÉE	DÉFORMÉE	LANCINÉE
LAMELLÉE	STIMULÉE	REFORMÉE	FASCINÉE
ENSELLÉE	FORMULÉE	RÉFORMÉE	DANDINÉE
TRUELLÉE	GRANULÉ	INFORMÉE	JARDINÉE
ÉCAILLÉE	SABOULÉE	EMBAUMÉE	BOUDINÉE
ÉGAILLÉE	DÉBOULÉE	EMPAUMÉE	BALEINÉE
ÉMAILLÉE	GIBOULÉE	ROYAUMÉE	RAFFINÉE
BRAILLÉE	DÉFOULÉE	PARFUMÉE	CONFINÉE
ÉRAILLÉE	REFOULÉE	ENRHUMÉE	IMAGINÉE
GRAILLÉE	DÉMOULÉE	RALLUMÉE	MARGINÉE
HABILLÉE	AMPOULÉE	DÉPLUMÉE	MACHINÉE
ÉVEILLÉE	ÉCROULÉE	EMPLUMÉE	LITHINÉE
SIGILLÉE	DÉROULÉE	EMBRUMÉE	PRALINÉE
ACHILLÉE	ENROULÉE	SUBSUMÉE	DÉCLINÉE
VANILLÉE	STIPULÉE	PRÉSUMÉE	INCLINÉE
ÉTRILLÉE	REBRÛLÉE	CONSUMÉE	**COLLINÉE**
FUSILLÉE	CAPSULÉE	COSTUMÉE	MOULINÉE
TITILLÉE	SPATULÉE	HAUBANÉE	GRAMINÉE
OUTILLÉE	POSTULÉE	CHICANÉE	STAMINÉE
FEUILLÉE	PROPYLÉE	BOUCANÉE	EXAMINÉE
DOUILLÉE	DIFFAMÉE	PROFANÉE	CHEMINÉE
FOUILLÉE	MALFAMÉE	TRÉPANÉE	ÉLIMINÉE
MOUILLÉE	ACCLAMÉE	SAFRANÉE	FULMINÉE
ROUILLÉE	DÉCLAMÉE	PRYTANÉE	ABOMINÉE
SOUILLÉE	RÉCLAMÉE	FORCENÉE	CARMINÉE
TOUILLÉE	EXCLAMÉE	OXYGÉNÉE	TERMINÉE
DÉCOLLÉE	RENTAMÉE	MALMENÉE	ACUMINÉE
RECOLLÉE	**PTOLÉMÉE**	REMMENÉE	ALUMINÉE
ENCOLLÉE	PARSEMÉE	**IDOMÉNÉE**	ÉPÉPINÉE
ÉBRANLÉE	RESSEMÉE	PROMENÉE	INOPINÉE
BRICOLÉE	MAL-AIMÉE	SURMENÉE	TAUPINÉE
GONDOLÉE	SUBLIMÉE	RÉFRÉNÉE	AMARINÉE
URCÉOLÉE	RÉANIMÉE	EFFRÉNÉE	CUISINÉE
AURÉOLÉE	INANIMÉE	ENGRENÉE	BASSINÉE
ALVÉOLÉE	ESCRIMÉE	HAQUENÉE	DESSINÉE
BARIOLÉE	DÉPRIMÉE	REGAGNÉE	PLATINÉE
PÉTIOLÉE	RÉPRIMÉE	ARAIGNÉE	GRATINÉE
INVIOLÉE	IMPRIMÉE	ESBIGNÉE	OUATINÉE

PECTINÉE	HIVERNÉE	INTÉGRÉE	DEMEURÉE
PIÉTINÉE	SUBORNÉE	PEDIGREE	ÉCŒURÉE
COLTINÉE	DÉCORNÉE	IMMIGRÉE	TUTEURÉE
MANTINÉE	ENCORNÉE	DÉNIGRÉE	SULFURÉE
TONTINÉE	BIGORNÉE	CAMPHRÉE	HACHURÉE
TARTINÉE	AJOURNÉE	**ÉRYTHRÉE**	MÂCHURÉE
OBSTINÉE	FORTUNÉE	AFFAIRÉE	CONJURÉE
DESTINÉE	RESCAPÉE	ÉCLAIRÉE	PARJURÉE
TAQUINÉE	RECHAPÉE	DÉCHIRÉE	MOULURÉE
ALEVINÉE	ATTRAPÉE	ENFOIRÉE	MURMURÉE
DÉPANNÉE	DÉCRÊPÉE	RESPIRÉE	SAUMURÉE
SURANNÉE	DÉFRIPÉE	INSPIRÉE	CYANURÉE
BIPENNÉE	DISSIPÉE	SOUPIRÉE	RAINURÉE
EMPENNÉE	INCULPÉE	SOUTIRÉE	LABOURÉE
ÉTRENNÉE	DÉPULPÉE	CHAVIRÉE	THIO-URÉE
MOYENNÉE	ESTAMPÉE	TRÉVIRÉE	DÉTOURÉE
FAÇONNÉE	ESTOMPÉE	ÉLABORÉE	ENTOURÉE
MAÇONNÉE	SYNCOPÉE	JAMBOREE	SAVOURÉE
ARÇONNÉE	APOCOPÉE	CHICORÉE	SUPPURÉE
REDONNÉE	VARLOPÉE	MORDORÉE	NITRURÉE
BIDONNÉE	ÉCHAPPÉE	PERFORÉE	PRÉSURÉE
ORDONNÉE	ÉGRAPPÉE	DÉFLORÉE	CENSURÉE
GALONNÉE	AGRIPPÉE	DÉPLORÉE	TONSURÉE
JALONNÉE	ESCARPÉE	IMPLORÉE	RASSURÉE
TALONNÉE	ÉCHARPÉE	EXPLORÉE	FISSURÉE
PILONNÉE	EXTIRPÉE	ÉVAPORÉE	FACTURÉE
CANONNÉE	DÉCOUPÉE	TORTORÉE	VOITURÉE
TENONNÉE	RECOUPÉE	ÉPAMPRÉE	TRITURÉE
JUPONNÉE	DÉCLARÉE	POURPRÉE	CLÔTURÉE
GIRONNÉE	PRÉPARÉE	DÉBARRÉE	CAPTURÉE
TISONNÉE	COMPARÉE	EMBARRÉE	TORTURÉE
BÂTONNÉE	DÉLABRÉE	BICARRÉE	BITTURÉE
BÉTONNÉE	CÉLÉBRÉE	BIGARRÉE	BOUTURÉE
MITONNÉE	DÉFIBRÉE	DÉMARRÉE	COUTURÉE
PITONNÉE	CALIBRÉE	DÉFERRÉE	TEXTURÉE
ENTONNÉE	CHAMBRÉE	ENFERRÉE	ÉBAVURÉE
COTONNÉE	OBOMBRÉE	ÉPIERRÉE	NERVURÉE
SAVONNÉE	RECADRÉE	ENSERRÉE	ORFÉVRÉE
RAYONNÉE	ENCADRÉE	DÉTERRÉE	DÉGIVRÉE
GAZONNÉE	PONDÉRÉE	ENTERRÉE	DÉLIVRÉE
CARBONÉE	PRÉFÉRÉE	ATTERRÉE	DÉPHASÉE
SULFONÉE	DIFFÉRÉE	ABHORRÉE	BIPHASÉE
VIOLONÉE	CONFÉRÉE	SUSURRÉE	DIPHASÉE
SAUMONÉE	PROFÉRÉE	FENÊTRÉE	DÉBRASÉE
COMPONÉE	EXAGÉRÉE	PÉNÊTRÉE	EMBRASÉE
CHÉRONÉE	SUGGÉRÉE	DÉPÊTRÉE	RÉALÉSÉE
DÉTRÔNÉE	MANIÉRÉE	EMPÊTRÉE	SOUPESÉE
PERSONÉE	ARRIÉRÉE	ARBITRÉE	JUDAÏSÉE
POLYPNÉE	ÉNUMÉRÉE	DÉNITRÉE	MALAISÉE
INCARNÉE	EXONÉRÉE	CLOÎTRÉE	PUNAISÉE
ACHARNÉE	TEMPÉRÉE	ATTITRÉE	ARABISÉE
ÉCHARNÉE	RÉOPÉRÉE	ÉVENTRÉE	GRÉCISÉE
DÉCERNÉE	RÉITÉRÉE	PROSTRÉE	PRÉCISÉE
CASERNÉE	BALAFRÉE	FRUSTRÉE	LAÏCISÉE
MATERNÉE	CHIFFRÉE	MIJAURÉE	FASCISÉE
ALTERNÉE	GOINFRÉE	CARBURÉE	ANODISÉE
INTERNÉE	SIMAGRÉE	PROCURÉE	RÉALISÉE

ÉGALISÉE	NÉVROSÉE	NITRATÉE	EFFRITÉE
COALISÉE	ÉCLIPSÉE	CRAVATÉE	REWRITÉE
OPALISÉE	DÉVERSÉE	DÉBECTÉE	INUSITÉE
ORALISÉE	REVERSÉE	AFFECTÉE	ÉBRUITÉE
DUALISÉE	INVERSÉE	INFECTÉE	RÉCOLTÉE
AVALISÉE	**LA BASSÉE**	OBJECTÉE	DÉVOLTÉE
OVALISÉE	TABASSÉE	INJECTÉE	RÉVOLTÉE
CYCLISÉE	DÉLASSÉE	DÉLECTÉE	OCCULTÉE
UTILISÉE	DAMASSÉE	SÉLECTÉE	RÉSULTÉE
STYLISÉE	RAMASSÉE	HUMECTÉE	INSULTÉE
CHEMISÉE	DÉPASSÉE	DÉTECTÉE	DÉCANTÉE
ATOMISÉE	REPASSÉE	BUDGÉTÉE	ENFANTÉE
STOMISÉE	HARASSÉE	VERGETÉE	DÉGANTÉE
TANNISÉE	ENTASSÉE	CACHETÉE	DÉJANTÉE
DÉBOISÉE	POTASSÉE	RACHETÉE	AIMANTÉE
REBOISÉE	CARESSÉE	TACHETÉE	REDENTÉE
ARDOISÉE	ADRESSÉE	POCHETÉE	RUDENTÉE
DÉGOISÉE	AGRESSÉE	PROJETÉE	RÉGENTÉE
PAVOISÉE	STRESSÉE	FORJETÉE	ARGENTÉE
DÉVOISÉE	ABAISSÉE	SURJETÉE	ORIENTÉE
ÉMERISÉE	GRAISSÉE	REFLÉTÉE	LAMENTÉE
UPÉRISÉE	MÉGISSÉE	PELLETÉE	CÉMENTÉE
DÉFRISÉE	PALISSÉE	BILLETÉE	CIMENTÉE
DÉGRISÉE	FROISSÉE	COLLETÉE	PIMENTÉE
DÉPRISÉE	TAPISSÉE	VIOLETÉE	FOMENTÉE
MÉPRISÉE	HÉRISSÉE	BOULETÉE	ARPENTÉE
REPRISÉE	RATISSÉE	ACCRÉTÉE	ABSENTÉE
ÉTATISÉE	MÉTISSÉE	DÉCRÉTÉE	PATENTÉE
POÉTISÉE	RETISSÉE	SECRÉTÉE	RETENTÉE
ÉROTISÉE	DÉVISSÉE	SÉCRÉTÉE	INTENTÉE
BAPTISÉE	REVISSÉE	EXCRÉTÉE	CRUENTÉE
DÉGUISÉE	CABOSSÉE	AFFRÉTÉE	INVENTÉE
AIGUISÉE	EMBOSSÉE	APPRÊTÉE	ÉREINTÉE
MENUISÉE	ENDOSSÉE	JARRETÉE	AJOINTÉE
SLAVISÉE	PANOSSÉE	CORSETÉE	ÉJOINTÉE
SUSVISÉE	DÉSOSSÉE	PAQUETÉE	RACONTÉE
IMPULSÉE	CHAUSSÉE	BÉQUETÉE	DÉMONTÉE
EXPULSÉE	DÉCUSSÉE	REQUÊTÉE	REMONTÉE
RÉVULSÉE	ÉMOUSSÉE	PIQUETÉE	CACAOTÉE
EXPANSÉE	TROUSSÉE	TIQUETÉE	CLABOTÉE
RECENSÉE	DIFFUSÉE	ENQUÊTÉE	CRABOTÉE
ENCENSÉE	PERFUSÉE	CLAVETÉE	BARBOTÉE
BODENSEE	ÉCOMUSÉE	BREVETÉE	FRICOTÉE
OFFENSÉE	JALOUSÉE	ENFAÎTÉE	TRICOTÉE
WALENSEE	DÉPAYSÉE	DÉLAITÉE	RONÉOTÉE
DÉPENSÉE	DIALYSÉE	ALLAITÉE	RABIOTÉE
REPENSÉE	ANALYSÉE	PRÉCITÉE	FOLIOTÉE
INSENSÉE	PRÉDATÉE	SUSCITÉE	DORLOTÉE
GLUCOSÉE	MANDATÉE	RÉÉDITÉE	PAGNOTÉE
CYANOSÉE	CALFATÉE	COÉDITÉE	MIGNOTÉE
PRÉPOSÉE	SULFATÉE	CRÉDITÉE	CONNOTÉE
COMPOSÉE	FRÉGATÉE	POPLITÉE	CHIPOTÉE
PROPOSÉE	FRELATÉE	INIMITÉE	TRIPOTÉE
SUPPOSÉE	TRÉMATÉE	MARMITÉE	REMPOTÉE
DISPOSÉE	COLMATÉE	GRANITÉE	BAISOTÉE
NÉCROSÉE	FORMATÉE	DÉBOÎTÉE	ACCEPTÉE
NITROSÉE	HYDRATÉE	EMBOÎTÉE	EXCEPTÉE

SCULPTÉE	CHAHUTÉE	PANIQUÉE	RESSAYÉE
EXEMPTÉE	VERJUTÉE	TUNIQUÉE	VOLLEYÉE
ENCARTÉE	AZIMUTÉE	DÉPIQUÉE	COUDOYÉE
ESSARTÉE	COMMUTÉE	REPIQUÉE	SOUDOYÉE
DÉSERTÉE	PERMUTÉE	BORIQUÉE	DÉPLOYÉE
ESCORTÉE	RABOUTÉE	ÉTRIQUÉE	REPLOYÉE
EXHORTÉE	DÉBOUTÉE	ASTIQUÉE	EMPLOYÉE
DÉPORTÉE	REDOUTÉE	FLANQUÉE	PAUMOYÉE
REPORTÉE	DÉGOÛTÉE	PLANQUÉE	BORNOYÉE
EMPORTÉE	RAJOUTÉE	TRONQUÉE	CARROYÉE
IMPORTÉE	VELOUTÉE	RÉVOQUÉE	CORROYÉE
APPORTÉE	FILOUTÉE	INVOQUÉE	OCTROYÉE
EXPORTÉE	ÉCROÛTÉE	ÉTARQUÉE	FOSSOYÉE
ÉCOURTÉE	DÉROUTÉE	BRUSQUÉE	APITOYÉE
DÉVASTÉE	ENVOÛTÉE	RELUQUÉE	NETTOYÉE
INFESTÉE	MAZOUTÉE	ENSUQUÉE	RENVOYÉE
DÉLESTÉE	SUPPUTÉE	OBSTRUÉE	CONVOYÉE
MOLESTÉE	DISPUTÉE	INFATUÉE	VOUVOYÉE
EMPESTÉE	RECRUTÉE	PONCTUÉE	RESSUYÉE
DÉTESTÉE	ALPAGUÉE	HABITUÉE	SQUEEZÉE
ATTESTÉE	DÉLÉGUÉE	ÉVERTUÉE	AUTODAFÉ
DÉPISTÉE	RELÉGUÉE	BISEXUÉE	ESCLAFFÉ
DÉSISTÉE	ALLÉGUÉE	EMBLAVÉE	REGREFFÉ
ASSISTÉE	ENDIGUÉE	ENCLAVÉE	**WYCLIFFE**
ACCOSTÉE	IRRIGUÉE	AGGRAVÉE	DÉCOIFFÉ
RIPOSTÉE	FATIGUÉE	DÉPRAVÉE	RECOIFFÉ
DÉGUSTÉE	ÉLINGUÉE	ENTRAVÉE	ASSOIFFÉ
RAJUSTÉE	FLINGUÉE	PRÉLEVÉE	DÉGRIFFÉ
ENKYSTÉE	BRINGUÉE	SOULEVÉE	ÉCHAUFFÉ
DÉNATTÉE	FRINGUÉE	EMBREVÉE	TARTUFFE
EMPATTÉE	DÉBOGUÉE	DÉGREVÉE	**TARTUFFE**
BARATTÉE	FOURGUÉE	ARCHIVÉE	**TENERIFE**
SQUATTÉE	ENJUGUÉE	PASSIVÉE	ESBROUFE
FACETTÉE	DÉVALUÉE	LESSIVÉE	ESBROUFÉ
ENDETTÉE	ÉBERLUÉE	CULTIVÉE	FLAMBAGE
ÉMIETTÉE	ATTÉNUÉE	CAPTIVÉE	PLOMBAGE
LUNETTÉE	EXTÉNUÉE	ESQUIVÉE	ENGOBAGE
FOUETTÉE	DIMINUÉE	INNERVÉE	ENROBAGE
SAGITTÉE	INSINUÉE	OBSERVÉE	ÉBARBAGE
DÉBOTTÉE	AMADOUÉE	RÉSERVÉE	DÉPEÇAGE
DÉGOTTÉE	SURDOUÉE	INCURVÉE	MARÉCAGE
GIGOTTÉE	DÉCLOUÉE	ABREUVÉE	DÉPICAGE
CALOTTÉE	RECLOUÉE	ÉPROUVÉE	COINÇAGE
CULOTTÉE	ENCLOUÉE	À L'ÉTUVÉE	ÉCORÇAGE
EMMOTTÉE	SURLOUÉE	SURTAXÉE	AMORÇAGE
CAROTTÉE	RABROUÉE	DUPLEXÉE	SOLIDAGE
ÉGOUTTÉE	ENCROUÉE	PRÉFIXÉE	DÉVIDAGE
BOYAUTÉE	INAVOUÉE	SUFFIXÉE	GLANDAGE
NOYAUTÉE	CONSPUÉE	DÉBLAYÉE	ÉPANDAGE
TUYAUTÉE	ENCAQUÉE	MONNAYÉE	ÉTENDAGE
CULBUTÉE	ARNAQUÉE	PRÉPAYÉE	BLINDAGE
EXÉCUTÉE	BARAQUÉE	SURPAYÉE	ÉMONDAGE
PERCUTÉE	ATTAQUÉE	DÉBRAYÉE	DÉCODAGE
DISCUTÉE	DÉFÉQUÉE	EMBRAYÉE	ENCODAGE
RAMEUTÉE	RÉSÉQUÉE	DÉFRAYÉE	ABORDAGE
ÉQUEUTÉE	ABDIQUÉE	EFFRAYÉE	HOURDAGE
RAFFÛTÉE	INDIQUÉE	RETRAYÉE	PIÉGEAGE

FORGEAGE	DÉCILAGE	LAMINAGE	FEUTRAGE
JAUGEAGE	MUCILAGE	DÉMINAGE	POUTRAGE
AGRAFAGE	AFFILAGE	COPINAGE	SOUTRAGE
GREFFAGE	EFFILAGE	FARINAGE	RÉCURAGE
COIFFAGE	ENFILAGE	MARINAGE	PLEURAGE
RÉENGAGÉ	DÉPILAGE	**BORINAGE**	MESURAGE
FLÉCHAGE	EMPILAGE	BURINAGE	ASSURAGE
CLICHAGE	ENSILAGE	PATINAGE	PÂTURAGE
BANCHAGE	SCELLAGE	RATINAGE	RATURAGE
LYNCHAGE	NIELLAGE	SATINAGE	CUIVRAGE
PIOCHAGE	STELLAGE	ACCONAGE	EMPESAGE
BROCHAGE	CAILLAGE	COLONAGE	BRAISAGE
PERCHAGE	MAILLAGE	RAMONAGE	FRAISAGE
FAUCHAGE	PAILLAGE	LIMONAGE	BALISAGE
RAUCHAGE	TAILLAGE	TOURNAGE	TAMISAGE
BOUCHAGE	TEILLAGE	LAGUNAGE	REMISAGE
COUCHAGE	SMILLAGE	DÉCAPAGE	TANISAGE
MOUCHAGE	GRILLAGE	DÉRAPAGE	VANISAGE
GÉOPHAGE	GRILLAGÉ	RETAPAGE	ÉGRISAGE
ZOOPHAGE	VRILLAGE	RECEPAGE	DÉVISAGÉ
FLASHAGE	OUILLAGE	ÉTRIPAGE	ENVISAGÉ
CARTHAGE	RACOLAGE	STRIPAGE	ARROSAGE
VERBIAGE	ACCOLAGE	ÉQUIPAGE	BRASSAGE
RHODIAGE	RIGOLAGE	INALPAGE	DRESSAGE
DÉPLIAGE	ENTÔLAGE	TREMPAGE	PRESSAGE
CADMIAGE	REMPLAGE	ARÉOPAGE	TRESSAGE
STOCKAGE	COUPLAGE	STEPPAGE	GLISSAGE
DÉCALAGE	CHAULAGE	GRIPPAGE	PLISSAGE
RECALAGE	MACULAGE	DROPPAGE	CUISSAGE
PÉDALAGE	POPULAGE	STOPPAGE	BROSSAGE
RÉGALAGE	RÉTAMAGE	GROUPAGE	MOUSSAGE
CRIBLAGE	ÉCRÉMAGE	TARARAGE	POUSSAGE
DOUBLAGE	ARRIMAGE	CAMBRAGE	CREUSAGE
SARCLAGE	ENSIMAGE	TIMBRAGE	ÉCLUSAGE
CERCLAGE	GRAMMAGE	POUDRAGE	NON-USAGE
BOUCLAGE	CHROMAGE	REPÉRAGE	MÉSUSAGE
PUDDLAGE	ENFUMAGE	AMPÉRAGE	DÉMÂTAGE
ROBELAGE	ALLUMAGE	COFFRAGE	PIRATAGE
FICELAGE	BITUMAGE	SUFFRAGE	TRACTAGE
PUCELAGE	LAMANAGE	GAUFRAGE	GALETAGE
MODELAGE	DÉMÉNAGÉ	NAUFRAGE	FILETAGE
DÉMÊLAGE	EMMÉNAGÉ	NAUFRAGÉ	MOLETAGE
SEMELAGE	CARÉNAGE	SOUFRAGE	CANETAGE
JUMELAGE	ÉGRENAGE	VAIGRAGE	CURETAGE
AGNELAGE	MOYEN ÂGE	RETIRAGE	FURETAGE
CAPELAGE	**MOYEN ÂGE**	CHLORAGE	RIVETAGE
CISELAGE	PEIGNAGE	ESSORAGE	DÉBITAGE
FUSELAGE	CHAÎNAGE	AMARRAGE	DÉLITAGE
BATELAGE	DRAINAGE	BOURRAGE	ERMITAGE
RÂTELAGE	GRAINAGE	FOURRAGE	GUNITAGE
DÉTELAGE	TRAÎNAGE	FOURRAGÉ	HÉRITAGE
ATTELAGE	BOBINAGE	PLÂTRAGE	BRUITAGE
JAVELAGE	RACINAGE	FILTRAGE	CHANTAGE
NIVELAGE	BADINAGE	CENTRAGE	PLANTAGE
CUVELAGE	FREINAGE	CINTRAGE	AVANTAGE
SIFFLAGE	ÉVEINAGE	LUSTRAGE	AVANTAGÉ
GONFLAGE	AFFINAGE	LETTRAGE	POINTAGE

CABOTAGE	DÉPAVAGE	PROLONGÉ	BRETÈCHE
RABOTAGE	REPAVAGE	REPLONGÉ	CHEVÊCHE
SABOTAGE	**CARAVAGE**	FORLONGÉ	HOUAICHE
PICOTAGE	RELEVAGE	SURLONGE	GRÉBICHE
RADOTAGE	ENLEVAGE	MENSONGE	GRIBICHE
FAGOTAGE	BALIVAGE	PHARYNGÉ	BARBICHE
MÉGOTAGE	ARRIVAGE	EUCOLOGE	POULICHE
LIGOTAGE	ESTIVAGE	MÉNOLOGE	FLAMICHE
ERGOTAGE	RAVIVAGE	DÉCHARGE	BONNICHE
AGIOTAGE	EMBUVAGE	DÉCHARGÉ	CORNICHE
PELOTAGE	DÉCUVAGE	RECHARGE	DÉFRICHE
PILOTAGE	ENCUVAGE	RECHARGÉ	DÉFRICHÉ
SILOTAGE	BREUVAGE	LITHARGE	**AUTRICHE**
CANOTAGE	MALAXAGE	GAMBERGE	FORTICHE
CAPOTAGE	INDEXAGE	GAMBERGÉ	PASTICHE
PAPOTAGE	BALAYAGE	SUBMERGÉ	PASTICHÉ
DÉPOTAGE	DÉLAYAGE	CONVERGÉ	POSTICHE
EMPOTAGE	DÉRAYAGE	RENGORGÉ	ESQUICHÉ
ZÉROTAGE	ENRAYAGE	**WALBURGE**	DERVICHE
COMPTAGE	ESSAYAGE	DÉMIURGE	DÉHANCHÉ
DOMPTAGE	MÉTAYAGE	**MAUBEUGE**	CALANCHE
CRYPTAGE	MAREYAGE	LUCIFUGE	PALANCHE
QUARTAGE	DÉNOYAGE	IGNIFUGE	DÉMANCHÉ
INERTAGE	ENNOYAGE	IGNIFUGÉ	DIMANCHE
COURTAGE	ESSUYAGE	BIEN-JUGÉ	EMMANCHÉ
AJUSTAGE	DÉGAZAGE	**CAP-ROUGE**	**COMANCHE**
ABATTAGE	BRONZAGE	BAS-ROUGE	ROMANCHE
GRATTAGE	**COOLIDGE**	VISCACHE	**ROMANCHE**
FRETTAGE	**OAK RIDGE**	RONDACHE	ÉBRANCHÉ
FRITTAGE	PORRIDGE	MORDACHE	REVANCHE
FLOTTAGE	**CAMBODGE**	MALGACHE	REVANCHÉ
ÉMOTTAGE	STRATÈGE	**MALGACHE**	**MALINCHE**
FROTTAGE	COOBLIGÉ	GOULACHE	BAMBOCHE
AFFÛTAGE	QUADRIGE	GRENACHE	BAMBOCHÉ
ENFÛTAGE	TRANSIGÉ	BARNACHE	CALDOCHE
MINUTAGE	PRESTIGE	HARNACHÉ	**ANTIOCHE**
ABOUTAGE	VENDANGE	BERNACHE	BOULOCHÉ
CLOUTAGE	VENDANGÉ	RECRACHÉ	PIGNOCHÉ
BIZUTAGE	RECHANGE	**CARRACHE**	ÉPINOCHE
ÉCOBUAGE	RECHANGÉ	PISTACHE	REMPOCHÉ
ENGLUAGE	INCHANGÉ	EUSTACHE	DÉBROCHÉ
AFFOUAGE	ARCHANGE	**EUSTACHE**	EMBROCHÉ
AFFOUAGÉ	PHALANGE	RATTACHÉ	ACCROCHE
ÉCHOUAGE	**BELLANGE**	SOUTACHE	ACCROCHÉ
TATOUAGE	BOULANGE	SOUTACHÉ	DÉCROCHÉ
CLAQUAGE	BOULANGÉ	BRAVACHE	REPROCHE
PLAQUAGE	EFFRANGÉ	CRAVACHE	REPROCHÉ
BRAQUAGE	**LA GRANGE**	CRAVACHÉ	APPROCHE
CRAQUAGE	**LAGRANGE**	PIMBÊCHE	APPROCHÉ
PACQUAGE	**ALGRANGE**	MAUBÈCHE	GAVROCHE
APIQUAGE	ENGRANGÉ	**LA FLÈCHE**	**GAVROCHE**
CALQUAGE	**FLORANGE**	BIFLÈCHE	FANTOCHE
MARQUAGE	SPORANGE	PERLÈCHE	PINTOCHÉ
MASQUAGE	**BOTRANGE**	**CAMPECHE**	**LA MARCHE**
TRUQUAGE	**THURINGE**	CAMPÊCHE	DÉMARCHE
RESSUAGE	RALLONGE	SURPÊCHE	DÉMARCHÉ
DÉLAVAGE	RALLONGÉ	DESSÉCHÉ	REMARCHÉ

RAPERCHÉ	PINERAIE	LIQUÉFIÉ	ÉCOLOGIE
QUETSCHE	RÔNERAIE	BARBIFIÉ	GÉOLOGIE
TCHATCHE	ROSERAIE	OPACIFIÉ	NÉOLOGIE
TCHATCHÉ	ROUVRAIE	SPÉCIFIÉ	UFOLOGIE
SCRATCHÉ	CERISAIE	CALCIFIÉ	BIOLOGIE
DÉBAUCHE	SAUSSAIE	DULCIFIÉ	ZOOLOGIE
DÉBAUCHÉ	HOUSSAIE	CRUCIFIÉ	APOLOGIE
EMBAUCHE	AMPHIBIE	RÉÉDIFIÉ	UROLOGIE
EMBAUCHÉ	**COLOMBIE**	ACIDIFIÉ	OTOLOGIE
TRÉBUCHÉ	LITHOBIE	GAZÉIFIÉ	MYOLOGIE
REMBUCHÉ	NÉCROBIE	MYTHIFIÉ	RÉLARGIE
GRELUCHE	**LA TURBIE**	QUALIFIÉ	ALLERGIE
MERLUCHE	MONŒCIE	AMPLIFIÉ	SYNERGIE
BABOUCHE	ALOPÉCIE	PLANIFIÉ	THÉURGIE
DÉBOUCHÉ	DÉPRÉCIÉ	MAGNIFIÉ	LITURGIE
REBOUCHÉ	APPRÉCIÉ	LIGNIFIÉ	**MALACHIE**
EMBOUCHE	RÉTRÉCIE	SIGNIFIÉ	**VALACHIE**
EMBOUCHÉ	**PHÉNICIE**	RÉUNIFIÉ	SYNÉCHIE
ACCOUCHÉ	**MAURICIE**	SCARIFIÉ	PÉTÉCHIE
DÉCOUCHÉ	LICENCIÉ	CLARIFIÉ	ENRICHIE
RECOUCHÉ	DISSOCIÉ	LUBRIFIÉ	BLANCHIE
INGOUCHE	DYSTOCIE	SACRIFIÉ	BRANCHIE
MANOUCHE	INFARCIE	GLORIFIÉ	FRANCHIE
FAROUCHE	AUTARCIE	TERRIFIÉ	ANARCHIE
AMROUCHE	REMERCIÉ	HORRIFIÉ	ÉNARCHIE
ESSOUCHÉ	ENDURCIE	PÉTRIFIÉ	ÉPARCHIE
LATOUCHE	**SÉLEUCIE**	NITRIFIÉ	DYARCHIE
RETOUCHE	RADOUCIE	VITRIFIÉ	AGRAPHIE
RETOUCHÉ	TRAGÉDIE	FALSIFIÉ	ATROPHIE
PERRUCHE	CONGÉDIÉ	DENSIFIÉ	ATROPHIÉ
AUTRUCHE	ATTIÉDIE	CHOSIFIÉ	**LA BÂTHIE**
DE HOOGHE	ENLAIDIE	VERSIFIÉ	EMPATHIE
ÉPITAPHE	DÉRAIDIE	MASSIFIÉ	BENGALIE
ACALÈPHE	COCCIDIE	RUSSIFIÉ	**BENGALIE**
RODOLPHE	PERFIDIE	BÉATIFIÉ	DYSLALIE
ASTOLPHE	TIGRIDIE	GRATIFIÉ	ANOMALIE
TRIOMPHE	SUBSIDIÉ	RECTIFIÉ	PHYSALIE
TRIOMPHÉ	**ROMANDIE**	ACÉTIFIÉ	RÉTABLIE
DIMORPHE	AGRANDIE	PONTIFIÉ	ENNOBLIE
CATARRHE	INCENDIE	CERTIFIÉ	AMEUBLIE
SQUIRRHE	INCENDIÉ	FORTIFIÉ	PARHÉLIE
GOMORRHE	**MAGENDIE**	MORTIFIÉ	PARMÉLIE
ISOBATHE	REBONDIE	JUSTIFIÉ	**ROUMÉLIE**
VIRIATHE	ARRONDIE	MYSTIFIÉ	CONCILIÉ
MYOPATHE	PROSODIE	STATUFIÉ	SWAHILIE
ZÉOLITHE	RAPSODIE	**CARNEGIE**	MÉSALLIÉ
OTOLITHE	VOÏVODIE	CHORÉGIE	EMBELLIE
OXYLITHE	**PICARDIE**	FASTIGIÉ	VIEILLIE
ŒNANTHE	ENHARDIE	PUBALGIE	CUEILLIE
JACINTHE	REVERDIE	ANTALGIE	BOUILLIE
CORINTHE	ALOURDIE	COXALGIE	RAMOLLIE
ABSINTHE	ÉTOURDIE	**BÉRINGIE**	OSMANLIE
TIRYNTHE	**SAINT-DIÉ**	**LA MONGIE**	**OSMANLIE**
FORSYTHE	RÉÉTUDIÉ	ANAGOGIE	PERFOLIÉ
AMANDAIE	STUPÉFIÉ	APAGOGIE	**MONGOLIE**
JONCHAIE	TORRÉFIÉ	ANALOGIE	MALPOLIE
COUDRAIE	PUTRÉFIÉ	TRILOGIE	**ANATOLIE**

PANOPLIE	**VIRGINIE**	ÉPICERIE	CRÊPERIE
GRANULIE	POLLINIE	MERCERIE	FRIPERIE
APOGAMIE	CALOMNIE	FORCERIE	TRIPERIE
ISOGAMIE	CALOMNIÉ	GLYCÉRIE	SUCRERIE
EXOGAMIE	INSOMNIE	BRADERIE	LADRERIE
ADYNAMIE	**POLYMNIE**	SOLDERIE	CIDRERIE
URICÉMIE	TYRANNIE	PENDERIE	**CAFRERIE**
CALCÉMIE	DÉCENNIE	TENDERIE	VERRERIE
LEUCÉMIE	BARONNIE	FONDERIE	PITRERIE
GLYCÉMIE	**LYCAONIE**	BRODERIE	VITRERIE
ACADÉMIE	CLADONIE	GARDERIE	PRÉSÉRIE
ACADÉMIE	OVOGONIE	BORDERIE	MAÏSERIE
ÉPIDÉMIE	EUPHONIE	CORDERIE	BOISERIE
PANDÉMIE	**WALLONIE**	BOUDERIE	GRISERIE
ISCHÉMIE	HARMONIE	PRUDERIE	CLOSERIE
KALIÉMIE	**PANNONIE**	IMAGERIE	GYPSERIE
NATRÉMIE	SYNTONIE	LINGERIE	LASSERIE
ANOXÉMIE	ISOTONIE	SINGERIE	VISSERIE
ARYTHMIE	DYSTONIE	SONGERIE	ROSSERIE
ALCHIMIE	**LETTONIE**	BERGERIE	CAUSERIE
BOULIMIE	**SLAVONIE**	FÂCHERIE	BACTÉRIE
ACCALMIE	**AMAZONIE**	SACHERIE	LAITERIE
BONHOMIE	DÉGARNIE	VACHERIE	BOITERIE
ÉCONOMIE	REGARNIE	PÊCHERIE	FRITERIE
ACHROMIE	**GAVARNIE**	SÉCHERIE	MALTERIE
TRISOMIE	DÉVERNIE	ARCHERIE	GANTERIE
ANATOMIE	RACORNIE	LUTHERIE	MENTERIE
AFFERMIE	SATURNIE	ROOKERIE	CARTERIE
ASPERMIE	RAJEUNIE	CÂBLERIE	PORTERIE
ENDORMIE	PRÉMUNIE	HÂBLERIE	HYSTÉRIE
CACOSMIE	COMMUNIÉ	SABLERIE	BATTERIE
ÉPONYMIE	**LA REYNIE**	MUFLERIE	SAUTERIE
SESBANIE	**VOLHYNIE**	TOILERIE	BLUTERIE
HYRCANIE	**BITHYNIE**	VOILERIE	VIGUERIE
LEUCANIE	MONT-JOIE	HUILERIE	COQUERIE
JORDANIE	**MONTJOIE**	TUILERIE	MOQUERIE
BÉTHANIE	BAUDROIE	GALLÉRIE	ROQUERIE
GERMANIE	LAMPROIE	SELLERIE	JUIVERIE
BIRMANIE	COURROIE	TULLERIE	FAUVERIE
TASMANIE	THÉRAPIE	DRÔLERIE	BEUVERIE
ROUMANIE	SATRAPIE	VEULERIE	BOUVERIE
RHÉNANIE	NID-DE-PIE	SOÛLERIE	AMAIGRIE
POSNANIE	DÉCRÉPIE	BRÛLERIE	HÉTAIRIE
CAMPANIE	RECRÉPIE	CRÉMERIE	**HÉTAIRIE**
HISPANIE	**ÉTHIOPIE**	ISOMÉRIE	MÉTAIRIE
LITUANIE	DIPLOPIE	**FORMERIE**	FRIGORIE
TANZANIE	ENTROPIE	RHUMERIE	EUPHORIE
ÉPIGÉNIE	ESTROPIÉ	FLÂNERIE	HISTORIÉ
OVOGÉNIE	ASSOUPIE	CRÂNERIE	**LA JARRIE**
ASTHÉNIE	BARBARIE	GAINERIE	ÉQUARRIE
MESSÉNIE	**BARBARIE**	MOINERIE	AGUERRIE
MUNTÉNIE	**BULGARIE**	TANNERIE	RAPATRIÉ
NÉOTÉNIE	**ZACHARIE**	VANNERIE	DÉPATRIÉ
SLOVÉNIE	**DAMMARIE**	CONNERIE	EXPATRIÉ
ASSAINIE	RAPPARIÉ	SONNERIE	PHRATRIE
PUCCINIE	AGACERIE	MEUNERIE	SYMÉTRIE
VIRGINIE	GLACERIE	DRAPERIE	DIOPTRIE

MEURTRIE	DYNASTIE	MUSICALE	CORONALE
NEUSTRIE	MODESTIE	LEXICALE	BITONALE
DÉNUTRIE	INVESTIE	BIFOCALE	STERNALE
OLIGURIE	AMNISTIE	QUISCALE	JÉJUNALE
CENTURIE	AMNISTIÉ	CYCADALE	GRIPPALE
POLYURIE	**CHRISTIE**	AIREDALE	GROUPALE
WALKYRIE	BALBUTIÉ	AMYGDALE	LIBÉRALE
FATRASIE	DÉGLUTIE	**ROCHDALE**	TUBÉRALE
LAURASIE	EMBOUTIE	OVOÏDALE	FÉDÉRALE
RASSASIÉ	**IAKOUTIE**	ABSIDALE	SIDÉRALE
GÉODÉSIE	ALANGUIE	COTIDALE	RUDÉRALE
RHODÉSIE	SERFOUIE	SCANDALE	SCLÉRALE
ESTHÉSIE	ÉPANOUIE	**GLENDALE**	HUMÉRALE
AGÉNÉSIE	ÉVANOUIE	SYNODALE	NUMÉRALE
FRÉNÉSIE	**MOLDAVIE**	PALLÉALE	GÉNÉRALE
MAGNÉSIE	EAU-DE-VIE	**MONREALE**	MINÉRALE
MAGNÉSIE	ENSUIVIE	UNGUÉALE	LATÉRALE
ACINÉSIE	**CRACOVIE**	RÉCIFALE	SUDORALE
AKINÉSIE	**MOSCOVIE**	ILLÉGALE	PRÉORALE
ECMNÉSIE	**MORDOVIE**	FRINGALE	MAÏORALE
GASPÉSIE	**GERGOVIE**	POLYGALE	FÉMORALE
ÉNURÉSIE	**VARSOVIE**	ACÉPHALE	IMMORALE
MALAISIE	ASSERVIE	NYMPHALE	HUMORALE
TANAISIE	ASSOUVIE	CAMBIALE	TUMORALE
SYNOPSIE	AGALAXIE	GLACIALE	SORORALE
AUTOPSIE	ATARAXIE	SPÉCIALE	AURORALE
AUTOPSIÉ	ÉPITAXIE	ASOCIALE	MAYORALE
ÉPAISSIE	CACHEXIE	CRUCIALE	URÉTRALE
GAMBUSIE	DYSLEXIE	MONDIALE	CENTRALE
AGUEUSIE	ANOREXIE	CORDIALE	VENTRALE
JALOUSIE	APYREXIE	SPATIALE	ŒSTRALE
PAROUSIE	ANATEXIE	INITIALE	ROSTRALE
MALBÂTIE	PANMIXIE	INITIALÉ	AUSTRALE
RAPLATIE	APOMIXIE	NUPTIALE	LUSTRALE
PRIMATIE	ASPHYXIE	MARTIALE	FOUTRALE
DALMATIE	ASPHYXIÉ	PARTIALE	PLEURALE
LA BOÉTIE	**ABKHAZIE**	BESTIALE	**PHARSALE**
HELVÉTIE	**CRÉMAZIE**	TRIVIALE	ABYSSALE
INIMITIÉ	NÉONAZIE	ÉLUVIALE	SINUSALE
CALVITIE	**ONDAATJE**	FLUVIALE	PALATALE
ANÉANTIE	PLUM-CAKE	PLUVIALE	FRACTALE
DÉNANTIE	KEEPSAKE	COAXIALE	VÉGÉTALE
GARANTIE	**WERNICKE**	DÉCIMALE	BOLETALE
RALENTIE	**GUERICKE**	MINIMALE	ORBITALE
DÉMENTIE	DÉSTOCKÉ	OPTIMALE	CUBITALE
REPENTIE	**ROZEBEKE**	MAXIMALE	DIGITALE
LAVENTIE	**BAMILÉKÉ**	THERMALE	GÉNITALE
ENZOOTIE	**KLONDIKE**	ANORMALE	CAPITALE
DÉPARTIE	SEMI-COKE	SÉISMALE	MARITALE
REPARTIE	**DÉCÉBALE**	VICINALE	FRONTALE
RÉPARTIE	BRIMBALÉ	ORDINALE	SCROTALE
BIPARTIE	TRIMBALÉ	VAGINALE	ÉRISTALE
MI-PARTIE	MONACALE	SÉMINALE	GLOTTALE
IMPARTIE	CLOACALE	LIMINALE	LINGUALE
DIVERTIE	RADICALE	NOMINALE	ESTIVALE
INVERTIE	MÉDICALE	MATINALE	AFFIXALE
ASSORTIE	VÉSICALE	BIENNALE	BATHYALE

DÉLOYALE	SOLVABLE	AMONCELÉ	BOGOMILE
PEZIZALE	PLOYABLE	DÉPUCELÉ	JUVÉNILE
PROBABLE	CROYABLE	INFIDÈLE	RENTOILÉ
BANCABLE	SCRABBLE	REMODELÉ	**L'ESTOILE**
ÉVOCABLE	SCRABBLÉ	ANOPHÈLE	ÉOLIPILE
ÉDUCABLE	MISCIBLE	TRISKÈLE	DÉSOPILÉ
PENDABLE	CRÉDIBLE	CARAMÉLÉ	VOLATILE
VENDABLE	ÉLIGIBLE	PÊLE-MÊLE	SAXATILE
PERDABLE	EXIGIBLE	SANG-MÊLÉ	ÉRECTILE
SOUDABLE	TANGIBLE	GROMMELÉ	QUARTILE
OXYDABLE	FONGIBLE	ÉPANNELÉ	NARGUILÉ
LOGEABLE	TERRIBLE	DÉCAPELÉ	DÉSHUILÉ
AGRÉABLE	HORRIBLE	BOURRELÉ	INCIVILE
LARGABLE	PAISIBLE	RUISSELÉ	TRIBALLE
VICIABLE	LOISIBLE	DÉMUSELÉ	TRIBALLÉ
SOCIABLE	NUISIBLE	ÉCARTELÉ	**LAMBALLE**
ENDIABLÉ	SENSIBLE	CRAQUELÉ	REMBALLÉ
MANIABLE	PASSIBLE	ENJAVELÉ	QUE DALLE
VARIABLE	CESSIBLE	ÉCHEVELÉ	**FLÉMALLE**
ENVIABLE	FISSIBLE	DÉNIVELÉ	**LASSALLE**
ÉGALABLE	POSSIBLE	ÉCERVELÉ	INSTALLÉ
CYCLABLE	AMOVIBLE	INSUFFLÉ	GLABELLE
RÉGLABLE	FLEXIBLE	MORNIFLE	ISABELLE
ISOLABLE	**ÉTIEMBLE**	PERSIFLÉ	**ISABELLE**
BLÂMABLE	ENSEMBLE	DÉSENFLÉ	TOMBELLE
SOMMABLE	ASSEMBLÉ	DÉGONFLÉ	POUBELLE
CHÔMABLE	**GRENOBLE**	REGONFLÉ	CRÉCELLE
PRENABLE	VIGNOBLE	CAMOUFLÉ	MANCELLE
GAGNABLE	**VIGNOBLE**	MAROUFLÉ	**MANCELLE**
DAMNABLE	DÉMEUBLÉ	ESPIÈGLE	PARCELLE
PALPABLE	REMEUBLÉ	PRÉRÉGLÉ	SARCELLE
COUPABLE	IMMEUBLE	TRIANGLE	DESCELLÉ
OPÉRABLE	ENCOUBLE	ÉTRANGLÉ	**NAUCELLE**
QUÉRABLE	ENCOUBLÉ	ROTENGLE	PRÉDELLE
ÉTIRABLE	DÉDOUBLÉ	RECINGLE	TENDELLE
ADORABLE	REDOUBLÉ	RÉSINGLE	BONDELLE
LIVRABLE	CHASUBLE	STRONGLE	RONDELLE
OUVRABLE	BERNACLE	INHABILE	DÉRÉELLE
FAISABLE	PANTACLE	ATRABILE	IRRÉELLE
IRISABLE	PENTACLE	DÉLÉBILE	FLAGELLE
PENSABLE	OBSTACLE	IMMOBILE	FLAGELLÉ
CASSABLE	BERNICLE	STROBILE	SHIGELLE
PASSABLE	FURONCLE	VOLUBILE	MARGELLE
DESSABLÉ	PÉTONCLE	OBNUBILÉ	ARCHELLE
INUSABLE	**SOPHOCLE**	IMBÉCILE	ENFIELLÉ
IMITABLE	**PATROCLE**	DOMICILE	DÉMIELLÉ
ÉVITABLE	DÉCERCLÉ	INDOCILE	EMMIELLÉ
RENTABLE	RECERCLÉ	**BELLE-ÎLE**	VÉNIELLE
CARTABLE	ENCERCLÉ	ÉFAUFILÉ	SÉRIELLE
PORTABLE	DÉMASCLÉ	STRIGILE	KYRIELLE
SORTABLE	DÉBOUCLÉ	ÉVANGILE	CHAMELLE
TESTABLE	ÉPICYCLE	NARGHILÉ	TRÉMELLE
INSTABLE	TRICYCLE	ANNIHILÉ	POMMELLE
METTABLE	SPHACÈLE	GÉOPHILE	FORMELLE
IMMUABLE	DÉFICELÉ	ZOOPHILE	PAUMELLE
AVOUABLE	CHANCELÉ	LYOPHILE	GLUMELLE
CLIVABLE	ÉTINCELÉ	ASSIMILÉ	FLANELLE

PLANELLE	CRIAILLÉ	PAMPILLE	CALVILLE
CYANELLE	VOLAILLE	TORPILLE	**MELVILLE**
QUENELLE	DÉMAILLÉ	TORPILLÉ	**BANVILLE**
SPINELLE	REMAILLÉ	GASPILLÉ	**JARVILLE**
CANNELLE	LIMAILLE	GOUPILLE	**MERVILLE**
VANNELLE	RIMAILLÉ	GOUPILLÉ	**NEUVILLE**
GONNELLE	CANAILLE	ROUPILLÉ	GUIBOLLE
TONNELLE	TENAILLE	TOUPILLÉ	**CANDOLLE**
PRUNELLE	TENAILLÉ	FIBRILLE	MARIOLLE
CHAPELLE	PINAILLÉ	FIBRILLÉ	GRISOLLÉ
RIOPELLE	DÉPAILLÉ	NÉGRILLE	**DE GAULLE**
CARPELLE	RIPAILLE	SPIRILLE	PARABOLE
COUPELLE	RIPAILLÉ	BRASILLÉ	MÉTABOLE
OMBRELLE	EMPAILLÉ	BRÉSILLÉ	FARIBOLE
QUERELLE	DÉRAILLÉ	GRÉSILLÉ	PÉRIBOLE
QUERELLÉ	TIRAILLÉ	SENSILLE	CARACOLÉ
DEGRELLE	MURAILLE	ÉGOSILLÉ	AQUACOLE
TOURELLE	CISAILLE	PERSILLÉ	TUBICOLE
MAM'SELLE	CISAILLÉ	DESSILLÉ	OLÉICOLE
CAPSELLE	BATAILLE	BOUSILLÉ	SALICOLE
DESSELLÉ	**BATAILLE**	FRÉTILLÉ	LIMICOLE
TESSELLE	BATAILLÉ	BOITILLÉ	VINICOLE
AISSELLE	DÉTAILLÉ	MANTILLE	RAPICOLÉ
UNETELLE	RETAILLE	GENTILLE	RUPICOLE
BRETELLE	RETAILLÉ	LENTILLE	AÉRICOLE
CRÉTELLE	ENTAILLE	TORTILLE	AGRICOLE
VANTELLE	ENTAILLÉ	TORTILLÉ	VITICOLE
DENTELLE	INTAILLE	MYRTILLE	AQUICOLE
MORTELLE	FUTAILLE	BASTILLE	NIVICOLE
MISTELLE	FOUAILLE	**BASTILLE**	SAXICOLE
SITTELLE	FOUAILLÉ	**CASTILLE**	RIZICOLE
MANUELLE	GOUAILLE	PASTILLE	LANCÉOLÉ
ANNUELLE	GOUAILLÉ	DISTILLÉ	FLAGEOLÉ
LAQUELLE	JOUAILLÉ	INSTILLÉ	ROUGEOLE
SÉQUELLE	TOUAILLE	SAUTILLÉ	NUCLÉOLE
CASUELLE	RHABILLÉ	TREUILLÉ	MALLÉOLE
VISUELLE	BULBILLE	**QUEUILLÉ**	GLARÉOLE
ACTUELLE	GAMBILLÉ	DÉGUILLÉ	BATIFOLÉ
RITUELLE	GERBILLE	AIGUILLE	MENTHOLÉ
MUTUELLE	BISBILLE	**AIGUILLE**	**CARNIOLE**
SEXUELLE	FAUCILLE	AIGUILLÉ	CABRIOLE
GRAVELLE	**FAUCILLE**	ANGUILLE	CABRIOLÉ
HELVELLE	FENDILLÉ	ÉPOUILLÉ	AFFRIOLÉ
CERVELLE	PENDILLÉ	BROUILLE	GLORIOLE
DOUVELLE	MORDILLÉ	BROUILLÉ	CARRIOLE
NOUVELLE	PAREILLE	GROUILLÉ	VITRIOLÉ
MAM'ZELLE	**MIREILLE**	TROUILLE	BESTIOLE
DONZELLE	ZOREILLE	MAQUILLÉ	LAGUIOLE
CACAILLE	ORSEILLE	BÉQUILLE	**LAGUIOLE**
LA CAILLE	RÉVEILLÉ	BÉQUILLÉ	TRAVIOLE
RACAILLE	**CHEMILLÉ**	COQUILLE	**SARAKOLÉ**
ROCAILLE	GRÉMILLE	ESQUILLE	TAILLOLE
MÉDAILLE	VERMILLÉ	**CHAVILLE**	CÉVENOLE
MÉDAILLÉ	**DIX MILLE**	CHEVILLE	**CÉVENOLE**
GODAILLÉ	CHENILLE	CHEVILLÉ	CHIGNOLE
RÔDAILLÉ	CHENILLÉ	**FRIVILLE**	TORGNOLE
PAGAILLE	GUENILLE	**OAKVILLE**	**SÉMINOLE**

8

DÉCAPOLE	FUNICULE	AUTOGAME	ENTOLOME
MÉGAPOLE	UTRICULE	POLYGAME	MÉLANOME
ÉQUIPOLE	AURICULE	PROCLAMÉ	SÉMINOME
MONOPOLE	VÉSICULE	**CHAH-NAMÈ**	ERGONOME
ACROPOLE	RÉTICULE	**SURINAME**	AGRONOME
ACROPOLE	RÉTICULÉ	INENTAMÉ	AUTONOME
FAVEROLE	ARTICULÉ	DESQUAMÉ	POLYNÔME
FÉVEROLE	CUTICULE	NICODÈME	SYNDROME
CONTRÔLE	NAVICULE	**NICODÈME**	PRODROME
CONTRÔLÉ	OPERCULE	GRAPHÈME	ATHÉROME
CAMISOLE	OPERCULÉ	MORPHÈME	RIBOSOME
ÉMISSOLE	ÉMASCULÉ	ANATHÈME	ALLOSOME
BOUSSOLE	BOUSCULÉ	ÉRATHÈME	GONOSOME
CAPITOLE	OPUSCULE	**TRITHÈME**	LIPOSOME
CAPITOLE	STRIDULÉ	APOTHÈME	LYSOSOME
DIASTOLE	DÉMODULÉ	ÉRYTHÈME	AUTOSOME
ASYSTOLE	FILLEULE	MILLIÈME	HÉMATOME
BÉNÉVOLE	BÉGUEULE	HUITIÈME	**BRANTÔME**
VÉLIVOLE	DÉGUEULÉ	TANTIÈME	SYMPTÔME
THIAZOLE	ENGUEULÉ	CENTIÈME	IGNIVOME
DISCIPLE	DÉRÉGULÉ	SEPTIÈME	GENDARME
MULTIPLE	FULIGULE	NEUVIÈME	GENDARMÉ
DÉPEUPLÉ	SPERGULE	DEUXIÈME	**DUCHARME**
REPEUPLÉ	SQUAMULE	SEIZIÈME	**MALLARMÉ**
ACCOUPLE	ACCUMULÉ	DOUZIÈME	RISBERME
ACCOUPLÉ	TRABOULE	PROBLÈME	ÉPIDERME
DÉCOUPLÉ	TRABOULÉ	MI-CARÊME	SYNDERME
ENSOUPLE	À LA COULE	THÉORÈME	RENFERMÉ
CENTUPLE	**MARCOULE**	ÉPISTÉMÊ	VILLERMÉ
CENTUPLÉ	ROUCOULÉ	SYNTAGME	CONFIRMÉ
SEPTUPLE	REMMOULÉ	BIEN-AIMÉ	PRÉFORME
SEPTUPLÉ	VERMOULÉ	ENTR'AIMÉ	PRÉFORMÉ
SEXTUPLE	SURMOULE	NON ANIMÉ	DIFFORME
SEXTUPLÉ	SURMOULÉ	ENVENIMÉ	UNIFORME
MANDORLE	DESSOÛLÉ	COMPRIMÉ	SUIFORME
DOMBASLE	MANIPULE	SUPPRIMÉ	CONFORME
CARLISLE	MANIPULÉ	SURPRIME	CONFORMÉ
CUCHAULE	SCRUPULE	BOUT-RIMÉ	NÉOFORME
AFFABULÉ	**HOME RULE**	LÉGITIME	CHIOURME
DÉNÉBULÉ	CLAUSULE	LÉGITIMÉ	SARCASME
DÉAMBULÉ	CAPITULE	MARITIME	FANTASME
IMMACULÉ	CAPITULÉ	ENFLAMMÉ	FANTASMÉ
MIRACULÉ	INTITULÉ	DIGRAMME	DADAÏSME
MOLÉCULE	PLANTULE	ENGRAMME	JUDAÏSME
RADICULE	SPORTULE	BONHOMME	BAHAÏSME
PÉDICULE	UNIOVULÉ	**BONHOMME**	BÉHAÏSME
PÉDICULÉ	SALICYLÉ	SURHOMME	LAMAÏSME
RIDICULE	SPONDYLE	PRÉNOMMÉ	MOSAÏSME
VÉHICULE	BENZOYLE	SURNOMMÉ	ÇIVAÏSME
VÉHICULÉ	ÉOLIPYLE	SUSNOMMÉ	SIVAÏSME
CALICULE	PROSTYLE	CONSOMMÉ	ARABISME
SILICULE	MONOXYLE	GLAUCOME	SNOBISME
CANICULE	MYROXYLE	TRACHOME	LAÏCISME
JANICULE	AMALGAME	TRICHOME	FASCISME
PANICULE	AMALGAMÉ	LYMPHOME	CLADISME
PANICULÉ	ENDOGAME	XANTHOME	LUDDISME
SANICULE	MONOGAME	FÉCALOME	MAHDISME

FORDISME	SUIVISME	BRESSANE	GANGRENÉ
SABÉISME	FAUVISME	**BRESSANE**	RENGRENÉ
FIDÉISME	MARXISME	**ECBATANE**	ANTHRÈNE
ATHÉISME	BRUXISME	**CÉRETANE**	NÉOPRÈNE
ACMÉISME	LOBBYSME	OCCITANE	ISOPRÈNE
INNÉISME	DARBYSME	**OCCITANE**	SPHYRÈNE
SOUFISME	DANDYSME	**GADITANE**	KÉROSÈNE
MACHISME	DÉCHAUMÉ	SPONTANÉ	CAROTÈNE
TACHISME	POSTHUME	**PALAUANE**	PYROXÈNE
SIKHISME	REMPLUMÉ	**PADOUANE**	**CERDAGNE**
SAPHISME	AMERTUME	DÉDOUANÉ	**LA PLAGNE**
SOPHISME	**BIENAYMÉ**	**CAPOUANE**	**SOUMAGNE**
ORPHISME	ÉPENDYME	**NAURUANE**	CAMPAGNE
RÉALISME	HOMONYME	**LA HAVANE**	COMPAGNE
DUALISME	SYNONYME	CARAVANE	**BRETAGNE**
CYCLISME	TOPONYME	**RELIZANE**	MONTAGNE
CARLISME	HYPONYME	**PLOUZANÉ**	**MONTAGNE**
BEYLISME	PARONYME	TRIDACNE	**MORTAGNE**
STYLISME	ACRONYME	NOTA BENE	CASTAGNE
ADAMISME	ANTONYME	PLIOCÈNE	IMPRÉGNÉ
ANIMISME	AUTONYME	HOLOCÈNE	DÉDAIGNÉ
THOMISME	COENZYME	THIOFÈNE	SPHAIGNE
ATOMISME	RIBOZYME	ATTAGÈNE	VARAIGNE
ONANISME	LYSOZYME	MUTAGÈNE	**D'AUBIGNÉ**
URANISME	ENCABANÉ	INDIGÈNE	DÉPEIGNÉ
IRÉNISME	**BRISBANE**	FUMIGÈNE	EMPEIGNE
JAÏNISME	VATICANE	MORIGÉNÉ	ENSEIGNE
SUNNISME	**PEAU D'ÂNE**	ANTIGÈNE	ENSEIGNÉ
SIONISME	KOURGANE	ONCOGÈNE	GRAFIGNÉ
HÉROÏSME	PHRYGANE	ENDOGÈNE	RECHIGNÉ
TROPISME	BARKHANE	HALOGÈNE	RÉALIGNÉ
UTOPISME	DIAPHANE	HALOGÉNÉ	FORLIGNÉ
HIPPISME	ÉPIPHANE	ALLOGÈNE	SURLIGNÉ
ATYPISME	**ÉPIPHANE**	HOMOGÈNE	SOULIGNÉ
CHARISME	URÉTHANE	KÉROGÈNE	TÉMOIGNÉ
TSARISME	LANTHANE	PYROGÈNE	EMPOIGNE
INGRISME	**SOGDIANE**	AUTOGÈNE	EMPOIGNÉ
ONIRISME	GENTIANE	CRYOGÈNE	TRÉPIGNÉ
ENTRISME	COQ-À-L'ÂNE	GAZOGÈNE	**SALSIGNE**
TOURISME	CATALANE	SANS-GÊNE	CONSIGNE
ÉTATISME	**CATALANE**	PHOSGÈNE	CONSIGNÉ
STATISME	**ROXELANE**	DISTHÈNE	PROVIGNÉ
TACTISME	**MAILLANE**	PYRALÈNE	**LOUVIGNÉ**
PIÉTISME	ALLEMANE	**MYTILÈNE**	RENCOIGNÉ
ÉLITISME	BRAHMANE	ÉTHYLÈNE	**GASCOGNE**
CULTISME	OPIOMANE	TÉRYLÈNE	MASCOGNE
KANTISME	MÉLOMANE	BUTYLÈNE	**DORDOGNE**
MENTISME	PYROMANE	**ALCAMÈNE**	LANGOGNE
SCOTISME	OTTOMANE	**CÉLIMÈNE**	VERGOGNE
BÉOTISME	**ZAKOPANE**	TURKMÈNE	**BOULOGNE**
ÉGOTISME	MAHARANÉ	**TURKMÈNE**	CHAROGNE
ILOTISME	MEMBRANE	**ITELMÈNE**	**BASTOGNE**
ÉROTISME	OLÉCRANE	**CLÉOMÈNE**	AUVERGNE
EXOTISME	VÉTÉRANE	ÉCOUMÈNE	THÉBAINE
BAPTISME	**COLTRANE**	LIMONÈNE	**THÉBAÏNE**
NAUTISME	ARTISANE	SCORPÈNE	THÉBAÏNE
ATAVISME	CRASSANE	GANGRÈNE	RURBAINE

MARIANNE	DORIENNE	BICHONNÉ	GRISONNÉ
FIBRANNE	SYRIENNE	COCHONNE	**GENSONNÉ**
VERRANNE	**SYRIENNE**	COCHONNÉ	CONSONNE
LAUSANNE	TYRIENNE	SIPHONNÉ	PERSONNE
PAYSANNE	**TYRIENNE**	SILIONNE	BESSONNE
CAOUANNE	OASIENNE	CAMIONNE	PIÉTONNE
AVICENNE	ANTIENNE	ESPIONNE	BRETONNE
SABÉENNE	**ESTIENNE**	ESPIONNÉ	**BRETONNE**
SABÉENNE	JOVIENNE	VISIONNÉ	CRETONNE
EUBÉENNE	**BEXIENNE**	FUSIONNÉ	LAITONNÉ
GACÉENNE	**LUZIENNE**	GÂTIONNE	**NUITONNE**
NOCÉENNE	MINOENNE	RATIONNÉ	CANTONNÉ
ORCÉENNE	**MERSENNE**	ACTIONNÉ	**BROTONNE**
DUCÉENNE	PANTENNE	LOTIONNÉ	CARTONNÉ
LUCÉENNE	**JAGUENNE**	GOUJONNÉ	**MARTONNE**
LYCÉENNE	CHEVENNE	ÉTALONNÉ	**FERTONNE**
FIDÉENNE	LIBYENNE	SABLONNÉ	BASTONNÉ
SIDÉENNE	**LIBYENNE**	AIGLONNE	FESTONNÉ
ACHÉENNE	**ASCYENNE**	**AIGLONNE**	MISTONNE
ACHÉENNE	**CHEYENNE**	BALLONNÉ	PISTONNÉ
PÉLÉENNE	TROYENNE	VALLONNÉ	LETTONNE
LOMÉENNE	**TROYENNE**	WALLONNE	**LETTONNE**
LINÉENNE	**ÉVRYENNE**	**WALLONNE**	TEUTONNE
ERNÉENNE	**IVRYENNE**	SILLONNÉ	BOUTONNÉ
LUPÉENNE	RÉABONNÉ	BOULONNÉ	MOUTONNÉ
ALRÉENNE	**VALBONNE**	FOULONNÉ	KLAXONNÉ
CORÉENNE	BOMBONNE	MARMONNÉ	CLAYONNÉ
CORÉENNE	BONBONNE	SERMONNÉ	CRAYONNÉ
ISSÉENNE	**CARBONNE**	MIGNONNE	WISHBONE
FUXÉENNE	**NARBONNE**	ROGNONNÉ	TROMBONE
REZÉENNE	**SORBONNE**	CHAPONNÉ	SILICONE
DUCHENNE	**LISBONNE**	**CRAPONNE**	DÉCAGONE
PRAÏENNE	**EAUBONNE**	FRIPONNE	HEXAGONE
NUBIENNE	CHACONNE	TAMPONNÉ	CORÉGONE
NUBIENNE	BRACONNE	**POMPONNE**	**ANTIGONE**
PUBIENNE	RANÇONNÉ	POMPONNÉ	OCTOGONE
CACIENNE	FLOCONNÉ	NIPPONNE	POLYGONE
ANCIENNE	GARÇONNE	**NIPPONNE**	GÉOPHONE
INDIENNE	GASCONNE	HARPONNÉ	**SHOSHONE**
INDIENNE	**GASCONNE**	POUPONNÉ	**HERMIONE**
LYDIENNE	FREDONNÉ	ÉPERONNÉ	**SIRMIONE**
LYDIENNE	AMIDONNÉ	RONRONNÉ	**CERVIONE**
SAGIENNE	MALDONNE	MARRONNE	**BABYLONE**
ARGIENNE	RANDONNÉ	PATRONNE	ÉPOUMONÉ
ARGIENNE	DINDONNÉ	PATRONNÉ	ROTÉNONE
MALIENNE	LARDONNÉ	CITRONNÉ	**AL CAPONE**
MALIENNE	PARDONNÉ	BOURONNÉ	CICÉRONE
SALIENNE	CORDONNÉ	COURONNE	**CAMERONE**
ÉOLIENNE	PIGEONNE	COURONNÉ	**GABORONE**
ÉOLIENNE	PIGEONNÉ	LEVRONNE	ALEURONE
JULIENNE	PLAFONNÉ	BLASONNÉ	**NAKASONE**
SIMIENNE	DRAGONNE	RAISONNÉ	ECDYSONE
PÉNIENNE	JARGONNÉ	FOISONNÉ	DICÉTONE
IONIENNE	BOUGONNE	FRISONNE	MONOTONE
IONIENNE	BOUGONNÉ	**FRISONNE**	**GUITTONE**
APPIENNE	MÂCHONNÉ	GRISONNE	DÉCHARNÉ
AÉRIENNE	BICHONNE	**GRISONNE**	CONCERNÉ

DISCERNÉ	RETREMPÉ	ACCAPARÉ	PLAINDRE
DEBIERNE	REGRIMPÉ	PUPIPARE	CRAINDRE
AUDIERNE	DÉTROMPÉ	VIVIPARE	ÉTEINDRE
QUATERNE	XYLOCOPE	**KOSOVARE**	CYLINDRE
LANTERNE	DIASCOPE	**DELAWARE**	CYLINDRÉ
LANTERNÉ	ÉPISCOPE	HARDWARE	REFONDRE
GOUVERNE	OTOSCOPE	SOFTWARE	EFFONDRÉ
GOUVERNÉ	**STANHOPE**	VERTÈBRE	RÉPONDRE
SELBORNE	**CALLIOPE**	VERTÉBRÉ	APPONDRE
UNICORNE	ESCALOPE	PERVIBRÉ	RETONDRE
TRICORNE	ESCALOPÉ	**DELAMBRE**	REPERDRE
FLAGORNÉ	**PÉNÉLOPE**	DÉCEMBRE	DÉMORDRE
CALIORNE	ANTILOPE	DÉMEMBRÉ	REMORDRE
COTHURNE	**TROLLOPE**	REMEMBRÉ	DÉSORDRE
LIBOURNE	AMÉTROPE	NOVEMBRE	DÉTORDRE
DÉFOURNÉ	INOTROPE	ENCOMBRE	RETORDRE
ENFOURNÉ	ISOTROPE	ENCOMBRÉ	DÉCOUDRE
SÉJOURNÉ	AMBLYOPE	DÉNOMBRÉ	RECOUDRE
DÉTOURNÉ	RÉCHAPPÉ	PÉNOMBRE	REMOUDRE
RETOURNE	KIDNAPPÉ	SISYMBRE	ABSOUDRE
RETOURNÉ	**LEUCIPPE**	OPPROBRE	RÉSOUDRE
LIVOURNE	**PHILIPPE**	ÉLUCUBRÉ	DÉLIBÉRÉ
NOCTURNE	DÉGRIPPÉ	CONSACRÉ	IMPUBÈRE
DUCHESNE	ÉPICARPE	MASSACRE	DILACÉRÉ
DUFRESNE	CAULERPE	MASSACRÉ	CRIOCÈRE
DUQUESNE	DÉCRISPÉ	SÉPULCRE	ÉVISCÉRÉ
CHEVESNE	RAT-TAUPE	ÉCHANCRÉ	BAYADÈRE
AVIFAUNE	RÉOCCUPÉ	DÉSENCRÉ	IMMODÉRÉ
RODOGUNE	INOCCUPÉ	MÉDIOCRE	VOCIFÈRE
DEMI-LUNE	MINIJUPE	LOI-CADRE	OLÉIFÈRE
TOKIMUNE	SURCOUPE	DÉCAÈDRE	LÉGIFÉRÉ
DOUDOUNE	SURCOUPÉ	OCTAÈDRE	SALIFÈRE
GUITOUNE	SOUCOUPE	HEXAÈDRE	PILIFÈRE
ENSÉRUNE	CHALOUPE	CATHÈDRE	LANIFÈRE
AÉRODYNE	CHALOUPÉ	POLYÈDRE	VINIFÈRE
GIRODYNE	TOULOUPE	CALANDRE	CONIFÈRE
HYPOGYNE	DÉGROUPÉ	CALANDRÉ	CÉRIFÈRE
MISOGYNE	REGROUPÉ	MALANDRE	AURIFÈRE
BURGOYNE	ATTROUPÉ	FILANDRE	ROTIFÈRE
JELLICOE	GÉOTRUPE	**MÉNANDRE**	AQUIFÈRE
LUGNÉ-POE	TÉLÉTYPE	MONANDRE	BOCAGÈRE
SILLITOE	LUMITYPE	RÉPANDRE	MÉNAGÈRE
ESCULAPE	LOGOTYPE	MISANDRE	POTAGÈRE
ANTIPAPE	HOLOTYPE	**LYSANDRE**	LANIGÈRE
RATTRAPÉ	GÉNOTYPE	DÉFENDRE	AUTOGÉRÉ
MUNICIPE	LINOTYPE	REFENDRE	JONCHÈRE
ANTICIPÉ	MONOTYPE	**LEGENDRE**	PORCHÈRE
ÉMANCIPÉ	MONOTYPE	ENGENDRÉ	TORCHÈRE
PRINCIPE	**POINCARÉ**	DÉPENDRE	GAUCHÈRE
PRÍNCIPE	DARE-DARE	REPENDRE	PEUCHÈRE
CURE-PIPE	HÉLIGARE	APPENDRE	BOUCHÈRE
CONSTIPÉ	AÉROGARE	ÉPRENDRE	OOSPHÈRE
DISCULPÉ	MUDÉJARE	DÉTENDRE	PANTHÈRE
INSCULPÉ	**BAIA MARE**	RETENDRE	JAMBIÈRE
DÉTREMPE	**DE LA MARE**	ENTENDRE	ROMBIÈRE
DÉTREMPÉ	**SATU MARE**	ATTENDRE	**CORBIÈRE**
RETREMPE	**CAMBOARE**	REVENDRE	DAUBIÈRE

TIRELIRE	**GLEN MORE**	ODOMÈTRE	PALUSTRE
DÉJANIRE	SYCOMORE	GÉOMÈTRE	DÉLUSTRÉ
LARDOIRE	CLAYMORE	LUXMÈTRE	ILLUSTRE
NAGEOIRE	**ÉLÉONORE**	BIEN-ÊTRE	ILLUSTRÉ
GRÉGOIRE	INSONORE	SALPÊTRE	RABATTRE
MÂCHOIRE	TUBIPORE	SALPÊTRÉ	DÉBATTRE
AVALOIRE	**CAWNPORE**	PERPÊTRÉ	REBATTRE
JABLOIRE	ZOOSPORE	PEUT-ÊTRE	**DE LATTRE**
VALLOIRE	POLYPORE	CHEVÊTRE	ILLETTRÉ
GRIMOIRE	LIMIVORE	**LEMAITRE**	ADMETTRE
ÉCUMOIRE	FUMIVORE	**LEMAÎTRE**	DÉMETTRE
ACCROIRE	OMNIVORE	RENAÎTRE	REMETTRE
DUCROIRE	PAPIVORE	REPAÎTRE	ÉPEAUTRE
PASSOIRE	**GRAND-PRÉ**	PARAÎTRE	**LEPAUTRE**
ARATOIRE	IMPROPRE	CHAPITRE	DÉFEUTRÉ
ORATOIRE	REMBARRÉ	CHAPITRÉ	ACCOUTRÉ
VICTOIRE	CHAMARRÉ	SURTITRE	BIPOUTRE
PRÉTOIRE	**LESPARRE**	SURTITRÉ	**ÉPIDAURE**
PANTOIRE	ESQUARRE	INFILTRÉ	CENTAURE
MONTOIRE	SANCERRE	EXFILTRÉ	**CENTAURE**
HISTOIRE	**SANCERRE**	DÉCENTRÉ	RESTAURÉ
EXUTOIRE	**DEFFERRE**	RECENTRÉ	INSTAURÉ
CONSPIRÉ	EMPIERRÉ	EXCENTRÉ	PLOMBURE
RÉÉCRIRE	TONNERRE	**ARGENTRÉ**	ÉBARBURE
INSCRIRE	**TONNERRE**	DÉCINTRÉ	COURBURE
PRÉCUIRE	DESSERRÉ	CI-CONTRE	FOURBURE
TRADUIRE	RESSERRE	ENCONTRE	ENLAÇURE
CONDUIRE	RESSERRÉ	DÉMONTRÉ	SINÉCURE
PRODUIRE	**NANTERRE**	REMONTRÉ	PÉDICURE
TRALUIRE	**SANTERRE**	DÉTARTRÉ	POSTCURE
DÉTRUIRE	PARTERRE	ENTARTRÉ	MANUCURE
SOUS-VIRÉ	**DAGUERRE**	ENCASTRÉ	MANUCURÉ
CHAUVIRÉ	ENQUERRE	CADASTRE	FROIDURE
ELLÉBORE	**KERHORRE**	CADASTRÉ	**MANDEURE**
ÉDULCORÉ	BABEURRE	OLÉASTRE	MANGEURE
SUBODORÉ	DÉBOURRÉ	PALASTRE	VERGEURE
THÉODORE	VERDÂTRE	PILASTRE	AFFLEURÉ
MONT-DORE	**LA CHÂTRE**	**LAMASTRE**	EFFLEURÉ
REVIGORÉ	PÉDIATRE	APOASTRE	ENFLEURÉ
GRINGORE	GÉRIATRE	DÉSASTRE	PLATEURE
ISOCHORE	BELLÂTRE	PÉDESTRE	COIFFURE
ANAPHORE	ÉCOLÂTRE	PALESTRE	GRIFFURE
BOSPHORE	IDOLÂTRE	SEMESTRE	DÉFIGURÉ
OFFSHORE	IDOLÂTRÉ	BIMESTRE	INAUGURÉ
PLÉTHORE	DÉPLÂTRÉ	SENESTRE	BROCHURE
AMÉLIORÉ	REPLÂTRÉ	**DEPESTRE**	TROCHURE
FORCLORE	EMPLÂTRE	ALPESTRE	MOUCHURE
UNIFLORE	SAUMÂTRE	RUPESTRE	SURLIURE
FOLKLORE	JAUNÂTRE	ÉQUESTRE	DOUBLURE
DÉCOLORÉ	BRUNÂTRE	REGISTRE	CONCLURE
BICOLORE	NOIRÂTRE	REGISTRÉ	ENGELURE
INCOLORE	GRISÂTRE	MINISTRE	DÉMÊLURE
INDOLORE	BLEUÂTRE	SINISTRE	CISELURE
MATAMORE	OLIVÂTRE	SINISTRÉ	TAVELURE
MATAMORE	DIAMÈTRE	CLAUSTRÉ	ÉRAFLURE
REMÉMORÉ	TRIMÈTRE	LACUSTRE	EFFILURE
RUSHMORE	OHMMÈTRE	BALUSTRE	NIELLURE

8

CELLOISE
DELLOISE
SELLOISE
LILLOISE
COLLOISE
HULLOISE
LISLOISE
BAULOISE
GAULOISE
GAULOISE
TOULOISE
ADAMOISE
CHAMOISE
SIAMOISE
LOMMOISE
RIOMOISE
DRÔMOISE
FISMOISE
BAUMOISE
STANOISE
CAGNOISE
DIGNOISE
UGINOISE
CHINOISE
CHINOISE
CHINOISÉ
BLINOISE
FLINOISE
GUÎNOISE
CANNOISE
YENNOISE
FINNOISE
FINNOISE
BONNOISE
BERNOISE
BERNOISE
COSNOISE
AHUNOISE
BEYNOISE
SEYNOISE
VEYNOISE
AMBROISE
DÉCROISÉ
BLÉROISE
CLÉROISE
ISÉROISE
HYÉROISE
ZAÏROISE
ZAÏROISE
BARROISE
SARROISE
YERROISE
BLÉSOISE
BLÉSOISE
VALSOISE
LENSOISE
MONSOISE

GERSOISE
MERSOISE
BASSOISE
BESSOISE
HESSOISE
HESSOISE
LYSSOISE
CRÉTOISE
CRÉTOISE
AULTOISE
COMTOISE
COMTOISE
GANTOISE
GANTOISE
PANTOISE
CONTOISE
MONTOISE
MONTOISE
PONTOISE
BIOTOISE
FERTOISE
PORTOISE
LATTOISE
BUGUOISE
GRIVOISE
CERVOISE
DERVOISE
CLAYOISE
BRUZOISE
POLARISÉ
CÉSARISÉ
TUBÉRISÉ
MADÉRISÉ
NUMÉRISÉ
SATIRISÉ
ARBORISÉ
THÉORISÉ
VALORISÉ
COLORISÉ
MÉMORISÉ
TÉNORISÉ
SONORISÉ
VAPORISÉ
MOTORISÉ
AUTORISÉ
FAVORISÉ
COMPRISE
RAPPRISE
SURPRISE
PRÊTRISE
MAÎTRISE
MAÎTRISÉ
SÉCURISÉ
SOMATISÉ
FANATISÉ
DÉRATISÉ
MONÉTISÉ

POLITISÉ
NÉANTISÉ
FEINTISE
ROBOTISÉ
ASEPTISÉ
COURTISÉ
AMENUISÉ
INÉPUISÉ
BANQUISE
CONQUISE
MARQUISE
MARQUISE
PRÉAVISÉ
MALAVISÉ
TÉLÉVISÉ
INDIVISE
OVERIJSE
COMPULSÉ
PROPULSÉ
CONVULSÉ
CONDENSÉ
COMPENSÉ
DISPENSE
DISPENSÉ
SUSPENSE
HORTENSE
ABSCONSE
ALPHONSE
SILICOSE
THÉODOSE
OVERDOSE
PSYCHOSE
NYMPHOSE
CIRRHOSE
SYMBIOSE
SCOLIOSE
PLUVIÔSE
JUAN JOSÉ
ALCALOSE
FORCLOSE
LÉVULOSE
ANKYLOSE
ANKYLOSÉ
NOSÉMOSE
MÉLANOSE
DIAGNOSE
ANTÉPOSÉ
RÉIMPOSÉ
POSTPOSÉ
ANIDROSE
SIDÉROSE
SCLÉROSE
SCLÉROSÉ
ARTHROSE
CHLOROSE
MONTROSE
DARTROSE

AMAUROSE
OXYUROSE
STÉATOSE
HÉMATOSE
KÉRATOSE
FRUCTOSE
ATHÉTOSE
APOPTOSE
EXOSTOSE
VIRTUOSE
ICHTYOSE
SYLLEPSE
PROLEPSE
CARYOPSE
ISOHYPSE
COMPARSE
DISPERSÉ
TRAVERSE
TRAVERSÉ
RENVERSE
RENVERSÉ
CONVERSE
CONVERSÉ
PERVERSE
INTRORSE
EXTRORSE
DÉBOURSÉ
MI-COURSE
FRACASSÉ
TRACASSÉ
FRICASSE
FRICASSÉ
DELCASSÉ
CONCASSÉ
BARCASSE
CARCASSE
RASCASSE
TIÉDASSE
GALÉASSE
SARGASSE
FOUGASSE
RECHASSÉ
ENCHÂSSÉ
KHAKASSE
DÉCLASSÉ
RECLASSÉ
PRÉLASSÉ
FILLASSE
MILLASSE
MOLLASSE
HOMMASSE
BIOMASSE
TIGNASSE
CONNASSE
PARNASSE
TRÉPASSÉ
LAMPASSÉ

COMPASSÉ	AFFAISSÉ	HERBEUSE	PÉDIEUSE
SURPASSÉ	DÉLAISSÉ	VERBEUSE	MAFIEUSE
EMBRASSE	RELAISSÉ	DAUBEUSE	RELIEUSE
EMBRASSÉ	NARCISSE	GLACEUSE	BILIEUSE
DÉCRASSÉ	**NARCISSE**	PLACEUSE	MANIEUSE
ENCRASSÉ	ABSCISSE	TRACEUSE	SANIEUSE
CUIRASSE	SAUCISSE	LANCEUSE	COPIEUSE
CUIRASSÉ	RÉGLISSE	RINCEUSE	CARIEUSE
TERRASSE	DÉPLISSÉ	FONCEUSE	MARIEUSE
TERRASSÉ	REPLISSÉ	PONCEUSE	PARIEUSE
RESSASSÉ	COULISSE	RONCEUSE	SÉRIEUSE
CREVASSE	COULISSÉ	FARCEUSE	CURIEUSE
CREVASSÉ	PRÉMISSE	BERCEUSE	FURIEUSE
CONFESSE	CANNISSE	PERCEUSE	ENVIEUSE
CONFESSÉ	VERNISSÉ	SOLDEUSE	ANXIEUSE
PROFESSE	JAUNISSE	TENDEUSE	ROCKEUSE
PROFESSÉ	ANGOISSE	VENDEUSE	AVALEUSE
TERFESSE	ANGOISSÉ	FONDEUSE	CÂBLEUSE
LARGESSE	PAROISSE	PONDEUSE	HÂBLEUSE
RICHESSE	COMPISSÉ	SONDEUSE	SABLEUSE
DUCHESSE	**CHARISSE**	TONDEUSE	AMBLEUSE
JOLIESSE	CLARISSE	BRODEUSE	RACLEUSE
NOBLESSE	VIBRISSE	CARDEUSE	RÉGLEUSE
MOLLESSE	JOCRISSE	GARDEUSE	BIGLEUSE
DRÔLESSE	MANTISSE	MERDEUSE	ÉPILEUSE
PROMESSE	NON-TISSÉ	TORDEUSE	FRILEUSE
KERMESSE	BOUTISSE	BOUDEUSE	**FRILEUSE**
FAUNESSE	ESQUISSE	SOUDEUSE	HUILEUSE
JEUNESSE	ESQUISSÉ	CASÉEUSE	CALLEUSE
JEUNESSE	**GREVISSE**	GAFFEUSE	GALLEUSE
LA BRESSE	CLOVISSE	GOLFEUSE	VALLEUSE
REDRESSE	RENDOSSÉ	SURFEUSE	PILLEUSE
REDRESSÉ	**CHALOSSE**	IMAGEUSE	TILLEUSE
KÉGRESSE	BUGLOSSE	ORAGEUSE	COLLEUSE
NÉGRESSE	**LA BROSSE**	NUAGEUSE	BULLEUSE
RÉGRESSÉ	ENGROSSÉ	PIÉGEUSE	VIOLEUSE
TIGRESSE	CARROSSE	JOGGEUSE	FRÔLEUSE
MAIRESSE	CARROSSÉ	NEIGEUSE	PARLEUSE
PAIRESSE	DÉFAUSSE	FANGEUSE	HURLEUSE
EMPRESSÉ	DÉFAUSSÉ	MANGEUSE	HOULEUSE
OPPRESSÉ	REHAUSSÉ	RONGEUSE	ROULEUSE
EXPRESSE	EXHAUSSÉ	SONGEUSE	CRÉMEUSE
DÉTRESSE	**BARBUSSE**	MARGEUSE	FRIMEUSE
BASSESSE	SECOUSSE	FORGEUSE	GEMMEUSE
POÉTESSE	VIGOUSSE	FÂCHEUSE	GOMMEUSE
BRETESSE	MAHOUSSE	GÂCHEUSE	CHÔMEUSE
BRETESSÉ	REPOUSSE	LÂCHEUSE	DORMEUSE
COMTESSE	REPOUSSÉ	MÂCHEUSE	ÉCUMEUSE
JUSTESSE	**LAROUSSE**	BÊCHEUSE	PLUMEUSE
PROUESSE	DIAPAUSE	LÉCHEUSE	SPUMEUSE
BONZESSE	DÉSABUSÉ	PÊCHEUSE	BRUMEUSE
GONZESSE	ANTABUSE	SÉCHEUSE	FLÂNEUSE
RABAISSÉ	**SYRACUSE**	ROCHEUSE	GLANEUSE
REBAISSÉ	COACCUSÉ	BÛCHEUSE	PLANEUSE
DÉCAISSÉ	GIBBEUSE	MATHEUSE	CRÂNEUSE
ENCAISSE	BULBEUSE	VICIEUSE	PRENEUSE
ENCAISSÉ	TOMBEUSE	RADIEUSE	CAGNEUSE

GAGNEUSE	PRISEUSE	SERVEUSE	SQUAMATE
LIGNEUSE	VALSEUSE	VERVEUSE	CASEMATE
ROGNEUSE	DANSEUSE	MORVEUSE	STIGMATE
HAINEUSE	PENSEUSE	COUVEUSE	STEMMATE
LAINEUSE	GYPSEUSE	CRAYEUSE	CHROMATE
ACINEUSE	HERSEUSE	TRAYEUSE	AUTOMATE
VEINEUSE	VERSEUSE	ABOYEUSE	SÉLÉNATE
CHINEUSE	CASSEUSE	BROYEUSE	ALGINATE
ÉPINEUSE	MASSEUSE	PERCLUSE	CARINATE
RUINEUSE	PASSEUSE	**VAUCLUSE**	THIONATE
CANNEUSE	LISSEUSE	POCHOUSE	BENZOATE
TANNEUSE	PISSEUSE	**MULHOUSE**	CARAPATÉ
VANNEUSE	TISSEUSE	**NAPLOUSE**	PÉRIPATE
DONNEUSE	VISSEUSE	FARLOUSE	STÉARATE
PRÔNEUSE	BOSSEUSE	PERLOUSE	**ISOCRATE**
MARNEUSE	CAUSEUSE	**TOULOUSE**	**EUPHRATE**
JEÛNEUSE	AMUSEUSE	COÉPOUSE	CHLORATE
ADIPEUSE	COUSEUSE	VENTOUSE	TARTRATE
CHIPEUSE	PRÊTEUSE	PARTOUSE	BUTYRATE
PULPEUSE	QUÊTEUSE	ABSTRUSE	**SARASATE**
CAMPEUSE	CAFTEUSE	DIAPHYSE	**TARUSATE**
POMPEUSE	APHTEUSE	ÉPIPHYSE	ÉPISTATE
RAPPEUSE	LAITEUSE	SYMPHYSE	CONSTATÉ
COUPEUSE	BOITEUSE	APOPHYSE	APOSTATE
SOUPEUSE	FRITEUSE	PARALYSÉ	PROSTATE
SABREUSE	MENTEUSE	CATALYSE	ADÉQUATE
FIBREUSE	VENTEUSE	CATALYSÉ	**VITRYATE**
OMBREUSE	CONTEUSE	HÉMOLYSE	COMPACTE
MACREUSE	HONTEUSE	PYROLYSE	COMPACTÉ
DÉCREUSÉ	MONTEUSE	AUTOLYSE	**NAUPACTE**
RECREUSÉ	PORTEUSE	CYTOLYSE	**BIBRACTE**
CADREUSE	PESTEUSE	PÉLOBATE	RÉFRACTÉ
ONÉREUSE	BATTEUSE	ACROBATE	DÉTRACTÉ
BÂFREUSE	LUTTEUSE	DÉLICATE	RÉTRACTÉ
AFFREUSE	SAUTEUSE	SILICATE	ENTRACTE
OFFREUSE	COÛTEUSE	SURICATE	CONTACTÉ
FOIREUSE	DOUTEUSE	**BOURCATE**	INEXACTE
LÉPREUSE	GOÛTEUSE	**EL-SADATE**	DIALECTE
BARREUSE	JOUTEUSE	**TIRIDATE**	COLLECTE
FERREUSE	TAGUEUSE	ANTIDATE	COLLECTÉ
TERREUSE	PÉGUEUSE	ANTIDATÉ	CONNECTÉ
MÉTREUSE	LIGUEUSE	**HAKODATE**	RESPECTÉ
PÉTREUSE	FUGUEUSE	HORODATÉ	INSPECTÉ
NITREUSE	RUGUEUSE	POSTDATE	SUSPECTE
TITREUSE	REMUEUSE	POSTDATÉ	SUSPECTÉ
VITREUSE	SINUEUSE	ACULÉATE	CORRECTE
HEUREUSE	LAQUEUSE	LAURÉATE	VINDICTE
PEUREUSE	PIQUEUSE	**SANDGATE**	CONCOCTÉ
COUREUSE	TIQUEUSE	RENÉGATE	OVIDUCTE
GIVREUSE	MOQUEUSE	**HOULGATE**	CIRCAÈTE
LIVREUSE	MUQUEUSE	**RAMSGATE**	**ALBACETE**
OUVREUSE	LUXUEUSE	FORMIATE	ÉPINCETÉ
ALÉSEUSE	DRAVEUSE	**BOURIATE**	AMMOCÈTE
GRÉSEUSE	GRAVEUSE	SURIKATE	ASYNDÈTE
FAISEUSE	ÉLEVEUSE	CHANLATE	MUSAGÈTE
TAISEUSE	SUIVEUSE	OMOPLATE	CROCHETÉ
BRISEUSE	NERVEUSE	ÉCARLATE	MOUCHETÉ

PROPHÈTE	MOZABITE	LOCALITÉ	DOLOMITE
ÉPITHÈTE	**MOZABITE**	MODALITÉ	CHROMITE
SOBRIÉTÉ	PHLÉBITE	IDÉALITÉ	**L'HERMITE**
INQUIÈTE	JACOBITE	LÉGALITÉ	THERMITE
INQUIÉTÉ	CÉNOBITE	MOLALITÉ	ÉNORMITÉ
ARBALÈTE	ACERBITÉ	BANALITÉ	URBANITÉ
HABILETÉ	EXORBITÉ	PÉNALITÉ	ORGANITE
PAILLETÉ	SAGACITÉ	VÉNALITÉ	BALANITE
MANOLETE	FUGACITÉ	FINALITÉ	ROMANITÉ
OBSOLÈTE	SALACITÉ	ANNALITÉ	HUMANITÉ
COMPLÈTE	TÉNACITÉ	TONALITÉ	INSANITÉ
COMPLÉTÉ	CAPACITÉ	ZONALITÉ	SÉLÉNITE
ORCANÈTE	RAPACITÉ	MORALITÉ	YÉMÉNITE
TROMPETÉ	VÉRACITÉ	RURALITÉ	**YÉMÉNITE**
À PERPÈTE	VORACITÉ	NASALITÉ	ILMÉNITE
ROUSPÉTÉ	VIVACITÉ	FATALITÉ	SÉRÉNITÉ
FILARETE	MODICITÉ	NATALITÉ	ARSENITE
DÉSARÊTÉ	PUDICITÉ	LÉTALITÉ	AFFINITÉ
CONCRÈTE	FÉLICITÉ	VITALITÉ	INFINITÉ
DISCRÈTE	**FÉLICITÉ**	TOTALITÉ	VAGINITE
TENDRETÉ	ILLICITE	RIVALITÉ	SALINITÉ
LÉGÈRETÉ	TONICITÉ	FIDÉLITÉ	FÉLINITÉ
PROPRETÉ	TYPICITÉ	BAKÉLITE	MÉLINITE
FLEURETÉ	BASICITÉ	TYPHLITE	FÉMINITÉ
IMPURETÉ	TOXICITÉ	HABILITÉ	LATINITÉ
PAUVRETÉ	FRANCITÉ	LABILITÉ	ACTINITE
FAUSSETÉ	VÉLOCITÉ	DÉBILITÉ	RÉTINITE
ÉPICTÈTE	FÉROCITÉ	MOBILITÉ	DIVINITÉ
À TUE-TÊTE	ATROCITÉ	NUBILITÉ	ÉBIONITE
LAVE-TÊTE	CADUCITÉ	FACILITÉ	MYLONITE
SAINTETÉ	CHEDDITE	DOCILITÉ	LIMONITE
CHASTETÉ	QUIDDITÉ	CHÉILITE	AMMONITE
CLAQUETÉ	HÉRÉDITÉ	HUMILITÉ	SAPONITE
CRAQUETÉ	LUCIDITÉ	SÉNILITÉ	MARONITE
BECQUETÉ	RIGIDITÉ	VIRILITÉ	ÉTERNITÉ
CLIQUETÉ	ALGIDITÉ	MOTILITÉ	STERNITE
BRIQUETÉ	VALIDITÉ	FUTILITÉ	IMMUNITÉ
ÉTIQUETÉ	SOLIDITÉ	CIVILITÉ	IMPUNITÉ
BANQUETÉ	TIMIDITÉ	STELLITE	AUTUNITE
CONQUÊTE	HUMIDITÉ	FAILLITE	REMBOÎTÉ
MARQUETÉ	RAPIDITÉ	RÉGOLITE	EXPLOITÉ
PARQUETÉ	SAPIDITÉ	XÉNOLITE	CONVOITÉ
BOUQUETÉ	CUPIDITÉ	PISOLITE	TOKYOÏTE
BRIÈVETÉ	FÉTIDITÉ	INSOLITE	**TOKYOÏTE**
DÉRIVETÉ	FLUIDITÉ	RHYOLITE	DÉCAPITÉ
OISIVETÉ	LIVIDITÉ	CRYOLITE	SYBARITE
ISOHYÈTE	ARALDITE	VINYLITE	HILARITÉ
PARFAITE	SAOUDITE	CALAMITE	MOLARITÉ
SURFAITE	VELLÉITÉ	CALAMITÉ	POLARITÉ
SOUHAITÉ	PLANÉITÉ	ANNAMITE	IMPARITÉ
RETRAITE	ÉCLOGITE	DYNAMITE	INABRITÉ
RETRAITÉ	MELCHITE	DYNAMITÉ	ALACRITÉ
ATTRAITE	SCAPHITE	DÉLIMITÉ	RÉÉCRITE
EXTRAITE	GRAPHITE	ILLIMITÉ	INSCRITE
SHIVAÏTE	GRAPHITÉ	ANTIMITE	DENDRITE
INHABITÉ	GOETHITE	INTIMITÉ	SIDÉRITE
COHABITÉ	POSTHITE	SODOMITE	COHÉRITÉ

CÉLÉRITÉ
DÉMÉRITE
DÉMÉRITÉ
TÉMÉRITÉ
IMMÉRITÉ
CINÉRITE
ASPÉRITÉ
LATÉRITE
ALTÉRITE
ALTÉRITÉ
ENTÉRITE
ARTÉRITE
SÉVÉRITÉ
NÉPHRITE
TÉPHRITE
ARTHRITE
TABORITE
PRIORITÉ
MAJORITÉ
CHLORITE
MINORITÉ
SONORITÉ
AUTORITÉ
FLUORITE
FAVORITE
URÉTRITE
PENTRITE
CONTRITE
GASTRITE
SÉCURITÉ
ALEURITE
MATURITÉ
LAZURITE
PARASITE
PARASITÉ
GIBBSITE
ANDÉSITE
REVISITÉ
TRANSITÉ
MUCOSITÉ
NODOSITÉ
PÉGOSITÉ
RUGOSITÉ
PILOSITÉ
VINOSITÉ
OPPOSITE
SÉROSITÉ
MOROSITÉ
POROSITÉ
AQUOSITÉ
GLOSSITE
RÉUSSITE
SINUSITE
STÉATITE
HÉMATITE
HÉPATITE
KÉRATITE

PROCTITE
QUANTITÉ
IDENTITÉ
BARYTITE
PRÉCUITE
BISCUITÉ
TRADUITE
CONDUITE
PRODUITE
EXIGUÏTÉ
UBIQUITÉ
INIQUITÉ
DÉFRUITÉ
AFFRUITÉ
DÉTRUITE
GRATUITE
GRATUITÉ
FORTUITE
VIDE-VITE
NOCIVITÉ
GÉLIVITÉ
NINIVITE
NATIVITÉ
ACTIVITÉ
RÉTIVITÉ
RÉINVITÉ
SYNOVITE
MALAWITE
ANNEXITE
MONAZITE
ASPHALTE
ASPHALTÉ
ÉPHIALTE
SURVOLTÉ
AUSCULTÉ
LA VOULTE
CONSULTE
CONSULTÉ
TOMBANTE
PROBANTE
BARBANTE
AGAÇANTE
GLAÇANTE
TRAÇANTE
PECCANTE
ALICANTE
ALICANTE
BROCANTE
BROCANTÉ
BERÇANTE
PERÇANTE
MANDANTE
FENDANTE
PENDANTE
FONDANTE
PERDANTE
MORDANTE

TORDANTE
OXYDANTE
RAGEANTE
ÉCHÉANTE
ÉLÉGANTE
DÉCHANTÉ
MÉCHANTE
RECHANTÉ
FICHANTE
ENCHANTÉ
AMBIANTE
RADIANTE
MÉDIANTE
DÉFIANTE
MÉFIANTE
AFFIANTE
VARIANTE
DÉVIANTE
ATALANTE
AVALANTE
POILANTE
BALLANTE
COLLANTE
ISOLANTE
DÉPLANTÉ
REPLANTÉ
IMPLANTÉ
PARLANTE
PERLANTE
HURLANTE
COULANTE
FOULANTE
MOULANTE
ROULANTE
SOÛLANTE
BRÛLANTE
DIAMANTE
BRAMANTE
CALMANTE
DORMANTE
ÉCUMANTE
PLANANTE
PRENANTE
AVENANTE
GAGNANTE
RÉGNANTE
TANNANTE
SONNANTE
TONNANTE
BRUNANTE
TRIPANTE
LAMPANTE
RAMPANTE
PIMPANTE
COUPANTE
AMARANTE
QUARANTE

VIBRANTE
SUCRANTE
HYDRANTE
OPÉRANTE
MIGRANTE
ODORANTE
MARRANTE
WARRANTE
FERRANTE
NITRANTE
ENTRANTE
COURANTE
GOURANTE
MOURANTE
NAVRANTE
GIVRANTE
OUVRANTE
BRISANTE
FRISANTE
GRISANTE
CUISANTE
LUISANTE
DANSANTE
PENSANTE
CASSANTE
LASSANTE
PASSANTE
CESSANTE
CAUSANTE
AMUSANTE
ÉPATANTE
SPITANTE
HUITANTE
TENTANTE
MONTANTE
SEPTANTE
SEPTANTE
PARTANTE
PORTANTE
SORTANTE
RESTANTE
DISTANTE
INSTANTE
BATTANTE
REMUANTE
PIQUANTE
TOQUANTE
CREVANTE
SUIVANTE
SERVANTE
MOUVANTE
SOIXANTE
ÉGAYANTE
CROYANTE
BRUYANTE
RUZZANTE
DESCENTE

TRIDENTÉ	ANECDOTE	DÉCOMPTÉ	SOPHISTE
ÉVIDENTE	ANTIDOTE	MÉCOMPTE	LUTHISTE
PRUDENTE	**HÉRODOTE**	RECOMPTÉ	TANKISTE
TANGENTE	NEIGEOTÉ	ESCOMPTE	RÉALISTE
PATIENTE	PARIGOTE	ESCOMPTÉ	DUALISTE
PATIENTÉ	RAVIGOTE	INDOMPTÉ	CÂBLISTE
VIOLENTE	RAVIGOTÉ	SARCOPTE	BIBLISTE
VIOLENTÉ	DIZYGOTE	DÉCRYPTÉ	CYCLISTE
OPULENTE	CRACHOTÉ	PANCARTE	**CALLISTE**
CLÉMENTE	MANCHOTE	**DELSARTE**	TULLISTE
SEGMENTÉ	CHUCHOTÉ	CONCERTÉ	**TULLISTE**
PIGMENTÉ	SYMBIOTE	DESSERTE	VIOLISTE
AUGMENTÉ	PHOLIOTE	DISSERTÉ	CARLISTE
ALIMENTÉ	**SKOPIOTE**	COUVERTE	PAULISTE
COMMENTÉ	LOUPIOTE	ROUVERTE	**PAULISTE**
SARMENTÉ	CHARIOTÉ	CONFORTÉ	OCULISTE
FERMENTÉ	CYPRIOTE	EAU-FORTE	BOULISTE
ÉMINENTE	**CYPRIOTE**	COLPORTÉ	STYLISTE
SERPENTÉ	PATRIOTE	REMPORTÉ	ÉRÉMISTE
SUSPENTE	**VITRIOTE**	N'IMPORTE	CHIMISTE
SOUPENTE	ÉCHALOTE	COMPORTE	ANIMISTE
CHARENTE	REBELOTE	COMPORTÉ	PALMISTE
SORRENTE	CAMELOTE	CLOPORTE	THOMISTE
PRÉSENTE	MATELOTE	RAPPORTÉ	ATOMISTE
PRÉSENTÉ	SIFFLOTÉ	SUPPORTÉ	PIANISTE
CONTENTE	SANGLOTÉ	BISTORTE	ÉBÉNISTE
CONTENTÉ	COPILOTE	VIDÉASTE	AGONISTE
SUSTENTÉ	PAILLOTE	CINÉASTE	SIONISTE
FERVENTE	RIGOLOTE	HÉLIASTE	IRONISTE
SURVENTE	COMPLOTÉ	BALLASTÉ	CORNISTE
ENCEINTE	ESCAMOTÉ	GYMNASTE	LAMPISTE
ENCEINTÉ	CLIGNOTÉ	**NORDESTE**	POMPISTE
DÉPEINTE	GRIGNOTÉ	DERMESTE	UTOPISTE
REPEINTE	GNOGNOTE	**PRÉNESTE**	HARPISTE
ÉPREINTE	ACTINOTE	BUPRESTE	DIARISTE
ÉTREINTE	DÉCAPOTÉ	CONTESTE	TSARISTE
DÉTEINTE	GALIPOTE	CONTESTÉ	**ÉVARISTE**
ATTEINTE	GALIPOTÉ	PROTESTÉ	CHORISTE
ACCOINTÉ	SCLÉROTE	DADAÏSTE	STORISTE
ADJOINTE	NUMÉROTÉ	MOSAÏSTE	SERRISTE
REJOINTE	BIARROTE	CAMBISTE	ATTRISTÉ
CI-JOINTE	**BIARROTE**	**DOMBISTE**	MAURISTE
ENJOINTE	PLEUROTE	**DOUBISTE**	TOURISTE
LAPOINTE	CHEVROTE	LAÏCISTE	SUBSISTÉ
APPOINTÉ	POIVROTE	FASCISTE	CONSISTÉ
ESQUINTÉ	CRÉOSOTE	NORDISTE	ISOSISTE
ANODONTE	CRÉOSOTÉ	**NORDISTE**	PERSISTÉ
ARCHONTE	TOUSSOTÉ	FEUDISTE	BASSISTE
BELLONTE	**AYENTÔTE**	FIDÉISTE	DOSSISTE
SURMONTÉ	**ARISTOTE**	TURFISTE	ÉTATISTE
AFFRONTÉ	ALIQUOTE	PÉAGISTE	PIÉTISTE
EFFRONTÉ	PLEUVOTÉ	PLAGISTE	ÉLITISTE
EMPRUNTÉ	RÉADAPTÉ	ÉTAGISTE	DENTISTE
CHIMBOTE	INADAPTÉ	OLIGISTE	ÉGOTISTE
ABRICOTÉ	PRÉCEPTE	PONGISTE	PROTISTE
ASTICOTÉ	PRÉEMPTÉ	MACHISTE	BAPTISTE
HORS-COTE	DÉCOMPTE	TACHISTE	FLÛTISTE

PÉQUISTE	**DAMIETTE**	PERPETTE	LOUVETTE
CASUISTE	**MARIETTE**	SERPETTE	CLAYETTE
REVUISTE	ASSIETTE	AMBRETTE	**LAFFITTE**
CLAVISTE	RACKETTÉ	OMBRETTE	**BRIGITTE**
ÉPAVISTE	**CHALETTE**	SUCRETTE	SCHLITTE
GRÉVISTE	TABLETTE	OPÉRETTE	SCHLITTÉ
BRIVISTE	RACLETTE	REGRETTÉ	**CARLITTE**
SUIVISTE	OMELETTE	AIGRETTE	**MAGRITTE**
COEXISTÉ	GOÉLETTE	BARRETTE	ACQUITTÉ
MARXISTE	RIFLETTE	SARRETTE	REQUITTÉ
PÉRIOSTE	RÉGLETTE	**SARRETTE**	BARBOTTE
COMPOSTÉ	TOILETTE	SERRETTE	CHICOTTE
STAROSTE	TOILETTÉ	BEURETTE	MARCOTTE
FLIBUSTE	VOILETTE	MEURETTE	MARCOTTÉ
PROCUSTE	MALLETTE	COURETTE	MASCOTTE
RÉAJUSTÉ	SELLETTE	**GOURETTE**	BISCOTTE
SALLUSTE	BILLETTE	LEVRETTE	BOSCOTTE
GAROUSTE	FILLETTE	LEVRETTÉ	BOYCOTTÉ
INCRUSTÉ	**VILLETTE**	ANISETTE	LONGOTTE
DARBYSTE	MOLLETTE	NOISETTE	MARGOTTÉ
VICHYSTE	VIOLETTE	FRISETTE	**MARIOTTE**
ANALYSTE	DRÔLETTE	GRISETTE	GRELOTTÉ
SANGATTE	EMPLETTE	NUISETTE	BALLOTTÉ
SURPATTE	MERLETTE	PUISETTE	BELLOTTE
REGRATTÉ	PAULETTE	GANSETTE	PARLOTTE
MAHRATTE	MEULETTE	CASSETTE	BOULOTTE
GAMBETTE	SEULETTE	MASSETTE	BOULOTTÉ
JAMBETTE	AMULETTE	PISSETTE	GOULOTTE
BARBETTE	BOULETTE	BOSSETTE	POULOTTE
PLACETTE	HOULETTE	COSSETTE	ROULOTTE
PIÉCETTE	POULETTE	FOSSETTE	ROULOTTÉ
LANCETTE	ROULETTE	CAUSETTE	CHAMOTTE
PINCETTE	GRULETTE	AMUSETTE	GOLMOTTE
RINCETTE	**CALMETTE**	COUSETTE	MARMOTTE
AVOCETTE	PALMETTE	BAGUETTE	MARMOTTÉ
GARCETTE	GOMMETTE	GOGUETTE	QUENOTTE
DOUCETTE	POMMETTE	CHOUETTE	CAGNOTTE
STUDETTE	TOMMETTE	ALOUETTE	JEUNOTTE
MOUFETTE	FERMETTE	BROUETTE	DÉCROTTÉ
LINGETTE	VIGNETTE	BROUETTÉ	GARROTTE
TARGETTE	RAINETTE	JAQUETTE	GARROTTÉ
VERGETTE	REINETTE	MAQUETTE	FRISOTTÉ
CACHETTE	ÉPINETTE	RAQUETTE	DANSOTTÉ
GÂCHETTE	BANNETTE	BIQUETTE	TURLUTTE
HACHETTE	CANNETTE	LIQUETTE	DÉGOUTTÉ
HACHETTE	BONNETTE	PIQUETTE	BISEAUTÉ
MACHETTE	NONNETTE	COQUETTE	DÉPIAUTÉ
VACHETTE	SONNETTE	MOQUETTE	PRIMAUTÉ
PÊCHETTE	CORNETTE	MOQUETTÉ	CRAPAÜTÉ
BICHETTE	SORNETTE	ROQUETTE	AMIRAUTÉ
LICHETTE	JAUNETTE	**ROQUETTE**	**AMIRAUTÉ**
COCHETTE	JEUNETTE	CLAVETTE	**SARRAUTE**
POCHETTE	BRUNETTE	CREVETTE	SURSAUTÉ
BÛCHETTE	CRAPETTE	OLIVETTE	RESSAUTÉ
JOLIETTE	TRIPETTE	CORVETTE	PRIVAUTÉ
JOLIETTE	POMPETTE	FAUVETTE	CHARCUTÉ
JULIETTE	CARPETTE	SAUVETTE	CHOREUTE

659

IRRÉFUTÉ	BECFIGUE	DÉPOLLUÉ	**MIXTÈQUE**
INVOLUTÉ	**LA BRIGUE**	DISSOLUE	JUDAÏQUE
ARC-BOUTÉ	**RODRIGUE**	REMOULUE	**JAMAÏQUE**
RÉÉCOUTÉ	GARRIGUE	REVOULUE	LAMAÏQUE
INÉCOUTÉ	INTRIGUE	TRANSMUÉ	ROMAÏQUE
LOULOUTE	INTRIGUÉ	CONTENUE	MOSAÏQUE
MOUMOUTE	CONTIGUË	ABSTENUE	ALTAÏQUE
ENCROÛTÉ	**LARTIGUE**	SOUTENUE	ARABIQUE
FERROUTÉ	INSTIGUÉ	PRÉVENUE	**ARABIQUE**
DISSOUTE	DIVULGUÉ	MALVENUE	IAMBIQUE
PRÉTEXTE	HARANGUE	CONVENUE	LIMBIQUE
PRÉTEXTÉ	HARANGUÉ	PROVENUE	PHOBIQUE
CONTEXTE	VARANGUE	PARVENUE	CALCIQUE
PRESBYTE	EXSANGUE	SURVENUE	ZINCIQUE
GONOCYTE	RALINGUE	SOUVENUE	TURCIQUE
MONOCYTE	RALINGUÉ	CONTINUE	ÉRUCIQUE
PÉLODYTE	CHLINGUÉ	CONTINUÉ	ÉRADIQUÉ
TRACHYTE	BILINGUE	MÉCONNUE	DYADIQUE
ÉPIPHYTE	RAMINGUE	RECONNUE	PRÉDIQUÉ
NÉOPHYTE	**HUNINGUE**	INCONNUE	SYNDIQUÉ
ZOOPHYTE	MERINGUE	MANCHOUE	ANODIQUE
KOTZEBUE	MERINGUÉ	**MANCHOUE**	MERDIQUE
RÉTRIBUÉ	SERINGUE	RENFLOUÉ	NORDIQUE
ATTRIBUÉ	SERINGUÉ	SOUS-LOUÉ	**NORDIQUE**
DÉSEMBUÉ	OBLONGUE	**BRENNOUE**	ACNÉIQUE
BARBECUE	DIALOGUE	DÉSAVOUÉ	LINÉIQUE
RÉPANDUE	DIALOGUÉ	BARBAQUE	TRAFIQUÉ
DÉFENDUE	ANALOGUE	ZODIAQUE	COUFIQUE
REFENDUE	ÉPILOGUE	ORGIAQUE	TRAGIQUE
DÉPENDUE	ÉPILOGUÉ	HÉLIAQUE	**BELGIQUE**
REPENDUE	ÉCOLOGUE	**LANIAQUE**	FONGIQUE
APPENDUE	GÉOLOGUE	MANIAQUE	ALOGIQUE
DÉTENDUE	ZOOLOGUE	SYRIAQUE	BACHIQUE
RETENDUE	APOLOGUE	BARJAQUÉ	SAPHIQUE
ENTENDUE	PROLOGUE	**SYMMAQUE**	ORPHIQUE
ATTENDUE	UROLOGUE	CORNAQUÉ	TYPHIQUE
REVENDUE	**LAFARGUE**	ALBRAQUE	LITHIQUE
INVENDUE	PYGARGUE	EMBRAQUÉ	GOTHIQUE
REFONDUE	**CAMARGUE**	**BARRAQUÉ**	MYTHIQUE
RÉPONDUE	**ROUERGUE**	TERRAQUÉ	ITALIQUE
APPONDUE	DÉVERGUÉ	MATRAQUE	OXALIQUE
RETONDUE	ENVERGUÉ	MATRAQUÉ	BIBLIQUE
REPERDUE	**LAFORGUE**	PATRAQUE	PUBLIQUE
REMORDUE	**LYCURGUE**	DÉTRAQUE	CYCLIQUE
DÉTORDUE	**LEBESGUE**	DÉTRAQUÉ	GAÉLIQUE
RETORDUE	SUBJUGUÉ	BASTAQUE	GALLIQUE
BANLIEUE	CONJUGUÉ	SLOVAQUE	RÉPLIQUE
SCHLAGUE	**LESPUGUE**	**SLOVAQUE**	RÉPLIQUÉ
MADRAGUE	INFICHUE	**LA MECQUE**	IMPLIQUÉ
ZIGZAGUÉ	BRANCHUE	**LAPICQUE**	APPLIQUE
GONZAGUE	FOURCHUE	**LA ROCQUE**	APPLIQUÉ
COLLÈGUE	RÉÉVALUÉ	PARCE QUE	DUPLIQUÉ
SUBAIGUË	PRÉVALUE	EST-CE QUE	EXPLIQUÉ
SURAIGUË	FARFELUE	OOTHÈQUE	AMYLIQUE
PRODIGUE	CHEVELUE	DISSÉQUÉ	STYLIQUE
PRODIGUÉ	JOUFFLUE	**TOLTÈQUE**	CRAMIQUE
BORDIGUE	FEUILLUE	PASTÈQUE	ANÉMIQUE

URÉMIQUE	STÉRIQUE	MYSTIQUE	**TARASQUE**
CHIMIQUE	ONIRIQUE	NAUTIQUE	TUDESQUE
AMIMIQUE	**MANRIQUE**	BOUTIQUE	MORESQUE
FILMIQUE	CAPRIQUE	ATAVIQUE	APRÈS QUE
ANOMIQUE	CUPRIQUE	ATAXIQUE	UBUESQUE
GNOMIQUE	BARRIQUE	ATOXIQUE	**LÉVESQUE**
BROMIQUE	FERRIQUE	JAZZIQUE	**AUBISQUE**
ATOMIQUE	MÉTRIQUE	DÉCALQUE	**RUFISQUE**
DERMIQUE	CITRIQUE	DÉCALQUÉ	MÉNISQUE
FORMIQUE	NITRIQUE	DÉFALQUÉ	MARISQUE
SISMIQUE	INTRIQUÉ	INCULQUÉ	MORISQUE
COSMIQUE	YTTRIQUE	CALANQUE	QUELS QUE
THYMIQUE	LIASIQUE	PALANQUE	**MANOSQUE**
CLANIQUE	MNÉSIQUE	PALANQUÉ	DÉBUSQUÉ
GRANIQUE	PERSIQUE	**SÉNANQUE**	EMBUSQUÉ
URANIQUE	**PERSIQUE**	PÉTANQUE	OFFUSQUÉ
SCÉNIQUE	MASSIQUE	**PALENQUE**	ÉTRUSQUE
ÉDÉNIQUE	PHYSIQUE	DIADOQUE	**ÉTRUSQUE**
PHÉNIQUE	VIATIQUE	SUFFOQUÉ	RÉÉDUQUÉ
PHÉNIQUÉ	PRATIQUE	LOUFOQUE	HEIDUQUE
IRÉNIQUE	PRATIQUÉ	FILIOQUE	DÉBOUQUÉ
AXÉNIQUE	ÉTATIQUE	DÉBLOQUÉ	EMBOUQUÉ
ETHNIQUE	STATIQUE	BRELOQUE	FELOUQUE
CLINIQUE	LACTIQUE	DÉFLOQUÉ	PERRUQUE
GYMNIQUE	TACTIQUE	COLLOQUE	DIPTYQUE
TANNIQUE	HECTIQUE	DISLOQUÉ	DISPARUE
HUNNIQUE	PECTIQUE	**ORÉNOQUE**	TONITRUÉ
ICONIQUE	ARCTIQUE	SCHNOQUE	MALOTRUE
PHONIQUE	**ARCTIQUE**	PÉBROQUE	RECOURUE
BIONIQUE	ACÉTIQUE	ESCROQUÉ	SECOURUE
CLONIQUE	RHÉTIQUE	DÉFROQUE	ENCOURUE
IRONIQUE	ÉMÉTIQUE	DÉFROQUÉ	DÉCOUSUE
ATONIQUE	NOÉTIQUE	DÉTROQUÉ	RECOUSUE
BERNIQUE	POÉTIQUE	ENTROQUE	EFFECTUÉ
CORNIQUE	CRITIQUE	UNIVOQUE	PERPÉTUÉ
FORNIQUÉ	CRITIQUÉ	CONVOQUÉ	ENTRE-TUÉ
FAUNIQUE	BALTIQUE	PROVOQUÉ	DESTITUÉ
MONOÏQUE	**BALTIQUE**	DÉBARQUÉ	RESTITUÉ
HÉROÏQUE	CELTIQUE	EMBARQUÉ	INSTITUÉ
ADIPIQUE	**CELTIQUE**	**LAMARQUE**	ACCENTUÉ
TROPIQUE	CANTIQUE	DÉMARQUE	RABATTUE
UTOPIQUE	MANTIQUE	DÉMARQUÉ	DÉBATTUE
HIPPIQUE	BIOTIQUE	REMARQUE	REBATTUE
SURPIQUÉ	ÉROTIQUE	**REMARQUE**	INFOUTUE
ATYPIQUE	PROTIQUE	REMARQUÉ	GARDE-VUE
FABRIQUE	EXOTIQUE	MONARQUE	IMPRÉVUE
FABRIQUÉ	MYOTIQUE	LUPERQUE	ENTREVUE
IMBRIQUÉ	HAPTIQUE	**MAJORQUE**	UNISEXUÉ
LUBRIQUE	SEPTIQUE	REMORQUE	VIDE-CAVE
RUBRIQUE	AORTIQUE	REMORQUÉ	**SAKALAVE**
RUBRIQUÉ	PORTIQUE	**MINORQUE**	REMBLAVÉ
PICRIQUE	MASTIQUÉ	RÉTORQUÉ	CONCLAVE
HYDRIQUE	DISTIQUE	EXTORQUÉ	PANSLAVE
IBÉRIQUE	RUSTIQUE	BIFURQUÉ	MARGRAVE
IBÉRIQUE	RUSTIQUÉ	DÉMASQUÉ	BURGRAVE
FÉERIQUE	CYSTIQUE	MARASQUE	**COSGRAVE**
AMÉRIQUE	KYSTIQUE	TARASQUE	CHOU-RAVE

CHOURAVÉ	IMMOTIVÉ	PERLOUZE	GUSTATIF
TAMATAVE	ADOPTIVE	**NAUROUZE**	PRIVATIF
SAINT-AVÉ	ÉRUPTIVE	PARTOUZE	OLFACTIF
INACHEVÉ	ABORTIVE	BABY-BEEF	DÉFECTIF
VAN CLEVE	SPORTIVE	DERECHEF	AFFECTIF
SURÉLEVÉ	UNIVALVE	SOUS-CHEF	EFFECTIF
PAINLEVÉ	TRIVALVE	**MÉTABIEF**	OBJECTIF
CONGREVE	**GONZALVE**	**LEONTIEF**	ADJECTIF
MALADIVE	MANGROVE	DEMI-CLEF	BIJECTIF
RÉCIDIVE	PRÉSERVÉ	ASTRONEF	INJECTIF
RÉCIDIVÉ	CONSERVE	**FALSTAFF**	SÉLECTIF
PROCLIVE	CONSERVÉ	**LAZAREFF**	DIRECTIF
TITE-LIVE	GUIMAUVE	**KNIASEFF**	ADDICTIF
ENJOLIVÉ	PÉDILUVE	**BIRKHOFF**	DÉDUCTIF
AUTERIVE	RÉPROUVÉ	**VAN'T HOFF**	INDUCTIF
ABRASIVE	APPROUVÉ	**MALAKOFF**	EXPLÉTIF
INVASIVE	RETROUVÉ	**HITTORFF**	PRIMITIF
ADHÉSIVE	**ZIMBABWE**	SCHNOUFF	DORMITIF
COHÉSIVE	**LILONGWE**	GÉRONDIF	PLUMITIF
DÉCISIVE	PARATAXE	RÉPULSIF	COGNITIF
INCISIVE	SIMPLEXE	IMPULSIF	APÉRITIF
ÉMULSIVE	COMPLEXE	RÉVULSIF	NUTRITIF
DOLOSIVE	COMPLEXÉ	EXPANSIF	SENSITIF
COURSIVE	PERPLEXE	DÉFENSIF	FACTITIF
ÉMISSIVE	MINIMEXÉ	OFFENSIF	PARTITIF
POUSSIVE	**PÉRÉFIXE**	INTENSIF	INTUITIF
EFFUSIVE	ANTÉFIXE	EXTENSIF	ATTENTIF
ALLUSIVE	PARADOXE	IMPLOSIF	ADVENTIF
LOCATIVE	ÉQUINOXE	EXPLOSIF	INVENTIF
SÉDATIVE	REMBLAYÉ	CORROSIF	PLAINTIF
CRÉATIVE	SOUS-PAYÉ	IMMERSIF	CRAINTIF
NÉGATIVE	RENTRAYÉ	DÉTERSIF	RÉCEPTIF
OBLATIVE	RÉESSAYÉ	RÉCURSIF	DIGESTIF
RELATIVE	GRASSEYÉ	RÉCESSIF	ARBUSTIF
CURATIVE	FLAMBOYÉ	EXCESSIF	EXÉCUTIF
DURATIVE	ROUGEOYÉ	AGRESSIF	ÉVOLUTIF
ROTATIVE	REMPLOYÉ	JOUISSIF	RÉFLEXIF
OPTATIVE	ATERMOYÉ	OCCLUSIF	ICE-SHELF
PUTATIVE	TOURNOYÉ	INCLUSIF	MINIGOLF
LAXATIVE	FOUDROYÉ	EXCLUSIF	**THÉODULF**
RÉACTIVE	POUDROYÉ	EXTRUSIF	**CYNEWULF**
RÉACTIVÉ	HONGROYÉ	COMBATIF	**ZAMENHOF**
INACTIVE	CHARROYÉ	SICCATIF	**PETERHOF**
INACTIVÉ	GUERROYÉ	ÉDUCATIF	**MEYERHOF**
TRACTIVE	VOUSSOYÉ	LAUDATIF	**STUTTHOF**
ÉLECTIVE	JOINTOYÉ	PURGATIF	**STRUTHOF**
ADDITIVE	FOURVOYÉ	RADIATIF	**PRIBILOF**
ADDITIVÉ	KAMIKAZE	FORMATIF	**LAGERLÖF**
AUDITIVE	**MARQUÈZE**	NORMATIF	**BURGDORF**
FUGITIVE	**LA CHAIZE**	LUCRATIF	**NAUNDORF**
VOLITIVE	KIRGHIZE	ITÉRATIF	WINDSURF
VOMITIVE	**KIRGHIZE**	NARRATIF	**RUTEBEUF**
LÉNITIVE	KOLKHOZE	ÉPURATIF	MIRE-ŒUF
PUNITIVE	SOVKHOZE	CAUSATIF	TEUF-TEUF
POSITIVE	QUATORZE	IMITATIF	PATAPOUF
JOINTIVE	**GAGAOUZE**	CAPTATIF	**WINNIPEG**
DÉMOTIVÉ	BARBOUZE	PORTATIF	**STEINWEG**

MALPIGHI	ARMAILLI	**MATA HARI**	GUJARATI
RESPIGHI	ASSAILLI	**CAGLIARI**	**AMRAVATI**
NEW DELHI	DÉSEMPLI	PELOTARI	**SALICETI**
MAEBASHI	ACCOMPLI	**GUATTARI**	GRAFFITI
GU KAIZHI	ASSOUPLI	**GODAVARI**	**ADO-EKITI**
SCENARII	WIENERLI	HOURVARI	**AL-WASITI**
HACHIOJI	SPAETZLI	SANS-ABRI	OUISTITI
CATTERJI	**YANOMAMI**	ASSOMBRI	MERCANTI
BOURBAKI	RAFFERMI	ATTENDRI	EMPUANTI
SOUVLAKI	**BAGUIRMI**	AMOINDRI	**CLEMENTI**
NAGASAKI	RENDORMI	BÉRIBÉRI	APPRENTI
TAKASAKI	RENFORMI	RENCHÉRI	CONSENTI
KAWASAKI	**REGGIANI**	**CAFFIERI**	RESSENTI
MIYAZAKI	**CIPRIANI**	**RUGGIERI**	**VISCONTI**
SLOWACKI	**GRAZIANI**	**GUARNERI**	TRIPARTI
RUDNICKI	**ILLIMANI**	DÉMAIGRI	**GHIBERTI**
KRASICKI	**YANOMANI**	MISTIGRI	**GIOBERTI**
KOSTENKI	MAHARANI	RABOUGRI	DESSERTI
HELSINKI	**NDZOUANI**	HARA-KIRI	SUBVERTI
CHOUÏSKI	**GALLIENI**	**AL-HARIRI**	CONVERTI
KOWALSKI	**MASCAGNI**	DAIQUIRI	PERVERTI
ZEROMSKI	**MORGAGNI**	ENDOLORI	RASSORTI
POLANSKI	REDÉFINI	**FUJIMORI**	RESSORTI
ZELENSKI	INDÉFINI	TANDOORI	**TRIMURTI**
ANNENSKI	SEMI-FINI	**MURATORI**	**PLOIESTI**
KERENSKI	MONOKINI	SUMOTORI	TRAVESTI
BABINSKI	**PASOLINI**	**THONBURI**	SACRISTI
NIJINSKI	CATIMINI	DÉFLEURI	SAPRISTI
BELINSKI	**PAGANINI**	REFLEURI	**TOLIATTI**
KOLINSKI	**VIVARINI**	**SILIGURI**	CONCETTI
WOLINSKI	**SEVERINI**	**MISSOURI**	CONFETTI
TCHERSKI	**MOROSINI**	**OUSSOURI**	**ROSSETTI**
SIKORSKI	**SPONTINI**	BISTOURI	**OLIVETTI**
APRÈS-SKI	**GIOVANNI**	**IBÁRRURI**	**VANZETTI**
VYGOTSKI	**PICCINNI**	APPAUVRI	**GIOLITTI**
ZAKOUSKI	**COLLEONI**	**VARANASI**	**BUSSOTTI**
RIMOUSKI	**BOCCIONI**	**SULAWESI**	**FUNAFUTI**
WALEWSKI	**TAGLIONI**	DESSAISI	INABOUTI
ZAO WOU-KI	**ALBINONI**	RESSAISI	**DJIBOUTI**
BOUZOUKI	MACARONI	**BRINDISI**	ENGLOUTI
MEXICALI	**ALBERONI**	CRAMOISI	**GARDAFUI**
NEPHTALI	REMBRUNI	**EL-EDRISI**	**OUBANGUI**
AFFAIBLI	**AL-BIRUNI**	MAFFIOSI	SAHRAOUI
DISRAELI	**KHOMEYNI**	**KOUMASSI**	**SAHRAOUI**
SOUAHÉLI	RÉEMPLOI	**DJERASSI**	BOUI-BOUI
GABRIELI	INEMPLOI	**PETRASSI**	RIQUIQUI
ENSEVELI	**VILLEROI**	**TBILISSI**	**YUPANQUI**
PILI-PILI	PALEFROI	DÉGROSSI	**ROUSTAVI**
TEOCALLI	**GEOFFROI**	REGROSSI	**CONSALVI**
ARAVALLI	DÉSARROI	**ÉPHRUSSI**	DESSERVI
BOMBELLI	POURQUOI	**BRANCUSI**	RESSERVI
MAGNELLI	**STANOVOÏ**	**FERDOWSI**	**COTOPAXI**
MINNELLI	RÉCHAMPI	**KIRIBATI**	**BENGHAZI**
PRUNELLI	DÉGUERPI	**FRASCATI**	ANTINAZI
CRIVELLI	ACCROUPI	**CHARIATI**	**FERENCZI**
DÉFAILLI	**SOUNGARI**	**SALVIATI**	**NYAMWEZI**
REJAILLI	**KALAHARI**	**GANAPATI**	**ZHUANGZI**

NEGRUZZI	**SMOLENSK**	SALARIAL	CÉRÉBRAL
TIE-BREAK	**ATCHINSK**	NOTARIAL	CARCÉRAL
KOLTCHAK	**STALINSK**	IMPÉRIAL	VISCÉRAL
KAZANLAK	**SIMBIRSK**	PRAIRIAL	PONDÉRAL
BONAMPAK	**PLESETSK**	MÉMORIAL	VESPÉRAL
MOUBARAK	**IAKOUTSK**	ARMORIAL	URÉTÉRAL
INUKJUAK	**IRKOUTSK**	**ESCURIAL**	LITTÉRAL
FEED-BACK	**POKROVSK**	ABBATIAL	INTÉGRAL
ZWIEBACK	MAMELOUK	PALATIAL	TEMPORAL
COME-BACK	**MAMELOUK**	COMITIAL	CORPORAL
DRAWBACK	**CHILLOUK**	SYNOVIAL	PECTORAL
PLAY-BACK	**SIHANOUK**	ALLUVIAL	RECTORAL
GRODDECK	TOMAHAWK	ILLUVIAL	DOCTORAL
VAN VLECK	**ÉLAGABAL**	**ISTIQLAL**	PASTORAL
HABENECK	**HANNIBAL**	EXTRÉMAL	LITTORAL
ROMSTECK	**ADHERBAL**	PROXIMAL	MATORRAL
RUMSTECK	DÉVERBAL	LACRYMAL	SABURRAL
MOBY DICK	ZODIACAL	**SOO CANAL**	THÉÂTRAL
LIMERICK	STOMACAL	MÉTHANAL	SPECTRAL
LIMERICK	SYNDICAL	TYMPANAL	ARBITRAL
JOYSTICK	BEYLICAL	DUODÉNAL	MONAURAL
CHADWICK	INAMICAL	NOUMÉNAL	ÉPIDURAL
PICKWICK	TROPICAL	SURRÉNAL	FURFURAL
VAN DIJCK	CLÉRICAL	VACCINAL	PICTURAL
VLAMINCK	VERTICAL	MUSCINAL	CULTURAL
GREENOCK	CORTICAL	CARDINAL	POSTURAL
HARD ROCK	CERVICAL	IMAGINAL	GUTTURAL
AFRO-ROCK	NÉOLOCAL	ORIGINAL	COLOSSAL
THURROCK	MÉNISCAL	MARGINAL	PRÉNATAL
JAZZ-ROCK	TOROÏDAL	VIRGINAL	NÉONATAL
BISMARCK	**DURANDAL**	MACHINAL	OBJECTAL
DELBRÜCK	**DURENDAL**	STAMINAL	SOCIÉTAL
HUNSRÜCK	**LOWENDAL**	GERMINAL	PARIÉTAL
KIMCHAEK	**CADOUDAL**	TERMINAL	VARIÉTAL
MAÏDANEK	TRACHÉAL	**QUIRINAL**	TRIMÉTAL
MAJDANEK	PÉRINÉAL	INGUINAL	NON-MÉTAL
WINDHOEK	**MONTRÉAL**	AUTOMNAL	**DARNÉTAL**
STABROEK	**PARSIFAL**	DÉCENNAL	**AL-AKHTAL**
NALTCHIK	MADRIGAL	VICENNAL	SOMMITAL
PACHALIK	**WARANGAL**	TRIENNAL	VICOMTAL
CHACHLIK	CONJUGAL	DIAGONAL	ORIENTAL
SPOUTNIK	**PORTUGAL**	RÉGIONAL	**ORIENTAL**
REFUZNIK	**TAJ MAHAL**	NATIONAL	EMMENTAL
VOGELPIK	SÉNÉCHAL	RATIONAL	**EMMENTAL**
KEFLAVÍK	MARÉCHAL	CYCLONAL	PARENTAL
IVUJIVIK	**STENDHAL**	HORMONAL	PRÉVÔTAL
VESTDIJK	ZÉNITHAL	PATRONAL	SAGITTAL
CAKE-WALK	BILABIAL	NEURONAL	AZIMUTAL
STEENBOK	OFFICIAL	CANTONAL	CARNAVAL
HERD-BOOK	ABSIDIAL	HIBERNAL	**GRANDVAL**
STUD-BOOK	PRANDIAL	HIVERNAL	**PERCEVAL**
TELEMARK	BRACHIAL	TRIBUNAL	MÉDIÉVAL
DANEMARK	FAMILIAL	SHOGUNAL	**BONNEVAL**
FINNMARK	BINOMIAL	COMMUNAL	GINGIVAL
HYDE PARK	DOMANIAL	DROP-GOAL	**BOUGIVAL**
LOUGANSK	COLONIAL	SYNCOPAL	FESTIVAL
LOUHANSK	CANONIAL		**BUZENVAL**

ARSONVAL	RÉSIDUEL	**BOTHWELL**	NON-CUMUL
ROBERVAL	**MONTLUEL**	**STILWELL**	**BARNAOUL**
MINERVAL	**EMMANUEL**	**CROMWELL**	**DJAMBOUL**
PRÉFIXAL	**TRÉFOUËL**	**LASSWELL**	**BOUTHOUL**
SUFFIXAL	INACTUEL	CROSKILL	CAPITOUL
NEUSIEDL	PONCTUEL	MANDRILL	SCHIEDAM
JUDICAËL	HABITUEL	**ZANGWILL**	**SCHIEDAM**
RUISDAEL	ÉVENTUEL	**JOHN BULL**	ICE-CREAM
RUYSDAEL	BISEXUEL	**SOLIHULL**	**SYDENHAM**
FINE GAEL	**BARJAVEL**	PUSH-PULL	MIAM-MIAM
MAELWAEL	**TAUTAVEL**	SOUS-PULL	RÉHOBOAM
ÉCOLABEL	**STŒTZEL**	RAS-LE-BOL	JÉROBOAM
SCHNABEL	CHANDAIL	CACHE-COL	**JÉROBOAM**
SCHNEBEL	ATTIRAIL	MONERGOL	CRAMCRAM
PARROCEL	MONORAIL	HYPERGOL	**ONCLE SAM**
TOP MODEL	AUTORAIL	**RAVACHOL**	**UNCLE SAM**
PERMAGEL	POITRAIL	**SCHIPHOL**	ASPARTAM
SCHLEGEL	PONT-RAIL	KOMSOMOL	**BETHLÉEM**
HYDROGEL	COCKTAIL	**CHAMPMOL**	**MALDEGEM**
HERSCHEL	ÉVENTAIL	MÉTHANOL	**ZOTTEGEM**
BREUGHEL	APPAREIL	DIPHÉNOL	**ZWEVEGEM**
INDICIEL	CERCUEIL	ESPAGNOL	**ZEDELGEM**
LUDICIEL	GUIDE-FIL	**ESPAGNOL**	**WEVELGEM**
OFFICIEL	DROIT-FIL	TERPINOL	**CORBEHEM**
LOGICIEL	**AL-KHALIL**	BABA COOL	**OCKEGHEM**
ÉZÉCHIEL	**LAETOLIL**	DIALCOOL	**SANTARÉM**
MATÉRIEL	MANGE-MIL	**INTERPOL**	**VESZPRÉM**
ARTÉRIEL	**TERNOPIL**	**TIRASPOL**	**HEMIKSEM**
MÉMORIEL	**ANQUETIL**	**SAINT-POL**	**ZAVENTEM**
INERTIEL	**CHABEUIL**	GLYCÉROL	MATEFAIM
FRAENKEL	CERFEUIL	**PIGNEROL**	**OSWIECIM**
SCHINKEL	**BONNEUIL**	**ESQUIROL**	HASSIDIM
BÉCHAMEL	**VERNEUIL**	CARBUROL	**WALDHEIM**
GOUDIMEL	**DUBREUIL**	ENTRESOL	**DURKHEIM**
HYDROMEL	ÉCUREUIL	MOLLISOL	**BLENHEIM**
PLOËRMEL	**BRETEUIL**	VERTISOL	**HŒNHEIM**
INFORMEL	**NANTEUIL**	CORTISOL	**MANNHEIM**
JOUVENEL	FAUTEUIL	PALÉOSOL	**STROHEIM**
ORIGINEL	**ADLISWIL**	LITHOSOL	**HABSHEIM**
CRIMINEL	**EGOLZWIL**	HYDROSOL	**MOLSHEIM**
SOLENNEL	HANDBALL	**LIMASSOL**	**ENTZHEIM**
SHRAPNEL	BASE-BALL	COROSSOL	**MONTCALM**
MATERNEL	MOTO-BALL	SORBITOL	TÉLÉFILM
PATERNEL	SOFTBALL	MANNITOL	**BORGHOLM**
ARCHIPEL	FOOTBALL	CALL-GIRL	**BORNHOLM**
ESTOPPEL	**MARSHALL**	**PRZEMYSL**	PRÊTE-NOM
VALMOREL	**PORTSALL**	**KWAKIUTL**	**CATTENOM**
TEMPOREL	**CORNWALL**	**JEAN-PAUL**	**SAINT-NOM**
CORPOREL	**SABADELL**	**BELZÉBUL**	BABY-BOOM
CULTUREL	**MITCHELL**	**ISTANBUL**	SHOWROOM
SULFOSEL	**BRUMMELL**	LÈCHE-CUL	ANGSTRÖM
BROUSSEL	**BUSHNELL**	CASSE-CUL	**ÅNGSTRÖM**
DUCHÂTEL	**O'CONNELL**	BISAÏEUL	MALSTROM
COQUETEL	**WICKSELL**	**BAILLEUL**	**MALSTRÖM**
IMMORTEL	**CALDWELL**	ÉPAGNEUL	**SJÖSTRÖM**
LE PORTEL	**HOPEWELL**	**CHEVREUL**	**BENIDORM**
MORESTEL	**FAREWELL**	**CHOISEUL**	**AVARICUM**

LINOLÉUM	FACTOTUM	DEMI-PLAN	**VEVEYSAN**
SERAPEUM	**HOBSBAWM**	PLAN-PLAN	**PELLETAN**
SERAPEUM	**BARRABAN**	MONOPLAN	**COPPÉTAN**
LUTÉCIUM	**MARTABAN**	**TAMERLAN**	**SECRÉTAN**
SILICIUM	**SEREMBAN**	**MAC ORLAN**	**XIANGTAN**
FRANCIUM	**COLOMBAN**	**MAZATLÁN**	ARGENTAN
CALADIUM	**CULIACÁN**	PORTULAN	**ARGENTAN**
VANADIUM	ANGLICAN	**FRIEDMAN**	**CARENTAN**
RUBIDIUM	GALLICAN	**BRIDGMAN**	**LA HONTAN**
SCANDIUM	PEMMICAN	PERCHMAN	**BARBOTAN**
TAXODIUM	JERRICAN	**HARRIMAN**	CABESTAN
PATAGIUM	**CALOOCAN**	**PERELMAN**	**GOLESTAN**
NOBÉLIUM	JERRYCAN	MUSULMAN	**LORESTAN**
MYCÉLIUM	PEUCÉDAN	**CARLOMAN**	**PAKISTAN**
THALLIUM	**SHERIDAN**	PRÉROMAN	**GULISTAN**
PSYLLIUM	**MUSSIDAN**	**SPEARMAN**	**LURISTAN**
PHORMIUM	**GÉVAUDAN**	DOBERMAN	**DONGGUAN**
GÉRANIUM	BLUE-JEAN	**LEDERMAN**	**LINCHUAN**
SÉLÉNIUM	**GROSJEAN**	**DAGERMAN**	**YINCHUAN**
HYMÉNIUM	**KORDOFAN**	SUPERMAN	TUVALUAN
ACTINIUM	TOBOGGAN	**SUPERMAN**	**TUVULUAN**
LAVINIUM	TOBOGGAN	**OMDURMAN**	CORDOUAN
MÉCONIUM	CARDIGAN	TALISMAN	**CORDOUAN**
POLONIUM	**MICHIGAN**	CROSSMAN	**KAIROUAN**
AMMONIUM	**NELLIGAN**	YACHTMAN	**MANTOUAN**
EUROPIUM	HOOLIGAN	**HAUPTMAN**	**YANGXUAN**
VÉLARIUM	HOULIGAN	RUGBYMAN	**DONG YUAN**
SOLARIUM	KORRIGAN	**KURTZMAN**	**TONG YUAN**
SAMARIUM	**NAMANGAN**	**BUCHANAN**	**LIAOYUAN**
AQUARIUM	**DE MORGAN**	**ARTAGNAN**	**SULLIVAN**
VIVARIUM	**RAMAT GAN**	**CARIGNAN**	**MYINGYAN**
POMERIUM	**BERLUGAN**	**MARIGNAN**	LIPIZZAN
GYNÉRIUM	**CHANCHÁN**	LUSIGNAN	**MESSIAEN**
IMPERIUM	**ÉTAT CHAN**	**LÉZIGNAN**	**MULHACÉN**
CIBORIUM	**HAMADHAN**	GNANGNAN	**DEBRECEN**
EMPORIUM	**MORBIHAN**	**LOCRONAN**	**CIOTADEN**
BRUTTIUM	**AGHA KHAN**	CHENAPAN	**CASSIDEN**
ILLUVIUM	**TANGSHAN**	**BELMOPAN**	**IJMUIDEN**
CYMBALUM	**TIAN SHAN**	PETER PAN	**CULLODEN**
VEXILLUM	**LESOTHAN**	**ZURBARÁN**	BIGOUDEN
SPÉCULUM	**SIMA QIAN**	TRIMARAN	**BIGOUDEN**
COAGULUM	**MONDRIAN**	**MALIBRAN**	CARIBÉEN
EXTREMUM	**GUDERIAN**	TÉLÉCRAN	**CARIBÉEN**
LABDANUM	NIGÉRIAN	MAZAGRAN	**DRANCÉEN**
LAUDANUM	**NIGÉRIAN**	CORMORAN	SADUCÉEN
DUODÉNUM	**CHATRIAN**	ANDORRAN	CHALDÉEN
LUGDUNUM	ASTRAKAN	**ANDORRAN**	**CHALDÉEN**
BADABOUM	**ASTRAKAN**	TRANTRAN	**ABERDEEN**
KARAKOUM	**MILLIKAN**	**KHORASAN**	PALUDÉEN
AVVAKOUM	BATACLAN	**KHURASAN**	**LIGUGÉEN**
SCHPROUM	ÉCOBILAN	PARMESAN	TRACHÉEN
KHARTOUM	**MAGELLAN**	**PARMESAN**	DÉDALÉEN
ÉLECTRUM	**MOSELLAN**	VALAISAN	GALILÉEN
NGULTRUM	**MCMILLAN**	**VALAISAN**	**GALILÉEN**
AGERATUM	**SÉVILLAN**	PARTISAN	CÉRULÉEN
ADIANTUM	**CORIOLAN**	**TRÉVISAN**	**MANAMÉEN**
PSILOTUM	RATAPLAN	**GRUISSAN**	PANAMÉEN

PANAMÉEN	FRANCIEN	PANAMIEN	CAMBRIEN
APPAMÉEN	ARCADIEN	**PANAMIEN**	**COUDRIEN**
ÉCOMMÉEN	TCHADIEN	BOHÉMIEN	LIBÉRIEN
DAHOMÉEN	**TCHADIEN**	**MAXIMIEN**	**LIBÉRIEN**
DAHOMÉEN	AKKADIEN	**JÉRÔMIEN**	SIBÉRIEN
CANANÉEN	**AKKADIEN**	OCÉANIEN	**SIBÉRIEN**
CANANÉEN	CANADIEN	**OCÉANIEN**	**NUCÉRIEN**
PYRÉNÉEN	**CANADIEN**	**GUYANIEN**	LIGÉRIEN
PYRÉNÉEN	**RIYADIEN**	RUBÉNIEN	**LIGÉRIEN**
RÉGINÉEN	COMÉDIEN	**PACÉNIEN**	NIGÉRIEN
ANNONÉEN	APHIDIEN	**ANCENIEN**	**NIGÉRIEN**
ÉBURNÉEN	OPHIDIEN	MYCÉNIEN	ALGÉRIEN
EUROPÉEN	ACRIDIEN	**MYCÉNIEN**	**ALGÉRIEN**
EUROPÉEN	MÉRIDIEN	ATHÉNIEN	**ANGÉRIEN**
NAZARÉEN	DAVIDIEN	**ATHÉNIEN**	GALÉRIEN
NAZARÉEN	SCALDIEN	**LIMÉNIEN**	**VALÉRIEN**
LIFFRÉEN	**PARODIEN**	ARMÉNIEN	SUMÉRIEN
CHASSÉEN	**CLAUDIEN**	**ARMÉNIEN**	VÉNÉRIEN
NABATÉEN	FREUDIEN	SIRÉNIEN	NÉPÉRIEN
LONGUÉEN	SAOUDIEN	ESSÉNIEN	**ASTÉRIEN**
ADYGUÉEN	**SAOUDIEN**	**ÉRAGNIEN**	**GRUÉRIEN**
WIMPFFEN	PLÉBÉIEN	SOCINIEN	**LOVÉRIEN**
ERLANGEN	**NANCÉIEN**	HOMINIEN	**CAZÉRIEN**
SCHENGEN	**BRUNÉIEN**	ARMINIEN	**LOZÉRIEN**
TÜBINGEN	POMPÉIEN	**PAPINIEN**	IVOIRIEN
SOLINGEN	PÉLAGIEN	RÉTINIEN	**IVOIRIEN**
BERINGEN	**ATHÉGIEN**	**SAVINIEN**	**OZOIRIEN**
ROENTGEN	**SONÉGIEN**	**JOVINIEN**	**NABORIEN**
ROENTGEN	GÉORGIEN	**LÉDONIEN**	COMORIEN
STEICHEN	**GÉORGIEN**	AUDONIEN	**COMORIEN**
GRENCHEN	PHRYGIEN	**AUDONIEN**	**CHAURIEN**
GROSCHEN	**PHRYGIEN**	FILONIEN	**YZEURIEN**
CHOUCHEN	TUE-CHIEN	JUNONIEN	LIGURIEN
SHENZHEN	HAWAIIEN	NÉRONIEN	**LIGURIEN**
BISCAÏEN	**HAWAIIEN**	HURONIEN	SILURIEN
KAFKAÏEN	RÉGALIEN	**CYSONIEN**	LÉMURIEN
FÉLIBIEN	SOMALIEN	CHTONIEN	**ASTURIEN**
NAMIBIEN	**SOMALIEN**	**ANTONIEN**	ILLYRIEN
NAMIBIEN	OURALIEN	ESTONIEN	**ILLYRIEN**
DANUBIEN	MYCÉLIEN	**ESTONIEN**	ASSYRIEN
SÉLACIEN	HÉGÉLIEN	OTTONIEN	**ASSYRIEN**
FUMACIEN	SAHÉLIEN	DÉVONIEN	**LILASIEN**
CINACIEN	**CARÉLIEN**	AMARNIEN	EURASIEN
ALSACIEN	**AURÉLIEN**	BROWNIEN	**EURASIEN**
ALSACIEN	**VÉZELIEN**	CÉGÉPIEN	SALÉSIEN
JOVACIEN	SICILIEN	ŒDIPIEN	SILÉSIEN
AJACCIEN	**SICILIEN**	OLYMPIEN	**SILÉSIEN**
ANNECIEN	**QUELLIEN**	SAHARIEN	ARLÉSIEN
MAGICIEN	GAULLIEN	**SAHARIEN**	**ARLÉSIEN**
LOGICIEN	**SABOLIEN**	**ANKARIEN**	**GENÉSIEN**
GALICIEN	**VINOLIEN**	**CANARIEN**	CAPÉSIEN
GALICIEN	TYROLIEN	**LUPARIEN**	**TÉRÉSIEN**
MILICIEN	**TYROLIEN**	**TARARIEN**	**CATÉSIEN**
STOÏCIEN	**SÉOULIEN**	AGRARIEN	**APTÉSIEN**
MUSICIEN	**VÉSULIEN**	CÉSARIEN	ARTÉSIEN
OPTICIEN	ROTULIEN	**QATARIEN**	**ARTÉSIEN**
NÉVICIEN	**BAHAMIEN**	ONTARIEN	**LOUÉSIEN**

ARCISIEN	KAPELLEN	EASTMAIN	AIGLEFIN
SALISIEN	STEINLEN	INHUMAIN	AIGREFIN
AUNISIEN	CYCLAMEN	RIVERAIN	SUPERFIN
TUNISIEN	CLINAMEN	SUZERAIN	SAUVAGIN
TUNISIEN	RÉEXAMEN	NOURRAIN	FRAÎCHIN
CROISIEN	EUSKEMEN	QUATRAIN	BRIOCHIN
YVOISIEN	SPÉCIMEN	PIÉTRAIN	BRIOCHIN
BARISIEN	NEWCOMEN	INDURÁIN	GUERCHIN
PARISIEN	SUPERMEN	NAISSAIN	SÉRAPHIN
PARISIEN	CROSSMEN	TIBÉTAIN	HAUT-RHIN
LÉVISIEN	YACHTMEN	TIBÉTAIN	CHONGJIN
JUVISIEN	RUGBYMEN	MURÉTAIN	PATINKIN
NICOSIEN	SAARINEN	MARITAIN	ZWORYKIN
ULISSIEN	KEKKONEN	PURITAIN	CROMALIN
PRUSSIEN	WETTEREN	LUSITAIN	CHEVALIN
PRUSSIEN	CHÉPHREN	LUSITAIN	KOSZALIN
VÉNUSIEN	KHEPHREN	AQUITAIN	GUESCLIN
VÉNUSIEN	NICHIREN	AQUITAIN	ROSCELIN
SINUSIEN	VAN BUREN	VOULTAIN	MICHELIN
CLOYSIEN	TERVUREN	PLANTAIN	ORPHELIN
MÉRYSIEN	JACOBSEN	TRENTAIN	ZEPPELIN
NOVATIEN	AMUNDSEN	LOINTAIN	ZEPPELIN
CAPÉTIEN	SHAMISEN	BRATTAIN	FIFRELIN
CHRÉTIEN	SØRENSEN	BROUTAIN	JOSSELIN
CHRÉTIEN	ANDERSEN	ÉCRIVAIN	MANUÉLIN
TAHITIEN	GUERTSEN	BARALBIN	JAQUELIN
TAHITIEN	WELHAVEN	ROSALBIN	POQUELIN
POLITIEN	NEW HAVEN	COLOMBIN	WÖLFFLIN
DOMITIEN	NEWHAVEN	CONCUBIN	KŒCHLIN
VÉNITIEN	PONT-AVEN	CHÉRUBIN	REUCHLIN
VÉNITIEN	LESNEVEN	CHÉRUBIN	INQUILIN
MAINTIEN	ZONHOVEN	CLAVECIN	ESQUILIN
ÉGYPTIEN	BISCAYEN	SZCZECIN	FRANKLIN
ÉGYPTIEN	JAN MAYEN	MUSCADIN	MEDELLÍN
TONGUIEN	BERNAYEN	GRENADIN	VITELLIN
LEZGUIEN	GRANBYEN	GRENADIN	TEFILLIN
IRAQUIEN	NIAMÉYEN	CONRADIN	SIBYLLIN
IRAQUIEN	WASSEYEN	ALMANDIN	PFLIMLIN
OCTAVIEN	VAN GOYEN	LAVANDIN	FRIDOLIN
BOLIVIEN	BRUNOYEN	RAGONDIN	PANGOLIN
BOLIVIEN	CHOISYEN	GIRONDIN	TREMPLIN
ARGOVIEN	SIEGBAHN	GIRONDIN	ESTERLIN
CATOVIEN	AFRICAIN	FICARDIN	MASCULIN
LAXOVIEN	AFRICAIN	DUJARDIN	DUMOULIN
LEXOVIEN	MEXICAIN	LE LARDIN	BERGAMÍN
LUXOVIEN	MEXICAIN	GIRARDIN	BENJAMIN
DILUVIEN	MAROCAIN	GIVORDIN	BENJAMIN
PÉRUVIEN	MAROCAIN	RENAUDIN	MI-CHEMIN
PÉRUVIEN	BOURCAIN	POYAUDIN	VILLEMIN
FORÉZIEN	JOURDAIN	SINN FÉIN	LI SHIMIN
BÉLIZIEN	PONT-D'AIN	MOULMEIN	SATURNIN
VÉLIZIEN	BOURGAIN	KUFSTEIN	SATURNIN
HERTZIEN	PROCHAIN	HOLSTEIN	COIN-COIN
MULLIKEN	BOUCHAIN	MANSTEIN	SAINFOIN
MECHELEN	GUILLAIN	EINSTEIN	RICHEPIN
VAN ALLEN	SOUS-MAIN	WINSTEIN	MONTÉPIN
CAPELLEN	PONTMAIN	EXTRAFIN	PITCHPIN

SUBALPIN	**ENFANTIN**	**PRATTELN**	**TIMOLÉON**
PRÉALPIN	GALANTIN	**GOLDMANN**	NAPOLÉON
CÉSALPIN	**PALANTIN**	**TELEMANN**	**NAPOLÉON**
CISALPIN	LAMANTIN	**HOFFMANN**	**ANACRÉON**
ESCARPIN	LEVANTIN	**BACHMANN**	GLUCAGON
TURLUPIN	**LEVANTIN**	**EICHMANN**	HARPAGON
MANDARIN	BYZANTIN	**BECKMANN**	**HARPAGON**
GASPARIN	**BYZANTIN**	**ERCKMANN**	ESTRAGON
TARTARIN	**VICENTIN**	**KUHLMANN**	MARTAGON
TARTARIN	ARGENTIN	**RUHLMANN**	VESSIGON
CRINCRIN	**ARGENTIN**	**GELL-MANN**	PARANGON
FLANDRIN	**VALENTIN**	**CULLMANN**	**VALDAHON**
FLANDRIN	**LAMENTIN**	**LIPPMANN**	**MAC-MAHON**
GORGERIN	**BARENTIN**	**BIERMANN**	**ARCACHON**
VACHERIN	**TARENTIN**	**HERRMANN**	**DORACHON**
BELLERIN	**COTENTIN**	**WEISMANN**	PATACHON
PELLERIN	BISONTIN	**BULTMANN**	PÂLICHON
GARNERIN	**BISONTIN**	**HARTMANN**	FOLICHON
COUPERIN	BARBOTIN	**RITTMANN**	BÉNICHON
TISSERIN	TURBOTIN	**SCHUMANN**	BONICHON
PULVÉRIN	CHICOTIN	**WEIZMANN**	**PATICHON**
ROUVERIN	BALLOTIN	**MALEGAON**	BLANCHON
SCHWERIN	LIBERTIN	**BHATGAON**	**PLANCHON**
GEOFFRIN	**ALBERTIN**	**VILLEBON**	CABOCHON
PÉRÉGRIN	**HUBERTIN**	**TJIREBON**	POLOCHON
CHALGRIN	**MAMERTIN**	**CASAUBON**	FOURCHON
ISENGRIN	**LEVERTIN**	MALFAÇON	**ROBUCHON**
YSENGRIN	CÉLESTIN	OSTRACON	BALUCHON
SANTORIN	**CÉLESTIN**	**STILICON**	CAPUCHON
COINTRIN	INTESTIN	SALPICON	**PROUDHON**
MATHURIN	AUGUSTIN	**HIMILCON**	**XÉNOPHON**
PURPURIN	**AUGUSTIN**	**BRIANÇON**	MARATHON
SARRASIN	**BAUDOUIN**	PALANÇON	**MARATHON**
NARAM-SIN	CHAFOUIN	**ARMANÇON**	**MANÉTHON**
ORGANSIN	PINGOUIN	JURANÇON	**ASUNCIÓN**
ALFONSÍN	MARSOUIN	**JURANÇON**	CALADION
MOCASSIN	TINTOUIN	**BESANÇON**	**CHLODION**
AUCASSIN	CASAQUIN	ÉCOINÇON	TROUFION
CARASSIN	ARLEQUIN	**TARASCON**	RELIGION
ASSASSIN	**ARLEQUIN**	**POSÉIDON**	**ESPALION**
DOUESSIN	RAMEQUIN	MIRMIDON	**AFTALION**
PÉLUSSIN	**JANEQUIN**	MYRMIDON	TRUBLION
BROUSSIN	**FRANQUIN**	GUÉRIDON	GANGLION
T'IEN-TSIN	MAROQUIN	BASTIDON	**IRÁKLION**
ARGOUSIN	TRUSQUIN	**BASILDON**	TRILLION
LIMOUSIN	LIE-DE-VIN	**LACANDON**	ACROMION
LIMOUSIN	POT-DE-VIN	CORINDON	PHORMION
BRÉHATIN	**LANGEVIN**	TÉTRODON	ENDYMION
PRÉLATIN	POITEVIN	**GIRARDON**	**ENDYMION**
CADRATIN	**POITEVIN**	**LE VERDON**	DOMINION
BERRATIN	TASTE-VIN	RIGAUDON	DÉSUNION
KEEWATIN	**LÉGUEVIN**	BADIGEON	CHAMPION
FELLETIN	**CHINDWIN**	PLONGEON	GRIMPION
BULLETIN	**GERSHWIN**	BOURGEON	SCORPION
CASSETIN	**LIMOUXIN**	PANTHÉON	**SCORPION**
ROQUETIN	**SARRAZIN**	**PANTHÉON**	CROUPION
ENFANTIN	**BÉHANZIN**	CAMÉLÉON	**HILARION**

HISTRION	MUTATION	**MIQUELON**	LAIDERON
DÉCURION	NUTATION	FLONFLON	**CALDERÓN**
OCCASION	ÉQUATION	BIATHLON	ÉRIGÉRON
ABRASION	NOVATION	**TASSILON**	VANGERON
INVASION	TAXATION	GRAILLON	VENGERON
ADHÉSION	VEXATION	**MABILLON**	LONGERON
COHÉSION	FIXATION	**FOCILLON**	FORGERON
DÉCISION	LUXATION	MODILLON	TÂCHERON
INCISION	RÉACTION	ARDILLON	**APCHÉRON**
EXCISION	INACTION	OREILLON	BÛCHERON
DÉRISION	FRACTION	SÉMILLON	VIGNERON
RÉVISION	TRACTION	**ROMILLON**	CHAPERON
DIVISION	EXACTION	VANILLON	NAPPERON
ÉMULSION	ÉJECTION	PAPILLON	GRATERON
AVULSION	ÉLECTION	CARILLON	LAITERON
SCANSION	ÉRECTION	**CARILLON**	**SISTERON**
ÉCLOSION	FRICTION	**FORILLON**	DEUTÉRON
ÉMERSION	ÉVICTION	MORILLON	COQUERON
AVERSION	SANCTION	DURILLON	OXYMORON
ÉVERSION	FONCTION	OISILLON	**DU PERRON**
PRESSION	JONCTION	TATILLON	BÊTATRON
SCISSION	PONCTION	COTILLON	ÉLECTRON
ÉMISSION	SUJÉTION	BOUILLON	IGNITRON
OMISSION	DÉLÉTION	**BOUILLON**	POSITRON
EFFUSION	AMBITION	COUILLON	KÉNOTRON
INFUSION	ADDITION	MOUILLON	PLASTRON
ALLUSION	SÉDITION	**POUILLON**	KLYSTRON
ILLUSION	AUDITION	SOUILLON	DIAPASON
LIBATION	VOLITION	PAVILLON	INFRASON
VACATION	IGNITION	**PAVILLON**	ULTRASON
LOCATION	FINITION	TAVILLON	**JAKOBSON**
VOCATION	MONITION	**MOGOLLON**	**DAVIDSON**
SÉDATION	PUNITION	**KAKIEMON**	**GRANDSON**
NIDATION	POSITION	**PHILÉMON**	BANDE-SON
SUDATION	PÉTITION	PHLEGMON	ÉPIAISON
IDÉATION	DÉVOTION	GIRAUMON	CALAISON
CRÉATION	ADOPTION	GONFANON	SALAISON
LÉGATION	ÉRUPTION	TYMPANON	TOMAISON
NÉGATION	QUESTION	ESTAGNON	FUMAISON
AVIATION	LOCUTION	SALIGNON	FANAISON
ABLATION	ABLUTION	LUMIGNON	FENAISON
OBLATION	DILUTION	**VARIGNON**	VENAISON
DÉLATION	SOLUTION	**PÉRIGNON**	LUNAISON
RELATION	PARUTION	**MATIGNON**	PARAISON
HIMATION	GIRAVION	**GUEUGNON**	DÉRAISON
AGNATION	ALLUVION	**MARTINON**	VÉRAISON
DONATION	ANNEXION	**COUESNON**	NOUAISON
AÉRATION	**DIETIKON**	ÉPIPLOON	CUVAISON
GIRATION	**WETZIKON**	**LE TAMPON**	TRAHISON
DATATION	GONFALON	MASCARON	GARNISON
NATATION	PANTALON	**MASCARON**	PÂMOISON
CITATION	**PANTALON**	FANFARON	GUÉRISON
COTATION	TROMBLON	**MONTBRON**	**HARRISON**
DOTATION	**ASHKELON**	**MOUSCRON**	**MORRISON**
NOTATION	CHAMELON	ESCADRON	ÉCHANSON
ROTATION	**ASHQELON**	CHAUDRON	**ARGENSON**
VOTATION	CAQUELON	**QUIBERON**	**BERENSON**

RÍO BRAVO	MACASSAR	SACCADER	ACCORDER
IN-OCTAVO	MAKASSAR	POMMADER	DÉCORDER
SARAJEVO	AMRITSAR	GRENADER	RECORDER
BALAKOVO	RACONTAR	DÉGRADER	ENCORDER
KUMANOVO	COLCOTAR	EXTRADER	ÉCHAUDER
KEMEROVO	COUGOUAR	TORSADER	RENAUDER
KISMAAYO	CULTIVAR	SUCCÉDER	MINAUDER
HUANCAYO	TEMESVÁR	PRÉCÉDER	MARAUDER
CHICLAYO	KAPOSVÁR	CONCÉDER	TARAUDER
BULAWAYO	PESHAWAR	PROCÉDER	RAVAUDER
HANDICAP	KALA-AZAR	POSSÉDER	PRÉLUDER
WALSCHAP	CORTÁZAR	SUICIDER	ACCOUDER
BALL-TRAP	BANI SADR	ÉLUCIDER	EXTRUDER
TONLÉ SAP	PROHIBER	TRUCIDER	ÉNUCLÉER
TOWNSHIP	ENJAMBER	TRÉPIDER	SUPPLÉER
AVERCAMP	REGIMBER	DÉBRIDER	DÉLINÉER
GUINGAMP	INCOMBER	HYBRIDER	PROCRÉER
RONCHAMP	APLOMBER	PRÉSIDER	CONGRÉER
OOSTKAMP	RETOMBER	OUTSIDER	MAUGRÉER
FREE-SHOP	ENGLOBER	LIQUIDER	DÉGRAFER
AGIT-PROP	ENGERBER	RENVIDER	MÂCHEFER
AUTO-STOP	ENHERBER	LE HELDER	ENTREFER
BEAUCOUP	ABSORBER	INHELDER	BRISE-FER
PARELOUP	ADSORBER	DEMOLDER	REBIFFER
SVERDRUP	RÉSORBER	DÉBANDER	AGRIFFER
ZIA UL-HAQ	RADOUBER	OSIANDER	SCHÖFFER
KUUJJUAQ	PRÉFACER	DEMANDER	CHAUFFER
LE RELECQ	SURFACER	TRUANDER	ÉTOUFFER
AUDRUICQ	DÉGLACER	LÉGENDER	SPIRIFER
MILLIBAR	VIOLACER	RAMENDER	HERBAGER
ZANZIBAR	DÉPLACER	SCHINDER	SACCAGER
ZANZIBAR	REPLACER	DÉBONDER	RENGAGER
SNACK-BAR	GRIMACER	FÉCONDER	PACKAGER
PIANO-BAR	BERNÁCER	SECONDER	ÉTALAGER
STOCK-CAR	RETRACER	REFONDER	SOULAGER
HAMILCAR	RAPIÉCER	INFÉODER	FROMAGER
SCOUT-CAR	CLAMECER	REBRODER	TEEN-AGER
PAVLODAR	MATRICER	CORRODER	AMÉNAGER
HOSPODAR	BALANCER	DÉBARDER	SURNAGER
GOODYEAR	RELANCER	JOBARDER	PROPAGER
ITANAGAR	ROMANCER	CACARDER	OMBRAGER
SRINAGAR	FINANCER	BOCARDER	OUTRAGER
JAMNAGAR	DEVANCER	CAFARDER	OUVRAGER
AGAR-AGAR	CADENCER	REGARDER	PRÉSAGER
KANDAHAR	DÉFONCER	CANARDER	PASSAGER
QANDAHAR	ENFONCER	HASARDER	MESSAGER
ANTICHAR	ENGONCER	MUSARDER	MESSAGER
PUTIPHAR	SEMONCER	RETARDER	PAYSAGER
NÉNUPHAR	DÉNONCER	ATTARDER	PARTAGER
FARQUHAR	RENONCER	BAVARDER	ENNUAGER
EL-HADJAR	ANNONCER	BAZARDER	ASSIÉGER
KYZYLJAR	REPERCER	LÉZARDER	PROTÉGER
CELLULAR	DÉFORCER	DÉMERDER	HONEGGER
VALDEMAR	EFFORCER	EMMERDER	DÉNEIGER
AVENZOAR	DIVORCER	SABORDER	RENEIGER
DENPASAR	IMMISCER	DÉBORDER	ENNEIGER
MACASSAR	GAMBADER	REBORDER	SCALIGER

673

AFFLIGER	EMPÊCHER	**DALADIER**	ÉCHELIER
INFLIGER	ÉBRÉCHER	SALADIER	OISELIER
NÉGLIGER	ASSÉCHER	**RAMADIER**	BATELIER
COLLIGER	•AFFICHER	IRRADIER	RÂTELIER
CORRIGER	ENFICHER	REMÉDIER	HÔTELIER
VOLTIGER	DÉNICHER	EXPÉDIER	MANGLIER
FUSTIGER	ENTICHER	ALANDIER	SANGLIER
LUSTIGER	AGUICHER	AMANDIER	MOBILIER
VIDANGER	FLANCHER	**GRANDIER**	AFFILIER
ÉCHANGER	PLANCHER	BUANDIER	FAMILIER
BÉLANGER	ÉPANCHER	PARODIER	HUMILIER
MÉLANGER	BRANCHER	TAXODIER	RÉSILIER
ERLANGER	TRANCHER	PALUDIER	FUSILIER
DÉMANGER	ÉTANCHER	RÉPUDIER	DÉFOLIER
REMANGER	GUINCHER	**NEUMEIER**	EXFOLIER
BÉRANGER	BRONCHER	ESTAFIER	PAROLIER
DÉRANGER	DÉCOCHER	COKÉFIER	REMPLIER
SPRANGER	RICOCHER	TUMÉFIER	TEMPLIER
ARRANGER	ENCOCHER	RARÉFIER	SUPPLIER
ÉTRANGER	TALOCHER	GREFFIER	PEUPLIER
LOUANGER	FILOCHER	**GOUFFIER**	**CHARLIER**
BÉRENGER	EMPOCHER	TRUFFIER	FÉCULIER
SALINGER	DÉROCHER	PACIFIER	SÉCULIER
SPRINGER	ENROCHER	NIDIFIER	RÉGULIER
ALLONGER	CHERCHER	CODIFIER	PILULIER
HORLOGER	ÉCORCHER	MODIFIER	**RÉCAMIER**
SUBROGER	FOURCHER	SALIFIER	BADAMIER
PROROGER	**MIESCHER**	GÉLIFIER	LÉGUMIER
HÉBERGER	**GENSCHER**	RAMIFIER	RUBANIER
GOBERGER	PINSCHER	MOMIFIER	PACANIER
IMMERGER	HERSCHER	NANIFIER	ARGANIER
ASPERGER	**THATCHER**	PANIFIER	REMANIER
DÉTERGER	**FLETCHER**	LÉNIFIER	BANANIER
DIVERGER	SCOTCHER	VINIFIER	CASANIER
DUVERGER	ÉBAUCHER	BONIFIER	LATANIER
DÉGORGER	DÉBUCHER	TONIFIER	DOUANIER
REGORGER	DÉJUCHER	VÉRIFIER	INGÉNIER
ENGORGER	PELUCHER	PURIFIER	**PATENIER**
EXPURGER	ÉPLUCHER	OSSIFIER	**REIGNIER**
INSURGER	ABOUCHER	GÂTIFIER	GUIGNIER
DÉJAUGER	PARAPHER	RATIFIER	**SANGNIER**
PATAUGER	**GALIBIER**	BÊTIFIER	**TERGNIER**
PRÉJUGER	PLOMBIER	NOTIFIER	CHAÎNIER
RABÂCHER	**L'HERBIER**	VIVIFIER	GRAINIER
DÉBÂCHER	BOURBIER	COCUFIER	ROBINIER
RELÂCHER	TOURBIER	RÉFUGIER	SALINIER
REMÂCHER	JUJUBIER	**FLÉCHIER**	**GÉLINIER**
PANACHER	FOUACIER	**BERTHIER**	MARINIER
ARRACHER	OFFICIER	KAPOKIER	RÉSINIER
ENSACHER	POLICIER	ESCALIER	MATINIER
DÉTACHER	TUNICIER	PÉDALIER	POTINIER
ENTACHER	NUANCIER	ÉCHALIER	PIONNIER
ATTACHER	PRINCIER	ESPALIER	ACCONIER
GOUACHER	NÉGOCIER	CAVALIER	TIMONIER
ALLÉCHER	ASSOCIER	**CAVALIER**	AUMÔNIER
DÉPÊCHER	SOURCIER	**DUVALIER**	PÉRONIER
REPÊCHER	PEAUCIER	BOUCLIER	CHARNIER

FOURNIER	**LE GOSIER**	CHÉQUIER	TRINGLER
TOURNIER	BOURSIER	ARÉQUIER	AVEUGLER
PLISNIER	COURSIER	BANQUIER	**STREHLER**
TULIPIER	CRASSIER	PARQUIER	TRÉFILER
ÉQUIPIER	QUASSIER	**PASQUIER**	RENFILER
RECOPIER	**CRESSIER**	OCTAVIER	PROFILER
HOUPPIER	BAISSIER	GOYAVIER	PARFILER
POURPIER	CAISSIER	**ELSEVIER**	SURFILER
CROUPIER	**TEISSIER**	**ELZEVIER**	FAUFILER
TROUPIER	HUISSIER	**OLLIVIER**	ENTOILER
POLYPIER	BROSSIER	**DUVIVIER**	DÉVOILER
GABARIER	GROSSIER	LIXIVIER	REMPILER
CIGARIER	HAUSSIER	ÉPERVIER	COMPILER
SALARIER	POUSSIER	BRONZIER	VENTILER
DÉMARIER	ÉCLUSIER	**VAN ACKER**	DÉBALLER
REMARIER	**SÉRUSIER**	**HONECKER**	EMBALLER
DÉPARIER	**SABATIER**	**BAEDEKER**	PIS-ALLER
APPARIER	ALFATIER	RELOOKER	REBELLER
CHABRIER	RÉGATIER	SURJALER	LIBELLER
MARBRIER	KOLATIER	SIGNALER	EXCELLER
CENDRIER	CAFETIER	DESSALER	ÉCAILLER
BAUDRIER	**PELETIER**	CHEVALER	ÉGAILLER
COUDRIER	GILETIER	ACCABLER	PIAILLER
POUDRIER	MULETIER	ENSABLER	ÉMAILLER
CAMÉRIER	PANETIER	ENTABLER	BRAILLER
GAUFRIER	LUNETIER	ATTABLER	CRAILLER
ŒUFRIER	PAPETIER	DRIBBLER	ÉRAILLER
EXCORIER	SAVETIER	TREMBLER	GRAILLER
COLORIER	BUVETIER	AFFUBLER	BABILLER
ARMORIER	DOIGTIER	TROUBLER	HABILLER
CHARRIER	BÉNITIER	DÉBÂCLER	VACILLER
CHARRIER	DROITIER	RENÂCLER	OSCILLER
PIERRIER	HÉRITIER	RECYCLER	GODILLER
GUERRIER	FRUITIER	**CHANDLER**	OREILLER
BEURRIER	**GAULTIER**	HARCELER	ÉVEILLER
COURRIER	CHANTIER	MORCELER	**SCHILLER**
FOURRIER	SABOTIER	CONGELER	THRILLER
PLÂTRIER	COCOTIER	SURGELER	ÉTRILLER
HUÎTRIER	FAGOTIER	NICKELER	NASILLER
DESTRIER	ARGOTIER	POMMELER	FUSILLER
FAUTRIER	ÉCHOTIER	GRUMELER	PÉTILLER
ORDURIER	CANOTIER	CRÉNELER	VÉTILLER
INJURIER	MINOTIER	GRENELER	TITILLER
ARMURIER	SAPOTIER	RAPPELER	OUTILLER
PARURIER	**CHARTIER**	CARRELER	DOUILLER
SÉRURIER	QUARTIER	CORRÉLER	FOUILLER
ROTURIER	COURTIER	BOSSELER	HOUILLER
CHEVRIER	PSAUTIER	PANTELER	MOUILLER
POIVRIER	ÉMEUTIER	DENTELER	ROUILLER
EXTASIER	MINUTIER	MARTELER	SOUILLER
CHAISIER	ÉGOUTIER	**KETTELER**	TOUILLER
FRAISIER	MORUTIER	BOTTELER	DÉCOLLER
BALISIER	**TRÉGUIER**	SOUFFLER	RECOLLER
REMISIER	MANGUIER	RENIFLER	ENCOLLER
CERISIER	ICAQUIER	DÉRÉGLER	ÉBRANLER
MERISIER	VRAQUIER	**SPENGLER**	BRICOLER
BÊTISIER	JACQUIER	ÉPINGLER	GONDOLER

AURÉOLER	DOUX-AMER	TRÉPANER	CHEMINER
RAFFOLER	**GUYNEMER**	SAFRANER	ÉLIMINER
BARIOLER	OUTRE-MER	**MUNTANER**	CULMINER
FORMOLER	OUTREMER	SYLVANER	FULMINER
FIGNOLER	PARSEMER	**KRÜDENER**	ABOMINER
SOMNOLER	BESSEMER	OXYGÉNER	TERMINER
CONSOLER	**BESSEMER**	MALMENER	ALUMINER
DESSOLER	RESSEMER	REMMENER	ÉPÉPINER
RISSOLER	MÔN-KHMER	PROMENER	CLOPINER
CONVOLER	ESSAIMER	SURMENER	JASPINER
SURVOLER	**GORDIMER**	RÉFRÉNER	TOUPINER
DÉCUPLER	SUBLIMER	ENGRENER	AMARINER
DÉPARLER	RÉANIMER	**RIESENER**	VOISINER
REPARLER	ESCRIMER	REGAGNER	CUISINER
DÉFERLER	DÉPRIMER	ESBIGNER	BASSINER
EMPERLER	RÉPRIMER	INDIGNER	DESSINER
KREISLER	IMPRIMER	ÉLOIGNER	COUSINER
KOESTLER	OPPRIMER	DESIGNER	PLATINER
WHISTLER	EXPRIMER	DÉSIGNER	GRATINER
ÉJACULER	**MORTIMER**	RÉSIGNER	OUATINER
SPÉCULER	EMPALMER	COSIGNER	PIÉTINER
CALCULER	DÉGOMMER	ASSIGNER	COLTINER
FLOCULER	ENGOMMER	BESOGNER	TONTINER
INOCULER	DÉNOMMER	ÉPARGNER	TARTINER
CIRCULER	RENOMMER	ÉBORGNER	OBSTINER
BASCULER	ASSOMMER	RÉPUGNER	DESTINER
ACIDULER	SLALOMER	**KIRCHNER**	TAQUINER
PENDULER	DIPLÔMER	DÉGAINER	ALEVINER
ÉGUEULER	DÉSARMER	ENGAINER	PLUVINER
COAGULER	REFERMER	DÉLAINER	**BRUCKNER**
PULLULER	AFFERMER	AGRAINER	**FAULKNER**
TRÉMULER	ENFERMER	ÉGRAINER	DÉPANNER
STIMULER	DÉGERMER	LAMBINER	EMPANNER
FORMULER	AFFIRMER	COMBINER	EMPENNER
GRANULER	INFIRMER	TURBINER	ÉTRENNER
SABOULER	DÉFORMER	VACCINER	MOYENNER
DÉBOULER	REFORMER	CALCINER	FAÇONNER
RIBOULER	RÉFORMER	LANCINER	MAÇONNER
DÉCOULER	INFORMER	FASCINER	DÉCONNER
DÉFOULER	EMBAUMER	DANDINER	ARÇONNER
REFOULER	EMPAUMER	**GARDINER**	BEDONNER
DÉMOULER	ROYAUMER	JARDINER	REDONNER
ÉCROULER	PARFUMER	**KARDINER**	BIDONNER
DÉROULER	ENRHUMER	BOUDINER	ORDONNER
ENROULER	RALLUMER	**SCHEINER**	GALONNER
STIPULER	DÉPLUMER	RAFFINER	JALONNER
REBRÛLER	EMPLUMER	CONFINER	TALONNER
SPORULER	EMBRUMER	IMAGINER	PILONNER
CAPSULER	SUBSUMER	MARGINER	CANONNER
POSTULER	PRÉSUMER	MACHINER	TENONNER
WAT TYLER	CONSUMER	PRALINER	JUPONNER
DIFFAMER	COSTUMER	DÉCLINER	MARONNER
ACCLAMER	HAUBANER	INCLINER	RÉSONNER
DÉCLAMER	CHICANER	EYE-LINER	TISONNER
RÉCLAMER	CANCANER	MOULINER	BÂTONNER
EXCLAMER	BOUCANER	POULINER	TÂTONNER
RENTAMER	PROFANER	EXAMINER	BÉTONNER

DÉTONNER	CHAMBRER	ATTERRER	RÉALÉSER
MITONNER	OBOMBRER	ABHORRER	SOUPESER
PITONNER	RECADRER	SUSURRER	JUDAÏSER
ENTONNER	ENCADRER	FOLÂTRER	PUNAISER
COTONNER	PONDÉRER	FENÊTRER	ARABISER
SAVONNER	PRÉFÉRER	PÉNÉTRER	GRÉCISER
RAYONNER	DIFFÉRER	DÉPÊTRER	PRÉCISER
GAZONNER	CONFÉRER	EMPÊTRER	LAÏCISER
SCHOONER	PROFÉRER	ARBITRER	FASCISER
DÉTRÔNER	EXAGÉRER	DÉNITRER	ANODISER
DISSONER	SUGGÉRER	CLOÎTRER	RÉALISER
INCARNER	COMMÉRER	ÉVENTRER	ÉGALISER
ACHARNER	ÉNUMÉRER	FRUSTRER	COALISER
ÉCHARNER	EXONÉRER	CARBURER	OPALISER
HIBERNER	TEMPÉRER	PROCURER	ORALISER
DÉCERNER	RÉOPÉRER	PERDURER	DUALISER
CASERNER	COOPÉRER	DEMEURER	AVALISER
MATERNER	BLATÉRER	ÉCŒURER	OVALISER
ALTERNER	RÉITÉRER	TUTEURER	CYCLISER
INTERNER	BALAFRER	SULFURER	UTILISER
HIVERNER	CHIFFRER	FULGURER	STYLISER
SUBORNER	GO!NFRER	HACHURER	CHEMISER
DÉCORNER	INTÉGRER	MÂCHURER	ATOMISER
ENCORNER	IMMIGRER	CONJURER	TANNISER
BIGORNER	DÉNIGRER	PARJURER	AGONISER
AJOURNER	AFFAIRER	MOULURER	IRONISER
DÉJEUNER	ÉCLAIRER	MURMURER	DÉBOISER
RECHAPER	REPAIRER	SAUMURER	REBOISER
ATTRAPER	DÉCHIRER	CYANURER	DÉGOISER
DÉCRÊPER	RESPIRER	RAINURER	PAVOISER
DÉFRIPER	INSPIRER	LABOURER	ÉMERISER
DISSIPER	SOUPIRER	DÉTOURER	UPÉRISER
INCULPER	**CASSIRER**	ENTOURER	DÉFRISER
DÉPULPER	SOUTIRER	SAVOURER	DÉGRISER
DÉCAMPER	CHAVIRER	SUPPURER	DÉPRISER
ESTAMPER	TRÉVIRER	NITRURER	MÉPRISER
DE MOMPER	SURVIRER	PRÉSURER	REPRISER
ESTOMPER	ÉLABORER	CENSURER	ÉTATISER
SYNCOPER	PERFORER	TONSURER	PACTISER
VARLOPER	DÉFLORER	RASSURER	POÉTISER
ÉCHAPPER	DÉPLORER	FISSURER	ÉROTISER
VARAPPER	IMPLORER	FACTURER	BAPTISER
ÉGRAPPER	EXPLORER	VOITURER	DÉGUISER
AGRIPPER	ÉVAPORER	TRITURER	AIGUISER
ACHOPPER	TORTORER	CLÔTURER	MENUISER
ÉCHARPER	ÉPAMPRER	CAPTURER	SLAVISER
EXTIRPER	DÉBARRER	TORTURER	IMPULSER
DÉCOUPER	EMBARRER	BITTURER	EXPULSER
RECOUPER	BAGARRER	BOUTURER	RÉVULSER
DÉCLARER	BIGARRER	TEXTURER	RECENSER
PRÉPARER	DÉMARRER	ÉBAVURER	ENCENSER
COMPARER	DÉFERRER	NERVURER	OFFENSER
PALABRER	ENFERRER	DÉGIVRER	DÉPENSER
DÉLABRER	ÉPIERRER	DÉLIVRER	REPENSER
CÉLÉBRER	ENSERRER	DÉPHASER	IMPLOSER
DÉFIBRER	DÉTERRER	DÉBRASER	EXPLOSER
CALIBRER	ENTERRER	EMBRASER	**PERMOSER**

CYANOSER	JALOUSER	HOQUETER	APPONTER
PRÉPOSER	DÉPAYSER	CLAVETER	CLABOTER
COMPOSER	DIALYSER	BREVETER	CRABOTER
PROPOSER	ANALYSER	**HALFFTER**	BARBOTER
SUPPOSER	MANDATER	ENFAÎTER	PLACOTER
DISPOSER	CALFATER	DÉLAITER	FRICOTER
NÉCROSER	SULFATER	ALLAITER	TRICOTER
ÉCLIPSER	FRÉGATER	SUSCITER	RONÉOTER
DÉVERSER	FRELATER	RÉÉDITER	MARGOTER
REVERSER	TRÉMATER	COÉDITER	BACHOTER
INVERSER	COLMATER	CRÉDITER	RABIOTER
TABASSER	FORMATER	PROFITER	FOLIOTER
JACASSER	HYDRATER	DÉBOÎTER	PÉCLOTER
DÉLASSER	NITRATER	EMBOÎTER	DORLOTER
DAMASSER	CRAVATER	MIROITER	PIANOTER
RAMASSER	DÉBECTER	CRÉPITER	PAGNOTER
FINASSER	AFFECTER	PALPITER	MIGNOTER
CROASSER	INFECTER	EFFRITER	CONNOTER
DÉPASSER	OBJECTER	REWRITER	CLAPOTER
REPASSER	INJECTER	ÉBRUITER	CHIPOTER
HARASSER	DÉLECTER	GRAVITER	TRIPOTER
ENTASSER	SÉLECTER	RÉCOLTER	REMPOTER
POTASSER	HUMECTER	DÉVOLTER	POIROTER
BAVASSER	DÉTECTER	RÉVOLTER	BAISOTER
RÊVASSER	MOUFETER	OCCULTER	DANSOTER
CARESSER	BUDGÉTER	RÉSULTER	CREVOTER
PARESSER	CACHETER	INSULTER	ACCEPTER
ADRESSER	RACHETER	DÉCANTER	EXCEPTER
AGRESSER	TACHETER	ENFANTER	SCULPTER
STRESSER	CATHÉTER	DÉGANTER	EXEMPTER
ABAISSER	EMPIÉTER	DÉJANTER	ENCARTER
GRAISSER	PROJETER	AIMANTER	ESSARTER
MÉGISSER	FORJETER	RÉGENTER	DÉSERTER
PALISSER	SURJETER	ARGENTER	ESCORTER
FROISSER	REFLÉTER	ORIENTER	EXHORTER
TAPISSER	PELLETER	LAMENTER	DÉPORTER
HÉRISSER	COLLETER	CÉMENTER	REPORTER
PÂTISSER	VIOLETER	CIMENTER	EMPORTER
RATISSER	VIGNETER	PIMENTER	IMPORTER
MÉTISSER	TEMPÊTER	FOMENTER	APPORTER
RETISSER	ACCRÉTER	ARPENTER	EXPORTER
BRUISSER	DÉCRÉTER	ABSENTER	ÉCOURTER
DÉVISSER	SECRÉTER	PATENTER	DÉVASTER
REVISSER	SÉCRÉTER	RETENTER	ROADSTER
CABOSSER	EXCRÉTER	INTENTER	INFESTER
EMBOSSER	AFFRÉTER	ATTENTER	TRIESTER
ENDOSSER	APPRÊTER	**DEVENTER**	DÉLESTER
PANOSSER	JARRETER	INVENTER	MOLESTER
DÉSOSSER	CORSETER	**BADINTER**	**LANESTER**
CHAUSSER	MASSÉTER	ÉREINTER	EMPESTER
LAÏUSSER	CAQUETER	AJOINTER	DÉTESTER
GLOUSSER	PAQUETER	ÉJOINTER	ATTESTER
ÉMOUSSER	BÉQUETER	SPRINTER	DRAGSTER
TROUSSER	REQUÊTER	CHUINTER	GANGSTER
RECAUSER	PIQUETER	RACONTER	MAGISTER
DIFFUSER	ENQUÊTER	DÉMONTER	DÉPISTER
PERFUSER	COQUETER	REMONTER	DÉSISTER

RÉSISTER	**BALAGUER**	RELUQUER	EMPLOYER
INSISTER	ALPAGUER	OBSTRUER	SURLOYER
ASSISTER	DIVAGUER	INFATUER	LARMOYER
LEINSTER	DÉLÉGUER	PONCTUER	PAUMOYER
ACCOSTER	RELÉGUER	FLUCTUER	**MONNOYER**
DE COSTER	ALLÉGUER	HABITUER	BORNOYER
RIPOSTER	ENDIGUER	ÉVERTUER	CARROYER
DÉGUSTER	IRRIGUER	EMBLAVER	CORROYER
RAJUSTER	FATIGUER	ENCLAVER	OCTROYER
BREWSTER	NAVIGUER	AGGRAVER	FOSSOYER
ENKYSTER	ÉLINGUER	DÉPRAVER	CHATOYER
DÉNATTER	FLINGUER	ENTRAVER	APITOYER
EMPATTER	BRINGUER	PRÉLEVER	FESTOYER
BARATTER	FRINGUER	SOULEVER	NETTOYER
SQUATTER	SWINGUER	EMBREVER	RENVOYER
FACETTER	DÉBOGUER	DÉGREVER	CONVOYER
ENDETTER	FOURGUER	ARCHIVER	LOUVOYER
ÉMIETTER	ENJUGUER	**GULLIVER**	VOUVOYER
FOUETTER	DÉVALUER	**RED RIVER**	HAINUYER
DE SITTER	CONFLUER	PASSIVER	**HAINUYER**
DÉBOTTER	ÉBERLUER	LESSIVER	HENNUYER
COCOTTER	ATTÉNUER	CULTIVER	**HENNUYER**
DÉGOTTER	EXTÉNUER	CAPTIVER	ROCOUYER
CALOTTER	DIMINUER	ESQUIVER	BERRUYER
CULOTTER	INSINUER	REVOLVER	**BERRUYER**
CAROTTER	ÉTERNUER	PULL-OVER	RESSUYER
ÉGOUTTER	AMADOUER	**HANNOVER**	SQUEEZER
BOYAUTER	DÉCLOUER	TURNOVER	**PULITZER**
NOYAUTER	RECLOUER	INNERVER	**KREUTZER**
TUYAUTER	ENCLOUER	OBSERVER	**CHÂHPUHR**
CULBUTER	SURLOUER	RÉSERVER	CANADAIR
EXÉCUTER	RABROUER	INCURVER	**SINCLAIR**
PERCUTER	CONSPUER	ABREUVER	RÉTRÉCIR
DISCUTER	ENCAQUER	ÉPROUVER	ENDURCIR
RAMEUTER	ARNAQUER	SURTAXER	RADOUCIR
ÉQUEUTER	BARAQUER	DUPLEXER	ATTIÉDIR
RAFFÛTER	ATTAQUER	PRÉFIXER	ENLAIDIR
CHAHUTER	DÉFÉQUER	SUFFIXER	DÉRAIDIR
RECHUTER	RÉSÉQUER	DÉBLAYER	AGRANDIR
SCHLÜTER	REBIQUER	MONNAYER	REBONDIR
COMMUTER	ABDIQUER	PRÉPAYER	ARRONDIR
PERMUTER	INDIQUER	SURPAYER	ENHARDIR
RABOUTER	OBLIQUER	DÉBRAYER	REVERDIR
DÉBOUTER	PANIQUER	EMBRAYER	ALOURDIR
REDOUTER	DÉPIQUER	**DE CRAYER**	ÉTOURDIR
DÉGOÛTER	REPIQUER	DÉFRAYER	DÉSOBÉIR
RAJOUTER	ÉTRIQUER	EFFRAYER	RÉLARGIR
VELOUTER	ASTIQUER	RESSAYER	RESURGIR
FILOUTER	FLANQUER	VOLLEYER	DÉROUGIR
ÉCROÛTER	PLANQUER	**NIEMEYER**	FRAÎCHIR
DÉROUTER	BLINQUER	CACAOYER	ENRICHIR
ENVOÛTER	TRINQUER	MERDOYER	BLANCHIR
MAZOUTER	TRONQUER	VERDOYER	FRANCHIR
SUPPUTER	RÉVOQUER	COUDOYER	RÉTABLIR
DISPUTER	INVOQUER	SOUDOYER	ENNOBLIR
RECRUTER	ÉTARQUER	DÉPLOYER	AMEUBLIR
ADENAUER	BRUSQUER	REPLOYER	EMBELLIR

VIEILLIR	GAUFROIR	RETENTIR	ÉMONDEUR
CUEILLIR	REPOSOIR	DÉPARTIR	FRONDEUR
BOUILLIR	ARROSOIR	REPARTIR	GRONDEUR
RAMOLLIR	CHASSOIR	RÉPARTIR	DÉCODEUR
CANTEMIR	DRESSOIR	IMPARTIR	ENCODEUR
VLADIMIR	PRESSOIR	DIVERTIR	VOCODEUR
CLODOMIR	GLISSOIR	INVERTIR	LOURDEUR
AFFERMIR	ÉPISSOIR	ASSORTIR	FRAUDEUR
ENDORMIR	HOUSSOIR	**MONASTIR**	IMPUDEUR
CONTENIR	MOUSSOIR	INVESTIR	PARAFEUR
ABSTENIR	POUSSOIR	DÉGLUTIR	GRAFFEUR
SOUTENIR	VOUSSOIR	EMBOUTIR	STAFFEUR
SUBVENIR	CHANTOIR	ALANGUIR	COIFFEUR
PRÉVENIR	PLANTOIR	**LANGMUIR**	GRIFFEUR
CONVENIR	ACCOTOIR	SERFOUIR	BLUFFEUR
PROVENIR	DÉPOTOIR	ÉPANOUIR	BOUFFEUR
PARVENIR	COMPTOIR	ÉVANOUIR	TOUFFEUR
SURVENIR	HEURTOIR	DÉCEMVIR	MANAGEUR
SOUVENIR	ABATTOIR	TRIUMVIR	TAPAGEUR
ASSAINIR	GRATTOIR	ASSERVIR	RAVAGEUR
RABONNIR	FROTTOIR	ASSOUVIR	VOYAGEUR
DÉGARNIR	TROTTOIR	**ANN ARBOR**	BRIDGEUR
REGARNIR	CLAQUOIR	TORÉADOR	MITIGEUR
DÉVERNIR	MARQUOIR	LABRADOR	CHANGEUR
RACORNIR	DÉCEVOIR	**LABRADOR**	PLONGEUR
RAJEUNIR	RECEVOIR	**SALVADOR**	CHARGEUR
PRÉMUNIR	REDEVOIR	**HORDE D'OR**	ÉGORGEUR
ÉBARBOIR	POURVOIR	**CORNE D'OR**	CRACHEUR
AMORÇOIR	**BEAUVOIR**	**PHILIDOR**	PRÊCHEUR
DÉVIDOIR	PLEUVOIR	CORRIDOR	TRÉCHEUR
ÉTENDOIR	ÉMOUVOIR	MESSIDOR	CLICHEUR
ÉMONDOIR	DÉCRÉPIR	**HOSSEGOR**	TRICHEUR
DRAGEOIR	RECRÉPIR	**MELCHIOR**	PUNCHEUR
PURGEOIR	ASSOUPIR	**MONTEMOR**	PIOCHEUR
BOUGEOIR	ENCHÉRIR	**LEVASSOR**	BROCHEUR
GRUGEOIR	ACQUÉRIR	**MERCATOR**	MARCHEUR
SURSEOIR	REQUÉRIR	**PISCATOR**	HERCHEUR
RASSEOIR	ENQUÉRIR	MÉDIATOR	PERCHEUR
MESSEOIR	SOUFFRIR	**VANADZOR**	CATCHEUR
GREFFOIR	AMAIGRIR	**ALMANZOR**	FAUCHEUR
CRACHOIR	ÉQUARRIR	**BALLADUR**	COUCHEUR
PERCHOIR	ATTERRIR	FLAMBEUR	DOUCHEUR
COUCHOIR	AGUERRIR	PLOMBEUR	LOUCHEUR
MOUCHOIR	MEURTRIR	EFFACEUR	**LOUCHEUR**
DÉVALOIR	ACCOURIR	APIÉCEUR	TOUCHEUR
REVALOIR	RECOURIR	DÉPECEUR	GRAPHEUR
SARCLOIR	SECOURIR	NOIRCEUR	**LE PRIEUR**
DÉMÊLOIR	ENCOURIR	ÉCORCEUR	MONSIEUR
AFFILOIR	ÉPAISSIR	BALADEUR	PÉDALEUR
TAILLOIR	RAPLATIR	PARADEUR	CHIALEUR
GRILLOIR	COMPATIR	PLAIDEUR	CAVALEUR
TAMANOIR	ANÉANTIR	DÉCIDEUR	RAVALEUR
PIED-NOIR	DÉNANTIR	FROIDEUR	CRIBLEUR
PEIGNOIR	GARANTIR	GLANDEUR	DOUBLEUR
BOBINOIR	RALENTIR	ÉPANDEUR	RECELEUR
LAMINOIR	DÉMENTIR	GRANDEUR	MODELEUR
APPAROIR	REPENTIR	BLONDEUR	CISELEUR

OISELEUR	BUTINEUR	DÉLATEUR	AJUSTEUR
BATELEUR	FOUINEUR	ZÉLATEUR	ABATTEUR
RÂTELEUR	SCANNEUR	FILATEUR	**FLATTEUR**
JAVELEUR	RAMONEUR	ARMATEUR	GRATTEUR
NIVELEUR	TOURNEUR	SÉNATEUR	ÉMETTEUR
SIFFLEUR	**TOURNEUR**	DONATEUR	BRETTEUR
GONFLEUR	RANCŒUR	AÉRATEUR	GUETTEUR
HONFLEUR	**MERCŒUR**	CURATEUR	FLOTTEUR
RONFLEUR	CONSŒUR	NOTATEUR	FROTTEUR
BARFLEUR	ÉPULPEUR	ROTATEUR	TROTTEUR
HARFLEUR	GRIMPEUR	MUTATEUR	GOUTTEUR
JONGLEUR	TROMPEUR	ÉQUATEUR	COAUTEUR
ENFILEUR	GALOPEUR	**ÉQUATEUR**	LOCUTEUR
VIELLEUR	FRAPPEUR	NOVATEUR	MINUTEUR
BAILLEUR	TRAPPEUR	TAXATEUR	ÉCOUTEUR
BÂILLEUR	STEPPEUR	VEXATEUR	COTUTEUR
RAILLEUR	STOPPEUR	FIXATEUR	BLAGUEUR
TAILLEUR	EMPEREUR	RÉACTEUR	ÉLAGUEUR
MEILLEUR	COFFREUR	TRACTEUR	DRAGUEUR
VEILLEUR	MAIGREUR	EXACTEUR	LANGUEUR
QUILLEUR	HONGREUR	ÉJECTEUR	ZINGUEUR
BRANLEUR	FLAIREUR	ÉLECTEUR	LONGUEUR
RACOLEUR	PÉROREUR	ÉRECTEUR	LARGUEUR
RIGOLEUR	DÉVOREUR	ACHETEUR	POLLUEUR
CAJOLEUR	FOURREUR	RÉPÉTEUR	SECOUEUR
ENJÔLEUR	MONTREUR	FURETEUR	TATOUEUR
ENRÔLEUR	PLEUREUR	TRAITEUR	PLAQUEUR
ENTÔLEUR	MESUREUR	DÉBITEUR	BRAQUEUR
COUPLEUR	ASSUREUR	ORBITEUR	CRAQUEUR
ONDULEUR	COUVREUR	AUDITEUR	TRAQUEUR
CHOULEUR	ÉCRASEUR	LIMITEUR	**PECQUEUR**
CRAWLEUR	PHRASEUR	GÉNITEUR	CHIQUEUR
AFFAMEUR	FRAISEUR	MONITEUR	CROQUEUR
RÉTAMEUR	BALISEUR	SAPITEUR	TROQUEUR
PLOEMEUR	CROISEUR	VISITEUR	MARQUEUR
ARRIMEUR	RÉVISEUR	BRUITEUR	PARQUEUR
CHARMEUR	DIVISEUR	CHANTEUR	TRUQUEUR
PLEUMEUR	ÉMULSEUR	PLANTEUR	ENCAVEUR
ALLUMEUR	ARROSEUR	PUANTEUR	DÉFAVEUR
RICANEUR	CHASSEUR	FEINTEUR	RECEVEUR
LAMANEUR	CLASSEUR	POINTEUR	RELEVEUR
ELSENEUR	BRASSEUR	CABOTEUR	DÉRIVEUR
BAIGNEUR	**BRASSEUR**	RABOTEUR	TROUVEUR
SAIGNEUR	DRESSEUR	SABOTEUR	MALAXEUR
SEIGNEUR	PRESSEUR	RADOTEUR	INDEXEUR
SOIGNEUR	GLISSEUR	ERGOTEUR	PAGAYEUR
GROGNEUR	GROSSEUR	PELOTEUR	BALAYEUR
CHAÎNEUR	POUSSEUR	BIMOTEUR	RELAYEUR
DRAINEUR	**POUSSEUR**	CANOTEUR	ESSAYEUR
TRAÎNEUR	ROUSSEUR	COAPTEUR	MAREYEUR
DÉBINEUR	TOUSSEUR	COMPTEUR	TUTOYEUR
BOBINEUR	ÉPOUSEUR	DOMPTEUR	ENVOYEUR
AFFINEUR	SÉCATEUR	ÉCARTEUR	ESSUYEUR
LAMINEUR	CRÉATEUR	FLIRTEUR	ZWANZEUR
DÉMINEUR	NÉGATEUR	AVORTEUR	BRONZEUR
LÉSINEUR	AVIATEUR	TOASTEUR	**DAMANHUR**
PATINEUR	ÉCLATEUR	QUESTEUR	**MANGALUR**

VILLEMUR	JULIÉNAS	HAFSIDES	HÉRACLÈS
DEMI-JOUR	CAMPINAS	ARLANDES	PÉRICLÈS
ABAT-JOUR	COCONNAS	CALENDES	BÉSICLES
DÉSAMOUR	PÉRONNAS	KABARDES	DAMOCLÈS
DEMI-TOUR	AMAZONAS	BAGAUDES	MOTS-CLÉS
ALENTOUR	MUQARNAS	BERMUDES	DORGELÈS
AUTOTOUR	MAUREPAS	TCHOUDES	KOURILES
POURTOUR	HYPOCRAS	MACABÉES	SEPT-ÎLES
AZNAVOUR	CARRERAS	CHÂTIÉES	JUMELLES
DURGAPUR	VÄSTERÅS	DÉFILÉES	NIVELLES
KOLHAPUR	HATTERAS	TRIPLÉES	DUXELLES
SHOLAPUR	DÉBARRAS	COUPLÉES	NOYELLES
MIRZAPUR	EMBARRAS	PYRÉNÉES	NOAILLES
JABALPUR	PATATRAS	MORT-NÉES	ALPILLES
LYALLPUR	HONDURAS	TROMPÉES	ANTILLES
TIRUPPUR	LAS CASAS	D'ESTRÉES	HOUILLES
BILASPUR	ARKANSAS	LAISSÉES	POUILLES
AL-MANSUR	TAFFETAS	CLISSÉES	POUILLES
MERCOSUR	PARTITAS	CRANTÉES	ÉTIOLLES
DELEATUR	DU BARTAS	SOULAGES	MAROLLES
SAINT-CYR	VASISTAS	HOMMAGES	VIGNOLES
BARRABAS	GUIPAVAS	JUMIÈGES	VOGOULES
BARRABBAS	YESHIVAS	BESSÈGES	GHADAMÈS
PASSE-BAS	ABU NUWAS	TANINGES	RHADAMÈS
ARGUEDAS	MATANZAS	MAL-LOGÉS	SEPTÈMES
LÉONIDAS	GROS-BECS	ASPERGÈS	MAL-AIMÉS
TULSI DAS	SURPOIDS	FAVERGES	SOLESMES
GIGONDAS	REYNOLDS	PÉLASGES	THOUTMÈS
PANCRÉAS	BIG BANDS	PÉROUGES	DOLGANES
BOUTEFAS	BAD-LANDS	GAMACHES	FONTANES
LAS VEGAS	MIDLANDS	SPEECHES	SÉQUANES
BATANGAS	LOWLANDS	BRUNCHES	ZYRIÈNES
PATAUGAS	WEEK-ENDS	SKETCHES	LIMAGNES
FALACHAS	TRÉFONDS	SCOTCHES	LASAGNES
FALASHAS	BAS-FONDS	EUTYCHÈS	VALOGNES
SÉDÉCIAS	LOMBARDS	NURAGHES	PRADINES
SPONDIAS	HUSSARDS	VARILHES	CAUDINES
HÉRODIAS	MI-LOURDS	LAPITHES	SEA-LINES
MATTHIAS	COSTAUDS	DINGHIES	YVELINES
OLYMPIAS	CARAÏBES	WHISKIES	COMMINES
AMPURIAS	COLOMBES	FÉRALIES	PENNINES
ASTURIAS	CURIACES	COMPLIES	VÉDRINES
TIRÉSIAS	INSUCCÈS	LATOMIES	LATRINES
PROUSIAS	PRÉMICES	FOURMIES	BESSINES
OCHOZIAS	FINANCES	FEIGNIES	LESSINES
VAUGELAS	CASCADES	SOIGNIES	BOUVINES
COUTELAS	ENNÉADES	GÉMONIES	BJERKNES
CERVELAS	PLÉIADES	CANARIES	ARDENNES
ALTUGLAS	CYCLADES	FALÉRIES	MIGENNES
LES LILAS	SPORADES	PRAIRIES	MARENNES
AGÉSILAS	DANAÏDES	CHERRIES	MARENNES
LADISLAS	NÉRÉIDES	SHERRIES	VARENNES
LAFFEMAS	BESKIDES	CASTRIES	CÉVENNES
FANTÔMAS	HÉBRIDES	ASTURIES	ALLONNES
HABERMAS	NASRIDES	DEMI-VIES	GORGONES
CÁRDENAS	GHURIDES	VANDALES	TOM JONES
JULIÉNAS	RHURIDES	PALE-ALES	DOW JONES

AMAZONES	SAMNITES	LOURDAIS	NYONNAIS
CANZONES	CHARITES	LANGEAIS	GABONAIS
SALERNES	KASSITES	MARCHAIS	GABONAIS
ARVERNES	HITTITES	JERSIAIS	UNIONAIS
SURESNES	ALAWITES	JERSIAIS	SALONAIS
COMMYNES	ARDENTES	BASTIAIS	MILONAIS
AVERROÈS	CIMENTÉS	BASTIAIS	BOLONAIS
CHOSROÈS	BAS-CÔTÉS	LE PALAIS	BOLONAIS
CACATOÈS	DÉSERTÉS	NÉPALAIS	POLONAIS
KAKATOÈS	SUDISTES	NÉPALAIS	POLONAIS
JEMMAPES	PÉPETTES	FOYALAIS	ARLONAIS
PRÉALPES	MIRETTES	CHABLAIS	SÉNONAIS
RHODOPES	CARNUTES	RABELAIS	SÉNONAIS
CYCLOPES	ALÉOUTES	ANGOLAIS	JAPONAIS
VACCARÈS	LAMOUTES	ANGOLAIS	JAPONAIS
BALÉARES	VARÈGUES	TOGOLAIS	VÉRONAIS
PALMARÈS	ÉGLOGUES	TOGOLAIS	MORONAIS
OLIVARES	BOUYGUES	NIKOLAIS	BÉARNAIS
TÉNÈBRES	COSAQUES	CAYOLAIS	BÉARNAIS
FLANDRES	PATAQUÈS	ASSAMAIS	ICAUNAIS
MENDERES	GRACQUES	DODOMAIS	ICAUNAIS
BORDÈRES	OLMÈQUES	LIBANAIS	MELUNAIS
SURGÈRES	OBSÈQUES	LIBANAIS	HARARAIS
FOUGÈRES	AZTÈQUES	ALBANAIS	VIVARAIS
ORCIÈRES	BÉTIQUES	ALBANAIS	MAHORAIS
ASNIÈRES	FOULQUES	GOBANAIS	CASTRAIS
ROSIÈRES	VOLSQUES	SEDANAIS	MADURAIS
MÉZIÈRES	FRUSQUES	MODANAIS	DOUVRAIS
BAGNÈRES	MOLUQUES	VIGANAIS	NYONSAIS
NOGUÈRES	ESCLAVES	ANIANAIS	NIASSAIS
BRUYÈRES	PICTAVES	ÉVIANAIS	ÉCOSSAIS
GRUYÈRES	NEW WAVES	GUJANAIS	ÉCOSSAIS
DÉBOIRES	MALDIVES	MILANAIS	SAINTAIS
MENUIRES	ARCHIVES	MILANAIS	NIORTAIS
TRÉVIRES	AYES-AYES	ROMANAIS	MAPUTAIS
MÉTÉORES	FISH-EYES	RENANAIS	SORGUAIS
À-PEU-PRÈS	ABKHAZES	SARANAIS	BEAUVAIS
AD PATRES	ABRUZZES	TIRANAIS	CANNABIS
LEUCTRES	SOUS-OFFS	MATANAIS	IMPRÉCIS
PH-MÈTRES	BOX-CALFS	VATANAIS	PUBLICIS
CHARTRES	LEGGINGS	HAVANAIS	DE AM!CIS
LAS CASES	RAWLINGS	HAVANAIS	SALSIFIS
IMPENSES	CUMMINGS	JAVANAIS	MORANGIS
MI-CLOSES	HASTINGS	JAVANAIS	ARRACHIS
DIVERSES	MAH-JONGS	GUYANAIS	GNOCCHIS
JORASSES	SCRATCHS	GUYANAIS	APERGHIS
ÉPOISSES	MIDRASHS	ANTENAIS	BENGALIS
CABOSSÉS	NÉRACAIS	BRIGNAIS	PHYSALIS
MOLOSSES	BINICAIS	BALINAIS	PORTALIS
CHAUSSES	FRANÇAIS	EYSINAIS	FRISELIS
PHRAATÈS	FRANÇAIS	GÂTINAIS	SYPHILIS
SARMATES	TRONÇAIS	CAULNAIS	LANNILIS
CARPATES	CANYCAIS	ROANNAIS	KARELLIS
TEUTATÈS	BAZADAIS	CAENNAIS	TREILLIS
HELVÈTES	LUANDAIS	CAENNAIS	FOUILLIS
MOABITES	RWANDAIS	AVONNAIS	CORIOLIS
ÉDOMITES	RWANDAIS	LYONNAIS	RAVIOLIS

ANÁPOLIS	**FUMÉLOIS**	BAVAROIS	**DECIZOIS**
TRÍPOLIS	**SORELOIS**	**BAVAROIS**	**LASCARIS**
PROPOLIS	**REVÉLOIS**	**VIVAROIS**	**ROTHARIS**
ROSSOLIS	**LANGLOIS**	VICE-ROIS	**LASKARIS**
COCHYLIS	**WINGLOIS**	**LAFÉROIS**	**PHALARIS**
GIN-RAMIS	**AUXILOIS**	ALGÉROIS	**BÓTSARIS**
ANTHÉMIS	**CHELLOIS**	**ALGÉROIS**	**BOTZARIS**
ENTREMIS	**ÉTELLOIS**	**ACHÉROIS**	EX-LIBRIS
TRANSMIS	**CAILLOIS**	**MASÉROIS**	GLOMÉRIS
INSOUMIS	**OVILLOIS**	**LANGROIS**	GRIS-GRIS
VAL-CENIS	**ÉCULLOIS**	HONGROIS	CLITORIS
GAVRINIS	**ÉTAPLOIS**	**HONGROIS**	RÉAPPRIS
DINORNIS	**CHARLOIS**	**SIERROIS**	PHIMOSIS
ÉPYORNIS	**GRAYLOIS**	**SEURROIS**	SYNOPSIS
GÂTE-BOIS	**GÉROMOIS**	**CONTROIS**	REVERSIS
ANTEBOIS	**AMIÉNOIS**	**CRAUROIS**	**MALASSIS**
ANTIBOIS	**DOMÉNOIS**	**NAMUROIS**	RAMASSIS
ANTIBOIS	**GRIGNOIS**	**SEMUROIS**	**SENOUSIS**
SAINBOIS	**PLAINOIS**	**DESVROIS**	**TOUTATIS**
SOUS-BOIS	**BRAINOIS**	TUNISOIS	PLUMETIS
MORT-BOIS	**STAINOIS**	**TUNISOIS**	GRÈNETIS
HAUTBOIS	PÉKINOIS	**CUERSOIS**	**DEPRETIS**
RIECCOIS	**PÉKINOIS**	**GRASSOIS**	APPENTIS
BRIECOIS	MALINOIS	**AMOSSOIS**	**PARENTIS**
BLANCOIS	**MALINOIS**	**LOOSSOIS**	**MARÉOTIS**
FRANÇOIS	**ILLINOIS**	**BOUSSOIS**	CLAPOTIS
CALADOIS	**COMINOIS**	**TRETSOIS**	MYOSOTIS
PÉAGEOIS	**BÉNINOIS**	**CREUSOIS**	MI-PARTIS
LIÉGEOIS	**HÉNINOIS**	CACATOIS	AGROSTIS
LIÉGEOIS	TAPINOIS	**POCATOIS**	BOTRYTIS
GRÉGEOIS	**TURINOIS**	**ALMATOIS**	CAMBOUIS
GANGEOIS	**GATINOIS**	**MORATOIS**	COCHEVIS
DONGEOIS	**ELVINOIS**	**EYMÉTOIS**	CHÈNEVIS
GARGEOIS	**ANZINOIS**	**CANÉTOIS**	**BEN NEVIS**
BAUGEOIS	**THANNOIS**	**ARNÉTOIS**	ENSUIVIS
BRUGEOIS	**BIENNOIS**	**GIVETOIS**	**KALMOUKS**
FRUGEOIS	**GIENNOIS**	**SAINTOIS**	NYMPHALS
GUINGOIS	**SIENNOIS**	COURTOIS	GLACIALS
MAGOGOIS	VIENNOIS	**COURTOIS**	BITONALS
BIACHOIS	**VIENNOIS**	**BRESTOIS**	AUSTRALS
FLÉCHOIS	**LAONNOIS**	**CRESTOIS**	**GOEBBELS**
CLICHOIS	SOURNOIS	**BRAYTOIS**	DÉCIBELS
ANICHOIS	TOURNOIS	**BONDUOIS**	PÈSE-SELS
MANCHOIS	**FRESNOIS**	PRAGUOIS	AUXQUELS
BINCHOIS	**AVESNOIS**	**PRAGUOIS**	BEAU-FILS
CONCHOIS	**BEAUNOIS**	**BERGUOIS**	FUEL-OILS
GARCHOIS	**AGAUNOIS**	DACQUOIS	PIT-BULLS
BITCHOIS	**CHAUNOIS**	**DACQUOIS**	SOUS-SOLS
CAUCHOIS	**SÉDUNOIS**	**LACQUOIS**	FAUX-CULS
CAUCHOIS	**AUDUNOIS**	**VICQUOIS**	**ABRAHAMS**
AGATHOIS	**MEHUNOIS**	**LUCQUOIS**	WILLIAMS
SARTHOIS	**AUTUNOIS**	**IROQUOIS**	**WILLIAMS**
BAMAKOIS	**VIMYNOIS**	CARQUOIS	SCHLAMMS
LUSAKOIS	**ÉTAMPOIS**	NARQUOIS	TÉLÉCOMS
BERCKOIS	**DIEPPOIS**	**LODÉVOIS**	OPPIDUMS
AUMALOIS	**BRIAROIS**	GENEVOIS	OPTIMUMS
DE VALOIS	**DAKAROIS**	**GENEVOIS**	MAXIMUMS

DOLDRUMS	EXTRADOS	**AVALOIRS**	**LUCILIUS**
CASTRUMS	CALVADOS	EN-DEHORS	**SNELLIUS**
ARAUCANS	**CALVADOS**	AU-DEHORS	**CROLLIUS**
LÀ-DEDANS	CALENDOS	**CHALEURS**	NAUPLIUS
EN DEDANS	**ASPENDOS**	AILLEURS	**COMENIUS**
AU-DEDANS	TACONEOS	À REBOURS	**ARMINIUS**
CONFLANS	**BISSAGOS**	CONCOURS	OLIBRIUS
VOUGLANS	**GALLEGOS**	PARCOURS	**OLIBRIUS**
CHALLANS	**PAPÁGHOS**	DISCOURS	**OLYBRIUS**
TAXIMANS	**MAKÁRIOS**	**SIX-FOURS**	**SYAGRIUS**
EXELMANS	HUIS CLOS	**OUÏGOURS**	**HONORIUS**
OTTOMANS	**CYPSÉLOS**	**BOUHOURS**	**CANISIUS**
KOOPMANS	SPÉCULOS	TOUJOURS	**HEINSIUS**
HUYSMANS	**DARDANOS**	**SIX-JOURS**	**CLAUSIUS**
WATTMANS	**RHÔMANOS**	NOUNOURS	**HORATIUS**
JAZZMANS	**BERNANOS**	JODHPURS	**GOLTZIUS**
JORDAENS	SOPRANOS	**MONTSÛRS**	COURT-JUS
ARAMÉENS	CRAIGNOS	**KOUZBASS**	CI-INCLUS
IDUMÉENS	**ANDERNOS**	MÊLÉ-CASS	**MÉTELLUS**
TIGRÉENS	**ALCINOOS**	**DOUGLASS**	VITELLUS
ALTAÏENS	**PORT-CROS**	RAY-GRASS	**CAMILLUS**
SAADIENS	**CISNEROS**	**SOTTSASS**	**LUCULLUS**
FUÉGIENS	DEMI-GROS	TUBELESS	STIMULUS
FLAVIENS	ALBATROS	BUSINESS	VOLVULUS
NERVIENS	**DIONYSOS**	**GUINNESS**	THALAMUS
DOULLENS	THANATOS	**DOLLFUSS**	**POSTUMUS**
FLOURENS	**NÉGRITOS**	**ZEHRFUSS**	PANDANUS
BRASSENS	**ASBESTOS**	DEUX-MÂTS	**HOTMANUS**
FAUX-SENS	**PHAISTOS**	HONCHETS	**MONTANUS**
MI-MOYENS	PRINCEPS	**MESKHETS**	**LABIENUS**
GERMAINS	ANABLEPS	STARIETS	TERMINUS
CERTAINS	ONE-STEPS	**CAPULETS**	**QUIRINUS**
JACOBINS	BIPS-BIPS	TWIN-SETS	COUSCOUS
TONNEINS	**DESCAMPS**	TÔT-FAITS	**ANTINOÜS**
O'HIGGINS	**BONTEMPS**	**DÉTROITS**	RHIZOPUS
GOBELINS	SEX-SHOPS	CI-JOINTS	**COUPERUS**
APENNINS	ROLLMOPS	DOG-CARTS	**ASSUÉRUS**
ANTONINS	**KAMLOOPS**	LAND ARTS	BORASSUS
SANCOINS	HARD-TOPS	CONSORTS	CI-DESSUS
PAHOUINS	À MI-CORPS	**NICKLAUS**	AU-DESSUS
GREUBONS	SIDE-CARS	SYLLABUS	DÉTRITUS
RECULONS	**CINQ-MARS**	**SYLLABUS**	**CHRISTUS**
GROGNONS	**CENDRARS**	THROMBUS	**CORN LAWS**
ENVIRONS	**CHAMBERS**	**COLUMBUS**	**MATTHEWS**
COËVRONS	**SNIJDERS**	MICROBUS	**EURONEWS**
POISSONS	**VILLIERS**	MORDICUS	**BARCLAYS**
SOISSONS	**POITIERS**	**LUPERCUS**	WALLABYS
ABAT-SONS	**MOÛTIERS**	HIBISCUS	**SOTHEBY'S**
ÉGLETONS	**THIVIERS**	CAMAÏEUS	**SAINT-LYS**
DEMI-TONS	**OLIVIERS**	BAS-BLEUS	PLAY-BOYS
AMONTONS	**VERVIERS**	BASILEUS	NURSERYS
SOUSTONS	**LOUVIERS**	**GRACCHUS**	PENALTYS
GRATTONS	**VOUZIERS**	**ARCADIUS**	OARISTYS
TARASCOS	KNICKERS	**GRYPHIUS**	**ACHGABAT**
SÉLEUCOS	**FLATTERS**	**SIBELIUS**	**MUREYBAT**
GRANADOS	**CANJUERS**	**TOPELIUS**	PRÉDICAT
INTRADOS	**BACHKIRS**	**HEVELIUS**	SYNDICAT

8

BEYLICAT	CENSORAT	JUMBO-JET	MARTINET
CANDIDAT	LECTORAT	CHEVALET	**MARTINET**
RÉGENDAT	RECTORAT	PARACLET	**LE CANNET**
COMMODAT	DOCTORAT	BRACELET	WAGONNET
VOÏVODAT	PASTORAT	BRICELET	BARONNET
SAMIZDAT	SUBSTRAT	**PONCELET**	BÂTONNET
ORANGEAT	**INTELSAT**	PORCELET	**FALCONET**
DEAD-HEAT	ÉMÉRITAT	RONDELET	**PERRONET**
KHALIFAT	RÉSULTAT	VERDELET	**PEYRONET**
PLOUAGAT	**ARGENTAT**	**MICHELET**	CABERNET
CATTÉGAT	POTENTAT	**RICHELET**	**INTERNET**
KATTEGAT	ATTENTAT	TONNELET	ENCORNET
SERINGAT	**LA CIOTAT**	CHAPELET	**PLANCOËT**
ROUERGAT	DESPOTAT	AIGRELET	MASCARET
ROUERGAT	PODESTAT	CARRELET	**LAUTARET**
EXARCHAT	**SÉLESTAT**	CORSELET	**PLOUARET**
GALUCHAT	INTESTAT	CHÂTELET	CELEBRET
JOSAPHAT	RHÉOSTAT	**CHÂTELET**	TRACERET
NOVICIAT	MANOSTAT	**QUÉTELET**	**AILLERET**
IMMÉDIAT	AÉROSTAT	ROITELET	FORMERET
GALAPIAT	GYROSTAT	GANTELET	BANNERET
VICARIAT	CRYOSTAT	MANTELET	COUPERET
SALARIAT	ACOLYTAT	COQUELET	DOSSERET
NOTARIAT	**LAGHOUAT**	CERVELET	**CARTERET**
CORRÉLAT	RELIQUAT	**STOFFLET**	**CASTERET**
CHOCOLAT	KHÉDIVAT	SOUFFLET	COQUERET
ALCOOLAT	ARTEFACT	PAMPHLET	**SIGNORET**
PIED-PLAT	**STAMP ACT**	STÉRILET	**TINTORET**
SOUS-PLAT	ABSTRACT	**MORELLET**	ÉLECTRET
GRANULAT	PROSPECT	**SÉBILLET**	TABOURET
CONSULAT	INDIRECT	BARILLET	LIBOURET
CONSULAT	DISTRICT	FEUILLET	**SOMERSET**
POSTULAT	SUCCINCT	**FEUILLET**	**GROUSSET**
ÉCONOMAT	DISTINCT	DOUILLET	**DUCRETET**
ACHROMAT	INSTINCT	**DOUILLET**	**LE PONTET**
ANONYMAT	**HUMBOLDT**	POUILLET	**RADIGUET**
SULTANAT	**GERHARDT**	**DRUILLET**	**LECANUET**
ASSIGNAT	ALPHABET	RÉCOLLET	**LE FAOUËT**
RABBINAT	QUOLIBET	**BAGNOLET**	**CARAQUET**
COMBINAT	ZÉRUMBET	SERPOLET	**FOUCQUET**
RAFFINAT	MUSCADET	PISTOLET	AFFIQUET
COCONNAT	FARFADET	SEXTOLET	LORIQUET
BÂTONNAT	**LE PRADET**	SURMULET	TRINQUET
DIACONAT	**GIRARDET**	PICOULET	QUINQUET
PATRONAT	**DUBUFFET**	VITOULET	FRISQUET
INCARNAT	BLANCHET	**HAMMAMET**	**BOUSQUET**
ALTERNAT	FLANCHET	**ANSERMET**	MOUSQUET
INTERNAT	TRANCHET	**CASTANET**	**BONNIVET**
EXTERNAT	TRONCHET	**MASSENET**	**LE TOUVET**
TRIBUNAT	**TRONCHET**	**BUSSENET**	**BANCROFT**
TRIBUNAT	RICOCHET	**JOUVENET**	**CONNACHT**
FORTUNAT	**PINOCHET**	JARDINET	**OLBRACHT**
AUTOCOAT	FOURCHET	MOULINET	**ULBRICHT**
HUELGOAT	**PÉCUCHET**	RAISINET	**SCHLUCHT**
BACCARAT	ÉMOUCHET	BASSINET	REDÉFAIT
BACCARAT	**GRAULHET**	**COUSINET**	BIENFAIT
SCÉLÉRAT	BRISE-JET	TANTINET	**SOUMGAIT**

TIRE-LAIT	ENROBANT	AMENDANT	STAFFANT
PÈSE-LAIT	ÉBARBANT	ÉTENDANT	GREFFANT
TADEMAÏT	COURBANT	SCINDANT	SNIFFANT
RENTRAIT	INCUBANT	CHINDANT	COIFFANT
PORTRAIT	ADOUBANT	BLINDANT	BRIFFANT
ABSTRAIT	TITUBANT	GUINDANT	GRIFFANT
DISTRAIT	ENTUBANT	ABONDANT	SUIFFANT
VAUTRAIT	INTUBANT	ÉMONDANT	ÉTOFFANT
INTERDIT	EFFAÇANT	INONDANT	BLUFFANT
DÉCONFIT	DÉLAÇANT	FRONDANT	BOUFFANT
CHIENLIT	ENLAÇANT	GRONDANT	POUFFANT
WAGON-LIT	MENAÇANT	EXONDANT	TRUFFANT
GOUDSMIT	ESPAÇANT	DÉCODANT	TARIFANT
SURCROÎT	DÉPEÇANT	ENCODANT	ATTIFANT
PIÉDROIT	RADICANT	DÉMODANT	DÉLÉGANT
NON-DROIT	POLIÇANT	LIARDANT	FATIGANT
DÉCRÉPIT	VÉSICANT	ABORDANT	NAVIGANT
PRESCRIT	URTICANT	HOURDANT	FRINGANT
SANSCRIT	FIANÇANT	LOURDANT	ARROGANT
CONSCRIT	ÉLANÇANT	FRAUDANT	ÉCACHANT
PROSCRIT	NUANÇANT	ADJUDANT	CRACHANT
SOUSCRIT	AVANÇANT	DÉNUDANT	FLÉCHANT
PRÉTÉRIT	AGENÇANT	EXSUDANT	ÉMÉCHANT
SANSKRIT	ÉMINÇANT	ÉTAGEANT	CRÉCHANT
RÉQUISIT	COINÇANT	BADGEANT	PRÊCHANT
ACCESSIT	GRINÇANT	PIÉGEANT	CLICHANT
ÉCONDUIT	ÉVINÇANT	SIÉGEANT	TRICHANT
USUFRUIT	PIONÇANT	ÉRIGEANT	BANCHANT
INSTRUIT	ÉNONÇANT	EXIGEANT	HANCHANT
TIDIKELT	FRONÇANT	LANGEANT	PENCHANT
TAFILELT	EXERÇANT	MANGEANT	JONCHANT
MANSHOLT	ÉCORÇANT	RANGEANT	LYNCHANT
KILOVOLT	AMORÇANT	VENGEANT	PIOCHANT
THIBAULT	EXAUÇANT	SINGEANT	CLOCHANT
GERBAULT	SCHADANT	LONGEANT	AMOCHANT
OUTCAULT	CHIADANT	RONGEANT	BROCHANT
FOUCAULT	BALADANT	SONGEANT	CROCHANT
MACHAULT	PARADANT	MARGEANT	MARCHANT
GRIMAULT	ABCÉDANT	FORGEANT	HERCHANT
REGNAULT	ACCÉDANT	GORGEANT	PERCHANT
QUINAULT	DÉCÉDANT	PURGEANT	TORCHANT
SOUPAULT	RECÉDANT	JAUGEANT	CATCHANT
ANDRAULT	EXCÉDANT	BOUGEANT	**BAUCHANT**
BARRAULT	SPEEDANT	GRUGEANT	FAUCHANT
PERRAULT	OBSÉDANT	FAINÉANT	RAUCHANT
SERRAULT	PLAIDANT	MÉCRÉANT	PLUCHANT
MARSAULT	DÉCIDANT	RECRÉANT	BOUCHANT
DASSAULT	VALIDANT	RÉCRÉANT	COUCHANT
AIRVAULT	LAPIDANT	RAGRÉANT	DOUCHANT
CACABANT	DÉRIDANT	DÉGRÉANT	LOUCHANT
IMBIBANT	RÉSIDANT	REGRÉANT	MOUCHANT
INHIBANT	DÉVIDANT	MALSÉANT	TOUCHANT
EXHIBANT	SCANDANT	MESSÉANT	ÉLÉPHANT
FLAMBANT	VIANDANT	PARAFANT	OLIPHANT
PLOMBANT	GLANDANT	AGRAFANT	FLASHANT
ENGOBANT	ÉPANDANT	BRIEFANT	SMASHANT
DÉROBANT	AGENDANT	PIAFFANT	CRASHANT

687

ÉMACIANT	CERCLANT	NIELLANT	RÉGULANT
GRACIANT	MUSCLANT	BAILLANT	JUGULANT
SOUCIANT	BOUCLANT	BÂILLANT	HULULANT
MENDIANT	PUDDLANT	CAILLANT	SIMULANT
AMODIANT	DÉCELANT	FAILLANT	CUMULANT
ÉTUDIANT	RECELANT	MAILLANT	CANULANT
ÉDIFIANT	FICELANT	PAILLANT	ANNULANT
DÉIFIANT	MODELANT	RAILLANT	SAOULANT
RÉIFIANT	DÉGELANT	SAILLANT	ABOULANT
UNIFIANT	REGELANT	TAILLANT	ÉBOULANT
SOLFIANT	ANHÉLANT	VAILLANT	ÉCOULANT
CONFIANT	DÉMÊLANT	**VAILLANT**	CROULANT
PLAGIANT	EMMÊLANT	TEILLANT	COPULANT
OUBLIANT	JUMELANT	VEILLANT	PÉTULANT
PUBLIANT	AGNELANT	ROILLANT	CRAWLANT
PALLIANT	ANNELANT	BRILLANT	AFFAMANT
RALLIANT	CAPELANT	GRILLANT	INFAMANT
SPOLIANT	APPELANT	TRILLANT	ENGAMANT
DÉPLIANT	CISELANT	VRILLANT	DÉRAMANT
REPLIANT	FUSELANT	OUILLANT	RÉTAMANT
CADMIANT	MUSELANT	BRANLANT	ENTAMANT
ANÉMIANT	RÂTELANT	BABOLANT	ÉCRÉMANT
AVARIANT	DÉTELANT	RACOLANT	RYTHMANT
DÉCRIANT	ATTELANT	ACCOLANT	DÉCIMANT
RÉCRIANT	BOUÉLANT	RÉCOLANT	RÉDIMANT
SOURIANT	JAVELANT	PICOLANT	RANIMANT
CHÂTIANT	TAVELANT	COCOLANT	PÉRIMANT
INITIANT	RÉVÉLANT	AFFOLANT	DIRIMANT
CONVIANT	NIVELANT	RIGOLANT	ARRIMANT
RAZZIANT	CUVELANT	ÉTIOLANT	INTIMANT
GALÉJANT	ÉRAFLANT	CAJOLANT	ESTIMANT
STOCKANT	SIFFLANT	ENJÔLANT	CHROMANT
CABALANT	RENFLANT	IMMOLANT	RÉARMANT
DÉCALANT	GONFLANT	ENRÔLANT	CHARMANT
RECALANT	RONFLANT	DÉSOLANT	ALARMANT
PÉDALANT	MORFLANT	INSOLANT	CHAUMANT
AFFALANT	SANGLANT	ASSOLANT	ENFUMANT
RÉGALANT	CINGLANT	ENTÔLANT	INHUMANT
DÉHALANT	JONGLANT	REVOLANT	EXHUMANT
INHALANT	BEUGLANT	ENVOLANT	ALLUMANT
EXHALANT	MEUGLANT	TRIPLANT	RÉSUMANT
CHIALANT	SIBILANT	SAMPLANT	ASSUMANT
EMPALANT	JUBILANT	PEUPLANT	BITUMANT
RESALANT	DÉFILANT	COUPLANT	CABANANT
DÉTALANT	REFILANT	CHAULANT	RUBANANT
CAVALANT	AFFILANT	MIAULANT	RICANANT
RAVALANT	EFFILANT	PIAULANT	DÉFANANT
DÉVALANT	ENFILANT	ÉPAULANT	EFFANANT
REVALANT	VIGILANT	FABULANT	MAGANANT
CHABLANT	ÉTOILANT	AMBULANT	BASANANT
ÉTABLANT	DÉPILANT	MACULANT	PAVANANT
CRIBLANT	EMPILANT	ACCULANT	ALIÉNANT
SEMBLANT	DÉSILANT	FÉCULANT	HALENANT
COMBLANT	ENSILANT	RECULANT	RAMENANT
MEUBLANT	MUTILANT	ONDULANT	DÉMENANT
DOUBLANT	RUTILANT	MODULANT	EMMENANT
SARCLANT	SCELLANT	GUEULANT	CARÉNANT

8

ÉGRENANT	COPINANT	GROUPANT	DÉSIRANT
ENRÊNANT	FARINANT	ÉTOUPANT	RETIRANT
ÉPRENANT	MARINANT	EFFARANT	ATTIRANT
ASSÉNANT	SERINANT	HILARANT	DÉVIRANT
OBTENANT	BURINANT	DÉPARANT	ARBORANT
DÉTENANT	SURINANT	RÉPARANT	DÉCORANT
RETENANT	LÉSINANT	SÉPARANT	PICORANT
ATTENANT	RÉSINANT	EMPARANT	DÉDORANT
ADVENANT	MÂTINANT	CAMBRANT	REDORANT
DEVENANT	PATINANT	TIMBRANT	MAJORANT
REVENANT	RATINANT	NOMBRANT	COLORANT
STAGNANT	SATINANT	SOMBRANT	IGNORANT
PRÉGNANT	POTINANT	MARBRANT	MINORANT
BAIGNANT	BUTINANT	EXÉCRANT	HONORANT
DAIGNANT	LUTINANT	QUADRANT	PÉRORANT
FAIGNANT	MUTINANT	CENDRANT	ESSORANT
SAIGNANT	COUINANT	POUDRANT	DÉVORANT
CEIGNANT	FOUINANT	LIBÉRANT	DIAPRANT
FEIGNANT	RAVINANT	LACÉRANT	AMARRANT
GEIGNANT	DEVINANT	MACÉRANT	ABERRANT
PEIGNANT	SCANNANT	ULCÉRANT	BEURRANT
TEIGNANT	ABONNANT	FÉDÉRANT	LEURRANT
ALIGNANT	ADONNANT	SIDÉRANT	BOURRANT
CLIGNANT	ÂNONNANT	MODÉRANT	FOURRANT
JOIGNANT	ÉTONNANT	DÉFÉRANT	CHÂTRANT
POIGNANT	RAMONANT	RÉFÉRANT	PLÂTRANT
SOIGNANT	RÉSONANT	INFÉRANT	GUÊTRANT
GRIGNANT	DÉTONANT	DIGÉRANT	FILTRANT
GUIGNANT	ÉCORNANT	INGÉRANT	CENTRANT
GROGNANT	PIORNANT	COGÉRANT	RENTRANT
LORGNANT	TOURNANT	ADHÉRANT	CINTRANT
POUGNANT	FALUNANT	ACIÉRANT	CONTRANT
CHAÎNANT	PÉTUNANT	GALÉRANT	MONTRANT
DRAINANT	DÉCAPANT	TOLÉRANT	CASTRANT
GRAINANT	DÉRAPANT	MÉMÉRANT	LUSTRANT
TRAÎNANT	RETAPANT	GÉNÉRANT	VAUTRANT
DÉBINANT	RECEPANT	VÉNÉRANT	FEUTRANT
BOBINANT	EXCIPANT	REPÉRANT	RÉCURANT
BADINANT	ÉTRIPANT	ESPÉRANT	ENDURANT
RADINANT	ÉQUIPANT	LISERANT	FLEURANT
DODINANT	SCALPANT	INSÉRANT	PLEURANT
FREINANT	INALPANT	ALTÉRANT	APEURANT
AFFINANT	TREMPANT	RÉVÉRANT	ÉPEURANT
PAGINANT	GRIMPANT	COFFRANT	FIGURANT
ÉCHINANT	TROMPANT	GAUFRANT	AUGURANT
CÂLINANT	GALOPANT	SOUFRANT	ABJURANT
GAMINANT	SALOPANT	FLAGRANT	ADJURANT
LAMINANT	CLAPPANT	FRAGRANT	DÉLURANT
DÉMINANT	FRAPPANT	ÉMIGRANT	EMMURANT
GÉMINANT	TRAPPANT	HONGRANT	CHOURANT
DOMINANT	FLIPPANT	BLAIRANT	AJOURANT
GOMINANT	GRIPPANT	FLAIRANT	DÉPURANT
NOMINANT	DROPPANT	DÉLIRANT	MESURANT
RUMINANT	STOPPANT	ADMIRANT	ASSURANT
LAPINANT	USURPANT	EMPIRANT	PÂTURANT
RAPINANT	CRISPANT	ASPIRANT	RATURANT
TAPINANT	OCCUPANT	EXPIRANT	SATURANT

OBTURANT	CHASSANT	APPÂTANT	INVITANT
BITURANT	CLASSANT	PIRATANT	EXALTANT
SUTURANT	AMASSANT	RETÂTANT	EXULTANT
CHEVRANT	COASSANT	RÉACTANT	CHANTANT
ENIVRANT	BRASSANT	TRACTANT	PLANTANT
POIVRANT	BLESSANT	ÉJECTANT	CRANTANT
CUIVRANT	DRESSANT	ÉDICTANT	ÉDENTANT
ŒUVRANT	PRESSANT	ÉRUCTANT	FIENTANT
COUVRANT	TRESSANT	HÉBÉTANT	ÉVENTANT
ROUVRANT	**OUESSANT**	EMBÊTANT	FEINTANT
RECASANT	BAISSANT	VÉGÉTANT	TEINTANT
ABRASANT	HAÏSSANT	ACHETANT	POINTANT
ÉBRASANT	LAISSANT	DÉJETANT	SUINTANT
ÉCRASANT	NAISSANT	REJETANT	SHUNTANT
PHRASANT	PAISSANT	CALETANT	CABOTANT
ENVASANT	AGISSANT	GALETANT	RABOTANT
EMPESANT	CLISSANT	HALETANT	SABOTANT
BIAISANT	GLISSANT	FILETANT	ACCOTANT
NIAISANT	**GLISSANT**	MOLETANT	BÉCOTANT
PLAISANT	PLISSANT	VOLETANT	PICOTANT
APAISANT	UNISSANT	RÉPÉTANT	COCOTANT
BRAISANT	POISSANT	BARÉTANT	SUÇOTANT
FRAISANT	ÉPISSANT	ÉCRÊTANT	RADOTANT
INCISANT	CRISSANT	ARRÊTANT	FAGOTANT
EXCISANT	TRISSANT	CURETANT	DÉGOTANT
DÉDISANT	PUISSANT	FURETANT	MÉGOTANT
MÉDISANT	ÉCOSSANT	ENTÊTANT	GIGOTANT
REDISANT	ADOSSANT	DÉVÊTANT	LIGOTANT
BALISANT	BROSSANT	REVÊTANT	ERGOTANT
RELISANT	DROSSANT	RIVETANT	CAHOTANT
ENLISANT	FAUSSANT	DUVETANT	MIJOTANT
NOLISANT	GAUSSANT	MOUFTANT	PELOTANT
TAMISANT	HAUSSANT	DOIGTANT	PILOTANT
REMISANT	HOUSSANT	TRAITANT	CANOTANT
NANISANT	MOUSSANT	HABITANT	DÉNOTANT
TANISANT	POUSSANT	DÉBITANT	ANNOTANT
SINISANT	TOUSSANT	ORBITANT	SHOOTANT
IONISANT	POUTSANT	RÉCITANT	CAPOTANT
CROISANT	ACCUSANT	LICITANT	PAPOTANT
ÉGRISANT	RÉCUSANT	INCITANT	TAPOTANT
ARRISANT	EXCUSANT	EXCITANT	DÉPOTANT
COTISANT	MÉDUSANT	MÉDITANT	EMPOTANT
ATTISANT	CREUSANT	AUDITANT	ÉGROTANT
ÉPUISANT	GUEUSANT	COGITANT	SIROTANT
RAVISANT	REFUSANT	DÉLITANT	REVOTANT
DEVISANT	INFUSANT	MILITANT	PIVOTANT
RÉVISANT	ÉCLUSANT	LIMITANT	VIVOTANT
DIVISANT	BLOUSANT	GUNITANT	FAYOTANT
CLAMSANT	ÉPOUSANT	**CAPITANT**	ZOZOTANT
DÉPOSANT	MÉSUSANT	DÉPITANT	ADAPTANT
REPOSANT	DÉBÂTANT	ABRITANT	COMPTANT
IMPOSANT	RÉGATANT	HÉRITANT	DOMPTANT
APPOSANT	ÉCLATANT	MÉRITANT	ADOPTANT
OPPOSANT	RELATANT	IRRITANT	COOPTANT
EXPOSANT	DILATANT	HÉSITANT	CRYPTANT
ARROSANT	DÉMÂTANT	VISITANT	ÉCARTANT
COURSANT	EMPÂTANT	BRUITANT	QUARTANT

ALERTANT	BLAGUANT	FLOQUANT	DÉSAXANT
INERTANT	ÉLAGUANT	CROQUANT	DÉTAXANT
FLIRTANT	DRAGUANT	TROQUANT	INDEXANT
AVORTANT	BRIGUANT	ÉVOQUANT	TÉLEXANT
HEURTANT	TANGUANT	MARQUANT	ANNEXANT
POURTANT	DINGUANT	PARQUANT	PAGAYANT
PRESTANT	ZINGUANT	CASQUANT	BÉGAYANT
TWISTANT	DROGUANT	MASQUANT	BALAYANT
EXISTANT	CARGUANT	BISQUANT	DÉLAYANT
CONSTANT	LARGUANT	RISQUANT	RELAYANT
CONSTANT	NARGUANT	BUSQUANT	REPAYANT
APOSTANT	TARGUANT	RAUQUANT	DÉRAYANT
AJUSTANT	ÉVALUANT	ÉDUQUANT	ENRAYANT
TRUSTANT	INCLUANT	ÉNUQUANT	ESSAYANT
ABATTANT	EXCLUANT	SOUQUANT	ZÉZAYANT
ÉBATTANT	REFLUANT	TRUQUANT	CAPEYANT
FLATTANT	AFFLUANT	STUQUANT	FASEYANT
GRATTANT	INFLUANT	RESSUANT	ASSEYANT
ÉMETTANT	DÉGLUANT	BOSSUANT	ONDOYANT
OMETTANT	ENGLUANT	STATUANT	RUDOYANT
FRETTANT	POLLUANT	DÉCAVANT	ÉPLOYANT
GUETTANT	ÉVOLUANT	EXCAVANT	DÉNOYANT
FRITTANT	COMMUANT	DÉLAVANT	ENNOYANT
QUITTANT	SECOUANT	RELAVANT	CÔTOYANT
FLOTTANT	ROCOUANT	DÉPAVANT	TUTOYANT
ÉMOTTANT	BAFOUANT	REPAVANT	DÉVOYANT
CROTTANT	ENGOUANT	DÉCEVANT	REVOYANT
FROTTANT	ÉCHOUANT	RECEVANT	ENVOYANT
TROTTANT	DÉJOUANT	REDEVANT	ENFUYANT
GOUTTANT	REJOUANT	CI-DEVANT	ENNUYANT
DÉBUTANT	RELOUANT	ENDÊVANT	APPUYANT
REBUTANT	ALLOUANT	AU-DEVANT	ESSUYANT
PIEUTANT	DÉNOUANT	ACHEVANT	DÉGAZANT
ZIEUTANT	RENOUANT	RELEVANT	ZWANZANT
AMEUTANT	ÉBROUANT	ENLEVANT	BRONZANT
QUEUTANT	ÉCROUANT	SALIVANT	ADJACENT
ZYEUTANT	ENROUANT	ÉCRIVANT	INDÉCENT
RÉFUTANT	TATOUANT	DÉRIVANT	RÉTICENT
AFFÛTANT	DÉVOUANT	ARRIVANT	INNOCENT
ENFÛTANT	CLAQUANT	ACTIVANT	**INNOCENT**
MINUTANT	PLAQUANT	MOTIVANT	ACESCENT
ABOUTANT	BRAQUANT	ESTIVANT	DÉCADENT
ÉBOUTANT	CRAQUANT	RAVIVANT	EXCÉDENT
ÉCOUTANT	TRAQUANT	REVIVANT	CURE-DENT
AJOUTANT	PACQUANT	RÉNOVANT	ACCIDENT
CLOUTANT	SACQUANT	INNOVANT	OCCIDENT
BROUTANT	CHIQUANT	ÉNERVANT	**OCCIDENT**
CROÛTANT	CLIQUANT	REBUVANT	INCIDENT
DÉPUTANT	APIQUANT	DÉCUVANT	STRIDENT
AMPUTANT	BRIQUANT	ENCUVANT	RÉSIDENT
IMPUTANT	CALQUANT	PLEUVANT	IMPUDENT
SCRUTANT	TALQUANT	ADJUVANT	INDIGENT
BIZUTANT	BANQUANT	ÉMOUVANT	DILIGENT
JOUXTANT	MANQUANT	PROUVANT	ÉMERGENT
ÉCOBUANT	CHOQUANT	TROUVANT	GRADIENT
ÉVACUANT	BLOQUANT	MALAXANT	QUOTIENT
GRADUANT	CLOQUANT	RELAXANT	**KHODJENT**

TACHKENT	VIVEMENT	**OFFEMONT**	**JOHANNOT**
CHYMKENT	FIXEMENT	**DELÉMONT**	SNOW-BOOT
BIVALENT	PAYEMENT	**SPRIMONT**	BARE-FOOT
DIVALENT	FRAGMENT	**RÉALMONT**	BABY-FOOT
COVALENT	BRAIMENT	**GRAMMONT**	CACHE-POT
CONFLENT	VRAIMENT	RODOMONT	HOCHEPOT
INDOLENT	PÉDIMENT	**CLERMONT**	ENTREPÔT
INSOLENT	SÉDIMENT	**BOURMONT**	**GRAVEROT**
FÉCULENT	RUDIMENT	**GOURMONT**	**THIZEROT**
VIRULENT	RÉGIMENT	**HAUTMONT**	BLACK-ROT
PURULENT	JOLIMENT	**BEAUMONT**	**TABOUROT**
LIGAMENT	POLIMENT	**CHAUMONT**	AUSSITÔT
FILAMENT	LINIMENT	LAVE-PONT	SHABOUOT
LACEMENT	BONIMENT	**PAIMPONT**	**CLICQUOT**
SUCEMENT	ORPIMENT	**DOMFRONT**	YESHIVOT
FADEMENT	BÂTIMENT	DISCOUNT	TRANSEPT
RIDEMENT	TOURMENT	**PEER GYNT**	FLAMBART
RUDEMENT	DOCUMENT	PAQUEBOT	**FISCHART**
GRÉEMENT	INDÛMENT	ESCARBOT	**MAILLART**
SAGEMENT	TÉGUMENT	MASSICOT	CHAMPART
FIGEMENT	ARGUMENT	**DUNS SCOT**	**HOCQUART**
LOGEMENT	MONUMENT	**RENAUDOT**	**WILLAERT**
JUGEMENT	RÉMANENT	MENDIGOT	**GOSSAERT**
VÉHÉMENT	IMMANENT	OSTROGOT	**SIGEBERT**
GAIEMENT	IMMINENT	ESCARGOT	**CARIBERT**
PAIEMENT	DÉPONENT	**BLANCHOT**	**GUILBERT**
PLIEMENT	APPARENT	**AARSCHOT**	**ALEMBERT**
RÂLEMENT	DÉFÉRENT	**HOUHEHOT**	**DAGOBERT**
SALEMENT	RÉFÉRENT	STRADIOT	**CAROBERT**
BÊLEMENT	AFFÉRENT	SALOPIOT	**LE ROBERT**
VÊLEMENT	EFFÉRENT	**CONDRIOT**	**FLAUBERT**
VILEMENT	ADHÉRENT	MAIGRIOT	**SCHUBERT**
MÊMEMENT	INHÉRENT	**SAN-PRIOT**	SOUFFERT
ARMEMENT	COHÉRENT	CACHALOT	**WIECHERT**
FINEMENT	**CRESSENT**	**LANCELOT**	**STEINERT**
ORNEMENT	PÉNITENT	TRAMELOT	INEXPERT
LAPEMENT	RÉNITENT	**RUITELOT**	**HAALTERT**
SAPEMENT	IMPOTENT	**STAVELOT**	TEE-SHIRT
TAPEMENT	DÉFLUENT	**SOUFFLOT**	TAMAZIRT
RIPEMENT	AFFLUENT	TRINGLOT	**CHAMFORT**
PAREMENT	EFFLUENT	**CHAILLOT**	**MONTFORT**
RAREMENT	INFLUENT	CABILLOT	BEAUFORT
AGRÉMENT	FRÉQUENT	GODILLOT	**BEAUFORT**
VIREMENT	ÉLOQUENT	VIEILLOT	**MALEMORT**
ÂPREMENT	PARAVENT	**VEUILLOT**	TÉLÉPORT
DUREMENT	**BÉNÉVENT**	POUILLOT	HÉLIPORT
JUREMENT	ABRIVENT	SURMULOT	ALTIPORT
MÛREMENT	ABAT-VENT	CABOULOT	AÉROPORT
PUREMENT	ENFREINT	CIBOULOT	**BEAUPORT**
SÛREMENT	EMPREINT	À DEMI-MOT	**NIEUPORT**
AISÉMENT	RÉTREINT	**MARTENOT**	RÉASSORT
GISEMENT	ASTREINT	HUGUENOT	**WALCOURT**
POSÉMENT	CONJOINT	PÉQUENOT	**DANCOURT**
BÊTEMENT	DISJOINT	SOLOGNOT	**PINCOURT**
VÊTEMENT	**GARAMONT**	**SOLOGNOT**	**BONCOURT**
LAVEMENT	PIEDMONT	TRAMINOT	**GONCOURT**
PAVEMENT	**RIBEMONT**	CHEMINOT	**JAUCOURT**

YOGHOURT	TOUCHEAU	**GABORIAU**	TOHU-BOHU
ARBOGAST	SIMBLEAU	ESQUIMAU	**MANYO-SHU**
LIMONEST	DOUBLEAU	ESQUIMAU	NUNCHAKU
BUDAPEST	À VAU-L'EAU	**ESQUIMAU**	**KINABALU**
BUCAREST	**DELUMEAU**	**HAGETMAU**	ÉQUIVALU
DE FOREST	ORGANEAU	**RATHENAU**	MELLIFLU
LEFOREST	HAVENEAU	**BIRKENAU**	SUPERFLU
ALCOTEST	TRAÎNEAU	**BLUMENAU**	IRRÉSOLU
BABY-TEST	BOBINEAU	**HAGUENAU**	**BENGKULU**
SUD-OUEST	**GOBINEAU**	**CHISINAU**	**HONOLULU**
ALMQUIST	COLINEAU	**JUNGFRAU**	VERMOULU
GLASNOST	**PAPINEAU**	**KRAKATAU**	**BRATIANU**
BATHURST	**GATINEAU**	**MORONOBU**	SAUGRENU
KILOWATT	FOURNEAU	INVAINCU	CODÉTENU
CROCKETT	**FOURNEAU**	PRÉCONÇU	MAINTENU
PLASKETT	**FRESNEAU**	INAPERÇU	REDEVENU
SMOLLETT	**DOISNEAU**	**EMINESCU**	BIENVENU
PANICAUT	TROUPEAU	INDIVIDU	BISCORNU
TRUFFAUT	PERDREAU	**LE POULDU**	CARIACOU
CLAIRAUST	HOBEREAU	**PAYSANDÚ**	CASSE-COU
QUARTAUT	**AUGEREAU**	DESCENDU	RAS DU COU
ATTRIBUT	LAPEREAU	SUSPENDU	**POMPIDOU**
UPPERCUT	VIPEREAU	INÉTENDU	GARDE-FOU
CONTRE-UT	MÂTEREAU	PRÉTENDU	**PUY-DU-FOU**
FARRAGUT	BLAIREAU	DISTENDU	TÉLOUGOU
LANDSHUT	BIHOREAU	SURVENDU	MANDCHOU
RUNABOUT	BOURREAU	CONFONDU	**MANDCHOU**
MARABOUT	FOURREAU	PARFONDU	CHOUCHOU
BOY-SCOUT	CHEVREAU	MORFONDU	**HANGZHOU**
SOURGOUT	BLOCS-EAU	SURFONDU	**YANGZHOU**
RACAHOUT	PAISSEAU	**BANDUNDU**	**SHEN ZHOU**
WORMHOUT	VAISSEAU	DISTORDU	PIOUPIOU
TURNHOUT	BOISSEAU	GARDE-FEU	CARCAJOU
BLACK-OUT	CUISSEAU	COUPE-FEU	KINKAJOU
KNOCK-OUT	RUISSEAU	BOUTEFEU	TIRE-CLOU
PÈSE-MOÛT	ROUSSEAU	PIQUE-FEU	**DANIÉLOU**
KASHROUT	**ROUSSEAU**	POT-AU-FEU	GLOUGLOU
MÊLE-TOUT	VOUSSEAU	PRIE-DIEU	**LE BOULOU**
ANTITOUT	ÉCRITEAU	FÊTE-DIEU	**SALACROU**
FAIT-TOUT	POINTEAU	DEMI-DIEU	FROUFROU
PRÉCIPUT	FRONTEAU	**BOURDIEU**	TROU-TROU
SINCIPUT	TOURTEAU	**PONTHIEU**	**LOUVETOU**
LILLIPUT	**COUSTEAU**	**MATTHIEU**	**CAVENTOU**
INSTITUT	**LONGUEAU**	CHEF-LIEU	**OURARTOU**
BÉRIMBAU	ÉCHEVEAU	**CHARLIEU**	CORROMPU
ESCABEAU	GODIVEAU	COURLIEU	RÉAPPARU
MIRABEAU	BALIVEAU	**BEAULIEU**	**PICHEGRU**
MIREBEAU	SOLIVEAU	**DOLOMIEU**	INCONGRU
FLAMBEAU	CANIVEAU	**DANDRIEU**	CONCOURU
LIONCEAU	HÂTIVEAU	**CONDRIEU**	PARCOURU
POURCEAU	**CHAUVEAU**	**AMBÉRIEU**	DISCOURU
FAISCEAU	**MÉTEZEAU**	CANTELEU	TIRAMISU
MONTCEAU	**PARIZEAU**	**SAINT-LEU**	JIU-JITSU
GUINDEAU	BITONIAU	**ENVERMEU**	COURBATU
CHAUDEAU	SALOPIAU	**L'ÎLE-D'YEU**	**MANGBETU**
MORTE-EAU	VIPÉRIAU	**MONTAIGU**	COMBATTU
GIRAFEAU	MATÉRIAU	BARBICHU	**VITI LEVU**

DÉPOURVU	COYSEVOX	CERNEAUX	TRIVIAUX
REPOURVU	COYZEVOX	PRUNEAUX	ÉLUVIAUX
JAMAIS-VU	KÉRABAUX	CHAPEAUX	FLUVIAUX
KISARAZU	MONACAUX	DRAPEAUX	PLUVIAUX
IAROSLAV	CLOACAUX	ORIPEAUX	COAXIAUX
ANDREÏEV	RADICAUX	CARPEAUX	CAILLAUX
NOUREÏEV	MÉDICAUX	CARPEAUX	SEPT-LAUX
ZINOVIEV	VÉSICAUX	POIREAUX	DÉCIMAUX
MOGUILEV	MUSICAUX	BARREAUX	DEMI-MAUX
TOUPOLEV	LEXICAUX	CARREAUX	MINIMAUX
KICHINEV	BIFOCAUX	PERREAUX	OPTIMAUX
MYKOLAÏV	OVOÏDAUX	TERREAUX	MAXIMAUX
TCHEKHOV	ABSIDAUX	TAUREAUX	THERMAUX
ROUBLIOV	COTIDAUX	OUVREAUX	ANORMAUX
POLIAKOV	SYNODAUX	PUISEAUX	SÉISMAUX
GORCHKOV	LAMBEAUX	CLOSEAUX	ARSENAUX
KOULIKOV	TOMBEAUX	MARSEAUX	ORIGNAUX
MALENKOV	BARBEAUX	VERSEAUX	RACINAUX
KORNILOV	CORBEAUX	CASSEAUX	VICINAUX
CHALAMOV	MANCEAUX	TASSEAUX	ORDINAUX
LITVINOV	MANCEAUX	AISSEAUX	VAGINAUX
LARIONOV	PINCEAUX	CHÂTEAUX	SÉMINAUX
PLATONOV	RINCEAUX	PLATEAUX	LIMINAUX
GODOUNOV	MONCEAUX	TRÉTEAUX	NOMINAUX
ANDROPOV	PONCEAUX	FAÎTEAUX	MATINAUX
SAKHAROV	BERCEAUX	MANTEAUX	BIENNAUX
KASPAROV	CERCEAUX	LINTEAUX	CORONAUX
SOUVOROV	MORCEAUX	MARTEAUX	BITONAUX
DIMITROV	GUIDEAUX	LISTEAUX	STERNAUX
KNOROZOV	BANDEAUX	FLÛTEAUX	DIURNAUX
RICKSHAW	RONDEAUX	COUTEAUX	JOURNAUX
MOOSE JAW	BARDEAUX	UNGUÉAUX	JÉJUNAUX
CRAW-CRAW	FARDEAUX	CLAVEAUX	GRIPPAUX
HAPPY FEW	BORDEAUX	CERVEAUX	GROUPAUX
CHOW-CHOW	BORDEAUX	NOUVEAUX	APPARAUX
TALK-SHOW	CORDEAUX	VRAI-FAUX	LIBÉRAUX
BUNGALOW	TUFFEAUX	RÉCIFAUX	FÉDÉRAUX
CASH-FLOW	CÂBLEAUX	ILLÉGAUX	SIDÉRAUX
SCHAWLOW	TABLEAUX	TOUCHAUX	RUDÉRAUX
CROW-CROW	TUILEAUX	NYMPHAUX	SCLÉRAUX
HEATHROW	PALLÉAUX	CAMBIAUX	HUMÉRAUX
SAINT-MAX	BOULEAUX	GLACIAUX	NUMÉRAUX
CONTUMAX	ROULEAUX	SPÉCIAUX	GÉNÉRAUX
OPOPANAX	CHAMEAUX	ASOCIAUX	MINÉRAUX
ASTYANAX	POMMEAUX	CRUCIAUX	LATÉRAUX
PERTINAX	PLUMEAUX	MONDIAUX	SUDORAUX
VIDÉOTEX	GRUMEAUX	CARDIAUX	PRÉORAUX
AUDIOTEX	TRUMEAUX	CORDIAUX	MAÏORAUX
CRUCIFIX	CHÉNEAUX	FABLIAUX	IMMORAUX
CHAMONIX	CRÉNEAUX	NOBLIAUX	HUMORAUX
SURCHOIX	VIGNEAUX	SPATIAUX	TUMORAUX
MIREPOIX	MOINEAUX	INITIAUX	CAPORAUX
MIREPOIX	PANNEAUX	NUPTIAUX	SORORAUX
HUREPOIX	VANNEAUX	MARTIAUX	AURORAUX
CLAIROIX	CONNEAUX	PARTIAUX	MAYORAUX
GENEVOIX	TONNEAUX	BESTIAUX	URÉTRAUX
MALCOLM X	CARNEAUX	FLÛTIAUX	CENTRAUX

VENTRAUX	**CRÉMIEUX**	SCLÉREUX	**NORTH BAY**
ŒSTRAUX	**LES PIEUX**	COLÉREUX	VALENÇAY
ROSTRAUX	SCARIEUX	**WIMEREUX**	**VALENÇAY**
AUSTRAUX	GLORIEUX	GÉNÉREUX	**HALLYDAY**
LUSTRAUX	**DARRIEUX**	MISÉREUX	**MANDALAY**
PLEURAUX	**HEYRIEUX**	**DEVEREUX**	**TREMBLAY**
ABYSSAUX	**REYRIEUX**	GLAIREUX	**VIROFLAY**
SINUSAUX	**VASSIEUX**	DÉSIREUX	**DU BELLAY**
PALATAUX	FACTIEUX	VAPOREUX	FAIR-PLAY
VÉGÉTAUX	AMITIEUX	PIERREUX	**MACAULAY**
ORBITAUX	CAPTIEUX	PLÂTREUX	**BERCENAY**
CUBITAUX	PLUVIEUX	GOITREUX	**FONTENAY**
DIGITAUX	**GOUVIEUX**	**MONTREUX**	**SAGUENAY**
GÉNITAUX	ANTIJEUX	TARTREUX	**SATHONAY**
CAPITAUX	SIFFLEUX	AMOUREUX	**MALAUNAY**
HÔPITAUX	ARGILEUX	FIÉVREUX	**DELAUNAY**
MARITAUX	FIELLEUX	CUIVREUX	**CHAMBRAY**
QUINTAUX	MIELLEUX	BUTYREUX	**PARAGUAY**
FRONTAUX	VIELLEUX	NIAISEUX	**BROADWAY**
HANOTAUX	MOELLEUX	GLAISEUX	**STEINWAY**
SCROTAUX	FABULEUX	CRASSEUX	**CALLOWAY**
CRISTAUX	NÉBULEUX	POISSEUX	**LE RAINCY**
GLOTTAUX	TUBULEUX	MOUSSEUX	**COMMERCY**
LINGUAUX	ONDULEUX	COMATEUX	**MONTMÉDY**
MASEVAUX	NODULEUX	DUVETEUX	**MURAD BEY**
MARIVAUX	ANGULEUX	VANITEUX	**COLOMBEY**
ESTIVAUX	PAPULEUX	CAPITEUX	**SENNECEY**
CLERVAUX	POPULEUX	QUINTEUX	**SELONGEY**
AFFIXAUX	SQUAMEUX	RABOTEUX	**STRACHEY**
BATHYAUX	VENIMEUX	CAHOTEUX	**BERKELEY**
DÉLOYAUX	CHROMEUX	GOUTTEUX	**WOLSELEY**
PLOMBEUX	BITUMEUX	CROÛTEUX	**COSTELEY**
BOURBEUX	VÉNÉNEUX	**LANGUEUX**	**SHOCKLEY**
TOURBEUX	KHÂGNEUX	FONGUEUX	**MCKINLEY**
SILICEUX	SAIGNEUX	FOUGUEUX	**VAN ORLEY**
CHANCEUX	TEIGNEUX	TALQUEUX	**KINGSLEY**
NAUSÉEUX	SOIGNEUX	**TINQUEUX**	**VALROMEY**
SUIFFEUX	HARGNEUX	VISQUEUX	**PECHINEY**
CHANGEUX	ANGINEUX	ONCTUEUX	HOT MONEY
FLACHEUX	LAMINEUX	VULTUEUX	**MULRONEY**
FAUCHEUX	LUMINEUX	MONTUEUX	ATTORNEY
PLUCHEUX	FARINEUX	VERTUEUX	**ALLEPPEY**
CAMAÏEUX	RÉSINEUX	TORTUEUX	**HUMPHREY**
SCABIEUX	MATINEUX	FASTUEUX	MERCUREY
SPACIEUX	BRUINEUX	FLEXUEUX	**MERCUREY**
GRACIEUX	STANNEUX	DÉSAVEUX	**WALLASEY**
SPÉCIEUX	LIMONEUX	GIBOYEUX	**ANGLESEY**
PRÉCIEUX	LACUNEUX	ENNUYEUX	**CAMAGÜEY**
SOUCIEUX	SIRUPEUX	SAINDOUX	CHOP SUEY
STUDIEUX	MACAREUX	**GEMBLOUX**	**MCCARTHY**
MAFFIEUX	SCABREUX	**COMBLOUX**	**KENTUCKY**
ÉLOGIEUX	NOMBREUX	CAILLOUX	**PANOFSKY**
OUBLIEUX	CENDREUX	**GUILLOUX**	**STAVISKY**
RILLIEUX	POUDREUX	**LE LOROUX**	**SNOILSKY**
TILLIEUX	SUBÉREUX	COURROUX	**SHLONSKY**
NON-LIEUX	TUBÉREUX	SARDONYX	**RADETZKY**
TONLIEUX	ULCÉREUX	**GLACE BAY**	**VASARELY**

TINGUELY QUETIGNY COVENTRY KONSTANZ
DE WAILLY MONTIGNY BRADBURY ALBORNOZ
BAREILLY PONTIGNY MAUNOURY BARENTSZ
GENTILLY MARTIGNY ANDRÁSSY MANÉ-KATZ
BROUILLY XERTIGNY FRESCATY LIPCHITZ
CHEVILLY GOSCINNY EUROCITY PILLNITZ
MONOPOLY CHEVERNY SERVANTY CHEMNITZ
VAL D'ARLY BONNEFOY FLAHERTY USTARITZ
FORT-LAMY BOGAZKÖY SAINT-GUY LÜDERITZ
GIN-RUMMY FONTENOY REVENEZ-Y BIARRITZ
DAUBIGNY DUVERNOY BAD RAGAZ CHOLTITZ
MARCIGNY FLOURNOY SPETSNAZ HOROWITZ
FAUCIGNY FOURCROY LA CLUSAZ SIERENTZ
FORMIGNY BALLEROY RÓZEWICZ SCHWARTZ
GUÉRIGNY JOUFFROY GONZÁLEZ KIBBOUTZ
THORIGNY LE CROTOY PINCE-NEZ VERACRUZ
MONSIGNY GUÉTHARY CACHE-NEZ ACID JAZZ
PERSIGNY EXTRA-DRY ARANJUEZ FREE-JAZZ
BASSIGNY CHAMBÉRY AL-DJAHIZ
LASSIGNY YEOMANRY PERUWELZ
BRÉTIGNY CAR-FERRY KIENHOLZ

SAMARINDA ARAUCARIA BLA-BLA-BLA
PUIGCERDÁ AMOU-DARIA VENEZUELA
KYZYLORDA GANADERIA CARACALLA
BARRACUDA CAFÉTÉRIA AL-MUKALLA
BEN YEHUDA TRATTORIA RIVA-BELLA
KAMPUCHÉA RAFFLESIA STRADELLA
NUKUALOFA INDONESIA A CAPPELLA
KHOURIBGA HORTENSIA PANATELLA
DARBHANGA VINNYTSIA CAMARILLA
MAHAJANGA MAIQUETÍA PIAZZOLLA
SOUIMANGA BILHARZIA PUBLICOLA
ZAMBOANGA DOBROUDJA CALENDULA
SILLANPÄÄ PETCHENGA RATSIRAKA JYVÄSKYLÄ
BEERSHEBA RAROTONGA ANTAISAKA DALAÏ-LAMA
BAR-KOKHBA CAHIN-CAHA KARNATAKA CYCLORAMA
BOURGUIBA CHA-CHA-CHA KOKOSCHKA DIAPORAMA
TUPINAMBA SAID PACHA BABOUCHKA MATSUYAMA
BASTELICA AÏD-EL-ADHA BALALAÏKA PROTONÉMA
STUDENICA AUDIENCIA TREBLINKA AL-HOCEIMA
HARMONICA MASS MEDIA ASHANINKA KAGOSHIMA
COSTA RICA ACTINIDIA BRZEZINKA HIROSHIMA
PODGORICA HOLLANDIA PÉRIBONKA TOKUSHIMA
KUSTURICA CHLAMYDIA BOULMERKA FUKUSHIMA
ATHABASCA RAUWOLFIA ATHABASKA TERZA RIMA
FRANCESCA FORSYTHIA LANDOWSKA MOCTEZUMA
MARMOLADA RUDBECKIA DABROWSKA MONTEZUMA
THERAVADA TARTAGLIA BANJA LUKA LJUBLJANA
KISHIWADA ALBA IULIA HIRATSUKA TSIRANANA
BABANGIDA LUSITANIA MAKEIEVKA MARIHUANA
ESMÉRALDA TARQUINIA WIELICZKA MARIJUANA
KARAGANDA APOLLONIA GUATEMALA CARTAGENA
JACARANDA PAULOWNIA ÇAKUNTALA MAGDALENA

NÉOPILINA	CINECITTÀ	PLABENNEC	GOTTFRIED
CASUARINA	ACONCAGUA	CLÉGUÉREC	REMSCHEID
TOAMASINA	NICARAGUA	CHILDÉRIC	APARTHEID
QACENTINA	CHIHUAHUA	CHILPÉRIC	MOUDJAHID
ARGENTINA	CHIHUAHUA	THÉODORIC	CELLULOÏD
ALBERTINA	PUTONGHUA	LE CROISIC	SANG-FROID
QUINQUINA	DIRÉDAOUA	SOUL MUSIC	CAMP DAVID
KARSAVINA	GARGANTUA	PRONOSTIC	GONDOBALD
SANTA ANNA	GARGANTUA	GUILLEVIC	MACDONALD
BARCELONA	BALAKLAVA	MILOSEVIC	GRÜNEWALD
ANNAPURNA	BEER-SHEVA	OBRADOVIC	UNTERWALD
NAGARJUNA	BOSSA-NOVA	STANKOVIC	BIELEFELD
GUIPÚZCOA	SUPERNOVA	OBRENOVIC	ROSENFELD
GRAND-PAPA	BERBEROVA	NOHANT-VIC	KLARSFELD
ATAHUALPA	AKHMATOVA	MONT-BLANC	SHEFFIELD
CONNEMARA	BAR-MITSVA	MONT-BLANC	BROMFIELD
HUNEDOARA	ASAHIKAWA	KILOFRANC	OPENFIELD
TIMISOARA	MEGHALAYA	EUROFRANC	MANSFIELD
ALCÁNTARA	KSHATRIYA	BANYULENC	LÉOVIGILD
EL-KANTARA	TATABÁNYA	HIC ET NUNC	LIUVIGILD
SOLENZARA	KUTUBIYYA	LANGUEDOC	MEYERHOLD
ALEXANDRA	SALAFIYYA	BLANC-ÉTOC	DU DEFFAND
HALMAHERA	ANSARIYYA	CONTRE-ARC	SAMARKAND
ŒNOTHERA	FORTALEZA	SAINT-MARC	FRIEDLAND
SOAP OPERA	INFLUENZA	TRAIN-PARC	WERGELAND
ET CÆTERA	AURANGZEB	CUL-DE-PORC	DIXIELAND
AL-DJOFFRA	NANA SAHIB	JEUNE-TURC	BAEKELAND
ESSAOUIRA	TIPU SAHIB	LALOUVESC	CLEVELAND
RAS SHAMRA	AWRANGZIB	BOIS-LE-DUC	SWAZILAND
KUTNÁ HORA	SANS-PLOMB	AHMADABAD	FRANKLAND
LA MARMORA	VIDÉOCLUB	MORADABAD	SJAELLAND
LA SKHIRRA	YACHT-CLUB	AHMEDABAD	GROENLAND
KAMA-SUTRA	NIGHT-CLUB	FARIDABAD	HELGOLAND
BUJUMBURA	ANTITABAC	ALLAHABAD	FLEVOLAND
DJURDJURA	KOULIBIAC	ACHKHABAD	NEDERLAND
PETLIOURA	TINTÉNIAC	GHAZIABAD	FERDINAND
JETTATURA	BOURBRIAC	ISLAMABAD	MILLERAND
ANGUSTURA	RAVAILLAC	LENINABAD	TISSERAND
CEMAL PASA	MARCILLAC	HYDERABAD	TISSERAND
ENVER PASA	CONDILLAC	KHORSABAD	MÈRE-GRAND
TALAT PASA	FRONTENAC	KHURSABAD	WINOGRAND
VICE VERSA	CASSAGNAC	KIROVABAD	LIUTPRAND
MINEHASSA	MONTAGNAC	FIROZABAD	SOUTH BEND
MASINISSA	CAVAIGNAC	MARIENBAD	DIFFÉREND
LAMPEDUSA	HERBIGNAC	HERMANDAD	SAINT-GOND
DUPLICATA	MONTIGNAC	WHITEHEAD	PHARAMOND
ARYABHATA	MARTIGNAC	UPANISHAD	SIGISMOND
CHIPOLATA	RASTIGNAC	LENINGRAD	LEYSENOND
MISOURATA	RETOURNAC	VOLGOGRAD	STRALSUND
MARGARITA	BRIC-À-BRAC	PETROGRAD	HOLLYWOOD
DOLCE VITA	TOUT À TRAC	FLAMSTEED	WILLIBROD
ELEPHANTA	CULS-DE-SAC	GOTTSCHED	BIELGOROD
CONSTANTA	FLORENSAC	POUCE-PIED	CHAUFFARD
MINNESOTA	GAY-LUSSAC	COU-DE-PIED	BLANCHARD
SURAKARTA	TADOUSSAC	PASSE-PIED	CHINCHARD
MALATESTA	SOSNOWIEC	PLAIN-PIED	CABOCHARD
PIAZZETTA	GUILVINEC	SIEGFRIED	PRITCHARD

SCHICKARD	BURKINABÉ	NOVATRICE	**FLEURANCE**
BINOCLARD	**BURKINABÉ**	TAXATRICE	ASSURANCE
BACHELARD	**ANTSIRABÉ**	VEXATRICE	PLAISANCE
SOUFFLARD	**PONT-L'ABBÉ**	FIXATRICE	**PLAISANCE**
RENIFLARD	PORTE-BÉBÉ	TRACTRICE	MÉDISANCE
PIAILLARD	DÉSINHIBÉ	ÉLECTRICE	NAISSANCE
BRAILLARD	DUCS-D'ALBE	ÉRECTRICE	PAISSANCE
BABILLARD	CATACOMBE	DÉBITRICE	GLISSANCE
VIEILLARD	SURPLOMBE	AUDITRICE	PUISSANCE
OREILLARD	HÉCATOMBE	GÉNITRICE	RÉACTANCE
ÉGRILLARD	**DOUCHANBE**	MONITRICE	SUBSTANCE
NASILLARD	HOMOPHOBE	ÉMETTRICE	PRESTANCE
VÉTILLARD	XÉNOPHOBE	LOCUTRICE	CUISTANCE
FEUILLARD	LIPOPHOBE	COTUTRICE	CONSTANCE
POUILLARD	GARDE-ROBE	**PRIMATICE**	**CONSTANCE**
SOUILLARD	SOUS-BARBE	ADVENTICE	QUITTANCE
CAGOULARD	**FAIDHERBE**	ARMISTICE	REDEVANCE
GALLIMARD	**FAYDHERBE**	INJUSTICE	INDÉCENCE
GOGUENARD	RÉABSORBÉ	IMPÉDANCE	RÉTICENCE
COMBINARD	ARCHICUBE	ABONDANCE	INNOCENCE
SNOBINARD	MULTITUBE	**ABONDANCE**	ACESCENCE
ARCHINARD	PSILOCYBE	VENGEANCE	DÉCADENCE
SALONNARD	CLITOCYBE	DÉCHÉANCE	INCIDENCE
FRAGONARD	FACE-À-FACE	RÉCRÉANCE	STRIDENCE
COMMUNARD	VOLTE-FACE	PRÉSÉANCE	RÉSIDENCE
BODYBOARD	INTERFACE	MANIGANCE	IMPUDENCE
MAQUISARD	ENTRELACÉ	MANIGANCÉ	INDIGENCE
BROUSSARD	LAVE-GLACE	ARROGANCE	DILIGENCE
FROUSSARD	LÈVE-GLACE	MALCHANCE	ÉMERGENCE
FOUETTARD	DEMI-PLACE	CONFIANCE	OBÉDIENCE
HOME GUARD	MONOPLACE	FREE-LANCE	BIVALENCE
PANIQUARD	HORS-PLACE	VIGILANCE	COVALENCE
BRISQUARD	CONTUMACE	RUTILANCE	INDOLENCE
BOULEVARD	GALLINACÉ	VAILLANCE	INSOLENCE
BALBUZARD	MONOSPACE	BRILLANCE	FÉCULENCE
VOGELHERD	MONOTRACE	AMBULANCE	VIRULENCE
BORUDJERD	PÉRITHÈCE	PÉTULANCE	PURULENCE
FRANC-BORD	DEMI-PIÈCE	**CASAMANCE**	VÉHÉMENCE
PRÉACCORD	**PARDUBICE**	PRÉGNANCE	ENSEMENCÉ
DÉSACCORD	APPENDICE	COFINANCÉ	RÉMANENCE
GUILDFORD	IMMONDICE	DOMINANCE	IMMANENCE
LUNCEFORD	PRÉJUDICE	LUMINANCE	IMMINENCE
STRAFFORD	BOX-OFFICE	RÉSONANCE	DÉSINENCE
WATERFORD	SACRIFICE	ASSONANCE	APPARENCE
STRATFORD	**LA PALLICE**	ASSONANCÉ	DÉFÉRENCE
BRANTFORD	PRÉCIPICE	CLEARANCE	RÉFÉRENCE
GONDEBAUD	HARUSPICE	COGÉRANCE	RÉFÉRENCÉ
VERGNIAUD	CICATRICE	TOLÉRANCE	INFÉRENCE
SALOPIAUD	CRÉATRICE	ESPÉRANCE	INGÉRENCE
CABILLAUD	NÉGATRICE	**AIR FRANCE**	ADHÉRENCE
BOUILLAUD	AVIATRICE	FRAGRANCE	INHÉRENCE
PÉQUENAUD	DÉLATRICE	CLAIRANCE	COHÉRENCE
COGNERAUD	ZÉLATRICE	ATTIRANCE	RÉVÉRENCE
MALINVAUD	DONATRICE	IGNORANCE	APPÉTENCE
PINK FLOYD	CURATRICE	ABERRANCE	PÉNITENCE
HIPPOPHAÉ	NOTATRICE	MESTRANCE	IMPOTENCE
ASTROLABE	ROTATRICE	ENDURANCE	EXISTENCE

AFFLUENCE	AMBASSADE	ARACHNIDE	**BALTHILDE**
INFLUENCE	PALISSADE	CYPRINIDÉ	DEMI-SOLDE
INFLUENCÉ	PALISSADÉ	FALCONIDÉ	SARABANDE
FRÉQUENCE	INCARTADE	**MAIMONIDE**	MARCHANDE
ÉLOQUENCE	**VAN OSTADE**	SALMONIDÉ	MARCHANDÉ
QUINCONCE	CROUSTADE	RHOMBOÏDE	AFFRIANDÉ
CAPPADOCE	RÉTROCÉDÉ	CORACOÏDE	ACHALANDÉ
SACERDOCE	INTERCÉDÉ	HÉLICOÏDE	**DELALANDE**
MEZZA VOCE	**DÉROULÈDE**	CONCHOÏDE	**THAÏLANDE**
IDÉE-FORCE	**ARCHIMÈDE**	SCAPHOÏDE	GUIRLANDE
DÉSAMORCÉ	**ANDROMÈDE**	LYMPHOÏDE	**COURLANDE**
RESSOURCE	INTERMÈDE	CARDIOÏDE	REDEMANDÉ
RESSOURCÉ	PALMIPÈDE	ALCALOÏDE	ALLEMANDE
ACQUIESCÉ	PINNIPÈDE	PHALLOÏDE	**ALLEMANDE**
GÂTE-SAUCE	CIRRIPÈDE	TRIPLOÏDE	GOURMANDE
COURROUCÉ	CITHARÈDE	COTYLOÏDE	GOURMANDÉ
ZIG ET PUCE	**CLAPARÈDE**	SÉSAMOÏDE	**RIO GRANDE**
MAX DE BADE	DÉPOSSÉDÉ	HUMANOÏDE	**MÉLISANDE**
BARRICADE	COLUMBIDÉ	PARANOÏDE	DIVIDENDE
BARRICADÉ	PÈSE-ACIDE	SPHÉNOÏDE	VILIPENDÉ
CAVALCADE	ANTIACIDE	SOLÉNOÏDE	RÉVÉRENDE
CAVALCADÉ	THIOACIDE	RÉTINOÏDE	**INSULINDE**
EMBUSCADE	MONOACIDE	SPHÉROÏDE	VAGABONDE
DÉBANDADE	HYDRACIDE	ASTÉROÏDE	VAGABONDÉ
ORANGEADE	POLYACIDE	SINUSOÏDE	SURABONDÉ
REBUFFADE	HERBICIDE	PATATOÏDE	TIRE-BONDE
ÉTOUFFADE	FONGICIDE	ODONTOÏDE	PUDIBONDE
EMBRIGADÉ	GERMICIDE	SCHIZOÏDE	MORIBONDE
ALCIBIADE	VERMICIDE	GONOZOÏDE	FURIBONDE
HÉRODIADE	ACARICIDE	INTRÉPIDE	INFÉCONDE
JÉRÉMIADE	PARRICIDE	BICUSPIDE	RUBICONDE
ANCHOÏADE	MATRICIDE	SEMI-ARIDE	BIEN-FONDÉ
OLYMPIADE	PESTICIDE	SCOMBRIDÉ	**RADEGONDE**
TIBÉRIADE	LARVICIDE	COLUBRIDÉ	MICRO-ONDE
LOUISIADE	ETHNOCIDE	ANHYDRIDE	DEMI-RONDE
MARMELADE	PHYTOCIDE	GLYCÉRIDE	OSTRACODE
FUSILLADE	PELLUCIDE	**MARGERIDE**	TRANSCODÉ
FEUILLADE	SPLENDIDE	VIVERRIDÉ	**KOZHIKODE**
RÉMOULADE	**THUCYDIDE**	EUPATRIDE	ACCOMMODÉ
READY-MADE	TRACHÉIDE	**HEAVISIDE**	INCOMMODE
ESPLANADE	PALMIFIDE	GLUCOSIDE	INCOMMODÉ
PROMENADE	SPHINGIDÉ	POLYOSIDE	MYRIAPODE
TALONNADE	ALLERGIDE	ABBASSIDE	TÉTRAPODE
COLONNADE	SYNERGIDE	CARIATIDE	AMPHIPODE
CANONNADE	LYSERGIDE	CARYATIDE	CHÉNOPODE
RATONNADE	CICONIIDÉ	**ATLANTIDE**	MACROPODE
COTONNADE	MUSTÉLIDÉ	HALIOTIDE	PTÉROPODE
OIGNONADE	SYPHILIDE	AGROSTIDE	RHIZOPODE
CASSONADE	MACROLIDE	TÉLÉGUIDÉ	ÉLECTRODE
CANTONADE	CONSOLIDÉ	FILOGUIDÉ	TRÉMATODE
ESTRAPADE	SULFAMIDE	TOPO-GUIDE	FURIBARDE
ATTRAPADE	CYANAMIDE	AUTOGUIDÉ	CHAMBARDÉ
MASCARADE	ACÉTAMIDE	**DIKSMUIDE**	GUIMBARDE
HIT-PARADE	POLYAMIDE	ULTRAVIDE	PÉRICARDE
BENSERADE	SERRANIDÉ	TRANSVIDÉ	CHANÇARDE
DÉCIGRADE	SASSANIDE	**SMALKALDE**	BRANCARDÉ
SANS-GRADE	**PARMÉNIDE**	**ARTEVELDE**	ENDOCARDE

SOIFFARDE	AMPLITUDE	DÉCOINCÉE	AVANTAGÉE
BOUFFARDE	PLÉNITUDE	RENFONCÉE	AFFOUAGÉE
SOUS-GARDE	MAGNITUDE	PRONONCÉE	COOBLIGÉE
CENT-GARDE	TURPITUDE	DÉFRONCÉE	VENDANGÉE
PINCHARDE	NÉGRITUDE	INEXERCÉE	RECHANGÉE
CLOCHARDE	LASSITUDE	RENFORCÉE	INCHANGÉE
BOUCHARDE	BÉATITUDE	RÉAMORCÉE	BOULANGÉE
BOUCHARDÉ	PLATITUDE	COALESCÉE	EFFRANGÉE
HOUCHARDE	GRATITUDE	INEXAUCÉE	ENGRANGÉE
MOUCHARDE	RECTITUDE	ESCALADÉE	RALLONGÉE
MOUCHARDÉ	MULTITUDE	TAILLADÉE	PROLONGÉE
RILLIARDE	CERTITUDE	PERSUADÉE	REPLONGÉE
FAIBLARDE	SERVITUDE	DISSUADÉE	FORLONGÉE
ROUBLARDE	SULFOXYDE	ENTRAIDÉE	PHARYNGÉE
VICELARDE	HÉMIOXYDE	INVALIDÉE	DÉCHARGÉE
PAPELARDE	HYDROXYDE	PYRAMIDÉE	RECHARGÉE
GAILLARDE	PROTOXYDE	INTIMIDÉE	GAMBERGÉE
PAILLARDE	MACCHABÉE	DILAPIDÉE	SUBMERGÉE
RIGOLARDE	**BETHSABÉE**	BRIGANDÉE	RENGORGÉE
GUEULARDE	DÉPLOMBÉE	QUÉMANDÉE	IGNIFUGÉE
CUMULARDE	POLYLOBÉE	COMMANDÉE	HARNACHÉE
FLEMMARDE	EXACERBÉE	FAISANDÉE	RECRACHÉE
FLEMMARDÉ	DÉSHERBÉE	RESCINDÉE	RATTACHÉE
AUDENARDE	DÉBOURBÉE	HYPOSODÉE	SOUTACHÉE
GEIGNARDE	EMBOURBÉE	BOMBARDÉE	CRAVACHÉE
POIGNARDÉ	RECOURBÉE	PLACARDÉE	DESSÉCHÉE
GRIGNARDE	PERTURBÉE	RANCARDÉE	DÉFRICHÉE
GUIGNARDE	MASTURBÉE	RENCARDÉE	PASTICHÉE
TRAÎNARDE	DÉDICACÉE	BROCARDÉE	ESQUICHÉE
FOUINARDE	SALICACÉE	FAUCARDÉE	DÉHANCHÉE
SALONARDE	URTICACÉE	RINGARDÉE	DÉMANCHÉE
LA BÉRARDE	ARALIACÉE	POCHARDÉE	EMMANCHÉE
PLEURARDE	SCORIACÉE	CAVIARDÉE	ÉBRANCHÉE
POISSARDE	CLUSIACÉE	CHAPARDÉE	REVANCHÉE
CUISSARDE	VERGLACÉE	LÉOPARDÉE	**MARDOCHÉE**
SAVOYARDE	REMPLACÉE	MANSARDÉE	REMPOCHÉE
SAVOYARDE	BÉTULACÉE	RACCORDÉE	DÉBROCHÉE
MESA VERDE	SOLANACÉE	GALVAUDÉE	EMBROCHÉE
HEXACORDE	FARINACÉE	IMPALUDÉE	ACCROCHÉE
HÉMICORDÉ	RHAMNACÉE	DESSOUDÉE	DÉCROCHÉE
MONOCORDE	ANNONACÉE	RESSOUDÉE	REPROCHÉE
LAMBOURDE	SAPONACÉE	PEROXYDÉE	APPROCHÉE
LAMPOURDE	TUBÉRACÉE	SUROXYDÉE	DÉMARCHÉE
MORICAUDE	HÉDÉRACÉE	ESCLAFFÉE	RAPERCHÉE
LOURDAUDE	PIPÉRACÉE	REGREFFÉE	SCRATCHÉE
ROUGEAUDE	CYPÉRACÉE	DÉCOIFFÉE	DÉBAUCHÉE
ÉCHAFAUDÉ	ASTÉRACÉE	RECOIFFÉE	EMBAUCHÉE
SALIGAUDE	ONAGRACÉE	ASSOIFFÉE	REMBUCHÉE
COURTAUDE	MIMOSACÉE	DÉGRIFFÉE	DÉBOUCHÉE
COURTAUDÉ	ABIÉTACÉE	ÉCHAUFFÉE	REBOUCHÉE
MARIVAUDÉ	SAPOTACÉE	ESBROUFÉE	EMBOUCHÉE
BUXTEHUDE	CRUSTACÉE	RÉENGAGÉE	ACCOUCHÉE
INTERLUDE	THÉODICÉE	GRILLAGÉE	RECOUCHÉE
OULAN-OUDE	MORDANCÉE	DÉMÉNAGÉE	ESSOUCHÉE
DÉSUÉTUDE	FORLANCÉE	NAUFRAGÉE	RETOUCHÉE
ASSUÉTUDE	DISTANCÉE	DÉVISAGÉE	SÉBORRHÉE
LONGITUDE	COMMENCÉE	ENVISAGÉE	LOGORRHÉE

GONORRHÉE	JUSTIFIÉE	DÉGONFLÉE	BROUILLÉE
ÉPIMÉTHÉE	MYSTIFIÉE	REGONFLÉE	GROUILLÉE
PROMÉTHÉE	STATUFIÉE	CAMOUFLÉE	MAQUILLÉE
EURYSTHÉE	FASTIGIÉE	MAROUFLÉE	BÉQUILLÉE
DÉPRÉCIÉE	ATROPHIÉE	PRÉRÉGLÉE	CHEVILLÉE
APPRÉCIÉE	CONCILIÉE	ÉTRANGLÉE	LANCÉOLÉE
LICENCIÉE	MÉSALLIÉE	OBNUBILÉE	MENTHOLÉE
DISSOCIÉE	PERFOLIÉE	ÉFAUFILÉE	AFFRIOLÉE
REMERCIÉE	CALOMNIÉE	ANNIHILÉE	VITRIOLÉE
CONGÉDIÉE	ESTROPIÉE	ASSIMILÉE	CONTRÔLÉE
SUBSIDIÉE	RAPPARIÉE	RENTOILÉE	DEMI-VOLÉE
INCENDIÉE	HISTORIÉE	DÉSOPILÉE	DÉPEUPLÉE
RÉÉTUDIÉE	RAPATRIÉE	DÉSHUILÉE	REPEUPLÉE
STUPÉFIÉE	DÉPATRIÉE	TRIBALLÉE	ACCOUPLÉE
TORRÉFIÉE	EXPATRIÉE	REMBALLÉE	DÉCOUPLÉE
PUTRÉFIÉE	RASSASIÉE	INSTALLÉE	CENTUPLÉE
LIQUÉFIÉE	AUTOPSIÉE	DESCELLÉE	SEPTUPLÉE
BARBIFIÉE	AMNISTIÉE	FLAGELLÉE	SEXTUPLÉE
OPACIFIÉE	BALBUTIÉE	ENFIELLÉE	**KASTERLEE**
SPÉCIFIÉE	ASPHYXIÉE	DÉMIELLÉE	DÉNÉBULÉE
CALCIFIÉE	DÉSTOCKÉE	EMMIELLÉE	IMMACULÉE
DULCIFIÉE	**MILWAUKEE**	QUERELLÉE	MIRACULÉE
CRUCIFIÉE	BRIMBALÉE	DESSELLÉE	PÉDICULÉE
RÉÉDIFIÉE	TRIMBALÉE	MÉDAILLÉE	VÉHICULÉE
ACIDIFIÉE	INITIALÉE	DÉMAILLÉE	PANICULÉE
GAZÉIFIÉE	ENDIABLÉE	REMAILLÉE	RÉTICULÉE
MYTHIFIÉE	DESSABLÉE	RIMAILLÉE	ARTICULÉE
QUALIFIÉE	ASSEMBLÉE	TENAILLÉE	OPERCULÉE
AMPLIFIÉE	DÉMEUBLÉE	DÉPAILLÉE	ÉMASCULÉE
PLANIFIÉE	REMEUBLÉE	EMPAILLÉE	BOUSCULÉE
MAGNIFIÉE	ENCOUBLÉE	TIRAILLÉE	DÉMODULÉE
LIGNIFIÉE	DÉDOUBLÉE	CISAILLÉE	DÉGUEULÉE
SIGNIFIÉE	REDOUBLÉE	DÉTAILLÉE	ENGUEULÉE
RÉUNIFIÉE	DÉCERCLÉE	RETAILLÉE	DÉRÉGULÉE
SCARIFIÉE	RECERCLÉE	ENTAILLÉE	ACCUMULÉE
CLARIFIÉE	ENCERCLÉE	FOUAILLÉE	ROUCOULÉE
LUBRIFIÉE	DÉMASCLÉE	RHABILLÉE	REMMOULÉE
SACRIFIÉE	DÉBOUCLÉE	FENDILLÉE	VERMOULÉE
GLORIFIÉE	DÉFICELÉE	MORDILLÉE	SURMOULÉE
TERRIFIÉE	AMONCELÉE	RÉVEILLÉE	DESSOÛLÉE
HORRIFIÉE	DÉPUCELÉE	CHENILLÉE	MANIPULÉE
PÉTRIFIÉE	REMODELÉE	TORPILLÉE	INTITULÉE
NITRIFIÉE	CARAMÉLÉE	GASPILLÉE	UNIOVULÉE
VITRIFIÉE	GROMMELÉE	GOUPILLÉE	SALICYLÉE
FALSIFIÉE	ÉPANNELÉE	TOUPILLÉE	AMALGAMÉE
DENSIFIÉE	DÉCAPELÉE	BRÉSILLÉE	PROCLAMÉE
CHOSIFIÉE	BOURRELÉE	ÉGOSILLÉE	INENTAMÉE
VERSIFIÉE	DÉMUSELÉE	PERSILLÉE	DESQUAMÉE
MASSIFIÉE	ÉCARTELÉE	DESSILLÉE	BIEN-AIMÉE
RUSSIFIÉE	CRAQUELÉE	BOUSILLÉE	ENTR'AIMÉE
BÉATIFIÉE	ENJAVELÉE	TORTILLÉE	NON ANIMÉE
GRATIFIÉE	ÉCHEVELÉE	DISTILLÉE	ENVENIMÉE
RECTIFIÉE	DÉNIVELÉE	INSTILLÉE	COMPRIMÉE
ACÉTIFIÉE	ÉCERVELÉE	TREUILLÉE	SUPPRIMÉE
CERTIFIÉE	INSUFFLÉE	DÉGUILLÉE	LÉGITIMÉE
FORTIFIÉE	PERSIFLÉE	AIGUILLÉE	ENFLAMMÉE
MORTIFIÉE	DÉSENFLÉE	ÉPOUILLÉE	PRÉNOMMÉE

SURNOMMÉE	INSÉMINÉE	CITRONNÉE	ÉLUCUBRÉE
SUSNOMMÉE	ALBUMINÉE	COURONNÉE	CONSACRÉE
CONSOMMÉE	ILLUMINÉE	BLASONNÉE	MASSACRÉE
GENDARMÉE	ENLUMINÉE	MAISONNÉE	ÉCHANCRÉE
RENFERMÉE	ENFARINÉE	RAISONNÉE	DÉSENCRÉE
CONFIRMÉE	ENTÉRINÉE	LAITONNÉE	CALANDRÉE
PRÉFORMÉE	CHAGRINÉE	CANTONNÉE	ENGENDRÉE
CONFORMÉE	CHOURINÉE	CARTONNÉE	CYLINDRÉE
NÉOFORMÉE	AVOISINÉE	BASTONNÉE	EFFONDRÉE
DÉCHAUMÉE	HOUSSINÉE	FESTONNÉE	DÉLIBÉRÉE
PARE-FUMÉE	GÉLATINÉE	PISTONNÉE	DILACÉRÉE
ANTIFUMÉE	DÉMATINÉE	BOUTONNÉE	ÉVISCÉRÉE
REMPLUMÉE	BARATINÉE	MOUTONNÉE	IMMODÉRÉE
ENCABANÉE	RATATINÉE	CLAYONNÉE	VOCIFÉRÉE
SPONTANÉE	ABIÉTINÉE	CRAYONNÉE	AUTOGÉRÉE
DÉDOUANÉE	ACOQUINÉE	ÉPOUMONÉE	ACCÉLÉRÉE
MORIGÉNÉE	BOUQUINÉE	ORTHOPNÉE	CUILLERÉE
HALOGÉNÉE	CONDAMNÉE	DÉCHARNÉE	DÉGÉNÉRÉE
GANGRENÉE	RÉABONNÉE	CONCERNÉE	RÉGÉNÉRÉE
RENGRÉNÉE	RANÇONNÉE	DISCERNÉE	INCINÉRÉE
IMPRÉGNÉE	FREDONNÉE	GOUVERNÉE	RÉMUNÉRÉE
DÉDAIGNÉE	AMIDONNÉE	FLAGORNÉE	EXASPÉRÉE
DÉPEIGNÉE	RANDONNÉE	DÉFOURNÉE	INESPÉRÉE
ENSEIGNÉE	DINDONNÉE	ENFOURNÉE	RÉCUPÉRÉE
GRAFIGNÉE	LARDONNÉE	DÉTOURNÉE	VITUPÉRÉE
RÉALIGNÉE	PARDONNÉE	RETOURNÉE	RÉINSÉRÉE
SURLIGNÉE	CORDONNÉE	RATTRAPÉE	INVÉTÉRÉE
SOULIGNÉE	PIGEONNÉE	CANNE-ÉPÉE	OBLITÉRÉE
TÉMOIGNÉE	PLAFONNÉE	PORTE-ÉPÉE	INALTÉRÉE
EMPOIGNÉE	BOUGONNÉE	ANTICIPÉE	ADULTÉRÉE
CONSIGNÉE	MÂCHONNÉE	ÉMANCIPÉE	EMPIFFRÉE
PROVIGNÉE	BICHONNÉE	CONSTIPÉE	DÉCOFFRÉE
RENCOGNÉE	COCHONNÉE	DISCULPÉE	ENSOUFRÉE
STRYCHNÉE	SIPHONNÉE	INSCULPÉE	VINAIGRÉE
RENGAINÉE	CAMIONNÉE	DÉTREMPÉE	CONSPIRÉE
DÉCHAÎNÉE	ESPIONNÉE	RETREMPÉE	ÉDULCORÉE
ENCHAÎNÉE	VISIONNÉE	REGRIMPÉE	SUBODORÉE
PARRAINÉE	FUSIONNÉE	DÉTROMPÉE	REVIGORÉE
ENTRAÎNÉE	RATIONNÉE	ESCALOPÉE	AMÉLIORÉE
CARABINÉE	ACTIONNÉE	RÉCHAPPÉE	DÉCOLORÉE
DÉBOBINÉE	LOTIONNÉE	KIDNAPPÉE	REMÉMORÉE
EMBOBINÉE	GOUJONNÉE	DÉGRIPPÉE	REMBARRÉE
DÉRACINÉE	ÉTALONNÉE	DÉCRISPÉE	CHAMARRÉE
ENRACINÉE	SABLONNÉE	RÉOCCUPÉE	EMPIERRÉE
FILICINÉE	BALLONNÉE	INOCCUPÉE	DESSERRÉE
HIRUDINÉE	VALLONNÉE	SURCOUPÉE	RESSERRÉE
DÉTHÉINÉE	SILLONNÉE	CHALOUPÉE	DÉBOURRÉE
PROTÉINÉE	BOULONNÉE	DÉGROUPÉE	IDOLÂTRÉE
PEAUFINÉE	FOULONNÉE	REGROUPÉE	DÉPLÂTRÉE
ALBUGINÉE	MARMONNÉE	ATTROUPÉE	REPLÂTRÉE
RIPOLINÉE	SERMONNÉE	ACCAPARÉE	SALPÊTRÉE
BÉTULINÉE	CHAPONNÉE	VERTÉBRÉE	PERPÉTRÉE
CALAMINÉE	TAMPONNÉE	PERVIBRÉE	CHAPITRÉE
FORAMINÉE	POMPONNÉE	DÉMEMBRÉE	SURTITRÉE
VITAMINÉE	HARPONNÉE	REMEMBRÉE	INFILTRÉE
EFFÉMINÉE	ÉPERONNÉE	ENCOMBRÉE	EXFILTRÉE
ACHEMINÉE	PATRONNÉE	DÉNOMBRÉE	DÉCENTRÉE

RECENTRÉE
EXCENTRÉE
DÉCINTRÉE
DÉMONTRÉE
REMONTRÉE
DÉTARTRÉE
ENTARTRÉE
ENCASTRÉE
CADASTRÉE
REGISTRÉE
SINISTRÉE
CLAUSTRÉE
DÉLUSTRÉE
ILLUSTRÉE
ILLETTRÉE
DÉFEUTRÉE
ACCOUTRÉE
CENTAURÉE
RESTAURÉE
INSTAURÉE
MANUCURÉE
AFFLEURÉE
EFFLEURÉE
ENFLEURÉE
DÉFIGURÉE
INAUGURÉE
ENAMOURÉE
CHLORURÉE
DÉMESURÉE
RÉASSURÉE
PRESSURÉE
LIGATURÉE
DÉNATURÉE
INSATURÉE
FRACTURÉE
AVENTURÉE
CEINTURÉE
PEINTURÉE
ENFIÉVRÉE
DÉCUIVRÉE
RECOUVRÉE
TRIPHASÉE
DÉNIAISÉE
INAPAISÉE
HÉBRAÏSÉE
MORTAISÉE
FRANCISÉE
EXORCISÉE
FLUIDISÉE
FOCALISÉE
LOCALISÉE
VOCALISÉE
IDÉALISÉE
LÉGALISÉE
BANALISÉE
CANALISÉE
PÉNALISÉE

FINALISÉE
MORALISÉE
NASALISÉE
TOTALISÉE
DÉVALISÉE
LABÉLISÉE
FIDÉLISÉE
MODÉLISÉE
MOBILISÉE
SIMILISÉE
VIRILISÉE
CIVILISÉE
CRÉOLISÉE
BÉMOLISÉE
NÉBULISÉE
ISLAMISÉE
DYNAMISÉE
MINIMISÉE
OPTIMISÉE
MAXIMISÉE
SODOMISÉE
CHROMISÉE
URBANISÉE
MÉCANISÉE
PAGANISÉE
ORGANISÉE
ROMANISÉE
HUMANISÉE
TÉTANISÉE
FÉMINISÉE
LATINISÉE
DIVINISÉE
COLONISÉE
CANONISÉE
ÉTERNISÉE
IMMUNISÉE
CHAMOISÉE
DÉCROISÉE
POLARISÉE
CÉSARISÉE
TUBÉRISÉE
MADÉRISÉE
NUMÉRISÉE
SATIRISÉE
ARBORISÉE
THÉORISÉE
VALORISÉE
COLORISÉE
MÉMORISÉE
SONORISÉE
VAPORISÉE
MOTORISÉE
AUTORISÉE
FAVORISÉE
MAÎTRISÉE
SÉCURISÉE
SOMATISÉE

FANATISÉE
DÉRATISÉE
MONÉTISÉE
POLITISÉE
NÉANTISÉE
ROBOTISÉE
ASEPTISÉE
COURTISÉE
AMENUISÉE
INÉPUISÉE
PRÉAVISÉE
MALAVISÉE
TÉLÉVISÉE
COMPULSÉE
PROPULSÉE
CONVULSÉE
ZELL AM SEE
CONDENSÉE
WALLENSEE
COMPENSÉE
DISPENSÉE
STRUENSEE
ANKYLOSÉE
ANTÉPOSÉE
RÉIMPOSÉE
POSTPOSÉE
SCLÉROSÉE
WALDERSEE
DISPERSÉE
TRAVERSÉE
RENVERSÉE
DÉBOURSÉE
FRACASSÉE
TRACASSÉE
FRICASSÉE
CONCASSÉE
RECHASSÉE
ENCHÂSSÉE
DÉCLASSÉE
RECLASSÉE
PRÉLASSÉE
TRÉPASSÉE
LAMPASSÉE
COMPASSÉE
SURPASSÉE
EMBRASSÉE
DÉCRASSÉE
ENCRASSÉE
CUIRASSÉE
TERRASSÉE
RESSASSÉE
CREVASSÉE
CONFESSÉE
PROFESSÉE
TENNESSEE
REDRESSÉE
EMPRESSÉE

OPPRESSÉE
BRETESSÉE
RABAISSÉE
REBAISSÉE
DÉCAISSÉE
ENCAISSÉE
AFFAISSÉE
DÉLAISSÉE
RELAISSÉE
DÉPLISSÉE
REPLISSÉE
COULISSÉE
VERNISSÉE
ANGOISSÉE
COMPISSÉE
ESQUISSÉE
RENDOSSÉE
ENGROSSÉE
CARROSSÉE
DÉFAUSSÉE
REHAUSSÉE
EXHAUSSÉE
REPOUSSÉE
DÉSABUSÉE
COACCUSÉE
DÉCREUSÉE
RECREUSÉE
PARALYSÉE
CATALYSÉE
ANTIDATÉE
HORODATÉE
POSTDATÉE
CARAPATÉE
CONSTATÉE
COMPACTÉE
RÉFRACTÉE
DÉTRACTÉE
RÉTRACTÉE
CONTACTÉE
COLLECTÉE
CONNECTÉE
RESPECTÉE
INSPECTÉE
SUSPECTÉE
CONCOCTÉE
ÉPINCETÉE
CROCHETÉE
MOUCHETÉE
INQUIÉTÉE
PAILLETÉE
COMPLÉTÉE
TROMPETÉE
DÉSARÊTÉE
CHARRETÉE
BECQUETÉE
BRIQUETÉE
ÉTIQUETÉE

MARQUETÉE	EFFRONTÉE	DÉPIAUTÉE	MASTIQUÉE
PARQUETÉE	EMPRUNTÉE	RESSAUTÉE	RUSTIQUÉE
BOUQUETÉE	ABRICOTÉE	CHARCUTÉE	DÉCALQUÉE
DÉRIVETÉE	ASTICOTÉE	IRRÉFUTÉE	DÉFALQUÉE
SOUHAITÉE	RAVIGOTÉE	INVOLUTÉE	INCULQUÉE
RETRAITÉE	CHUCHOTÉE	ARC-BOUTÉE	PALANQUÉE
INHABITÉE	SIFFLOTÉE	RÉÉCOUTÉE	SUFFOQUÉE
EXORBITÉE	COMPLOTÉE	INÉCOUTÉE	DÉBLOQUÉE
FÉLICITÉE	ESCAMOTÉE	ENCROÛTÉE	DÉFLOQUÉE
GRAPHITÉE	GRIGNOTÉE	FERROUTÉE	DISLOQUÉE
HABILITÉE	DÉCAPOTÉE	PRÉTEXTÉE	ESCROQUÉE
DÉBILITÉE	GALIPOTÉE	RÉTRIBUÉE	DÉFROQUÉE
FACILITÉE	NUMÉROTÉE	ATTRIBUÉE	DÉTROQUÉE
DYNAMITÉE	CRÉOSOTÉE	DÉSEMBUÉE	CONVOQUÉE
DÉLIMITÉE	RÉADAPTÉE	PRODIGUÉE	PROVOQUÉE
ILLIMITÉE	INADAPTÉE	INTRIGUÉE	DÉBARQUÉE
REMBOÎTÉE	PRÉEMPTÉE	INSTIGUÉE	EMBARQUÉE
EXPLOITÉE	DÉCOMPTÉE	DIVULGUÉE	DÉMARQUÉE
CONVOITÉE	RECOMPTÉE	HARANGUÉE	REMARQUÉE
DÉCAPITÉE	ESCOMPTÉE	RALINGUÉE	REMORQUÉE
INABRITÉE	INDOMPTÉE	MERINGUÉE	RÉTORQUÉE
IMMÉRITÉE	DÉCRYPTÉE	SERINGUÉE	EXTORQUÉE
PARASITÉE	CONCERTÉE	DÉVERGUÉE	DÉMASQUÉE
REVISITÉE	CONFORTÉE	ENVERGUÉE	DÉBUSQUÉE
TRANSITÉE	COLPORTÉE	SUBJUGUÉE	EMBUSQUÉE
BISCUITÉE	REMPORTÉE	CONJUGUÉE	OFFUSQUÉE
DÉFRUITÉE	COMPORTÉE	RÉÉVALUÉE	RÉÉDUQUÉE
RÉINVITÉE	RAPPORTÉE	DÉPOLLUÉE	EMBOUQUÉE
ASPHALTÉE	SUPPORTÉE	TRANSMUÉE	EFFECTUÉE
SURVOLTÉE	BALLASTÉE	CONTINUÉE	PERPÉTUÉE
AUSCULTÉE	CONTESTÉE	RENFLOUÉE	ENTRE-TUÉE
CONSULTÉE	PROTESTÉE	SOUS-LOUÉE	DESTITUÉE
RECHANTÉE	ATTRISTÉE	DÉSAVOUÉE	RESTITUÉE
ENCHANTÉE	COMPOSTÉE	CORNAQUÉE	INSTITUÉE
DÉPLANTÉE	RÉAJUSTÉE	EMBRAQUÉE	ACCENTUÉE
REPLANTÉE	INCRUSTÉE	TERRAQUÉE	UNISEXUÉE
IMPLANTÉE	REGRATTÉE	MATRAQUÉE	REMBLAVÉE
DIAMANTÉE	ASSIETTÉE	DÉTRAQUÉE	CHOURAVÉE
WARRANTÉE	RACKETTÉE	DISSÉQUÉE	INACHEVÉE
TRIDENTÉE	TOILETTÉE	ÉRADIQUÉE	SURÉLEVÉE
VIOLENTÉE	REGRETTÉE	PRÉDIQUÉE	MAINLEVÉE
SEGMENTÉE	LEVRETTÉE	SYNDIQUÉE	ENJOLIVÉE
PIGMENTÉE	BROUETTÉE	TRAFIQUÉE	RÉACTIVÉE
AUGMENTÉE	MOQUETTÉE	RÉPLIQUÉE	INACTIVÉE
ALIMENTÉE	SCHLITTÉE	IMPLIQUÉE	ADDITIVÉE
COMMENTÉE	ACQUITTÉE	APPLIQUÉE	DÉMOTIVÉE
SARMENTÉE	REQUITTÉE	DUPLIQUÉE	IMMOTIVÉE
FERMENTÉE	MARCOTTÉE	EXPLIQUÉE	PRÉSERVÉE
PRÉSENTÉE	BOYCOTTÉE	PHÉNIQUÉE	CONSERVÉE
CONTENTÉE	BALLOTTÉE	SURPIQUÉE	RÉPROUVÉE
SUSTENTÉE	BOULOTTÉE	FABRIQUÉE	APPROUVÉE
ENCEINTÉE	ROULOTTÉE	IMBRIQUÉE	RETROUVÉE
ACCOINTÉE	MARMOTTÉE	RUBRIQUÉE	COMPLEXÉE
APPOINTÉE	DÉCROTTÉE	AFFRIQUÉE	MINIMEXÉE
ESQUINTÉE	GARROTTÉE	INTRIQUÉE	REMBLAYÉE
SURMONTÉE	FRISOTTÉE	PRATIQUÉE	SOUS-PAYÉE
AFFRONTÉE	BISEAUTÉE	CRITIQUÉE	RENTRAYÉE

RÉESSAYÉE	SERINGAGE	OUTILLAGE	PILONNAGE
GRASSEYÉE	RABÂCHAGE	FEUILLAGE	CANONNAGE
REMPLOYÉE	PANACHAGE	MOUILLAGE	BARONNAGE
FOUDROYÉE	ARRACHAGE	TOUILLAGE	BÉTONNAGE
HONGROYÉE	ENSACHAGE	DÉCOLLAGE	PITONNAGE
CHARROYÉE	DÉTACHAGE	RECOLLAGE	ENTONNAGE
VOUSSOYÉE	REPÊCHAGE	ENCOLLAGE	SAVONNAGE
JOINTOYÉE	AFFICHAGE	BRICOLAGE	RAYONNAGE
FOURVOYÉE	BRANCHAGE	GONDOLAGE	GAZONNAGE
WADDENZEE	TRANCHAGE	BARIOLAGE	PATRONAGE
ZUIDERZEE	DÉCOCHAGE	FIGNOLAGE	ÉCHARNAGE
PAUSE-CAFÉ	ENCOCHAGE	**LOON-PLAGE**	MATERNAGE
CYBERCAFÉ	DÉROCHAGE	DÉFERLAGE	HIVERNAGE
LUFTWAFFE	ÉCORCHAGE	DÉMOULAGE	RECHAPAGE
ISOGREFFE	ÉBAUCHAGE	REMOULAGE	DÉCRÊPAGE
RADCLIFFE	ÉPLUCHAGE	DÉROULAGE	ESTAMPAGE
TÉNÉRIFFE	MÉLOPHAGE	CAPSULAGE	ESTOMPAGE
ÉBOURIFFÉ	XYLOPHAGE	ESSAIMAGE	ÉGRAPPAGE
RÉCHAUFFÉ	ŒSOPHAGE	EXPRIMAGE	DÉCOUPAGE
THÉODULFE	BAILLIAGE	DÉDOMMAGÉ	RECOUPAGE
COLOMBAGE	GABARIAGE	ENDOMMAGÉ	DÉFIBRAGE
ENGERBAGE	DÉMARIAGE	DÉGOMMAGE	CALIBRAGE
SURFAÇAGE	REMARIAGE	ENGOMMAGE	DÉCADRAGE
DÉGLAÇAGE	COLORIAGE	AFFERMAGE	RECADRAGE
RAPIÉÇAGE	CHARRIAGE	REFORMAGE	ORNIÉRAGE
APPLICAGE	DESSALAGE	HAUBANAGE	COMMÉRAGE
MATRIÇAGE	RECYCLAGE	BOUCANAGE	COMPÉRAGE
MASTICAGE	NICKELAGE	RÉAMÉNAGÉ	PASSERAGE
RUSTICAGE	TONNELAGE	SURMENAGE	CHIFFRAGE
FAÏENÇAGE	CARRELAGE	ENGRENAGE	SAXIFRAGE
DÉFONÇAGE	VASSELAGE	SASSENAGE	ÉCLAIRAGE
DÉBLOCAGE	PLATELAGE	**SASSENAGE**	SOUTIRAGE
DÉFLOCAGE	MARTELAGE	**STEVENAGE**	SURVIRAGE
DÉMARCAGE	BOTTELAGE	DÉLIGNAGE	PERFORAGE
GRENADAGE	TRAVELAGE	ÉBORGNAGE	**ANCHORAGE**
SCHEIDAGE	SOUFFLAGE	DÉLAINAGE	ÉPAMPRAGE
RENVIDAGE	ÉPINGLAGE	ÉGRAINAGE	DÉMARRAGE
GALANDAGE	TRÉFILAGE	TURBINAGE	DÉFERRAGE
DÉBARDAGE	PROFILAGE	FASCINAGE	ÉPIERRAGE
CAFARDAGE	PARFILAGE	JARDINAGE	DÉTERRAGE
BAVARDAGE	SURFILAGE	BOUDINAGE	ATTERRAGE
SABORDAGE	FAUFILAGE	RAFFINAGE	ÉQUERRAGE
RETORDAGE	ENTOILAGE	PRALINAGE	FENÊTRAGE
ÉCHAUDAGE	TUSSILAGE	MOULINAGE	ARBITRAGE
MARAUDAGE	CENTILAGE	VOISINAGE	TUTEURAGE
TARAUDAGE	CARTILAGE	COUSINAGE	SULFURAGE
RAVAUDAGE	DÉBALLAGE	PLATINAGE	SAUMURAGE
VOYAGEAGE	EMBALLAGE	COLTINAGE	RAINURAGE
VOLIGEAGE	HYPALLAGE	BÉGUINAGE	LABOURAGE
ÉPONGEAGE	ÉCAILLAGE	ALEVINAGE	DÉCOURAGÉ
LIMOGEAGE	ÉMAILLAGE	DÉPANNAGE	ENCOURAGÉ
ÉGRUGEAGE	BABILLAGE	EMPANNAGE	AFFOURAGÉ
MARCHÉAGE	HABILLAGE	EMPENNAGE	DÉTOURAGE
TÉLÉPÉAGE	TREILLAGE	FAÇONNAGE	ENTOURAGE
CHAUFFAGE	TREILLAGÉ	MAÇONNAGE	VOITURAGE
ÉTOUFFAGE	CUEILLAGE	BIDONNAGE	BOUTURAGE
DÉSENGAGÉ	BATILLAGE	TALONNAGE	ÉBAVURAGE

705

DÉGIVRAGE	PATENTAGE	EMBRAYAGE	**CADARACHE**
DÉPHASAGE	ÉREINTAGE	RESSAYAGE	**THIÉRACHE**
DÉBRASAGE	DÉMONTAGE	CARROYAGE	BOURRACHE
RÉALÉSAGE	REMONTAGE	CORROYAGE	AMOURACHÉ
CHEMISAGE	APPONTAGE	NETTOYAGE	MOUSTACHE
TANNISAGE	CLABOTAGE	CONVOYAGE	ESCABÈCHE
REPRISAGE	CRABOTAGE	LOUVOYAGE	TÊTE-BÊCHE
AIGUISAGE	BARBOTAGE	**CAMBRIDGE**	POURLÈCHE
SURDOSAGE	PLACOTAGE	**MUYBRIDGE**	POURLÉCHÉ
TABASSAGE	FRICOTAGE	**COLERIDGE**	FLAMMÈCHE
RAMASSAGE	TRICOTAGE	**BEVERIDGE**	**ROMANÈCHE**
LE PASSAGE	BACHOTAGE	TÉLÉSIÈGE	ANTISÈCHE
REPASSAGE	FOLIOTAGE	SPICILÈGE	MATABICHE
ADRESSAGE	PIANOTAGE	SACRILÈGE	MATCHICHE
GRAISSAGE	CLAPOTAGE	FLORILÈGE	BOURRICHE
PALISSAGE	CHIPOTAGE	SORTILÈGE	OROBANCHE
POLISSAGE	TRIPOTAGE	PRIVILÈGE	AVALANCHE
FINISSAGE	REMPOTAGE	DÉSAGRÉGÉ	**LECLANCHÉ**
MÛRISSAGE	ENCARTAGE	**ZEEBRUGGE**	**BALLANCHE**
CATISSAGE	DÉPARTAGÉ	MOTONEIGE	**LAPLANCHE**
RATISSAGE	REPARTAGÉ	AUTONEIGE	REMMANCHÉ
MÉTISSAGE	COPARTAGE	**HIROSHIGE**	DÉBRANCHÉ
RÔTISSAGE	ESSARTAGE	DÉSOBLIGÉ	EMBRANCHÉ
FOUISSAGE	REPORTAGE	FÉLIBRIGE	**LA TRANCHE**
ROUISSAGE	DÉLESTAGE	RECORRIGÉ	RETRANCHÉ
DÉVISSAGE	FORESTAGE	COTON-TIGE	DÉCLENCHÉ
EMBOSSAGE	DÉPISTAGE	**ISAAC ANGE**	ENCLENCHÉ
TROUSSAGE	ACCOSTAGE	**DUDELANGE**	PERVENCHE
CALFATAGE	RABATTAGE	**GANDRANGE**	RABIBOCHÉ
SULFATAGE	BARATTAGE	**BONG RANGE**	EFFILOCHE
FRÉGATAGE	CURETTAGE	RÉARRANGÉ	EFFILOCHÉ
FRELATAGE	CULOTTAGE	**SAINT-ANGE**	MAILLOCHE
TRÉMATAGE	CAROTTAGE	ALKÉKENGE	GUILLOCHÉ
COLMATAGE	ÉGOUTTAGE	CHALLENGE	VIDE-POCHE
FORMATAGE	NOYAUTAGE	LAVE-LINGE	**DELAROCHE**
HUMECTAGE	TUYAUTAGE	**POPERINGE**	RACCROCHÉ
DÉROCTAGE	CULBUTAGE	**SAINTONGE**	ANICROCHE
CACHETAGE	ÉQUEUTAGE	NÉCROLOGE	BANCROCHE
PELLETAGE	CHALUTAGE	INTERROGÉ	RAPPROCHÉ
BOULETAGE	RABOUTAGE	SURCHARGE	BON MARCHÉ
VIGNETAGE	FILOUTAGE	SURCHARGÉ	RECHERCHE
CANNETAGE	DÉROUTAGE	**BAILLARGÉ**	RECHERCHÉ
SECRÉTAGE	SERFOUAGE	FLAMBERGE	ÉCOPERCHE
CAQUETAGE	ENCLOUAGE	CONCIERGE	**LA GUERCHE**
PAQUETAGE	DÉPIQUAGE	SOUS-VERGE	AFFOURCHÉ
PIQUETAGE	REPIQUAGE	SOUS-GORGE	ENFOURCHÉ
CLAVETAGE	ASTIQUAGE	CALCIFUGE	**NIETZSCHE**
SAUVETAGE	EMBLAVAGE	VERMIFUGE	DISPATCHÉ
AFFAITAGE	ESCLAVAGE	FÉBRIFUGE	**BALOUTCHE**
DÉLAITAGE	PRÉLAVAGE	HYDROFUGE	REMBAUCHÉ
SULFITAGE	DESSÉVAGE	HYDROFUGÉ	CHEVAUCHÉ
EMBOÎTAGE	ARCHIVAGE	TRANSFUGE	TRUCMUCHE
DÉVOLTAGE	LESSIVAGE	**MONTROUGE**	TARBOUCHE
DÉCANTAGE	ACCOUVAGE	PEAU-ROUGE	**MASCOUCHE**
DAVANTAGE	DÉBLAYAGE	**PEAU-ROUGE**	PIÉDOUCHE
ARGENTAGE	MONNAYAGE	CALLIPYGE	FARLOUCHE
ARPENTAGE	DÉBRAYAGE	EMPANACHÉ	FERLOUCHE

DESSOUCHÉ	DISGRACIÉ	STRATÉGIE	MYOPATHIE
CARTOUCHE	APOTHÉCIE	LOMBALGIE	NAUPATHIE
CARTOUCHE	PARAMÉCIE	OSTÉALGIE	**CARINTHIE**
BAUDRUCHE	BÉNÉFICIÉ	NÉVRALGIE	**ZAPOROJIE**
BOSTRYCHE	SUPPLICIÉ	DORSALGIE	**KALMOUKIE**
YOHIMBEHE	GÉOMANCIE	CAUSALGIE	PALILALIE
HOHENLOHE	DISTANCIÉ	NOSTALGIE	ÉCHOLALIE
HACHINOHE	RENÉGOCIÉ	PÉDAGOGIE	**AUSTRALIE**
ÉPIGRAPHE	COASSOCIÉ	DÉMAGOGIE	**THESSALIE**
GÉOGRAPHE	ÉCLAIRCIE	ONCOLOGIE	AFFAIBLIE
BIOGRAPHE	OBSCURCIE	MYCOLOGIE	**FRÈRE ÉLIE**
OLOGRAPHE	ACCOURCIE	PÉDOLOGIE	SOUAHÉLIE
CÉNOTAPHE	**NICOMÉDIE**	PODOLOGIE	PÉRIHÉLIE
SYNALÈPHE	LOGOPÉDIE	IDÉOLOGIE	ENSEVELIE
THÉOSOPHE	RÉEXPÉDIÉ	RHÉOLOGIE	**DE BROGLIE**
ZOOMORPHE	REFROIDIE	THÉOLOGIE	NÉVROGLIE
APOMORPHE	NÉPHRIDIE	ERGOLOGIE	DOMICILIÉ
ISOMORPHE	POURRIDIÉ	ÉTHOLOGIE	ZOOPHILIE
ANAGLYPHE	OMMATIDIE	ÉTIOLOGIE	ASSAILLIE
TRIGLYPHE	**NORMANDIE**	AXIOLOGIE	AÉROCOLIE
GÉOGLYPHE	MAURANDIE	HOMOLOGIE	LATIFOLIÉ
APOCRYPHE	STIPENDIÉ	POMOLOGIE	MULTIPLIÉ
SYNGNATHE	PSALMODIE	ŒNOLOGIE	DÉSEMPLIE
PROGNATHE	PSALMODIÉ	PÉNOLOGIE	ACCOMPLIE
TÉLÉPATHE	PALINODIE	SÉNOLOGIE	ASSOUPLIE
ÉTIOPATHE	ARTHRODIE	SINOLOGIE	ACALCULIE
MÉGALITHE	RHAPSODIE	TONOLOGIE	**PAMPHYLIE**
MONOLITHE	VOÏÉVODIE	TOPOLOGIE	ENDOGAMIE
PISOLITHE	**LOMBARDIE**	TYPOLOGIE	ALLOGAMIE
CRYOLITHE	ABÂTARDIE	AÉROLOGIE	HOMOGAMIE
HÉLIANTHE	DÉGOURDIE	SÉROLOGIE	MONOGAMIE
PÉRIANTHE	ENGOURDIE	AGROLOGIE	AUTOGAMIE
PHILANTHE	ASSOURDIE	VIROLOGIE	POLYGAMIE
ÉRYMANTHE	APPLAUDIE	NOSOLOGIE	LIPIDÉMIE
RHINANTHE	PLANCHÉIÉ	POSOLOGIE	CÉTONÉMIE
HYDRANTHE	RIGIDIFIÉ	GÎTOLOGIE	TULARÉMIE
MÉNYANTHE	SOLIDIFIÉ	ONTOLOGIE	HYPERÉMIE
HYACINTHE	HUMIDIFIÉ	CYTOLOGIE	POLYSÉMIE
HYACINTHE	FLUIDIFIÉ	SEXOLOGIE	HYPOXÉMIE
HELMINTHE	DRAGÉIFIÉ	DOXOLOGIE	EURYTHMIE
WISIGOTHE	SIMPLIFIÉ	CRYOLOGIE	GÉOCHIMIE
AIX-EN-OTHE	SAPONIFIÉ	LÉTHARGIE	BIOCHIMIE
KARLSRUHE	ÉTHÉRIFIÉ	HYDRARGIE	OPHTALMIE
LA MALBAIE	ESTÉRIFIÉ	BIÉNERGIE	PRUD'HOMIE
ENTRE-HAÏE	ÉMULSIFIÉ	ASYNERGIE	TÉLÉNOMIE
TREMBLAIE	CLASSIFIÉ	CHIRURGIE	ANTINOMIE
LACHENAIE	STRATIFIÉ	NAUMACHIE	TAXINOMIE
RONCERAIE	SANCTIFIÉ	RÉFLÉCHIE	ERGONOMIE
FOUGERAIE	FRUCTIFIÉ	INFLÉCHIE	AÉRONOMIE
PALMERAIE	QUANTIFIÉ	MONARCHIE	AGRONOMIE
POMMERAIE	IDENTIFIÉ	SYNARCHIE	AUTONOMIE
NOISERAIE	PLASTIFIÉ	DÉGAUCHIE	BICHROMIE
OLIVERAIE	REVIVIFIÉ	**INGOUCHIE**	DICHROMIE
ZOOPHOBIE	DÉNAZIFIÉ	MALPIGHIE	LOBOTOMIE
ANAÉROBIE	GÉOPHAGIE	DIGRAPHIE	VAGOTOMIE
ESTOURBIE	DYSPHAGIE	SYMPATHIE	TÉNOTOMIE
PHARMACIE	OTORRAGIE	ZOOPATHIE	VASOTOMIE

AUTOTOMIE	GARDE-VOIE	BADINERIE	DINGUERIE
RAFFERMIE	ENTREVOIE	RADINERIE	DROGUERIE
RENDORMIE	MULTIVOIE	AFFINERIE	JACQUERIE
RENFORMIE	ŒIL-DE-PIE	CÂLINERIE	**JACQUERIE**
DYSTHYMIE	NIDS-DE-PIE	GAMINERIE	TURQUERIE
HOMONYMIE	ENTHALPIE	RAPINERIE	DÉMAIGRIE
SYNONYMIE	RÉCHAMPIE	COPINERIE	RABOUGRIE
TOPONYMIE	TÉLÉCOPIE	LÉSINERIE	ANARTHRIE
PARONYMIE	XÉROCOPIE	MUTINERIE	LIBRAIRIE
MÉTONYMIE	AUTOCOPIE	TIMONERIE	**LA PRAIRIE**
ANTONYMIE	OTOSCOPIE	AUMÔNERIE	**BACHKIRIE**
AUTONYMIE	ANUSCOPIE	JAPONERIE	**KROUMIRIE**
ÉPIPHANIE	POLYCOPIÉ	TOURNERIE	ALLÉGORIE
OPIOMANIE	AMÉTROPIE	CLOWNERIE	CATÉGORIE
MÉLOMANIE	ISOTROPIE	TROMPERIE	DYSPHORIE
MONOMANIE	AMBLYOPIE	SALOPERIE	ENDOLORIE
HYPOMANIE	**GILLESPIE**	SIROPERIE	APPROPRIÉ
PYROMANIE	ACCROUPIE	MARBRERIE	EXPROPRIÉ
POTOMANIE	LINOTYPIE	POUDRERIE	PÉDIATRIE
POMÉRANIE	BAIN-MARIE	CONFRÉRIE	GÉRIATRIE
OCCITANIE	CONTRARIÉ	PINGRERIE	IDOLÂTRIE
LUSITANIE	ASSOMBRIE	IVOIRERIE	ZOOLÂTRIE
IPHIGÉNIE	TRIANDRIE	BEURRERIE	GÉOMÉTRIE
ONTOGÉNIE	MISANDRIE	PLÂTRERIE	BIOMÉTRIE
CRYOGÉNIE	ATTENDRIE	LUSTRERIE	ISOMÉTRIE
COMPAGNIE	AMOINDRIE	ARMURERIE	ASYMÉTRIE
REDÉFINIE	PLOMBERIE	PARURERIE	INDUSTRIE
INDÉFINIE	FOURBERIE	MIÈVRERIE	**LA METTRIE**
IGNOMINIE	BUANDERIE	LAMASERIE	DÉFLEURIE
ABYSSINIE	ÉTENDERIE	NIAISERIE	REFLEURIE
FRANCONIE	GRONDERIE	ÉCLOSERIE	CALCIURIE
GLAUCONIE	CHEFFERIE	BRASSERIE	CÉTONURIE
CALÉDONIE	MÉNAGERIE	GRASSERIE	HÉMATURIE
POSIDONIE	**LAVIGERIE**	CAISSERIE	APPAUVRIE
PATAGONIE	ORANGERIE	HUISSERIE	PORPHYRIE
THÉOGONIE	FLACHERIE	BROSSERIE	DYSPHASIE
THÉOGONIE	CLICHERIE	GROSSERIE	ACHALASIE
DIAPHONIE	TRICHERIE	HORS-SÉRIE	ANAPLASIE
SYMPHONIE	**PULCHÉRIE**	TOUSSERIE	NÉOPLASIE
DYSPHONIE	PORCHERIE	GUEUSERIE	DYSPLASIE
BABYLONIE	GAUCHERIE	BARATERIE	DOCIMASIE
HÉGÉMONIE	VAUCHÉRIE	PIRATERIE	**AUSTRASIE**
CÉRÉMONIE	BOUCHERIE	AFFÉTERIE	BIOSTASIE
ACRIMONIE	COUCHERIE	PANETERIE	APOSTASIE
ANTIMONIÉ	LOUCHERIE	PAPETERIE	APOSTASIÉ
PNEUMONIE	CAVALERIE	DIPHTÉRIE	ISOSTASIE
CATATONIE	DIABLERIE	FRUITERIE	**PAPOUASIE**
VAGOTONIE	JONGLERIE	SABOTERIE	ANALGÉSIE
MONOTONIE	RAILLERIE	BIGOTERIE	RAFFLÉSIE
HYPOTONIE	TAILLERIE	ERGOTERIE	**MÉLANÉSIE**
REMBRUNIE	CAJOLERIE	MINOTERIE	**INDONÉSIE**
ACRODYNIE	FÉCULERIE	SPARTERIE	**POLYNÉSIE**
MISOGYNIE	MÉTAMÉRIE	CHATTERIE	PLEURÉSIE
POLYGYNIE	MÉSOMÉRIE	FLATTERIE	DESSAISIE
PATTE-D'OIE	POLYMÉRIE	MINUTERIE	RESSAISIE
MONTS-JOIE	RUBANERIE	CLOUTERIE	FANTAISIE
RABAT-JOIE	GROGNERIE	**PRAGUERIE**	CRAMOISIE

AMBROISIE	STÉGOMYIE	ABBATIALE	PECTORALE
MALVOISIE	ANTINAZIE	PALATIALE	RECTORALE
ÉPILEPSIE	**MACKENZIE**	COMITIALE	DOCTORALE
DYSPEPSIE	BILHARZIE	SYNOVIALE	PASTORALE
ATHREPSIE	MILK-SHAKE	ALLUVIALE	LITTORALE
ÉCLAMPSIE	**KAHNAWAKE**	ILLUVIALE	SABURRALE
NÉCROPSIE	**THORBECKE**	**KIRIKKALE**	THÉÂTRALE
CIRCASSIE	**HARELBEKE**	**PAMUKKALE**	SPECTRALE
KHAKASSIE	**MERELBEKE**	**VIGNEMALE**	ARBITRALE
FERRASSIE	**THORNDIKE**	EXTRÉMALE	MONAURALE
DIGLOSSIE	**ETOBICOKE**	PROXIMALE	ÉPIDURALE
DÉGROSSIE	**SCHNITTKE**	LACRYMALE	PICTURALE
DALHOUSIE	**LUCKY LUKÈ**	DUODÉNALE	CULTURALE
PARALYSIE	CANNIBALE	NOUMÉNALE	POSTURALE
ACROBATIE	ZODIACALE	SURRÉNALE	GUTTURALE
BOURIATIE	STOMACALE	VACCINALE	COLOSSALE
ŒDÉMATIÉ	SYNDICALE	MUSCINALE	PRÉNATALE
SPERMATIE	BEYLICALE	URÉDINALE	NÉONATALE
AGALACTIE	INAMICALE	CARDINALE	OBJECTALE
PROPHÉTIE	TROPICALE	**CARDINALE**	SOCIÉTALE
PÉRIPÉTIE	AGARICALE	IMAGINALE	PARIÉTALE
NON-INITIÉ	CLÉRICALE	ORIGINALE	VARIÉTALE
IMPÉRITIE	TRITICALE	MARGINALE	DÉCRÉTALE
EMPUANTIE	VERTICALE	VIRGINALE	SOMMITALE
APPRENTIE	CORTICALE	MACHINALE	VICOMTALE
CONSENTIE	CERVICALE	STAMINALE	ORIENTALE
RESSENTIE	NÉOLOCALE	GERMINALE	**ORIENTALE**
ANODONTIE	INTERCALÉ	TERMINALE	PARENTALE
ÉPIZOOTIE	MÉNISCALE	INGUINALE	PRÉVÔTALE
ORTHOPTIE	AVANT-CALE	AUTOMNALE	SAGITTALE
TRIPARTIE	TOROÏDALE	DÉCENNALE	AZIMUTALE
DESSERTIE	TRACHÉALE	VICENNALE	DÉCIDUALE
SUBVERTIE	PÉRINÉALE	TRIENNALE	MÉDIÉVALE
CONVERTIE	ASTRAGALE	DIAGONALE	GINGIVALE
PERVERTIE	PÉTROGALE	RÉGIONALE	PRÉFIXALE
RASSORTIE	CONJUGALE	NATIONALE	SUFFIXALE
RESSORTIE	MARÉCHALE	CYCLONALE	EFFAÇABLE
FOURASTIÉ	BICÉPHALE	HORMONALE	INSÉCABLE
TRAVESTIE	ENCÉPHALE	PATRONALE	MONOCÂBLE
SACRISTIE	**BUCÉPHALE**	NEURONALE	RÉVOCABLE
INABOUTIE	**STYMPHALE**	CANTONALE	PLAIDABLE
ENGLOUTIE	ZÉNITHALE	HIBERNALE	DÉCIDABLE
PRESBYTIE	BILABIALE	INFERNALE	AMENDABLE
ÉPIPHYTIE	ABSIDIALE	HIVERNALE	INONDABLE
PARAPLUIE	PRANDIALE	SHOGUNALE	ABORDABLE
SAHRAOUIE	**CARAGIALE**	COMMUNALE	MANGEABLE
SAHRAOUIE	BRACHIALE	SYNCOPALE	CONGÉABLE
LATTAQUIÉ	FAMILIALE	CÉRÉBRALE	FORGEABLE
SLOVAQUIE	BINOMIALE	CARCÉRALE	MALLÉABLE
EAUX-DE-VIE	DOMANIALE	VISCÉRALE	PERMÉABLE
THURGOVIE	COLONIALE	PONDÉRALE	CORVÉABLE
ROAD-MOVIE	CANONIALE	VESPÉRALE	INEFFABLE
DESSERVIE	TROUPIALE	URÉTÉRALE	IRRIGABLE
RESSERVIE	SALARIALE	GASTÉRALE	FATIGABLE
ARÉFLEXIE	NOTARIALE	LITTÉRALE	NAVIGABLE
APOPLEXIE	IMPÉRIALE	INTÉGRALE	GRACIABLE
TÉLÉTOXIE	ARMORIALE	TEMPORALE	TUE-DIABLE

OUBLIABLE	RÉCUSABLE	INSOLUBLE	HALOPHILE
PUBLIABLE	EXCUSABLE	SPECTACLE	HÉMOPHILE
REPLIABLE	REFUSABLE	HABITACLE	AMMOPHILE
SERVIABLE	INDATABLE	**EMPÉDOCLE**	XÉNOPHILE
KAYAKABLE	DILATABLE	**AGATHOCLE**	CYNOPHILE
PRÉALABLE	TRACTABLE	COUVERCLE	LIPOPHILE
SEMBLABLE	ÉJECTABLE	HÉMICYCLE	XÉROPHILE
DÉCELABLE	ACHETABLE	PÉRICYCLE	BASOPHILE
GONFLABLE	REJETABLE	MONOCYCLE	**PAUL ÉMILE**
EMPILABLE	TRAITABLE	MOTOCYCLE	FAC-SIMILÉ
TAILLABLE	HABITABLE	COLPOCÈLE	CAMPANILE
MODULABLE	DÉBITABLE	HYDROCÈLE	PRÉSÉNILE
CUMULABLE	EXCITABLE	ENSORCELÉ	PRIMIPILE
ANNULABLE	VÉRITABLE	CICINDÈLE	HORRIPILÉ
ESTIMABLE	IRRITABLE	ASPHODÈLE	PHOTOPILE
INFUMABLE	ÉQUITABLE	TOP-MODÈLE	USTENSILE
ALIÉNABLE	ADAPTABLE	DÉCONGELÉ	VIBRATILE
INTENABLE	COMPTABLE	PARALLÈLE	VERSATILE
JOIGNABLE	DOMPTABLE	ENTREMÊLÉ	INFANTILE
DEVINABLE	ADOPTABLE	RESSEMELÉ	INFERTILE
GOURNABLE	CONSTABLE	**PHILOMÈLE**	PRESQU'ÎLE
INCUNABLE	**CONSTABLE**	ÉRÉSIPÈLE	TRIMBALLÉ
INCAPABLE	**DUNSTABLE**	ÉRYSIPÈLE	PROTHALLE
RÉPARABLE	ABATTABLE	SAPROPÈLE	ESCABELLE
SÉPARABLE	FLOTTABLE	PARAGRÊLE	MIRABELLE
IMPARABLE	RÉFUTABLE	DÉBOSSELÉ	RADICELLE
NOMBRABLE	IMPUTABLE	ENCHÂTELÉ	PÉDICELLE
EXÉCRABLE	ÉVALUABLE	**PRAXITÈLE**	PÉDICELLÉ
LIBÉRABLE	COMMUABLE	DÉMANTELÉ	VARICELLE
INGÉRABLE	INJOUABLE	CLIENTÈLE	ÉTINCELLE
TOLÉRABLE	BANQUABLE	PARENTÈLE	VOLUCELLE
VÉNÉRABLE	RECEVABLE	ENCASTELÉ	CITADELLE
REPÉRABLE	REDEVABLE	DÉCERVELÉ	HARIDELLE
MISÉRABLE	RELEVABLE	RENOUVELÉ	CHANDELLE
INSÉRABLE	DÉRIVABLE	ESSOUFFLÉ	**BOURDELLE**
ALTÉRABLE	INVIVABLE	**BONDOUFLE**	**AULU-GELLE**
ADMIRABLE	IMBUVABLE	PANTOUFLE	GLACIELLE
DÉSIRABLE	PROUVABLE	PANTOUFLÉ	PLURIELLE
RETIRABLE	TROUVABLE	MISTOUFLE	PARTIELLE
ATTIRABLE	IMPAYABLE	DESSANGLÉ	**LEUVIELLE**
MÉMORABLE	INRAYABLE	RECTANGLE	COLUMELLE
HONORABLE	PITOYABLE	ACUTANGLE	**COLUMELLE**
FAVORABLE	INDICIBLE	CURE-ONGLE	ORGANELLE
FILTRABLE	COERCIBLE	TIRE-D'AILE	RAVENELLE
MONTRABLE	IRASCIBLE	MALHABILE	COLONELLE
INCURABLE	INAUDIBLE	CANTABILE	CORONELLE
ENDURABLE	FAILLIBLE	DIFFICILE	CHARNELLE
MESURABLE	ILLISIBLE	CROCODILE	ÉTERNELLE
PÂTURABLE	DIVISIBLE	**GROSSE-ÎLE**	**LA CAPELLE**
SATURABLE	INVISIBLE	COUPE-FILE	ROUE-PELLE
ÉPUISABLE	PLAUSIBLE	SERRE-FILE	AQUARELLE
RÉVISABLE	INFUSIBLE	TRANSFILÉ	AQUARELLÉ
IMPOSABLE	RASSEMBLÉ	DÉFAUFILÉ	TÉTERELLE
OPPOSABLE	RESSEMBLÉ	BÉDÉPHILE	**MAJORELLE**
ARROSABLE	CANDOMBLÉ	CINÉPHILE	CHLORELLE
CLASSABLE	PASO DOBLE	**POLIPHILE**	POUTRELLE
HAÏSSABLE	RÉSOLUBLE	PÉDOPHILE	NATURELLE

FILOSELLE	VERMEILLE	PATOUILLÉ	MATTHIOLE
FAISSELLE	CORNEILLE	PÉTOUILLÉ	TOURNIOLE
VAISSELLE	**CORNEILLE**	GAZOUILLÉ	CAMBRIOLÉ
BAGATELLE	**LATREILLE**	JONQUILLE	GAUDRIOLE
CURATELLE	CONSEILLÉ	RESQUILLE	ARTÉRIOLE
CONSTELLÉ	GROSEILLE	RESQUILLÉ	CENTRIOLE
SOUSTELLE	**MARSEILLE**	**ABBEVILLE**	ESPAGNOLE
GRATTELLE	BOUTEILLE	**BÂLE-VILLE**	**ESPAGNOLE**
GRADUELLE	MERVEILLE	**MALEVILLE**	EXTRAPOLÉ
MENSUELLE	SURVEILLÉ	**AMNÉVILLE**	PENTAPOLE
SENSUELLE	SPONGILLE	**LUNÉVILLE**	OLIGOPOLE
INUSUELLE	CAMOMILLE	**MÉRÉVILLE**	NÉCROPOLE
FACTUELLE	CHARMILLE	**OCTEVILLE**	MÉTROPOLE
NOCTUELLE	FOURMILLÉ	**NASHVILLE**	INTERPOLÉ
CULTUELLE	DÉCANILLÉ	**GRANVILLE**	GLYCÉROLÉ
VIRTUELLE	ÉCHENILLÉ	**GRENVILLE**	BANDEROLE
GESTUELLE	CORONILLE	**BAINVILLE**	CASSEROLE
TEXTUELLE	GRAPPILLÉ	**DAINVILLE**	BUSSEROLE
CARAVELLE	ÉPARPILLÉ	**JOINVILLE**	**VALENSOLE**
MANIVELLE	HOUSPILLÉ	**IBERVILLE**	INCONSOLÉ
GRANVELLE	ÉTOUPILLE	**COURVILLE**	RAFISTOLÉ
ALGAZELLE	ÉTOUPILLÉ	**TOURVILLE**	CONTEMPLÉ
FONÇAILLE	QUADRILLE	**DEAUVILLE**	SURPEUPLÉ
CARCAILLE	QUADRILLÉ	**LIOUVILLE**	QUADRUPLE
CHAMAILLE	ESSORILLÉ	**TROUVILLE**	QUADRUPLÉ
CHAMAILLÉ	CROUSILLE	**KNOXVILLE**	QUINTUPLE
REMMAILLÉ	VÉRÉTILLÉ	**CHAMBOLLE**	QUINTUPLÉ
MARMAILLE	SCINTILLÉ	ÉQUIPOLLÉ	**PECH-MERLE**
GRENAILLE	POINTILLÉ	FUMEROLLE	**QUIMPERLÉ**
GRENAILLÉ	ÉPONTILLE	MUSEROLLE	**L'ARBRESLE**
SONNAILLE	PACOTILLE	AMÉTABOLE	**BELLE-ISLE**
SONNAILLÉ	SAPOTILLE	AMPHIBOLE	**NEWCASTLE**
TRIPAILLE	APOSTILLE	ROCAMBOLE	TAILLAULE
REMPAILLÉ	FLOTTILLE	**ROCAMBOLE**	MANDIBULE
HARPAILLE	ÉCOUTILLE	CARAMBOLE	VESTIBULE
COUPAILLÉ	BROUTILLE	CARAMBOLE	PRÉAMBULE
DÉBRAILLÉ	ENDEUILLÉ	DISCOBOLE	FUNAMBULE
FERRAILLE	EFFEUILLÉ	TAUROBOLE	TENTACULE
FERRAILLÉ	GADOUILLE	HYPERBOLE	FASCICULE
TORRAILLÉ	BIDOUILLÉ	AUTO-ÉCOLE	FASCICULÉ
MITRAILLE	ANDOUILLE	CALCICOLE	FORFICULE
MITRAILLÉ	BAFOUILLE	DULCICOLE	PELLICULE
COURAILLÉ	BAFOUILLÉ	PISCICOLE	PELLICULÉ
TOURAILLE	CAFOUILLÉ	GALLICOLE	FOLLICULE
TRÉSAILLE	REFOUILLÉ	ARÉNICOLE	VERMICULE
GRISAILLE	AFFOUILLÉ	LIGNICOLE	PANNICULE
GRISAILLÉ	MAGOUILLE	FLORICOLE	FÉBRICULE
PIÉTAILLE	MAGOUILLÉ	TERRICOLE	MATRICULE
AVITAILLÉ	ZIGOUILLÉ	MONTICOLE	DENTICULE
VENTAILLE	REMOUILLÉ	HORTICOLE	DENTICULÉ
TRAVAILLÉ	GENOUILLÉ	SYLVICOLE	LENTICULE
DÉGOBILLÉ	PAPOUILLE	PROTOCOLE	LENTICULÉ
CODICILLE	DÉPOUILLE	FARANDOLE	MONTICULE
SOURCILLÉ	DÉPOUILLÉ	GIRANDOLE	PARTICULE
BRINDILLE	DÉROUILLÉ	**MIRANDOLE**	GESTICULÉ
CORBEILLE	VASOUILLÉ	ESPINGOLE	TESTICULE
SOMMEILLÉ	ARSOUILLE	ABSIDIOLE	ONGUICULÉ

CLAVICULE	JUSQUIAME	RHYTIDOME	PROSAÏSME
RECALCULÉ	PORTE-LAME	MAJORDOME	SHIVAÏSME
PÉDONCULE	MÉLODRAME	MOTOR-HOME	STRABISME
PÉDONCULÉ	MIMODRAME	STRATIOME	SOLÉCISME
HOMONCULE	ASPARTAME	PAPILLOME	LOGICISME
RENONCULE	MYXŒDÈME	HYPHOLOME	STOÏCISME
CARONCULE	BLASPHÈME	GRANULOME	ATTICISME
HOMUNCULE	BLASPHÉMÉ	CONDYLOME	EXORCISME
TUBERCULE	**POLYPHÈME**	CARDAMOME	MÉRYCISME
MAJUSCULE	ÉNANTHÈME	CINNAMOME	NOMADISME
MINUSCULE	EXANTHÈME	CARCINOME	MONADISME
INCRÉDULE	QUATRIÈME	NEURINOME	JURIDISME
CAMALDULE	TROISIÈME	ANTHONOME	DRUIDISME
HIÉRODULE	VINGTIÈME	CHIRONOME	FREUDISME
BISAÏEULE	QUANTIÈME	MÉTRONOME	PALUDISME
ÉPAGNEULE	TRENTIÈME	ASTRONOME	MANDÉISME
CARGNEULE	CINQUIÈME	CHONDROME	MAZDÉISME
PROPAGULE	TREIZIÈME	VÉLODROME	CANOÉISME
TRIANGULÉ	QUINZIÈME	CYNODROME	EXORÉISME
LIBELLULE	**ANGOULÊME**	AÉRODROME	PASSÉISME
OMBELLULE	ENTHYMÈME	**ROI DE ROME**	HANAFISME
DISSIMULÉ	ŒDICNÈME	TRICHROME	PACIFISME
REFORMULÉ	TRÉPONÈME	DESMOSOME	TABAGISME
INFORMULÉ	MONOTRÈME	ANTIATOME	VISAGISME
CAMPANULE	CLAIRSEMÉ	PENTATOME	DIRIGISME
GALLINULE	EMPHYSÈME	DICHOTOME	ILLOGISME
DESSAOULÉ	SÉMANTÈME	MICROTOME	GAUCHISME
CHAMBOULÉ	MÉRISTÈME	RHIZOTOME	PSYCHISME
DÉBAGOULÉ	PARADIGME	PÉRISTOME	GRAPHISME
ENCAGOULÉ	BIORYTHME	MÉROSTOME	ÉRÉTHISME
BARIGOULE	PANTOMIME	AMBYSTOME	CHAFIISME
FARIGOULE	MAGNANIME	LÉIOMYOME	MALÉKISME
LA NAPOULE	TERZE RIME	MYCODERME	MALIKISME
GLOMÉRULE	RÉIMPRIMÉ	ENDODERME	VOCALISME
PÉNINSULE	INEXPRIMÉ	HÉLODERME	IDÉALISME
DÉCAPSULÉ	DÉSARRIMÉ	HYPODERME	LÉGALISME
SERRATULE	MILLÉSIME	MÉSODERME	KÉMALISME
TARENTULE	MILLÉSIMÉ	ECTODERME	FINALISME
ERGASTULE	RARISSIME	DIATHERME	MORALISME
AUGUSTULE	PRIME TIME	**MONTHERMÉ**	MURALISME
STRONGYLE	SURESTIMÉ	ISOTHERME	RURALISME
BIPHÉNYLE	MÉSESTIME	RÉAFFIRMÉ	FATALISME
DIPHÉNYLE	MÉSESTIMÉ	FILIFORME	VITALISME
CARBONYLE	ORIFLAMME	RÉNIFORME	LOYALISME
CARBONYLÉ	DIAGRAMME	LARIFORME	ROYALISME
MICROPYLE	ANAGRAMME	PIRIFORME	PTYALISME
OXHYDRYLE	ÉPIGRAMME	PISIFORME	BABÉLISME
NITROSYLE	TRIGRAMME	ENSIFORME	MODÉLISME
DIDACTYLE	PROGRAMME	FUSIFORME	ANGÉLISME
HEXASTYLE	PROGRAMMÉ	GRUIFORME	NIHILISME
PÉRISTYLE	SAGE-FEMME	IODOFORME	SÉNILISME
HYPOSTYLE	PRUD'HOMME	NÉOPLASME	VIRILISME
OCTOSTYLE	SOUS-HOMME	PLÉONASME	GAULLISME
CARBOXYLE	**MORT-HOMME**	PHANTASME	CRÉOLISME
HYDROXYLE	VIDE-POMME	CAODAÏSME	TRIOLISME
BELLE-DAME	**PUY-DE-DÔME**	ARCHAÏSME	ŒNOLISME
NOTRE-DAME	HYBRIDOME	HÉBRAÏSME	SIMPLISME

POPULISME	DOCÉTISME	NIGÉRIANE	CARIOGÈNE
BOTULISME	ASCÉTISME	**NIGÉRIANE**	ANXIOGÈNE
ÉTHYLISME	EIDÉTISME	VALÉRIANE	FILMOGÈNE
ISLAMISME	QUIÉTISME	**BACTRIANE**	CYANOGÈNE
DYNAMISME	MIMÉTISME	**LOUISIANE**	ANDROGÈNE
TOTÉMISME	GÉNÉTISME	**VIENTIANE**	HYDROGÈNE
INTIMISME	CINÉTISME	**MOSELLANE**	HYDROGÉNÉ
OPTIMISME	SÉMITISME	**SÉVILLANE**	IATROGÈNE
ALARMISME	FINITISME	AQUAPLANE	NITROGÈNE
URBANISME	DROITISME	NAVIPLANE	ESTROGÈNE
MÉCANISME	SHAKTISME	AÉROPLANE	APYROGÈNE
PAGANISME	BIGOTISME	**QUELIMANE**	ALLERGÈNE
ORGANISME	ARGOTISME	MUSULMANE	THIOPHÈNE
ARIANISME	ERGOTISME	MYTHOMANE	PHOSPHÈNE
MÉLANISME	IDIOTISME	ANGLOMANE	ACOUPHÈNE
ROMANISME	NÉPOTISME	PRÉROMANE	**CLISTHÈNE**
HUMANISME	CHARTISME	DIPSOMANE	BUTADIÈNE
SATANISME	SCOUTISME	ÉROTOMANE	DÉSALIÉNÉ
EUGÉNISME	EUPHUISME	**MARIGNANE**	POLYAKÈNE
DJAÏNISME	ALTRUISME	FILIGRANE	PSORALÈNE
ALBINISME	INCIVISME	FILIGRANÉ	AVEUGLE-NÉ
VAGINISME	ARRIVISME	CARBORANE	MADRILÈNE
MOLINISME	NATIVISME	ANDORRANE	**MADRILÈNE**
FÉMINISME	ACTIVISME	**ANDORRANE**	CANTILÈNE
LUMINISME	PUSEYISME	PARMESANE	STYROLÈNE
LÉNINISME	BOVARYSME	**PARMESANE**	MÉTHYLÈNE
LAPINISME	ANÉVRYSME	VALAISANE	PROPYLÈNE
ALPINISME	PAROXYSME	CARTISANE	ACÉTYLÈNE
LATINISME	GUILLAUME	PARTISANE	**THÉRAMÈNE**
ACTINISME	**GUILLAUME**	**TRÉVISANE**	**TRASIMÈNE**
ÉQUINISME	AGRIPAUME	**VEVEYSANE**	**ANAXIMÈNE**
LACONISME	DÉSENFUMÉ	TARLATANE	**ORCHOMÈNE**
HÉDONISME	TRANSHUMÉ	**COPPÉTANE**	PHÉNOMÈNE
UNIONISME	ACCOUTUMÉ	SIMULTANÉ	**MELPOMÈNE**
DÉMONISME	ÉPIDIDYME	MOMENTANÉ	HIGOUMÈNE
JAPONISME	CACOCHYME	PERCUTANÉ	ŒKOUMÈNE
PÉRONISME	ETHNONYME	**TUVULUANE**	**LAMBARÉNÉ**
PRIAPISME	MATRONYME	CORDOUANE	ISOCARÈNE
SINAPISME	PATRONYME	**CORDOUANE**	FULLERÈNE
OLYMPISME	APOENZYME	**MANTOUANE**	RASSÉRÉNÉ
ACHARISME	**BARRABANE**	VERRAZANE	PHLYCTÈNE
GOMARISME	BARBACANE	**GHILIZANE**	TUNGSTÈNE
CÉSARISME	SARBACANE	PALÉOCÈNE	**CARPIAGNE**
EMPIRISME	**SILVACANE**	OLIGOCÈNE	**ALLEMAGNE**
RIGORISME	BEC-DE-CANE	**DAMASCÈNE**	CHAMPAGNE
APHORISME	ANGLICANE	**MALAUCÈNE**	**CHAMPAGNE**
DOLORISME	GALLICANE	MOLYBDÈNE	**COMPIÈGNE**
TANTRISME	HURRICANE	COLLAGÈNE	**SARDAIGNE**
CENTRISME	**CISPADANE**	**COMMAGÈNE**	BRÉHAIGNE
CASTRISME	SUCCÉDANÉ	ABORIGÈNE	RESSAIGNE
LETTRISME	KORRIGANE	**ABORIGÈNE**	CHÂTAIGNE
NATURISME	SALANGANE	TERRIGÈNE	**MONTAIGNE**
FUTURISME	**BERLUGANE**	MÉLONGÈNE	RENSEIGNÉ
ANÉVRISME	COLOPHANE	GLYCOGÈNE	NON-ALIGNÉ
ARGYRISME	**XÉNOPHANE**	PALÉOGÈNE	DÉSALIGNÉ
FANATISME	HALOTHANE	OSTÉOGÈNE	TIRE-LIGNE
DONATISME	**LESOTHANE**	PATHOGÈNE	**GASCOIGNE**

RÉASSIGNÉ	THYLACINE	NÉPHÉLINE	CISALPINE
SOUSSIGNÉ	REVACCINÉ	ORPHELINE	**CISALPINE**
ÉGRATIGNÉ	BALANCINE	**VALTELINE**	**AGRIPPINE**
BARGUIGNÉ	RATIOCINÉ	MANUÉLINE	RÉSERPINE
DELAVIGNE	OCYTOCINE	JAQUELINE	TURLUPINÉ
BOURGOGNE	RÉSORCINE	UROBILINE	**STOLYPINE**
BOURGOGNE	HALLUCINÉ	INQUILINE	MUSCARINE
CATALOGNE	MUSCADINE	CORALLINE	MANDARINE
CATALOGNE	GRENADINE	VITELLINE	GRÉGARINE
RENFROGNÉ	**GRENADINE**	VANILLINE	MARGARINE
LA COROGNE	PINTADINE	SIBYLLINE	COUMARINE
AFRICAINE	HISTIDINE	MANDOLINE	NECTARINE
AFRICAINE	TOLUIDINE	PICHOLINE	ALIZARINE
MEXICAINE	BENZIDINE	CRINOLINE	ENDOCRINE
MEXICAINE	TRIANDINE	SANTOLINE	ÉPHÉDRINE
LIDOCAÏNE	GIRONDINE	STRIP-LINE	GLYCÉRINE
MAROCAINE	**GIRONDINE**	GLOBULINE	GLYCÉRINÉ
MAROCAINE	**VOJVODINE**	SACCULINE	TANGERINE
BOURCAINE	GABARDINE	MASCULINE	**CATHERINE**
BOURDAINE	**GIVORDINE**	STIMULINE	BALLERINE
PROCHAINE	**RENAUDINE**	DÉGOULINÉ	**BELLERINE**
TOMBLAINE	**POYAUDINE**	SPIRULINE	**KASSERINE**
TIRE-LAINE	DÉCAFÉINÉ	FISTULINE	PASSERINE
RIVELAINE	PHTALÉINE	VINCAMINE	ÉRYTHRINE
INHUMAINE	MADELEINE	RHODAMINE	LITTORINE
RIVERAINE	**MADELEINE**	CARDAMINE	**LAPERRINE**
SUZERAINE	LINOLÉINE	BENJAMINE	PURPURINE
TIBÉTAINE	ACROLÉINE	ARYLAMINE	SARRASINE
TIBÉTAINE	TIRE-VEINE	MONOAMINE	**FARNÉSINE**
MURÉTAINE	EXTRAFINE	BALSAMINE	ORGANSINÉ
CHEFTAINE	DIOLÉFINE	CONTAMINÉ	ADÉNOSINE
VINGTAINE	PARAFFINE	PROTAMINE	BÉCASSINE
CAPITAINE	PARAFFINÉ	HISTAMINE	**BÉCASSINE**
PURITAINE	SUPERFINE	RÉEXAMINÉ	DAMASSINE
LUSITAINE	SAUVAGINE	POLYAMINE	ASSASSINE
LUSITAINE	LENTIGINE	DISSÉMINÉ	ASSASSINÉ
AQUITAINE	MÉLONGINE	PORTEMINE	**DOUESSINE**
AQUITAINE	**PRIGOGINE**	RÉCRIMINÉ	LIMOUSINE
VOULTAINE	AUBERGINE	INCRIMINÉ	**LIMOUSINE**
TRENTAINE	**LA MACHINE**	ENCALMINÉ	NOUGATINE
LOINTAINE	**INDOCHINE**	PRÉDOMINÉ	**BRÉHATINE**
QUINTAINE	BRIOCHINE	STYLOMINE	ZAMIATINE
BROUTAINE	**BRIOCHINE**	DÉTERMINÉ	PRÉLATINE
ROSNY AÎNÉ	SÉRAPHINE	EXTERMINÉ	**BERRATINE**
QUINZAINE	**JOSÉPHINE**	MANGANINE	SÉCRÉTINE
SCRIABINE	PHOSPHINE	MEZZANINE	PALMITINE
SKRIABINE	LÉCITHINE	**IESSENINE**	ACONITINE
BARALBINE	**POUCHKINE**	THRÉONINE	**DEWOITINE**
YOHIMBINE	**POTEMKINE**	SATURNINE	COBALTINE
RECOMBINÉ	MOLESKINE	**BAKOUNINE**	ENFANTINE
COLOMBINE	PERCALINE	MACÉDOINE	GALANTINE
COLOMBINE	MESCALINE	**MACÉDOINE**	**PALANTINE**
THROMBINE	**SAKHALINE**	STRAMOINE	ÉGLANTINE
REMBOBINÉ	CORNALINE	ANTIMOINE	LEVANTINE
YTTERBINE	**MESSALINE**	PÉRITOINE	**LEVANTINE**
BITURBINE	CHEVALINE	SUBALPINE	BYZANTINE
CONCUBINE	MICHELINE	PRÉALPINE	**BYZANTINE**

VICENTINE	GHANÉENNE	**CHILIENNE**	PARIPENNÉ
ARGENTINE	**GHANÉENNE**	AZILIENNE	**LA GARENNE**
ARGENTINE	GUINÉENNE	BOOLIENNE	CITOYENNE
TARENTINE	**GUINÉENNE**	SERLIENNE	MITOYENNE
BISONTINE	**BALNÉENNE**	OURLIENNE	**CARRYENNE**
BISONTINE	LINNÉENNE	PAULIENNE	DÉSABONNÉ
BARBOTINE	**CERNÉENNE**	PERMIENNE	CHARBONNÉ
LAMARTINE	CORNÉENNE	CRÂNIENNE	**BOURBONNE**
LIBERTINE	**ROSNÉENNE**	IRANIENNE	REFAÇONNÉ
ALBERTINE	**ACCRÉENNE**	**IRANIENNE**	ÉTANÇONNÉ
HUBERTINE	SEGRÉENNE	ASINIENNE	POINÇONNÉ
MAMERTINE	**TIGRÉENNE**	**OXONIENNE**	TRONÇONNÉ
PALESTINE	**VITRÉENNE**	FÉROÏENNE	SOUPÇONNÉ
INTESTINE	**ISTRÉENNE**	**FÉROÏENNE**	ABANDONNÉ
CHRISTINE	**VAURÉENNE**	CARPIENNE	**CHARDONNE**
AUGUSTINE	AZURÉENNE	**CASPIENNE**	COORDONNÉ
AGGLUTINÉ	**AZURÉENNE**	**ISARIENNE**	BOURDONNÉ
VELOUTINE	**NOISÉENNE**	OVARIENNE	**DIEUDONNÉ**
EMBÉGUINÉ	**SOISÉENNE**	**OMBRIENNE**	DRAGEONNÉ
CHAFOUINE	**VANSÉENNE**	**LOCRIENNE**	CHIFFONNE
MAROQUINÉ	**BASSÉENNE**	**FLÉRIENNE**	CHIFFONNÉ
TRUSQUINÉ	**COSSÉENNE**	**IMÉRIENNE**	GRIFFONNÉ
DERJAVINE	ÉLYSÉENNE	ATÉRIENNE	BOUFFONNE
POITEVINE	**JANZÉENNE**	OUGRIENNE	BOUFFONNÉ
POITEVINE	HAWAÏENNE	**ÉMIRIENNE**	FOURGONNÉ
THYROXINE	**HAWAÏENNE**	TERRIENNE	RONCHONNE
ANATOXINE	AMIBIENNE	**ESTRIENNE**	RONCHONNÉ
EXOTOXINE	**GAMBIENNE**	**MAURIENNE**	TORCHONNÉ
LIMOUXINE	ZAMBIENNE	VAURIENNE	BOUCHONNÉ
HYDRAZINE	**ZAMBIENNE**	**GÉVRIENNE**	**FORGIONNE**
FONVIZINE	LESBIENNE	SÉVRIENNE	**FORMIONNE**
KARAMZINE	**LESBIENNE**	**SÉVRIENNE**	VIBRIONNÉ
GALITZINE	DOUBIENNE	ALÉSIENNE	PENSIONNÉ
SCRIBANNE	**TRACIENNE**	**ONÉSIENNE**	PASSIONNÉ
ENRUBANNÉ	**ANICIENNE**	CAPSIENNE	FISSIONNÉ
URÉTHANNE	ACADIENNE	TARSIENNE	STATIONNÉ
TÉLÉBENNE	**ACADIENNE**	PERSIENNE	OVATIONNÉ
GOLBÉENNE	**ARÉDIENNE**	**MEUSIENNE**	SECTIONNÉ
CORBÉENNE	GARDIENNE	**CLUSIENNE**	MENTIONNÉ
CRÉCÉENNE	**GORDIENNE**	ONUSIENNE	ÉMOTIONNÉ
CALCÉENNE	**ASCÉDIENNE**	**CLÉTIENNE**	BASTIONNÉ
LANCÉENNE	FUÉGIENNE	**UZÉTIENNE**	CAUTIONNÉ
PHOCÉENNE	**FUÉGIENNE**	HAÏTIENNE	DOUBLONNÉ
PHOCÉENNE	**MORGIENNE**	**HAÏTIENNE**	HOUBLONNÉ
BOSCÉENNE	**BURGIENNE**	KANTIENNE	ÉCHELONNÉ
PRADÉENNE	VOSGIENNE	LAOTIENNE	MAMELONNÉ
CANDÉENNE	**VOSGIENNE**	**LAOTIENNE**	BUFFLONNÉ
MANDÉENNE	PYTHIENNE	BÉOTIENNE	BÂILLONNÉ
VENDÉENNE	FIDJIENNE	**BÉOTIENNE**	GROGNONNE
VENDÉENNE	**FIDJIENNE**	MARTIENNE	GROGNONNÉ
CONDÉENNE	IRAKIENNE	**MARTIENNE**	CRAMPONNÉ
MAZDÉENNE	**IRAKIENNE**	AOÛTIENNE	**CAMBRONNE**
ARCHÉENNE	ITALIENNE	**KIÉVIENNE**	GOUDRONNÉ
SILLÉENNE	**ITALIENNE**	PELVIENNE	BIBERONNÉ
BOOLÉENNE	ABÉLIENNE	MARXIENNE	AUGERONNE
ARAMÉENNE	**AMÉLIENNE**	**BATZIENNE**	**AUGERONNE**
BALMÉENNE	CHILIENNE	**GRAULENNE**	**BRIÉRONNE**

CLAIRONNÉ	**MAIDSTONE**	PHALAROPE	**SCAMANDRE**
ENVIRONNÉ	**THURSTONE**	GUIDEROPE	CASSANDRE
POLTRONNE	RÉINCARNÉ	EMMÉTROPE	**CASSANDRE**
FLEURONNÉ	PREMIER-NÉ	AZÉOTROPE	**ALEXANDRE**
CHEVRONNÉ	DERNIER-NÉ	SOUS-NAPPE	POLYANDRE
LIAISONNÉ	ENCASERNÉ	**CHRYSIPPE**	DESCENDRE
CLOISONNÉ	CONSTERNÉ	DÉVELOPPÉ	SUSPENDRE
COURSONNE	PROSTERNÉ	ENVELOPPE	DÉPRENDRE
MOISSONNÉ	BALIVERNE	ENVELOPPÉ	MÉPRENDRE
FRISSONNÉ	SALICORNE	MÉTACARPE	REPRENDRE
ÉCUSSONNÉ	**HAWTHORNE**	PÉRICARPE	APPRENDRE
MÉGATONNE	**GROS-MORNE**	ENDOCARPE	PRÉTENDRE
CAPITONNÉ	MARITORNE	PILOCARPE	**MONTENDRE**
CHANTONNÉ	**SWINBURNE**	MÉSOCARPE	DISTENDRE
PELOTONNÉ	**MELBOURNE**	ARTOCARPE	SURVENDRE
KILOTONNE	CONTOURNÉ	**POLYCARPE**	ENCEINDRE
GLOUTONNE	BISTOURNÉ	HYPOTAUPE	DÉPEINDRE
DÉGAZONNÉ	RISTOURNE	PRÉOCCUPÉ	REPEINDRE
ENGAZONNÉ	RISTOURNÉ	**GUADALUPE**	ÉPREINDRE
MORRICONE	TACITURNE	ARCHÉTYPE	ÉTREINDRE
MÉTHADONE	**AKWESASNE**	RONÉOTYPÉ	DÉTEINDRE
BELLADONE	NOUVEAU-NÉ	PHÉNOTYPE	ATTEINDRE
ENNÉAGONE	**PAMPELUNE**	STÉNOTYPE	ADJOINDRE
TARRAGONE	PITCHOUNE	PHOTOTYPE	REJOINDRE
TÉTRAGONE	SCOUMOUNE	PROTOTYPE	ENJOINDRE
PENTAGONE	INFORTUNE	CARYOTYPE	CONFONDRE
PENTAGONE	INFORTUNÉ	ÉCART-TYPE	PARFONDRE
HEPTAGONE	IMPORTUNE	HYPERBARE	MORFONDRE
ARCHÉGONE	IMPORTUNÉ	RICERCARE	SOUS-ORDRE
SPOROGONE	OPPORTUNE	GYROPHARE	DISTORDRE
MÉGAPHONE	QUELQU'UNE	**ROESELARE**	SAUPOUDRÉ
TÉLÉPHONE	**FORT WAYNE**	**CELLAMARE**	DISSOUDRE
TÉLÉPHONÉ	ANDROGYNE	NULLIPARE	CLEPSYDRE
TAXIPHONE	**MASKELYNE**	PRIMIPARE	RÉVERBÈRE
BIGOPHONE	**MNÉMOSYNE**	MULTIPARE	RÉVERBÉRÉ
BIGOPHONÉ	**GOLITSYNE**	DÉSEMPARÉ	CHÉLICÈRE
ALLOPHONE	**SULLOM VOE**	SOLFATARE	INSINCÈRE
XYLOPHONE	HANDICAPÉ	ENTÉNÉBRÉ	CLADOCÈRE
HOMOPHONE	PARTICIPE	DÉCÉRÉBRÉ	INCARCÉRÉ
LUSOPHONE	PARTICIPÉ	ÉQUILIBRE	**SAINT-CÉRÉ**
SAXOPHONE	CASSE-PIPE	ÉQUILIBRÉ	CONFÉDÉRÉ
GIORGIONE	SURÉQUIPÉ	GINGEMBRE	BELVÉDÈRE
BOUGLIONE	DÉSÉQUIPÉ	SEPTEMBRE	CONSIDÉRÉ
BARCELONE	PÉDIPALPE	CONCOMBRE	INDIFFÉRÉ
PORTELONE	COÏNCULPÉ	SURNOMBRE	ZINCIFÈRE
MAGUELONE	MOTOPOMPE	INSALUBRE	CRUCIFÈRE
QUINOLONE	AUTOPOMPE	AMBULACRE	MELLIFÈRE
PHÉROMONE	TÉLESCOPE	SIMULACRE	PROLIFÉRÉ
PORDENONE	TÉLESCOPÉ	INVOLUCRE	CHYLIFÈRE
FROSINONE	CAMÉSCOPE	TÉTRAÈDRE	MAMMIFÈRE
LITHOPONE	PÉRISCOPE	ICOSAÈDRE	GEMMIFÈRE
LAZZARONE	ENDOSCOPE	PENTAÈDRE	GOMMIFÈRE
SYNCHRONE	AÉROSCOPE	HEPTAÈDRE	GUMMIFÈRE
ISOCHRONE	HOROSCOPE	**PÉRIANDRE**	URANIFÈRE
CORTISONE	GYROSCOPE	CORIANDRE	URINIFÈRE
MONOPSONE	NYCTALOPE	ESCLANDRE	SOMNIFÈRE
GLADSTONE	INTERLOPE		FLORIFÈRE

SPORIFÈRE	RUBANIÈRE	ALFATIÈRE	DEMI-FRÈRE
CUPRIFÈRE	BANANIÈRE	RÉGATIÈRE	BEAU-FRÈRE
LACTIFÈRE	CASANIÈRE	CAFETIÈRE	**VAL-D'ISÈRE**
MORTIFÈRE	TISANIÈRE	GILETIÈRE	DÉBLATÉRÉ
PESTIFÉRÉ	DOUANIÈRE	MULETIÈRE	CARACTÈRE
UNGUIFÈRE	GRAINIÈRE	CIMETIÈRE	TRILITÈRE
INTERFÉRÉ	LAPINIÈRE	CANETIÈRE	DÉSALTÉRÉ
TRANSFÉRÉ	SAPINIÈRE	PANETIÈRE	MÉSENTÈRE
HERBAGÈRE	PÉPINIÈRE	LUNETIÈRE	AMPHOTÈRE
FROMAGÈRE	MARINIÈRE	PAPETIÈRE	MÉGAPTÈRE
PASSAGÈRE	RÉSINIÈRE	**FURETIÈRE**	HÉMIPTÈRE
MESSAGÈRE	MATINIÈRE	BUVETIÈRE	PÉRIPTÈRE
PAYSAGÈRE	POTINIÈRE	CUBITIÈRE	MÉCOPTÈRE
PRÉDIGÉRÉ	GAZINIÈRE	DROITIÈRE	HOMOPTÈRE
RÉFRIGÉRÉ	PIONNIÈRE	HÉRITIÈRE	MONOPTÈRE
ÉTRANGÈRE	LIMONIÈRE	FRUITIÈRE	POLYPTÈRE
DAVANGERE	AUMÔNIÈRE	FRONTIÈRE	DICASTÈRE
HARENGÈRE	PÉRONIÈRE	SABOTIÈRE	MONASTÈRE
BÉRENGÈRE	CHARNIÈRE	FAGOTIÈRE	MAGISTÈRE
HORLOGÈRE	FALUNIÈRE	ÉCHOTIÈRE	**FINISTÈRE**
LA LÉCHÈRE	ÉQUIPIÈRE	COURTIÈRE	MINISTÈRE
BOSSCHÈRE	**COURPIÈRE**	TOURTIÈRE	PRIMEVÈRE
GÉOSPHÈRE	CROUPIÈRE	GOUTTIÈRE	PERSÉVÉRÉ
BIOSPHÈRE	CIGARIÈRE	ÉMEUTIÈRE	CACAOYÈRE
EXOSPHÈRE	MARBRIÈRE	MORUTIÈRE	HAINUYÈRE
ŒNOTHÈRE	FONDRIÈRE	BANQUIÈRE	**HAINUYÈRE**
CANEBIÈRE	POUDRIÈRE	**JONQUIÈRE**	HENNUYÈRE
TOURBIÈRE	SOUFRIÈRE	PARQUIÈRE	**HENNUYÈRE**
GIBECIÈRE	**SOUFRIÈRE**	BAUQUIÈRE	**LA BRUYÈRE**
POLICIÈRE	CLAIRIÈRE	ÉTRIVIÈRE	BERRUYÈRE
PRINCIÈRE	GUERRIÈRE	ÉPERVIÈRE	**BERRUYÈRE**
BUANDIÈRE	FOURRIÈRE	**FOURVIÈRE**	DÉCHIFFRÉ
CHAUDIÈRE	PLÂTRIÈRE	BRONZIÈRE	ENGOUFFRÉ
CHAUDIÈRE	HUÎTRIÈRE	**BROUCKÈRE**	SOUS-FIFRE
PALUDIÈRE	VENTRIÈRE	ÉCAILLÈRE	RÉINTÉGRÉ
GREFFIÈRE	ORDURIÈRE	**FEUILLÈRE**	CHAT-TIGRE
TRUFFIÈRE	PARURIÈRE	HOUILLÈRE	XÉNARTHRE
DOUCHIÈRE	ROTURIÈRE	MOUILLÈRE	SALICAIRE
GOUTHIÈRE	CHEVRIÈRE	TÉTRAMÈRE	PULICAIRE
CAVALIÈRE	POIVRIÈRE	PENTAMÈRE	CIMICAIRE
ÉRABLIÈRE	CHAISIÈRE	GRAND-MÈRE	LORICAIRE
OISELIÈRE	GLAISIÈRE	**GRAND-MÈRE**	URTICAIRE
ROSELIÈRE	BRAISIÈRE	ROCHE-MÈRE	**BEAUCAIRE**
MUSELIÈRE	FRAISIÈRE	BELLE-MÈRE	DÉCADAIRE
BATELIÈRE	CROISIÈRE	MÔN-KHMÈRE	SOLIDAIRE
HÔTELIÈRE	BOURSIÈRE	OLIGOMÈRE	LAPIDAIRE
TRÉFLIÈRE	COURSIÈRE	AGGLOMÉRÉ	NUCLÉAIRE
MOBILIÈRE	BRASSIÈRE	TAUTOMÈRE	BALNÉAIRE
FAMILIÈRE	BAISSIÈRE	**ELLESMERE**	REDÉFAIRE
OUILLIÈRE	CAISSIÈRE	CONGÉNÈRE	TARIFAIRE
PAROLIÈRE	GLISSIÈRE	**LATÉCOÈRE**	**ANSCHAIRE**
TAVOLIERE	BROSSIÈRE	GRAND-PÈRE	CAMBIAIRE
FÉCULIÈRE	GROSSIÈRE	OBTEMPÉRÉ	GLACIAIRE
SÉCULIÈRE	HAUSSIÈRE	**DUMAS PÈRE**	PLAGIAIRE
RÉGULIÈRE	POUSSIÈRE	DÉSESPÉRÉ	STAGIAIRE
CHAUMIÈRE	ÉCLUSIÈRE	SAINT-PÈRE	CONGIAIRE
LÉGUMIÈRE	TABATIÈRE	**SAINT-PÈRE**	MILLIAIRE

HERNIAIRE	DISTRAIRE	ROTATOIRE	FRUGIVORE
PARTIAIRE	**BÉLISAIRE**	NOVATOIRE	GRANIVORE
TERTIAIRE	ÉMISSAIRE	VEXATOIRE	CARNIVORE
BESTIAIRE	GLOSSAIRE	AUDITOIRE	CORROMPRE
VESTIAIRE	FAUSSAIRE	VOMITOIRE	MALPROPRE
BRÉVIAIRE	VACATAIRE	MONITOIRE	EMPOURPRÉ
CAVALAIRE	LOCATAIRE	ÉCRITOIRE	REDÉMARRÉ
TUTÉLAIRE	LÉGATAIRE	MÉRITOIRE	**DAMPIERRE**
JUBILAIRE	DONATAIRE	PÉTITOIRE	**DOMPIERRE**
SIMILAIRE	COMÉTAIRE	**LA RAVOIRE**	CIMETERRE
BASILAIRE	MONÉTAIRE	**BAS-EMPIRE**	FUMETERRE
STELLAIRE	ORBITAIRE	TRANSPIRÉ	GUÉGUERRE
AXILLAIRE	MILITAIRE	PRESCRIRE	À ENQUERRE
ARÉOLAIRE	SOLITAIRE	PROSCRIRE	SOUS-VERRE
BIPOLAIRE	SANITAIRE	SOUSCRIRE	REMBOURRÉ
DIPOLAIRE	PARITAIRE	ÉCONDUIRE	DOUCEÂTRE
COMPLAIRE	CAVITAIRE	INSTRUIRE	BEIGEÂTRE
TABULAIRE	PLANTAIRE	**BRESSUIRE**	ROUGEÂTRE
LOBULAIRE	ÉVENTAIRE	**TOUSSUIRE**	OPINIÂTRE
TUBULAIRE	SALUTAIRE	**YUNUS EMRE**	PHONIATRE
SÉCULAIRE	MINUTAIRE	COLLABORÉ	ACARIÂTRE
MODULAIRE	BELLUAIRE	CHOKE-BORE	**CLÉOPÂTRE**
NODULAIRE	DISQUAIRE	HELLÉBORE	ROUSSÂTRE
ANGULAIRE	STATUAIRE	CORROBORÉ	DÉCAMÈTRE
JUGULAIRE	OBITUAIRE	HÉLIODORE	PARAMÈTRE
PILULAIRE	MORTUAIRE	**HÉLIODORE**	PARAMÉTRÉ
TUMULAIRE	PORTUAIRE	COMMODORE	HEXAMÈTRE
ANNULAIRE	SALIVAIRE	**PYTHAGORE**	PARCMÈTRE
POPULAIRE	C'EST-À-DIRE	**ANAXAGORE**	ONDEMÈTRE
CÉRULAIRE	INTERDIRE	SÉMAPHORE	TÉLÉMÈTRE
INSULAIRE	YORKSHIRE	MÉTAPHORE	POSEMÈTRE
TITULAIRE	**YORKSHIRE**	**NICÉPHORE**	MACHMÈTRE
VITULAIRE	**HAMPSHIRE**	CANÉPHORE	DÉCIMÈTRE
RIVULAIRE	**WILTSHIRE**	CHOÉPHORE	AUDIMÈTRE
LORD-MAIRE	CACHEMIRE	GONOPHORE	PÉRIMÈTRE
GRAMMAIRE	**CACHEMIRE**	POROPHORE	DOSIMÈTRE
TÉGÉNAIRE	JALON-MIRE	PYROPHORE	ALTIMÈTRE
CATÉNAIRE	POURBOIRE	PHOSPHORE	TAXIMÈTRE
ORDINAIRE	MANGEOIRE	PHOSPHORÉ	FOCOMÈTRE
CULINAIRE	**GRINGOIRE**	DORYPHORE	ENDOMÈTRE
LAMINAIRE	PIED-NOIRE	DÉTÉRIORÉ	PODOMÈTRE
SÉMINAIRE	BAIGNOIRE	**BANGALORE**	OLÉOMÈTRE
LIMINAIRE	PATINOIRE	**MANGALORE**	ARÉOMÈTRE
LUMINAIRE	DÉCISOIRE	SOLIFLORE	PIFOMÈTRE
LIMONAIRE	DÉRISOIRE	UNICOLORE	ERGOMÈTRE
SAPONAIRE	GLISSOIRE	TRICOLORE	KILOMÈTRE
CORONAIRE	ÉPISSOIRE	INEXPLORÉ	KILOMÉTRÉ
LACUNAIRE	INFUSOIRE	COMMÉMORÉ	BOLOMÈTRE
LAGUNAIRE	ILLUSOIRE	**BALTIMORE**	OSMOMÈTRE
TÉMÉRAIRE	ALÉATOIRE	DÉSHONORÉ	MANOMÈTRE
NUMÉRAIRE	ROGATOIRE	MILLÉPORE	NANOMÈTRE
CINÉRAIRE	DILATOIRE	MADRÉPORE	SONOMÈTRE
FUNÉRAIRE	DÎNATOIRE	INCORPORÉ	TYPOMÈTRE
HONORAIRE	EUPATOIRE	EXPECTORÉ	BAROMÈTRE
RENTRAIRE	GIRATOIRE	DRUGSTORE	GYROMÈTRE
CONTRAIRE	MORATOIRE	HERBIVORE	PYROMÈTRE
ABSTRAIRE	NATATOIRE	PISCIVORE	POTOMÈTRE

OPTOMÈTRE
GAZOMÈTRE
VOLTMÈTRE
WATTMÈTRE
FLUXMÈTRE
CHAMPÊTRE
MIEUX-ÊTRE
CONNAÎTRE
DÉCALITRE
DÉCILITRE
DEMI-LITRE
GYROMITRE
ACCROÎTRE
DÉCROÎTRE
RECROÎTRE
BANC-TITRE
RÔLE-TITRE
SOUS-TITRE
SOUS-TITRE
LÈVE-VITRE
ÉPICENTRE
CONCENTRÉ
BAS-VENTRE
RENCONTRE
RENCONTRÉ
SURCONTRE
SURCONTRÉ
PRÉMONTRE
PRÉMONTRÉ
PATENÔTRE
LANCASTRE
ÉPIGASTRE
PÉRIASTRE
FILLASTRE
ZOROASTRE
ORCHESTRE
ORCHESTRÉ
TRIMESTRE
TERRESTRE
SÉQUESTRE
SÉQUESTRÉ
SILVESTRE
SYLVESTRE
SYLVESTRE
LEMAISTRE
COMBATTRE
COMMETTRE
PROMETTRE
PERMETTRE
SOUMETTRE
CALFEUTRÉ
DINOSAURE
MINOTAURE
DÉCARBURÉ
RECARBURÉ
ENFONÇURE
PROCÉDURE

BRINGEURE
EAU D'HEURE
DEMI-HEURE
WATTHEURE
MEILLEURE
DÉSULFURÉ
BISULFURE
DISULFURE
PRÉFIGURÉ
ENVERGURE
PANACHURE
ÉBRÉCHURE
ÉCORCHURE
ÉPLUCHURE
PHOSPHURE
SILICIURE
SÉLÉNIURE
ARSÉNIURE
ENVERJURE
ANOMALURE
DESSALURE
ENCABLURE
ENTABLURE
BARBELURE
CRÉNELURE
CANNELURE
CHAPELURE
CRÊPELURE
ENGRÊLURE
BOSSELURE
DENTELURE
GRAVELURE
CHEVELURE
SOUFFLURE
FAUFILURE
ENSELLURE
ÉCAILLURE
ÉRAILLURE
FEUILLURE
MOUILLURE
ROUILLURE
SOUILLURE
BARIOLURE
ACÉTYLURE
EMPAUMURE
ENGRENURE
ALUMINURE
COLLIOURE
DÉCOUPURE
SURPIQÛRE
ÉPAUFRURE
DÉCHIRURE
MORDORURE
EMBARRURE
BIGARRURE
DÉFERRURE
TELLURURE

EMBRASURE
EMPRÉSURÉ
ENCLOSURE
RETASSURE
SALISSURE
VOMISSURE
FINISSURE
FROISSURE
CHAUSSURE
DÉCOUSURE
MANDATURE
LINÉATURE
MINIATURE
TABLATURE
PRÉLATURE
PRÉMATURÉ
PALMATURE
DYSMATURE
SIGNATURE
SURSATURÉ
DICTATURE
RELECTURE
STRUCTURE
STRUCTURÉ
VERGETURE
TACHETURE
FERMETURE
TIQUETURE
CONFITURE
GARNITURE
EMBOÎTURE
FIORITURE
TESSITURE
ACCULTURÉ
INCULTURE
SÉPULTURE
DEVANTURE
RUDENTURE
ARGENTURE
SCULPTURE
OUVERTURE
LA PASTURE
IMPOSTURE
ANGUSTURE
ÉGOUTTURE
ENCLOUURE
EMBLAVURE
BELLIÈVRE
DÉSENIVRÉ
VENDEUVRE
COULEUVRE
MANŒUVRE
MANŒUVRÉ
DÉSŒUVRÉ
SEMI-OUVRÉ
OCULOGYRE
SPIROGYRE

MÉLAMPYRE
HYDROBASE
MÉTAPHASE
TÉLOPHASE
MONOPHASÉ
POLYPHASÉ
PHTIRIASE
HYDROLASE
CELLULASE
UROKINASE
ISOMÉRASE
INVERTASE
MÉTASTASE
MÉTASTASE
MÉTASTASÉ
HÉMOSTASE
HYPOSTASE
EXTRAVASÉ
DÉSENVASÉ
TRANSVASÉ
DIAPÉDÈSE
CATÉCHÈSE
MÉTATHÈSE
ANTITHÈSE
ÉPENTHÈSE
HYPOTHÈSE
PROSTHÈSE
PERGOLÈSE
MANGANÈSE
DIAGENÈSE
ÉPIGENÈSE
BIOGENÈSE
OROGENÈSE
OVOGENÈSE
NÉRACAISE
BINICAISE
FRANÇAISE
FRANÇAISE
CANYCAISE
BAZADAISE
LUANDAISE
RWANDAISE
RWANDAISE
LOURDAISE
JERSIAISE
JERSIAISE
BASTIAISE
BASTIAISE
NÉPALAISE
NÉPALAISE
FOYALAISE
ANGOLAISE
ANGOLAISE
TOGOLAISE
TOGOLAISE
CAYOLAISE
DODOMAISE

LIBANAISE	MELUNAISE	INUTILISÉ	MANCHOISE
LIBANAISE	HARARAISE	MÉTALLISÉ	BINCHOISE
ALBANAISE	EUPHRAISE	LABELLISÉ	CONCHOISE
ALBANAISE	MAHORAISE	SATELLISÉ	GARCHOISE
GOBANAISE	CASTRAISE	JAVELLISÉ	BITCHOISE
SEDANAISE	DOUVRAISE	DIABOLISÉ	CAUCHOISE
MODANAISE	NYONSAISE	SYMBOLISÉ	CAUCHOISE
VIGANAISE	ÉCOSSAISE	ALCOOLISÉ	AGATHOISE
ANIANAISE	ÉCOSSAISE	SURREMISE	SARTHOISE
ÉVIANAISE	SAINTAISE	ENTREMISE	BAMAKOISE
GUJANAISE	NIORTAISE	RANDOMISÉ	LUSAKOISE
MILANAISE	MAPUTAISE	ÉCONOMISÉ	BERCKOISE
MILANAISE	SORGUAISE	SCOTOMISÉ	AUMALOISE
ROMANAISE	BASQUAISE	TRANSMISE	FUMÉLOISE
RENANAISE	BRISE-BISE	INSOUMISE	SORELOISE
SARANAISE	IMPRÉCISE	VULCANISÉ	REVÉLOISE
TIRANAISE	ANGLICISÉ	MÉTHANISÉ	WINGLOISE
MATANAISE	FRIANDISE	BALKANISÉ	AUXILOISE
VATANAISE	JOBARDISE	GERMANISÉ	CHELLOISE
HAVANAISE	MUSARDISE	GALVANISÉ	ÉTELLOISE
HAVANAISE	BÂTARDISE	HELLÉNISÉ	OVILLOISE
JAVANAISE	COUARDISE	MYÉLINISÉ	ÉCULLOISE
JAVANAISE	CATÉCHISÉ	CRÉTINISÉ	ÉTAPLOISE
GUYANAISE	FRANCHISE	INDEMNISÉ	CHARLOISE
GUYANAISE	FRANCHISÉ	TYRANNISÉ	GRAYLOISE
ANTENAISE	GLOBALISÉ	SOLENNISÉ	GÉROMOISE
BALINAISE	VERBALISÉ	PÉRENNISÉ	AMIÉNOISE
EYSINAISE	FISCALISÉ	CARBONISÉ	DOMÉNOISE
CAULNAISE	VANDALISÉ	PRÉCONISÉ	GRIGNOISE
ROANNAISE	IRRÉALISÉ	HARMONISÉ	PLAINOISE
CAENNAISE	LABIALISÉ	MICRONISÉ	BRAINOISE
CAENNAISE	SOCIALISÉ	INTRONISÉ	STAINOISE
AVONNAISE	FILIALISÉ	MODERNISÉ	PÉKINOISE
LYONNAISE	ANIMALISÉ	MATERNISÉ	PÉKINOISE
NYONNAISE	FORMALISÉ	RATIBOISÉ	MALINOISE
GABONAISE	NORMALISÉ	ANTIBOISE	COMINOISE
GABONAISE	SIGNALISÉ	FRAMBOISE	BÉNINOISE
UNIONAISE	SACRALISÉ	FRAMBOISÉ	HÉNINOISE
SALONAISE	VASSALISÉ	RIECCOISE	TURINOISE
MILONAISE	BRUTALISÉ	BRIECOISE	GATINOISE
BOLONAISE	ANNUALISÉ	BLANCOISE	ELVINOISE
BOLONAISE	VISUALISÉ	CALADOISE	ANZINOISE
POLONAISE	ACTUALISÉ	PÉAGEOISE	THANNOISE
POLONAISE	RITUALISÉ	LIÉGEOISE	BIENNOISE
ARLONAISE	MUTUALISÉ	LIÉGEOISE	GIENNOISE
SÉNONAISE	SEXUALISÉ	GANGEOISE	SIENNOISE
SÉNONAISE	MOT-VALISE	DONGEOISE	VIENNOISE
JAPONAISE	DIÉSÉLISÉ	GARGEOISE	VIENNOISE
JAPONAISE	FIABILISÉ	VERGEOISE	LAONNOISE
VÉRONAISE	VIABILISÉ	BAUGEOISE	SOURNOISE
MORONAISE	STABILISÉ	BRUGEOISE	FRESNOISE
BÉARNAISE	FRAGILISÉ	FRUGEOISE	AVESNOISE
BÉARNAISE	STÉRILISÉ	MAGOGOISE	BEAUNOISE
FOURNAISE	FOSSILISÉ	BIACHOISE	AGAUNOISE
FOURNAISE	SUBTILISÉ	FLÉCHOISE	CHAUNOISE
ICAUNAISE	FERTILISÉ	CLICHOISE	SÉDUNOISE
ICAUNAISE	RÉUTILISÉ	ANICHOISE	AUDUNOISE

MEHUNOISE	**LODÉVOISE**	APOTHÉOSE	PAPERASSE
AUTUNOISE	GENEVOISE	ORNITHOSE	RAPETASSÉ
VIMYNOISE	**GENEVOISE**	PARABIOSE	SOUS-TASSE
ÉTAMPOISE	**DECIZOISE**	AÉROBIOSE	ÉCRIVASSÉ
DIEPPOISE	PRÉCARISÉ	GRANDIOSE	PLEUVASSÉ
BRIAROISE	VULGARISÉ	GRAPHIOSE	PRINCESSE
DAKAROISE	GARGARISÉ	MONILIOSE	DRUIDESSE
BAVAROISE	SCOLARISÉ	FILARIOSE	HARDIESSE
BAVAROISE	SCÉNARISÉ	FUSARIOSE	DIABLESSE
VIVAROISE	PARE-BRISE	TRÉHALOSE	FAIBLESSE
BEC-CROISÉ	CANCÉRISÉ	CELLULOSE	BUFFLESSE
LAFÉROISE	MERCERISÉ	ECCHYMOSE	SOUPLESSE
ALGÉROISE	BONDÉRISÉ	BIOCÉNOSE	CLOWNESSE
ALGÉROISE	PAUPÉRISÉ	POLLINOSE	DOGARESSE
ACHÉROISE	CRATÉRISÉ	VERMINOSE	TENDRESSE
MASÉROISE	SINTÉRISÉ	JUXTAPOSÉ	INTÉRESSÉ
LANGROISE	CAUTÉRISÉ	ENTREPOSÉ	PROGRESSÉ
HONGROISE	PULVÉRISÉ	SURIMPOSÉ	BOUGRESSE
HONGROISE	VAMPIRISÉ	DÉCOMPOSÉ	PRÉPRESSE
SIERROISE	HERBORISÉ	RECOMPOSÉ	COMPRESSE
SEURROISE	EUPHORISÉ	SUPERPOSÉ	COMPRESSÉ
CONTROISE	TAYLORISÉ	INTERPOSÉ	PRÊTRESSE
CRAUROISE	TEMPORISÉ	INDISPOSÉ	MAÎTRESSE
NAMUROISE	TERRORISÉ	TRANSPOSÉ	PAUVRESSE
SEMUROISE	FACTORISÉ	SUREXPOSÉ	**SUISSESSE**
DESVROISE	SECTORISÉ	ANHIDROSE	GROSSESSE
TUNISOISE	RÉAPPRISE	DYSIDROSE	POLITESSE
TUNISOISE	CICATRISÉ	PRIMEROSE	PETITESSE
CUERSOISE	ÉLECTRISÉ	COUPEROSE	SVELTESSE
GRASSOISE	TRAÎTRISE	PASSEROSE	PRESTESSE
AMOSSOISE	SULFURISÉ	ÉRYTHROSE	TRISTESSE
LOOSSOISE	MARTYRISÉ	PULLOROSE	SURBAISSÉ
TRETSOISE	MÉDIATISÉ	DERMATOSE	RENCAISSÉ
CREUSOISE	DRAMATISÉ	GALACTOSE	DÉGRAISSÉ
ALMATOISE	DOGMATISÉ	ASBESTOSE	ENGRAISSÉ
MORATOISE	CLIMATISÉ	SYNOSTOSE	**LAPALISSE**
EYMÉTOISE	AROMATISÉ	MÉTATARSE	DÉPALISSÉ
CANÉTOISE	PRIVATISÉ	REMBOURSÉ	DÉFROISSÉ
ARNÉTOISE	GADGÉTISÉ	À MI-COURSE	RÉCÉPISSÉ
GIVETOISE	BUDGÉTISÉ	CALEBASSE	CHAMPISSE
SAINTOISE	ESTHÉTISÉ	MÊLÉ-CASSE	LAMBRISSÉ
COURTOISE	SOVIÉTISÉ	**BAJOCASSE**	RAPETISSÉ
BRESTOISE	MAGNÉTISÉ	BLONDASSE	ÉCREVISSE
CRESTOISE	DÉPOÉTISÉ	BEIGEASSE	**SARAGOSSE**
BRAYTOISE	HYPNOTISÉ	MILLIASSE	ISOGLOSSE
BONDUOISE	DÉBAPTISÉ	ÉCHALASSÉ	**SEIGNOSSE**
PRAGUOISE	REBAPTISÉ	SURCLASSÉ	DÉCHAUSSÉ
PRAGUOISE	EXPERTISE	MATELASSÉ	RECHAUSSÉ
BERGUOISE	EXPERTISÉ	CAILLASSE	ENCHAUSSÉ
DACQUOISE	PALETTISÉ	PAILLASSE	SURHAUSSÉ
DACQUOISE	SUBDIVISÉ	**PAILLASSE**	RESCOUSSE
LACQUOISE	IMPROVISÉ	**ANNEMASSE**	GARGOUSSE
VICQUOISE	SUPERVISÉ	PLAN-MASSE	TRÉMOUSSÉ
LUCQUOISE	**PARACELSE**	CADENASSÉ	FRIMOUSSE
IROQUOISE	**ILDEFONSE**	GROGNASSE	**LABROUSSE**
NARQUOISE	THROMBOSE	GROGNASSÉ	DÉBROUSSÉ
TURQUOISE	CANDIDOSE	TRAÎNASSÉ	REBROUSSÉ

721

DÉTROUSSÉ	COUCHEUSE	NODULEUSE	ULCÉREUSE
RETROUSSÉ	DOUCHEUSE	ANGULEUSE	SCLÉREUSE
DEMI-PAUSE	LOUCHEUSE	PAPULEUSE	COLÉREUSE
MÉNOPAUSE	FLASHEUSE	POPULEUSE	GÉNÉREUSE
MÉSOPAUSE	SCABIEUSE	CRAWLEUSE	MISÉREUSE
ARQUEBUSE	SPACIEUSE	AFFAMEUSE	GAUFREUSE
FLAMBEUSE	GRACIEUSE	SQUAMEUSE	SOUFREUSE
PLOMBEUSE	SPÉCIEUSE	ÉCRÉMEUSE	FLAIREUSE
ENROBEUSE	PRÉCIEUSE	VENIMEUSE	GLAIREUSE
BOURBEUSE	SOUCIEUSE	CHROMEUSE	DÉSIREUSE
TOURBEUSE	STUDIEUSE	CHARMEUSE	VAPOREUSE
APIÉCEUSE	MAFFIEUSE	ALLUMEUSE	PÉROREUSE
DÉPECEUSE	ÉLOGIEUSE	BITUMEUSE	ESSOREUSE
SILICEUSE	OUBLIEUSE	RICANEUSE	DÉVOREUSE
CHANCEUSE	SCARIEUSE	EFFANEUSE	PIERREUSE
ÉCORCEUSE	GLORIEUSE	VÉNÉNEUSE	PLÂTREUSE
BALADEUSE	FACTIEUSE	ÉGRENEUSE	GOITREUSE
PARADEUSE	AMITIEUSE	KHÂGNEUSE	CINTREUSE
PLAIDEUSE	CAPTIEUSE	BAIGNEUSE	MONTREUSE
DÉCIDEUSE	PLUVIEUSE	SAIGNEUSE	TARTREUSE
VALIDEUSE	PÉDALEUSE	PEIGNEUSE	PLEUREUSE
GLANDEUSE	CHIALEUSE	TEIGNEUSE	AMOUREUSE
ÉPANDEUSE	GOUALEUSE	SOIGNEUSE	**CHEVREUSE**
ÉMONDEUSE	CAVALEUSE	GROGNEUSE	FIÉVREUSE
FRONDEUSE	DOUBLEUSE	HARGNEUSE	CUIVREUSE
GRONDEUSE	RECELEUSE	CHAÎNEUSE	BUTYREUSE
DÉCODEUSE	MODELEUSE	DRAINEUSE	ÉCRASEUSE
FRAUDEUSE	CISELEUSE	TRAÎNEUSE	PHRASEUSE
NAUSÉEUSE	BATELEUSE	DÉBINEUSE	NIAISEUSE
AGRAFEUSE	RÂTELEUSE	BOBINEUSE	GLAISEUSE
GRAFFEUSE	JAVELEUSE	AFFINEUSE	FRAISEUSE
COIFFEUSE	NIVELEUSE	ANGINEUSE	TAMISEUSE
GRIFFEUSE	SIFFLEUSE	LUMINEUSE	RÉVISEUSE
SUIFFEUSE	RONFLEUSE	FARINEUSE	DIVISEUSE
BLUFFEUSE	JONGLEUSE	LÉSINEUSE	ARROSEUSE
BOUFFEUSE	ENFILEUSE	RÉSINEUSE	CHASSEUSE
MANAGEUSE	ARGILEUSE	MATINEUSE	BRASSEUSE
TAPAGEUSE	ENSILEUSE	PATINEUSE	CRASSEUSE
RAVAGEUSE	FIELLEUSE	RATINEUSE	DRESSEUSE
VOYAGEUSE	MIELLEUSE	BUTINEUSE	PRESSEUSE
BRIDGEUSE	VIELLEUSE	FOUINEUSE	PLISSEUSE
PLONGEUSE	MOELLEUSE	BRUINEUSE	POISSEUSE
CHARGEUSE	BÂILLEUSE	LIMONEUSE	MOUSSEUSE
ÉGORGEUSE	RAILLEUSE	TOURNEUSE	TOUSSEUSE
FLACHEUSE	TEILLEUSE	LACUNEUSE	COMATEUSE
CRACHEUSE	VEILLEUSE	DÉCAPEUSE	ACHETEUSE
PRÊCHEUSE	QUILLEUSE	GRIMPEUSE	FURETEUSE
CLICHEUSE	BRANLEUSE	TROMPEUSE	RIVETEUSE
TRICHEUSE	RACOLEUSE	GALOPEUSE	DUVETEUSE
PIOCHEUSE	RIGOLEUSE	STOPPEUSE	VANITEUSE
BROCHEUSE	CAJOLEUSE	SIRUPEUSE	CAPITEUSE
MARCHEUSE	ENJÔLEUSE	SCABREUSE	VISITEUSE
HERCHEUSE	ENTÔLEUSE	NOMBREUSE	BRUITEUSE
PERCHEUSE	FABULEUSE	CENDREUSE	CHANTEUSE
CATCHEUSE	NÉBULEUSE	POUDREUSE	PLANTEUSE
FAUCHEUSE	TUBULEUSE	SUBÉREUSE	FEINTEUSE
PLUCHEUSE	ONDULEUSE	TUBÉREUSE	POINTEUSE

QUINTEUSE	ESSUYEUSE	INCARNATE	ÉCHIQUETÉ
RABOTEUSE	BRONZEUSE	DISPARATE	DÉCLAVETÉ
SABOTEUSE	REDIFFUSÉ	DÉMOCRATE	BÊCHEVETÉ
RADOTEUSE	TRANSFUSÉ	XÉNOCRATE	LASCIVETÉ
ERGOTEUSE	CI-INCLUSE	EUROCRATE	TARDIVETÉ
CAHOTEUSE	CORNEMUSE	AUTOCRATE	REDÉFAITE
PELOTEUSE	TOUNGOUSE	POLYCRATE	SOUS-FAÎTE
CANOTEUSE	PAUCHOUSE	RÉHYDRATÉ	NICOLAÏTE
DOMPTEUSE	MILDIOUSÉ	SCÉLÉRATE	PRÉTRAITÉ
FLIRTEUSE	ANDALOUSE	PERBORATE	MALTRAITÉ
AVORTEUSE	ANDALOUSE	ÉROSTRATE	RENTRAITE
AJUSTEUSE	ESPINOUSE	TELLURATE	ABSTRAITE
FLATTEUSE	CAMBROUSE	TUNGSTATE	DISTRAITE
GRATTEUSE	ANACROUSE	CATARACTE	WAHHABITE
ÉMOTTEUSE	LA PÉROUSE	DIFFRACTÉ	BARNABITE
FROTTEUSE	PARAPHYSE	CONTRACTE	TRILOBITE
TROTTEUSE	MÉTAPHYSE	CONTRACTÉ	IMPROBITÉ
GOUTTEUSE	HYPOPHYSE	IDIOLECTE	CUCURBITE
AFFÛTEUSE	GLYCOLYSE	NOTONECTE	MORDACITÉ
CROÛTEUSE	OSTÉOLYSE	PROSPECTÉ	PUGNACITÉ
BLAGUEUSE	RADIOLYSE	INDIRECTE	COMPACITÉ
DRAGUEUSE	HYDROLYSE	SUCCINCTE	LOQUACITÉ
FONGUEUSE	HYDROLYSÉ	DISTINCTE	JUDAÏCITÉ
FOUGUEUSE	PHOTOLYSE	DISJONCTÉ	MENDICITÉ
POLLUEUSE	HISTOLYSE	POLYEUCTE	NORDICITÉ
PLAQUEUSE	STYLOBATE	ALPHABÈTE	PUBLICITÉ
BRAQUEUSE	HYPERBATE	PENSE-BÊTE	SOLLICITÉ
TRAQUEUSE	DUPLICATE	MYSTICÈTE	IMPLICITE
CHIQUEUSE	CANDIDATE	ÉTRANGETÉ	DUPLICITÉ
TALQUEUSE	BISULFATE	DÉCACHETÉ	EXPLICITE
CROQUEUSE	HARROGATE	RECACHETÉ	EXPLICITÉ
TROQUEUSE	WATERGATE	POLYCHÈTE	ATOMICITÉ
MARQUEUSE	ROUERGATE	NOMOTHÈTE	SISMICITÉ
PARQUEUSE	ROUERGATE	NOTORIÉTÉ	HÉROÏCITÉ
VISQUEUSE	PHOSPHATE	PROPRIÉTÉ	LUBRICITÉ
TRUQUEUSE	PHOSPHATÉ	INTERJETÉ	MOTRICITÉ
ONCTUEUSE	IMMÉDIATE	POLYCLÈTE	FACTICITÉ
VULTUEUSE	SÉLÉNIATE	SOUFFLETÉ	TACTICITÉ
MONTUEUSE	ARSÉNIATE	BIATHLÈTE	RUSTICITÉ
VERTUEUSE	PRUSSIATE	FEUILLETÉ	CERVICITE
TORTUEUSE	SPARTIATE	DÉCOLLETÉ	PRÉCOCITÉ
FASTUEUSE	CHOCOLATÉ	ZOOGAMÈTE	UNIVOCITÉ
FLEXUEUSE	PHÉNOLATE	HADRUMÈTE	SUREXCITÉ
ENCAVEUSE	CARBAMATE	PROXÉNÈTE	DÉSEXCITÉ
RECEVEUSE	GLUTAMATE	DOYENNETÉ	ANALYCITÉ
RELEVEUSE	ASTIGMATE	ENTIÈRETÉ	PRÉMÉDITÉ
TROUVEUSE	ACCLIMATÉ	MASSORÈTE	ACCRÉDITÉ
PAGAYEUSE	CŒLOMATE	ÉPOUSSETÉ	MORBIDITÉ
BALAYEUSE	DIPLOMATE	JOYEUSETÉ	TURBIDITÉ
RELAYEUSE	NUMISMATE	TÊTE-À-TÊTE	PLACIDITÉ
DÉRAYEUSE	MANGANATE	HONNÊTETÉ	SORDIDITÉ
ESSAYEUSE	FULMINATE	SERRE-TÊTE	FRIGIDITÉ
MAREYEUSE	ALUMINATE	CASSE-TÊTE	LIMPIDITÉ
GIBOYEUSE	AGÉSINATE	APPUI-TÊTE	STUPIDITÉ
TUTOYEUSE	ANTENNATE	CACAHUÈTE	HYBRIDITÉ
ENVOYEUSE	CARBONATE	DÉPAQUETÉ	LIQUIDITÉ
ENNUYEUSE	CARBONATÉ	EMPAQUETÉ	GRAVIDITÉ

FÉCONDITÉ	FÉBRILITÉ	BENTONITE	COMPOSITE
ROTONDITÉ	STÉRILITÉ	AMAZONITE	SINUOSITÉ
COMMODITÉ	PUÉRILITÉ	MODERNITÉ	NERVOSITÉ
APHRODITE	SUBTILITÉ	MATERNITÉ	ADVERSITÉ
APHRODITE	DUCTILITÉ	PATERNITÉ	DIVERSITÉ
INTERDITE	GENTILITÉ	DÉCRÉPITE	NÉCESSITÉ
ABSURDITÉ	FERTILITÉ	DÉCRÉPITÉ	CLÉMATITE
TRACHÉITE	HOSTILITÉ	PRÉCIPITÉ	PEGMATITE
SGRAFFITE	INUTILITÉ	PRÉCARITÉ	MIGMATITE
DÉSULFITÉ	SERVILITÉ	LINÉARITÉ	STOMATITE
BISULFITE	GÉMELLITÉ	VULGARITÉ	DERMATITE
DÉCONFITE	SATELLITE	**LA CHARITÉ**	IMPACTITE
MÉNINGITE	ANABOLITE	SCOLARITÉ	MAGNÉTITE
LARYNGITE	LACCOLITE	PRIMARITÉ	COBALTITE
DÉGURGITÉ	COCCOLITE	OVIPARITÉ	ARGENTITE
RÉGURGITÉ	ALVÉOLITE	DISPARITÉ	CÉMENTITE
INGURGITÉ	BATHOLITE	CÉLÉBRITÉ	BIPARTITE
MALACHITE	OPHIOLITE	SALUBRITÉ	INNOCUITÉ
BRONCHITE	SÉPIOLITE	**THÉOCRITE**	ASSIDUITÉ
RHYNCHITE	TRÉMOLITE	**DÉMOCRITE**	ÉCONDUITE
PHOSPHITE	PHONOLITE	HYPOCRITE	AMBIGUÏTÉ
GLOBALITÉ	MICROLITE	PRESCRITE	ABSOLUITÉ
FISCALITÉ	FRIVOLITÉ	SANSCRITE	INGÉNUITÉ
FÉODALITÉ	CRÉDULITÉ	PROSCRITE	OBLIQUITÉ
IRRÉALITÉ	CELLULITE	SOUSCRITE	ANTIQUITÉ
INÉGALITÉ	NUMMULITE	CHONDRITE	**ANTIQUITÉ**
FRUGALITÉ	GRANULITE	ANHYDRITE	INSTRUITE
GÉNIALITÉ	EXTRÉMITÉ	SINCÉRITÉ	POURSUITE
SÉRIALITÉ	PHRAGMITE	DÉSHÉRITÉ	CONCAVITÉ
JOVIALITÉ	SUBLIMITÉ	PRÉTÉRITÉ	À LA VA-VITE
ANIMALITÉ	UNANIMITÉ	URÉTÉRITE	LONGÉVITÉ
FORMALITÉ	PROXIMITÉ	POSTÉRITÉ	PASSE-VITE
NORMALITÉ	DIATOMITE	AUSTÉRITÉ	LASCIVITÉ
ATONALITÉ	INFIRMITÉ	DEXTÉRITÉ	GINGIVITE
CHIRALITÉ	MONDANITÉ	INTÉGRITÉ	DÉCLIVITÉ
AMORALITÉ	MANGANITE	SANSKRITE	MASSIVITÉ
PLURALITÉ	MORGANITE	MÉTÉORITE	PASSIVITÉ
VASSALITÉ	OBSCÉNITÉ	SÉNIORITÉ	ÉMOTIVITÉ
CAUSALITÉ	DUODÉNITE	ÉVAPORITE	CAPTIVITÉ
MENTALITÉ	AUSTÉNITE	OBSCURITÉ	FURTIVITÉ
MORTALITÉ	INDIGNITÉ	MARCASITE	FESTIVITÉ
BRUTALITÉ	MALIGNITÉ	MAGNÉSITE	MOSCOVITE
ANNUALITÉ	BÉNIGNITÉ	EXQUISITÉ	**MOSCOVITE**
ACTUALITÉ	TENDINITE	IMMENSITÉ	**ROSCOVITE**
MUTUALITÉ	VIRGINITÉ	INTENSITÉ	MUSCOVITE
SEXUALITÉ	KAOLINITE	GIBBOSITÉ	CONNEXITÉ
HÉRACLITE	URANINITE	VERBOSITÉ	CONVEXITÉ
PÉRICLITÉ	**LA TRINITÉ**	VISCOSITÉ	PROLIXITÉ
ISMAÉLITE	PLATINITE	FONGOSITÉ	QUARTZITE
ISRAÉLITE	SYLVINITE	CURIOSITÉ	VIREVOLTE
CARMÉLITE	INDEMNITÉ	FRILOSITÉ	VIREVOLTÉ
FIABILITÉ	BÉLEMNITE	CALLOSITÉ	CATAPULTE
VIABILITÉ	SOLENNITÉ	VILLOSITÉ	CATAPULTÉ
AMABILITÉ	PÉRENNITÉ	ANIMOSITÉ	FLAMBANTE
STABILITÉ	ARAGONITE	SPUMOSITÉ	TITUBANTE
GRACILITÉ	ESPIONITE	VEINOSITÉ	CORYBANTE
FRAGILITÉ	MENNONITE	ADIPOSITÉ	MENAÇANTE

RADICANTE	BRILLANTÉ	FILTRANTE	FROTTANTE
VÉSICANTE	BRANLANTE	RENTRANTE	DÉBUTANTE
URTICANTE	AFFOLANTE	ENDURANTE	REBUTANTE
GRINÇANTE	DÉSOLANTE	FIGURANTE	ÉCOUTANTE
EXERÇANTE	COMPLANTÉ	SATURANTE	POLLUANTE
EXCÉDANTE	SUPPLANTÉ	ENIVRANTE	CLAQUANTE
OBSÉDANTE	AMBULANTE	COUVRANTE	CRAQUANTE
PLAIDANTE	ONDULANTE	ÉCRASANTE	MANQUANTE
RÉSIDANTE	MODULANTE	PLAISANTE	CINQUANTE
ABONDANTE	GUEULANTE	PLAISANTÉ	CHOQUANTE
GRONDANTE	CANULANTE	APAISANTE	CROQUANTE
EXIGEANTE	CROULANTE	MÉDISANTE	MARQUANTE
FAINÉANTE	PÉTULANTE	SINISANTE	DÉCEVANTE
FAINÉANTÉ	INFAMANTE	IONISANTE	ARRIVANTE
MÉCRÉANTE	DIRIMANTE	COTISANTE	MOTIVANTE
MALSÉANTE	CHARMANTE	ÉPUISANTE	ESTIVANTE
PIAFFANTE	ALARMANTE	DÉPOSANTE	INNOVANTE
COIFFANTE	RICANANTE	REPOSANTE	ÉNERVANTE
BOUFFANTE	ALIÉNANTE	IMPOSANTE	ADJUVANTE
ADRAGANTE	ATTENANTE	OPPOSANTE	ÉMOUVANTE
DÉLÉGANTE	STAGNANTE	EXPOSANTE	ÉPOUVANTE
FATIGANTE	PRÉGNANTE	CHASSANTE	ÉPOUVANTÉ
NAVIGANTE	FAIGNANTE	BLESSANTE	RELAXANTE
FRINGANTE	SAIGNANTE	PRESSANTE	BÉGAYANTE
ARROGANTE	FEIGNANTE	NAISSANTE	ONDOYANTE
BACCHANTE	POIGNANTE	AGISSANTE	ENNUYANTE
BROCHANTE	SOIGNANTE	GLISSANTE	BRONZANTE
MARCHANTE	TRAÎNANTE	PUISSANTE	ADJACENTE
COUCHANTE	DOMINANTE	MOUSSANTE	INDÉCENTE
TOUCHANTE	RUMINANTE	BLOUSANTE	RÉTICENTE
ÉLÉPHANTE	ÉTONNANTE	ÉCLATANTE	INNOCENTE
DIOPHANTE	RÉSONANTE	DILATANTE	INNOCENTÉ
MENDIANTE	DÉTONANTE	EMBÊTANTE	ACESCENTE
ÉTUDIANTE	TOURNANTE	HALETANTE	DÉCADENTE
ÉDIFIANTE	DÉCAPANTE	VOLETANTE	ACCIDENTÉ
CONFIANTE	GRIMPANTE	ENTÊTANTE	INCIDENTE
DÉPLIANTE	GALOPANTE	TRAITANTE	STRIDENTE
SOURIANTE	FRAPPANTE	HABITANTE	RÉSIDENTE
GOUALANTE	CRISPANTE	DÉBITANTE	IMPUDENTE
MEUBLANTE	OCCUPANTE	RÉCITANTE	INDIGENTE
DOUBLANTE	EFFARANTE	EXCITANTE	DILIGENTE
DÉMÊLANTE	HILARANTE	MILITANTE	DILIGENTÉ
APPELANTE	SIDÉRANTE	MÉRITANTE	**AGRIGENTE**
SIFFLANTE	COGÉRANTE	IRRITANTE	RÉARGENTÉ
GONFLANTE	TOLÉRANTE	HÉSITANTE	ÉMERGENTE
RONFLANTE	ALTÉRANTE	INVITANTE	FARNIENTE
SANGLANTE	FLAGRANTE	EXALTANTE	RÉORIENTÉ
CINGLANTE	FRAGRANTE	CHANTANTE	BIVALENTE
BEUGLANTE	ÉMIGRANTE	TEINTANTE	DIVALENTE
SIBILANTE	DÉLIRANTE	SUINTANTE	COVALENTE
JUBILANTE	ASPIRANTE	CAHOTANTE	INDOLENTE
VIGILANTE	EXPIRANTE	ÉGROTANTE	INSOLENTE
MUTILANTE	ATTIRANTE	PIVOTANTE	FÉCULENTE
RUTILANTE	COLORANTE	ADOPTANTE	VIRULENTE
SAILLANTE	IGNORANTE	EXISTANTE	PURULENTE
VAILLANTE	DÉVORANTE	CONSTANTE	VÉHÉMENTE
BRILLANTE	ABERRANTE	FLOTTANTE	ORNEMENTÉ

PAREMENTÉ	TRAFICOTÉ	MANIFESTÉ	INTIMISTE
AGRÉMENTÉ	MASSICOTÉ	**ALMAGESTE**	OPTIMISTE
FRAGMENTÉ	MENDIGOTE	INDIGESTE	PSALMISTE
SÉDIMENTÉ	MENDIGOTÉ	ADMONESTÉ	ALARMISTE
BONIMENTÉ	REDINGOTE	HÉBRAÏSTE	URBANISTE
TOURMENTE	OSTROGOTE	VÉPÉCISTE	MÉCANISTE
TOURMENTÉ	PTÉRYGOTE	VÉTÉCISTE	ORGANISTE
DOCUMENTÉ	CATAPHOTE	VÉLOCISTE	ROMANISTE
ARGUMENTÉ	PSALLIOTE	MOTOCISTE	HUMANISTE
RÉMANENTE	**ISCARIOTE**	EXORCISTE	BOTANISTE
IMMANENTE	**CONDRIOTE**	MÉLODISTE	EUGÉNISTE
IMMINENTE	**SAN-PRIOTE**	PARODISTE	ALIÉNISTE
DÉPONENTE	CHYPRIOTE	SARODISTE	CHAÎNISTE
PARAPENTE	**CHYPRIOTE**	CANOÉISTE	MOLINISTE
CHARPENTE	**CASTRIOTE**	ISOSÉISTE	FÉMINISTE
CHARPENTÉ	TREMBLOTE	PASSÉISTE	LUMINISTE
APPARENTE	TREMBLOTÉ	PACIFISTE	LÉNINISTE
APPARENTÉ	**RUITELOTE**	BAGAGISTE	ALPINISTE
DÉFÉRENTE	PAPILLOTE	MÉNAGISTE	BURINISTE
AFFÉRENTE	PAPILLOTÉ	GARAGISTE	FUSINISTE
EFFÉRENTE	BERGAMOTE	VISAGISTE	LATINISTE
ADHÉRENTE	PROGÉNOTE	VOYAGISTE	HÉDONISTE
INHÉRENTE	HUGUENOTE	DIRIGISTE	UNIONISTE
COHÉRENTE	PIQUE-NOTE	ORANGISTE	CANONISTE
PÉNITENTE	SOLOGNOTE	PERCHISTE	PÉRONISTE
RÉNITENTE	**SOLOGNOTE**	GAUCHISTE	SAMBOÏSTE
IMPOTENTE	**POLYGNOTE**	GRAPHISTE	BANJOÏSTE
AFFLUENTE	**LANZAROTE**	KAYAKISTE	TRAPPISTE
EFFLUENTE	**GRAVEROTE**	STOCKISTE	**TRAPPISTE**
INFLUENTE	**THIZEROTE**	CABALISTE	HORS-PISTE
FRÉQUENTE	ASYMPTOTE	IDÉALISTE	RADARISTE
FRÉQUENTÉ	EUCARYOTE	LÉGALISTE	MÉHARISTE
ÉLOQUENTE	OVISCAPTE	PÉNALISTE	GOMARISTE
BENAVENTE	DÉSADAPTÉ	FINALISTE	SITARISTE
TÉLÉVENTE	PRÉCOMPTE	ANNALISTE	LAZARISTE
RÉINVENTÉ	PRÉCOMPTÉ	MORALISTE	LIBÉRISTE
PRÉCEINTE	DISCOMPTE	BURALISTE	ACIÉRISTE
ENFREINTE	DISCOMPTÉ	MURALISTE	GALERISTE
EMPREINTE	TÉLÉCARTE	FATALISTE	CAMÉRISTE
RÉTREINTE	**MALAPARTE**	NATALISTE	EMPIRISTE
ASTREINTE	**BONAPARTE**	VITALISTE	SATIRISTE
CONJOINTE	**CALAFERTE**	LOYALISTE	RIGORISTE
BAS-JOINTÉ	SOUFFERTE	ROYALISTE	COLORISTE
DISJOINTE	INEXPERTE	MODÉLISTE	HUMORISTE
TRÉPOINTE	MAIN-FORTE	PUGILISTE	MOTORISTE
AQUATINTE	MAINMORTE	NIHILISTE	CENTRISTE
DESSUINTÉ	HÉLIPORTÉ	SIMILISTE	CONTRISTÉ
CRÉODONTE	RÉIMPORTÉ	CIVILISTE	CASTRISTE
HOMODONTE	AÉROPORTÉ	DUELLISTE	FLEURISTE
PARODONTE	RÉEXPORTÉ	GAULLISTE	NATURISTE
SÉLINONTE	**OUDMOURTE**	SIMPLISTE	FUTURISTE
CONFRONTÉ	SCOLIASTE	FABULISTE	KINÉSISTE
DISCOUNTÉ	PÉDÉRASTE	POPULISTE	GROSSISTE
REMPRUNTÉ	CONTRASTE	ISLAMISTE	DONATISTE
GARDE-CÔTE	CONTRASTÉ	DYNAMISTE	CÉDÉTISTE
ENTRECÔTE	IMMODESTE	CÉRAMISTE	CÉGÉTISTE
PENTECÔTE	MANIFESTE	POLÉMISTE	QUIÉTISTE

ARRÊTISTE	**LA SALETTE**	PROPRETTE	**MOUCHOTTE**
VÉTÉTISTE	**LA VALETTE**	CHARRETTE	CHEVIOTTE
DROITISTE	SARCLETTE	BOURRETTE	DÉCALOTTE
ARGOTISTE	BOUCLETTE	RISTRETTE	GIBELOTTE
CHARTISTE	ÉCHELETTE	FLEURETTE	VITELOTTE
DUETTISTE	PIPELETTE	SŒURETTE	ÉPIGLOTTE
SALUTISTE	CÔTELETTE	AMOURETTE	CHARLOTTE
LINGUISTE	SQUELETTE	CHEVRETTE	**CHARLOTTE**
DROGUISTE	RUFFLETTE	PAUVRETTE	DÉCULOTTÉ
UBIQUISTE	GONFLETTE	ŒUVRETTE	RECULOTTÉ
BANQUISTE	MOUFLETTE	BRAISETTE	GNOGNOTTE
TRUQUISTE	BIELLETTE	SANISETTE	GÉLINOTTE
ALTRUISTE	CAILLETTE	CROISETTE	CAGEROTTE
ARRIVISTE	PAILLETTE	PARISETTE	**THOUROTTE**
ACTIVISTE	ŒILLETTE	ÉPUISETTE	ROULEAUTÉ
ARIOVISTE	VRILLETTE	CAISSETTE	PANNEAUTÉ
PRÉEXISTÉ	**NICOLETTE**	GLOSSETTE	CHAPEAUTÉ
TÉLEXISTE	MIMOLETTE	POUSSETTE	POIREAUTÉ
ESSAYISTE	TRIPLETTE	ROUSSETTE	TERREAUTÉ
TREIZISTE	SIMPLETTE	INFUSETTE	NOUVEAUTÉ
QUINZISTE	STARLETTE	QUINTETTE	SANS-FAUTE
VAL D'AOSTE	ÉPAULETTE	QUARTETTE	AQUANAUTE
TARABUSTÉ	MOBYLETTE	BRAGUETTE	ARGONAUTE
DIPNEUSTE	GOURMETTE	LANGUETTE	AÉRONAUTE
DÉSAJUSTÉ	**CHAUMETTE**	LINGUETTE	TRESSAUTÉ
LANGOUSTE	ALLUMETTE	RINGUETTE	DÉLOYAUTÉ
MANGOUSTE	ORCANETTE	LONGUETTE	DÉNOYAUTÉ
LABROUSTE	CADENETTE	MAROUETTE	PERSÉCUTÉ
PROCRUSTE	PEIGNETTE	GIROUETTE	INEXÉCUTÉ
AMÉTHYSTE	LORGNETTE	PIROUETTE	RÉPERCUTÉ
CHANLATTE	CHAÎNETTE	PIROUETTÉ	REDISCUTÉ
GUÉPRATTE	BOBINETTE	CLAQUETTE	INDISCUTÉ
LYCABETTE	MIDINETTE	PLAQUETTE	CRAPAHUTÉ
COURBETTE	ERMINETTE	SOCQUETTE	PARACHUTE
GRANDETTE	SAPINETTE	CLIQUETTE	PARACHUTÉ
ESTAFETTE	SERINETTE	BRIQUETTE	CONVOLUTÉ
BOUFFETTE	PATINETTE	ÉTIQUETTE	COPERMUTÉ
MOUFFETTE	SATINETTE	BANQUETTE	TRANSMUTÉ
ORANGETTE	DEVINETTE	CROQUETTE	MARABOUTÉ
COURGETTE	JEANNETTE	BARQUETTE	SURAJOUTÉ
FLÉCHETTE	GALIPETTE	**MARQUETTE**	CAILLOUTÉ
FRÉCHETTE	TREMPETTE	TURQUETTE	RAIL-ROUTE
MANCHETTE	GRIMPETTE	CASQUETTE	AUTOROUTE
MANCHETTE	TROMPETTE	DISQUETTE	PONT-ROUTE
CLOCHETTE	ESCOPETTE	ROUQUETTE	DÉMAZOUTÉ
BROCHETTE	SALOPETTE	STATUETTE	PARATEXTE
COUCHETTE	HOUPPETTE	ÉCHEVETTE	TÉLÉTEXTE
DOUCHETTE	À PERPETTE	**LA FAYETTE**	HORS-TEXTE
MOUCHETTE	CIGARETTE	**LAFAYETTE**	LEUCOCYTE
SOUCHETTE	SOUBRETTE	BALAYETTE	OSTÉOCYTE
NYMPHETTE	QUADRETTE	BRONZETTE	PHAGOCYTE
OUBLIETTE	CAUDRETTE	PALAFITTE	PHAGOCYTÉ
PAUPIETTE	POUDRETTE	TIRE-BOTTE	MYÉLOCYTE
GLORIETTE	SUPÉRETTE	WYANDOTTE	FIBROCYTE
SARRIETTE	GAUFRETTE	MANGEOTTÉ	MASTOCYTE
SERVIETTE	CLAIRETTE	BOUGEOTTE	LYCOPHYTE
MAUVIETTE	MAJORETTE	CHOCHOTTE	HALOPHYTE

XÉROPHYTE	PÉDOLOGUE	HÉBRAÏQUE	ANGÉLIQUE
PYROPHYTE	PODOLOGUE	PROSAÏQUE	**ANGÉLIQUE**
BRYOPHYTE	LUDOLOGUE	DELTAÏQUE	FAMÉLIQUE
PROSÉLYTE	IDÉOLOGUE	VOLTAÏQUE	OMBILIQUÉ
AMPHOLYTE	ÉTHOLOGUE	**VOLTAÏQUE**	BASILIQUE
HIPPOLYTE	HOMOLOGUE	STRABIQUE	PHALLIQUE
CONTRIBUÉ	HOMOLOGUÉ	ALAMBIQUÉ	IDYLLIQUE
DISTRIBUÉ	POMOLOGUE	RHOMBIQUE	BUCOLIQUE
INVAINCUE	ŒNOLOGUE	SILICIQUE	MAÏOLIQUE
PRÉCONÇUE	SINOLOGUE	FRANCIQUE	MAJOLIQUE
INAPERÇUE	MONOLOGUE	EUTOCIQUE	COMPLIQUÉ
DESCENDUE	MONOLOGUÉ	VANADIQUE	RAPPLIQUÉ
SUSPENDUE	VIROLOGUE	LIPIDIQUE	SUPPLIQUE
INÉTENDUE	SITOLOGUE	VÉRIDIQUE	ABOULIQUE
PRÉTENDUE	SEXOLOGUE	JURIDIQUE	BOTULIQUE
DISTENDUE	LAIMARGUE	FATIDIQUE	ÉTHYLIQUE
SURVENDUE	BOUTARGUE	FLUIDIQUE	ALLYLIQUE
CONFONDUE	POUTARGUE	DRUIDIQUE	VINYLIQUE
PARFONDUE	**DOUMERGUE**	SCALDIQUE	ACRYLIQUE
MORFONDUE	BARBICHUE	MÉLODIQUE	BUTYLIQUE
SURFONDUE	SURÉVALUÉ	MONODIQUE	OGHAMIQUE
DISTORDUE	PLUS-VALUE	SYNODIQUE	ISLAMIQUE
DEMI-QUEUE	MELLIFLUE	PARODIQUE	DYNAMIQUE
MINI-VAGUE	SUPERFLUE	CLAUDIQUÉ	CÉRAMIQUE
TOUARÈGUE	IRRÉSOLUE	PALUDIQUE	RACÉMIQUE
BOURDIGUE	VERMOULUE	IMPUDIQUE	ENDÉMIQUE
DÉFATIGUÉ	SAUGRENUE	NUCLÉIQUE	POLÉMIQUE
PROMULGUÉ	CODÉTENUE	CHORÉIQUE	POLÉMIQUÉ
SPATANGUE	MAINTENUE	EXORÉIQUE	BARÉMIQUE
CRADINGUE	REDEVENUE	PROTÉIQUE	TOTÉMIQUE
VALDINGUÉ	BIENVENUE	MALÉFIQUE	ISTHMIQUE
MANDINGUE	**BIENVENÜE**	BÉNÉFIQUE	RYTHMIQUE
MANDINGUE	BISCORNUE	PACIFIQUE	GÉNOMIQUE
POUDINGUE	GARDE-BOUE	**PACIFIQUE**	CHROMIQUE
MOUJINGUE	MANDCHOUE	MIRIFIQUE	THERMIQUE
ÉTALINGUÉ	**MANDCHOUE**	TABAGIQUE	PLASMIQUE
DÉGLINGUE	DÉSÉCHOUÉ	PÉLAGIQUE	SÉISMIQUE
DÉGLINGUÉ	**LOUVETOUE**	NURAGIQUE	ASISMIQUE
SCHLINGUÉ	CORROMPUE	ILLOGIQUE	VOLUMIQUE
UNILINGUE	CARDIAQUE	ÉNERGIQUE	MÉCANIQUE
TRILINGUE	ÉLÉGIAQUE	GÉORGIQUE	OCÉANIQUE
CARLINGUE	CŒLIAQUE	COLCHIQUE	ORGANIQUE
BURLINGUE	BOSNIAQUE	PSYCHIQUE	MÉLANIQUE
GRONINGUE	**BOSNIAQUE**	ÉDAPHIQUE	LÉMANIQUE
EMBRINGUÉ	THÉRIAQUE	GRAPHIQUE	CORANIQUE
HIRSINGUE	**TÉLÉMAQUE**	TROPHIQUE	SATANIQUE
WASSINGUE	LYSIMAQUE	PYRRHIQUE	TÉTANIQUE
DISTINGUÉ	**LYSIMAQUE**	APATHIQUE	TITANIQUE
BERZINGUE	ESTOMAQUÉ	ALÉTHIQUE	BOTANIQUE
BARLONGUE	**TOTONAQUE**	XANTHIQUE	EUGÉNIQUE
PÉDAGOGUE	CHABRAQUE	BENTHIQUE	STHÉNIQUE
DÉMAGOGUE	BIVOUAQUÉ	SCYTHIQUE	GALÉNIQUE
SYNAGOGUE	ZOOTHÈQUE	VOCALIQUE	SÉLÉNIQUE
DÉCALOGUE	QUELLE QUE	ORDALIQUE	SPLÉNIQUE
CATALOGUE	MALGRÉ QUE	PHTALIQUE	PHRÉNIQUE
CATALOGUÉ	THÉBAÏQUE	**JAMBLIQUE**	ARSÉNIQUE
MYCOLOGUE	ARCHAÏQUE	ACYCLIQUE	TECHNIQUE

ALGINIQUE	MYCOSIQUE	PLASTIQUÉ	RÉAPPARUE
ACLINIQUE	AGNOSIQUE	DRASTIQUE	INCONGRUE
DOMINIQUE	CLASSIQUE	AVESTIQUE	PARCOURUE
ACTINIQUE	PRUSSIQUE	ÉRISTIQUE	COURBATUE
STANNIQUE	HYDATIQUE	GNOSTIQUE	RÉHABITUÉ
BUBONIQUE	ÉLÉATIQUE	KARSTIQUE	SUBSTITUÉ
LACONIQUE	SCIATIQUE	CAUSTIQUE	CONSTITUÉ
THIONIQUE	ASIATIQUE	MOUSTIQUE	PROSTITUÉ
ANIONIQUE	**ASIATIQUE**	GLOTTIQUE	COMBATTUE
AVIONIQUE	HÉMATIQUE	INCIVIQUE	LONGUE-VUE
MALONIQUE	NÉMATIQUE	APRAXIQUE	DÉPOURVUE
SALONIQUE	SOMATIQUE	INTOXIQUÉ	REPOURVUE
CANONIQUE	FANATIQUE	EFFLANQUÉ	AMBISEXUÉ
VÉRONIQUE	AGNATIQUE	REQUINQUÉ	RAT-DE-CAVE
VÉRONIQUE	LUNATIQUE	QUICONQUE	BICONCAVE
CHRONIQUE	HÉPATIQUE	GONOCOQUE	LATICLAVE
CÉTONIQUE	ERRATIQUE	MONOCOQUE	AUTOCLAVE
TOURNIQUÉ	ASTATIQUE	SOLILOQUE	**VILLENAVE**
DIAZOÏQUE	EXTATIQUE	SOLILOQUÉ	BETTERAVE
BENZOÏQUE	AQUATIQUE	AMERLOQUE	LANDGRAVE
OLYMPIQUE	SMECTIQUE	ÉQUIVOQUE	PARASCÈVE
STEPPIQUE	DÉICTIQUE	ÉQUIVOQUÉ	PARACHEVÉ
STÉARIQUE	TABÉTIQUE	REMBARQUÉ	**GENEVIÈVE**
AMHARIQUE	ASCÉTIQUE	ETHNARQUE	CHAMPLEVÉ
AMHARIQUE	EIDÉTIQUE	**HIPPARQUE**	ANTIGRÈVE
QUADRIQUE	MIMÉTIQUE	HIÉRARQUE	OVERDRIVE
SPHÉRIQUE	COMÉTIQUE	**PÉTRARQUE**	**BELLERIVE**
VALÉRIQUE	GÉNÉTIQUE	TÉTRARQUE	RÉPULSIVE
COLÉRIQUE	CINÉTIQUE	ANASARQUE	IMPULSIVE
HOMÉRIQUE	MONÉTIQUE	**PLUTARQUE**	RÉVULSIVE
NUMÉRIQUE	HÉRÉTIQUE	**DUNKERQUE**	EXPANSIVE
GÉNÉRIQUE	ASCITIQUE	**TENDASQUE**	DÉFENSIVE
ICTÉRIQUE	POLITIQUE	FANTASQUE	OFFENSIVE
ENTÉRIQUE	SÉMITIQUE	ARABESQUE	INTENSIVE
EMPIRIQUE	NÉRITIQUE	SIMIESQUE	EXTENSIVE
SATIRIQUE	**LÉVITIQUE**	BURLESQUE	IMPLOSIVE
THÉORIQUE	QUANTIQUE	FAUNESQUE	EXPLOSIVE
CALORIQUE	IDENTIQUE	INGRESQUE	CORROSIVE
CHLORIQUE	DÉONTIQUE	MAURESQUE	IMMERSIVE
PYLORIQUE	CHAOTIQUE	LIVRESQUE	DÉTERSIVE
ARMORIQUE	ROBOTIQUE	DANTESQUE	RÉCURSIVE
BOURRIQUE	ONCOTIQUE	GROTESQUE	RÉCESSIVE
TANTRIQUE	ARGOTIQUE	GAGUESQUE	EXCESSIVE
TARTRIQUE	ABIOTIQUE	TANDIS QUE	AGRESSIVE
GASTRIQUE	MÉIOTIQUE	CONFISQUÉ	JOUISSIVE
DYSURIQUE	NILOTIQUE	ODALISQUE	OCCLUSIVE
CUIVRIQUE	DÉMOTIQUE	OBÉLISQUE	INCLUSIVE
SATYRIQUE	DOMOTIQUE	LENTISQUE	EXCLUSIVE
BUTYRIQUE	OSMOTIQUE	DEPUIS QUE	EXTRUSIVE
BIBASIQUE	MITOTIQUE	MOLLUSQUE	COMBATIVE
DIBASIQUE	SCEPTIQUE	CHIBOUQUE	SICCATIVE
INCASIQUE	ASEPTIQUE	**SOULOUQUE**	FRICATIVE
APHASIQUE	GLYPTIQUE	CLÉROUQUE	ÉDUCATIVE
TRIASIQUE	CRYPTIQUE	GALÉRUQUE	LAUDATIVE
GÉNÉSIQUE	CLASTIQUE	POURVU QUE	PURGATIVE
AMNÉSIQUE	ÉLASTIQUE	PARONYQUE	RADIATIVE
PHTISIQUE	PLASTIQUE	TRIPTYQUE	FORMATIVE

NORMATIVE	**BASSE-SAXE**	CONCLUSIF	COERCITIF
LUCRATIVE	DÉSINDEXÉ	INDICATIF	EXPÉDITIF
ITÉRATIVE	CACHE-SEXE	RÉCRÉATIF	DÉFINITIF
NARRATIVE	BICONVEXE	AGRÉGATIF	INFINITIF
ÉPURATIVE	ORTHODOXE	ABROGATIF	TRANSITIF
CAUSATIVE	DÉSENRAYÉ	PALLIATIF	RÉPÉTITIF
IMITATIVE	REDÉPLOYÉ	AMPLIATIF	PENDENTIF
TENTATIVE	RÉEMPLOYÉ	CUMULATIF	PRÉVENTIF
CAPTATIVE	INEMPLOYÉ	ANNULATIF	PERCEPTIF
PORTATIVE	DÉGRAVOYÉ	COPULATIF	DISRUPTIF
GUSTATIVE	**MILLEVOYE**	ESTIMATIF	SUGGESTIF
PRIVATIVE	DÉSENNUYÉ	NOMINATIF	CONGESTIF
OLFACTIVE	ASHKÉNAZE	INTONATIF	EXHAUSTIF
SURACTIVÉ	**ASHKÉNAZE**	INCHOATIF	RÉSOLUTIF
DÉSACTIVÉ	MYCORHIZE	FÉDÉRATIF	DÉVOLUTIF
DÉFECTIVE	CHIMPANZÉ	GÉNÉRATIF	INVOLUTIF
AFFECTIVE	**ZUGSPITZE**	IMPÉRATIF	DIMINUTIF
EFFECTIVE	TOUNGOUZE	ADMIRATIF	VILLEJUIF
OBJECTIVE	**TITELOUZE**	ROBORATIF	**TEMPELHOF**
OBJECTIVÉ	TCHARCHAF	DÉCORATIF	**OBERKAMPF**
ADJECTIVE	ROAST-BEEF	PÉJORATIF	**DÜBENDORF**
ADJECTIVÉ	FRANC-FIEF	MINORATIF	**PUFENDORF**
BIJECTIVE	BAS-RELIEF	BOURRATIF	**ROTHÉNEUF**
INJECTIVE	SPATIONEF	FIGURATIF	**PAIMBŒUF**
SÉLECTIVE	**CHIRIAEFF**	DÉPURATIF	**NEMRUT DAG**
DIRECTIVE	**GURDJIEFF**	ACCUSATIF	**BUNDESTAG**
DÉTECTIVE	**POLNAREFF**	VÉGÉTATIF	**REICHSTAG**
INVECTIVE	**KIRCHHOFF**	DUBITATIF	**GRUNDTVIG**
INVECTIVÉ	**POLIAKOFF**	RÉCITATIF	**SCHLESWIG**
ADDICTIVE	**KORSAKOFF**	INCITATIF	**PALEMBANG**
DÉDUCTIVE	**NAUNDORFF**	MÉDITATIF	**HU YAOBANG**
INDUCTIVE	**HAUSDORFF**	LIMITATIF	WATERGANG
EXPLÉTIVE	**RUHMKORFF**	CARITATIF	**ZHANJIANG**
PRIMITIVE	ANTIGÉLIF	IRRITATIF	**PINGXIANG**
DORMITIVE	**HAMMAM-LIF**	ADAPTATIF	**TIMUR LANG**
COGNITIVE	DEMI-TARIF	ÉVALUATIF	BOOMERANG
APÉRITIVE	PERSUASIF	DÉRIVATIF	MINNESANG
NUTRITIVE	DISSUASIF	RÉTRACTIF	**CAPESTANG**
SENSITIVE	COMPULSIF	ATTRACTIF	**ZAOZHUANG**
FACTITIVE	PROPULSIF	EXTRACTIF	**PYONGYANG**
PARTITIVE	CONVULSIF	PROFECTIF	**YINGCHENG**
INTUITIVE	SUSPENSIF	PERFECTIF	**LIAOCHENG**
ATTENTIVE	DISPERSIF	SUBJECTIF	SOUS-SEING
ADVENTIVE	SUBVERSIF	PROJECTIF	PACKAGING
INVENTIVE	DISCURSIF	SURJECTIF	**DAODEJING**
PLAINTIVE	SUCCESSIF	COLLECTIF	**GIESEKING**
CRAINTIVE	CONCESSIF	CONNECTIF	**TAO-TÖ-KING**
RÉCEPTIVE	PROCESSIF	RESPECTIF	**DARJILING**
DIGESTIVE	DÉGRESSIF	CORRECTIF	**SCHELLING**
ARBUSTIVE	RÉGRESSIF	PRÉDICTIF	UPWELLING
EXÉCUTIVE	DÉPRESSIF	AFFLICTIF	SCHILLING
ÉVOLUTIVE	RÉPRESSIF	EXTINCTIF	**HAMERLING**
RÉFLEXIVE	IMPRESSIF	INJONCTIF	**MAYERLING**
INOBSERVÉ	OPPRESSIF	PRODUCTIF	HAPPENING
INÉPROUVÉ	EXPRESSIF	COMPLÉTIF	COCOONING
CONTROUVÉ	POSSESSIF	SUPPLÉTIF	**DE KOONING**
PARALLAXE	PERMISSIF	CAPACITIF	CANYONING

DE GASPERI	GERNSBACK	CYCLOÏDAL	PRINCIPAL
CERVETERI	BLACK JACK	COLLOÏDAL	ÉPISCOPAL
A FORTIORI	UNION JACK	ETHMOÏDAL	PALPÉBRAL
RUWENZORI	HALF-TRACK	SPIROÏDAL	VERTÉBRAL
POT-POURRI	UHLENBECK	SEX-APPEAL	SÉPULCRAL
MAIDUGURI	STEINBECK	NACHTIGAL	CATHÉDRAL
AL-NIMAYRI	SCHIRMECK	PHARYNGAL	BICAMÉRAL
KOUTAÏSSI	MCCORMICK	THÉOLOGAL	PUERPÉRAL
OUROUMTSI	BRUNSWICK	WASQUEHAL	BILATÉRAL
PIZZICATI	SWEELINCK	TRIOMPHAL	CANAVERAL
KAMARHATI	STEINBOCK	CATARRHAL	ANTIVIRAL
PRAJAPATI	HITCHCOCK	EMMENTHAL	STERCORAL
BERBERATI	INTERLOCK	EMMENTHAL	ÉLECTORAL
AMARAVATI	AYERS ROCK	ADVERBIAL	DIAMÉTRAL
NÉFERTITI	WOODSTOCK	PRÉSIDIAL	GÉOMÉTRAL
YPSILANTI	KLOPSTOCK	COLLÉGIAL	CADASTRAL
APPESANTI	OSNABRÜCK	UROPYGIAL	ANCESTRAL
PRESSENTI	INNSBRUCK	BRANCHIAL	MAGISTRAL
SANS-PARTI	ETTERBEEK	MARSUPIAL	CLAUSTRAL
AUDIBERTI	RUYSBROEK	PRÉTORIAL	PÉRIDURAL
RÉASSORTI	GRAND TREK	ÉDITORIAL	INAUGURAL
RÉINVESTI	WLOCLAWEK	GYMNASIAL	COMMENSAL
LOCHRISTI	DUBROVNIK	ECCLÉSIAL	ANTÉNATAL
ANTICOSTI	REYKJAVÍK	PRIMATIAL	PÉRINATAL
TOGLIATTI	BOLCHEVIK	IMPARTIAL	POSTNATAL
SCARLATTI	MENCHEVIK	SYNCYTIAL	DIALECTAL
SALICETTI	LONG DRINK	CONVIVIAL	OCCIPITAL
SACCHETTI	SOFT-DRINK	VICÉSIMAL	BICIPITAL
CECCHETTI	BREENDONK	CÉGÉSIMAL	L'HOSPITAL
SPAGHETTI	SPRINGBOK	PRUD'HOMAL	SIMMENTAL
ASSUJETTI	FLOCK-BOOK	RIBOSOMAL	WUPPERTAL
MARINETTI	PRESS-BOOK	BAPTISMAL	PIÉDESTAL
GRUPPETTI	BIALYSTOK	PONT-CANAL	SPIRITUAL
UNGARETTI	ANTIQUARK	ARTISANAL	AÉRONAVAL
DONIZETTI	PATCHWORK	CAB-SIGNAL	SOURDEVAL
ANDREOTTI	NORTH YORK	MÉDICINAL	MORIENVAL
MATTEOTTI	BOBROUÏSK	OFFICINAL	DAUBERVAL
PAVAROTTI	PEREVALSK	LIBIDINAL	PARADOXAL
GUARDAFUI	SLAVIANSK	ANACLINAL	MONT-ROYAL
NANDA DEVI	SLOVIANSK	SYNCLINAL	PORT-ROYAL
POURSUIVI	MOURMANSK	ISOCLINAL	ZOROBABEL
INASSOUVI	DZERJINSK	ABDOMINAL	FELDWEBEL
RADIO-TAXI	KOUZNETSK	BINOMINAL	PACHELBEL
MBUJI-MAYI	PLESSETSK	DOCTRINAL	LE CANADEL
PODGORNYÏ	TRANSVAAL	MATUTINAL	FERNANDEL
ORHAN GAZI	TOJOLABAL	ÉCHEVINAL	JEAN BODEL
OSMAN GAZI	HASDRUBAL	TRICENNAL	DAVID-NEEL
BUTHELEZI	OMBILICAL	CENTENNAL	SILICAGEL
PAPARAZZI	BASILICAL	SEPTENNAL	KITZBÜHEL
SANANDADJ	ARSENICAL	DÉCAGONAL	PROGICIEL
AL-HALLADJ	DOMINICAL	HEXAGONAL	MATRICIEL
ZONGULDAK	PROVENÇAL	OCTOGONAL	ACTANCIEL
PONTIANAK	PROVENÇAL	POLYGONAL	ARC-EN-CIEL
GURU NANAK	HOMOFOCAL	PIPÉRONAL	ACTUARIEL
PASTERNAK	VIRILOCAL	POLYTONAL	SENSORIEL
SKAGERRAK	PYRAMIDAL	SHOGOUNAL	TENSORIEL
FLASH-BACK	DISCOÏDAL	MUNICIPAL	FACTORIEL

SECTORIEL	CONTRE-FIL	IAROSLAVL	ASPLÉNIUM
VECTORIEL	DAUMESNIL	IBN TUFAYL	ALUMINIUM
MERCURIEL	NAGERCOIL	L'ISLE-ADAM	ZIRCONIUM
DÉMENTIEL	HYDROFOIL	SAENREDAM	HARMONIUM
CARENTIEL	PASSEPOIL	AMSTERDAM	PLUTONIUM
ESSENTIEL	YGGDRASIL	ROTTERDAM	NEPTUNIUM
POTENTIEL	DEMI-DEUIL	HOOVER DAM	MARSUPIUM
LESSIVIEL	VAUDREUIL	JET-STREAM	CALDARIUM
MISPICKEL	MONTREUIL	MALAYALAM	PALMARIUM
SCHNORKEL	CHEVREUIL	MADAPOLAM	TERRARIUM
BAR-HILLEL	BOUVREUIL	ABU TAMMAM	LACTARIUM
HASSI RMEL	LONGUEUIL	KARAKORAM	MANUBRIUM
DESCHANEL	GUAYAQUIL	BAFOUSSAM	POMŒRIUM
LÉSIONNEL	ALLSCHWIL	TIOURATAM	CRITÉRIUM
RATIONNEL	WÄDENSWIL	BETHLEHEM	DEUTÉRIUM
NOTIONNEL	HORSE-BALL	AUDERGHEM	TRIFORIUM
OPTIONNEL	SAINT-GALL	JÉRUSALEM	ANTHURIUM
PERSONNEL	MUSIC-HALL	AD HOMINEM	MARTYRIUM
FRATERNEL	WHITEHALL	AD VALOREM	MAGNÉSIUM
BECQUEREL	SUNDSVALL	COUPE-FAIM	SYMPOSIUM
BECQUEREL	CHERCHELL	TRONDHEIM	POTASSIUM
VAN SCOREL	SHRAPNELL	BISCHHEIM	SYNCITIUM
ATEMPOREL	MARIAZELL	TURCKHEIM	STRONTIUM
MÉNESTREL	APPENZELL	OPPENHEIM	SYNCYTIUM
UNIVERSEL	APPENZELL	ISSENHEIM	IMPLUVIUM
CARROUSEL	CHURCHILL	JOTUNHEIM	CZIMBALUM
NEUCHÂTEL	COCKERILL	ENSISHEIM	FLAGELLUM
MARMONTEL	RADZIWILL	PFORZHEIM	RÉTICULUM
TRÉGASTEL	SEX-SYMBOL	BLOTZHEIM	KYZYLKOUM
DU CHASTEL	HAUSSE-COL	BIR HAKEIM	KARAKORUM
DOM MIGUEL	TERPINÉOL	MIDRASHIM	COLOSTRUM
SAN MIGUEL	LITHERGOL	BARENBOÏM	HILVERSUM
SÃO MIGUEL	PROPERGOL	ABD EL-KRIM	ULTIMATUM
CONTINUEL	CERDAGNOL	STOCKHOLM	ARBORETUM
BISANNUEL	CERDAGNOL	ESZTERGOM	AD LIBITUM
MENSTRUEL	CAMPAGNOL	PANMUNJOM	CONVENTUM
BIMENSUEL	ROSSIGNOL	GRILL-ROOM	CONTINUUM
DÉLICTUEL	TRIALCOOL	MAELSTRÖM	ANTI-LIBAN
PERPÉTUEL	BABAS COOL	MAELSTRÖM	GALHAUBAN
SPIRITUEL	BLACKPOOL	KOMINFORM	MONTAUBAN
ACCENTUEL	LIVERPOOL	VADE-MECUM	GUERLÉDAN
UNISEXUEL	LAMBSWOOL	MOLLUSCUM	BIGOURDAN
MACHIAVEL	STAVROPOL	CALCANÉUM	BIGOURDAN
MACHIAVEL	MELITOPOL	CASTORÉUM	SAINT-JEAN
BOURNAZEL	MARIOUPOL	RHIZOBIUM	SAINT-OGAN
GROTEWOHL	MONISTROL	YTTERBIUM	GLAMORGAN
LÉVY-BRUHL	TOURNESOL	AMÉRICIUM	ZERAVCHAN
OULED NAÏL	PLASTISOL	PALLADIUM	CALLAGHAN
PRÉ-EN-PAIL	COVER-GIRL	THERIDIUM	ASTRAKHAN
ENTRE-RAIL	SAINT-PAUL	PRÉSIDIUM	AUREILHAN
SOUPIRAIL	PEIGNE-CUL	BERKÉLIUM	LÉVIATHAN
ROI-SOLEIL	GRATTE-CUL	ECBALLIUM	RAJASTHAN
CLIN D'ŒIL	TIRE-AU-CUL	BÉRYLLIUM	STÉRADIAN
NONPAREIL	TRISAÏEUL	GERMANIUM	VÉNISSIAN
BOUSCUEIL	MACHECOUL	RUTHÉNIUM	CHRISTIAN
BOURGUEIL	ISSYK-KOUL	MILLENIUM	LENINAKAN
BOURGUEIL	PROCONSUL		KIROVAKAN

MYROBALAN	ROSPORDEN	PRATICIEN	MONTILIEN
SOUS-PALAN	BUZANCÉEN	TACTICIEN	REPTILIEN
MATRICLAN	VALENCÉEN	VALENCIEN	SEPTILIEN
PATRICLAN	QUINOCÉEN	CADURCIEN	CORALLIEN
SEYSSELAN	SADDUCÉEN	CADURCIEN	MAROLLIEN
CASTELLAN	CONFUCÉEN	BARBADIEN	PUTÉOLIEN
LE HAILLAN	PALALDÉEN	CIRCADIEN	MONGOLIEN
MACMILLAN	YAOUNDÉEN	BAGDADIEN	GERGOLIEN
CASTILLAN	SELONGÉEN	PALLADIEN	SPINOLIEN
CASTILLAN	MANICHÉEN	GRENADIEN	VERNOLIEN
MYROBOLAN	NEUILLÉEN	TRAGÉDIEN	BRETOLIEN
VERNIOLAN	HERCULÉEN	RACHIDIEN	KABOULIEN
HYPERPLAN	ACHEULÉEN	EUCLIDIEN	CONDYLIEN
AVANT-PLAN	SANTOMÉEN	QUOTIDIEN	GRÉSYLIEN
CAMERAMAN	SAINT-MÉEN	LIQUIDIEN	PROSIMIEN
RECORDMAN	CASTANÉEN	DRAVIDIEN	NÉODOMIEN
POLICEMAN	ARACHNÉEN	DRAVIDIEN	VULCANIEN
GENTLEMAN	COLLINÉEN	OBWALDIEN	RHODANIEN
TÉLÉROMAN	CYCLOPÉEN	JOCONDIEN	RHODANIEN
ZIMMERMAN	ÉRYTHRÉEN	SEYNODIEN	JORDANIEN
WOUWERMAN	ÉRYTHRÉEN	BIZARDIEN	JORDANIEN
OMDOURMAN	SUD-CORÉEN	OXFORDIEN	TASMANIEN
OMBUDSMAN	SUD-CORÉEN	ALLAUDIEN	CAMPANIEN
TENNISMAN	MARMORÉEN	BARBUDIEN	TOURANIEN
YACHTSMAN	SOLUTRÉEN	BERMUDIEN	TOURANIEN
CLERGYMAN	HOLOSTÉEN	CHÉRIFIEN	LITUANIEN
SCHATZMAN	ÉCHIQUÉEN	NATOUFIEN	LITUANIEN
D'ARTAGNAN	HALLOWEEN	COLLÉGIEN	TANZANIEN
GRADIGNAN	TRÉLAZÉEN	NORVÉGIEN	TANZANIEN
POMPIGNAN	ELCHINGEN	NORVÉGIEN	QUITÉNIEN
PERPIGNAN	ESSLINGEN	FÉRINGIEN	UKRAINIEN
PRALOGNAN	MEIRINGEN	FÉRINGIEN	UKRAINIEN
MONTESPAN	WETTINGEN	LARYNGIEN	STALINIEN
HUASCARÁN	GÖTTINGEN	FAVERGIEN	FELLINIEN
CATAMARAN	VAN DONGEN	COCCYGIEN	PAULINIEN
PAGE-ÉCRAN	TINBERGEN	UROPYGIEN	CRÉPINIEN
PULLIÉRAN	OEHMICHEN	PASCALIEN	CARPINIEN
MARQUÉSAN	SCHERCHEN	SOCHALIEN	JUSTINIEN
COURTISAN	AMPHIBIEN	MAMMALIEN	DARWINIEN
BELLEYSAN	COLOMBIEN	NORMALIEN	FRAXINIEN
CHARLATAN	COLOMBIEN	SPINALIEN	CÉZANNIEN
MAHOMÉTAN	MICROBIEN	SPINALIEN	ESSONNIEN
MERCAPTAN	NAIROBIEN	BISSALIEN	TRIBONIEN
DAGHESTAN	CHIMACIEN	CANTALIEN	DRACONIEN
TURKESTAN	BATRACIEN	CANTALIEN	LONDONIEN
DAGUESTAN	BALZACIEN	ISMAÉLIEN	LONDONIEN
KHUZESTAN	STYLICIEN	ISRAÉLIEN	ÉVAHONIEN
KURDISTAN	PHÉNICIEN	ISRAÉLIEN	CHTHONIEN
KHUZISTAN	PHÉNICIEN	MENDÉLIEN	CHÉLONIEN
TATARSTAN	CLINICIEN	CORNÉLIEN	PANNONIEN
MANHATTAN	ÉBROÏCIEN	GRYSÉLIEN	DALTONIEN
HARMATTAN	ÉBROÏCIEN	ZWINGLIEN	BOSTONIEN
CANNETTAN	SULPICIEN	ISMAÏLIEN	NEWTONIEN
GOLFE-JUAN	PATRICIEN	BRASILIEN	AMAZONIEN
VANUATUAN	MAURICIEN	BRÉSILIEN	AMAZONIEN
WIESBADEN	MAURICIEN	BRÉSILIEN	SATURNIEN
ADELBODEN	PHYSICIEN	CANTILIEN	BALBYNIEN

HERCYNIEN	CALAISIEN	RECORDMEN	LE LORRAIN
IROQUOIEN	FALAISIEN	POLICEMEN	AÉROTRAIN
ÉTHIOPIEN	MALAISIEN	GENTLEMEN	CHARTRAIN
ÉTHIOPIEN	PALAISIEN	TIAN'ANMEN	CHARTRAIN
TOKHARIEN	DENAISIEN	TENNISMEN	QUIÉVRAIN
EUSKARIEN	DOUAISIEN	YACHTSMEN	DIOCÉSAIN
EUSKARIEN	BAVAISIEN	CLERGYMEN	BAYEUSAIN
COLMARIEN	WALLISIEN	ROSTRENEN	LOROUSAIN
ESTUARIEN	WALLISIEN	VAN CAMPEN	OLIVETAIN
SUBAÉRIEN	SENLISIEN	ANTWERPEN	OLIVÉTAIN
THIBÉRIEN	CLUNISIEN	VERHAEREN	AUSCITAIN
CERBÉRIEN	AMBOISIEN	TERVUEREN	AUSCITAIN
EUTHÉRIEN	ARBOISIEN	GANSHOREN	TRINITAIN
LUTHÉRIEN	SAVOISIEN	HASPARREN	SPIRITAIN
EUSKÉRIEN	SAVOISIEN	DUPUYTREN	VALDÔTAIN
EUSKÉRIEN	PHARISIEN	JØRGENSEN	VALDÔTAIN
HITLÉRIEN	AMBROSIEN	MACKENSEN	INCERTAIN
BACTÉRIEN	PERROSIEN	JESPERSEN	LORETTAIN
ZOSTÉRIEN	GISORSIEN	RASMUSSEN	MAGHRÉBIN
GRUYÉRIEN	JOCASSIEN	SUN YAT-SEN	MAGHRÉBIN
NAZAIRIEN	JURASSIEN	MORGARTEN	LAURENCIN
ISSOIRIEN	JURASSIEN	ZERMATTEN	JARLANDIN
VALDORIEN	GONESSIEN	SAINT-OUEN	BORNANDIN
GRÉGORIEN	FRÉJUSIEN	EINDHOVEN	MUSCARDIN
MELGORIEN	CHALUSIEN	BEETHOVEN	BERNARDIN
LARMORIEN	CAYLUSIEN	EINTHOVEN	BERNARDIN
ORATORIEN	VERTUSIEN	HIMALAYEN	TROP-PLEIN
VICTORIEN	ABRAYSIEN	URUGUAYEN	EL-ALAMEIN
PRÉTORIEN	BRUAYSIEN	URUGUAYEN	CHANFREIN
PASTORIEN	DIONYSIEN	CHAMBLYEN	AÉROFREIN
NESTORIEN	DIONYSIEN	INDO-ARYEN	WALDSTEIN
HISTORIEN	DÉODATIEN	PONTIVYEN	GOLDSTEIN
ÉPICURIEN	DALMATIEN	TERNEUZEN	MARKSTEIN
HONDURIEN	ENTRETIEN	PRESSPAHN	BERNSTEIN
HONDURIEN	KOWEÏTIEN	SUBURBAIN	MARAÎCHIN
ÉCHIURIEN	KOWEÏTIEN	JAMAÏCAIN	OUTRE-RHIN
TELLURIEN	KITTITIEN	JAMAÏCAIN	EURYHALIN
LIMOURIEN	NÉMERTIEN	PUBLICAIN	KRAEPELIN
HANOVRIEN	SÉBASTIEN	AMÉRICAIN	CRAQUELIN
ZÉPHYRIEN	PROUSTIEN	AMÉRICAIN	BROQUELIN
CORBASIEN	ALÉOUTIEN	ESCAUDAIN	VAUQUELIN
CAUCASIEN	MICOQUIEN	CHAPELAIN	CHAUVELIN
CAUCASIEN	VERTAVIEN	CHAPELAIN	MARCELLIN
VESPASIEN	LESNEVIEN	CHÂTELAIN	TEPHILLIN
GÉODÉSIEN	MALDIVIEN	CHAMPLAIN	FRANCOLIN
ORCHÉSIEN	PAVLOVIEN	FACE-À-MAIN	CAPITOLIN
TAULÉSIEN	MONROVIEN	LENDEMAIN	CAPITOLIN
MAGNÉSIEN	VARSOVIEN	VILLEMAIN	HAEBERLIN
THONÉSIEN	VARSOVIEN	BAISEMAIN	HÖLDERLIN
HARNÉSIEN	ELBEUVIEN	AVANT-MAIN	MARGOULIN
KEYNÉSIEN	ORTHÉZIEN	SURHUMAIN	STAPHYLIN
GASPÉSIEN	TROPÉZIEN	GAGNE-PAIN	À MI-CHEMIN
ANDRÉSIEN	CORRÉZIEN	MASSEPAIN	PARCHEMIN
ARDRÉSIEN	CORRÉZIEN	MOTTERAIN	GUILLEMIN
CARTÉSIEN	KERGUELEN	ROUVERAIN	VUILLEMIN
FERTÉSIEN	DIETERLEN	SOUVERAIN	BELLARMIN
THIAISIEN	CAMERAMEN	GROS-GRAIN	DURALUMIN

ZRENJANIN	**DANJOUTIN**	**SAINT-LÉON**	DIVERSION
SALVAGNIN	**BEAUDOUIN**	BANDONÉON	INVERSION
LISBONNIN	BARAGOUIN	**BELLACHON**	DÉTORSION
LISBONNIN	**BRILLOUIN**	CORNICHON	RÉTORSION
RHÔNALPIN	BALDAQUIN	BERRICHON	EXTORSION
RHÔNALPIN	BRODEQUIN	**BERRICHON**	INCURSION
HAUT-ALPIN	MANNEQUIN	REBLOCHON	EXCURSION
PHILIPPIN	**RENNEQUIN**	REVERCHON	ACCESSION
PHILIPPIN	PALANQUIN	GRELUCHON	RÉCESSION
SACCHARIN	**ALGONQUIN**	BALLUCHON	SÉCESSION
SOUS-MARIN	MAJORQUIN	AUTRUCHON	AGRESSION
SANHÉDRIN	**MAJORQUIN**	**CTÉSIPHON**	ÉGRESSION
MALANDRIN	MINORQUIN	SUSPICION	OBSESSION
COLUMÉRIN	**MINORQUIN**	THÉRIDION	ADMISSION
ADULTÉRIN	MARASQUIN	COLLODION	DÉMISSION
VALNIGRIN	**MANOSQUIN**	CONTAGION	RÉMISSION
LOHENGRIN	POTS-DE-VIN	**DEUCALION**	DIFFUSION
TUTICORIN	**PONT-EUXIN**	**PYGMALION**	SUFFUSION
MACLAURIN	**GALLITZIN**	**HÉRAKLION**	CONFUSION
TAMBOURIN	**LINDEMANN**	TABELLION	PROFUSION
WISCONSIN	**HAHNEMANN**	RÉBELLION	PERFUSION
TRAVERSIN	**HEINEMANN**	**PARMÉNION**	SURFUSION
TRACASSIN	**DRACHMANN**	COMMUNION	OCCLUSION
MARCASSIN	IMMELMANN	USUCAPION	RÉCLUSION
SPADASSIN	**PETERMANN**	ECTROPION	INCLUSION
FANTASSIN	**GRASSMANN**	ENTROPION	EXCLUSION
VENAISSIN	**HAUSSMANN**	HIPPARION	COLLUSION
CARMAUSIN	**HAUPTMANN**	**BESSARION**	INTRUSION
BUFFLETIN	**BOLTZMANN**	OSCABRION	EXTRUSION
CHARRETIN	**HEILBRONN**	TÉNÉBRION	CONTUSION
BOUQUETIN	**RENÉ LE BON**	**HAUT-BRION**	PROBATION
BRIGANTIN	**JEAN LE BON**	CENTURION	ÉVOCATION
ADAMANTIN	**LE CHAMBON**	CORRASION	ÉDUCATION
DIAMANTIN	SANS-FAÇON	PRÉCISION	GRADATION
FROMENTIN	COLIMAÇON	CONCISION	PRÉDATION
SERPENTIN	CAPARAÇON	RESCISION	FONDATION
FLORENTIN	**SATIRICON**	COLLISION	OXYDATION
FLORENTIN	BRABANÇON	PRÉVISION	AGRÉATION
ROQUENTIN	**BRABANÇON**	PROVISION	CASÉATION
DIABLOTIN	**BRÉGANÇON**	RÉPULSION	PURGATION
MAILLOTIN	CHARANÇON	IMPULSION	VICIATION
THILLOTIN	**MONTLUÇON**	EXPULSION	RADIATION
GUILLOTIN	**WIMBLEDON**	RÉVULSION	MÉDIATION
CHAGNOTIN	COTYLÉDON	EXPANSION	FILIATION
CHEVROTIN	**EURYMÉDON**	RECENSION	FOLIATION
CHEVROTIN	**MONTREDON**	ASCENSION	EXPIATION
CREUSOTIN	**CLARENDON**	**ASCENSION**	VARIATION
DAMMARTIN	IGUANODON	DIMENSION	SÉRIATION
SAN MARTÍN	SPHÉNODON	BITENSION	STRIATION
CAP-MARTIN	GLYPTODON	EXTENSION	SATIATION
COUBERTIN	BOMBARDON	IMPLOSION	DÉVIATION
TRAVERTIN	ACCORDÉON	EXPLOSION	DÉFLATION
TRICASTIN	QUICAGEON	CORROSION	INFLATION
MÉDIASTIN	SAUVAGEON	IMMERSION	ÉPILATION
PHILISTIN	**DEMANGEON**	ASPERSION	LALLATION
MURIAUTIN	ÉCOURGEON	DÉTERSION	FELLATION
PARICUTÍN	ESTURGEON	RÉVERSION	COLLATION

VIOLATION	INFECTION	EXEMPTION	**MASSILLON**
ISOLATION	ABJECTION	IRRUPTION	**CHÂTILLON**
ADULATION	OBJECTION	DÉSERTION	**CANTILLON**
ULULATION	DÉJECTION	INSERTION	**BERTILLON**
ÉMULATION	BIJECTION	ASSERTION	PORTILLON
OVULATION	INJECTION	DIGESTION	TORTILLON
ACYLATION	SÉLECTION	INGESTION	**CASTILLON**
CRÉMATION	DILECTION	COGESTION	POSTILLON
ANIMATION	DIRECTION	EXÉCUTION	BOTTILLON
GEMMATION	RÉSECTION	ÉLOCUTION	AIGUILLON
SOMMATION	DÉTECTION	POLLUTION	**AIGUILLON**
FORMATION	ADVECTION	ÉVOLUTION	BROUILLON
ÉMANATION	ADDICTION	DÉMIXTION	GRAVILLON
COGNATION	STRICTION	IMMIXTION	BOUVILLON
DAMNATION	DÉCOCTION	HYDRAVION	MÉGACÔLON
PHONATION	ABDUCTION	COLLUVION	**MONTHOLON**
PRONATION	ADDUCTION	**LE NOUVION**	MYROXYLON
OZONATION	DÉDUCTION	DÉFLEXION	ICHNEUMON
CARNATION	RÉDUCTION	RÉFLEXION	**PARTHÉNON**
VERNATION	SÉDUCTION	INFLEXION	**MAINTENON**
PALPATION	ENDUCTION	CONNEXION	**CRO-MAGNON**
LIBRATION	INDUCTION	CONVEXION	COMPAGNON
VIBRATION	DÉPLÉTION	PRÉFIXION	**QUAREGNON**
OPÉRATION	RÉPLÉTION	CHALAZION	**HESBIGNON**
ITÉRATION	ACCRÉTION	QUIQUAJON	**LAMOIGNON**
BAGRATION	SÉCRÉTION	**MOURMELON**	**MASSIGNON**
MIGRATION	EXCRÉTION	DÉCATHLON	MAQUIGNON
ADORATION	TRADITION	TRIATHLON	SAUVIGNON
NARRATION	REDDITION	MÉDAILLON	**AGAMEMNON**
NITRATION	RÉÉDITION	MORAILLON	LANTERNON
ÉPURATION	COÉDITION	CURAILLON	**SASKATOON**
IRISATION	CONDITION	BATAILLON	OUAOUARON
PULSATION	PERDITION	CAVAILLON	**AVICÉBRON**
SENSATION	ÉRUDITION	**CAVAILLON**	**ADALBÉRON**
CASSATION	COALITION	**CRÉBILLON**	TIERCERON
PASSATION	ABOLITION	BARBILLON	BEAUCERON
CESSATION	DORMITION	CORBILLON	**BEAUCERON**
LACTATION	INANITION	RAIDILLON	**MONTGERON**
AGITATION	COGNITION	PENDILLON	MANCHERON
IMITATION	ATTRITION	TARDILLON	PERCHERON
SALTATION	NUTRITION	RÉVEILLON	**PERCHERON**
TENTATION	DENTITION	BOUGILLON	MOUCHERON
CAPTATION	PARTITION	**GRÉMILLON**	CUILLERON
REPTATION	INTUITION	VERMILLON	**DÉCAMÉRON**
GESTATION	OBTENTION	MIRMILLON	MOUSSERON
GUSTATION	DÉTENTION	MOINILLON	QUARTERON
LIQUATION	RÉTENTION	TRAPILLON	GRATTERON
SITUATION	INTENTION	CARPILLON	**LYCOPHRON**
ÉLÉVATION	ATTENTION	GOUPILLON	THYRATRON
PRIVATION	INVENTION	ROUPILLON	MAGNÉTRON
NERVATION	COMMOTION	TOUPILLON	CYCLOTRON
RÉDACTION	PROMOTION	PHARILLON	PHANOTRON
RÉFACTION	PRÉNOTION	ÉMERILLON	PHYTOTRON
OLFACTION	ACCEPTION	NÉGRILLON	BALESTRON
DÉFECTION	DÉCEPTION	TAURILLON	FENESTRON
RÉFECTION	RÉCEPTION	TOURILLON	CEINTURON
AFFECTION	EXCEPTION	**GRÉSILLON**	**SAULXURON**

CLAPEYRON	**BONINGTON**	QUEBRACHO	**ESPARTERO**
JOSEPHSON	**DAUBENTON**	**KABUTO-CHO**	**ANTAIMORO**
PENDAISON	**CHARENTON**	**OGBOMOSHO**	**POLITBURO**
PONDAISON	BADMINTON	**BONIFACIO**	IN EXTENSO
TONDAISON	**CHARONTON**	CARPACCIO	PIZZICATO
CARGAISON	**WOLLASTON**	**CARPACCIO**	**VESCOVATO**
SIGLAISON	**GERMISTON**	CAPRICCIO	IPSO FACTO
MALMAISON	**LAURISTON**	**PORTICCIO**	**OURO PRETO**
PLUMAISON	**VALLOTTON**	**BAMBOCCIO**	**YOSHIHITO**
GRENAISON	PAROXYTON	TÉLÉRADIO	**MUTSUHITO**
SAUNAISON	**MONTBAZON**	AUTORADIO	SAN-BENITO
FLORAISON	**VERTAIZON**	**VIAREGGIO**	INCOGNITO
LIVRAISON	**KOMINTERN**	**PINOCCHIO**	CONTRALTO
OUVRAISON	**PADERBORN**	IMBROGLIO	ESPÉRANTO
MONTAISON	**WEISSHORN**	PORTFOLIO	**SARMIENTO**
CREVAISON	SHORTHORN	**POLISARIO**	**MATSUMOTO**
OLIVAISON	**APELDOORN**	**D'ANNUNZIO**	EX ABRUPTO
COUVAISON	**BLACKBURN**	**KOROLENKO**	**CA'DA MOSTO**
MICHELSON	**CHANGCHUN**	**MAKARENKO**	**BENEDETTO**
SAMUELSON	AUTO-IMMUN	**KOSCIUSKO**	LARGHETTO
NICHOLSON	**BÉHISTOUN**	**SAINT-MALO**	**CANALETTO**
VAUCANSON	**MALTE-BRUN**	**CAPPIELLO**	GRUPPETTO
STEVENSON	VINGT-ET-UN	**PAESIELLO**	**CAPORETTO**
DICKINSON	**KØBENHAVN**	**PAISIELLO**	SOSTENUTO
WILKINSON	KNOCK-DOWN	**PISANELLO**	DISTINGUO
PARKINSON	**ALLENTOWN**	**ANTONELLO**	QUIPROQUO
MARTINSON	**JAMESTOWN**	**DONATELLO**	**GABCÍKOVO**
BEN JONSON	**KINGSTOWN**	CIGARILLO	**PORTO-NOVO**
HENDERSON	**ANDO TADAO**	**POLLAIOLO**	**DIMITROVO**
JEFFERSON	**PATHET LAO**	PIZZAIOLO	**PILCOMAYO**
PONTORSON	**OYAMA IWAO**	**MARCO POLO**	SPARADRAP
MOLLASSON	**NECTANEBO**	WATER-POLO	**VAN GENNEP**
TERRASSON	**MARACAIBO**	**GOYTISOLO**	**GAZIANTEP**
BANDES-SON	**ESSEQUIBO**	**CAMPIDANO**	MOTORSHOP
MONTESSON	**GRAN CHACO**	**DI STEFANO**	VIDÉO-CLIP
SAUCISSON	**DEL MONACO**	**PROPRIANO**	**LONGCHAMP**
LE BUISSON	COQUERICO	BOLIVIANO	**BEAUCHAMP**
MAUMUSSON	**DE CHIRICO**	**VENEZIANO**	PÈSE-SIROP
ROBERTSON	**PORTO RICO**	**ALTIPLANO**	APRÈS-COUP
YOSA BUSON	**NEW MEXICO**	**HERCULANO**	CANTALOUP
AKHENATON	**RIO BRANCO**	**VERRAZANO**	**PASDELOUP**
PRINCETON	**LANFRANCO**	**FIUMICINO**	**DUPANLOUP**
CLOCHETON	**JEAN BOSCO**	BARDOLINO	CHIEN-LOUP
BROCHETON	ZAPATEADO	**CARCOPINO**	**SAINT-LOUP**
SINGLETON	CARBONADO	**SOLFERINO**	**GJELLERUP**
ŒILLETON	DESPERADO	ANDANTINO	**SAINT-CIRQ**
GUEULETON	**BARACALDO**	**VALENTINO**	**SALLUMIUQ**
CAP-BRETON	GLISSANDO	**TOLENTINO**	TÉLÉRADAR
CAPBRETON	SFORZANDO	**SANSOVINO**	ANTIRADAR
CHARRETON	SMORZANDO	**DE FILIPPO**	**HAZPANDAR**
CHARRETON	CRESCENDO	CARBONARO	**KRASNODAR**
BABINGTON	**AUROBINDO**	**QUERÉTARO**	TEDDY-BEAR
ADDINGTON	TAEKWONDO	**CATANZARO**	**BHAVNAGAR**
EDDINGTON	QUASIMODO	**FOGAZZARO**	**TRAFALGAR**
ELLINGTON	**QUASIMODO**	ROMANCERO	**TSITSIHAR**
ARLINGTON	STOP-AND-GO	**TROCADÉRO**	**MÉCHITHAR**
REMINGTON	**KHAJURAHO**	**CABALLERO**	**MÉKHITHAR**

SYKTYVKAR · BICHLAMAR · CAUCHEMAR · YOURCENAR · BALTHASAR · BALTHASAR · GIBRALTAR · SUPERSTAR · ALMODÓVAR · KATHIAWAR · BALTHAZAR · BALTHAZAR · GUARRAZAR · SUCCOMBER · DÉPLOMBER · EXACERBER · DÉSHERBER · DÉBOURBER · EMBOURBER · RECOURBER · PERTURBER · MASTURBER · DÉDICACER · VERGLACER · REMPLACER · MORDANCER · AMBIANCER · FORLANCER · DISTANCER · COMMENCER · DÉCOINCER · RENFONCER · PRONONCER · DÉFRONCER · COMMERCER · RENFORCER · RÉAMORCER · COALESCER · ESCALADER · TAILLADER · PÉTARADER · PERSUADER · DISSUADER · ENTRAIDER · COÏNCIDER · SCHNEIDER · INVALIDER · INTIMIDER · DILAPIDER · BRIGANDER · QUÉMANDER · COMMANDER · VAN MANDER · FAISANDER · SANTANDER · ALEXANDER · RESCINDER

MACKINDER · BOMBARDER · PLACARDER · RANCARDER · RENCARDER · BROCARDER · FAUCARDER · RINGARDER · POCHARDER · CAVIARDER · TRIMARDER · CHAPARDER · RACCORDER · CONCORDER · DISCORDER · CLABAUDER · MARGAUDER · GALVAUDER · DESSOUDER · RESSOUDER · PEROXYDER · SUROXYDER · MEYERBEER · BRAS DE FER · CONTRE-FER · ESCLAFFER · SCHAEFFER · REGREFFER · DÉCOIFFER · RECOIFFER · ASSOIFFER · ÉCHAUFFER · ALTDORFER · ESBROUFER · RÉENGAGER · GRILLAGER · DÉMÉNAGER · EMMÉNAGER · NAUFRAGER · FOURRAGER · DÉVISAGER · ENVISAGER · AVANTAGER · AFFOUAGER · HEIDEGGER · TRANSIGER · HUNTZIGER · VENDANGER · RECHANGER · PHALANGER · BOULANGER · BOULANGER · GUÉRANGER · EFFRANGER · ENGRANGER · STAVANGER · DÖLLINGER

PREMINGER · FEININGER · KIESINGER · MASSINGER · KISSINGER · FESTINGER · PEUTINGER · SCHWINGER · RATZINGER · RALLONGER · PROLONGER · REPLONGER · FORLONGER · MENSONGER · DÉCHARGER · RECHARGER · GAMBERGER · FROBERGER · ERZBERGER · SUBMERGER · CONVERGER · RENGORGER · HAMBURGER · HAMBURGER · IGNIFUGER · HARNACHER · RECRACHER · RATTACHER · SOUTACHER · CRAVACHER · DESSÉCHER · BRETÉCHER · MARAÎCHER · DÉFRICHER · PASTICHER · ESQUICHER · DÉHANCHER · CALANCHER · DÉMANCHER · EMMANCHER · ÉBRANCHER · REVANCHER · BAMBOCHER · BOULOCHER · PIGNOCHER · REMPOCHER · DÉBROCHER · ACCROCHER · DÉCROCHER · REPROCHER · APPROCHER · PINTOCHER · DÉMARCHER · REMARCHER · RAPERCHER · TCHATCHER

SCRATCHER · DÉBAUCHER · EMBAUCHER · TRÉBUCHER · REMBUCHER · DÉBOUCHER · REBOUCHER · EMBOUCHER · ACCOUCHER · DÉCOUCHER · RECOUCHER · ESSOUCHER · RETOUCHER · TRIOMPHER · FROBISHER · POLYÉTHER · NICOLAIER · COLOMBIER · LE CORBIER · CAROUBIER · PRÉFACIER · GRIMACIER · DÉPRÉCIER · APPRÉCIER · JUSTICIER · VACANCIER · CRÉANCIER · BALANCIER · ROMANCIER · TENANCIER · FINANCIER · DEVANCIER · LICENCIER · FAÏENCIER · SEMENCIER · ANNONCIER · DISSOCIER · LEMERCIER · REMERCIER · MUSCADIER · BRIGADIER · GRENADIER · CONGÉDIER · SUBSIDIER · DINANDIER · VIVANDIER · INCENDIER · COCARDIER · PINARDIER · MINAUDIER · TAXAUDIER · BOYAUDIER · RÉÉTUDIER · STUPÉFIER · TORRÉFIER · PUTRÉFIER · LIQUÉFIER

9

ESCOFFIER	**BACHELIER**	COTONNIER	ARCHETIER
BARBIFIER	CHAMELIER	SAVONNIER	TABLETIER
OPACIFIER	SOMMELIER	NAUTONIER	PELLETIER
SPÉCIFIER	CANNELIER	TAVERNIER	**PELLETIER**
DULCIFIER	TONNELIER	**TAVERNIER**	BONNETIER
CRUCIFIER	TUNNELIER	RANCUNIER	NOISETIER
RÉÉDIFIER	CHAPELIER	COMMUNIER	CORSETIER
ACIDIFIER	**TORTELIER**	ESTROPIER	COQUETIER
GAZÉIFIER	COUTELIER	RAPPARIER	LOUVETIER
MYTHIFIER	GIROFLIER	CHAMBRIER	MIROITIER
QUALIFIER	CONCILIER	CELLÉRIER	ÉGLANTIER
AMPLIFIER	MISSILIER	**VILLERIER**	ARGENTIER
PLANIFIER	GATTILIER	CHIFFRIER	CIMENTIER
MAGNIFIER	MÉSALLIER	CAMPHRIER	CACAOTIER
LIGNIFIER	MÉTALLIER	TRÉSORIER	GARGOTIER
SIGNIFIER	**CÉZALLIER**	GABARRIER	COMPOTIER
RÉUNIFIER	CENELLIER	**LE VERRIER**	FORESTIER
SCARIFIER	SENELLIER	RAPATRIER	COLISTIER
CLARIFIER	**LE TELLIER**	DÉPATRIER	AMNISTIER
LUBRIFIER	JOAILLIER	EXPATRIER	AÉROSTIER
SACRIFIER	VANILLIER	MÉNÉTRIER	LIMETTIER
GLORIFIER	**NICOLLIER**	CHARTRIER	GRIOTTIER
TERRIFIER	GONDOLIER	MEURTRIER	CULOTTIER
HORRIFIER	MAGNOLIER	SERRURIER	CAROTTIER
PÉTRIFIER	AZEROLIER	FACTURIER	BALBUTIER
NITRIFIER	PÉTROLIER	VOITURIER	ALLEUTIER
VITRIFIER	PENDULIER	HAUTURIER	CHALUTIER
FALSIFIER	SINGULIER	COUTURIER	SAGOUTIER
DENSIFIER	SEMOULIER	GENÉVRIER	BIJOUTIER
CHOSIFIER	BALSAMIER	**DUVEYRIER**	VELOUTIER
VERSIFIER	**DUGOMMIER**	RASSASIER	**DUMOÛTIER**
MASSIFIER	INFIRMIER	CHEMISIER	PIROGUIER
RUSSIFIER	COSTUMIER	ARDOISIER	ÉCHIQUIER
BÉATIFIER	COUTUMIER	**LAVOISIER**	VOMIQUIER
GRATIFIER	CHICANIER	SOTTISIER	KIOSQUIER
RECTIFIER	CANCANIER	MENUISIER	BLOC-ÉVIER
ACÉTIFIER	BOUCANIER	DÉPENSIER	LESSIVIER
PONTIFIER	MÉTHANIER	JAMBOSIER	ASPHYXIER
CERTIFIER	MAGNANIER	AUTOPSIER	**MONPAZIER**
FORTIFIER	**SAGRANIER**	JACASSIER	**SCIONZIER**
MORTIFIER	LANTANIER	ÉCHASSIER	PACEMAKER
JUSTIFIER	SEMAINIER	MULASSIER	BOOKMAKER
MYSTIFIER	JARDINIER	FINASSIER	SPINNAKER
STATUFIER	SARDINIER	PUTASSIER	**KRONECKER**
LANGAGIER	BALEINIER	**MANESSIER**	DÉSTOCKER
MESSAGIER	AVELINIER	MÉGISSIER	BRIMBALER
ATROPHIER	CUISINIER	**PÉLISSIER**	TRIMBALER
AVANT-HIER	CANTINIER	TAPISSIER	INITIALER
TIMBALIER	ROUTINIER	PÂTISSIER	ENDIABLER
CYMBALIER	ALEVINIER	PEAUSSIER	DESSABLER
CÉRÉALIER	CALOMNIER	CAMBUSIER	SCRABBLER
ANIMALIER	FAÇONNIER	ARBOUSIER	ASSEMBLER
CHEVALIER	PALONNIER	ARGOUSIER	DÉMEUBLER
CHEVALIER	**LEMONNIER**	AVOCATIER	REMEUBLER
PINCELIER	CANONNIER	CÉDRATIER	ENCOUBLER
CORDELIER	TISONNIER	PUISATIER	DÉDOUBLER
BACHELIER	BÂTONNIER	BUFFETIER	REDOUBLER

DÉCERCLER	TENAILLER	CONTRÔLER	ENCABANER
RECERCLER	PINAILLER	DÉPEUPLER	AFRIKANER
ENCERCLER	DÉPAILLER	REPEUPLER	**AFRIKANER**
DÉMASCLER	RIPAILLER	ACCOUPLER	DÉDOUANER
DÉBOUCLER	EMPAILLER	DÉCOUPLER	MORIGÉNER
DÉFICELER	DÉRAILLER	CENTUPLER	**KITCHENER**
CHANCELER	TIRAILLER	SEPTUPLER	**TITCHENER**
ÉTINCELER	CISAILLER	SEXTUPLER	GANGRENER
AMONCELER	BATAILLER	AFFABULER	RENGRENER
DÉPUCELER	DÉTAILLER	DÉNÉBULER	IMPRÉGNER
REMODELER	RETAILLER	DÉAMBULER	DÉDAIGNER
GROMMELER	ENTAILLER	VÉHICULER	DÉPEIGNER
ÉPANNELER	FOUAILLER	RÉTICULER	ENSEIGNER
DÉCAPELER	GOUAILLER	ARTICULER	GRAFIGNER
RUISSELER	JOUAILLER	ÉMASCULER	RECHIGNER
DÉMUSELER	RHABILLER	BOUSCULER	RÉALIGNER
ÉCARTELER	GAMBILLER	STRIDULER	FORLIGNER
SPITTELER	FENDILLER	DÉMODULER	SURLIGNER
CRAQUELER	PENDILLER	DÉGUEULER	SOULIGNER
ENJAVELER	MORDILLER	ENGUEULER	TÉMOIGNER
ÉCHEVELER	RÉVEILLER	DÉRÉGULER	EMPOIGNER
DÉNIVELER	VERMILLER	ACCUMULER	TRÉPIGNER
INSUFFLER	TORPILLER	TRABOULER	CONSIGNER
PERSIFLER	GASPILLER	ROUCOULER	PROVIGNER
DÉSENFLER	GOUPILLER	REMMOULER	**PLUVIGNER**
DÉGONFLER	ROUPILLER	VERMOULER	RENCOGNER
REGONFLER	TOUPILLER	SURMOULER	RENGAINER
CAMOUFLER	BRASILLER	DESSOÛLER	DÉCHAÎNER
MAROUFLER	BRÉSILLER	MANIPULER	ENCHAÎNER
PRÉRÉGLER	GRÉSILLER	CAPITULER	PARRAINER
ÉTRANGLER	ÉGOSILLER	INTITULER	ENTRAÎNER
OBNUBILER	DESSILLER	AMALGAMER	CONTAINER
ÉFAUFILER	BOUSILLER	PROCLAMER	DÉBOBINER
ANNIHILER	FRÉTILLER	DESQUAMER	EMBOBINER
ASSIMILER	BOITILLER	**GÉRARDMER**	DÉRACINER
RENTOILER	TORTILLER	ENTR'AIMER	ENRACINER
DÉSOPILER	DISTILLER	**ELSHEIMER**	VATICINER
DÉSHUILER	INSTILLER	**ALZHEIMER**	PEAUFINER
SPRINKLER	SAUTILLER	ENVENIMER	CRACHINER
TRIBALLER	TREUILLER	COMPRIMER	DODELINER
REMBALLER	DÉGUILLER	SUPPRIMER	PATELINER
INSTALLER	AIGUILLER	LÉGITIMER	RIPOLINER
DESCELLER	ÉPOUILLER	ENFLAMMER	CALAMINER
FLAGELLER	BROUILLER	PRÉNOMMER	EFFÉMINER
ENFIELLER	GROUILLER	SURNOMMER	ACHEMINER
DÉMIELLER	MAQUILLER	CONSOMMER	INSÉMINER
EMMIELLER	BÉQUILLER	**SAINT-OMER**	ILLUMINER
QUERELLER	CHEVILLER	GENDARMER	ENLUMINER
DESSELLER	**NIEMÖLLER**	RENFERMER	ENFARINER
MÉDAILLER	GRISOLLER	CONFIRMER	ENTÉRINER
GODAILLER	CARACOLER	PRÉFORMER	CHAGRINER
RÔDAILLER	RAPICOLER	CONFORMER	CHOURINER
CRIAILLER	FLAGEOLER	**LUC-SUR-MER**	MAGASINER
VOLAILLER	BATIFOLER	**FOS-SUR-MER**	AVOISINER
DÉMAILLER	CABRIOLER	FANTASMER	HOUSSINER
REMAILLER	AFFRIOLER	DÉCHAUMER	DÉMATINER
RIMAILLER	VITRIOLER	REMPLUMER	BARATINER

RATATINER	LAITONNER	CYLINDRER	DÉTARTRER
CABOTINER	CANTONNER	EFFONDRER	ENTARTRER
TROTTINER	CARTONNER	DÉLIBÉRER	ENCASTRER
ACOQUINER	BASTONNER	DILACÉRER	CADASTRER
BOUQUINER	FESTONNER	ÉVISCÉRER	REGISTRER
PLEUVINER	PISTONNER	VOCIFÉRER	CLAUSTRER
CONDAMNER	BOUTONNER	LÉGIFÉRER	DÉLUSTRER
RÉABONNER	MOUTONNER	ACCÉLÉRER	ILLUSTRER
BRACONNER	KLAXONNER	DÉCÉLÉRER	DÉFEUTRER
RANÇONNER	CLAYONNER	DÉCOLÉRER	ACCOUTRER
FLOCONNER	CRAYONNER	DÉGÉNÉRER	RESTAURER
FREDONNER	ÉPOUMONER	RÉGÉNÉRER	INSTAURER
AMIDONNER	DÉCHARNER	INCINÉRER	MANUCURER
RANDONNER	CONCERNER	RÉMUNÉRER	AFFLEURER
DINDONNER	DISCERNER	**KLEMPERER**	EFFLEURER
LARDONNER	LANTERNER	EXASPÉRER	ENFLEURER
PARDONNER	GOUVERNER	PROSPÉRER	DÉFIGURER
CORDONNER	FLAGORNER	RÉCUPÉRER	INAUGURER
PIGEONNER	DÉFOURNER	VITUPÉRER	ENAMOURER
PLAFONNER	ENFOURNER	RÉINSÉRER	CHLORURER
JARGONNER	SÉJOURNER	INVÉTÉRER	RÉASSURER
BOUGONNER	DÉTOURNER	OBLITÉRER	PRESSURER
MÂCHONNER	RETOURNER	ADULTÉRER	LIGATURER
BICHONNER	RATTRAPER	EMPIFFRER	DÉNATURER
COCHONNER	ANTICIPER	DÉCOFFRER	FRACTURER
SIPHONNER	ÉMANCIPER	ENSOUFRER	AVENTURER
CAMIONNER	CONSTIPER	DÉFLAGRER	CEINTURER
ESPIONNER	DISCULPER	VINAIGRER	PEINTURER
VISIONNER	INSCULPER	CONSPIRER	ENFIÉVRER
FUSIONNER	DÉTREMPER	SOUS-VIRER	DÉCUIVRER
RATIONNER	RETREMPER	ÉDULCORER	RECOUVRER
ACTIONNER	REGRIMPER	SUBODORER	DÉNIAISER
LOTIONNER	DÉTROMPER	REVIGORER	HÉBRAÏSER
GOUJONNER	ESCALOPER	AMÉLIORER	MORTAISER
ÉTALONNER	RÉCHAPPER	DÉCOLORER	FRANCISER
SABLONNER	KIDNAPPER	REMÉMORER	EXORCISER
BALLONNER	DÉGRIPPER	REMBARRER	NOMADISER
SILLONNER	DÉCRISPER	CHAMARRER	FLUIDISER
BOULONNER	RÉOCCUPER	EMPIERRER	FOCALISER
FOULONNER	SURCOUPER	DESSERRER	LOCALISER
MARMONNER	CHALOUPER	RESSERRER	VOCALISER
SERMONNER	DÉGROUPER	DÉBOURRER	IDÉALISER
ROGNONNER	REGROUPER	IDOLÂTRER	LÉGALISER
CHAPONNER	ATTROUPER	DÉPLÂTRER	BANALISER
TAMPONNER	ACCAPARER	REPLÂTRER	CANALISER
POMPONNER	PERVIBRER	SALPÊTRER	PÉNALISER
HARPONNER	DÉMEMBRER	PERPÉTRER	FINALISER
POUPONNER	REMEMBRER	CHAPITRER	MORALISER
ÉPERONNER	ENCOMBRER	SURTITRER	NASALISER
RONRONNER	DÉNOMBRER	INFILTRER	TOTALISER
PATRONNER	ÉLUCUBRER	EXFILTRER	DÉVALISER
BOURONNER	CONSACRER	DÉCENTRER	RIVALISER
COURONNER	MASSACRER	RECENTRER	LABÉLISER
BLASONNER	ÉCHANCRER	EXCENTRER	FIDÉLISER
RAISONNER	DÉSENCRER	DÉCINTRER	MODÉLISER
FOISONNER	CALANDRER	DÉMONTRER	MOBILISER
GRISONNER	ENGENDRER	REMONTRER	SIMILISER

VIRILISER	TÉLÉVISER	ENGROSSER	HABILITER
CIVILISER	COMPULSER	CARROSSER	DÉBILITER
CRÉOLISER	PROPULSER	DÉFAUSSER	FACILITER
BÉMOLISER	CONVULSER	REHAUSSER	DYNAMITER
NÉBULISER	CONDENSER	EXHAUSSER	DÉLIMITER
ISLAMISER	COMPENSER	**ALTHUSSER**	REMBOÎTER
DYNAMISER	DISPENSER	REPOUSSER	EXPLOITER
MINIMISER	ANKYLOSER	DÉSABUSER	CONVOITER
OPTIMISER	ANTÉPOSER	DÉCREUSER	DÉCAPITER
MAXIMISER	RÉIMPOSER	RECREUSER	COHÉRITER
SODOMISER	POSTPOSER	PARALYSER	DÉMÉRITER
CHROMISER	SCLÉROSER	CATALYSER	PARASITER
URBANISER	DISPERSER	ANTIDATER	REVISITER
MÉCANISER	TRAVERSER	POSTDATER	TRANSITER
PAGANISER	RENVERSER	ALMA MATER	BISCUITER
ORGANISER	CONVERSER	CARAPATER	DÉFRUITER
ROMANISER	DÉBOURSER	**ANTIPATER**	AFFRUITER
HUMANISER	FRACASSER	CONSTATER	RÉINVITER
TÉTANISER	TRACASSER	COMPACTER	ASPHALTER
FÉMINISER	FRICASSER	RÉFRACTER	SURVOLTER
LATINISER	CONCASSER	DÉTRACTER	AUSCULTER
DIVINISER	RECHASSER	RÉTRACTER	CONSULTER
COLONISER	ENCHÂSSER	CONTACTER	BROCANTER
CANONISER	DÉCLASSER	COLLECTER	DÉCHANTER
ÉTERNISER	RECLASSER	CONNECTER	RECHANTER
IMMUNISER	PRÉLASSER	RESPECTER	ENCHANTER
CHAMOISER	TRÉPASSER	INSPECTER	DÉPLANTER
CHINOISER	SURPASSER	SUSPECTER	REPLANTER
DÉCROISER	EMBRASSER	SPHINCTER	IMPLANTER
POLARISER	DÉCRASSER	CONCOCTER	DIAMANTER
CÉSARISER	ENCRASSER	ÉPINCETER	WARRANTER
MADÉRISER	CUIRASSER	CROCHETER	PATIENTER
NUMÉRISER	TERRASSER	MOUCHETER	VIOLENTER
SATIRISER	RESSASSER	INQUIÉTER	SEGMENTER
THÉORISER	CREVASSER	PAILLETER	PIGMENTER
VALORISER	CONFESSER	COMPLÉTER	AUGMENTER
COLORISER	PROFESSER	TROMPETER	ALIMENTER
MÉMORISER	**NUNGESSER**	ROUSPÉTER	COMMENTER
TÉNORISER	REDRESSER	DÉSARÊTER	SARMENTER
SONORISER	RÉGRESSER	FLEURETER	FERMENTER
VAPORISER	EMPRESSER	CLAQUETER	SERPENTER
MOTORISER	OPPRESSER	CRAQUETER	PRÉSENTER
AUTORISER	RABAISSER	BECQUETER	CONTENTER
FAVORISER	REBAISSER	CLIQUETER	SUSTENTER
MAÎTRISER	DÉCAISSER	BRIQUETER	ENCEINTER
SÉCURISER	ENCAISSER	ÉTIQUETER	ACCOINTER
SOMATISER	AFFAISSER	BANQUETER	APPOINTER
FANATISER	DÉLAISSER	MARQUETER	ESQUINTER
DÉRATISER	RELAISSER	PARQUETER	SURMONTER
MONÉTISER	DÉPLISSER	DÉRIVETER	AFFRONTER
POLITISER	REPLISSER	SOUHAITER	EMPRUNTER
NÉANTISER	COULISSER	RETRAITER	ASTICOTER
ROBOTISER	VERNISSER	COHABITER	NEIGEOTER
ASEPTISER	ANGOISSER	FÉLICITER	RAVIGOTER
COURTISER	COMPISSER	GAULEITER	CRACHOTER
AMENUISER	ESQUISSER	TROCHITER	CHUCHOTER
PRÉAVISER	RENDOSSER	GRAPHITER	CHARIOTER

SIFFLOTER	MARCOTTER	PRÉDIQUER	RETRIEVER
SANGLOTER	BOYCOTTER	SYNDIQUER	SURÉLEVER
COMPLOTER	MARGOTTER	TRAFIQUER	RÉCIDIVER
ESCAMOTER	GRELOTTER	RÉPLIQUER	ENJOLIVER
CLIGNOTER	BALLOTTER	IMPLIQUER	RÉACTIVER
GRIGNOTER	BOULOTTER	APPLIQUER	INACTIVER
DÉCAPOTER	MARMOTTER	DUPLIQUER	DÉMOTIVER
GALIPOTER	DÉCROTTER	EXPLIQUER	PRÉSERVER
NUMÉROTER	GARROTTER	FORNIQUER	CONSERVER
CHEVROTER	FRISOTTER	SURPIQUER	**VANCOUVER**
CRÉOSOTER	DANSOTTER	FABRIQUER	RÉPROUVER
TOUSSOTER	DÉGOUTTER	IMBRIQUER	APPROUVER
PLEUVOTER	BISEAUTER	RUBRIQUER	RETROUVER
RÉADAPTER	DÉPIAUTER	INTRIQUER	**MAYFLOWER**
PRÉEMPTER	CRAPAÜTER	PRATIQUER	COMPLEXER
DÉCOMPTER	SURSAUTER	CRITIQUER	REMBLAYER
RECOMPTER	RESSAUTER	MASTIQUER	SOUS-PAYER
ESCOMPTER	CHARCUTER	RUSTIQUER	RENTRAYER
DÉCRYPTER	ARC-BOUTER	DÉCALQUER	RÉESSAYER
CONCERTER	RÉÉCOUTER	DÉFALQUER	GRASSEYER
DISSERTER	ENCROÛTER	INCULQUER	FLAMBOYER
CONFORTER	FERROUTER	PALANQUER	PLAIDOYER
COLPORTER	PRÉTEXTER	SUFFOQUER	ROUGEOYER
REMPORTER	**MÖSSBAUER**	DÉBLOQUER	REMPLOYER
COMPORTER	RÉTRIBUER	DÉFLOQUER	ATERMOYER
RAPPORTER	ATTRIBUER	DISLOQUER	TOURNOYER
SUPPORTER	DÉSEMBUER	ESCROQUER	FOUDROYER
LANCASTER	ZIGZAGUER	DÉFROQUER	POUDROYER
DONCASTER	PRODIGUER	DÉTROQUER	HONGROYER
BALLASTER	INTRIGUER	CONVOQUER	CHARROYER
LEICESTER	INSTIGUER	PROVOQUER	GUERROYER
WORCESTER	DIVULGUER	DÉBARQUER	DESTROYER
ROCHESTER	HARANGUER	EMBARQUER	VOUSSOYER
FORRESTER	RALINGUER	DÉMARQUER	JOINTOYER
CONTESTER	CHLINGUER	REMARQUER	FOURVOYER
PROTESTER	MERINGUER	REMORQUER	BULLDOZER
SYLVESTER	SERINGUER	RÉTORQUER	SCHNAUZER
POLYESTER	DIALOGUER	EXTORQUER	**RIQUEWIHR**
ATTRISTER	ÉPILOGUER	BIFURQUER	FANCY-FAIR
SUBSISTER	DÉVERGUER	DÉMASQUER	ENTRE-HAÏR
CONSISTER	ENVERGUER	DÉBUSQUER	**PORT BLAIR**
PERSISTER	SUBJUGUER	EMBUSQUER	**VAL-BÉLAIR**
COEXISTER	CONJUGUER	OFFUSQUER	**BURGKMAIR**
TRICKSTER	RÉÉVALUER	RÉÉDUQUER	**AL-DJAZA`IR**
COMPOSTER	DÉPOLLUER	DÉBOUQUER	ESTOURBIR
RÉAJUSTER	TRANSMUER	EMBOUQUER	ÉCLAIRCIR
INCRUSTER	CONTINUER	TONITRUER	OBSCURCIR
REGRATTER	RENFLOUER	EFFECTUER	ACCOURCIR
RACKETTER	SOUS-LOUER	PERPÉTUER	REFROIDIR
TOILETTER	DÉSAVOUER	ENTRE-TUER	ABÂTARDIR
REGRETTER	BARJAQUER	DESTITUER	DÉGOURDIR
LEVRETTER	CORNAQUER	RESTITUER	ENGOURDIR
BROUETTER	EMBRAQUER	INSTITUER	ASSOURDIR
MOQUETTER	MATRAQUER	ACCENTUER	APPLAUDIR
SCHLITTER	DÉTRAQUER	REMBLAVER	RÉTROAGIR
ACQUITTER	DISSÉQUER	MOTOPAVER	INTERAGIR
REQUITTER	ÉRADIQUER	CHOURAVER	RESSURGIR

RÉFLÉCHIR	ABREUVOIR	MYOCASTOR	AGUICHEUR
INFLÉCHIR	RÉCHAMPIR	THYRISTOR	BLANCHEUR
DÉGAUCHIR	DÉGUERPIR	**DEIR EZ-ZOR**	TRANCHEUR
ESKISEHIR	**VALLESPIR**	AÏD-EL-FITR	CHERCHEUR
AFFAIBLIR	ACCROUPIR	**RABAN MAUR**	ÉCORCHEUR
ENSEVELIR	ASSOMBRIR	**SAINT-MAUR**	TRESCHEUR
DÉFAILLIR	ATTENDRIR	**CHAMPSAUR**	HERSCHEUR
REJAILLIR	AMOINDRIR	**JULLUNDUR**	ÉPLUCHEUR
ASSAILLIR	RENCHÉRIR	**BARABUDUR**	PARAPHEUR
DÉSEMPLIR	CONQUÉRIR	**BOROBUDUR**	VÉRIFIEUR
ACCOMPLIR	DÉMAIGRIR	REGIMBEUR	INGÉNIEUR
ASSOUPLIR	RABOUGRIR	ABSORBEUR	INFÉRIEUR
RAFFERMIR	ENDOLORIR	ENFONCEUR	SUPÉRIEUR
RENDORMIR	DÉFLEURIR	ANNONCEUR	**SUPÉRIEUR**
RENFORMIR	REFLEURIR	CASCADEUR	ULTÉRIEUR
MAINTENIR	CONCOURIR	GRENADEUR	ANTÉRIEUR
REDEVENIR	PARCOURIR	RENVIDEUR	INTÉRIEUR
BIENVENIR	DISCOURIR	DEMANDEUR	EXTÉRIEUR
REDÉFINIR	APPAUVRIR	DÉFENDEUR	SIGNALEUR
REMBRUNIR	DÉCOUVRIR	SPLENDEUR	DESSALEUR
REVERDIR	RECOUVRIR	RAMENDEUR	NON-VALEUR
ACCORDOIR	**BALIKESIR**	DÉPENDEUR	DRIBBLEUR
ÉCHAUDOIR	DÉPLAISIR	DÉTENDEUR	TREMBLEUR
ACCOUDOIR	DESSAISIR	ENTENDEUR	CARRELEUR
PLONGEOIR	RESSAISIR	EXTENDEUR	SOUFFLEUR
ÉGRUGEOIR	DÉGROSSIR	REVENDEUR	RENIFLEUR
ÉTOUFFOIR	REGROSSIR	COVENDEUR	CHOU-FLEUR
ARRACHOIR	EMPUANTIR	RÉPONDEUR	TRÉFILEUR
TRANCHOIR	CONSENTIR	DÉBARDEUR	EMBALLEUR
ÉBAUCHOIR	RESSENTIR	CAFARDEUR	ÉCAILLEUR
PRÉVALOIR	DESSERTIR	**LE GARDEUR**	PIAILLEUR
CUEILLOIR	SUBVERTIR	REGARDEUR	ÉMAILLEUR
MOUILLOIR	CONVERTIR	EMMERDEUR	BRAILLEUR
DÉFOULOIR	PERVERTIR	ACCORDEUR	HABILLEUR
REFOULOIR	RASSORTIR	MARAUDEUR	CUEILLEUR
REVOULOIR	RESSORTIR	RAVAUDEUR	ÉVEILLEUR
ASSOMMOIR	TRAVESTIR	BAROUDEUR	NASILLEUR
PROMENOIR	ENGLOUTIR	CHAUFFEUR	FUSILLEUR
ÉTEIGNOIR	**HAMMAGUIR**	SACCAGEUR	ARTILLEUR
ENTONNOIR	DESSERVIR	PACKAGEUR	OUTILLEUR
ÉGRAPPOIR	RESSERVIR	AMÉNAGEUR	BOUILLEUR
DÉSESPOIR	COMPRADOR	PARTAGEUR	FOUILLEUR
DÉCOUPOIR	THERMIDOR	VOLTIGEUR	MOUILLEUR
AIGUISOIR	FRUCTIDOR	VIDANGEUR	BRICOLEUR
ENCENSOIR	**TOISON D'OR**	ÉCHANGEUR	FIGNOLEUR
OSTENSOIR	BOUTON-D'OR	MÉLANGEUR	PISTOLEUR
ASPERSOIR	CONFITEOR	ARRANGEUR	BASCULEUR
DÉVERSOIR	**BELPHÉGOR**	LOUANGEUR	DÉMOULEUR
REVERSOIR	**HELSINGØR**	PATAUGEUR	RÉMOULEUR
POLISSOIR	ÉTAT-MAJOR	RABÂCHEUR	DÉROULEUR
ROUISSOIR	**CÔTE-DE-L'OR**	ARRACHEUR	ENROULEUR
REMONTOIR	MIRLIFLOR	DÉTACHEUR	ESCRIMEUR
ÉGOUTTOIR	MONSIGNOR	EMPÊCHEUR	IMPRIMEUR
CONCEVOIR	ALLIGATOR	FRAÎCHEUR	ASSOMMEUR
PERCEVOIR	ESCALATOR	AFFICHEUR	SLALOMEUR
ENTREVOIR	**LISPECTOR**	DÉNICHEUR	ENDORMEUR
RÉSERVOIR	SOLICITOR	FÉTICHEUR	REFORMEUR

EMBAUMEUR	FINASSEUR	AGITATEUR	SCRIPTEUR
NON-FUMEUR	REPASSEUR	IMITATEUR	SCULPTEUR
PARFUMEUR	VAVASSEUR	TENTATEUR	PROMPTEUR
CHICANEUR	**LEVASSEUR**	CAPTATEUR	DÉSERTEUR
PROMENEUR	RÊVASSEUR	TESTATEUR	ESCORTEUR
REPRENEUR	AGRESSEUR	ÉLÉVATEUR	REPORTEUR
CONTENEUR	ASSESSEUR	SALVATEUR	APPORTEUR
SOUTENEUR	ABAISSEUR	RÉDACTEUR	DIGESTEUR
RAFFINEUR	ÉPAISSEUR	COFACTEUR	IMPOSTEUR
DÉPANNEUR	GRAISSEUR	EFFECTEUR	RABATTEUR
FAÇONNEUR	RÉGISSEUR	OBJECTEUR	DÉBATTEUR
AVIONNEUR	BÉNISSEUR	INJECTEUR	NAVETTEUR
JALONNEUR	FINISSEUR	SÉLECTEUR	CAROTTEUR
TALONNEUR	BÂTISSEUR	HUMECTEUR	CULBUTEUR
RAYONNEUR	LOTISSEUR	DIRECTEUR	EXÉCUTEUR
SUBORNEUR	RÔTISSEUR	DÉTECTEUR	PERCUTEUR
SANS-CŒUR	FOUISSEUR	ABDUCTEUR	DISCUTEUR
DEMI-SŒUR	JOUISSEUR	ADDUCTEUR	CHAHUTEUR
ESTAMPEUR	RAVISSEUR	RÉDUCTEUR	REBOUTEUR
VARAPPEUR	CHAUSSEUR	SÉDUCTEUR	ENVOÛTEUR
DÉCOUPEUR	LAÏUSSEUR	INDUCTEUR	RECRUTEUR
DÉFIBREUR	TROUSSEUR	PELLETEUR	ARNAQUEUR
CALIBREUR	DIFFUSEUR	BONNETEUR	VAINQUEUR
ENCADREUR	DIALYSEUR	SÉCRÉTEUR	TRINQUEUR
ACQUÉREUR	ANALYSEUR	EXCRÉTEUR	ACCOUVEUR
CHIFFREUR	ÉVOCATEUR	AFFRÉTEUR	MONNAYEUR
DÉNIGREUR	ÉDUCATEUR	PIQUETEUR	EMBRAYEUR
ÉCLAIREUR	STUCATEUR	ENQUÊTEUR	HOCKEYEUR
SURVIREUR	PRÉDATEUR	SAUVETEUR	VOLLEYEUR
BAGARREUR	FONDATEUR	COÉDITEUR	AMAREYEUR
DÉMARREUR	LAUDATEUR	CRÉDITEUR	EMPLOYEUR
ÉPIERREUR	VICIATEUR	PROFITEUR	CORROYEUR
DÉTERREUR	RADIATEUR	APÉRITEUR	FOSSOYEUR
PUPITREUR	MÉDIATEUR	PARTITEUR	NETTOYEUR
ÉVENTREUR	EXPIATEUR	SERVITEUR	CONVOYEUR
PROCUREUR	VARIATEUR	DÉVOLTEUR	**MONTSÉGUR**
LABOUREUR	DÉVIATEUR	INSULTEUR	**MACARTHUR**
LABOUREUR	CHÉLATEUR	DÉCANTEUR	CALAMBOUR
SECOUREUR	ÉPILATEUR	PESANTEUR	CALEMBOUR
DÉGIVREUR	VIOLATEUR	ACCENTEUR	BASSE-COUR
DÉPHASEUR	ISOLATEUR	ORIENTEUR	**BÉCANCOUR**
CONFISEUR	ADULATEUR	ARPENTEUR	**SENANCOUR**
ÉGALISEUR	ÉMULATEUR	DÉTENTEUR	AVANT-COUR
ATOMISEUR	ANIMATEUR	RÉTENTEUR	**POMPADOUR**
PROVISEUR	FORMATEUR	INVENTEUR	CUL-DE-FOUR
RECENSEUR	FRÉNATEUR	ÉREINTEUR	CARREFOUR
ENCENSEUR	PHONATEUR	RACONTEUR	PETIT-FOUR
ASCENSEUR	PRONATEUR	BARBOTEUR	**DAMANHOUR**
DÉFENSEUR	VIBRATEUR	FRICOTEUR	**BAÏKONOUR**
OFFENSEUR	OPÉRATEUR	TRICOTEUR	**SINGAPOUR**
EXTENSEUR	MIGRATEUR	FOLIOTEUR	NON-RETOUR
EXPLOSEUR	ADORATEUR	TRIMOTEUR	**KHARAGPUR**
COMPOSEUR	NARRATEUR	PROMOTEUR	**GORAKHPUR**
ASPERSEUR	ÉPURATEUR	CHIPOTEUR	**BHAGALPUR**
INVERSEUR	PROSATEUR	TRIPOTEUR	EXEQUATUR
JACASSEUR	SECTATEUR	ACCEPTEUR	**THANJAVUR**
RAMASSEUR	DICTATEUR	RÉCEPTEUR	**CÔTE D'AZUR**

KHAKASSES	MIRE-ŒUFS	HOUDANAIS	OLORONAIS
TRÉPASSÉS	PING-PONGS	SOUDANAIS	CANTONAIS
NON-TISSÉS	HALBWACHS	SOUDANAIS	CANTONAIS
ROCHEUSES	SANDWICHS	SIGEANAIS	NIVERNAIS
ARGINUSES	BURROUGHS	ORLÉANAIS	NIVERNAIS
BOURIATES	VISIGOTHS	CACHANAIS	LACAUNAIS
DÉCUMATES	WISIGOTHS	MORLANAIS	LOUDUNAIS
DOLOMITES	COGNAÇAIS	MEULANAIS	EMBRUNAIS
AMMONITES	JARNACAIS	MEYLANAIS	FERRARAIS
OBODRITES	BARSACAIS	SEVRANAIS	CALABRAIS
AMORRITES	JONZACAIS	SÉQUANAIS	FOUGERAIS
HOURRITES	BOLBÉCAIS	TAÏWANAIS	BAGNÉRAIS
ALAOUITES	PORNICAIS	TAÏWANAIS	CAPCIRAIS
SURVOLTÉS	BUZANÇAIS	BASSENAIS	NAVARRAIS
AMIRANTES	GAPENÇAIS	SARTENAIS	NAVARRAIS
CERVANTÈS	SARLADAIS	CORTENAIS	DUMARSAIS
ÉPREINTES	OUGANDAIS	AUBAGNAIS	BROUSSAIS
CI-JOINTES	OUGANDAIS	VALOGNAIS	MASCATAIS
BLOC-NOTES	ZÉLANDAIS	BOLOGNAIS	VALLETAIS
DESCARTES	IRLANDAIS	BOLOGNAIS	CHOLETAIS
DESPORTES	IRLANDAIS	BURKINAIS	VANNETAIS
RILLETTES	ISLANDAIS	BURKINAIS	FAOUËTAIS
BEURETTES	ISLANDAIS	DIGOINAIS	PONANTAIS
CHOCOTTES	MIRANDAIS	JOHANNAIS	ARDENTAIS
ARC-BOUTÉS	BURUNDAIS	DINANNAIS	NOGENTAIS
CALDAGUÈS	BURUNDAIS	ROYANNAIS	ARGENTAIS
ENTRAGUES	DINARDAIS	SÉZANNAIS	TARENTAIS
RODRIGUES	BÂBORDAIS	ARDENNAIS	TORONTAIS
GARRIGUES	LAURAGAIS	ARDENNAIS	YVETOTAIS
MARTIGUES	PORTUGAIS	LA MENNAIS	ESSARTAIS
BOUZIGUES	PORTUGAIS	ROUENNAIS	ANTIGUAIS
MARINGUES	TRANCHAIS	MÉVENNAIS	OUTAOUAIS
AIMARGUES	ENTRE-HAÏS	CAYENNAIS	HENDAYAIS
DESARGUES	CANCALAIS	MAYENNAIS	ABRUZZAIS
ISBERGUES	OUAGALAIS	THAONNAIS	CIRCONCIS
ANDERLUES	CUGNALAIS	CRAONNAIS	HENDIADIS
SOUS-LOUÉS	BORDELAIS	MÂCONNAIS	MARAVÉDIS
DEUX-ROUES	BORDELAIS	LUÇONNAIS	SANS-LOGIS
TOLTÈQUES	ROCHELAIS	REDONNAIS	MONTARGIS
MIXTÈQUES	FRANGLAIS	ARGONNAIS	WALPURGIS
PYTHIQUES	MANILLAIS	BRIONNAIS	AMÉNOPHIS
IBÉRIQUES	ANTILLAIS	DIJONNAIS	APRÈS-SKIS
TARASQUES	ANTILLAIS	ALLONNAIS	HAMAMÉLIS
ÉTRUSQUES	BANDOLAIS	CENONNAIS	MIRABILIS
MENSTRUES	CONGOLAIS	PÉRONNAIS	VOLUBILIS
ENTRE-TUÉS	CONGOLAIS	ÉVRONNAIS	VOLUBILIS
VIDE-CAVES	BARJOLAIS	DIVONNAIS	ANTHYLLIS
SAKALAVES	BAGNOLAIS	AUXONNAIS	AMARYLLIS
GONÇALVES	CHAROLAIS	BAYONNAIS	ANNAPOLIS
JUKE-BOXES	CHAROLAIS	NOYONNAIS	NICOPOLIS
LES CLAYES	BANJULAIS	ARAGONAIS	ROUCOULIS
SOUS-PAYÉS	PTOLÉMAÏS	ARAGONAIS	CONCHYLIS
GAGAOUZES	DÉSORMAIS	LANGONAIS	SÉMIRAMIS
SOUS-CHEFS	MBABANAIS	TRÉLONAIS	COMPROMIS
DEMI-CLEFS	CHABANAIS	ARAMONAIS	RENFORMIS
MOTS-CLEFS	SUNDANAIS	CHINONAIS	MONTCENIS
ICE-SHELFS	CAUDANAIS	THONONAIS	OUARSENIS

SEMI-FINIS
MACARONIS
ÆPYORNIS
ÉTATS-UNIS
GRANDBOIS
ZAGRÉBOIS
MORTS-BOIS
PETIT-BOIS
FIGEACOIS
CALLACOIS
MEYMACOIS
GIGNACOIS
ÉPINACOIS
CARNACOIS
FLORACOIS
QUÉBÉCOIS
QUÉBÉCOIS
LORRIÇOIS
MASSICOIS
VOLVICOIS
ARLANCOIS
FAYENÇOIS
TOUCYCOIS
MAGNYCOIS
LIVRADOIS
BRIVADOIS
PRIVADOIS
LANAUDOIS
ARRAGEOIS
ARIÉGEOIS
ALBIGEOIS
ALBIGEOIS
BLANGEOIS
ORANGEOIS
BOURGEOIS
BOURGEOIS
AUTREFOIS
TOUTEFOIS
GAMACHOIS
ARDÉCHOIS
MUNICHOIS
MUNICHOIS
ZURICHOIS
ZURICHOIS
FONSCHOIS
VARILHOIS
FAMECKOIS
DORVALOIS
BELLILOIS
LASALLOIS
LAVALLOIS
LEVALLOIS
RIDELLOIS
CRIELLOIS
TRIELLOIS
JUMELLOIS
LUNELLOIS

CAPELLOIS
USSELLOIS
NIVELLOIS
CREILLOIS
DEUILLOIS
VIZILLOIS
SAINT-LOIS
BACHAMOIS
BELLÊMOIS
SEPTÉMOIS
BAPALMOIS
VENDÔMOIS
CONDOMOIS
BILLOMOIS
ANGOUMOIS
DRACÉNOIS
PISCÉNOIS
LACHENOIS
RUTHÉNOIS
RUTHÉNOIS
BOLLÉNOIS
CHÂTENOIS
HESDINOIS
LACHINOIS
BUCKINOIS
TONKINOIS
DUBLINOIS
SECLINOIS
YVELINOIS
BARLINOIS
BERLINOIS
BERLINOIS
MOULINOIS
OIGNINOIS
CAMPINOIS
MEYRINOIS
TESSINOIS
PANTINOIS
LIÉVINOIS
PROVINOIS
CARVINOIS
VERVINOIS
VOUZINOIS
FEYZINOIS
MIGENNOIS
BRIENNOIS
GARENNOIS
VARENNOIS
VIVONNOIS
AUBARNOIS
THIERNOIS
SAVERNOIS
GIVERNOIS
PAYERNOIS
SURESNOIS
MAGDUNOIS
VERDUNOIS

BÉTHUNOIS
CRÉPYNOIS
FÉCAMPOIS
PETIT POIS
VANIÉROIS
ASNIÉROIS
SILLEROIS
BRUYÉROIS
DONZÉROIS
BÉLAIROIS
TRÉGOROIS
AMBARROIS
BÉGARROIS
BITERROIS
BITERROIS
AUXERROIS
SOLEUROIS
SAUMUROIS
NEVERSOIS
ANVERSOIS
AUVERSOIS
IGNISSOIS
CLUNYSOIS
TEYJATOIS
GRAMATOIS
AULNATOIS
GANNATOIS
GERZATOIS
GUÉRÉTOIS
CUSSÉTOIS
CHANITOIS
MAGNITOIS
CHARITOIS
VICOMTOIS
GIMONTOIS
DOMONTOIS
ERMONTOIS
AMBERTOIS
FORESTOIS
LACHUTOIS
LATUQUOIS
MILLAVOIS
MINERVOIS
MINERVOIS
TOUT-PARIS
PETIT-GRIS
HARA-KIRIS
ENTREPRIS
INCOMPRIS
MALAPPRIS
DÉSAPPRIS
SÉSOSTRIS
VALLAURIS
BOULOURIS
PSORIASIS
INLANDSIS
CAMBRÉSIS

HÉTÉROSIS
CORÉOPSIS
CATHARSIS
LE PLESSIS
DUPLESSIS
NAUCRATIS
MOUCHETIS
CLIQUETIS
GRAFFITIS
RAPOINTIS
CHUCHOTIS
HYDRASTIS
FRISOTTIS
CLAFOUTIS
MONT-LOUIS
PORT LOUIS
PORT-LOUIS
AMPLEPUIS
RECONQUIS
RUBRUQUIS
CONTRAVIS
PONT-LEVIS
TOURNEVIS
ÉPISTAXIS
TIE-BREAKS
AFRO-ROCKS
JAZZ-ROCKS
CAKE-WALKS
FAIRBANKS
HERD-BOOKS
STUD-BOOKS
MAMELOUKS
DROP-GOALS
PRÉNATALS
HERENTALS
TOP MODELS
EHRENFELS
DES AUTELS
GUIDE-FILS
SERRE-FILS
DUMAS FILS
PETIT-FILS
BEAUX-FILS
BASE-BALLS
MOTO-BALLS
SOUS-PULLS
CACHE-COLS
MARVEJOLS
CALL-GIRLS
NON-CUMULS
ICE-CREAMS
PRÊTE-NOMS
BABY-BOOMS
AFRIKAANS
BLUE-JEANS
GRAMPIANS
DEMI-PLANS

TINDEMANS	**WATTRELOS**	DEMI-TOURS	**VITELLIUS**
BOCHIMANS	**VENIZÉLOS**	ALENTOURS	**FROBENIUS**
MARCOMANS	**LOS ALAMOS**	BLACK-BASS	**ARRHENIUS**
SUPERMANS	STRYCHNOS	**DUNGENESS**	**JANSÉNIUS**
CROSSMANS	**JOSEFINOS**	**INVERNESS**	**DIKTONIUS**
YACHTMANS	OTO-RHINOS	EDELWEISS	**PRETORIUS**
RUGBYMANS	**MYKÉRINOS**	VÉLOCROSS	**SERTORIUS**
COUSERANS	**CERNUNNOS**	MOTOCROSS	**NESTORIUS**
DONS JUANS	**ANTIGONOS**	**ANSCHLUSS**	**HELVÉTIUS**
CANANÉENS	**PIRITHOOS**	DEAD-HEATS	COURTS-JUS
ASMONÉENS	SPÉCULOOS	SOUS-PLATS	**MARCELLUS**
JÉBUSÉENS	MÉGACÉROS	TROIS-MÂTS	NYSTAGMUS
NABATÉENS	ANTIHÉROS	BRISE-JETS	**HOTEMANUS**
ADYGUÉENS	**TROISGROS**	JUMBO-JETS	**QUELLINUS**
PHÉACIENS	**SIQUEIROS**	ENTREMETS	**MYKERINUS**
HILALIENS	**THÉODOROS**	**DESMARETS**	GARDE-FOUS
CARÉLIENS	**MATAMOROS**	**DES ADRETS**	**LISSAJOUS**
ASCANIENS	**DOS PASSOS**	**CAUTERETS**	TIRE-CLOUS
MÉNAPIENS	**DOS SANTOS**	**DES FORÊTS**	TROU-TROUS
SUMÉRIENS	LAVE-AUTOS	LIEUX-DITS	CI-DESSOUS
IMPATIENS	BALL-TRAPS	WAGON-LITS	EN DESSOUS
CAPÉTIENS	**BONCHAMPS**	NON-DROITS	AU-DESSOUS
LEZGUIENS	**DESCHAMPS**	PUISSANTS	**BALAÏTOUS**
CONFOLENS	LONGTEMPS	**CINQ-CENTS**	ENTREVOUS
GUET-APENS	PRINTEMPS	CURE-DENTS	**AHASVÉRUS**
SENDERENS	**CHAUTEMPS**	ERREMENTS	RIBOVIRUS
PUYMORENS	DEUX-TEMPS	OSSEMENTS	ARBOVIRUS
PIRMASENS	FREE-SHOPS	LAVE-PONTS	THÉSAURUS
RABASTENS	MÉGAFLOPS	DEUX-PONTS	**CASADESUS**
LAVE-MAINS	CHAMÉROPS	**DEUX-PONTS**	CONSENSUS
GIRONDINS	ANTICORPS	ROTOPLOTS	COLLAPSUS
SÉRAPHINS	MONOCORPS	GOGUENOTS	PROLAPSUS
NÉANMOINS	**EUROCORPS**	SNOW-BOOTS	PROCESSUS
TOCANTINS	SNACK-BARS	CACHE-POTS	PAR-DESSUS
MYRMIDONS	STOCK-CARS	BLACK-ROTS	PARDESSUS
SAINT-FONS	SCOUT-CARS	BEAUX-ARTS	INFARCTUS
ROGATIONS	**SAINT-MARS**	QUAT'ZARTS	DÉCUBITUS
MUNITIONS	KALA-AZARS	PICS-VERTS	AMPHIOXUS
FLONFLONS	TEEN-AGERS	TEE-SHIRTS	TALK-SHOWS
JAGELLONS	**CAROTHERS**	BABY-TESTS	CASH-FLOWS
À RECULONS	**TEMPLIERS**	BOY-SCOUTS	**MOYEN-PAYS**
ATHIS-MONS	**COLOMIERS**	PÈSE-MOÛTS	AVANT-PAYS
SAINT-PONS	**MOUSTIERS**	BLOCKHAUS	HENDIADYS
SHORT TONS	**ROETTIERS**	SPÉCULAUS	CHOP SUEYS
ARCHÉLAOS	**BÉVEZIERS**	BIBLIOBUS	GIN-RUMMYS
SEIGNOBOS	**BOUFFLERS**	**SPARTACUS**	**BOURGEOYS**
TOURNEDOS	**MCCULLERS**	AUTOFOCUS	CAR-FERRYS
GRATTE-DOS	DOUX-AMERS	EMPOSIEUS	INDÉLICAT
GALÁPAGOS	MÔN-KHMERS	COLS-BLEUS	CANONICAT
ANTIOCHOS	EYE-LINERS	ASPARAGUS	**PUIFORCAT**
GUARULHOS	PAR-DEVERS	**MONTAIGUS**	**PLOUESCAT**
ZÁKYNTHOS	PULL-OVERS	PEMPHIGUS	**LE BOUSCAT**
ANTHÉMIOS	BOUTE-HORS	TYLENCHUS	VOÏÉVODAT
MARDONIOS	PLUSIEURS	**CONFUCIUS**	CONCORDAT
ASCLÉPIOS	NIVELEURS	**HÉRACLIUS**	**CONCORDAT**
DÉMÉTRIOS	DEMI-JOURS	**BERZELIUS**	**LLOBREGAT**
SEX-RATIOS	**CENT-JOURS**	**SABELLIUS**	**THÉODAHAT**

VIOLAÇANT	RÉPANDANT	ÉCHAUDANT	MAUGRÉANT
DÉPLAÇANT	TRUANDANT	RENAUDANT	BIENSÉANT
REPLAÇANT	ASCENDANT	MINAUDANT	DÉGRAFANT
GRIMAÇANT	DÉFENDANT	MARAUDANT	REBIFFANT
RETRAÇANT	REFENDANT	TARAUDANT	AGRIFFANT
RAPIÉÇANT	LÉGENDANT	RAVAUDANT	CHAUFFANT
CLAMEÇANT	RAMENDANT	PRÉLUDANT	ÉTOUFFANT
PRÉDICANT	CEPENDANT	ACCOUDANT	BON ENFANT
MORDICANT	DÉPENDANT	EXTRUDANT	INÉLÉGANT
FABRICANT	REPENDANT	PACAGEANT	INTRIGANT
CAPRICANT	APPENDANT	ENCAGEANT	RABÂCHANT
MATRIÇANT	DÉTENDANT	DÉGAGEANT	DÉBÂCHANT
BALANÇANT	RETENDANT	ENGAGEANT	RELÂCHANT
RELANÇANT	ENTENDANT	RAMAGEANT	REMÂCHANT
ROMANÇANT	INTENDANT	MANAGEANT	PANACHANT
FINANÇANT	ATTENDANT	MÉNAGEANT	ARRACHANT
DEVANÇANT	REVENDANT	DÉRAGEANT	ENSACHANT
CADENÇANT	SCHINDANT	ENRAGEANT	DÉTACHANT
DÉFONÇANT	DÉBONDANT	RAVAGEANT	ENTACHANT
ENFONÇANT	FÉCONDANT	VOYAGEANT	ATTACHANT
ENGONÇANT	SECONDANT	BRIDGEANT	GOUACHANT
SEMONÇANT	REDONDANT	ALLÉGEANT	ALLÉCHANT
DÉNONÇANT	REFONDANT	ARPÉGEANT	DÉPÊCHANT
RENONÇANT	RÉPONDANT	ABRÉGEANT	REPÊCHANT
ANNONÇANT	APPONDANT	AGRÉGEANT	EMPÊCHANT
SUFFOCANT	RETONDANT	RÉDIGEANT	ÉBRÉCHANT
PROVOCANT	INFÉODANT	OBLIGEANT	ASSÉCHANT
REPERÇANT	REBRODANT	VOLIGEANT	AFFICHANT
DÉFORÇANT	CORRODANT	DIRIGEANT	ENFICHANT
EFFORÇANT	DÉBARDANT	MITIGEANT	DÉNICHANT
DIVORÇANT	JOBARDANT	ATTIGEANT	ENTICHANT
IMMISÇANT	CACARDANT	CHANGEANT	AGUICHANT
CORUSCANT	BOCARDANT	FRANGEANT	FLANCHANT
GAMBADANT	CAFARDANT	ÉLONGEANT	PLANCHANT
SACCADANT	REGARDANT	PLONGEANT	ÉPANCHANT
POMMADANT	CANARDANT	ÉPONGEANT	BRANCHANT
GRENADANT	HASARDANT	DÉLOGEANT	TRANCHANT
DÉGRADANT	MUSARDANT	RELOGEANT	ÉTANCHANT
EXTRADANT	RETARDANT	LIMOGEANT	GUINCHANT
TORSADANT	ATTARDANT	ABROGEANT	BRONCHANT
SUCCÉDANT	BAVARDANT	DÉROGEANT	DÉCOCHANT
PRÉCÉDANT	BAZARDANT	ARROGEANT	RICOCHANT
CONCÉDANT	LÉZARDANT	CHARGEANT	ENCOCHANT
PROCÉDANT	DÉMERDANT	ÉMARGEANT	TALOCHANT
POSSÉDANT	EMMERDANT	ÉMERGEANT	FILOCHANT
SUICIDANT	REPERDANT	ÉGORGEANT	EMPOCHANT
ÉLUCIDANT	SABORDANT	ADJUGEANT	DÉROCHANT
TRUCIDANT	DÉBORDANT	DÉJUGEANT	ENROCHANT
TRÉPIDANT	REBORDANT	MÉJUGEANT	CHERCHANT
DÉBRIDANT	ACCORDANT	REJUGEANT	ÉCORCHANT
HYBRIDANT	DÉCORDANT	CALUGEANT	FOURCHANT
PRÉSIDANT	RECORDANT	ÉGRUGEANT	HERSCHANT
LIQUIDANT	ENCORDANT	ÉNUCLÉANT	SCOTCHANT
RENVIDANT	DÉMORDANT	SUPPLÉANT	ÉBAUCHANT
DÉBANDANT	REMORDANT	DÉLINÉANT	DÉBUCHANT
DEMANDANT	DÉTORDANT	PROCRÉANT	DÉJUCHANT
COMANDANT	RETORDANT	CONGRÉANT	PELUCHANT

ÉPLUCHANT	EXCORIANT	DÉVOILANT	GROS-PLANT
ABOUCHANT	COLORIANT	REMPILANT	DÉCUPLANT
PARAPHANT	ARMORIANT	COMPILANT	DÉPARLANT
OFFICIANT	CHARRIANT	VENTILANT	REPARLANT
NÉGOCIANT	INJURIANT	DÉBALLANT	DÉFERLANT
ASSOCIANT	LUXURIANT	EMBALLANT	EMPERLANT
IRRADIANT	EXTASIANT	REBELLANT	ÉJACULANT
REMÉDIANT	OCTAVIANT	LIBELLANT	SPÉCULANT
EXPÉDIANT	LIXIVIANT	EXCELLANT	CALCULANT
PARODIANT	RELOOKANT	ÉCAILLANT	FLOCULANT
RÉPUDIANT	SURJALANT	ÉGAILLANT	INOCULANT
RUBÉFIANT	SIGNALANT	PIAILLANT	CIRCULANT
COKÉFIANT	DESSALANT	ÉMAILLANT	BASCULANT
TUMÉFIANT	CHEVALANT	BRAILLANT	ACIDULANT
RARÉFIANT	PRÉVALANT	CRAILLANT	PENDULANT
PACIFIANT	ACCABLANT	ÉRAILLANT	ÉGUEULANT
NIDIFIANT	ENSABLANT	GRAILLANT	COAGULANT
CODIFIANT	ENTABLANT	BABILLANT	PULLULANT
MODIFIANT	ATTABLANT	HABILLANT	TRÉMULANT
SALIFIANT	DRIBBLANT	VACILLANT	STIMULANT
GÉLIFIANT	TREMBLANT	OSCILLANT	FORMULANT
RAMIFIANT	**TREMBLANT**	GODILLANT	GRANULANT
MOMIFIANT	AFFUBLANT	CUEILLANT	SABOULANT
NANIFIANT	TROUBLANT	ÉVEILLANT	DÉBOULANT
PANIFIANT	DÉBÂCLANT	SÉMILLANT	RIBOULANT
LÉNIFIANT	RENÂCLANT	ÉTRILLANT	DÉCOULANT
VINIFIANT	RECYCLANT	NASILLANT	DÉFOULANT
BONIFIANT	HARCELANT	FUSILLANT	REFOULANT
TONIFIANT	MORCELANT	PÉTILLANT	DÉMOULANT
VÉRIFIANT	CONGELANT	VÉTILLANT	REMOULANT
PURIFIANT	SURGELANT	TITILLANT	ÉCROULANT
OSSIFIANT	NICKELANT	OUTILLANT	DÉROULANT
GÂTIFIANT	POMMELANT	FEUILLANT	ENROULANT
MATIFIANT	GRUMELANT	BOUILLANT	REVOULANT
RATIFIANT	CRÉNELANT	DOUILLANT	STIPULANT
BÊTIFIANT	GRENELANT	FOUILLANT	REBRÛLANT
NOTIFIANT	RAPPELANT	MOUILLANT	SPORULANT
VIVIFIANT	CARRELANT	ROUILLANT	CAPSULANT
COCUFIANT	CORRÉLANT	SOUILLANT	POSTULANT
RÉFUGIANT	BOSSELANT	TOUILLANT	DIFFAMANT
AFFILIANT	PANTELANT	DÉCOLLANT	ACCLAMANT
HUMILIANT	DENTELANT	RECOLLANT	DÉCLAMANT
RÉSILIANT	MARTELANT	ENCOLLANT	RÉCLAMANT
DÉFOLIANT	BOTTELANT	ÉBRANLANT	EXCLAMANT
EXFOLIANT	SOUFFLANT	BRICOLANT	RENTAMANT
REMPLIANT	RENIFLANT	GONDOLANT	PARSEMANT
SUPPLIANT	DÉRÉGLANT	AURÉOLANT	RESSEMANT
REMANIANT	ÉPINGLANT	RAFFOLANT	ESSAIMANT
INGÉNIANT	TRINGLANT	BARIOLANT	SUBLIMANT
RECOPIANT	AVEUGLANT	FORMOLANT	RÉANIMANT
VICARIANT	TRÉFILANT	FIGNOLANT	ESCRIMANT
SALARIANT	RENFILANT	SOMNOLANT	DÉPRIMANT
DÉMARIANT	PROFILANT	CONSOLANT	RÉPRIMANT
REMARIANT	PARFILANT	DESSOLANT	IMPRIMANT
DÉPARIANT	SURFILANT	RISSOLANT	OPPRIMANT
APPARIANT	FAUFILANT	CONVOLANT	EXPRIMANT
INVARIANT	ENTOILANT	SURVOLANT	EMPALMANT

9

753

DÉGOMMANT	CONVENANT	AMARINANT	ÉCHARNANT
ENGOMMANT	PROVENANT	VOISINANT	HIBERNANT
DÉNOMMANT	PARVENANT	CUISINANT	DÉCERNANT
RENOMMANT	SURVENANT	BASSINANT	CASERNANT
ASSOMMANT	SOUVENANT	DESSINANT	MATERNANT
SLALOMANT	REGAGNANT	COUSINANT	ALTERNANT
DIPLÔMANT	PLAIGNANT	PLATINANT	INTERNANT
NÉCROMANT	CRAIGNANT	GRATINANT	HIVERNANT
DÉSARMANT	ESBIGNANT	OUATINANT	SUBORNANT
REFERMANT	INDIGNANT	PIÉTINANT	DÉCORNANT
AFFERMANT	ÉTEIGNANT	COLTINANT	ENCORNANT
ENFERMANT	ÉLOIGNANT	TONTINANT	BIGORNANT
DÉGERMANT	DÉSIGNANT	TARTINANT	AJOURNANT
AFFIRMANT	RÉSIGNANT	OBSTINANT	**FOUESNANT**
INFIRMANT	COSIGNANT	DESTINANT	DÉJEUNANT
ENDORMANT	ASSIGNANT	TAQUINANT	RECHAPANT
DÉFORMANT	BESOGNANT	ALEVINANT	ATTRAPANT
REFORMANT	ÉPARGNANT	DÉPANNANT	DÉCRÊPANT
RÉFORMANT	ÉBORGNANT	EMPANNANT	SACRIPANT
INFORMANT	RÉPUGNANT	EMPENNANT	DÉFRIPANT
EMBAUMANT	DÉGAINANT	PÉRENNANT	DISSIPANT
EMPAUMANT	ENGAINANT	ÉTRENNANT	INCULPANT
ROYAUMANT	DÉLAINANT	MOYENNANT	DÉPULPANT
PARFUMANT	AGRAINANT	FAÇONNANT	DÉCAMPANT
ENRHUMANT	ÉGRAINANT	MAÇONNANT	ESTAMPANT
RALLUMANT	LAMBINANT	DÉCONNANT	ESTOMPANT
DÉPLUMANT	COMBINANT	ARÇONNANT	SYNCOPANT
EMPLUMANT	TURBINANT	BEDONNANT	VARLOPANT
EMBRUMANT	VACCINANT	REDONNANT	ÉCHAPPANT
SUBSUMANT	CALCINANT	BIDONNANT	VARAPPANT
PRÉSUMANT	LANCINANT	ORDONNANT	ÉGRAPPANT
CONSUMANT	FASCINANT	GALONNANT	AGRIPPANT
COSTUMANT	DANDINANT	JALONNANT	ACHOPPANT
HAUBANANT	JARDINANT	TALONNANT	ÉCHARPANT
CHICANANT	BOUDINANT	PILONNANT	EXTIRPANT
CANCANANT	RAFFINANT	CANONNANT	DÉCOUPANT
BOUCANANT	CONFINANT	TENONNANT	RECOUPANT
PROFANANT	IMAGINANT	JUPONNANT	DÉCLARANT
TRÉPANANT	MARGINANT	MARONNANT	PRÉPARANT
SAFRANANT	MACHINANT	RÉSONNANT	COMPARANT
OXYGÉNANT	PRALINANT	TISONNANT	PALABRANT
MALMENANT	DÉCLINANT	BÂTONNANT	DÉLABRANT
REMMENANT	INCLINANT	TÂTONNANT	CÉLÉBRANT
PROMENANT	MOULINANT	BÉTONNANT	TÉRÉBRANT
SURMENANT	POULINANT	DÉTONNANT	DÉFIBRANT
RÉFRÉNANT	EXAMINANT	MITONNANT	CALIBRANT
ENGRENANT	CHEMINANT	PITONNANT	CHAMBRANT
DÉPRENANT	ÉLIMINANT	ENTONNANT	OBOMBRANT
MÉPRENANT	CULMINANT	COTONNANT	RECADRANT
REPRENANT	FULMINANT	SAVONNANT	ENCADRANT
APPRENANT	ABOMINANT	RAYONNANT	EXUBÉRANT
CONTENANT	TERMINANT	GAZONNANT	PONDÉRANT
ABSTENANT	ALUMINANT	DÉTRÔNANT	PRÉFÉRANT
SOUTENANT	ÉPÉPINANT	CONSONANT	DIFFÉRANT
À L'AVENANT	CLOPINANT	DISSONANT	CONFÉRANT
SUBVENANT	JASPINANT	INCARNANT	PROFÉRANT
PRÉVENANT	TOUPINANT	ACHARNANT	EXAGÉRANT

SUGGÉRANT	SUSURRANT	DÉGIVRANT	DÉDUISANT
COMMÉRANT	FOLÂTRANT	DÉLIVRANT	RÉDUISANT
ÉNUMÉRANT	FENÊTRANT	DÉPHASANT	SÉDUISANT
ITINÉRANT	PÉNÉTRANT	DÉBRASANT	ENDUISANT
VULNÉRANT	DÉPÊTRANT	EMBRASANT	INDUISANT
EXONÉRANT	EMPÊTRANT	RÉALÉSANT	DÉGUISANT
TEMPÉRANT	IMPÉTRANT	SOUPESANT	AIGUISANT
RÉOPÉRANT	ARBITRANT	JUDAÏSANT	RELUISANT
INOPÉRANT	DÉNITRANT	DÉFAISANT	MENUISANT
COOPÉRANT	CLOÎTRANT	REFAISANT	SLAVISANT
BLATÉRANT	ÉVENTRANT	PUNAISANT	MARXISANT
RÉITÉRANT	FRUSTRANT	ARABISANT	IMPULSANT
ACQUÉRANT	COMBURANT	GRÉCISANT	EXPULSANT
REQUÉRANT	CARBURANT	PRÉCISANT	RÉVULSANT
ENQUÉRANT	PROCURANT	LAÏCISANT	RECENSANT
BALAFRANT	PERDURANT	FASCISANT	ENCENSANT
CHIFFRANT	DEMEURANT	PRÉDISANT	OFFENSANT
SOUFFRANT	ÉCŒURANT	SOI-DISANT	DÉPENSANT
GOINFRANT	TUTEURANT	ANODISANT	REPENSANT
INTÉGRANT	SULFURANT	SUFFISANT	DÉCLOSANT
IMMIGRANT	FULGURANT	CONFISANT	IMPLOSANT
DÉNIGRANT	HACHURANT	RÉALISANT	EXPLOSANT
AFFAIRANT	MÂCHURANT	ÉGALISANT	CYANOSANT
ÉCLAIRANT	CONJURANT	COALISANT	PRÉPOSANT
REPAIRANT	PARJURANT	OPALISANT	COMPOSANT
DÉCHIRANT	MOULURANT	ORALISANT	PROPOSANT
RESPIRANT	MURMURANT	DUALISANT	SUPPOSANT
INSPIRANT	SAUMURANT	AVALISANT	DISPOSANT
SOUPIRANT	CYANURANT	OVALISANT	NÉCROSANT
SOUTIRANT	RAINURANT	CYCLISANT	ÉCLIPSANT
CHAVIRANT	LABOURANT	RÉÉLISANT	DÉVERSANT
TRÉVIRANT	ACCOURANT	UTILISANT	REVERSANT
SURVIRANT	RECOURANT	STYLISANT	INVERSANT
ÉLABORANT	SECOURANT	CHEMISANT	TABASSANT
DÉODORANT	BICOURANT	ATOMISANT	JACASSANT
PERFORANT	ENCOURANT	TANNISANT	DÉLASSANT
DÉFLORANT	DÉTOURANT	AGONISANT	DAMASSANT
DÉPLORANT	ENTOURANT	IRONISANT	RAMASSANT
IMPLORANT	SAVOURANT	DÉBOISANT	FINASSANT
EXPLORANT	SUPPURANT	REBOISANT	CROASSANT
ÉVAPORANT	NITRURANT	DÉGOISANT	DÉPASSANT
DOCTORANT	PRÉSURANT	PATOISANT	REPASSANT
TORTORANT	CENSURANT	PAVOISANT	HARASSANT
ÉPAMPRANT	TONSURANT	ÉMERISANT	ENTASSANT
DÉBARRANT	RASSURANT	UPÉRISANT	POTASSANT
EMBARRANT	FISSURANT	DÉFRISANT	BAVASSANT
BAGARRANT	FACTURANT	DÉGRISANT	RÊVASSANT
BIGARRANT	VOITURANT	DÉPRISANT	INCESSANT
DÉMARRANT	TRITURANT	MÉPRISANT	CARESSANT
DÉFERRANT	CLÔTURANT	REPRISANT	PARESSANT
ENFERRANT	CAPTURANT	ÉTATISANT	ADRESSANT
ÉPIERRANT	TORTURANT	PACTISANT	AGRESSANT
ENSERRANT	BITTURANT	ÉMÉTISANT	STRESSANT
DÉTERRANT	BOUTURANT	POÉTISANT	ABAISSANT
ENTERRANT	TEXTURANT	ÉROTISANT	GRAISSANT
ATTERRANT	ÉBAVURANT	BAPTISANT	SUBISSANT
ABHORRANT	NERVURANT	RECUISANT	OBÉISSANT

VAGISSANT	RECOUSANT	HOQUETANT	APPONTANT
MÉGISSANT	JALOUSANT	CLAVETANT	CLABOTANT
RÉGISSANT	DÉPAYSANT	BREVETANT	CRABOTANT
MUGISSANT	DIALYSANT	ENFAÎTANT	BARBOTANT
RUGISSANT	ANALYSANT	DÉLAITANT	PLACOTANT
PALISSANT	MANDATANT	ALLAITANT	FRICOTANT
PÂLISSANT	CALFATANT	SUSCITANT	TRICOTANT
SALISSANT	SULFATANT	RÉÉDITANT	RONÉOTANT
POLISSANT	FRÉGATANT	COÉDITANT	MARGOTANT
GÉMISSANT	FRELATANT	CRÉDITANT	BACHOTANT
VOMISSANT	TRÉMATANT	PROFITANT	RABIOTANT
BÉNISSANT	COLMATANT	DÉBOÎTANT	FOLIOTANT
FINISSANT	FORMATANT	EMBOÎTANT	PÉCLOTANT
MUNISSANT	HYDRATANT	MIROITANT	DORLOTANT
PUNISSANT	NITRATANT	CRÉPITANT	PIANOTANT
CROISSANT	CRAVATANT	PALPITANT	PAGNOTANT
FROISSANT	DÉBECTANT	EFFRITANT	MIGNOTANT
TAPISSANT	AFFECTANT	REWRITANT	CONNOTANT
TARISSANT	INFECTANT	NICTITANT	CLAPOTANT
HÉRISSANT	OBJECTANT	ÉBRUITANT	CHIPOTANT
PÉRISSANT	INJECTANT	GRAVITANT	TRIPOTANT
MÛRISSANT	DÉLECTANT	RÉCOLTANT	REMPOTANT
SURISSANT	SÉLECTANT	DÉVOLTANT	POIROTANT
ROSISSANT	HUMECTANT	RÉVOLTANT	BAISOTANT
BÂTISSANT	EXPECTANT	OCCULTANT	DANSOTANT
CATISSANT	DÉTECTANT	RÉSULTANT	CREVOTANT
MATISSANT	MOUFETANT	INSULTANT	ACCEPTANT
PÂTISSANT	BUDGÉTANT	DÉCANTANT	EXCEPTANT
RATISSANT	CACHETANT	ENFANTANT	SCULPTANT
MÉTISSANT	RACHETANT	DÉGANTANT	EXEMPTANT
RETISSANT	TACHETANT	DÉJANTANT	ENCARTANT
COTISSANT	EMPIÉTANT	AIMANTANT	DÉPARTANT
LOTISSANT	PROJETANT	RÉGENTANT	REPARTANT
RÔTISSANT	FORJETANT	ARGENTANT	ESSARTANT
AMUÏSSANT	SURJETANT	ORIENTANT	DÉSERTANT
FOUISSANT	REFLÉTANT	LAMENTANT	ESCORTANT
JOUISSANT	PELLETANT	CÉMENTANT	EXHORTANT
ROUISSANT	COLLETANT	DÉMENTANT	DÉPORTANT
BRUISSANT	VIOLETANT	CIMENTANT	REPORTANT
RAVISSANT	VIGNETANT	PIMENTANT	EMPORTANT
DÉVISSANT	TEMPÊTANT	FOMENTANT	IMPORTANT
REVISSANT	ACCRÉTANT	REPENTANT	APPORTANT
SÉVISSANT	DÉCRÉTANT	ARPENTANT	EXPORTANT
CABOSSANT	SECRÉTANT	ABSENTANT	ÉCOURTANT
EMBOSSANT	SÉCRÉTANT	PATENTANT	DÉVASTANT
ENDOSSANT	EXCRÉTANT	RETENTANT	INFESTANT
PANOSSANT	AFFRÉTANT	INTENTANT	DÉLESTANT
DÉSOSSANT	APPRÊTANT	ATTENTANT	MOLESTANT
CHAUSSANT	JARRETANT	INVENTANT	EMPESTANT
LAÏUSSANT	CORSETANT	ÉREINTANT	DÉTESTANT
GLOUSSANT	CAQUETANT	AJOINTANT	ATTESTANT
ÉMOUSSANT	PAQUETANT	ÉJOINTANT	DÉPISTANT
TROUSSANT	BÉQUETANT	SPRINTANT	DÉSISTANT
RECAUSANT	REQUÊTANT	CHUINTANT	RÉSISTANT
DIFFUSANT	PIQUETANT	RACONTANT	INSISTANT
PERFUSANT	ENQUÊTANT	DÉMONTANT	ASSISTANT
DÉCOUSANT	COQUETANT	REMONTANT	ACCOSTANT

RIPOSTANT
DÉGUSTANT
RAJUSTANT
ENKYSTANT
RABATTANT
DÉBATTANT
REBATTANT
DÉNATTANT
EMPATTANT
BARATTANT
SQUATTANT
FACETTANT
ENDETTANT
ÉMIETTANT
ADMETTANT
DÉMETTANT
REMETTANT
FOUETTANT
DÉBOTTANT
COCOTTANT
DÉGOTTANT
CALOTTANT
CULOTTANT
CAROTTANT
ÉGOUTTANT
BOYAUTANT
NOYAUTANT
TUYAUTANT
CULBUTANT
EXÉCUTANT
PERCUTANT
DISCUTANT
RAMEUTANT
ÉQUEUTANT
RAFFÛTANT
CHAHUTANT
RECHUTANT
COMMUTANT
PERMUTANT
RABOUTANT
DÉBOUTANT
REDOUTANT
RAGOÛTANT
DÉGOÛTANT
RAJOUTANT
VELOUTANT
FILOUTANT
ÉCROÛTANT
DÉROUTANT
ENVOÛTANT
MAZOUTANT
SUPPUTANT
DISPUTANT
RECRUTANT
ALPAGUANT
DIVAGUANT
DÉLÉGUANT

RELÉGUANT
ALLÉGUANT
ENDIGUANT
IRRIGUANT
FATIGUANT
NAVIGUANT
ÉLINGUANT
FLINGUANT
BRINGUANT
FRINGUANT
SWINGUANT
DÉBOGUANT
FOURGUANT
ENJUGUANT
CHAT-HUANT
DÉVALUANT
CONCLUANT
CONFLUANT
ÉBERLUANT
ATTÉNUANT
EXTÉNUANT
DIMINUANT
INSINUANT
ÉTERNUANT
AMADOUANT
DÉCLOUANT
RECLOUANT
ENCLOUANT
SURLOUANT
RABROUANT
CONSPUANT
ENCAQUANT
ARNAQUANT
BARAQUANT
ATTAQUANT
DÉFÉQUANT
RÉSÉQUANT
REBIQUANT
ABDIQUANT
INDIQUANT
OBLIQUANT
PANIQUANT
DÉPIQUANT
REPIQUANT
ÉTRIQUANT
ASTIQUANT
FLANQUANT
PLANQUANT
VAINQUANT
BLINQUANT
CLINQUANT
TRINQUANT
TRONQUANT
RÉVOQUANT
INVOQUANT
ÉTARQUANT
BRUSQUANT

RELUQUANT
OBSTRUANT
INFATUANT
PONCTUANT
FLUCTUANT
HABITUANT
ÉVERTUANT
EMBLAVANT
ENCLAVANT
AGGRAVANT
DÉPRAVANT
ENTRAVANT
PASSAVANT
CONCEVANT
PERCEVANT
PAR-DEVANT
BASDEVANT
PRÉLEVANT
SOULEVANT
EMBREVANT
DÉGREVANT
ARCHIVANT
DÉCRIVANT
RÉCRIVANT
PASSIVANT
LESSIVANT
CULTIVANT
CAPTIVANT
ESQUIVANT
ENSUIVANT
SURVIVANT
DÉCALVANT
ABSOLVANT
RÉSOLVANT
INNERVANT
OBSERVANT
RÉSERVANT
INCURVANT
ABREUVANT
ÉPROUVANT
SURTAXANT
DUPLEXANT
PRÉFIXANT
SUFFIXANT
DÉBLAYANT
MONNAYANT
PRÉPAYANT
SURPAYANT
DÉBRAYANT
EMBRAYANT
DÉFRAYANT
EFFRAYANT
RETRAYANT
ATTRAYANT
EXTRAYANT
RESSAYANT
VOLLEYANT

GOULEYANT
RASSEYANT
MERDOYANT
VERDOYANT
COUDOYANT
SOUDOYANT
DÉPLOYANT
REPLOYANT
EMPLOYANT
LARMOYANT
PAUMOYANT
BORNOYANT
INCROYANT
CARROYANT
CORROYANT
OCTROYANT
SURSOYANT
FOSSOYANT
CHATOYANT
APITOYANT
FESTOYANT
NETTOYANT
PRÉVOYANT
MALVOYANT
RENVOYANT
CONVOYANT
NON-VOYANT
LOUVOYANT
VOUVOYANT
RESSUYANT
SQUEEZANT
SUBJACENT
SUS-JACENT
PUBESCENT
RUBESCENT
QUIESCENT
TUMESCENT
SÉNESCENT
RARESCENT
DÉHISCENT
PRÉCÉDENT
CONFIDENT
PRÉSIDENT
DISSIDENT
CHIENDENT
IMPRUDENT
ENTREGENT
NÉGLIGENT
INDULGENT
VIF-ARGENT
DÉTERGENT
DIVERGENT
RÉSURGENT
DÉFICIENT
EFFICIENT
PRESCIENT
CONSCIENT

EXPÉDIENT	MANIEMENT	SACREMENT	NETTEMENT
RÉSILIENT	RENIEMENT	SACRÉMENT	SOTTEMENT
ÉMOLLIENT	ABOIEMENT	DÉCRÉMENT	HAUTEMENT
RÉCIPIENT	PLOIEMENT	INCRÉMENT	AOÛTEMENT
EXCIPIENT	BROIEMENT	EXCRÉMENT	VAGUEMENT
IMPATIENT	PÉPIEMENT	CHÈREMENT	REMUEMENT
VA-ET-VIENT	ÉGALEMENT	FIÈREMENT	DÉNUEMENT
TCHIMKENT	ORALEMENT	AMÈREMENT	BRAVEMENT
UNIVALENT	ÉTALEMENT	AIGREMENT	GRAVEMENT
TRIVALENT	NOBLEMENT	BIGREMENT	SUAVEMENT
EXCELLENT	RACLEMENT	ÉTIREMENT	NAÏVEMENT
SOMNOLENT	GICLEMENT	CARRÉMENT	AVIVEMENT
TURBULENT	INCLÉMENT	FERREMENT	MOUVEMENT
SUCCULENT	RÈGLEMENT	SERREMENT	ÉTUVEMENT
TRUCULENT	AGILEMENT	AUTREMENT	ÉGAYEMENT
CORPULENT	VOILEMENT	APUREMENT	ÉTAYEMENT
QUÉRULENT	UTILEMENT	ÉPUREMENT	CONDIMENT
FLATULENT	BELLEMENT	NAVREMENT	HARDIMENT
LINÉAMENT	TELLEMENT	BLASEMENT	DÉTRIMENT
FIRMAMENT	CILLEMENT	ARASEMENT	NUTRIMENT
TESTAMENT	FOLLEMENT	ÉVASEMENT	QUASIMENT
BOMBEMENT	MOLLEMENT	BLÈSEMENT	CHÂTIMENT
AGACEMENT	NULLEMENT	BAISEMENT	GENTIMENT
PLACEMENT	DRÔLEMENT	BOISEMENT	SENTIMENT
TRACEMENT	FRÔLEMENT	VOISEMENT	GALAMMENT
LANCEMENT	ISOLEMENT	BRISEMENT	PESAMMENT
PINCEMENT	ISOLÉMENT	PUISEMENT	NOTAMMENT
BERCEMENT	AMPLEMENT	PANSEMENT	SAVAMMENT
GERCEMENT	PARLEMENT	CENSÉMENT	DÉCEMMENT
PERCEMENT	HURLEMENT	DENSÉMENT	RÉCEMMENT
FORCEMENT	FEULEMENT	SENSÉMENT	ARDEMMENT
FORCÉMENT	SEULEMENT	VERSEMENT	URGEMMENT
DOUCEMENT	ULULEMENT	BASSEMENT	SCIEMMENT
TIÈDEMENT	ROULEMENT	CASSEMENT	ÉMOLUMENT
LAIDEMENT	BRAMEMENT	PASSEMENT	GOULÛMENT
AVIDEMENT	CALMEMENT	SASSEMENT	PERMANENT
ÉVIDEMENT	NOMMÉMENT	TASSEMENT	CONTINENT
MANDEMENT	FERMEMENT	PISSEMENT	PERTINENT
RENDEMENT	GLANEMENT	AMUSEMENT	ABSTINENT
FONDEMENT	CRÂNEMENT	BÉATEMENT	**LAPPARENT**
RONDEMENT	AVÈNEMENT	PLATEMENT	DIFFÉRENT
BIFFEMENT	ÉVÉNEMENT	ÉPATEMENT	OCCURRENT
ÉTAGEMENT	DIGNEMENT	DOCTEMENT	RÉCURRENT
RANGEMENT	COGNEMENT	PIÉTEMENT	COMPÉTENT
RONGEMENT	SAINEMENT	ÉTÊTEMENT	MÉCONTENT
LARGEMENT	VAINEMENT	ALITEMENT	RÉMITTENT
HACHEMENT	BONNEMENT	BOITEMENT	DIFFLUENT
LÂCHEMENT	GARNEMENT	ÉVITEMENT	CONFLUENT
MÂCHEMENT	JEUNEMENT	LENTEMENT	**PINCEVENT**
VACHEMENT	DRAPEMENT	TINTEMENT	COUPE-VENT
LÈCHEMENT	CAMPEMENT	VERTEMENT	BRISE-VENT
SÈCHEMENT	RAMPEMENT	FORTEMENT	CONNIVENT
RICHEMENT	HAPPEMENT	PORTEMENT	PLEIN-VENT
HOCHEMENT	JAPPEMENT	VASTEMENT	VOL-AU-VENT
ÉGAIEMENT	ÉGAREMENT	LESTEMENT	CONTRAINT
ÉTAIEMENT	LIBREMENT	JUSTEMENT	TOUSSAINT
DÉLIEMENT	SOBREMENT	BATTEMENT	RESTREINT

ROND-POINT	**ANGILBERT**	**ZLATOOUST**	**TROUSSEAU**
POURPOINT	**ENGILBERT**	ANTITRUST	PONTUSEAU
WEST POINT	**D'ALEMBERT**	**JOUMBLATT**	**LE CHÂTEAU**
HENNEBONT	CAMEMBERT	**ANDERMATT**	BONNETEAU
VAUDÉMONT	**CANROBERT**	**HALLSTATT**	BOQUETEAU
ROUGEMONT	TRANSFERT	**WINNICOTT**	LOQUETEAU
RICHEMONT	**DELESSERT**	**BOUCICAUT**	LOUVETEAU
MARIEMONT	DÉCOUVERT	ARTICHAUT	ENFAÎTEAU
TIRLEMONT	RECOUVERT	**BOISCHAUT**	CHAPITEAU
ENTREMONT	EXTRAFORT	**BRUNEHAUT**	BISCOTEAU
DOTREMONT	**FRANCFORT**	PASSE-HAUT	**RAMBUTEAU**
OUTREMONT	**ROCHEFORT**	PORT-SALUT	TOP NIVEAU
BRIALMONT	PORTE-FORT	ACTING-OUT	VASSIVEAU
REVERMONT	**HAUTEFORT**	AVANT-GOÛT	RENOUVEAU
AVANT-MONT	ROQUEFORT	**KALMTHOUT**	**GNEISENAU**
GIRAUMONT	**ROQUEFORT**	MANGE-TOUT	**CASTELNAU**
DOUAUMONT	**FRANKFORT**	BRISE-TOUT	LANDERNAU
ROYAUMONT	RÉCONFORT	INUKTITUT	CONVAINCU
NÈGREPONT	INCONFORT	SUBSTITUT	TROP-PERÇU
ENTREPONT	CORPS-MORT	SOURICEAU	**CALINESCU**
WESTMOUNT	**EUROPOORT**	PANONCEAU	**ANTONESCU**
BOURRICOT	GARDE-PORT	**DU CERCEAU**	**CEAUSESCU**
BERLINGOT	**LE TRÉPORT**	PINTADEAU	**TAMIL NADU**
STOCK-SHOT	PASSEPORT	MUR-RIDEAU	POURFENDU
ESTRADIOT	**SOUTHPORT**	HIRONDEAU	HYPOTENDU
CLAMARIOT	**STOCKPORT**	CANARDEAU	SOUS-TENDU
BERTHELOT	BIRAPPORT	RENARDEAU	INATTENDU
TRAINGLOT	HOVERPORT	BATARDEAU	**OVIMBUNDU**
LE THILLOT	TRANSPORT	TROUBLEAU	ALLUME-FEU
BOROILLOT	ACROSPORT	TRIJUMEAU	CONTRE-FEU
AIGUILLOT	AVANT-PORT	CHALUMEAU	COUVRE-FEU
GROUILLOT	**STASSFURT**	CIGOGNEAU	BATEAU-FEU
GUILLEMOT	**RIBÉCOURT**	BALEINEAU	**VILLEDIEU**
CROQUENOT	**HOMÉCOURT**	CHEMINEAU	SACREDIEU
MADELINOT	MIRECOURT	TYRANNEAU	**BOIELDIEU**
BLACKFOOT	HALF COURT	HÉRONNEAU	HÔTEL-DIEU
ARROW-ROOT	**HÉRICOURT**	SAUMONEAU	**DEPARDIEU**
CHASSEPOT	**MÉRICOURT**	RAMPONEAU	VERTUDIEU
LE CREUSOT	**LIANCOURT**	BIGORNEAU	**GRAND-LIEU**
COUCHE-TÔT	**ÉLANCOURT**	ÉTOURNEAU	**MANDELIEU**
HOTTENTOT	**AZINCOURT**	TOMBEREAU	RICHELIEU
HOTTENTOT	**BEAUCOURT**	BORDEREAU	**RICHELIEU**
VILLERUPT	**DEBUCOURT**	**COCHEREAU**	**ARGENLIEU**
GODENDART	**TOUGGOURT**	**FOLLEREAU**	SACREBLEU
STUTTGART	**OUSTIOURT**	PASSEREAU	VERTUBLEU
JAQUEMART	**SAINT-CAST**	**MONTEREAU**	**FONT-ROMEU**
FAIRE-PART	BREAKFAST	**COTTEREAU**	**BEAUNEVEU**
QUOTE-PART	**GOLD COAST**	JOTTEREAU	MOUSTACHU
LA PLUPART	**VILLEREST**	SAUTEREAU	**MOGADISHU**
CORVISART	ALCOOTEST	MAQUEREAU	**OUYANG XIU**
RIXENSART	NORD-OUEST	**BEAUPRÉAU**	**MUNDURUKU**
FROISSART	**NORD-OUEST**	BIGARREAU	**BANGWEULU**
BLOEMAERT	CHECK-LIST	**PALAISEAU**	**SADOVEANU**
BEERNAERT	**CRONQUIST**	DAMOISEAU	PORTE-MENU
ANGLEBERT	**SANDHURST**	BÉCASSEAU	ENTRETENU
PHILIBERT	**PANKHURST**	**AGUESSEAU**	APPARTENU
CHARIBERT	**SAINT-JUST**	TROUSSEAU	INTERVENU

TEMIRTAOU	INTERVIEW	BOURREAUX	PROXIMAUX
GUILLEDOU	BOW-WINDOW	FOURREAUX	LACRYMAUX
KATMANDOU	**SCAPA FLOW**	CHEVREAUX	TYMPANAUX
ROUDOUDOU	PROTHORAX	VIVES-EAUX	DUODÉNAUX
CARQUEFOU	MULTIPLEX	PAISSEAUX	NOUMÉNAUX
COUPE-CHOU	NÉOCORTEX	VAISSEAUX	SURRÉNAUX
CHABICHOU	PORTEFAIX	BOISSEAUX	VACCINAUX
VERTUCHOU	CASSE-NOIX	CUISSEAUX	MUSCINAUX
CHANGZHOU	**DELACROIX**	RUISSEAUX	CARDINAUX
GUANGZHOU	ROSE-CROIX	ROUSSEAUX	IMAGINAUX
ZHENGZHOU	**ROSE-CROIX**	VOUSSEAUX	ORIGINAUX
AVANT-CLOU	PORTE-VOIX	ÉCRITEAUX	MARGINAUX
KYPRIANOÚ	LAGOTHRIX	POINTEAUX	VIRGINAUX
LOUP-GAROU	TRENTE-SIX	FRONTEAUX	MACHINAUX
AVANT-TROU	**SCHRIBAUX**	TOURTEAUX	STAMINAUX
KANGOUROU	DÉVERBAUX	ÉCHEVEAUX	GERMINAUX
SANS-LE-SOU	ZODIACAUX	GODIVEAUX	TERMINAUX
GRIPPE-SOU	STOMACAUX	BALIVEAUX	INGUINAUX
MIAULÉTOU	SYNDICAUX	SOLIVEAUX	AUTOMNAUX
TIZI OUZOU	BEYLICAUX	CANIVEAUX	DÉCENNAUX
PAKANBARU	INAMICAUX	HÂTIVEAUX	VICENNAUX
TRANSPARU	TROPICAUX	VRAIS-FAUX	TRIENNAUX
AMATERASU	CLÉRICAUX	**PERRÉGAUX**	DIAGONAUX
LATO SENSU	VERTICAUX	MADRIGAUX	RÉGIONAUX
TAKAMATSU	CORTICAUX	CONJUGAUX	NATIONAUX
HAMAMATSU	CERVICAUX	SÉNÉCHAUX	RATIONAUX
COURT-VÊTU	NÉOLOCAUX	MARÉCHAUX	CYCLONAUX
IMPROMPTU	MÉNISCAUX	ZÉNITHAUX	HORMONAUX
TURLUTUTU	TOROÏDAUX	BILABIAUX	PATRONAUX
VANUA LEVU	ESCABEAUX	OFFICIAUX	NEURONAUX
NETCHAÏEV	FLAMBEAUX	ABSIDIAUX	CANTONAUX
NIKOLAÏEV	LIONCEAUX	PRANDIAUX	HIBERNAUX
MOÏSSEÏEV	POURCEAUX	BRACHIAUX	INFERNAUX
PROKOFIEV	FAISCEAUX	FAMILIAUX	HIVERNAUX
VASSILIEV	GUINDEAUX	BINOMIAUX	TRIBUNAUX
DIAGHILEV	CHAUDEAUX	DOMANIAUX	SHOGUNAUX
HJELMSLEV	GIRAFEAUX	COLONIAUX	COMMUNAUX
BECHTEREV	TRACHÉAUX	CANONIAUX	SYNCOPAUX
BALAKIREV	TOUCHEAUX	BITONIAUX	CÉRÉBRAUX
LEITMOTIV	SIMBLEAUX	SALOPIAUX	CARCÉRAUX
KOULECHOV	DOUBLEAUX	SALARIAUX	VISCÉRAUX
CHOLOKHOV	ORGANEAUX	NOTARIAUX	PONDÉRAUX
BOULGAKOV	HAVENEAUX	VIPÉRIAUX	VESPÉRAUX
MENCHIKOV	TRAÎNEAUX	IMPÉRIAUX	URÉTÉRAUX
SLAVEJKOV	BOBINEAUX	MATÉRIAUX	LITTÉRAUX
MIKHALKOV	COLINEAUX	MÉMORIAUX	INTÉGRAUX
MILIOUKOV	PÉRINÉAUX	ARMORIAUX	SOUPIRAUX
KARAVELOV	FOURNEAUX	ABBATIAUX	TEMPORAUX
STAKHANOV	**CHAMPEAUX**	PALATIAUX	CORPORAUX
PLEKHANOV	TROUPEAUX	COMITIAUX	PECTORAUX
GLAZOUNOV	PERDREAUX	AFFÛTIAUX	RECTORAUX
PROKHOROV	HOBEREAUX	SYNOVIAUX	DOCTORAUX
NEKRASSOV	LAPEREAUX	ALLUVIAUX	PASTORAUX
KOUTOUSOV	VIPEREAUX	ILLUVIAUX	LITTORAUX
LERMONTOV	MÂTEREAUX	EXTRÉMAUX	SABURRAUX
KARAMAZOV	BLAIREAUX	ESQUIMAUX	THÉÂTRAUX
KOUTOUZOV	BIHOREAUX	**ESQUIMAUX**	SPECTRAUX

ARBITRAUX	INGÉNIEUX	THÉÂTREUX	**KISFALUDY**
MONAURAUX	SÉLÉNIEUX	CHARTREUX	**DE QUINCEY**
ÉPIDURAUX	ARSÉNIEUX	MERCUREUX	**ANG VODDEY**
PICTURAUX	**BÉDARIEUX**	VALEUREUX	**CHEVALLEY**
CULTURAUX	IMPÉRIEUX	SULFUREUX	**KIMBERLEY**
POSTURAUX	LABORIEUX	TELLUREUX	**WYCHERLEY**
GUTTURAUX	INCURIEUX	RIGOUREUX	**BEARDSLEY**
COLOSSAUX	INJURIEUX	VIGOUREUX	**WELLESLEY**
PRÉNATAUX	LUXURIEUX	**LAMOUREUX**	**PRIESTLEY**
OBJECTAUX	CHASSIEUX	SAVOUREUX	**MONTERREY**
SOCIÉTAUX	FACÉTIEUX	PARESSEUX	**GUERNESEY**
PARIÉTAUX	AMBITIEUX	GRAISSEUX	**NEW JERSEY**
VARIÉTAUX	SÉDITIEUX	GNEISSEUX	**KANDINSKY**
TRIMÉTAUX	MINUTIEUX	LOQUETEUX	**CURNONSKY**
NON-MÉTAUX	GRUMELEUX	GRANITEUX	**BLAVATSKY**
SOMMITAUX	CAUTELEUX	TOMENTEUX	**VRANITZKY**
VICOMTAUX	COQUELEUX	CLAPOTEUX	**LISSITZKY**
ORIENTAUX	CLAVELEUX	CRAPOTEUX	**LA GACILLY**
ORIENTAUX	GRAVELEUX	SCHISTEUX	CHANTILLY
PARENTAUX	LAMELLEUX	GALETTEUX	**CHANTILLY**
PRÉVÔTAUX	ÉCAILLEUX	DISETTEUX	**SAINT-RÉMY**
SAGITTAUX	PÉRILLEUX	REBOUTEUX	**ALLEGHANY**
AZIMUTAUX	VÉTILLEUX	VELOUTEUX	**CABESTANY**
RONCEVAUX	**DUTILLEUX**	**PÉRIGUEUX**	**BATTHYÁNY**
MÉDIÉVAUX	POUILLEUX	VARIQUEUX	**ALLEGHENY**
ENTREVAUX	MÉDULLEUX	BAROQUEUX	**GIROMAGNY**
GINGIVAUX	RUBÉOLEUX	FRUCTUEUX	**MONTMAGNY**
CLAIRVAUX	VARIOLEUX	IMPÉTUEUX	**ÉTRÉPAGNY**
PRÉFIXAUX	GLOBULEUX	SOMPTUEUX	**CHAMPIGNY**
SUFFIXAUX	CALCULEUX	QUARTZEUX	**PICQUIGNY**
ENTRE-DEUX	MUSCULEUX	AIGRE-DOUX	**CHAUVIGNY**
CAFARDEUX	GRANULEUX	**GIRAUDOUX**	MULE-JENNY
HASARDEUX	CRAPULEUX	ALQUIFOUX	**SAINTE-FOY**
VINGT-DEUX	FISTULEUX	**BARBAROUX**	**LE QUESNOY**
GARDE-FEUX	PUSTULEUX	**LE LOUROUX**	**DUQUESNOY**
BOUTEFEUX	MANGANEUX	**WALVIS BAY**	**ANTANDROY**
PIQUE-FEUX	BESOGNEUX	**PLOUBALAY**	**DU CAURROY**
OMBRAGEUX	TENDINEUX	**MAIGNELAY**	**BÉRÉGOVOY**
OUTRAGEUX	ÉRUGINEUX	**SEIGNELAY**	**SAINT-LARY**
COURAGEUX	VERMINEUX	MATCH-PLAY	**SINNAMARY**
PARTAGEUX	ALUMINEUX	MEDAL PLAY	**TIPPERARY**
GRINCHEUX	FIBRINEUX	**PARTHENAY**	**VILLANDRY**
PELUCHEUX	CHITINEUX	**FRONTENAY**	**MONTLHÉRY**
AUDACIEUX	GLUTINEUX	**COURTENAY**	**BEUVE-MÉRY**
JUDICIEUX	COTONNEUX	**MARSANNAY**	**MITRY-MORY**
OFFICIEUX	SAVONNEUX	CHARDONAY	**COMMENTRY**
MALICIEUX	VIOLONEUX	**LE CHESNAY**	**WATERBURY**
DÉLICIEUX	CAVERNEUX	**ECHEGARAY**	**SALISBURY**
ASTUCIEUX	TÉNÉBREUX	**THACKERAY**	**BENIN CITY**
DEMI-DIEUX	CANCÉREUX	**VAUGNERAY**	RAVE-PARTY
INSIDIEUX	DOUCEREUX	**SAINT-QUAY**	**ESTERHÁZY**
MÉLODIEUX	PONDÉREUX	**HEMINGWAY**	ALLUME-GAZ
RELIGIEUX	DANGEREUX	**BEAUGENCY**	**KARA-BOGAZ**
LITIGIEUX	STUPOREUX	**BOIS-D'ARCY**	**DELAMURAZ**
SPONGIEUX	LIQUOREUX	**IRRAWADDY**	**BYDGOSZCZ**
COURLIEUX	**LE PERREUX**	**KARAGANDY**	**GRUDZIADZ**
MEXIMIEUX	SQUIRREUX	**ZSIGMONDY**	**FERNÁNDEZ**

HERNÁNDEZ ABDÜLAZIZ STIEGLITZ MÉGAHERTZ
DUMOURIEZ KRONPRINZ AUSCHWITZ KILOHERTZ
VÉLASQUEZ KRONPRINZ MARKOWITZ SANTA CRUZ
VELÁZQUEZ FESTOÙ-NOZ KARLOWITZ
ABD AL-AZIZ KIG HA FARZ HELMHOLTZ

10

UBERLÂNDIA KITWE-NKANA
YOUSSOUFIA SANTILLANA
BILLBERGIA VARDHAMANA
ZAPORIJJIA IPÉCACUANA
EAST ANGLIA CAPPA MAGNA
MELENCOLIA PALESTRINA
LEISHMANIA PONTRESINA
SARRACENIA PRIMA DONNA
SANTA MARIA RANAVALONA
PASIONARIA KARLSKRONA
GAULTHERIA BELLINZONA
PANDATERIA RAMAKRISNA
AHVENANMAA TILLANDSIA ESKILSTUNA
ADDIS-ABABA MARCHANTIA NOVA LISBOA
BÉKÉSCSABA POINSETTIA JOÃO PESSOA
ADDIS-ABEBA RHEA SILVIA MONOMOTAPA
TELL AL-HIBA STRELITZIA BANDIAGARA
COCHABAMBA IBN BADJDJA SAGAMIHARA
N'KONGSAMBA MATRIOCHKA SANTA CLARA
CHUQUISACA PETROUCHKA AUTANT-LARA
CUERNAVACA TANGANYIKA PLASMOPARA
CASABLANCA INDIGUIRKA NAMBIKWARA
EMPIRE INCA RUDA SLASKA EX CATHEDRA
CLUJ-NAPOCA SZYMBORSKA PONTEVEDRA
JUAN DE FUCA TOUNGOUSKA APHÉLANDRA
COUCI-COUÇA DOMBROWSKA BORDIGHERA
TORQUEMADA KAMTCHATKA SPACE OPERA
VIJAYAVADA DELLA SCALA FORMENTERA
ESPRONCEDA SHAKUNTALA PHYLLOXÉRA
AVELLANEDA GUJRANWALA BOCCANEGRA
DAR EL-BEIDA CAMPANELLA ORS Y ROVIRA
ASA FŒTIDA MOZZARELLA JUIZ DE FORA
SAINT KILDA SEGUIDILLA SOMOSIERRA
ENCOMIENDA CHINCHILLA FINIGUERRA
AHURA-MAZDÃ MANZANILLA LEUCOPETRA
SKELLEFTEÅ HISPANIOLA ASPIDISTRA
FANGATAUFA CARMAGNOLA RAS TANNURA
BALENCIAGA IOCHKAR-OLA TCHIATOURA
LOPE DE VEGA GORGONZOLA MASSINISSA
IKE NO TAIGA GORGONZOLA BARBAROSSA
ARABI PACHA GUADARRAMA BABIROUSSA
URABI PACHA TÉLÉCINÉMA TRIPLICATA
TEKAKWITHA XIXABANGMA DESIDERATA
PYRACANTHA MATSUSHIMA IVAN KALITA
OUM ER-REBIA LEZAMA LIMA HAUTE-VOLTA
MULTIMÉDIA ÉRYTHRASMA JOGJAKARTA
MOHAMMEDIA COPACABANA SANTA MARTA
HYPERMÉDIA SATAVAHANA DELLA PORTA

IBN BATTUTA
BRATISLAVA
PILLOW-LAVA
COSTA BRAVA
TSVETAÏEVA
PETAH-TIKVA
TERECHKOVA
JUAN DE NOVA
TOKOROZAWA
ORZESZKOWA
YAZILIKAYA
ALAUNGPAYA
CHAO PHRAYA
ICHINOMIYA
UTSUNOMIYA
ABDEL WAHAB
CUPROPLOMB
LARME-DE-JOB
SAINT-BRIAC
ROUFFIGNAC
MERDRIGNAC
MANCO CÁPAC
KRAGUJEVAC
ARRIÈRE-BEC
BRICQUEBEC
NOISY-LE-SEC
PARAPUBLIC
SEMI-PUBLIC
WORLD MUSIC
HOUSE MUSIC
DIAGNOSTIC
MILANKOVIC
MIHAILOVIC
TEISSERENC
CONTRE-CHOC
SILENTBLOC
CUAUHTÉMOC
BLANC-ESTOC
JEANNE D'ARC
CULS-DE-PORC
ARNAY-LE-DUC
PORT-DE-BOUC
PERNAMBOUC
CAOUTCHOUC
MONTASTRUC
NADJAFABAD
AURANGABAD
FAISALABAD
STALINABAD
BIRKENHEAD
BEACHY HEAD
STALINGRAD
KIROVOGRAD
KIROVOHRAD
WILLEMSTAD
COUS-DE-PIED
CLOCHE-PIED

CROCHE-PIED
MARCHEPIED
CONTRE-PIED
COUVRE-PIED
REPOSE-PIED
HALQ EL-OUED
LAKE PLACID
ABDÜLMECID
VALLADOLID
ABDÜLHAMID
CHAUD-FROID
PISSE-FROID
THÉODEBALD
FITZGERALD
BUCHENWALD
WIENERWALD
WESTERWALD
CREUTZWALD
FRAUENFELD
SOMMERFELD
LAZARSFELD
MERRIFIELD
BLOOMFIELD
HOUNSFIELD
ROTHSCHILD
SAINT-AVOLD
SAINT-HÉAND
BOISBRIAND
NYASSALAND
VAN ZEELAND
MITTELLAND
BURGENLAND
HÉLIGOLAND
BASUTOLAND
CUMBERLAND
SUNDERLAND
SUTHERLAND
LONG ISLAND
NO MAN'S LAND
QUEENSLAND
BRUNDTLAND
DISNEYLAND
SAINT-AMAND
CONFIRMAND
BAS-NORMAND
HILDEBRAND
SUPERGRAND
MÈRES-GRAND
MITTERRAND
TALLEYRAND
FEYERABEND
NAUSÉABOND
SAINT-TROND
SONDERBUND
BACKGROUND
PUGET SOUND
POLITICARD

REVANCHARD
BAMBOCHARD
AAR-GOTHARD
CHAMONIARD
CHAMONIARD
CORBILLARD
TORTILLARD
BROUILLARD
TROUILLARD
BÉQUILLARD
COQUILLARD
CHEVILLARD
CAPITULARD
LE CHEYLARD
CAUSSENARD
CAUSSENARD
TRAQUENARD
CAMPAGNARD
MONTAGNARD
CHAROGNARD
BASTOGNARD
SORBONNARD
SKATEBOARD
STORY-BOARD
DREYFUSARD
COUCHE-TARD
HORSE-GUARD
DIEULOUARD
RUTHERFORD
SOGNEFJORD
WILLIBRORD
SUPER-LOURD
LIMOUGEAUD
LIMOUGEAUD
COURAMIAUD
FONTEVRAUD
ENTRE-NŒUD
SAINT-CLOUD
CORÉE DU SUD
CORSE-DU-SUD
CROIX DU SUD
CHLAMYDIAE
SUPERNOVAE
TRISYLLABE
DISSYLLABE
ANGLO-ARABE
INTERARABE
BELLEGAMBE
ENTREJAMBE
DITHYRAMBE
LANCE-BOMBE
HAUTECOMBE
OUTRE-TOMBE
ANGLOPHOBE
HYDROPHOBE
QUADRILOBE
SOPHONISBE

BAR-SUR-AUBE	CRÉDITRICE	ASSISTANCE
PILO-SÉBACÉ	APÉRITRICE	ADMITTANCE
INEFFICACE	DÉTENTRICE	SURVIVANCE
PERSPICACE	INVENTRICE	OBSERVANCE
GREENPEACE	PROMOTRICE	INCROYANCE
BRISE-GLACE	RÉCEPTRICE	PRÉVOYANCE
GRAND-PLACE	SCULPTRICE	PUBESCENCE
GARDE-PLACE	REPORTRICE	QUIESCENCE
SOUS-ESPACE	EXÉCUTRICE	TUMESCENCE
VAL-DE-GRÂCE	SUBREPTICE	SÉNESCENCE
SAMOTHRACE	INTERSTICE	VIRESCENCE
SOUS-ESPÈCE	BREAKDANCE	DÉHISCENCE
BACK-OFFICE	ASCENDANCE	PROCIDENCE
STRATONICE	DÉPENDANCE	CONFIDENCE
TOUTE-ÉPICE	INTENDANCE	SUBSIDENCE
SAINT-BRICE	REDONDANCE	PRÉSIDENCE
DENTIFRICE	ALLÉGEANCE	DISSIDENCE
ÉVOCATRICE	OBLIGEANCE	PROVIDENCE
ÉDUCATRICE	DÉROGEANCE	**PROVIDENCE**
PRÉDATRICE	SUPPLÉANCE	IMPRUDENCE
FONDATRICE	BIENSÉANCE	NÉGLIGENCE
LAUDATRICE	INÉLÉGANCE	INDULGENCE
VICIATRICE	INVARIANCE	DÉTERGENCE
MÉDIATRICE	COVARIANCE	DIVERGENCE
EXPIATRICE	LUXURIANCE	RÉSURGENCE
DÉVIATRICE	MOUILLANCE	DÉFICIENCE
VIOLATRICE	CONTENANCE	EFFICIENCE
ADULATRICE	SOUTENANCE	PRESCIENCE
ANIMATRICE	PRÉVENANCE	CONSCIENCE
FORMATRICE	CONVENANCE	**CONSCIENCE**
FRÉNATRICE	PROVENANCE	GÉOSCIENCE
PHONATRICE	SOUVENANCE	RÉSILIENCE
PRONATRICE	RÉPUGNANCE	EXPÉRIENCE
OPÉRATRICE	ORDONNANCE	IMPATIENCE
MIGRATRICE	ORDONNANCÉ	PRÉVALENCE
ADORATRICE	CONSONANCE	PESTILENCE
NARRATRICE	DISSONANCE	EXCELLENCE
SECTATRICE	ALTERNANCE	SOMNOLENCE
AGITATRICE	EXUBÉRANCE	TURBULENCE
IMITATRICE	TEMPÉRANCE	SUCCULENCE
CANTATRICE	SOUFFRANCE	TRUCULENCE
TENTATRICE	MAISTRANCE	CORPULENCE
CAPTATRICE	MONSTRANCE	QUÉRULENCE
TESTATRICE	FULGURANCE	FLATULENCE
ÉLÉVATRICE	DÉLIVRANCE	INCLÉMENCE
SALVATRICE	SUFFISANCE	RECOMMENCÉ
RÉDACTRICE	OBÉISSANCE	PERMANENCE
EFFECTRICE	CROISSANCE	CONTINENCE
DIRECTRICE	JOUISSANCE	PERTINENCE
DÉTECTRICE	INDUCTANCE	ABSTINENCE
RÉDUCTRICE	RÉLUCTANCE	SUBCARENCE
SÉDUCTRICE	PERDITANCE	PRÉFÉRENCE
INDUCTRICE	REPENTANCE	DIFFÉRENCE
SÉCRÉTRICE	IMPORTANCE	CONFÉRENCE
EXCRÉTRICE	VARISTANCE	DÉSHÉRENCE
ENQUÊTRICE	RÉSISTANCE	OCCURRENCE
COÉDITRICE	INSISTANCE	RÉCURRENCE

COMPÉTENCE	DELPHINIDÉ	MAPPEMONDE
DIFFLUENCE	PROCYONIDÉ	TIERS-MONDE
CONFLUENCE	CORTICOÏDE	QUART-MONDE
CONGRUENCE	PTÉRYGOÏDE	**LEYSENONDE**
CONNIVENCE	MÉTALLOÏDE	FUSÉE-SONDE
INTERNONCE	MONGOLOÏDE	RADIOSONDE
TRANSPERCÉ	POLYPLOÏDE	MICROSONDE
AIGRE-DOUCE	ARYTÉNOÏDE	**TRÉBIZONDE**
ESTOUFFADE	ARACHNOÏDE	**PEENEMÜNDE**
BAMBOCHADE	CARCINOÏDE	**WARNEMÜNDE**
ASCLÉPIADE	PLATINOÏDE	PHOTODIODE
ASCLÉPIADE	**FONTFROIDE**	RACCOMMODÉ
CHANCELADE	BIZARROÏDE	MALCOMMODE
ESTAFILADE	HÉMORROÏDE	PSEUDOPODE
PERSILLADE	ELLIPSOÏDE	SCAPHOPODE
BOUSCULADE	RHUMATOÏDE	ARTHROPODE
ENGUEULADE	GRANITOÏDE	GASTROPODE
ROUCOULADE	ALLANTOÏDE	**GHELDERODE**
SEMI-NOMADE	TRAPÉZOÏDE	**NESSELRODE**
EMPOIGNADE	TRICUSPIDE	**OUDENAARDE**
CAPUCINADE	SACCHARIDE	HALLEBARDE
MAZARINADE	CANTHARIDE	FLANC-GARDE
GASCONNADE	ÉPHÉMÉRIDE	**HILDEGARDE**
DRAGONNADE	GÉOMÉTRIDÉ	**BELLEGARDE**
ROGNONNADE	NUCLÉOSIDE	PAR MÉGARDE
TAMPONNADE	DIHOLOSIDE	SAUVEGARDE
CITRONNADE	HÉTÉROSIDE	SAUVEGARDÉ
BASTONNADE	THÉROPSIDÉ	AVANT-GARDE
TARDIGRADE	SAUROPSIDÉ	CABOCHARDE
MULTIGRADE	CHROMATIDE	BINOCLARDE
CENTIGRADE	SPERMATIDE	ENTRELARDÉ
RÉTROGRADE	**ANTARCTIDE**	PIAILLARDE
RÉTROGRADÉ	**PROPONTIDE**	BRAILLARDE
LA DÉSIRADE	NUCLÉOTIDE	BABILLARDE
BALUSTRADE	STAUROTIDE	DÉBILLARDÉ
EMBRASSADE	RADIOGUIDÉ	VIEILLARDE
CAPILOTADE	**VAN DE VELDE**	OREILLARDE
HAMADRYADE	ENTRE-BANDE	ÉGRILLARDE
VÉLOCIPÈDE	PASSE-BANDE	NASILLARDE
QUADRUPÈDE	PLATE-BANDE	VÉTILLARDE
AMINOACIDE	PROPAGANDE	GOGUENARDE
SUPERACIDE	DÉGINGANDÉ	COMBINARDE
PSITTACIDÉ	RÉPRIMANDE	SNOBINARDE
SPERMICIDE	RÉPRIMANDÉ	SALONNARDE
FRATRICIDE	DÉCOMMANDÉ	COMMUNARDE
SCARABÉIDÉ	RECOMMANDÉ	BROUSSARDE
QUADRIFIDE	**SAINT-MANDÉ**	FROUSSARDE
SEMI-RIGIDE	MILLERANDÉ	À L'INSTAR DE
NYMPHALIDÉ	TISSERANDE	PANIQUARDE
CHRYSALIDE	TRANSCENDÉ	TRANSBORDÉ
TROCHILIDÉ	APPRÉHENDÉ	TÉTRACORDE
ANTHYLLIDE	PECHBLENDE	DÉSACCORDÉ
LANTHANIDE	HORNBLENDE	CLAVICORDE
PHASIANIDÉ	JOUR-AMENDE	STOMOCORDÉ
ANTAMANIDE	**VIEUX-CONDÉ**	AU-DEDANS DE
ACHÉMÉNIDE	**FRÉDÉGONDE**	AU-DEHORS DE
SCORPÉNIDÉ	DÉVERGONDÉ	AU-DESSUS DE

AU-DEVANT DE
ESQUIMAUDE
ESQUIMAUDE
BAGUENAUDE
BAGUENAUDÉ
PÉQUENAUDE
COGNERAUDE
INQUIÉTUDE
COMPLÉTUDE
MANSUÉTUDE
SIMILITUDE
INFINITUDE
EXACTITUDE
FOULTITUDE
INAPTITUDE
MISTER HYDE
SUPEROXYDE
DÉSINHIBÉE
SURPLOMBÉE
À LA DÉROBÉE
RÉABSORBÉE
CANNABACÉE
DIPSACACÉE
ORCHIDACÉE
SAPINDACÉE
ACANTHACÉE
GÉRANIACÉE
FUMARIACÉE
ENTRELACÉE
PRIMULACÉE
VERBÉNACÉE
GRAMINACÉE
BURSÉRACÉE
MANIGANCÉE
COFINANCÉE
ASSONANCÉE
ENSEMENCÉE
RÉFÉRENCÉE
INFLUENCÉE
DÉSAMORCÉE
RESSOURCÉE
COURROUCÉE
PHÉOPHYCÉE
BARRICADÉE
EMBRIGADÉE
PALISSADÉE
RÉTROCÉDÉE
DÉPOSSÉDÉE
CONSOLIDÉE
TÉLÉGUIDÉE
FILOGUIDÉE
AUTOGUIDÉE
TRANSVIDÉE
MARCHANDÉE
AFFRIANDÉE
ACHALANDÉE
REDEMANDÉE

GOURMANDÉE
VILIPENDÉE
TRANSCODÉE
ACCOMMODÉE
INCOMMODÉE
CHAMBARDÉE
BRANCARDÉE
BOUCHARDÉE
MOUCHARDÉE
POIGNARDÉE
ÉCHAFAUDÉE
COURTAUDÉE
ÉBOURIFFÉE
RÉCHAUFFÉE
DÉSENGAGÉE
TREILLAGÉE
DÉDOMMAGÉE
ENDOMMAGÉE
RÉAMÉNAGÉE
DÉCOURAGÉE
ENCOURAGÉE
AFFOURAGÉE
DÉPARTAGÉE
REPARTAGÉE
DÉSAGRÉGÉE
DÉSOBLIGÉE
RECORRIGÉE
RÉARRANGÉE
INTERROGÉE
SURCHARGÉE
HYDROFUGÉE
EMPANACHÉE
AMOURACHÉE
POURLÉCHÉE
REMMANCHÉE
DÉBRANCHÉE
EMBRANCHÉE
RETRANCHÉE
DÉCLENCHÉE
ENCLENCHÉE
RABIBOCHÉE
EFFILOCHÉE
GUILLOCHÉE
RACCROCHÉE
RAPPROCHÉE
RECHERCHÉE
AFFOURCHÉE
ENFOURCHÉE
DISPATCHÉE
REMBAUCHÉE
CHEVAUCHÉE
DESSOUCHÉE
LEUCORRHÉE
SIALORRHÉE
AMÉNORRHÉE
DISGRACIÉE
SUPPLICIÉE

DISTANCIÉE
RENÉGOCIÉE
COASSOCIÉE
RÉEXPÉDIÉE
STIPENDIÉE
PSALMODIÉE
PLANCHÉIÉE
RIGIDIFIÉE
SOLIDIFIÉE
HUMIDIFIÉE
FLUIDIFIÉE
DRAGÉIFIÉE
SIMPLIFIÉE
SAPONIFIÉE
ÉTHÉRIFIÉE
ESTÉRIFIÉE
ÉMULSIFIÉE
CLASSIFIÉE
STRATIFIÉE
SANCTIFIÉE
QUANTIFIÉE
IDENTIFIÉE
PLASTIFIÉE
REVIVIFIÉE
DÉNAZIFIÉE
DOMICILIÉE
LATIFOLIÉE
MULTIPLIÉE
ANTIMONIÉE
POLYCOPIÉE
CONTRARIÉE
APPROPRIÉE
EXPROPRIÉE
APOSTASIÉE
ŒDÉMATIÉE
NON-INITIÉE
INTERCALÉE
RASSEMBLÉE
MONONUCLÉÉE
ENSORCELÉE
ZÉNON D'ÉLÉE
DÉCONGELÉE
ENTREMÊLÉE
RESSEMELÉE
DÉBOSSELÉE
ENCHÂTELÉE
DÉMANTELÉE
ENCASTELÉE
DÉCERVELÉE
RENOUVELÉE
ESSOUFFLÉE
DESSANGLÉE
TRANSFILÉE
DÉFAUFILÉE
HORRIPILÉE
TRIMBALLÉE
PÉDICELLÉE

AQUARELLÉE
CONSTELLÉE
CHAMAILLÉE
REMMAILLÉE
GRENAILLÉE
REMPAILLÉE
COUPAILLÉE
DÉBRAILLÉE
FERRAILLÉE
MITRAILLÉE
GRISAILLÉE
AVITAILLÉE
TRAVAILLÉE
DÉGOBILLÉE
CONSEILLÉE
SURVEILLÉE
ÉCHENILLÉE
GRAPPILLÉE
ÉPARPILLÉE
HOUSPILLÉE
ÉTOUPILLÉE
QUADRILLÉE
ESSORILLÉE
POINTILLÉE
ENDEUILLÉE
EFFEUILLÉE
BIDOUILLÉE
BAFOUILLÉE
REFOUILLÉE
AFFOUILLÉE
MAGOUILLÉE
ZIGOUILLÉE
REMOUILLÉE
GENOUILLÉE
DÉPOUILLÉE
DÉROUILLÉE
PATOUILLÉE
RESQUILLÉE
CARAMBOLÉE
CAMBRIOLÉE
EXTRAPOLÉE
INTERPOLÉE
INCONSOLÉE
RAFISTOLÉE
CONTEMPLÉE
SURPEUPLÉE
QUADRUPLÉE
QUINTUPLÉE
FASCICULÉE
PELLICULÉE
VERMICULÉE
DENTICULÉE
LENTICULÉE
ONGUICULÉE
RECALCULÉE
PÉDONCULÉE
TRIANGULÉE

DISSIMULÉE
REFORMULÉE
INFORMULÉE
DESSAOULÉE
CHAMBOULÉE
DÉBAGOULÉE
ENCAGOULÉE
DÉCAPSULÉE
CARBONYLÉE
BLASPHÉMÉE
CLAIRSEMÉE
RÉIMPRIMÉE
INEXPRIMÉE
DÉSARRIMÉE
MILLÉSIMÉE
SURESTIMÉE
MÉSESTIMÉE
PROGRAMMÉE
RÉAFFIRMÉE
DÉSENFUMÉE
TRANSHUMÉE
ACCOUTUMÉE
FILIGRANÉE
SIMULTANÉE
MOMENTANÉE
PERCUTANÉE
HYDROGÉNÉE
DÉSALIÉNÉE
AVEUGLE-NÉE
RASSÉRÉNÉE
RENSEIGNÉE
NON-ALIGNÉE
DÉSALIGNÉE
RÉASSIGNÉE
SOUSSIGNÉE
ÉGRATIGNÉE
RENFROGNÉE
RECOMBINÉE
REMBOBINÉE
REVACCINÉE
HALLUCINÉE
DÉCAFÉINÉE
PARAFFINÉE
CONTAMINÉE
RÉEXAMINÉE
DISSÉMINÉE
INCRIMINÉE
ENCALMINÉE
DÉTERMINÉE
EXTERMINÉE
TURLUPINÉE
GLYCÉRINÉE
ORGANSINÉE
ASSASSINÉE
AGGLUTINÉE
EMBÉGUINÉE
MAROQUINÉE

TRUSQUINÉE
ENRUBANNÉE
PARIPENNÉE
DÉSABONNÉE
CHARBONNÉE
REFAÇONNÉE
ÉTANÇONNÉE
POINÇONNÉE
TRONÇONNÉE
SOUPÇONNÉE
ABANDONNÉE
COORDONNÉE
CHIFFONNÉE
GRIFFONNÉE
TORCHONNÉE
BOUCHONNÉE
PENSIONNÉE
PASSIONNÉE
FISSIONNÉE
OVATIONNÉE
SECTIONNÉE
MENTIONNÉE
ÉMOTIONNÉE
BASTIONNÉE
CAUTIONNÉE
HOUBLONNÉE
ÉCHELONNÉE
MAMELONNÉE
BÂILLONNÉE
CRAMPONNÉE
GOUDRONNÉE
BIBERONNÉE
CLAIRONNÉE
ENVIRONNÉE
FLEURONNÉE
CHEVRONNÉE
LIAISONNÉE
CLOISONNÉE
MOISSONNÉE
ÉCUSSONNÉE
CAPITONNÉE
CHANTONNÉE
PELOTONNÉE
DÉGAZONNÉE
ENGAZONNÉE
TÉLÉPHONÉE
RÉINCARNÉE
ENCASERNÉE
CONSTERNÉE
PROSTERNÉE
CONTOURNÉE
BISTOURNÉE
RISTOURNÉE
NOUVEAU-NÉE
INFORTUNÉE
IMPORTUNÉE
HANDICAPÉE

SURÉQUIPÉE	EMPRÉSURÉE	RANDOMISÉE
DÉSÉQUIPÉE	PRÉMATURÉE	ÉCONOMISÉE
COÏNCULPÉE	SURSATURÉE	SCOTOMISÉE
TÉLESCOPÉE	STRUCTURÉE	VULCANISÉE
PROSOPOPÉE	ACCULTURÉE	MÉTHANISÉE
ONOMATOPÉE	DÉSENIVRÉE	BALKANISÉE
DÉVELOPPÉE	MANŒUVRÉE	GERMANISÉE
ENVELOPPÉE	DÉSŒUVRÉE	GALVANISÉE
PRÉOCCUPÉE	SEMI-OUVRÉE	HELLÉNISÉE
RONÉOTYPÉE	MONOPHASÉE	MYÉLINISÉE
RAZ DE MARÉE	POLYPHASÉE	CRÉTINISÉE
DÉSEMPARÉE	EXTRAVASÉE	INDEMNISÉE
ENTÉNÉBRÉE	DÉSENVASÉE	TYRANNISÉE
DÉCÉRÉBRÉE	TRANSVASÉE	SOLENNISÉE
ÉQUILIBRÉE	BILLEVESÉE	PÉRENNISÉE
GERMANDRÉE	ANGLICISÉE	CARBONISÉE
SAUPOUDRÉE	CATÉCHISÉE	PRÉCONISÉE
RÉVERBÉRÉE	FRANCHISÉE	HARMONISÉE
INCARCÉRÉE	GLOBALISÉE	MICRONISÉE
CONFÉDÉRÉE	VERBALISÉE	INTRONISÉE
CONSIDÉRÉE	FISCALISÉE	MODERNISÉE
INDIFFÉRÉE	VANDALISÉE	MATERNISÉE
PESTIFÉRÉE	IRRÉALISÉE	RATIBOISÉE
TRANSFÉRÉE	LABIALISÉE	FRAMBOISÉE
PRÉDIGÉRÉE	SOCIALISÉE	PRÉCARISÉE
RÉFRIGÉRÉE	FILIALISÉE	VULGARISÉE
AGGLOMÉRÉE	ANIMALISÉE	GARGARISÉE
DÉSESPÉRÉE	FORMALISÉE	SCOLARISÉE
DÉSALTÉRÉE	NORMALISÉE	SCÉNARISÉE
DÉCHIFFRÉE	SIGNALISÉE	CANCÉRISÉE
ENGOUFFRÉE	SACRALISÉE	MERCERISÉE
RÉINTÉGRÉE	VASSALISÉE	BONDÉRISÉE
CORROBORÉE	BRUTALISÉE	PAUPÉRISÉE
PHOSPHORÉE	ANNUALISÉE	CRATÉRISÉE
DÉTÉRIORÉE	VISUALISÉE	SINTÉRISÉE
INEXPLORÉE	ACTUALISÉE	CAUTÉRISÉE
COMMÉMORÉE	RITUALISÉE	PULVÉRISÉE
DÉSHONORÉE	MUTUALISÉE	VAMPIRISÉE
INCORPORÉE	SEXUALISÉE	EUPHORISÉE
EXPECTORÉE	DIÉSÉLISÉE	TAYLORISÉE
EMPOURPRÉE	FIABILISÉE	TERRORISÉE
REMBOURRÉE	VIABILISÉE	FACTORISÉE
PARAMÉTRÉE	STABILISÉE	SECTORISÉE
KILOMÉTRÉE	FRAGILISÉE	CICATRISÉE
SOUS-TITRÉE	STÉRILISÉE	ÉLECTRISÉE
CONCENTRÉE	FOSSILISÉE	SULFURISÉE
PRÉRENTRÉE	SUBTILISÉE	MARTYRISÉE
RENCONTRÉE	FERTILISÉE	MÉDIATISÉE
SURCONTRÉE	RÉUTILISÉE	DRAMATISÉE
PRÉMONTRÉE	INUTILISÉE	CLIMATISÉE
ORCHESTRÉE	MÉTALLISÉE	AROMATISÉE
SÉQUESTRÉE	LABELLISÉE	PRIVATISÉE
CALFEUTRÉE	SATELLISÉE	GADGÉTISÉE
DÉCARBURÉE	JAVELLISÉE	BUDGÉTISÉE
RECARBURÉE	DIABOLISÉE	ESTHÉTISÉE
DÉSULFURÉE	SYMBOLISÉE	SOVIÉTISÉE
PRÉFIGURÉE	ALCOOLISÉE	MAGNÉTISÉE

DÉPOÉTISÉE	DIFFRACTÉE	DESSUINTÉE
HYPNOTISÉE	CONTRACTÉE	CONFRONTÉE
DÉBAPTISÉE	PROSPECTÉE	DISCOUNTÉE
REBAPTISÉE	AUTODICTÉE	REMPRUNTÉE
EXPERTISÉE	DÉCACHETÉE	TRAFICOTÉE
PALETTISÉE	RECACHETÉE	MASSICOTÉE
SUBDIVISÉE	INTERJETÉE	MENDIGOTÉE
IMPROVISÉE	SOUFFLETÉE	DÉSADAPTÉE
SUPERVISÉE	FEUILLETÉE	PRÉCOMPTÉE
JUXTAPOSÉE	DÉCOLLETÉE	DISCOMPTÉE
ENTREPOSÉE	ÉPOUSSETÉE	HÉLIPORTÉE
SURIMPOSÉE	DÉPAQUETÉE	RÉIMPORTÉE
DÉCOMPOSÉE	EMPAQUETÉE	AÉROPORTÉE
RECOMPOSÉE	ÉCHIQUETÉE	RÉEXPORTÉE
SUPERPOSÉE	DÉCLAVETÉE	CONTRASTÉE
INTERPOSÉE	BÊCHEVETÉE	MANIFESTÉE
INDISPOSÉE	PRÉTRAITÉE	ADMONESTÉE
TRANSPOSÉE	MALTRAITÉE	CONTRISTÉE
SUREXPOSÉE	SOLLICITÉE	LÉPIDOSTÉE
REMBOURSÉE	EXPLICITÉE	LÉPISOSTÉE
ÉCHALASSÉE	SUREXCITÉE	TARABUSTÉE
SURCLASSÉE	DÉSEXCITÉE	DÉSAJUSTÉE
MATELASSÉE	PRÉMÉDITÉE	MANGEOTTÉE
CADENASSÉE	ACCRÉDITÉE	DÉCALOTTÉE
RAPETASSÉE	DÉSULFITÉE	DÉCULOTTÉE
INTÉRESSÉE	DÉGURGITÉE	RECULOTTÉE
COMPRESSÉE	RÉGURGITÉE	ROULEAUTÉE
SURBAISSÉE	INGURGITÉE	CHAPEAUTÉE
RENCAISSÉE	DÉCRÉPITÉE	TERREAUTÉE
DÉGRAISSÉE	PRÉCIPITÉE	DÉNOYAUTÉE
ENGRAISSÉE	DÉSHÉRITÉE	PERSÉCUTÉE
DÉPALISSÉE	PRÉTÉRITÉE	INEXÉCUTÉE
DÉFROISSÉE	NÉCESSITÉE	RÉPERCUTÉE
LAMBRISSÉE	CATAPULTÉE	REDISCUTÉE
RAPETISSÉE	BRILLANTÉE	INDISCUTÉE
LA CHAUSSÉE	COMPLANTÉE	PARACHUTÉE
DÉCHAUSSÉE	SUPPLANTÉE	CONVOLUTÉE
RECHAUSSÉE	PLAISANTÉE	COPERMUTÉE
ENCHAUSSÉE	ÉPOUVANTÉE	TRANSMUTÉE
SURHAUSSÉE	INNOCENTÉE	MARABOUTÉE
TRÉMOUSSÉE	ACCIDENTÉE	SURAJOUTÉE
DÉBROUSSÉE	DILIGENTÉE	CAILLOUTÉE
REBROUSSÉE	RÉARGENTÉE	DÉMAZOUTÉE
DÉTROUSSÉE	RÉORIENTÉE	PHAGOCYTÉE
RETROUSSÉE	ORNEMENTÉE	DISTRIBUÉE
MÉNOPAUSÉE	PAREMENTÉE	DÉFATIGUÉE
LANCE-FUSÉE	AGRÉMENTÉE	PROMULGUÉE
REDIFFUSÉE	FRAGMENTÉE	ÉTALINGUÉE
RÉTROFUSÉE	SÉDIMENTÉE	DÉGLINGUÉE
TRANSFUSÉE	TOURMENTÉE	EMBRINGUÉE
MILDIOUSÉE	DOCUMENTÉE	DISTINGUÉE
HYDROLYSÉE	ARGUMENTÉE	CATALOGUÉE
PHOSPHATÉE	CHARPENTÉE	HOMOLOGUÉE
CHOCOLATÉE	APPARENTÉE	SURÉVALUÉE
ACCLIMATÉE	FRÉQUENTÉE	DÉSÉCHOUÉE
CARBONATÉE	RÉINVENTÉE	ESTOMAQUÉE
RÉHYDRATÉE	BAS-JOINTÉE	ALAMBIQUÉE

OMBILIQUÉE	DÉFRICHAGE	BOUSILLAGE
COMPLIQUÉE	ÉBRANCHAGE	TORTILLAGE
PLASTIQUÉE	BOULOCHAGE	PASTILLAGE
INTOXIQUÉE	DÉBROCHAGE	TREUILLAGE
EFFLANQUÉE	ACCROCHAGE	AIGUILLAGE
REQUINQUÉE	DÉCROCHAGE	ÉPOUILLAGE
REMBARQUÉE	DÉMARCHAGE	BROUILLAGE
CONFISQUÉE	DÉBAUCHAGE	MAQUILLAGE
RÉHABITUÉE	EMBAUCHAGE	COQUILLAGE
SUBSTITUÉE	DÉBOUCHAGE	BATIFOLAGE
CONSTITUÉE	REBOUCHAGE	VITRIOLAGE
PROSTITUÉE	ESSOUCHAGE	SOUS-SOLAGE
AMBISEXUÉE	**GRAVENHAGE**	**PILAT-PLAGE**
PARACHEVÉE	SARCOPHAGE	DÉCOUPLAGE
CHAMPLEVÉE	LITHOPHAGE	REMMOULAGE
SURACTIVÉE	MALLOPHAGE	SURMOULAGE
DÉSACTIVÉE	MACROPHAGE	PRÉFORMAGE
OBJECTIVÉE	NÉCROPHAGE	DÉCHAUMAGE
ADJECTIVÉE	SAPROPHAGE	ENCABANAGE
INVECTIVÉE	COPROPHAGE	DÉDOUANAGE
INOBSERVÉE	PHYTOPHAGE	CARAVANAGE
INÉPROUVÉE	SCARIFIAGE	SOULIGNAGE
CONTROUVÉE	ALUMINIAGE	TÉMOIGNAGE
DÉSINDEXÉE	FORMARIAGE	PROVIGNAGE
DÉSENRAYÉE	DÉSTOCKAGE	PARRAINAGE
REDÉPLOYÉE	TRIMBALAGE	CALAMINAGE
RÉEMPLOYÉE	DESSABLAGE	DÉLAMINAGE
INEMPLOYÉE	ASSEMBLAGE	PÈLERINAGE
DÉGRAVOYÉE	DÉDOUBLAGE	MAGASINAGE
DÉSENNUYÉE	DÉMASCLAGE	CABOTINAGE
POUSSE-CAFÉ	ÉTINCELAGE	ÉCHEVINAGE
PAUSES-CAFÉ	DÉPUCELAGE	FLACONNAGE
ALLOGREFFE	REMODELAGE	BRACONNAGE
HOMOGREFFE	CRAQUELAGE	AMIDONNAGE
XÉNOGREFFE	PERSIFLAGE	PLAFONNAGE
AUTOGREFFE	DÉGONFLAGE	BICHONNAGE
ESCOGRIFFE	REGONFLAGE	CAMIONNAGE
PRÉCHAUFFÉ	CAMOUFLAGE	ESPIONNAGE
SURCHAUFFE	MAROUFLAGE	VISIONNAGE
SURCHAUFFÉ	PRÉRÉGLAGE	ÉTALONNAGE
DÉPLOMBAGE	RENTOILAGE	BILLONNAGE
DÉSHERBAGE	DÉSHUILAGE	BOULONNAGE
DÉBOURBAGE	REMBALLAGE	CHAPONNAGE
PLASTICAGE	EMBIELLAGE	TAMPONNAGE
MORDANÇAGE	ROCAILLAGE	HARPONNAGE
SÉQUENÇAGE	DÉMAILLAGE	COUPONNAGE
DÉCOINÇAGE	REMAILLAGE	PERSONNAGE
BRIGANDAGE	PINAILLAGE	LAITONNAGE
FAISANDAGE	DÉPAILLAGE	CARTONNAGE
RINGARDAGE	EMPAILLAGE	BOUTONNAGE
CHAPARDAGE	ORPAILLAGE	CLAYONNAGE
CLABAUDAGE	ENTAILLAGE	CRAYONNAGE
GALVAUDAGE	RHABILLAGE	DÉFOURNAGE
PATAUGEAGE	MORDILLAGE	ENFOURNAGE
BASTINGAGE	TORPILLAGE	RETOURNAGE
CATALOGAGE	GASPILLAGE	RATTRAPAGE
MARAÎCHAGE	DÉGRILLAGE	MARQUE-PAGE

ANTIDOPAGE
OXYCOUPAGE
PERVIBRAGE
DÉSENCRAGE
CALANDRAGE
CYLINDRAGE
DÉCOFFRAGE
MONITORAGE
DESSERRAGE
DÉBOURRAGE
DÉPLÂTRAGE
REPLÂTRAGE
SURTITRAGE
SURVITRAGE
DÉCENTRAGE
RECENTRAGE
DÉCINTRAGE
DÉTARTRAGE
ENTARTRAGE
FENESTRAGE
DÉLUSTRAGE
EFFLEURAGE
ENFLEURAGE
PRESSURAGE
CEINTURAGE
RECOUVRAGE
MORTAISAGE
SIMILISAGE
CHAMOISAGE
VAPORISAGE
CONCASSAGE
DÉCRASSAGE
REDRESSAGE
ENCAISSAGE
DOUCISSAGE
VERDISSAGE
OURDISSAGE
DÉPLISSAGE
EMPLISSAGE
GARNISSAGE
VERNISSAGE
RÉUNISSAGE
ALUNISSAGE
BRUNISSAGE
CRÉPISSAGE
PÉTRISSAGE
SAURISSAGE
SERTISSAGE
CARROSSAGE
REPOUSSAGE
DÉCREUSAGE
COMPACTAGE
COLLECTAGE
CROCHETAGE
PAILLETAGE
BRIQUETAGE
ÉTIQUETAGE

PARQUETAGE
DYNAMITAGE
REMBOÎTAGE
ASPHALTAGE
SURVOLTAGE
DÉPLANTAGE
APPOINTAGE
CHARIOTAGE
MATELOTAGE
ESCAMOTAGE
GRIGNOTAGE
NUMÉROTAGE
CHEVROTAGE
CRÉOSOTAGE
DÉCRYPTAGE
PANCARTAGE
COLPORTAGE
CONSORTAGE
BALLASTAGE
COMPOSTAGE
REGRATTAGE
TOILETTAGE
COMMETTAGE
BROUETTAGE
SCHLITTAGE
MARCOTTAGE
BOYCOTTAGE
BALLOTTAGE
DÉCROTTAGE
GARROTTAGE
BISEAUTAGE
CHARCUTAGE
FERROUTAGE
DÉSEMBUAGE
RENFLOUAGE
MATRAQUAGE
DÉCALQUAGE
DÉTROQUAGE
DÉMARQUAGE
REMORQUAGE
SOUS-CAVAGE
REMBLAYAGE
RÉESSAYAGE
FOUDROYAGE
HONGROYAGE
LETHBRIDGE
CHÊNE-LIÈGE
SAINT-SIÈGE
SURPROTÉGÉ
PERCE-NEIGE
CONGO BELGE
HAGONDANGE
MICHEL-ANGE
ALEXIS ANGE
STONEHENGE
SÈCHE-LINGE
DÉLAI-CONGÉ

MASKINONGÉ
PORTE-BARGE
TÉLÉCHARGÉ
CANNEBERGE
DEMI-VIERGE
BAILLAIRGÉ
ERZGEBIRGE
ROUGE-GORGE
COUPE-GORGE
ENTR'ÉGORGÉ
DÉSENGORGÉ
DRAMATURGE
CALORIFUGE
CALORIFUGÉ
CENTRIFUGE
CENTRIFUGÉ
SUBTERFUGE
INFRAROUGE
ARMÉE ROUGE
BATON ROUGE
CROIX-ROUGE
STÉATOPYGE
CACHE-CACHE
DÉHARNACHÉ
SABRETACHE
MULTITÂCHE
TCHOUVACHE
PELLE-BÊCHE
PIE-GRIÈCHE
GARDE-PÊCHE
ARCHEVÊCHÉ
MICROFICHE
OUANANICHE
PLEURNICHÉ
LAGOTRICHE
HÉMISTICHE
ACROSTICHE
PALPLANCHE
ENDIMANCHÉ
BELLE-DOCHE
PATRIARCHE
EUROMARCHÉ
POST-MARCHÉ
ÉTAMPERCHE
ÉTEMPERCHE
TCHOUKTCHE
RÉEMBAUCHÉ
GRAND-DUCHÉ
COQUELUCHE
SOUS-COUCHE
EFFAROUCHÉ
POLATOUCHE
HERREWEGHE
SONAGRAPHE
PARAGRAPHE
TÉLÉGRAPHE
MARÉGRAPHE

CACOGRAPHE	RACCOURCIE	FILMOLOGIE
HODOGRAPHE	PENTARADIÉ	GEMMOLOGIE
LOGOGRAPHE	ORTHOPÉDIE	SISMOLOGIE
HOLOGRAPHE	TRIPLOÏDIE	COSMOLOGIE
DÉMOGRAPHE	ANTHÉRIDIE	ÉTYMOLOGIE
HOMOGRAPHE	GAILLARDIE	PHÉNOLOGIE
MANOGRAPHE	ABASOURDIE	ICHNOLOGIE
TOPOGRAPHE	DÉCALCIFIÉ	ETHNOLOGIE
TYPOGRAPHE	RECALCIFIÉ	LIMNOLOGIE
AÉROGRAPHE	DÉMYTHIFIÉ	ICONOLOGIE
PYROGRAPHE	DÉQUALIFIÉ	PHONOLOGIE
AUTOGRAPHE	REQUALIFIÉ	ALCOOLOGIE
POLYGRAPHE	EXEMPLIFIÉ	HIPPOLOGIE
LOGOGRIPHE	FRIGORIFIÉ	NÉCROLOGIE
MONADELPHE	ÉLECTRIFIÉ	ANDROLOGIE
RHINOLOPHE	DÉNITRIFIÉ	HYDROLOGIE
LIMITROPHE	DÉVITRIFIÉ	LÉPROLOGIE
AUTOTROPHE	INTENSIFIÉ	COPROLOGIE
ANASTROPHE	DIVERSIFIÉ	PATROLOGIE
APOSTROPHE	DÉSERTIFIÉ	MÉTROLOGIE
APOSTROPHÉ	INJUSTIFIÉ	PÉTROLOGIE
PHILOSOPHE	DÉMYSTIFIÉ	ASTROLOGIE
PHILOSOPHÉ	AÉROPHAGIE	NEUROLOGIE
CHRISTOPHE	HÉMORRAGIE	SCATOLOGIE
LAGOMORPHE	MÉNORRAGIE	FŒTOLOGIE
ZYGOMORPHE	PRIVILÉGIÉ	ÉROTOLOGIE
MÉSOMORPHE	PARAPLÉGIE	TYPTOLOGIE
POLYMORPHE	HÉMIPLÉGIE	MASTOLOGIE
HOMÉOPATHE	MONOPLÉGIE	HISTOLOGIE
OSTÉOPATHE	**MONTÉRÉGIE**	TAUTOLOGIE
NÉVROPATHE	RACHIALGIE	BIOÉNERGIE
MICROLITHE	ARTHRALGIE	SIDÉRURGIE
COPROLITHE	GASTRALGIE	PLASTURGIE
SCLÉRANTHE	HÉPATALGIE	LOGOMACHIE
TÉRÉBINTHE	PROCTALGIE	ENTÉLÉCHIE
LABYRINTHE	ODONTALGIE	RAFRAÎCHIE
LABYRINTHE	GÉNÉALOGIE	DÉFRAÎCHIE
GALSWINTHE	MAMMALOGIE	REBLANCHIE
OSTROGOTHE	TÉTRALOGIE	AFFRANCHIE
ANACOLUTHE	TRIBOLOGIE	OLIGARCHIE
TAILLE-HAIE	IRIDOLOGIE	ETHNARCHIE
ORANGERAIE	TÉLÉOLOGIE	HIÉRARCHIE
JONCHERAIE	FUSÉOLOGIE	TÉTRARCHIE
PEUPLERAIE	MUSÉOLOGIE	PENTARCHIE
BANANERAIE	OSTÉOLOGIE	**HEPTARCHIE**
FRAISERAIE	PATHOLOGIE	DIAGRAPHIE
COCOTERAIE	LITHOLOGIE	ÉPIGRAPHIE
BESSARABIE	ANTHOLOGIE	GÉOGRAPHIE
FONTARABIE	MYTHOLOGIE	BIOGRAPHIE
SÉNÉGAMBIE	SOCIOLOGIE	OROGRAPHIE
HOMOPHOBIE	RADIOLOGIE	UROGRAPHIE
XÉNOPHOBIE	AUDIOLOGIE	DYSGRAPHIE
NOSOPHOBIE	ANGIOLOGIE	DYSTROPHIE
GONOCOCCIE	SÉMIOLOGIE	THÉOSOPHIE
INAPPRÉCIÉ	MARIOLOGIE	APOMORPHIE
PRÉJUDICIÉ	PHILOLOGIE	DYSMORPHIE
SUPERFICIE	HAPLOLOGIE	TÉLÉPATHIE

ANTIPATHIE
ÉTIOPATHIE
ALLOPATHIE
COLOPATHIE
HÉMOPATHIE
DIDASCALIE
WESTPHALIE
COPROLALIE
PRÉÉTABLIE
PHOCOMÉLIE
PHILATÉLIE
HYPERTÉLIE
RÉCONCILIÉ
DÉSAFFILIÉ
CINÉPHILIE
PÉDOPHILIE
HÉMOPHILIE
XÉNOPHILIE
INTERALLIÉ
ACCUEILLIE
RECUEILLIE
MÉLANCOLIE
DALÉCARLIE
HYPERDULIE
HIÉROGAMIE
ANISOGAMIE
CARYOGAMIE
HYPERGAMIE
ISODYNAMIE
SEPTICÉMIE
HYPERHÉMIE
ALCOOLÉMIE
ACÉTONÉMIE
PARACHIMIE
AGROCHIMIE
CRYOCHIMIE
PATHOMIMIE
TÉLÉONOMIE
ASTRONOMIE
HAPTONOMIE
LOXODROMIE
DIACHROMIE
TRICHROMIE
DYSCHROMIE
LOBECTOMIE
VASECTOMIE
LEUCOTOMIE
OSTÉOTOMIE
DICHOTOMIE
NEUROTOMIE
COLOSTOMIE
TAXIDERMIE
TOXIDERMIE
XÉRODERMIE
DIATHERMIE
GÉOTHERMIE
ANORGASMIE

LIPOTHYMIE
LEISHMANIE
SEPTIMANIE
MYTHOMANIE
ANGLOMANIE
DIPSOMANIE
ÉROTOMANIE
BRUXOMANIE
MAURÉTANIE
MAURITANIE
SARRACÉNIE
OSTÉOGÉNIE
PATHOGÉNIE
ORTHOGÉNIE
PHYLOGÉNIE
PHONOGÉNIE
ANDROGÉNIE
MYASTHÉNIE
LEUCOPÉNIE
ZOOTECHNIE
COSMOGONIE
TÉLÉPHONIE
CACOPHONIE
HOMOPHONIE
MONOPHONIE
POLYPHONIE
CÉPHALONIE
PARCIMONIE
ENHARMONIE
DIACHRONIE
SYNCHRONIE
NEUROTONIE
HYPERTONIE
HYPOCAPNIE
CALIFORNIE
EXCOMMUNIÉ
ANDROGYNIE
PROTOGYNIE
PATTES-D'OIE
COURBEVOIE
CLAIRE-VOIE
CONTRE-VOIE
GARDES-VOIE
QUEUE-DE-PIE
ŒILS-DE-PIE
PORTE-COPIE
PHOTOCOPIE
PHOTOCOPIÉ
DIAZOCOPIE
SKIASCOPIE
ENDOSCOPIE
COLOSCOPIE
AUTOSCOPIE
CRYOSCOPIE
NYCTALOPIE
EMMÉTROPIE
ALLOTROPIE

PRESBYOPIE
STÉNOTYPIE
PHOTOTYPIE
DJOUNGARIE
DZOUNGARIE
NON-SALARIÉ
DONNEMARIE
LOUIS-MARIE
BAINS-MARIE
DÉSAPPARIÉ
SURESTARIE
MULTIVARIÉ
SUCY-EN-BRIE
PROTANDRIE
ALEXANDRIE
POLYANDRIE
FAÏENCERIE
ESSENCERIE
DINANDERIE
TRUANDERIE
JOBARDERIE
HOMARDERIE
ÉTOURDERIE
NIGAUDERIE
FINAUDERIE
MINAUDERIE
BOYAUDERIE
CHAUFFERIE
TARTUFERIE
FROMAGERIE
MESSAGERIE
SAUVAGERIE
HORLOGERIE
PÉRIPHÉRIE
GAULTHÉRIE
INGÉNIERIE
CORROIERIE
ANIMALERIE
CHEVALERIE
GRIVÈLERIE
SOUFFLERIE
TRÉFILERIE
MÉTALLERIE
FICELLERIE
OISELLERIE
BATELLERIE
HÔTELLERIE
PIAILLERIE
ÉMAILLERIE
JOAILLERIE
VIEILLERIE
ARTILLERIE
POUILLERIE
SEMOULERIE
CRAPULERIE
IMPRIMERIE
TAUTOMÉRIE

INFIRMERIE	ARGENTERIE	ANTISEPSIE
PARFUMERIE	CIMENTERIE	POLYDIPSIE
CHICANERIE	DYSENTERIE	RICKETTSIE
MAGNANERIE	VERROTERIE	**ANDALOUSIE**
IVROGNERIE	FORESTERIE	HÉMOPTYSIE
GREDINERIE	FUMISTERIE	SUPRÉMATIE
JARDINERIE	ALLOSTÉRIE	DIPLOMATIE
SARDINERIE	LUNETTERIE	THÉOCRATIE
RAFFINERIE	TUYAUTERIE	DÉMOCRATIE
MACHINERIE	BIJOUTERIE	AUTOCRATIE
ALUMINERIE	FILOUTERIE	HOMOTHÉTIE
CRÉTINERIE	BRUSQUERIE	APPESANTIE
TAQUINERIE	DYSARTHRIE	PRESSENTIE
COQUINERIE	PLAIDOIRIE	ENDODONTIE
CHIENNERIE	POURVOIRIE	RÉASSORTIE
MAÇONNERIE	INVENTORIÉ	**OUDMOURTIE**
AVIONNERIE	RÉPERTORIÉ	PÉDÉRASTIE
COTONNERIE	PHONIATRIE	IMMODESTIE
SAVONNERIE	TÉLÉMÉTRIE	RÉINVESTIE
SAVONNERIE	AUDIMÉTRIE	ASSUJETTIE
INTEMPÉRIE	DOSIMÉTRIE	CLÉROUQUIE
MALADRERIE	ALTIMÉTRIE	POURSUIVIE
GOINFRERIE	ARÉOMÉTRIE	INASSOUVIE
TRÉSORERIE	ERGOMÉTRIE	PHOTOTAXIE
FACTORERIE	MANOMÉTRIE	CATAPLEXIE
BIZARRERIE	ŒNOMÉTRIE	AMPHIMIXIE
FOLÂTRERIE	TONOMÉTRIE	ORTHODOXIE
CUISTRERIE	TOPOMÉTRIE	**SÖDERTÄLJE**
PLEUTRERIE	BAROMÉTRIE	**DOBRO POLJE**
SERRURERIE	PYROMÉTRIE	**CHESAPEAKE**
ORFÈVRERIE	OPTOMÉTRIE	**KANESATAKE**
CONFISERIE	CRYOMÉTRIE	**SENANAYAKE**
CHEMISERIE	VOLUMÉTRIE	**PANCKOUCKE**
MENUISERIE	ACOUMÉTRIE	**SHERBROOKE**
GLUCOSERIE	SEIGNEURIE	OMBILICALE
LÉPROSERIE	HOLOTHURIE	BASILICALE
COCASSERIE	ACÉTONURIE	ARSENICALE
FINASSERIE	GLYCOSURIE	DOMINICALE
BONASSERIE	**GRÈCE D'ASIE**	PROVENÇALE
RÊVASSERIE	PARAPHASIE	**PROVENÇALE**
MÉGISSERIE	MÉTAPLASIE	HOMOFOCALE
TAPISSERIE	HYPOPLASIE	VIRILOCALE
MÛRISSERIE	EUTHANASIE	PYRAMIDALE
PÂTISSERIE	EUTHANASIÉ	DISCOÏDALE
RÔTISSERIE	HYPOSTASIÉ	CYCLOÏDALE
PEAUSSERIE	ANESTHÉSIE	COLLOÏDALE
GOUJATERIE	ANESTHÉSIÉ	ETHMOÏDALE
EUBACTÉRIE	DYSGÉNÉSIE	SPIROÏDALE
ARCHÈTERIE	SYNCINÉSIE	MARTINGALE
PELLETERIE	DYSCINÉSIE	PHARYNGALE
BONNETERIE	DYSKINÉSIE	THÉOLOGALE
BLEUETERIE	**MICRONÉSIE**	TRICÉPHALE
LOUVETERIE	ENCOPRÉSIE	TRIOMPHALE
MIROITERIE	COURTOISIE	CATARRHALE
PÉDANTERIE	HYDROPISIE	ADVERBIALE
INFANTERIE	HYPOCRISIE	COLLÉGIALE
GALANTERIE	CATALEPSIE	UROPYGIALE

BRANCHIALE	ANCESTRALE	INEXPIABLE
MARSUPIALE	MAGISTRALE	INVARIABLE
PRÉTORIALE	CLAUSTRALE	INSATIABLE
ÉDITORIALE	PÉRIDURALE	INÉGALABLE
MERCURIALE	INAUGURALE	RECYCLABLE
GYMNASIALE	COMMENSALE	MORCELABLE
ECCLÉSIALE	SUCCURSALE	CONGELABLE
PRIMATIALE	ANTÉNATALE	HABILLABLE
IMPARTIALE	PÉRINATALE	MOUILLABLE
SYNCYTIALE	POSTNATALE	INCOLLABLE
CONVIVIALE	DIALECTALE	INVIOLABLE
VICÉSIMALE	ZYGOPÉTALE	CONSOLABLE
CÉGÉSIMALE	GAMOPÉTALE	CALCULABLE
PRUD'HOMALE	OCCIPITALE	INOCULABLE
RIBOSOMALE	BICIPITALE	COAGULABLE
BAPTISMALE	AÉRONAVALE	FORMULABLE
BACCHANALE	PARADOXALE	ENROULABLE
ARTISANALE	**ALBE ROYALE**	IMPRIMABLE
MÉDICINALE	IMPROBABLE	EXPRIMABLE
OFFICINALE	ABSORBABLE	INNOMMABLE
LIBIDINALE	RÉSORBABLE	DÉFORMABLE
DEMI-FINALE	IMPLACABLE	RÉFORMABLE
ANACLINALE	IMPECCABLE	PRÉSUMABLE
SYNCLINALE	PRÉDICABLE	IMPRENABLE
ISOCLINALE	APPLICABLE	SOUTENABLE
ABDOMINALE	EXPLICABLE	CONVENABLE
BINOMINALE	PRATICABLE	INGAGNABLE
DOCTRINALE	FINANÇABLE	COMBINABLE
MATUTINALE	CONVOCABLE	VACCINABLE
ÉCHEVINALE	INÉDUCABLE	IMAGINABLE
TRICENNALE	FORMIDABLE	DÉCLINABLE
CENTENNALE	LIQUIDABLE	INCLINABLE
SEPTENNALE	DÉFENDABLE	ABOMINABLE
DÉCAGONALE	INVENDABLE	IMPALPABLE
HEXAGONALE	FÉCONDABLE	EXTIRPABLE
OCTOGONALE	INSONDABLE	COMPARABLE
POLYGONALE	IMPERDABLE	PONDÉRABLE
POLYTONALE	ACCORDABLE	PRÉFÉRABLE
SHOGOUNALE	INOXYDABLE	VULNÉRABLE
GAMOSÉPALE	DIRIGEABLE	INOPÉRABLE
MUNICIPALE	CHANGEABLE	CHIFFRABLE
PRINCIPALE	ABROGEABLE	INTÉGRABLE
ÉPISCOPALE	CONJUGABLE	RESPIRABLE
CÔTE D'OPALE	DÉTACHABLE	DÉPLORABLE
PALPÉBRALE	ENFICHABLE	ÉVAPORABLE
VERTÉBRALE	NÉGOCIABLE	INEXORABLE
SÉPULCRALE	INSOCIABLE	PÉNÉTRABLE
CATHÉDRALE	REMÉDIABLE	LABOURABLE
BICAMÉRALE	COKÉFIABLE	SECOURABLE
PUERPÉRALE	RARÉFIABLE	CENSURABLE
BILATÉRALE	MODIFIABLE	INFAISABLE
ANTIVIRALE	SALIFIABLE	RÉALISABLE
STERCORALE	PANIFIABLE	UTILISABLE
ÉLECTORALE	VÉRIFIABLE	MÉPRISABLE
DIAMÉTRALE	RÉSILIABLE	IMPENSABLE
GÉOMÉTRALE	REMANIABLE	DÉSENSABLÉ
CADASTRALE	INDÉNIABLE	PROPOSABLE

SUPPOSABLE	INVINCIBLE	NÉCROPHILE
INVERSABLE	RÉÉLIGIBLE	HYDROPHILE
INCASSABLE	INÉLIGIBLE	HYGROPHILE
INLASSABLE	CORRIGIBLE	COPROPHILE
ABAISSABLE	INEXIGIBLE	DROSOPHILE
POLISSABLE	INTANGIBLE	GYPSOPHILE
PUNISSABLE	DISPONIBLE	RUSSOPHILE
FROISSABLE	PRÉVISIBLE	SCATOPHILE
TARISSABLE	EXPANSIBLE	CARTOPHILE
PÉRISSABLE	INSENSIBLE	SLAVOPHILE
ENDOSSABLE	OSTENSIBLE	INASSIMILÉ
DIFFUSABLE	EXTENSIBLE	AQUAMANILE
ANALYSABLE	EXPLOSIBLE	PASSEPOILÉ
HYDRATABLE	RÉVERSIBLE	DÉSENTOILÉ
INJECTABLE	INVERSIBLE	GRAND-VOILE
DÉLECTABLE	IMPASSIBLE	PRÉHENSILE
DÉTECTABLE	ACCESSIBLE	FLUVIATILE
RACHETABLE	INCESSIBLE	RÉTRACTILE
BONNÉTABLE	ADMISSIBLE	SUBJECTILE
CONNÉTABLE	RÉMISSIBLE	PROJECTILE
BREVETABLE	IMPOSSIBLE	MERCANTILE
PROFITABLE	COMPATIBLE	BISSEXTILE
INIMITABLE	DÉDUCTIBLE	GÉOTEXTILE
EMBOÎTABLE	RÉDUCTIBLE	PRÉEMBALLÉ
CHARITABLE	DIGESTIBLE	**LA TURBALLE**
INÉVITABLE	COMESTIBLE	MULTISALLE
RÉCOLTABLE	RÉSISTIBLE	RÉINSTALLÉ
ORIENTABLE	INAMOVIBLE	**DELLA VALLE**
LAMENTABLE	RÉFLEXIBLE	INTERVALLE
RACONTABLE	INFLEXIBLE	CASCABELLE
DÉMONTABLE	**SIN-LE-NOBLE**	RIBAMBELLE
ACCEPTABLE	GRAS-DOUBLE	TESTACELLE
IMPORTABLE	TABERNACLE	VERMICELLE
EXPORTABLE	RÉCEPTACLE	LENTICELLE
MÉTASTABLE	GRAND-ONCLE	VORTICELLE
DÉTESTABLE	DEMI-CERCLE	BALANCELLE
RABATTABLE	VARICOCÈLE	SPIONCELLE
IMBATTABLE	CHRYSOMÈLE	ESCARCELLE
IMMETTABLE	**VAN DE POELE**	FRICADELLE
EXÉCUTABLE	**MARC AURÈLE**	MORTADELLE
DISCUTABLE	**CHRISTOFLE**	HIRONDELLE
COMMUTABLE	BOURSOUFLÉ	LUMACHELLE
PERMUTABLE	EMMITOUFLÉ	**LA ROCHELLE**
REDOUTABLE	GRAND-ANGLE	INDICIELLE
INAVOUABLE	QUADRANGLE	OFFICIELLE
ATTAQUABLE	OBTUSANGLE	LOGICIELLE
CONCEVABLE	À TIRE-D'AILE	MATÉRIELLE
PERCEVABLE	INDÉLÉBILE	ARTÉRIELLE
INCREVABLE	LOCOMOBILE	MÉMORIELLE
LESSIVABLE	AÉROMOBILE	INERTIELLE
CULTIVABLE	AUTOMOBILE	**NÉOUVIELLE**
INSOLVABLE	ACIDIPHILE	COULEMELLE
OBSERVABLE	AMPHIPHILE	INFORMELLE
MONNAYABLE	DISCOPHILE	SOLDANELLE
EMPLOYABLE	ACIDOPHILE	VILLANELLE
INCROYABLE	ANGLOPHILE	FONTANELLE
EFFROYABLE	ANÉMOPHILE	FUSTANELLE

FONTENELLE
COCCINELLE
MARCINELLE
SARDINELLE
ORIGINELLE
CRIMINELLE
SENTINELLE
FRAXINELLE
SOLENNELLE
PÉRONNELLE
TRIGONELLE
SALMONELLE
MATERNELLE
PATERNELLE
LA CHAPELLE
INTERPELLÉ
SGANARELLE
MOZZARELLE
CHANCRELLE
CRÉCERELLE
PASSERELLE
CRATERELLE
SAUTERELLE
MAQUERELLE
COQUERELLE
TEMPORELLE
CORPORELLE
CULTURELLE
DAMOISELLE
DEMOISELLE
BROCATELLE
CASCATELLE
LACRETELLE
JARRETELLE
TURRITELLE
TARENTELLE
IMMORTELLE
RÉSIDUELLE
DRINGUELLE
INACTUELLE
PONCTUELLE
HABITUELLE
ÉVENTUELLE
BISEXUELLE
BARTAVELLE
COURCAILLÉ
ROUSCAILLÉ
GUINDAILLE
MANGEAILLE
COUCHAILLÉ
ENCANAILLÉ
DÉPENAILLÉ
TRAÎNAILLÉ
TOURNAILLÉ
COMBRAILLE
PIERRAILLE
PRÊTRAILLE

BLEUSAILLE
VALETAILLE
RAVITAILLE
ENFUTAILLÉ
ÉCRIVAILLÉ
TROUVAILLE
DÉSHABILLÉ
MICROBILLE
ESCARBILLE
VERTICILLE
VERTICILLÉ
PECCADILLE
GRENADILLE
SÉGUEDILLE
ENSOLEILLÉ
DÉPAREILLÉ
APPAREILLÉ
TIRE-VEILLE
ÉMERVEILLÉ
BELLE-FILLE
ASPERGILLE
VIEUX-LILLE
ALCHÉMILLE
VINTIMILLE
ROUMANILLE
MANCENILLE
COCHENILLE
DÉGUENILLÉ
ESTAMPILLE
ESTAMPILLÉ
DÉGOUPILLÉ
ESCADRILLE
ESPADRILLE
BANDERILLE
CANTATILLE
CANNETILLE
POTENTILLE
DÉTORTILLÉ
ENTORTILLÉ
IS-SUR-TILLE
EMBASTILLÉ
ACCASTILLÉ
ÉMOUSTILLÉ
CROUSTILLÉ
POISEUILLE
GRIBOUILLE
GRIBOUILLÉ
TAMBOUILLE
BARBOUILLE
BARBOUILLÉ
BREDOUILLE
BREDOUILLÉ
PENDOUILLÉ
TRIFOUILLÉ
FARFOUILLÉ
GARGOUILLE
GARGOUILLÉ

MÂCHOUILLÉ
AGENOUILLÉ
GRENOUILLE
GRENOUILLÉ
QUENOUILLE
CORNOUILLE
FRIPOUILLE
DÉBROUILLE
DÉBROUILLÉ
EMBROUILLE
EMBROUILLÉ
GADROUILLE
GADROUILLÉ
VADROUILLE
VADROUILLÉ
DÉGROUILLÉ
VERROUILLÉ
PATROUILLE
PATROUILLÉ
CITROUILLE
CHATOUILLE
CHATOUILLÉ
BISTOUILLE
DÉMAQUILLÉ
REMAQUILLÉ
TRANQUILLE
ÉCARQUILLÉ
GRANDVILLE
MANDEVILLE
MONDEVILLE
VAUDEVILLE
DOUDEVILLE
BELLEVILLE
BONNEVILLE
LIBREVILLE
MOTTEVILLE
SOTTEVILLE
HAUTEVILLE
BEUZEVILLE
BLAINVILLE
BIDONVILLE
THIONVILLE
RAMONVILLE
REZONVILLE
ANCERVILLE
GODERVILLE
LOUISVILLE
EVANSVILLE
TOWNSVILLE
HUNTSVILLE
DECAUVILLE
ARNOUVILLE
HÉROUVILLE
FERRYVILLE
PRÉENCOLLÉ
GLYCOCOLLE
BARCAROLLE

BOUTEROLLE	ÉPITHALAME	CYTOCHROME
REBEYROLLE	SOCIODRAME	POLYCHROME
CHAMBRANLE	STRATAGÈME	CHROMOSOME
COLLEMBOLE	XÉRANTHÈME	CENTROSOME
AVION-ÉCOLE	PÉNULTIÈME	PHLÉBOTOME
SILICICOLE	NONANTIÈME	CYCLOSTOME
SÉRICICOLE	ASTROBLÈME	RHIZOSTOME
OSTRÉICOLE	**NÉOPTOLÈME**	AMBLYSTOME
ARBORICOLE	ÉCOSYSTÈME	FIBROMYOME
BRASSICOLE	DIAPHRAGME	TÉLÉALARME
DÉGRINGOLÉ	DIAPHRAGMÉ	PLACODERME
BRONCHIOLE	APOPHTEGME	LEUCODERME
TRIFOLIOLÉ	BORBORYGME	PACHYDERME
DE TRAVIOLE	LOGARITHME	ENDOTHERME
CERDAGNOLE	ALGORITHME	ECTOTHERME
CERDAGNOLE	DÉCOMPRIMÉ	POLYTHERME
CARMAGNOLE	SEXAGÉSIME	EURYTHERME
QUADRIPÔLE	RICHISSIME	PÉRISPERME
MÉGALOPOLE	GRAVISSIME	ENDOSPERME
TECHNOPOLE	DÉLÉGITIMÉ	MONOSPERME
TECHNOPÔLE	ILLÉGITIME	PLATE-FORME
SAVONAROLE	SOUS-ESTIMÉ	FALCIFORME
INCONTRÔLÉ	MICROFILMÉ	SULCIFORME
DÉBOUSSOLÉ	**NEUENGAMME**	PERCIFORME
BOAT PEOPLE	SONAGRAMME	PISCIFORME
ANDRINOPLE	TÉLÉGRAMME	CRUCIFORME
SOUS-PEUPLÉ	DÉCIGRAMME	CORDIFORME
CHAMPMESLÉ	IDÉOGRAMME	CUNÉIFORME
SOMNAMBULE	ÉTHOGRAMME	FONGIFORME
NOCTAMBULE	KILOGRAMME	GALLIFORME
ARISTOBULE	HOLOGRAMME	RALLIFORME
THRASYBULE	HÉMOGRAMME	VERMIFORME
CANALICULE	IONOGRAMME	RUINIFORME
ADMINICULE	MONOGRAMME	PENNIFORME
VENTRICULE	LIPOGRAMME	MULTIFORME
INARTICULÉ	AÉROGRAMME	MYRTIFORME
ANIMALCULE	BONNE FEMME	ANGUIFORME
CRÉPUSCULE	SUS-DÉNOMMÉ	SURINFORMÉ
CORPUSCULE	CUMULO-DÔME	DÉSINFORMÉ
TRISAÏEULE	MOBILE HOME	MICROFORME
MINIPILULE	HÉMANGIOME	SUPERFORME
ANGUILLULE	MÉNINGIOME	TRANSFORMÉ
ROULÉ-BOULÉ	CHONDRIOME	MULTINORME
BLACKBOULÉ	TRICHOLOME	ORTHONORMÉ
NID-DE-POULE	HÉTÉRONOME	HÉSYCHASME
CUL-DE-POULE	GASTRONOME	CATAPLASME
CONGRATULÉ	PALINDROME	MYCOPLASME
LINGUATULE	TICHODROME	ENDOPLASME
RÉCAPITULÉ	BOULODROME	ECTOPLASME
ÉPICONDYLE	COSMODROME	CYTOPLASME
POLYVINYLE	HIPPODROME	TOXOPLASME
CONAN DOYLE	**PORT-JÉRÔME**	NICOLAÏSME
TRIDACTYLE	EKTACHROME	MITHRAÏSME
TÉTRASTYLE	MONOCHROME	WAHHABISME
PHOTOSTYLE	LIPOCHROME	CANNABISME
TROU-MADAME	HYPOCHROME	OSTRACISME
CRYPTOGAME	AUTOCHROME	RHOTACISME

QUÉBÉCISME	ORLÉANISME	DOGMATISME
BELGICISME	INDIANISME	RHUMATISME
ANGLICISME	CHAMANISME	HIÉRATISME
GALLICISME	GERMANISME	EUSTATISME
BELLICISME	TYMPANISME	DIDACTISME
CRITICISME	HISPANISME	ÉCLECTISME
MYSTICISME	MONTANISME	PATHÉTISME
ANATOCISME	GALVANISME	ESTHÉTISME
POUJADISME	HELLÉNISME	ATHLÉTISME
HYBRIDISME	JANSÉNISME	HERMÉTISME
HASSIDISME	COCAÏNISME	MAGNÉTISME
MÉTHODISME	RABBINISME	PHONÉTISME
PANTHÉISME	SANDINISME	HELVÉTISME
MISONÉISME	MACHINISME	DÉFAITISME
ENDORÉISME	STALINISME	BANDITISME
ÉCHANGISME	ANTOINISME	RACHITISME
SYLLOGISME	CRÉTINISME	MÉPHITISME
ÉCOLOGISME	MARTINISME	APOLITISME
NÉOLOGISME	CALVINISME	ÉRÉMITISME
MONACHISME	DARWINISME	SPIRITISME
CATÉCHISME	WALLONISME	JÉSUITISME
FÉTICHISME	DIATONISME	OCCULTISME
MASOCHISME	PLATONISME	PÉDANTISME
ANARCHISME	DALTONISME	GIGANTISME
BOUDDHISME	PLUTONISME	ATLANTISME
JOSÉPHISME	MODERNISME	ROMANTISME
TROTSKISME	SATURNISME	SCIENTISME
TRIBALISME	COMMUNISME	ATTENTISME
HANBALISME	**COMMUNISME**	HYPNOTISME
VERBALISME	NEPTUNISME	DESPOTISME
VANDALISME	DICHROÏSME	BIPARTISME
FÉODALISME	SHINTOÏSME	HÉBERTISME
IRRÉALISME	HYLOZOÏSME	HIRSUTISME
SOCIALISME	BARBARISME	HINDOUISME
SÉRIALISME	GRÉGARISME	BLANQUISME
FORMALISME	GARGARISME	FRANQUISME
AMORALISME	CATHARISME	BAROQUISME
PLURALISME	SECTARISME	MÉDIÉVISME
MENTALISME	MANIÉRISME	BABOUVISME
BRUTALISME	MATIÉRISME	NÉONAZISME
RITUALISME	HITLÉRISME	SPINOZISME
MUTUALISME	MESMÉRISME	MACROCOSME
ISMAÉLISME	PAUPÉRISME	MICROCOSME
PUÉRILISME	ÉSOTÉRISME	CATACLYSME
INQUILISME	INTÉGRISME	**JEU DE PAUME**
ANABOLISME	AFFAIRISME	PORTE-PLUME
SYMBOLISME	VAMPIRISME	PRASÉODYME
MONGOLISME	MÉTÉORISME	PARENCHYME
ALCOOLISME	GONGORISME	MÉSENCHYME
ACADÉMISME	TAYLORISME	PSEUDONYME
EUPHÉMISME	TERRORISME	HYPERONYME
EXTRÉMISME	ÉPICURISME	HEXADÉCANE
UNANIMISME	VOYEURISME	BECS-DE-CANE
PESSIMISME	SECOURISME	BIGOURDANE
ÉCONOMISME	CULTURISME	**BIGOURDANE**
RÉFORMISME	SOLIPSISME	CELLOPHANE
VOLCANISME	MAGMATISME	**VÉNISSIANE**

SÉROTONINE
CALCÉDOINE
CHÉLIDOINE
AIGREMOINE
PATRIMOINE
ALLANTOÏNE
CHALIAPINE
RHÔNALPINE
RHÔNALPINE
HAUT-ALPINE
PHILIPPINE
PHILIPPINE
PROSERPINE
SACCHARINE
BOUKHARINE
SOUS-MARINE
LUCIFÉRINE
SPEAKERINE
COLUMÉRINE
ADULTÉRINE
PAPAVÉRINE
MÉLÉAGRINE
VALNIGRINE
PYRÉTHRINE
SYMPHORINE
ENDOCTRINÉ
TRINITRINE
TAMBOURINÉ
AVENTURINE
PORPHYRINE
EMMAGASINÉ
OLÉORÉSINE
CHAMOISINE
CHALCOSINE
RHODOPSINE
TRAVERSINE
CARMAUSINE
SCARLATINE
CHROMATINE
PROLACTINE
BRIGANTINE
ADAMANTINE
DIAMANTINE
CLÉMENTINE
FROMENTINE
SERPENTINE
FLORENTINE
FLORENTINE
COUVENTINE
INDIGOTINE
THILLOTINE
GUILLOTINE
GUILLOTINÉ
CHAGNOTINE
CHEVROTINE
CHEVROTINE
CREUSOTINE

PRÉDESTINÉ
SACRISTINE
BALLOTTINE
MURIAUTINE
RASPOUTINE
KOSSYGUINE
BARAGOUINÉ
SHAMPOUINÉ
ENQUIQUINÉ
ALGONQUINE
MAJORQUINE
MAJORQUINE
MINORQUINE
MINORQUINE
DAMASQUINÉ
MANOSQUINE
PYRIDOXINE
ANTITOXINE
ENDOTOXINE
ENTURBANNÉ
DAME-JEANNE
SAINTE-ANNE
ÉLASTHANNE
VALAISANNE
VALAISANNE
PELISSANNE
CIOTADENNE
CASSIDENNE
CARIBÉENNE
CARIBÉENNE
DRANCÉENNE
SADUCÉENNE
CHALDÉENNE
CHALDÉENNE
PALUDÉENNE
LIGUGÉENNE
TRACHÉENNE
DÉDALÉENNE
GALILÉENNE
GALILÉENNE
CÉRULÉENNE
MANAMÉENNE
PANAMÉENNE
PANAMÉENNE
APPAMÉENNE
ÉCOMMÉENNE
DAHOMÉENNE
DAHOMÉENNE
CANANÉENNE
CANANÉENNE
PYRÉNÉENNE
PYRÉNÉENNE
RÉGINÉENNE
ANNONÉENNE
ÉBURNÉENNE
EUROPÉENNE
EUROPÉENNE

NAZARÉENNE
NAZARÉENNE
LIFFRÉENNE
CHASSÉENNE
NABATÉENNE
LONGUÉENNE
ADYGUÉENNE
BISCAÏENNE
KAFKAÏENNE
NAMIBIENNE
NAMIBIENNE
DANUBIENNE
FUMACIENNE
CINACIENNE
ALSACIENNE
ALSACIENNE
JOVACIENNE
AJACCIENNE
ANNECIENNE
MAGICIENNE
LOGICIENNE
GALICIENNE
GALICIENNE
MILICIENNE
STOÏCIENNE
MUSICIENNE
OPTICIENNE
NÉVICIENNE
ARCADIENNE
TCHADIENNE
TCHADIENNE
AKKADIENNE
CANADIENNE
CANADIENNE
RIYADIENNE
COMÉDIENNE
MÉRIDIENNE
OBSIDIENNE
DAVIDIENNE
SCALDIENNE
PARODIENNE
FREUDIENNE
SAOUDIENNE
SAOUDIENNE
PLÉBÉIENNE
NANCÉIENNE
BODLÉIENNE
BRUNÉIENNE
POMPÉIENNE
TARPÉIENNE
PÉLAGIENNE
ATHÉGIENNE
SONÉGIENNE
GÉORGIENNE
GÉORGIENNE
PHRYGIENNE

PHRYGIENNE	ANTONIENNE	ASSYRIENNE
HAWAIIENNE	ESTONIENNE	**LILASIENNE**
HAWAIIENNE	**ESTONIENNE**	EURASIENNE
RÉGALIENNE	OTTONIENNE	**EURASIENNE**
SOMALIENNE	DÉVONIENNE	SALÉSIENNE
SOMALIENNE	AMARNIENNE	SILÉSIENNE
OURALIENNE	CÉGÉPIENNE	**SILÉSIENNE**
MYCÉLIENNE	ŒDIPIENNE	ARLÉSIENNE
HÉGÉLIENNE	OLYMPIENNE	**ARLÉSIENNE**
SAHÉLIENNE	SAHARIENNE	**GENÉSIENNE**
CARÉLIENNE	**SAHARIENNE**	CAPÉSIENNE
AURÉLIENNE	**ANKARIENNE**	**TÉRÉSIENNE**
VÉZELIENNE	**CANARIENNE**	**CATÉSIENNE**
SICILIENNE	**LUPARIENNE**	**APTÉSIENNE**
SICILIENNE	**TARARIENNE**	ARTÉSIENNE
GAULLIENNE	AGRARIENNE	**ARTÉSIENNE**
SABOLIENNE	CÉSARIENNE	**LOUÉSIENNE**
VINOLIENNE	**QATARIENNE**	DRAISIENNE
TYROLIENNE	**ONTARIENNE**	**ARCISIENNE**
TYROLIENNE	CAMBRIENNE	**SALISIENNE**
SÉOULIENNE	**COUDRIENNE**	**AUNISIENNE**
VÉSULIENNE	LIBÉRIENNE	TUNISIENNE
ROTULIENNE	**LIBÉRIENNE**	**TUNISIENNE**
BAHAMIENNE	SIBÉRIENNE	**CROISIENNE**
PANAMIENNE	**SIBÉRIENNE**	**YVOISIENNE**
PANAMIENNE	**NUCÉRIENNE**	**BARISIENNE**
BOHÉMIENNE	LIGÉRIENNE	PARISIENNE
JÉRÔMIENNE	**LIGÉRIENNE**	**PARISIENNE**
OCÉANIENNE	NIGÉRIENNE	**LÉVISIENNE**
OCÉANIENNE	**NIGÉRIENNE**	**JUVISIENNE**
GUYANIENNE	ALGÉRIENNE	**NICOSIENNE**
RUBÉNIENNE	**ALGÉRIENNE**	**ULISSIENNE**
PACÉNIENNE	**ANGÉRIENNE**	PRUSSIENNE
ANCENIENNE	SUMÉRIENNE	**PRUSSIENNE**
MYCÉNIENNE	VÉNÉRIENNE	VÉNUSIENNE
MYCÉNIENNE	NÉPÉRIENNE	**VÉNUSIENNE**
ATHÉNIENNE	**ASTÉRIENNE**	SINUSIENNE
ATHÉNIENNE	**GRUÉRIENNE**	**CLOYSIENNE**
LIMÉNIENNE	**LOVÉRIENNE**	**MÉRYSIENNE**
ARMÉNIENNE	**CAZÉRIENNE**	CAPÉTIENNE
ARMÉNIENNE	**LOZÉRIENNE**	CHRÉTIENNE
ESSÉNIENNE	IVOIRIENNE	TAHITIENNE
ÉRAGNIENNE	**IVOIRIENNE**	**TAHITIENNE**
SOCINIENNE	**OZOIRIENNE**	VÉNITIENNE
ARMINIENNE	**NABORIENNE**	**VÉNITIENNE**
RÉTINIENNE	COMORIENNE	ÉGYPTIENNE
SAVINIENNE	**COMORIENNE**	**ÉGYPTIENNE**
JOVINIENNE	**BOURRIENNE**	**TONGUIENNE**
LÉDONIENNE	**CHAURIENNE**	**LEZGUIENNE**
AUDONIENNE	**YZEURIENNE**	IRAQUIENNE
AUDONIENNE	LIGURIENNE	**IRAQUIENNE**
FILONIENNE	**LIGURIENNE**	BOLIVIENNE
JUNONIENNE	SILURIENNE	**BOLIVIENNE**
NÉRONIENNE	**ASTURIENNE**	**ARGOVIENNE**
HURONIENNE	ILLYRIENNE	**CATOVIENNE**
CYSONIENNE	**ILLYRIENNE**	**LAXOVIENNE**
CHTONIENNE	ASSYRIENNE	**LEXOVIENNE**

LUXOVIENNE	TATILLONNE	**VAL-DE-MARNE**
DILUVIENNE	BOUILLONNE	**HAUTE-MARNE**
PÉRUVIENNE	COUILLONNÉ	**HOLOPHERNE**
PÉRUVIENNE	DÉBOULONNÉ	SUBALTERNE
FORÉZIENNE	PET-DE-NONNE	LONGICORNE
BÉLIZIENNE	FANFARONNE	CAPRICORNE
VÉLIZIENNE	FANFARONNÉ	**CAPRICORNE**
HERTZIENNE	LAIDERONNE	**EASTBOURNE**
PLANIPENNE	BÛCHERONNE	CHANTOURNÉ
BISCAYENNE	VIGNERONNE	**ROSNY JEUNE**
BERNAYENNE	CHAPERONNE	AUTO-IMMUNE
GRANBYENNE	PLASTRONNÉ	**ROQUEBRUNE**
NIAMÉYENNE	**LA COURONNE**	HÉTÉRODYNE
WASSEYENNE	DÉCOURONNÉ	**TSARITSYNE**
BRUNOYENNE	DÉRAISONNÉ	**RAON-L'ÉTAPE**
CHOISYENNE	ARRAISONNÉ	SOUS-ÉQUIPÉ
LILLEBONNE	IRRAISONNÉ	HIPPOCAMPE
TERREBONNE	ASSAISONNÉ	CUL-DE-LAMPE
RATISBONNE	EMPOISONNÉ	TURBOPOMPE
DÉSARÇONNÉ	EMPRISONNÉ	URANOSCOPE
BELLEDONNE	PALISSONNÉ	ICONOSCOPE
PRIME DONNE	POLISSONNE	FIBROSCOPE
SUBORDONNÉ	POLISSONNÉ	MICROSCOPE
DÉSORDONNÉ	MOLLETONNÉ	HYGROSCOPE
ÉTANT DONNÉ	DÉBOUTONNÉ	ORYCTÉROPE
BADIGEONNÉ	REBOUTONNÉ	ORTHOTROPE
BOURGEONNÉ	**HAUTE-SAÔNE**	HÉLIOTROPE
DÉPLAFONNÉ	OXYCARBONÉ	NEUROTROPE
PARANGONNÉ	KÉRATOCÔNE	ANISOTROPE
DORACHONNE	DODÉCAGONE	GYMNOCARPE
PÂLICHONNE	HYGIAPHONE	PRÉDÉCOUPÉ
FOLICHONNE	VIBRAPHONE	COUPE-COUPE
PATICHONNE	DICTAPHONE	ENTRECOUPÉ
CAPUCHONNÉ	**PERSÉPHONE**	**GUADELOUPE**
CHAMPIONNE	PUBLIPHONE	SOUS-GROUPE
OCCASIONNÉ	ARABOPHONE	CONTRETYPE
ÉMULSIONNÉ	TURCOPHONE	CONTRETYPÉ
ILLUSIONNÉ	AUDIOPHONE	STÉRÉOTYPE
FRACTIONNÉ	VISIOPHONE	STÉRÉOTYPÉ
FRICTIONNÉ	ANGLOPHONE	ISALLOBARE
SANCTIONNÉ	MICROPHONE	**HAZPANDARE**
FONCTIONNÉ	HYDROPHONE	FUME-CIGARE
PONCTIONNÉ	RUSSOPHONE	RADIOPHARE
AMBITIONNÉ	INTERPHONE	SUDORIPARE
ADDITIONNÉ	**LACÉDÉMONE**	SCISSIPARE
AUDITIONNÉ	PHÉRORMONE	CANDÉLABRE
POSITIONNÉ	MASCARPONE	CONCÉLÉBRÉ
PÉTITIONNÉ	ASYNCHRONE	INVERTÉBRÉ
QUESTIONNÉ	MINESTRONE	MICROFIBRE
SOLUTIONNÉ	OLIGOPSONE	PRÉCHAMBRE
WASSELONNE	RHIZOCTONE	**PAUL DIACRE**
MAGUELONNE	ALLOCHTONE	SOUS-DIACRE
DÉBALLONNÉ	AUTOCHTONE	LOMBO-SACRÉ
GRAILLONNÉ	**FOLKESTONE**	CONVAINCRE
ROMILLONNE	**BLACKSTONE**	DÉSENCADRÉ
PAPILLONNÉ	**WHEATSTONE**	DODÉCAÈDRE
CARILLONNÉ	DÉSINCARNÉ	RHOMBOÈDRE

SCAPHANDRE	DEVANCIÈRE	HÉRONNIÈRE
LE VAL-ANDRÉ	FAÏENCIÈRE	VISONNIÈRE
SALAMANDRE	SEMENCIÈRE	BÉTONNIÈRE
SALAMANDRE	ANNONCIÈRE	COTONNIÈRE
SANTO ANDRÉ	FILANDIÈRE	SAVONNIÈRE
SAINT-ANDRÉ	DINANDIÈRE	TAVERNIÈRE
ALEIXANDRE	LAVANDIÈRE	LUZERNIÈRE
POURFENDRE	VIVANDIÈRE	RANCUNIÈRE
COMPRENDRE	COCARDIÈRE	CHAMBRIÈRE
RAPPRENDRE	CANARDIÈRE	CELLÉRIÈRE
SURPRENDRE	RENARDIÈRE	**VILLERIÈRE**
SOUS-TENDRE	**LANAUDIÈRE**	DOUAIRIÈRE
ENFREINDRE	MINAUDIÈRE	TRÉSORIÈRE
EMPREINDRE	MINAUDIÈRE	MEURTRIÈRE
RÉTREINDRE	PÉTAUDIÈRE	MOULURIÈRE
ASTREINDRE	BOYAUDIÈRE	FACTURIÈRE
BASSE-INDRE	LANGAGIÈRE	HAUTURIÈRE
DISJOINDRE	CYMBALIÈRE	COUTURIÈRE
HYPOCONDRE	CÉRÉALIÈRE	CHEMISIÈRE
SUPERORDRE	ANIMALIÈRE	ARDOISIÈRE
CONTRORDRE	CHEVALIÈRE	DÉPENSIÈRE
PARAFOUDRE	**LA SABLIÈRE**	JACASSIÈRE
NÉMATOCÈRE	CORDELIÈRE	MULASSIÈRE
VIC-SUR-CÈRE	BACHELIÈRE	FINASSIÈRE
BRACHYCÈRE	SOMMELIÈRE	PUTASSIÈRE
PLOMBIFÈRE	CHAPELIÈRE	TAPISSIÈRE
LATICIFÈRE	COUTELIÈRE	PÂTISSIÈRE
CUPULIFÈRE	MÉTALLIÈRE	ATOCATIÈRE
SQUAMIFÈRE	**LA VALLIÈRE**	SORBETIÈRE
SÉMINIFÈRE	LAVALLIÈRE	BUFFETIÈRE
RÉSINIFÈRE	JOAILLIÈRE	ARCHETIÈRE
STANNIFÈRE	PÉTROLIÈRE	TABLETIÈRE
SUDORIFÈRE	PENDULIÈRE	PELLETIÈRE
CALORIFÈRE	SINGULIÈRE	MOLLETIÈRE
FRUCTIFÈRE	INFIRMIÈRE	CANNETIÈRE
FOURRAGÈRE	COSTUMIÈRE	BONNETIÈRE
PHALANGÈRE	COUTUMIÈRE	**BRUNETIÈRE**
BOULANGÈRE	CHICANIÈRE	JARRETIÈRE
MENSONGÈRE	CANCANIÈRE	CORSETIÈRE
MARAÎCHÈRE	MÉTHANIÈRE	BLEUETIÈRE
SURENCHÈRE	MAGNANIÈRE	COQUETIÈRE
PHACOCHÈRE	**SAGRANIÈRE**	TERMITIÈRE
HÉMISPHÈRE	SEMAINIÈRE	MIROITIÈRE
NAVISPHÈRE	JARDINIÈRE	CACAOTIÈRE
HOMOSPHÈRE	SARDINIÈRE	TURBOTIÈRE
ATMOSPHÈRE	BALEINIÈRE	LINGOTIÈRE
IONOSPHÈRE	POULINIÈRE	GARGOTIÈRE
MÉSOSPHÈRE	TAUPINIÈRE	BARLOTIÈRE
PINNOTHÈRE	CUISINIÈRE	PISSOTIÈRE
GRIMACIÈRE	CANTINIÈRE	YAOURTIÈRE
SOURICIÈRE	ROUTINIÈRE	FORESTIÈRE
JUSTICIÈRE	ALEVINIÈRE	COLISTIÈRE
VACANCIÈRE	FAÇONNIÈRE	CULOTTIÈRE
CRÉANCIÈRE	TALONNIÈRE	CAROTTIÈRE
ROMANCIÈRE	MELONNIÈRE	BIJOUTIÈRE
TENANCIÈRE	CANONNIÈRE	KIOSQUIÈRE
FINANCIÈRE	CAPONNIÈRE	CHÈNEVIÈRE

SANSEVIÈRE
VASSIVIÈRE
LA LOUVIÈRE
VOLAILLÈRE
BÉTAILLÈRE
CORDILLÈRE
PERSILLÈRE
TORTILLÈRE
ANGUILLÈRE
DOUCE-AMÈRE
NYCTHÉMÈRE
SAINTE-MÈRE
CONGLOMÉRÉ
CENTROMÈRE
BLASTOMÈRE
ÉLASTOMÈRE
COPOLYMÈRE
SCORSONÈRE
SCORZONÈRE
VOLTAMPÈRE
ÉQUILATÈRE
PHYLACTÈRE
CŒLENTÉRÉ
TÉTRAPTÈRE
PLÉCOPTÈRE
COLÉOPTÈRE
ORTHOPTÈRE
HYDROPTÈRE
CHIROPTÈRE
NÉVROPTÈRE
PROTOPTÈRE
BAPTISTÈRE
PRESBYTÈRE
LA BÉDOYÈRE
PETIT-NÈGRE
DÉSINTÉGRÉ
TRANSMIGRÉ
SYLLABAIRE
MATRICAIRE
PERSICAIRE
DROMADAIRE
LAMPADAIRE
ABÉCÉDAIRE
SUICIDAIRE
FRIGIDAIRE
LÉGENDAIRE
CALENDAIRE
SECONDAIRE
LACORDAIRE
COCHLÉAIRE
BILINÉAIRE
COLINÉAIRE
STUPÉFAIRE
SATISFAIRE
ZOANTHAIRE
INDICIAIRE
JUDICIAIRE

FIDUCIAIRE
SPONGIAIRE
NOBILIAIRE
AUXILIAIRE
PÉCUNIAIRE
CYMBALAIRE
PRÉSALAIRE
SURSALAIRE
BAUDELAIRE
DENTELAIRE
UNIFILAIRE
TABELLAIRE
MICELLAIRE
LAMELLAIRE
GÉMELLAIRE
BACILLAIRE
ANCILLAIRE
OSCILLAIRE
SIGILLAIRE
MAMILLAIRE
ARMILLAIRE
CAPILLAIRE
PAPILLAIRE
PUPILLAIRE
MAXILLAIRE
COROLLAIRE
MÉDULLAIRE
ALVÉOLAIRE
RADIOLAIRE
PRÉMOLAIRE
UNIPOLAIRE
VACUOLAIRE
EXEMPLAIRE
GLOBULAIRE
PIACULAIRE
SPÉCULAIRE
ACICULAIRE
CIRCULAIRE
VASCULAIRE
MUSCULAIRE
PENDULAIRE
CELLULAIRE
NUMMULAIRE
FORMULAIRE
GRANULAIRE
SCAPULAIRE
CONSULAIRE
TISSULAIRE
CARTULAIRE
FISTULAIRE
VALVULAIRE
COPLANAIRE
MERCENAIRE
MILLÉNAIRE
CENTENAIRE
SEPTÉNAIRE
PARTENAIRE

IMAGINAIRE
ORIGINAIRE
CAULINAIRE
CORTINAIRE
DÉBONNAIRE
PULMONAIRE
ALCYONAIRE
LUCERNAIRE
SUBLUNAIRE
MÉTAZOAIRE
MÉSOZOAIRE
BRYOZOAIRE
ITINÉRAIRE
VULNÉRAIRE
LITTÉRAIRE
TEMPORAIRE
ARBITRAIRE
SOUSTRAIRE
ADVERSAIRE
NÉCESSAIRE
JANISSAIRE
GRABATAIRE
MANDATAIRE
CAUDATAIRE
FEUDATAIRE
SIGNATAIRE
QUIRATAIRE
MONTATAIRE
BUDGÉTAIRE
SOCIÉTAIRE
PARIÉTAIRE
PROLÉTAIRE
PLANÉTAIRE
SECRÉTAIRE
ÉGALITAIRE
UTILITAIRE
DIGNITAIRE
TRINITAIRE
TRINITAIRE
CENSITAIRE
SURSITAIRE
PITUITAIRE
SÉDENTAIRE
INVENTAIRE
VOLONTAIRE
LIBERTAIRE
PUBERTAIRE
SAGITTAIRE
SAGITTAIRE
TRIBUTAIRE
STATUTAIRE
RÉSIDUAIRE
RELIQUAIRE
ANTIQUAIRE
ÉLECTUAIRE
SANCTUAIRE
SOMPTUAIRE

ROQUEVAIRE	**TRAVANCORE**	EUDIOMÈTRE
CIRCONCIRE	COMPRADORE	GONIOMÈTRE
CONTREDIRE	**CASSIODORE**	VARIOMÈTRE
LANCASHIRE	**APOLLODORE**	ANÉMOMÈTRE
DEVONSHIRE	**LE MONT-DORE**	PYCNOMÈTRE
TOURNEMIRE	MANDRAGORE	LIGNOMÈTRE
BALLAN-MIRÉ	**STÉSICHORE**	CLINOMÈTRE
BALANÇOIRE	XIPHOPHORE	ÉCONOMÈTRE
VAL DE LOIRE	LOPHOPHORE	ALCOOMÈTRE
HAUTE-LOIRE	CTÉNOPHORE	MICROMÈTRE
BOUILLOIRE	CARPOPHORE	HYDROMÈTRE
BASSINOIRE	NÉCROPHORE	HYGROMÈTRE
FORÊT-NOIRE	HYGROPHORE	SPIROMÈTRE
FORÊT-NOIRE	PHOTOPHORE	HYPSOMÈTRE
RESCISOIRE	MIRLIFLORE	LACTOMÈTRE
PROVISOIRE	PASSIFLORE	HECTOMÈTRE
RÉCURSOIRE	MICROFLORE	ACÉTOMÈTRE
RAMASSOIRE	OMNICOLORE	PANTOMÈTRE
ACCESSOIRE	MONOCOLORE	PHOTOMÈTRE
PÉRISSOIRE	**THOMAS MORE**	PIÉZOMÈTRE
RÔTISSOIRE	MONSIGNORE	DÉBITMÈTRE
COLLUSOIRE	**JUBBULPORE**	TACHYMÈTRE
PROBATOIRE	BLASTOPORE	BATHYMÈTRE
ÉVOCATOIRE	MACROSPORE	ENCHEVÊTRÉ
PURGATOIRE	MICROSPORE	REPARAÎTRE
EXPIATOIRE	**COIMBATORE**	APPARAÎTRE
ÉPILATOIRE	ÉNERGIVORE	SURARBITRE
OVULATOIRE	**SIYAD BARRE**	MILLILITRE
CRÉMATOIRE	TINTAMARRE	CENTILITRE
PHONATOIRE	PIED-À-TERRE	HECTOLITRE
VIBRATOIRE	**ANGLETERRE**	**LENCLOÎTRE**
OPÉRATOIRE	**BASSE-TERRE**	INTERTITRE
MIGRATOIRE	**BASSETERRE**	MÉTACENTRE
ÉPURATOIRE	**SAUVETERRE**	HOMOCENTRE
SALTATOIRE	**CAPESTERRE**	HYPOCENTRE
ÉLÉVATOIRE	**FINISTERRE**	AUTOCENTRÉ
RÉFECTOIRE	**SAINT-YORRE**	BARYCENTRE
DIRECTOIRE	BLANCHÂTRE	**MONTMARTRE**
DIRECTOIRE	PSYCHIATRE	MÉDICASTRE
ÉMONCTOIRE	DEUX-QUATRE	HYPOGASTRE
SÉCRÉTOIRE	TÉTRAMÈTRE	**GUILLESTRE**
EXCRÉTOIRE	VOLTAMÈTRE	DÉFENESTRÉ
TERRITOIRE	PENTAMÈTRE	ENREGISTRÉ
OFFERTOIRE	PHASEMÈTRE	CALAMISTRÉ
RÉPERTOIRE	ACIDIMÈTRE	ADMINISTRÉ
EXÉCUTOIRE	MILLIMÈTRE	PÈSE-LETTRE
COLLUTOIRE	MILLIMÉTRÉ	RÉADMETTRE
LEPTOSPIRE	PLANIMÈTRE	JEAN-FOUTRE
TRANSCRIRE	DENSIMÈTRE	AMBIDEXTRE
RÉINSCRIRE	ACÉTIMÈTRE	**ROQUEMAURE**
RETRADUIRE	MULTIMÈTRE	STÉGOSAURE
MÉCONDUIRE	CENTIMÈTRE	APATOSAURE
RECONDUIRE	GRAVIMÈTRE	**BUCENTAURE**
REPRODUIRE	CURVIMÈTRE	RECOURBURE
COPRODUIRE	GLUCOMÈTRE	IODO-IODURÉ
INTRODUIRE	RADIOMÈTRE	POLYIODURE
CONSTRUIRE	AUDIOMÈTRE	ENVERGEURE

INFÉRIEURE	POURRITURE	**IRLANDAISE**
SUPÉRIEURE	APICULTURE	ISLANDAISE
ULTÉRIEURE	AVICULTURE	**ISLANDAISE**
ANTÉRIEURE	EMPLANTURE	**MIRANDAISE**
INTÉRIEURE	EMPOINTURE	BURUNDAISE
INTÉRIEURE	COUVERTURE	**BURUNDAISE**
EXTÉRIEURE	**LOUVERTURE**	**DINARDAISE**
AMPHINEURE	CONTEXTURE	PORTUGAISE
PROCUREURE	ENJOLIVURE	**PORTUGAISE**
PERSULFURE	**PENTHIÈVRE**	**TRANCHAISE**
OXYSULFURE	GRAND-LIVRE	**KEBNEKAISE**
DEMI-FIGURE	POURSUIVRE	**CANCALAISE**
ENFLÉCHURE	**VANDŒUVRE**	**OUAGALAISE**
EMMANCHURE	HORS-ŒUVRE	**CUGNALAISE**
EMBOUCHURE	SOUS-ŒUVRE	BORDELAISE
CRAQUELURE	DEXTROGYRE	**BORDELAISE**
VERMOULURE	OISEAU-LYRE	**ROCHELAISE**
CLAQUEMURÉ	VANITY-CASE	**MANILLAISE**
HALOGÉNURE	PEROXYDASE	ANTILLAISE
ENCOIGNURE	STRIP-TEASE	**ANTILLAISE**
ENLUMINURE	INTERPHASE	**BANDOLAISE**
ENTOURNURE	OLIGOCLASE	CONGOLAISE
THYSANOURE	PARONOMASE	**CONGOLAISE**
BRACHYOURE	ANTONOMASE	**BARJOLAISE**
ÉCHANCRURE	TYROSINASE	**BAGNOLAISE**
DÉCHLORURÉ	SACCHARASE	CHAROLAISE
DICHLORURE	PARAPHRASE	**CHAROLAISE**
CHAMARRURE	PARAPHRASÉ	**BANJULAISE**
TÉLÉMESURE	PÉRIPHRASE	**MBABANAISE**
DEMI-MESURE	ANTIPHRASE	**CAUDANAISE**
SOUS-ASSURÉ	SYNTHÉTASE	**HOUDANAISE**
COMMISSURE	ICONOSTASE	SOUDANAISE
TERNISSURE	ARTHRODÈSE	**SOUDANAISE**
BRUNISSURE	PARENTHÈSE	**SIGEANAISE**
MOISISSURE	HÉMATÉMÈSE	**ORLÉANAISE**
SERTISSURE	**DODÉCANÈSE**	**CACHANAISE**
COURBATURE	MUTAGENÈSE	**MORLANAISE**
COURBATURÉ	PÉDOGENÈSE	**MEULANAISE**
CARICATURE	ONTOGENÈSE	**MEYLANAISE**
CARICATURÉ	**CHERSONÈSE**	**SEVRANAISE**
TRONCATURE	APOSIOPÈSE	TAÏWANAISE
NONCIATURE	CATACHRÈSE	**TAÏWANAISE**
MACULATURE	ANTICHRÈSE	**BASSENAISE**
TITULATURE	ANAPHORÈSE	**SARTENAISE**
MODÉNATURE	**CALDAGUÈSE**	**CORTENAISE**
QUADRATURE	**COGNAÇAISE**	**AUBAGNAISE**
COLORATURE	**JARNACAISE**	**VALOGNAISE**
SOUS-SATURÉ	**BARSACAISE**	BOLOGNAISE
PRÉFECTURE	**JONZACAISE**	**BOLOGNAISE**
CONJECTURE	**BOLBÉCAISE**	BURKINAISE
CONJECTURÉ	**PORNICAISE**	**BURKINAISE**
MOUCHETURE	**GAPENÇAISE**	**DIGOINAISE**
PROPRÉTURE	**SARLADAISE**	**JOHANNAISE**
FORFAITURE	OUGANDAISE	**DINANNAISE**
FOURNITURE	**OUGANDAISE**	**ROYANNAISE**
RÉÉCRITURE	**ZÉLANDAISE**	**SÉZANNAISE**
NOURRITURE	IRLANDAISE	ARDENNAISE

ARDENNAISE	**YVETOTAISE**	PARCELLISÉ
ROUENNAISE	**ESSARTAISE**	CARTELLISÉ
MÉVENNAISE	**ANTIGUAISE**	MÉTABOLISÉ
CAYENNAISE	**OUTAOUAISE**	MONOPOLISÉ
MAYENNAISE	**HENDAYAISE**	DÉNÉBULISÉ
THAONNAISE	**ABRUZZAISE**	RIDICULISÉ
CRAONNAISE	TECHNICISÉ	MACADAMISÉ
MÂCONNAISE	CHRONICISÉ	SURCHEMISE
LUÇONNAISE	CIRCONCISE	COMPROMISE
REDONNAISE	CHALANDISE	UNIFORMISÉ
ARGONNAISE	RINGARDISÉ	AFRICANISÉ
BRIONNAISE	MIGNARDISE	RÉORGANISÉ
DIJONNAISE	VANTARDISE	INORGANISÉ
ALLONNAISE	BALOURDISE	ITALIANISÉ
CENONNAISE	SYMPATHISÉ	ALCALINISÉ
PÉRONNAISE	RADICALISÉ	KÉRATINISÉ
ÉVRONNAISE	MÉDICALISÉ	DÉCOLONISÉ
DIVONNAISE	LEXICALISÉ	FRATERNISÉ
AUXONNAISE	DÉLOCALISÉ	**ZAGRÉBOISE**
BAYONNAISE	SCANDALISÉ	**FIGEACOISE**
MAYONNAISE	SPÉCIALISÉ	**CALLACOISE**
NOYONNAISE	MONDIALISÉ	**MEYMACOISE**
ARAGONAISE	SPATIALISÉ	**GIGNACOISE**
ARAGONAISE	INITIALISÉ	**ÉPINACOISE**
LANGONAISE	DÉCIMALISÉ	**CARNACOISE**
TRÉLONAISE	MINIMALISÉ	**FLORACOISE**
ARAMONAISE	OPTIMALISÉ	QUÉBÉCOISE
CHINONAISE	MAXIMALISÉ	**QUÉBÉCOISE**
THONONAISE	DÉPÉNALISÉ	**LORRIÇOISE**
OLORONAISE	NOMINALISÉ	**MASSICOISE**
CANTONAISE	LIBÉRALISÉ	**VOLVICOISE**
CANTONAISE	FÉDÉRALISÉ	**ARLANCOISE**
NIVERNAISE	GÉNÉRALISÉ	**FAYENÇOISE**
NIVERNAISE	MINÉRALISÉ	**TOUCYCOISE**
LACAUNAISE	LATÉRALISÉ	**MAGNYCOISE**
LOUDUNAISE	DÉMORALISÉ	**BRIVADOISE**
EMBRUNAISE	CAPORALISÉ	**PRIVADOISE**
FERRARAISE	CENTRALISÉ	**LANAUDOISE**
CALABRAISE	NEUTRALISÉ	**ARRAGEOISE**
TIRE-BRAISE	NATURALISÉ	**ARIÉGEOISE**
FOUGERAISE	DÉNASALISÉ	ALBIGEOISE
BAGNÉRAISE	PALATALISÉ	**ALBIGEOISE**
CAPCIRAISE	VÉGÉTALISÉ	**BLANGEOISE**
NAVARRAISE	DIGITALISÉ	**ORANGEOISE**
NAVARRAISE	CAPITALISÉ	**BOURGEOISE**
MASCATAISE	DÉVITALISÉ	**GAMACHOISE**
VALLETAISE	REVITALISÉ	**ARDÉCHOISE**
CHOLETAISE	CHAPTALISÉ	MUNICHOISE
VANNETAISE	MENSUALISÉ	**MUNICHOISE**
FAOUËTAISE	ÉVANGÉLISÉ	ZURICHOISE
PONANTAISE	CARAMÉLISÉ	**ZURICHOISE**
ARDENTAISE	DÉMOBILISÉ	**FONSCHOISE**
NOGENTAISE	IMMOBILISÉ	**VARILHOISE**
ARGENTAISE	SOLUBILISÉ	**FAMECKOISE**
TARENTAISE	LYOPHILISÉ	**DORVALOISE**
TARENTAISE	DÉVIRILISÉ	**BELLILOISE**
TORONTAISE	VOLATILISÉ	**LASALLOISE**

10

PRÉDISPOSÉ	**ODER-NEISSE**	DÉNICHEUSE
SOUS-EXPOSÉ	ANTIGLISSE	AGUICHEUSE
SACCHAROSE	TREILLISSÉ	TRANCHEUSE
DYSHIDROSE	PYTHONISSE	GRINCHEUSE
SAINTE-ROSE	ENTRE-TISSÉ	CHERCHEUSE
DIARTHROSE	CENT-SUISSE	HERSCHEUSE
ÉNARTHROSE	RONDE-BOSSE	PELUCHEUSE
ARBOVIROSE	BASSE-FOSSE	ÉPLUCHEUSE
SINISTROSE	CYNOGLOSSE	AUDACIEUSE
APONÉVROSE	HYPOGLOSSE	JUDICIEUSE
MYXOMATOSE	ÉCLABOUSSÉ	OFFICIEUSE
PARASITOSE	DRAP-HOUSSE	MALICIEUSE
PINOCYTOSE	CAMBROUSSE	DÉLICIEUSE
CARPOCAPSE	**L'ÎLE-ROUSSE**	ASTUCIEUSE
APOCALYPSE	**CHAMROUSSE**	INSIDIEUSE
AIGUEPERSE	BIÉLORUSSE	MÉLODIEUSE
RETRAVERSÉ	**BIÉLORUSSE**	VÉRIFIEUSE
BOULEVERSÉ	AYANT CAUSE	RELIGIEUSE
TERGIVERSÉ	TROPOPAUSE	LITIGIEUSE
TRANSVERSE	ANDROPAUSE	SPONGIEUSE
HAUTE-CORSE	CUBOMÉDUSE	INGÉNIEUSE
WHITEHORSE	REGIMBEUSE	IMPÉRIEUSE
BAS-DE-CASSE	SURFACEUSE	LABORIEUSE
DÉCARCASSÉ	DÉFONCEUSE	INCURIEUSE
POURCHASSÉ	ENFONCEUSE	INJURIEUSE
SOUS-CLASSE	ANNONCEUSE	LUXURIEUSE
BOUILLASSE	CASCADEUSE	CHASSIEUSE
LESPINASSE	DEMANDEUSE	FACÉTIEUSE
OUTREPASSÉ	RAMENDEUSE	AMBITIEUSE
PASSE-PASSE	REVENDEUSE	SÉDITIEUSE
DÉBARRASSÉ	COVENDEUSE	MINUTIEUSE
EMBARRASSÉ	RÉPONDEUSE	DRIBBLEUSE
SUPERBESSE	CAFARDEUSE	TREMBLEUSE
MORBIDESSE	REGARDEUSE	GRUMELEUSE
TCHERKESSE	HASARDEUSE	BOTTELEUSE
GARGILESSE	EMMERDEUSE	CAUTELEUSE
VIEILLESSE	ACCORDEUSE	COQUELEUSE
GRAND-MESSE	MARAUDEUSE	CLAVELEUSE
IVROGNESSE	TARAUDEUSE	GRAVELEUSE
DIACONESSE	RAVAUDEUSE	SOUFFLEUSE
MALADRESSE	BAROUDEUSE	RENIFLEUSE
VENGERESSE	EXTRUDEUSE	TRÉFILEUSE
PÉCHERESSE	CHAUFFEUSE	VENTILEUSE
SÉCHERESSE	SACCAGEUSE	EMBALLEUSE
QUAKERESSE	AMÉNAGEUSE	LAMELLEUSE
PANNERESSE	OMBRAGEUSE	ÉCAILLEUSE
FORTERESSE	OUTRAGEUSE	PIAILLEUSE
BOUVERESSE	COURAGEUSE	ÉMAILLEUSE
ALLÉGRESSE	PARTAGEUSE	BRAILLEUSE
DOCTORESSE	ARRANGEUSE	HABILLEUSE
MULÂTRESSE	LOUANGEUSE	CUEILLEUSE
TRAÎTRESSE	PATAUGEUSE	ÉVEILLEUSE
ÉTROITESSE	RABÂCHEUSE	PÉRILLEUSE
SURVITESSE	ARRACHEUSE	NASILLEUSE
VICOMTESSE	ENSACHEUSE	VÉTILLEUSE
ROBUSTESSE	EMPÊCHEUSE	FOUILLEUSE
RENGRAISSÉ	AFFICHEUSE	POUILLEUSE

DÉCOLLEUSE
ENCOLLEUSE
MÉDULLEUSE
BRICOLEUSE
RUBÉOLEUSE
VARIOLEUSE
FIGNOLEUSE
PÉTROLEUSE
GLOBULEUSE
CALCULEUSE
MUSCULEUSE
GRANULEUSE
DÉROULEUSE
ENROULEUSE
CRAPULEUSE
FISTULEUSE
PUSTULEUSE
ESCRIMEUSE
ASSOMMEUSE
SLALOMEUSE
ENDORMEUSE
NON-FUMEUSE
PARFUMEUSE
CHICANEUSE
PROMENEUSE
DÉLIGNEUSE
BESOGNEUSE
TENDINEUSE
BOUDINEUSE
RAFFINEUSE
ÉRUGINEUSE
VERMINEUSE
ALUMINEUSE
FIBRINEUSE
CHITINEUSE
GLUTINEUSE
DÉPANNEUSE
FAÇONNEUSE
JALONNEUSE
TENONNEUSE
TORONNEUSE
BÉTONNEUSE
COTONNEUSE
SAVONNEUSE
ÉCHARNEUSE
CAVERNEUSE
SUBORNEUSE
ESTAMPEUSE
VARAPPEUSE
DÉCOUPEUSE
TÉNÉBREUSE
CALIBREUSE
ENCADREUSE
CANCÉREUSE
DOUCEREUSE
PONDÉREUSE
DANGEREUSE

CHIFFREUSE
DÉNIGREUSE
ÉCLAIREUSE
SURVIREUSE
STUPOREUSE
LIQUOREUSE
BAGARREUSE
DÉTERREUSE
THÉÂTREUSE
PUPITREUSE
CHARTREUSE
CHARTREUSE
VALEUREUSE
SULFUREUSE
SECOUREUSE
RIGOUREUSE
VIGOUREUSE
SAVOUREUSE
CONFISEUSE
RECENSEUSE
ENCENSEUSE
COMPOSEUSE
JACASSEUSE
RAMASSEUSE
FINASSEUSE
REPASSEUSE
RÊVASSEUSE
PARESSEUSE
GRAISSEUSE
GNEISSEUSE
POLISSEUSE
BÉNISSEUSE
FINISSEUSE
BÂTISSEUSE
LOTISSEUSE
RÔTISSEUSE
FOUISSEUSE
JOUISSEUSE
RAVISSEUSE
LAÏUSSEUSE
SULFATEUSE
PELLETEUSE
SÉCRÉTEUSE
PIQUETEUSE
ENQUÊTEUSE
LOQUETEUSE
BOUVETEUSE
PROFITEUSE
GRANITEUSE
INSULTEUSE
ORIENTEUSE
TOMENTEUSE
ARPENTEUSE
ÉREINTEUSE
SPRINTEUSE
RACONTEUSE
BARBOTEUSE

FRICOTEUSE
TRICOTEUSE
CLAPOTEUSE
CRAPOTEUSE
CHIPOTEUSE
TRIPOTEUSE
ENCARTEUSE
SCHISTEUSE
RABATTEUSE
GALETTEUSE
DISETTEUSE
NAVETTEUSE
CAROTTEUSE
DISCUTEUSE
CHAHUTEUSE
REBOUTEUSE
VELOUTEUSE
ENVOÛTEUSE
RECRUTEUSE
ARNAQUEUSE
VARIQUEUSE
TRINQUEUSE
BAROQUEUSE
FRUCTUEUSE
IMPÉTUEUSE
SOMPTUEUSE
LESSIVEUSE
ACCOUVEUSE
HOCKEYEUSE
VOLLEYEUSE
AMAREYEUSE
EMPLOYEUSE
CORROYEUSE
FOSSOYEUSE
NETTOYEUSE
CONVOYEUSE
QUARTZEUSE
HYPOTÉNUSE
NUCLÉOLYSE
PROTÉOLYSE
THERMOLYSE
PLASMOLYSE
INDÉLICATE
BASILICATE
LEMNISCATE
MITHRADATE
MITHRIDATE
PERSULFATE
SALICYLATE
ACŒLOMATE
BICHROMATE
AUVERGNATE
AUVERGNATE
CARTON-PÂTE
SACCHARATE
HIPPOCRATE
DÉSHYDRATÉ

PISISTRATE	VÉRIDICITÉ	DÉNATALITÉ
ORTHOSTATE	IMPUDICITÉ	FRONTALITÉ
INADÉQUATE	SIMPLICITÉ	MENSUALITÉ
OUARZAZATE	COMPLICITÉ	SENSUALITÉ
AUTOTRACTÉ	ENDÉMICITÉ	VIRTUALITÉ
DÉSAFFECTÉ	RYTHMICITÉ	GESTUALITÉ
DÉSINFECTÉ	THERMICITÉ	INFIDÉLITÉ
DÉCONNECTÉ	SÉISMICITÉ	AFFABILITÉ
INCORRECTE	TECHNICITÉ	RÉHABILITÉ
ARCHITECTE	CANONICITÉ	INHABILITÉ
ECTOPROCTE	CHRONICITÉ	FRIABILITÉ
MÉCHANCETÉ	SPHÉRICITÉ	CURABILITÉ
COCHONCETÉ	ÉLASTICITÉ	DURABILITÉ
ODONTOCÈTE	PLASTICITÉ	NOTABILITÉ
ASCOMYCÈTE	CAUSTICITÉ	MUTABILITÉ
ZYGOMYCÈTE	PLÉBISCITE	AUDIBILITÉ
MYXOMYCÈTE	PLÉBISCITÉ	PÉNIBILITÉ
OLIGOCHÈTE	RESSUSCITÉ	LISIBILITÉ
SPIROCHÈTE	DISCRÉDITÉ	VISIBILITÉ
DÉMOUCHETÉ	CONTREDITE	FUSIBILITÉ
ÉPAULÉ-JETÉ	SMARAGDITE	IMMOBILITÉ
TRIATHLÈTE	FLACCIDITÉ	SOLUBILITÉ
INHABILETÉ	INVALIDITÉ	VOLUBILITÉ
AIGUILLETÉ	SIGMOÏDITE	INDOCILITÉ
INCOMPLÈTE	THYROÏDITE	JUVÉNILITÉ
GUILLEMETÉ	MASTOÏDITE	VOLATILITÉ
SOUDAINETÉ	INSIPIDITÉ	MUTAZILITE
ANCIENNETÉ	PAROTIDITE	CATABOLITE
MALHONNÊTE	COMMANDITE	MÉTABOLITE
DÉSHONNÊTE	COMMANDITÉ	LÉPIDOLITE
ARGYRONÈTE	MYOCARDITE	THÉODOLITE
CENTRIPÈTE	ÉTANCHÉITÉ	SIDÉROLITE
INDISCRÈTE	EXTRANÉITÉ	CHRYSOLITE
ANACHORÈTE	PARIDIGITÉ	GRAPTOLITE
INTERPRÈTE	SALPINGITE	KIMBERLITE
INTERPRÉTÉ	PHARYNGITE	RADICULITE
PHILOCTÈTE	LARGE WHITE	SPONDYLITE
APPUIE-TÊTE	KHARIDJITE	ANTISÉMITE
REPOSE-TÊTE	RADICALITÉ	CHATTEMITE
APPUIS-TÊTE	MUSICALITÉ	STALAGMITE
BERRUGUETE	AMYGDALITE	ÉQUANIMITÉ
CACAHOUÈTE	ILLÉGALITÉ	LÉGITIMITÉ
REMPAQUETÉ	SPÉCIALITÉ	SOUS-COMITÉ
DÉBECQUETÉ	CORDIALITÉ	PYODERMITE
DÉCHIQUETÉ	SPATIALITÉ	DIFFORMITÉ
DÉCLIQUETÉ	NUPTIALITÉ	UNIFORMITÉ
ENCLIQUETÉ	PARTIALITÉ	CONFORMITÉ
RECONQUÊTE	BESTIALITÉ	INHUMANITÉ
STUPÉFAITE	TRIVIALITÉ	VANADINITE
IMPARFAITE	THERMALITÉ	ALCALINITÉ
SATISFAITE	ANORMALITÉ	MÉDIUMNITÉ
SOUSTRAITE	VICINALITÉ	ESPIONNITE
SOUS-TRAITÉ	LIBÉRALITÉ	GLAUCONITE
EFFICACITÉ	GÉNÉRALITÉ	PÉRITONITE
INCAPACITÉ	LATÉRALITÉ	FRATERNITÉ
ANTHRACITE	IMMORALITÉ	OUVRE-BOÎTE
BÉNÉDICITÉ	NEUTRALITÉ	INEXPLOITÉ

MALADROITE
DEMI-DROITE
SOLIDARITÉ
BLÉPHARITE
PERTHARITE
SIMILARITÉ
BIPOLARITÉ
RÉGULARITÉ
POPULARITÉ
INSULARITÉ
CORONARITE
VIVIPARITÉ
IGNIMBRITE
MÉDIOCRITÉ
TRANSCRITE
RÉINSCRITE
EXINSCRITE
MANUSCRITE
CORDIÉRITE
GARNIÉRITE
PROSPÉRITÉ
MARGUERITE
MARGUERITE
TÉLÉVÉRITÉ
LÈCHEFRITE
INSONORITÉ
AMPHITRITE
INSÉCURITÉ
IMMATURITÉ
DÉPARASITÉ
MARTENSITE
CHALCOSITE
SPÉCIOSITÉ
PRÉCIOSITÉ
PLUVIOSITÉ
NÉBULOSITÉ
LUMINOSITÉ
À L'OPPOSITE
TUBÉROSITÉ
GÉNÉROSITÉ
FLATUOSITÉ
ONCTUOSITÉ
VIRTUOSITÉ
FLEXUOSITÉ
UNIVERSITÉ
PERVERSITÉ
MARCASSITE
PYROLUSITE
ÉPIPHYSITE
PROSTATITE
STALACTITE
PÉRIDOTITE
PYRRHOTITE
TRIPARTITE
SEXPARTITE
GIOBERTITE
PÉRIOSTITE

AUDIMUTITÉ
RETRADUITE
MÉCONDUITE
RECONDUITE
INCONDUITE
REPRODUITE
COPRODUITE
INTRODUITE
CONTIGUÏTÉ
CONTINUITÉ
CONSTRUITE
PERPÉTUITÉ
ADHÉSIVITÉ
CRÉATIVITÉ
NÉGATIVITÉ
RELATIVITÉ
RÉACTIVITÉ
INACTIVITÉ
ÉLECTIVITÉ
POSITIVITÉ
SPORTIVITÉ
COMPLEXITÉ
PERPLEXITÉ
ARCHIVOLTE
DÉSINVOLTE
DIFFICULTÉ
VIC-LE-COMTE
RETOMBANTE
ABSORBANTE
ADSORBANTE
GRIMAÇANTE
MORDICANTE
FABRICANTE
CAPRICANTE
SUFFOCANTE
PROVOCANTE
CORUSCANTE
DÉGRADANTE
POSSÉDANTE
SUICIDANTE
TRÉPIDANTE
ASCENDANTE
DÉPENDANTE
INTENDANTE
FÉCONDANTE
REDONDANTE
RÉPONDANTE
REGARDANTE
EMMERDANTE
DÉBORDANTE
ENGAGEANTE
ENRAGEANTE
OBLIGEANTE
DIRIGEANTE
CHANGEANTE
PLONGEANTE
SUPPLÉANTE

BIENSÉANTE
CHAUFFANTE
ÉTOUFFANTE
INÉLÉGANTE
INTRIGANTE
DÉTACHANTE
ATTACHANTE
ALLÉCHANTE
AGUICHANTE
TRANCHANTE
SYCOPHANTE
NÉGOCIANTE
IRRADIANTE
RUBÉFIANTE
LÉNIFIANTE
TONIFIANTE
PURIFIANTE
MATIFIANTE
BÊTIFIANTE
VIVIFIANTE
HUMILIANTE
DÉFOLIANTE
EXFOLIANTE
SUPPLIANTE
VICARIANTE
INVARIANTE
LUXURIANTE
ACCABLANTE
TREMBLANTE
TROUBLANTE
HARCELANTE
PANTELANTE
SOUFFLANTE
AVEUGLANTE
VACILLANTE
OSCILLANTE
SÉMILLANTE
PÉTILLANTE
BOUILLANTE
MOUILLANTE
GONDOLANTE
CONSOLANTE
RÉIMPLANTÉ
DÉFERLANTE
CIRCULANTE
BASCULANTE
COAGULANTE
TRÉMULANTE
STIMULANTE
RIBOULANTE
STIPULANTE
POSTULANTE
DIFFAMANTE
RÉCLAMANTE
DÉSAIMANTÉ
DÉPRIMANTE
IMPRIMANTE

OPPRIMANTE	TORTURANTE	CLAPOTANTE
ASSOMMANTE	ARABISANTE	ACCEPTANTE
DÉSARMANTE	FASCISANTE	IMPORTANTE
ENDORMANTE	SUFFISANTE	RÉSISTANTE
DÉFORMANTE	AGONISANTE	INSISTANTE
PRÉVENANTE	PATOISANTE	ASSISTANTE
PLAIGNANTE	MÉPRISANTE	RABATTANTE
ÉPARGNANTE	ÉMÉTISANTE	DILETTANTE
RÉPUGNANTE	ÉROTISANTE	EXÉCUTANTE
ENGAINANTE	PARTISANTE	PERCUTANTE
LANCINANTE	SÉDUISANTE	RAGOÛTANTE
FASCINANTE	RELUISANTE	DÉGOÛTANTE
DÉCLINANTE	SLAVISANTE	DÉROUTANTE
CULMINANTE	MARXISANTE	ENVOÛTANTE
FULMINANTE	OFFENSANTE	CONCLUANTE
BASSINANTE	COMPOSANTE	ATTÉNUANTE
ROSSINANTE	DISPOSANTE	EXTÉNUANTE
PIÉTINANTE	DÉLASSANTE	INSINUANTE
PÉRENNANTE	HARASSANTE	ATTAQUANTE
BEDONNANTE	INCESSANTE	PANIQUANTE
BIDONNANTE	CARESSANTE	CLINQUANTE
RÉSONNANTE	STRESSANTE	FLUCTUANTE
TÂTONNANTE	ABAISSANTE	AGGRAVANTE
RAYONNANTE	OBÉISSANTE	DÉPRAVANTE
GAZONNANTE	VAGISSANTE	CAPTIVANTE
CONSONANTE	MUGISSANTE	SURVIVANTE
DISSONANTE	RUGISSANTE	DÉCALVANTE
HIBERNANTE	PÂLISSANTE	RÉSOLVANTE
ALTERNANTE	SALISSANTE	ÉPROUVANTE
HIVERNANTE	GÉMISSANTE	EFFRAYANTE
DÉCLARANTE	FINISSANTE	RETRAYANTE
TÉRÉBRANTE	CROISSANTE	ATTRAYANTE
EXUBÉRANTE	MÛRISSANTE	GOULEYANTE
ITINÉRANTE	JOUISSANTE	VERDOYANTE
VULNÉRANTE	RAVISSANTE	LARMOYANTE
TEMPÉRANTE	CHAUSSANTE	INCROYANTE
INOPÉRANTE	GLOUSSANTE	CHATOYANTE
REQUÉRANTE	DIFFUSANTE	PRÉVOYANTE
SOUFFRANTE	DÉPAYSANTE	MALVOYANTE
INTÉGRANTE	ANALYSANTE	NON-VOYANTE
IMMIGRANTE	HYDRATANTE	SUBJACENTE
ÉCLAIRANTE	INFECTANTE	SUS-JACENTE
DÉCHIRANTE	EXPECTANTE	PUBESCENTE
INSPIRANTE	GRAND-TANTE	RUBESCENTE
PERFORANTE	CAQUETANTE	QUIESCENTE
IMPLORANTE	PROFITANTE	TUMESCENTE
DOCTORANTE	MIROITANTE	SÉNESCENTE
ATTERRANTE	PALPITANTE	RARESCENTE
SUSURRANTE	NICTITANTE	DÉHISCENTE
PÉNÉTRANTE	RÉCOLTANTE	PRÉCÉDENTE
IMPÉTRANTE	RÉVOLTANTE	PRÉSIDENTE
FRUSTRANTE	RÉSULTANTE	DISSIDENTE
COMBURANTE	INSULTANTE	IMPRUDENTE
ÉCŒURANTE	REPENTANTE	NÉGLIGENTE
FULGURANTE	ÉREINTANTE	INDULGENTE
MURMURANTE	CHUINTANTE	COTANGENTE
RASSURANTE	REMONTANTE	DÉSARGENTÉ

DÉTERGENTE	MASTODONTE	BIOLOGISTE
DIVERGENTE	**ASPROMONTE**	ZOOLOGISTE
RÉSURGENTE	**AMALASONTE**	APOLOGISTE
DÉFICIENTE	RÉEMPRUNTÉ	AUBERGISTE
EFFICIENTE	TOURNICOTÉ	SYNERGISTE
PRESCIENTE	BOURSICOTÉ	CATÉCHISTE
CONSCIENTE	APTÉRYGOTE	AFFICHISTE
EXPÉDIENTE	HOMOZYGOTE	FÉTICHISTE
RÉSILIENTE	MONOZYGOTE	PLANCHISTE
ÉMOLLIENTE	MASSALIOTE	MASOCHISTE
EL TENIENTE	**MASSALIOTE**	ANARCHISTE
DÉSORIENTÉ	**CLAMARIOTE**	PUTSCHISTE
IMPATIENTE	**PHANARIOTE**	BOUDDHISTE
IMPATIENTÉ	GYROPILOTE	TROTSKISTE
CHRÉTIENTÉ	DÉMAILLOTÉ	KABBALISTE
UNIVALENTE	EMMAILLOTÉ	CYMBALISTE
TRIVALENTE	**BOROILLOTE**	FISCALISTE
EXCELLENTE	**MADELINOTE**	IRRÉALISTE
SOMNOLENTE	HOTTENTOTE	SOCIALISTE
TURBULENTE	**HOTTENTOTE**	FORMALISTE
SUCCULENTE	PROCARYOTE	PLURALISTE
TRUCULENTE	INTERCEPTÉ	RITUALISTE
CORPULENTE	RÉESCOMPTE	MUTUALISTE
QUÉRULENTE	RÉESCOMPTÉ	DIÉSÉLISTE
FLATULENTE	PORTE-CARTE	LIBELLISTE
INCLÉMENTE	MULTICARTE	SYMBOLISTE
RÉGLEMENTÉ	DÉCONCERTÉ	**GRÉGAMISTE**
PARLEMENTÉ	DÉCOUVERTE	EXTRÉMISTE
INCRÉMENTÉ	RECOUVERTE	ALCHIMISTE
MOUVEMENTÉ	EXTRAFORTE	UNANIMISTE
INSERMENTÉ	RÉCONFORTÉ	PESSIMISTE
ASSERMENTÉ	PIANOFORTE	ÉCONOMISTE
PERMANENTE	PAS-DE-PORTE	ANATOMISTE
CONTINENTE	INSUPPORTÉ	RÉFORMISTE
PERTINENTE	TRANSPORTÉ	ORLÉANISTE
ABSTINENTE	SCHOLIASTE	INDIANISTE
DIFFÉRENTE	ENDOBLASTE	MARIANISTE
OCCURRENTE	MÉSOBLASTE	GERMANISTE
RÉCURRENTE	ECTOBLASTE	HISPANISTE
REPRÉSENTÉ	INCONTESTÉ	SOPRANISTE
COMPÉTENTE	PUBLICISTE	PLATANISTE
MÉSENTENTE	ANGLICISTE	MONTANISTE
MÉCONTENTE	BELLICISTE	HYGIÉNISTE
MÉCONTENTÉ	CRITICISTE	HELLÉNISTE
RÉMITTENTE	POUJADISTE	JANSÉNISTE
DIFFLUENTE	HÉRALDISTE	**BENVENISTE**
CONNIVENTE	MÉTHODISTE	FUSAINISTE
APRÈS-VENTE	TALMUDISTE	PÉTAINISTE
DÉPÔT-VENTE	**LOCTUDISTE**	SANDINISTE
COMPLAINTE	PANTHÉISTE	MACHINISTE
CONTRAINTE	MISONÉISTE	CUISINISTE
RESTREINTE	ÉTALAGISTE	CALVINISTE
DEMI-TEINTE	AMÉNAGISTE	DARWINISTE
LONG-JOINTÉ	BARRAGISTE	ANTENNISTE
DEMI-POINTE	PAYSAGISTE	VIOLONISTE
VILLEPINTE	ÉCHANGISTE	HARMONISTE
COLOQUINTE	ÉCOLOGISTE	BASSONISTE

MODERNISTE
COMMUNISTE
HAUTBOÏSTE
SHINTOÏSTE
CITHARISTE
OCULARISTE
SCÉNARISTE
GUITARISTE
DÉCABRISTE
ALGÉBRISTE
MANIÉRISTE
ROSIÉRISTE
MATIÉRISTE
INTÉGRISTE
AFFAIRISTE
HERBORISTE
FRIGORISTE
TERRORISTE
LIQUORISTE
PÉTAURISTE
SECOURISTE
CULTURISTE
CRÉMATISTE
PRIVATISTE
HERMÉTISTE
DÉFAITISTE
OCCULTISTE
URGENTISTE
SCIENTISTE
ATTENTISTE
ADVENTISTE
HÉBERTISTE
HINDOUISTE
UTRAQUISTE
FRANQUISTE
FRESQUISTE
KIOSQUISTE
MÉDIÉVISTE
ARCHIVISTE
TÂRGOVISTE
IMPROVISTE
RÉSERVISTE
TRAPÉZISTE
SPINOZISTE
MALLE-POSTE
MULTIPOSTE
WAGON-POSTE
AVANT-POSTE
HOLOCAUSTE
HOLOCAUSTE
HYPOCAUSTE
FAMAGOUSTE
CNIDOCYSTE
MACROCYSTE
STATOCYSTE
GUINEGATTE
CUL-DE-JATTE

EFFARVATTE
DÉSENDETTÉ
MÉSANGETTE
ÉPEICHETTE
AFFICHETTE
PLANCHETTE
BRANCHETTE
LA ROCHETTE
FOURCHETTE
ÉPLUCHETTE
ÉMOUCHETTE
SANDALETTE
SINGALETTE
BICYCLETTE
BANDELETTE
RONDELETTE
VERDELETTE
CORDELETTE
DÉCHELETTE
FEMMELETTE
AIGRELETTE
TARTELETTE
VAGUELETTE
ÉPINGLETTE
AVEUGLETTE
OREILLETTE
CUEILLETTE
FEUILLETTE
DOUILLETTE
MOUILLETTE
PÉTROLETTE
CASSOLETTE
CALCULETTE
PENDULETTE
CIBOULETTE
LA GOULETTE
RÉFORMETTE
PICHENETTE
BUSSENETTE
DANDINETTE
MOULINETTE
HERMINETTE
CRÉPINETTE
CLARINETTE
CUISINETTE
BAÏONNETTE
TALONNETTE
COLONNETTE
SAVONNETTE
SAUMONETTE
ESCAMPETTE
CHAMBRETTE
VERGERETTE
COLLERETTE
PÂQUERETTE
CASTORETTE
LAMOURETTE

FACTURETTE
VOITURETTE
CHEMISETTE
RAMASSETTE
CHAUSSETTE
MANIGUETTE
GUINGUETTE
SERFOUETTE
SILHOUETTE
SILHOUETTE
SILHOUETTÉ
MUSIQUETTE
BLANQUETTE
FRANQUETTE
TRINQUETTE
FRISQUETTE
CHOUQUETTE
ÉPROUVETTE
LA CLAYETTE
CHAMPLITTE
BERNADOTTE
MAIGRIOTTE
MASSELOTTE
GRAVELOTTE
POLYGLOTTE
VIEILLOTTE
BOUILLOTTE
BOUILLOTTÉ
MONTENOTTE
GOMME-GUTTE
COSMONAUTE
ASTRONAUTE
CYBERNAUTE
INTERNAUTE
COMMUNAUTÉ
CONTREBUTÉ
YPONOMEUTE
THÉRAPEUTE
CHOUCHOUTE
CHOUCHOUTÉ
GLOUGLOUTÉ
CHOUCROUTE
FROUFROUTÉ
RESTOROUTE
EURODÉPUTÉ
HYPERTEXTE
AVANT-TEXTE
LYMPHOCYTE
HISTIOCYTE
PLASMOCYTE
MÉLANOCYTE
HÉPATOCYTE
TROGLODYTE
OSTÉOPHYTE
PSILOPHYTE
CORMOPHYTE
CYANOPHYTE

CHAROPHYTE
SPOROPHYTE
SAPROPHYTE
GNÉTOPHYTE
PROTOPHYTE
CONVAINCUE
POURFENDUE
HYPOTENDUE
SOUS-TENDUE
INATTENDUE
BARBE-BLEUE
TÊTE-À-QUEUE
ROUGE-QUEUE
HOCHEQUEUE
PORTE-QUEUE
COPENHAGUE
PASTENAGUE
EXTRAVAGUÉ
SUBDÉLÉGUÉ
LADOUMÈGUE
INVESTIGUÉ
MÉTALANGUE
LOURDINGUE
SOURDINGUE
MONOLINGUE
BOURLINGUÉ
WATERINGUE
BASTRINGUE
FLESSINGUE
DIPHTONGUE
DIPHTONGUÉ
BOULEDOGUE
SIALAGOGUE
CHOLAGOGUE
PALÉOLOGUE
MUSÉOLOGUE
MYTHOLOGUE
SOCIOLOGUE
RADIOLOGUE
PHILOLOGUE
GEMMOLOGUE
SISMOLOGUE
COSMOLOGUE
ETHNOLOGUE
PHONOLOGUE
HYDROLOGUE
MÉTROLOGUE
PÉTROLOGUE
ASTROLOGUE
NEUROLOGUE
ÉROTOLOGUE
MOUSTACHUE
SOUS-ÉVALUÉ
MOINS-VALUE
ENTRETENUE
DÉCONVENUE
LANN-BIHOUÉ

BOURDALOUE
CHASSE-ROUE
MIAULÉTOUE
DÉMONIAQUE
SIMONIAQUE
AMMONIAQUE
MITHRIAQUE
GOMME-LAQUE
CALLIMAQUE
ANDROMAQUE
SANDARAQUE
SCHABRAQUE
NÉOGRECQUE
LOGITHÈQUE
LUDOTHÈQUE
ŒNOTHÈQUE
SONOTHÈQUE
HYPOTHÈQUE
HYPOTHÉQUÉ
ARTOTHÈQUE
TLAPANÈQUE
ARCHEVÊQUE
PUY-L'ÉVÊQUE
CYRÉNAÏQUE
CYRÉNAÏQUE
SYLLABIQUE
CANNABIQUE
HENNEBIQUE
MOZAMBIQUE
ASCORBIQUE
SURFACIQUE
THORACIQUE
DYSTOCIQUE
AUTARCIQUE
CYCLADIQUE
HELLADIQUE
SPORADIQUE
MOLYBDIQUE
GLUCIDIQUE
HASSIDIQUE
PROTIDIQUE
PEPTIDIQUE
GRAVIDIQUE
HÉRALDIQUE
REVENDIQUÉ
CATHODIQUE
MÉTHODIQUE
PERIODIQUE
PÉRIODIQUE
ÉPISODIQUE
PROSODIQUE
TALMUDIQUE
ÉPOXYDIQUE
LINOLÉIQUE
DYSPNÉIQUE
ENDORÉIQUE
SPÉCIFIQUE

MELLIFIQUE
PROLIFIQUE
MAGNIFIQUE
HORRIFIQUE
BÉATIFIQUE
ANTALGIQUE
LOSANGIQUE
DIALOGIQUE
ANALOGIQUE
PRÉLOGIQUE
ÉCOLOGIQUE
GÉOLOGIQUE
NÉOLOGIQUE
BIOLOGIQUE
ZOOLOGIQUE
ALLERGIQUE
SYNERGIQUE
LYSERGIQUE
LITURGIQUE
BRONCHIQUE
ANARCHIQUE
BOUDDHIQUE
SÉRAPHIQUE
EMPATHIQUE
BIOÉTHIQUE
OOLITHIQUE
CÉPHALIQUE
VASSALIQUE
RÉPUBLIQUE
ENCYCLIQUE
COCYCLIQUE
BORDÉLIQUE
PENTÉLIQUE
MÉTALLIQUE
CYRILLIQUE
DIABOLIQUE
SYMBOLIQUE
GLYCOLIQUE
CATHOLIQUE
VARIOLIQUE
PHÉNOLIQUE
ALCOOLIQUE
PYRROLIQUE
SYSTOLIQUE
PODZOLIQUE
INAPPLIQUÉ
INEXPLIQUÉ
AÉRAULIQUE
MÉTHYLIQUE
PHÉNYLIQUE
CAPRYLIQUE
BENZYLIQUE
CARBAMIQUE
EXOGAMIQUE
THALAMIQUE
CINNAMIQUE
BALSAMIQUE

GLUTAMIQUE	GNOMONIQUE	DROLATIQUE
LEUCÉMIQUE	HARMONIQUE	DRAMATIQUE
ACADÉMIQUE	OPTRONIQUE	THÉMATIQUE
ÉPIDÉMIQUE	NEURONIQUE	MAGMATIQUE
ISCHÉMIQUE	SUBSONIQUE	DOGMATIQUE
EUPHÉMIQUE	DIATONIQUE	CLIMATIQUE
PHONÉMIQUE	PLATONIQUE	DALMATIQUE
SYSTÉMIQUE	TECTONIQUE	AROMATIQUE
PROXÉMIQUE	PHOTONIQUE	COGNATIQUE
ARYTHMIQUE	PROTONIQUE	CARPATIQUE
ALCHIMIQUE	ISOTONIQUE	SOCRATIQUE
BOULIMIQUE	LEPTONIQUE	HIÉRATIQUE
CŒLOMIQUE	SUS-TONIQUE	EUSTATIQUE
ÉCONOMIQUE	TEUTONIQUE	DIDACTIQUE
TRISOMIQUE	**TEUTONIQUE**	GALACTIQUE
DIATOMIQUE	PLUTONIQUE	ÉCLECTIQUE
ANATOMIQUE	BARYONIQUE	EUTECTIQUE
ATHERMIQUE	COMMUNIQUÉ	DIABÉTIQUE
ORGASMIQUE	CINDYNIQUE	EXÉGÉTIQUE
ASÉISMIQUE	ÉTHANOÏQUE	GANGÉTIQUE
VOLCANIQUE	DICHROÏQUE	PATHÉTIQUE
MANGANIQUE	CÉNOZOÏQUE	ESTHÉTIQUE
BALKANIQUE	MÉSOZOÏQUE	SOVIÉTIQUE
ALÉMANIQUE	ISOTOPIQUE	ATHLÉTIQUE
ALÉMANIQUE	ALGÉBRIQUE	PHYLÉTIQUE
GERMANIQUE	ISOÉDRIQUE	HERMÉTIQUE
TYMPANIQUE	OXHYDRIQUE	COSMÉTIQUE
HISPANIQUE	GLYCÉRIQUE	PHÉNÉTIQUE
GALVANIQUE	CHOLÉRIQUE	FRÉNÉTIQUE
OROGÉNIQUE	CHIMÉRIQUE	MAGNÉTIQUE
DYSGÉNIQUE	ÉSOTÉRIQUE	PHONÉTIQUE
ASTHÉNIQUE	EXOTÉRIQUE	HERPÉTIQUE
HYGIÉNIQUE	HYSTÉRIQUE	APORÉTIQUE
HELLÉNIQUE	**EURAFRIQUE**	DIURÉTIQUE
TERPÉNIQUE	MÉTÉORIQUE	ÉNURÉTIQUE
PIQUE-NIQUE	EUPHORIQUE	APYRÉTIQUE
PIQUE-NIQUÉ	APRIORIQUE	DIÉTÉTIQUE
BENZÉNIQUE	ACALORIQUE	HELVÉTIQUE
MORAINIQUE	RHÉTORIQUE	RACHITIQUE
RABBINIQUE	HISTORIQUE	MÉPHITIQUE
SUCCINIQUE	ÉLECTRIQUE	ENCLITIQUE
LUTÉINIQUE	SYMÉTRIQUE	APOLITIQUE
POLLINIQUE	DIOPTRIQUE	ÉRÉMITIQUE
FULMINIQUE	MERCURIQUE	PALMITIQUE
MARTINIQUE	SULFURIQUE	GRANITIQUE
JOHANNIQUE	TELLURIQUE	DÉTRITIQUE
TYRANNIQUE	CAUCASIQUE	NÉVRITIQUE
MAÇONNIQUE	GÉODÉSIQUE	JÉSUITIQUE
CARBONIQUE	JURASSIQUE	BASALTIQUE
GLUCONIQUE	POTASSIQUE	ATLANTIQUE
SARDONIQUE	GNEISSIQUE	**ATLANTIQUE**
EUPHONIQUE	SABBATIQUE	SÉMANTIQUE
ISOÏONIQUE	MERCATIQUE	ROMANTIQUE
VISIONIQUE	PHRÉATIQUE	ARGENTIQUE
CATIONIQUE	EMPHATIQUE	NARCOTIQUE
CYCLONIQUE	MÉDIATIQUE	HOMÉOTIQUE
MNÉMONIQUE	**ADRIATIQUE**	EUPHOTIQUE

CYPHOTIQUE
SÉMIOTIQUE
AMNIOTIQUE
HYPNOTIQUE
DESPOTIQUE
NÉCROTIQUE
NÉVROTIQUE
SYNAPTIQUE
ÉCLIPTIQUE
ELLIPTIQUE
PANOPTIQUE
SYNOPTIQUE
ASPARTIQUE
DÉSERTIQUE
DÉCORTIQUÉ
ORGASTIQUE
DÉMASTIQUÉ
REMASTIQUÉ
MONASTIQUE
DYNASTIQUE
PHRASTIQUE
DOMESTIQUE
DOMESTIQUÉ
TUNGSTIQUE
LOGISTIQUE
BALISTIQUE
HOLISTIQUE
CHRISTIQUE
ARTISTIQUE
AUTISTIQUE
AGNOSTIQUE
ACOUSTIQUE
MAÏEUTIQUE
TOREUTIQUE
ANALYTIQUE
SYNTAXIQUE
DYSLEXIQUE
ANOREXIQUE
CATAFALQUE
ORICHALQUE
EUROBANQUE
SALAMANQUE
QUELCONQUE
MULTICOQUE
DIPLOCOQUE
SYNECDOQUE
CHOLÉDOQUE
PENDELOQUE
ARCHILOQUE
INTERLOQUÉ
RÉCIPROQUE
RÉCIPROQUÉ
CHINETOQUE
BIUNIVOQUE
PLURIVOQUE
POLÉMARQUE
SOUS-MARQUE

TRIÉRARQUE
ARISTARQUE
HOMOCERQUE
PAYS BASQUE
MONÉGASQUE
MONÉGASQUE
BOURRASQUE
QUELLES QUE
ROMANESQUE
TITANESQUE
CLOWNESQUE
PICARESQUE
GIOTTESQUE
FRANCISQUE
DAMALISQUE
ASTÉRISQUE
NOCTILUQUE
POLYPTYQUE
PONTON-GRUE
DÉSOBSTRUÉ
COURT-VÊTUE
DÉSHABITUÉ
INACCENTUÉ
IMPROMPTUE
POINT DE VUE
RATS-DE-CAVE
AFTER-SHAVE
DÉSENCLAVÉ
YOUGOSLAVE
YOUGOSLAVE
SCANDINAVE
SCANDINAVE
ARCHITRAVE
DÉSENTRAVÉ
TANANARIVE
PERSUASIVE
DISSUASIVE
COMPULSIVE
PROPULSIVE
CONVULSIVE
SUSPENSIVE
DISPERSIVE
SUBVERSIVE
DISCURSIVE
SUCCESSIVE
CONCESSIVE
PROCESSIVE
DÉGRESSIVE
RÉGRESSIVE
DÉPRESSIVE
RÉPRESSIVE
IMPRESSIVE
OPPRESSIVE
EXPRESSIVE
POSSESSIVE
PERMISSIVE
CONCLUSIVE

INDICATIVE
RÉCRÉATIVE
AGRÉGATIVE
ABROGATIVE
PALLIATIVE
AMPLIATIVE
INITIATIVE
CUMULATIVE
ANNULATIVE
COPULATIVE
ESTIMATIVE
NOMINATIVE
INTONATIVE
INCHOATIVE
FÉDÉRATIVE
GÉNÉRATIVE
IMPÉRATIVE
ADMIRATIVE
ROBORATIVE
DÉCORATIVE
PÉJORATIVE
MINORATIVE
BOURRATIVE
FIGURATIVE
DÉPURATIVE
VÉGÉTATIVE
DUBITATIVE
INCITATIVE
MÉDITATIVE
LIMITATIVE
CARITATIVE
IRRITATIVE
ADAPTATIVE
ÉVALUATIVE
DÉRIVATIVE
RÉTRACTIVE
ATTRACTIVE
EXTRACTIVE
PROFECTIVE
SUBJECTIVE
PROJECTIVE
SURJECTIVE
COLLECTIVE
RESPECTIVE
CORRECTIVE
PRÉDICTIVE
AFFLICTIVE
EXTINCTIVE
INJONCTIVE
PRODUCTIVE
COMPLÉTIVE
SUPPLÉTIVE
CAPACITIVE
COERCITIVE
EXPÉDITIVE
DÉFINITIVE
INFINITIVE

TRANSITIVE	ABRÉVIATIF	CONSÉCUTIF
RÉPÉTITIVE	CORRÉLATIF	COMMINUTIF
PRÉVENTIVE	APPELLATIF	WATERPROOF
LOCOMOTIVE	SUPERLATIF	**SCHTROUMPF**
LEITMOTIVE	LÉGISLATIF	**DÜSSELDORF**
PERCEPTIVE	TRANSLATIF	**ZINZENDORF**
DISRUPTIVE	SPÉCULATIF	**HÖTZENDORF**
SUGGESTIVE	EXCLAMATIF	**BOURGANEUF**
CONGESTIVE	AFFIRMATIF	GARDE-BŒUF
EXHAUSTIVE	INFIRMATIF	PIQUE-BŒUF
RÉSOLUTIVE	INFORMATIF	**SCANDERBEG**
DÉVOLUTIVE	IMAGINATIF	**SKANDERBEG**
INVOLUTIVE	GERMINATIF	**KANDERSTEG**
DIMINUTIVE	ALTERNATIF	**TARNOBRZEG**
DE CONSERVE	DISSIPATIF	**ROSENZWEIG**
VILLENEUVE	DÉCLARATIF	**BATTAMBANG**
TERRE-NEUVE	PRÉPARATIF	**GUOMINDANG**
TERRE-NEUVE	COMPARATIF	**CHRODEGANG**
INTERFLUVE	ÉNUMÉRATIF	**MUDANJIANG**
INTERVIEWÉ	COOPÉRATIF	ILANG-ILANG
RÉTROFLEXE	RÉITÉRATIF	YLANG-YLANG
MULTIPLEXE	INTÉGRATIF	**TUYÊN QUANG**
DÉCOMPLEXÉ	MÉLIORATIF	**ZHAO ZIYANG**
HÉTÉRODOXE	PIGNORATIF	**HUA GUOFENG**
VILLENAUXE	CORPORATIF	ANTIFADING
LA FRESNAYE	ADVERSATIF	**HILFERDING**
KAMECHLIYÉ	QUALITATIF	BLANC-SEING
REJOINTOYÉ	FACULTATIF	SKY-SURFING
DREUX-BRÉZÉ	POTESTATIF	SCRATCHING
KARKONOSZE	COMMUTATIF	STRETCHING
DELESCLUZE	RADIOACTIF	**DARJEELING**
CORNED-BEEF	RÉTROACTIF	TRAVELLING
COUVRE-CHEF	HYPERACTIF	SANDERLING
DEMI-RELIEF	INTERACTIF	DRY-FARMING
PLAN-RELIEF	DISTRACTIF	CARAVANING
HAUT-RELIEF	PROSPECTIF	SHAMPOOING
SLAUERHOFF	PERSPECTIF	ANTIDOPING
PONT-SCORFF	RESTRICTIF	**NORRKÖPING**
LUDENDORFF	DISTINCTIF	KIDNAPPING
INOFFENSIF	INSTINCTIF	**KESSELRING**
HYPOTENSIF	SUBJONCTIF	SPONSORING
COEXTENSIF	CONJONCTIF	MONITORING
PROGRESSIF	OBSTRUCTIF	**SCHLŒSING**
COMPRESSIF	DESTRUCTIF	**CHITTAGONG**
ANTITUSSIF	INSTRUCTIF	**WOLLONGONG**
APPROBATIF	PROHIBITIF	**MAO TSÖ-TONG**
RÉBARBATIF	ACCRÉDITIF	**AUFKLÄRUNG**
PRÉDICATIF	RÉCOGNITIF	**GOG ET MAGOG**
VINDICATIF	ACQUISITIF	**STRINDBERG**
EXPLICATIF	PRÉPOSITIF	**LÖTSCHBERG**
DÉMARCATIF	DISPOSITIF	**HEIDELBERG**
LIQUIDATIF	COMPÉTITIF	**KOEKELBERG**
SÉGRÉGATIF	SUBSTANTIF	**VORARLBERG**
SUBROGATIF	INATTENTIF	**WURTEMBERG**
PROROGATIF	DESCRIPTIF	**VANDENBERG**
ÉNONCIATIF	PRÉSOMPTIF	**HARDENBERG**
ASSOCIATIF	ATTRIBUTIF	**TANNENBERG**

SCHOENBERG
HEISENBERG
KORTENBERG
WITTENBERG
KÖNIGSBERG
ECKERSBERG
KREUTZBERG
SWEDENBORG
MIDDELBURG
HINDENBURG
RUSTENBURG
HARRISBURG
REGENSBURG
GETTYSBURG
LULUABOURG
MAGDEBOURG
SARREBOURG
MONTEBOURG
LUXEMBOURG
EHRENBOURG
STRASBOURG
LOUISBOURG
PHALSBOURG
GAINSBOURG
PETIT-BOURG
LE NEUBOURG
KERMANCHAH
MAHARADJAH
HERSCHBACH
BRASILLACH
PLOUMANAC'H
ECHTERNACH
ÖSTERREICH
METTERNICH
EDMOND RICH
STOCKFISCH
KOHLRAUSCH
LOUBAVITCH
TSARÉVITCH
TZARÉVITCH
LUNDEGÅRDH
MYMENSINGH
PITTSBURGH
CHANDIGARH
BANGLADESH
MACKINTOSH
GÉNÉSARETH
WORDSWORTH
PORTSMOUTH
YUAN SHIKAI
PORTE-BALAI
HAMMOURABI
URBI ET ORBI
BERTOLUCCI
ARCIMBOLDI
ALDROVANDI
RAWALPINDI

APPROFONDI
SUHRAWARDI
MONTEVERDI
IRRÉFLÉCHI
LUBUMBASHI
MITSUBISHI
KENKO HOSHI
IMPRESARII
MAZOWIECKI
PENDERECKI
TOJO HIDEKI
PRJEVALSKI
JARUZELSKI
WYSPIANSKI
DZERJINSKI
SIERPINSKI
KABALEVSKI
MAÏAKOVSKI
SOKOLOVSKI
MALINOVSKI
PADEREWSKI
KOLAKOWSKI
KIESLOWSKI
MALINOWSKI
DOMBROWSKI
KLOSSOWSKI
DOLGOROUKI
RUB AL-KHALI
MÉHÉMET-ALI
TSKHINVALI
BLUNTSCHLI
GUILI-GUILI
CASUS BELLI
TORRICELLI
MONTICELLI
PARTICELLI
BOTTICELLI
BANDINELLI
SIGNORELLI
GUINIZELLI
TRESSAILLI
ACCIAIUOLI
INACCOMPLI
KIAROSTAMI
PIANISSIMI
CHICOUTIMI
ABBAS HILMI
AL-KHAREZMI
OUAD-MÉDANI
MODIGLIANI
GETHSÉMANI
ROSSELLINI
FRATELLINI
EN CATIMINI
BOCCHERINI
MISTASSINI
SAMMARTINI

BERLUSCONI
SERVANDONI
CANNELLONI
JUAN DE JUNI
SHAKYAMUNI
SANS-EMPLOI
SOUS-EMPLOI
PIEDS-DE-ROI
MARLY-LE-ROI
HAMMOU-RAPI
DEVANAGARI
MONOGATARI
STRADIVARI
ALECSANDRI
SURENCHÉRI
DHAULAGIRI
TELL HARIRI
CRISTOFORI
MILLEFIORI
MONSIGNORI
MONTESSORI
OLAUS PETRI
AMPHIGOURI
DÉSÉPAISSI
DOSSO DOSSI
CEYZÉRIATI
SCAFERLATI
KIRITIMATI
CINCINNATI
SPERMACETI
SZIGLIGETI
CAVALCANTI
BUONARROTI
EXTRAVERTI
RECONVERTI
INTROVERTI
INTERVERTI
DÉSASSORTI
DÉSINVESTI
GIACOMETTI
LORENZETTI
BIANCIOTTI
BHAVABHUTI
BERNARD GUI
AUJOURD'HUI
BÉNI-OUI-OUI
IABLONOVYÏ
PESTALOZZI
HIDDEN PEAK
KIZIL IRMAK
KARAKALPAK
ADIRONDACK
SHORT-TRACK
RUYSBROECK
TREVITHICK
LITTLE ROCK
MCCLINTOCK

HAZEBROUCK	NOSOCOMIAL	ORNEMENTAL
SARREBRUCK	POLYNOMIAL	MONUMENTAL
DIEPENBEEK	CÉRÉMONIAL	PARODONTAL
SCHAERBEEK	IMMÉMORIAL	HORIZONTAL
WILLEBROEK	SÉNATORIAL	SACERDOTAL
TCHIRTCHIK	ÉQUATORIAL	NEANDERTAL
BUNDESBANK	TINCTORIAL	AÉROPOSTAL
CRUIKSHANK	PAROISSIAL	PARACHUTAL
RIPPLE-MARK	PRÉNUPTIAL	SUBLINGUAL
KÖNIGSMARK	CONSORTIAL	PERLINGUAL
REICHSMARK	ÉQUINOXIAL	FER-À-CHEVAL
BÖHM-BAWERK	PATTADAKAL	ADJECTIVAL
OUSSOURISK	BENI MELLAL	GRIBEAUVAL
NIJNEKAMSK	YASAR KEMAL	ABOU-SIMBEL
KRAMATORSK	DUODÉCIMAL	SEPTMONCEL
TCHERKESSK	CENTÉSIMAL	COROMANDEL
SVERDLOVSK	PARANORMAL	LONDERZEEL
OULIANOVSK	ANÉVRISMAL	MANTEUFFEL
KHABAROVSK	ANÉVRYSMAL	SEO DE URGEL
ROUBTSOVSK	PAROXYSMAL	ROMANICHEL
ÇATAL HÖYÜK	GRAND CANAL	SCHNORCHEL
SAINT-GRAAL	PHÉNOMÉNAL	GRATTE-CIEL
HÉLIOGABAL	EXTRARÉNAL	ARTIFICIEL
AMMONIACAL	ANTICLINAL	TENDANCIEL
ILÉO-CÆCAL	MONOCLINAL	ARCS-EN-CIEL
BIOMÉDICAL	SUBLIMINAL	CÉRÉMONIEL
PONTIFICAL	UNINOMINAL	IMMATÉRIEL
HYPERFOCAL	PRONOMINAL	CATÉGORIEL
UXORILOCAL	INTESTINAL	SEMESTRIEL
MATRILOCAL	ENNÉAGONAL	BIMESTRIEL
PATRILOCAL	PENTAGONAL	INDUSTRIEL
MATRIARCAL	HEPTAGONAL	TANGENTIEL
PATRIARCAL	ORTHOGONAL	SAPIENTIEL
PARAFISCAL	MÉRIDIONAL	TORRENTIEL
GRAND-DUCAL	MÉRIDIONAL	SÉQUENTIEL
RHOMBOÏDAL	OBSIDIONAL	PULSIONNEL
HÉLICOÏDAL	BINATIONAL	PASSIONNEL
CONCHOÏDAL	MONOCLONAL	FICTIONNEL
SPHÉNOÏDAL	ARCHÉTYPAL	ÉMOTIONNEL
SOLÉNOÏDAL	CONFÉDÉRAL	FLEXIONNEL
SPHÉROÏDAL	UNILATÉRAL	INTEMPOREL
SINUSOÏDAL	TRILATÉRAL	INCORPOREL
INTERTIDAL	COLLATÉRAL	PLANTAUREL
INTERMODAL	PARENTÉRAL	SURNATUREL
VALDÉS LEAL	VICE-AMIRAL	STRUCTUREL
PÉRITONÉAL	ORCHESTRAL	BICULTUREL
CIUDAD REAL	PROCÉDURAL	RIZ-PAIN-SEL
EXTRALÉGAL	STRUCTURAL	OVERIJSSEL
LILIENTHAL	SCRIPTURAL	NEUFCHÂTEL
PROVERBIAL	SCULPTURAL	NEUFCHÂTEL
SOLSTICIAL	PARASTATAL	ACCIDENTEL
PROVINCIAL	SUBORBITAL	FRANCASTEL
ANTISOCIAL	PRÉGÉNITAL	PLOUGASTEL
COMMERCIAL	CONGÉNITAL	INDIVIDUEL
PRÉCORDIAL	URO-GÉNITAL	TRISANNUEL
PRIMORDIAL	OCCIDENTAL	CAKCHIQUEL
ÉPITHÉLIAL	OCCIDENTAL	DURAND-RUEL

PANTAGRUEL	**BUCKINGHAM**	PARABELLUM
TÉLÉVISUEL	**GILLINGHAM**	ACETABULUM
CONSENSUEL	**BIRMINGHAM**	CURRICULUM
INHABITUEL	**CUNNINGHAM**	**HERCULANUM**
CONVENTUEL	**NOTTINGHAM**	**OUM KALSOUM**
CONCEPTUEL	**TWICKENHAM**	**GASHERBRUM**
CONTEXTUEL	**CHELTENHAM**	**TRIVANDRUM**
HOMOSEXUEL	**BROEDERLAM**	LACTOSÉRUM
COURCHEVEL	**CIDAMBARAM**	DEXTRORSUM
WUUSTWEZEL	**MANDELSTAM**	SUBSTRATUM
LOEWENDAHL	**CANGUILHEM**	POST-PARTUM
CRÉDIT-BAIL	MATHUSALEM	LEUCOBRYUM
FIANNA FÁIL	**MATHUSALEM**	ARRIÈRE-BAN
GOUVERNAIL	**MOSTAGANEM**	**MONTE ALBÁN**
CONTRE-RAIL	POST MORTEM	**FRÈRE-ORBAN**
MONTMIRAIL	STAR-SYSTEM	**SAINT-AUBAN**
PARE-SOLEIL	TCHERNOZEM	**JEAN HYRCAN**
BEAUSOLEIL	**BETTELHEIM**	**ATHABASCAN**
CLINS D'ŒIL	**GUGGENHEIM**	**ATHAPASCAN**
TAPE-À-L'ŒIL	**FESSENHEIM**	**COËTQUIDAN**
MIROMESNIL	**WITTENHEIM**	**PORT-SOUDAN**
CONTRE-POIL	**MANNERHEIM**	**CONGO-OCÉAN**
RENÉ GOUPIL	**HILDESHEIM**	**PLOUFRAGAN**
PORT-GENTIL	**RIEDISHEIM**	**SHAWINIGAN**
PORTE-OUTIL	**UNGERSHEIM**	**PEKALONGAN**
STOCK-OUTIL	**SIDI-BRAHIM**	**CHAH DJAHAN**
VAL-DE-REUIL	**TENASSERIM**	**BADAKHCHAN**
ARGENTEUIL	KIBBOUTZIM	**GENGIS KHAN**
ROLLER BALL	**NECKARSULM**	**GOSAINTHAN**
BASKET-BALL	LIVING-ROOM	**GULBENKIAN**
VOLLEY-BALL	**KOMPONG SOM**	**MONTMÉLIAN**
TADJ MAHALL	CAPHARNAÜM	**LI XIANNIAN**
MOTHERWELL	**CAPHARNAÜM**	**BIROBIDJAN**
ŒSTRADIOL	MÉMORANDUM	**TAKLA-MAKAN**
PYROGALLOL	RÉFÉRENDUM	**TAKLIMAKAN**
INDOPHÉNOL	PROMÉTHÉUM	**KU KLUX KLAN**
RÉSORCINOL	CHEWING-GUM	**CHAMBELLAN**
PÈSE-ALCOOL	LAWRENCIUM	**RANTANPLAN**
POLYALCOOL	MIRACIDIUM	**MINATITLÁN**
HARTLEPOOL	PRAESIDIUM	**BARDDHAMAN**
MALEBO POOL	COMPENDIUM	GRAND-MAMAN
SIMFEROPOL	PLASMODIUM	BONNE-MAMAN
SÉBASTOPOL	ÉPITHÉLIUM	**QALAT SIMAN**
CALCIFÉROL	PROSCENIUM	**SPIEGELMAN**
TOCOPHÉROL	DELPHINIUM	GALLO-ROMAN
ERGOSTÉROL	TRICLINIUM	RHÉTO-ROMAN
SITOSTÉROL	GADOLINIUM	PHOTO-ROMAN
PERGÉLISOL	POSITONIUM	CROSSWOMAN
AXÉROPHTOL	TEPIDARIUM	**SAINT-RENAN**
SCRIPT-GIRL	FUNÉRARIUM	FRONTIGNAN
VICE-CONSUL	MEITNERIUM	**FRONTIGNAN**
TCHERNOBYL	SANATORIUM	**DRAGUIGNAN**
TARMACADAM	AUDITORIUM	**BALIKPAPAN**
BOULDER DAM	DYSPROSIUM	**PRILLIÉRAN**
SWAMMERDAM	TECHNÉTIUM	**SAINT-VÉRAN**
GULF STREAM	CONSORTIUM	**SAINT-CYRAN**
OUISTREHAM	COMPLUVIUM	**BOURGUESAN**

BOURGUISAN	ORDOVICIEN	LUSITANIEN
MONTHEYSAN	**LUDOVICIEN**	**LUSITANIEN**
BEAUSSETAN	**JOTRANCIEN**	PÉRIDANIEN
KALIMANTAN	**BALGENCIEN**	**BAHREÏNIEN**
CONSTANTAN	**SÉDÉLOCIEN**	APOLLINIEN
KAZAKHSTAN	**COMMERCIEN**	ABYSSINIEN
WAZIRISTAN	CISTERCIEN	**ABYSSINIEN**
HINDOUSTAN	**MONTMÉDIEN**	RIEMANNIEN
MANGOUSTAN	XIPHOÏDIEN	**MANSONNIEN**
BANTOUSTAN	STÉROÏDIEN	PHARAONIEN
ORANG-OUTAN	CHOROÏDIEN	BOURBONIEN
CABANATUAN	THYROÏDIEN	MACÉDONIEN
LANNEMEZAN	DELTOÏDIEN	**MACÉDONIEN**
BADEN-BADEN	MASTOÏDIEN	CALÉDONIEN
VAN BENEDEN	CAROTIDIEN	**CALÉDONIEN**
HOCHFELDEN	PAROTIDIEN	PYRRHONIEN
NEERWINDEN	**ROMUALDIEN**	BABYLONIEN
GRAUBÜNDEN	**NIDWALDIEN**	**SPARNONIEN**
LEEUWARDEN	AMÉRINDIEN	MÉSAXONIEN
TRÉBEURDEN	**VILLARDIEN**	ÉTATS-UNIEN
PROMÉTHÉEN	**CAP-VERDIEN**	**ÉTATS-UNIEN**
LOUVIGNÉEN	CAPVERDIEN	CORONARIEN
LANDERNÉEN	**CAPVERDIEN**	VÉGÉTARIEN
NORD-CORÉEN	CAMBODGIEN	ANTIAÉRIEN
NORD-CORÉEN	**CAMBODGIEN**	**ILLIBÉRIEN**
ARGENTRÉEN	PHARYNGIEN	**CHAMBÉRIEN**
TÉLÉOSTÉEN	THÉOLOGIEN	**DÉSIDÉRIEN**
ZIMBABWÉEN	CHIRURGIEN	LUCIFÉRIEN
ZIMBABWÉEN	AUTRICHIEN	**RIPAGÉRIEN**
SCHLIEFFEN	**AUTRICHIEN**	**COLUMÉRIEN**
RICHTHOFEN	MONARCHIEN	JUPITÉRIEN
VOLKSWAGEN	CORINTHIEN	MOUSTÉRIEN
ZURBRIGGEN	**CORINTHIEN**	**LAPRAIRIEN**
VERBRUGGEN	**HELSINKIEN**	VOLTAIRIEN
NÖRDLINGEN	**BANGKOKIEN**	ÉQUATORIEN
VÖLKLINGEN	CENTRALIEN	**ÉQUATORIEN**
REUTLINGEN	AUSTRALIEN	**NANTERRIEN**
VLISSINGEN	**AUSTRALIEN**	BELLÉTRIEN
NIBELUNGEN	THESSALIEN	**ASBESTRIEN**
GRIMBERGEN	**THESSALIEN**	**VALLAURIEN**
JINGDEZHEN	VÉGÉTALIEN	**IMERCURIEN**
LOUDÉACIEN	FRŒBÉLIEN	**OCTODURIEN**
BONIFACIEN	FRANCILIEN	ÉPINEURIEN
SPANIACIEN	**FRANCILIEN**	PASTEURIEN
PHARMACIEN	**MAXIMILIEN**	FAUBOURIEN
SPARNACIEN	**QUINTILIEN**	**AMADOURIEN**
MORTUACIEN	**BERJALLIEN**	**COUTRASIEN**
THERMICIEN	**TERTULLIEN**	**ARGELÉSIEN**
MÉCANICIEN	**NOGAROLIEN**	**CHALLÉSIEN**
ORGANICIEN	**CRISTOLIEN**	MÉLANÉSIEN
TECHNICIEN	**PÈRE DAMIEN**	**MÉLANÉSIEN**
BÉDARICIEN	**SURINAMIEN**	INDONÉSIEN
THÉORICIEN	VIETNAMIEN	**INDONÉSIEN**
GÉNÉTICIEN	**VIETNAMIEN**	POLYNÉSIEN
POLITICIEN	**BAIE-COMIEN**	**POLYNÉSIEN**
ROBOTICIEN	ÉPICRÂNIEN	CAMBRÉSIEN
PLASTICIEN	**SOSTRANIEN**	**CAMBRÉSIEN**

CAUDRÉSIEN	**PARAGUAYEN**	TCHIN-TCHIN
ROUBAISIEN	CONCITOYEN	**BEYROUTHIN**
CARHAISIEN	PÉRIURBAIN	STÉNOHALIN
CHALAISIEN	AFRO-CUBAIN	**DU GUESCLIN**
MORLAISIEN	**AFRO-CUBAIN**	CRISTALLIN
STENAISIEN	DOMINICAIN	BIVITELLIN
AULNAISIEN	**DOMINICAIN**	**CHÂTEAULIN**
CHABLISIEN	ARMORICAIN	**MANITOULIN**
FOURMISIEN	**ARMORICAIN**	**GUAYASAMÍN**
VALDOISIEN	**GÉNOVÉFAIN**	**JIANG ZEMIN**
PONTOISIEN	FACES-À-MAIN	**GUILLAUMIN**
MARQUISIEN	TOURNEMAIN	**ABD AL-MUMIN**
CIRCASSIEN	GRILLE-PAIN	**MONTCHANIN**
CIRCASSIEN	**MARIVERAIN**	TRANSALPIN
PARNASSIEN	**SANFLORAIN**	**PLAN CARPIN**
PAROISSIEN	**LESPARRAIN**	HÉLIOMARIN
VIGNEUSIEN	SOUTERRAIN	**SAINT-MARIN**
MALTHUSIEN	TRAIN-TRAIN	ALEXANDRIN
VAUCLUSIEN	TURBOTRAIN	**ALEXANDRIN**
VAUCLUSIEN	PARCOTRAIN	**LE PELLERIN**
TOURNUSIEN	AVANT-TRAIN	BOULINGRIN
MULHOUSIEN	**SAINT-VRAIN**	**MONTMAURIN**
CONDRUSIEN	**TOULOUSAIN**	GRÉCO-LATIN
VIBRAYSIEN	**MAZAMÉTAIN**	BÉNÉDICTIN
FERNEYSIEN	**QUERCITAIN**	CUCURBITIN
ANDELYSIEN	**GABALITAIN**	ÉLÉPHANTIN
KIRIBATIEN	NAPOLITAIN	LABORANTIN
NANTUATIEN	**NAPOLITAIN**	**ROMORANTIN**
DIOCLÉTIEN	**ANCONITAIN**	IGNORANTIN
CAP-HAÏTIEN	SAMARITAIN	**FLEURANTIN**
TRÉVOLTIEN	**SAMARITAIN**	PLAISANTIN
LAURENTIEN	CHEVROTAIN	**OUESSANTIN**
LAURENTIEN	**BELFORTAIN**	**CONSTANTIN**
GRAVETTIEN	SACRISTAIN	**LE LAMENTIN**
DJIBOUTIEN	**JOLIETTAIN**	TOURMENTIN
DJIBOUTIEN	**MASKOUTAIN**	STRAPONTIN
ALGONQUIEN	JAMAÏQUAIN	**MAXIPONTIN**
SARAJÉVIEN	**JAMAÏQUAIN**	**PAIMBLOTIN**
THURGOVIEN	**AUTERIVAIN**	FREE-MARTIN
TRIFLUVIEN	**SAINT-AUBIN**	CHAMBERTIN
OYONNAXIEN	VERTUGADIN	LAURIER-TIN
KOLKHOZIEN	**FAKHR AL-DIN**	**BEAUFORTIN**
INTERLAKEN	TRANSANDIN	CLANDESTIN
KARAWANKEN	**VÉSIGONDIN**	**SAN AGUSTÍN**
VESTERÅLEN	**GUICHARDIN**	TABLEAUTIN
CROSSWOMEN	CITÉ-JARDIN	**SARZEAUTIN**
SLOCHTEREN	**GAILLARDIN**	CONSANGUIN
OTTOBEUREN	GRILLARDIN	MARINGOUIN
JOERGENSEN	PÉRIGORDIN	**SAINT-JOUIN**
GROSS ROSEN	**PÉRIGORDIN**	LAMBREQUIN
OBERHAUSEN	**HAUBOURDIN**	**DOMINIQUIN**
MAUTHAUSEN	TERRE-PLEIN	**SAINT-SAVIN**
LEVERKUSEN	**ZOLLVEREIN**	HENDIADYIN
BAUMGARTEN	SERVOFREIN	**EINSIEDELN**
GYLLENSTEN	**BADGASTEIN**	**SCHLIEMANN**
MANAGUAYEN	**EISENSTEIN**	**STRESEMANN**
PARAGUAYEN	**RUBINSTEIN**	**PÖPPELMANN**

10

LANDAMMANN	CONVERSION	FUMIGATION
KELLERMANN	PERVERSION	IRRIGATION
ZIMMERMANN	CONTORSION	MITIGATION
WASSERMANN	DISTORSION	NAVIGATION
SCHÖNBRUNN	COMPASSION	LÉVIGATION
ESTRAMAÇON	SUCCESSION	ÉLONGATION
FRANC-MAÇON	PRÉCESSION	ABROGATION
MONTFAUCON	CONCESSION	DÉROGATION
EAST LONDON	PROCESSION	GLACIATION
CYNORHODON	CONFESSION	ÉMACIATION
PTÉRANODON	PROFESSION	SPÉCIATION
BOUCHARDON	RÉGRESSION	FASCIATION
LYCOPERDON	DIGRESSION	AMODIATION
ESCOURGEON	DÉPRESSION	SPOLIATION
LUIS DE LEÓN	RÉPRESSION	AMPLIATION
SANG-DRAGON	IMPRESSION	INITIATION
BOURDICHON	OPPRESSION	INHALATION
MAIGRICHON	EXPRESSION	EXHALATION
BOURRICHON	JAM-SESSION	RÉVÉLATION
CONCEPCIÓN	POSSESSION	JUBILATION
TROMBIDION	COMMISSION	DÉPILATION
PYRAMIDION	PERMISSION	MUTILATION
IRRÉLIGION	SOUMISSION	SPALLATION
PIED-DE-LION	CONCUSSION	IMMOLATION
DENT-DE-LION	PERCUSSION	DÉSOLATION
FOURMILION	DISCUSSION	INSOLATION
CASTELLION	CONCLUSION	FABULATION
SEXTILLION	FORCLUSION	TABULATION
QUATERNION	PULTRUSION	ONDULATION
TRADE-UNION	INCUBATION	MODULATION
SARRE-UNION	INTUBATION	RÉGULATION
TARTEMPION	DÉFÉCATION	SIMULATION
FLAMMARION	ABDICATION	ANNULATION
PSALTÉRION	MÉDICATION	COPULATION
BRIMBORION	INDICATION	POPULATION
BEN GOURION	VÉSICATION	ALKYLATION
PERSUASION	URTICATION	DÉCIMATION
DISSUASION	TRONCATION	RANIMATION
INDÉCISION	ALLOCATION	INTIMATION
CODÉCISION	COLOCATION	ESTIMATION
ARTÉMISION	RÉVOCATION	AUTOMATION
TÉLÉVISION	INVOCATION	INHUMATION
INDIVISION	VALIDATION	EXHUMATION
EUROVISION	LAPIDATION	IMPANATION
COMPULSION	INONDATION	ALIÉNATION
PROPULSION	DÉNUDATION	STAGNATION
CONVULSION	EXSUDATION	ORDINATION
PRÉHENSION	RECRÉATION	PAGINATION
PRÉPENSION	RÉCRÉATION	GÉMINATION
PROPENSION	DIVAGATION	DOMINATION
SUSPENSION	DÉLÉGATION	NOMINATION
DISSENSION	RELÉGATION	RUMINATION
SURTENSION	ALLÉGATION	SUPINATION
DISTENSION	ABNÉGATION	DIVINATION
SUBMERSION	DÉNÉGATION	DÉTONATION
DISPERSION	AGRÉGATION	INTONATION
SUBVERSION	OBLIGATION	USURPATION

CRISPATION	LIMITATION	ANÉRECTION
OCCUPATION	CAPITATION	CORRECTION
RÉPARATION	IRRITATION	SURRECTION
SÉPARATION	HÉSITATION	TRISECTION
EXÉCRATION	VISITATION	BISSECTION
LIBÉRATION	ÉQUITATION	DISSECTION
LACÉRATION	CAVITATION	PROTECTION
MACÉRATION	LÉVITATION	CONVECTION
ULCÉRATION	INVITATION	PRÉDICTION
FÉDÉRATION	EXALTATION	AFFLICTION
SIDÉRATION	EXULTATION	CONVICTION
MODÉRATION	PLANTATION	EXTINCTION
NUMÉRATION	DÉNOTATION	ADJONCTION
GÉNÉRATION	ANNOTATION	INJONCTION
VÉNÉRATION	ADAPTATION	TRADUCTION
ALTÉRATION	COAPTATION	SUBDUCTION
ÉMIGRATION	COOPTATION	CONDUCTION
ADMIRATION	PRESTATION	PRODUCTION
ASPIRATION	FLOTTATION	COMPLÉTION
EXPIRATION	RÉFUTATION	CONCRÉTION
RETIRATION	SALUTATION	DISCRÉTION
DÉCORATION	DÉPUTATION	IMBIBITION
MAJORATION	RÉPUTATION	INHIBITION
CHLORATION	AMPUTATION	EXHIBITION
COLORATION	IMPUTATION	COERCITION
MINORATION	ÉVACUATION	EXPÉDITION
FLUORATION	GRADUATION	ÉBULLITION
ABERRATION	ÉVALUATION	DÉMOLITION
FILTRATION	ADÉQUATION	DÉFINITION
CENTRATION	INÉQUATION	ADMONITION
CASTRATION	EXCAVATION	APPARITION
LUSTRATION	SALIVATION	CONTRITION
INDURATION	DÉRIVATION	TRANSITION
FIGURATION	ACTIVATION	DÉPOSITION
ABJURATION	MOTIVATION	IMPOSITION
ADJURATION	ESTIVATION	APPOSITION
BORURATION	RÉNOVATION	OPPOSITION
MATURATION	INNOVATION	EXPOSITION
SATURATION	ÉNERVATION	RÉPÉTITION
OBTURATION	RELAXATION	PRÉTENTION
SINISATION	DÉTAXATION	CONTENTION
IONISATION	INDEXATION	ABSTENTION
COTISATION	ABRÉACTION	SUBVENTION
ACCUSATION	RÉFRACTION	PRÉVENTION
RÉCUSATION	EFFRACTION	CONVENTION
DILATATION	INFRACTION	LOCOMOTION
FLUATATION	DÉTRACTION	CONCEPTION
TRACTATION	RÉTRACTION	PERCEPTION
ÉRUCTATION	ATTRACTION	RÉDEMPTION
VÉGÉTATION	EXTRACTION	PRÉEMPTION
HABITATION	CONFECTION	PÉREMPTION
RÉCITATION	PERFECTION	ASSOMPTION
LICITATION	PROJECTION	ABSORPTION
INCITATION	SURJECTION	ADSORPTION
EXCITATION	RÉÉLECTION	DÉSORPTION
MÉDITATION	COLLECTION	RÉSORPTION
COGITATION	INSPECTION	CORRUPTION

DISRUPTION	EXHALAISON	**BRIDGETOWN**
PROPORTION	PÉRORAISON	**GEORGE TOWN**
SUGGESTION	POUTRAISON	**GEORGETOWN**
CONGESTION	DEMI-SAISON	**SIMONSTOWN**
EXHAUSTION	FLOTTAISON	**FALKENHAYN**
COMBUSTION	DÉCUVAISON	**ANNE BOLEYN**
ANTRUSTION	ANTIPOISON	**POOL MALEBO**
PRÉCAUTION	**MONTBRISON**	**PARAMARIBO**
ALLOCUTION	**STEPHENSON**	**TIAHUANACO**
ABSOLUTION	TRANSPOSON	**PUERTO RICO**
RÉSOLUTION	**MACPHERSON**	**TLATELOLCO**
DÉVOLUTION	PAILLASSON	AFICIONADO
DÉVOLUTION	NOURRISSON	**ARCIMBOLDO**
RÉVOLUTION	PRÉCUISSON	RITARDANDO
INVOLUTION	**FLEURIATON**	DIMINUENDO
DIMINUTION	PHOTOMATON	GROSSO MODO
REPARUTION	BRISE-BÉTON	BANDE-VIDÉO
COMPLEXION	**SHACKLETON**	**MONTEVIDEO**
CALE-ÉTALON	FEUILLETON	**BARTOLOMEO**
PENTATHLON	MOUSQUETON	INTERTRIGO
HEPTATHLON	**WASHINGTON**	**MOYEN-CONGO**
BEAUVALLON	**WELLINGTON**	**NYIRAGONGO**
AVOCAILLON	**DARLINGTON**	AVION-CARGO
NOBLAILLON	**BURLINGTON**	**PORTO VELHO**
TOURAILLON	**LEAMINGTON**	**MOGADISCIO**
BOURBILLON	**WILMINGTON**	**VERROCCHIO**
TOURBILLON	**WARRINGTON**	**SAN ANTONIO**
CHATEILLON	**TORRINGTON**	**SAN-ANTONIO**
BOUTEILLON	DEMI-CANTON	**VEGA CARPIO**
CRAMPILLON	**SAINT-ANTON**	A CONTRARIO
GRAPPILLON	FULMICOTON	IMPRÉSARIO
TRAPPILLON	JARNICOTON	**PORTOVIEJO**
CENDRILLON	ANTIPROTON	**TIMOCHENKO**
CENDRILLON	**CLAPPERTON**	**RODTCHENKO**
VOUVRILLON	**CLIPPERTON**	**TCHERNENKO**
ÉTRÉSILLON	**CHESTERTON**	**ARCHIPENKO**
CROISILLON	CHATTERTON	**KOSCIUSZKO**
ROUSSILLON	**CHATTERTON**	**SÃO GONÇALO**
L'AIGUILLON	**EDMUNDSTON**	**PORT-NAVALO**
ÉCOUVILLON	CHARLESTON	**PIRANDELLO**
GROIZILLON	**CHARLESTON**	**MASANIELLO**
BINET-SIMON	**PALMERSTON**	**LARDERELLO**
SAINT-SIMON	PORTE-SAVON	**HERMOSILLO**
BACKGAMMON	ANGLO-SAXON	**CARACCIOLO**
SINE QUA NON	**ANGLO-SAXON**	**MONTE-CARLO**
CHAMPIGNON	AMPHITRYON	**GUANTÁNAMO**
INTERFÉRON	**AMPHITRYON**	**LITTLE NEMO**
MOUILLERON	AMPHICTYON	PIANISSIMO
HEPTAMÉRON	**MATTERHORN**	FORTISSIMO
POTIMARRON	**WETTERHORN**	BRAVISSIMO
QUERCITRON	**IBN KHALDUN**	**SAN STEFANO**
FOURNEYRON	**MONT-VERDUN**	**GARIGLIANO**
ROWLANDSON	**CHÂTEAUDUN**	**NINO PISANO**
RICHARDSON	JEAN DE MEUN	**TALCAHUANO**
FRONDAISON	**BEN JELLOUN**	**VERRAZZANO**
PORCHAISON	**ISKENDERUN**	CAPPUCCINO
FAUCHAISON	INOPPORTUN	**BERNARDINO**

ROSSELLINO
CONCERTINO
SHOWA TENNO
MEIJI TENNO
SAINT-BRUNO
SANNAZZARO
CANNIZZARO
GUÉRILLERO
MONTÉNÉGRO
SÁ-CARNEIRO
YATSUSHIRO
CÓRDOBA ORO
GREENSBORO
CAGLIOSTRO
VALPARAÍSO
BELGIOJOSO
CAMPOBASSO
MATO GROSSO
GUANAJUATO
SACRAMENTO
SERPA PINTO
MEZZOTINTO
ROMAN-PHOTO
ALLEGRETTO
ESPRESSIVO
DOMODEDOVO
CHIMBORAZO
TANGE KENZO
SAN LORENZO
INTERMEZZO
GUI D'AREZZO
MICHELOZZO
LEADERSHIP
SISTER-SHIP
GRAND-CHAMP
SUR-LE-CHAMP
RIBBENTROP
BLENKINSOP
CONTRECOUP
PIED-DE-LOUP
TÊTE-DE-LOUP
SAUT-DE-LOUP
CHANTELOUP
AL-FARAZDAQ
PONT-À-MARCQ
CRÊTE-DE-COQ
PUVIRNITUQ
VOITURE-BAR
CAMPING-CAR
MADAGASCAR
SPORTSWEAR
AHMADNAGAR
ULHASNAGAR
BIRATNAGAR
GUETHARIAR
EURODOLLAR
BICHELAMAR

SAXE-WEIMAR
MONTÉLIMAR
VIÑA DEL MAR
EL-HADJ OMAR
HYPOTHÉNAR
VALLEDUPAR
SALMANASAR
SALMANAZAR
DÉSINHIBER
SURPLOMBER
RÉABSORBER
ENTRELACER
MANIGANCER
COFINANCER
ENSEMENCER
RÉFÉRENCER
INFLUENCER
DÉSAMORCER
RESSOURCER
ACQUIESCER
COURROUCER
BARRICADER
CAVALCADER
EMBRIGADER
ABD EL-KADER
PALISSADER
RÉTROCÉDER
INTERCÉDER
DÉPOSSÉDER
CONSOLIDER
TÉLÉGUIDER
TRANSVIDER
SENEFELDER
MARCHANDER
AFFRIANDER
ACHALANDER
ARGELANDER
HIGHLANDER
REDEMANDER
GOURMANDER
VILIPENDER
FASSBINDER
VAGABONDER
SURABONDER
TRANSCODER
ACCOMMODER
INCOMMODER
CHAMBARDER
BRANCARDER
BOUCHARDER
MOUCHARDER
FLEMMARDER
POIGNARDER
ÉCHAFAUDER
COURTAUDER
MARIVAUDER
STADHOUDER

STATHOUDER
IJSSELMEER
VAN DER MEER
ZOETERMEER
SCHRIEFFER
BONHOEFFER
ÉBOURIFFER
RÉCHAUFFER
FRAUNHOFER
DÉSENGAGER
TREILLAGER
DÉDOMMAGER
ENDOMMAGER
RÉAMÉNAGER
DÉCOURAGER
ENCOURAGER
AFFOURAGER
DÉPARTAGER
REPARTAGER
ULTRALÉGER
SUPER-LÉGER
DÉSAGRÉGER
BOOTLEGGER
DÉSOBLIGER
RECORRIGER
RÉARRANGER
CHALLENGER
STAUDINGER
INTERROGER
SURCHARGER
HYDROFUGER
EMPANACHER
AMOURACHER
POURLÉCHER
SCHLEICHER
SCHŒLCHER
REMMANCHER
DÉBRANCHER
EMBRANCHER
RETRANCHER
DÉCLENCHER
ENCLENCHER
RABIBOCHER
EFFILOCHER
GUILLOCHER
RACCROCHER
RAPPROCHER
RECHERCHER
AFFOURCHER
ENFOURCHER
DE VISSCHER
DISPATCHER
LOIR-ET-CHER
REMBAUCHER
CHEVAUCHER
DESSOUCHER
JEAN FISHER

VALLORBIER	BOURRELIER	CAP-HORNIER
POPULACIER	VAISSELIER	COÉQUIPIER
DISGRACIER	BOISSELIER	POLYCOPIER
CANÉFICIER	BERSAGLIER	CONTRARIER
BÉNÉFICIER	IMMOBILIER	CALENDRIER
ARTIFICIER	DOMICILIER	VINAIGRIER
SUPPLICIER	SOURCILIER	APPROPRIER
NOURRICIER	FOURMILIER	EXPROPRIER
ÉCHÉANCIER	PRUNELLIER	FOX-TERRIER
OUTRANCIER	DENTELLIER	AVENTURIER
DISTANCIER	**CARTELLIER**	TEINTURIER
AUDIENCIER	MÉDAILLIER	MANOUVRIER
TRÉFONCIER	BOUTILLIER	APOSTASIER
RENÉGOCIER	AIGUILLIER	PARADISIER
LIMONADIER	COQUILLIER	TRAVERSIER
BIGARADIER	CHEVILLIER	TRACASSIER
RÉEXPÉDIER	**WARCOLLIER**	AVOCASSIER
MONTDIDIER	ÉPISTOLIER	PLUMASSIER
TISSANDIER	MULTIPLIER	COGNASSIER
STIPENDIER	**PONTARLIER**	CARNASSIER
PSALMODIER	IRRÉGULIER	CUIRASSIER
BOMBARDIER	BANCOULIER	TERRASSIER
BOMBARDIER	STAPHYLIER	CASSISSIER
ANACARDIER	**SAINT-IMIER**	CARROSSIER
MOUTARDIER	PRINTANIER	**MONTAUSIER**
PLANCHÉIER	QUARTANIER	MARGOUSIER
GOUGNAFIER	CARAVANIER	GUICHETIER
RIGIDIFIER	**MONTAGNIER**	**LE PELETIER**
SOLIDIFIER	FONTAINIER	CHAÎNETIER
HUMIDIFIER	CARABINIER	GRAINETIER
FLUIDIFIER	MÉDICINIER	ROBINETIER
DRAGÉIFIER	TAMARINIER	CABARETIER
SIMPLIFIER	MAGASINIER	CHARRETIER
SAPONIFIER	**CARBONNIER**	BRIQUETIER
ÉTHÉRIFIER	BRACONNIER	COHÉRITIER
ESTÉRIFIER	GARÇONNIER	BISCUITIER
ÉMULSIFIER	FAUCONNIER	ASPHALTIER
CLASSIFIER	AMIDONNIER	**PARMENTIER**
STRATIFIER	CORDONNIER	**CARPENTIER**
SANCTIFIER	PIGEONNIER	**BRÉMONTIER**
FRUCTIFIER	PLAFONNIER	ABRICOTIER
QUANTIFIER	DRAGONNIER	ANECDOTIER
IDENTIFIER	**THIMONNIER**	INDIGOTIER
PLASTIFIER	MARRONNIER	BISTROTIER
REVIVIFIER	FERRONNIER	**DUMONSTIER**
DÉNAZIFIER	CITRONNIER	FLIBUSTIER
ALIBOUFIER	SAISONNIER	**DUMOUSTIER**
RIVE-DE-GIER	PRISONNIER	REGRATTIER
PISTACHIER	PIÉTONNIER	CREVETTIER
JOURNALIER	CANTONNIER	CACHOTTIER
MINÉRALIER	MENTONNIER	CHARCUTIER
FRONTALIER	PONTONNIER	**PELLOUTIER**
ENSEMBLIER	CARTONNIER	**MARMOUTIER**
ANTIBÉLIER	BOUTONNIER	**PERDIGUIER**
CHANCELIER	MOUTONNIER	HARENGUIER
CHANDELIER	BRUGNONIER	**VILLEQUIER**
MONTPELIER	**MEISSONIER**	BOUTIQUIER

PERRUQUIER
AMADOUVIER
PALÉTUVIER
STROSMAJER
WEIZSÄCKER
CORN-PICKER
SEERSUCKER
STRIP-POKER
INTERCALER
RASSEMBLER
RESSEMBLER
ENSORCELER
DÉCONGELER
ENTREMÊLER
RESSEMELER
DÉBOSSELER
ENCHÂTELER
DÉMANTELER
ENCASTELER
DÉCERVELER
RENOUVELER
ESSOUFFLER
PANTOUFLER
DESSANGLER
KAHNWEILER
TRANSFILER
DÉFAUFILER
HORRIPILER
TRIMBALLER
BEST-SELLER
CONSTELLER
CARCAILLER
POULAILLER
CHAMAILLER
REMMAILLER
GRENAILLER
SONNAILLER
REMPAILLER
COUPAILLER
DÉBRAILLER
FERRAILLER
TORRAILLER
MITRAILLER
COURAILLER
GRISAILLER
AVITAILLER
TRAVAILLER
DÉGOBILLER
SOURCILLER
SOMMEILLER
CONSEILLER
BOUTEILLER
SURVEILLER
FOURMILLER
DÉCANILLER
ÉCHENILLER
GRAPPILLER

ÉPARPILLER
HOUSPILLER
ÉTOUPILLER
QUADRILLER
ESSORILLER
SCINTILLER
POINTILLER
ENDEUILLER
EFFEUILLER
BIDOUILLER
ANDOUILLER
BAFOUILLER
CAFOUILLER
REFOUILLER
AFFOUILLER
MAGOUILLER
ZIGOUILLER
REMOUILLER
DÉPOUILLER
DÉROUILLER
VASOUILLER
PATOUILLER
PÉTOUILLER
GAZOUILLER
RESQUILLER
GUEBWILLER
BOUXWILLER
CARAMBOLER
CAMBRIOLER
EXTRAPOLER
INTERPOLER
RAFISTOLER
CONTEMPLER
QUADRUPLER
QUINTUPLER
PELLICULER
GESTICULER
RECALCULER
TRIANGULER
DISSIMULER
REFORMULER
DESSAOULER
CHAMBOULER
DÉBAGOULER
DÉCAPSULER
SCHNITZLER
BLASPHÉMER
KRETSCHMER
HORKHEIMER
WERTHEIMER
RÉIMPRIMER
DÉSARRIMER
MILLÉSIMER
SURESTIMER
MÉSESTIMER
PROGRAMMER
RÉAFFIRMER

PYLA-SUR-MER
LION-SUR-MER
BATZ-SUR-MER
DÉSENFUMER
TRANSHUMER
ACCOUTUMER
FILIGRANER
HYDROGÉNER
DÉSALIÉNER
RASSÉRÉNER
RESSAIGNER
RENSEIGNER
DÉSALIGNER
RÉASSIGNER
ÉGRATIGNER
BARGUIGNER
RENFROGNER
CUBITAINER
RECOMBINER
REMBOBINER
REVACCINER
RATIOCINER
HALLUCINER
APRÈS-DÎNER
PARAFFINER
DÉGOULINER
CONTAMINER
RÉEXAMINER
DISSÉMINER
RÉCRIMINER
INCRIMINER
PRÉDOMINER
DÉTERMINER
EXTERMINER
TURLUPINER
GLYCÉRINER
ORGANSINER
ASSASSINER
AGGLUTINER
EMBÉGUINER
MAROQUINER
TRUSQUINER
ENRUBANNER
DÉSABONNER
CHARBONNER
REFAÇONNER
ÉTANÇONNER
POINÇONNER
TRONÇONNER
SOUPÇONNER
ABANDONNER
COORDONNER
BOURDONNER
DRAGEONNER
CHIFFONNER
GRIFFONNER
BOUFFONNER

FOURGONNER	DÉCÉRÉBRER	GLOBALISER
RONCHONNER	ÉQUILIBRER	VERBALISER
TORCHONNER	SAUPOUDRER	FISCALISER
BOUCHONNER	RÉVERBÉRER	VANDALISER
VIBRIONNER	INCARCÉRER	LABIALISER
PENSIONNER	CONFÉDÉRER	SOCIALISER
PASSIONNER	CONSIDÉRER	FILIALISER
FISSIONNER	INDIFFÉRER	ANIMALISER
STATIONNER	PROLIFÉRER	FORMALISER
OVATIONNER	INTERFÉRER	NORMALISER
SECTIONNER	TRANSFÉRER	SIGNALISER
MENTIONNER	RÉFRIGÉRER	SACRALISER
ÉMOTIONNER	AGGLOMÉRER	VASSALISER
CAUTIONNER	OBTEMPÉRER	BRUTALISER
DOUBLONNER	DÉSESPÉRER	ANNUALISER
HOUBLONNER	DÉBLATÉRER	VISUALISER
ÉCHELONNER	DÉSALTÉRER	ACTUALISER
BÂILLONNER	PERSÉVÉRER	RITUALISER
GROGNONNER	DÉCHIFFRER	MUTUALISER
CRAMPONNER	ENGOUFFRER	SEXUALISER
GOUDRONNER	RÉINTÉGRER	DIÉSÉLISER
BIBERONNER	TRANSPIRER	FIABILISER
CLAIRONNER	COLLABORER	VIABILISER
ENVIRONNER	CORROBORER	STABILISER
LIAISONNER	PHOSPHORER	FRAGILISER
CLOISONNER	DÉTÉRIORER	STÉRILISER
MOISSONNER	COMMÉMORER	FOSSILISER
FRISSONNER	DÉSHONORER	SUBTILISER
ÉCUSSONNER	INCORPORER	FERTILISER
CAPITONNER	EXPECTORER	RÉUTILISER
CHANTONNER	EMPOURPRER	MÉTALLISER
PELOTONNER	REDÉMARRER	LABELLISER
DÉGAZONNER	REMBOURRER	SATELLISER
ENGAZONNER	PARAMÉTRER	JAVELLISER
TÉLÉPHONER	KILOMÉTRER	DIABOLISER
BIGOPHONER	SOUS-TITRER	SYMBOLISER
RÉINCARNER	CONCENTRER	ALCOOLISER
ENCASERNER	RENCONTRER	RANDOMISER
CONSTERNER	SURCONTRER	ÉCONOMISER
PROSTERNER	ORCHESTRER	SCOTOMISER
COSY-CORNER	SÉQUESTRER	VULCANISER
CONTOURNER	CALFEUTRER	MÉTHANISER
BISTOURNER	DÉCARBURER	BALKANISER
RISTOURNER	DÉSULFURER	GERMANISER
AMPLI-TUNER	PRÉFIGURER	GALVANISER
IMPORTUNER	EMPRÉSURER	HELLÉNISER
HANDICAPER	SURSATURER	CRÉTINISER
PARTICIPER	STRUCTURER	INDEMNISER
SURÉQUIPER	DÉSENIVRER	TYRANNISER
DÉSÉQUIPER	MANŒUVRER	SOLENNISER
TÉLESCOPER	MÉTASTASER	PÉRENNISER
DÉVELOPPER	EXTRAVASER	CARBONISER
ENVELOPPER	DÉSENVASER	PRÉCONISER
PRÉOCCUPER	TRANSVASER	HARMONISER
RONÉOTYPER	ANGLICISER	MICRONISER
DÉSEMPARER	CATÉCHISER	INTRONISER
ENTÉNÉBRER	FRANCHISER	MODERNISER

RATIBOISER
FRAMBOISER
PRÉCARISER
VULGARISER
GARGARISER
SCOLARISER
SCÉNARISER
CANCÉRISER
MERCERISER
BONDÉRISER
PAUPÉRISER
SINTÉRISER
CAUTÉRISER
PULVÉRISER
VAMPIRISER
HERBORISER
EUPHORISER
TAYLORISER
TEMPORISER
TERRORISER
FACTORISER
SECTORISER
CICATRISER
ÉLECTRISER
MARTYRISER
MÉDIATISER
DRAMATISER
DOGMATISER
CLIMATISER
AROMATISER
PRIVATISER
GADGÉTISER
BUDGÉTISER
ESTHÉTISER
SOVIÉTISER
MAGNÉTISER
DÉPOÉTISER
HYPNOTISER
DÉBAPTISER
REBAPTISER
EXPERTISER
PALETTISER
SUBDIVISER
IMPROVISER
SUPERVISER
JUXTAPOSER
ENTREPOSER
SURIMPOSER
DÉCOMPOSER
RECOMPOSER
SUPERPOSER
INTERPOSER
INDISPOSER
TRANSPOSER
SUREXPOSER
REMBOURSER
ÉCHALASSER

SURCLASSER
MATELASSER
CADENASSER
GROGNASSER
TRAÎNASSER
RAPETASSER
ÉCRIVASSER
PLEUVASSER
INTÉRESSER
PROGRESSER
COMPRESSER
SURBAISSER
RENCAISSER
DÉGRAISSER
ENGRAISSER
DÉPALISSER
DÉFROISSER
LAMBRISSER
RAPETISSER
DÉCHAUSSER
RECHAUSSER
ENCHAUSSER
SURHAUSSER
TRÉMOUSSER
DÉBROUSSER
REBROUSSER
DÉTROUSSER
RETROUSSER
TANNHÄUSER
REDIFFUSER
TRANSFUSER
HYDROLYSER
PHOSPHATER
ACCLIMATER
CARBONATER
RÉHYDRATER
DIFFRACTER
CONTRACTER
PROSPECTER
DISJONCTER
HOFSTADTER
DÉCACHETER
RECACHETER
INTERJETER
SOUFFLETER
FEUILLETER
DÉCOLLETER
SCHUMPETER
ÉPOUSSETER
DÉPAQUETER
EMPAQUETER
DÉCLAVETER
BÊCHEVETER
MALTRAITER
SOLLICITER
EXPLICITER
SUREXCITER

DÉSEXCITER
PRÉMÉDITER
ACCRÉDITER
DÉSULFITER
DÉGURGITER
RÉGURGITER
INGURGITER
PÉRICLITER
DÉCRÉPITER
PRÉCIPITER
DÉSHÉRITER
PRÉTÉRITER
NÉCESSITER
VIREVOLTER
CATAPULTER
FAINÉANTER
TROCHANTER
BRILLANTER
COMPLANTER
SUPPLANTER
PLAISANTER
ÉPOUVANTER
INNOCENTER
ACCIDENTER
DILIGENTER
RÉARGENTER
RÉORIENTER
ORNEMENTER
PAREMENTER
AGRÉMENTER
FRAGMENTER
SÉDIMENTER
BONIMENTER
TOURMENTER
DOCUMENTER
ARGUMENTER
CHARPENTER
APPARENTER
FRÉQUENTER
RÉINVENTER
DESSUINTER
CONFRONTER
DISCOUNTER
REMPRUNTER
TRAFICOTER
MASSICOTER
MENDIGOTER
TREMBLOTER
PAPILLOTER
DÉSADAPTER
PRÉCOMPTER
DISCOMPTER
RÉIMPORTER
RÉEXPORTER
CONTRASTER
GLOUCESTER
MANIFESTER

813

COLCHESTER	COMPLIQUER	ÉQUIVALOIR
MANCHESTER	RAPPLIQUER	**EURE-ET-LOIR**
WINCHESTER	POLÉMIQUER	**BEAUMANOIR**
WINCHESTER	TOURNIQUER	**PRINCE NOIR**
DORCHESTER	PLASTIQUER	TAMPONNOIR
ADMONESTER	INTOXIQUER	SUSPENSOIR
CONTRISTER	REQUINQUER	OURDISSOIR
PRÉEXISTER	SOLILOQUER	BRUNISSOIR
NEUMÜNSTER	ÉQUIVOQUER	REPOUSSOIR
TARABUSTER	REMBARQUER	DÉPLANTOIR
DÉSAJUSTER	CONFISQUER	PRÉSENTOIR
PIROUETTER	RÉHABITUER	SURMONTOIR
SALZGITTER	SUBSTITUER	DÉCROTTOIR
BABY-SITTER	CONSTITUER	APERCEVOIR
MANGEOTTER	PROSTITUER	REPOURVOIR
DÉCALOTTER	PARACHEVER	REPLEUVOIR
DÉCULOTTER	CANTILEVER	PROMOUVOIR
RECULOTTER	CHAMPLEVER	DEMI-SOUPIR
PANNEAUTER	**SAINT-SEVER**	ENTROUVRIR
CHAPEAUTER	**SNAKE RIVER**	APPESANTIR
POIREAUTER	DÉSACTIVER	PRESSENTIR
TERREAUTER	OBJECTIVER	RÉASSORTIR
TRESSAUTER	ADJECTIVER	RÉINVESTIR
DÉNOYAUTER	INVECTIVER	ASSUJETTIR
PERSÉCUTER	**EISENHOWER**	ROND-DE-CUIR
RÉPERCUTER	DÉSINDEXER	SIMILICUIR
REDISCUTER	DÉSENRAYER	CORREGIDOR
CRAPAHUTER	ERLENMEYER	BOUTONS-D'OR
PARACHUTER	REDÉPLOYER	**MARIE TUDOR**
COPERMUTER	RÉEMPLOYER	**ZIGUINCHOR**
TRANSMUTER	DÉGRAVOYER	**CHANCELLOR**
MARABOUTER	DÉSENNUYER	**NEW WINDSOR**
SURAJOUTER	**SCHWEITZER**	**OULAN-BATOR**
CAILLOUTER	**BUNDESWEHR**	TRANSISTOR
DÉMAZOUTER	**REICHSWEHR**	**MONTEMAYOR**
PHAGOCYTER	**SAINT CLAIR**	DÉBOURBEUR
SCHONGAUER	**BOUC-BEL-AIR**	SÉQUENCEUR
PRANDTAUER	CONTRE-VAIR	QUÉMANDEUR
CONTRIBUER	AÏD-EL-KÉBIR	COMMANDEUR
DISTRIBUER	RACCOURCIR	**COMMANDEUR**
DÉFATIGUER	RESPLENDIR	DESCENDEUR
PROMULGUER	ABASOURDIR	PROFONDEUR
VALDINGUER	RAFRAÎCHIR	TRIMARDEUR
ÉTALINGUER	DÉFRAÎCHIR	CHAPARDEUR
DÉGLINGUER	REBLANCHIR	ESBROUFEUR
SCHLINGUER	AFFRANCHIR	DÉMÉNAGEUR
BERLINGUER	**DIYARBAKIR**	NAUFRAGEUR
EMBRINGUER	PRÉÉTABLIR	FOURRAGEUR
DISTINGUER	ACCUEILLIR	VENDANGEUR
CATALOGUER	RECUEILLIR	DÉFRICHEUR
HOMOLOGUER	ENTRETENIR	PASTICHEUR
MONOLOGUER	APPARTENIR	BAMBOCHEUR
SURÉVALUER	INTERVENIR	ACCROCHEUR
DÉSÉCHOUER	DÉGORGEOIR	DÉCROCHEUR
ESTOMAQUER	ÉBRANCHOIR	DÉMARCHEUR
BIVOUAQUER	EMBAUCHOIR	DÉBOUCHEUR
CLAUDIQUER	EMBOUCHOIR	ACCOUCHEUR

RETOUCHEUR
POSTÉRIEUR
SCRABBLEUR
ASSEMBLEUR
CHANDELEUR
PIQUE-FLEUR
PERSIFLEUR
ÉTRANGLEUR
RENTOILEUR
DÉSHUILEUR
QUERELLEUR
MÉDAILLEUR
CRIAILLEUR
VOLAILLEUR
RIMAILLEUR
PINAILLEUR
RIPAILLEUR
EMPAILLEUR
ORPAILLEUR
DÉRAILLEUR
TIRAILLEUR
CORAILLEUR
BATAILLEUR
GOUAILLEUR
TORPILLEUR
GASPILLEUR
TOUPILLEUR
BOUSILLEUR
AIGUILLEUR
BROUILLEUR
MAQUILLEUR
BATIFOLEUR
BOUCHOLEUR
VITRIOLEUR
MONOPOLEUR
CONTRÔLEUR
VÉHICULEUR
TOUCOULEUR
ÉTAU-LIMEUR
MAINTENEUR
SURLIGNEUR
PARRAINEUR
ENTRAÎNEUR
ENLUMINEUR
BARATINEUR
BOUQUINEUR
RANÇONNEUR
RANDONNEUR
PLAFONNEUR
DÉSHONNEUR
CAMIONNEUR
ACTIONNEUR
SERMONNEUR
TAMPONNEUR
HARPONNEUR
RAISONNEUR
CRAYONNEUR

GOUVERNEUR
FLAGORNEUR
CACHE-CŒUR
SACRÉ-CŒUR
SACRÉ-CŒUR
CRÈVE-CŒUR
CRÈVECŒUR
BELLE-SŒUR
KIDNAPPEUR
ACCAPAREUR
MASSACREUR
CYLINDREUR
SOUS-VIREUR
DÉTARTREUR
DISCOUREUR
RÉASSUREUR
DÉCOUVREUR
LECOUVREUR
EXERCISEUR
TOTALISEUR
NÉBULISEUR
ORGANISEUR
CHAMOISEUR
POLARISEUR
NUMÉRISEUR
TÉLÉVISEUR
PROPULSEUR
CONDENSEUR
PRÉHENSEUR
SUSPENSEUR
PRÉCURSEUR
CONCASSEUR
EMBRASSEUR
SUCCESSEUR
PROCESSEUR
CONFESSEUR
PROFESSEUR
REDRESSEUR
RÉPRESSEUR
OPPRESSEUR
POSSESSEUR
ENCAISSEUR
DURCISSEUR
RAIDISSEUR
VERNISSEUR
GUÉRISSEUR
PÉTRISSEUR
SAURISSEUR
SERTISSEUR
REHAUSSEUR
CATALYSEUR
INCUBATEUR
INDICATEUR
INVOCATEUR
HORODATEUR
DÉLÉGATEUR
FUMIGATEUR

NAVIGATEUR
GLADIATEUR
AMODIATEUR
SPOLIATEUR
INITIATEUR
INHALATEUR
RÉVÉLATEUR
MUTILATEUR
FABULATEUR
TABULATEUR
OSCULATEUR
MODULATEUR
RÉGULATEUR
SIMULATEUR
COPULATEUR
DÉCIMATEUR
ESTIMATEUR
ORDINATEUR
DOMINATEUR
SUPINATEUR
DIVINATEUR
CODONATEUR
RÉSONATEUR
DÉTONATEUR
USURPATEUR
RÉPARATEUR
SÉPARATEUR
LIBÉRATEUR
MACÉRATEUR
FÉDÉRATEUR
MODÉRATEUR
NUMÉRATEUR
GÉNÉRATEUR
ADMIRATEUR
ASPIRATEUR
EXPIRATEUR
DÉCORATEUR
DÉVORATEUR
CASTRATEUR
SATURATEUR
OBTURATEUR
ACCUSATEUR
DILATATEUR
SPECTATEUR
INCITATEUR
EXCITATEUR
ANNOTATEUR
ADAPTATEUR
SCRUTATEUR
ÉVACUATEUR
ÉVALUATEUR
EXCAVATEUR
ACTIVATEUR
RÉNOVATEUR
INNOVATEUR
BIRÉACTEUR
COMPACTEUR

RÉFRACTEUR	CLIGNOTEUR	CHLAMYDIAS
DÉTRACTEUR	NUMÉROTEUR	**MATTATHIAS**
EXTRACTEUR	PRÉCEPTEUR	**SAINT ELIAS**
CONTACTEUR	CONCEPTEUR	GALIMATIAS
PROJECTEUR	PERCEPTEUR	**AMR IBN AL-AS**
DÉFLECTEUR	RÉDEMPTEUR	DALAÏ-LAMAS
RÉFLECTEUR	CORRUPTEUR	CATOBLÉPAS
COLLECTEUR	TRIPORTEUR	GYROCOMPAS
CONNECTEUR	COLPORTEUR	FIERS-À-BRAS
INSPECTEUR	RAPPORTEUR	APPUIE-BRAS
CORRECTEUR	SUPPORTEUR	APPUIS-BRAS
TRISECTEUR	COMPOSTEUR	SOAP OPERAS
BISSECTEUR	EXHAUSTEUR	**PROTAGORAS**
PROTECTEUR	RACKETTEUR	**CARPENTRAS**
CONVECTEUR	BASKETTEUR	DUPLICATAS
EXTINCTEUR	RÉÉMETTEUR	INTERCLUBS
TRADUCTEUR	PROMETTEUR	YACHT-CLUBS
CONDUCTEUR	RAQUETTEUR	NIGHT-CLUBS
PRODUCTEUR	SCHLITTEUR	**GRANDS LACS**
CROCHETEUR	BOYCOTTEUR	BLANCS-BECS
ROUSPÉTEUR	DÉCROTTEUR	SALAMALECS
PROPRÉTEUR	COADJUTEUR	PORCS-ÉPICS
BRIQUETEUR	HARANGUEUR	SOUL MUSICS
ÉTIQUETEUR	MATRAQUEUR	CULS-BLANCS
MARQUETEUR	CRITIQUEUR	FERS-BLANCS
PARQUETEUR	DÉMARQUEUR	CONTRE-ARCS
MALFAITEUR	REMORQUEUR	GRANDS-DUCS
CODÉBITEUR	ENJOLIVEUR	CASSE-PIEDS
INHIBITEUR	CONSERVEUR	PASSE-PIEDS
EXPÉDITEUR	**COURMAYEUR**	BIENS-FONDS
GRAFFITEUR	POURVOYEUR	HAUTS-FONDS
DYNAMITEUR	**PORT-ARTHUR**	PLATS-BORDS
DÉLIMITEUR	**WINTERTHUR**	PORTE-BÉBÉS
DÉFINITEUR	TROUBADOUR	GARDE-ROBES
EXPLOITEUR	ROCAMADOUR	SOUS-BARBES
APPARITEUR	**ROCAMADOUR**	LAVE-GLACES
RÉPÉTITEUR	CULS-DE-FOUR	LÈVE-GLACES
SURVOLTEUR	**MONTMAJOUR**	DEMI-PLACES
APICULTEUR	CONTRE-JOUR	DEMI-PIÈCES
AVICULTEUR	**SAINT-FLOUR**	DEUX-PIÈCES
CONSULTEUR	**CÔTE D'AMOUR**	BOX-OFFICES
BROCANTEUR	SAINT-AMOUR	FREE-LANCES
ENCHANTEUR	**SAINT-AMOUR**	GÂTE-SAUCES
APESANTEUR	YOM KIPPOUR	**PASARGADES**
EMPRUNTEUR	**MERCANTOUR**	**EVERGLADES**
CHUCHOTEUR	**JAMSHEDPUR**	READY-MADES
BOUCHOTEUR	**BAHAWALPUR**	CARBONADES
COMPLOTEUR	**SAHARANPUR**	HIT-PARADES
ESCAMOTEUR	IMPRIMATUR	**AGHLABIDES**
BLOC-MOTEUR	NE VARIETUR	**ARHLABIDES**
MARÉMOTEUR	**MARIN DE TYR**	PÈSE-ACIDES
LOCOMOTEUR	PROTÈGE-BAS	**SÉLEUCIDES**
IDÉOMOTEUR	ANTALCIDAS	**HAMMADIDES**
VÉLOMOTEUR	**ESMERALDAS**	**HÉRACLIDES**
MONOMOTEUR	**SAN ANDREAS**	**NAHMANIDES**
VASOMOTEUR	SOUI-MANGAS	**SASSANIDES**
AUTOMOTEUR	ÉPISPADIAS	**GERSONIDES**

SEMI-ARIDES
HESPÉRIDES
BÉDARRIDES
TIMOURIDES
WATTASIDES
ABBASSIDES
TOPO-GUIDES
DEMI-SOLDES
TIRE-BONDES
BIEN-FONDÉS
MICRO-ONDES
DEMI-RONDES
SOUS-GARDES
CENT-GARDES
GALVAUDÉES
DEMI-VOLÉES
SEXTUPLÉES
BIEN-AIMÉES
NON ANIMÉES
ENLUMINÉES
PORTE-ÉPÉES
ÉDULCORÉES
SURVOLTÉES
ARC-BOUTÉES
SOUS-LOUÉES
ENTRE-TUÉES
SOUS-PAYÉES
TECTOSAGES
ALLOBROGES
LES ÉPARGES
APPALACHES
SANDWICHES
SALLANCHES
VIDE-POCHES
BALOUTCHES
LES HOUCHES
TUE-MOUCHES
DESTOUCHES
ENTRE-HAÏES
MILLERAIES
LANDRECIES
HARPIGNIES
WATTIGNIES
BETTIGNIES
PIERRERIES
HORS-SÉRIES
CAR-FERRIES
NON-INITIÉS
ROAD-MOVIES
MILK-SHAKES
CORN FLAKES
SEMI-COCKES
LUPERCALES
AVANT-CALES
RÉGIONALES
SATURNALES
PARENTALES

CHIROUBLES
TOP-MODÈLES
LOS ANGELES
CURE-ONGLES
COUPE-FILES
SERRE-FILES
FAC-SIMILÉS
PARE-BALLES
COURCELLES
SEYCHELLES
FLESSELLES
ÉCROUELLES
AUXQUELLES
PRÉFAILLES
ENTRAILLES
VERSAILLES
CORMEILLES
CRUSEILLES
EFFEUILLES
ÉCHIROLLES
AUTO-ÉCOLES
QUADRUPLÉS
QUINTUPLÉS
SAINT-JAMES
BRISE-LAMES
PORTE-LAMES
BOUTS-RIMÉS
PRIME TIMES
SOUS-HOMMES
VIDE-POMMES
MOTOR-HOMES
INTERARMES
NON-ALIGNÉS
TIRE-LIGNES
TOUSSAINES
GRENADINES
TIRE-VEINES
DESSALINES
GRAVELINES
STRIP-LINES
ZAFFARINES
CHARAVINES
EAUX-VANNES
FARCIENNES
EAUX-BONNES
COORDONNÉS
GROGNONNES
BURNE-JONES
LEROI JONES
LAZZARONES
NOUVEAU-NÉS
VAN DER GOES
CASSE-PIPES
RHÔNE-ALPES
SOUS-NAPPES
RATS-TAUPES
LE BARCARÈS

MANZANARES
LOIS-CADRES
DESLANDRES
SOUS-ORDRES
CELTIBÈRES
CAMBACÉRÈS
CONFÉDÉRÉS
PLOMBIÈRES
PLOMBIÈRES
GAIGNIÈRES
BADINIÈRES
COURRIÈRES
SESTRIÈRES
GRAND-MÈRES
MÔN-KHMÈRES
DURES-MÈRES
BEAUX-PÈRES
DEMI-FRÈRES
SOUS-FIFRES
HONORAIRES
SANITAIRES
CHOKE-BORES
PESCADORES
CHOÉPHORES
CODE-BARRES
DEMI-LITRES
SOUS-TITRES
SOUS-TITRÉS
LÈVE-VITRES
BAS-VENTRES
DEMI-HEURES
TÂRGU MURES
DEUX-SÈVRES
SEMI-OUVRÉS
À NACROISÉS
POCATOISES
SOUS-TASSES
TIRE-FESSES
LES ROUSSES
DEMI-PAUSES
GLORIEUSES
CI-INCLUSES
TOUNGOUSES
RÉTROACTES
PENSE-BÊTES
MASSAGÈTES
CASSAVETES
SOUS-FAÎTES
AMALÉCITES
COMMODITÉS
FRIVOLITÉS
HACHÉMITES
HACHIMITES
RIVESALTES
RIVESALTES
CORRIENTES
BAS-JOINTÉS

GARDE-CÔTES	AIRVAUDAIS	VALLONNAIS
PIQUE-NOTES	MOISSAGAIS	BOULONNAIS
BLOCS-NOTES	KARATCHAÏS	BOULONNAIS
EAUX-FORTES	SRI LANKAIS	TOULONNAIS
OUDMOURTES	SRI LANKAIS	VERNONNAIS
LOYALISTES	NEW-YORKAIS	CRAPONNAIS
HORS-PISTES	NEW-YORKAIS	GLARONNAIS
AMOURETTES	MIREBALAIS	VOIRONNAIS
CUISSETTES	SÉNÉGALAIS	GORRONNAIS
TIRE-BOTTES	SÉNÉGALAIS	COURONNAIS
RASE-MOTTES	CINGHALAIS	MAISONNAIS
ARGONAUTES	CINGHALAIS	VAISONNAIS
DEMI-QUEUES	PORT-VILAIS	HIRSONNAIS
MANDINGUES	LAMBALLAIS	CESSONNAIS
SORLINGUES	BAZEILLAIS	MENTONNAIS
ZAPOROGUES	QUEVILLAIS	BETTONNAIS
FRÉJORGUES	CHAROLLAIS	CROZONNAIS
PLUS-VALUES	VITROLLAIS	MOUZONNAIS
TOTONAQUES	GRISOLLAIS	SALOMONAIS
ZAPOTÈQUES	LE RICOLAIS	TOURNONAIS
HUAXTÈQUES	BALNÉOLAIS	GABORONAIS
GÉORGIQUES	BEAUJOLAIS	AUDIERNAIS
BUCOLIQUES	BEAUJOLAIS	LIBOURNAIS
DINARIQUES	BRIGNOLAIS	LES AUBRAIS
GROTESQUES	PAIMPOLAIS	THOUARSAIS
CHÉRUSQUES	BOUZOUMAIS	BOUSCATAIS
CHOUX-RAVES	SURINAMAIS	SAILLATAIS
LAQUEDIVES	BRANTÔMAIS	ÉTRETATAIS
CACHE-SEXES	SOUNDANAIS	HERBRETAIS
ARTAXERXÈS	STÉPHANAIS	HÉRAULTAIS
ASHKÉNAZES	ABIDJANAIS	LORIENTAIS
ROAST-BEEFS	CONFLANAIS	CHARENTAIS
BAS-RELIEFS	MAILLANAIS	CHARENTAIS
PORTE-CLEFS	QUILLANAIS	PIÉMONTAIS
DEMI-TARIFS	LÉOGNANAIS	PIÉMONTAIS
TEUFS-TEUFS	TOURNANAIS	CAMARGUAIS
BOW-STRINGS	TÉHÉRANAIS	CAMARGUAIS
MAIL-COACHS	BHOUTANAIS	TUPINAMBIS
BULL-FINCHS	BOTSWANAIS	SEMMELWEIS
TEST-MATCHS	BOUGUENAIS	CURIA REGIS
OSTROGOTHS	MONTAGNAIS	RIS-ORANGIS
PISCIACAIS	MORTAGNAIS	GUILLOCHIS
BLAGNACAIS	HOURTINAIS	MITSOTÁKIS
FLOIRACAIS	LANJUINAIS	CORNWALLIS
CROISICAIS	GARDANNAIS	SINT-GILLIS
COUTANÇAIS	LOUHANNAIS	CAFOUILLIS
BANGLADAIS	ÉCOUENNAIS	GAZOUILLIS
BANGLADAIS	CARBONNAIS	CARAMANLIS
FRONSADAIS	NARBONNAIS	KARAMANLÍS
CAUSSADAIS	LISBONNAIS	TORTICOLIS
HOLLANDAIS	LISBONNAIS	HIÉRAPOLIS
HOLLANDAIS	EAUBONNAIS	PERSÉPOLIS
FINLANDAIS	MEUDONNAIS	AMPHIPOLIS
FINLANDAIS	LUCHONNAIS	HÉLIOPOLIS
MARMANDAIS	DIVIONNAIS	HERMOPOLIS
GUÉRANDAIS	SAUJONNAIS	PETRÓPOLIS
TRIBORDAIS	CHALONNAIS	ANTIROULIS

IN EXTREMIS	**STÉPHANOIS**	**ISBERGUOIS**
RETRANSMIS	CHAMPENOIS	**RELECQUOIS**
SAINT DENIS	**CHAMPENOIS**	**CHIROQUOIS**
SAINT-DENIS	**ROSTRENOIS**	SUI GENERIS
SAINT-GENIS	**FONTAINOIS**	PÉCOPTÉRIS
ICHTYORNIS	**DOUVAINOIS**	VERT-DE-GRIS
CHARLEBOIS	QUERCINOIS	PETITS-GRIS
PETITS-BOIS	**QUERCINOIS**	SATYRIASIS
CANDIACOIS	**AMANDINOIS**	PITYRIASIS
GIBRIAÇOIS	**ERSTEINOIS**	HYSTÉRÉSIS
MAURIACOIS	DAUPHINOIS	**BEAUVAISIS**
MASSIACOIS	**DAUPHINOIS**	**THOUTMOSIS**
GAILLACOIS	**BAS-RHINOIS**	AMPÉLOPSIS
LE FRANÇOIS	**HERBLINOIS**	MÊLÉ-CASSIS
CHARNYCOIS	**MADELINOIS**	CHIEN-ASSIS
LANGEADOIS	**KREMLINOIS**	RETROUSSIS
BELGRADOIS	**COGOLINOIS**	FEUILLETIS
BENFELDOIS	**DOUVRINOIS**	RAPPOINTIS
VERMANDOIS	**HALLUINOIS**	PROGLOTTIS
VILLARDOIS	**CHAUVINOIS**	CAILLOUTIS
LÉONARDOIS	**LAUSANNOIS**	BOUIS-BOUIS
GRIMAUDOIS	**VINCENNOIS**	**SARRELOUIS**
VILLAGEOIS	**LUCIENNOIS**	**SAINT LOUIS**
BOULAGEOIS	**CONCARNOIS**	**SAINT-LOUIS**
JUMIÉGEOIS	**BRAY-DUNOIS**	**MAUPERTUIS**
BESSÉGEOIS	QUERCYNOIS	PONTS-LEVIS
HAYANGEOIS	**QUERCYNOIS**	**LURCY-LÉVIS**
AUDENGEOIS	**BLANZYNOIS**	RADIO-TAXIS
CAROUGEOIS	PETITS POIS	PAPARAZZIS
BULLYGEOIS	AUDOMAROIS	BLACK JACKS
DE GUINGOIS	**AUDOMAROIS**	HALF-TRACKS
MONTARGOIS	**SOMMIÉROIS**	DREADLOCKS
FORBACHOIS	**BONNIÉROIS**	LONG DRINKS
EUSTACHOIS	**CARRIÉROIS**	SOFT-DRINKS
SENONCHOIS	**FERRIÉROIS**	FLOCK-BOOKS
MARLYCHOIS	**ROSEMÈROIS**	PRESS-BOOKS
SCHILIKOIS	**QUIMPÉROIS**	SEX-APPEALS
RIMOUSKOIS	**CANAVÉROIS**	PÉRINATALS
ROLIVALOIS	**DUCLAIROIS**	POSTNATALS
GRENOBLOIS	**SANCERROIS**	ENTRE-RAILS
RAPHAËLOIS	**TONNERROIS**	PONTS-RAILS
SARCELLOIS	**TRÉGORROIS**	CONTRE-FILS
AUCHELLOIS	**VIHIERSOIS**	COMPTE-FILS
CORMELLOIS	**CERGYSSOIS**	DROITS-FILS
CROTELLOIS	VICHYSSOIS	PETITS-FILS
VITTELLOIS	**VICHYSSOIS**	**DAUGAVPILS**
COQUELLOIS	**BÉNODETOIS**	DEMI-DEUILS
BRUXELLOIS	**CAMARÉTOIS**	HORSE-BALLS
BRUXELLOIS	**JEUMONTOIS**	MUSIC-HALLS
CHAZELLOIS	**PORCARTOIS**	SEX-SYMBOLS
CHAVILLOIS	**DESCARTOIS**	HAUSSE-COLS
FRIVILLOIS	**CLAMARTOIS**	**SEX PISTOLS**
JARVILLOIS	**LAMBERTOIS**	COVER-GIRLS
NEUVILLOIS	**ROCHETTOIS**	PEIGNE-CULS
DOMBASLOIS	**CLAYETTOIS**	JET-STREAMS
ARBRESLOIS	**DOMINGUOIS**	GRILL-ROOMS
STÉPHANOIS	**HUNINGUOIS**	**NEW ORLEANS**

LANGERHANS	**HÉPHAÏSTOS**	COUVRE-LITS
AVANT-PLANS	GRUPPETTOS	WAGONS-LITS
CAMERAMANS	PORTE-AUTOS	AVANT-TOITS
RECORDMANS	QUADRICEPS	TOUT-PETITS
POLICEMANS	VIDÉO-CLIPS	**GRANDPUITS**
GENTLEMANS	GARDE-TEMPS	**FEUILLANTS**
KELDERMANS	ENTRE-TEMPS	GROS-PLANTS
TIMMERMANS	PASSE-TEMPS	COMOURANTS
TENNISMANS	PLEIN-TEMPS	NON-VOYANTS
YACHTSMANS	CHAMÆROPS	SUS-JACENTS
CLERGYMANS	PÈSE-SIROPS	DEUX-POINTS
SAINT-SAËNS	**DANIEL-ROPS**	AVANT-MONTS
HASMONÉENS	GARDE-CORPS	TROIS-PONTS
SUD-CORÉENS	AVANT-CORPS	STOCK-SHOTS
SUD-CORÉENS	APRÈS-COUPS	ARROW-ROOTS
CABOCHIENS	PIANOS-BARS	**HOTTENTOTS**
CIMMÉRIENS	TEDDY-BEARS	**LES ESSARTS**
ROBERTIENS	AGARS-AGARS	CORPS-MORTS
VARSOVIENS	**UITLANDERS**	OMNISPORTS
GUETS-APENS	CONTRE-FERS	AVANT-PORTS
VAL-THORENS	**SAINT-CIERS**	HALF COURTS
PUYLAURENS	**DÉSAUGIERS**	CHECK-LISTS
CONTRESENS	**CORDELIERS**	AVANT-GOÛTS
INDO-ARYENS	**DES PÉRIERS**	**EBBINGHAUS**
SAINT JOHN'S	VOLONTIERS	IN PARTIBUS
SÈCHE-MAINS	**VIMOUTIERS**	TROLLEYBUS
AVANT-MAINS	**EYMOUTIERS**	**GERMANICUS**
GROS-GRAINS	PITHIVIERS	DIPLODOCUS
CHARTRAINS	**PITHIVIERS**	TROP-PERÇUS
DESJARDINS	**SCHWITTERS**	SOUS-TENDUS
TROP-PLEINS	FAIT DIVERS	ÉPICANTHUS
DESMOULINS	FANCY-FAIRS	**POSIDONIUS**
SOUS-MARINS	PIEDS-NOIRS	**CAMERARIUS**
PHILISTINS	**PIEDS-NOIRS**	**GUARNERIUS**
ALGONQUINS	**TAMMERFORS**	**PRAETORIUS**
PICAILLONS	BOUT-DEHORS	PORTE-MENUS
AUTO-IMMUNS	NON-VALEURS	**FLAMININUS**
VILLA-LOBOS	NON-FUMEURS	AVANT-CLOUS
CATHOLICOS	DEMI-SŒURS	FROUS-FROUS
CIENFUEGOS	INTERCOURS	AVANT-TROUS
HYDRAMNIOS	AVANT-COURS	GRIPPE-SOUS
APOLLONIOS	**MAGNY-COURS**	PAR-DESSOUS
EUPHRONIOS	NON-RETOURS	GARDE-À-VOUS
PARRHASIOS	FLINT-GLASS	RENDEZ-VOUS
MÉLIS-MÉLOS	HAMMERLESS	ARTOCARPUS
PIZZAIOLOS	ANTISTRESS	HANTAVIRUS
WATER-POLOS	CYCLO-CROSS	LENTIVIRUS
JUAN CARLOS	PARE-ÉCLATS	ADÉNOVIRUS
SIKELIANÓS	PASSE-PLATS	RÉTROVIRUS
DAMASKINOS	MONTE-PLATS	PROSPECTUS
CARBONAROS	PIEDS-PLATS	COURT-VÊTUS
RHINOCÉROS	QUATRE-MÂTS	**UNIGENITUS**
ANTIPATROS	HOUSE-BOATS	EUCALYPTUS
INTRA-MUROS	FERRY-BOATS	LEITMOTIVS
EXTRA-MUROS	**PRIM Y PRATS**	BOW-WINDOWS
PIZZICATOS	FAUX-FILETS	CHOWS-CHOWS
SAN-BENITOS	**DIABLERETS**	MATCH-PLAYS

MEDAL PLAYS	**DU CHÂTELET**	REMPLAÇANT
LES ANDELYS	ANTIREFLET	CLAUDICANT
MULE-JENNYS	ENTREFILET	MORDANÇANT
RAVE-PARTYS	**BERTHOLLET**	AMBIANÇANT
BRASSCHAAT	QUADRUPLET	FORLANÇANT
MAGNIFICAT	LANSQUENET	DISTANÇANT
PONTIFICAT	**CHASSIGNET**	COMMENÇANT
CERTIFICAT	**FREYSSINET**	DÉCOINÇANT
MATRIARCAT	**LE THORONET**	RENFONÇANT
PATRIARCAT	PITCHOUNET	PRONONÇANT
ACCOMMODAT	TRISTOUNET	DÉFRONÇANT
TRANSSUDAT	**VASALOPPET**	COMMERÇANT
ŒIL-DE-CHAT	FEUILLERET	RENFORÇANT
HONORARIAT	DÉSINTÉRÊT	RÉAMORÇANT
MARGRAVIAT	**LE BEAUSSET**	COALESÇANT
MARÉCHALAT	**PRIMAUGUET**	ESCALADANT
CARDINALAT	**MALPLAQUET**	TAILLADANT
COUVRE-PLAT	TOURNIQUET	PÉTARADANT
GUILLAUMAT	BOURRIQUET	PERSUADANT
ASSISTANAT	FOUTRIQUET	DISSUADANT
ORPHELINAT	MASTROQUET	ENTRAIDANT
MANDARINAT	**MONTALIVET**	COÏNCIDANT
ASSASSINAT	HOVERCRAFT	INVALIDANT
PENSIONNAT	Chris-Craft	INTIMIDANT
SAINT-DONAT	**TANEZROUFT**	DILAPIDANT
DUFFLE-COAT	**ANDERLECHT**	BRIGANDANT
TRENCH-COAT	**LIEBKNECHT**	QUÉMANDANT
DUFFEL-COAT	**MAASTRICHT**	COMMANDANT
QUEUE-DE-RAT	**CARTWRIGHT**	FAISANDANT
AGGLOMÉRAT	CONTREFAIT	DESCENDANT
DÉCEMVIRAT	CAILLE-LAIT	SUSPENDANT
TRIUMVIRAT	SATISFECIT	PRÉTENDANT
DIRECTORAT	**FAHRENHEIT**	DISTENDANT
MONTFERRAT	QUASI-DÉLIT	SURVENDANT
MONTSERRAT	SAUTS-DE-LIT	RESCINDANT
AB INTESTAT	VOITURE-LIT	CONFONDANT
THERMOSTAT	PASSE-DROIT	PARFONDANT
SIDÉROSTAT	AYANT DROIT	MORFONDANT
PRESSOSTAT	**MALESTROIT**	CONTONDANT
NON-RESPECT	NON-INSCRIT	BOMBARDANT
INDISTINCT	PÈSE-ESPRIT	PLACARDANT
KRONCHTADT	GAGNE-PETIT	RANCARDANT
REICHSTADT	ÉCOPRODUIT	RENCARDANT
INGOLSTADT	SURPRODUIT	BROCARDANT
EISENSTADT	GRAPE-FRUIT	FAUCARDANT
BURCKHARDT	**SAXE-ANHALT**	RINGARDANT
PASSE-LACET	SUCCOMBANT	POCHARDANT
WALL STREET	DÉPLOMBANT	CAVIARDANT
SOUS-PRÉFET	EXACERBANT	TRIMARDANT
MONTRACHET	DÉSHERBANT	CHAPARDANT
MONTRACHET	DÉBOURBANT	RACCORDANT
COLIFICHET	EMBOURBANT	CONCORDANT
PORTE-OBJET	RECOURBANT	DISCORDANT
COURANT-JET	PERTURBANT	DISTORDANT
PICKPOCKET	MASTURBANT	CLABAUDANT
CARNAVALET	DÉDICAÇANT	MARGAUDANT
LE CHÂTELET	VERGLAÇANT	GALVAUDANT

10

DESSOUDANT	REGREFFANT	LICENCIANT
RESSOUDANT	DÉCOIFFANT	DISSOCIANT
PEROXYDANT	RECOIFFANT	REMERCIANT
SUROXYDANT	ASSOIFFANT	INSOUCIANT
DÉSOXYDANT	ÉCHAUFFANT	CONGÉDIANT
HERBAGEANT	ESBROUFANT	SUBSIDIANT
SACCAGEANT	SUFFRAGANT	INCENDIANT
RENGAGEANT	DÉFATIGANT	RÉÉTUDIANT
ÉTALAGEANT	WALLINGANT	STUPÉFIANT
SOULAGEANT	FLAMINGANT	TORRÉFIANT
AMÉNAGEANT	HARNACHANT	PUTRÉFIANT
SURNAGEANT	RECRACHANT	LIQUÉFIANT
PROPAGEANT	RATTACHANT	BARBIFIANT
OMBRAGEANT	SOUTACHANT	OPACIFIANT
OUTRAGEANT	CRAVACHANT	SPÉCIFIANT
OUVRAGEANT	DESSÉCHANT	DULCIFIANT
PRÉSAGEANT	DÉFRICHANT	CRUCIFIANT
PARTAGEANT	PASTICHANT	RÉÉDIFIANT
ENNUAGEANT	ESQUICHANT	ACIDIFIANT
ASSIÉGEANT	DÉHANCHANT	GAZÉIFIANT
PROTÉGEANT	CALANCHANT	MYTHIFIANT
DÉNEIGEANT	DÉMANCHANT	QUALIFIANT
ENNEIGEANT	EMMANCHANT	AMPLIFIANT
AFFLIGEANT	ÉBRANCHANT	PLANIFIANT
INFLIGEANT	REVANCHANT	MAGNIFIANT
NÉGLIGEANT	PLAIN-CHANT	LIGNIFIANT
COLLIGEANT	BAMBOCHANT	SIGNIFIANT
CORRIGEANT	BOULOCHANT	RÉUNIFIANT
VOLTIGEANT	PIGNOCHANT	SCARIFIANT
FUSTIGEANT	REMPOCHANT	CLARIFIANT
VIDANGEANT	DÉBROCHANT	LUBRIFIANT
ÉCHANGEANT	EMBROCHANT	SACRIFIANT
MÉLANGEANT	ACCROCHANT	GLORIFIANT
DÉMANGEANT	DÉCROCHANT	TERRIFIANT
REMANGEANT	REPROCHANT	HORRIFIANT
DÉRANGEANT	APPROCHANT	PÉTRIFIANT
ARRANGEANT	PINTOCHANT	NITRIFIANT
LOUANGEANT	DÉMARCHANT	VITRIFIANT
ALLONGEANT	REMARCHANT	FALSIFIANT
SUBROGEANT	RAPERCHANT	DENSIFIANT
PROROGEANT	TCHATCHANT	CHOSIFIANT
HÉBERGEANT	SCRATCHANT	VERSIFIANT
GOBERGEANT	DÉBAUCHANT	MASSIFIANT
IMMERGEANT	EMBAUCHANT	RUSSIFIANT
ASPERGEANT	TRÉBUCHANT	BÉATIFIANT
SUPER-GÉANT	REMBUCHANT	GRATIFIANT
DÉTERGEANT	DÉBOUCHANT	RECTIFIANT
DIVERGEANT	REBOUCHANT	ACÉTIFIANT
DÉGORGEANT	EMBOUCHANT	PONTIFIANT
REGORGEANT	ACCOUCHANT	CERTIFIANT
ENGORGEANT	DÉCOUCHANT	FORTIFIANT
EXPURGEANT	RECOUCHANT	MORTIFIANT
INSURGEANT	ESSOUCHANT	JUSTIFIANT
DÉJAUGEANT	RETOUCHANT	MYSTIFIANT
PATAUGEANT	TRIOMPHANT	STATUFIANT
PRÉJUGEANT	DÉPRÉCIANT	ATROPHIANT
ESCLAFFANT	APPRÉCIANT	CONCILIANT

MÉSALLIANT	ÉTRANGLANT	ÉGOSILLANT
CALOMNIANT	OBNUBILANT	DESSILLANT
COMMUNIANT	ÉFAUFILANT	BOUSILLANT
ESTROPIANT	ANNIHILANT	FRÉTILLANT
RAPPARIANT	ASSIMILANT	BOITILLANT
RAPATRIANT	RENTOILANT	TORTILLANT
DÉPATRIANT	DÉSOPILANT	DISTILLANT
EXPATRIANT	DÉSHUILANT	INSTILLANT
RASSASIANT	TRIBALLANT	SAUTILLANT
AUTOPSIANT	REMBALLANT	TREUILLANT
AMNISTIANT	INSTALLANT	DÉGUILLANT
BALBUTIANT	DESCELLANT	AIGUILLANT
ASPHYXIANT	FLAGELLANT	ÉPOUILLANT
DÉSTOCKANT	ENFIELLANT	BROUILLANT
BRIMBALANT	DÉMIELLANT	GROUILLANT
TRIMBALANT	EMMIELLANT	MAQUILLANT
NONCHALANT	QUERELLANT	BÉQUILLANT
INITIALANT	DESSELLANT	CHEVILLANT
ÉQUIVALANT	MÉDAILLANT	GRISOLLANT
ENDIABLANT	GODAILLANT	MIROBOLANT
DESSABLANT	RÔDAILLANT	CARACOLANT
SCRABBLANT	DÉFAILLANT	RAPICOLANT
ASSEMBLANT	CRIAILLANT	FLAGEOLANT
DÉMEUBLANT	DÉMAILLANT	BATIFOLANT
REMEUBLANT	REMAILLANT	CABRIOLANT
ENCOUBLANT	RIMAILLANT	AFFRIOLANT
DÉDOUBLANT	TENAILLANT	VITRIOLANT
REDOUBLANT	PINAILLANT	CONTRÔLANT
DÉCERCLANT	DÉPAILLANT	CERF-VOLANT
RECERCLANT	RIPAILLANT	TRANSPLANT
ENCERCLANT	EMPAILLANT	DÉPEUPLANT
DÉMASCLANT	DÉRAILLANT	REPEUPLANT
DÉBOUCLANT	TIRAILLANT	ACCOUPLANT
DÉFICELANT	CISAILLANT	DÉCOUPLANT
CHANCELANT	ASSAILLANT	CENTUPLANT
ÉTINCELANT	BATAILLANT	SEPTUPLANT
AMONCELANT	DÉTAILLANT	SEXTUPLANT
DÉPUCELANT	RETAILLANT	AFFABULANT
REMODELANT	ENTAILLANT	DÉNÉBULANT
GROMMELANT	FOUAILLANT	DÉAMBULANT
ÉPANNELANT	GOUAILLANT	VÉHICULANT
DÉCAPELANT	JOUAILLANT	RÉTICULANT
RUISSELANT	RHABILLANT	ARTICULANT
DÉMUSELANT	GAMBILLANT	ÉMASCULANT
ÉCARTELANT	FENDILLANT	BOUSCULANT
CRAQUELANT	PENDILLANT	STRIDULANT
ENJAVELANT	MORDILLANT	DÉMODULANT
ÉCHEVELANT	RÉVEILLANT	DÉGUEULANT
DÉNIVELANT	VERMILLANT	ENGUEULANT
INSUFFLANT	TORPILLANT	DÉRÉGULANT
PERSIFLANT	GASPILLANT	ACCUMULANT
DÉSENFLANT	GOUPILLANT	TRABOULANT
DÉGONFLANT	ROUPILLANT	ROUCOULANT
REGONFLANT	TOUPILLANT	REMMOULANT
CAMOUFLANT	BRASILLANT	VERMOULANT
MAROUFLANT	BRÉSILLANT	SURMOULANT
PRÉRÉGLANT	GRÉSILLANT	DESSOÛLANT

MANIPULANT	TÉMOIGNANT	MÂCHONNANT
CAPITULANT	EMPOIGNANT	BICHONNANT
INTITULANT	TRÉPIGNANT	COCHONNANT
AMALGAMANT	CONSIGNANT	SIPHONNANT
PROCLAMANT	PROVIGNANT	CAMIONNANT
SAINT-AMANT	RENCOGNANT	ESPIONNANT
DESQUAMANT	RENGAINANT	VISIONNANT
ENTR'AIMANT	DÉCHAÎNANT	FUSIONNANT
ENVENIMANT	ENCHAÎNANT	RATIONNANT
COMPRIMANT	PARRAINANT	ACTIONNANT
SUPPRIMANT	ENTRAÎNANT	LOTIONNANT
LÉGITIMANT	DÉBOBINANT	GOUJONNANT
ENFLAMMANT	EMBOBINANT	ÉTALONNANT
PRÉNOMMANT	DÉRACINANT	SABLONNANT
SURNOMMANT	ENRACINANT	BALLONNANT
CONSOMMANT	VATICINANT	SILLONNANT
GENDARMANT	PEAUFINANT	BOULONNANT
RENFERMANT	DODELINANT	FOULONNANT
CONFIRMANT	PATELINANT	MARMONNANT
RENDORMANT	RIPOLINANT	SERMONNANT
PRÉFORMANT	CALAMINANT	ROGNONNANT
CONFORMANT	EFFÉMINANT	CHAPONNANT
PERFORMANT	ACHEMINANT	TAMPONNANT
FANTASMANT	INSÉMINANT	POMPONNANT
DÉCHAUMANT	CODOMINANT	HARPONNANT
REMPLUMANT	ILLUMINANT	POUPONNANT
ENCABANANT	ENLUMINANT	ÉPERONNANT
DÉDOUANANT	ENFARINANT	RONRONNANT
MORIGÉNANT	ENTÉRINANT	PATRONNANT
GANGRENANT	CHAGRINANT	BOURONNANT
RENGRÉNANT	CHOURINANT	COURONNANT
COMPRENANT	MAGASINANT	BLASONNANT
RAPPRENANT	AVOISINANT	RAISONNANT
SURPRENANT	HOUSSINANT	FOISONNANT
MAINTENANT	DÉMATINANT	GRISONNANT
LIEUTENANT	BARATINANT	MALSONNANT
REDEVENANT	RATATINANT	BRETONNANT
TOUT-VENANT	CABOTINANT	LAITONNANT
IMPRÉGNANT	TROTTINANT	CANTONNANT
DÉDAIGNANT	ACOQUINANT	CARTONNANT
ENCEIGNANT	BOUQUINANT	BASTONNANT
DÉPEIGNANT	CONDAMNANT	FESTONNANT
REPEIGNANT	RÉABONNANT	PISTONNANT
ÉPREIGNANT	BRACONNANT	BOUTONNANT
ÉTREIGNANT	RANÇONNANT	MOUTONNANT
ENSEIGNANT	FLOCONNANT	KLAXONNANT
DÉTEIGNANT	FREDONNANT	CLAYONNANT
ATTEIGNANT	AMIDONNANT	CRAYONNANT
GRAFIGNANT	RANDONNANT	ÉPOUMONANT
RECHIGNANT	DINDONNANT	DÉCHARNANT
RÉALIGNANT	LARDONNANT	CONCERNANT
FORLIGNANT	PARDONNANT	DISCERNANT
SURLIGNANT	CORDONNANT	LANTERNANT
SOULIGNANT	PIGEONNANT	GOUVERNANT
ADJOIGNANT	PLAFONNANT	FLAGORNANT
REJOIGNANT	JARGONNANT	DÉFOURNANT
ENJOIGNANT	BOUGONNANT	ENFOURNANT

SÉJOURNANT	VITUPÉRANT	EFFLEURANT
DÉTOURNANT	RÉINSÉRANT	ENFLEURANT
RETOURNANT	INVÉTÉRANT	DÉFIGURANT
RATTRAPANT	OBLITÉRANT	INAUGURANT
ANTICIPANT	ADULTÉRANT	CONCOURANT
ÉMANCIPANT	CONQUÉRANT	PARCOURANT
CONSTIPANT	EMPIFFRANT	DISCOURANT
DISCULPANT	DÉCOFFRANT	ENAMOURANT
INSCULPANT	ENSOUFRANT	CHLORURANT
DÉTREMPANT	DÉFLAGRANT	RÉASSURANT
RETREMPANT	VINAIGRANT	PRESSURANT
REGRIMPANT	CONSPIRANT	LIGATURANT
CORROMPANT	SOUS-VIRANT	DÉNATURANT
DÉTROMPANT	ÉDULCORANT	FRACTURANT
ESCALOPANT	SUBODORANT	AVENTURANT
RÉCHAPPANT	MALODORANT	CEINTURANT
KIDNAPPANT	REVIGORANT	PEINTURANT
DÉGRIPPANT	AMÉLIORANT	ENFIÉVRANT
DÉCRISPANT	DÉCOLORANT	DÉCUIVRANT
RÉOCCUPANT	REMÉMORANT	DÉCOUVRANT
COOCCUPANT	REMBARRANT	RECOUVRANT
SURCOUPANT	CHAMARRANT	MALFAISANT
CHALOUPANT	**JUIF ERRANT**	SURFAISANT
DÉGROUPANT	EMPIERRANT	ARCHAÏSANT
REGROUPANT	DESSERRANT	DÉNIAISANT
ATTROUPANT	RESSERRANT	DÉPLAISANT
ACCAPARANT	DÉBOURRANT	HÉBRAÏSANT
PERVIBRANT	IDOLÂTRANT	MORTAISANT
DÉMEMBRANT	DÉPLÂTRANT	FRANCISANT
REMEMBRANT	REPLÂTRANT	EXORCISANT
ENCOMBRANT	SALPÊTRANT	NOMADISANT
DÉNOMBRANT	PERPÉTRANT	FLUIDISANT
ÉLUCUBRANT	CHAPITRANT	ÉNERGISANT
CONSACRANT	SURTITRANT	GAUCHISANT
MASSACRANT	INFILTRANT	FOCALISANT
ÉCHANCRANT	EXFILTRANT	LOCALISANT
DÉSENCRANT	DÉCENTRANT	VOCALISANT
CALANDRANT	RECENTRANT	IDÉALISANT
ENGENDRANT	EXCENTRANT	LÉGALISANT
CYLINDRANT	SUBINTRANT	BANALISANT
EFFONDRANT	DÉCINTRANT	CANALISANT
DÉLIBÉRANT	DÉMONTRANT	PÉNALISANT
DILACÉRANT	REMONTRANT	FINALISANT
ÉVISCÉRANT	DÉTARTRANT	MORALISANT
VOCIFÉRANT	ENTARTRANT	NASALISANT
LÉGIFÉRANT	ENCASTRANT	TOTALISANT
ACCÉLÉRANT	CADASTRANT	DÉVALISANT
DÉCÉLÉRANT	REGISTRANT	RIVALISANT
DÉCOLÉRANT	CLAUSTRANT	LABÉLISANT
INTOLÉRANT	DÉLUSTRANT	FIDÉLISANT
DÉGÉNÉRANT	ILLUSTRANT	MODÉLISANT
RÉGÉNÉRANT	DÉFEUTRANT	MOBILISANT
INCINÉRANT	ACCOUTRANT	SIMILISANT
RÉMUNÉRANT	RESTAURANT	VIRILISANT
EXASPÉRANT	INSTAURANT	CIVILISANT
PROSPÉRANT	MANUCURANT	CRÉOLISANT
RÉCUPÉRANT	AFFLEURANT	BÉMOLISANT

NÉBULISANT	PRODUISANT	RANCISSANT
ISLAMISANT	TRALUISANT	MINCISSANT
DYNAMISANT	AMENUISANT	FARCISSANT
MINIMISANT	DÉTRUISANT	FORCISSANT
OPTIMISANT	PRÉAVISANT	DURCISSANT
MAXIMISANT	TÉLÉVISANT	TIÉDISSANT
SODOMISANT	COMPULSANT	RAIDISSANT
CHROMISANT	PROPULSANT	ROIDISSANT
URBANISANT	CONVULSANT	CANDISSANT
MÉCANISANT	CONDENSANT	BONDISSANT
PAGANISANT	COMPENSANT	VERDISSANT
ORGANISANT	DISPENSANT	NORDISSANT
ROMANISANT	ANKYLOSANT	OURDISSANT
HUMANISANT	ANTÉPOSANT	MAUDISSANT
TÉTANISANT	RÉIMPOSANT	RÉAGISSANT
FÉMINISANT	POSTPOSANT	SURGISSANT
LATINISANT	SCLÉROSANT	ROUGISSANT
DIVINISANT	DISPERSANT	ÉBAHISSANT
COLONISANT	TRAVERSANT	TRAHISSANT
CANONISANT	RENVERSANT	AVILISSANT
JAPONISANT	CONVERSANT	MOLLISSANT
ÉTERNISANT	DÉBOURSANT	ABOLISSANT
IMMUNISANT	FRACASSANT	DÉPLISSANT
CHAMOISANT	TRACASSANT	REPLISSANT
CHINOISANT	FRICASSANT	EMPLISSANT
DÉCROISANT	CONCASSANT	COULISSANT
POLARISANT	RECHASSANT	BLÊMISSANT
CURARISANT	ENCHÂSSANT	FRÉMISSANT
CÉSARISANT	DÉCLASSANT	CALMISSANT
MADÉRISANT	RECLASSANT	BANNISSANT
NUMÉRISANT	PRÉLASSANT	HENNISSANT
SATIRISANT	TRÉPASSANT	HONNISSANT
THÉORISANT	SURPASSANT	AGONISSANT
VALORISANT	**MAUPASSANT**	GARNISSANT
COLORISANT	EMBRASSANT	TERNISSANT
MÉMORISANT	DÉCRASSANT	VERNISSANT
TÉNORISANT	ENCRASSANT	JAUNISSANT
SONORISANT	CUIRASSANT	RÉUNISSANT
VAPORISANT	TERRASSANT	ALUNISSANT
MOTORISANT	RESSASSANT	BRUNISSANT
AUTORISANT	CREVASSANT	ANGOISSANT
FAVORISANT	CONFESSANT	CLAPISSANT
MAÎTRISANT	PROFESSANT	GLAPISSANT
SÉCURISANT	REDRESSANT	CRÉPISSANT
SOMATISANT	RÉGRESSANT	COMPISSANT
FANATISANT	EMPRESSANT	CHÉRISSANT
DÉRATISANT	OPPRESSANT	GUÉRISSANT
MONÉTISANT	RABAISSANT	AIGRISSANT
POLITISANT	REBAISSANT	FLORISSANT
SÉMITISANT	DÉCAISSANT	BARRISSANT
NÉANTISANT	ENCAISSANT	PÉTRISSANT
ROBOTISANT	AFFAISSANT	AHURISSANT
ASEPTISANT	DÉLAISSANT	SAISISSANT
COURTISANT	RELAISSANT	MOISISSANT
PRÉCUISANT	RENAISSANT	RASSISSANT
TRADUISANT	REPAISSANT	GLATISSANT
CONDUISANT	PARAISSANT	ABÊTISSANT

MOITISSANT	COHABITANT	EMPRUNTANT
NANTISSANT	EXORBITANT	ASTICOTANT
TARTISSANT	FÉLICITANT	RAVIGOTANT
SERTISSANT	COLICITANT	CRACHOTANT
BLEUISSANT	GRAPHITANT	CHUCHOTANT
IMPUISSANT	HABILITANT	CHARIOTANT
ESQUISSANT	DÉBILITANT	SIFFLOTANT
GRAVISSANT	FACILITANT	SANGLOTANT
RENDOSSANT	DYNAMITANT	COMPLOTANT
ENGROSSANT	DÉLIMITANT	ESCAMOTANT
CARROSSANT	REMBOÎTANT	CLIGNOTANT
DÉFAUSSANT	EXPLOITANT	GRIGNOTANT
REHAUSSANT	CONVOITANT	DÉCAPOTANT
EXHAUSSANT	DÉCAPITANT	GALIPOTANT
REPOUSSANT	COHÉRITANT	NUMÉROTANT
DÉSABUSANT	DÉMÉRITANT	CHEVROTANT
DÉCREUSANT	PARASITANT	CRÉOSOTANT
RECREUSANT	REVISITANT	TOUSSOTANT
PARALYSANT	TRANSITANT	RÉADAPTANT
CATALYSANT	BISCUITANT	PRÉEMPTANT
ANTIDATANT	DÉFRUITANT	DÉCOMPTANT
POSTDATANT	AFFRUITANT	RECOMPTANT
CARAPATANT	RÉINVITANT	ESCOMPTANT
CONSTATANT	ASPHALTANT	DÉCRYPTANT
COMPACTANT	SURVOLTANT	CONCERTANT
RÉFRACTANT	AUSCULTANT	DISSERTANT
DÉTRACTANT	CONSULTANT	CONFORTANT
RÉTRACTANT	BROCANTANT	COLPORTANT
CONTACTANT	DÉCHANTANT	REMPORTANT
COLLECTANT	RECHANTANT	COMPORTANT
CONNECTANT	ENCHANTANT	RAPPORTANT
RESPECTANT	DÉPLANTANT	SUPPORTANT
INSPECTANT	REPLANTANT	RESSORTANT
SUSPECTANT	IMPLANTANT	BALLASTANT
CONCOCTANT	DIAMANTANT	NONOBSTANT
ÉPINCETANT	WARRANTANT	CONTESTANT
CROCHETANT	PATIENTANT	PROTESTANT
MOUCHETANT	VIOLENTANT	ATTRISTANT
INQUIÉTANT	SEGMENTANT	SUBSISTANT
PAILLETANT	PIGMENTANT	CONSISTANT
COMPLÉTANT	AUGMENTANT	PERSISTANT
TROMPETANT	ALIMENTANT	INEXISTANT
ROUSPÉTANT	COMMENTANT	COEXISTANT
DÉSARÊTANT	SARMENTANT	INCONSTANT
FLEURETANT	FERMENTANT	COMPOSTANT
CLAQUETANT	SERPENTANT	RÉAJUSTANT
CRAQUETANT	PRÉSENTANT	INCRUSTANT
BECQUETANT	CONSENTANT	COMBATTANT
CLIQUETANT	RESSENTANT	REGRATTANT
BRIQUETANT	CONTENTANT	RACKETTANT
ÉTIQUETANT	SUSTENTANT	TOILETTANT
BANQUETANT	ENCEINTANT	COMMETTANT
MARQUETANT	ACCOINTANT	PROMETTANT
PARQUETANT	APPOINTANT	PERMETTANT
DÉRIVETANT	ESQUINTANT	SOUMETTANT
SOUHAITANT	SURMONTANT	REGRETTANT
RETRAITANT	AFFRONTANT	BROUETTANT

827

MOQUETTANT	MATRAQUANT	INSTITUANT
SCHLITTANT	DÉTRAQUANT	ACCENTUANT
ACQUITTANT	DISSÉQUANT	REMBLAVANT
REQUITTANT	ÉRADIQUANT	DORÉNAVANT
MARCOTTANT	PRÉDIQUANT	AUPARAVANT
BOYCOTTANT	SYNDIQUANT	CHOURAVANT
MARGOTTANT	TRAFIQUANT	APERCEVANT
GRELOTTANT	RÉPLIQUANT	SURÉLEVANT
BALLOTTANT	IMPLIQUANT	RÉCIDIVANT
BOULOTTANT	APPLIQUANT	ENJOLIVANT
MARMOTTANT	DUPLIQUANT	RÉÉCRIVANT
DÉCROTTANT	EXPLIQUANT	INSCRIVANT
GARROTTANT	FORNIQUANT	RÉACTIVANT
FRISOTTANT	SURPIQUANT	INACTIVANT
DANSOTTANT	FABRIQUANT	DÉMOTIVANT
DÉGOUTTANT	IMBRIQUANT	DISSOLVANT
BISEAUTANT	RUBRIQUANT	PRÉSERVANT
DÉPIAUTANT	INTRIQUANT	CONSERVANT
CRAPAÜTANT	PRATIQUANT	DESSERVANT
SURSAUTANT	CRITIQUANT	RESSERVANT
RESSAUTANT	MASTIQUANT	REPLEUVANT
CHARCUTANT	RUSTIQUANT	PROMOUVANT
ARC-BOUTANT	DÉCALQUANT	RÉPROUVANT
RÉÉCOUTANT	DÉFALQUANT	APPROUVANT
MONCOUTANT	INCULQUANT	RETROUVANT
ENCROÛTANT	PALANQUANT	COMPLEXANT
FERROUTANT	DÉLINQUANT	REMBLAYANT
PRÉTEXTANT	SUFFOQUANT	SOUS-PAYANT
RÉTRIBUANT	DÉBLOQUANT	RENTRAYANT
ATTRIBUANT	DÉFLOQUANT	ABSTRAYANT
DÉSEMBUANT	DISLOQUANT	DISTRAYANT
ZIGZAGUANT	ESCROQUANT	RÉESSAYANT
PRODIGUANT	DÉFROQUANT	GRASSEYANT
INTRIGUANT	DÉTROQUANT	FLAMBOYANT
INSTIGUANT	CONVOQUANT	ROUGEOYANT
DIVULGUANT	PROVOQUANT	REMPLOYANT
HARANGUANT	DÉBARQUANT	ATERMOYANT
RALINGUANT	EMBARQUANT	TOURNOYANT
CHLINGUANT	DÉMARQUANT	NON-CROYANT
MERINGUANT	REMARQUANT	FOUDROYANT
SERINGUANT	REMORQUANT	POUDROYANT
DIALOGUANT	RÉTORQUANT	HONGROYANT
ÉPILOGUANT	EXTORQUANT	CHARROYANT
DÉVERGUANT	BIFURQUANT	GUERROYANT
ENVERGUANT	DÉMASQUANT	VOUSSOYANT
SUBJUGUANT	DÉBUSQUANT	JOINTOYANT
CONJUGUANT	EMBUSQUANT	FOURVOYANT
RÉÉVALUANT	OFFUSQUANT	POURVOYANT
DÉPOLLUANT	RÉÉDUQUANT	FAUX-FUYANT
TRANSMUANT	DÉBOUQUANT	SOUS-JACENT
CONTINUANT	EMBOUQUANT	MUNIFICENT
RENFLOUANT	TONITRUANT	ÉRUBESCENT
SOUS-LOUANT	EFFECTUANT	MARCESCENT
DÉSAVOUANT	PERPÉTUANT	TURGESCENT
BARJAQUANT	ENTRE-TUANT	COALESCENT
CORNAQUANT	DESTITUANT	OPALESCENT
EMBRAQUANT	RESTITUANT	ADOLESCENT

SPUMESCENT	PIAFFEMENT	DOUBLEMENT
LIANESCENT	ATTIFEMENT	FIDÈLEMENT
ÉVANESCENT	ENCAGEMENT	DÉMÊLEMENT
ACCRESCENT	DÉGAGEMENT	EMMÊLEMENT
LACTESCENT	ENGAGEMENT	BIOÉLÉMENT
FLAVESCENT	MANAGEMENT	CISÈLEMENT
ANTÉCÉDENT	MÉNAGEMENT	ÉRAFLEMENT
COÏNCIDENT	VOYAGEMENT	SIFFLEMENT
RÉFRINGENT	ALLÉGEMENT	RENFLEMENT
ASTRINGENT	ALLÉGEMENT	GONFLEMENT
CONTINGENT	ABRÈGEMENT	RONFLEMENT
CONVERGENT	CHANGEMENT	BEUGLEMENT
OMNISCIENT	PLONGEMENT	MEUGLEMENT
INGRÉDIENT	RELOGEMENT	HABILEMENT
PERCIPIENT	CHARGEMENT	DÉBILEMENT
AMBIVALENT	ÉMARGEMENT	FACILEMENT
ÉQUIVALENT	ÉMERGEMENT	DOCILEMENT
MONOVALENT	ÉGORGEMENT	DÉFILEMENT
POLYVALENT	CRACHEMENT	EFFILEMENT
NON-VIOLENT	CHICHEMENT	ÉTOILEMENT
MÉDICAMENT	HANCHEMENT	EMPILEMENT
FLAMBEMENT	GAUCHEMENT	VIRILEMENT
ENROBEMENT	LOUCHEMENT	FUTILEMENT
COURBEMENT	TRUCHEMENT	RUTILEMENT
ADOUBEMENT	BÉGAIEMENT	CIVILEMENT
EFFACEMENT	ENRAIEMENT	SCELLEMENT
ENLACEMENT	ZÉZAIEMENT	RÉELLEMENT
TENACEMENT	ÉMACIEMENT	BÂILLEMENT
ESPACEMENT	RALLIEMENT	CAILLEMENT
VORACEMENT	DÉPLIEMENT	BRANLEMENT
DÉPÈCEMENT	REPLIEMENT	ACCOLEMENT
ÉLANCEMENT	ONDOIEMENT	RÉCOLEMENT
AVANCEMENT	RUDOIEMENT	AFFOLEMENT
AGENCEMENT	ENNOIEMENT	ÉTIOLEMENT
COINCEMENT	CÔTOIEMENT	ENJÔLEMENT
GRINCEMENT	TUTOIEMENT	ENRÔLEMENT
ÉVINCEMENT	DÉVOIEMENT	ASSOLEMENT
FRONCEMENT	LOCALEMENT	TRIPLEMENT
FÉROCEMENT	VOCALEMENT	SIMPLEMENT
ATROCEMENT	IDÉALEMENT	COMPLÉMENT
EXAUCEMENT	AFFALEMENT	SUPPLÉMENT
DÉCIDÉMENT	LÉGALEMENT	PEUPLEMENT
LUCIDEMENT	RÉGALEMENT	SOUPLEMENT
RIGIDEMENT	BANALEMENT	MIAULEMENT
VALIDEMENT	PÉNALEMENT	PIAULEMENT
SOLIDEMENT	FINALEMENT	ÉPAULEMENT
TIMIDEMENT	EMPALEMENT	RECULEMENT
FROIDEMENT	MORALEMENT	HULULEMENT
RAPIDEMENT	FATALEMENT	ÉBOULEMENT
CUPIDEMENT	TOTALEMENT	ÉCOULEMENT
GRANDEMENT	RAVALEMENT	UNIÈMEMENT
AMENDEMENT	LOYALEMENT	INTIMEMENT
ABONDEMENT	ROYALEMENT	RÉARMEMENT
GRONDEMENT	DIABLEMENT	ÉNORMÉMENT
LOURDEMENT	FAIBLEMENT	CABANEMENT
SOURDEMENT	COMBLEMENT	RICANEMENT
CHAUDEMENT	HUMBLEMENT	ENRÊNEMENT

SAIGNEMENT	CRISSEMENT	DÉVOUEMENT
GEIGNEMENT	ADOSSEMENT	CLAQUEMENT
ALIGNEMENT	FAUSSEMENT	BRAQUEMENT
CLIGNEMENT	HAUSSEMENT	CRAQUEMENT
GROGNEMENT	PIEUSEMENT	INIQUEMENT
TRAÎNEMENT	CREUSEMENT	UNIQUEMENT
PLEINEMENT	ÉCLATEMENT	MANQUEMENT
AFFINEMENT	EMPÂTEMENT	ACHÈVEMENT
COUINEMENT	EXACTEMENT	BRIÈVEMENT
RAVINEMENT	HÉBÉTEMENT	GRIÈVEMENT
DIVINEMENT	EMBÊTEMENT	RELÈVEMENT
ABONNEMENT	HALÈTEMENT	ENLÈVEMENT
ÂNONNEMENT	ÉCRÊTEMENT	HÂTIVEMENT
ÉTONNEMENT	ENTÊTEMENT	ACTIVEMENT
AUCUNEMENT	REVÊTEMENT	ÉNERVEMENT
IMPUNÉMENT	TRAITEMENT	ENRAYEMENT
ÉQUIPEMENT	SUBITEMENT	IMPOLIMENT
CLAPPEMENT	TACITEMENT	COMPLIMENT
FRAPPEMENT	LICITEMENT	INFINIMENT
GROUPEMENT	DÉLITEMENT	FOURNIMENT
EFFAREMENT	DROITEMENT	ÉLÉGAMMENT
SÉPARÉMENT	PETITEMENT	MÉCHAMMENT
CAMBREMENT	SAINTEMENT	COURAMMENT
TENDREMENT	SUINTEMENT	NUITAMMENT
MODÉRÉMENT	ACCOTEMENT	INSTAMMENT
LÉGÈREMENT	PICOTEMENT	BRUYAMMENT
SÉVÈREMENT	GIGOTEMENT	ÉVIDEMMENT
MAIGREMENT	CAHOTEMENT	PRUDEMMENT
BOUGREMENT	IDIOTEMENT	PATIEMMENT
CLAIREMENT	TAPOTEMENT	VIOLEMMENT
REVIREMENT	DÉPOTEMENT	ÉMINEMMENT
PROPREMENT	EMPOTEMENT	ASSIDÛMENT
PIÈTREMENT	DÉVOTEMENT	ÉPERDUMENT
FOUTREMENT	PIVOTEMENT	AMBIGUMENT
FIGURÉMENT	ZOZOTEMENT	ABSOLUMENT
IMPUREMENT	ÉCARTEMENT	RÉSOLUMENT
ASSURÉMENT	ALERTEMENT	INGÉNUMENT
MIÈVREMENT	AVORTEMENT	CONGRÛMENT
ENIVREMENT	CHASTEMENT	INSTRUMENT
PAUVREMENT	PRESTEMENT	PRÉÉMINENT
COUVREMENT	TRISTEMENT	PROÉMINENT
ÉBRASEMENT	ABATTEMENT	SURÉMINENT
ÉCRASEMENT	GRATTEMENT	INAPPARENT
ENVASEMENT	FLOTTEMENT	INCOHÉRENT
NIAISEMENT	ÉMOTTEMENT	CONCURRENT
APAISEMENT	FROTTEMENT	IMPÉNITENT
ENLISEMENT	ABOUTEMENT	OMNIPOTENT
CROISEMENT	BROUTEMENT	TOTIPOTENT
ATTISEMENT	LONGUEMENT	ÉQUIPOTENT
ÉPUISEMENT	ENGLUEMENT	IDEMPOTENT
ARROSEMENT	SECOUEMENT	SUBSÉQUENT
CLASSEMENT	ENGOUEMENT	CONSÉQUENT
COASSEMENT	ÉCHOUEMENT	**SOUS-LE-VENT**
GRASSEMENT	ENJOUEMENT	TOURNE-VENT
AGISSEMENT	DÉNOUEMENT	CONTREVENT
GLISSEMENT	ÉBROUEMENT	SACRO-SAINT
PLISSEMENT	ENROUEMENT	PEPPERMINT

SERRE-JOINT	**ROCK FOREST**	VERMISSEAU
MULTIPOINT	ÉTHYLOTEST	ARBRISSEAU
MAL-EN-POINT	**MIDDLE WEST**	**NEUCHÂTEAU**
EMBONPOINT	ANTÉCHRIST	MARMENTEAU
TIERS-POINT	**LAGERKVIST**	SERPENTEAU
SIXTE QUINT	PERMAFROST	PIED-DE-VEAU
TAROUDANNT	BRAIN-TRUST	MORVANDIAU
REMIREMONT	**DÜRRENMATT**	**MORVANDIAU**
GUÈVREMONT	**WATSON-WATT**	**CHASSÉRIAU**
BERLAIMONT	**REICHSTETT**	**PETIT RENAU**
FLEURIMONT	**SECOND PITT**	**MIDI D'OSSAU**
VAN HELMONT	**NOUAKCHOTT**	**NOVA IGUAÇU**
HELLESPONT	CONTRE-HAUT	ENTR'APERÇU
PORT TALBOT	SOUBRESAUT	ENTRAPERÇU
PHOTO-ROBOT	**SAINT-JACUT**	MOINS-PERÇU
COQUELICOT	**HADRAMAOUT**	**GRIGORESCU**
SYKES-PICOT	ESSUIE-TOUT	REDESCENDU
TARABISCOT	FOURRE-TOUT	MALENTENDU
PÈRE GORIOT	RISQUE-TOUT	HYPERTENDU
BUYS-BALLOT	HORS STATUT	**TERRE DE FEU**
PARPAILLOT	**ROCHAMBEAU**	**CROIX-DE-FEU**
MELTING-POT	**CLEMENCEAU**	**JEAN DE DIEU**
MANDELBROT	JOUVENCEAU	HÔTELS-DIEU
BRONGNIART	FRICANDEAU	PALSAMBLEU
CHAMILLART	**JOUHANDEAU**	CORDON-BLEU
COQUILLART	FAISANDEAU	FRANC-ALLEU
BRAQUEMART	MORVANDEAU	PETIT-NEVEU
JACQUEMART	**MORVANDEAU**	**ZHAO MENGFU**
JACQUEMART	CHAUFFE-EAU	**KITA-KYUSHU**
LAMBERSART	TOURANGEAU	**DAMAN-ET-DIU**
BERNISSART	**TOURANGEAU**	**SATO EISAKU**
ANNE STUART	**MONTRÉJEAU**	**KANO EITOKU**
SPILLIAERT	**MORNE-À-L'EAU**	HURLUBERLU
CHILDEBERT	**BAIE-COMEAU**	TROTTE-MENU
BOISROBERT	**LONGJUMEAU**	MICROGRENU
SEMI-OUVERT	**PLOUIGNEAU**	CONTREVENU
ENTROUVERT	JAMBONNEAU	CIRCONVENU
SWEAT-SHIRT	FAUCONNEAU	DISCONVENU
TOURNEFORT	DINDONNEAU	RESSOUVENU
COFFRE-FORT	PIGEONNEAU	DISCONTINU
CONTREFORT	MANGONNEAU	**NOUADHIBOU**
COMBI-SHORT	RAMPONNEAU	**LE LAVANDOU**
BOXER-SHORT	**PERRONNEAU**	**NATITINGOU**
CROQUE-MORT	**BRETONNEAU**	TÊTE-DE-CLOU
AMERSFOORT	**CONCARNEAU**	CHASSE-CLOU
ROODEPOORT	LANDERNEAU	**TCHARDJOOU**
BRIDGEPORT	**LANDERNEAU**	BOUCHE-TROU
SHREVEPORT	LANTERNEAU	**ABENGOUROU**
GARDES-PORT	**TASCHEREAU**	**TOMBOUCTOU**
HANDISPORT	GRIMPEREAU	INTERROMPU
KLAGENFURT	TOURTEREAU	**KOTA BAHARU**
NONANCOURT	GOUTTEREAU	**TÚPAC AMARU**
BETANCOURT	**BOUGUEREAU**	**GORBATCHEV**
GUYANCOURT	GODELUREAU	**POUGATCHEV**
AUDINCOURT	PASTOUREAU	**TCHEBYCHEV**
HAMMERFEST	NID-D'OISEAU	**KOUÏBYCHEV**
PARIS-BREST	COULISSEAU	**MENDELEÏEV**

KONDRATIEV	CHEMINEAUX	MÉDICINAUX
TCHERNIHIV	TYRANNEAUX	OFFICINAUX
VINOGRADOV	HÉRONNEAUX	LIBIDINAUX
GRIBOÏEDOV	SAUMONEAUX	ANACLINAUX
GOTTWALDOV	RAMPONEAUX	SYNCLINAUX
TCHERNIGOV	BIGORNEAUX	ISOCLINAUX
VAKHTANGOV	ÉTOURNEAUX	ABDOMINAUX
SERPOUKHOV	PHÉLYPEAUX	BINOMINAUX
GORTCHAKOV	TOMBEREAUX	DOCTRINAUX
KHLEBNIKOV	BORDEREAUX	MATUTINAUX
METCHNIKOV	PASSEREAUX	ÉCHEVINAUX
TCHERENKOV	JOTTEREAUX	TRICENNAUX
SOUMAROKOV	SAUTEREAUX	CENTENNAUX
VOROCHILOV	MAQUEREAUX	SEPTENNAUX
BROUSSILOV	BIGARREAUX	DÉCAGONAUX
PARADJANOV	LES MUREAUX	HEXAGONAUX
GONTCHAROV	MORTES-EAUX	OCTOGONAUX
KOLMOGOROV	DAMOISEAUX	POLYGONAUX
LOMONOSSOV	BÉCASSEAUX	POLYTONAUX
ONE-MAN-SHOW	TROUSSEAUX	LANDERNAUX
LONGFELLOW	PONTUSEAUX	SHOGOUNAUX
MÉTATHORAX	BONNETEAUX	MUNICIPAUX
MÉSOTHORAX	BOQUETEAUX	PRINCIPAUX
QUADRUPLEX	LOQUETEAUX	ÉPISCOPAUX
GRAND-CROIX	LOUVETEAUX	PALPÉBRAUX
PORTE-CROIX	ENFAÎTEAUX	VERTÉBRAUX
CHARLEVOIX	CHAPITEAUX	SÉPULCRAUX
SERVRANCKX	BISCOTEAUX	CATHÉDRAUX
OROPHARYNX	TOP NIVEAUX	BICAMÉRAUX
APPOMATTOX	VASSIVEAUX	PUERPÉRAUX
OMBILICAUX	RENOUVEAUX	BILATÉRAUX
BASILICAUX	PORTE-À-FAUX	ANTIVIRAUX
ARSENICAUX	PHARYNGAUX	STERCORAUX
DOMINICAUX	THÉOLOGAUX	ÉLECTORAUX
PROVENÇAUX	TRIOMPHAUX	DIAMÉTRAUX
PROVENÇAUX	CATARRHAUX	GÉOMÉTRAUX
HOMOFOCAUX	ADVERBIAUX	CADASTRAUX
VIRILOCAUX	PRÉSIDIAUX	ANCESTRAUX
PYRAMIDAUX	COLLÉGIAUX	MAGISTRAUX
DISCOÏDAUX	UROPYGIAUX	CLAUSTRAUX
CYCLOÏDAUX	BRANCHIAUX	PÉRIDURAUX
COLLOÏDAUX	MARSUPIAUX	INAUGURAUX
ETHMOÏDAUX	PRÉTORIAUX	COMMENSAUX
SPIROÏDAUX	ÉDITORIAUX	UNIVERSAUX
SOURICEAUX	GYMNASIAUX	PÉRINATAUX
PANONCEAUX	ECCLÉSIAUX	POSTNATAUX
PINTADEAUX	PRIMATIAUX	DIALECTAUX
HIRONDEAUX	IMPARTIAUX	OCCIPITAUX
CANARDEAUX	SYNCYTIAUX	BICIPITAUX
RENARDEAUX	CONVIVIAUX	PIÉDESTAUX
BATARDEAUX	VICÉSIMAUX	PARADOXAUX
YSSINGEAUX	CÉGÉSIMAUX	TORD-BOYAUX
TROUBLEAUX	PRUD'HOMAUX	ALLUME-FEUX
TRIJUMEAUX	RIBOSOMAUX	CONTRE-FEUX
CHALUMEAUX	BAPTISMAUX	COUVRE-FEUX
CIGOGNEAUX	ARTISANAUX	MARÉCAGEUX
BALEINEAUX	CAB-SIGNAUX	MOYENÂGEUX

FALLACIEUX
PERNICIEUX
SUSPICIEUX
AVARICIEUX
CAPRICIEUX
LICENCIEUX
SILENCIEUX
INSOUCIEUX
FASTIDIEUX
CONTAGIEUX
PRODIGIEUX
ARELIGIEUX
CHEFS-LIEUX
CALOMNIEUX
INSOMNIEUX
HARMONIEUX
MYSTÉRIEUX
VICTORIEUX
VÉNISSIEUX
INFECTIEUX
OBSÉQUIEUX
BARBEZIEUX
ANDRÉZIEUX
SCANDALEUX
ROCAILLEUX
MORBILLEUX
ROUGEOLEUX
MIRACULEUX
VÉSICULEUX
MÉTICULEUX
STRIDULEUX
GLANDULEUX
FRAUDULEUX
SCRUPULEUX
MEMBRANEUX
GANGRENEUX
MONTAGNEUX
DÉDAIGNEUX
MIGRAINEUX
LIBIDINEUX
OLÉAGINEUX
RUBIGINEUX
FULIGINEUX
LANUGINEUX
FARAMINEUX
VOLUMINEUX
CÉRUMINEUX
BITUMINEUX
GÉLATINEUX
FLOCONNEUX
SABLONNEUX
CARTONNEUX
BOUTONNEUX

MOUTONNEUX
SONGE-CREUX
FILANDREUX
CADAVÉREUX
PELLAGREUX
STERTOREUX
CUL-TERREUX
DÉSASTREUX
MALHEUREUX
CHALEUREUX
LANGOUREUX
DOULOUREUX
PLANTUREUX
AVENTUREUX
ŒDÉMATEUX
ECZÉMATEUX
CHICHITEUX
GRAPHITEUX
CALAMITEUX
SARMENTEUX
GRISOUTEUX
BELLIQUEUX
VERRUQUEUX
MONSTRUEUX
DÉFECTUEUX
AFFECTUEUX
DÉLICTUEUX
TEMPÉTUEUX
SPIRITUEUX
TUMULTUEUX
TALENTUEUX
VOLUPTUEUX
INCESTUEUX
MAJESTUEUX
AIGRES-DOUX
BILLETDOUX
COUPE-CHOUX
PRUDHOE BAY
MONTEGO BAY
THUNDER BAY
SEMBLANÇAY
CHARDONNAY
CHANTONNAY
TINCHEBRAY
SAINT-PÉRAY
CHAMBOURCY
HUSSEIN DEY
RINK-HOCKEY
DISC-JOCKEY
NAPA VALLEY
RIFT VALLEY
CHAMPAGNEY
JEANNE GREY

MOHOLY-NAGY
GALSWORTHY
DOBZHANSKY
ALECHINSKY
STRAVINSKY
SAINT-CHÉLY
RYDZ-SMIGLY
PICCADILLY
BARTHÉLEMY
REPENTIGNY
BLOODY MARY
CANTORBÉRY
PONDICHÉRY
MONTGOMERY
SAINT-JUÉRY
KRUSNÉ HORY
SAINT-VAURY
CANTERBURY
TEWKESBURY
SHREWSBURY
TCHERKASSY
LIOUBERTSY
JET-SOCIETY
FIFTY-FIFTY
CARSON CITY
QUEZON CITY
KANSAS CITY
JERSEY CITY
MINDSZENTY
VÖRÖSMARTY
IPOUSTEGUY
PORRENTRUY
ESZTERHÁZY
CAMPING-GAZ
AZAÑA Y DÍAZ
NIEMCEWICZ
MICKIEWICZ
MANKIEWICZ
WITKIEWICZ
KURYLOWICZ
GOMBROWICZ
CHERBULIEZ
DOUARNENEZ
AZNAR LÓPEZ
L'ALPE-D'HUEZ
IMPERATRIZ
MORLANWELZ
SANDOMIERZ
INGEN-HOUSZ
AUSTERLITZ
ABRAMOVITZ
CLAUSEWITZ
MIDDLE JAZZ

SANTA MONICA
BAHÍA BLANCA
SANCHO PANÇA
GARCÍA LORCA
GHERARDESCA
SPINA-BIFIDA
SÁ DE MIRANDA
ODA NOBUNAGA
ICHTYOSTÉGA
BUCARAMANGA
CHATTANOOGA
MISSISSAUGA
DJAMAL PACHA
ISMAÏL PACHA
GUTTA-PERCHA
JEAN DE MATHA
MAXIMIN DAIA
BLAVATSKAÏA
DELLA ROBBIA
GHISONACCIA
PONTE-LECCIA
RESISTENCIA
DIEGO GARCIA
WELWITSCHIA
SAINT PAULIA
CHRISTIANIA
CHRISTIANIA
PANTELLERIA
CRYPTOMERIA
CAPODISTRIA
NYSA LUZYCKA
PERESTROÏKA
GERLACHOVKA
PASTEURELLA
DOMODOSSOLA
VASCO DE GAMA
PANCHEN-LAMA
PHYSOSTIGMA
TANEGASHIMA
ÉPITHÉLIOMA
XANTHÉLASMA
PROTOPLASMA
RAS AL-KHAYMA
ROCH HA-SHANA
ROSH HA-SHANA

ANTSIRANANA
LEPTIS MAGNA
GIAMBOLOGNA
RAMAKRISHNA
SUSQUEHANNA
OXENSTIERNA
TEGUCIGALPA
GUADALAJARA
ABRACADABRA
CHURRIGUERA
JELENIA GÓRA
ZIELONA GÓRA
STARA ZAGORA
MAHARASHTRA
PATALIPUTRA
ESTREMADURA
GUSTAVE VASA
VARGAS LLOSA
CABORA BASSA
CAHORA BASSA
PANTHALASSA
PONTA GROSSA
RASPOUTITSA
GATTAMELATA
MAR DEL PLATA
MAHABHARATA
ULTRA-PETITA
IMPEDIMENTA
BRAHMAGUPTA
CANDRAGUPTA
ANTOFAGASTA
RECONQUISTA
CAVACO SILVA
NAVRATILOVA
GONTCHAROVA
BODHISATTVA
CZESTOCHOWA
POLONNARUWA
NISHINOMIYA
BEKTACHIYYA
NYÍREGYHÁZA
CHICHÉN ITZÁ
CHICHE-KEBAB
BAB AL-MANDAB
CHATT AL-ARAB
BAB EL-MANDEB
TIPPOO SAHIB
SENNACHÉRIB
LARMES-DE-JOB
MONBAZILLAC
VIC-FEZENSAC
TEHUANTEPEC
MOHOROVICIC
IZETBEGOVIC
TRAVERS-BANC
CARBON-BLANC
TIRE-AU-FLANC

ANCY-LE-FRANC
COLLIOURENC
ÉLECTROCHOC
PORTZAMPARC
COMPACT DISC
SOLIDARNOSC
SAINT-BRIEUC
KHORRAMABAD
BAHR EL-ABIAD
KALININGRAD
TSELINOGRAD
KOLAROVGRAD
MEHMED RESAD
ARRACHE-PIED
À CLOCHE-PIED
CHAUSSE-PIED
TROUSSE-PIED
DE PLAIN-PIED
GRINDELWALD
SPRINGFIELD
MORGANFIELD
COPPERFIELD
VALLEYFIELD
CITIZEN BAND
NON MARCHAND
NAMAQUALAND
DEUTSCHLAND
DE HAVILLAND
CREST-VOLAND
RHODE ISLAND
EST-ALLEMAND
VIEIL-ARMAND
HAUT-NORMAND
KNUD LE GRAND
JEAN LE GRAND
IVAN LE GRAND
LÉON LE GRAND
KNUT LE GRAND
MONTFERRAND
INTERFÉCOND
ARRIÈRE-FOND
BRACQUEMOND
QUART-DE-ROND
UNDERGROUND
KIERKEGAARD
SAINT-MÉDARD
NON STANDARD
MONTRICHARD
MONTBÉLIARD
MONTBÉLIARD
PANTOUFLARD
BAUDRILLARD
CHEVRILLARD
VASOUILLARD
CONTAMINARD
BANLIEUSARD
CAMBROUSARD

CORÉE DU NORD
CÔTES-DU-NORD
BOURGANIAUD
PORT-GRIMAUD
SAINT-ARNAUD
FORT-GOURAUD
DAKOTA DU SUD
DÉCASYLLABE
MONOSYLLABE
OCTOSYLLABE
POLYSYLLABE
CROC-EN-JAMBE
D'OUTRE-TOMBE
FRANCOPHOBE
PALMATILOBÉ
SAINTE-BARBE
SANGUISORBE
DÉSEMBOURBÉ
ROQUECOURBE
EUPHAUSIACÉ
ESSUIE-GLACE
LA FERTÉ-MACÉ
PAPILIONACÉ
CYBERESPACE
PETITE-NIÈCE
GRANDE-GRÈCE
SAINT-OFFICE
CARDINALICE
FRONTISPICE
INCUBATRICE
INDICATRICE
INVOCATRICE
HORODATRICE
DÉLÉGATRICE
NAVIGATRICE
AMODIATRICE
SPOLIATRICE
INITIATRICE
RÉVÉLATRICE
MUTILATRICE
FABULATRICE
OSCULATRICE
MODULATRICE
RÉGULATRICE
SIMULATRICE
DOMINATRICE
DIVINATRICE
CODONATRICE
USURPATRICE
RÉPARATRICE
SÉPARATRICE
LIBÉRATRICE
VOCERATRICE
FÉDÉRATRICE
MODÉRATRICE
GÉNÉRATRICE
IMPÉRATRICE

ADMIRATRICE
DÉCORATRICE
DÉVORATRICE
CASTRATRICE
OBTURATRICE
ACCUSATRICE
DILATATRICE
SPECTATRICE
INCITATRICE
EXCITATRICE
ANNOTATRICE
ADAPTATRICE
SCRUTATRICE
ÉVACUATRICE
EXCAVATRICE
ACTIVATRICE
RÉNOVATRICE
INNOVATRICE
DÉTRACTRICE
COLLECTRICE
INSPECTRICE
CORRECTRICE
TRISECTRICE
BISSECTRICE
PROTECTRICE
EXTINCTRICE
TRADUCTRICE
CONDUCTRICE
PRODUCTRICE
CODÉBITRICE
INHIBITRICE
EXPÉDITRICE
RÉPÉTITRICE
APICULTRICE
AVICULTRICE
MARÉMOTRICE
LOCOMOTRICE
IDÉOMOTRICE
VASOMOTRICE
AUTOMOTRICE
PRÉCEPTRICE
CONCEPTRICE
RÉDEMPTRICE
CORRUPTRICE
SUPPORTRICE
SELF-SERVICE
DESCENDANCE
MODERN DANCE
CONCORDANCE
DISCORDANCE
INSOUCIANCE
MÉSALLIANCE
NONCHALANCE
DÉFAILLANCE
PERFORMANCE
MAINTENANCE
AUTOFINANCÉ

CODOMINANCE
CHROMINANCE
INTOLÉRANCE
ÎLE-DE-FRANCE
RADIO FRANCE
REMONTRANCE
RÉASSURANCE
COASSURANCE
RENAISSANCE
RENAISSANCE
IMPUISSANCE
CONDUCTANCE
BOUFFETANCE
ROUSPÉTANCE
CAPACITANCE
SUBSISTANCE
CONSISTANCE
PERSISTANCE
INCONSTANCE
DÉLINQUANCE
MUNIFICENCE
MARCESCENCE
TURGESCENCE
COALESCENCE
OPALESCENCE
ADOLESCENCE
ÉVANESCENCE
PUTRESCENCE
LACTESCENCE
ANTÉCÉDENCE
COÏNCIDENCE
RÉFRINGENCE
ASTRINGENCE
CONTINGENCE
CONVERGENCE
OMNISCIENCE
AMBIVALENCE
ÉQUIVALENCE
POLYVALENCE
PRÉCELLENCE
NON-VIOLENCE
RÉENSEMENCÉ
COORDINENCE
PRÉÉMINENCE
PROÉMINENCE
INCOHÉRENCE
IRRÉVÉRENCE
CONCURRENCE
CONCURRENCÉ
INAPPÉTENCE
OMNIPOTENCE
TOTIPOTENCE
ÉQUIPOTENCE
INEXISTENCE
COEXISTENCE
CONSÉQUENCE
PETIT PRINCE

QUINTE-CURCE	**BROCÉLIANDE**	ALISMATACÉE
RADIOSOURCE	HOUPPELANDE	AMARANTACÉE
TAILLE-DOUCE	ENGUIRLANDÉ	ORDONNANCÉE
ROBERT BRUCE	CONFIRMANDE	RECOMMENCÉE
DEMI-BRIGADE	**CAMPO GRANDE**	TRANSPERCÉE
DÉSESCALADE	NAUSÉABONDE	RHODOPHYCÉE
GARDE-MALADE	**DENDERMONDE**	CYANOPHYCÉE
LA TREMBLADE	BALLON-SONDE	RÉTROGRADÉE
MITRAILLADE	ANTICATHODE	RADIOGUIDÉE
LA FEUILLADE	SAINT-SYNODE	DÉGINGANDÉE
DÉGOULINADE	BRACHIOPODE	RÉPRIMANDÉE
ARLEQUINADE	CÉPHALOPODE	DÉCOMMANDÉE
CHIFFONNADE	GASTÉROPODE	RECOMMANDÉE
ŒCOLAMPADE	POLITICARDE	MILLERANDÉE
ONGULIGRADE	REVANCHARDE	TRANSCENDÉE
DIGITIGRADE	BAMBOCHARDE	APPRÉHENDÉE
PLANTIGRADE	CHAMONIARDE	DÉVERGONDÉE
ANTÉROGRADE	**CHAMONIARDE**	RACCOMMODÉE
PEYREHORADE	TROUILLARDE	SAUVEGARDÉE
LAPALISSADE	BÉQUILLARDE	ENTRELARDÉE
ARQUEBUSADE	CAPITULARDE	DÉBILLARDÉE
RODOMONTADE	CAUCHEMARDÉ	TRANSBORDÉE
SHÉHÉRAZADE	CAUSSENARDE	DÉSACCORDÉE
MAXILLIPÈDE	**CAUSSENARDE**	MONONUCLÉÉE
SCOLOPACIDÉ	CAMPAGNARDE	IRISH-COFFEE
TYRANNICIDE	MONTAGNARDE	PRÉCHAUFFÉE
BACTÉRICIDE	**BASTOGNARDE**	SURCHAUFFÉE
INSECTICIDE	SORBONNARDE	SURPROTÉGÉE
INFANTICIDE	DREYFUSARDE	TÉLÉCHARGÉE
LIBERTICIDE	MISÉRICORDE	ENTR'ÉGORGÉE
SPHÉNISCIDÉ	**STEENVOORDE**	DÉSENGORGÉE
EXTRALUCIDE	AU-DESSOUS DE	CALORIFUGÉE
TRANSLUCIDE	LIMOUGEAUDE	CENTRIFUGÉE
CÉRAMBYCIDÉ	**LIMOUGEAUDE**	DÉHARNACHÉE
PALMATIFIDE	**COURAMIAUDE**	ENDIMANCHÉE
SYNGNATHIDÉ	REINE-CLAUDE	RÉEMBAUCHÉE
CHARADRIIDÉ	**SAINT-CLAUDE**	EFFAROUCHÉE
FRINGILLIDÉ	CHIQUENAUDE	APOSTROPHÉE
LYSERGAMIDE	SOLLICITUDE	INAPPRÉCIÉE
THALIDOMIDE	DÉCRÉPITUDE	PRÉJUDICIÉE
PYCNOGONIDE	VICISSITUDE	PENTARADIÉE
ÉPICYCLOÏDE	INGRATITUDE	DÉCALCIFIÉE
PARABOLOÏDE	PROMPTITUDE	RECALCIFIÉE
TÉTRAPLOÏDE	INCERTITUDE	DÉMYTHIFIÉE
CAROTÉNOÏDE	**JEAN DE LEYDE**	DÉQUALIFIÉE
ANTHROPOÏDE	MÉTALDÉHYDE	REQUALIFIÉE
SACCHAROÏDE	PILO-SÉBACÉE	EXEMPLIFIÉE
CYLINDROÏDE	AMPÉLIDACÉE	FRIGORIFIÉE
PONT-DE-ROIDE	BROMÉLIACÉE	ÉLECTRIFIÉE
PORPHYROÏDE	MAGNOLIACÉE	DÉNITRIFIÉE
GLYCOLIPIDE	BIGNONIACÉE	DÉVITRIFIÉE
ANTIPUTRIDE	CRASSULACÉE	INTENSIFIÉE
FILICOPSIDE	BORAGINACÉE	DIVERSIFIÉE
POLYPEPTIDE	POLYGONACÉE	DÉSERTIFIÉE
SUPERFLUIDE	PAPAVÉRACÉE	INJUSTIFIÉE
VANDERVELDE	CÉLASTRACÉE	DÉMYSTIFIÉE
CONTREBANDE	CUPRESSACÉE	PRIVILÉGIÉE

RÉCONCILIÉE
DÉSAFFILIÉE
INTERALLIÉE
EXCOMMUNIÉE
PHOTOCOPIÉE
NON-SALARIÉE
DÉSAPPARIÉE
MULTIVARIÉE
INVENTORIÉE
RÉPERTORIÉE
EUTHANASIÉE
HYPOSTASIÉE
ANESTHÉSIÉE
DÉSENSABLÉE
BOURSOUFLÉE
EMMITOUFLÉE
INASSIMILÉE
PASSEPOILÉE
DÉSENTOILÉE
PENTHÉSILÉE
PRÉEMBALLÉE
CONTRE-ALLÉE
RÉINSTALLÉE
INTERPELLÉE
ENCANAILLÉE
DÉPENAILLÉE
RAVITAILLÉE
ENFUTAILLÉE
DÉSHABILLÉE
VERTICILLÉE
ENSOLEILLÉE
DÉPAREILLÉE
APPAREILLÉE
ÉMERVEILLÉE
DÉGUENILLÉE
ESTAMPILLÉE
DÉGOUPILLÉE
DÉTORTILLÉE
ENTORTILLÉE
EMBASTILLÉE
ACCASTILLÉE
ÉMOUSTILLÉE
GRIBOUILLÉE
BARBOUILLÉE
BREDOUILLÉE
MÂCHOUILLÉE
AGENOUILLÉE
DÉBROUILLÉE
EMBROUILLÉE
DÉGROUILLÉE
VERROUILLÉE
CHATOUILLÉE
DÉMAQUILLÉE
REMAQUILLÉE
ÉCARQUILLÉE
PRÉENCOLLÉE
DÉGRINGOLÉE

TRIFOLIOLÉE
INCONTRÔLÉE
DÉBOUSSOLÉE
SOUS-PEUPLÉE
INARTICULÉE
BLACKBOULÉE
GRAND COULEE
CONGRATULÉE
RÉCAPITULÉE
DIAPHRAGMÉE
DÉCOMPRIMÉE
DÉLÉGITIMÉE
SOUS-ESTIMÉE
MICROFILMÉE
SUS-DÉNOMMÉE
BARTHOLOMÉE
SURINFORMÉE
DÉSINFORMÉE
TRANSFORMÉE
ORTHONORMÉE
INSTANTANÉE
SOUS-CUTANÉE
SUROXYGÉNÉE
DÉSOXYGÉNÉE
PREMIÈRE-NÉE
DERNIÈRE-NÉE
ENCHIFRENÉE
DÉSENGRENÉE
ACCOMPAGNÉE
INTERLIGNÉE
DÉCONSIGNÉE
CHANFREINÉE
EMBOBELINÉE
DÉGASOLINÉE
DÉGAZOLINÉE
DISCIPLINÉE
DÉCALAMINÉE
DÉVITAMINÉE
PARCHEMINÉE
DISCRIMINÉE
ENDOCTRINÉE
TAMBOURINÉE
EMMAGASINÉE
GUILLOTINÉE
PRÉDESTINÉE
BARAGOUINÉE
SHAMPOUINÉE
ENQUIQUINÉE
DAMASQUINÉE
WOUNDED KNEE
ENTURBANNÉE
DÉSARÇONNÉE
SUBORDONNÉE
DÉSORDONNÉE
BADIGEONNÉE
DÉPLAFONNÉE
PARANGONNÉE

CAPUCHONNÉE
OCCASIONNÉE
ÉMULSIONNÉE
ILLUSIONNÉE
FRACTIONNÉE
FRICTIONNÉE
SANCTIONNÉE
PONCTIONNÉE
AMBITIONNÉE
ADDITIONNÉE
AUDITIONNÉE
POSITIONNÉE
QUESTIONNÉE
SOLUTIONNÉE
DÉBALLONNÉE
CARILLONNÉE
BOUILLONNÉE
COUILLONNÉE
DÉBOULONNÉE
CHAPERONNÉE
DÉCOURONNÉE
ARRAISONNÉE
IRRAISONNÉE
ASSAISONNÉE
EMPOISONNÉE
EMPRISONNÉE
PALISSONNÉE
MOLLETONNÉE
DÉBOUTONNÉE
REBOUTONNÉE
OXYCARBONÉE
DÉSINCARNÉE
DEMI-JOURNÉE
CHANTOURNÉE
POISSON-ÉPÉE
SOUS-ÉQUIPÉE
PHARMACOPÉE
PRÉDÉCOUPÉE
ENTRECOUPÉE
CONTRETYPÉE
STÉRÉOTYPÉE
CHASSE-MARÉE
CONCÉLÉBRÉE
INVERTÉBRÉE
LOMBO-SACRÉE
DÉSENCADRÉE
CONGLOMÉRÉE
DÉSINTÉGRÉE
AVANT-SOIRÉE
MILLIMÉTRÉE
ENCHEVÊTRÉE
AUTOCENTRÉE
DÉFENESTRÉE
ENREGISTRÉE
CALAMISTRÉE
ADMINISTRÉE
IODO-IODURÉE

CLAQUEMURÉE	MONOPOLISÉE	BOULEVERSÉE
PRESSE-PURÉE	DÉNÉBULISÉE	DÉCARCASSÉE
DÉCHLORURÉE	RIDICULISÉE	**TALLAHASSEE**
SOUS-ASSURÉE	MACADAMISÉE	POURCHASSÉE
COURBATURÉE	UNIFORMISÉE	OUTREPASSÉE
CARICATURÉE	AFRICANISÉE	DÉBARRASSÉE
SOUS-SATURÉE	RÉORGANISÉE	EMBARRASSÉE
CONJECTURÉE	INORGANISÉE	TREILLISSÉE
PARAPHRASÉE	ITALIANISÉE	ENTRE-TISSÉE
TECHNICISÉE	ALCALINISÉE	ÉCLABOUSSÉE
CHRONICISÉE	KÉRATINISÉE	MOTEUR-FUSÉE
RINGARDISÉE	DÉCOLONISÉE	DÉSHYDRATÉE
RADICALISÉE	ENTRETOISÉE	AUTOTRACTÉE
MÉDICALISÉE	APPRIVOISÉE	DÉSAFFECTÉE
LEXICALISÉE	SOLIDARISÉE	DÉSINFECTÉE
DÉLOCALISÉE	NUCLÉARISÉE	DÉCONNECTÉE
SCANDALISÉE	DÉPOLARISÉE	DÉMOUCHETÉE
SPÉCIALISÉE	BIPOLARISÉE	AIGUILLETÉE
MONDIALISÉE	SÉCULARISÉE	GUILLEMETÉE
SPATIALISÉE	RÉGULARISÉE	INTERPRÉTÉE
INITIALISÉE	POPULARISÉE	REMPAQUETÉE
DÉCIMALISÉE	TITULARISÉE	DÉBECQUETÉE
MINIMALISÉE	MILITARISÉE	DÉCHIQUETÉE
OPTIMALISÉE	MÉTAMÉRISÉE	DÉCLIQUETÉE
MAXIMALISÉE	POLYMÉRISÉE	ENCLIQUETÉE
DÉPÉNALISÉE	DÉSODORISÉE	SOUS-TRAITÉE
NOMINALISÉE	CATÉGORISÉE	PLÉBISCITÉE
LIBÉRALISÉE	DÉVALORISÉE	RESSUSCITÉE
FÉDÉRALISÉE	REVALORISÉE	DISCRÉDITÉE
GÉNÉRALISÉE	INSONORISÉE	COMMANDITÉE
MINÉRALISÉE	SPONSORISÉE	PARIDIGITÉE
LATÉRALISÉE	DÉFAVORISÉE	RÉHABILITÉE
DÉMORALISÉE	THÉSAURISÉE	INEXPLOITÉE
CAPORALISÉE	PASTEURISÉE	DÉPARASITÉE
CENTRALISÉE	PRESSURISÉE	RÉIMPLANTÉE
NEUTRALISÉE	SCHÉMATISÉE	DÉSAIMANTÉE
NATURALISÉE	STIGMATISÉE	DÉSARGENTÉE
DÉNASALISÉE	AXIOMATISÉE	DÉSORIENTÉE
PALATALISÉE	AUTOMATISÉE	IMPATIENTÉE
VÉGÉTALISÉE	TRAUMATISÉE	RÉGLEMENTÉE
DIGITALISÉE	DÉSÉTATISÉE	INCRÉMENTÉE
CAPITALISÉE	DIALECTISÉE	MOUVEMENTÉE
DÉVITALISÉE	PROPHÉTISÉE	ASSERMENTÉE
REVITALISÉE	SYNTHÉTISÉE	REPRÉSENTÉE
CHAPTALISÉE	DÉMONÉTISÉE	MÉCONTENTÉE
MENSUALISÉE	CONCRÉTISÉE	LONG-JOINTÉE
ÉVANGÉLISÉE	DÉPOLITISÉE	RÉEMPRUNTÉE
CARAMÉLISÉE	RELATIVISÉE	DÉMAILLOTÉE
DÉMOBILISÉE	LIBRE-PENSÉE	EMMAILLOTÉE
IMMOBILISÉE	DÉCOMPENSÉE	INTERCEPTÉE
SOLUBILISÉE	RÉCOMPENSÉE	RÉESCOMPTÉE
LYOPHILISÉE	ANASTOMOSÉE	DÉCONCERTÉE
DÉVIRILISÉE	SURCOMPOSÉE	RÉCONFORTÉE
VOLATILISÉE	PRÉSUPPOSÉE	INSUPPORTÉE
PARCELLISÉE	PRÉDISPOSÉE	TRANSPORTÉE
CARTELLISÉE	SOUS-EXPOSÉE	INCONTESTÉE
MÉTABOLISÉE	RETRAVERSÉE	DÉSENDETTÉE

SILHOUETTÉE	ICHTYOPHAGE	BISTOURNAGE
CONTREBUTÉE	PLANCHÉIAGE	TÉLESCOPAGE
CHOUCHOUTÉE	RESSEMELAGE	PROTOTYPAGE
SUBDÉLÉGUÉE	DÉCERVELAGE	ÉQUILIBRAGE
DIPHTONGUÉE	AUTORÉGLAGE	SAUPOUDRAGE
SOUS-ÉVALUÉE	TRIMBALLAGE	GOAL-AVERAGE
HYPOTHÉQUÉE	REMMAILLAGE	DÉCHIFFRAGE
REVENDIQUÉE	TERMAILLAGE	TURBOFORAGE
INAPPLIQUÉE	GRENAILLAGE	REDÉMARRAGE
INEXPLIQUÉE	REMPAILLAGE	REMBOURRAGE
COMMUNIQUÉE	FERRAILLAGE	LONG-MÉTRAGE
DÉCORTIQUÉE	MITRAILLAGE	KILOMÉTRAGE
DÉMASTIQUÉE	TOURAILLAGE	SOUS-TITRAGE
REMASTIQUÉE	ÉCHENILLAGE	CALFEUTRAGE
DOMESTIQUÉE	GRAPPILLAGE	SURPÂTURAGE
INTERLOQUÉE	QUADRILLAGE	AFFACTURAGE
RÉCIPROQUÉE	POINTILLAGE	COVOITURAGE
DÉSOBSTRUÉE	EFFEUILLAGE	APRÈS-RASAGE
DÉSHABITUÉE	BIDOUILLAGE	FRANCHISAGE
INACCENTUÉE	BAFOUILLAGE	CARBONISAGE
DÉSENCLAVÉE	CAFOUILLAGE	MERCERISAGE
DÉSENTRAVÉE	MAGOUILLAGE	SANFORISAGE
INTERVIEWÉE	DÉPOUILLAGE	MATELASSAGE
DÉCOMPLEXÉE	RESQUILLAGE	RAPETASSAGE
REJOINTOYÉE	CARAMBOLAGE	RENCAISSAGE
PORTE-GREFFE	CAMBRIOLAGE	DÉGRAISSAGE
HIPPOGRIFFE	RAFISTOLAGE	ENGRAISSAGE
OPÉRA-BOUFFE	**CARNON-PLAGE**	FOURBISSAGE
YELLOWKNIFE	**LARMOR-PLAGE**	BOUFFISSAGE
DÉCORTICAGE	**VALRAS-PLAGE**	DÉMOLISSAGE
REMASTICAGE	PELLICULAGE	DÉPOLISSAGE
AMOUR-EN-CAGE	DÉCAPSULAGE	REPOLISSAGE
ANTIBLOCAGE	SCÉNARIMAGE	REMPLISSAGE
DÉSAMORÇAGE	DÉSARRIMAGE	LAMBRISSAGE
TÉLÉGUIDAGE	ANTICHÔMAGE	AMERRISSAGE
AUTOGUIDAGE	DÉSENFUMAGE	NOURRISSAGE
MARCHANDAGE	AQUAPLANAGE	POURRISSAGE
ACHALANDAGE	REMUE-MÉNAGE	DÉCATISSAGE
VAGABONDAGE	CONCUBINAGE	ÉCROUISSAGE
ÉCHOSONDAGE	PARAFFINAGE	DÉCHAUSSAGE
AÉROSONDAGE	LIBERTINAGE	PHOSPHATAGE
TRANSCODAGE	MAROQUINAGE	DÉCACHETAGE
BRANCARDAGE	ENRUBANNAGE	FEUILLETAGE
MOUCHARDAGE	GARDIENNAGE	DÉCOLLETAGE
ÉCHAFAUDAGE	CHARBONNAGE	ÉPOUSSETAGE
MARIVAUDAGE	POINÇONNAGE	DÉPAQUETAGE
ÉBOURIFFAGE	TRONÇONNAGE	EMPAQUETAGE
RÉCHAUFFAGE	CHIFFONNAGE	CATAPULTAGE
PARALANGAGE	GRIFFONNAGE	BRILLANTAGE
MÉTALANGAGE	HOUBLONNAGE	DÉSAVANTAGE
EFFILOCHAGE	GOUDRONNAGE	DÉSAVANTAGÉ
GUILLOCHAGE	CHARRONNAGE	POURCENTAGE
RACCROCHAGE	CLOISONNAGE	CHARPENTAGE
RAPPROCHAGE	MOISSONNAGE	DESSUINTAGE
DESSOUCHAGE	ÉCUSSONNAGE	PAPILLOTAGE
ENTOMOPHAGE	CAPITONNAGE	HÉLIPORTAGE
HÉMATOPHAGE	DÉGAZONNAGE	TERREAUTAGE

DÉNOYAUTAGE	SCANOGRAPHE	**LOTHARINGIE**
PARACHUTAGE	SCÉNOGRAPHE	MINÉRALOGIE
MARABOUTAGE	STÉNOGRAPHE	PHLÉBOLOGIE
CAILLOUTAGE	ETHNOGRAPHE	MALACOLOGIE
PLASTIQUAGE	ICONOGRAPHE	GYNÉCOLOGIE
CHASSE-NEIGE	PHONOGRAPHE	POLICOLOGIE
DIFFERDANGE	PORNOGRAPHE	MUSICOLOGIE
SCHIFFLANGE	HYDROGRAPHE	LEXICOLOGIE
MARTELLANGE	SPIROGRAPHE	TOXICOLOGIE
INTERFRANGE	PÉTROGRAPHE	MONADOLOGIE
TISSU-ÉPONGE	PANTOGRAPHE	**MONADOLOGIE**
MARTYROLOGE	PHOTOGRAPHE	TRACÉOLOGIE
ÉCORECHARGE	CARTOGRAPHE	ARCHÉOLOGIE
MONTE-CHARGE	PIÉZOGRAPHE	SPÉLÉOLOGIE
LLOYD GEORGE	TACHYGRAPHE	GNOSÉOLOGIE
SAINT GEORGE	CATASTROPHE	PSYCHOLOGIE
ERIK LE ROUGE	CATASTROPHÉ	GRAPHOLOGIE
MOULIN-ROUGE	ANTISTROPHE	MORPHOLOGIE
BASSIN ROUGE	HOMÉOMORPHE	EXOBIOLOGIE
BARDONNÈCHE	HIÉROGLYPHE	GLACIOLOGIE
GARDES-PÊCHE	PÉTROGLYPHE	CARDIOLOGIE
PIED-DE-BICHE	CHÉTOGNATHE	ANGÉIOLOGIE
CONTREFICHE	PSYCHOPATHE	SÉMÉIOLOGIE
CONTREFICHÉ	NATUROPATHE	BIBLIOLOGIE
OUTRE-MANCHE	TÉLOLÉCITHE	PHYSIOLOGIE
TRANSMANCHE	SIDÉROLITHE	ISLAMOLOGIE
MALEBRANCHE	CŒLACANTHE	POTAMOLOGIE
NUDIBRANCHE	**RHADAMANTHE**	POLÉMOLOGIE
PELLE-PIOCHE	EUROMONNAIE	DOCIMOLOGIE
ARISTOLOCHE	AGORAPHOBIE	ENTOMOLOGIE
FRISON-ROCHE	ANGLOPHOBIE	SÉISMOLOGIE
GRANDE ARCHE	PHOTOPHOBIE	PNEUMOLOGIE
SUPERMARCHÉ	NÉCROMANCIE	ENZYMOLOGIE
HYPERMARCHÉ	CHIROMANCIE	OCÉANOLOGIE
ENCHEVAUCHÉ	ONIROMANCIE	ORGANOLOGIE
FANFRELUCHE	CARTOMANCIE	SÉLÉNOLOGIE
RINCE-BOUCHE	INDULGENCIÉ	PHRÉNOLOGIE
AMUSE-BOUCHE	DIFFÉRENCIÉ	TECHNOLOGIE
MULTICOUCHE	**LA LAURENCIE**	ACTINOLOGIE
SCARAMOUCHE	POISSON-SCIE	DÉMONOLOGIE
ESCARMOUCHE	COUTEAU-SCIE	CHRONOLOGIE
ENCARTOUCHÉ	**SAINTE-LUCIE**	IMMUNOLOGIE
BATHYSCAPHE	APPROFONDIE	PALYNOLOGIE
CHORÉGRAPHE	POLYSYNODIE	NUMÉROLOGIE
CALLIGRAPHE	BRADYCARDIE	NÉPHROLOGIE
ANÉPIGRAPHE	TACHYCARDIE	SOPHROLOGIE
PALÉOGRAPHE	DISQUALIFIÉ	FUTUROLOGIE
MUSÉOGRAPHE	PERSONNIFIÉ	PAPYROLOGIE
LITHOGRAPHE	SACCHARIFIÉ	HÉMATOLOGIE
ORTHOGRAPHE	AUTHENTIFIÉ	HÉPATOLOGIE
HAGIOGRAPHE	COMPLEXIFIÉ	TÉRATOLOGIE
HÉLIOGRAPHE	HIPPOPHAGIE	PROCTOLOGIE
SOÛLOGRAPHE	COPROPHAGIE	ERPÉTOLOGIE
STYLOGRAPHE	MÉTRORRAGIE	POLITOLOGIE
ANÉMOGRAPHE	TÉTRAPLÉGIE	ODONTOLOGIE
NORMOGRAPHE	CERVICALGIE	DÉONTOLOGIE
SISMOGRAPHE	CÉPHALALGIE	ÉGYPTOLOGIE

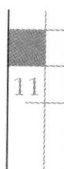

EMBRYOLOGIE	SYNDACTYLIE	LYMPHOPÉNIE
ICHTYOLOGIE	HÉTÉROGAMIE	NEUTROPÉNIE
MÉTALLURGIE	CRYPTOGAMIE	PARAPHRÉNIE
DRAMATURGIE	SCHIZOGAMIE	HÉBÉPHRÉNIE
STÉATOPYGIE	**MÉSOPOTAMIE**	PYROTECHNIE
TAUROMACHIE	TACHYPHÉMIE	**LA QUINTINIE**
TCHOUVACHIE	BACTÉRIÉMIE	HYPERSOMNIE
IRRÉFLÉCHIE	WAGON-TRÉMIE	**PAPHLAGONIE**
TÉLÉGRAPHIE	THALASSÉMIE	SCHIZOGONIE
TÉLÉGRAPHIÉ	CARBOCHIMIE	ORTHOPHONIE
SÉRIGRAPHIE	MICROCHIMIE	AMBIOPHONIE
CACOGRAPHIE	PÉTROCHIMIE	RADIOPHONIE
ARÉOGRAPHIE	PHOTOCHIMIE	VISIOPHONIE
INFOGRAPHIE	HISTOCHIMIE	DISHARMONIE
ÉCHOGRAPHIE	ÉNOPHTALMIE	DYSHARMONIE
ÉCHOGRAPHIÉ	EXOPHTALMIE	HYPERCAPNIE
HOLOGRAPHIE	PHYSIONOMIE	DYSPAREUNIE
XYLOGRAPHIE	HÉTÉRONOMIE	PLEURODYNIE
DÉMOGRAPHIE	GASTRONOMIE	GLOSSODYNIE
HOMOGRAPHIE	ORTHODROMIE	**HAUTE-SAVOIE**
TOMOGRAPHIE	HOMOCHROMIE	TRITHÉRAPIE
MONOGRAPHIE	MONOCHROMIE	BIOTHÉRAPIE
TOPOGRAPHIE	POLYCHROMIE	ZOOTHÉRAPIE
TYPOGRAPHIE	IRIDECTOMIE	ISOTHÉRAPIE
XÉROGRAPHIE	MAMMECTOMIE	QUEUES-DE-PIE
NOSOGRAPHIE	MYOMECTOMIE	RADIOSCOPIE
AUTOGRAPHIE	PULPECTOMIE	AMNIOSCOPIE
HYPOTROPHIE	MASTECTOMIE	STRIOSCOPIE
AUTOTROPHIE	CYSTECTOMIE	RHINOSCOPIE
AMYOTROPHIE	RADICOTOMIE	COLPOSCOPIE
PHILOSOPHIE	STÉRÉOTOMIE	FIBROSCOPIE
DISCOPATHIE	CARDIOTOMIE	MICROSCOPIE
HOMÉOPATHIE	ÉPISIOTOMIE	HYGROSCOPIE
OSTÉOPATHIE	LAPAROTOMIE	RECTOSCOPIE
SOCIOPATHIE	KÉRATOTOMIE	FŒTOSCOPIE
MYÉLOPATHIE	CYSTOSTOMIE	CYSTOSCOPIE
ADÉNOPATHIE	LEUCODERMIE	HÉMÉRALOPIE
NEUROPATHIE	PACHYDERMIE	ANISOTROPIE
NÉVROPATHIE	HYPOTHERMIE	THIXOTROPIE
FŒTOPATHIE	AZOOSPERMIE	STÉRÉOTYPIE
MASTOPATHIE	ATHYMHORMIE	TURBELLARIÉ
ACROMÉGALIE	ALEXITHYMIE	**LA RICAMARIE**
GLOSSOLALIE	CYCLOTHYMIE	**LOUISE-MARIE**
CONNÉTABLIE	**CISJORDANIE**	**SAINTE-MARIE**
MARIE-AMÉLIE	LITHOPHANIE	**CARPENTARIE**
MARCOPHILIE	VITROPHANIE	**NORTHUMBRIE**
DISCOPHILIE	TOXICOMANIE	**ROZAY-EN-BRIE**
ANGLOPHILIE	NYMPHOMANIE	HYPOCONDRIE
ANÉMOPHILIE	MÉGALOMANIE	CAMARADERIE
NÉCROPHILIE	ÉTHÉROMANIE	MAUSSADERIE
COPROPHILIE	CLEPTOMANIE	COMMANDERIE
CARTOPHILIE	KLEPTOMANIE	FAISANDERIE
CADUCIFOLIÉ	TÉRATOGÉNIE	DESCENDERIE
DÉMULTIPLIÉ	EMBRYOGÉNIE	CLABAUDERIE
INACCOMPLIE	**TCHÉTCHÉNIE**	TARTUFFERIE
DYSCALCULIE	CHAPELLENIE	BOULANGERIE
SAINTE-JULIE	CHÂTELLENIE	SUPERCHERIE

HONGROIERIE
SENSIBLERIE
ESPIÈGLERIE
SORCELLERIE
SOMMELLERIE
TONNELLERIE
CHAPELLERIE
HOSTELLERIE
COUTELLERIE
CRIAILLERIE
CANAILLERIE
GOUAILLERIE
DISTILLERIE
BROUILLERIE
GENDARMERIE
MESQUINERIE
PAYSANNERIE
CHOUANNERIE
FAUCONNERIE
AMIDONNERIE
CORDONNERIE
COCHONNERIE
BOULONNERIE
FRIPONNERIE
FERRONNERIE
CARTONNERIE
MOUTONNERIE
FLAGORNERIE
VALLISNÉRIE
VINAIGRERIE
TEINTURERIE
GAULOISERIE
CHAMOISERIE
CHINOISERIE
GRIVOISERIE
TRACASSERIE
AVOCASSERIE
MOLLASSERIE
PLUMASSERIE
SAURISSERIE
CARROSSERIE
GOBELETERIE
BUFFLETERIE
GRAINETERIE
BRIQUETERIE
MARQUETERIE
BISCUITERIE
FORFANTERIE
EFFRONTERIE
CHUCHOTERIE
DOMINOTERIE
ÉBÉNISTERIE
LAMPISTERIE
DENTISTERIE
DÉCHETTERIE
TABLETTERIE
BILLETTERIE

COQUETTERIE
BISCOTTERIE
CACHOTTERIE
CHARCUTERIE
MANIAQUERIE
LOUFOQUERIE
ESCROQUERIE
CONSERVERIE
DUCHÉ-PAIRIE
MÉTATHÉORIE
INAPPROPRIÉ
PSYCHIATRIE
OPACIMÉTRIE
ACIDIMÉTRIE
PLANIMÉTRIE
TITRIMÉTRIE
DENSIMÉTRIE
GRAVIMÉTRIE
PELVIMÉTRIE
TRIBOMÉTRIE
SOCIOMÉTRIE
AUDIOMÉTRIE
GONIOMÉTRIE
SISMOMÉTRIE
ÉCONOMÉTRIE
AXONOMÉTRIE
ALCOOMÉTRIE
MICROMÉTRIE
HYDROMÉTRIE
HYGROMÉTRIE
SPIROMÉTRIE
ASTROMÉTRIE
HYPSOMÉTRIE
PHOTOMÉTRIE
BATHYMÉTRIE
DISSYMÉTRIE
AÉROGASTRIE
JOLIOT-CURIE
POLLAKIURIE
PROTÉINURIE
ALBUMINURIE
MANDCHOURIE
SUCCENTURIÉ
LEUCOPLASIE
HYPERPLASIE
ANGIECTASIE
ATÉLECTASIE
RHEXISTASIE
HOMÉOSTASIE
SOMESTHÉSIE
CÉNESTHÉSIE
CINESTHÉSIE
KINESTHÉSIE
SYNESTHÉSIE
BARESTHÉSIE
PARESTHÉSIE
PALICINÉSIE

TÉLÉKINÉSIE
HYPERMNÉSIE
BOURGEOISIE
NARCOLEPSIE
HÉMIANOPSIE
DÉSÉPAISSIE
BIÉLORUSSIE
HYPOACOUSIE
CEYZÉRIATIE
MÉDIOCRATIE
VOYOUCRATIE
LITHOTRITIE
DIFFÉRENTIÉ
ORTHODONTIE
EXTRAVERTIE
RECONVERTIE
INTROVERTIE
INTERVERTIE
DÉSASSORTIE
CRYOCLASTIE
IONOPLASTIE
AUTOPLASTIE
DÉSINVESTIE
EUCHARISTIE
SOMNILOQUIE
YOUGOSLAVIE
SCANDINAVIE
ANAPHYLAXIE
PROPHYLAXIE
CHIROPRAXIE
STÉRÉOTAXIE
PHYLLOTAXIE
HÉTÉRODOXIE
KARADJORDJE
BEIDERBECKE
BOLINGBROKE
MIDDELKERKE
HÉLIOGABALE
BRINGUEBALÉ
BRINQUEBALÉ
SEMI-GLOBALE
AMMONIACALE
ILÉO-CÆCALE
BIOMÉDICALE
PONTIFICALE
HYPERFOCALE
UXORILOCALE
MATRILOCALE
PATRILOCALE
MATRIARCALE
PATRIARCALE
PARAFISCALE
GRAND-DUCALE
RHOMBOÏDALE
HÉLICOÏDALE
CONCHOÏDALE
SPHÉNOÏDALE

SOLÉNOÏDALE
SPHÉROÏDALE
SINUSOÏDALE
INTERTIDALE
CHIPPENDALE
CHIPPENDALE
INTERMODALE
PÉRITONÉALE
EXTRALÉGALE
NIGHTINGALE
ORNITHOGALE
DIENCÉPHALE
ANENCÉPHALE
CYNOCÉPHALE
AUTOCÉPHALE
PROVERBIALE
SOLSTICIALE
PROVINCIALE
ANTISOCIALE
COMMERCIALE
LYCOPODIALE
PRÉCORDIALE
PRIMORDIALE
ÉPITHÉLIALE
NOSOCOMIALE
POLYNOMIALE
IMMÉMORIALE
SÉNATORIALE
ÉQUATORIALE
TINCTORIALE
PAROISSIALE
PRÉNUPTIALE
CONSORTIALE
ÉQUINOXIALE
DUODÉCIMALE
CENTÉSIMALE
PARANORMALE
SOUS-NORMALE
ANÉVRISMALE
ANÉVRYSMALE
PAROXYSMALE
PHÉNOMÉNALE
EXTRARÉNALE
ANTICLINALE
MONOCLINALE
SUBLIMINALE
UNINOMINALE
PRONOMINALE
INTESTINALE
ENNÉAGONALE
PENTAGONALE
HEPTAGONALE
ORTHOGONALE
MÉRIDIONALE
MÉRIDIONALE
OBSIDIONALE
BINATIONALE

MONOCLONALE
SARDANAPALE
DIALYSÉPALE
ARCHÉTYPALE
CONFÉDÉRALE
UNILATÉRALE
TRILATÉRALE
COLLATÉRALE
PARENTÉRALE
ORCHESTRALE
PROCÉDURALE
STRUCTURALE
SCRIPTURALE
SCULPTURALE
PARASTATALE
DIALYPÉTALE
SUBORBITALE
PRÉGÉNITALE
CONGÉNITALE
URO-GÉNITALE
OCCIDENTALE
OCCIDENTALE
ORNEMENTALE
MONUMENTALE
PARODONTALE
HORIZONTALE
SACERDOTALE
AÉROPOSTALE
PARACHUTALE
SUBLINGUALE
PERLINGUALE
ADJECTIVALE
INEFFAÇABLE
REMPLAÇABLE
PRONONÇABLE
IRRÉVOCABLE
CONFISCABLE
INDÉCIDABLE
INTIMIDABLE
RESCINDABLE
INDÉCODABLE
INDÉMODABLE
INABORDABLE
DOMMAGEABLE
AMÉNAGEABLE
PARTAGEABLE
NÉGLIGEABLE
ÉCHANGEABLE
IMMANGEABLE
ARRANGEABLE
IMPERMÉABLE
DÉSAGRÉABLE
CHANTEFABLE
INFATIGABLE
APPROCHABLE
INTOUCHABLE
APPRÉCIABLE

JUSTICIABLE
DISSOCIABLE
CONGÉDIABLE
PUTRÉFIABLE
LIQUÉFIABLE
ACIDIFIABLE
QUALIFIABLE
PLANIFIABLE
VITRIFIABLE
FALSIFIABLE
RECTIFIABLE
JUSTIFIABLE
MYSTIFIABLE
SATISFIABLE
INOUBLIABLE
IMPUBLIABLE
CONCILIABLE
RAPATRIABLE
AMNISTIABLE
ASSIMILABLE
CONTRÔLABLE
MANIPULABLE
COMPRIMABLE
INESTIMABLE
INFLAMMABLE
CONSOMMABLE
INALIÉNABLE
DÉDAIGNABLE
INJOIGNABLE
ENTRAÎNABLE
DÉRACINABLE
CONDAMNABLE
PARDONNABLE
ACTIONNABLE
RAISONNABLE
DISCERNABLE
GOUVERNABLE
RATTRAPABLE
IRRÉPARABLE
INSÉPARABLE
DÉNOMBRABLE
INNOMBRABLE
INTOLÉRABLE
RÉCUPÉRABLE
INALTÉRABLE
INDÉSIRABLE
AMÉLIORABLE
DÉFAVORABLE
INÉNARRABLE
DÉMONTRABLE
ENCASTRABLE
MINISTRABLE
INFEUTRABLE
SEMI-DURABLE
RECOUVRABLE
INAPAISABLE
LOCALISABLE

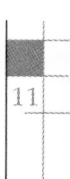

CANALISABLE	IMMANQUABLE	CONTRACTILE
NOBÉLISABLE	REMARQUABLE	PROTRACTILE
MOBILISABLE	DESTITUABLE	TRIQUEBALLE
ORGANISABLE	RESTITUABLE	HÉMÉROCALLE
COLONISABLE	IRRECEVABLE	ÉGLISE-HALLE
CANONISABLE	IMPROUVABLE	**SAINT PHALLE**
MÉMORISABLE	APPROUVABLE	SAC-POUBELLE
MAÎTRISABLE	INTROUVABLE	JOUVENCELLE
INÉPUISABLE	AUTOSEXABLE	VIOLONCELLE
CONDENSABLE	IMPITOYABLE	MORVANDELLE
COMPENSABLE	INCOERCIBLE	**MORVANDELLE**
DISPENSABLE	PUTRESCIBLE	ZOOFLAGELLÉ
RESPONSABLE	RÉFRANGIBLE	TOURANGELLE
INOPPOSABLE	INFRANGIBLE	**TOURANGELLE**
TRAVERSABLE	INFAILLIBLE	MATRICIELLE
INCLASSABLE	TRADUISIBLE	ACTANCIELLE
ENCAISSABLE	INDIVISIBLE	ACTUARIELLE
GUÉRISSABLE	SUBMERSIBLE	SENSORIELLE
SAISISSABLE	SUCCESSIBLE	TENSORIELLE
CARROSSABLE	INAMISSIBLE	FACTORIELLE
DÉHOUSSABLE	EXTRACTIBLE	SECTORIELLE
IRRÉCUSABLE	PERFECTIBLE	VECTORIELLE
INEXCUSABLE	PRÉDICTIBLE	MERCURIELLE
CONSTATABLE	CONDUCTIBLE	DÉMENTIELLE
RÉTRACTABLE	PRODUCTIBLE	CARENTIELLE
CONNECTABLE	PERCEPTIBLE	ESSENTIELLE
RESPECTABLE	SUSCEPTIBLE	POTENTIELLE
INÉLUCTABLE	CORRUPTIBLE	LESSIVIELLE
CROCHETABLE	CONVERTIBLE	**SUPERVIELLE**
SOUHAITABLE	SUGGESTIBLE	PIMPRENELLE
INTRAITABLE	COMBUSTIBLE	SÉLAGINELLE
INHABITABLE	DÉSASSEMBLÉ	DAUPHINELLE
INDUBITABLE	**VILLEMOMBLE**	LÉSIONNELLE
INEXCITABLE	GARDE-MEUBLE	RATIONNELLE
EXPLOITABLE	LIPOSOLUBLE	NOTIONNELLE
INÉQUITABLE	CONCEPTACLE	OPTIONNELLE
CONSULTABLE	**THÉMISTOCLE**	CITRONNELLE
IMPLANTABLE	ESCARBOUCLE	PERSONNELLE
FERMENTABLE	HÉTÉROCYCLE	FRATERNELLE
PRÉSENTABLE	EMBARDOUFLÉ	RITOURNELLE
SURMONTABLE	ÉPOUSTOUFLÉ	CHANTERELLE
ESCAMOTABLE	HIPPOMOBILE	TOURTERELLE
DÉCAPOTABLE	**SAINTE-ODILE**	ATEMPORELLE
INADAPTABLE	TRANCHEFILE	PIPISTRELLE
ESCOMPTABLE	FRANCOPHILE	PASTOURELLE
INDOMPTABLE	NUCLÉOPHILE	UNIVERSELLE
CONFORTABLE	BIBLIOPHILE	TAGLIATELLE
SUPPORTABLE	ENTOMOPHILE	EUPLECTELLE
CONTESTABLE	SPERMOPHILE	**CARMONTELLE**
PROTESTABLE	SPASMOPHILE	**COMPOSTELLE**
REGRETTABLE	LUCANOPHILE	CONTINUELLE
ACQUITTABLE	ÉOSINOPHILE	BISANNUELLE
IRRÉFUTABLE	NEUTROPHILE	MENSTRUELLE
ATTRIBUABLE	PROTOÉTOILE	BIMENSUELLE
TRANSMUABLE	ÆGAGROPILE	DÉLICTUELLE
INDÉNOUABLE	ANTIMISSILE	PERPÉTUELLE
CRITIQUABLE	EUROMISSILE	SPIRITUELLE

ACCENTUELLE
UNISEXUELLE
SEMI-VOYELLE
ENTREBÂILLÉ
PASSACAILLE
CRITICAILLÉ
BLANCHAILLE
HACHE-PAILLE
BROUSSAILLE
ENTRETAILLÉ
BASSE-TAILLE
DISCUTAILLE
CORNOUAILLE
ANTIQUAILLE
RETRAVAILLÉ
COLIBACILLE
FONTVIEILLE
ENSOMMEILLÉ
NONPAREILLE
RAPPAREILLÉ
CURE-OREILLE
DÉCONSEILLÉ
EMBOUTEILLÉ
AVANT-VEILLE
PETITE-FILLE
SOUS-FAMILLE
SOUQUENILLE
LA TRÉMOILLE
MYOFIBRILLE
ÉCRABOUILLÉ
BOURBOUILLE
GLANDOUILLE
CRACHOUILLÉ
BISBROUILLE
ANTIROUILLE
DÉPATOUILLÉ
RATATOUILLE
GRATTOUILLÉ
TOURLAVILLE
BRAZZAVILLE
FRANCEVILLE
CHARLEVILLE
SAMBREVILLE
GONFREVILLE
CENTRE-VILLE
LONGUEVILLE
TOCQUEVILLE
BROQUEVILLE
DECAZEVILLE
FLAMANVILLE
HERMANVILLE
OFFRANVILLE
ROMAINVILLE
BOUZONVILLE
NOUZONVILLE
TANCARVILLE
GOMBERVILLE

MONNERVILLE
COWANSVILLE
ALBERTVILLE
ALFORTVILLE
RIBEAUVILLÉ
SANDOUVILLE
CONTRECOLLÉ
CHRYSOCOLLE
ICHTYOCOLLE
ROUSSEROLLE
MYRIOPHYLLE
NAVIRE-ÉCOLE
CAVERNICOLE
CHAMPAGNOLE
CHANTIGNOLE
CROQUIGNOLE
PORTE-PAROLE
PROFITEROLE
CONDISCIPLE
DÉSACCOUPLÉ
ROMÉ DE L'ISLE
DÉMANTIBULÉ
MICROTUBULE
CICATRICULE
IMMATRICULÉ
DÉSARTICULÉ
DIVERTICULE
DÉSOPERCULÉ
PONT-BASCULE
GROUPUSCULE
MICROMODULE
BRÛLE-GUEULE
CASSE-GUEULE
AMUSE-GUEULE
MALENGUEULÉ
MICROPILULE
TOURNEBOULÉ
LA BOURBOULE
PIED-DE-POULE
NIDS-DE-POULE
TÉRÉBRATULE
DICARBONYLÉ
SULFHYDRYLE
PHOSPHORYLE
HYDROCOTYLE
DODÉCASTYLE
MODERN STYLE
BOURG-MADAME
TROUS-MADAME
PHANÉROGAME
TÉTRADYNAME
PSYCHODRAME
HIPPOPOTAME
HÉLIANTHÈME
MILLIONIÈME
DIX-HUITIÈME
QUARANTIÈME

SEPTANTIÈME
SOIXANTIÈME
DIX-SEPTIÈME
DIX-NEUVIÈME
QUATORZIÈME
DOUBLE-CRÈME
STAR-SYSTÈME
SOUS-SYSTÈME
SAINTE-VEHME
PUSILLANIME
DÉSENVENIMÉ
SURCOMPRIMÉ
GRANDISSIME
SÉRÉNISSIME
LANCE-FLAMME
CACHE-FLAMME
ATOME-GRAMME
CALLIGRAMME
MILLIGRAMME
CENTIGRAMME
CLADOGRAMME
VIDÉOGRAMME
SOCIOGRAMME
AUDIOGRAMME
MYÉLOGRAMME
SISMOGRAMME
ADÉNOGRAMME
STÉNOGRAMME
PHONOGRAMME
DÉPROGRAMMÉ
REPROGRAMMÉ
HECTOGRAMME
PICTOGRAMME
PHOTOGRAMME
HISTOGRAMME
GENTILHOMME
OPISTHODOME
DOUGLAS-HOME
DUPUY DE LÔME
DEUTÉRONOME
RUINE-DE-ROME
SAINT-JÉRÔME
FERROCHROME
TRYPANOSOME
ANKYLOSTOME
CHRYSOSTOME
DYSEMBRYOME
XANTHODERME
PHELLODERME
MÉLANODERME
ÉCHINODERME
BLASTODERME
HOMÉOTHERME
STÉNOTHERME
ANGIOSPERME
GYMNOSPERME
HAUT-DE-FORME

PROTÉIFORME
SPONGIFORME
TARSIIFORME
TUBÉRIFORME
ANSÉRIFORME
SILURIFORME
DIGITIFORME
CHLOROFORME
ICONOCLASME
HYALOPLASME
PROTOPLASME
PHARISAÏSME
PANARABISME
ANTIRACISME
PSITTACISME
ORGANICISME
CLASSICISME
SCEPTICISME
GNOSTICISME
NÉOFASCISME
MANICHÉISME
MONOTHÉISME
POLYTHÉISME
MACROSÉISME
MICROSÉISME
ABSENTÉISME
CARAVAGISME
BOULANGISME
PARALOGISME
REVANCHISME
MONARCHISME
DIMORPHISME
KHARIDJISME
SPARTAKISME
LAMARCKISME
RADICALISME
NÉORÉALISME
SURRÉALISME
MONDIALISME
MINIMALISME
MAXIMALISME
THERMALISME
NOMINALISME
JOURNALISME
LIBÉRALISME
FÉDÉRALISME
IMMORALISME
CAPORALISME
CENTRALISME
NEUTRALISME
NATURALISME
VÉGÉTALISME
CAPITALISME
GRADUALISME
SENSUALISME
ÉVANGÉLISME
IMMOBILISME

NOMBRILISME
MUTAZILISME
MUTUELLISME
CATABOLISME
MÉTABOLISME
LÉGITIMISME
NÉOTHOMISME
CONFORMISME
AFRICANISME
LESBIANISME
ITALIANISME
MESSIANISME
BRAHMANISME
OCCITANISME
PURITANISME
DONJUANISME
INDIGÉNISME
MONOGÉNISME
POLYGÉNISME
ŒCUMÉNISME
JACOBINISME
ILLUMINISME
CHAUVINISME
ACTIONNISME
ANTAGONISME
PYRRHONISME
MARCIONISME
BULLIONISME
EUDÉMONISME
HÉGÉMONISME
GÉOTROPISME
VÉGÉTARISME
MONÉTARISME
MILITARISME
PARITARISME
POMPIÉRISME
CARRIÉRISME
FOURIÉRISME
OUVRIÉRISME
BICAMÉRISME
ÉVHÉMÉRISME
ILLETTRISME
AMATEURISME
AVENTURISME
NARCISSISME
PITHIATISME
SCHÉMATISME
PRAGMATISME
STIGMATISME
CHROMATISME
AUTOMATISME
TRAUMATISME
SÉPARATISME
PROPHÉTISME
SYNTHÉTISME
APLANÉTISME
SYNCRÉTISME

CÉNOBITISME
SYBARITISME
ARTHRITISME
FAVORITISME
PARASITISME
GESTALTISME
NÉOKANTISME
PATRIOTISME
ANABAPTISME
CONCEPTISME
MACCARTISME
TRIPARTISME
COLBERTISME
TRAVESTISME
ABSOLUTISME
BILINGUISME
VISHNOUISME
PANSLAVISME
BOLCHEVISME
NÉGATIVISME
RELATIVISME
POSITIVISME
SAINTE-BAUME
FONT-DE-GAUME
RÉACCOUTUMÉ
INACCOUTUMÉ
COLLENCHYME
CYCLOALCANE
TRYPTOPHANE
ARISTOPHANE
TRANSOXIANE
COCAÏNOMANE
HÉROÏNOMANE
GALLO-ROMANE
RHÉTO-ROMANE
BALLETOMANE
DIATHERMANE
PRILLIÉRANE
EXTEMPORANÉ
BOURGUESANE
BOURGUISANE
MONTHEYSANE
BEAUSSETANE
TRANSCUTANÉ
CYCLOHEXANE
CYCLOALCÈNE
PLÉISTOCÈNE
JAYAWARDENE
CANCÉRIGÈNE
SCOT ÉRIGÈNE
FRIGORIGÈNE
ANOREXIGÈNE
LACRYMOGÈNE
CARCINOGÈNE
CRIMINOGÈNE
FIBRINOGÈNE
CANCÉROGÈNE

ÉLECTROGÈNE	PSILOCYBINE	ÉLÉPHANTINE
GALACTOGÈNE	COUPE-RACINE	**ÉLÉPHANTINE**
RÉFLEXOGÈNE	GENTAMICINE	BRILLANTINE
CHLOROPHÈNE	GOURGANDINE	BRILLANTINE
ÉRATOSTHÈNE	TRANSANDINE	BRILLANTINÉ
CATÉCHUMÈNE	VISITANDINE	LABORANTINE
ANNE COMNÈNE	**VÉSIGONDINE**	**FLEURANTINE**
JEAN COMNÈNE	**GAILLARDINE**	**OUESSANTINE**
OLIGOPHRÈNE	PÉRIGORDINE	**CONSTANTINE**
BENZOPYRÈNE	**PÉRIGORDINE**	**MAXIPONTINE**
POLYSTYRÈNE	**LA MADELEINE**	**PAIMBLOTINE**
CANTACUZÈNE	À GRAND-PEINE	VINBLASTINE
CHARLEMAGNE	**BAR-SUR-SEINE**	CLANDESTINE
CHARLEMAGNE	POLYOLÉFINE	TRAPPISTINE
PRÉCAMPAGNE	**COCHINCHINE**	LANGOUSTINE
RACCOMPAGNÉ	**ROSTOPCHINE**	**SARZEAUTINE**
CONTRESIGNÉ	**TOLBOUKHINE**	CONSANGUINE
PÉRIURBAINE	DYSTROPHINE	RIBOFLAVINE
AFRO-CUBAINE	CRISTOPHINE	**HERZÉGOVINE**
AFRO-CUBAINE	DIAMORPHINE	FERRÉDOXINE
DOMINICAINE	HÉLIANTHINE	BRÉVÉTOXINE
DOMINICAINE	**BEYROUTHINE**	NEUROTOXINE
ARMORICAINE	STÉNOHALINE	MARIE-JEANNE
ARMORICAINE	ENCÉPHALINE	**BUZANCÉENNE**
GÉNOVÉFAINE	ENKÉPHALINE	**VALENCÉENNE**
DÉSENCHAÎNÉ	THERMOCLINE	**QUINOCÉENNE**
CHAPDELAINE	CRISTALLINE	SADDUCÉENNE
BERTIN L'AÎNÉ	BIVITELLINE	CONFUCÉENNE
MOREAU L'AÎNÉ	PÉNICILLINE	**PALALDÉENNE**
MARIVERAINE	TUBERCULINE	**YAOUNDÉENNE**
CASSE-GRAINE	**LA CONDAMINE**	**SELONGÉENNE**
SANFLORAINE	SCOPOLAMINE	MANICHÉENNE
LESPARRAINE	AMPHÉTAMINE	**MAGDALÉENNE**
SOUTERRAINE	PROVITAMINE	**NEUILLÉENNE**
SURENTRAÎNÉ	DÉCONTAMINÉ	HERCULÉENNE
TOULOUSAINE	INDÉTERMINÉ	ACHEULÉENNE
MAZAMÉTAINE	AGGLUTININE	**SANTOMÉENNE**
QUERCITAINE	CALCITONINE	**CASTANÉENNE**
GABALITAINE	**ASSINIBOINE**	ARACHNÉENNE
NAPOLITAINE	**CHALCÉDOINE**	**COLLINÉENNE**
NAPOLITAINE	**MARC-ANTOINE**	CYCLOPÉENNE
ANCONITAINE	TRANSALPINE	ÉRYTHRÉENNE
SAMARITAINE	PILOCARPINE	**ÉRYTHRÉENNE**
SAMARITAINE	AIGUE-MARINE	SUD-CORÉENNE
QUARANTAINE	HÉLIOMARINE	**SUD-CORÉENNE**
PRÉTANTAINE	ALEXANDRINE	MARMORÉENNE
SEPTANTAINE	**ALEXANDRINE**	SOLUTRÉENNE
SOIXANTAINE	GLOBIGÉRINE	ÉCHIQUÉENNE
PRÉTENTAINE	**MITCHOURINE**	**TRÉLAZÉENNE**
COLFONTAINE	COULEUVRINE	COLOMBIENNE
BELFORTAINE	GOMME-RÉSINE	**COLOMBIENNE**
JOLIETTAINE	BLOC-CUISINE	MICROBIENNE
MASKOUTAINE	ÉRYTHROSINE	**NAIROBIENNE**
JAMAÏQUAINE	NAVIRE-USINE	**CHIMACIENNE**
JAMAÏQUAINE	GRÉCO-LATINE	BALZACIENNE
AUTERIVAINE	BÉNÉDICTINE	STYLICIENNE
HÉMOGLOBINE	**BÉNÉDICTINE**	PHÉNICIENNE
		PHÉNICIENNE

CLINICIENNE
ÉBROÏCIENNE
ÉBROÏCIENNE
SULPICIENNE
PATRICIENNE
MAURICIENNE
MAURICIENNE
PHYSICIENNE
PRATICIENNE
TACTICIENNE
VALENCIENNE
CADURCIENNE
CADURCIENNE
BARBADIENNE
CIRCADIENNE
BAGDADIENNE
PALLADIENNE
GRENADIENNE
TRAGÉDIENNE
RACHIDIENNE
EUCLIDIENNE
QUOTIDIENNE
LIQUIDIENNE
DRAVIDIENNE
DRAVIDIENNE
OBWALDIENNE
JOCONDIENNE
SEYNODIENNE
BIZARDIENNE
OXFORDIENNE
ALLAUDIENNE
BARBUDIENNE
BERMUDIENNE
CHÉRIFIENNE
NATOUFIENNE
COLLÉGIENNE
NORVÉGIENNE
NORVÉGIENNE
FÉRINGIENNE
FÉRINGIENNE
LARYNGIENNE
FAVERGIENNE
COCCYGIENNE
UROPYGIENNE
PASCALIENNE
SOCHALIENNE
MAMMALIENNE
NORMALIENNE
SPINALIENNE
SPINALIENNE
BISSALIENNE
CANTALIENNE
CANTALIENNE
ISMAÉLIENNE
ISRAÉLIENNE
ISRAÉLIENNE
MENDÉLIENNE

CORNÉLIENNE
GRYSÉLIENNE
ZWINGLIENNE
ISMAÏLIENNE
BRASILIENNE
BRÉSILIENNE
BRÉSILIENNE
CANTILIENNE
MONTILIENNE
REPTILIENNE
SEPTILIENNE
CORALLIENNE
PUTÉOLIENNE
MONGOLIENNE
GERGOLIENNE
SPINOLIENNE
VERNOLIENNE
BRETOLIENNE
KABOULIENNE
CONDYLIENNE
GRÉSYLIENNE
NÉODOMIENNE
VULCANIENNE
RHODANIENNE
RHODANIENNE
JORDANIENNE
JORDANIENNE
TASMANIENNE
CAMPANIENNE
TOURANIENNE
TOURANIENNE
LITUANIENNE
LITUANIENNE
TANZANIENNE
TANZANIENNE
QUITÉNIENNE
UKRAINIENNE
UKRAINIENNE
STALINIENNE
FELLINIENNE
PAULINIENNE
CARPINIENNE
DARWINIENNE
FRAXINIENNE
CÉZANNIENNE
ESSONNIENNE
DRACONIENNE
LONDONIENNE
LONDONIENNE
ÉVAHONIENNE
CHTHONIENNE
DALTONIENNE
BOSTONIENNE
NEWTONIENNE
AMAZONIENNE
AMAZONIENNE
SATURNIENNE

BALBYNIENNE
HERCYNIENNE
IROQUOIENNE
ÉTHIOPIENNE
ÉTHIOPIENNE
EUSKARIENNE
EUSKARIENNE
COLMARIENNE
ESTUARIENNE
SUBAÉRIENNE
THIBÉRIENNE
CERBÉRIENNE
LUTHÉRIENNE
EUSKÉRIENNE
EUSKÉRIENNE
HITLÉRIENNE
BACTÉRIENNE
ZOSTÉRIENNE
GRUYÉRIENNE
NAZAIRIENNE
ISSOIRIENNE
VALDORIENNE
GRÉGORIENNE
MELGORIENNE
LARMORIENNE
VICTORIENNE
PRÉTORIENNE
PASTORIENNE
NESTORIENNE
HISTORIENNE
ÉPICURIENNE
HONDURIENNE
HONDURIENNE
TELLURIENNE
LIMOURIENNE
HANOVRIENNE
ZÉPHYRIENNE
CORBASIENNE
CAUCASIENNE
CAUCASIENNE
VESPASIENNE
GÉODÉSIENNE
ORCHÉSIENNE
TAULÉSIENNE
MAGNÉSIENNE
THONÉSIENNE
HARNÉSIENNE
KEYNÉSIENNE
GASPÉSIENNE
ANDRÉSIENNE
ARDRÉSIENNE
CARTÉSIENNE
FERTÉSIENNE
THIAISIENNE
CALAISIENNE
FALAISIENNE
MALAISIENNE

PALAISIENNE	LOUISE-BONNE	ŒILLETONNÉ
DENAISIENNE	CAPARAÇONNÉ	GUEULETONNÉ
DOUAISIENNE	BRABANÇONNÉ	**SIERRA LEONE**
BAVAISIENNE	**BRABANÇONNE**	HENDÉCAGONE
WALLISIENNE	CHARANÇONNÉ	FRANCOPHONE
WALLISIENNE	INSOUPÇONNÉ	CRÉOLOPHONE
SENLISIENNE	DÉSAMIDONNÉ	**CASTIGLIONE**
CLUNISIENNE	SAUVAGEONNE	ANTICYCLONE
AMBOISIENNE	ÉBOURGEONNÉ	ALDOSTÉRONE
ARBOISIENNE	DÉCHIFFONNÉ	**LIVINGSTONE**
SAVOISIENNE	**BELLACHONNE**	**SILVERSTONE**
SAVOISIENNE	BERRICHONNE	**YELLOWSTONE**
PHARISIENNE	**BERRICHONNE**	**BRY-SUR-MARNE**
AMBROSIENNE	PROVISIONNÉ	POSTMODERNE
PERROSIENNE	DIMENSIONNÉ	**TISSAPHERNE**
GISORSIENNE	EXCURSIONNÉ	POISSON-LUNE
JOCASSIENNE	DÉPASSIONNÉ	INOPPORTUNE
JURASSIENNE	DÉMISSIONNÉ	CULS-DE-LAMPE
JURASSIENNE	CONTUSIONNÉ	FLACON-POMPE
GONESSIENNE	COLLATIONNÉ	PSYCHOPOMPE
FRÉJUSIENNE	AFFECTIONNÉ	BATEAU-POMPE
CHALUSIENNE	SÉLECTIONNÉ	CINÉMASCOPE
CAYLUSIENNE	CONDITIONNÉ	STROBOSCOPE
VERTUSIENNE	INTENTIONNÉ	STÉRÉOSCOPE
ABRAYSIENNE	ATTENTIONNÉ	STÉTHOSCOPE
BRUAYSIENNE	COMMOTIONNÉ	THERMOSCOPE
DIONYSIENNE	RÉCEPTIONNÉ	**FUTUROSCOPE**
DIONYSIENNE	DÉBÂILLONNÉ	NÉGATOSCOPE
DÉODATIENNE	TARDILLONNÉ	KINÉTOSCOPE
DALMATIENNE	RÉVEILLONNÉ	AMBLYOSCOPE
PORT-ÉTIENNE	BOUGILLONNE	MARIE-SALOPE
KOWEÏTIENNE	VERMILLONNÉ	LYCANTHROPE
KOWEÏTIENNE	ÉMERILLONNÉ	SINANTHROPE
KITTITIENNE	NÉGRILLONNE	MISANTHROPE
PROUSTIENNE	TOURILLONNÉ	GONADOTROPE
MICOQUIENNE	**GRÉSILLONNE**	THYRÉOTROPE
VERTAVIENNE	POSTILLONNÉ	PSYCHOTROPE
LESNEVIENNE	AIGUILLONNÉ	SOMATOTROPE
HAUTE-VIENNE	BROUILLONNE	REQUIN-TAUPE
MALDIVIENNE	BROUILLONNÉ	ENTOURLOUPE
CRACOVIENNE	GRAVILLONNÉ	INTERGROUPE
PAVLOVIENNE	DEMI-COLONNE	GALVANOTYPE
MONROVIENNE	PETS-DE-NONNE	**SHAKESPEARE**
VARSOVIENNE	**HESBIGNONNE**	COUPE-CIGARE
VARSOVIENNE	MAQUIGNONNÉ	PORTE-CIGARE
ELBEUVIENNE	BEAUCERONNE	BATEAU-PHARE
ORTHÉZIENNE	**BEAUCERONNE**	**GUETHARIARE**
TROPÉZIENNE	PERCHERONNE	SOUS-DÉCLARÉ
CORRÉZIENNE	**PERCHERONNE**	OVOVIVIPARE
CORRÉZIENNE	MOUCHERONNE	**SAINT-LAZARE**
IMPARIPENNÉ	QUARTERONNE	CHLOROFIBRE
HIMALAYENNE	**SAULXURONNE**	SOUS-CALIBRÉ
URUGUAYENNE	DÉCLOISONNÉ	**FRANCE LIBRE**
URUGUAYENNE	**CARCASSONNE**	RÉÉQUILIBRÉ
CHAMBLYENNE	MOLLASSONNE	ANTICHAMBRE
INDO-ARYENNE	SAUCISSONNÉ	DÉSENCOMBRÉ
PONTIVYENNE	EMPOISSONNÉ	ARCHIDIACRE

PAIN DE SUCRE
ACCORD-CADRE
ANAXIMANDRE
PALISSANDRE
REDESCENDRE
SCOLOPENDRE
RÉAPPRENDRE
CONTRAINDRE
RESTREINDRE
PÉRICHONDRE
PRÊT-À-COUDRE
WAGON-FOUDRE
COTON-POUDRE
RÉINCARCÉRÉ
DÉBARCADÈRE
EMBARCADÈRE
DÉCONSIDÉRÉ
RECONSIDÉRÉ
INCONSIDÉRÉ
FOSSILIFÈRE
CORALLIFÈRE
MÉTALLIFÈRE
OMBELLIFÈRE
PÉTROLIFÈRE
LITHINIFÈRE
STAMINIFÈRE
PLATINIFÈRE
CARBONIFÈRE
STOLONIFÈRE
NECTARIFÈRE
ARGENTIFÈRE
QUARTZIFÈRE
ULTRALÉGÈRE
POTAMOCHÈRE
PLANISPHÈRE
LITHOSPHÈRE
OZONOSPHÈRE
TROPOSPHÈRE
HYDROSPHÈRE
PHOTOSPHÈRE
VALLORBIÈRE
POPULACIÈRE
LAMORICIÈRE
NOURRICIÈRE
OUTRANCIÈRE
TRÉFONCIÈRE
LIMONADIÈRE
JOURNALIÈRE
FRONTALIÈRE
CHANCELIÈRE
BOURRELIÈRE
IMMOBILIÈRE
SOURCILIÈRE
FOURMILIÈRE
COURTILIÈRE
DENTELLIÈRE
LARGILLIÈRE

SERPILLIÈRE
LA VRILLIÈRE
COQUILLIÈRE
ÉPISTOLIÈRE
IRRÉGULIÈRE
BANDOULIÈRE
PRINTANIÈRE
CARAVANIÈRE
MAGASINIÈRE
POUSSINIÈRE
BONBONNIÈRE
BRACONNIÈRE
GARÇONNIÈRE
AMIDONNIÈRE
CORDONNIÈRE
GOUJONNIÈRE
SABLONNIÈRE
POUPONNIÈRE
FERRONNIÈRE
SAISONNIÈRE
PRISONNIÈRE
BESSONNIÈRE
PIÉTONNIÈRE
CANTONNIÈRE
MENTONNIÈRE
CARTONNIÈRE
BOUTONNIÈRE
MOUTONNIÈRE
COÉQUIPIÈRE
PAR-DERRIÈRE
SALPÊTRIÈRE
AVENTURIÈRE
TEINTURIÈRE
TRAVERSIÈRE
TRACASSIÈRE
AVOCASSIÈRE
PLUMASSIÈRE
CARNASSIÈRE
DÉPOUSSIÉRÉ
EMPOUSSIÉRÉ
LA POCATIÈRE
ANTIMATIÈRE
GUICHETIÈRE
CHAÎNETIÈRE
GRAINETIÈRE
CANEPETIÈRE
CABARETIÈRE
CHARRETIÈRE
BOUQUETIÈRE
COHÉRITIÈRE
LARGENTIÈRE
ANECDOTIÈRE
BISTROTIÈRE
BALLASTIÈRE
REGRATTIÈRE
CONDOTTIERE
CACHOTTIÈRE

CHARCUTIÈRE
LABRUGUIÈRE
BOUTIQUIÈRE
CRÉMAILLÈRE
CONSEILLÈRE
RABOUILLÈRE
GENOUILLÈRE
BRANCHE-MÈRE
ÉNANTIOMÈRE
MILLIAMPÈRE
CACHE-MISÈRE
HÉLICOPTÈRE
LÉPIDOPTÈRE
TRICHOPTÈRE
MÉGALOPTÈRE
PHASMOPTÈRE
PERCNOPTÈRE
BALÉNOPTÈRE
HYMÉNOPTÈRE
HÉTÉROPTÈRE
CHÉIROPTÈRE
DICTYOPTÈRE
FAMILISTÈRE
PHALANSTÈRE
DELLA ROVERE
PORTO ALEGRE
TÊTE-DE-NÈGRE
ŒIL-DE-TIGRE
APOTHICAIRE
UNILINÉAIRE
CONTREFAIRE
SAVOIR-FAIRE
SUBSIDIAIRE
INCENDIAIRE
CONCILIAIRE
VENDÉMIAIRE
FERROVIAIRE
RADICALAIRE
ATRABILAIRE
PARCELLAIRE
FLAGELLAIRE
SCUTELLAIRE
FIBRILLAIRE
FRITILLAIRE
PRÉSCOLAIRE
CALCÉOLAIRE
MALLÉOLAIRE
ÉQUIMOLAIRE
SEMI-POLAIRE
LUNI-SOLAIRE
ÉPISTOLAIRE
VOCABULAIRE
PATIBULAIRE
MOLÉCULAIRE
ORBICULAIRE
RADICULAIRE
PÉDICULAIRE

VÉHICULAIRE
CANICULAIRE
FUNICULAIRE
UTRICULAIRE
AURICULAIRE
VÉSICULAIRE
RÉTICULAIRE
ARTICULAIRE
TRONCULAIRE
AVUNCULAIRE
BINOCULAIRE
MONOCULAIRE
OPERCULAIRE
GLANDULAIRE
SCROFULAIRE
SPERGULAIRE
IMPOPULAIRE
CAPITULAIRE
INTÉRIMAIRE
MEMBRANAIRE
NONAGÉNAIRE
SEXAGÉNAIRE
OCTOGÉNAIRE
BICATÉNAIRE
TRENTENAIRE
APOLLINAIRE
VÉTÉRINAIRE
DOCTRINAIRE
POITRINAIRE
SANGUINAIRE
LÉGIONNAIRE
LÉSIONNAIRE
VISIONNAIRE
RATIONNAIRE
ACTIONNAIRE
SERMONNAIRE
QUATERNAIRE
SEMI-LUNAIRE
ANTHOZOAIRE
HYDROZOAIRE
SPOROZOAIRE
PROTOZOAIRE
PHYTOZOAIRE
BEAUREPAIRE
STERCORAIRE
REGISTRAIRE
INDIVISAIRE
DISPENSAIRE
COMMISSAIRE
APOPHYSAIRE
CÉLIBATAIRE
ABDICATAIRE
DÉDICATAIRE
ALLOCATAIRE
COLOCATAIRE
DÉLÉGATAIRE
COLÉGATAIRE

OBLIGATAIRE
AMODIATAIRE
CODONATAIRE
PRESTATAIRE
RÉFRACTAIRE
FORFAITAIRE
CAPACITAIRE
DÉFICITAIRE
HÉRÉDITAIRE
VELLÉITAIRE
TOTALITAIRE
HUMANITAIRE
IMMUNITAIRE
PRIORITAIRE
MAJORITAIRE
MINORITAIRE
AUTORITAIRE
SÉCURITAIRE
PARASITAIRE
TRANSITAIRE
DÉPOSITAIRE
IDENTITAIRE
DIAMANTAIRE
PLACENTAIRE
ÉLÉMENTAIRE
SEGMENTAIRE
PIGMENTAIRE
ALIMENTAIRE
COMMENTAIRE
FRUMENTAIRE
SERPENTAIRE
ALLOCUTAIRE
GONOCYTAIRE
MACROCHEIRE
PATAUGEOIRE
SAINT-JEOIRE
AIDE-MÉMOIRE
POINTE-NOIRE
ELSTER NOIRE
POSSESSOIRE
COMMISSOIRE
VÉSICATOIRE
RÉVOCATOIRE
INVOCATOIRE
OBLIGATOIRE
ABROGATOIRE
DÉROGATOIRE
JUBILATOIRE
DÉPILATOIRE
AMBULATOIRE
JACULATOIRE
ONDULATOIRE
ESTIMATOIRE
DIVINATOIRE
USURPATOIRE
LIBÉRATOIRE
ASPIRATOIRE

EXPIRATOIRE
LABORATOIRE
ACCUSATOIRE
TRAJECTOIRE
SUPPLÉTOIRE
DÉFINITOIRE
TRANSITOIRE
PROMONTOIRE
PÉREMPTOIRE
PRÉHISTOIRE
CONSISTOIRE
RÉSOLUTOIRE
CÔTE D'IVOIRE
SURPRODUIRE
TERPSICHORE
TROCHOPHORE
ONYCHOPHORE
LUMINOPHORE
POGONOPHORE
DÉPHOSPHORÉ
TUBULIFLORE
VERSICOLORE
MULTICOLORE
SAINT-HONORÉ
SAINT-HONORÉ
INFRASONORE
ULTRASONORE
RÉINCORPORÉ
ENTRE-DÉVORÉ
NECTARIVORE
INSECTIVORE
BUDGÉTIVORE
DÉTRITIVORE
INTERROMPRE
ULTRAPROPRE
AMOUR-PROPRE
CONTRECARRÉ
LANCE-AMARRE
PORTE-AMARRE
LANCE-PIERRE
PERCE-PIERRE
CASSE-PIERRE
ROBESPIERRE
PETITPIERRE
SAINT-PIERRE
SAINT-PIERRE
TERRE À TERRE
GRANDE-TERRE
VA-T-EN-GUERRE
APRÈS-GUERRE
AVANT-GUERRE
ESSUIE-VERRE
PETIT-BEURRE
CAFÉ-THÉÂTRE
PLACOPLÂTRE
TROIS-QUATRE
VINGT-QUATRE

AMPÈREMÈTRE	POSTÉRIEURE	MOTOCULTURE
CAPACIMÈTRE	**ASIE MINEURE**	POLYCULTURE
VÉLOCIMÈTRE	**PACY-SUR-EURE**	PAREMENTURE
HUMIDIMÈTRE	POLYSULFURE	**BONAVENTURE**
ALCALIMÈTRE	TRANSFIGURÉ	MÉSAVENTURE
POLARIMÈTRE	EFFILOCHURE	RÉOUVERTURE
CALORIMÈTRE	GUILLOCHURE	LINOGRAVURE
COLORIMÈTRE	ENFOURCHURE	PYROGRAVURE
ABRASIMÈTRE	ANTIMONIURE	ROTOGRAVURE
TACHÉOMÈTRE	ENCASTELURE	BEC-DE-LIÈVRE
TENSIOMÈTRE	PEINTURLURÉ	**MONTGENÈVRE**
FLUVIOMÈTRE	VERMICULURE	COUVRE-LIVRE
PLUVIOMÈTRE	ÉGRATIGNURE	SAVOIR-VIVRE
ÉTHYLOMÈTRE	**SAMORY TOURÉ**	CHEF-D'ŒUVRE
DYNAMOMÈTRE	OXYCHLORURE	MAIN-D'ŒUVRE
CINÉMOMÈTRE	REMBOURRURE	HORS-D'ŒUVRE
STIGMOMÈTRE	AUTOCENSURE	LAMPROPHYRE
THERMOMÈTRE	AUTOCENSURÉ	**PAS DE LA CASE**
CHRONOMÈTRE	MATELASSURE	ATTACHÉ-CASE
CHRONOMÉTRÉ	NOIRCISSURE	ASCARIDIASE
SPHÉROMÈTRE	BOUFFISSURE	PLAGIOCLASE
BUTYROMÈTRE	FLÉTRISSURE	CARBOXYLASE
DILATOMÈTRE	BLETTISSURE	TRANSFÉRASE
ODONTOMÈTRE	CANDIDATURE	CHRYSOPRASE
GRISOUMÈTRE	ALCOOLATURE	PHOSPHATASE
ARCHIPRÊTRE	LÉGISLATURE	BIOSYNTHÈSE
PETIT-MAÎTRE	MUSCULATURE	LEUCOPOÏÈSE
MÉCONNAÎTRE	SPORT-NATURE	GLYCOGENÈSE
RECONNAÎTRE	TEMPÉRATURE	OSTÉOGENÈSE
COMPARAÎTRE	LITTÉRATURE	PATHOGENÈSE
DISPARAÎTRE	BIENFACTURE	ORTHOGENÈSE
DEVISE-TITRE	MANUFACTURE	SOCIOGENÈSE
OUVRE-HUÎTRE	MANUFACTURÉ	PHYLOGENÈSE
ULTRAFILTRE	CONTRACTURE	ETHNOGENÈSE
DÉCONCENTRÉ	CONTRACTURÉ	ANDROGENÈSE
ORTHOCENTRE	CONJONCTURE	PÉTROGENÈSE
AVANT-CENTRE	ACUPONCTURE	PHOTOGENÈSE
HAUTE-CONTRE	ACUPUNCTURE	HISTOGENÈSE
PORTE-MONTRE	DÉSTRUCTURÉ	CARYOCINÈSE
CATADIOPTRE	RESTRUCTURÉ	**PÉLOPONNÈSE**
RÉORCHESTRÉ	RENTRAITURE	CYTAPHÉRÈSE
VAGUEMESTRE	PORTRAITURÉ	PARACENTÈSE
BOURGMESTRE	DÉCONFITURE	**PISCIACAISE**
TÉNUIROSTRE	PROGÉNITURE	**BLAGNACAISE**
CARTE-LETTRE	DÉVESTITURE	**FLOIRACAISE**
ENTREMETTRE	INVESTITURE	**CROISICAISE**
TRANSMETTRE	AQUACULTURE	**LAFRANÇAISE**
STYLO-FEUTRE	OLÉICULTURE	**COUTANÇAISE**
TÊTE-DE-MAURE	SALICULTURE	BANGLADAISE
SAINTE-MAURE	CUNICULTURE	**BANGLADAISE**
SAINTE-MAURE	AGRICULTURE	**FRONSADAISE**
PLÉSIOSAURE	VITICULTURE	**CAUSSADAISE**
ANKYLOSAURE	AQUICULTURE	HOLLANDAISE
BRONTOSAURE	RIZICULTURE	**HOLLANDAISE**
ICHTYOSAURE	ALGOCULTURE	FINLANDAISE
ARCY-SUR-CURE	HÉMOCULTURE	**FINLANDAISE**
ESTRÉMADURE	MONOCULTURE	**MARMANDAISE**

GUÉRANDAISE	CRAPONNAISE	COMMUNALISÉ
AIRVAUDAISE	GLARONNAISE	DÉSACRALISÉ
MOISSAGAISE	VOIRONNAISE	THÉÂTRALISÉ
SRI LANKAISE	GORRONNAISE	HOSPITALISÉ
SRI LANKAISE	COURONNAISE	IMMORTALISÉ
NEW-YORKAISE	MAISONNAISE	RÉACTUALISÉ
NEW-YORKAISE	VAISONNAISE	DÉSEXUALISÉ
MIREBALAISE	HIRSONNAISE	FLEURDELISÉ
SÉNÉGALAISE	CESSONNAISE	SOCIABILISÉ
SÉNÉGALAISE	MENTONNAISE	CULPABILISÉ
CINGHALAISE	BETTONNAISE	RENTABILISÉ
CINGHALAISE	CROZONNAISE	DÉSTABILISÉ
SAINT-BLAISE	MOUZONNAISE	CRÉDIBILISÉ
PORT-VILAISE	SALOMONAISE	SENSIBILISÉ
LAMBALLAISE	TOURNONAISE	FLEXIBILISÉ
BAZEILLAISE	GABORONAISE	INFANTILISÉ
QUEVILLAISE	AUDIERNAISE	SOUS-UTILISÉ
CHAROLLAISE	LIBOURNAISE	CRISTALLISÉ
VITROLLAISE	THOUARSAISE	DÉSATELLISÉ
GRISOLLAISE	BOUSCATAISE	RETRANSMISE
BALNÉOLAISE	SAILLATAISE	AMÉRICANISÉ
BEAUJOLAISE	ÉTRETATAISE	EUROPÉANISÉ
BRIGNOLAISE	HERBRETAISE	DÉSORGANISÉ
PAIMPOLAISE	HÉRAULTAISE	DÉSHUMANISÉ
BOUZOULAISE	LORIENTAISE	CHAMPAGNISÉ
SURINAMAISE	CHARENTAISE	DÉVIRGINISÉ
BRANTÔMAISE	CHARENTAISE	DÉSTALINISÉ
STÉPHANAISE	PIÉMONTAISE	MASCULINISÉ
ABIDJANAISE	PIÉMONTAISE	SYNCHRONISÉ
CONFLANAISE	CAMARGUAISE	IMPATRONISÉ
MAILLANAISE	CAMARGUAISE	CANDIACOISE
QUILLANAISE	MARCHANDISE	GIBRIAÇOISE
LÉOGNANAISE	GOURMANDISE	MAURIAÇOISE
TOURNANAISE	STANDARDISÉ	MASSIACOISE
TÉHÉRANAISE	CLOCHARDISE	GAILLACOISE
BHOUTANAISE	ROUBLARDISE	CHARNYCOISE
BOTSWANAISE	PAPELARDISE	LANGEADOISE
MORTAGNAISE	GAILLARDISE	BELGRADOISE
HOURTINAISE	PAILLARDISE	BENFELDOISE
GARDANNAISE	FLEMMARDISE	VILLARDOISE
LOUHANNAISE	HOMOGÉNÉISÉ	LÉONARDOISE
ÉCOUENNAISE	HIÉRARCHISÉ	GRIMAUDOISE
CARBONNAISE	CANNIBALISÉ	VILLAGEOISE
NARBONNAISE	RADIOBALISE	BOULAGEOISE
LISBONNAISE	RADIOBALISÉ	JUMIÉGEOISE
LISBONNAISE	SYNDICALISÉ	BESSÉGEOISE
EAUBONNAISE	TROPICALISÉ	HAYANGEOISE
MEUDONNAISE	DÉFISCALISÉ	AUDENGEOISE
LUCHONNAISE	OFFICIALISÉ	CAROUGEOISE
DIVIONNAISE	DÉSOCIALISÉ	BULLYGEOISE
SAUJONNAISE	RESOCIALISÉ	MONTARGOISE
CHALONNAISE	MATÉRIALISÉ	FORBACHOISE
VALLONNAISE	MARGINALISÉ	EUSTACHOISE
BOULONNAISE	CRIMINALISÉ	SENONCHOISE
BOULONNAISE	RÉGIONALISÉ	MARLYCHOISE
TOULONNAISE	NATIONALISÉ	SCHILIKOISE
VERNONNAISE	RATIONALISÉ	RIMOUSKOISE

ROLIVALOISE	DUCLAIROISE	ASCARIDIOSE
GRENOBLOISE	TONNERROISE	BILHARZIOSE
RAPHAËLOISE	MÉRY-SUR-OISE	FURONCULOSE
SARCELLOISE	VIHIERSOISE	TUBERCULOSE
AUCHELLOISE	CERGYSSOISE	STRONGYLOSE
CORMELLOISE	VICHYSSOISE	HYPODERMOSE
CROTELLOISE	VICHYSSOISE	ACROCYANOSE
VITTELLOISE	BÉNODETOISE	ANTHRACNOSE
COQUELLOISE	SEINE-ET-OISE	COLLAGÉNOSE
BRUXELLOISE	CAMARÉTOISE	TRANSGÉNOSE
BRUXELLOISE	JEUMONTOISE	HALLUCINOSE
CHAZELLOISE	PORCARTOISE	AVITAMINOSE
CHAVILLOISE	DESCARTOISE	HYDARTHROSE
FRIVILLOISE	CLAMARTOISE	HÉMARTHROSE
JARVILLOISE	LAMBERTOISE	SYNARTHROSE
NEUVILLOISE	ROCHETTOISE	COXARTHROSE
DOMBASLOISE	CLAYETTOISE	OSTÉOPOROSE
ARBRESLOISE	DOMINGUOISE	LAURIER-ROSE
STÉPHANOISE	HUNINGUOISE	ANGIOMATOSE
STÉPHANOISE	ISBERGUOISE	MYÉLOMATOSE
CHAMPENOISE	RELECQUOISE	FIBROMATOSE
CHAMPENOISE	CHIROQUOISE	DISTOMATOSE
ROSTRENOISE	FAMILIARISÉ	ACIDOCÉTOSE
FONTAINOISE	DÉSCOLARISÉ	PHAGOCYTOSE
DOUVAINOISE	CIRCULARISÉ	MACROCYTOSE
QUERCINOISE	VASCULARISÉ	MICROCYTOSE
QUERCINOISE	SINGULARISÉ	AUTOREVERSE
AMANDINOISE	PROLÉTARISÉ	CONTROVERSE
ERSTEINOISE	SÉDENTARISÉ	CONTROVERSÉ
DAUPHINOISE	CARACTÉRISÉ	CONTREBASSE
DAUPHINOISE	SQUATTÉRISÉ	GARDE-CHASSE
BAS-RHINOISE	VERT-DE-GRISÉ	INTERCLASSE
HERBLINOISE	INFÉRIORISÉ	INTERCLASSÉ
MADELINOISE	INTÉRIORISÉ	DÉGUEULASSE
KREMLINOISE	EXTÉRIORISÉ	DÉCADENASSÉ
COGOLINOISE	DÉSECTORISÉ	RAGOUGNASSE
DOUVRINOISE	MINIATURISÉ	CONTRE-PASSÉ
HALLUINOISE	ÉLIE D'ASSISE	DÉSENCRASSÉ
CHAUVINOISE	DÉDRAMATISÉ	GENTILLESSE
LAUSANNOISE	MATHÉMATISÉ	CHANTEMESSE
VINCENNOISE	SYSTÉMATISÉ	LONGUENESSE
LUCIENNOISE	ACHROMATISÉ	CHANOINESSE
CONCARNOISE	INFORMATISÉ	PATRONNESSE
BRAY-DUNOISE	DÉMOCRATISÉ	À LA REDRESSE
QUERCYNOISE	ALPHABÉTISÉ	BAILLERESSE
QUERCYNOISE	DÉBUDGÉTISÉ	DEVINERESSE
BLANZYNOISE	DÉMAGNÉTISÉ	CHASSERESSE
AUDOMAROISE	FAINÉANTISE	TRANSGRESSÉ
AUDOMAROISE	MARIE-LOUISE	DÉCOMPRESSÉ
ENTRECROISÉ	MARIE-LOUISE	DÉLICATESSE
SOMMIÉROISE	ADJECTIVISÉ	PROPHÉTESSE
BONNIÉROISE	CONTREDANSE	IMPOLITESSE
CARRIÉROISE	AUTODÉFENSE	SOT-L'Y-LAISSE
FERRIÉROISE	PRÉPSYCHOSE	TCHÉRÉMISSE
ROSEMÈROISE	ANAMORPHOSE	CHAUDE-PISSE
QUIMPÉROISE	DYSMORPHOSE	ENTRECUISSE
CANAVÉROISE	ANAÉROBIOSE	PETIT-SUISSE

OPHIOGLOSSE	RIMAILLEUSE	MOUTONNEUSE
BALAI-BROSSE	PINAILLEUSE	CRAYONNEUSE
TAPIS-BROSSE	RIPAILLEUSE	FLAGORNEUSE
BISCARROSSE	EMPAILLEUSE	KIDNAPPEUSE
VRAIE-FAUSSE	CORAILLEUSE	ACCAPAREUSE
CYCLO-POUSSE	BATAILLEUSE	MASSACREUSE
TAXI-BROUSSE	GOUAILLEUSE	FILANDREUSE
BARBEROUSSE	MORBILLEUSE	CYLINDREUSE
AYANTS CAUSE	GASPILLEUSE	CADAVÉREUSE
STRATOPAUSE	TOUPILLEUSE	PELLAGREUSE
QUÉMANDEUSE	BOUSILLEUSE	SOUS-VIREUSE
DESCENDEUSE	PASTILLEUSE	STERTOREUSE
CHAPARDEUSE	MAQUILLEUSE	DÉSASTREUSE
ESBROUFEUSE	ROUGEOLEUSE	MALHEUREUSE
MARÉCAGEUSE	BATIFOLEUSE	CHALEUREUSE
DÉMÉNAGEUSE	VITRIOLEUSE	DISCOUREUSE
MOYENÂGEUSE	MONOPOLEUSE	LANGOUREUSE
NAUFRAGEUSE	CONTRÔLEUSE	DOULOUREUSE
VENDANGEUSE	SOUS-SOLEUSE	PLANTUREUSE
DÉFRICHEUSE	MIRACULEUSE	AVENTUREUSE
PASTICHEUSE	VÉSICULEUSE	DÉCOUVREUSE
BAMBOCHEUSE	MÉTICULEUSE	MORTAISEUSE
ACCROCHEUSE	STRIDULEUSE	CHAMOISEUSE
DÉCROCHEUSE	GLANDULEUSE	EMBRASSEUSE
DÉMARCHEUSE	FRAUDULEUSE	REDRESSEUSE
ACCOUCHEUSE	SCRUPULEUSE	VERNISSEUSE
RETOUCHEUSE	DÉCHAUMEUSE	GUÉRISSEUSE
FALLACIEUSE	MEMBRANEUSE	PÉTRISSEUSE
PERNICIEUSE	GANGRENEUSE	SAURISSEUSE
SUSPICIEUSE	MONTAGNEUSE	SERTISSEUSE
AVARICIEUSE	DÉDAIGNEUSE	ŒDÉMATEUSE
CAPRICIEUSE	MIGRAINEUSE	ECZÉMATEUSE
LICENCIEUSE	ENTRAÎNEUSE	ROUSPÉTEUSE
SILENCIEUSE	LIBIDINEUSE	ÉTIQUETEUSE
INSOUCIEUSE	OLÉAGINEUSE	GRAFFITEUSE
FASTIDIEUSE	RUBIGINEUSE	CHICHITEUSE
RECTIFIEUSE	FULIGINEUSE	GRAPHITEUSE
CONTAGIEUSE	FARAMINEUSE	CALAMITEUSE
PRODIGIEUSE	LÉGUMINEUSE	DYNAMITEUSE
ARELIGIEUSE	ENLUMINEUSE	EXPLOITEUSE
CALOMNIEUSE	VOLUMINEUSE	BROCANTEUSE
INSOMNIEUSE	CÉRUMINEUSE	SARMENTEUSE
HARMONIEUSE	BITUMINEUSE	EMPRUNTEUSE
MYSTÉRIEUSE	GÉLATINEUSE	CHUCHOTEUSE
VICTORIEUSE	BARATINEUSE	COMPLOTEUSE
INFECTIEUSE	BOUQUINEUSE	ESCAMOTEUSE
OBSÉQUIEUSE	RANÇONNEUSE	GRIGNOTEUSE
SCANDALEUSE	FLOCONNEUSE	COLPORTEUSE
SCRABBLEUSE	RANDONNEUSE	RAPPORTEUSE
ASSEMBLEUSE	BOUGONNEUSE	RACKETTEUSE
PERSIFLEUSE	VISIONNEUSE	BASKETTEUSE
ÉTRANGLEUSE	SABLONNEUSE	PROMETTEUSE
RENTOILEUSE	SERMONNEUSE	RAQUETTEUSE
QUERELLEUSE	TAMPONNEUSE	BOYCOTTEUSE
ROCAILLEUSE	RAISONNEUSE	GRISOUTEUSE
CRIAILLEUSE	CARTONNEUSE	HARANGUEUSE
VOLAILLEUSE	BOUTONNEUSE	MATRAQUEUSE

BELLIQUEUSE	COPROPRIÉTÉ	HÉTÉROCLITE
CRITIQUEUSE	RIVERAINETÉ	PROBABILITÉ
DÉMARQUEUSE	SUZERAINETÉ	TRAÇABILITÉ
REMORQUEUSE	CITOYENNETÉ	SOUDABILITÉ
VERRUQUEUSE	MITOYENNETÉ	SOCIABILITÉ
MONSTRUEUSE	GROSSIÈRETÉ	MANIABILITÉ
DÉFECTUEUSE	MALPROPRETÉ	VARIABILITÉ
AFFECTUEUSE	OPINIÂTRETÉ	COULABILITÉ
DÉLICTUEUSE	GRACIEUSETÉ	USINABILITÉ
TEMPÉTUEUSE	IMMÉDIATETÉ	CULPABILITÉ
SPIRITUEUSE	CONTREFAITE	OUVRABILITÉ
TUMULTUEUSE	PRÉRETRAITE	FAISABILITÉ
TALENTUEUSE	PRÉRETRAITÉ	RENTABILITÉ
VOLUPTUEUSE	SURCAPACITÉ	PORTABILITÉ
INCESTUEUSE	APPENDICITE	INSTABILITÉ
MAJESTUEUSE	PÉRIODICITÉ	IMMUABILITÉ
ENJOLIVEUSE	SPÉCIFICITÉ	SOLVABILITÉ
REMBLAYEUSE	CATHOLICITÉ	MISCIBILITÉ
POURVOYEUSE	HISTORICITÉ	CRÉDIBILITÉ
TÉLÉDIFFUSÉ	ÉLECTRICITÉ	ÉLIGIBILITÉ
SCHAFFHOUSE	HERMÉTICITÉ	EXIGIBILITÉ
MICKEY MOUSE	DOMESTICITÉ	TANGIBILITÉ
HÉMODIALYSE	ANALYTICITÉ	SENSIBILITÉ
AUTOANALYSE	RÉCIPROCITÉ	CESSIBILITÉ
THROMBOLYSE	INTRÉPIDITÉ	POSSIBILITÉ
FIBRINOLYSE	INFÉCONDITÉ	AMOVIBILITÉ
ÉLECTROLYSE	INCOMMODITÉ	FLEXIBILITÉ
ÉLECTROLYSÉ	PÉRICARDITE	VERSATILITÉ
THIOSULFATE	ENDOCARDITE	INFERTILITÉ
DÉPHOSPHATÉ	SPONTANÉITÉ	CRISTALLITE
ANTIMONIATE	HOMOGÉNÉITÉ	IMBÉCILLITÉ
MANDIBULATE	HYPOSULFITE	AMPHIBOLITE
BICARBONATE	ŒSOPHAGITE	RECTO-COLITE
BICARBONATÉ	LYMPHANGITE	COSMOPOLITE
SERBO-CROATE	**HEPPLEWHITE**	MÉTROPOLITE
PHYSIOCRATE	VERTICALITÉ	FOLLICULITE
PHALLOCRATE	PRODIGALITÉ	INCRÉDULITÉ
TECHNOCRATE	ENCÉPHALITE	LONGANIMITÉ
ARISTOCRATE	DOMANIALITÉ	MAGNANIMITÉ
PLOUTOCRATE	MATÉRIALITÉ	ÉPIDIDYMITE
BUREAUCRATE	COMITIALITÉ	HIÉRONYMITE
CHÉLICÉRATE	ORIGINALITÉ	SILLIMANITE
PERCHLORATE	MARGINALITÉ	MOLYBDÉNITE
AUTODIDACTE	CRIMINALITÉ	MASCULINITÉ
DÉCONTRACTÉ	NATIONALITÉ	VALENTINITE
INDISTINCTE	RATIONALITÉ	RÉUNIONNITE
ANALPHABÈTE	CÉRÉBRALITÉ	SMITHSONITE
DISCOMYCÈTE	LITTÉRALITÉ	COPATERNITÉ
PHYCOMYCÈTE	INTÉGRALITÉ	IMPORTUNITÉ
SIPHOMYCÈTE	TEMPORALITÉ	OPPORTUNITÉ
SEPTOMYCÈTE	THÉÂTRALITÉ	SUREXPLOITÉ
TROUBLE-FÊTE	HOSPITALITÉ	FAMILIARITÉ
SOUS-PRÉFÈTE	IMMORTALITÉ	CAPILLARITÉ
THESMOTHÈTE	INACTUALITÉ	CAPILLARITÉ
MONT-DE-PIÉTÉ	PONCTUALITÉ	PUPILLARITÉ
CONTRARIÉTÉ	ÉVENTUALITÉ	RADIOLARITE
IMPROPRIÉTÉ	BISEXUALITÉ	EXEMPLARITÉ

CIRCULARITÉ
SINGULARITÉ
GEMMIPARITÉ
MULTIPARITÉ
LITTÉRARITÉ
SÉDENTARITÉ
INSALUBRITÉ
HÉMATOCRITE
NON-INSCRITE
ALEXANDRITE
INSINCÉRITÉ
ÉPISCLÉRITE
CASSITÉRITE
PHOSPHORITE
INFÉRIORITÉ
SUPÉRIORITÉ
ANTÉRIORITÉ
INTÉRIORITÉ
EXTÉRIORITÉ
ENDOMÉTRITE
PRÉMATURITÉ
POLYNÉVRITE
VERRUCOSITÉ
RELIGIOSITÉ
SPONGIOSITÉ
INGÉNIOSITÉ
INCURIOSITÉ
DANGEROSITÉ
SCHISTOSITÉ
IMPÉTUOSITÉ
SOMPTUOSITÉ
MONOPHYSITE
PANCRÉATITE
PANCLASTITE
SURDI-MUTITÉ
PROMISCUITÉ
SURPRODUITE
SUPERFLUITÉ
INCONGRUITÉ
IMPULSIVITÉ
EXPANSIVITÉ
RÉCURSIVITÉ
RÉCESSIVITÉ
AGRESSIVITÉ
EXCLUSIVITÉ
COMBATIVITÉ
SICCATIVITÉ
NORMATIVITÉ
CAPTATIVITÉ
NON-ACTIVITÉ
SURACTIVITÉ
AFFECTIVITÉ
EFFECTIVITÉ
OBJECTIVITÉ
SÉLECTIVITÉ
DIRECTIVITÉ
INVENTIVITÉ

RÉCEPTIVITÉ
RÉSISTIVITÉ
RÉFLEXIVITÉ
DÉSHERBANTE
REMPLAÇANTE
CLAUDICANTE
COMMENÇANTE
COMMERÇANTE
PÉTARADANTE
INVALIDANTE
INTIMIDANTE
DESCENDANTE
PRÉTENDANTE
RESCINDANTE
CONFONDANTE
CONTONDANTE
CONCORDANTE
DISCORDANTE
DÉSOXYDANTE
OUTRAGEANTE
ASSIÉGEANTE
AFFLIGEANTE
DÉRANGEANTE
ARRANGEANTE
DÉFATIGANTE
WALLINGANTE
FLAMINGANTE
DESSÉCHANTE
DÉSENCHANTÉ
APPROCHANTE
TRÉBUCHANTE
TRIOMPHANTE
HIÉROPHANTE
INSOUCIANTE
STUPÉFIANTE
LIQUÉFIANTE
ACIDIFIANTE
QUALIFIANTE
AMPLIFIANTE
SIGNIFIANTE
LUBRIFIANTE
TERRIFIANTE
HORRIFIANTE
PÉTRIFIANTE
NITRIFIANTE
GRATIFIANTE
PONTIFIANTE
FORTIFIANTE
MORTIFIANTE
JUSTIFIANTE
MYSTIFIANTE
CONCILIANTE
COMMUNIANTE
AMNISTIANTE
BALBUTIANTE
ASPHYXIANTE
NONCHALANTE

REDOUBLANTE
CHANCELANTE
ÉTINCELANTE
RUISSELANTE
ENSANGLANTÉ
DÉSOPILANTE
DÉFAILLANTE
ASSAILLANTE
DÉTAILLANTE
FRÉTILLANTE
SAUTILLANTE
ÉBOUILLANTÉ
AMOUILLANTE
GROUILLANTE
MIROBOLANTE
FLAGEOLANTE
AFFRIOLANTE
TRANSPLANTÉ
STRIDULANTE
ROUCOULANTE
PERFORMANTE
SURPRENANTE
ENSEIGNANTE
ENTRAÎNANTE
CODOMINANTE
CHAGRINANTE
AVOISINANTE
PIGEONNANTE
FOISONNANTE
GRISONNANTE
MALSONNANTE
BRETONNANTE
GOUVERNANTE
CONSTIPANTE
COOCCUPANTE
ENCOMBRANTE
MASSACRANTE
DÉLIBÉRANTE
INTOLÉRANTE
EXASPÉRANTE
CONQUÉRANTE
DÉFLAGRANTE
ÉDULCORANTE
MALODORANTE
AMÉLIORANTE
DÉCOLORANTE
SUBINTRANTE
DÉTARTRANTE
CONCOURANTE
DÉNATURANTE
MALFAISANTE
ARCHAÏSANTE
DÉPLAISANTE
HÉBRAÏSANTE
FRANCISANTE
ÉNERGISANTE
GAUCHISANTE

PÉNALISANTE	COMBATTANTE	SURÉMINENTE
MORALISANTE	GRELOTTANTE	CONTRE-PENTE
VIRILISANTE	FRISOTTANTE	INAPPARENTE
DYNAMISANTE	DÉPOLLUANTE	INCOHÉRENTE
FÉMINISANTE	TRAFIQUANTE	CONCURRENTE
LATINISANTE	PRATIQUANTE	IMPÉNITENTE
JAPONISANTE	DÉLINQUANTE	OMNIPOTENTE
CURARISANTE	TONITRUANTE	TOTIPOTENTE
VALORISANTE	RÉCIDIVANTE	IDEMPOTENTE
FAVORISANTE	INSCRIVANTE	SUBSÉQUENTE
SÉCURISANTE	DÉMOTIVANTE	CONSÉQUENTE
SÉMITISANTE	DISSOLVANTE	CONTREVENTÉ
SCLÉROSANTE	DISTRAYANTE	SACRO-SAINTE
DISPERSANTE	GRASSEYANTE	COURT-JOINTÉ
TRAVERSANTE	FLAMBOYANTE	DÉSAPPOINTÉ
RENVERSANTE	ROUGEOYANTE	HÉTÉRODONTE
FRACASSANTE	TOURNOYANTE	GLYPTODONTE
OPPRESSANTE	NON-CROYANTE	TARABISCOTÉ
ENCAISSANTE	FOUDROYANTE	COMPATRIOTE
RENAISSANTE	SOUS-JACENTE	REMMAILLOTÉ
ROUGISSANTE	MUNIFICENTE	PARPAILLOTE
AVILISSANTE	**SÃO VINCENTE**	TRAVAILLOTÉ
COULISSANTE	ÉRUBESCENTE	**HONDSCHOOTE**
FRÉMISSANTE	MARCESCENTE	MANDAT-CARTE
JAUNISSANTE	TURGESCENTE	SEMI-LIBERTÉ
ANGOISSANTE	COALESCENTE	SEMI-OUVERTE
GLAPISSANTE	OPALESCENTE	ENTROUVERTE
FLORISSANTE	ADOLESCENTE	PORTE-À-PORTE
AHURISSANTE	SPUMESCENTE	CONTRE-PORTE
SAISISSANTE	LIANESCENTE	BATEAU-PORTE
ABÊTISSANTE	ÉVANESCENTE	ENTRE-HEURTÉ
IMPUISSANTE	ACCRESCENTE	**ECCLÉSIASTE**
REPOUSSANTE	LACTESCENTE	CNIDOBLASTE
PARALYSANTE	FLAVESCENTE	OSTÉOBLASTE
INQUIÉTANTE	ANTÉCÉDENTE	FIBROBLASTE
CLIQUETANTE	COÏNCIDENTE	OSTÉOCLASTE
RETRAITANTE	TUBULIDENTÉ	ICONOCLASTE
EXORBITANTE	RÉFRINGENTE	PHÉNOPLASTE
COLICITANTE	ASTRINGENTE	**THÉOPHRASTE**
DÉBILITANTE	CONTINGENTE	LÈSE-MAJESTÉ
EXPLOITANTE	CONTINGENTÉ	PALIMPSESTE
CONSULTANTE	CONVERGENTE	SOUBREVESTE
CONSENTANTE	OMNISCIENTE	UNIJAMBISTE
ESQUINTANTE	AGUARDIENTE	ANTIRACISTE
RAVIGOTANTE	PARTURIENTE	ORGANICISTE
CRACHOTANTE	AMBIVALENTE	TECHNICISTE
CLIGNOTANTE	ÉQUIVALENTE	NÉOFASCISTE
CHEVROTANTE	MONOVALENTE	BOLLANDISTE
CONCERTANTE	POLYVALENTE	ANTIPODISTE
PROTESTANTE	NON-VIOLENTE	MONOTHÉISTE
ATTRISTANTE	ENRÉGIMENTÉ	POLYTHÉISTE
SUBSISTANTE	SURALIMENTÉ	ABSENTÉISTE
CONSISTANTE	COMPLIMENTÉ	AFFOUAGISTE
PERSISTANTE	EXPÉRIMENTÉ	CARAVAGISTE
INEXISTANTE	INSTRUMENTÉ	PHALANGISTE
INCONSTANTE	PRÉÉMINENTE	BOULANGISTE
INCRUSTANTE	PROÉMINENTE	POMOLOGISTE

VIROLOGISTE	CARRIÉRISTE	KITCHENETTE
CYTOLOGISTE	FOURIÉRISTE	COMPRENETTE
RATTACHISTE	OUVRIÉRISTE	BLONDINETTE
MONARCHISTE	CLAVIÉRISTE	TROTTINETTE
MICASCHISTE	SCOOTÉRISTE	CAMIONNETTE
CALCSCHISTE	FOLKLORISTE	MARIONNETTE
SPARTAKISTE	TRACTORISTE	GOUJONNETTE
NÉORÉALISTE	PRIMEURISTE	MIGNONNETTE
SURRÉALISTE	CONCOURISTE	MAISONNETTE
SPÉCIALISTE	AVENTURISTE	GUILLERETTE
MONDIALISTE	PANÉGYRISTE	LINAIGRETTE
MINIMALISTE	PROTHÉSISTE	VINAIGRETTE
MAXIMALISTE	FANTAISISTE	ÉCHAUGUETTE
NOMINALISTE	PRAGMATISTE	ESPERLUETTE
JOURNALISTE	SÉPARATISTE	À LA SAUVETTE
FÉDÉRALISTE	SYNCRÉTISTE	**PIERREFITTE**
GÉNÉRALISTE	ANABAPTISTE	CAILLEBOTTE
IMMORALISTE	ORTHOPTISTE	**CAILLEBOTTE**
CENTRALISTE	CONCERTISTE	JUPE-CULOTTE
NATURALISTE	BILLETTISTE	SANS-CULOTTE
VÉGÉTALISTE	VIGNETTISTE	QUICHENOTTE
CAPITALISTE	CORNETTISTE	PALANGROTTE
SENSUALISTE	LIBRETTISTE	SPATIONAUTE
ENSEMBLISTE	OFFSETTISTE	PRINCIPAUTÉ
ÉVANGÉLISTE	MAQUETTISTE	VICE-ROYAUTÉ
MINITÉLISTE	ABSOLUTISTE	ÉLECTROCUTÉ
IMMOBILISTE	DIALOGUISTE	HYPONOMEUTE
PASTELLISTE	RÉCIDIVISTE	TRANSBAHUTÉ
MUTUELLISTE	RELATIVISTE	CAOUTCHOUTÉ
NOUVELLISTE	ROTATIVISTE	CASSE-CROÛTE
MONOPOLISTE	POSITIVISTE	FAUSSE-ROUTE
CERF-VOLISTE	TIMBRE-POSTE	BANQUEROUTE
VÉLIVOLISTE	MALLES-POSTE	THROMBOCYTE
GÉOCHIMISTE	WAGONS-POSTE	GRANULOCYTE
BIOCHIMISTE	DÉSINCRUSTÉ	ÉRYTHROCYTE
LÉGITIMISTE	NÉMATOCYSTE	SPERMAPHYTE
TAXINOMISTE	CULS-DE-JATTE	FILICOPHYTE
ERGONOMISTE	**PIERRELATTE**	THALLOPHYTE
AUTONOMISTE	MALMIGNATTE	GAMÉTOPHYTE
CONFORMISTE	CROCHE-PATTE	CRYPTOPHYTE
AFRICANISTE	SUFFRAGETTE	ÉLECTROLYTE
ITALIANISTE	PHALANGETTE	REDISTRIBUÉ
ORNEMANISTE	BARBICHETTE	ENTR'APERÇUE
ŒCUMÉNISTE	ÉPINOCHETTE	ENTRAPERÇUE
BOUQUINISTE	HISTORIETTE	REDESCENDUE
GUILVINISTE	GRANDELETTE	HYPERTENDUE
TROMBONISTE	MAIGRELETTE	CONTRE-DIGUE
ORPHÉONISTE	GOUTTELETTE	**SAINTE LIGUE**
ANTAGONISTE	TARTIFLETTE	PLURILINGUE
SYMPHONISTE	CHENILLETTE	MULTILINGUE
PASSIONISTE	GENTILLETTE	CAMERLINGUE
LINOTYPISTE	AIGUILLETTE	TRIPHTONGUE
AUTOCARISTE	COQUILLETTE	EMMÉNAGOGUE
SÉMINARISTE	CHEVILLETTE	PHLÉBOLOGUE
MONÉTARISTE	**BROSSOLETTE**	GYNÉCOLOGUE
MILITARISTE	GARGOULETTE	MUSICOLOGUE
DÉCEMBRISTE	MARGOULETTE	LEXICOLOGUE

TOXICOLOGUE
ARCHÉOLOGUE
SPÉLÉOLOGUE
PSYCHOLOGUE
GRAPHOLOGUE
GLACIOLOGUE
CARDIOLOGUE
CÉRAMOLOGUE
PNEUMOLOGUE
OCÉANOLOGUE
TECHNOLOGUE
NUMÉROLOGUE
NÉPHROLOGUE
SOPHROLOGUE
FUTUROLOGUE
PAPYROLOGUE
HÉMATOLOGUE
PROCTOLOGUE
POLITOLOGUE
ÉGYPTOLOGUE
SUBRÉCARGUE
DÉSENVERGUÉ
CONTRE-FUGUE
HURLUBERLUE
MICROGRENUE
CIRCONVENUE
RESSOUVENUE
DISCONTINUE
DISCONTINUÉ
INTERROMPUE
INSOMNIAQUE
PARANOÏAQUE
DIONYSIAQUE
BAUDELOCQUE
MÉDIATHÈQUE
DIDACTHÈQUE
PROPITHÈQUE
DISCOTHÈQUE
BANDOTHÈQUE
VIDÉOTHÈQUE
POCHOTHÈQUE
FILMOTHÈQUE
PHONOTHÈQUE
PHOTOTHÈQUE
CARTOTHÈQUE
INTRINSÈQUE
EXTRINSÈQUE
PONT-L'ÉVÊQUE
PONT-L'ÉVÊQUE
PTOLÉMAÏQUE
ANTIRABIQUE
TRICALCIQUE
CHALCIDIQUE
PYRIMIDIQUE
TYPHOÏDIQUE
STÉROÏDIQUE
APÉRIODIQUE

SPASMODIQUE
ALDÉHYDIQUE
DIARRHÉIQUE
SUDORIFIQUE
CALORIFIQUE
HONORIFIQUE
SOPORIFIQUE
STRATÉGIQUE
NÉVRALGIQUE
NOSTALGIQUE
PÉDAGOGIQUE
DÉMAGOGIQUE
MÉTALOGIQUE
MYCOLOGIQUE
IDÉOLOGIQUE
RHÉOLOGIQUE
THÉOLOGIQUE
ÉTHOLOGIQUE
ÉTIOLOGIQUE
AXIOLOGIQUE
ŒNOLOGIQUE
TOPOLOGIQUE
TYPOLOGIQUE
AÉROLOGIQUE
SÉROLOGIQUE
VIROLOGIQUE
ONTOLOGIQUE
CYTOLOGIQUE
LÉTHARGIQUE
STOMACHIQUE
MONARCHIQUE
SYMPATHIQUE
NÉOLITHIQUE
ŒNANTHIQUE
NÉOGOTHIQUE
DIGITALIQUE
ANACYCLIQUE
TRICYCLIQUE
RAPHAÉLIQUE
ÉVANGÉLIQUE
PARABOLIQUE
MÉTABOLIQUE
DIASTOLIQUE
APOSTOLIQUE
HYDRAULIQUE
SALICYLIQUE
ENDOGAMIQUE
MONOGAMIQUE
PANORAMIQUE
MONOSÉMIQUE
POLYSÉMIQUE
EURYTHMIQUE
GÉOCHIMIQUE
BIOCHIMIQUE
OPHTALMIQUE
ANTINOMIQUE
TAXINOMIQUE

ERGONOMIQUE
AGRONOMIQUE
PRODROMIQUE
RIBOSOMIQUE
AUTOSOMIQUE
SUBATOMIQUE
TRIATOMIQUE
ÉPIDERMIQUE
HOMONYMIQUE
SYNONYMIQUE
TOPONYMIQUE
MÉTONYMIQUE
ANORGANIQUE
INORGANIQUE
MESSIANIQUE
BRAHMANIQUE
PYOCYANIQUE
TÉLÉGÉNIQUE
ANTIGÉNIQUE
MONOGÉNIQUE
CRYOGÉNIQUE
POLYGÉNIQUE
ÉTHYLÉNIQUE
ŒCUMÉNIQUE
PROTÉINIQUE
MORPHINIQUE
TRICLINIQUE
INSULINIQUE
BOTULINIQUE
VITAMINIQUE
INACTINIQUE
NICOTINIQUE
MÉDIUMNIQUE
BRITANNIQUE
BRITANNIQUE
PHARAONIQUE
TRONCONIQUE
NUCLÉONIQUE
ANTAGONIQUE
THÉOGONIQUE
SYMPHONIQUE
HÉGÉMONIQUE
MACARONIQUE
NEUTRONIQUE
CATATONIQUE
VAGOTONIQUE
HYPOTONIQUE
BRITTONIQUE
MÉTHANOÏQUE
PALÉOZOÏQUE
ANTHROPIQUE
PHILIPPIQUE
PRÉFABRIQUÉ
CANTABRIQUE
OCTAÉDRIQUE
HEXAÉDRIQUE
POLYÉDRIQUE

CYLINDRIQUE
IODHYDRIQUE
TÉLÉFÉRIQUE
CONFRÉRIQUE
DIPHTÉRIQUE
CADAVÉRIQUE
ALLÉGORIQUE
PARÉGORIQUE
CATÉGORIQUE
ANAPHORIQUE
PLÉTHORIQUE
FOLKLORIQUE
PÉDIATRIQUE
GÉRIATRIQUE
IDOLÂTRIQUE
GÉOMÉTRIQUE
ISOMÉTRIQUE
ASYMÉTRIQUE
OBSTÉTRIQUE
EXCENTRIQUE
CATOPTRIQUE
DIGASTRIQUE
PANÉGYRIQUE
PORPHYRIQUE
MONOBASIQUE
LITHIASIQUE
NÉOPLASIQUE
ANALGÉSIQUE
ATHÉTOSIQUE
DYSPEPSIQUE
NARCISSIQUE
GÉOPHYSIQUE
BIOPHYSIQUE
ADIABATIQUE
CATABATIQUE
ACROBATIQUE
HANSÉATIQUE
ALIPHATIQUE
LYMPHATIQUE
ISCHIATIQUE
MYDRIATIQUE
INITIATIQUE
SCHÉMATIQUE
ATHÉMATIQUE
TÉLÉMATIQUE
CINÉMATIQUE
PRAGMATIQUE
FLEGMATIQUE
ÉNIGMATIQUE
STIGMATIQUE
ASTHMATIQUE
ZYGOMATIQUE
IDIOMATIQUE
AXIOMATIQUE
CHROMATIQUE
AUTOMATIQUE
SPERMATIQUE

MIASMATIQUE
PLASMATIQUE
PRISMATIQUE
TRAUMATIQUE
PNEUMATIQUE
ENZYMATIQUE
QUADRATIQUE
PROSTATIQUE
ISOSTATIQUE
CACHECTIQUE
DIALECTIQUE
CONNECTIQUE
APODICTIQUE
ANTARCTIQUE
ANTARCTIQUE
PRODUCTIQUE
CYNÉGÉTIQUE
ÉNERGÉTIQUE
PROPHÉTIQUE
SYNTHÉTIQUE
PROTHÉTIQUE
PSAMMÉTIQUE
APLANÉTIQUE
SYNCRÉTIQUE
NÉPHRÉTIQUE
THÉORÉTIQUE
PLEURÉTIQUE
CÉNOBITIQUE
COUCHITIQUE
GRAPHITIQUE
PROCLITIQUE
IMPOLITIQUE
PISOLITIQUE
DOLOMITIQUE
SYBARITIQUE
DIACRITIQUE
DENDRITIQUE
LATÉRITIQUE
ARTÉRITIQUE
ARTHRITIQUE
ASÉMANTIQUE
AUTHENTIQUE
SILICOTIQUE
ANECDOTIQUE
PSYCHOTIQUE
CIRRHOTIQUE
SYMBIOTIQUE
SCOLIOTIQUE
PATRIOTIQUE
ÉPIZOOTIQUE
SCLÉROTIQUE
ANALEPTIQUE
ÉPILEPTIQUE
DYSPEPTIQUE
ÉCLAMPTIQUE
ORTHOPTIQUE
CATHARTIQUE

SARCASTIQUE
ANÉLASTIQUE
INÉLASTIQUE
SCOLASTIQUE
ONOMASTIQUE
GYMNASTIQUE
FANTASTIQUE
CLADISTIQUE
SOPHISTIQUE
SOPHISTIQUÉ
STYLISTIQUE
PIANISTIQUE
FAUNISTIQUE
FLORISTIQUE
PATRISTIQUE
HEURISTIQUE
TOURISTIQUE
STATISTIQUE
CASUISTIQUE
SLAVISTIQUE
JAZZISTIQUE
PRONOSTIQUE
PRONOSTIQUÉ
ENCAUSTIQUE
ENCAUSTIQUÉ
DÉMOUSTIQUÉ
BUREAUTIQUE
SCORBUTIQUE
HALIEUTIQUE
SCIALYTIQUE
PARALYTIQUE
CATALYTIQUE
VAGOLYTIQUE
HÉMOLYTIQUE
CYTOLYTIQUE
BOLCHEVIQUE
MENCHEVIQUE
CYTOTOXIQUE
PNEUMOCOQUE
ÉCHINOCOQUE
ENTÉROCOQUE
ENTRECHOQUÉ
VENTRILOQUE
HÉRÉSIARQUE
CYSTICERQUE
COUDEKERQUE
STEENKERQUE
STEINKERQUE
ALBUQUERQUE
JEUNE-TURQUE
VISIOCASQUE
BERGAMASQUE
BERGAMASQUE
BARBARESQUE
MOLIÉRESQUE
PLATERESQUE
PITTORESQUE

SOLDATESQUE
PÉDANTESQUE
GIGANTESQUE
VIDÉODISQUE
AUDIODISQUE
MULTIRISQUE
PENTATEUQUE
COUVRE-NUQUE
COQUECIGRUE
RECONSTITUÉ
POINTS DE VUE
MAMMOTH CAVE
PLAN-CONCAVE
SAINT-AGRÈVE
SAINT-ÉGRÈVE
SAINT-ESTÈVE
PORTE-GLAIVE
PORTE-GLAIVE
INOFFENSIVE
HYPOTENSIVE
COEXTENSIVE
PROGRESSIVE
COMPRESSIVE
ANTITUSSIVE
APPROBATIVE
RÉBARBATIVE
PRÉDICATIVE
VINDICATIVE
EXPLICATIVE
DÉMARCATIVE
LIQUIDATIVE
SÉGRÉGATIVE
SUBROGATIVE
PRÉROGATIVE
PROROGATIVE
ÉNONCIATIVE
ASSOCIATIVE
ABRÉVIATIVE
CORRÉLATIVE
APPELLATIVE
LÉGISLATIVE
TRANSLATIVE
SPÉCULATIVE
EXCLAMATIVE
AFFIRMATIVE
INFIRMATIVE
INFORMATIVE
IMAGINATIVE
GERMINATIVE
ALTERNATIVE
DISSIPATIVE
DÉCLARATIVE
COMPARATIVE
ÉNUMÉRATIVE
COOPÉRATIVE
RÉITÉRATIVE
INTÉGRATIVE

MÉLIORATIVE
PIGNORATIVE
CORPORATIVE
ADVERSATIVE
EXPECTATIVE
QUALITATIVE
FACULTATIVE
POTESTATIVE
COMMUTATIVE
RADIOACTIVE
RÉTROACTIVE
HYPERACTIVE
INTERACTIVE
DISTRACTIVE
PROSPECTIVE
PERSPECTIVE
RESTRICTIVE
DISTINCTIVE
INSTINCTIVE
SUBJONCTIVE
CONJONCTIVE
OBSTRUCTIVE
DESTRUCTIVE
INSTRUCTIVE
PROHIBITIVE
ACCRÉDITIVE
ACQUISITIVE
DIAPOSITIVE
PRÉPOSITIVE
COMPÉTITIVE
SUBSTANTIVE
SUBSTANTIVÉ
INATTENTIVE
DESCRIPTIVE
PRÉSOMPTIVE
ATTRIBUTIVE
CONSÉCUTIVE
COMMINUTIVE
SAINT-SAULVE
SAINTE-BEUVE
ROMAN-FLEUVE
MAISONNEUVE
LA COURNEUVE
DÉSAPPROUVÉ
CIRCONFLEXE
PLAN-CONVEXE
SOUS-EMPLOYÉ
LA VÉRENDRYE
CAPORAL-CHEF
SERGENT-CHEF
PALÉORELIEF
PÉPIN LE BREF
VAN DE GRAAFF
METCHNIKOFF
EICHENDORFF
SCHLÖNDORFF
ANTIADHÉSIF

AUTCADHÉSIF
APPRÉHENSIF
HYPERTENSIF
INEXPRESSIF
MODIFICATIF
VÉRIFICATIF
NOTIFICATIF
SÉRONÉGATIF
DÉPRÉCIATIF
APPRÉCIATIF
CONFIRMATIF
PERFORMATIF
DÉNOMINATIF
DÉLIBÉRATIF
DÉGÉNÉRATIF
ILLUSTRATIF
QUANTITATIF
CONSULTATIF
AUGMENTATIF
PROGESTATIF
PRÉSERVATIF
TENSIOACTIF
SOUSTRACTIF
SUREFFECTIF
IMPERFECTIF
INTERJECTIF
NON DIRECTIF
CONSTRICTIF
REPRODUCTIF
IMPRODUCTIF
INTRODUCTIF
CONSTRUCTIF
AUTOPUNITIF
INTRANSITIF
SÉROPOSITIF
ANTISPORTIF
INTEMPESTIF
DISTRIBUTIF
SUBSTITUTIF
CONSTITUTIF
SAINT-AYGULF
KULTURKAMPF
SCHWARZKOPF
GÖNNERSDORF
CHÂTEAUNEUF
FOIE-DE-BŒUF
ŒIL-DE-BŒUF
ARRÊTE-BŒUF
CIBA-GEIGY AG
BRUNSCHVICG
SCHUSCHNIGG
DONG QICHANG
YALONG JIANG
YANGZI JIANG
BERRE-L'ÉTANG
KOUO-MIN-TANG
ORANG-OUTANG

KRAFFT-EBING
PLUM-PUDDING
CONTRESEING
VEREENIGING
DISPATCHING
PEI IEOH MING
TAO YUANMING
AQUAPLANING
COUP-DE-POING
GUAN HANQING
TIME-SHARING
ENGINEERING
FRANCHISING
BABY-SITTING
PHAM VAN DÔNG
TANG TAIZONG
JEAN DE MEUNG
MAO TSÉ-TOUNG
HERTZSPRUNG
TELUK BETUNG
FÜRSTENBERG
DRAKENSBERG
KAYSERSBERG
HELSINGBORG
FLOSSENBÜRG
QUEDLINBURG
PHILIPSBURG
BRANDEBOURG
BRANDEBOURG
TAILLEBOURG
WISSEMBOURG
BETTEMBOURG
SAXE-COBOURG
LAUTERBOURG
REICHENBACH
WITTELSBACH
NEUF-BRISACH
VAN DEN BOSCH
BRAUCHITSCH
MAULBERTSCH
LOFING-MATCH
JELATCHITCH
OBRÉNOVITCH
SIDI-FERRUCH
CASTLEREAGH
RANJIT SINGH
MARLBOROUGH
FARNBOROUGH
SCARBOROUGH
MEHMED FATIH
SAINT-JOSEPH
PHOTO-FINISH
FREILIGRATH
GRANNY-SMITH
GRANGEMOUTH
BOURNEMOUTH
CONTRE-ESSAI

AL-MUTANABBI
CHERCHE-MIDI
FRESCOBALDI
RAGAILLARDI
UQBA IBN NAFI
ANTOMMARCHI
ANTONMARCHI
GENTILESCHI
MISSOLONGHI
BANGLADESHI
BANGLADESHI
JIANG JIESHI
CHERRAPUNJI
SHIMONOSEKI
MOUSSORGSKI
DARGOMYJSKI
STAROBINSKI
LESZCZYNSKI
KHMELNITSKI
DOSTOÏEVSKI
VASSILEVSKI
TCHAÏKOVSKI
MEREJKOVSKI
TSIOLKOVSKI
ROKOSSOVSKI
PAOUSTOVSKI
LUTOSLAWSKI
KWASNIEWSKI
KOCHANOWSKI
SZYMANOWSKI
PONIATOWSKI
CZARTORYSKI
TIRUNELVELI
ENORGUEILLI
MACCHIAIOLI
NON ACCOMPLI
LAPIS-LAZULI
NAGANO OSAMI
RAFSANDJANI
TUPI-GUARANI
HINDOUSTANI
SPALLANZANI
PICCOLOMINI
MASTROIANNI
TROUBETSKOÏ
PLEIN-EMPLOI
NOGENT-LE-ROI
CHOISY-LE-ROI
LE GRAU-DU-ROI
NAHUEL HUAPÍ
MISSISSIPPI
BHARTRIHARI
UEDA AKINARI
CONDOTTIERI
PAPIER-ÉMERI
A POSTERIORI
TCHERNIVTSI

TUTTI QUANTI
BUONTALENTI
GIOVANNETTI
TUTTI FRUTTI
MESSALI HADJ
NARAYANGANJ
MANGUYCHLAK
STERLITAMAK
EUSKALDUNAK
BAHR EL-AZRAK
MAETERLINCK
CROMMELYNCK
KÖNIGSMARCK
RAVENSBRÜCK
LEEUWENHOEK
APPARATCHIK
REALPOLITIK
CORNER BROOK
VLADIVOSTOK
CENTRAL PARK
NOVOROSSISK
ARKHANGELSK
VERKHOÏANSK
KRASNOÏARSK
KOMMOUNARSK
PROKOPIEVSK
ZELENTCHOUK
SORTIE-DE-BAL
PARAMÉDICAL
CHIRURGICAL
SUBTROPICAL
OBSTÉTRICAL
GRAMMATICAL
HECTOPASCAL
HÉMORROÏDAL
ELLIPSOÏDAL
TRAPÉZOÏDAL
MÉDICO-LÉGAL
MULTIRACIAL
INTERRACIAL
ENDOTHÉLIAL
MATRIMONIAL
PATRIMONIAL
TESTIMONIAL
PARTICIPIAL
PARTENARIAL
DICTATORIAL
DIRECTORIAL
TERRITORIAL
SEIGNEURIAL
AÉROSPATIAL
NIVO-PLUVIAL
RAMÓN Y CAJAL
HEXADÉCIMAL
SEXAGÉSIMAL
ORTHONORMAL
RHUMATISMAL

CATACLYSMAL	PÉNITENTIEL	CAXIAS DO SUL
GUADALCANAL	EXISTENTIEL	CHRYSOBÉRYL
SADIQUE-ANAL	FRÉQUENTIEL	DAR ES-SALAAM
ATTITUDINAL	CUPRONICKEL	KANCHIPURAM
QUADRIENNAL	FERRONICKEL	KIM YOUNG-SAM
QUINQUENNAL	OCCASIONNEL	NGÔ DINH DIÊM
DODÉCAGONAL	DÉCISIONNEL	CRÈVE-LA-FAIM
MONOCAMÉRAL	RÉVISIONNEL	WINTZENHEIM
NYCTHÉMÉRAL	RELATIONNEL	RÜSSELSHEIM
ÉQUILATÉRAL	IRRATIONNEL	WITTELSHEIM
PRESBYTÉRAL	RÉACTIONNEL	MUNDOLSHEIM
ANTISUDORAL	FRACTIONNEL	LINGOLSHEIM
COXO-FÉMORAL	FRICTIONNEL	KINGERSHEIM
SUCCESSORAL	FONCTIONNEL	STIERNHIELM
PROFESSORAL	ADDITIONNEL	TCHERNOZIOM
PRÉFECTORAL	IMPERSONNEL	CHEBIN EL-KOM
COMMISSURAL	SEMPITERNEL	CARBORUNDUM
CARICATURAL	ARBRE-DE-NOËL	BRÛLE-PARFUM
CONJECTURAL	CONTRE-APPEL	CLOSTRIDIUM
TRANSVERSAL	CROQUE-AU-SEL	LATIFUNDIUM
PLURICAUSAL	SACRAMENTEL	ENDOTHÉLIUM
SOUS-ORBITAL	MAÎTRE-AUTEL	PÉNICILLIUM
FONDAMENTAL	NITRATE-FUEL	EINSTEINIUM
SACRAMENTAL	PLURIANNUEL	CONDOMINIUM
SENTIMENTAL	AUDIOVISUEL	PÉLARGONIUM
CONTINENTAL	CONTRACTUEL	PANDÉMONIUM
XÉNOCRISTAL	CONFLICTUEL	POSITRONIUM
MONOCRISTAL	INSTINCTUEL	CALIFORNIUM
INTERCOSTAL	TRANSSEXUEL	COLUMBARIUM
ELEKTROSTAL	VILLERSEXEL	FRIGIDARIUM
MAGNAC-LAVAL	RIEFENSTAHL	INSECTARIUM
STATION-AVAL	ÉPOUVANTAIL	PLANÉTARIUM
FERS-À-CHEVAL	TÉLÉTRAVAIL	FERROCÉRIUM
PALAIS-ROYAL	BRISE-SOLEIL	MÉGATHÉRIUM
GRŒNENDAEL	APRÈS-SOLEIL	DINOTHÉRIUM
VAN RUISDAEL	DEMI-SOMMEIL	CRÉMATORIUM
VAN RUYSDAEL	MONTFERMEIL	MENDÉLÉVIUM
SANTA ISABEL	TROMPE-L'ŒIL	ZYGOPETALUM
VAN SCHENDEL	RADIORÉVEIL	UXELLODUNUM
JAUFRÉ RUDEL	À CONTRE-POIL	RAHAT-LOKOUM
ULENSPIEGEL	LOUIS-GENTIL	PITTOSPORUM
SAINT-MICHEL	LE VAUDREUIL	PORTE-HAUBAN
PRÉJUDICIEL	NIJNI TAGUIL	TEOTIHUACÁN
SACRIFICIEL	RACQUET-BALL	PONTOPPIDAN
SUPERFICIEL	BADEN-POWELL	GRÉSIVAUDAN
CICATRICIEL	BUFFALO BILL	CHARLES-JEAN
DIDACTICIEL	ROCK AND ROLL	MANICOUAGAN
SAINT-MIHIEL	SITTING BULL	LIVRY-GARGAN
KAMMERSPIEL	DOUBLE-SCULL	KUBILAY KHAN
CARACTÉRIEL	VATNAJÖKULL	ZHOUKOUDIAN
MINISTÉRIEL	PARACÉTAMOL	AZERBAÏDJAN
TRIMESTRIEL	ACIDE-ALCOOL	SAINT-TROJAN
SUBSTANTIEL	STANLEY POOL	VALLE-INCLÁN
RÉSIDENTIEL	CHOLESTÉROL	ARRIÈRE-PLAN
DÉSINENTIEL	SELF-CONTROL	SELF-MADE-MAN
EXPONENTIEL	COSTA DEL SOL	ABD AL-RAHMAN
RÉFÉRENTIEL	SAINT-ACHEUL	ABDUL RAHMAN

QALAAT SIMAN	SÉLESTADIEN	FINISTÉRIEN
RECORDWOMAN	ARCHIMÉDIEN	PITHIVÉRIEN
BUSINESSMAN	CLITORIDIEN	GRAMMAIRIEN
SAINT-AIGNAN	BIQUOTIDIEN	SALVADORIEN
MALLET DU PAN	GARIBALDIEN	SALVADORIEN
GRILLE-ÉCRAN	CLODOALDIEN	CASTÉLORIEN
SUPERLIORAN	MÉNEHILDIEN	NÉOCASTRIEN
TCHOIBALSAN	DOLCHARDIEN	ZOROASTRIEN
OUZBÉKISTAN	PÉRIGORDIEN	DINOSAURIEN
TADJIKISTAN	SANCLAUDIEN	BUJUMBURIEN
AFGHANISTAN	ŒSOPHAGIEN	HYPONEURIEN
KIRGHIZSTAN	MONTÉRÉGIEN	VILLEMURIEN
TAI-CHI-CHUAN	CAROLINGIEN	DEUX-SÉVRIEN
SAINT-SERVAN	MÉROVINGIEN	SAINT-CYRIEN
SINT-TRUIDEN	MONTROUGIEN	SAINT-CYRIEN
HOHENLINDEN	APPALACHIEN	GUIPAVASIEN
MONTÉVIDÉEN	MAÎTRE-CHIEN	MICRONÉSIEN
NIETZSCHÉEN	SAURISCHIEN	MICRONÉSIEN
SAINT-CÉRÉEN	GUATÉMALIEN	CAUTERÉSIEN
WINTERGREEN	SURRÉNALIEN	LANGEAISIEN
HYPERBORÉEN	VÉNÉZUÉLIEN	RABELAISIEN
MIRAMASSÉEN	VÉNÉZUÉLIEN	VOUGLAISIEN
VANDERSTEEN	CROCODILIEN	SAVENAISIEN
VLAARDINGEN	LACERTILIEN	TOURNAISIEN
FRIEDLINGEN	BARBEZILIEN	BEAUVAISIEN
KREUZLINGEN	MONTCELLIEN	LANDIVISIEN
SIGMARINGEN	PRISCILLIEN	CALVADOSIEN
NEUNKIRCHEN	FUMEROLLIEN	MÉTATARSIEN
TERBRUGGHEN	STROMBOLIEN	CARACASSIEN
AURIGNACIEN	SAINT-JULIEN	VALRÉASSIEN
AURIGNACIEN	BOURBOULIEN	ANNEMASSIEN
LATIGNACIEN	MAURITANIEN	ALBENASSIEN
TABERNACIEN	MAURITANIEN	WIMEREUSIEN
SOJALDICIEN	MAGDALÉNIEN	MONTREUSIEN
ACADÉMICIEN	GIROMAGNIEN	LAMALOUSIEN
PLATONICIEN	CATARHINIEN	HERBLAYSIEN
COPERNICIEN	PRÉHOMINIEN	CHESNAYSIEN
RHÉTORICIEN	ENDOCRINIEN	FRESNOYSIEN
ÉLECTRICIEN	VALENTINIEN	QUESNOYSIEN
MERCATICIEN	PALESTINIEN	BON-CHRÉTIEN
ESTHÉTICIEN	PALESTINIEN	TRIBUNITIEN
PHONÉTICIEN	AUGUSTINIEN	AQUATINTIEN
DIÉTÉTICIEN	NAPOLÉONIEN	MIRECURTIEN
QUALITICIEN	PROUDHONIEN	LILLIPUTIEN
COGNITICIEN	MARATHONIEN	HAGUENOVIEN
SÉMANTICIEN	CALIFORNIEN	PORTO-NOVIEN
SÉMIOTICIEN	CALIFORNIEN	COURNEUVIEN
LOGISTICIEN	SAINT-JUNIEN	COTTERÉZIEN
BALISTICIEN	PRÉŒDIPIEN	SELF-MADE-MEN
ACOUSTICIEN	MÉTACARPIEN	PHILOPŒMEN
LONGOVICIEN	PROPRE-À-RIEN	RECORDWOMEN
CAPPADOCIEN	SUBSAHARIEN	BUSINESSMEN
CAPPADOCIEN	PROLÉTARIEN	BADA SHANREN
SAINT-LUCIEN	PRÉCAMBRIEN	THORVALDSEN
ROSICRUCIEN	MÉTATHÉRIEN	MÜNCHHAUSEN
TRINIDADIEN	VANDOPÉRIEN	STOCKHAUSEN
TRINIDADIEN	LANESTÉRIEN	HOOGSTRATEN

11

SANKT PÖLTEN	SILLON ALPIN	PROGRESSION
MOUNTBATTEN	VIVARO-ALPIN	COMPRESSION
LE POULIGUEN	LA TOUR-DU-PIN	SUPPRESSION
BREMERHAVEN	SAINT-AMARIN	SURPRESSION
ORGNAC-L'AVEN	INTRA-UTÉRIN	RÉADMISSION
COMMENTRYEN	EXTRA-UTÉRIN	SURÉMISSION
OSTÉICHTYEN	MONTÉNÉGRIN	REDIFFUSION
MENDELSSOHN	MONTÉNÉGRIN	TRANSFUSION
CHAUFFE-BAIN	NOIRMOUTRIN	DÉSILLUSION
SAINT-GOBAIN	ANGOUMOISIN	SYLLABATION
INTERURBAIN	GRAND BASSIN	RÉPROBATION
MOZAMBICAIN	AVANT-BASSIN	IMPROBATION
MOZAMBICAIN	ESTUDIANTIN	APPROBATION
RÉPUBLICAIN	SAINT-MARTIN	CONURBATION
COSTARICAIN	BEC-HELLOUIN	DÉPRÉCATION
COSTARICAIN	VILEBREQUIN	IMPRÉCATION
SUD-AFRICAIN	TROUSSEQUIN	ÉRADICATION
SUD-AFRICAIN	MONFLANQUIN	PRÉDICATION
PANAFRICAIN	SAINT-BRÉVIN	SYNDICATION
EURAFRICAIN	KOUIGN-AMANN	ÉDIFICATION
PORTORICAIN	WINCKELMANN	DÉIFICATION
PORTORICAIN	CLOSTERMANN	RÉIFICATION
FRANCISCAIN	BERTELSMANN	UNIFICATION
CHASTELLAIN	NIEDERBRONN	PUBLICATION
CHAMBERLAIN	ROBERT LE BON	RÉPLICATION
APRÈS-DEMAIN	COUPE-JAMBON	IMPLICATION
ARRIÈRE-MAIN	CONTREFAÇON	APPLICATION
DUODÉCIMAIN	SERRE-PONÇON	DUPLICATION
GRÉCO-ROMAIN	ASSARHADDON	EXPLICATION
GALLO-ROMAIN	FAUX-BOURDON	FORNICATION
SAINT-ROMAIN	SEI SHONAGON	FABRICATION
INTERHUMAIN	TIRE-BOUCHON	IMBRICATION
PORT OF SPAIN	BELLÉROPHON	INTRICATION
TOUT-TERRAIN	MELANCHTHON	MASTICATION
CUCURBITAIN	LIPOSUCCION	DÉFALCATION
RAMBOLITAIN	ÉRECHTHÉION	INCULCATION
TRIPOLITAIN	PIEDS-DE-LION	CARBOCATION
PALERMITAIN	DENTS-DE-LION	SUFFOCATION
BEAUFORTAIN	HENRI LE LION	COLLOCATION
BRUNTRUTAIN	LOUIS LE LION	DISLOCATION
TRANSYLVAIN	QUATRILLION	EMBROCATION
TRANSYLVAIN	QUINTILLION	CONVOCATION
MOUDJAHIDIN	CHAMPOLLION	PROVOCATION
CHARLIANDIN	PORTE-FANION	EMBARCATION
REZ-DE-JARDIN	TRAIT D'UNION	DÉMARCATION
PÉRIGOURDIN	SAINTE UNION	ALTERCATION
PÉRIGOURDIN	SEPTENTRION	BIFURCATION
WALLENSTEIN	RADIOLÉSION	RÉÉDUCATION
RAGGAMUFFIN	IMPRÉCISION	MANDUCATION
MONT-DAUPHIN	IMPRÉVISION	DÉGRADATION
LED ZEPPELIN	SUBDIVISION	DÉPRÉDATION
UNIVITELLIN	MONDOVISION	ÉLUCIDATION
LEDRU-ROLLIN	SUPERVISION	TRÉPIDATION
SARRANCOLIN	DEMI-PENSION	HYBRIDATION
SAINT-PAULIN	HYPOTENSION	LIQUIDATION
DOMPTE-VENIN	SOUS-TENSION	FÉCONDATION
SAINT-CRÉPIN	ANTÉVERSION	REFONDATION

INFÉODATION	ANOVULATION	INSPIRATION
ÉNUCLÉATION	ALCOYLATION	ÉLABORATION
PROCRÉATION	DIFFAMATION	PERFORATION
PROPAGATION	ACCLAMATION	DÉFLORATION
SÉGRÉGATION	DÉCLAMATION	DÉPLORATION
INSTIGATION	RÉCLAMATION	IMPLORATION
FUSTIGATION	EXCLAMATION	EXPLORATION
DIVULGATION	SUBLIMATION	ÉVAPORATION
SUBROGATION	COLLIMATION	CORPORATION
PROROGATION	RÉANIMATION	PÉNÉTRATION
OBJURGATION	AFFIRMATION	IMPÉTRATION
EXPURGATION	INFIRMATION	ÉVENTRATION
ÉNONCIATION	DÉFORMATION	PROSTRATION
NÉGOCIATION	RÉFORMATION	FRUSTRATION
ASSOCIATION	INFORMATION	CARBURATION
IRRADIATION	PROFANATION	PROCURATION
RÉPUDIATION	TRÉPANATION	FULGURATION
BRACHIATION	OXYGÉNATION	CONJURATION
AFFILIATION	INDIGNATION	MOULURATION
HUMILIATION	DÉSIGNATION	CYANURATION
RÉSILIATION	RÉSIGNATION	SUPPURATION
DÉFOLIATION	ASSIGNATION	NITRURATION
EXFOLIATION	VACCINATION	MENSURATION
EXCORIATION	CALCINATION	FISSURATION
GIRAVIATION	FASCINATION	FACTURATION
ABRÉVIATION	IMAGINATION	TRITURATION
LIXIVIATION	ÉVAGINATION	TEXTURATION
ILLUVIATION	MACHINATION	ARABISATION
CONGÉLATION	INCLINATION	LAÏCISATION
SURGÉLATION	ÉLIMINATION	FASCISATION
CORRÉLATION	CULMINATION	CANDISATION
STAGFLATION	FULMINATION	ANODISATION
COMPILATION	ABOMINATION	RÉALISATION
VENTILATION	GERMINATION	ÉGALISATION
APPELLATION	OBSTINATION	OPALISATION
OSCILLATION	DESTINATION	OVALISATION
TITILLATION	SULFONATION	CYCLISATION
DÉCOLLATION	INCARNATION	UTILISATION
PERCOLATION	HIBERNATION	STYLISATION
CONSOLATION	SUBORNATION	ATOMISATION
LÉGISLATION	DISSIPATION	ARÉNISATION
TRANSLATION	INCULPATION	STARISATION
STABULATION	EXTIRPATION	UPÉRISATION
ÉJACULATION	DÉCLARATION	MÉTRISATION
SPÉCULATION	PRÉPARATION	TITRISATION
FLOCULATION	CÉLÉBRATION	ÉTATISATION
INOCULATION	CALIBRATION	POÉTISATION
CIRCULATION	PONDÉRATION	ÉROTISATION
MUSCULATION	EXAGÉRATION	NITROSATION
COAGULATION	ARRIÉRATION	SULFATATION
PULLULATION	ÉNUMÉRATION	HYDRATATION
TRÉMULATION	EXONÉRATION	NITRATATION
STIMULATION	COOPÉRATION	SOLVATATION
FORMULATION	RÉITÉRATION	AFFECTATION
GRANULATION	INTÉGRATION	DÉLECTATION
STIPULATION	IMMIGRATION	COARCTATION
SPORULATION	RESPIRATION	CRÉPITATION

PALPITATION	INTERACTION	**L'ASSOMPTION**
MUSSITATION	DIFFRACTION	RÉINSERTION
GRAVITATION	CONTRACTION	DEMI-PORTION
OCCULTATION	ABSTRACTION	TÉLÉGESTION
DÉCANTATION	DISTRACTION	INDIGESTION
INCANTATION	TRANSACTION	AUTOGESTION
AIMANTATION	PROSPECTION	MOXIBUSTION
INDENTATION	CODIRECTION	RÉTRIBUTION
ORIENTATION	VIVISECTION	ATTRIBUTION
LAMENTATION	MALÉDICTION	PERSÉCUTION
CÉMENTATION	BÉNÉDICTION	INEXÉCUTION
CIMENTATION	JURIDICTION	HYDROCUTION
FOMENTATION	DÉRÉLICTION	DÉPOLLUTION
OSTENTATION	RESTRICTION	DISSOLUTION
CONNOTATION	DISTINCTION	COÉVOLUTION
ACCEPTATION	DYSFONCTION	COMPARUTION
EXHORTATION	CONJONCTION	DESTITUTION
DÉPORTATION	DISJONCTION	RESTITUTION
IMPORTATION	COMPONCTION	INSTITUTION
EXPORTATION	OBSTRUCTION	IRRÉFLEXION
DÉVASTATION	DESTRUCTION	GÉNUFLEXION
INFESTATION	INSTRUCTION	DÉCONNEXION
ARRESTATION	RÉDHIBITION	CRUCIFIXION
DÉTESTATION	PROHIBITION	SOLIFLUXION
ATTESTATION	EXTRADITION	**FOUTA-DJALON**
AÉROSTATION	AUTOÉDITION	**GRAND BALLON**
SOUS-STATION	DÉPERDITION	MOUSSAILLON
DÉGUSTATION	RÉCOGNITION	ÉCRIVAILLON
COMMUTATION	PRÉMONITION	MICROSILLON
PERMUTATION	DISPARITION	ÉCHANTILLON
DÉGOÛTATION	PRÉTÉRITION	SIDÉROXYLON
SUPPUTATION	DÉNUTRITION	BOURGUIGNON
DÉVALUATION	PARTURITION	**BOURGUIGNON**
ATTÉNUATION	ACQUISITION	**MOUNT VERNON**
EXTÉNUATION	RÉQUISITION	CACHE-TAMPON
INSINUATION	INQUISITION	COLIN-TAMPON
PÉRÉQUATION	**INQUISITION**	**SAINT-CHÉRON**
INFATUATION	PRÉPOSITION	SYNCHROTRON
PONCTUATION	MALPOSITION	ANTINEUTRON
FLUCTUATION	COMPOSITION	**DUN-SUR-AURON**
HABITUATION	PROPOSITION	HARENGAISON
AGGRAVATION	SUPPOSITION	CONJUGAISON
DÉPRAVATION	DISPOSITION	DESSALAISON
PASSIVATION	COMPÉTITION	CUEILLAISON
DÉNERVATION	RÉPARTITION	FEUILLAISON
INNERVATION	BIPARTITION	COMBINAISON
OBSERVATION	IMPARTITION	DÉCLINAISON
RÉSERVATION	DÉGLUTITION	INCLINAISON
INCURVATION	INATTENTION	TERMINAISON
PRÉFIXATION	MANUTENTION	ENTONNAISON
SUFFIXATION	NOCICEPTION	COMPARAISON
RUBÉFACTION	APERCEPTION	MAQUERAISON
COKÉFACTION	DESCRIPTION	DÉFLORAISON
CALÉFACTION	INSCRIPTION	EFFLORAISON
TUMÉFACTION	SUSCRIPTION	MORTE-SAISON
RARÉFACTION	PRÉSOMPTION	INTERSAISON
RÉTROACTION	CONSOMPTION	**TORSTENSSON**

QU'EN-DIRA-T-ON
FREDERICTON
ZOOPLANCTON
SHERRINGTON
VEYRE-MONTON
NORTHAMPTON
SOUTHAMPTON
ALOXE-CORTON
SAUTE-MOUTON
PORTE-CRAYON
GRAND CANYON
CHÂTELGUYON
MORGENSTERN
VAN COEHOORN
BANNOCKBURN
SHU QINGCHUN
VIGÉE-LEBRUN
SPANISH TOWN
FRA ANGELICO
AMONTILLADO
NUEVO LAREDO
ACCELERANDO
RINFORZANDO
DECRESCENDO
SAN BERNARDO
BANDES-VIDÉO
ALEIJADINHO
GHIRLANDAIO
LORENZACCIO
BENTIVOGLIO
CAMPOFORMIO
PINAR DEL RÍO
MOTU PROPRIO
CHEVTCHENKO
EVTOUCHENKO
CALVO SOTELO
LEONCAVALLO
PRESTISSIMO
PUERTOLLANO
TAISHO TENNO
MEZZOGIORNO
FERNANDO POO
MOHENJO-DARO
VOMITO NEGRO
OZU YASUJIRO
CAMPO DEL ORO
OE KENZABURO
LIBERUM VETO
MENDES PINTO
SAFARI-PHOTO
MONTECRISTO
LAKSHADWEEP
PROTÈGE-SLIP
CONTRECHAMP
FOSBURY FLOP
KRUGERSDORP
VESSE-DE-LOUP

PATTE-DE-LOUP
PIEDS-DE-LOUP
TÊTES-DE-LOUP
SAUTS-DE-LOUP
BOULOUNENCQ
CRÊTES-DE-COQ
LIQUIDAMBAR
SLEEPING-CAR
VIJAYANAGAR
BHILAINAGAR
GANDHINAGAR
NARCODOLLAR
PÉTRODOLLAR
KAFR EL-DAWAR
BHUBANESWAR
ORDONNANCER
RECOMMENCER
TRANSPERCER
RÉTROGRADER
RADIOGUIDER
AFRIKAANDER
AFRIKAANDER
RÉPRIMANDER
DÉCOMMANDER
RECOMMANDER
TRANSCENDER
APPRÉHENDER
DÉVERGONDER
RACCOMMODER
WACKENRODER
SAUVEGARDER
ENTRELARDER
DÉBILLARDER
TRANSBORDER
DÉSACCORDER
BAGUENAUDER
MASQUE DE FER
CHEMIN DE FER
PORTES DE FER
PRÉCHAUFFER
SURCHAUFFER
CHEVAU-LÉGER
SURPROTÉGER
BLANC-MANGER
GARDE-MANGER
MINNESÄNGER
SCHRÖDINGER
TÉLÉCHARGER
ENTR'ÉGORGER
DÉSENGORGER
CALORIFUGER
CENTRIFUGER
DÉHARNACHER
PLEURNICHER
ENDIMANCHER
RÉEMBAUCHER
EFFAROUCHER

APOSTROPHER
PHILOSOPHER
AMBULANCIER
PLAISANCIER
PÉNITENCIER
SAINT-DIDIER
TAILLANDIER
BRANCARDIER
BIEDERMEIER
DÉCALCIFIER
RECALCIFIER
DÉMYTHIFIER
DÉQUALIFIER
REQUALIFIER
EXEMPLIFIER
FRIGORIFIER
ÉLECTRIFIER
DÉNITRIFIER
DÉVITRIFIER
INTENSIFIER
DIVERSIFIER
DÉSERTIFIER
DÉMYSTIFIER
MONTGOLFIER
PRIVILÉGIER
HOSPITALIER
FESTIVALIER
SAINT-HÉLIER
LE CHAPELIER
LE CHATELIER
CHENEVELIER
RÉCONCILIER
DÉSAFFILIER
MIRABELLIER
MONTPELLIER
GROSEILLIER
SAPOTILLIER
MARGUILLIER
CARAMBOLIER
COROSSOLIER
PARTICULIER
MICOCOULIER
SAINT-ISMIER
PALEFRENIER
CHÂTAIGNIER
MANDARINIER
MAROQUINIER
QUARTANNIER
CHARBONNIER
CHIFFONNIER
BOUCHONNIER
HOUBLONNIER
CHANSONNIER
MEISSONNIER
POISSONNIER
BUISSONNIER
GONFALONIER

GONFANONIER	RÉINSTALLER	**PONT-AUDEMER**
CHANGARNIER	**ROCKEFELLER**	DIAPHRAGMER
EXCOMMUNIER	CORN-SHELLER	**OPPENHEIMER**
COUPE-PAPIER	INTERPELLER	DÉCOMPRIMER
PORTE-PAPIER	COURCAILLER	DÉLÉGITIMER
PHOTOCOPIER	ROUSCAILLER	SOUS-ESTIMER
DÉSAPPARIER	COUCHAILLER	MICROFILMER
INVENTORIER	ENCANAILLER	**LILLEHAMMER**
RÉPERTORIER	TRAÎNAILLER	SURINFORMER
SKYE-TERRIER	TOURNAILLER	DÉSINFORMER
BULL-TERRIER	RAVITAILLER	TRANSFORMER
ARBALÉTRIER	ENFUTAILLER	**CRIEL-SUR-MER**
MONT-LAURIER	ÉCRIVAILLER	**DIVES-SUR-MER**
PROCÉDURIER	DÉSHABILLER	DÉSOXYGÉNER
CONFITURIER	ENSOLEILLER	DÉSENGRENER
CRAN-GEVRIER	DÉPAREILLER	ACCOMPAGNER
MANŒUVRIER	APPAREILLER	INTERLIGNER
EUTHANASIER	ÉMERVEILLER	DÉCONSIGNER
HYPOSTASIER	ESTAMPILLER	HOME-TRAINER
ANESTHÉSIER	DÉGOUPILLER	CHANFREINER
FRAMBOISIER	DÉTORTILLER	**LANDSTEINER**
MONTPENSIER	ENTORTILLER	EMBOBELINER
CALEBASSIER	EMBASTILLER	DÉGASOLINER
MATELASSIER	ACCASTILLER	DÉGAZOLINER
PAPERASSIER	ÉMOUSTILLER	DISCIPLINER
ÉCRIVASSIER	CROUSTILLER	DÉCALAMINER
ARQUEBUSIER	GRIBOUILLER	DISCRIMINER
LE CORBUSIER	BARBOUILLER	ENDOCTRINER
CHOCOLATIER	BREDOUILLER	TAMBOURINER
USUFRUITIER	PENDOUILLER	EMMAGASINER
FERBLANTIER	TRIFOUILLER	GUILLOTINER
CHARPENTIER	FARFOUILLER	PRÉDESTINER
CHARPENTIER	GARGOUILLER	BARAGOUINER
DÉBIRENTIER	MÂCHOUILLER	SHAMPOUINER
BIMBELOTIER	AGENOUILLER	ENQUIQUINER
BERGAMOTIER	GRENOUILLER	DAMASQUINER
PORT-CARTIER	CORNOUILLER	DÉSARÇONNER
BOISMORTIER	DÉBROUILLER	SUBORDONNER
SAINT-ASTIER	EMBROUILLER	BADIGEONNER
LANGOUSTIER	GADROUILLER	BOURGEONNER
NOIRMOUTIER	VADROUILLER	DÉPLAFONNER
AUTOROUTIER	DÉGROUILLER	PARANGONNER
FORCALQUIER	VERROUILLER	OCCASIONNER
SOUS-CLAVIER	PATROUILLER	ÉMULSIONNER
BETTERAVIER	CHATOUILLER	ILLUSIONNER
LOUP-CERVIER	DÉMAQUILLER	FRACTIONNER
SAINT-DIZIER	REMAQUILLER	FRICTIONNER
SAINT-LIZIER	ÉCARQUILLER	SANCTIONNER
DIEFENBAKER	**BISCHWILLER**	FONCTIONNER
CULTIPACKER	**WEISSMULLER**	PONCTIONNER
SUPERTANKER	DÉGRINGOLER	AMBITIONNER
DÉSENSABLER	DÉBOUSSOLER	ADDITIONNER
BOURSOUFLER	FRANC-PARLER	AUDITIONNER
EMMITOUFLER	BLACKBOULER	POSITIONNER
FURTWÄNGLER	CONGRATULER	PÉTITIONNER
DÉSENTOILER	RÉCAPITULER	QUESTIONNER
CHRISTALLER	**WALTER TYLER**	SOLUTIONNER

DÉBALLONNER
GRAILLONNER
PAPILLONNER
CARILLONNER
BOUILLONNER
COUILLONNER
DÉBOULONNER
FANFARONNER
CHAPERONNER
PLASTRONNER
DÉCOURONNER
DÉRAISONNER
ARRAISONNER
ASSAISONNER
EMPOISONNER
EMPRISONNER
PALISSONNER
POLISSONNER
MOLLETONNER
DÉBOUTONNER
REBOUTONNER
DÉSINCARNER
CHANTOURNER
BAUMGARTNER
ENTRECOUPER
CONTRETYPER
CONCÉLÉBRER
DÉSENCADRER
CONGLOMÉRER
DÉSINTÉGRER
TRANSMIGRER
ENCHEVÊTRER
DÉFENESTRER
ENREGISTRER
ADMINISTRER
CLAQUEMURER
DÉCHLORURER
SOUS-ASSURER
COURBATURER
CARICATURER
CONJECTURER
PARAPHRASER
TECHNICISER
CHRONICISER
RINGARDISER
SYMPATHISER
RADICALISER
MÉDICALISER
DÉLOCALISER
SCANDALISER
SPÉCIALISER
MONDIALISER
SPATIALISER
INITIALISER
DÉCIMALISER
MINIMALISER
OPTIMALISER

MAXIMALISER
DÉPÉNALISER
NOMINALISER
LIBÉRALISER
FÉDÉRALISER
GÉNÉRALISER
MINÉRALISER
DÉMORALISER
CAPORALISER
CENTRALISER
NEUTRALISER
NATURALISER
DÉNASALISER
PALATALISER
VÉGÉTALISER
DIGITALISER
CAPITALISER
DÉVITALISER
REVITALISER
CHAPTALISER
MENSUALISER
ÉVANGÉLISER
CARAMÉLISER
DÉMOBILISER
IMMOBILISER
SOLUBILISER
LYOPHILISER
DÉVIRILISER
VOLATILISER
PARCELLISER
CARTELLISER
MÉTABOLISER
MONOPOLISER
DÉNÉBULISER
RIDICULISER
MACADAMISER
UNIFORMISER
AFRICANISER
RÉORGANISER
ITALIANISER
ALCALINISER
DÉCOLONISER
FRATERNISER
ENTRETOISER
APPRIVOISER
SOLIDARISER
NUCLÉARISER
DÉPOLARISER
SÉCULARISER
RÉGULARISER
POPULARISER
TITULARISER
MILITARISER
POLYMÉRISER
DÉSODORISER
CATÉGORISER
DÉVALORISER

REVALORISER
INSONORISER
SPONSORISER
DÉFAVORISER
THÉSAURISER
PASTEURISER
PRESSURISER
SCHÉMATISER
STIGMATISER
AXIOMATISER
AUTOMATISER
TRAUMATISER
DÉSÉTATISER
DIALECTISER
PROPHÉTISER
SYNTHÉTISER
DÉMONÉTISER
CONCRÉTISER
DÉPOLITISER
RELATIVISER
RÉCOMPENSER
ANASTOMOSER
PRÉSUPPOSER
PRÉDISPOSER
SOUS-EXPOSER
RETRAVERSER
BOULEVERSER
TERGIVERSER
DÉCARCASSER
POURCHASSER
OUTREPASSER
DÉBARRASSER
EMBARRASSER
RENGRAISSER
TREILLISSER
ENTRE-TISSER
ÉCLABOUSSER
STABAT MATER
DÉSHYDRATER
NITROBACTER
ACÉTOBACTER
AZOTOBACTER
DÉSAFFECTER
DÉSINFECTER
DÉCONNECTER
DÉMOUCHETER
AIGUILLETER
GUILLEMETER
INTERPRÉTER
REMPAQUETER
DÉBECQUETER
DÉCHIQUETER
DÉCLIQUETER
ENCLIQUETER
PLANSICHTER
SOUS-TRAITER
PLÉBISCITER

RESSUSCITER	REMASTIQUER	CHALLENGEUR
DISCRÉDITER	DOMESTIQUER	DÉCLENCHEUR
COMMANDITER	INTERLOQUER	ENCLENCHEUR
BLAUE REITER	RÉCIPROQUER	IDENTIFIEUR
RÉHABILITER	DÉSOBSTRUER	MULTIPLIEUR
DÉPARASITER	DÉSHABITUER	TÉLÉCOPIEUR
STATTHALTER	DÉSENCLAVER	RASSEMBLEUR
KLINEFELTER	DÉSENTRAVER	ENSORCELEUR
RÉIMPLANTER	**OTTAWA RIVER**	ÉCORNIFLEUR
DÉSAIMANTER	INTERVIEWER	HANDBALLEUR
DÉSARGENTER	DÉCOMPLEXER	FOOTBALLEUR
DÉSORIENTER	**STROSSMAYER**	CHAMAILLEUR
IMPATIENTER	REJOINTOYER	REMPAILLEUR
RÉGLEMENTER	**GRILLPARZER**	FERRAILLEUR
PARLEMENTER	MONTE-EN-L'AIR	MITRAILLEUR
INCRÉMENTER	**PAIR-NON-PAIR**	AVITAILLEUR
MOUVEMENTER	**KSAR EL-KÉBIR**	TRAVAILLEUR
ASSERMENTER	**MERS EL-KÉBIR**	CONSEILLEUR
REPRÉSENTER	APPROFONDIR	GRAPPILLEUR
MÉCONTENTER	AÏD-EL-SÉGHIR	RABOUILLEUR
PRÊT-À-MONTER	TRESSAILLIR	BIDOUILLEUR
RÉEMPRUNTER	**JEAN CASIMIR**	BAFOUILLEUR
TOURNICOTER	CONTREVENIR	CAFOUILLEUR
BOURSICOTER	CIRCONVENIR	MAGOUILLEUR
DÉMAILLOTER	DISCONVENIR	GAZOUILLEUR
EMMAILLOTER	RESSOUVENIR	RESQUILLEUR
INTERCEPTER	VENDANGEOIR	CAMBRIOLEUR
RÉESCOMPTER	FAIRE-VALOIR	HAUT-PARLEUR
DÉCONCERTER	ÉCHENILLOIR	ANTIDOULEUR
RÉCONFORTER	ÉCUSSONNOIR	DÉCAPSULEUR
PRÊT-À-PORTER	POURRISSOIR	CYCLORAMEUR
INSUPPORTER	CITÉ-DORTOIR	PROGRAMMEUR
TRANSPORTER	NON-RECEVOIR	MONSEIGNEUR
COTONÉASTER	SURENCHÉRIR	POINÇONNEUR
WESTMINSTER	RECONQUÉRIR	GRIFFONNEUR
WILLSTÄTTER	REDÉCOUVRIR	RONCHONNEUR
DÉSENDETTER	DÉSÉPAISSIR	SECTIONNEUR
SILHOUETTER	RECONVERTIR	GOUDRONNEUR
BOUILLOTTER	INTERVERTIR	MOISSONNEUR
CONTREBUTER	DÉSASSORTIR	HAUT-LE-CŒUR
CHOUCHOUTER	DÉSINVESTIR	CONTRECŒUR
GLOUGLOUTER	RONDS-DE-CUIR	HANDICAPEUR
FROUFROUTER	**PEARL HARBOR**	DÉVELOPPEUR
BECKENBAUER	**SAN SALVADOR**	ANTICABREUR
EXTRAVAGUER	**TRIANGLE D'OR**	COACQUÉREUR
SUBDÉLÉGUER	**POULO CONDOR**	DÉCHIFFREUR
INVESTIGUER	**GRUSS JUNIOR**	FRANC-TIREUR
BOURLINGUER	KWASHIORKOR	FRANCHISEUR
DIPHTONGUER	TECHNICOLOR	MÉTALLISEUR
PORTZMOGUER	**CÔTES-D'ARMOR**	ÉCONOMISEUR
SOUS-ÉVALUER	CONSTRICTOR	SYNTONISEUR
HYPOTHÉQUER	CLAIR-OBSCUR	QUIMBOISEUR
REVENDIQUER	AMBASSADEUR	PULVÉRISEUR
PIQUE-NIQUER	MARCHANDEUR	CLIMATISEUR
COMMUNIQUER	POURFENDEUR	MAGNÉTISEUR
DÉCORTIQUER	TÉLÉVENDEUR	HYPNOTISEUR
DÉMASTIQUER	RÉCHAUFFEUR	PALETTISEUR

AUTOCUISEUR
RÉTROVISEUR
SUPERVISEUR
HYPOTENSEUR
ENTREPOSEUR
DÉCOMPOSEUR
COMPRESSEUR
SUPPRESSEUR
CONNAISSEUR
DÉGRAISSEUR
ENGRAISSEUR
ADOUCISSEUR
ENVAHISSEUR
FLÉCHISSEUR
DÉMOLISSEUR
FOURNISSEUR
NOURRISSEUR
APLATISSEUR
AVERTISSEUR
AMORTISSEUR
DÉTROUSSEUR
CORNEMUSEUR
RÉPROBATEUR
IMPROBATEUR
APPROBATEUR
IMPRÉCATEUR
PRÉDICATEUR
UNIFICATEUR
APPLICATEUR
DUPLICATEUR
FORNICATEUR
FABRICATEUR
MASTICATEUR
PROVOCATEUR
DÉPRÉDATEUR
LIQUIDATEUR
FÉCONDATEUR
COFONDATEUR
RETARDATEUR
DÉLINÉATEUR
PROCRÉATEUR
PROPAGATEUR
INSTIGATEUR
DIVULGATEUR
SUBROGATEUR
CONJUGATEUR
NÉGOCIATEUR
CONGÉLATEUR
SURGÉLATEUR
COMPILATEUR
VENTILATEUR
OSCILLATEUR
PERCOLATEUR
CONSOLATEUR
LÉGISLATEUR
SPÉCULATEUR
CALCULATEUR

STIMULATEUR
DIFFAMATEUR
DÉCLAMATEUR
COLLIMATEUR
RÉANIMATEUR
RÉFORMATEUR
INFORMATEUR
PROFANATEUR
COMBINATEUR
BUCCINATEUR
FASCINATEUR
EXAMINATEUR
ÉLIMINATEUR
TERMINATEUR
DESSINATEUR
DESTINATEUR
ORDONNATEUR
ALTERNATEUR
DISSIPATEUR
EXTIRPATEUR
PRÉPARATEUR
COMPARATEUR
PONDÉRATEUR
COOPÉRATEUR
LITTÉRATEUR
INTÉGRATEUR
RESPIRATEUR
INSPIRATEUR
PERFORATEUR
EXPLORATEUR
ÉVAPORATEUR
CARBURATEUR
PROCURATEUR
TRITURATEUR
RÉALISATEUR
ÉGALISATEUR
UTILISATEUR
BRUMISATEUR
IMPORTATEUR
EXPORTATEUR
DÉVASTATEUR
DÉGUSTATEUR
COMMUTATEUR
ATTÉNUATEUR
CULTIVATEUR
OBSERVATEUR
PROSPECTEUR
VICE-RECTEUR
CODIRECTEUR
SOUS-SECTEUR
CONJONCTEUR
DISJONCTEUR
ACUPONCTEUR
ACUPUNCTEUR
DESTRUCTEUR
INSTRUCTEUR
BIENFAITEUR

SOLLICITEUR
ACCRÉDITEUR
INQUISITEUR
OVIPOSITEUR
COMPOSITEUR
COMPÉTITEUR
DÉPARTITEUR
RÉPARTITEUR
POURSUITEUR
AQUACULTEUR
OLÉICULTEUR
POMICULTEUR
AGRICULTEUR
VITICULTEUR
AQUICULTEUR
RIZICULTEUR
MOTOCULTEUR
BRILLANTEUR
IMPESANTEUR
BONIMENTEUR
CODÉTENTEUR
TURBOMOTEUR
CYCLOMOTEUR
OCULOMOTEUR
SERVOMOTEUR
DESCRIPTEUR
CONTEMPTEUR
DISCOMPTEUR
CALOPORTEUR
AUTOPORTEUR
GROS-PORTEUR
DÉNOYAUTEUR
PERSÉCUTEUR
INSTITUTEUR
PÈSE-LIQUEUR
CHRONIQUEUR
PLASTIQUEUR
TOPINAMBOUR
ARRIÈRE-COUR
PAUL-BONCOUR
BELLE-DE-JOUR
KUALA LUMPUR
MUZAFFARPUR
BANDAR ABBAS
EN CONTREBAS
SAINT-VULBAS
SAINT-GILDAS
ÉPAMINONDAS
PHYTÉLÉPHAS
HYPOSPADIAS
TORDESILLAS
JEAN DE DAMAS
SAINT THOMAS
PUNTA ARENAS
CAPPA MAGNAS
TRICHOMONAS
GRANDS-PAPAS

PANIER-REPAS
RADIOCOMPAS
SPACE OPERAS
ATHÉNAGORAS
COSTA-GAVRAS
JOUY-EN-JOSAS
TRIPLICATAS
PILLOW-LAVAS
BOSSAS-NOVAS
TERRE-NEUVAS
ARRIÈRE-BECS
SEMI-PUBLICS
WORLD MUSICS
HOUSE MUSICS
MONTS-BLANCS
CONTRE-CHOCS
BLANCS-ÉTOCS
TRAINS-PARCS
JEUNES-TURCS
JEUNES-TURCS
CROCHE-PIEDS
ESSUIE-PIEDS
CONTRE-PIEDS
COUVRE-PIEDS
REPOSE-PIEDS
GRATTE-PIEDS
POUCES-PIEDS
CONTREPOIDS
GRAND RAPIDS
CEDAR RAPIDS
LINE ISLANDS
PIERREFONDS
MONTAGNARDS
STORY-BOARDS
HORSE-GUARDS
FRANCS-BORDS
SUPER-LOURDS
ENTRE-NŒUDS
ANGLO-ARABES
ENTREJAMBES
LANCE-BOMBES
MALESHERBES
PILO-SÉBACÉS
BRISE-GLACES
GARDE-PLACES
SOUS-ESPACES
SOUS-ESPÈCES
BACK-OFFICES
SÉCRÉTRICES
ENQUÊTRICES
CONVENANCES
BIOSCIENCES
BADIGOINCES
IDÉES-FORCES
SEMI-NOMADES
CARBONNADES
MULTISTADES

SEMI-RIGIDES
RIOURIKIDES
PREMYSLIDES
ACHÉMÉNIDES
ALCMÉONIDES
ANTIGONIDES
SALDJUQIDES
ÉPHÉMÉRIDES
WATTASSIDES
LAURENTIDES
ALMORAVIDES
GHAZNÉVIDES
RHAZNÉVIDES
ENTRE-BANDES
TIERS-MONDES
AVANT-GARDES
EAUX-CHAUDES
NON-INITIÉES
QUADRUPLÉES
QUINTUPLÉES
INTERARMÉES
PANATHÉNÉES
NON-ALIGNÉES
PARAFFINÉES
NOUVEAU-NÉES
CANNES-ÉPÉES
SOUS-TITRÉES
SEMI-OUVRÉES
LANCE-FUSÉES
BAS-JOINTÉES
SOUS-SOLAGES
MARQUE-PAGES
SOUS-CAVAGES
COAST RANGES
PORTE-BARGES
DEMI-VIERGES
KARAGEORGES
PEAUX-ROUGES
PEAUX-ROUGES
MAIL-COACHES
MILLEVACHES
TCHOUVACHES
ARROMANCHES
BULL-FINCHES
POST-MARCHÉS
TEST-MATCHES
TCHOUKTCHES
SOUS-COUCHES
GOBE-MOUCHES
TAILLE-HAIES
PARENTALIES
CONTRE-VOIES
GARDES-VOIES
PORTE-COPIES
NON-SALARIÉS
RAVE-PARTIES
DEMI-FINALES

MUNICIPALES
COMESTIBLES
GRAS-DOUBLES
DEMI-CERCLES
COUPE-ONGLES
DEUX-SICILES
GRAND-VOILES
MULTISALLES
PONT-À-CELLES
DARDANELLES
ROUES-PELLES
COMBARELLES
FIANÇAILLES
COMBRAILLES
FUNÉRAILLES
ÉPOUSAILLES
VICTUAILLES
RELEVAILLES
SAINT-GILLES
FOUGEROLLES
COURSEULLES
SOUS-PEUPLÉS
KING-CHARLES
THERMOPYLES
BELLES-DAMES
SOUS-ESTIMÉS
SAGES-FEMMES
SUS-DÉNOMMÉS
CUMULO-DÔMES
MOBILE HOMES
PORTE-PLUMES
SOUS-CUTANÉS
AVANT-SCÈNES
TCHÉTCHÈNES
SEMI-PEIGNÉS
CONTRE-MINES
SALLAUMINES
PHILIPPINES
SOUS-MARINES
EUROPÉENNES
MARCHIENNES
AVEUGLES-NÉS
PREMIERS-NÉS
DERNIERS-NÉS
AUTO-IMMUNES
SOUS-ÉQUIPÉS
HAUTES-ALPES
SOUS-GROUPES
ÉCARTS-TYPES
BIOY CASARES
SOUS-DIACRES
LOMBO-SACRÉS
PORT-VENDRES
CHAMALIÈRES
ARMENTIÈRES
GRANDS-MÈRES
ROCHES-MÈRES

BELLES-MÈRES
GRANDS-PÈRES
SAINTS-PÈRES
BEAUX-FRÈRES
CHATS-TIGRES
LORDS-MAIRES
BUENOS AIRES
JALONS-MIRES
PIEDS-NOIRES
BOUCHE-PORES
ROSÉ-DES-PRÉS
CODES-BARRES
BANCS-TITRES
RÔLES-TITRES
PÈSE-LETTRES
IODO-IODURÉS
VIDE-ORDURES
DEMI-FIGURES
DEMI-MESURES
SOUS-ASSURÉS
SOUS-SATURÉS
SERRE-LIVRES
VANITY-CASES
STRIP-TEASES
TIRE-BRAISES
MOTS-VALISES
LYOPHILISÉS
BECS-CROISÉS
MOTS CROISÉS
CACHE-PRISES
NON-RÉPONSES
SOUS-EXPOSÉS
SOUS-CLASSES
PLANS-MASSES
TCHERKESSES
GRAND-MESSES
ENTRE-TISSÉS
CENT-SUISSES
NON-FUMEUSES
SÉCRÉTEUSES
ENQUÊTEUSES
CALLICRATÈS
ENTREFAITES
SOUS-TRAITÉS
KORAÏCHITES
QURAYCHITES
SOUS-COMITÉS
OUVRE-BOÎTES
DEMI-DROITES
GRAND-TANTES
NON-VOYANTES
SUS-JACENTES
DEMI-TEINTES
LONG-JOINTÉS
DEMI-POINTES
GARDES-CÔTES
PHANARIOTES

TRES ZAPOTES
PORTE-CARTES
AVANT-POSTES
MILLE-PATTES
CASSE-PATTES
CLOPINETTES
LÈCHE-BOTTES
BRISE-MOTTES
PONTS-ROUTES
AVANT-TEXTES
SOUS-TENDUES
PORTE-QUEUES
ISAAC JOGUES
SOUS-ÉVALUÉS
MOINS-VALUES
CHASSE-ROUES
TLAPANÈQUES
PIQUE-NIQUES
SUS-TONIQUES
SYNOPTIQUES
SOUS-MARQUES
COURT-VÊTUES
PORTE-REVUES
LONGUES-VUES
COUVRE-CHEFS
FRANCS-FIEFS
DEMI-RELIEFS
SCHTROUMPFS
GARDE-BŒUFS
PIQUE-BŒUFS
SKY-SURFINGS
DRY-FARMINGS
CADILLACAIS
SEGONZACAIS
TREMBLADAIS
BÉDARRIDAIS
THAÏLANDAIS
THAÏLANDAIS
CHALLANDAIS
NÉERLANDAIS
NÉERLANDAIS
ALLEVARDAIS
CABOURGEAIS
SOUILLAGAIS
HONGKONGAIS
GUERNESIAIS
PORTE-BALAIS
PAS-DE-CALAIS
SAINT-CALAIS
MONTRÉALAIS
MONTRÉALAIS
SAINT-PALAIS
BONNEVALAIS
BOUGIVALAIS
YSSINGELAIS
SAINT-GELAIS
MONTERELAIS

MARSHALLAIS
VERSAILLAIS
VERSAILLAIS
CORMEILLAIS
MARSEILLAIS
MARSEILLAIS
ARCUEILLAIS
GRANVILLAIS
JOINVILLAIS
TROUVILLAIS
MARVEJOLAIS
CHESTROLAIS
SAINT-JAMAIS
VIENTIANAIS
MARIGNANAIS
LÉZIGNANAIS
ARGENTANAIS
CARENTANAIS
JAKARTANAIS
CAPESTANAIS
PAKISTANAIS
PAKISTANAIS
HAUT-SEINAIS
JOSSELINAIS
DOURDANNAIS
COURSANNAIS
MIMIZANNAIS
DOULLENNAIS
BOURBONNAIS
BOURBONNAIS
ALENÇONNAIS
MÉZIDONNAIS
GOURDONNAIS
LANNIONNAIS
RÉUNIONNAIS
RÉUNIONNAIS
ARPAJONNAIS
AVALLONNAIS
GAILLONNAIS
AVIGNONNAIS
COURNONNAIS
NONTRONNAIS
AVEYRONNAIS
CLISSONNAIS
SOISSONNAIS
BUISSONNAIS
ÉGLETONNAIS
FRONTONNAIS
VIERZONNAIS
BARCELONAIS
BARCELONAIS
SISTERONAIS
BEAUHARNAIS
HAUT-MARNAIS
SIX-FOURNAIS
CAMEROUNAIS
CAMEROUNAIS

GUINGAMPAIS	**SEYCHELLOIS**	**BEAUPORTOIS**
MINAS GERAIS	**SAMMIELLOIS**	**PINCOURTOIS**
BRESSUIRAIS	**CAP-D'AILLOIS**	**BONCOURTOIS**
HONFLEURAIS	**VERFEILLOIS**	DISCOURTOIS
HARFLEURAIS	**BELŒILLOIS**	**BUDAPESTOIS**
SEIGNOSSAIS	**DRAVEILLOIS**	**BUCARESTOIS**
HUELGOATAIS	**ABBEVILLOIS**	**TONNACQUOIS**
BAGNOLETAIS	**AMNÉVILLOIS**	**DUNKERQUOIS**
CLERMONTAIS	**LUNÉVILLOIS**	**LOUPERIVOIS**
CHAUMONTAIS	**JOINVILLOIS**	PYRRHOCORIS
DOMFRONTAIS	**COURVILLOIS**	**MALLET-JORIS**
LA CHALOTAIS	**ÉCHIROLLOIS**	POTS-POURRIS
MONTFORTAIS	SOUS-EMPLOIS	CHIENS-ASSIS
BEAUFORTAIS	**QUIMPERLOIS**	CAILLEBOTIS
DOMINIQUAIS	DÉCRETS-LOIS	MACROCYSTIS
SALMIGONDIS	**BAILLEULOIS**	**KARAKALPAKS**
DE PROFUNDIS	**CORBEHEMOIS**	**ADIRONDACKS**
CURIAE REGIS	**SAINT-RÉMOIS**	SHORT-TRACKS
CURIAS REGIS	**CATTENOMOIS**	RIPPLE-MARKS
SEFERIÁDHIS	**COMPIÉGNOIS**	**VAN DER WAALS**
KAZANTZÁKIS	**PRESSIGNOIS**	CONVENTUELS
GRIBOUILLIS	**TOMBLAINOIS**	CONTRE-RAILS
BARBOUILLIS	**ESCAUDINOIS**	PORTE-OUTILS
BREDOUILLIS	**MADELEINOIS**	ROLLER BALLS
GARGOUILLIS	INDOCHINOIS	BASKET-BALLS
MARGOUILLIS	**INDOCHINOIS**	VOLLEY-BALLS
CHATOUILLIS	**HAUT-RHINOIS**	SCRIPT-GIRLS
MINNEAPOLIS	**GRAVELINOIS**	VICE-CONSULS
MEGALOPOLIS	**ESCOUMINOIS**	**DORTMUND-EMS**
MÉGALOPOLIS	**TURRIPINOIS**	STAR-SYSTEMS
MÂCHICOULIS	**FELLETINOIS**	LIVING-ROOMS
FIDÉICOMMIS	VALENTINOIS	CHEWING-GUMS
CANNELLONIS	**VALENTINOIS**	ARRIÈRE-BANS
CRESSIACOIS	**BARENTINOIS**	**SAINT ALBANS**
AURILLACOIS	**AUGUSTINOIS**	GRAND-MAMANS
CAPDENACOIS	**ENGHIENNOIS**	GALLO-ROMANS
DONZENACOIS	**GRATIENNOIS**	RHÉTO-ROMANS
BERGERACOIS	**HAUT-SAÔNOIS**	CROSSWOMANS
CHOMÉRACOIS	**ISSOLDUNOIS**	**ARC-ET-SENANS**
ARGENTACOIS	**SAVERDUNOIS**	PAGES-ÉCRANS
BANNALÉCOIS	**TASSILUNOIS**	NORD-CORÉENS
CLAMECYCOIS	AVOIRDUPOIS	**NORD-CORÉENS**
RICAMANDOIS	**JONQUIÉROIS**	**AMÉRINDIENS**
MONTBARDOIS	**GRAND-MÉROIS**	ÉTATS-UNIENS
BROSSARDOIS	**BEAUCAIROIS**	**ÉTATS-UNIENS**
THETFORDOIS	**CAVALAIROIS**	**MÉLANÉSIENS**
FLORANGEOIS	**VALCOLOROIS**	**CIRCASSIENS**
STIRINGEOIS	**VENDEUVROIS**	**SAINT HELENS**
COULONGEOIS	**LAPALISSOIS**	**AIX-LES-BAINS**
MAUBEUGEOIS	**BANGUISSOIS**	AFRO-CUBAINS
QUELQUEFOIS	**FLEURYSSOIS**	**AFRO-CUBAINS**
ALTKIRCHOIS	**GRAULHETOIS**	ESSUIE-MAINS
MASCOUCHOIS	CLERMONTOIS	AVANT-TRAINS
ROBERVALOIS	**CLERMONTOIS**	TERRE-PLEINS
BONDOUFLOIS	**HAUTMONTOIS**	**JUAN-LES-PINS**
MIRABELLOIS	**BEAUMONTOIS**	GRÉCO-LATINS
SEYCHELLOIS	**CHAUMONTOIS**	FREE-MARTINS

TRADE-UNIONS	BOUTS-DEHORS	BOXER-SHORTS
JAM-SESSIONS	ÉTATS-MAJORS	CROQUE-MORTS
CINQ NATIONS	MILLE-FLEURS	GARDES-PORTS
CONVENTIONS	PIQUE-FLEURS	BRAIN-TRUSTS
PORTE-AVIONS	CHOUX-FLEURS	PROTOCOCCUS
SAINT-GIRONS	**VAUCOULEURS**	VULGUM PECUS
DEMI-SAISONS	CACHE-CŒURS	**BRITANNICUS**
À CROUPETONS	SOUS-VIREURS	MOINS-PERÇUS
DEMI-CANTONS	BASSES-COURS	CUNNILINGUS
PORTE-SAVONS	PETITS-FOURS	**DION CASSIUS**
ANGLO-SAXONS	CONTRE-JOURS	ASPERGILLUS
ANGLO-SAXONS	COMPTE-TOURS	ALTOCUMULUS
QUELQUES-UNS	**WEIERSTRASS**	**NOSTRADAMUS**
PÉREZ GALDÓS	BATTLE-DRESS	CHASSE-CLOUS
KEROULARIOS	**LÉVI-STRAUSS**	**FRAYSSINOUS**
PIANISSIMOS	COUVRE-PLATS	LOUPS-GAROUS
DHAMASKINÓS	PANS-BAGNATS	BOUCHE-TROUS
AVANT-PROPOS	DUFFLE-COATS	ENTÉROVIRUS
DUNAÚJVÁROS	TRENCH-COATS	**THOMAS MORUS**
LOUIS LE GROS	DUFFEL-COATS	**PAROPAMISUS**
SISTER-SHIPS	MORT-AUX-RATS	**CINCINNATUS**
JUSTE-À-TEMPS	NON-RESPECTS	ALTOSTRATUS
ESPACE-TEMPS	PASSE-LACETS	STROPHANTUS
QUATRE-TEMPS	SOUS-PRÉFETS	**GISLEBERTUS**
CONTRETEMPS	PORTE-OBJETS	AGNUS-CASTUS
PLEINS-TEMPS	HUIT-REFLETS	**NEWPORT NEWS**
TRICÉRATOPS	SOURDS-MUETS	ARRIÈRE-PAYS
BRAS-LE-CORPS	CHOUX-NAVETS	RINK-HOCKEYS
HAUT-LE-CORPS	RINCE-DOIGTS	DISC-JOCKEYS
JUSTAUCORPS	PETITS-LAITS	JET-SOCIETYS
AFRIKAKORPS	QUASI-DÉLITS	CHÆNICHTYS
CHIENS-LOUPS	VOITURE-LITS	CLOSE-COMBAT
CÔTE DES BARS	CANAPÉS-LITS	**NANGA PARBAT**
CAMPING-CARS	PASSE-DROITS	SCOLASTICAT
CHAMP-DE-MARS	PIEDS-DROITS	ŒILS-DE-CHAT
BROODTHAERS	NON-INSCRITS	**FÉLIX LE CHAT**
SUPER-LÉGERS	PÈSE-ESPRITS	POISSON-CHAT
LES HERBIERS	GRAPE-FRUITS	**MEDICINE HAT**
COULOMMIERS	SUPER-GÉANTS	AUXILIARIAT
COULOMMIERS	CHATS-HUANTS	PARTENARIAT
CAP-HORNIERS	NON-CROYANTS	SOCIÉTARIAT
SANS-PAPIERS	FAUX-FUYANTS	PROLÉTARIAT
FOX-TERRIERS	SOUS-JACENTS	SECRÉTARIAT
BLOCS-ÉVIERS	VIFS-ARGENTS	VOLONTARIAT
CORN-PICKERS	NON-VIOLENTS	VEDETTARIAT
STRIP-POKERS	PLEINS-VENTS	LANDGRAVIAT
BEST-SELLERS	SACRO-SAINTS	MARGOUILLAT
POURPARLERS	SERRE-JOINTS	CHAUFFE-PLAT
APRÈS-DÎNERS	MULTIPOINTS	PROCONSULAT
COSY-CORNERS	RONDS-POINTS	PALÉOCLIMAT
MUDDY WATERS	TIERS-POINTS	MICROCLIMAT
COVENANTERS	MELTING-POTS	QUINQUENNAT
BABY-SITTERS	QUOTES-PARTS	CHAMPIONNAT
CHAMPDIVERS	TROIS-QUARTS	QUEUES-DE-RAT
FAITS DIVERS	SEMI-OUVERTS	CONGLOMÉRAT
CONTRE-VAIRS	SWEAT-SHIRTS	PROFESSORAT
DEMI-SOUPIRS	COMBI-SHORTS	INSPECTORAT

PROTECTORAT	**CLÉRAMBAULT**	FOURRAGEANT
PRÉCEPTORAT	**BAIE-MAHAULT**	DÉVISAGEANT
LYOPHILISAT	**PIATRA NEAMT**	ENVISAGEANT
SAINT-PRIVAT	DÉSINHIBANT	AVANTAGEANT
FULL-CONTACT	SURPLOMBANT	AFFOUAGEANT
CIRCONSPECT	RÉABSORBANT	TRANSIGEANT
GOLDSCHMIDT	ENTRELAÇANT	VENDANGEANT
HILDEBRANDT	COMMUNICANT	RECHANGEANT
SCHICKHARDT	MANIGANÇANT	BOULANGEANT
PETIT POUCET	COFINANÇANT	EFFRANGEANT
SAVANNAKHET	ENSEMENÇANT	ENGRANGEANT
BELIN-BÉLIET	RÉFÉRENÇANT	RALLONGEANT
COUVRE-OBJET	INFLUENÇANT	PROLONGEANT
AVANT-PROJET	CONVAINCANT	REPLONGEANT
CONTRE-SUJET	DÉSAMORÇANT	FORLONGEANT
CONTRE-FILET	RESSOURÇANT	DÉCHARGEANT
OPÉRA-BALLET	ACQUIESÇANT	RECHARGEANT
LE CASTELLET	COURROUÇANT	GAMBERGEANT
COURCAILLET	BARRICADANT	SUBMERGEANT
PORTE-BILLET	CAVALCADANT	CONVERGEANT
RAMBOUILLET	EMBRIGADANT	RENGORGEANT
VERNOUILLET	PALISSADANT	IGNIFUGEANT
ULTRAVIOLET	RÉTROCÉDANT	ÉBOURIFFANT
PLANTAGENÊT	INTERCÉDANT	RÉCHAUFFANT
POTRON-MINET	DÉPOSSÉDANT	EXTRAVAGANT
SAINT-BONNET	CONSOLIDANT	EMPANACHANT
HUGUES CAPET	TÉLÉGUIDANT	AMOURACHANT
SAISIE-ARRÊT	TRANSVIDANT	POURLÉCHANT
COUPE-JARRET	MARCHANDANT	CONTRE-CHANT
WATER-CLOSET	AFFRIANDANT	REMMANCHANT
BAS-EN-BASSET	ACHALANDANT	DÉBRANCHANT
TAMANRASSET	REDEMANDANT	EMBRANCHANT
MAUBOURGUET	GOURMANDANT	RETRANCHANT
PORTE-PAQUET	POURFENDANT	DÉCLENCHANT
QUATRE-VINGT	INDÉPENDANT	ENCLENCHANT
ZWIJNDRECHT	VILIPENDANT	RABIBOCHANT
DREADNOUGHT	SOUS-TENDANT	EFFILOCHANT
INSATISFAIT	VAGABONDANT	GUILLOCHANT
SUPERPROFIT	SURABONDANT	RACCROCHANT
DESSUS-DE-LIT	TRANSCODANT	RAPPROCHANT
BANANA SPLIT	ACCOMMODANT	RECHERCHANT
SAINT-BENOÎT	INCOMMODANT	AFFOURCHANT
AYANTS DROIT	CHAMBARDANT	ENFOURCHANT
RETRANSCRIT	BRANCARDANT	DISPATCHANT
CIRCONSCRIT	BOUCHARDANT	REMBAUCHANT
WHITE-SPIRIT	MOUCHARDANT	CHEVAUCHANT
SAINT-ESPRIT	FLEMMARDANT	DESSOUCIANT
SAINT-ESPRIT	POIGNARDANT	DISGRACIANT
SAUF-CONDUIT	ÉCHAFAUDANT	BÉNÉFICIANT
DEMI-PRODUIT	COURTAUDANT	SUPPLICIANT
SEMI-PRODUIT	MARIVAUDANT	DISTANCIANT
SOUS-PRODUIT	ANTIOXYDANT	RENÉGOCIANT
RÉINTRODUIT	RÉENGAGEANT	RÉEXPÉDIANT
BELLE-DE-NUIT	GRILLAGEANT	STIPENDIANT
DÉCONSTRUIT	DÉMÉNAGEANT	PSALMODIANT
RECONSTRUIT	EMMÉNAGEANT	PLANCHÉIANT
RADIOCOBALT	NAUFRAGEANT	RIGIDIFIANT

SOLIDIFIANT	TORRAILLANT	DISSIMULANT
HUMIDIFIANT	MITRAILLANT	REFORMULANT
FLUIDIFIANT	COURAILLANT	DESSAOULANT
DRAGÉIFIANT	GRISAILLANT	CHAMBOULANT
ALCALIFIANT	AVITAILLANT	DÉBAGOULANT
SIMPLIFIANT	TRAVAILLANT	DÉCAPSULANT
SAPONIFIANT	DÉGOBILLANT	BLASPHÉMANT
ÉTHÉRIFIANT	SOURCILLANT	RÉIMPRIMANT
ESTÉRIFIANT	**BRONDILLANT**	DÉSARRIMANT
ÉMULSIFIANT	SOMMEILLANT	MILLÉSIMANT
CLASSIFIANT	CONSEILLANT	SURESTIMANT
STRATIFIANT	ACCUEILLANT	MÉSESTIMANT
SANCTIFIANT	RECUEILLANT	PROGRAMMANT
FRUCTIFIANT	MALVEILLANT	RÉAFFIRMANT
QUANTIFIANT	SURVEILLANT	DÉSENFUMANT
IDENTIFIANT	FOURMILLANT	TRANSHUMANT
PLASTIFIANT	DÉCANILLANT	ACCOUTUMANT
REVIVIFIANT	ÉCHENILLANT	FILIGRANANT
DÉNAZIFIANT	GRAPPILLANT	HYDROGÉNANT
DOMICILIANT	ÉPARPILLANT	DÉSALIÉNANT
MULTIPLIANT	HOUSPILLANT	**MIAJA MENANT**
AUTOCOPIANT	ÉTOUPILLANT	RASSÉRÉNANT
POLYCOPIANT	QUADRILLANT	RÉAPPRENANT
CONTRARIANT	ESSORILLANT	ENTRETENANT
APPROPRIANT	SCINTILLANT	APPARTENANT
EXPROPRIANT	POINTILLANT	INCONVENANT
APOSTASIANT	ENDEUILLANT	INTERVENANT
INTERCALANT	EFFEUILLANT	RESSAIGNANT
RASSEMBLANT	BIDOUILLANT	ENFREIGNANT
RESSEMBLANT	BAFOUILLANT	EMPREIGNANT
ENSORCELANT	CAFOUILLANT	RÉTREIGNANT
DÉCONGELANT	REFOUILLANT	ASTREIGNANT
ENTREMÊLANT	AFFOUILLANT	RENSEIGNANT
RESSEMELANT	MAGOUILLANT	DÉSALIGNANT
DÉBOSSELANT	ZIGOUILLANT	DISJOIGNANT
ENCHÂTELANT	REMOUILLANT	RÉASSIGNANT
DÉMANTELANT	DÉPOUILLANT	ÉGRATIGNANT
ENCASTELANT	DÉROUILLANT	BARGUIGNANT
DÉCERVELANT	VASOUILLANT	RENFROGNANT
RENOUVELANT	PATOUILLANT	RECOMBINANT
ESSOUFFLANT	PÉTOUILLANT	REMBOBINANT
PANTOUFLANT	GAZOUILLANT	REVACCINANT
DESSANGLANT	RESQUILLANT	RATIOCINANT
TRANSFILANT	AUTOCOLLANT	HALLUCINANT
DÉFAUFILANT	CARAMBOLANT	PARAFFINANT
HORRIPILANT	CAMBRIOLANT	DÉGOULINANT
TRIMBALLANT	EXTRAPOLANT	CONTAMINANT
CONSTELLANT	INTERPOLANT	RÉEXAMINANT
CARCAILLANT	RAFISTOLANT	DISSÉMINANT
CHAMAILLANT	CONTEMPLANT	RÉCRIMINANT
REMMAILLANT	QUADRUPLANT	INCRIMINANT
GRENAILLANT	QUINTUPLANT	PRÉDOMINANT
SONNAILLANT	**MONTHERLANT**	DÉTERMINANT
REMPAILLANT	PELLICULANT	EXTERMINANT
COUPAILLANT	GESTICULANT	TURLUPINANT
DÉBRAILLANT	RECALCULANT	GLYCÉRINANT
FERRAILLANT	TRIANGULANT	ORGANSINANT

11

ASSASSINANT   ENCASERNANT   KILOMÉTRANT
AGGLUTINANT   CONSTERNANT   SOUS-TITRANT
EMBÉGUINANT   PROSTERNANT   CONCENTRANT
MAROQUINANT   CONTOURNANT   RENCONTRANT
TRUSQUINANT   BISTOURNANT   SURCONTRANT
ENRUBANNANT   RISTOURNANT   ORCHESTRANT
DÉSABONNANT   IMPORTUNANT   SÉQUESTRANT
CHARBONNANT   HANDICAPANT   CALFEUTRANT
REFAÇONNANT   PARTICIPANT   DÉCARBURANT
ÉTANÇONNANT   SURÉQUIPANT   AU DEMEURANT
POINÇONNANT   DÉSÉQUIPANT   DÉSULFURANT
TRONÇONNANT   TÉLESCOPANT   PRÉFIGURANT
SOUPÇONNANT   DÉVELOPPANT   POLYCOURANT
ABANDONNANT   ENVELOPPANT   EMPRÉSURANT
COORDONNANT   PRÉOCCUPANT   SURSATURANT
BOURDONNANT   RONÉOTYPANT   STRUCTURANT
DRAGEONNANT   DÉSEMPARANT   ANTIGIVRANT
CHIFFONNANT   ENTÉNÉBRANT   DÉSENIVRANT
GRIFFONNANT   DÉCÉRÉBRANT   MANŒUVRANT
BOUFFONNANT   ÉQUILIBRANT   ENTROUVRANT
FOURGONNANT   SAUPOUDRANT   MÉTASTASANT
RONCHONNANT   RÉVERBÉRANT   EXTRAVASANT
TORCHONNANT   PROTUBÉRANT   DÉSENVASANT
BOUCHONNANT   INCARCÉRANT   TRANSVASANT
VIBRIONNANT   CONFÉDÉRANT   REDÉFAISANT
PENSIONNANT   CONSIDÉRANT   BIENFAISANT
PASSIONNANT   **CONSIDÉRANT**   COMPLAISANT
FISSIONNANT   INDIFFÉRANT   ANGLICISANT
STATIONNANT   PROLIFÉRANT   INTERDISANT
OVATIONNANT   ODORIFÉRANT   MOINS-DISANT
SECTIONNANT   INTERFÉRANT   INSUFFISANT
MENTIONNANT   TRANSFÉRANT   BIOLOGISANT
ÉMOTIONNANT   BELLIGÉRANT   ALLERGISANT
CAUTIONNANT   RÉFRIGÉRANT   CATÉCHISANT
DOUBLONNANT   AGGLOMÉRANT   FRANCHISANT
HOUBLONNANT   OBTEMPÉRANT   ANARCHISANT
ÉCHELONNANT   INTEMPÉRANT   GLOBALISANT
BÂILLONNANT   DÉSESPÉRANT   VERBALISANT
GROGNONNANT   DÉBLATÉRANT   FISCALISANT
CRAMPONNANT   DÉSALTÉRANT   VANDALISANT
GOUDRONNANT   PERSÉVÉRANT   LABIALISANT
BIBERONNANT   DÉCHIFFRANT   SOCIALISANT
CLAIRONNANT   ENGOUFFRANT   FILIALISANT
ENVIRONNANT   RÉINTÉGRANT   ANIMALISANT
LIAISONNANT   TRANSPIRANT   FORMALISANT
CLOISONNANT   COLLABORANT   NORMALISANT
MOISSONNANT   CORROBORANT   SIGNALISANT
FRISSONNANT   PHOSPHORANT   SACRALISANT
ÉCUSSONNANT   DÉTÉRIORANT   VASSALISANT
CAPITONNANT   COMMÉMORANT   BRUTALISANT
CHANTONNANT   DÉSHONORANT   ANNUALISANT
PELOTONNANT   INCORPORANT   VISUALISANT
DÉGAZONNANT   EXPECTORANT   ACTUALISANT
ENGAZONNANT   EMPOURPRANT   RITUALISANT
TÉLÉPHONANT   REDÉMARRANT   MUTUALISANT
BIGOPHONANT   REMBOURRANT   SEXUALISANT
RÉINCARNANT   PARAMÉTRANT   DIÉSÉLISANT

FIABILISANT	TERRORISANT	DÉGRAISSANT
VIABILISANT	FACTORISANT	ENGRAISSANT
STABILISANT	SECTORISANT	VROMBISSANT
FRAGILISANT	CICATRISANT	FOURBISSANT
STÉRILISANT	ÉLECTRISANT	ÉTRÉCISSANT
FOSSILISANT	MARTYRISANT	CHANCISSANT
SUBTILISANT	MÉDIATISANT	AMINCISSANT
FERTILISANT	DRAMATISANT	NOIRCISSANT
RÉUTILISANT	DOGMATISANT	ADOUCISSANT
MÉTALLISANT	CLIMATISANT	AFFADISSANT
LABELLISANT	AROMATISANT	BRANDISSANT
SATELLISANT	RHUMATISANT	GRANDISSANT
JAVELLISANT	PRIVATISANT	BLONDISSANT
DIABOLISANT	GADGÉTISANT	ÉBAUDISSANT
ANABOLISANT	BUDGÉTISANT	BOUFFISSANT
SYMBOLISANT	ESTHÉTISANT	ASSAGISSANT
ALCOOLISANT	SOVIÉTISANT	ÉLARGISSANT
RANDOMISANT	MAGNÉTISANT	ENVAHISSANT
ÉCONOMISANT	DÉPOÉTISANT	AVACHISSANT
SCOTOMISANT	HYPNOTISANT	FLÉCHISSANT
VULCANISANT	DÉBAPTISANT	GAUCHISSANT
MÉTHANISANT	REBAPTISANT	DÉPALISSANT
BALKANISANT	EXPERTISANT	RESALISSANT
GERMANISANT	PALETTISANT	ÉTABLISSANT
GALVANISANT	ÉCONDUISANT	FAIBLISSANT
HELLÉNISANT	ANTIQUISANT	ANOBLISSANT
CRÉTINISANT	BAROQUISANT	RAVILISSANT
INDEMNISANT	INSTRUISANT	JAILLISSANT
TYRANNISANT	SUBDIVISANT	SAILLISSANT
SOLENNISANT	IMPROVISANT	AMOLLISSANT
PÉRENNISANT	SUPERVISANT	DÉMOLISSANT
CARBONISANT	BIEN-PENSANT	DÉPOLISSANT
PRÉCONISANT	JUXTAPOSANT	REPOLISSANT
HARMONISANT	ENTREPOSANT	REMPLISSANT
MICRONISANT	SURIMPOSANT	AVEULISSANT
INTRONISANT	DÉCOMPOSANT	APLANISSANT
MODERNISANT	RECOMPOSANT	DÉFINISSANT
COMMUNISANT	SUPERPOSANT	ABONNISSANT
RATIBOISANT	INTERPOSANT	FOURNISSANT
FRAMBOISANT	INDISPOSANT	DÉMUNISSANT
PRÉCARISANT	TRANSPOSANT	DÉSUNISSANT
VULGARISANT	SUREXPOSANT	ACCROISSANT
GARGARISANT	REMBOURSANT	DÉCROISSANT
SCOLARISANT	ÉCHALASSANT	RECROISSANT
SCÉNARISANT	SURCLASSANT	DÉFROISSANT
CANCÉRISANT	MATELASSANT	CROUPISSANT
MERCERISANT	CADENASSANT	LAMBRISSANT
BONDÉRISANT	GROGNASSANT	DÉPÉRISSANT
PAUPÉRISANT	TRAÎNASSANT	MAIGRISSANT
SINTÉRISANT	RAPETASSANT	AMERRISSANT
CAUTÉRISANT	ÉCRIVASSANT	NOURRISSANT
PULVÉRISANT	INTÉRESSANT	POURRISSANT
VAMPIRISANT	PROGRESSANT	FLÉTRISSANT
HERBORISANT	COMPRESSANT	FLEURISSANT
EUPHORISANT	SURBAISSANT	CHOISISSANT
TAYLORISANT	RENCAISSANT	TRANSISSANT
TEMPORISANT	CONNAISSANT	GROSSISSANT

RÉUSSISSANT	ACCRÉDITANT	ÉQUIDISTANT
ROUSSISSANT	DÉSULFITANT	CONTRISTANT
DÉBÂTISSANT	DÉGURGITANT	PRÉEXISTANT
REBÂTISSANT	RÉGURGITANT	TARABUSTANT
DÉCATISSANT	INGURGITANT	DÉSAJUSTANT
APLATISSANT	PÉRICLITANT	RÉADMETTANT
RAPETISSANT	CONCOMITANT	PIROUETTANT
APPÉTISSANT	DÉCRÉPITANT	MANGEOTTANT
ALLOTISSANT	PRÉCIPITANT	DÉCALOTTANT
AVERTISSANT	DÉSHÉRITANT	DÉCULOTTANT
AMORTISSANT	PRÉTÉRITANT	RECULOTTANT
BLETTISSANT	NÉCESSITANT	PANNEAUTANT
BLOTTISSANT	VIREVOLTANT	CHAPEAUTANT
ABOUTISSANT	CATAPULTANT	POIREAUTANT
ABRUTISSANT	FAINÉANTANT	TERREAUTANT
LANGUISSANT	BRILLANTANT	TRESSAUTANT
ENFOUISSANT	COMPLANTANT	DÉNOYAUTANT
RÉJOUISSANT	SUPPLANTANT	PERSÉCUTANT
ÉBLOUISSANT	PLAISANTANT	RÉPERCUTANT
ÉCROUISSANT	ÉPOUVANTANT	REDISCUTANT
DÉCHAUSSANT	INNOCENTANT	CRAPAHUTANT
RECHAUSSANT	ACCIDENTANT	PARACHUTANT
ENCHAUSSANT	DILIGENTANT	COPERMUTANT
SURHAUSSANT	RÉARGENTANT	TRANSMUTANT
TRÉMOUSSANT	RÉORIENTANT	MARABOUTANT
DÉBROUSSANT	ORNEMENTANT	SURAJOUTANT
REBROUSSANT	PAREMENTANT	CAILLOUTANT
DÉTROUSSANT	AGRÉMENTANT	DÉMAZOUTANT
RETROUSSANT	FRAGMENTANT	PHAGOCYTANT
REDIFFUSANT	SÉDIMENTANT	CONTRIBUANT
TRANSFUSANT	BONIMENTANT	DISTRIBUANT
HYDROLYSANT	TOURMENTANT	DÉFATIGUANT
PHOSPHATANT	DOCUMENTANT	PROMULGUANT
ACCLIMATANT	ARGUMENTANT	VALDINGUANT
CARBONATANT	CHARPENTANT	ÉTALINGUANT
RÉHYDRATANT	APPARENTANT	DÉGLINGUANT
DIFFRACTANT	PRESSENTANT	SCHLINGUANT
CONTRACTANT	FRÉQUENTANT	EMBRINGUANT
PROSPECTANT	RÉINVENTANT	DISTINGUANT
DISJONCTANT	DESSUINTANT	CATALOGUANT
DÉCACHETANT	CONFRONTANT	HOMOLOGUANT
RECACHETANT	DISCOUNTANT	MONOLOGUANT
INTERJETANT	REMPRUNTANT	SURÉVALUANT
SOUFFLETANT	TRAFICOTANT	DÉSÉCHOUANT
FEUILLETANT	MASSICOTANT	ESTOMAQUANT
DÉCOLLETANT	MENDIGOTANT	BIVOUAQUANT
ÉPOUSSETANT	TREMBLOTANT	CLAUDIQUANT
DÉPAQUETANT	PAPILLOTANT	COMPLIQUANT
EMPAQUETANT	DÉSADAPTANT	RAPPLIQUANT
DÉCLAVETANT	PRÉCOMPTANT	POLÉMIQUANT
BÊCHEVETANT	DISCOMPTANT	TOURNIQUANT
MALTRAITANT	RÉIMPORTANT	PLASTIQUANT
SOLLICITANT	AUTOPORTANT	INTOXIQUANT
EXPLICITANT	RÉEXPORTANT	REQUINQUANT
SUREXCITANT	CONTRASTANT	SOLILOQUANT
DÉSEXCITANT	MANIFESTANT	ÉQUIVOQUANT
PRÉMÉDITANT	ADMONESTANT	REMBARQUANT

CONFISQUANT	DEVANCEMENT	REMANIEMENT
RÉHABITUANT	DÉFONCEMENT	VERDOIEMENT
SUBSTITUANT	ENFONCEMENT	COUDOIEMENT
CONSTITUANT	RENONCEMENT	DÉPLOIEMENT
PROSTITUANT	PRÉCOCEMENT	REPLOIEMENT
CENTRE-AVANT	PLACIDEMENT	LARMOIEMENT
PARACHEVANT	CANDIDEMENT	CHATOIEMENT
CHAMPLEVANT	SORDIDEMENT	APITOIEMENT
PRESCRIVANT	PERFIDEMENT	FESTOIEMENT
PROSCRIVANT	STUPIDEMENT	NETTOIEMENT
SOUSCRIVANT	DÉBRIDEMENT	CONVOIEMENT
DÉSACTIVANT	ENTENDEMENT	LOUVOIEMENT
OBJECTIVANT	COMMODÉMENT	VOUVOIEMENT
ADJECTIVANT	RETARDEMENT	APPARIEMENT
INVECTIVANT	EMMERDEMENT	GLOBALEMENT
POURSUIVANT	SABORDEMENT	VERBALEMENT
MYORELAXANT	DÉBORDEMENT	AMICALEMENT
DÉSINDEXANT	RETORDEMENT	FISCALEMENT
DÉSENRAYANT	ABSURDEMENT	INÉGALEMENT
SOUSTRAYANT	ÉCHAUDEMENT	FRUGALEMENT
REDÉPLOYANT	ACCOUDEMENT	SOCIALEMENT
RÉEMPLOYANT	ÉTOUFFEMENT	FILIALEMENT
DÉGRAVOYANT	RENGAGEMENT	GÉNIALEMENT
IMPRÉVOYANT	SOULAGEMENT	JOVIALEMENT
ENTREVOYANT	AMÉNAGEMENT	NORMALEMENT
CLAIRVOYANT	SAUVAGEMENT	SIGNALEMENT
DÉSENNUYANT	DÉNEIGEMENT	DESSALEMENT
OBSOLESCENT	ENNEIGEMENT	MENTALEMENT
LUMINESCENT	VOLTIGEMENT	BRUTALEMENT
ARBORESCENT	DÉRANGEMENT	CHEVALEMENT
FLUORESCENT	ARRANGEMENT	ACCABLEMENT
DÉLITESCENT	ÉTRANGEMENT	AFFABLEMENT
INDÉHISCENT	ALLONGEMENT	VALABLEMENT
REVIVISCENT	HÉBERGEMENT	AIMABLEMENT
NON-RÉSIDENT	DÉGORGEMENT	MINABLEMENT
COPRÉSIDENT	REGORGEMENT	DURABLEMENT
INTELLIGENT	ENGORGEMENT	ENSABLEMENT
CÔTE D'ARGENT	RELÂCHEMENT	ENTABLEMENT
COEFFICIENT	ARRACHEMENT	NOTABLEMENT
INCONSCIENT	DÉTACHEMENT	PÉNIBLEMENT
MOYEN-ORIENT	ATTACHEMENT	LISIBLEMENT
PLURIVALENT	EMPÊCHEMENT	VISIBLEMENT
ÉQUIPOLLENT	ÉBRÈCHEMENT	TREMBLEMENT
PULVÉRULENT	ASSÈCHEMENT	IGNOBLEMENT
DÉLINÉAMENT	FRAÎCHEMENT	AMEUBLEMENT
TEMPÉRAMENT	ENTICHEMENT	AFFUBLEMENT
ENJAMBEMENT	ÉPANCHEMENT	HARCÈLEMENT
SUPERBEMENT	BRANCHEMENT	MARTÈLEMENT
DÉGLACEMENT	FRANCHEMENT	SOUFFLEMENT
DÉPLACEMENT	ÉTANCHEMENT	RENIFLEMENT
REPLACEMENT	ENCOCHEMENT	DÉRÈGLEMENT
EMPLACEMENT	DÉROCHEMENT	AVEUGLEMENT
RAPIÈCEMENT	ENROCHEMENT	AVEUGLÉMENT
EMPIÈCEMENT	ÉCORCHEMENT	DÉVOILEMENT
FACTICEMENT	ABOUCHEMENT	FÉBRILEMENT
BALANCEMENT	DÉBLAIEMENT	STÉRILEMENT
FINANCEMENT	NON-PAIEMENT	PUÉRILEMENT

SUBTILEMENT	OBSTINÉMENT	RECENSEMENT
HOSTILEMENT	MOYENNEMENT	ENCENSEMENT
INUTILEMENT	FAÇONNEMENT	IMMENSÉMENT
SERVILEMENT	JALONNEMENT	INTENSÉMENT
EMBALLEMENT	NASONNEMENT	DÉVERSEMENT
MUSELLEMENT	TÂTONNEMENT	REVERSEMENT
CRUELLEMENT	ENTONNEMENT	DIVERSEMENT
USUELLEMENT	RAYONNEMENT	INVERSEMENT
NIVELLEMENT	GAZONNEMENT	JACASSEMENT
PIAILLEMENT	ACHARNEMENT	DÉLASSEMENT
BRAILLEMENT	CASERNEMENT	CROASSEMENT
ÉRAILLEMENT	INTERNEMENT	DÉPASSEMENT
HABILLEMENT	AJOURNEMENT	HARASSEMENT
VACILLEMENT	COMMUNÉMENT	ENTASSEMENT
NASILLEMENT	ESTOMPEMENT	ABAISSEMENT
PÉTILLEMENT	ÉCHAPPEMENT	VAGISSEMENT
MOUILLEMENT	AGRIPPEMENT	MUGISSEMENT
DÉCOLLEMENT	ACHOPPEMENT	RUGISSEMENT
RECOLLEMENT	ESCARPEMENT	GÉMISSEMENT
ÉBRANLEMENT	RECOUPEMENT	VOMISSEMENT
GONDOLEMENT	DÉLABREMENT	FROISSEMENT
FRIVOLEMENT	LUGUBREMENT	TARISSEMENT
DÉCUPLEMENT	ENCADREMENT	HÉRISSEMENT
DÉFERLEMENT	MOINDREMENT	MÛRISSEMENT
BASCULEMENT	SINCÈREMENT	LOTISSEMENT
PULLULEMENT	EXAGÉRÉMENT	AMUÏSSEMENT
DÉFOULEMENT	ENTIÈREMENT	BRUISSEMENT
REFOULEMENT	AUSTÈREMENT	RAVISSEMENT
ÉCROULEMENT	CHIFFREMENT	ENDOSSEMENT
DÉROULEMENT	DÉSAGRÉMENT	DÉSOSSEMENT
ENROULEMENT	ALLÈGREMENT	GLOUSSEMENT
DIXIÈMEMENT	INTÈGREMENT	HIDEUSEMENT
SIXIÈMEMENT	DÉNIGREMENT	RAGEUSEMENT
ONZIÈMEMENT	AFFAIREMENT	ODIEUSEMENT
SUPRÊMEMENT	ÉCLAIREMENT	FAMEUSEMENT
EXTRÊMEMENT	DÉCHIREMENT	PITEUSEMENT
UNANIMEMENT	NOTOIREMENT	RÊVEUSEMENT
SURARMEMENT	CHAVIREMENT	JOYEUSEMENT
DÉSARMEMENT	ÉPAMPREMENT	DIFFUSÉMENT
ENFERMEMENT	BIZARREMENT	CONFUSÉMENT
EMBAUMEMENT	DÉFERREMENT	JALOUSEMENT
ANONYMEMENT	ÉPIERREMENT	DÉPAYSEMENT
RÉFRÈNEMENT	DÉTERREMENT	MANDATEMENT
SOUTÈNEMENT	ENTERREMENT	ABJECTEMENT
INDIGNEMENT	SUSURREMENT	DIRECTEMENT
MALIGNEMENT	FICHTREMENT	STRICTEMENT
ÉLOIGNEMENT	OBSCURÉMENT	EMPIÉTEMENT
ÉBORGNEMENT	ÉCŒUREMENT	HONNÊTEMENT
VILAINEMENT	EMBRASEMENT	SECRÈTEMENT
HUMAINEMENT	MALAISÉMENT	AFFRÈTEMENT
DANDINEMENT	PRÉCISÉMENT	CAQUÈTEMENT
SEREINEMENT	DÉBOISEMENT	SURVÊTEMENT
RAFFINEMENT	REBOISEMENT	AFFAITEMENT
CONFINEMENT	PAVOISEMENT	ENFAÎTEMENT
CHEMINEMENT	DÉGRISEMENT	DÉLAITEMENT
INOPINÉMENT	DÉGUISEMENT	ALLAITEMENT
PIÉTINEMENT	AIGUISEMENT	DÉBOÎTEMENT

EMBOÎTEMENT	CYNIQUEMENT	ENGOULEVENT
BENOÎTEMENT	STOÏQUEMENT	**DELESTRAINT**
ADROITEMENT	TYPIQUEMENT	**KNUD LE SAINT**
MIROITEMENT	LYRIQUEMENT	**KNUT LE SAINT**
ÉTROITEMENT	FLANQUEMENT	COUVRE-JOINT
CRÉPITEMENT	BRUSQUEMENT	CONTREPOINT
EFFRITEMENT	EMBLAVEMENT	**LAUTRÉAMONT**
ÉBRUITEMENT	ENCLAVEMENT	**FAULQUEMONT**
ENFANTEMENT	PRÉLÈVEMENT	**SOLLIÈS-PONT**
ORIENTEMENT	SOULÈVEMENT	**ROHAN-CHABOT**
ÉREINTEMENT	EMBRÈVEMENT	**CLOS-VOUGEOT**
CHUINTEMENT	DÉGRÈVEMENT	TIRE-LARIGOT
APPONTEMENT	TARDIVEMENT	**REINE MARGOT**
DORLOTEMENT	ÉVASIVEMENT	PASSING-SHOT
CLAPOTEMENT	PENSIVEMENT	**MALAKOFFIOT**
PROMPTEMENT	MASSIVEMENT	CRAPOUILLOT
ABRUPTEMENT	PASSIVEMENT	VENDANGEROT
DÉPARTEMENT	ABUSIVEMENT	**LIDDELL HART**
APPARTEMENT	FICTIVEMENT	**MELUN-SÉNART**
ESSARTEMENT	FURTIVEMENT	QUELQUE PART
EXPERTEMENT	FAUTIVEMENT	**MARIE STUART**
DISERTEMENT	ABREUVEMENT	**QUESTEMBERT**
OUVERTEMENT	IMPEACHMENT	**SAINT-HUBERT**
DÉPORTEMENT	FIBROCIMENT	CAFÉ-CONCERT
EMPORTEMENT	ÉTOURDIMENT	**STEPANAKERT**
MODESTEMENT	BLANCHIMENT	REDÉCOUVERT
FUNESTEMENT	ASSENTIMENT	**BLANQUEFORT**
ÉGOÏSTEMENT	ASSORTIMENT	MAILLECHORT
DÉSISTEMENT	ABONDAMMENT	ARRIÈRE-PORT
ARTISTEMENT	ARROGAMMENT	**SCHWEINFURT**
RAJUSTEMENT	VIGILAMMENT	**HEILLECOURT**
INJUSTEMENT	VAILLAMMENT	**PIXERÉCOURT**
ENKYSTEMENT	BRILLAMMENT	**BAUDRICOURT**
RABATTEMENT	ÉTONNAMMENT	**BÉTHENCOURT**
DÉBATTEMENT	PLAISAMMENT	**HARNONCOURT**
REBATTEMENT	PUISSAMMENT	**SAINT-PRIEST**
EMPATTEMENT	CONSTAMMENT	**SAINT-GENEST**
ENDETTEMENT	INDÉCEMMENT	**KNOKKE-HEIST**
ÉMIETTEMENT	INNOCEMMENT	**JÉSUS-CHRIST**
FOUETTEMENT	INCIDEMMENT	**OLIVER TWIST**
ÉGOUTTEMENT	IMPUDEMMENT	**SCHARNHORST**
CULBUTEMENT	DILIGEMMENT	**MISTINGUETT**
VELOUTEMENT	INDOLEMMENT	**PREMIER PITT**
DÉROUTEMENT	INSOLEMMENT	**PUERTO MONTT**
ENVOÛTEMENT	APPAREMMENT	**CONNECTICUT**
RECRUTEMENT	FRÉQUEMMENT	**KUUJJUAMIUT**
ENDIGUEMENT	ÉLOQUEMMENT	**INUKJUAMIUT**
ÉTERNUEMENT	CONTINÛMENT	TOUT-À-L'ÉGOUT
ENCAQUEMENT	INCONTINENT	ARRIÈRE-GOÛT
BARAQUEMENT	IMPERTINENT	**HATSHEPSOUT**
SADIQUEMENT	TRANSPARENT	TOUCHE-À-TOUT
MODIQUEMENT	**SAINT-VARENT**	ATTRAPE-TOUT
PUDIQUEMENT	INDIFFÉRENT	**MINANGKABAU**
MAGIQUEMENT	INTERFÉRENT	**L'ISLE-D'ABEAU**
LOGIQUEMENT	OMNIPRÉSENT	**GREZ-DOICEAU**
OBLIQUEMENT	INCOMPÉTENT	**FAYA-LARGEAU**
COMIQUEMENT	MOULIN-À-VENT	ARC-DOUBLEAU

CATHELINEAU	MATRILOCAUX	SÉNATORIAUX
COULEUVREAU	PATRILOCAUX	ÉQUATORIAUX
PIED-D'OISEAU	MATRIARCAUX	TINCTORIAUX
NIDS-D'OISEAU	PATRIARCAUX	PAROISSIAUX
NEUFCHÂTEAU	PARAFISCAUX	SAPIENTIAUX
PONTCHÂTEAU	GRAND-DUCAUX	PRÉNUPTIAUX
ÉLÉPHANTEAU	RHOMBOÏDAUX	CONSORTIAUX
PIEDS-DE-VEAU	HÉLICOÏDAUX	ÉQUINOXIAUX
BIOMATÉRIAU	CONCHOÏDAUX	DUODÉCIMAUX
LANDIVISIAU	SPHÉNOÏDAUX	CENTÉSIMAUX
CHIBOUGAMAU	SOLÉNOÏDAUX	PARANORMAUX
LA WANTZENAU	SPHÉROÏDAUX	ANÉVRISMAUX
CONDESCENDU	SINUSOÏDAUX	ANÉVRYSMAUX
COMPTE RENDU	INTERTIDAUX	PAROXYSMAUX
SOUS-ENTENDU	INTERMODAUX	PONTS-CANAUX
CORRESPONDU	JOUVENCEAUX	PHÉNOMÉNAUX
CESSEZ-LE-FEU	CHENONCEAUX	EXTRARÉNAUX
MONTESQUIEU	MURS-RIDEAUX	ANTICLINAUX
DÉMONTE-PNEU	FRICANDEAUX	MONOCLINAUX
MACHU PICCHU	FAISANDEAUX	SUBLIMINAUX
DIÊN BIÊN PHU	MORVANDEAUX	UNINOMINAUX
KANO SANRAKU	MORVANDEAUX	PRONOMINAUX
TEZUKA OSAMU	TOURANGEAUX	INTESTINAUX
PAPANDHRÉOU	TOURANGEAUX	ENNÉAGONAUX
OUAGADOUGOU	JAMBONNEAUX	PENTAGONAUX
SECOND-BAKOU	FAUCONNEAUX	HEPTAGONAUX
TÊTES-DE-CLOU	DINDONNEAUX	ORTHOGONAUX
ARRACHE-CLOU	PIGEONNEAUX	MÉRIDIONAUX
CONTRE-ÉCROU	MANGONNEAUX	MÉRIDIONAUX
SIMA XIANGRU	RAMPONNEAUX	OBSIDIONAUX
ADAM LE BOSSU	PÉRITONÉAUX	BINATIONAUX
KAPILAVASTU	LANDERNEAUX	MONOCLONAUX
CONTREFOUTU	LANTERNEAUX	ARCHÉTYPAUX
TOURGUENIEV	GRIMPEREAUX	CONFÉDÉRAUX
POUGATCHIOV	TOURTEREAUX	UNILATÉRAUX
KALACHNIKOV	GOUTTEREAUX	TRILATÉRAUX
BARYCHNIKOV	GODELUREAUX	COLLATÉRAUX
BARYSHNIKOV	PASTOUREAUX	PARENTÉRAUX
RASKOLNIKOV	COULISSEAUX	VICE-AMIRAUX
DOLGOROUKOV	VERMISSEAUX	ORCHESTRAUX
RACHMANINOV	ARBRISSEAUX	PROCÉDURAUX
RAKHMANINOV	MARMENTEAUX	STRUCTURAUX
TENNIS-ELBOW	SERPENTEAUX	SCRIPTURAUX
REALITY-SHOW	EXTRALÉGAUX	SCULPTURAUX
MARSHMALLOW	PROVERBIAUX	PARASTATAUX
DENDERLEEUW	SOLSTICIAUX	SUBORBITAUX
GRÉSY-SUR-AIX	PROVINCIAUX	PRÉGÉNITAUX
SOIXANTE-DIX	ANTISOCIAUX	CONGÉNITAUX
SAINT-YRIEIX	COMMERCIAUX	URO-GÉNITAUX
SAINTE-CROIX	MORVANDIAUX	OCCIDENTAUX
GRANDS-CROIX	MORVANDIAUX	OCCIDENTAUX
AMMONIACAUX	PRÉCORDIAUX	ORNEMENTAUX
ILÉO-CÆCAUX	PRIMORDIAUX	MONUMENTAUX
BIOMÉDICAUX	ÉPITHÉLIAUX	PARODONTAUX
PONTIFICAUX	NOSOCOMIAUX	HORIZONTAUX
HYPERFOCAUX	POLYNOMIAUX	SACERDOTAUX
UXORILOCAUX	IMMÉMORIAUX	AÉROPOSTAUX

PARACHUTAUX	PRURIGINEUX	**PORT MORESBY**
SUBLINGUAUX	VERTIGINEUX	MONTMORENCY
PERLINGUAUX	FERRUGINEUX	**MONTMORENCY**
TÉLÉTRAVAUX	CHARBONNEUX	**DEATH VALLEY**
ADJECTIVAUX	SOUPÇONNEUX	**SQUAW VALLEY**
MALCHANCEUX	HAILLONNEUX	**BEACH-VOLLEY**
BATEAUX-FEUX	GOUDRONNEUX	**PUJOL I SOLEY**
AVALANCHEUX	POISSONNEUX	**VALENTIGNEY**
DISGRACIEUX	BUISSONNEUX	**PORT-LYAUTEY**
ARTIFICIEUX	POUSSIÉREUX	**SZOMBATHELY**
TENDANCIEUX	PHOSPHOREUX	**MOUNET-SULLY**
SENTENCIEUX	CULS-TERREUX	**TCHEBOKSARY**
COMPENDIEUX	BIENHEUREUX	**KARLOVY VARY**
DISPENDIEUX	INTEROSSEUX	**RAJAHMUNDRY**
IRRÉLIGIEUX	CORNEMUSEUX	**SAINT-VALERY**
PRESTIGIEUX	SARCOMATEUX	**TATE GALLERY**
IGNOMINIEUX	FIBROMATEUX	**LONDONDERRY**
CÉRÉMONIEUX	LÉPROMATEUX	**SHAFTESBURY**
ACRIMONIEUX	RHIZOMATEUX	**CHAMPFLEURY**
IMPÉCUNIEUX	SOUFFRETEUX	**TCHERNOVTSY**
JEAN LE PIEUX	NÉCESSITEUX	GARDEN-PARTY
INDUSTRIEUX	LIGAMENTEUX	**LABOUR PARTY**
PRÉTENTIEUX	FILAMENTEUX	**RENIER DE HUY**
CONTENTIEUX	PAVIMENTEUX	**BEAUPERTHUY**
CÉRÉBELLEUX	CAILLOUTEUX	**BRASSEMPOUY**
SOURCILLEUX	RESPECTUEUX	**VLADIKAVKAZ**
ORGUEILLEUX	INFRUCTUEUX	**SIENKIEWICZ**
MERVEILLEUX	TORRENTUEUX	**AJDUKIEWICZ**
POINTILLEUX	**CHÂTEAUROUX**	**LUKASIEWICZ**
CAFOUILLEUX	**RIEUPEYROUX**	**SAINT-GENIEZ**
PELLICULEUX	**RICHARD'S BAY**	**SAINT-TROPEZ**
FURONCULEUX	**VILLE-D'AVRAY**	**DIÉGO-SUAREZ**
TUBERCULEUX	**BEYNE-HEUSAY**	**SAINT-MORITZ**
PYROLIGNEUX	**CHÂTEAUGUAY**	**PASSAROWITZ**

TARASS BOULBA	**EL-MOHAMMADIA**	**FIANARANTSOA**
CABEZA DE VACA	WELLINGTONIA	**PESSÕA CÂMARA**
LINGUA FRANCA	TRADESCANTIA	**SÁ DA BANDEIRA**
TEZCATLIPOCA	**VIBO VALENTIA**	**ALCALÁ ZAMORA**
PONTA DELGADA	**HIGASHIOSAKA**	**ZARATHUSHTRA**
LOLLOBRIGIDA	**BIELSKO-BIALA**	NEC PLUS ULTRA
ROUYN-NORANDA	**MAKHATCHKALA**	**ZARATHOUSTRA**
VOLTA REDONDA	**PÉREZ DE AYALA**	
TEL-AVIV-JAFFA	VALPOLICELLA	
IBN AL-MUQAFFA	**BARRANQUILLA**	
MARSA EL-BREGA	**DALLAPICCOLA**	
IBRAHIM PACHA	**PAULIN DE NOLA**	
PRÊCHI-PRÊCHA	**TLALNEPANTLA**	
GROSSE BERTHA	**SAN PEDRO SULA**	
PLISSETSKAÏA	**MACÍAS NGUEMA**	
KOVALEVSKAÏA	**SHISHA PANGMA**	
PROTÈGE-TIBIA	**STARA PLANINA**	
JUÁREZ GARCÍA	**TELL AL-AMARNA**	
DELLA QUERCIA	**ANNA IVANOVNA**	

ANURADHAPURA	SAINT-GOTHARD	LÉGISLATRICE
NOMENKLATURA	SAINT-FONIARD	SPÉCULATRICE
BUENAVENTURA	RONDOUILLARD	CALCULATRICE
VILLAVICIOSA	DÉBROUILLARD	DIFFAMATRICE
VILLAHERMOSA	ROYER-COLLARD	DÉCLAMATRICE
KANKAN MOUSSA	SAINT-LÉONARD	RÉANIMATRICE
HONORIS CAUSA	SAINT-BERNARD	RÉFORMATRICE
RÍO DE LA PLATA	CAMBROUSSARD	INFORMATRICE
CHUQUICAMATA	BROWN-SÉQUARD	PROFANATRICE
PERSONA GRATA	SCOTLAND YARD	FASCINATRICE
PATATI PATATA	HAUT-SAVOYARD	EXAMINATRICE
BHAGAVAD-GITA	MONTRÉAL-NORD	ÉLIMINATRICE
LAPPEENRANTA	DAKOTA DU NORD	DESSINATRICE
CHANDRAGUPTA	VOSGES DU NORD	ORDONNATRICE
CALTANISETTA	SAINT-JUNIAUD	DISSIPATRICE
FREI MONTALVA	GÉORGIE DU SUD	PRÉPARATRICE
ABU AL-ATAHIYA	OSSÉTIE DU SUD	PONDÉRATRICE
BREIL-SUR-ROYA	AFRIQUE DU SUD	COOPÉRATRICE
MOHAMMAD REZA	ORCADES DU SUD	INSPIRATRICE
MUHAMMAD RIZA	TÉTRASYLLABE	PERFORATRICE
WORLD WIDE WEB	HEPTASYLLABE	EXPLORATRICE
VILLERS-LE-LAC	HISPANO-ARABE	RÉALISATRICE
COSSÉ-BRISSAC	CROCS-EN-JAMBE	ÉGALISATRICE
NORD-DU-QUÉBEC	LA GRAND-COMBE	UTILISATRICE
VAN RUUSBROEC	GERMANOPHOBE	IMPORTATRICE
PERROS-GUIREC	POISSON-GLOBE	EXPORTATRICE
RHÔNE-POULENC	CONTRE-COURBE	DÉVASTATRICE
CABESTANYENC	ARCIS-SUR-AUBE	DÉGUSTATRICE
VIOLLET-LE-DUC	MALACOSTRACÉ	COMMUTATRICE
CÔTE-SAINT-LUC	ENTOMOSTRACÉ	CULTIVATRICE
SARGON D'AKKAD	LES PONTS-DE-CÉ	OBSERVATRICE
DUST MOHAMMAD	ARRIÈRE-NIÈCE	PROSPECTRICE
KRISTIANSTAD	EMPORTE-PIÈCE	CODIRECTRICE
D'ARRACHE-PIED	SAINT-SULPICE	ACUPONCTRICE
SAINT-ROMUALD	AMBASSADRICE	ACUPUNCTRICE
HERTOGENWALD	RÉPROBATRICE	DESTRUCTRICE
CHESTERFIELD	IMPROBATRICE	BIENFAITRICE
BEACONSFIELD	APPROBATRICE	INQUISITRICE
HUDDERSFIELD	IMPRÉCATRICE	COMPOSITRICE
NORDENSKJÖLD	PRÉDICATRICE	COMPÉTITRICE
HAMMARSKJÖLD	UNIFICATRICE	RÉPARTITRICE
BOURG-LÉOPOLD	FORNICATRICE	AQUACULTRICE
BECHUANALAND	FABRICATRICE	OLÉICULTRICE
NEWFOUNDLAND	MASTICATRICE	POMICULTRICE
STATEN ISLAND	PROVOCATRICE	AGRICULTRICE
ANGLO-NORMAND	DÉPRÉDATRICE	VITICULTRICE
ANGLO-NORMAND	LIQUIDATRICE	AQUICULTRICE
OTTON LE GRAND	FÉCONDATRICE	RIZICULTRICE
ABBAS LE GRAND	COFONDATRICE	CODÉTENTRICE
LOUIS LE GRAND	RETARDATRICE	OCULOMOTRICE
CYRUS LE GRAND	PROCRÉATRICE	DESCRIPTRICE
NOISY-LE-GRAND	PROPAGATRICE	CONTEMPTRICE
KRISTIANSAND	INSTIGATRICE	PERSÉCUTRICE
SAINT-CHAMOND	DIVULGATRICE	INSTITUTRICE
QUARTS-DE-ROND	NÉGOCIATRICE	SAINT-MAURICE
MARTIN DU GARD	COMPILATRICE	LIBRE-SERVICE
PLEURNICHARD	CONSOLATRICE	MULTISERVICE

INDÉPENDANCE
SURABONDANCE
EXTRAVAGANCE
MICROBALANCE
RESSEMBLANCE
DISSEMBLANCE
MALVEILLANCE
SURVEILLANCE
SURBRILLANCE
TRANSHUMANCE
ACCOUTUMANCE
DÉCONTENANCE
APPARTENANCE
INCONVENANCE
PRÉDOMINANCE
DUBOIS-CRANCÉ
PROTUBÉRANCE
BELLIGÉRANCE
INTEMPÉRANCE
DÉSESPÉRANCE
PERSÉVÉRANCE
FORT-DE-FRANCE
MENDÈS FRANCE
BIENFAISANCE
COMPLAISANCE
INSUFFISANCE
CONNAISSANCE
DÉCROISSANCE
EXCROISSANCE
RÉJOUISSANCE
MALTRAITANCE
CONCOMITANCE
INADVERTANCE
ÉQUIDISTANCE
THERMISTANCE
CIRCONSTANCE
INOBSERVANCE
IMPRÉVOYANCE
CLAIRVOYANCE
MAGNIFICENCE
OBSOLESCENCE
DÉTUMESCENCE
INTUMESCENCE
LUMINESCENCE
ARBORESCENCE
FLUORESCENCE
DÉLITESCENCE
RÉMINISCENCE
RÉSIPISCENCE
REVIVISCENCE
COPRÉSIDENCE
INTELLIGENCE
INCONSCIENCE
INEXPÉRIENCE
ÉQUIPOLLENCE
PULVÉRULENCE
INCONTINENCE

IMPERTINENCE
TRANSPARENCE
INDIFFÉRENCE
INTERFÉRENCE
NON-INGÉRENCE
COOCCURRENCE
OMNIPRÉSENCE
QUINTESSENCE
INCOMPÉTENCE
PRÉEXISTENCE
NON-EXISTENCE
PLAN-SÉQUENCE
PORT-AU-PRINCE
BANDE-ANNONCE
LAURIER-SAUCE
GARDES-MALADE
APPAREILLADE
DÉGRINGOLADE
LANCE-GRENADE
PANTALONNADE
COUILLONNADE
FANFARONNADE
SCHÉHÉRAZADE
LA CALPRENÈDE
À L'ENCONTRE DE
PSYCHORIGIDE
MACROSCÉLIDE
CHRYSOMÉLIDÉ
NICOTINAMIDE
CURCULIONIDÉ
PARATYPHOÏDE
HYPOCYCLOÏDE
HYPERBOLOÏDE
TUBERCULOÏDE
HÉMIPTÉROÏDE
PARATHYROÏDE
ANTHÉROZOÏDE
DISACCHARIDE
EAST KILBRIDE
TRIGLYCÉRIDE
POLYHOLOSIDE
NEUROPEPTIDE
VAN ARTEVELDE
NON MARCHANDE
EST-ALLEMANDE
TÉLÉCOMMANDE
TÉLÉCOMMANDÉ
RÉINTÉGRANDE
TIMBRE-AMENDE
INTERFÉCONDE
QUEUE-D'ARONDE
PHOTOCATHODE
PHOTOPÉRIODE
BRANCHIOPODE
ARRIÈRE-GARDE
MONTBÉLIARDE
PANTOUFLARDE

VASOUILLARDE
CONTAMINARDE
BANLIEUSARDE
BOURGANIAUDE
INCOMPLÉTUDE
INEXACTITUDE
LUCAS DE LEYDE
FORMALDÉHYDE
ACÉTALDÉHYDE
PALMATILOBÉE
DÉSEMBOURBÉE
BERBÉRIDACÉE
DIOSCORÉACÉE
SAXIFRAGACÉE
EUPHORBIACÉE
ANACARDIACÉE
STERCULIACÉE
RENONCULACÉE
CAMPANULACÉE
VALÉRIANACÉE
BORRAGINACÉE
NYCTAGINACÉE
PAPILIONACÉE
ZINGIBÉRACÉE
GUTTIFÉRACÉE
ŒNOTHÉRACÉE
CUCURBITACÉE
AUTOFINANCÉE
RÉENSEMENCÉE
CONCURRENCÉE
XANTHOPHYCÉE
BANGIOPHYCÉE
CHLOROPHYCÉE
CHRYSOPHYCÉE
VICTOR-AMÉDÉE
ENGUIRLANDÉE
DÉSAVANTAGÉE
MURRUMBIDGEE
CONTREFICHÉE
ENCHEVAUCHÉE
ENCARTOUCHÉE
PARK CHUNG-HEE
CATASTROPHÉE
BRONCHORRHÉE
DYSMÉNORRHÉE
INDULGENCIÉE
DIFFÉRENCIÉE
DISQUALIFIÉE
PERSONNIFIÉE
SACCHARIFIÉE
AUTHENTIFIÉE
COMPLEXIFIÉE
TÉLÉGRAPHIÉE
ÉCHOGRAPHIÉE
CADUCIFOLIÉE
DÉMULTIPLIÉE
INAPPROPRIÉE

SUCCENTURIÉE
DIFFÉRENTIÉE
BRINGUEBALÉE
BRINQUEBALÉE
DÉSASSEMBLÉE
EMBARDOUFLÉE
ÉPOUSTOUFLÉE
ENTREBÂILLÉE
CRITICAILLÉE
ENTRETAILLÉE
RETRAVAILLÉE
ENSOMMEILLÉE
RAPPAREILLÉE
DÉCONSEILLÉE
EMBOUTEILLÉE
ÉCRABOUILLÉE
DÉPATOUILLÉE
GRATTOUILLÉE
CONTRECOLLÉE
CARYOPHYLLÉE
DÉSACCOUPLÉE
DÉMANTIBULÉE
IMMATRICULÉE
DÉSARTICULÉE
DÉSOPERCULÉE
MALENGUEULÉE
TOURNEBOULÉE
DICARBONYLÉE
DÉSENVENIMÉE
SURCOMPRIMÉE
DÉPROGRAMMÉE
REPROGRAMMÉE
RÉACCOUTUMÉE
INACCOUTUMÉE
VOSNE-ROMANÉE
EXTEMPORANÉE
MÉDITERRANÉE
TRANSCUTANÉE
RACCOMPAGNÉE
CONTRESIGNÉE
DÉSENCHAÎNÉE
SURENTRAÎNÉE
DÉCONTAMINÉE
INDÉTERMINÉE
BRILLANTINÉE
IMPARIPENNÉE
CAPARAÇONNÉE
CHARANÇONNÉE
INSOUPÇONNÉE
DÉSAMIDONNÉE
ÉBOURGEONNÉE
DÉCHIFFONNÉE
PROVISIONNÉE
DIMENSIONNÉE
DÉPASSIONNÉE
DÉMISSIONNÉE
CONTUSIONNÉE

COLLATIONNÉE
AFFECTIONNÉE
SÉLECTIONNÉE
CONDITIONNÉE
INTENTIONNÉE
ATTENTIONNÉE
COMMOTIONNÉE
RÉCEPTIONNÉE
DÉBÂILLONNÉE
ÉMERILLONNÉE
TOURILLONNÉE
AIGUILLONNÉE
BROUILLONNÉE
GRAVILLONNÉE
MAQUIGNONNÉE
DÉCLOISONNÉE
SAUCISSONNÉE
EMPOISSONNÉE
ŒILLETONNÉE
SOUS-DÉCLARÉE
SOUS-CALIBRÉE
RÉÉQUILIBRÉE
DÉSENCOMBRÉE
RÉINCARCÉRÉE
DÉCONSIDÉRÉE
RECONSIDÉRÉE
INCONSIDÉRÉE
DÉPOUSSIÉRÉE
EMPOUSSIÉRÉE
DÉPHOSPHORÉE
RÉINCORPORÉE
ENTRE-DÉVORÉE
CONTRECARRÉE
CHRONOMÉTRÉE
DÉCONCENTRÉE
RÉORCHESTRÉE
TRANSFIGURÉE
PEINTURLURÉE
ÉCHAUFFOURÉE
AUTOCENSURÉE
MANUFACTURÉE
CONTRACTURÉE
DÉSTRUCTURÉE
RESTRUCTURÉE
PORTRAITURÉE
STANDARDISÉE
CLOCHARDISÉE
HOMOGÉNÉISÉE
HIÉRARCHISÉE
CANNIBALISÉE
RADIOBALISÉE
SYNDICALISÉE
TROPICALISÉE
DÉFISCALISÉE
OFFICIALISÉE
DÉSOCIALISÉE
RESOCIALISÉE

MATÉRIALISÉE
MARGINALISÉE
CRIMINALISÉE
RÉGIONALISÉE
NATIONALISÉE
RATIONALISÉE
COMMUNALISÉE
DÉSACRALISÉE
THÉÂTRALISÉE
HOSPITALISÉE
IMMORTALISÉE
RÉACTUALISÉE
DÉSEXUALISÉE
FLEURDELISÉE
SOCIABILISÉE
CULPABILISÉE
RENTABILISÉE
DÉSTABILISÉE
CRÉDIBILISÉE
SENSIBILISÉE
FLEXIBILISÉE
INFANTILISÉE
SOUS-UTILISÉE
CRISTALLISÉE
DÉSATELLISÉE
AMÉRICANISÉE
EUROPÉANISÉE
DÉSORGANISÉE
DÉSHUMANISÉE
CHAMPAGNISÉE
DÉVIRGINISÉE
DÉSTALINISÉE
MASCULINISÉE
SYNCHRONISÉE
IMPATRONISÉE
ENTRECROISÉE
FAMILIARISÉE
DÉSCOLARISÉE
CIRCULARISÉE
VASCULARISÉE
SINGULARISÉE
PROLÉTARISÉE
SÉDENTARISÉE
CARACTÉRISÉE
SQUATTÉRISÉE
VERT-DE-GRISÉE
INFÉRIORISÉE
INTÉRIORISÉE
EXTÉRIORISÉE
DÉSECTORISÉE
MINIATURISÉE
DÉDRAMATISÉE
MATHÉMATISÉE
SYSTÉMATISÉE
ACHROMATISÉE
INFORMATISÉE
DÉMOCRATISÉE

ALPHABÉTISÉE
DÉBUDGÉTISÉE
DÉMAGNÉTISÉE
ADJECTIVISÉE
CONTROVERSÉE
INTERCLASSÉE
DÉCADENASSÉE
CONTRE-PASSÉE
DÉSENCRASSÉE
TRANSGRESSÉE
SÉNÉCHAUSSÉE
MARÉCHAUSSÉE
TÉLÉDIFFUSÉE
ÉLECTROLYSÉE
DÉPHOSPHATÉE
BICARBONATÉE
DÉCONTRACTÉE
PRÉRETRAITÉE
SUREXPLOITÉE
DÉSENCHANTÉE
ENSANGLANTÉE
ÉBOUILLANTÉE
TRANSPLANTÉE
CONTINGENTÉE
ENRÉGIMENTÉE
SURALIMENTÉE
COMPLIMENTÉE
EXPÉRIMENTÉE
INSTRUMENTÉE
CONTREVENTÉE
COURT-JOINTÉE
DÉSAPPOINTÉE
TARABISCOTÉE
REMMAILLOTÉE
ENTRE-HEURTÉE
DÉSINCRUSTÉE
ÉLECTROCUTÉE
TRANSBAHUTÉE
CAOUTCHOUTÉE
REDISTRIBUÉE
DÉSENVERGUÉE
PRÉFABRIQUÉE
SOPHISTIQUÉE
PRONOSTIQUÉE
ENCAUSTIQUÉE
DÉMOUSTIQUÉE
ENTRECHOQUÉE
RECONSTITUÉE
SUBSTANTIVÉE
DÉSAPPROUVÉE
SOUS-EMPLOYÉE
HÉTÉROGREFFE
RESURCHAUFFE
RESURCHAUFFÉ
AMOURS-EN-CAGE
AUTOAMORÇAGE
RADIOGUIDAGE

MILLERANDAGE
DÉVERGONDAGE
RADIOSONDAGE
RACCOMMODAGE
BOURG-DE-PÉAGE
PRÉCHAUFFAGE
CUPROALLIAGE
FERROALLIAGE
SUPERALLIAGE
INVENTORIAGE
BOURSOUFLAGE
DÉSHABILLAGE
APPAREILLAGE
ESTAMPILLAGE
ENFANTILLAGE
ENTORTILLAGE
ACCASTILLAGE
GRIBOUILLAGE
BREDOUILLAGE
GRENOUILLAGE
DÉBROUILLAGE
EMBROUILLAGE
VERROUILLAGE
DÉMAQUILLAGE
MORIANI-PLAGE
BLACKBOULAGE
AUTOALLUMAGE
MATRILIGNAGE
PATRILIGNAGE
INTERLIGNAGE
DÉGASOLINAGE
DÉGAZOLINAGE
DÉCALAMINAGE
TAMBOURINAGE
EMMAGASINAGE
BARAGOUINAGE
DAMASQUINAGE
BADIGEONNAGE
DÉPIGEONNAGE
PARANGONNAGE
PAPILLONNAGE
DÉBOULONNAGE
DÉBOUTONNAGE
PATTINSONAGE
FLUOTOURNAGE
PLANIMÉTRAGE
MOYEN-MÉTRAGE
COURT-MÉTRAGE
ROBERT LE SAGE
BLANCHISSAGE
DÉGARNISSAGE
DÉCRÉPISSAGE
RECRÉPISSAGE
ÉQUARRISSAGE
ATTERRISSAGE
EMBOUTISSAGE
SERFOUISSAGE

AIGUILLETAGE
DÉCHIQUETAGE
DÉCLIQUETAGE
ENCLIQUETAGE
TÉLÉPOINTAGE
PHOTOMONTAGE
BOURSICOTAGE
DÉBALLASTAGE
PUBLIPOSTAGE
ESQUIMAUTAGE
CHOUCHOUTAGE
VAPOCRAQUAGE
MULTIPLEXAGE
BOULE-DE-NEIGE
BLANCHE-NEIGE
LIBRE-ÉCHANGE
MÉTHYLORANGE
CAPSULE-CONGÉ
BLANKENBERGE
PRINCE GEORGE
ARRIÈRE-GORGE
SOUTIEN-GORGE
PIEDS-DE-BICHE
PARAVALANCHE
FOLLE-BLANCHE
FROTTE-MANCHE
PTÉROBRANCHE
PROSOBRANCHE
VILLEFRANCHE
TOURNEBROCHE
DOUBLE-CROCHE
PONT-DE-L'ARCHE
CONTREMARCHE
OISEAU-MOUCHE
BATEAU-MOUCHE
TOUCHE-TOUCHE
VAN DEN BERGHE
MUSICOGRAPHE
LEXICOGRAPHE
BIBLIOGRAPHE
FLUVIOGRAPHE
CINÉMOGRAPHE
SÉISMOGRAPHE
MÉCANOGRAPHE
OCÉANOGRAPHE
BÉLINOGRAPHE
CHRONOGRAPHE
CORONOGRAPHE
CRYPTOGRAPHE
SAINT-ESTÈPHE
HÉTÉROTROPHE
PLÉSIOMORPHE
ALLÉLOMORPHE
HÉTÉROMORPHE
GRANDE-SYNTHE
SAINTE-MARTHE
PORTE-MONNAIE

QUASI-MONNAIE
FRANCOPHOBIE
ÉREUTOPHOBIE
OSTÉOMALACIE
MÉLITOCOCCIE
RHABDOMANCIE
TRAGI-COMÉDIE
ENCYCLOPÉDIE
TÉTRAPLOÏDIE
DEXTROCARDIE
RAGAILLARDIE
DÉSHUMIDIFIÉ
ONYCHOPHAGIE
BLENNORRAGIE
QUADRIPLÉGIE
GÉOSTRATÉGIE
RADICULALGIE
NÉONATALOGIE
AMPHIBOLOGIE
MÉTHODOLOGIE
PHRASÉOLOGIE
LARYNGOLOGIE
ALLERGOLOGIE
ORNITHOLOGIE
ASSYRIOLOGIE
SÉMASIOLOGIE
PHTISIOLOGIE
VEXILLOLOGIE
DACTYLOLOGIE
VICTIMOLOGIE
VOLCANOLOGIE
VULCANOLOGIE
CARCINOLOGIE
CRIMINOLOGIE
TERMINOLOGIE
BIOTYPOLOGIE
CANCÉROLOGIE
MÉTÉOROLOGIE
ÉLECTROLOGIE
ESCHATOLOGIE
CLIMATOLOGIE
PRIMATOLOGIE
STOMATOLOGIE
DERMATOLOGIE
RHUMATOLOGIE
THANATOLOGIE
DIABÉTOLOGIE
COSMÉTOLOGIE
PLANÉTOLOGIE
HERPÉTOLOGIE
SCIENTOLOGIE
GÉRONTOLOGIE
CHRISTOLOGIE
BOOGIE-WOOGIE
MINÉRALURGIE
BRADYPSYCHIE
TACHYPSYCHIE

GAMMAGRAPHIE
CHORÉGRAPHIE
CHORÉGRAPHIÉ
CALLIGRAPHIE
CALLIGRAPHIÉ
DISCOGRAPHIE
VIDÉOGRAPHIE
PALÉOGRAPHIE
MUSÉOGRAPHIE
LITHOGRAPHIE
LITHOGRAPHIÉ
ORTHOGRAPHIÉ
RADIOGRAPHIE
RADIOGRAPHIÉ
HAGIOGRAPHIE
ANGIOGRAPHIE
HÉLIOGRAPHIE
MYÉLOGRAPHIE
SOÛLOGRAPHIE
FILMOGRAPHIE
MAMMOGRAPHIE
DERMOGRAPHIE
COSMOGRAPHIE
SCANOGRAPHIE
SCÉNOGRAPHIE
STÉNOGRAPHIE
STÉNOGRAPHIÉ
ETHNOGRAPHIE
REMNOGRAPHIE
ICONOGRAPHIE
PORNOGRAPHIE
MACROGRAPHIE
MICROGRAPHIE
HYDROGRAPHIE
REPROGRAPHIE
REPROGRAPHIÉ
PÉTROGRAPHIE
PICTOGRAPHIE
PHOTOGRAPHIE
PHOTOGRAPHIÉ
CARTOGRAPHIE
CARTOGRAPHIÉ
FLEXOGRAPHIE
PHILADELPHIE
HYPERTROPHIE
HYPERTROPHIÉ
SAINTE-SOPHIE
RONCHOPATHIE
PSYCHOPATHIE
CARDIOPATHIE
PNEUMOPATHIE
ENZYMOPATHIE
RÉTINOPATHIE
NÉPHROPATHIE
ARTHROPATHIE
NATUROPATHIE
EMBRYOPATHIE

KARAKALPAKIE
TALKIE-WALKIE
ANENCÉPHALIE
ACROCÉPHALIE
FRANCOPHILIE
BIBLIOPHILIE
SPASMOPHILIE
SCRIPOPHILIE
ENORGUEILLIE
SURMULTIPLIÉ
NON ACCOMPLIE
PLŒUC-SUR-LIÉ
POLYGLOBULIE
POLYDACTYLIE
SIPHONOGAMIE
HYPOCALCÉMIE
HYPOGLYCÉMIE
HYPOKALIÉMIE
HYPERLIPÉMIE
HYPONATRÉMIE
STÉRÉOCHIMIE
THERMOCHIMIE
SAINTE-ENIMIE
PANOPHTALMIE
XÉROPHTALMIE
MÉSOÉCONOMIE
OVARIECTOMIE
SPLÉNECTOMIE
LAMINECTOMIE
NÉPHRECTOMIE
GASTRECTOMIE
GLOSSECTOMIE
SYNOVECTOMIE
THORACOTOMIE
TRACHÉOTOMIE
LARYNGOTOMIE
ARTÉRIOTOMIE
MÉLANODERMIE
SCLÉRODERMIE
HOMÉOTHERMIE
HYPERTHERMIE
CISLEITHANIE
DÉCALCOMANIE
ARITHMOMANIE
COCAÏNOMANIE
HÉROÏNOMANIE
TRANSYLVANIE
PENNSYLVANIE
MÉTALLOGÉNIE
NEURASTHÉNIE
THROMBOPÉNIE
OLIGOPHRÉNIE
HIPPOTECHNIE
QUADRIPHONIE
FRANCOPHONIE
STÉRÉOPHONIE
PHILHARMONIE

AMPHICTYONIE
PROTÉROGYNIE
ALIX DE SAVOIE
BÊTATHÉRAPIE
PUVATHÉRAPIE
ERGOTHÉRAPIE
GÉNOTHÉRAPIE
SÉROTHÉRAPIE
MÉSOTHÉRAPIE
SEXOTHÉRAPIE
CRYOTHÉRAPIE
ÉLECTROCOPIE
STROBOSCOPIE
STÉRÉOSCOPIE
CŒLIOSCOPIE
COLONOSCOPIE
LAPAROSCOPIE
ARTHROSCOPIE
EMBRYOSCOPIE
LYCANTHROPIE
MISANTHROPIE
NÉGUENTROPIE
GALVANOTYPIE
ANTOINE-MARIE
ROISSY-EN-BRIE
PROTÉRANDRIE
MITOCHONDRIE
PÉNITENCERIE
TAILLANDERIE
PUDIBONDERIE
CONCIERGERIE
CONCIERGERIE
CARTOUCHERIE
FORÊT-GALERIE
MARÉCHALERIE
CRISTALLERIE
CHANCELLERIE
BOURRELLERIE
VAISSELLERIE
BOISSELLERIE
CHAMAILLERIE
BOUTEILLERIE
CAPITAINERIE
MAROQUINERIE
CHARBONNERIE
BOUFFONNERIE
POLTRONNERIE
POISSONNERIE
GLOUTONNERIE
CONFITURERIE
JAPONAISERIE
VIENNOISERIE
SOURNOISERIE
PAPERASSERIE
BONDIEUSERIE
CHOCOLATERIE
MYCOBACTÉRIE

MOUSQUETERIE
MANÉCANTERIE
FERBLANTERIE
PLAISANTERIE
CHARPENTERIE
BIMBELOTERIE
ROBINETTERIE
HÉTÉROPHORIE
VÉLOCIMÉTRIE
ALCALIMÉTRIE
POLARIMÉTRIE
CALORIMÉTRIE
COLORIMÉTRIE
TACHÉOMÉTRIE
STÉRÉOMÉTRIE
PSYCHOMÉTRIE
PLUVIOMÉTRIE
THERMOMÉTRIE
ACTINOMÉTRIE
CHRONOMÉTRIE
CHLOROMÉTRIE
TRANSNISTRIE
BIO-INDUSTRIE
LE ROY LADURIE
SCHIZOPHASIE
RADIESTHÉSIE
CŒNESTHÉSIE
HYPOESTHÉSIE
PALINGÉNÉSIE
ANAPHRODISIE
STÉRÉOGNOSIE
LITHOTRIPSIE
CHROMATOPSIE
HYPERACOUSIE
PHYSIOCRATIE
PHALLOCRATIE
TECHNOCRATIE
MÉRITOCRATIE
ARISTOCRATIE
PLOUTOCRATIE
BUREAUCRATIE
CHIROPRACTIE
CONTREPARTIE
CHARTE-PARTIE
ENTRÉE-SORTIE
OSTÉOPLASTIE
ANGIOPLASTIE
MAMMOPLASTIE
RHINOPLASTIE
GYNÉCOMASTIE
RADIOGALAXIE
PROTOGALAXIE
TROPHALLAXIE
PARAMÉDICALE
CHIRURGICALE
SUBTROPICALE
OBSTÉTRICALE

GRAMMATICALE
HÉMORROÏDALE
ELLIPSOÏDALE
TRAPÉZOÏDALE
MÉDICO-LÉGALE
GLOBICÉPHALE
TÉLENCÉPHALE
MÉSENCÉPHALE
MÉTENCÉPHALE
STÉGOCÉPHALE
MACROCÉPHALE
MICROCÉPHALE
ANDROCÉPHALE
HYDROCÉPHALE
LEPTOCÉPHALE
PHILOSOPHALE
MULTIRACIALE
INTERRACIALE
ENDOTHÉLIALE
MATRIMONIALE
PATRIMONIALE
TESTIMONIALE
PARTICIPIALE
PARTENARIALE
DICTATORIALE
DIRECTORIALE
TERRITORIALE
SEIGNEURIALE
AÉROSPATIALE
NIVO-PLUVIALE
HEXADÉCIMALE
SEXAGÉSIMALE
ORTHONORMALE
RHUMATISMALE
CATACLYSMALE
SADIQUE-ANALE
ATTITUDINALE
USTILAGINALE
QUADRIENNALE
QUINQUENNALE
DODÉCAGONALE
MONOCAMÉRALE
NYCTHÉMÉRALE
ÉQUILATÉRALE
PRESBYTÉRALE
ANTISUDORALE
COXO-FÉMORALE
SUCCESSORALE
PROFESSORALE
PRÉFECTORALE
ASIE CENTRALE
COMMISSURALE
CARICATURALE
CONJECTURALE
GRAND LAC SALÉ
TRANSVERSALE
PLURICAUSALE

SOUS-ORBITALE	DÉCHIFFRABLE	DISTRIBUABLE
LABIODENTALE	INCHIFFRABLE	DISTINGUABLE
FONDAMENTALE	RÉINTÉGRABLE	INATTAQUABLE
SENTIMENTALE	INDÉCHIRABLE	SUBSTITUABLE
CONTINENTALE	IRRESPIRABLE	INCONCEVABLE
INTERCOSTALE	INCHAVIRABLE	INCULTIVABLE
ÉQUIPROBABLE	INEXPLORABLE	INOBSERVABLE
HYPOTHÉCABLE	INCORPORABLE	INEMPLOYABLE
INAPPLICABLE	IMPÉNÉTRABLE	INTELLIGIBLE
INEXPLICABLE	STRUCTURABLE	INCORRIGIBLE
COMMUNICABLE	MANŒUVRABLE	INDISPONIBLE
INEXTRICABLE	IRRÉALISABLE	IMPRÉVISIBLE
IMPRATICABLE	FERTILISABLE	INEXTENSIBLE
DOMESTICABLE	RÉUTILISABLE	INEXPLOSIBLE
INFLUENÇABLE	INUTILISABLE	IRRÉVERSIBLE
INDÉFENDABLE	SATELLISABLE	INACCESSIBLE
INACCORDABLE	ALCOOLISABLE	COMPRESSIBLE
ENVISAGEABLE	INDEMNISABLE	INADMISSIBLE
RECHARGEABLE	SCOLARISABLE	IRRÉMISSIBLE
INCHAUFFABLE	PULVÉRISABLE	INCOMPATIBLE
IRRÉFRAGABLE	INDÉFRISABLE	INDÉFECTIBLE
IRRÉMÉDIABLE	ÉLECTRISABLE	IRRÉDUCTIBLE
SIMPLIFIABLE	PRIVATISABLE	DESTRUCTIBLE
SAPONIFIABLE	MAGNÉTISABLE	DESCRIPTIBLE
INVÉRIFIABLE	PALETTISABLE	INSCRIPTIBLE
ÉMULSIFIABLE	JUXTAPOSABLE	CONSOMPTIBLE
QUANTIFIABLE	DÉCOMPOSABLE	IRRÉSISTIBLE
IDENTIFIABLE	RECOMPOSABLE	SOUS-ENSEMBLE
MULTIPLIABLE	SUPERPOSABLE	HYDROSOLUBLE
DISSEMBLABLE	TRANSPOSABLE	INDISSOLUBLE
RENOUVELABLE	REMBOURSABLE	DÉSENSORCELÉ
INDÉRÉGLABLE	AUTOCASSABLE	PLAQUE-MODÈLE
INDÉCOLLABLE	INDÉPASSABLE	TRIRECTANGLE
INÉBRANLABLE	CONNAISSABLE	COLOMBOPHILE
INCONSOLABLE	INSAISISSABLE	MYRMÉCOPHILE
INCALCULABLE	DÉFINISSABLE	AQUARIOPHILE
INCOAGULABLE	INFROISSABLE	GERMANOPHILE
INEXPRIMABLE	INTARISSABLE	HALTÉROPHILE
PROGRAMMABLE	IMPÉRISSABLE	ÉLECTROPHILE
INDÉFORMABLE	AMORTISSABLE	**MARCY-L'ÉTOILE**
IRRÉFORMABLE	INANALYSABLE	LANCE-MISSILE
INSOUTENABLE	HYDROLYSABLE	TRINQUEBALLE
INEXPUGNABLE	ACCLIMATABLE	ARRIÈRE-SALLE
INIMAGINABLE	INDÉTECTABLE	**CINTEGABELLE**
INDÉCLINABLE	SUREXCITABLE	SACS-POUBELLE
INCRIMINABLE	ÉPOUVANTABLE	DINOFLAGELLÉ
DÉTERMINABLE	FRÉQUENTABLE	ROMANICHELLE
INTERMINABLE	INRACONTABLE	ARTIFICIELLE
SOUPÇONNABLE	INDÉMONTABLE	TENDANCIELLE
ÉMOTIONNABLE	INACCEPTABLE	CÉRÉMONIELLE
DÉVELOPPABLE	NON COMPTABLE	IMMATÉRIELLE
INEXTIRPABLE	MAINMORTABLE	CATÉGORIELLE
INCOMPARABLE	INEXÉCUTABLE	SEMESTRIELLE
CONSIDÉRABLE	INDISCUTABLE	BIMESTRIELLE
IMPONDÉRABLE	INCOMMUTABLE	INDUSTRIELLE
TRANSFÉRABLE	TRANSMUTABLE	TANGENTIELLE
INVULNÉRABLE	CONTRIBUABLE	SAPIENTIELLE

TORRENTIELLE	**LORETTEVILLE**	CHRONOGRAMME
SÉQUENTIELLE	**BARAQUEVILLE**	PRÉPROGRAMMÉ
VALÉRIANELLE	**LANEUVEVILLE**	LOI-PROGRAMME
POLICHINELLE	BAISE-EN-VILLE	CRYPTOGRAMME
POLICHINELLE	**BOUGAINVILLE**	OSTÉOSARCOME
PULSIONNELLE	**FRANCONVILLE**	LYMPHANGIOME
PASSIONNELLE	**ERMENONVILLE**	RUINES-DE-ROME
FICTIONNELLE	**BOURNONVILLE**	HÉTÉROTHERME
ÉMOTIONNELLE	**JACKSONVILLE**	HAUTS-DE-FORME
FLEXIONNELLE	**CANY-BARVILLE**	COLUMBIFORME
RHYNCHONELLE	**BOUCHERVILLE**	CORACIIFORME
MAGNANARELLE	**ORLÉANSVILLE**	CICONIIFORME
INTEMPORELLE	**SARTROUVILLE**	LAMELLIFORME
INCORPORELLE	**STANLEYVILLE**	CAMPANIFORME
SURNATURELLE	LAMELLÉ-COLLÉ	CHOLÉRIFORME
STRUCTURELLE	CHANTIGNOLLE	PASSÉRIFORME
BICULTURELLE	XANTHOPHYLLE	CRATÉRIFORME
MADEMOISELLE	SCLÉROPHYLLE	ENTHOUSIASME
ACCIDENTELLE	CHLOROPHYLLE	ENTHOUSIASMÉ
PLOUGASTELLE	HOLOMÉTABOLE	MITHRIACISME
INDIVIDUELLE	VITIVINICOLE	CATHOLICISME
TRISANNUELLE	DULÇAQUICOLE	FLANDRICISME
TÉLÉVISUELLE	MICROALVÉOLE	HISTORICISME
CONSENSUELLE	**SAINT-GUÉNOLÉ**	AGNOSTICISME
INHABITUELLE	EXTRASYSTOLE	SPONTANÉISME
CONVENTUELLE	SOUS-MULTIPLE	ÉCLAIRAGISME
CONCEPTUELLE	MAÎTRE-COUPLE	ESCLAVAGISME
CONTEXTUELLE	THERMOCOUPLE	MOTONEIGISME
HOMOSEXUELLE	CONCILIABULE	SOCIOLOGISME
EMMOUSCAILLÉ	TINTINNABULÉ	BIOMORPHISME
BOUSTIFAILLE	POINT-VIRGULE	ZOOMORPHISME
COCHONNAILLE	EN CUL-DE-POULE	ISOMORPHISME
CARTON-PAILLE	PIEDS-DE-POULE	PROGNATHISME
DÉPOITRAILLÉ	PENTADACTYLE	MÉGALITHISME
CONTRE-TAILLE	ARTIODACTYLE	MONOLITHISME
PINCE-OREILLE	PTÉRODACTYLE	CANNIBALISME
PERCE-OREILLE	VACCINOSTYLE	SYNDICALISME
BELLE-FAMILLE	CROQUE-MADAME	CLÉRICALISME
SUPERFAMILLE	AUTOPROCLAMÉ	PHYSICALISME
SEMI-CHENILLÉ	CAPROLACTAME	COLONIALISME
AUTOCHENILLE	CHRYSANTHÈME	IMPÉRIALISME
BELLEFEUILLE	MILLIARDIÈME	MATÉRIALISME
MILLE-FEUILLE	CINQUANTIÈME	MARGINALISME
AIGREFEUILLE	COMBIENTIÈME	RÉGIONALISME
PORTEFEUILLE	ARCHIPHONÈME	NATIONALISME
HÉLITREUILLÉ	TÉTRADRACHME	RATIONALISME
CARAMBOUILLE	COLOGARITHME	PATERNALISME
DÉBARBOUILLÉ	QUADRAGÉSIME	PASTORALISME
EMBARBOUILLÉ	SEPTUAGÉSIME	THÉÂTRALISME
PATTEMOUILLE	**VALÈRE MAXIME**	CULTURALISME
DÉVERROUILLÉ	**SAINTE-MAXIME**	HOSPITALISME
TRIPATOUILLÉ	ORGANIGRAMME	ORIENTALISME
BERZÉ-LA-VILLE	STÉRÉOGRAMME	MOTOCYCLISME
COMBS-LA-VILLE	TRICHOGRAMME	MONOTHÉLISME
LÉOPOLDVILLE	SPERMOGRAMME	PARALLÉLISME
FRANCHEVILLE	ORDINOGRAMME	CLIENTÉLISME
VIEILLEVILLE	BÉLINOGRAMME	PROBABILISME

INFANTILISME	PROXÉNÉTISME	INTERHUMAINE
BIMÉTALLISME	MILITANTISME	**RAMBOLITAINE**
TRAVAILLISME	IRRÉDENTISME	**TRIPOLITAINE**
POINTILLISME	PENTECÔTISME	**PALERMITAINE**
PANISLAMISME	AUTOÉROTISME	**ELF AQUITAINE**
ANGLICANISME	BONAPARTISME	CINQUANTAINE
GALLICANISME	MONOPARTISME	**BEAUFORTAINE**
AMÉRICANISME	MOTONAUTISME	**BRUNTRUTAINE**
HOOLIGANISME	PARACHUTISME	TRANSYLVAINE
HOULIGANISME	PROSÉLYTISME	**TRANSYLVAINE**
CANADIANISME	KIMBANGUISME	DEMI-DOUZAINE
PÉLAGIANISME	PÉTRARQUISME	PROTHROMBINE
HÉGÉLIANISME	EXCLUSIVISME	TÉLÉMÉDECINE
SOCINIANISME	OBJECTIVISME	TYROTHRICINE
ARMINIANISME	DIRECTIVISME	MOUDJAHIDINE
PARISIANISME	PRIMITIVISME	CANTHARIDINE
ADOPTIANISME	COGNITIVISME	**CHARLIANDINE**
LUTHÉRANISME	MACCARTHYSME	PÉRIGOURDINE
CULTÉRANISME	**ROI-GUILLAUME**	**PÉRIGOURDINE**
ORTHOGÉNISME	PRESSE-AGRUME	FLUORESCÉINE
PHÉNOMÉNISME	DÉSACCOUTUMÉ	**BOURG-LA-REINE**
DÉTERMINISME	SCLÉRENCHYME	**HAUTS-DE-SEINE**
BYZANTINISME	ANTHROPONYME	**BRAY-SUR-SEINE**
AUGUSTINISME	POLYURÉTHANE	**IVRY-SUR-SEINE**
CLOISONNISME	MORPHINOMANE	HOLOPROTÉINE
HISTRIONISME	BALLETTOMANE	LIPOPROTÉINE
ANACHRONISME	CYCLOPENTANE	TURBOMACHINE
SYNCHRONISME	AUTOCARAVANE	ENDOMORPHINE
ISOCHRONISME	ANTIONCOGÈNE	TÉRÉBENTHINE
OPPORTUNISME	TRYPSINOGÈNE	INTERLEUKINE
POLYCHROÏSME	DÉSHYDROGÉNÉ	**SIKHOTE-ALINE**
MILLÉNARISME	**PRINCE EUGÈNE**	TÉTRACYCLINE
CARBONARISME	**SAINTE-HÉLÈNE**	GIBBÉRELLINE
ÉGALITARISME	POLYÉTHYLÈNE	UNIVITELLINE
UTILITARISME	ÉPIPHÉNOMÈNE	THÉOPHYLLINE
VOLONTARISME	**ISAAC COMNÈNE**	PICROCHOLINE
CONSUMÉRISME	SCHIZOPHRÈNE	INDISCIPLINE
CATHÉTÉRISME	PHÉNANTHRÈNE	INDISCIPLINÉ
GANGSTÉRISME	NITROBENZÈNE	POLYVITAMINE
PYTHAGORISME	**BÂLE-CAMPAGNE**	PRÉDÉTERMINÉ
GONOCHORISME	INTERURBAINE	SURDÉTERMINÉ
BÉHAVIORISME	MOZAMBICAINE	LACTALBUMINE
GÉOCENTRISME	**MOZAMBICAINE**	PHYCOCYANINE
ÉGOCENTRISME	RÉPUBLICAINE	**ANNA KARENINE**
ZOROASTRISME	COSTARICAINE	**SAINT-ANTOINE**
AGRITOURISME	**COSTARICAINE**	HÉLIOTROPINE
PROGRESSISME	SUD-AFRICAINE	CRISTE-MARINE
MONOPHYSISME	**SUD-AFRICAINE**	**TCHITCHERINE**
SUPRÉMATISME	PANAFRICAINE	INTRA-UTÉRINE
APRAGMATISME	EURAFRICAINE	EXTRA-UTÉRINE
ASTIGMATISME	PORTORICAINE	MONTÉNÉGRINE
AGRAMMATISME	**PORTORICAINE**	**MONTÉNÉGRINE**
ACHROMATISME	FRANCISCAINE	CICLOSPORINE
COMPARATISME	DEMI-MONDAINE	CYCLOSPORINE
COOPÉRATISME	DUODÉCIMAINE	LÈCHE-VITRINE
CORPORATISME	GRÉCO-ROMAINE	**NOIRMOUTRINE**
ALPHABÉTISME	GALLO-ROMAINE	ANGOUMOISINE

ANGIOTENSINE	**CAPVERDIENNE**	**RIPAGÉRIENNE**
VASOPRESSINE	CAMBODGIENNE	**COLUMÉRIENNE**
ESTUDIANTINE	**CAMBODGIENNE**	JUPITÉRIENNE
FEUILLANTINE	PHARYNGIENNE	MOUSTÉRIENNE
LACTOFLAVINE	THÉOLOGIENNE	**LAPRAIRIENNE**
SAINTE-SAVINE	CHIRURGIENNE	VOLTAIRIENNE
PHALLOTOXINE	AUTRICHIENNE	CALVAIRIENNE
NEWSMAGAZINE	**AUTRICHIENNE**	ÉQUATORIENNE
ETCHMIADZINE	CORINTHIENNE	**ÉQUATORIENNE**
VILLEURBANNE	**CORINTHIENNE**	**NANTERRIENNE**
ÉLECTROVANNE	**HELSINKIENNE**	BELLÉTRIENNE
PROMÉTHÉENNE	**BANGKOKIENNE**	**ASBESTRIENNE**
LOUVIGNÉENNE	CENTRALIENNE	**VALLAURIENNE**
LANDERNÉENNE	AUSTRALIENNE	**IMERCURIENNE**
NORD-CORÉENNE	**AUSTRALIENNE**	**OCTODURIENNE**
NORD-CORÉENNE	THESSALIENNE	ÉPINEURIENNE
ARGENTEENNE	**THESSALIENNE**	PASTEURIENNE
ZIMBABWÉENNE	VÉGÉTALIENNE	FAUBOURIENNE
ZIMBABWÉENNE	FRŒBÉLIENNE	**AMADOURIENNE**
LOUDÉACIENNE	FRANCILIENNE	**COUTRASIENNE**
BONIFACIENNE	**FRANCILIENNE**	**ARGELÉSIENNE**
SPANIACIENNE	**BERJALLIENNE**	**CHALLÉSIENNE**
PHARMACIENNE	**NOGAROLIENNE**	MÉLANÉSIENNE
SPARNACIENNE	**CRISTOLIENNE**	**MÉLANÉSIENNE**
MORTUACIENNE	**SURINAMIENNE**	INDONÉSIENNE
THERMICIENNE	VIETNAMIENNE	**INDONÉSIENNE**
MÉCANICIENNE	**VIETNAMIENNE**	POLYNÉSIENNE
ORGANICIENNE	**BAIE-COMIENNE**	**POLYNÉSIENNE**
TECHNICIENNE	ÉPICRÂNIENNE	CAMBRÉSIENNE
BÉDARICIENNE	**SOSTRANIENNE**	**CAMBRÉSIENNE**
THÉORICIENNE	LUSITANIENNE	**CAUDRÉSIENNE**
GÉNÉTICIENNE	**LUSITANIENNE**	**ROUBAISIENNE**
POLITICIENNE	**TYRRHÉNIENNE**	**CARHAISIENNE**
ROBOTICIENNE	**BAHREÏNIENNE**	**CHALAISIENNE**
PLASTICIENNE	APOLLINIENNE	**MORLAISIENNE**
ORDOVICIENNE	ABYSSINIENNE	**STENAISIENNE**
LUDOVICIENNE	**ABYSSINIENNE**	**AULNAISIENNE**
JOTRANCIENNE	RIEMANNIENNE	**CHABLISIENNE**
BALGENCIENNE	**MANSONNIENNE**	**FOURMISIENNE**
SÉDÉLOCIENNE	PHARAONIENNE	**VALDOISIENNE**
COMMERCIENNE	BOURBONIENNE	**PONTOISIENNE**
CISTERCIENNE	MACÉDONIENNE	**MARQUISIENNE**
MONTMÉDIENNE	**MACÉDONIENNE**	CIRCASSIENNE
XIPHOÏDIENNE	CALÉDONIENNE	**CIRCASSIENNE**
STÉROÏDIENNE	**CALÉDONIENNE**	PARNASSIENNE
CHOROÏDIENNE	PYRRHONIENNE	PAROISSIENNE
THYROÏDIENNE	BABYLONIENNE	**VIGNEUSIENNE**
DELTOÏDIENNE	**SPARNONIENNE**	MALTHUSIENNE
MASTOÏDIENNE	ÉTATS-UNIENNE	VAUCLUSIENNE
CAROTIDIENNE	**ÉTATS-UNIENNE**	**VAUCLUSIENNE**
PAROTIDIENNE	CORONARIENNE	**TOURNUSIENNE**
ROMUALDIENNE	VÉGÉTARIENNE	**MULHOUSIENNE**
NIDWALDIENNE	ANTIAÉRIENNE	**CONDRUSIENNE**
AMÉRINDIENNE	**ILLIBÉRIENNE**	**VIBRAYSIENNE**
VILLARDIENNE	**CHAMBÉRIENNE**	**FERNEYSIENNE**
CAP-VERDIENNE	**DÉSIDÉRIENNE**	**ANDELYSIENNE**
CAPVERDIENNE	LUCIFÉRIENNE	**KIRIBATIENNE**

NANTUATIENNE	**ANGLO-SAXONNE**	**THÉÂTRE-LIBRE**
SAINT-ÉTIENNE	**PONT-SUR-YONNE**	DÉSÉQUILIBRE
TRÉVOLTIENNE	**PORT-SUR-SAÔNE**	DÉSÉQUILIBRÉ
LAURENTIENNE	RADIOCARBONE	CONTRE-TIMBRE
LAURENTIENNE	HYDROCARBONÉ	CONDESCENDRE
GRAVETTIENNE	DICOTYLÉDONE	ENTREPRENDRE
DJIBOUTIENNE	GERMANOPHONE	DÉSAPPRENDRE
DJIBOUTIENNE	HISPANOPHONE	SOUS-ENTENDRE
ALGONQUIENNE	BERBÉROPHONE	MONOCYLINDRE
SARAJÉVIENNE	ÉLECTROPHONE	CORRESPONDRE
THURGOVIENNE	MAGNÉTOPHONE	**NORT-SUR-ERDRE**
TRIFLUVIENNE	CÔTES-DU-RHÔNE	PRÊTS-À-COUDRE
OYONNAXIENNE	PHYTOHORMONE	DÉSINCARCÉRÉ
KOLKHOZIENNE	PARATHORMONE	FORAMINIFÈRE
MANAGUAYENNE	HYDROQUINONE	SACCHARIFÈRE
PARAGUAYENNE	PROGESTÉRONE	DIAMANTIFÈRE
PARAGUAYENNE	TESTOSTÉRONE	TROCHOSPHÈRE
CONCITOYENNE	GÉOSYNCHRONE	CHROMOSPHÈRE
FRANC-MAÇONNE	**SEINE-ET-MARNE**	THERMOSPHÈRE
INSUBORDONNÉ	ULTRAMODERNE	HÉTÉROSPHÈRE
MAIGRICHONNE	**HYDRE DE LERNE**	STRATOSPHÈRE
DÉCAPUCHONNÉ	WAGON-CITERNE	AMBULANCIÈRE
ENCAPUCHONNÉ	AVION-CITERNE	PLAISANCIÈRE
ENDIVISIONNÉ	**ATHIS-DE-L'ORNE**	PISSALADIÈRE
CONVULSIONNÉ	**GLYNDEBOURNE**	BRANCARDIÈRE
PRÉPENSIONNÉ	PETIT-DÉJEUNÉ	MONTGOLFIÈRE
CONTORSIONNÉ	**PALMA LE JEUNE**	CARTOUCHIÈRE
IMPRESSIONNÉ	**PLINE LE JEUNE**	HOSPITALIÈRE
COMMISSIONNÉ	**STURE LE JEUNE**	FESTIVALIÈRE
SOUMISSIONNÉ	**PÉPIN LE JEUNE**	**CHENEVELIÈRE**
CONFECTIONNÉ	**LOUIS LE JEUNE**	PARTICULIÈRE
PERFECTIONNÉ	**CYRUS LE JEUNE**	ANNÉE-LUMIÈRE
COLLECTIONNÉ	**DENYS LE JEUNE**	PALEFRENIÈRE
REPOSITIONNÉ	**HOJO TOKIMUNE**	MAROQUINIÈRE
SUSMENTIONNÉ	**SOLJENITSYNE**	CHARBONNIÈRE
SUBVENTIONNÉ	CHAUSSE-TRAPE	CHIFFONNIÈRE
CONVENTIONNÉ	FOURGON-POMPE	BOUCHONNIÈRE
PROPORTIONNÉ	KALÉIDOSCOPE	HOUBLONNIÈRE
SUGGESTIONNÉ	LARYNGOSCOPE	CHANSONNIÈRE
CONGESTIONNÉ	BRONCHOSCOPE	CRESSONNIÈRE
PRÉCAUTIONNÉ	ÉBULLIOSCOPE	POISSONNIÈRE
RÉVOLUTIONNÉ	OSCILLOSCOPE	BUISSONNIÈRE
TOURBILLONNÉ	ÉLECTROSCOPE	**GRANDE BRIÈRE**
VOUVRILLONNE	SPECTROSCOPE	PRÉFOURRIÈRE
ÉTRÉSILLONNÉ	MAGNÉTOSCOPE	PROCÉDURIÈRE
ÉCOUVILLONNÉ	MAGNÉTOSCOPÉ	CONFITURIÈRE
GROIZILLONNE	ZINJANTHROPE	MANŒUVRIÈRE
HAUTE-GARONNE	PHILANTHROPE	**LARIBOISIÈRE**
LOT-ET-GARONNE	HYPERMÉTROPE	MATELASSIÈRE
DÉCHAPERONNÉ	ÉNANTIOTROPE	PAPERASSIÈRE
SEMI-CONSONNE	RADIO-ISOTOPE	ÉCRIVASSIÈRE
PÈSE-PERSONNE	SURDÉVELOPPÉ	CHOCOLATIÈRE
PAILLASSONNÉ	DÉSENVELOPPÉ	USUFRUITIÈRE
REMPOISSONNÉ	CONTRESCARPE	CHARPENTIÈRE
FLEURIATONNE	PRESSE-ÉTOUPE	DÉBIRENTIÈRE
CHEF-BOUTONNE	**CAPDENAC-GARE**	ESCARGOTIÈRE
ANGLO-SAXONNE	ALLUME-CIGARE	BIMBELOTIÈRE

AUTOROUTIÈRE	CHAMBONNAIRE	WARWICKSHIRE
SOUS-CLAVIÈRE	MILLIONNAIRE	NEW HAMPSHIRE
BETTERAVIÈRE	PENSIONNAIRE	MAINE-ET-LOIRE
GARDE-RIVIÈRE	CESSIONNAIRE	SAÔNE-ET-LOIRE
GRENOUILLÈRE	MISSIONNAIRE	INDRE-ET-LOIRE
QUADRILATÈRE	STATIONNAIRE	AFRIQUE NOIRE
SIPHONAPTÈRE	FACTIONNAIRE	IMPRÉCATOIRE
STREPSIPTÈRE	DICTIONNAIRE	MASTICATOIRE
THYSANOPTÈRE	TORTIONNAIRE	SUBROGATOIRE
RASTAQUOUÈRE	GESTIONNAIRE	OSCILLATOIRE
STAPHISAIGRE	MAMELONNAIRE	CIRCULATOIRE
ŒILS-DE-TIGRE	EMBRYONNAIRE	ANOVULATOIRE
SAINT-MACAIRE	ANTIPHONAIRE	DIFFAMATOIRE
LUDOTHÉCAIRE	SAINT-LUNAIRE	DÉCLAMATOIRE
HYPOTHÉCAIRE	SCYPHOZOAIRE	COMBINATOIRE
SUBURBICAIRE	HÉMATOZOAIRE	DÉCLINATOIRE
ANTICALCAIRE	KAMPTOZOAIRE	ÉLIMINATOIRE
HEBDOMADAIRE	AMBULACRAIRE	COMMINATOIRE
RÉFÉRENDAIRE	THURIFÉRAIRE	ÉCHAPPATOIRE
MILLIARDAIRE	SURNUMÉRAIRE	DÉCLARATOIRE
DUN LAOGHAIRE	MADRÉPORAIRE	PRÉPARATOIRE
PRÉGLACIAIRE	SCRIPTURAIRE	RESPIRATOIRE
BÉNÉFICIAIRE	ANNIVERSAIRE	INSPIRATOIRE
ÉVANGÉLIAIRE	HYPOPHYSAIRE	EXPLORATOIRE
DOMICILIAIRE	SYNDICATAIRE	ÉVAPORATOIRE
INTERCALAIRE	COMANDATAIRE	CONJURATOIRE
POINTE-CLAIRE	RETARDATAIRE	INCANTATOIRE
MULTIFILAIRE	COSIGNATAIRE	OSTENTATOIRE
SAINT-HILAIRE	DESTINATAIRE	ATTENTATOIRE
PÉDICELLAIRE	RÉSERVATAIRE	OBSERVATOIRE
CODICILLAIRE	PROPRIÉTAIRE	RÉDHIBITOIRE
PROTOCOLAIRE	PAMPHLÉTAIRE	PRÉMONITOIRE
PARASCOLAIRE	MOUSQUETAIRE	RÉQUISITOIRE
PÉRISCOLAIRE	PUBLICITAIRE	INQUISITOIRE
POSTSCOLAIRE	INÉGALITAIRE	SUPPOSITOIRE
MULTIPOLAIRE	PRÉMILITAIRE	RETRANSCRIRE
TRANSPOLAIRE	SATELLITAIRE	CIRCONSCRIRE
EXTRASOLAIRE	INDEMNITAIRE	RÉINTRODUIRE
ACÉTABULAIRE	EXCÉDENTAIRE	TRAVERSOUIRE
MANDIBULAIRE	LIGAMENTAIRE	DÉCONSTRUIRE
VESTIBULAIRE	FRAGMENTAIRE	RECONSTRUIRE
VERNACULAIRE	SÉDIMENTAIRE	SIPHONOPHORE
TENTACULAIRE	RUDIMENTAIRE	GALACTOPHORE
PELLICULAIRE	RÉGIMENTAIRE	ORGANOCHLORÉ
FOLLICULAIRE	DOCUMENTAIRE	DEUIL-LA-BARRE
VERMICULAIRE	TÉGUMENTAIRE	BASSE-NAVARRE
LENTICULAIRE	ARGUMENTAIRE	LARGILLIERRE
TESTICULAIRE	INVOLONTAIRE	TOURNE-PIERRE
PÉDONCULAIRE	PROTONOTAIRE	BASSOMPIERRE
UNILOCULAIRE	PLAQUETTAIRE	PARATONNERRE
TRILOCULAIRE	ATTRIBUTAIRE	POMME DE TERRE
TRIANGULAIRE	PRÉCIPUTAIRE	MARQUENTERRE
PÉNINSULAIRE	LEUCOCYTAIRE	VIC-EN-BIGORRE
BIMILLÉNAIRE	PHAGOCYTAIRE	PETITS-BEURRE
BICENTENAIRE	MOUSTIQUAIRE	LAISSÉ-COURRE
SUBLIMINAIRE	SAINT-NAZAIRE	AMPHITHÉÂTRE
PRÉLIMINAIRE	ENTRE-DÉCHIRÉ	QUATRE-QUATRE

TURBIDIMÈTRE	SUBSTRUCTURE	**GUERNESIAISE**
VISCOSIMÈTRE	DÉCHIQUETURE	MONTRÉALAISE
EXPLOSIMÈTRE	MICROVOITURE	**MONTRÉALAISE**
ÉBULLIOMÈTRE	TÉLÉÉCRITURE	**BONNEVALAISE**
GALVANOMÈTRE	DÉSINVOLTURE	**BOUGIVALAISE**
INCLINOMÈTRE	BULBICULTURE	**YSSINGELAISE**
PSYCHROMÈTRE	PISCICULTURE	**MONTERELAISE**
ÉLECTROMÈTRE	CARPICULTURE	**MARSHALLAISE**
SPECTROMÈTRE	ACÉRICULTURE	VERSAILLAISE
PÉNÉTROMÈTRE	PUÉRICULTURE	**VERSAILLAISE**
TELLUROMÈTRE	FLORICULTURE	**CORMEILLAISE**
EXTENSOMÈTRE	SERRICULTURE	MARSEILLAISE
CATHÉTOMÈTRE	HORTICULTURE	**MARSEILLAISE**
MAGNÉTOMÈTRE	SYLVICULTURE	**ARCUEILLAISE**
SENSITOMÈTRE	COPROCULTURE	**GRANVILLAISE**
PORTE-FENÊTRE	JOINT-VENTURE	**JOINVILLAISE**
MULTIFENÊTRE	DÉCOUVERTURE	**TROUVILLAISE**
INTERPÉNÉTRÉ	HÉLIOGRAVURE	**MARVEJOLAISE**
CONTREMAÎTRE	COMPOGRAVURE	**CHESTROLAISE**
RÉAPPARAÎTRE	PHOTOGRAVURE	**SAINT-JAMAISE**
POINTE-À-PITRE	NICOLAS-FAVRE	**VIENTIANAISE**
PAPIER-FILTRE	BECS-DE-LIÈVRE	**MARIGNANAISE**
HAUTES-CONTRE	CHEFS-D'ŒUVRE	**LÉZIGNANAISE**
CLYTEMNESTRE	MAINS-D'ŒUVRE	**ARGENTANAISE**
RÉENREGISTRÉ	**ROMAIN ARGYRE**	**CARENTANAISE**
SOUS-MINISTRE	RIBONUCLÉASE	**JAKARTANAISE**
CONTRE-LETTRE	STEEPLE-CHASE	**CAPESTANAISE**
MANDAT-LETTRE	HELMINTHIASE	PAKISTANAISE
COMPROMETTRE	ENTÉROKINASE	**PAKISTANAISE**
CARTON-FEUTRE	TRANSAMINASE	**HAUT-SEINAISE**
CRAYON-FEUTRE	ARCHIDIOCÈSE	**JOSSELINAISE**
CONTREFOUTRE	HÉMATOPOÏÈSE	**DOURDANNAISE**
BRAHMAPOUTRE	PSYCHOGENÈSE	**COURSANNAISE**
TÊTES-DE-MAURE	MORPHOGENÈSE	**MIMIZANNAISE**
TYRANNOSAURE	THERMOGENÈSE	**DOULLENNAISE**
HYDROCARBURE	ORGANOGENÈSE	BOURBONNAISE
CHANTEPLEURE	TÉRATOGENÈSE	**BOURBONNAISE**
BOURSOUFLURE	GAMÉTOGENÈSE	**ALENÇONNAISE**
FERRICYANURE	BLASTOGENÈSE	**MÉZIDONNAISE**
FERROCYANURE	EMBRYOGENÈSE	**GOURDONNAISE**
HEXACHLORURE	**MARIE-THÉRÈSE**	**LANNIONNAISE**
POLYCHLORURE	THORACENTÈSE	RÉUNIONNAISE
HEXAFLUORURE	AMNIOCENTÈSE	**RÉUNIONNAISE**
ENCHEVÊTRURE	**CADILLACAISE**	**ARPAJONNAISE**
CONTRE-MESURE	**SEGONZACAISE**	**AVALLONNAISE**
ARRONDISSURE	**TREMBLADAISE**	**GAILLONNAISE**
MEURTRISSURE	**BÉDARRIDAISE**	**AVIGNONNAISE**
ÉCLABOUSSURE	THAÏLANDAISE	**COURNONNAISE**
VILLÉGIATURE	**THAÏLANDAISE**	**NONTRONNAISE**
VILLÉGIATURÉ	**CHALLANDAISE**	**AVEYRONNAISE**
APPOGGIATURE	NÉERLANDAISE	**CLISSONNAISE**
NOMENCLATURE	**NÉERLANDAISE**	**SOISSONNAISE**
SPORTS-NATURE	**ALLEVARDAISE**	**BUISSONNAISE**
MAGISTRATURE	**CABOURGEAISE**	**ÉGLETONNAISE**
CRYOFRACTURE	**SOUILLAGAISE**	**FRONTONNAISE**
ARCHITECTURE	**HONGKONGAISE**	VIERZONNAISE
ARCHITECTURÉ	**PÈRE-LACHAISE**	**TARRACONAISE**

BARCELONAISE	ALTKIRCHOISE	CLERMONTOISE
BARCELONAISE	MASCOUCHOISE	HAUTMONTOISE
SISTERONAISE	ROBERVALOISE	BEAUMONTOISE
HAUT-MARNAISE	BONDOUFLOISE	CHAUMONTOISE
SIX-FOURNAISE	MIRABELLOISE	BEAUPORTOISE
CAMEROUNAISE	SEYCHELLOISE	PINCOURTOISE
CAMEROUNAISE	SEYCHELLOISE	BONCOURTOISE
GUINGAMPAISE	SAMMIELLOISE	DISCOURTOISE
BRESSUIRAISE	CAP-D'AILLOISE	BUDAPESTOISE
HONFLEURAISE	VERFEILLOISE	BUCARESTOISE
HARFLEURAISE	BELŒILLOISE	TONNACQUOISE
SEIGNOSSAISE	DRAVEILLOISE	DUNKERQUOISE
HUELGOATAISE	ABBEVILLOISE	LOUPERIVOISE
BAGNOLETAISE	AMNÉVILLOISE	INAPPRIVOISÉ
CLERMONTAISE	LUNÉVILLOISE	DÉSOLIDARISÉ
CHAUMONTAISE	JOINVILLOISE	DÉNUCLÉARISÉ
DOMFRONTAISE	COURVILLOISE	PARCELLARISÉ
MONTFORTAISE	ÉCHIROLLOISE	DÉMILITARISÉ
BEAUFORTAISE	QUIMPERLOISE	REMILITARISÉ
DOMINIQUAISE	BAILLEULOISE	CONTAINÉRISÉ
GOGUENARDISE	CORBEHEMOISE	ACCESSOIRISÉ
MÉTAMORPHISÉ	SAINT-RÉMOISE	RÉFLECTORISÉ
DÉMÉDICALISÉ	CATTENOMOISE	PSYCHIATRISÉ
POTENTIALISÉ	COMPIÉGNOISE	CONTENEURISÉ
PERSONNALISÉ	PRESSIGNOISE	DÉPRESSURISÉ
MUNICIPALISÉ	TOMBLAINOISE	MITHRIDATISÉ
DÉMINÉRALISÉ	ESCAUDINOISE	ANATHÉMATISÉ
DÉCENTRALISÉ	MADELEINOISE	DÉSINSECTISÉ
DÉNATURALISÉ	INDOCHINOISE	CONSCIENTISÉ
UNIVERSALISÉ	INDOCHINOISE	DÉSAMBIGUÏSÉ
DÉCAPITALISÉ	HAUT-RHINOISE	COLLECTIVISÉ
RECAPITALISÉ	GRAVELINOISE	AUTOPROPULSÉ
SPIRITUALISÉ	ESCOUMINOISE	CARTE-RÉPONSE
MALLÉABILISÉ	TURRIPINOISE	DÉSOXYRIBOSE
COMPTABILISÉ	FELLETINOISE	ONCHOCERCOSE
INSOLUBILISÉ	VALENTINOISE	MÉTEMPSYCOSE
TRANQUILLISÉ	VALENTINOISE	MONONUCLÉOSE
CHRISTIANISÉ	BARENTINOISE	QUELQUE CHOSE
DÉNICOTINISÉ	AUGUSTINOISE	MÉTAMORPHOSE
CRESSIACOISE	ENGHIENNOISE	MÉTAMORPHOSÉ
AURILLACOISE	GRATIENNOISE	ANHYDROBIOSE
CAPDENACOISE	HAUT-SAÔNOISE	OTOSPONGIOSE
DONZENACOISE	ISSOLDUNOISE	LEISHMANIOSE
BERGERACOISE	SAVERDUNOISE	ENDOMÉTRIOSE
CHOMÉRACOISE	TASSILUNOISE	RICKETTSIOSE
ARGENTACOISE	CHASSÉ-CROISÉ	LÉGIONELLOSE
BANNALÉCOISE	JONQUIÉROISE	SALMONELLOSE
CLAMECYCOISE	GRAND-MÉROISE	ASPERGILLOSE
RICAMANDOISE	BEAUCAIROISE	PIROPLASMOSE
MONTBARDOISE	CAVALAIROISE	TOXOPLASMOSE
BROSSARDOISE	VALCOLOROISE	PHOTOCOMPOSÉ
THETFORDOISE	VENDEUVROISE	RADIONÉCROSE
FLORANGEOISE	LAPALISSOISE	DISCARTHROSE
STIRINGEOISE	BANGUISSOISE	LEPTOSPIROSE
COULONGEOISE	FLEURYSSOISE	SPIROCHÉTOSE
EMBOURGEOISÉ	GRAULHETOISE	LYMPHOCYTOSE
MAUBEUGEOISE	CLERMONTOISE	GARDES-CHASSE

HALICARNASSE	MAGOUILLEUSE	PLASTIQUEUSE
MONTPARNASSE	GAZOUILLEUSE	RESPECTUEUSE
DEMANDERESSE	RESQUILLEUSE	INFRUCTUEUSE
DÉFENDERESSE	CAMBRIOLEUSE	TORRENTUEUSE
DÉSINTÉRESSÉ	PELLICULEUSE	RADIODIFFUSÉ
FILTRE-PRESSE	FURONCULEUSE	**WESTINGHOUSE**
SCÉLÉRATESSE	TUBERCULEUSE	PSYCHANALYSE
TIROIR-CAISSE	**LE VAL-DE-MEUSE**	PSYCHANALYSÉ
NÈGREPELISSE	PROGRAMMEUSE	NARCOANALYSE
BALANOGLOSSE	**VILLETANEUSE**	MICROANALYSE
PAMPLEMOUSSE	PYROLIGNEUSE	BOROSILICATE
POUSSE-POUSSE	PRURIGINEUSE	BOROSILICATÉ
TAXIS-BROUSSE	VERTIGINEUSE	STARTING-GATE
MAGNÉTOPAUSE	FERRUGINEUSE	TRIPHOSPHATE
MALCHANCEUSE	CHARBONNEUSE	MÉTHACRYLATE
MARCHANDEUSE	POINÇONNEUSE	PERMANGANATE
POURFENDEUSE	TRONÇONNEUSE	CHLORHYDRATE
TÉLÉVENDEUSE	SOUPÇONNEUSE	MICRO-CRAVATE
AVALANCHEUSE	GRIFFONNEUSE	CIRCONSPECTE
EFFILOCHEUSE	RONCHONNEUSE	PYRÉNOMYCÈTE
DISGRACIEUSE	HAILLONNEUSE	ACTINOMYCÈTE
ARTIFICIEUSE	GOUDRONNEUSE	MONTS-DE-PIÉTÉ
TENDANCIEUSE	MOISSONNEUSE	NUE-PROPRIÉTÉ
SENTENCIEUSE	POISSONNEUSE	PROTOPLANÈTE
COMPENDIEUSE	BUISSONNEUSE	SOUVERAINETÉ
DISPENDIEUSE	SAUPOUDREUSE	LAMPE-TEMPÊTE
IRRÉLIGIEUSE	POUSSIÉREUSE	DÉBONNAIRETÉ
PRESTIGIEUSE	DÉCHIFFREUSE	MALHONNÊTETÉ
IGNOMINIEUSE	PHOSPHOREUSE	INSATISFAITE
CÉRÉMONIEUSE	BIENHEUREUSE	PARAPHLÉBITE
ACRIMONIEUSE	MAGNÉTISEUSE	PÉRIPHLÉBITE
IMPÉCUNIEUSE	HYPNOTISEUSE	INEFFICACITÉ
INDUSTRIEUSE	CONNAISSEUSE	PERSPICACITÉ
PRÉTENTIEUSE	DÉGRAISSEUSE	APOSTOLICITÉ
CONTENTIEUSE	ENGRAISSEUSE	MULTIPLICITÉ
RASSEMBLEUSE	DÉMOLISSEUSE	EXCENTRICITÉ
ENSORCELEUSE	FOURNISSEUSE	AUTOMATICITÉ
ÉCORNIFLEUSE	AVERTISSEUSE	AUTHENTICITÉ
HANDBALLEUSE	INTEROSSEUSE	ANÉLASTICITÉ
FOOTBALLEUSE	DÉCHAUSSEUSE	SIMULTANÉITÉ
CÉRÉBELLEUSE	SARCOMATEUSE	IMPARIDIGITÉ
CHAMAILLEUSE	FIBROMATEUSE	LABYRINTHITE
REMMAILLEUSE	LÉPROMATEUSE	PRÉSIDIALITÉ
REMPAILLEUSE	RHIZOMATEUSE	COLLÉGIALITÉ
MITRAILLEUSE	DÉCOLLETEUSE	POTENTIALITÉ
TRAVAILLEUSE	SOUFFRETEUSE	IMPARTIALITÉ
SOURCILLEUSE	SOLLICITEUSE	DIVORTIALITÉ
CONSEILLEUSE	ACCRÉDITEUSE	CONVIVIALITÉ
ORGUEILLEUSE	NÉCESSITEUSE	SEPTENNALITÉ
MERVEILLEUSE	POURSUITEUSE	SAISONNALITÉ
GRAPPILLEUSE	LIGAMENTEUSE	PERSONNALITÉ
POINTILLEUSE	FILAMENTEUSE	POLYTONALITÉ
EFFEUILLEUSE	BONIMENTEUSE	MUNICIPALITÉ
RABOUILLEUSE	PAVIMENTEUSE	BILATÉRALITÉ
BIDOUILLEUSE	AUTOPORTEUSE	SINISTRALITÉ
BAFOUILLEUSE	CAILLOUTEUSE	UNIVERSALITÉ
CAFOUILLEUSE	CHRONIQUEUSE	NÉOMORTALITÉ

SURMORTALITÉ	RETRANSCRITE	ÉMULSIFIANTE
SPIRITUALITÉ	CIRCONSCRITE	SANCTIFIANTE
OSTÉOMYÉLITE	CONTREVÉRITÉ	AUTOCOPIANTE
POLIOMYÉLITE	PÉRIARTHRITE	CONTRARIANTE
INSÉCABILITÉ	POLYARTHRITE	**MARIE-GALANTE**
RÉVOCABILITÉ	POSTÉRIORITÉ	RESSEMBLANTE
DÉCIDABILITÉ	HYPOCHLORITE	ENSORCELANTE
MALLÉABILITÉ	MULTINÉVRITE	RENOUVELANTE
PERMÉABILITÉ	CHALCOPYRITE	HORRIPILANTE
FATIGABILITÉ	ANTIPARASITE	**BRONDILLANTE**
NAVIGABILITÉ	ANTIPARASITÉ	ACCUEILLANTE
SERVIABILITÉ	ENDOPARASITE	MALVEILLANTE
ALIÉNABILITÉ	ECTOPARASITE	SURVEILLANTE
TREMPABILITÉ	CONTRE-VISITE	SCINTILLANTE
ALTÉRABILITÉ	SURINTENSITÉ	GAZOUILLANTE
HONORABILITÉ	CONTAGIOSITÉ	AUTOCOLLANTE
INCURABILITÉ	OBSÉQUIOSITÉ	GESTICULANTE
OPPOSABILITÉ	MÉTICULOSITÉ	TRANSHUMANTE
DILATABILITÉ	MONSTRUOSITÉ	INCONVENANTE
HABITABILITÉ	DÉFECTUOSITÉ	INTERVENANTE
EXCITABILITÉ	BIODIVERSITÉ	ASTREIGNANTE
HÉRITABILITÉ	MULTIPARTITE	RECOMBINANTE
IRRITABILITÉ	CHOLÉCYSTITE	HALLUCINANTE
ADAPTABILITÉ	RÉINTRODUITE	PRÉDOMINANTE
COMPTABILITÉ	DÉCONSTRUITE	SUS-DOMINANTE
FLOTTABILITÉ	RECONSTRUITE	DÉTERMINANTE
RÉFUTABILITÉ	MICROGRAVITÉ	AGGLUTINANTE
IMMUTABILITÉ	DÉGRESSIVITÉ	BOURDONNANTE
IMPUTABILITÉ	EXPRESSIVITÉ	PASSIONNANTE
RECEVABILITÉ	POSSESSIVITÉ	ÉMOTIONNANTE
INDÉLÉBILITÉ	PERMISSIVITÉ	CLAIRONNANTE
IRASCIBILITÉ	ATTRACTIVITÉ	ENVIRONNANTE
FAILLIBILITÉ	SUBJECTIVITÉ	FRISSONNANTE
ILLISIBILITÉ	COLLECTIVITÉ	CONSTERNANTE
DIVISIBILITÉ	CONNECTIVITÉ	HANDICAPANTE
INVISIBILITÉ	CONDUCTIVITÉ	PARTICIPANTE
PLAUSIBILITÉ	PRODUCTIVITÉ	DÉVELOPPANTE
INFUSIBILITÉ	TRANSITIVITÉ	ENVELOPPANTE
AÉROMOBILITÉ	RÉPÉTITIVITÉ	PRÉOCCUPANTE
INSOLUBILITÉ	ABSORPTIVITÉ	ÉQUILIBRANTE
RÉTRACTILITÉ	SUGGESTIVITÉ	RÉVERBÉRANTE
TRANQUILLITÉ	EXHAUSTIVITÉ	PROTUBÉRANTE
ENTÉROCOLITE	PERMITTIVITÉ	ODORIFÉRANTE
ANGIOCHOLITE	**FRANCHE-COMTÉ**	BELLIGÉRANTE
BRONCHIOLITE	SURPLOMBANTE	RÉFRIGÉRANTE
ÉPICONDYLITE	COMMUNICANTE	INTEMPÉRANTE
ILLÉGITIMITÉ	CONVAINCANTE	DÉSESPÉRANTE
RADIODERMITE	INDÉPENDANTE	DÉSALTÉRANTE
SOUS-HUMANITÉ	SURABONDANTE	PERSÉVÉRANTE
PIERRE-BÉNITE	ACCOMMODANTE	DÉSHONORANTE
BARTHOLINITE	INCOMMODANTE	EXPECTORANTE
AUTO-IMMUNITÉ	IGNIFUGEANTE	STRUCTURANTE
SOUS-EXPLOITÉ	ÉBOURIFFANTE	ANTIGIVRANTE
SUBSIDIARITÉ	EXTRAVAGANTE	BIENFAISANTE
IRRÉGULARITÉ	CHEVAUCHANTE	COMPLAISANTE
IMPOPULARITÉ	FLUIDIFIANTE	INSUFFISANTE
SCISSIPARITÉ	ALCALIFIANTE	BIOLOGISANTE

12

ALLERGISANTE
ANARCHISANTE
GLOBALISANTE
SOCIALISANTE
STABILISANTE
STÉRILISANTE
FERTILISANTE
ANABOLISANTE
CRÉTINISANTE
COMMUNISANTE
EUPHORISANTE
TERRORISANTE
CICATRISANTE
ÉLECTRISANTE
DRAMATISANTE
AROMATISANTE
RHUMATISANTE
ESTHÉTISANTE
MAGNÉTISANTE
ANTIQUISANTE
BAROQUISANTE
BIEN-PENSANTE
INTÉRESSANTE
DÉGRAISSANTE
AMINCISSANTE
ADOUCISSANTE
AFFADISSANTE
GRANDISSANTE
ENVAHISSANTE
FAIBLISSANTE
JAILLISSANTE
AMOLLISSANTE
DÉCROISSANTE
CROUPISSANTE
NOURRISSANTE
POURRISSANTE
GROSSISSANTE
APPÉTISSANTE
ABRUTISSANTE
LANGUISSANTE
RÉJOUISSANTE
ÉBLOUISSANTE
CONTRACTANTE
SUREXCITANTE
CONCOMITANTE
TREMBLOTANTE
PAPILLOTANTE
AUTOPORTANTE
CONTRASTANTE
MANIFESTANTE
ÉQUIDISTANTE
PRÉEXISTANTE
CONSTITUANTE
CONSTITUANTE
POURSUIVANTE
MYORELAXANTE
IMPRÉVOYANTE

CLAIRVOYANTE
OBSOLESCENTE
LUMINESCENTE
ARBORESCENTE
FLUORESCENTE
DÉLITESCENTE
INDÉHISCENTE
REVIVISCENTE
COPRÉSIDENTE
INTELLIGENTE
SOUS-TANGENTE
INCONSCIENTE
PLURIVALENTE
ÉQUIPOLLENTE
PULVÉRULENTE
DÉRÉGLEMENTÉ
SOUS-ALIMENTÉ
INCONTINENTE
IMPERTINENTE
REMONTE-PENTE
TRANSPARENTE
INDIFFÉRENTE
INTERFÉRENTE
OMNIPRÉSENTE
INCOMPÉTENTE
CONTRE-POINTE
COURTEPOINTE
HÉTÉROZYGOTE
MALAKOFFIOTE
BATEAU-PILOTE
REDÉCOUVERTE
FEUILLE-MORTE
SUBLIME-PORTE
ENTHOUSIASTE
LYMPHOBLASTE
TROPHOBLASTE
NÉMATOBLASTE
CHLOROPLASTE
PUNTA DEL ESTE
SANS CONTESTE
PONT-L'ABBISTE
HARMONICISTE
HISTORICISTE
ABONDANCISTE
ANTIFASCISTE
ORTHOPÉDISTE
LATIFUNDISTE
STANDARDISTE
CHAUFFAGISTE
ÉCLAIRAGISTE
ARBITRAGISTE
ESCLAVAGISTE
MOTONEIGISTE
GÉNÉALOGISTE
PATHOLOGISTE
RADIOLOGISTE
GEMMOLOGISTE

COSMOLOGISTE
ÉTYMOLOGISTE
HYDROLOGISTE
MÉTROLOGISTE
SIDÉRURGISTE
PLASTURGISTE
RECHERCHISTE
ÉPIGRAPHISTE
SYNDICALISTE
MADRIGALISTE
COLONIALISTE
IMPÉRIALISTE
MATÉRIALISTE
MÉMORIALISTE
CRIMINALISTE
RÉGIONALISTE
NATIONALISTE
RATIONALISTE
PATERNALISTE
CULTURALISTE
ORIENTALISTE
MOTOCYCLISTE
PHILATÉLISTE
PROBABILISTE
AQUARELLISTE
TRAVAILLISTE
POINTILLISTE
TAXIDERMISTE
AMÉRICANISTE
DOUARNENISTE
CLAVECINISTE
MANDOLINISTE
DÉTERMINISTE
BYZANTINISTE
PROTAGONISTE
TÉLÉPHONISTE
SAXOPHONISTE
POLYPHONISTE
OPPORTUNISTE
STÉNOTYPISTE
MILLÉNARISTE
UTILITARISTE
VOLONTARISTE
ÉQUILIBRISTE
VERS-LIBRISTE
FILDEFÉRISTE
INGÉNIERISTE
PÉPINIÉRISTE
COURRIÉRISTE
CROISIÉRISTE
CONSUMÉRISTE
BÉHAVIORISTE
MINIATURISTE
ANESTHÉSISTE
CONGRESSISTE
PROGRESSISTE
COMPARATISTE

CORPORATISTE
PORTRAITISTE
SANSKRITISTE
VÉLIDELTISTE
ESPÉRANTISTE
PARAPENTISTE
PENTECÔTISTE
JEAN-BAPTISTE
BONAPARTISTE
AQUAFORTISTE
JUILLETTISTE
TROMPETTISTE
FLEURETTISTE
PARACHUTISTE
À L'IMPROVISTE
VOITURE-POSTE
TIMBRES-POSTE
LOUIS LE JUSTE
TRANSPALETTE
MOTOCYCLETTE
EXOSQUELETTE
À L'AVEUGLETTE
MITRAILLETTE
ANDOUILLETTE
ESPAGNOLETTE
ESCARPOLETTE
CATHERINETTE
ÉPINE-VINETTE
FOURGONNETTE
CHANSONNETTE
CRESSONNETTE
PITCHOUNETTE
TRISTOUNETTE
ALEXANDRETTE
CHAUFFERETTE
MINICASSETTE
MINICASSETTE
SOURDE-MUETTE
ROUFLAQUETTE
MICROCUVETTE
GIF-SUR-YVETTE
DON QUICHOTTE
DON QUICHOTTE
CANCOILLOTTE
GAINE-CULOTTE
LA GRAND-MOTTE
STILLIGOUTTE
KUUJJUAMIUTE
INUKJUAMIUTE
BARRAGE-VOÛTE
RÉTICULOCYTE
SPERMATOCYTE
PTÉRIDOPHYTE
SOUS-ENTENDUE
TROUSSE-QUEUE
FOUETTE-QUEUE
LOUIS LE BÈGUE

RIBOULDINGUE
BRINDEZINGUE
ALBE LA LONGUE
ALLERGOLOGUE
ORNITHOLOGUE
ASSYRIOLOGUE
VOLCANOLOGUE
VULCANOLOGUE
CRIMINOLOGUE
TERMINOLOGUE
CANCÉROLOGUE
MÉTÉOROLOGUE
CLIMATOLOGUE
PRIMATOLOGUE
STOMATOLOGUE
DERMATOLOGUE
RHUMATOLOGUE
DIABÉTOLOGUE
SOVIÉTOLOGUE
COSMÉTOLOGUE
GÉRONTOLOGUE
PORT-CAMARGUE
GÉNÉTHLIAQUE
SACRO-ILIAQUE
PARADISIAQUE
CONTREPLAQUÉ
CONTRE-BRAQUÉ
BANYULENCQUE
CINÉMATHÈQUE
SIVAPITHÈQUE
ORÉOPITHÈQUE
DRYOPITHÈQUE
PINACOTHÈQUE
BIBLIOTHÈQUE
CHIMIOTHÈQUE
GLYPTOTHÈQUE
JOUJOUTHÈQUE
PALMATISÉQUÉ
PALISSADIQUE
ORTHOPÉDIQUE
PÉRICARDIQUE
LOGORRHÉIQUE
FRIGORIFIQUE
SCIENTIFIQUE
ŒSOPHAGIQUE
ÉPIPÉLAGIQUE
HÉMORRAGIQUE
PARAPLÉGIQUE
HÉMIPLÉGIQUE
ANTIFONGIQUE
HYPNAGOGIQUE
GÉNÉALOGIQUE
TÉLÉOLOGIQUE
PATHOLOGIQUE
LITHOLOGIQUE
MYTHOLOGIQUE
SOCIOLOGIQUE

RADIOLOGIQUE
SÉMIOLOGIQUE
PHILOLOGIQUE
SISMOLOGIQUE
COSMOLOGIQUE
ÉTYMOLOGIQUE
ETHNOLOGIQUE
LIMNOLOGIQUE
ICONOLOGIQUE
PHONOLOGIQUE
HIPPOLOGIQUE
NÉCROLOGIQUE
HYDROLOGIQUE
COPROLOGIQUE
MÉTROLOGIQUE
ASTROLOGIQUE
NEUROLOGIQUE
SCATOLOGIQUE
HISTOLOGIQUE
TAUTOLOGIQUE
ADRÉNERGIQUE
SIDÉRURGIQUE
OLIGARCHIQUE
HIÉRARCHIQUE
ÉPIGRAPHIQUE
GÉOGRAPHIQUE
BIOGRAPHIQUE
OROGRAPHIQUE
DYSTROPHIQUE
THÉOSOPHIQUE
BIOMORPHIQUE
ZOOMORPHIQUE
PARATYPHIQUE
TÉLÉPATHIQUE
ANTIPATHIQUE
IDIOPATHIQUE
ALLOPATHIQUE
MÉGALITHIQUE
MONOLITHIQUE
MÉSOLITHIQUE
PISOLITHIQUE
WISIGOTHIQUE
ENCÉPHALIQUE
PARAPUBLIQUE
SEMI-PUBLIQUE
MONOCYCLIQUE
POLYCYCLIQUE
PHILATÉLIQUE
PYROGALLIQUE
BIMÉTALLIQUE
HYPERBOLIQUE
MÉLANCOLIQUE
CARBOXYLIQUE
PRÉISLAMIQUE
PANISLAMIQUE
GÉODYNAMIQUE
PRÉCÉRAMIQUE

SEPTICÉMIQUE
ACÉTONÉMIQUE
AGROCHIMIQUE
OPÉRA-COMIQUE
OPÉRA-COMIQUE
TRAGI-COMIQUE
HÉROÏ-COMIQUE
ASTRONOMIQUE
LOXODROMIQUE
ANTIATOMIQUE
MONOATOMIQUE
DICHOTOMIQUE
ENDODERMIQUE
HYPODERMIQUE
MÉSODERMIQUE
ECTODERMIQUE
DIATHERMIQUE
GÉOTHERMIQUE
EXOTHERMIQUE
PARASISMIQUE
ANTISISMIQUE
PAROXYSMIQUE
PATRONYMIQUE
BIOMÉCANIQUE
TALISMANIQUE
GLYCOGÉNIQUE
PATHOGÉNIQUE
PHYLOGÉNIQUE
PHONOGÉNIQUE
PHOTOGÉNIQUE
TRANSGÉNIQUE
ACÉTYLÉNIQUE
GÉOTECHNIQUE
BIOTECHNIQUE
ZOOTECHNIQUE
SPLANCHNIQUE
POLICLINIQUE
MONOCLINIQUE
POLYCLINIQUE
HISTAMINIQUE
ABANDONNIQUE
KILOTONNIQUE
COSMOGONIQUE
TÉLÉPHONIQUE
CACOPHONIQUE
HOMOPHONIQUE
MONOPHONIQUE
POLYPHONIQUE
ANHARMONIQUE
ENHARMONIQUE
HYDROPONIQUE
DIACHRONIQUE
ANACHRONIQUE
PANCHRONIQUE
SYNCHRONIQUE
ISOCHRONIQUE
ÉLECTRONIQUE

ULTRASONIQUE
SUPERSONIQUE
HYPERSONIQUE
TRANSSONIQUE
PENTATONIQUE
PLANCTONIQUE
NEUROTONIQUE
HYPERTONIQUE
PARALYMPIQUE
PRÉOLYMPIQUE
TÉLESCOPIQUE
PÉRISCOPIQUE
ENDOSCOPIQUE
GYROSCOPIQUE
ISENTROPIQUE
ALLOTROPIQUE
POLYTROPIQUE
POLYCARPIQUE
ARCHÉTYPIQUE
PHÉNOTYPIQUE
TÉTRAÉDRIQUE
HEPTAÉDRIQUE
SULFHYDRIQUE
BROMHYDRIQUE
CYANHYDRIQUE
AZOTHYDRIQUE
TÉLÉPHÉRIQUE
PÉRIPHÉRIQUE
MÉSO-AMÉRIQUE
CLIMATÉRIQUE
MÉSENTÉRIQUE
DYSENTÉRIQUE
ALLOSTÉRIQUE
PYTHAGORIQUE
GONOCHORIQUE
MÉTAPHORIQUE
PHOSPHORIQUE
PERCHLORIQUE
ASSERTORIQUE
DIÉLECTRIQUE
DÉCAMÉTRIQUE
PARAMÉTRIQUE
DÉCIMÉTRIQUE
KILOMÉTRIQUE
MANOMÉTRIQUE
ŒNOMÉTRIQUE
BAROMÉTRIQUE
PYROMÉTRIQUE
VOLUMÉTRIQUE
CONCENTRIQUE
GÉOCENTRIQUE
ÉGOCENTRIQUE
ÉPIGASTRIQUE
GLYCOSURIQUE
BARBITURIQUE
ULTRABASIQUE
ACIDO-BASIQUE

EUTHANASIQUE
ANESTHÉSIQUE
DYSGÉNÉSIQUE
CELLULOSIQUE
PRÉCLASSIQUE
NÉOCLASSIQUE
MÉNOPAUSIQUE
PATAPHYSIQUE
MÉTAPHYSIQUE
NANOPHYSIQUE
CRYOPHYSIQUE
PANCRÉATIQUE
PROCRÉATIQUE
EURASIATIQUE
MATHÉMATIQUE
EMBLÉMATIQUE
PHONÉMATIQUE
SYSTÉMATIQUE
APRAGMATIQUE
DIPLOMATIQUE
ACHROMATIQUE
FANTOMATIQUE
INFORMATIQUE
SCHISMATIQUE
NUMISMATIQUE
MORGANATIQUE
SUS-HÉPATIQUE
THÉOCRATIQUE
DÉMOCRATIQUE
AUTOCRATIQUE
ANTIÉTATIQUE
MÉTASTATIQUE
ANTISTATIQUE
HÉMOSTATIQUE
HYPOSTATIQUE
AÉROSTATIQUE
SUBAQUATIQUE
APOPLECTIQUE
ALPHABÉTIQUE
APOLOGÉTIQUE
ANTITHÉTIQUE
HOMOTHÉTIQUE
HYPOTHÉTIQUE
INESTHÉTIQUE
PROSTHÉTIQUE
SIGNALÉTIQUE
ANTIÉMÉTIQUE
ARITHMÉTIQUE
CYBERNÉTIQUE
CHOLÉRÉTIQUE
MÉNINGITIQUE
BRONCHITIQUE
SYPHILITIQUE
GLAGOLITIQUE
OPHIOLITIQUE
PHONOLITIQUE
GÉOPOLITIQUE

MICROLITIQUE
CELLULITIQUE
NUMMULITIQUE
AUSTÉNITIQUE
AUTOCRITIQUE
MÉTÉORITIQUE
APRIORITIQUE
APOPHANTIQUE
THROMBOTIQUE
ANTIBIOTIQUE
AUTOÉROTIQUE
ASYMPTOTIQUE
CATALEPTIQUE
ANTISEPTIQUE
ANAGLYPTIQUE
STOCHASTIQUE
SCHOLASTIQUE
PLÉONASTIQUE
PÉDÉRASTIQUE
PHLOGISTIQUE
CABALISTIQUE
PUGILISTIQUE
URBANISTIQUE
HÉDONISTIQUE
HUMORISTIQUE
LINGUISTIQUE
DIAGNOSTIQUE
DIAGNOSTIQUÉ
DIACOUSTIQUE
PAROXYSTIQUE
SQUELETTIQUE
AÉRONAUTIQUE
MOTONAUTIQUE
CATON D'UTIQUE
ANXIOLYTIQUE
CARYOLYTIQUE
DÉSINTOXIQUÉ
PAPIER-CALQUE
SALTIMBANQUE
GRAUFESENQUE
MÉNINGOCOQUE
STREPTOCOQUE
CONTREMARQUE
CONTREMARQUÉ
HÉTÉROCERQUE
SEMI-REMORQUE
CARAVAGESQUE
RAPHAÉLESQUE
REMBRANESQUE
DONJUANESQUE
CHAPLINESQUE
CANULARESQUE
TOURNE-DISQUE
QUEUE-DE-MORUE
CONTREFOUTUE
ANTIADHÉSIVE
AUTOADHÉSIVE

APPRÉHENSIVE
HYPERTENSIVE
INEXPRESSIVE
MODIFICATIVE
VÉRIFICATIVE
NOTIFICATIVE
SÉRONÉGATIVE
DÉPRÉCIATIVE
APPRÉCIATIVE
CONFIRMATIVE
PERFORMATIVE
DÉNOMINATIVE
DÉLIBÉRATIVE
DÉGÉNÉRATIVE
ILLUSTRATIVE
QUANTITATIVE
CONSULTATIVE
AUGMENTATIVE
PROGESTATIVE
PRÉSERVATIVE
TENSIOACTIVE
SOUSTRACTIVE
IMPERFECTIVE
INTERJECTIVE
NON DIRECTIVE
CONSTRICTIVE
REPRODUCTIVE
IMPRODUCTIVE
INTRODUCTIVE
CONSTRUCTIVE
AUTOPUNITIVE
INTRANSITIVE
SÉROPOSITIVE
ANTISPORTIVE
INTEMPESTIVE
DISTRIBUTIVE
SUBSTITUTIVE
CONSTITUTIVE
ÉLECTROVALVE
SEMI-CONSERVE
BEECHER-STOWE
DÉMULTIPLEXÉ
LA MEILLERAYE
AILLY-SUR-NOYE
CHEVARDNADZE
ORDJONIKIDZE
ADJUDANT-CHEF
BOIT-SANS-SOIF
MAZAR-E CHARIF
COMPRÉHENSIF
REVENDICATIF
QUALIFICATIF
SIGNIFICATIF
RECTIFICATIF
JUSTIFICATIF
COMMUNICATIF
INTERNÉGATIF

INTERROGATIF
CONTEMPLATIF
APPROXIMATIF
DÉTERMINATIF
PARTICIPATIF
COMMÉMORATIF
DÉMONSTRATIF
NON-FIGURATIF
ARGUMENTATIF
FRÉQUENTATIF
SOUS-EFFECTIF
TÉLÉOBJECTIF
PERMSÉLECTIF
RÉTROSPECTIF
INTROSPECTIF
OMNIDIRECTIF
INTERPOSITIF
CONTRACEPTIF
INTÉROCEPTIF
EXTÉROCEPTIF
CONTRAGESTIF
LANGUE-DE-CERF
FOIES-DE-BŒUF
ŒILS-DE-BŒUF
SVEN TVESKÄGG
WASSERBILLIG
LUANG PRABANG
UJUNG PANDANG
HEILONGJIANG
SHIJIAZHUANG
BODYBUILDING
COUPS-DE-POING
DENG XIAOPING
THANKSGIVING
MEMPHRÉMAGOG
STAUFFENBERG
RAUSCHENBERG
LEOPOLDSBURG
JOHANNESBURG
MECKLEMBOURG
CHARLESBOURG
HUBERTSBOURG
CHÂTEAUBOURG
KREMENTCHOUG
DAYTONA BEACH
MELCHISÉDECH
LECH-OBERLECH
ARLES-SUR-TECH
MITSCHERLICH
WEST BROMWICH
SACHER-MASOCH
CHRISTCHURCH
HARTZENBUSCH
JANKÉLÉVITCH
GRIGOROVITCH
KANTOROVITCH
MOUCHARABIEH

PETERBOROUGH	SORTIES-DE-BAL	EXCRÉMENTIEL
GAINSBOROUGH	SAN CRISTÓBAL	PRÉFÉRENTIEL
HAUT-KARABAKH	PROCÈS-VERBAL	DIFFÉRENTIEL
UTTAR PRADESH	ANTISYNDICAL	NOËL CHABANEL
PHOTOS-FINISH	ANTICLÉRICAL	PRÉVISIONNEL
MASHTEUIATSH	AGRAMMATICAL	PROVISIONNEL
COMMONWEALTH	SOUS-CORTICAL	ASCENSIONNEL
SCHWEINFURTH	ÉPICYCLOÏDAL	DIMENSIONNEL
VOITURE-BALAI	INTERCOTIDAL	INTENSIONNEL
ANGÈLE MERICI	FELD-MARÉCHAL	EXTENSIONNEL
MINA AL-AHMADI	HOFMANNSTHAL	OBSESSIONNEL
MODUS VIVENDI	MÉDICO-SOCIAL	CONFUSIONNEL
FUKUI KENICHI	PSYCHOSOCIAL	OPÉRATIONNEL
BRUNELLESCHI	POSTPRANDIAL	SENSATIONNEL
BARANOVITCHI	CONSISTORIAL	RÉDACTIONNEL
YUKAWA HIDEKI	BOURGEOISIAL	DIRECTIONNEL
JEAN SOBIESKI	HYDROTHERMAL	TRADITIONNEL
STAMBOLIJSKI	CERRO PARANAL	CONDITIONNEL
STANISLAVSKI	LONGITUDINAL	NUTRITIONNEL
LOBATCHEVSKI	GÉOSYNCLINAL	INTENTIONNEL
MIEROSLAWSKI	TRANSLUMINAL	PROMOTIONNEL
ANDRZEJEWSKI	ANTINATIONAL	EXCEPTIONNEL
BOUTROS-GHALI	ANTICYCLONAL	UNIPERSONNEL
HUSAYN IBN ALI	INTERSIDÉRAL	CONFRATERNEL
ARABO-SWAHILI	HYDROMINÉRAL	ARBRES-DE-NOËL
SCHIAPARELLI	PLURILATÉRAL	CONJONCTUREL
MONTECUCCOLI	MULTILATÉRAL	HENRI LE CRUEL
MONTECUCCULI	CONTRE-AMIRAL	PRÉMENSTRUEL
BROUILLAMINI	PRÉÉLECTORAL	INTELLECTUEL
CONTRE-EMPLOI	AGROPASTORAL	INTERTEXTUEL
JE-NE-SAIS-QUOI	LACRYMO-NASAL	HÉTÉROSEXUEL
DEIR EL-BAHARI	KWAZULU-NATAL	MACHINE-OUTIL
MANU MILITARI	INTERDIGITAL	MÉDECINE-BALL
MORO-GIAFFERI	BUCCO-GÉNITAL	MEDICINE-BALL
PAPIERS-ÉMERI	EXPÉRIMENTAL	PUNCHING-BALL
PHILIPPE NERI	INSTRUMENTAL	CAVAILLÉ-COLL
FATHPUR-SIKRI	MONOPARENTAL	SAINT-FERRÉOL
SCAMPI FRITTI	QUASI-CRISTAL	CHOPPING-TOOL
SZENT-GYÖRGYI	PHÉNOCRISTAL	IELIZAVETPOL
GHEORGHIU-DEJ	MICROCRISTAL	QUETZALCÓATL
GROTHENDIECK	STATIONS-AVAL	POPOCATÉPETL
KUUJJUARAPIK	PIED-DE-CHEVAL	CITLALTÉPETL
DEUTSCHE MARK	CONJONCTIVAL	IBN AL-HAYTHAM
PETROZAVODSK	BAHR EL-GHAZAL	ÚSTÍ NAD LABEM
GORNO-ALTAÏSK	SAINT-RAPHAËL	SAINT-GUILHEM
PERVOOURALSK	CHARLES LE BEL	WINSTON-SALEM
LISSITCHANSK	LOIS DE MENDEL	SCHILTIGHEIM
LYSSYTCHANSK	UILENSPIEGEL	SOUFFLENHEIM
TCHELIABINSK	SEMI-OFFICIEL	MARCKOLSHEIM
SEVERODVINSK	GLOCKENSPIEL	GEISPOLSHEIM
NOVOSSIBIRSK	INTERSTITIEL	NAKHON PATHOM
STALINOGORSK	CONFIDENTIEL	DRESSING-ROOM
MAGNITOGORSK	PRÉSIDENTIEL	BERGEN OP ZOOM
NOVOMOSKOVSK	PROVIDENTIEL	PROTACTINIUM
BREST-LITOVSK	PESTILENTIEL	DELPHINARIUM
KREMENTCHOUK	ÉVÉNEMENTIEL	PALÉOTHÉRIUM
BACHI-BOUZOUK	INCRÉMENTIEL	NIELSBOHRIUM

PRÉVENTORIUM
RAHAT-LOUKOUM
SENESTRORSUM
POST-SCRIPTUM
CHLOROPHYTUM
FRENCH CANCAN
GRAND KHINGAN
PETIT KHINGAN
KHIEU SAMPHAN
LEROI-GOURHAN
SUN ZHONGSHAN
SANKT FLORIAN
TENOCHTITLÁN
AUDUN-LE-ROMAN
TIBÉTO-BIRMAN
AGNÈS DE MÉRAN
MAINE DE BIRAN
CAROLUS-DURAN
MAS-SOUBEYRAN
MONT-DE-MARSAN
TURKMÉNISTAN
KIRGHIZISTAN
NAKHITCHEVAN
SASKATCHEWAN
TZIN TZUN TZAN
VAN DER WEYDEN
SAINT-MANDÉEN
VIEUX-CONDÉEN
ANTIPALUDÉEN
INDO-EUROPÉEN
INDO-EUROPÉEN
GUADELOUPÉEN
GUADELOUPÉEN
CHONDROSTÉEN
LUDWIGSHAFEN
REICHSHOFFEN
HOHENSTAUFEN
VALENCE-D'AGEN
SINDELFINGEN
DESTELBERGEN
PRÉCOLOMBIEN
STERPINACIEN
TADOUSSACIEN
HYDRAULICIEN
OBSTÉTRICIEN
GÉOPHYSICIEN
AUTOMATICIEN
SYNTACTICIEN
DIALECTICIEN
ÉNERGÉTICIEN
STYLISTICIEN
STATISTICIEN
BUREAUTICIEN
COSME L'ANCIEN
PLINE L'ANCIEN
STURE L'ANCIEN
PÉPIN L'ANCIEN

HÉRON L'ANCIEN
DENYS L'ANCIEN
NÉCROMANCIEN
CHIROMANCIEN
ONIROMANCIEN
CARTOMANCIEN
LANGUEDOCIEN
LANGUEDOCIEN
GILLOCRUCIEN
PROBOSCIDIEN
SAUROPHIDIEN
NON EUCLIDIEN
ALLANTOÏDIEN
ANTIACRIDIEN
ANTIMÉRIDIEN
LAURENTIDIEN
HOLLYWOODIEN
DÉICUSTODIEN
BELLEGARDIEN
CRÉPICORDIEN
CAROLORÉGIEN
COMBLANCHIEN
WASQUEHALIEN
ÉPISCOPALIEN
PONTISSALIEN
BONNÉTABLIEN
PIERRE DAMIEN
MÉSOPOTAMIEN
MÉSOPOTAMIEN
CHICOUTIMIEN
PROTOSTOMIEN
INTRACRÂNIEN
TRANSURANIEN
PLATYRHINIEN
TERREBONNIEN
DÉCATHLONIEN
LACÉDÉMONIEN
LACÉDÉMONIEN
PARKINSONIEN
NILO-SAHARIEN
SAINTE-MARIEN
PROPRES-À-RIEN
MONTDIDÉRIEN
PROTOTHÉRIEN
ANTIVÉNÉRIEN
SPHINCTÉRIEN
PRESBYTÉRIEN
PHYLLOXÉRIEN
FINNO-OUGRIEN
BUENOS-AIRIEN
MONTATAIRIEN
THERMIDORIEN
PRÉHISTORIEN
SAINT-CYPRIEN
BASSE-TERRIEN
SAUVETERRIEN
CAPESTERRIEN

SAINT-MAURIEN
PTÉROSAURIEN
SINGAPOURIEN
SINGAPOURIEN
AUSTRONÉSIEN
CHÂTENAISIEN
FONTENAISIEN
LEVALLOISIEN
MONTLOUISIEN
PORT-LOUISIEN
WATTRELOSIEN
SAINTE-ROSIEN
TIBIO-TARSIEN
TREMBLAYSIEN
VIROFLAYSIEN
FONTENAYSIEN
SAINT-GRATIEN
LAVELANÉTIEN
VILLERUPTIEN
HALLSTATTIEN
WINNIPEGUIEN
TANANARIVIEN
CASTELNOVIEN
VILLENEUVIEN
TERRE-NEUVIEN
TERRE-NEUVIEN
ANTÉDILUVIEN
MAASMECHELEN
VAN DER MEULEN
BERGEN-BELSEN
MILFORD HAVEN
TINCHEBRAYEN
NICARAGUAYEN
NICARAGUAYEN
LONGYEARBYEN
SNEL VAN ROYEN
SORTIE-DE-BAIN
SUD-AMÉRICAIN
SUD-AMÉRICAIN
PANAMÉRICAIN
NORD-AFRICAIN
NORD-AFRICAIN
ÉLISABÉTHAIN
SURLENDEMAIN
SAINT-GERMAIN
MARTIGNERAIN
BAIERIVERAIN
CONTEMPORAIN
ARRIÈRE-TRAIN
BOUTE-EN-TRAIN
SOUMAINTRAIN
LAVANDOURAIN
BELLOPRATAIN
SINO-TIBÉTAIN
BELLIFONTAIN
BELLIFONTAIN
PÉTRIFONTAIN

909

ROMEUFONTAIN	INSOUMISSION	INSUFFLATION
ULTRAMONTAIN	RÉPERCUSSION	DÉSINFLATION
SPIRIPONTAIN	EXACERBATION	ASSIBILATION
MUSSIPONTAIN	PERTURBATION	OBNUBILATION
MUSSIPONTAIN	MASTURBATION	ANNIHILATION
ROQUECOURBIN	DESSICCATION	ASSIMILATION
ROBERT-HOUDIN	CLAUDICATION	INSTALLATION
BLOEMFONTEIN	ADJUDICATION	FLAGELLATION
PRIM'HOLSTEIN	PACIFICATION	COUPELLATION
WITTGENSTEIN	NIDIFICATION	FIBRILLATION
FRANKENSTEIN	CODIFICATION	DISTILLATION
LICHTENSTEIN	MODIFICATION	INSTILLATION
VIELÉ-GRIFFIN	SALIFICATION	AFFABULATION
GRAND DAUPHIN	GÉLIFICATION	DÉNÉBULATION
VAULX-EN-VELIN	RAMIFICATION	INFIBULATION
SAINT-MAXIMIN	MOMIFICATION	DÉAMBULATION
PERLIMPINPIN	HUMIFICATION	RÉTICULATION
ROCHE-MAGASIN	PANIFICATION	ARTICULATION
CIRCONVOISIN	VINIFICATION	ÉMASCULATION
BANJERMASSIN	BONIFICATION	STRIDULATION
SAINT-QUENTIN	TARIFICATION	DÉMODULATION
SAINT-AVERTIN	VÉRIFICATION	DÉRÉGULATION
BUSSY-RABUTIN	PURIFICATION	ACCUMULATION
LOUIS LE HUTIN	OSSIFICATION	MANIPULATION
DUGUAY-TROUIN	RATIFICATION	DÉPOPULATION
THOMAS D'AQUIN	NOTIFICATION	REPOPULATION
MAGNY-EN-VEXIN	VIVIFICATION	GASTRULATION
GUIRY-EN-VEXIN	COMPLICATION	CAPITULATION
L'ISLE-EN-DODON	SUPPLICATION	AMALGAMATION
AUNAY-SUR-ODON	DÉTOXICATION	PROCLAMATION
CASTILLE-LEÓN	INTOXICATION	DESQUAMATION
SANG-DE-DRAGON	ÉCHOLOCATION	ENVENIMATION
CALIFOURCHON	SOUS-LOCATION	LÉGITIMATION
SAINT-ÉMILION	CONFISCATION	INFLAMMATION
SAINT-ÉMILION	EXHÉRÉDATION	CONSOMMATION
VESPERTILION	INVALIDATION	CONFIRMATION
TRAITS D'UNION	INTIMIDATION	MALFORMATION
CIRCONCISION	DILAPIDATION	CONFORMATION
AUTODÉRISION	IMPALUDATION	NÉOFORMATION
STÉRÉOVISION	DÉSOXYDATION	HALOGÉNATION
APPRÉHENSION	CONGRÉGATION	PYROGÉNATION
HYPERTENSION	PROMULGATION	INALIÉNATION
EXTRAVERSION	PROLONGATION	IMPRÉGNATION
RECONVERSION	HOMOLOGATION	CONSIGNATION
RÉTROVERSION	IGNIFUGATION	VATICINATION
INTROVERSION	DÉGLACIATION	COORDINATION
INTERVERSION	DÉPRÉCIATION	INVAGINATION
RÉTROCESSION	APPRÉCIATION	INSÉMINATION
INTERCESSION	DÉNONCIATION	DÉNOMINATION
NON-AGRESSION	RENONCIATION	ILLUMINATION
RÉIMPRESSION	ANNONCIATION	CONDAMNATION
SOUS-PRESSION	DISSOCIATION	POLYGONATION
INTERSESSION	CONCILIATION	ANTICIPATION
LA POSSESSION	PRÉFOLIATION	ÉMANCIPATION
DÉPOSSESSION	EXPATRIATION	CONSTIPATION
INTROMISSION	PROPITIATION	DISCULPATION
TRANSMISSION	DÉFLUVIATION	DÉCRISPATION

RÉOCCUPATION	NASALISATION	ASEPTISATION
INOCCUPATION	TOTALISATION	DÉMUTISATION
PERVIBRATION	NAVALISATION	JAROVISATION
ÉLUCUBRATION	FIDÉLISATION	CONDENSATION
CONSÉCRATION	MODÉLISATION	COMPENSATION
DÉLIBÉRATION	NOVÉLISATION	MALVERSATION
DILACÉRATION	MOBILISATION	CONVERSATION
EXULCÉRATION	VIRILISATION	CONSTATATION
ÉVISCÉRATION	CIVILISATION	RÉTRACTATION
VOCIFÉRATION	EMBOLISATION	COHABITATION
ACCÉLÉRATION	CRÉOLISATION	HABILITATION
DÉCÉLÉRATION	NÉBULISATION	FACILITATION
RÉGÉNÉRATION	ISLAMISATION	DÉLIMITATION
INCINÉRATION	DYNAMISATION	EXPLOITATION
RÉMUNÉRATION	MINIMISATION	DÉCAPITATION
EXASPÉRATION	OPTIMISATION	AUSCULTATION
RÉCUPÉRATION	MAXIMISATION	CONSULTATION
VITUPÉRATION	CHROMISATION	DÉPLANTATION
OBLITÉRATION	LIBANISATION	REPLANTATION
ALLITÉRATION	URBANISATION	IMPLANTATION
ADULTÉRATION	MÉCANISATION	PLACENTATION
DÉFLAGRATION	ORGANISATION	SEGMENTATION
CONSPIRATION	ROMANISATION	PIGMENTATION
PERSPIRATION	HUMANISATION	AUGMENTATION
ÉDULCORATION	TÉTANISATION	ALIMENTATION
AMÉLIORATION	FÉMINISATION	FERMENTATION
DÉCOLORATION	HOMINISATION	PRÉSENTATION
REMÉMORATION	PUPINISATION	SUSTENTATION
PERPÉTRATION	LATINISATION	LABANOTATION
INFILTRATION	DIVINISATION	NUMÉROTATION
EXFILTRATION	COCONISATION	RÉADAPTATION
EXCENTRATION	COLONISATION	INADAPTATION
FENESTRATION	CANONISATION	CONCERTATION
REGISTRATION	IMMUNISATION	DISSERTATION
CLAUSTRATION	POLARISATION	CONTESTATION
ILLUSTRATION	CURARISATION	PROTESTATION
RESTAURATION	TUBÉRISATION	INCRUSTATION
INSTAURATION	MADÉRISATION	STERNUTATION
INAUGURATION	NUMÉRISATION	RÉÉVALUATION
IMMATURATION	LATÉRISATION	CONTINUATION
DÉNATURATION	ARBORISATION	INADÉQUATION
FRACTURATION	THÉORISATION	MENSTRUATION
FRANCISATION	CALORISATION	PERPÉTUATION
EXORCISATION	VALORISATION	ACCENTUATION
FARADISATION	COLORISATION	SURÉLÉVATION
FLUIDISATION	MÉMORISATION	RÉACTIVATION
FOCALISATION	SONORISATION	INACTIVATION
LOCALISATION	VAPORISATION	DÉMOTIVATION
VOCALISATION	MOTORISATION	PRÉSERVATION
MODALISATION	AUTORISATION	CONSERVATION
IDÉALISATION	SÉCURISATION	CUTI-RÉACTION
LÉGALISATION	SOMATISATION	STUPÉFACTION
BANALISATION	FANATISATION	TORRÉFACTION
CANALISATION	DÉRATISATION	PUTRÉFACTION
PÉNALISATION	MONÉTISATION	LIQUÉFACTION
FINALISATION	POLITISATION	SATISFACTION
MORALISATION	ROBOTISATION	GÉLIFRACTION

SOUSTRACTION
DÉSAFFECTION
SURINFECTION
DÉSINFECTION
IMPERFECTION
TRANSFECTION
INTROJECTION
INTERJECTION
PRÉSÉLECTION
PRÉDILECTION
INTELLECTION
RÉCOLLECTION
INCORRECTION
RÉSURRECTION
INSURRECTION
INTERSECTION
INTERDICTION
ANTIFRICTION
CONSTRICTION
RECONDUCTION
REPRODUCTION
COPRODUCTION
INTRODUCTION
TRANSDUCTION
SUBSTRUCTION
CONSTRUCTION
INDISCRÉTION
POLYADDITION
MICROÉDITION
RÉEXPÉDITION
REDÉFINITION
AUTOPUNITION
RÉAPPARITION
MALNUTRITION
PERQUISITION
POLE POSITION
POSTPOSITION
TRIPARTITION
SUPERSTITION
RECONVENTION
INTERVENTION
INTERCEPTION
PRESCRIPTION
CONSCRIPTION
PROSCRIPTION
SOUSCRIPTION
RÉABSORPTION
INTERRUPTION
DÉSINSERTION
DÉCONGESTION
CONTRIBUTION
DISTRIBUTION
NON-EXÉCUTION
IRRÉSOLUTION
SUBSTITUTION
CONSTITUTION
PROSTITUTION

RIEC-SUR-BELON
LA FERTÉ-MILON
MARTEAU-PILON
TENNIS-BALLON
CHAUFFAILLON
TAUPE-GRILLON
MONTMORILLON
FRANSQUILLON
DOLICHOCÔLON
TOUTANKHAMON
MÉZIDON-CANON
GRAND TRIANON
PETIT TRIANON
RHODODENDRON
PHILODENDRON
CHÂTEAUGIRON
PRESSE-CITRON
DÉMANGEAISON
PRÉFOLIAISON
PRÉFLORAISON
KYRIE ELEISON
CONTREPOISON
CONTREBASSON
BOÎTE-BOISSON
PONT-À-MOUSSON
MARAIS BRETON
PRESSE-BOUTON
PIED-DE-MOUTON
SAUT-DE-MOUTON
TRICHOPHYTON
PROPAROXYTON
TAILLE-CRAYON
TRANSHORIZON
LISLE-SUR-TARN
HOHENZOLLERN
NARASIMHA RAO
CERRO DE PASCO
SAN FRANCISCO
SÃO FRANCISCO
POZZO DI BORGO
ACTORS STUDIO
PORTO-VECCHIO
PINTURICCHIO
MISHIMA YUKIO
IEVTOUCHENKO
STÉNODACTYLO
GIULIO ROMANO
SAN GIMIGNANO
MEZZO-SOPRANO
ANDREA PISANO
NICOLA PISANO
ASCOLI PICENO
KILIMANDJARO
BANDERILLERO
RIO DE JANEIRO
YAMOUSSOUKRO
CAGAYAN DE ORO

INÉS DE CASTRO
TENZIN GYATSO
MAVROCORDATO
BARQUISIMETO
PUEBLO BONITO
QUATTROCENTO
AYUNTAMIENTO
RISORGIMENTO
DIVERTIMENTO
JIANG JINGGUO
MANDCHOUKOUO
CHEREMETIEVO
ANTANANARIVO
TCHEREMKHOVO
TCHISTIAKOVO
ANDERSEN NEXØ
COLA DI RIENZO
GUIDO D'AREZZO
VO NGUYÊN GIAP
MAILLY-LE-CAMP
SATHONAY-CAMP
GUEULE-DE-LOUP
VESSES-DE-LOUP
PATTES-DE-LOUP
LE BAR-SUR-LOUP
ARDANT DU PICQ
LIZY-SUR-OURCQ
IVUJIVIMMIUQ
AYLWIN AZÓCAR
COLOMB-BÉCHAR
SEFER HA-ZOHAR
NABOPOLASSAR
CERRO BOLÍVAR
LÉON LE KHAZAR
DÉSEMBOURBER
AUTOFINANCER
RÉENSEMENCER
CONCURRENCER
ENGUIRLANDER
MONTIER-EN-DER
CAUCHEMARDER
CHEMINS DE FER
DÉSAVANTAGER
CARPETBAGGER
SCHLUMBERGER
ENZENSBERGER
CHEESEBURGER
GREVENMACHER
CONTREFICHER
ENCHEVAUCHER
CATASTROPHER
SOUS-OFFICIER
ORDONNANCIER
INDULGENCIER
PERMANENCIER
DIFFÉRENCIER
CONFÉRENCIER

HALLEBARDIER
BOULEVARDIER
BAGUENAUDIER
DISQUALIFIER
PERSONNIFIER
SACCHARIFIER
AUTHENTIFIER
COMPLEXIFIER
TÉLÉGRAPHIER
ÉCHOGRAPHIER
SAINT-VALLIER
QUINCAILLIER
MANCENILLIER
DÉMULTIPLIER
SAINT-GALMIER
FRANGIPANIER
PORCELAINIER
PLAQUEMINIER
SOUS-MARINIER
CLÉMENTINIER
CHAUDRONNIER
AVANT-DERNIER
GRATTE-PAPIER
SCAPHANDRIER
IRISH-TERRIER
LONG-COURRIER
COUSCOUSSIER
PASSEMENTIER
DIFFÉRENTIER
CRÉDIRENTIER
ROMAINMÔTIER
PRIMESAUTIER
SAINT-RIQUIER
TERRE-NEUVIER
DOUWES DEKKER
BRINGUEBALER
BRINQUEBALER
MERGENTHALER
DÉSASSEMBLER
SHIPCHANDLER
EMBARDOUFLER
ÉPOUSTOUFLER
LAISSER-ALLER
ENTREBÂILLER
CRITICAILLER
ENTRETAILLER
DISCUTAILLER
RETRAVAILLER
RAPPAREILLER
DÉCONSEILLER
EMBOUTEILLER
ÉCRABOUILLER
GLANDOUILLER
CRACHOUILLER
DÉPATOUILLER
GRATTOUILLER
FOLSCHVILLER

DÉSACCOUPLER
DÉMANTIBULER
IMMATRICULER
DÉSARTICULER
DÉSOPERCULER
TOURNEBOULER
OREILLE-DE-MER
DÉSENVENIMER
SURCOMPRIMER
DÉPROGRAMMER
REPROGRAMMER
DUPONT-SOMMER
PIRIAC-SUR-MER
SOULAC-SUR-MER
OLONNE-SUR-MER
CAGNES-SUR-MER
CAYEUX-SUR-MER
ISIGNY-SUR-MER
SANARY-SUR-MER
RÉACCOUTUMER
RACCOMPAGNER
CONTRESIGNER
DÉSENCHAÎNER
SURENTRAÎNER
DÉCONTAMINER
BRILLANTINER
CAPARAÇONNER
DÉSAMIDONNER
ÉBOURGEONNER
DÉCHIFFONNER
PROVISIONNER
DIMENSIONNER
EXCURSIONNER
DÉPASSIONNER
DÉMISSIONNER
CONTUSIONNER
COLLATIONNER
AFFECTIONNER
SÉLECTIONNER
CONDITIONNER
COMMOTIONNER
RÉCEPTIONNER
DÉBÂILLONNER
RÉVEILLONNER
VERMILLONNER
TOURILLONNER
POSTILLONNER
AIGUILLONNER
BROUILLONNER
GRAVILLONNER
MAQUIGNONNER
MOUCHERONNER
DÉCLOISONNER
SAUCISSONNER
EMPOISSONNER
ŒILLETONNER
GUEULETONNER

SOUS-DÉCLARER
RÉÉQUILIBRER
DÉSENCOMBRER
RÉINCARCÉRER
DÉCONSIDÉRER
RECONSIDÉRER
DÉPOUSSIÉRER
EMPOUSSIÉRER
DÉPHOSPHORER
RÉINCORPORER
ENTRE-DÉVORER
CONTRECARRER
CHRONOMÉTRER
DÉCONCENTRER
RÉORCHESTRER
TRANSFIGURER
PEINTURLURER
AUTOCENSURER
MANUFACTURER
CONTRACTURER
DÉSTRUCTURER
RESTRUCTURER
PORTRAITURER
STANDARDISER
CLOCHARDISER
HOMOGÉNÉISER
HIÉRARCHISER
CANNIBALISER
RADIOBALISER
SYNDICALISER
TROPICALISER
DÉFISCALISER
OFFICIALISER
RESOCIALISER
MATÉRIALISER
MARGINALISER
CRIMINALISER
RÉGIONALISER
NATIONALISER
RATIONALISER
COMMUNALISER
DÉSACRALISER
THÉÂTRALISER
HOSPITALISER
IMMORTALISER
RÉACTUALISER
DÉSEXUALISER
SOCIABILISER
CULPABILISER
RENTABILISER
DÉSTABILISER
CRÉDIBILISER
SENSIBILISER
FLEXIBILISER
INFANTILISER
SOUS-UTILISER
CRISTALLISER

DÉSATELLISER	INSTRUMENTER	ÉCRIVAILLEUR
AMÉRICANISER	CONTREVENTER	GRIBOUILLEUR
EUROPÉANISER	DÉSAPPOINTER	BARBOUILLEUR
DÉSORGANISER	PRÊTS-À-MONTER	BREDOUILLEUR
DÉSHUMANISER	REMMAILLOTER	VADROUILLEUR
CHAMPAGNISER	TRAVAILLOTER	VERROUILLEUR
DÉVIRGINISER	PRÊTS-À-PORTER	PATROUILLEUR
DÉSTALINISER	ENTRE-HEURTER	PSEUDOTUMEUR
MASCULINISER	DÉSINCRUSTER	ENTREPRENEUR
SYNCHRONISER	GLOBE-TROTTER	TAMBOURINEUR
IMPATRONISER	ÉLECTROCUTER	BARAGOUINEUR
ENTRECROISER	TRANSBAHUTER	SHAMPOUINEUR
FAMILIARISER	CAOUTCHOUTER	ENQUIQUINEUR
DÉSCOLARISER	**SCHOPENHAUER**	BADIGEONNEUR
CIRCULARISER	REDISTRIBUER	ADDITIONNEUR
SINGULARISER	DÉSENVERGUER	POSITIONNEUR
PROLÉTARISER	DISCONTINUER	QUESTIONNEUR
SÉDENTARISER	**LOCMARIAQUER**	PAPILLONNEUR
CARACTÉRISER	PRÉFABRIQUER	CARILLONNEUR
SQUATTÉRISER	SOPHISTIQUER	EMPOISONNEUR
INFÉRIORISER	PRONOSTIQUER	À CONTRECŒUR
INTÉRIORISER	ENCAUSTIQUER	CHEVAL-VAPEUR
EXTÉRIORISER	DÉMOUSTIQUER	AUTO-STOPPEUR
DÉSECTORISER	ENTRECHOQUER	**JEAN SANS PEUR**
MINIATURISER	RECONSTITUER	ENREGISTREUR
DÉDRAMATISER	SUBSTANTIVER	AVANT-COUREUR
MATHÉMATISER	CROSSING-OVER	THÉSAURISEUR
SYSTÉMATISER	DÉSAPPROUVER	SYNTHÉTISEUR
ACHROMATISER	SOUS-EMPLOYER	LIBRE-PENSEUR
INFORMATISER	**KHORRAMCHAHR**	HYPERTENSEUR
DÉMOCRATISER	ROCKING-CHAIR	VIBROMASSEUR
ALPHABÉTISER	RAGAILLARDIR	PRÉDÉCESSEUR
DÉBUDGÉTISER	ENORGUEILLIR	INTERCESSEUR
DÉMAGNÉTISER	AGENOUILLOIR	AGRANDISSEUR
ADJECTIVISER	VILLE-DORTOIR	BLANCHISSEUR
CONTROVERSER	BATEAU-LAVOIR	AÉROGLISSEUR
INTERCLASSER	**BATEAU-LAVOIR**	ASSAINISSEUR
DÉCADENASSER	**GUADALQUIVIR**	ENCHÉRISSEUR
CONTRE-PASSER	QUINDÉCEMVIR	ÉQUARRISSEUR
DÉSENCRASSER	**VALDEMAR SEJR**	ÉPAISSISSEUR
TRANSGRESSER	**CID CAMPEADOR**	RALENTISSEUR
DÉCOMPRESSER	CONQUISTADOR	INVESTISSEUR
TÉLÉDIFFUSER	**CHANDERNAGOR**	PERTURBATEUR
ÉLECTROLYSER	TAMBOUR-MAJOR	DESSICCATEUR
DÉPHOSPHATER	SERGENT-MAJOR	ADJUDICATEUR
DÉCONTRACTER	**FABIUS PICTOR**	PACIFICATEUR
SUREXPLOITER	TRANSPONDEUR	CODIFICATEUR
WINTERHALTER	RACCOMMODEUR	MODIFICATEUR
DÉSENCHANTER	TRANSBORDEUR	VINIFICATEUR
ENSANGLANTER	SURCHAUFFEUR	VÉRIFICATEUR
ÉBOUILLANTER	CENTRIFUGEUR	PURIFICATEUR
TRANSPLANTER	PLEURNICHEUR	VIVIFICATEUR
CONTINGENTER	PORTE-MALHEUR	RENFORÇATEUR
ENRÉGIMENTER	PORTE-BONHEUR	INTIMIDATEUR
SURALIMENTER	PHOTOCOPIEUR	DILAPIDATEUR
COMPLIMENTER	CONTRE-VALEUR	PROLONGATEUR
EXPÉRIMENTER	RAVITAILLEUR	TRIOMPHATEUR

DÉPRÉCIATEUR	SOUSTRACTEUR	PLATEAU-REPAS
APPRÉCIATEUR	PRÉSÉLECTEUR	**GUJAN-MESTRAS**
DÉNONCIATEUR	VIDÉOLECTEUR	**AFARS ET ISSAS**
RENONCIATEUR	CONSTRICTEUR	TRAVERS-BANCS
ANNONCIATEUR	REPRODUCTEUR	BLANCS-ESTOCS
CONCILIATEUR	INTRODUCTEUR	**PRÉ-AUX-CLERCS**
CALOMNIATEUR	TRANSDUCTEUR	**HAMPTON ROADS**
ASSIMILATEUR	CONSTRUCTEUR	CHAUFFE-PIEDS
INSTALLATEUR	TÉLÉACHETEUR	CHAUSSE-PIEDS
FLAGELLATEUR	INTERPRÉTEUR	BARRAGE-POIDS
DISTILLATEUR	DÉCHIQUETEUR	AVOIRDUPOIDS
ARTICULATEUR	LITHOTRITEUR	CHAUDS-FROIDS
DÉMODULATEUR	PISCICULTEUR	**SOUTH SHIELDS**
ACCUMULATEUR	ACÉRICULTEUR	CITIZEN BANDS
MANIPULATEUR	PUÉRICULTEUR	NON MARCHANDS
RADIOAMATEUR	HORTICULTEUR	EST-ALLEMANDS
CONSOMMATEUR	SYLVICULTEUR	ARRIÈRE-FONDS
CONFORMATEUR	BOURSICOTEUR	**BRETTON WOODS**
VATICINATEUR	QUADRIMOTEUR	**MILNE-EDWARDS**
COORDINATEUR	PSYCHOMOTEUR	**SIDI BEL ABBES**
INSÉMINATEUR	PHONOCAPTEUR	**BOIS-COLOMBES**
DÉNOMINATEUR	CHÉMOCEPTEUR	ESSUIE-GLACES
ÉMANCIPATEUR	INTERCEPTEUR	QUATRE-ÉPICES
PERVIBRATEUR	PRESCRIPTEUR	TOUTES-ÉPICES
VOCIFÉRATEUR	PROSCRIPTEUR	SELF-SERVICES
ACCÉLÉRATEUR	SOUSCRIPTEUR	MODERN DANCES
RÉGÉNÉRATEUR	VOLUCOMPTEUR	CONDOLÉANCES
INCINÉRATEUR	INTERRUPTEUR	ACCOINTANCES
RÉMUNÉRATEUR	TRANSPORTEUR	CONTINGENCES
RÉCUPÉRATEUR	ENTREMETTEUR	NON-VIOLENCES
OBLITÉRATEUR	TRANSMETTEUR	AIGRES-DOUCES
CONSPIRATEUR	CONTRIBUTEUR	DEMI-BRIGADES
ILLUSTRATEUR	DISTRIBUTEUR	**ABDALWADIDES**
RESTAURATEUR	BOURLINGUEUR	**SELDJOUKIDES**
INSTAURATEUR	DEMI-LONGUEUR	**CASSITÉRIDES**
LOCALISATEUR	VAPOCRAQUEUR	PLATES-BANDES
VOCALISATEUR	PIQUE-NIQUEUR	JOURS-AMENDES
IDÉALISATEUR	RHÉTORIQUEUR	QUARTS-MONDES
MORALISATEUR	AUTOBLOQUEUR	FUSÉES-SONDES
TOTALISATEUR	HÉLIOGRAVEUR	FLANCS-GARDES
MOBILISATEUR	COMPOGRAVEUR	PILO-SÉBACÉES
CIVILISATEUR	PHOTOGRAVEUR	IRISH-COFFEES
ORGANISATEUR	**SAINT-SAUVEUR**	NON-SALARIÉES
COLONISATEUR	INTERVIEWEUR	CONTRE-ALLÉES
VAPORISATEUR	MULTIPLEXEUR	**TROIS-VALLÉES**
CONDENSATEUR	BELLES-DE-JOUR	SOUS-PEUPLÉES
COMPENSATEUR	**FANTIN-LATOUR**	SOUS-ESTIMÉES
DISPENSATEUR	**SHAHJAHANPUR**	SUS-DÉNOMMÉES
COMMENTATEUR	KOMMANDANTUR	MISCELLANÉES
PRÉSENTATEUR	**BEAU DE ROCHAS**	SOUS-CUTANÉES
CONTESTATEUR	**MICHEL DOUKAS**	**MIDI-PYRÉNÉES**
CONTINUATEUR	SAINT-NICOLAS	DEMI-JOURNÉES
PRÉSERVATEUR	**SAINT-NICOLAS**	AVEUGLES-NÉES
CONSERVATEUR	PANCHEN-LAMAS	SOUS-ÉQUIPÉES
TORRÉFACTEUR	**CHABAN-DELMAS**	LOMBO-SACRÉES
LIQUÉFACTEUR	NITROSOMONAS	AVANT-SOIRÉES
LOCOTRACTEUR	PANIERS-REPAS	IODO-IODURÉES

SOUS-ASSURÉES
SOUS-SATURÉES
LYOPHILISÉES
SOUS-EXPOSÉES
ENTRE-TISSÉES
SOUS-TRAITÉES
LONG-JOINTÉES
SOUS-ÉVALUÉES
PORTE-GREFFES
PORTE-BAGAGES
GARNIER-PAGÈS
GOAL-AVERAGES
SOUS-TITRAGES
APRÈS-RASAGES
CHÊNES-LIÈGES
DÉLAIS-CONGÉS
MONTE-CHARGES
SAINT-GEORGES
ROUGES-GORGES
KHMERS ROUGES
PELLES-BÊCHES
PIES-GRIÈCHES
TROIS-ÉVÊCHÉS
BELLES-DOCHES
GRANDS-DUCHÉS
AMUSE-BOUCHES
CENT-ASSOCIÉS
NATIONS UNIES
CLAIRES-VOIES
JET-SOCIETIES
FIFTY-FIFTIES
SEMI-GLOBALES
ILÉO-CÆCALES
GRAND-DUCALES
SÉNATORIALES
SOUS-NORMALES
URO-GÉNITALES
SEMI-DURABLES
GARDE-MEUBLES
GRANDS-ONCLES
GRANDS-ANGLES
TROIS-ÉTOILES
GRANDS-VOILES
TAGLIATELLES
SEMI-VOYELLES
ACCORDAILLES
CHAUFFAILLES
SAINTRAILLES
XAINTRAILLES
REPRÉSAILLES
CORNOUAILLES
NID-D'ABEILLES
CURE-OREILLES
AVANT-VEILLES
BELLES-FILLES
SOUS-FAMILLES
PORQUEROLLES

AVIONS-ÉCOLES
AMUSE-GUEULES
ROULÉS-BOULÉS
DIX-HUITIÈMES
DIX-SEPTIÈMES
DIX-NEUVIÈMES
STAR-SYSTÈMES
SOUS-SYSTÈMES
LANCE-FLAMMES
CACHE-FLAMMES
BONNES FEMMES
AX-LES-THERMES
PLATES-FORMES
COUPE-LÉGUMES
GALLO-ROMANES
RHÉTO-ROMANES
PROLÉGOMÈNES
HAUTES-FAGNES
TISSUS-PAGNES
MASCAREIGNES
AFRO-CUBAINES
AFRO-CUBAINES
COUPE-RACINES
ASSINIBOINES
GRÉCO-LATINES
DAMES-JEANNES
SUD-CORÉENNES
SUD-CORÉENNES
LOUVECIENNES
VALENCIENNES
VALENCIENNES
ALÉOUTIENNES
INDO-ARYENNES
DEMI-COLONNES
VILLECRESNES
QUELQUES-UNES
LES DEUX-ALPES
COUPE-CIGARES
PORTE-CIGARES
SOUS-DÉCLARÉS
SOUS-CALIBRÉS
MÉTALLIFÈRES
DESHOULIÈRES
CONDOTTIERES
LESDIGUIÈRES
CHENNEVIÈRES
DOUCES-AMÈRES
SEMI-POLAIRES
LUNI-SOLAIRES
SANGUINAIRES
SEMI-LUNAIRES
FORÊTS-NOIRES
ENTRE-DÉVORÉS
REINE-DES-PRÉS
ROSÉS-DES-PRÉS
LANCE-AMARRES
PORTE-AMARRES

LANCE-PIERRES
PERCE-PIERRES
CASSE-PIERRES
APRÈS-GUERRES
AVANT-GUERRES
ESSUIE-VERRES
OUVRE-HUÎTRES
PORTE-MONTRES
COUVRE-LIVRES
GRANDS-LIVRES
OISEAUX-LYRES
SRI LANKAISES
SRI LANKAISES
NEW-YORKAISES
NEW-YORKAISES
SOUS-UTILISÉS
AMANDINOISES
VERT-DE-GRISÉS
L'HAŸ-LES-ROSES
FLINT-GLASSES
CONTRE-PASSÉS
GRANDS-MESSES
TCHÉRÉMISSES
RONDES-BOSSES
BASSES-FOSSES
TAPIS-BROSSES
DRAPS-HOUSSES
SOUS-SOLEUSES
SOUS-VIREUSES
SERBO-CROATES
CARTONS-PÂTES
TROUBLE-FÊTES
SOUS-PRÉFÈTES
ÉPAULÉS-JETÉS
RECTO-COLITES
NON-INSCRITES
SURDI-MUTITÉS
NON-ACTIVITÉS
GRANDS-TANTES
NON-CROYANTES
SOUS-JACENTES
NON-VIOLENTES
CONTRE-PENTES
DÉPÔTS-VENTES
SACRO-SAINTES
COURT-JOINTÉS
TRÁS-OS-MONTES
SEMI-LIBERTÉS
SEMI-OUVERTES
AIGUES-MORTES
CONTRE-PORTES
ENTRE-HEURTÉS
CROCHE-PATTES
CASTAGNETTES
MARGUERITTES
SANS-CULOTTES
GOMMES-GUTTES

VICE-ROYAUTÉS	JURANÇONNAIS	BISCHHEIMOIS
ROUGES-QUEUES	TARASCONNAIS	STOCKHOLMOIS
PETCHENÈGUES	ARCACHONNAIS	REPENTIGNOIS
CONTRE-DIGUES	ESPALIONNAIS	CARTHAGINOIS
BOUILLARGUES	WASSELONNAIS	CARTHAGINOIS
VAUVENARGUES	GUEUGNONNAIS	CASTELLINOIS
CONTRE-FUGUES	QUIBERONNAIS	BERTHEVINOIS
GOMMES-LAQUES	ORMESSONNAIS	HAUT-VIENNOIS
SAINT-JACQUES	AUBUSSONNAIS	TOURQUENNOIS
CHICHIMÈQUES	ARGENTONNAIS	ROQUEBRUNOIS
BRITANNIQUES	LONGUYONNAIS	BEAUCHAMPOIS
PHILIPPIQUES	VAL-DE-MARNAIS	CHAMALIÉROIS
CANTABRIQUES	CONTRE-ESSAIS	ARGENTIÉROIS
COUVRE-NUQUES	FOUESNANTAIS	ARMENTIÉROIS
PONTONS-GRUES	CONFOLENTAIS	ROQUEVAIROIS
PLAN-CONCAVES	HENNEBONTAIS	CASTELVIROIS
ANNE DE CLÈVES	OUTREMONTAIS	MONTMARTROIS
PORTE-GLAIVES	WESTMOUNTAIS	ROQUEMAUROIS
LÉGISLATIVES	ROCHEFORTAIS	LE GARDEUROIS
PLAN-CONVEXES	HAUTEFORTAIS	BÉCANCOUROIS
SOUS-EMPLOYÉS	MARTINIQUAIS	AIGUEPERSOIS
PLANS-RELIEFS	MARTINIQUAIS	GARGILESSOIS
HAUTS-RELIEFS	TONNEINQUAIS	MORANGISSOIS
ILANGS-ILANGS	SAINT-GERVAIS	NOBELTUSSOIS
YLANGS-YLANGS	GRAND PARADIS	DIEULEFITOIS
PLUM-PUDDINGS	INDIANAPOLIS	FRANC-COMTOIS
BLANCS-SEINGS	NON ACCOMPLIS	FRANC-COMTOIS
TIME-SHARINGS	COLOCOTRONIS	VILLEPINTOIS
BABY-SITTINGS	KOLOKOTRÓNIS	MAGNYMONTOIS
CASABLANCAIS	ROBIN DES BOIS	HÉRICOURTOIS
CHANCELADAIS	BARSURAUBOIS	ÉLANCOURTOIS
NÉO-ZÉLANDAIS	FLORENSACOIS	BEAUCOURTOIS
NÉO-ZÉLANDAIS	CLÉGUÉRECOIS	GUINGUETTOIS
GROENLANDAIS	SASSENAGEOIS	COPENHAGUOIS
SAINTONGEAIS	GANDRANGEOIS	CHÂTEAUGUOIS
BEAUMARCHAIS	FRIBOURGEOIS	AUDRUICQUOIS
LA FERTÉ-ALAIS	HAMBOURGEOIS	VILLENEUVOIS
GRANDVELLAIS	COMBOURGEOIS	CHAUVE-SOURIS
MONDEVILLAIS	HOMBOURGEOIS	VILLEPARISIS
DOUDEVILLAIS	VILLEJUIFOIS	WINNIPEGOSIS
SOTTEVILLAIS	PHNOMPENHOIS	PARAPHIMOSIS
BEUZEVILLAIS	SCHIRMECKOIS	BALTRUSAÏTIS
BLAINVILLAIS	SHERBROOKOIS	MILLEPERTUIS
HÉROUVILLAIS	NEUCHÂTELOIS	PLURICAUSALS
FOUGEROLLAIS	SAINT-GALLOIS	CONTRE-APPELS
COURSEULLAIS	APPENZELLOIS	CRÉDITS-BAILS
BRÉTIGNOLAIS	SAINT-GILLOIS	APRÈS-SOLEILS
MONTALBANAIS	BONNEUILLOIS	DEMI-SOMMEILS
MONTALBANAIS	JULIEVILLOIS	STOCKS-OUTILS
CASTELLANAIS	BELLEVILLOIS	RACQUET-BALLS
GRADIGNANAIS	BONNEVILLOIS	NIAGARA FALLS
PERPIGNANAIS	LIBREVILLOIS	DOUBLE-SCULLS
AVRANCHINAIS	MANTEVILLOIS	SELF-CONTROLS
MORBIHANNAIS	HAUTEVILLOIS	BLACK MUSLIMS
LILLEBONNAIS	BLAINVILLOIS	BRÛLE-PARFUMS
BRIANÇONNAIS	THIONVILLOIS	RAHAT-LOKOUMS
TALANÇONNAIS	CHIBOUGAMOIS	PORTE-HAUBANS

RENTRE-DEDANS	PROTÈGE-SLIPS	SAUF-CONDUITS
ARRIÈRE-PLANS	**LE GRAND-LEMPS**	DEMI-PRODUITS
GRANDS-MAMANS	ESPACES-TEMPS	SEMI-PRODUITS
BONNES-MAMANS	FOSBURY FLOPS	SOUS-PRODUITS
SELF-MADE-MANS	À BRAS-LE-CORPS	CONTRE-CHANTS
PHOTOS-ROMANS	ARRIÈRE-CORPS	PLAINS-CHANTS
RECORDWOMANS	VOITURES-BARS	CERFS-VOLANTS
BUSINESSMANS	SLEEPING-CARS	BELLIGÉRANTS
ORANGS-OUTANS	**GRANDVILLARS**	MOINS-DISANTS
TAI-CHI-CHUANS	CHEVAU-LÉGERS	BIEN-PENSANTS
SAINT-GAUDENS	**MARX BROTHERS**	ABOUTISSANTS
CAROLINGIENS	**MAINVILLIERS**	ARCS-BOUTANTS
MÉROVINGIENS	**BRINVILLIERS**	PROTÈGE-DENTS
SAINT-CYRIENS	**BEAUVILLIERS**	NON-RÉSIDENTS
CHAUFFE-BAINS	VIDE-GRENIERS	NON-PAIEMENTS
MALO-LES-BAINS	COUPE-PAPIERS	BEAUX-PARENTS
VALS-LES-BAINS	PORTE-PAPIERS	COUVRE-JOINTS
MERS-LES-BAINS	SKYE-TERRIERS	PHOTOS-ROBOTS
SUD-AFRICAINS	BULL-TERRIERS	PASSING-SHOTS
SUD-AFRICAINS	SOUS-CLAVIERS	QUATRE-QUARTS
ARRIÈRE-MAINS	**NAGELMACKERS**	COFFRES-FORTS
GRÉCO-ROMAINS	CORN-SHELLERS	ARRIÈRE-PORTS
GALLO-ROMAINS	HOME-TRAINERS	ARRIÈRE-GOÛTS
CITÉS-JARDINS	AMPLIS-TUNERS	CUMULO-NIMBUS
LES ESCOUMINS	HAUT-PARLEURS	SOUS-ENTENDUS
VIVARO-ALPINS	ÉTAUX-LIMEURS	CORDONS-BLEUS
INTRA-UTÉRINS	MESSEIGNEURS	DÉMONTE-PNEUS
EXTRA-UTÉRINS	NOSSEIGNEURS	STRADIVARIUS
AVANT-BASSINS	BELLES-SŒURS	**STRADIVARIUS**
LAURIERS-TINS	VICE-RECTEURS	**ANCUS MARTIUS**
KOUIGN-AMANNS	SOUS-SECTEURS	CIRROCUMULUS
FRANCS-MAÇONS	BLOCS-MOTEURS	HYPOTHALAMUS
CHEVAL-ARÇONS	GROS-PORTEURS	SABOT-DE-VÉNUS
FAUX-BOURDONS	PÈSE-LIQUEURS	ARRACHE-CLOUS
TIRE-BOUCHONS	ARRIÈRE-COURS	CONTRE-ÉCROUS
PORTE-FANIONS	PASSE-VELOURS	HABEAS CORPUS
DEMI-PENSIONS	**JOUÉ-LÈS-TOURS**	NIMBO-STRATUS
SOUS-TENSIONS	SHOW-BUSINESS	CIRROSTRATUS
TRIBULATIONS	**WESTER WEMYSS**	ÉCHINOCACTUS
SOUS-STATIONS	CLOSE-COMBATS	CUNNILINCTUS
DEMI-PORTIONS	CHAUFFE-PLATS	**SAINT ANDREWS**
CALES-ÉTALONS	FULL-CONTACTS	TENNIS-ELBOWS
LES PAVILLONS	COUVRE-OBJETS	REALITY-SHOWS
BOURGUIGNONS	AVANT-PROJETS	BEACH-VOLLEYS
CACHE-TAMPONS	COURANTS-JETS	**AIRE-SUR-LA-LYS**
PORTE-CRAYONS	CONTRE-SUJETS	GARDEN-PARTYS
AFRANCESADOS	CONTRE-FILETS	BACCALAURÉAT
AVIONS-CARGOS	PORTE-BILLETS	LANGUE-DE-CHAT
ANGELOPOULOS	**PETRODVORETS**	ACTIONNARIAT
AIGOS-POTAMOS	COUPE-JARRETS	COMMISSARIAT
TORREMOLINOS	WATER-CLOSETS	ACCROCHE-PLAT
OPISTHOTONOS	PORTE-PAQUETS	VICE-CONSULAT
DOURA-EUROPOS	**TCHEREPOVETS**	CATÉCHUMÉNAT
MONTES CLAROS	QUATRE-VINGTS	SOUS-DIACONAT
EÇA DE QUEIRÓS	**QUINZE-VINGTS**	ALMICANTARAT
ROLAND-GARROS	VOITURES-LITS	**SAINT-HONORAT**
ROMANS-PHOTOS	WHITE-SPIRITS	QUASI-CONTRAT

AVANT-CONTRAT	DÉSAGRÉGEANT	TRESSAILLANT
ISIGNY-LE-BUAT	DÉSOBLIGEANT	RAVITAILLANT
LAKE DISTRICT	RECORRIGEANT	ENFUTAILLANT
CONTRE-PROJET	RÉARRANGEANT	ÉCRIVAILLANT
THOMAS BECKET	INTERROGEANT	DÉSHABILLANT
ROBBE-GRILLET	SURCHARGEANT	ENSOLEILLANT
GRASSOUILLET	HYDROFUGEANT	DÉPAREILLANT
CROQUIGNOLET	PRÉCHAUFFANT	APPAREILLANT
CHARDONNERET	SURCHAUFFANT	BIENVEILLANT
LYONS-LA-FORÊT	**LOUIS L'ENFANT**	ÉMERVEILLANT
MILLY-LA-FORÊT	ANTIAGRÉGANT	ESTAMPILLANT
TAMANGHASSET	DÉHARNACHANT	DÉGOUPILLANT
CARRY-LE-ROUET	PLEURNICHANT	DÉTORTILLANT
PORTE-BOUQUET	ENDIMANCHANT	ENTORTILLANT
FABRE D'OLIVET	RÉEMBAUCHANT	EMBASTILLANT
AUTOPORTRAIT	EFFAROUCHANT	ACCASTILLANT
DENYS LE PETIT	APOSTROPHANT	ÉMOUSTILLANT
COUPE-CIRCUIT	PHILOSOPHANT	CROUSTILLANT
MICROCIRCUIT	DÉCALCIFIANT	GRIBOUILLANT
COURT-CIRCUIT	RECALCIFIANT	BARBOUILLANT
BELLES-DE-NUIT	DÉMYTHIFIANT	BREDOUILLANT
ÉLECTRONVOLT	DÉQUALIFIANT	PENDOUILLANT
BOUSSINGAULT	REQUALIFIANT	TRIFOUILLANT
SAINT-ARNOULT	EXEMPLIFIANT	FARFOUILLANT
ORDONNANÇANT	INSIGNIFIANT	GARGOUILLANT
RECOMMENÇANT	FRIGORIFIANT	MÂCHOUILLANT
TRANSPERÇANT	ÉLECTRIFIANT	AGENOUILLANT
RÉTROGRADANT	DÉNITRIFIANT	GRENOUILLANT
OUTRECUIDANT	DÉVITRIFIANT	DÉBROUILLANT
RADIOGUIDANT	INTENSIFIANT	EMBROUILLANT
RÉPRIMANDANT	DIVERSIFIANT	GADROUILLANT
DÉCOMMANDANT	DÉSERTIFIANT	VADROUILLANT
RECOMMANDANT	DÉMYSTIFIANT	DÉGROUILLANT
REDESCENDANT	PRIVILÉGIANT	VERROUILLANT
TRANSCENDANT	RÉCONCILIANT	PATROUILLANT
APPRÉHENDANT	DÉSAFFILIANT	CHATOUILLANT
MALENTENDANT	EXCOMMUNIANT	DÉMAQUILLANT
SURINTENDANT	PHOTOCOPIANT	REMAQUILLANT
DÉVERGONDANT	DÉSAPPARIANT	ÉCARQUILLANT
RACCOMMODANT	INVENTORIANT	DÉGRINGOLANT
SAUVEGARDANT	RÉPERTORIANT	DÉBOUSSOLANT
ENTRELARDANT	EUTHANASIANT	BLACKBOULANT
DÉBILLARDANT	HYPOSTASIANT	CONGRATULANT
TRANSBORDANT	ANESTHÉSIANT	RÉCAPITULANT
DÉSACCORDANT	DÉSENSABLANT	DIAPHRAGMANT
BAGUENAUDANT	FAUX-SEMBLANT	DÉCOMPRIMANT
DÉSENGAGEANT	BOURSOUFLANT	DÉLÉGITIMANT
TREILLAGEANT	EMMITOUFLANT	SOUS-ESTIMANT
DÉDOMMAGEANT	DÉSENTOILANT	MICROFILMANT
ENDOMMAGEANT	RÉINSTALLANT	SURINFORMANT
RÉAMÉNAGEANT	INTERPELLANT	DÉSINFORMANT
DÉCOURAGEANT	COURCAILLANT	TRANSFORMANT
ENCOURAGEANT	ROUSCAILLANT	DÉSOXYGÉNANT
AFFOURAGEANT	COUCHAILLANT	DÉSENGRENANT
DÉPARTAGEANT	ENCANAILLANT	ENTREPRENANT
REPARTAGEANT	TRAÎNAILLANT	DÉSAPPRENANT
COPARTAGEANT	TOURNAILLANT	CONTREVENANT

CIRCONVENANT	DÉRAISONNANT	MINIMALISANT
DISCONVENANT	ARRAISONNANT	OPTIMALISANT
RESSOUVENANT	ASSAISONNANT	MAXIMALISANT
ACCOMPAGNANT	EMPOISONNANT	DÉPÉNALISANT
CONTRAIGNANT	EMPRISONNANT	NOMINALISANT
RESTREIGNANT	PALISSONNANT	LIBÉRALISANT
INTERLIGNANT	POLISSONNANT	FÉDÉRALISANT
AIDE-SOIGNANT	MOLLETONNANT	GÉNÉRALISANT
DÉCONSIGNANT	DÉBOUTONNANT	MINÉRALISANT
CHANFREINANT	REBOUTONNANT	DÉMORALISANT
EMBOBELINANT	ANTIDÉTONANT	CAPORALISANT
DÉGASOLINANT	DÉSINCARNANT	CENTRALISANT
DÉGAZOLINANT	CHANTOURNANT	NEUTRALISANT
DISCIPLINANT	ANTIDÉRAPANT	NATURALISANT
DÉCALAMINANT	AUTOTREMPANT	DÉNASALISANT
DISCRIMINANT	INTERROMPANT	PALATALISANT
ENDOCTRINANT	ENTRECOUPANT	VÉGÉTALISANT
TAMBOURINANT	CONTRETYPANT	DIGITALISANT
EMMAGASINANT	NON-COMPARANT	CAPITALISANT
GUILLOTINANT	CONCÉLÉBRANT	DÉVITALISANT
PRÉDESTINANT	DÉSENCADRANT	REVITALISANT
BARAGOUINANT	PRÉPONDÉRANT	CHAPTALISANT
SHAMPOUINANT	CONGLOMÉRANT	MENSUALISANT
ENQUIQUINANT	RECONQUÉRANT	ÉVANGÉLISANT
DAMASQUINANT	DÉSINTÉGRANT	CARAMÉLISANT
DÉSARÇONNANT	TRANSMIGRANT	DÉMOBILISANT
SUBORDONNANT	ENCHEVÊTRANT	IMMOBILISANT
BADIGEONNANT	RÉCALCITRANT	SOLUBILISANT
BOURGEONNANT	DÉFENESTRANT	LYOPHILISANT
DÉPLAFONNANT	ENREGISTRANT	DÉVIRILISANT
PARANGONNANT	ADMINISTRANT	VOLATILISANT
OCCASIONNANT	BIOCARBURANT	PARCELLISANT
ÉMULSIONNANT	CLAQUEMURANT	CARTELLISANT
ILLUSIONNANT	EXTRA-COURANT	MÉTABOLISANT
FRACTIONNANT	DÉCHLORURANT	MONOPOLISANT
FRICTIONNANT	SOUS-ASSURANT	DÉNÉBULISANT
SANCTIONNANT	COURBATURANT	RIDICULISANT
FONCTIONNANT	CARICATURANT	MACADAMISANT
PONCTIONNANT	CONJECTURANT	UNIFORMISANT
AMBITIONNANT	REDÉCOUVRANT	AFRICANISANT
ADDITIONNANT	PARAPHRASANT	RÉORGANISANT
AUDITIONNANT	SATISFAISANT	ITALIANISANT
POSITIONNANT	TECHNICISANT	ALCALINISANT
PÉTITIONNANT	CHRONICISANT	DÉCOLONISANT
QUESTIONNANT	CIRCONCISANT	FRATERNISANT
SOLUTIONNANT	CONTREDISANT	ENTRETOISANT
DÉBALLONNANT	RINGARDISANT	APPRIVOISANT
GRAILLONNANT	SYMPATHISANT	SOLIDARISANT
PAPILLONNANT	RADICALISANT	NUCLÉARISANT
CARILLONNANT	MÉDICALISANT	DÉPOLARISANT
BOUILLONNANT	DÉLOCALISANT	SÉCULARISANT
COUILLONNANT	SCANDALISANT	RÉGULARISANT
DÉBOULONNANT	SPÉCIALISANT	POPULARISANT
FANFARONNANT	MONDIALISANT	TITULARISANT
CHAPERONNANT	SPATIALISANT	MILITARISANT
PLASTRONNANT	INITIALISANT	POLYMÉRISANT
DÉCOURONNANT	DÉCIMALISANT	DÉSODORISANT

CATÉGORISANT	ENHARDISSANT	ÉPANOUISSANT
DÉVALORISANT	REVERDISSANT	ÉVANOUISSANT
REVALORISANT	ALOURDISSANT	TOUT-PUISSANT
INSONORISANT	ÉTOURDISSANT	ASSERVISSANT
SPONSORISANT	DÉSOBÉISSANT	ASSOUVISSANT
DÉFAVORISANT	RÉLARGISSANT	ÉCLABOUSSANT
THÉSAURISANT	RESURGISSANT	DÉSHYDRATANT
PASTEURISANT	DÉROUGISSANT	DÉSAFFECTANT
PRESSURISANT	FRAÎCHISSANT	DÉSINFECTANT
SCHÉMATISANT	ENRICHISSANT	DÉCONNECTANT
FLEGMATISANT	BLANCHISSANT	DÉMOUCHETANT
STIGMATISANT	FRANCHISSANT	AIGUILLETANT
AXIOMATISANT	RÉTABLISSANT	GUILLEMETANT
AUTOMATISANT	ENNOBLISSANT	INTERPRÉTANT
TRAUMATISANT	AMEUBLISSANT	REMPAQUETANT
DÉSÉTATISANT	EMBELLISSANT	DÉBECQUETANT
DIALECTISANT	VIEILLISSANT	DÉCHIQUETANT
PROPHÉTISANT	TREILLISSANT	DÉCLIQUETANT
SYNTHÉTISANT	RAMOLLISSANT	ENCLIQUETANT
DÉMONÉTISANT	AFFERMISSANT	SOUS-TRAITANT
CONCRÉTISANT	ASSAINISSANT	INCAPACITANT
DÉPOLITISANT	RABONNISSANT	PLÉBISCITANT
BAGUETTISANT	DÉGARNISSANT	RESSUSCITANT
RETRADUISANT	REGARNISSANT	DISCRÉDITANT
MÉCONDUISANT	DÉVERNISSANT	COMMANDITANT
RECONDUISANT	RACORNISSANT	RÉHABILITANT
REPRODUISANT	RAJEUNISSANT	DÉPARASITANT
COPRODUISANT	PRÉMUNISSANT	RÉIMPLANTANT
INTRODUISANT	DÉCRÉPISSANT	DÉSAIMANTANT
CONSTRUISANT	RECRÉPISSANT	DÉSARGENTANT
RELATIVISANT	ASSOUPISSANT	DÉSORIENTANT
RÉCOMPENSANT	ENCHÉRISSANT	IMPATIENTANT
ANASTOMOSANT	AMAIGRISSANT	RÉGLEMENTANT
PRÉSUPPOSANT	ÉQUARRISSANT	PARLEMENTANT
PRÉDISPOSANT	ATTERRISSANT	INCRÉMENTANT
SOUS-EXPOSANT	AGUERRISSANT	MOUVEMENTANT
RETRAVERSANT	MEURTRISSANT	ASSERMENTANT
BOULEVERSANT	ÉPAISSISSANT	REPRÉSENTANT
TERGIVERSANT	RAPLATISSANT	MÉCONTENTANT
DÉCARCASSANT	COMPATISSANT	**MÉNILMONTANT**
POURCHASSANT	ENTRE-TISSANT	RÉEMPRUNTANT
OUTREPASSANT	ANÉANTISSANT	TOURNICOTANT
DÉBARRASSANT	DÉNANTISSANT	BOURSICOTANT
EMBARRASSANT	GARANTISSANT	DÉMAILLOTANT
SEMI-DRESSANT	RALENTISSANT	EMMAILLOTANT
REPARAISSANT	RETENTISSANT	INTERCEPTANT
APPARAISSANT	DÉPARTISSANT	RÉESCOMPTANT
RENGRAISSANT	RÉPARTISSANT	DÉCONCERTANT
RÉTRÉCISSANT	IMPARTISSANT	RÉCONFORTANT
ENDURCISSANT	DIVERTISSANT	INSUPPORTANT
RADOUCISSANT	INVERTISSANT	TRANSPORTANT
ATTIÉDISSANT	ASSORTISSANT	INCONSISTANT
ENLAIDISSANT	INVESTISSANT	DÉSENDETTANT
DÉRAIDISSANT	DÉGLUTISSANT	ENTREMETTANT
AGRANDISSANT	EMBOUTISSANT	TRANSMETTANT
REBONDISSANT	ALANGUISSANT	SILHOUETTANT
ARRONDISSANT	SERFOUISSANT	BOUILLOTTANT

921

CONTREBUTANT	COMMENCEMENT	ILLÉGALEMENT
CHOUCHOUTANT	DÉCOINCEMENT	GLACIALEMENT
GLOUGLOUTANT	RENFONCEMENT	SPÉCIALEMENT
FROUFROUTANT	RENFORCEMENT	MONDIALEMENT
EXTRAVAGUANT	COMMANDEMENT	CORDIALEMENT
SUBDÉLÉGUANT	PROFONDÉMENT	INITIALEMENT
INVESTIGUANT	BOMBARDEMENT	PARTIALEMENT
BOURLINGUANT	PEINARDEMENT	BESTIALEMENT
DIPHTONGUANT	RACCORDEMENT	TRIVIALEMENT
SOUS-ÉVALUANT	ÉCHAUFFEMENT	ANORMALEMENT
HYPOTHÉQUANT	RÉENGAGEMENT	NOMINALEMENT
REVENDIQUANT	DÉMÉNAGEMENT	LIBÉRALEMENT
PIQUE-NIQUANT	EMMÉNAGEMENT	GÉNÉRALEMENT
COMMUNIQUANT	ENCÉPAGEMENT	LATÉRALEMENT
DÉCORTIQUANT	ENGRANGEMENT	IMMORALEMENT
DÉMASTIQUANT	RALLONGEMENT	MARITALEMENT
REMASTIQUANT	PROLONGEMENT	DÉLOYALEMENT
DOMESTIQUANT	DÉCHARGEMENT	PROBABLEMENT
CONVAINQUANT	RECHARGEMENT	AGRÉABLEMENT
BÊTABLOQUANT	HARNACHEMENT	ADORABLEMENT
INTERLOQUANT	RATTACHEMENT	PASSABLEMENT
RÉCIPROQUANT	DESSÈCHEMENT	DESSABLEMENT
DÉSOBSTRUANT	DÉFRICHEMENT	IMMUABLEMENT
DÉSHABITUANT	DÉHANCHEMENT	TANGIBLEMENT
DÉSENCLAVANT	DÉMANCHEMENT	TERRIBLEMENT
DÉSENTRAVANT	EMMANCHEMENT	HORRIBLEMENT
TRANSCRIVANT	ÉBRANCHEMENT	PAISIBLEMENT
RÉINSCRIVANT	EMBRANCHEMENT	SENSIBLEMENT
INTERVIEWANT	DÉCROCHEMENT	POSSIBLEMENT
DÉCOMPLEXANT	EMMARCHEMENT	DÉDOUBLEMENT
VIEUX-CROYANT	REMBUCHEMENT	REDOUBLEMENT
REJOINTOYANT	ACCOUCHEMENT	ENCERCLEMENT
REPOURVOYANT	FAROUCHEMENT	INFIDÈLEMENT
AUTOBRONZANT	ESSOUCHEMENT	OLIGOÉLÉMENT
SAINT-VINCENT	ATTOUCHEMENT	RADIOÉLÉMENT
PRIVAT-DOCENT	REMBLAIEMENT	BOURRÈLEMENT
INCANDESCENT	TÉLÉPAIEMENT	ÉCARTÈLEMENT
RECRUDESCENT	LICENCIEMENT	CRAQUÈLEMENT
CONVALESCENT	REMERCIEMENT	DÉGONFLEMENT
EFFLORESCENT	CONGÉDIEMENT	REGONFLEMENT
DÉLIQUESCENT	CRUCIFIEMENT	ÉTRANGLEMENT
EFFERVESCENT	FLAMBOIEMENT	IMBÉCILEMENT
CONCUPISCENT	ROUGEOIEMENT	MORCELLEMENT
SAINT-FULGENT	ATERMOIEMENT	DESCELLEMENT
BIRÉFRINGENT	TOURNOIEMENT	FORMELLEMENT
SUBCONSCIENT	FOUDROIEMENT	BOSSELLEMENT
PRÉCONSCIENT	POUDROIEMENT	MORTELLEMENT
INCONVÉNIENT	JOINTOIEMENT	BATTELLEMENT
FORÊT D'ORIENT	FOURVOIEMENT	MANUELLEMENT
PROCHE-ORIENT	RAPPARIEMENT	ANNUELLEMENT
QUADRIVALENT	RAPATRIEMENT	VISUELLEMENT
SANGUINOLENT	RASSASIEMENT	ACTUELLEMENT
RECOURBEMENT	BALBUTIEMENT	RITUELLEMENT
EFFICACEMENT	TRIMBALEMENT	MUTUELLEMENT
REMPLACEMENT	RADICALEMENT	SEXUELLEMENT
OUTPLACEMENT	MÉDICALEMENT	NOUVELLEMENT
DISTANCEMENT	MUSICALEMENT	CRIAILLEMENT

TENAILLEMENT	FUSIONNEMENT	DÉCROISEMENT
DÉRAILLEMENT	RATIONNEMENT	AMENUISEMENT
TIRAILLEMENT	ÉTALONNEMENT	DISPERSEMENT
CISAILLEMENT	BALLONNEMENT	RENVERSEMENT
FENDILLEMENT	VALLONNEMENT	DÉBOURSEMENT
MORDILLEMENT	MARMONNEMENT	SOUBASSEMENT
PAREILLEMENT	TAMPONNEMENT	FRACASSEMENT
GRÉSILLEMENT	HARPONNEMENT	ENCHÂSSEMENT
FRÉTILLEMENT	RONRONNEMENT	DÉCLASSEMENT
BOITILLEMENT	COURONNEMENT	RECLASSEMENT
TORTILLEMENT	RAISONNEMENT	SURPASSEMENT
SAUTILLEMENT	FOISONNEMENT	EMBRASSEMENT
GROUILLEMENT	GRISONNEMENT	DÉCRASSEMENT
BÉNÉVOLEMENT	CANTONNEMENT	ENCRASSEMENT
DÉPEUPLEMENT	MOUTONNEMENT	CUIRASSEMENT
REPEUPLEMENT	DISCERNEMENT	TERRASSEMENT
ACCOUPLEMENT	GOUVERNEMENT	REDRESSEMENT
RIDICULEMENT	DÉFOURNEMENT	EMPRESSEMENT
ROUCOULEMENT	ENFOURNEMENT	EXPRESSÉMENT
HUITIÈMEMENT	DÉTOURNEMENT	RABAISSEMENT
SEPTIÈMEMENT	RETOURNEMENT	DÉCAISSEMENT
NEUVIÈMEMENT	DÉGROUPEMENT	ENCAISSEMENT
DEUXIÈMEMENT	REGROUPEMENT	AFFAISSEMENT
SEIZIÈMEMENT	ATTROUPEMENT	DÉLAISSEMENT
DOUZIÈMEMENT	ACCAPAREMENT	RANCISSEMENT
LÉGITIMEMENT	DÉMEMBREMENT	DURCISSEMENT
RENFERMEMENT	REMEMBREMENT	TIÉDISSEMENT
UNIFORMÉMENT	ENCOMBREMENT	RAIDISSEMENT
SPONTANÉMENT	DÉNOMBREMENT	BONDISSEMENT
DÉDOUANEMENT	MÉDIOCREMENT	VERDISSEMENT
NON-ÉVÉNEMENT	ENGENDREMENT	SURGISSEMENT
ENSEIGNEMENT	EFFONDREMENT	ROUGISSEMENT
RÉALIGNEMENT	DÉLIBÉRÉMENT	ÉBAHISSEMENT
SOULIGNEMENT	IMMODÉRÉMENT	AVILISSEMENT
TRÉPIGNEMENT	FONCIÈREMENT	COULISSEMENT
PROVIGNEMENT	PREMIÈREMENT	BLÊMISSEMENT
SOUDAINEMENT	DERNIÈREMENT	FRÉMISSEMENT
DÉCHAÎNEMENT	PRÉCAIREMENT	BANNISSEMENT
ENCHAÎNEMENT	LINÉAIREMENT	HENNISSEMENT
ENTRAÎNEMENT	VULGAIREMENT	TERNISSEMENT
CERTAINEMENT	SOMMAIREMENT	JAUNISSEMENT
DÉRACINEMENT	IMPROPREMENT	BRUNISSEMENT
ENRACINEMENT	EMPIERREMENT	GLAPISSEMENT
DODELINEMENT	DESSERREMENT	AIGRISSEMENT
ACHEMINEMENT	RESSERREMENT	BARRISSEMENT
ENTÉRINEMENT	DÉBOURREMENT	AHURISSEMENT
ENRÉSINEMENT	DÉCENTREMENT	SAISISSEMENT
TROTTINEMENT	DÉCINTREMENT	RASSISSEMENT
ACOQUINEMENT	ENCASTREMENT	ABÊTISSEMENT
MESQUINEMENT	PÉDESTREMENT	NANTISSEMENT
ANCIENNEMENT	SINISTREMENT	BLEUISSEMENT
RÉABONNEMENT	ACCOUTREMENT	REHAUSSEMENT
RANÇONNEMENT	AFFLEUREMENT	EXHAUSSEMENT
FREDONNEMENT	EFFLEUREMENT	VERBEUSEMENT
PLAFONNEMENT	DÉMESURÉMENT	ORAGEUSEMENT
BOUGONNEMENT	RECOUVREMENT	FÂCHEUSEMENT
MÂCHONNEMENT	GAULOISEMENT	VICIEUSEMENT

COPIEUSEMENT	BALLOTTEMENT	SEMPERVIRENT
SÉRIEUSEMENT	MARMOTTEMENT	**SAINT-FLORENT**
CURIEUSEMENT	ARC-BOUTEMENT	INTERCURRENT
FURIEUSEMENT	ENCROÛTEMENT	**STOKE-ON-TRENT**
ENVIEUSEMENT	RENFLOUEMENT	**SAINT LAURENT**
ANXIEUSEMENT	DÉTRAQUEMENT	**SAINT-LAURENT**
FRILEUSEMENT	TRAGIQUEMENT	VENTRIPOTENT
HAINEUSEMENT	PUBLIQUEMENT	INTERMITTENT
POMPEUSEMENT	CYCLIQUEMENT	INCONSÉQUENT
AFFREUSEMENT	CHIMIQUEMENT	**SAINT-MAIXENT**
HEUREUSEMENT	SCÉNIQUEMENT	PRÉCONTRAINT
PEUREUSEMENT	CLINIQUEMENT	**HENRI LE SAINT**
HONTEUSEMENT	IRONIQUEMENT	**CHARLES QUINT**
COÛTEUSEMENT	HÉROÏQUEMENT	**SANTOS-DUMONT**
DOUTEUSEMENT	LUBRIQUEMENT	**VALLERY-RADOT**
LUXUEUSEMENT	PHYSIQUEMENT	À TIRE-LARIGOT
NERVEUSEMENT	PRATIQUEMENT	**MAÎTRE ECKART**
DÉLICATEMENT	STATIQUEMENT	**ROCHECHOUART**
ADÉQUATEMENT	TACTIQUEMENT	**PRINCE ALBERT**
INEXACTEMENT	POÉTIQUEMENT	**JEAN GUALBERT**
CORRECTEMENT	ÉROTIQUEMENT	**BOISGUILBERT**
REMPIÈTEMENT	DÉBARQUEMENT	**SAINT-LAMBERT**
COMPLÈTEMENT	EMBARQUEMENT	**SAINT-RAMBERT**
CONCRÈTEMENT	DÉBUSQUEMENT	**MONTALEMBERT**
DISCRÈTEMENT	DÉBOUQUEMENT	**PRINCE RUPERT**
CRAQUÈTEMENT	EMBOUQUEMENT	**ROBERT LE FORT**
CLIQUÈTEMENT	INACHÈVEMENT	TROMPE-LA-MORT
SOUS-VÊTEMENT	MALADIVEMENT	IMPORT-EXPORT
PARFAITEMENT	ENJOLIVEMENT	**ROCQUENCOURT**
RETRAITEMENT	POUSSIVEMENT	**CAULAINCOURT**
ILLICITEMENT	ALLUSIVEMENT	**HÉRIMONCOURT**
REMBOÎTEMENT	NÉGATIVEMENT	**HAMPTON COURT**
GRATUITEMENT	RELATIVEMENT	**PORT HARCOURT**
FORTUITEMENT	FUGITIVEMENT	**ASIE DU SUD-EST**
ENCHANTEMENT	POSITIVEMENT	**VAN HONTHORST**
SERPENTEMENT	SPORTIVEMENT	**MANON LESCAUT**
PRÉSENTEMENT	GRASSEYEMENT	EN CONTRE-HAUT
CONSENTEMENT	INDÉFINIMENT	**HOMBOURG-HAUT**
CONTENTEMENT	RESSENTIMENT	SAUVE-QUI-PEUT
AFFRONTEMENT	DISSENTIMENT	**HEILIGENBLUT**
EFFRONTÉMENT	COMPARTIMENT	PASSE-PARTOUT
CRACHOTEMENT	RASSORTIMENT	BEC-DE-CORBEAU
CHUCHOTEMENT	OBLIGEAMMENT	**AZAY-LE-RIDEAU**
SIFFLOTEMENT	INÉLÉGAMMENT	**SAINT-FARGEAU**
SANGLOTEMENT	SUFFISAMMENT	NAVIRE-JUMEAU
CLIGNOTEMENT	INCESSAMMENT	QUADRIJUMEAU
GRIGNOTEMENT	DÉGOÛTAMMENT	HAUT-FOURNEAU
CHEVROTEMENT	PRÉCÉDEMMENT	PORTE-DRAPEAU
TOUSSOTEMENT	IMPRUDEMMENT	PIEDS-D'OISEAU
DÉCRYPTEMENT	NÉGLIGEMMENT	PORTEMANTEAU
COMPORTEMENT	CONSCIEMMENT	PORTE-COUTEAU
RÉAJUSTEMENT	IMPATIEMMENT	**OBERAMMERGAU**
DOUCETTEMENT	EXCELLEMMENT	**ORANGE-NASSAU**
CHOUETTEMENT	PERTINEMMENT	**GUINÉE-BISSAU**
COQUETTEMENT	DIFFÉREMMENT	**KANO MASANOBU**
ACQUITTEMENT	PRÉTENDUMENT	**KANO MOTONOBU**
GRELOTTEMENT	INCONGRÛMENT	**LA CHAISE-DIEU**

FESSE-MATHIEU
CAVALIER BLEU
ARRIÈRE-NEVEU
OGINO KYUSAKU
KOTA KINABALU
JEANNE D'ANJOU
ININTERROMPU
JOHORE BAHARU
STRICTO SENSU
KHROUCHTCHEV
DOKOUTCHAÏEV
CHAPOCHNIKOV
CESKY KRUMLOV
PNEUMOTHORAX
CHARLES-FÉLIX
GASTON DE FOIX
SAINT-AMBROIX
LA GRAND-CROIX
RHINO-PHARYNX
PARAMÉDICAUX
CHIRURGICAUX
SUBTROPICAUX
OBSTÉTRICAUX
GRAMMATICAUX
HÉMORROÏDAUX
ELLIPSOÏDAUX
TRAPÉZOÏDAUX
BRISE-COPEAUX
COULEUVREAUX
ÉLÉPHANTEAUX
MÉDICO-LÉGAUX
MULTIRACIAUX
INTERRACIAUX
ENDOTHÉLIAUX
MATRIMONIAUX
PATRIMONIAUX
TESTIMONIAUX
PARTICIPIAUX
PARTENARIAUX
BIOMATÉRIAUX
DICTATORIAUX
DIRECTORIAUX
TERRITORIAUX

SEIGNEURIAUX
AÉROSPATIAUX
PÉNITENTIAUX
NIVO-PLUVIAUX
HEXADÉCIMAUX
SEXAGÉSIMAUX
ORTHONORMAUX
RHUMATISMAUX
CATACLYSMAUX
ATTITUDINAUX
QUADRIENNAUX
QUINQUENNAUX
DODÉCAGONAUX
MONOCAMÉRAUX
NYCTHÉMÉRAUX
ÉQUILATÉRAUX
PRESBYTÉRAUX
ANTISUDORAUX
COXO-FÉMORAUX
SUCCESSORAUX
PROFESSORAUX
PRÉFECTORAUX
COMMISSURAUX
CARICATURAUX
CONJECTURAUX
TRANSVERSAUX
PLURICAUSAUX
SOUS-ORBITAUX
FONDAMENTAUX
SACRAMENTAUX
SENTIMENTAUX
CONTINENTAUX
XÉNOCRISTAUX
MONOCRISTAUX
INTERCOSTAUX
COQUELUCHEUX
RÉVÉRENCIEUX
PARCIMONIEUX
INHARMONIEUX
LOUIS LE PIEUX
PALMA LE VIEUX
FRANCS-ALLEUX
CHATOUILLEUX

ANTIVENIMEUX
ANTIVÉNÉNEUX
INTRAVEINEUX
PROTÉAGINEUX
MUCILAGINEUX
ANTIANGINEUX
ANTIULCÉREUX
PRÉCANCÉREUX
ANTIANGOREUX
HYPOCHLOREUX
ÉRYTHÉMATEUX
ANTHRACITEUX
PRÉSOMPTUEUX
SÈCHE-CHEVEUX
PETITS-NEVEUX
CASTELJALOUX
SAINT-POL ROUX
ARCHÉOPTÉRYX
FROBISHER BAY
VILLACOUBLAY
LE PUY-EN-VELAY
FORT MCMURRAY
LA ROCHE-POSAY
BOURBON-LANCY
CLAYE-SOUILLY
TRICHINOPOLY
LYS-LEZ-LANNOY
MADAME BOVARY
SAINT-EXUPÉRY
CROSS-COUNTRY
OKLAHOMA CITY
ATLANTIC CITY
SALT LAKE CITY
MERLEAU-PONTY
SUPERDÉVOLUY
PONT-DE-CHÉRUY
IWASZKIEWICZ
ARIAS SÁNCHEZ
BLASCO IBÁÑEZ
CIUDAD JUÁREZ
BANZER SUÁREZ
PUERTO LA CRUZ

FLORIDABLANCA
HAMILCAR BARCA
SOUTHEND-ON-SEA
KANGCHENJUNGA
AL-NAHHAS PACHA
VIARDOT-GARCÍA
GALLA PLACIDIA
BASSAS DA INDIA
FERRER GUARDIA
LUCRÈCE BORGIA

DIEFFENBACHIA
CIVITAVECCHIA
CINO DA PISTOIA
BETSIMISARAKA
THÉRÈSE D'ÁVILA
ROJAS ZORRILLA
MORETO Y CABAÑA
CIUDAD GUAYANA
DEUS EX MACHINA
TIRSO DE MOLINA

SANTA CATARINA	COLIN-MAILLARD	CONSPIRATRICE
HÉRODE AGRIPPA	SCRIBOUILLARD	ILLUSTRATRICE
RABEMANANJARA	QUEUE-DE-RENARD	RESTAURATRICE
PRIMO DE RIVERA	CHÂTEAURENARD	INSTAURATRICE
KUROSAWA AKIRA	PRINCE-ÉDOUARD	LOCALISATRICE
LOMAS DE ZAMORA	IRLANDE DU NORD	VOCALISATRICE
FOULQUES NERRA	OSSÉTIE DU NORD	IDÉALISATRICE
FUERTEVENTURA	AFRIQUE DU NORD	MORALISATRICE
CONGO-KINSHASA	ATTRAPE-NIGAUD	MOBILISATRICE
SIGISMOND VASA	SALIN-DE-GIRAUD	CIVILISATRICE
VERNIX CASEOSA	BRAINE-L'ALLEUD	ORGANISATRICE
NAVAS DE TOLOSA	HASSI MESSAOUD	COLONISATRICE
GUIMARÃES ROSA	SHAWINIGAN-SUD	COMPENSATRICE
CONFORMÉMENT À	SHETLAND DU SUD	DISPENSATRICE
CALTANISSETTA	CAROLINE DU SUD	COMMENTATRICE
VIEIRA DA SILVA	AMÉRIQUE DU SUD	PRÉSENTATRICE
TRANSHIMALAYA	MICHEL RANGABÉ	CONTESTATRICE
LUDOVIC SFORZA	DODÉCASYLLABE	CONTINUATRICE
LANCELOT DU LAC	QUADRISYLLABE	PRÉSERVATRICE
CHÂTEAUPONSAC	CLAUSTROPHOBE	CONSERVATRICE
NOUVEAU-QUÉBEC	GIGANTOSTRACÉ	REPRODUCTRICE
HUGUES LE BLANC	SUPERBÉNÉFICE	INTRODUCTRICE
BOUILLON-BLANC	FOREIGN OFFICE	CONSTRUCTRICE
GERBIER-DE-JONC	PERTURBATRICE	PISCICULTRICE
LESPARRE-MÉDOC	ADJUDICATRICE	ACÉRICULTRICE
LADISLAS ÁRPÁD	PACIFICATRICE	PUÉRICULTRICE
TARIQ IBN ZIYAD	CODIFICATRICE	HORTICULTRICE
HARUN AL-RACHID	MODIFICATRICE	SYLVICULTRICE
CHATEAUBRIAND	VINIFICATRICE	PSYCHOMOTRICE
CHATEAUBRIAND	VÉRIFICATRICE	PHONOCAPTRICE
JUDÉO-ALLEMAND	PURIFICATRICE	CHÉMOCEPTRICE
INTERALLEMAND	VIVIFICATRICE	CONTRIBUTRICE
OUEST-ALLEMAND	INTIMIDATRICE	DISTRIBUTRICE
BOCAGE NORMAND	DILAPIDATRICE	CHÈQUE-SERVICE
MIRCEA LE GRAND	TRIOMPHATRICE	OUTRECUIDANCE
ALFRED LE GRAND	DÉPRÉCIATRICE	TRANSCENDANCE
GÉRARD LE GRAND	APPRÉCIATRICE	LITISPENDANCE
HÉRODE LE GRAND	DÉNONCIATRICE	SURINTENDANCE
BASILE LE GRAND	RENONCIATRICE	INSIGNIFIANCE
PIERRE LE GRAND	ANNONCIATRICE	CONTREBALANCÉ
MANUEL LE GRAND	CONCILIATRICE	VRAISEMBLANCE
PLÉLAN-LE-GRAND	CALOMNIATRICE	HÉMOVIGILANCE
SIMÉON LE GRAND	ASSIMILATRICE	BIENVEILLANCE
PROKOP LE GRAND	INSTALLATRICE	DISCONVENANCE
HUGUES LE GRAND	FLAGELLATRICE	PRÉPONDÉRANCE
ALBERT LE GRAND	MANIPULATRICE	RENÉE DE FRANCE
WITWATERSRAND	CONSOMMATRICE	MARIE DE FRANCE
SAINT-BERTRAND	VATICINATRICE	DIANE DE FRANCE
HARALD BLÅTAND	COORDINATRICE	AGNÈS DE FRANCE
SAINT-ÉVREMOND	INSÉMINATRICE	LOUIS DE FRANCE
NIJNI NOVGOROD	ÉMANCIPATRICE	DÉSOBÉISSANCE
PIERRE LOMBARD	VOCIFÉRATRICE	NON-JOUISSANCE
PORTE-BRANCARD	ACCÉLÉRATRICE	SOUS-TRAITANCE
MULTISTANDARD	RÉGÉNÉRATRICE	INCONSISTANCE
PORTE-ÉTENDARD	RÉMUNÉRATRICE	NON-ASSISTANCE
LA MOTHE-ACHARD	RÉCUPÉRATRICE	INCANDESCENCE
LITTLE RICHARD	OBLITÉRATRICE	RECRUDESCENCE

CONVALESCENCE
EFFLORESCENCE
INFLORESCENCE
DÉLIQUESCENCE
DÉFERVESCENCE
EFFERVESCENCE
CONCUPISCENCE
NEW PROVIDENCE
JURISPRUDENCE
BIRÉFRINGENCE
PSEUDOSCIENCE
TECHNOSCIENCE
PRÉEXCELLENCE
AUTORÉFÉRENCE
CIRCONFÉRENCE
INTERMITTENCE
INCONSÉQUENCE
AIX-EN-PROVENCE
DIOGÈNE LAËRCE
LAURIERS-SAUCE
AMÉRIC VESPUCE
PONT-PROMENADE
SAINTE-LIVRADE
EUDOXE DE CNIDE
FELDSPATHOÏDE
SPERMATOZOÏDE
PHOSPHOLIPIDE
MULTIPLICANDE
JEAN DE LA LANDE
RADIOCOMMANDE
SERVOCOMMANDE
BASSE-NORMANDE
HAUTE-NORMANDE
ANGLO-NORMANDE
ANGLO-NORMANDE
CAMPINA GRANDE
LANDSGEMEINDE
PASCAL-SECONDE
QUEUES-D'ARONDE
PLEURNICHARDE
SAINT-FONIARDE
RONDOUILLARDE
DÉBROUILLARDE
HAUT-SAVOYARDE
SAINT-JUNIAUDE
CÔTE D'ÉMERAUDE
DISSIMILITUDE
HYDROPEROXYDE
JUDAS MACCABÉE
ASCLÉPIADACÉE
AMARYLLIDACÉE
CHÉNOPODIACÉE
CAPRIFOLIACÉE
CÉSALPINIACÉE
CONVOLVULACÉE
DÉCONTENANCÉE
TÉLÉCOMMANDÉE

RESURCHAUFFÉE
CONTRE-PLONGÉE
DÉSHUMIDIFIÉE
CHORÉGRAPHIÉE
CALLIGRAPHIÉE
LITHOGRAPHIÉE
ORTHOGRAPHIÉE
RADIOGRAPHIÉE
STÉNOGRAPHIÉE
REPROGRAPHIÉE
PHOTOGRAPHIÉE
CARTOGRAPHIÉE
HYPERTROPHIÉE
SURMULTIPLIÉE
DÉSENSORCELÉE
MARNE-LA-VALLÉE
EMMOUSCAILLÉE
DÉPOITRAILLÉE
SEMI-CHENILLÉE
HÉLITREUILLÉE
DÉBARBOUILLÉE
EMBARBOUILLÉE
DÉVERROUILLÉE
TRIPATOUILLÉE
BOUGAINVILLÉE
MARIN LA MESLÉE
AUTOPROCLAMÉE
PRÉPROGRAMMÉE
ENTHOUSIASMÉE
DÉSACCOUTUMÉE
DÉSHYDROGÉNÉE
INDISCIPLINÉE
PRÉDÉTERMINÉE
SURDÉTERMINÉE
INSUBORDONNÉE
DÉCAPUCHONNÉE
ENCAPUCHONNÉE
ENDIVISIONNÉE
CONVULSIONNÉE
PRÉPENSIONNÉE
CONTORSIONNÉE
IMPRESSIONNÉE
COMMISSIONNÉE
SOUMISSIONNÉE
CONFECTIONNÉE
PERFECTIONNÉE
COLLECTIONNÉE
REPOSITIONNÉE
SUSMENTIONNÉE
SUBVENTIONNÉE
CONVENTIONNÉE
PROPORTIONNÉE
SUGGESTIONNÉE
CONGESTIONNÉE
PRÉCAUTIONNÉE
RÉVOLUTIONNÉE
ÉTRÉSILLONNÉE

ÉCOUVILLONNÉE
DÉCHAPERONNÉE
PAILLASSONNÉE
REMPOISSONNÉE
HYDROCARBONÉE
MAGNÉTOSCOPÉE
SURDÉVELOPPÉE
DÉSENVELOPPÉE
DÉSÉQUILIBRÉE
DÉSINCARCÉRÉE
ENTRE-DÉCHIRÉE
ORGANOCHLORÉE
INTERPÉNÉTRÉE
RÉENREGISTRÉE
ARCHITECTURÉE
MÉTAMORPHISÉE
DÉMÉDICALISÉE
POTENTIALISÉE
PERSONNALISÉE
MUNICIPALISÉE
DÉMINÉRALISÉE
DÉCENTRALISÉE
DÉNATURALISÉE
UNIVERSALISÉE
RECAPITALISÉE
SPIRITUALISÉE
MALLÉABILISÉE
COMPTABILISÉE
INSOLUBILISÉE
TRANQUILLISÉE
CHRISTIANISÉE
DÉNICOTINISÉE
EMBOURGEOISÉE
INAPPRIVOISÉE
DÉSOLIDARISÉE
DÉNUCLÉARISÉE
PARCELLARISÉE
DÉMILITARISÉE
REMILITARISÉE
CONTAINÉRISÉE
ACCESSOIRISÉE
RÉFLECTORISÉE
PSYCHIATRISÉE
CONTENEURISÉE
DÉPRESSURISÉE
MITHRIDATISÉE
ANATHÉMATISÉE
DÉSINSECTISÉE
CONSCIENTISÉE
DÉSAMBIGUÏSÉE
COLLECTIVISÉE
AUTOPROPULSÉE
ARRIÈRE-PENSÉE
MÉTAMORPHOSÉE
PHOTOCOMPOSÉE
DÉSINTÉRESSÉE
REZ-DE-CHAUSSÉE

RADIODIFFUSÉE
PSYCHANALYSÉE
BOROSILICATÉE
IMPARIDIGITÉE
SOUS-EXPLOITÉE
ANTIPARASITÉE
DÉRÉGLEMENTÉE
SOUS-ALIMENTÉE
CONTREPLAQUÉE
CONTRE-BRAQUÉE
PALMATISÉQUÉE
DIAGNOSTIQUÉE
DÉSINTOXIQUÉE
CONTREMARQUÉE
DÉMULTIPLEXÉE
CONTREPLACAGE
VILLERS-BOCAGE
CALORIFUGEAGE
TÉLÉAFFICHAGE
BACTÉRIOPHAGE
ANTHROPOPHAGE
RÉTROPÉDALAGE
EMBOUTEILLAGE
ÉCRABOUILLAGE
THERMOCOLLAGE
THERMOFORMAGE
ÉBOURGEONNAGE
HORTILLONNAGE
GRAVILLONNAGE
COMPAGNONNAGE
MAQUIGNONNAGE
SAUCISSONNAGE
ŒILLETONNAGE
RÉÉQUILIBRAGE
DÉPOUSSIÉRAGE
RADIOREPÉRAGE
CHRONOMÉTRAGE
CHARLES LE SAGE
MARCHANDISAGE
RADIOBALISAGE
ÉCLAIRCISSAGE
DÉGAUCHISSAGE
RÉCHAMPISSAGE
DÉGROSSISSAGE
APPRENTISSAGE
DESSERTISSAGE
CONVERTISSAGE
ÉBOUILLANTAGE
CAOUTCHOUTAGE
HYDROCRAQUAGE
ENCAUSTIQUAGE
BOULES-DE-NEIGE
LORRAINE BELGE
MACROSPORANGE
MICROSPORANGE
RHINO-PHARYNGÉ
RIESENGEBIRGE

SOUTIENS-GORGE
JUVISY-SUR-ORGE
SAINT-EUSTACHE
ANNE D'AUTRICHE
JUAN D'AUTRICHE
BASSE-AUTRICHE
HAUTE-AUTRICHE
RUSSIE BLANCHE
MAISON-BLANCHE
ELSTER BLANCHE
ABRI-SOUS-ROCHE
TOURNE-À-GAUCHE
BOUCHE-À-BOUCHE
CROQUEMBOUCHE
ATTRAPE-MOUCHE
À TOUCHE-TOUCHE
PROFILOGRAPHE
OSCILLOGRAPHE
DACTYLOGRAPHE
SPECTROGRAPHE
ÉNANTIOMORPHE
DERMATOGLYPHE
PLATHELMINTHE
PAPIER-MONNAIE
CHÂTAIGNERAIE
GERMANOPHOBIE
CANCÉROPHOBIE
ÉRYTHROPHOBIE
PARAPHARMACIE
STREPTOCOCCIE
ORNITHOMANCIE
ARITHMOMANCIE
CIRCONSTANCIÉ
DÉDIFFÉRENCIÉ
INDIFFÉRENCIÉ
CRYPTORCHIDIE
HYPOTHYROÏDIE
SAINTE-PÉLAGIE
PRÉCORDIALGIE
PÉRINATALOGIE
PHARMACOLOGIE
PALÉOÉCOLOGIE
HYDROGÉOLOGIE
PHOTOGÉOLOGIE
SOCIOBIOLOGIE
RADIOBIOLOGIE
ETHNOBIOLOGIE
MICROBIOLOGIE
NEUROBIOLOGIE
ÉPIDÉMIOLOGIE
BACTÉRIOLOGIE
ONOMASIOLOGIE
ECCLÉSIOLOGIE
INFECTIOLOGIE
ÉPISTÉMOLOGIE
OPHTALMOLOGIE
DELPHINOLOGIE

ANTHROPOLOGIE
TRAUMATOLOGIE
DIALECTOLOGIE
PARASITOLOGIE
PALÉONTOLOGIE
CRYOCHIRURGIE
GIGANTOMACHIE
STRATIGRAPHIE
SCINTIGRAPHIE
PHLÉBOGRAPHIE
MUSICOGRAPHIE
LEXICOGRAPHIE
CHALCOGRAPHIE
BIOGÉOGRAPHIE
ZOOGÉOGRAPHIE
LYMPHOGRAPHIE
BIBLIOGRAPHIE
AMPÉLOGRAPHIE
THERMOGRAPHIE
MÉCANOGRAPHIE
OCÉANOGRAPHIE
SÉLÉNOGRAPHIE
CORONOGRAPHIE
POLAROGRAPHIE
ARTHROGRAPHIE
CRYPTOGRAPHIE
PLÉSIOMORPHIE
SYNAPOMORPHIE
HÉTÉROMORPHIE
CHRESTOMATHIE
ARTÉRIOPATHIE
CARDIOMÉGALIE
SPLÉNOMÉGALIE
HÉPATOMÉGALIE
MACROCÉPHALIE
MICROCÉPHALIE
HYDROCÉPHALIE
SYRINGOMYÉLIE
COLOMBOPHILIE
ORNITHOPHILIE
AQUARIOPHILIE
GERMANOPHILIE
HALTÉROPHILIE
GÉRONTOPHILIE
MANTES-LA-JOLIE
HYPERCALCÉMIE
HYPERGLYCÉMIE
HYPERKALIÉMIE
HYPERNATRÉMIE
TACHYARYTHMIE
PHYSICO-CHIMIE
ÉLECTROCHIMIE
MAGNÉTOCHIMIE
MACROÉCONOMIE
MICROÉCONOMIE
QUADRICHROMIE
LARYNGECTOMIE

ARTÉRIECTOMIE
HYSTÉRECTOMIE
URÉTÉROSTOMIE
ÉRYTHRODERMIE
CALCIOTHERMIE
ANTHROPONYMIE
TRANSJORDANIE
MORPHINOMANIE
PSYCHASTHÉNIE
SCHIZOPHRÉNIE
SPERMATOGONIE
POLYEMBRYONIE
AROMATHÉRAPIE
CURIETHÉRAPIE
COBALTHÉRAPIE
OLIGOTHÉRAPIE
FANGOTHÉRAPIE
SOCIOTHÉRAPIE
RADIOTHÉRAPIE
HÉLIOTHÉRAPIE
GEMMOTHÉRAPIE
SISMOTHÉRAPIE
CRÉNOTHÉRAPIE
HYDROTHÉRAPIE
ONIROTHÉRAPIE
PHOTOTHÉRAPIE
PHYTOTHÉRAPIE
LARYNGOSCOPIE
BRONCHOSCOPIE
ÉBULLIOSCOPIE
DACTYLOSCOPIE
HYSTÉROSCOPIE
SPECTROSCOPIE
PHILANTHROPIE
HYPERMÉTROPIE
ALPHONSE-MARIE
LA QUEUE-EN-BRIE
TOURNAN-EN-BRIE
HALTE-GARDERIE
SAISIE-GAGERIE
PLEURNICHERIE
QUINCAILLERIE
FRIPOUILLERIE
COURTISANERIE
CHARLATANERIE
PAVILLONNERIE
CHAUDRONNERIE
SALAISONNERIE
POLISSONNERIE
SECRÉTAIRERIE
BLANCHISSERIE
CYANOBACTÉRIE
CONTREPÈTERIE
PASSEMENTERIE
HERBORISTERIE
FANTASMAGORIE
NÉPHÉLÉMÉTRIE

HYDROTIMÉTRIE
ÉBULLIOMÉTRIE
GRANULOMÉTRIE
TRIGONOMÉTRIE
HYSTÉROMÉTRIE
PSYCHROMÉTRIE
ÉLECTROMÉTRIE
SPECTROMÉTRIE
MAGNÉTOMÉTRIE
SENSITOMÉTRIE
AGRO-INDUSTRIE
TRANSCAUCASIE
JARGONAPHASIE
IDIOSYNCRASIE
BRONCHECTASIE
HYPERESTHÉSIE
PSYCHOKINÉSIE
DISCOURTOISIE
PROSOPAGNOSIE
ASTÉRÉOGNOSIE
ASOMATOGNOSIE
ACHROMATOPSIE
HAILÉ SÉLASSIÉ
GÉRONTOCRATIE
THERMOCLASTIE
ARTHROPLASTIE
KÉRATOPLASTIE
DIGITOPLASTIE
LE POIRÉ-SUR-VIE
THANATOPRAXIE
GREAT SALT LAKE
ANTISYNDICALE
HYDROFILICALE
ANTICLÉRICALE
AGRAMMATICALE
SOUS-CORTICALE
ÉPICYCLOÏDALE
INTERCOTIDALE
MYÉLENCÉPHALE
RHINENCÉPHALE
PROSENCÉPHALE
TRICHOCÉPHALE
BRACHYCÉPHALE
MÉDICO-SOCIALE
PSYCHOSOCIALE
POSTPRANDIALE
CONSISTORIALE
BOURGEOISIALE
CANTHARELLALE
HYDROTHERMALE
LONGITUDINALE
TRANSLUMINALE
ANTINATIONALE
ANTICYCLONALE
INTERSIDÉRALE
HYDROMINÉRALE
PLURILATÉRALE

MULTILATÉRALE
PRÉÉLECTORALE
AGROPASTORALE
INTERDIGITALE
BUCCO-GÉNITALE
EXPÉRIMENTALE
INSTRUMENTALE
MONOPARENTALE
CONJONCTIVALE
IMPERTURBABLE
IRREMPLAÇABLE
IMPRONONÇABLE
BIODÉGRADABLE
RECOMMANDABLE
RACCOMMODABLE
IMPARTAGEABLE
INÉCHANGEABLE
INTERROGEABLE
SEMI-PERMÉABLE
INDÉFRICHABLE
IRRÉPROCHABLE
INAPPROCHABLE
INAPPRÉCIABLE
PRÉJUDICIABLE
INDISSOCIABLE
INQUALIFIABLE
INFALSIFIABLE
INJUSTIFIABLE
INCONCILIABLE
VRAISEMBLABLE
INASSIMILABLE
INDÉMAILLABLE
INCONTRÔLABLE
ININFLAMMABLE
INCONSOMMABLE
TRANSFORMABLE
CONTRAIGNABLE
INDÉRACINABLE
DISCIPLINABLE
IMPARDONNABLE
ÉMULSIONNABLE
DÉRAISONNABLE
INDISCERNABLE
INGOUVERNABLE
IRRATTRAPABLE
AUTORÉPARABLE
INDÉNOMBRABLE
IRRÉCUPÉRABLE
INDÉMONTRABLE
ENREGISTRABLE
COMMENSURABLE
IRRÉCOUVRABLE
GÉNÉRALISABLE
CAPITALISABLE
DÉMOBILISABLE
VOLATILISABLE
INORGANISABLE

APPRIVOISABLE	RHIZOFLAGELLÉ	**PHILIPPEVILLE**
IMPOLARISABLE	PRÉJUDICIELLE	RECROQUEVILLÉ
POLYMÉRISABLE	SACRIFICIELLE	**CONTREXÉVILLE**
SYNTHÉTISABLE	SUPERFICIELLE	SIHANOUKVILLE
INDISPENSABLE	CICATRICIELLE	**CREYS-MALVILLE**
CORESPONSABLE	CARACTÉRIELLE	**AUBERGENVILLE**
IRRESPONSABLE	MINISTÉRIELLE	**GOUSSAINVILLE**
INSURPASSABLE	TRIMESTRIELLE	**PORT-JOINVILLE**
FRANCHISSABLE	SUBSTANTIELLE	**JEANNE LA FOLLE**
INGUÉRISSABLE	RÉSIDENTIELLE	RÉTROCONTRÔLE
INSAISISSABLE	DÉSINENTIELLE	**MINO DA FIESOLE**
INCONSTATABLE	EXPONENTIELLE	CONTRE-EXEMPLE
INCROCHETABLE	RÉFÉRENTIELLE	**BRIÈRE DE L'ISLE**
INTERPRÉTABLE	PÉNITENTIELLE	**ROUGET DE LISLE**
RÉHABILITABLE	EXISTENTIELLE	**AMADIS DE GAULE**
INEXPLOITABLE	FRÉQUENTIELLE	MACROMOLÉCULE
REPRÉSENTABLE	OCCASIONNELLE	SUPERMOLÉCULE
INSURMONTABLE	DÉCISIONNELLE	ANTIPARTICULE
INCONFORTABLE	RÉVISIONNELLE	**CHALCOCONDYLE**
INSUPPORTABLE	RELATIONNELLE	MÉGALÉRYTHÈME
TRANSPORTABLE	IRRATIONNELLE	IMMUNODÉPRIMÉ
INCONTESTABLE	RÉACTIONNELLE	QUINQUAGÉSIME
INDÉCROTTABLE	FRACTIONNELLE	GÉNÉRALISSIME
ÉLECTROFAIBLE	FRICTIONNELLE	ILLUSTRISSIME
IMMARCESCIBLE	FONCTIONNELLE	**SEINE-MARITIME**
IMPUTRESCIBLE	ADDITIONNELLE	BLOC-DIAGRAMME
INTRADUISIBLE	IMPERSONNELLE	VALENCE-GRAMME
RÉPRÉHENSIBLE	SEMPITERNELLE	ANTIBIOGRAMME
SUPRASENSIBLE	**AIX-LA-CHAPELLE**	OSCILLOGRAMME
ULTRASENSIBLE	**ARS-SUR-MOSELLE**	DACTYLOGRAMME
EXTRASENSIBLE	**BOULAY-MOSELLE**	SOUS-PROGRAMME
PHOTOSENSIBLE	LAVE-VAISSELLE	SPECTROGRAMME
HYPERSENSIBLE	SACRAMENTELLE	RÉFLEXOGRAMME
INSUBMERSIBLE	PLURIANNUELLE	MERCUROCHROME
IRRÉPRESSIBLE	AUDIOVISUELLE	PŒCILOTHERME
TRANSMISSIBLE	CONTRACTUELLE	POÏKILOTHERME
BIOCOMPATIBLE	CONFLICTUELLE	**CONTRE-RÉFORME**
IMPERFECTIBLE	INSTINCTUELLE	PÉLÉCANIFORME
IMPRÉDICTIBLE	TRANSSEXUELLE	SERPENTIFORME
RECONDUCTIBLE	PERCE-MURAILLE	GARDE-CHIOURME
REPRODUCTIBLE	DÉBROUSSAILLÉ	ERGASTOPLASME
CONSTRUCTIBLE	EMBROUSSAILLÉ	SEMI-NOMADISME
IMPERCEPTIBLE	**CÔTE VERMEILLE**	TIERS-MONDISME
PRESCRIPTIBLE	SALSEPAREILLE	AVANT-GARDISME
INCORRUPTIBLE	VIDE-BOUTEILLE	SIMULTANÉISME
INCONVERTIBLE	DEMI-BOUTEILLE	PSYCHOLOGISME
INCOMBUSTIBLE	LANCE-TORPILLE	JE-M'EN-FICHISME
INEXTINGUIBLE	DÉSENTORTILLÉ	MÉTAMORPHISME
ROBERT LE NOBLE	TIERCEFEUILLE	ENDOMORPHISME
CRAPAUD-BUFFLE	**TOURNEFEUILLE**	HOMOMORPHISME
FREI RUIZ-TAGLE	CHÈVREFEUILLE	AUTOMORPHISME
BOURBON-SICILE	QUINTEFEUILLE	POLYMORPHISME
ANTHROPOPHILE	PORTE-AIGUILLE	HYPERRÉALISME
ACRYLONITRILE	CANNE-BÉQUILLE	TRIOMPHALISME
INTERQUARTILE	**VICTORIAVILLE**	PICTORIALISME
ADAM DE LA HALLE	**MANTES-LA-VILLE**	ESSENTIALISME
PHYTOFLAGELLÉ	**DRUMMONDVILLE**	PERSONNALISME

ÉPISCOPALISME
BICAMÉRALISME
ÉLECTORALISME
COMMENSALISME
UNIVERSALISME
SUCCURSALISME
DIALECTALISME
SPIRITUALISME
AÉROMODÉLISME
ARISTOTÉLISME
MACHIAVÉLISME
MISÉRABILISME
MERCANTILISME
SOMNAMBULISME
NOCTAMBULISME
AÉRODYNAMISME
TRANSFORMISME
PYROMÉCANISME
CONFUCIANISME
PALLADIANISME
ZWINGLIANISME
SABELLIANISME
NESTORIANISME
KEYNÉSIANISME
CARTÉSIANISME
CHRISTIANISME
PANGERMANISME
CHARLATANISME
PHILISTINISME
NÉODARWINISME
RÉVISIONNISME
DIVISIONNISME
ILLUSIONNISME
CRÉATIONNISME
NÉGATIONNISME
MUTATIONNISME
FRACTIONNISME
PARACHRONISME
ASYNCHRONISME
NÉOPLATONISME
NÉOCOMMUNISME
PHOTOTROPISME
TOTALITARISME
HUMANITARISME
AUTORITARISME
MONOCAMÉRISME
THÉOCENTRISME
ALLOCENTRISME
EUROCENTRISME
POLYCENTRISME
CYCLOTOURISME
HYDRARGYRISME
MITHRIDATISME
HIPPOCRATISME
ORTHOSTATISME
CONSERVATISME
PHOTOTACTISME

DIAMAGNÉTISME
GÉOMAGNÉTISME
BIOMAGNÉTISME
AUTOCINÉTISME
ANTISÉMITISME
PÉRISTALTISME
PRÉROMANTISME
CONSONANTISME
OBSCURANTISME
DILETTANTISME
PLURIPARTISME
MULTIPARTISME
TRANSVESTISME
JE-M'EN-FOUTISME
MONOLINGUISME
SUBJECTIVISME
COLLECTIVISME
PRODUCTIVISME
STAKHANOVISME
BOIS-GUILLAUME
BENOÎT D'ANIANE
PRUSSE-RHÉNANE
PASSE-CRASSANE
JEAN DAMASCÈNE
ROMAIN DIOGÈNE
COCARCINOGÈNE
HALLUCINOGÈNE
AGGLUTINOGÈNE
POLYBUTADIÈNE
POLYPROPYLÈNE
MANUEL COMNÈNE
ALEXIS COMNÈNE
ÉMILIE-ROMAGNE
DOL-DE-BRETAGNE
MUR-DE-BRETAGNE
PASSE-MONTAGNE
CESSON-SÉVIGNÉ
GRÂCE-HOLLOGNE
SUD-AMÉRICAINE
SUD-AMÉRICAINE
PANAMÉRICAINE
PANAMÉRICAINE
NORD-AFRICAINE
NORD-AFRICAINE
CALEMBREDAINE
ÉLISABÉTHAINE
ILLE-ET-VILAINE
BASSE-GOULAINE
MESLAY-DU-MAINE
MARTIGNERAINE
BAIERIVERAINE
CONTEMPORAINE
LA SOUTERRAINE
LAVANDOURAINE
BELLOPRATAINE
SINO-TIBÉTAINE
CROQUE-MITAINE

CHAUDFONTAINE
VILLEFONTAINE
BORNE-FONTAINE
BELLIFONTAINE
BELLIFONTAINE
PÉTRIFONTAINE
ROMEUFONTAINE
ULTRAMONTAINE
SPIRIPONTAINE
MUSSIPONTAINE
MUSSIPONTAINE
ROQUECOURBINE
PHENCYCLIDINE
LE MÉE-SUR-SEINE
TRIEL-SUR-SEINE
FLINS-SUR-SEINE
VITRY-SUR-SEINE
MUSSY-SUR-SEINE
GLYCOPROTÉINE
NORADRÉNALINE
ACÉTYLCHOLINE
MARIE-CAROLINE
CATÉCHOLAMINE
HYDROXYLAMINE
CONTRE-HERMINE
SAINTE-HERMINE
SÉRUMALBUMINE
PHÉNYLALANINE
CIRCONVOISINE
GRISÉOFULVINE
TÉTRODOTOXINE
PHÉNOTHIAZINE
POLYURÉTHANNE
SAINTE-SUZANNE
MONTÉVIDÉENNE
NIETZSCHÉENNE
SAINT-CÉRÉENNE
HYPERBORÉENNE
MIRAMASSÉENNE
AURIGNACIENNE
AURIGNACIENNE
LATIGNACIENNE
TABERNACIENNE
SOJALDICIENNE
ACADÉMICIENNE
PLATONICIENNE
COPERNICIENNE
RHÉTORICIENNE
ÉLECTRICIENNE
MERCATICIENNE
ESTHÉTICIENNE
PHONÉTICIENNE
DIÉTÉTICIENNE
QUALITICIENNE
COGNITICIENNE
SÉMANTICIENNE
SÉMIOTICIENNE

LOGISTICIENNE	GRAMMAIRIENNE	BOURGUIGNONNE
BALISTICIENNE	SALVADORIENNE	**BOURGUIGNONNE**
ACOUSTICIENNE	**SALVADORIENNE**	**TARN-ET-GARONNE**
LONGOVICIENNE	**CASTÉLORIENNE**	**GRAND-COURONNE**
CAPPADOCIENNE	**NÉOCASTRIENNE**	**PETIT-COURONNE**
CAPPADOCIENNE	ZOROASTRIENNE	**SUISSE SAXONNE**
SAINT-LUCIENNE	**BUJUMBURIENNE**	PENTADÉCAGONE
ROSICRUCIENNE	HYPONEURIENNE	PENTÉDÉCAGONE
TRINIDADIENNE	**VILLEMURIENNE**	DIALECTOPHONE
TRINIDADIENNE	**DEUX-SÉVRIENNE**	ANTHRAQUINONE
SÉLESTADIENNE	SAINT-CYRIENNE	**LAGNY-SUR-MARNE**
ARCHIMÉDIENNE	**SAINT-CYRIENNE**	NAVIRE-CITERNE
CLITORIDIENNE	**GUIPAVASIENNE**	CAMION-CITERNE
BIQUOTIDIENNE	MICRONÉSIENNE	BATEAU-CITERNE
GARIBALDIENNE	**MICRONÉSIENNE**	**MANUCE LE JEUNE**
CLODOALDIENNE	**CAUTERÉSIENNE**	**TESSIN LE JEUNE**
MÉNEHILDIENNE	**LANGEAISIENNE**	**MOREAU LE JEUNE**
DOLCHARDIENNE	RABELAISIENNE	**JEAN LE FORTUNÉ**
SANCLAUDIENNE	**VOUGLAISIENNE**	MONNAIE-DU-PAPE
ŒSOPHAGIENNE	**SAVENAISIENNE**	OPHTALMOSCOPE
MONTÉRÉGIENNE	**TOURNAISIENNE**	TROMBINOSCOPE
CAROLINGIENNE	**BEAUVAISIENNE**	TACHISTOSCOPE
MÉROVINGIENNE	**LANDIVISIENNE**	CHAUSSE-TRAPPE
MONTROUGIENNE	**CALVADOSIENNE**	**LOUIS-PHILIPPE**
APPALACHIENNE	MÉTATARSIENNE	SOUS-DÉVELOPPÉ
GUATÉMALIENNE	**CARACASSIENNE**	**AUBERT DE GASPÉ**
SURRÉNALIENNE	**VALRÉASSIENNE**	DAGUERRÉOTYPE
VÉNÉZUÉLIENNE	**ANNEMASSIENNE**	**SAINT-SÉPULCRE**
VÉNÉZUÉLIENNE	**ALBENASSIENNE**	SENESTROCHÈRE
BARBEZILIENNE	**WIMEREUSIENNE**	ASTHÉNOSPHÈRE
MONTCELLIENNE	**MONTREUSIENNE**	MAGNÉTOSPHÈRE
FUMEROLLIENNE	**LAMALOUSIENNE**	PERMANENCIÈRE
STROMBOLIENNE	**HERBLAYSIENNE**	CONFÉRENCIÈRE
BOURBOULIENNE	**CHESNAYSIENNE**	BOULEVARDIÈRE
MAURITANIENNE	**FRESNOYSIENNE**	**BELLE CORDIÈRE**
MAURITANIENNE	**QUESNOYSIENNE**	QUINCAILLIÈRE
MAGDALÉNIENNE	TRIBUNITIENNE	**LA VERPILLIÈRE**
GIROMAGNIENNE	**AQUATINTIENNE**	AVANT-PREMIÈRE
ENDOCRINIENNE	**MIRECURTIENNE**	ANNÉES-LUMIÈRE
PALESTINIENNE	LILLIPUTIENNE	PORCELAINIÈRE
PALESTINIENNE	**HAGUENOVIENNE**	PORTE-BANNIÈRE
AUGUSTINIENNE	**PORTO-NOVIENNE**	CHAUDRONNIÈRE
NAPOLÉONIENNE	**AIXE-SUR-VIENNE**	AVANT-DERNIÈRE
PROUDHONIENNE	**COURNEUVIENNE**	GARDE-BARRIÈRE
MARATHONIENNE	**COTTERÉZIENNE**	PAUSE-CARRIÈRE
CALIFORNIENNE	**COMMENTRYENNE**	SOUS-VENTRIÈRE
CALIFORNIENNE	TIRE-BOUCHONNÉ	PASSEMENTIÈRE
PRÉŒDIPIENNE	APPROVISIONNÉ	CRÉDIRENTIÈRE
MÉTACARPIENNE	REDIMENSIONNÉ	ARTICHAUTIÈRE
SUBSAHARIENNE	DÉSILLUSIONNÉ	PRIMESAUTIÈRE
PROLÉTARIENNE	DÉCONDITIONNÉ	**GRANDE RIVIÈRE**
JEAN DE BRIENNE	INCONDITIONNÉ	GARDES-RIVIÈRE
PRÉCAMBRIENNE	RÉQUISITIONNÉ	**ROCHESERVIÈRE**
VANDOPÉRIENNE	MANUTENTIONNÉ	STÉRÉO-ISOMÈRE
LANESTÉRIENNE	DÉCAVAILLONNÉ	PHOTOPOLYMÈRE
FINISTÉRIENNE	ÉCHANTILLONNÉ	**SÉNÈQUE LE PÈRE**
PITHIVÉRIENNE	STATUE-COLONNE	CHÉLEUTOPTÈRE

TRACHÉE-ARTÈRE
SULPICE SÉVÈRE
HENRI LE SÉVÈRE
SEPTIME SÉVÈRE
PISSE-VINAIGRE
DISCOTHÉCAIRE
INTERBANCAIRE
HÉMORROÏDAIRE
RÉCIPIENDAIRE
ANTINUCLÉAIRE
MONONUCLÉAIRE
POLYNUCLÉAIRE
JUXTALINÉAIRE
MATRILINÉAIRE
PATRILINÉAIRE
RECTILINÉAIRE
MULTILINÉAIRE
PÉRIGLACIAIRE
NIVO-GLACIAIRE
SOUS-GLACIAIRE
POSTGLACIAIRE
INTERMÉDIAIRE
PÉNITENTIAIRE
EXTRASCOLAIRE
QUADRIPOLAIRE
CIRCUMPOLAIRE
AQUATUBULAIRE
SPECTACULAIRE
VENTRICULAIRE
INTRAOCULAIRE
CRÉPUSCULAIRE
CORPUSCULAIRE
RECTANGULAIRE
UNICELLULAIRE
PROCONSULAIRE
QUADRAGÉNAIRE
SEPTUAGÉNAIRE
MONOCATÉNAIRE
QUARANTENAIRE
TRICENTENAIRE
VALÉTUDINAIRE
DISCIPLINAIRE
TAMBOURINAIRE
RELIGIONNAIRE
GANGLIONNAIRE
DÉCISIONNAIRE
DIVISIONNAIRE
RÉACTIONNAIRE
FRACTIONNAIRE
FONCTIONNAIRE
PÉTITIONNAIRE
QUESTIONNAIRE
ALLUVIONNAIRE
PAVILLONNAIRE
ADJUDICATAIRE
SOUS-LOCATAIRE
COMMENDATAIRE

CONCORDATAIRE
RENONCIATAIRE
CONSIGNATAIRE
CONTESTATAIRE
PROTESTATAIRE
SAINT-NECTAIRE
SAINT-NECTAIRE
PLÉBISCITAIRE
COMMANDITAIRE
PARAMILITAIRE
UNIVERSITAIRE
BUCCO-DENTAIRE
SACRAMENTAIRE
TESTAMENTAIRE
RÉGLEMENTAIRE
PARLEMENTAIRE
VESTIMENTAIRE
COMMUNAUTAIRE
DISTRIBUTAIRE
PLASMOCYTAIRE
USUFRUCTUAIRE
AÉROPORTUAIRE
HERTFORDSHIRE
PATTE-MÂCHOIRE
AUREC-SUR-LOIRE
MEUNG-SUR-LOIRE
SULLY-SUR-LOIRE
MONTAGNE NOIRE
PURIFICATOIRE
CONFISCATOIRE
CONCILIATOIRE
PROPITIATOIRE
DÉAMBULATOIRE
ARTICULATOIRE
INFLAMMATOIRE
ANTICIPATOIRE
DÉLIBÉRATOIRE
RÉMUNÉRATOIRE
PRÉOPÉRATOIRE
COMPENSATOIRE
AUSCULTATOIRE
STERNUTATOIRE
CONSERVATOIRE
PROTOHISTOIRE
PINCE-SANS-RIRE
CHROMATOPHORE
SPERMATOPHORE
PNEUMATOPHORE
CÔTE-DE-BEAUPRÉ
POMMES DE TERRE
JEAN SANS TERRE
MIDI DE BIGORRE
LAISSER-COURRE
LAISSÉS-COURRE
LIVING THEATRE
APPLAUDIMÈTRE
SACCHARIMÈTRE

POTENTIOMÈTRE
TROUILLOMÈTRE
OPHTALMOMÈTRE
ACCÉLÉROMÈTRE
RÉFRACTOMÈTRE
DOUBLE-FENÊTRE
CONTRE-FENÊTRE
TRANSPARAÎTRE
AÉROTERRESTRE
PRÉENREGISTRÉ
LAMELLIROSTRE
RETRANSMETTRE
KILOWATTHEURE
DUPONT DE L'EURE
ENCHEVAUCHURE
COLLATIONNURE
TÉTRACHLORURE
ANTISALISSURE
PRIMOGÉNITURE
CONTRE-CULTURE
ASTACICULTURE
HÉLICICULTURE
SÉRICICULTURE
OSTRÉICULTURE
TRUFFICULTURE
MYTILICULTURE
POPULICULTURE
AGRUMICULTURE
OSIÉRICULTURE
ARBORICULTURE
PLASTICULTURE
TRUTTICULTURE
SIMILIGRAVURE
MEHUN-SUR-YÈVRE
PÉNICILLINASE
OSTÉOSYNTHÈSE
PHOTOSYNTHÈSE
SYNOVIORTHÈSE
THROMBOPOÏÈSE
ÉRYTHROPOÏÈSE
CARCINOGENÈSE
CANCÉROGENÈSE
PLASMAPHÉRÈSE
SAINTE-THÉRÈSE
CASABLANCAISE
INDE FRANÇAISE
CHANCELADAISE
NÉO-ZÉLANDAISE
NÉO-ZÉLANDAISE
GROENLANDAISE
SAINTONGEAISE
MONDEVILLAISE
DOUDEVILLAISE
SOTTEVILLAISE
BEUZEVILLAISE
BLAINVILLAISE
HÉROUVILLAISE

FOUGEROLLAISE COURSEULLAISE BRÉTIGNOLAISE MONTALBANAISE MONTALBANAISE CASTELLANAISE GRADIGNANAISE PERPIGNANAISE AVRANCHINAISE MORBIHANNAISE LILLEBONNAISE BRIANÇONNAISE TALANÇONNAISE JURANÇONNAISE TARASCONNAISE ARCACHONNAISE ESPALIONNAISE WASSELONNAISE GUEUGNONNAISE QUIBERONNAISE ORMESSONNAISE AUBUSSONNAISE ARGENTONNAISE LONGUYONNAISE VAL-DE-MARNAISE SÈVRE NANTAISE FOUESNANTAISE CONFOLENTAISE HENNEBONTAISE OUTREMONTAISE WESTMOUNTAISE ROCHEFORTAISE HAUTEFORTAISE MARTINIQUAISE MARTINIQUAISE TONNEINQUAISE SURMÉDICALISÉ COMMERCIALISÉ DÉMATÉRIALISÉ INDUSTRIALISÉ DÉCRIMINALISÉ DÉNATIONALISÉ OCCIDENTALISÉ INDIVIDUALISÉ CONCEPTUALISÉ DÉCULPABILISÉ VULNÉRABILISÉ DÉCRÉDIBILISÉ DÉSENSIBILISÉ INSENSIBILISÉ RECRISTALLISÉ DÉSYNCHRONISÉ BUSSY D'AMBOISE BARSURAUBOISE FLORENSACOISE CLÉGUÉRECOISE SASSENAGEOISE

GANDRANGEOISE FRIBOURGEOISE HAMBOURGEOISE COMBOURGEOISE HOMBOURGEOISE VILLEJUIFOISE PHNOMPENHOISE SCHIRMECKOISE SHERBROOKOISE NEUCHÂTELOISE NEUCHÂTELOISE SAINT-GALLOISE APPENZELLOISE SAINT-GILLOISE BONNEUILLOISE JULIEVILLOISE BELLEVILLOISE BONNEVILLOISE LIBREVILLOISE MANTEVILLOISE HAUTEVILLOISE BLAINVILLOISE THIONVILLOISE CHIBOUGAMOISE BISCHHEIMOISE STOCKHOLMOISE REPENTIGNOISE CARTHAGINOISE CARTHAGINOISE CASTELLINOISE BERTHEVINOISE HAUT-VIENNOISE TOURQUENNOISE ROQUEBRUNOISE BEAUCHAMPOISE CHAMALIÉROISE ARGENTIÉROISE ARMENTIÉROISE ROQUEVAIROISE CASTELVIROISE MONTMARTROISE ROQUEMAUROISE LE GARDEUROISE BÉCANCOUROISE AUVERS-SUR-OISE NOGENT-SUR-OISE AIGUEPERSOISE GARGILESSOISE MORANGISSOISE NOBELTUSSOISE DIEULEFITOISE FRANC-COMTOISE FRANC-COMTOISE VILLEPINTOISE MAGNYMONTOISE HÉRICOURTOISE ÉLANCOURTOISE

BEAUCOURTOISE GUINGUETTOISE COPENHAGUOISE CHÂTEAUGUOISE AUDRUICQUOISE VILLENEUVOISE PARTICULARISÉ REVASCULARISÉ LAURIER-CERISE TRANSISTORISÉ TECHNOCRATISÉ BUREAUCRATISÉ DONNEAU DE VISÉ RADIOTÉLÉVISÉ COUPON-RÉPONSE CARTES-RÉPONSE ÉCHINOCOCCOSE MUCOVISCIDOSE PAS-GRAND-CHOSE SPOROTRICHOSE CYPHOSCOLIOSE PNEUMOCONIOSE PASTEURELLOSE COLIBACILLOSE DIVERTICULOSE ÉLECTRO-OSMOSE CRANIOSTÉNOSE HYDRONÉPHROSE PSEUDARTHROSE AMPHIARTHROSE TRÉPONÉMATOSE CHONDROMATOSE PNEUMOCYSTOSE DRÉPANOCYTOSE ARCHIDUCHESSE BOURG-EN-BRESSE SAINTE-ADRESSE ENCHANTERESSE CHÂSSIS-PRESSE SOUS-MAÎTRESSE INDÉLICATESSE BOUILLABAISSE HAUT-DE-CHAUSSE RACCOMMODEUSE CENTRIFUGEUSE PLEURNICHEUSE COQUELUCHEUSE RÉVÉRENCIEUSE PARCIMONIEUSE INHARMONIEUSE PHOTOCOPIEUSE RAVITAILLEUSE ÉCRIVAILLEUSE GRIBOUILLEUSE BARBOUILLEUSE BREDOUILLEUSE VADROUILLEUSE

CHATOUILLEUSE
ANTIVENIMEUSE
ANTIVÉNÉNEUSE
ENTREPRENEUSE
INTRAVEINEUSE
PROTÉAGINEUSE
MUCILAGINEUSE
TAMBOURINEUSE
BARAGOUINEUSE
SHAMPOUINEUSE
ENQUIQUINEUSE
BADIGEONNEUSE
QUESTIONNEUSE
PAPILLONNEUSE
CARILLONNEUSE
EMPOISONNEUSE
AUTO-STOPPEUSE
ANTIULCÉREUSE
PRÉCANCÉREUSE
ENREGISTREUSE
STRIP-TEASEUSE
THÉSAURISEUSE
BLANCHISSEUSE
ENCHÉRISSEUSE
INVESTISSEUSE
EMBOUTISSEUSE
ÉRYTHÉMATEUSE
TÉLÉACHETEUSE
ANTHRACITEUSE
BOURSICOTEUSE
TRANSPORTEUSE
ENTREMETTEUSE
BOURLINGUEUSE
PIQUE-NIQUEUSE
PRÉSOMPTUEUSE
HÉLIOGRAVEUSE
INTERVIEWEUSE
POLYTRANSFUSÉ
ANTÉHYPOPHYSE
POSTHYPOPHYSE
PARODONTOLYSE
HYDROSILICATE
CYANOACRYLATE
POLYCARBONATE
INTERCONNECTÉ
BASIDIOMYCÈTE
GASTÉROMYCÈTE
CONTRE-SOCIÉTÉ
QUOTIDIENNETÉ
LAMPES-TEMPÊTE
ULTRAPROPRETÉ
CONTRE-ENQUÊTE
SCIENTIFICITÉ
VASOMOTRICITÉ
TRANSLUCIDITÉ
SUPERFLUIDITÉ
HERMAPHRODITE

HERMAPHRODITE
CITÉ INTERDITE
INSTANTANÉITÉ
HÉTÉROGÉNÉITÉ
CHÂTEAU-LAFITE
HYPOPHOSPHITE
PARAFISCALITÉ
IMMATÉRIALITÉ
ORTHOGONALITÉ
IRRATIONALITÉ
INTEMPORALITÉ
MONUMENTALITÉ
HORIZONTALITÉ
INDIVIDUALITÉ
PARASEXUALITÉ
HOMOSEXUALITÉ
PRÉRAPHAÉLITE
HAUTE-FIDÉLITÉ
IMPROBABILITÉ
IMPLACABILITÉ
APPLICABILITÉ
SÉGRÉGABILITÉ
NÉGOCIABILITÉ
INVARIABILITÉ
INSATIABILITÉ
MOUILLABILITÉ
INVIOLABILITÉ
CALCULABILITÉ
IMPRIMABILITÉ
COMPARABILITÉ
VULNÉRABILITÉ
INEXORABILITÉ
PÉNÉTRABILITÉ
ACCEPTABILITÉ
PERMUTABILITÉ
INSOLVABILITÉ
INVINCIBILITÉ
INCRÉDIBILITÉ
INÉLIGIBILITÉ
INEXIGIBILITÉ
INTANGIBILITÉ
DISPONIBILITÉ
PRÉVISIBILITÉ
EXPANSIBILITÉ
INSENSIBILITÉ
EXTENSIBILITÉ
EXPLOSIBILITÉ
RÉVERSIBILITÉ
IMPASSIBILITÉ
ACCESSIBILITÉ
INCESSIBILITÉ
ADMISSIBILITÉ
IMPOSSIBILITÉ
COMPATIBILITÉ
DÉDUCTIBILITÉ
RÉDUCTIBILITÉ
DIGESTIBILITÉ

COMESTIBILITÉ
INAMOVIBILITÉ
INFLEXIBILITÉ
CONTRACTILITÉ
MINISATELLITE
ANTISATELLITE
SIMÉON STYLITE
PUSILLANIMITÉ
PIERRE L'ERMITE
NON-CONFORMITÉ
CLANDESTINITÉ
CONSANGUINITÉ
POSTMODERNITÉ
CONFRATERNITÉ
INOPPORTUNITÉ
PARTICULARITÉ
OVOVIVIPARITÉ
ARCHIMANDRITE
PYÉLONÉPHRITE
IMPÉCUNIOSITÉ
ANFRACTUOSITÉ
QUADRIPARTITE
HYALOCLASTITE
DACRYOCYSTITE
COURT-CIRCUITÉ
DISCONTINUITÉ
PROGRESSIVITÉ
ASSOCIATIVITÉ
COMMUTATIVITÉ
RADIOACTIVITÉ
RÉTROACTIVITÉ
HYPERACTIVITÉ
INTERACTIVITÉ
INAFFECTIVITÉ
CONJONCTIVITE
COMPÉTITIVITÉ
JURISCONSULTE
BRAINE-LE-COMTE
VAUX-LE-VICOMTE
OUTRECUIDANTE
TRANSCENDANTE
MALENTENDANTE
SURINTENDANTE
DÉCOURAGEANTE
ENCOURAGEANTE
COPARTAGEANTE
DÉSOBLIGEANTE
INSIGNIFIANTE
DÉMYSTIFIANTE
ANESTHÉSIANTE
BIENVEILLANTE
ÉMOUSTILLANTE
CROUSTILLANTE
DÉMAQUILLANTE
TRANSFORMANTE
ENTREPRENANTE
CONTREVENANTE

935

CONTRAIGNANTE	EFFERVESCENTE	PÉTROCHIMISTE
AIDE-SOIGNANTE	CONCUPISCENTE	PHYSIONOMISTE
DISCRIMINANTE	BIRÉFRINGENTE	TRANSFORMISTE
SOUS-DOMINANTE	SUBCONSCIENTE	CONGRÉGANISTE
ENQUIQUINANTE	QUADRIVALENTE	CONFUCIANISTE
ÉMULSIONNANTE	SANGUINOLENTE	PANGERMANISTE
PAPILLONNANTE	INEXPÉRIMENTÉ	SOUVERAINISTE
BOUILLONNANTE	COMPARTIMENTÉ	RÉVISIONNISTE
EMPOISONNANTE	SEMPERVIRENTE	DIVISIONNISTE
ANTIDÉTONANTE	INTERCURRENTE	SCISSIONNISTE
ANTIDÉRAPANTE	**TRIPLE-ENTENTE**	ILLUSIONNISTE
AUTOTREMPANTE	**PETITE-ENTENTE**	CRÉATIONNISTE
NON-COMPARANTE	VENTRIPOTENTE	RELATIONNISTE
PRÉPONDÉRANTE	INTERMITTENTE	MUTATIONNISTE
RÉCALCITRANTE	INCONSÉQUENTE	FRACTIONNISTE
SATISFAISANTE	LOCATION-VENTE	ANNEXIONNISTE
SYMPATHISANTE	PRÉCONTRAINTE	ACCORDÉONISTE
GÉNÉRALISANTE	**BELO HORIZONTE**	VIBRAPHONISTE
DÉMORALISANTE	EMBERLIFICOTÉ	ORTHOPHONISTE
NEUTRALISANTE	**RIVIÈRE-PILOTE**	ACCESSOIRISTE
ITALIANISANTE	RÉFÉRÉ-LIBERTÉ	RÉDEMPTORISTE
DÉPOLARISANTE	DESSUS-DE-PORTE	ASTROMÉTRISTE
DÉSODORISANTE	ÉRYTHROBLASTE	CARICATURISTE
DÉVALORISANTE	**CIUDAD DEL ESTE**	MOTS-CROISISTE
TRAUMATISANTE	CRUCIVERBISTE	SEMI-GROSSISTE
BOULEVERSANTE	VERBICRUCISTE	OBSCURANTISTE
EMBARRASSANTE	PROPAGANDISTE	ORTHODONTISTE
ÉTOURDISSANTE	TIERS-MONDISTE	CLARINETTISTE
DÉSOBÉISSANTE	AVANT-GARDISTE	JE-M'EN-FOUTISTE
ENRICHISSANTE	MINÉRALOGISTE	SUBJECTIVISTE
BLANCHISSANTE	PHYSIOLOGISTE	COLLECTIVISTE
VIEILLISSANTE	ENTOMOLOGISTE	PRODUCTIVISTE
RAMOLLISSANTE	TECHNOLOGISTE	STAKHANOVISTE
RAJEUNISSANTE	IMMUNOLOGISTE	VOITURES-POSTE
ASSOUPISSANTE	HÉMATOLOGISTE	ENTÉROPNEUSTE
AMAIGRISSANTE	ERPÉTOLOGISTE	**ERNEST-AUGUSTE**
ÉPAISSISSANTE	ODONTOLOGISTE	PSYCHANALYSTE
COMPATISSANTE	EMBRYOLOGISTE	AUTOCOUCHETTE
RETENTISSANTE	ICHTYOLOGISTE	PIQUE-ASSIETTE
DIVERTISSANTE	MÉTALLURGISTE	BRICK-GOÉLETTE
ÉPANOUISSANTE	JE-M'EN-FICHISTE	CYTOSQUELETTE
ASSERVISSANTE	TÉLÉGRAPHISTE	GRENOUILLETTE
DÉSHYDRATANTE	INFOGRAPHISTE	ULTRAVIOLETTE
DÉSINFECTANTE	HYPERRÉALISTE	**BARCELONNETTE**
INCAPACITANTE	TRIOMPHALISTE	BERGERONNETTE
REPRÉSENTANTE	ÉDITORIALISTE	FUME-CIGARETTE
DÉCONCERTANTE	DEMI-FINALISTE	**CASSE-NOISETTE**
RÉCONFORTANTE	PERSONNALISTE	LIVRE-CASSETTE
INCONSISTANTE	ÉLECTORALISTE	VIDÉOCASSETTE
FROUFROUTANTE	UNIVERSALISTE	RADIOCASSETTE
BÊTABLOQUANTE	SUCCURSALISTE	MICROCASSETTE
AUTOBRONZANTE	ANTINATALISTE	PIED-D'ALOUETTE
INCANDESCENTE	SPIRITUALISTE	LANCE-ROQUETTE
RECRUDESCENTE	MISÉRABILISTE	COUCHE-CULOTTE
CONVALESCENTE	AUTOMOBILISTE	POIL-DE-CAROTTE
EFFLORESCENTE	CARTOPHILISTE	GOUTTE-À-GOUTTE
DÉLIQUESCENTE	MERCANTILISTE	**LAUGERIE-HAUTE**

COCOTTE-MINUTE
MÉGACARYOCYTE
SPERMATOPHYTE
ÉQUISÉTOPHYTE
PAILLE-EN-QUEUE
MICHEL LE BÈGUE
ABAISSE-LANGUE
TÉMISCAMINGUE
SAINT-DOMINGUE
PHARMACOLOGUE
HYDROGÉOLOGUE
ÉPISTÉMOLOGUE
OPHTALMOLOGUE
KREMLINOLOGUE
ANTHROPOLOGUE
TRAUMATOLOGUE
DIALECTOLOGUE
PALÉONTOLOGUE
GAULE CHEVELUE
NICOLAS DE FLUE
ININTERROMPUE
TONICARDIAQUE
MYTHOMANIAQUE
APHRODISIAQUE
CONTRE-ATTAQUE
CONTRE-ATTAQUÉ
BOULOUNENCQUE
CERCOPITHÈQUE
GALÉOPITHÈQUE
SEMNOPITHÈQUE
ÉTANT DONNÉ QUE
GUATÉMALTÈQUE
GUATÉMALTÈQUE
TRISYLLABIQUE
ISOSYLLABIQUE
DISSYLLABIQUE
DITHYRAMBIQUE
CONTRE-INDIQUÉ
ANTIPALUDIQUE
RIBONUCLÉIQUE
ONOMATOPÉIQUE
HIPPOPHAGIQUE
TÉTRAPLÉGIQUE
NEUROPLÉGIQUE
MINÉRALOGIQUE
GYNÉCOLOGIQUE
MUSICOLOGIQUE
LEXICOLOGIQUE
TOXICOLOGIQUE
ARCHÉOLOGIQUE
SPÉLÉOLOGIQUE
PSYCHOLOGIQUE
GRAPHOLOGIQUE
MORPHOLOGIQUE
GLACIOLOGIQUE
SÉMÉIOLOGIQUE
PHYSIOLOGIQUE

ENTOMOLOGIQUE
OCÉANOLOGIQUE
TECHNOLOGIQUE
CHRONOLOGIQUE
IMMUNOLOGIQUE
HÉMATOLOGIQUE
ERPÉTOLOGIQUE
DÉONTOLOGIQUE
EMBRYOLOGIQUE
ICHTYOLOGIQUE
CHOLINERGIQUE
MÉTALLURGIQUE
TAUROMACHIQUE
PARAPSYCHIQUE
MÉTAPSYCHIQUE
TÉLÉGRAPHIQUE
IDÉOGRAPHIQUE
HOLOGRAPHIQUE
XYLOGRAPHIQUE
DÉMOGRAPHIQUE
HOMOGRAPHIQUE
MONOGRAPHIQUE
TOPOGRAPHIQUE
TYPOGRAPHIQUE
GÉOSTROPHIQUE
PHILOSOPHIQUE
MÉTAMORPHIQUE
HOMÉOPATHIQUE
FELDSPATHIQUE
PALÉOLITHIQUE
MICROLITHIQUE
LABYRINTHIQUE
OSTROGOTHIQUE
TÉRÉPHTALIQUE
PSYCHÉDÉLIQUE
MACHIAVÉLIQUE
ITHYPHALLIQUE
SOMNAMBULIQUE
POLYVINYLIQUE
MÉTHACRYLIQUE
POLYACRYLIQUE
CRYPTOGAMIQUE
ANTÉISLAMIQUE
HÉMODYNAMIQUE
AÉRODYNAMIQUE
LOGARITHMIQUE
ALGORITHMIQUE
PÉTROCHIMIQUE
PHOTOCHIMIQUE
EXOPHTALMIQUE
GASTRONOMIQUE
ORTHODROMIQUE
DESMODROMIQUE
CHROMOSOMIQUE
INTRA-ATOMIQUE
INTRADERMIQUE
TRANSDERMIQUE

ENDOTHERMIQUE
AÉROTHERMIQUE
ENDOPLASMIQUE
CYTOPLASMIQUE
MACROCOSMIQUE
MICROCOSMIQUE
CATACLYSMIQUE
CYCLOTHYMIQUE
PERMANGANIQUE
PRÉHISPANIQUE
ANTITÉTANIQUE
XANTHOGÉNIQUE
PANTOTHÉNIQUE
PRÉHELLÉNIQUE
PANHELLÉNIQUE
DIÉTHYLÉNIQUE
AÉROTECHNIQUE
PYROTECHNIQUE
CRYOTECHNIQUE
POLYTECHNIQUE
PLURIETHNIQUE
MULTIETHNIQUE
INTERETHNIQUE
ORTHOPHONIQUE
RADIOPHONIQUE
MICROPHONIQUE
THERMOÏONIQUE
THESSALONIQUE
NÉOTECTONIQUE
PSYCHOTONIQUE
CARDIOTONIQUE
PROTÉROZOÏQUE
ORTHOSCOPIQUE
MACROSCOPIQUE
MICROSCOPIQUE
HYGROSCOPIQUE
RHOMBOÉDRIQUE
SÉLÉNHYDRIQUE
CHLORHYDRIQUE
FLUORHYDRIQUE
HÉMISPHÉRIQUE
ATMOSPHÉRIQUE
IONOSPHÉRIQUE
PHYLLOXÉRIQUE
SAINT-AFFRIQUE
HYPOCALORIQUE
PRÉHISTORIQUE
PSYCHIATRIQUE
BIOÉLECTRIQUE
ISOÉLECTRIQUE
MILLIMÉTRIQUE
PLANIMÉTRIQUE
DENSIMÉTRIQUE
CENTIMÉTRIQUE
GRAVIMÉTRIQUE
GONIOMÉTRIQUE
ÉCONOMÉTRIQUE

AXONOMÉTRIQUE	ANACRÉONTIQUE	NON-FIGURATIVE
MICROMÉTRIQUE	EMPHYTÉOTIQUE	ARGUMENTATIVE
HYGROMÉTRIQUE	MACROBIOTIQUE	FRÉQUENTATIVE
ASTROMÉTRIQUE	APONÉVROTIQUE	PERMSÉLECTIVE
HYPSOMÉTRIQUE	ANTIMITOTIQUE	RÉTROSPECTIVE
HECTOMÉTRIQUE	EUROSCEPTIQUE	INTROSPECTIVE
PHOTOMÉTRIQUE	NEUROLEPTIQUE	OMNIDIRECTIVE
PIÉZOMÉTRIQUE	APOCALYPTIQUE	CONTRACEPTIVE
BATHYMÉTRIQUE	SUBDÉSERTIQUE	INTÉROCEPTIVE
AXISYMÉTRIQUE	ENDOBLASTIQUE	EXTÉROCEPTIVE
DISSYMÉTRIQUE	MÉSOBLASTIQUE	CONTRAGESTIVE
MÉTACENTRIQUE	ECTOBLASTIQUE	**HRADEC KRÁLOVÉ**
HOMOCENTRIQUE	PYROCLASTIQUE	CONTRE-ÉPREUVE
POLYCENTRIQUE	SYLLOGISTIQUE	BRIGADIER-CHEF
HYPOGASTRIQUE	KABBALISTIQUE	ROLL ON-ROLL OFF
AMPHIGOURIQUE	HELLÉNISTIQUE	MULTIPLICATIF
CÉNESTHÉSIQUE	EUCHARISTIQUE	SOCIO-ÉDUCATIF
CINESTHÉSIQUE	ARCHIVISTIQUE	RÉCAPITULATIF
KINESTHÉSIQUE	ASTRONAUTIQUE	ADMINISTRATIF
ANTIMYCOSIQUE	PROPÉDEUTIQUE	INTERPRÉTATIF
ARABO-PERSIQUE	HERMÉNEUTIQUE	REPRÉSENTATIF
POSTCLASSIQUE	THÉRAPEUTIQUE	CONTRAROTATIF
MICROPHYSIQUE	TROGLODYTIQUE	NON DESTRUCTIF
ASTROPHYSIQUE	PROTÉOLYTIQUE	PROPRIOCEPTIF
AFRO-ASIATIQUE	SPASMOLYTIQUE	MÉDICO-SPORTIF
PROBLÉMATIQUE	ADRÉNOLYTIQUE	LANGUES-DE-CERF
SYNTAGMATIQUE	PAPIERS-CALQUE	**JEAN DE BRÉBEUF**
BIOCLIMATIQUE	**COLLIOURENQUE**	LANGUE-DE-BŒUF
SYMPTOMATIQUE	ORNITHORYNQUE	**SVEND TVESKAEG**
FANTASMATIQUE	STAPHYLOCOQUE	**WAGNER-JAUREGG**
CHARISMATIQUE	CANNIBALESQUE	**BRIAND-KELLOGG**
HIPPOCRATIQUE	CARNAVALESQUE	**STURM UND DRANG**
PRÉSOCRATIQUE	ROCAMBOLESQUE	**HUANG GONGWANG**
CHIROPRATIQUE	FUNAMBULESQUE	**MACKENZIE KING**
ORTHOSTATIQUE	CAMÉLÉONESQUE	**EDGAR ATHELING**
HYDROSTATIQUE	CHEVALERESQUE	LIVRE STERLING
HYPERSTATIQUE	ÉLÉPHANTESQUE	BRAINSTORMING
PARALLACTIQUE	GARGANTUESQUE	MÉDIAPLANNING
CATAPLECTIQUE	CAPITAL-RISQUE	**MORET-SUR-LOING**
POLIORCÉTIQUE	**LA MOTTE-FOUQUÉ**	MERCHANDISING
HOMOGAMÉTIQUE	**CHEVILLY-LARUE**	TÉLÉMARKETING
CYTOGÉNÉTIQUE	QUEUES-DE-MORUE	**SOUPHANOUVONG**
DIAMAGNÉTIQUE	**MICHEL LE BRAVE**	**SCHWARZENBERG**
GÉOMAGNÉTIQUE	COMPRÉHENSIVE	**FREDERIKSBERG**
HOMOCINÉTIQUE	REVENDICATIVE	**FREDERIKSBORG**
MONOCINÉTIQUE	QUALIFICATIVE	**ASCHAFFENBURG**
ANTIPYRÉTIQUE	SIGNIFICATIVE	**EKATERINBOURG**
FERRALLITIQUE	RECTIFICATIVE	**VIRGINIA BEACH**
SIDÉROLITIQUE	JUSTIFICATIVE	HOMME-SANDWICH
SOCIOCRITIQUE	COMMUNICATIVE	**VAN DER MEERSCH**
SUPERCRITIQUE	INTERROGATIVE	**MANUEL DEUTSCH**
MARTENSITIQUE	CONTEMPLATIVE	**RENGER-PATZSCH**
PÉRISTALTIQUE	APPROXIMATIVE	**CHOSTAKOVITCH**
GAULE CELTIQUE	DÉTERMINATIVE	**ROSTROPOVITCH**
PRÉROMANTIQUE	PARTICIPATIVE	**LA TESTE-DE-BUCH**
CONSONANTIQUE	COMMÉMORATIVE	**MIDDLESBROUGH**
INAUTHENTIQUE	DÉMONSTRATIVE	**ANDHRA PRADESH**

MADHYA PRADESH
PORT ELIZABETH
GREAT YARMOUTH
MUHAMMAD ABDUH
MISSI DOMINICI
QIN SHI HUANGDI
NAGUMO CHUICHI
SHOTOKU TAISHI
NATSUME SOSEKI
OUBANGUI-CHARI
FRÉDÉRIC-HENRI
SAN LUIS POTOSÍ
CORPUS CHRISTI
AUNG SAN SUU KYI
FERENC RÁKÓCZI
UZTARIZTARRAK
VAN RUYSBROECK
STARTING-BLOCK
VAN HEEMSKERCK
TCHANG KAÏ-CHEK
AKADEMGORODOK
SEMIPALATINSK
NOVOKOUZNETSK
PETROPAVLOVSK
NIJNEVARTOVSK
INTERSYNDICAL
INTERTROPICAL
HYPOCYCLOÏDAL
MENÉNDEZ PIDAL
EXTRACONJUGAL
MAXILLO-FACIAL
PARAY-LE-MONIAL
CANAL IMPÉRIAL
SUBÉQUATORIAL
RÉQUISITORIAL
INQUISITORIAL
QUADRAGÉSIMAL
INFINITÉSIMAL
CÉRÉBRO-SPINAL
CONFESSIONNAL
INTERRÉGIONAL
SEPTENTRIONAL
SUPRANATIONAL
MULTINATIONAL
INTERNATIONAL
TRANSNATIONAL
INTERCOMMUNAL
ASSOURBANIPAL
CONTROLATÉRAL
MASSIF CENTRAL
ARCHITECTURAL
ARRIÈRE-VASSAL
PHÉNOBARBITAL
NAVIRE-HÔPITAL
PLOMB DU CANTAL
PRO-OCCIDENTAL
BOURG-ARGENTAL

MOYEN-ORIENTAL
DÉPARTEMENTAL
QUEUE-DE-CHEVAL
PIEDS-DE-CHEVAL
PHILIPPE LE BEL
GEOFFROI LE BEL
VILLIERS-LE-BEL
STIRING-WENDEL
CORDES-SUR-CIEL
ANTOINE DANIEL
PRÉINDUSTRIEL
CONCURRENTIEL
ÉQUIPOTENTIEL
COMPULSIONNEL
COMPASSIONNEL
CONFESSIONNEL
PROFESSIONNEL
POSSESSIONNEL
GÉNÉRATIONNEL
CORRECTIONNEL
DÉFINITIONNEL
TRANSITIONNEL
OPPOSITIONNEL
CONVENTIONNEL
PROPORTIONNEL
ANTIPERSONNEL
FŒTO-MATERNEL
EXTRACORPOREL
MULTICULTUREL
SOCIOCULTUREL
INTERCULTUREL
TRANSCULTUREL
CHARLES MARTEL
PIERRE LE CRUEL
CARAVANSÉRAIL
MERTHYR TYDFIL
DUCRAY-DUMINIL
LE BLANC-MESNIL
REBROUSSE-POIL
GUILLAUME TELL
DOCTEUR JEKYLL
JUDÉO-ESPAGNOL
ALEKSANDROPOL
LATOUR-DE-CAROL
VINCENT DE PAUL
BAIE-SAINT-PAUL
MONS-EN-BARŒUL
HODJATOLESLAM
VISAKHAPATNAM
MAHABALIPURAM
DILSEN-STOKKEM
NAQSH-I ROUSTEM
CHÂTEAU-D'YQUEM
TRUCHTERSHEIM
FRANCE TÉLÉCOM
UNITED KINGDOM
BRITISH MUSEUM

FERROSILICIUM
LITHOTHAMNIUM
ZÉNON DE CITIUM
AMAN ALLAH KHAN
AMBARTSOUMIAN
DARIOS CODOMAN
EMPIRE OTTOMAN
BUSINESSWOMAN
GUI DE LUSIGNAN
SOUVENIR-ÉCRAN
BALOUTCHISTAN
BÉLOUTCHISTAN
BACHKORTOSTAN
BERCHTESGADEN
GRAFFENSTADEN
STAFFELFELDEN
PÉPIN DE LANDEN
MONTMORENCÉEN
BOCAGE VENDÉEN
MARAIS VENDÉEN
RIBEAUVILLÉEN
MÉDITERRANÉEN
MÉDITERRANÉEN
TRANSPYRÉNÉEN
ÉQUATO-GUINÉEN
BISSAU-GUINÉEN
OSTERMUNDIGEN
GELSENKIRCHEN
PROPHARMACIEN
MERDRIGNACIEN
GÉOTECHNICIEN
ZOOTECHNICIEN
ÉLECTRONICIEN
PYTHAGORICIEN
MÉTAPHYSICIEN
MATHÉMATICIEN
SYSTÉMATICIEN
INFORMATICIEN
OMNIPRATICIEN
ARITHMÉTICIEN
CYBERNÉTICIEN
MANUCE L'ANCIEN
SIMÉON L'ANCIEN
RHABDOMANCIEN
RUPIFICALDIEN
SAINT-AVOLDIEN
ROUYNORANDIEN
RÉGINABORGIEN
LANGUE-DE-CHIEN
ORNITHISCHIEN
PHILADELPHIEN
NÉANDERTALIEN
AFRO-BRÉSILIEN
AFRO-BRÉSILIEN
CARQUEFOLLIEN
SUD-VIETNAMIEN
SUD-VIETNAMIEN

CHRYSOSTOMIEN	ROMARIMONTAIN	LIGNIFICATION
TRANSYLVANIEN	MUZAFFAR AL-DIN	SIGNIFICATION
TRANSYLVANIEN	STAËL-HOLSTEIN	RÉUNIFICATION
PENNSYLVANIEN	LIECHTENSTEIN	SCARIFICATION
LÉON L'ARMÉNIEN	KYOKUTEI BAKIN	CLARIFICATION
CRISTALLINIEN	SAINT-GLINGLIN	LUBRIFICATION
CONSTANTINIEN	ANTI-SOUS-MARIN	GLORIFICATION
SAINT-SAVINIEN	CHILLY-MAZARIN	CAPRIFICATION
NÉO-CALÉDONIEN	REQUIN-PÈLERIN	PÉTRIFICATION
NÉO-CALÉDONIEN	MARIE-VICTORIN	NITRIFICATION
SAINT-SIMONIEN	CASTELROUSSIN	VITRIFICATION
WASHINGTONIEN	ARRIÈRE-COUSIN	FALSIFICATION
TRANSSAHARIEN	RÉVEILLE-MATIN	DENSIFICATION
PALÉOSIBÉRIEN	ÉTIENNE-MARTIN	CHOSIFICATION
TRANSSIBÉRIEN	VILLEHARDOUIN	VERSIFICATION
LOIR-ET-CHÉRIEN	LE BEC-HELLOUIN	MASSIFICATION
VIMONASTÉRIEN	SAINT-FRUSQUIN	RUSSIFICATION
VERTACOMIRIEN	MATHIAS CORVIN	BÉATIFICATION
LÉON L'ISAURIEN	PHILIPPE LE BON	GRATIFICATION
PÉLOPONNÉSIEN	ALPHONSE LE BON	RECTIFICATION
PÉLOPONNÉSIEN	PALAIS-BOURBON	ACÉTIFICATION
PARTHENAISIEN	BOUSTROPHÉDON	CERTIFICATION
BOUGUENAISIEN	CHÂTEAU-LANDON	FORTIFICATION
COURBEVOISIEN	SAISIE-BRANDON	MORTIFICATION
VILLEPARISIEN	GORGE-DE-PIGEON	JUSTIFICATION
JUDÉO-CHRÉTIEN	CŒUR-DE-PIGEON	MYSTIFICATION
PALÉOCHRÉTIEN	CIUDAD OBREGÓN	INAPPLICATION
MONTCHRESTIEN	CHÂTEAU-BOUGON	RÉDUPLICATION
COSSÉ-LE-VIVIEN	QUEUE-DE-COCHON	COMMUNICATION
GONPONTOLVIEN	À CALIFOURCHON	PRÉVARICATION
CASTELNEUVIEN	SUPERCHAMPION	DÉCORTICATION
BUSINESSWOMEN	COMPRÉHENSION	DOMESTICATION
LAUTERBRUNNEN	ANTICORROSION	TRANSLOCATION
FORCALQUIÉREN	ANIMADVERSION	CONSOLIDATION
SACHSENHAUSEN	BIOCONVERSION	ACCOMMODATION
WILHELMSHAVEN	RÉTROGRESSION	DÉSAGRÉGATION
CHONDRICHTYEN	TRANSGRESSION	DÉSÉGRÉGATION
SORTIES-DE-BAIN	ULTRAPRESSION	INVESTIGATION
NORD-AMÉRICAIN	SURIMPRESSION	INTERROGATION
NORD-AMÉRICAIN	DÉCOMPRESSION	HYDROFUGATION
AFRO-AMÉRICAIN	COMPROMISSION	DISTANCIATION
AFRO-AMÉRICAIN	TÉLÉDIFFUSION	PRONONCIATION
MÉSO-AMÉRICAIN	GÉLITURBATION	RENÉGOCIATION
LÉON L'AFRICAIN	CRYOTURBATION	ANTIRADIATION
NÉGRO-AFRICAIN	PRÉMÉDICATION	DOMICILIATION
INTERAFRICAIN	REVENDICATION	APPROPRIATION
CENTRAFRICAIN	OPACIFICATION	EXPROPRIATION
CENTRAFRICAIN	SPÉCIFICATION	INTERCALATION
SAINT-POURÇAIN	CALCIFICATION	DÉCONGÉLATION
PORT-DE-BOUCAIN	RÉÉDIFICATION	DISSIMILATION
L'ISLE-JOURDAIN	ACIDIFICATION	HORRIPILATION
SAINT-HERBLAIN	CASÉIFICATION	CONSTELLATION
SAINT-GHISLAIN	GAZÉIFICATION	DÉNIVELLATION
PONTCHARTRAIN	QUALIFICATION	SCINTILLATION
MÉTROPOLITAIN	MELLIFICATION	EXTRAPOLATION
SAINT-POLITAIN	AMPLIFICATION	INTERPOLATION
CALIDIFONTAIN	PLANIFICATION	CONTEMPLATION

GESTICULATION	DÉMONSTRATION	INDEMNISATION
TRIANGULATION	DÉCARBURATION	PÉRENNISATION
STRANGULATION	RECARBURATION	CARBONISATION
DISSIMULATION	BICARBURATION	PRÉCONISATION
SURPOPULATION	DÉSULFURATION	HARMONISATION
SURESTIMATION	PRÉFIGURATION	MICRONISATION
APPROXIMATION	CONFIGURATION	INTRONISATION
PROGRAMMATION	NON-FIGURATION	SYNTONISATION
HYDROGÉNATION	SURSATURATION	MODERNISATION
CONCATÉNATION	STRUCTURATION	GHETTOÏSATION
RÉASSIGNATION	ACCULTURATION	PRÉCARISATION
REVACCINATION	DÉCULTURATION	BANCARISATION
RATIOCINATION	ANGLICISATION	VULGARISATION
HALLUCINATION	GLOBALISATION	DOLLARISATION
SUBORDINATION	VERBALISATION	SCOLARISATION
CONTAMINATION	FISCALISATION	PLANARISATION
DISSÉMINATION	DÉRÉALISATION	CANCÉRISATION
RÉCRIMINATION	SOCIALISATION	POLDÉRISATION
INCRIMINATION	FILIALISATION	BONDÉRISATION
DÉTERMINATION	FORMALISATION	PARKÉRISATION
EXTERMINATION	NORMALISATION	ISOMÉRISATION
PÉRÉGRINATION	SIGNALISATION	PAUPÉRISATION
DÉGLUTINATION	VERNALISATION	SINTÉRISATION
AGGLUTINATION	SACRALISATION	CAUTÉRISATION
RÉINCARNATION	MENTALISATION	PULVÉRISATION
CONSTERNATION	ANNUALISATION	HERBORISATION
PROSTERNATION	VISUALISATION	MÉTÉORISATION
PARTICIPATION	ACTUALISATION	TAYLORISATION
AUTOPALPATION	RITUALISATION	TEMPORISATION
PRÉOCCUPATION	SEXUALISATION	FACTORISATION
IMPRÉPARATION	DIÉSÉLISATION	SECTORISATION
DÉCÉRÉBRATION	STABILISATION	VECTORISATION
ÉQUILIBRATION	FRAGILISATION	CICATRISATION
RÉVERBÉRATION	STÉRILISATION	ÉLECTRISATION
INCARCÉRATION	FOSSILISATION	MÉDIATISATION
CONFÉDÉRATION	SUBTILISATION	DRAMATISATION
CONSIDÉRATION	FERTILISATION	CLIMATISATION
PROLIFÉRATION	RÉUTILISATION	AROMATISATION
VERBIGÉRATION	MÉTALLISATION	PRIVATISATION
RÉFRIGÉRATION	SATELLISATION	BUDGÉTISATION
AGGLOMÉRATION	JAVELLISATION	MAGNÉTISATION
SURGÉNÉRATION	SYMBOLISATION	APPERTISATION
COMMISÉRATION	VARIOLISATION	DÉSERTISATION
PERSÉVÉRATION	ALCOOLISATION	PALETTISATION
CONFLAGRATION	PODZOLISATION	IMPROVISATION
RÉINTÉGRATION	RANDOMISATION	PHOSPHATATION
TRANSPIRATION	RURBANISATION	ACCLIMATATION
COLLABORATION	VULCANISATION	CARBONATATION
CORROBORATION	BALKANISATION	DÉNITRATATION
IMPERFORATION	GERMANISATION	DÉSORBITATION
DÉTÉRIORATION	GALVANISATION	POLLICITATION
COMMÉMORATION	HELLÉNISATION	SOLLICITATION
INCORPORATION	SULFINISATION	EXPLICITATION
EXPECTORATION	POLLINISATION	SUREXCITATION
CONCENTRATION	KAOLINISATION	DÉSEXCITATION
ORCHESTRATION	ALUMINISATION	PRÉMÉDITATION
SÉQUESTRATION	CRÉTINISATION	ACCRÉDITATION

TRANCHE-SUR-MER	DÉCENTRALISER	MANODÉTENDEUR
THÉOULE-SUR-MER	DÉNATURALISER	MARTIN-PÊCHEUR
LA SEYNE-SUR-MER	UNIVERSALISER	TRANSSTOCKEUR
LA FAUTE-SUR-MER	DÉCAPITALISER	TÉLÉSOUFFLEUR
ÉTABLES-SUR-MER	RECAPITALISER	ENTREBÂILLEUR
ARGELÈS-SUR-MER	SPIRITUALISER	DISCUTAILLEUR
BANYULS-SUR-MER	MALLÉABILISER	SCRIBOUILLEUR
VILLERS-SUR-MER	COMPTABILISER	TÉLÉIMPRIMEUR
CAMARET-SUR-MER	INSOLUBILISER	MÉDIAPLANNEUR
ENTHOUSIASMER	TRANQUILLISER	COLLISIONNEUR
DÉSACCOUTUMER	CHRISTIANISER	SÉLECTIONNEUR
DÉSHYDROGÉNER	DÉNICOTINISER	CONDITIONNEUR
PRÉDÉTERMINER	EMBOURGEOISER	ACCROCHE-CŒUR
SURDÉTERMINER	DÉSOLIDARISER	ARRIÈRE-CHŒUR
GROSSGLOCKNER	DÉNUCLÉARISER	CHEVAUX-VAPEUR
DÉCAPUCHONNER	PARCELLARISER	PHOTOSTOPPEUR
ENCAPUCHONNER	DÉMILITARISER	DÉPOUSSIÉREUR
ENDIVISIONNER	REMILITARISER	SOUS-ACQUÉREUR
CONVULSIONNER	CONTAINÉRISER	CHRONOMÉTREUR
CONTORSIONNER	ACCESSOIRISER	SYNCHRONISEUR
IMPRESSIONNER	PSYCHIATRISER	MAÎTRE-PENSEUR
COMMISSIONNER	CONTENEURISER	HYDROCLASSEUR
SOUMISSIONNER	DÉPRESSURISER	DÉCOMPRESSEUR
CONFECTIONNER	MITHRIDATISER	REFROIDISSEUR
PERFECTIONNER	ANATHÉMATISER	APPLAUDISSEUR
COLLECTIONNER	DÉSINSECTISER	HYDROGLISSEUR
REPOSITIONNER	CONSCIENTISER	ASSOUPLISSEUR
SUBVENTIONNER	DÉSAMBIGUÏSER	ATTENDRISSEUR
CONVENTIONNER	COLLECTIVISER	RENCHÉRISSEUR
PROPORTIONNER	MAÎTRE-À-DANSER	CONVERTISSEUR
SUGGESTIONNER	MÉTAMORPHOSER	ÉLECTROLYSEUR
CONGESTIONNER	PHOTOCOMPOSER	REVENDICATEUR
PRÉCAUTIONNER	LAISSEZ-PASSER	AMPLIFICATEUR
RÉVOLUTIONNER	**HUNDERTWASSER**	PLANIFICATEUR
TOURBILLONNER	DÉSINTÉRESSER	SCARIFICATEUR
ÉTRÉSILLONNER	RADIODIFFUSER	SACRIFICATEUR
ÉCOUVILLONNER	PSYCHANALYSER	GLORIFICATEUR
DÉCHAPERONNER	SOUS-EXPLOITER	VITRIFICATEUR
PAILLASSONNER	ANTIPARASITER	FALSIFICATEUR
REMPOISSONNER	DÉRÉGLEMENTER	VERSIFICATEUR
PETIT DÉJEUNER	SOUS-ALIMENTER	RECTIFICATEUR
PETIT-DÉJEUNER	**PTOLÉMÉE SÔTÊR**	CERTIFICATEUR
MAGNÉTOSCOPER	CONTREPLAQUER	JUSTIFICATEUR
DÉSENVELOPPER	CONTRE-BRAQUER	MYSTIFICATEUR
DÉSÉQUILIBRER	DIAGNOSTIQUER	COMMUNICATEUR
DÉSINCARCÉRER	DÉSINTOXIQUER	PRÉVARICATEUR
ENTRE-DÉCHIRER	CONTREMARQUER	INVESTIGATEUR
INTERPÉNÉTRER	**CANADIAN RIVER**	INTERROGATEUR
RÉENREGISTRER	DÉMULTIPLEXER	HORRIPILATEUR
VILLÉGIATURER	**GOEPPERT-MAYER**	SCINTILLATEUR
ARCHITECTURER	**CHÂTEAU-DU-LOIR**	CONTEMPLATEUR
MÉTAMORPHISER	**RICHARD-LENOIR**	DISSIMULATEUR
DÉMÉDICALISER	CRISTALLISOIR	BLASPHÉMATEUR
POTENTIALISER	RADIOTROTTOIR	PROGRAMMATEUR
PERSONNALISER	MICRO-TROTTOIR	RÉCRIMINATEUR
MUNICIPALISER	CONTRE-POUVOIR	EXTERMINATEUR
DÉMINÉRALISER	**CATHERINE PARR**	COORDONNATEUR

RÉFRIGÉRATEUR	PROTÈGE-TIBIAS	PELLES-PIOCHES
SURGÉNÉRATEUR	**GONÇALVES DIAS**	LOFING-MATCHES
TOUR-OPÉRATEUR	PATERFAMILIAS	QUASI-MONNAIES
COLLABORATEUR	**DUQUE DE CAXIAS**	POISSONS-SCIES
CONCENTRATEUR	**BOISSY D'ANGLAS**	COUTEAUX-SCIES
ORCHESTRATEUR	CHLAMYDOMONAS	TRAGI-COMÉDIES
DÉMONSTRATEUR	PLATEAUX-REPAS	BOOGIE-WOOGIES
GLOBALISATEUR	**HÉRODE ANTIPAS**	NON ACCOMPLIES
VERBALISATEUR	**KAHRAMANMARAS**	WAGONS-TRÉMIES
NORMALISATEUR	DESSOUS-DE-BRAS	**SAINTES-MARIES**
STABILISATEUR	**LES QUATRE-BRAS**	DUCHÉS-PAIRIES
STÉRILISATEUR	**BUREAU VERITAS**	THESMOPHORIES
SYNTONISATEUR	CHICHES-KEBABS	BIO-INDUSTRIES
MODERNISATEUR	BARRAGES-POIDS	GARDEN-PARTIES
VULGARISATEUR	ANGLO-NORMANDS	**JEAN TZIMISKÈS**
PULVÉRISATEUR	**ANGLO-NORMANDS**	MÉDICO-LÉGALES
TEMPORISATEUR	HISPANO-ARABES	**CYNOSCÉPHALES**
IMPROVISATEUR	SAINTES-BARBES	NIVO-PLUVIALES
ARGUMENTATEUR	CONTRE-COURBES	COXO-FÉMORALES
AUTOÉLÉVATEUR	ARRIÈRE-NIÈCES	SOUS-ORBITALES
TURBORÉACTEUR	PETITES-NIÈCES	NON COMPTABLES
PULSORÉACTEUR	EMPORTE-PIÈCES	SOUS-ENSEMBLES
STATORÉACTEUR	NEUROSCIENCES	LANCE-MISSILES
CARBURÉACTEUR	NON-INGÉRENCES	ÉGLISES-HALLES
CONTREFACTEUR	NON-EXISTENCES	ARRIÈRE-SALLES
CHIROPRACTEUR	TAILLES-DOUCES	CONTRE-TAILLES
MICROTRACTEUR	SACCHAROMYCES	BASSES-TAILLES
AUTODIRECTEUR	GARDES-MALADES	RETROUVAILLES
SOUS-DIRECTEUR	LANCE-GRENADES	NIDS-D'ABEILLES
CONTRADICTEUR	NON MARCHANDES	PINCE-OREILLES
SURPRODUCTEUR	EST-ALLEMANDES	PERCE-OREILLES
TRANSPOSITEUR	BALLONS-SONDES	PETITES-FILLES
HÉLICICULTEUR	SAINTS-SYNODES	SEMI-CHENILLÉS
SÉRICICULTEUR	ARRIÈRE-GARDES	MILLE-FEUILLES
OSTRÉICULTEUR	REINES-CLAUDES	CENTRES-VILLES
MYTILICULTEUR	PREMIÈRES-NÉES	NAVIRES-ÉCOLES
POPULICULTEUR	DERNIÈRES-NÉES	SOUS-MULTIPLES
ARBORICULTEUR	POISSONS-ÉPÉES	**AISEAU-PRESLES**
COMPLIMENTEUR	SOUS-DÉCLARÉES	PONTS-BASCULES
SENSORI-MOTEUR	SOUS-CALIBRÉES	**BAUME-LES-DAMES**
ÉLECTROMOTEUR	ENTRE-DÉVORÉES	DOUBLES-CRÈMES
MAGNÉTOMOTEUR	SOUS-UTILISÉES	ATOMES-GRAMMES
TÉLÉSCRIPTEUR	VERT-DE-GRISÉES	PRESSE-AGRUMES
TRANSCRIPTEUR	LIBRES-PENSÉES	**DEUX-MONTAGNES**
LITHOTRIPTEUR	CONTRE-PASSÉES	SUD-AFRICAINES
TÉLÉPROMPTEUR	MOTEURS-FUSÉES	**SUD-AFRICAINES**
ASPIRO-BATTEUR	**CHAMPS ÉLYSÉES**	DEMI-MONDAINES
PHOTOÉMETTEUR	COURT-JOINTÉES	GRÉCO-ROMAINES
INTERLOCUTEUR	ENTRE-HEURTÉES	GALLO-ROMAINES
PRONOSTIQUEUR	SOUS-EMPLOYÉES	DEMI-DOUZAINES
CLIENT-SERVEUR	OPÉRAS-BOUFFES	**LES CONTAMINES**
FAUX-MONNAYEUR	LONGS-MÉTRAGES	**THETFORD MINES**
AIRE-SUR-L'ADOUR	REMUE-MÉNINGES	**SARREGUEMINES**
BONHEUR-DU-JOUR	TISSUS-ÉPONGES	**NŒUX-LES-MINES**
JEANNE SEYMOUR	ARRIÈRE-GORGES	**BULLY-LES-MINES**
CHÂTEAU-LATOUR	**SIMON DE BRUGES**	**L'ÎLE-AUX-MOINES**
GUTTAS-PERCHAS	FROTTE-MANCHES	AIGUES-MARINES

INTRA-UTÉRINES	STEEPLE-CHASES	ORANGS-OUTANGS
EXTRA-UTÉRINES	MARIES-LOUISES	**CASTELNAUDAIS**
LÈCHE-VITRINES	LAURIERS-ROSES	**CORNOUAILLAIS**
GOMMES-RÉSINES	GARDES-CHASSES	**GONFREVILLAIS**
BLOCS-CUISINES	CHAUDES-PISSES	**ALFORTVILLAIS**
NAVIRES-USINES	PETITS-SUISSES	**CHAMPAGNOLAIS**
NORD-CORÉENNES	BALAIS-BROSSES	**SHAWINIGANAIS**
NORD-CORÉENNES	VRAIES-FAUSSES	**FRONTIGNANAIS**
ÉTATS-UNIENNES	BAS-DE-CHAUSSES	**ALTO-SÉQUANAIS**
ÉTATS-UNIENNES	STARTING-GATES	**PENNE-D'AGENAIS**
LOUISES-BONNES	**TRUCIAL STATES**	**SAINT-MARINAIS**
FRANC-MAÇONNES	TRAÎNE-SAVATES	**ROMORANTINAIS**
COURCOURONNES	SOUS-HUMANITÉS	**SAINT-JEANNAIS**
SEMI-CONSONNES	AUTO-IMMUNITÉS	**BOISBRIANNAIS**
PÈSE-PERSONNES	SOUS-EXPLOITÉS	**MONTLUÇONNAIS**
ANGLO-SAXONNES	CONTRE-VISITES	**LA BOURDONNAIS**
ANGLO-SAXONNES	SUS-DOMINANTES	**CAVAILLONNAIS**
ROLLING STONES	BIEN-PENSANTES	**CHÂTILLONNAIS**
POISSONS-LUNES	SOUS-TANGENTES	**CASTILLONNAIS**
MULTISOUPAPES	SOUS-ALIMENTÉS	**MAINTENONNAIS**
CHAUSSE-TRAPES	REMONTE-PENTES	**HAUT-GARONNAIS**
FLACONS-POMPES	CONTRE-POINTES	**MONTGERONNAIS**
BATEAUX-POMPES	MANDATS-CARTES	**CARCASSONNAIS**
MARIES-SALOPES	BATEAUX-PORTES	**MONTESSONNAIS**
RADIO-ISOTOPES	CERFS-VOLISTES	**CAPBRETONNAIS**
REQUINS-TAUPES	VERS-LIBRISTES	**CHARENTONNAIS**
PRESSE-ÉTOUPES	**NAY-BOURDETTES**	**TRANSGABONNAIS**
ALLUME-CIGARES	**LES CHARMETTES**	**SIERRA-LÉONAIS**
BATEAUX-PHARES	JUPES-CULOTTES	**BRICQUEBÉTAIS**
CONTRE-TIMBRES	COMPTE-GOUTTES	**AIGUES-MORTAIS**
ACCORDS-CADRES	FAUSSES-ROUTES	**CAUDEBECQUAIS**
BLOC-CYLINDRES	**NICOLAS DE CUES**	**FRANÇOIS RÉGIS**
WAGONS-FOUDRES	SOUS-ENTENDUES	**FLEURY-MÉROGIS**
COTONS-POUDRES	FOUETTE-QUEUES	**FLORIANÓPOLIS**
CHAMBONNIÈRES	**CHAUDES-AIGUES**	**ROSNY-SOUS-BOIS**
SOUS-CLAVIÈRES	**BORT-LES-ORGUES**	**ABBAYE-AUX-BOIS**
TROIS-RIVIÈRES	SACRO-ILIAQUES	**STRÉPINIACOIS**
BRANCHES-MÈRES	CONTRE-BRAQUÉS	**SAINT-FRANÇOIS**
SUPERBAGNÈRES	**MAÎTRE JACQUES**	**SAINT-AMANDOIS**
PRÉLIMINAIRES	COMPTE CHÈQUES	**SARRALBIGEOIS**
ENTRE-DÉCHIRÉS	SEMI-PUBLIQUES	**HAGONDANGEOIS**
AMOURS-PROPRES	TRAGI-COMIQUES	**ÉDIMBOURGEOIS**
REINES-DES-PRÉS	HÉROÏ-COMIQUES	**CHERBOURGEOIS**
TOURNE-PIERRES	**CATALAUNIQUES**	**BOURBOURGEOIS**
CHASSE-PIERRES	ACIDO-BASIQUES	**GRAND-SYNTHOIS**
CAFÉS-THÉÂTRES	SUS-HÉPATIQUES	**HAZEBROUCKOIS**
PETITS-MAÎTRES	SEMI-REMORQUES	**DIANE DE VALOIS**
DEVISES-TITRES	JEUNES-TURQUES	**CRÉPY-EN-VALOIS**
AVANTS-CENTRES	TOURNE-DISQUES	**VILLEMOMBLOIS**
SOUS-MINISTRES	NON DIRECTIVES	**LONGJUMELLOIS**
CONTRE-LETTRES	SEMI-CONSERVES	**MONTREUILLOIS**
BELLES-LETTRES	ROMANS-FLEUVES	**LONGUEUILLOIS**
CARTES-LETTRES	SERGENTS-CHEFS	**BRAZZAVILLOIS**
STYLOS-FEUTRES	CAPORAUX-CHEFS	**DECAZEVILLOIS**
CONTRE-MESURES	PORTE-AÉRONEFS	**BOUZONVILLOIS**
JOINT-VENTURES	NON-FIGURATIFS	**MONTARVILLOIS**
ATTACHÉS-CASES	SOUS-EFFECTIFS	**COWANSVILLOIS**

ALBERTVILLOIS	FINNO-OUGRIENS	PRESSE-PAPIERS
CONTRE-EMPLOIS	TIBIO-TARSIENS	IRISH-TERRIERS
HAUBOURDINOIS	BONS-CHRÉTIENS	LONG-COURRIERS
CHÂTEAULINOIS	TERRE-NEUVIENS	LOUPS-CERVIERS
MONTCHANINOIS	**TERRE-NEUVIENS**	TERRE-NEUVIERS
CONSTANTINOIS	**FLAVIUS VALENS**	**RAMBERVILLERS**
LOUVECIENNOIS	**MALLET-STEVENS**	FRANCS-PARLERS
VALENCIENNOIS	**DIGNE-LES-BAINS**	**ENTRE-DEUX-MERS**
VILLECRESNOIS	**ÉVIAN-LES-BAINS**	GLOBE-TROTTERS
LARGENTIÉROIS	**CAMBO-LES-BAINS**	ROCKING-CHAIRS
GUEBWILLEROIS	**NÉRIS-LES-BAINS**	CITÉS-DORTOIRS
BEAUREPAIROIS	**BAINS-LES-BAINS**	**LANS-EN-VERCORS**
VALLÉE DES ROIS	**ÉVAUX-LES-BAINS**	CONQUISTADORS
BEAUVILLÉSOIS	SUD-AMÉRICAINS	**GENERAL MOTORS**
LONGUENESSOIS	**SUD-AMÉRICAINS**	CLAIRS-OBSCURS
SCHAFFHOUSOIS	NORD-AFRICAINS	CONTRE-VALEURS
FRANCS-COMTOIS	**NORD-AFRICAINS**	AUTO-STOPPEURS
FRANCS-COMTOIS	**HUGUES DE PAINS**	FRANCS-TIREURS
BERLAIMONTOIS	ARRIÈRE-TRAINS	AVANT-COUREURS
FLEURIMONTOIS	SINO-TIBÉTAINS	DEMI-LONGUEURS
BRUAY-EN-ARTOIS	**BLUE MOUNTAINS**	PIQUE-NIQUEURS
VITRY-EN-ARTOIS	**CHÂTEAU-SALINS**	POISSONS-CHATS
LAMBERSARTOIS	CHEVAL-D'ARÇONS	HERBE-AUX-CHATS
AUDINCOURTOIS	NON-AGRESSIONS	ACCROCHE-PLATS
NOUAKCHOTTOIS	SOUS-PRESSIONS	VICE-CONSULATS
COUDEKERQUOIS	SOUS-LOCATIONS	SOUS-DIACONATS
CASTELNEUVOIS	FÉLICITATIONS	QUASI-CONTRATS
SEMUR-EN-AUXOIS	CUTI-RÉACTIONS	AVANT-CONTRATS
THOMAS A KEMPIS	POLE POSITIONS	CONTRE-PROJETS
CHAUVES-SOURIS	NON-EXÉCUTIONS	OPÉRAS-BALLETS
ÉLÉPHANTIASIS	TENNIS-BALLONS	SAISIES-ARRÊTS
DUMBARTON OAKS	PRESSE-CITRONS	PORTE-BOUQUETS
DEUTSCHE MARKS	**NEUVES-MAISONS**	COUPE-CIRCUITS
BACHI-BOUZOUKS	QUATRE-SAISONS	PETITS-ENFANTS
SEMI-OFFICIELS	MORTES-SAISONS	FAUX-SEMBLANTS
MAÎTRES-AUTELS	**QUATRE-CANTONS**	NON-COMPARANTS
NITRATES-FUELS	TAILLE-CRAYONS	EXTRA-COURANTS
CRÉBILLON FILS	**HUGUES DE PAYNS**	SEMI-DRESSANTS
MÉDECINE-BALLS	**COATZACOALCOS**	TOUT-PUISSANTS
MEDICINE-BALLS	**PAPADHÓPOULOS**	SOUS-TRAITANTS
PUNCHING-BALLS	MEZZO-SOPRANOS	VIEUX-CROYANTS
GRANDS MOGHOLS	**CHARLES LE GROS**	PRIVAT-DOCENTS
ACIDES-ALCOOLS	VOMITOS NEGROS	NON-ÉVÉNEMENTS
CHOPPING-TOOLS	**GENERAL SANTOS**	SOUS-VÊTEMENTS
DRESSING-ROOMS	SAFARIS-PHOTOS	APPOINTEMENTS
RAHAT-LOUKOUMS	**FRANCORCHAMPS**	GRANDS-PARENTS
FRENCH CANCANS	AUTO-ANTICORPS	CAFÉS-CONCERTS
VILLARD-DE-LANS	**LE LION-D'ANGERS**	**MASSACHUSETTS**
JEAN BERCHMANS	BLANCS-MANGERS	COMPTES RENDUS
TIBÉTO-BIRMANS	**BLACK PANTHERS**	ABERDEEN-ANGUS
ARS-SUR-FORMANS	SOUS-OFFICIERS	**NUMA POMPILIUS**
GRILLES-ÉCRANS	**GRANDVILLIERS**	STRATO-CUMULUS
INDO-EUROPÉENS	**GENNEVILLIERS**	**REGIOMONTANUS**
INDO-EUROPÉENS	**MONTIVILLIERS**	SABOTS-DE-VÉNUS
NON EUCLIDIENS	**AUBERVILLIERS**	CHEVEU-DE-VÉNUS
MAÎTRES-CHIENS	SOUS-MARINIERS	CROSS-COUNTRYS
NILO-SAHARIENS	AVANT-DERNIERS	LANGUES-DE-CHAT

SALIES-DU-SALAT	DÉCONSEILLANT	EMPOISSONNANT
DESSOUS-DE-PLAT	EMBOUTEILLANT	ŒILLETONNANT
POLYCONDENSAT	ÉCRABOUILLANT	GUEULETONNANT
KARL-MARX-STADT	GLANDOUILLANT	COPARTICIPANT
DOWNING STREET	CRACHOUILLANT	CLOPIN-CLOPANT
MARTEAU-PIOLET	DÉPATOUILLANT	SOUS-DÉCLARANT
JEANNE D'ALBRET	GRATTOUILLANT	ABRACADABRANT
LÈGE-CAP-FERRET	THERMOCOLLANT	RÉÉQUILIBRANT
ORTEGA Y GASSET	DÉSACCOUPLANT	DÉSENCOMBRANT
POTRON-JACQUET	DÉMANTIBULANT	RÉINCARCÉRANT
JEAN LE PARFAIT	IMMATRICULANT	DÉCONSIDÉRANT
SANS CONTREDIT	DÉSARTICULANT	RECONSIDÉRANT
CHÂTELLERAULT	DÉSOPERCULANT	COBELLIGÉRANT
DÉSEMBOURBANT	ANTICOAGULANT	DÉPOUSSIÉRANT
AUTOFINANÇANT	BÊTASTIMULANT	EMPOUSSIÉRANT
RÉENSEMENÇANT	TOURNEBOULANT	DÉPHOSPHORANT
CONCURRENÇANT	ÉLECTROAIMANT	RÉINCORPORANT
ENGUIRLANDANT	DÉSENVENIMANT	ENTRE-DÉVORANT
CONDESCENDANT	SURCOMPRIMANT	CONTRECARRANT
SOUS-ENTENDANT	DÉPROGRAMMANT	CHRONOMÉTRANT
CORRESPONDANT	REPROGRAMMANT	DÉCONCENTRANT
CAUCHEMARDANT	RÉACCOUTUMANT	RÉORCHESTRANT
SURPROTÉGEANT	CARÊME-PRENANT	TRANSFIGURANT
INTRANSIGEANT	RACCOMPAGNANT	PEINTURLURANT
TÉLÉCHARGEANT	CONTRESIGNANT	CONTRE-COURANT
ENTR'ÉGORGEANT	DÉSENCHAÎNANT	AUTOCENSURANT
DÉSENGORGEANT	SURENTRAÎNANT	MANUFACTURANT
CALORIFUGEANT	DÉCONTAMINANT	CONTRACTURANT
CENTRIFUGEANT	BRILLANTINANT	DÉSTRUCTURANT
RADIONAVIGANT	CAPARAÇONNANT	RESTRUCTURANT
CONTREFICHANT	DÉSAMIDONNANT	PORTRAITURANT
ENCHEVAUCHANT	ÉBOURGEONNANT	CONTREFAISANT
CATASTROPHANT	DÉCHIFFONNANT	STANDARDISANT
INDULGENCIANT	PROVISIONNANT	CLOCHARDISANT
DIFFÉRENCIANT	DIMENSIONNANT	HOMOGÉNÉISANT
DISQUALIFIANT	EXCURSIONNANT	AUTOSUFFISANT
PERSONNIFIANT	DÉPASSIONNANT	HIÉRARCHISANT
SACCHARIFIANT	DÉMISSIONNANT	CANNIBALISANT
AUTHENTIFIANT	CONTUSIONNANT	RADIOBALISANT
COMPLEXIFIANT	COLLATIONNANT	SYNDICALISANT
TÉLÉGRAPHIANT	AFFECTIONNANT	TROPICALISANT
ÉCHOGRAPHIANT	SÉLECTIONNANT	DÉFISCALISANT
DÉMULTIPLIANT	CONDITIONNANT	OFFICIALISANT
CHÂTEAUBRIANT	COMMOTIONNANT	RESOCIALISANT
CHÂTEAUBRIANT	RÉCEPTIONNANT	MATÉRIALISANT
DIFFÉRENTIANT	DÉBÂILLONNANT	MARGINALISANT
BRINGUEBALANT	RÉVEILLONNANT	CRIMINALISANT
BRINQUEBALANT	VERMILLONNANT	RÉGIONALISANT
DÉSASSEMBLANT	TOURILLONNANT	NATIONALISANT
EMBARDOUFLANT	POSTILLONNANT	RATIONALISANT
ÉPOUSTOUFLANT	AIGUILLONNANT	COMMUNALISANT
ENTREBÂILLANT	BROUILLONNANT	DÉSACRALISANT
CRITICAILLANT	GRAVILLONNANT	THÉÂTRALISANT
ENTRETAILLANT	MAQUIGNONNANT	HOSPITALISANT
DISCUTAILLANT	MOUCHERONNANT	IMMORTALISANT
RETRAVAILLANT	DÉCLOISONNANT	RÉACTUALISANT
RAPPAREILLANT	SAUCISSONNANT	DÉSEXUALISANT

SOCIABILISANT
CULPABILISANT
RENTABILISANT
DÉSTABILISANT
CRÉDIBILISANT
SENSIBILISANT
FLEXIBILISANT
INFANTILISANT
SOUS-UTILISANT
CRISTALLISANT
DÉSATELLISANT
AMÉRICANISANT
EUROPÉANISANT
DÉSORGANISANT
DÉSHUMANISANT
CHAMPAGNISANT
DÉVIRGINISANT
DÉSTALINISANT
MASCULINISANT
SYNCHRONISANT
IMPATRONISANT
ENTRECROISANT
FAMILIARISANT
DÉSCOLARISANT
CIRCULARISANT
SINGULARISANT
PROLÉTARISANT
SÉDENTARISANT
CARACTÉRISANT
SQUATTÉRISANT
INFÉRIORISANT
INTÉRIORISANT
EXTÉRIORISANT
DÉSECTORISANT
MINIATURISANT
DÉDRAMATISANT
MATHÉMATISANT
SYSTÉMATISANT
ACHROMATISANT
INFORMATISANT
DÉMOCRATISANT
ALPHABÉTISANT
DÉBUDGÉTISANT
ANTIÉMÉTISANT
DÉMAGNÉTISANT
SURPRODUISANT
ADJECTIVISANT
BASSIN-VERSANT
CONTROVERSANT
INTERCLASSANT
DÉCADENASSANT
CONTRE-PASSANT
DÉSENCRASSANT
ININTÉRESSANT
TRANSGRESSANT
DÉCOMPRESSANT
ENTRE-HAÏSSANT

MÉCONNAISSANT
RECONNAISSANT
COMPARAISSANT
DISPARAISSANT
ESTOURBISSANT
ÉCLAIRCISSANT
OBSCURCISSANT
ACCOURCISSANT
REFROIDISSANT
ABÂTARDISSANT
DÉGOURDISSANT
ENGOURDISSANT
ASSOURDISSANT
APPLAUDISSANT
RÉTROAGISSANT
INTERAGISSANT
RESSURGISSANT
RÉFLÉCHISSANT
INFLÉCHISSANT
DÉGAUCHISSANT
AFFAIBLISSANT
ENSEVELISSANT
REJAILLISSANT
DÉSEMPLISSANT
ACCOMPLISSANT
ASSOUPLISSANT
RAFFERMISSANT
RENFORMISSANT
REDÉFINISSANT
REMBRUNISSANT
RÉCHAMPISSANT
DÉGUERPISSANT
ACCROUPISSANT
ASSOMBRISSANT
ATTENDRISSANT
AMOINDRISSANT
RENCHÉRISSANT
DÉMAIGRISSANT
RABOUGRISSANT
ENDOLORISSANT
DÉFLEURISSANT
REFLEURISSANT
APPAUVRISSANT
DESSAISISSANT
RESSAISISSANT
DÉGROSSISSANT
REGROSSISSANT
EMPUANTISSANT
DESSERTISSANT
SUBVERTISSANT
CONVERTISSANT
PERVERTISSANT
RASSORTISSANT
RESSORTISSANT
TRAVESTISSANT
ENGLOUTISSANT
TÉLÉDIFFUSANT

ÉLECTROLYSANT
DÉPHOSPHATANT
DÉCONTRACTANT
COCONTRACTANT
SUREXPLOITANT
DÉSENCHANTANT
ENSANGLANTANT
ÉBOUILLANTANT
TRANSPLANTANT
CONTINGENTANT
ENRÉGIMENTANT
SURALIMENTANT
COMPLIMENTANT
EXPÉRIMENTANT
INSTRUMENTANT
CONTREVENTANT
DÉSAPPOINTANT
REMMAILLOTANT
TRAVAILLOTANT
ENTRE-HEURTANT
SAINT-CONSTANT
DÉSINCRUSTANT
NON-COMBATTANT
COMPROMETTANT
ÉLECTROCUTANT
TRANSBAHUTANT
CONTREFOUTANT
CAOUTCHOUTANT
REDISTRIBUANT
DÉSENVERGUANT
DISCONTINUANT
PRÉFABRIQUANT
SOPHISTIQUANT
PRONOSTIQUANT
ENCAUSTIQUANT
DÉMOUSTIQUANT
PRÉDÉLINQUANT
ENTRECHOQUANT
RECONSTITUANT
SUBSTANTIVANT
DÉSAPPROUVANT
SOUS-EMPLOYANT
AUTONETTOYANT
PRÉADOLESCENT
VICE-PRÉSIDENT
BUISSON-ARDENT
ININTELLIGENT
ÉTOILE-D'ARGENT
BOUTON-D'ARGENT
AÏN TÉMOUCHENT
EXTRÊME-ORIENT
SURPLOMBEMENT
ENTRELACEMENT
REFINANCEMENT
COFINANCEMENT
ENSEMENCEMENT
RÉFÉRENCEMENT

RESSOURCEMENT	**JEAN LE CLÉMENT**	STATIONNEMENT
ACQUIESCEMENT	PARALLÈLEMENT	SECTIONNEMENT
EMBRIGADEMENT	ENTREMÊLEMENT	CAUTIONNEMENT
SPLENDIDEMENT	DÉMANTÈLEMENT	ÉCHELONNEMENT
INTRÉPIDEMENT	ESSOUFFLEMENT	BÂILLONNEMENT
ACCOMMODEMENT	MALHABILEMENT	CRAMPONNEMENT
CHAMBARDEMENT	DIFFICILEMENT	ENVIRONNEMENT
GAILLARDEMENT	TRIMBALLEMENT	CLOISONNEMENT
RÉCHAUFFEMENT	ÉTINCELLEMENT	FRISSONNEMENT
DÉSENGAGEMENT	AMONCELLEMENT	CHANTONNEMENT
DÉDOMMAGEMENT	PARTIELLEMENT	PELOTONNEMENT
ENDOMMAGEMENT	GROMMELLEMENT	GLOUTONNEMENT
RÉAMÉNAGEMENT	CHARNELLEMENT	DÉGAZONNEMENT
DÉCOURAGEMENT	ÉTERNELLEMENT	ENGAZONNEMENT
ENCOURAGEMENT	JOURNELLEMENT	PROSTERNEMENT
AFFOURAGEMENT	NATURELLEMENT	CONTOURNEMENT
RÉARRANGEMENT	RUISSELLEMENT	IMPORTUNÉMENT
DÉBRANCHEMENT	GRADUELLEMENT	OPPORTUNÉMENT
EMBRANCHEMENT	MENSUELLEMENT	SURÉQUIPEMENT
RETRANCHEMENT	VIRTUELLEMENT	DÉVELOPPEMENT
DÉCLENCHEMENT	TEXTUELLEMENT	ENVELOPPEMENT
ENCLENCHEMENT	DÉNIVELLEMENT	TRANSFÈREMENT
RAPPROCHEMENT	AVITAILLEMENT	PASSAGÈREMENT
ENFOURCHEMENT	RECUEILLEMENT	PRINCIÈREMENT
CHEVAUCHEMENT	FOURMILLEMENT	CAVALIÈREMENT
REDÉPLOIEMENT	ÉPARPILLEMENT	FAMILIÈREMENT
DÉGRAVOIEMENT	SCINTILLEMENT	RÉGULIÈREMENT
VERTICALEMENT	EFFEUILLEMENT	GROSSIÈREMENT
CONJUGALEMENT	AFFOUILLEMENT	DÉSESPÉRÉMENT
IMPÉRIALEMENT	DÉPOUILLEMENT	DÉCHIFFREMENT
ORIGINALEMENT	GAZOUILLEMENT	ENGOUFFREMENT
MARGINALEMENT	SURPEUPLEMENT	SOLIDAIREMENT
MACHINALEMENT	CHAMBOULEMENT	POPULAIREMENT
DIAGONALEMENT	QUATRIÈMEMENT	ORDINAIREMENT
VISCÉRALEMENT	TROISIÈMEMENT	MILITAIREMENT
LITTÉRALEMENT	VINGTIÈMEMENT	SOLITAIREMENT
INTÉGRALEMENT	CINQUIÈMEMENT	DÉRISOIREMENT
DOCTORALEMENT	TREIZIÈMEMENT	ILLUSOIREMENT
THÉÂTRALEMENT	QUINZIÈMEMENT	ALÉATOIREMENT
ARBITRALEMENT	MAGNANIMEMENT	MALPROPREMENT
COLOSSALEMENT	SIMULTANÉMENT	OPINIÂTREMENT
INEFFABLEMENT	MOMENTANÉMENT	CALFEUTREMENT
PRÉALABLEMENT	RENSEIGNEMENT	PRÉMATURÉMENT
SEMBLABLEMENT	NON-ALIGNEMENT	DÉSŒUVREMENT
EXÉCRABLEMENT	DÉSALIGNEMENT	TRANSVASEMENT
MISÉRABLEMENT	PROCHAINEMENT	SOURNOISEMENT
ADMIRABLEMENT	INHUMAINEMENT	COURTOISEMENT
HONORABLEMENT	DÉGOULINEMENT	REMBOURSEMENT
FAVORABLEMENT	ÉTANÇONNEMENT	INTÉRESSEMENT
INCURABLEMENT	POINÇONNEMENT	SURBAISSEMENT
VÉRITABLEMENT	TRONÇONNEMENT	RENCAISSEMENT
ÉQUITABLEMENT	BOURDONNEMENT	CONNAISSEMENT
PITOYABLEMENT	DRAGEONNEMENT	ENGRAISSEMENT
INDICIBLEMENT	CHIFFONNEMENT	VROMBISSEMENT
ILLISIBLEMENT	BOUFFONNEMENT	AMINCISSEMENT
INVISIBLEMENT	RONCHONNEMENT	NOIRCISSEMENT
RASSEMBLEMENT	PASSIONNÉMENT	ADOUCISSEMENT

AFFADISSEMENT
GRANDISSEMENT
ASSAGISSEMENT
ÉLARGISSEMENT
ENVAHISSEMENT
AVACHISSEMENT
FLÉCHISSEMENT
GAUCHISSEMENT
ÉTABLISSEMENT
ANOBLISSEMENT
JAILLISSEMENT
AMOLLISSEMENT
DÉPOLISSEMENT
AVEULISSEMENT
APLANISSEMENT
ABONNISSEMENT
ACCROISSEMENT
DÉCROISSEMENT
CROUPISSEMENT
DÉPÉRISSEMENT
POURRISSEMENT
GROSSISSEMENT
ROUSSISSEMENT
APLATISSEMENT
RAPETISSEMENT
AVERTISSEMENT
AMORTISSEMENT
BLETTISSEMENT
ABOUTISSEMENT
ABRUTISSEMENT
ENFOUISSEMENT
ÉBLOUISSEMENT
DÉCHAUSSEMENT
RECHAUSSEMENT
SURHAUSSEMENT
TRÉMOUSSEMENT
REBROUSSEMENT
RETROUSSEMENT
TAPAGEUSEMENT
SPACIEUSEMENT
GRACIEUSEMENT
SPÉCIEUSEMENT
PRÉCIEUSEMENT
SOUCIEUSEMENT
STUDIEUSEMENT
ÉLOGIEUSEMENT
GLORIEUSEMENT
MIELLEUSEMENT
MOELLEUSEMENT
FABULEUSEMENT
SOIGNEUSEMENT
HARGNEUSEMENT
LUMINEUSEMENT
TROMPEUSEMENT
SURCREUSEMENT
GÉNÉREUSEMENT
AMOUREUSEMENT

FIÉVREUSEMENT
VANITEUSEMENT
FLATTEUSEMENT
FOUGUEUSEMENT
VERTUEUSEMENT
TORTUEUSEMENT
FASTUEUSEMENT
IMMÉDIATEMENT
ACCLIMATEMENT
INDIRECTEMENT
SUCCINCTEMENT
DISTINCTEMENT
ABSTRAITEMENT
DISTRAITEMENT
IMPLICITEMENT
EXPLICITEMENT
HYPOCRITEMENT
DÉSHÉRITEMENT
VÉHÉMENTEMENT
APPARENTEMENT
CONJOINTEMENT
TREMBLOTEMENT
PAPILLOTEMENT
MANIFESTEMENT
CRAQUETTEMENT
CLIQUETTEMENT
PROSAÏQUEMENT
VÉRIDIQUEMENT
JURIDIQUEMENT
IMPUDIQUEMENT
PACIFIQUEMENT
ILLOGIQUEMENT
ÉNERGIQUEMENT
GRAPHIQUEMENT
APATHIQUEMENT
ANGÉLIQUEMENT
DYNAMIQUEMENT
THERMIQUEMENT
MÉCANIQUEMENT
ORGANIQUEMENT
TECHNIQUEMENT
LACONIQUEMENT
CANONIQUEMENT
CHRONIQUEMENT
NUMÉRIQUEMENT
EMPIRIQUEMENT
SATIRIQUEMENT
THÉORIQUEMENT
CLASSIQUEMENT
FANATIQUEMENT
GÉNÉTIQUEMENT
POLITIQUEMENT
IDENTIQUEMENT
REMBARQUEMENT
BURLESQUEMENT
PARACHÈVEMENT
IMPULSIVEMENT

DÉFENSIVEMENT
OFFENSIVEMENT
INTENSIVEMENT
EXCESSIVEMENT
AGRESSIVEMENT
INCLUSIVEMENT
EXCLUSIVEMENT
LUCRATIVEMENT
ITÉRATIVEMENT
EFFECTIVEMENT
OBJECTIVEMENT
ADJECTIVEMENT
SÉLECTIVEMENT
PRIMITIVEMENT
INTUITIVEMENT
ATTENTIVEMENT
PLAINTIVEMENT
CRAINTIVEMENT
ESTABLISHMENT
AMIANTE-CIMENT
PRESSENTIMENT
RÉASSORTIMENT
NONCHALAMMENT
CONCURREMMENT
SUBSÉQUEMMENT
CONSÉQUEMMENT
PORTE-DOCUMENT
SOUS-CONTINENT
GRANDILOQUENT
SION–VAUDÉMONT
HÉNIN-BEAUMONT
PORTRAIT-ROBOT
COMPÈRE-LORIOT
MAÎTRE ECKHART
JACQUES STUART
CHARLES-ALBERT
SAINT-PHILBERT
CHARLES ROBERT
TUC-D'AUDOUBERT
MAISONS-ALFORT
CANTONS-DE-L'EST
ARGELÈS-GAZOST
THOMAS BECKETT
MESSERSCHMITT
SALZKAMMERGUT
DORA-MITTELBAU
BECS-DE-CORBEAU
CYLINDRE-SCEAU
FONTAINEBLEAU
FONTAINEBLEAU
NEVEU DE RAMEAU
AUXI-LE-CHÂTEAU
ONET-LE-CHÂTEAU
PONT-DU-CHÂTEAU
REQUIN-MARTEAU
PLOUDALMÉZEAU
TOSA MITSUNOBU

ANNE DE BEAUJEU
PLEUMEUR-BODOU
CHARLES D'ANJOU
POBEDONOSTSEV
BORIS GODOUNOV
CÉPHALOTHORAX
LE PONT-DE-CLAIX
MINUCIUS FELIX
LÉVIS-MIREPOIX
PAUL DE LA CROIX
JEAN DE LA CROIX
ŒIL-DE-PERDRIX
VERCINGÉTORIX
PROCÈS-VERBAUX
ANTISYNDICAUX
ANTICLÉRICAUX
AGRAMMATICAUX
SOUS-CORTICAUX
ÉPICYCLOÏDAUX
INTERCOTIDAUX
ARCS-DOUBLEAUX
QUADRIJUMEAUX
PORTE-DRAPEAUX
FORGES-LES-EAUX
PORTEMANTEAUX
ENTRECASTEAUX
PORTE-COUTEAUX
FELD-MARÉCHAUX
MÉDICO-SOCIAUX
PSYCHOSOCIAUX
POSTPRANDIAUX
CONSISTORIAUX
BOURGEOISIAUX
HYDROTHERMAUX
SADIQUES-ANAUX

LONGITUDINAUX
GÉOSYNCLINAUX
TRANSLUMINAUX
ANTINATIONAUX
ANTICYCLONAUX
INTERSIDÉRAUX
HYDROMINÉRAUX
PLURILATÉRAUX
MULTILATÉRAUX
CONTRE-AMIRAUX
PRÉÉLECTORAUX
AGROPASTORAUX
LACRYMO-NASAUX
INTERDIGITAUX
BUCCO-GÉNITAUX
EXPÉRIMENTAUX
INSTRUMENTAUX
MONOPARENTAUX
QUASI-CRISTAUX
PHÉNOCRISTAUX
MICROCRISTAUX
CONJONCTIVAUX
SIX-QUATRE-DEUX
CAUCHEMARDEUX
DÉSAVANTAGEUX
CONSCIENCIEUX
ANTIRELIGIEUX
FESSE-MATHIEUX
ROBERT LE PIEUX
SUPERSTITIEUX
ANNECY-LE-VIEUX
BROUSSAILLEUX
LIBÉRO-LIGNEUX
DEMI-TENDINEUX
CARTILAGINEUX

ANTICANCÉREUX
MALENCONTREUX
HYPOSULFUREUX
EMPHYSÉMATEUX
CARCINOMATEUX
MÉDICAMENTEUX
CAOUTCHOUTEUX
IRRESPECTUEUX
DIFFICULTUEUX
ARRIÈRE-NEVEUX
CHÂTEAU-ARNOUX
STAAL DE LAUNAY
GOURNAY-EN-BRAY
GRAND-FOUGERAY
ESSEY-LÈS-NANCY
PASSAMAQUODDY
LAUREL ET HARDY
SILICON VALLEY
PÂRIS-DUVERNEY
BOEING COMPANY
HUGUES DE CLUNY
CASTELNAUDARY
JAURÉGUIBERRY
FABIAN SOCIETY
JEFFERSON CITY
LECOMTE DU NOÜY
JUAN FERNÁNDEZ
SANCHE RAMÍREZ
CSOKONAI VITÉZ
GARCÍA MÁRQUEZ
NEVADO DEL RUIZ
LA TOUR-DE-PEILZ
WINDISCHGRÄTZ
BREITSCHWANTZ

14

DÉCROCHEZ-MOI-ÇA
BANSKÁ BYSTRICA
HASDRUBAL BARCA
DELLA FRANCESCA
SARLAT-LA-CANÉDA
ERCILLA Y ZÚÑIGA
TRISTAN DA CUNHA
VILA NOVA DE GAIA
FRANÇOIS BORGIA
BREUIL-CERVINIA
CIUDAD VICTORIA
INTELLIGENTSIA
ÉTIENNE NEMANJA
KOSTIANTYNIVKA
KONSTANTINOVKA
MARIE DE MAGDALA
MONTANA-VERMALA
IGNACE DE LOYOLA

SOUVANNA PHOUMA
CHABRA AL-KHAYMA
FEIRA DE SANTANA
BOPHUTHATSWANA
PIAZZA ARMERINA
GÓMEZ DE LA SERNA

WALLIS-ET-FUTUNA	COMMUNICATRICE
VÉLEZ DE GUEVARA	PRÉVARICATRICE
THABIT IBN QURRA	INVESTIGATRICE
CONTRAIREMENT À	INTERROGATRICE
VICTORIA NYANZA	CONTEMPLATRICE
LÓPEZ DE MENDOZA	DISSIMULATRICE
LE BOURGET-DU-·LAC	BLASPHÉMATRICE
L'ISLE-D'ESPAGNAC	PROGRAMMATRICE
SAINT-THÉGONNEC	RÉCRIMINATRICE
TÉLÉDIAGNOSTIC	EXTERMINATRICE
SÉRODIAGNOSTIC	COORDONNATRICE
CYTODIAGNOSTIC	SURGÉNÉRATRICE
KARADJORDJEVIC	COLLABORATRICE
MILAN OBRENOVIC	ORCHESTRATRICE
MILOS OBRENOVIC	DÉMONSTRATRICE
DE BRIC ET DE BROC	GLOBALISATRICE
VALLON-PONT-D'ARC	VERBALISATRICE
HENRI BEAUCLERC	NORMALISATRICE
PIERRE MAUCLERC	STABILISATRICE
HEMEL HEMPSTEAD	MODERNISATRICE
VOROCHILOVGRAD	VULGARISATRICE
SERGUIEV POSSAD	TEMPORISATRICE
HAROUN AL-RACHID	IMPROVISATRICE
NORTHUMBERLAND	ARGUMENTATRICE
BRABANT FLAMAND	AUTOÉLÉVATRICE
LE GRAND-BORNAND	CONTREFACTRICE
TIGRANE LE GRAND	AUTODIRECTRICE
ANTOINE LE GRAND	SOUS-DIRECTRICE
ÉTIENNE LE GRAND	SURPRODUCTRICE
CASIMIR LE GRAND	HÉLICICULTRICE
NICOLAS LE GRAND	SÉRICICULTRICE
CHARLES LE GRAND	OSTRÉICULTRICE
FRESNOY-LE-GRAND	MYTILICULTRICE
ROBERT GUISCARD	POPULICULTRICE
SAINT-DOULCHARD	ARBORICULTRICE
EVANS-PRITCHARD	SENSORI-MOTRICE
FRANCHOUILLARD	ÉLECTROMOTRICE
ANTIBROUILLARD	MAGNÉTOMOTRICE
QUEUES-DE-RENARD	PHOTOÉMETTRICE
LA FERTÉ-BERNARD	INTERLOCUTRICE
QUENTIN DURWARD	**FROMENT-MEURICE**
CAROLINE DU NORD	STATION-SERVICE
AMÉRIQUE DU NORD	CHÈQUES-SERVICE
NUR AL-DIN MAHMUD	CONDESCENDANCE
HENDÉCASYLLABE	CORRESPONDANCE
PHILIPPE L'ARABE	INTRANSIGEANCE
NEISSE DE LUSACE	**TRIPLE-ALLIANCE**
DOLNÍ VESTONICE	**SAINTE-ALLIANCE**
REVENDICATRICE	**DUBOIS DE CRANCÉ**
AMPLIFICATRICE	**BONNE-ESPÉRANCE**
PLANIFICATRICE	**CLAUDE DE FRANCE**
SACRIFICATRICE	**JEANNE DE FRANCE**
GLORIFICATRICE	**NOUVELLE-FRANCE**
FALSIFICATRICE	**ROISSY-EN-FRANCE**
VERSIFICATRICE	AUTOSUFFISANCE
JUSTIFICATRICE	MÉCONNAISSANCE
MYSTIFICATRICE	RECONNAISSANCE

TOUTE-PUISSANCE
SUPERPUISSANCE
SELF-INDUCTANCE
AUTO-INDUCTANCE
PRÉADOLESCENCE
DÉGÉNÉRESCENCE
VICE-PRÉSIDENCE
ININTELLIGENCE
ÉLECTROVALENCE
TÉLÉCONFÉRENCE
NON-CONCURRENCE
VIDÉOFRÉQUENCE
RADIOFRÉQUENCE
AUDIOFRÉQUENCE
HYPERFRÉQUENCE
GRANDILOQUENCE
PONTS-PROMENADE
HARALD HÅRDRÅDE
MADAME ADÉLAÏDE
NUCLÉOPROTÉIDE
MONOSACCHARIDE
POLYSACCHARIDE
BOURGTHEROULDE
JUDÉO-ALLEMANDE
INTERALLEMANDE
OUEST-ALLEMANDE
SUISSE NORMANDE
MOYEUVRE-GRANDE
PASCALS-SECONDE
SCROFULARIACÉE
CARYOPHYLLACÉE
CONTREBALANCÉE
JACQUES BARADÉE
ARCHICHLAMYDÉE
RHINO-PHARYNGÉE
CIRCONSTANCIÉE
DÉDIFFÉRENCIÉE
INDIFFÉRENCIÉE
DÉBROUSSAILLÉE
EMBROUSSAILLÉE
DÉSENTORTILLÉE
RECROQUEVILLÉE
IMMUNODÉPRIMÉE
PTÉRIDOSPERMÉE
NOUVELLE-GUINÉE
TIRE-BOUCHONNÉE
APPROVISIONNÉE
REDIMENSIONNÉE
DÉSILLUSIONNÉE
DÉCONDITIONNÉE
INCONDITIONNÉE
RÉQUISITIONNÉE
MANUTENTIONNÉE
DÉCAVAILLONNÉE
ÉCHANTILLONNÉE
SATIRE MÉNIPPÉE
SOUS-DÉVELOPPÉE

PRÉENREGISTRÉE
SURMÉDICALISÉE
COMMERCIALISÉE
DÉMATÉRIALISÉE
INDUSTRIALISÉE
DÉCRIMINALISÉE
DÉNATIONALISÉE
OCCIDENTALISÉE
INDIVIDUALISÉE
CONCEPTUALISÉE
DÉCULPABILISÉE
VULNÉRABILISÉE
DÉCRÉDIBILISÉE
DÉSENSIBILISÉE
INSENSIBILISÉE
RECRISTALLISÉE
DÉSYNCHRONISÉE
PARTICULARISÉE
REVASCULARISÉE
TRANSISTORISÉE
TECHNOCRATISÉE
BUREAUCRATISÉE
RADIOTÉLÉVISÉE
POLYTRANSFUSÉE
INTERCONNECTÉE
COURT-CIRCUITÉE
INEXPÉRIMENTÉE
COMPARTIMENTÉE
EMBERLIFICOTÉE
CONTRE-ATTAQUÉE
CONTRE-INDIQUÉE
PHOTOCOPILLAGE
HÉLITREUILLAGE
CARAMBOUILLAGE
DÉBARBOUILLAGE
ANTIBROUILLAGE
DÉVERROUILLAGE
TRIPATOUILLAGE
FORT-MAHON-PLAGE
ÉLECTROFORMAGE
PAILLASSONNAGE
MICROBOUTURAGE
FRÉDÉRIC LE SAGE
ALPHONSE LE SAGE
IAROSLAV LE SAGE
TAIN-L'HERMITAGE
PUBLIREPORTAGE
RADIOREPORTAGE
PHOTOREPORTAGE
DÉMULTIPLEXAGE
MORSANG-SUR-ORGE
SAVIGNY-SUR-ORGE
CROISSANT-ROUGE
LAMELLIBRANCHE
OPISTHOBRANCHE
ABRIS-SOUS-ROCHE
CONCHES-EN-OUCHE

SAINTE-NITOUCHE
MIES VAN DER ROHE
HISTORIOGRAPHE
ACCÉLÉROGRAPHE
CINÉMATOGRAPHE
FLAVIUS JOSÈPHE
GUSTAVE ADOLPHE
ANTHROPOMORPHE
SAINT-HYACINTHE
NÉMATHELMINTHE
BERCENAY-EN-OTHE
SABLÉ-SUR-SARTHE
CLAUSTROPHOBIE
PHYTOPHARMACIE
STAPHYLOCOCCIE
HYPERTHYROÏDIE
BASSE-NORMANDIE
HAUTE-NORMANDIE
POIX-DE-PICARDIE
ANTHROPOPHAGIE
ÉCOTOXICOLOGIE
BIOSPÉLÉOLOGIE
GÉOMORPHOLOGIE
PSYCHOBIOLOGIE
CHRONOBIOLOGIE
PHÉNOMÉNOLOGIE
BIOTECHNOLOGIE
ENDOCRINOLOGIE
BYZANTINOLOGIE
GÉOCHRONOLOGIE
CARACTÉROLOGIE
ACCIDENTOLOGIE
SÉDIMENTOLOGIE
PARODONTOLOGIE
MICROCHIRURGIE
NEUROCHIRURGIE
MÉNISCOGRAPHIE
AUTOBIOGRAPHIE
ARTÉRIOGRAPHIE
MÉTALLOGRAPHIE
SIGILLOGRAPHIE
DACTYLOGRAPHIE
DACTYLOGRAPHIÉ
HYSTÉROGRAPHIE
SPECTROGRAPHIE
ANTHROPOSOPHIE
CÉNESTHOPATHIE
CORONAROPATHIE
ENDÉMOÉPIDÉMIE
HYPERLIPIDÉMIE
SEPTICOPYOÉMIE
MÉTALLOCHROMIE
ADÉNOÏDECTOMIE
THYROÏDECTOMIE
SYMPATHECTOMIE
AMYGDALECTOMIE
PNEUMONECTOMIE

PROSTATECTOMIE
ALUMINOTHERMIE
ÉLECTROTHERMIE
TRANSLEITHANIE
HÉBOÏDOPHRÉNIE
PRESBYOPHRÉNIE
PAUL ET VIRGINIE
PÉRITÉLÉPHONIE
PHYSIOGNOMONIE
AMÉDÉE DE SAVOIE
LOUISE DE SAVOIE
KINÉSITHÉRAPIE
MUSICOTHÉRAPIE
BALNÉOTHÉRAPIE
PSYCHOTHÉRAPIE
CHIMIOTHÉRAPIE
PHYSIOTHÉRAPIE
MÉCANOTHÉRAPIE
ACTINOTHÉRAPIE
IMMUNOTHÉRAPIE
SCLÉROTHÉRAPIE
OPHTALMOSCOPIE
DIAPHANOSCOPIE
DAGUERRÉOTYPIE
TÉLÉMESSAGERIE
STÉRÉO-ISOMÉRIE
ARCHICONFRÉRIE
ARCHÉOBACTÉRIE
ENTÉROBACTÉRIE
CONTREBATTERIE
ÉLASTICIMÉTRIE
SACCHARIMÉTRIE
STŒCHIOMÉTRIE
OPHTALMOMÉTRIE
ANTHROPOMÉTRIE
HÉMOGLOBINURIE
ACHONDROPLASIE
TÉLANGIECTASIE
BRONCHIECTASIE
RACHIANALGÉSIE
BENOÎT DE NURSIE
THALASSOCRATIE
SURPRISE-PARTIE
TYMPANOPLASTIE
GALVANOPLASTIE
PORTE-PARAPLUIE
GIRAUD-SOULAVIE
INTERSYNDICALE
INTERTROPICALE
HYPOCYCLOÏDALE
FORT LAUDERDALE
EXTRACONJUGALE
RHOMBENCÉPHALE
DOLICHOCÉPHALE
RHYNCHOCÉPHALE
ACANTHOCÉPHALE
BOTHRIOCÉPHALE

14

MAXILLO-FACIALE
BANQUE MONDIALE
SUBÉQUATORIALE
RÉQUISITORIALE
INQUISITORIALE
QUADRAGÉSIMALE
INFINITÉSIMALE
CÉRÉBRO-SPINALE
INTERRÉGIONALE
SEPTENTRIONALE
SUPRANATIONALE
MULTINATIONALE
INTERNATIONALE
INTERNATIONALE
TRANSNATIONALE
INTERCOMMUNALE
CONTROLATÉRALE
ARCHITECTURALE
PRO-OCCIDENTALE
MOYEN-ORIENTALE
DÉPARTEMENTALE
INCOMMUNICABLE
ROBERT LE DIABLE
PRÉSIDENTIABLE
DIFFÉRENTIABLE
INDÉTERMINABLE
INSOUPÇONNABLE
INCONTOURNABLE
INDÉCHIFFRABLE
RENTABILISABLE
CRISTALLISABLE
INFORMATISABLE
INDÉCOMPOSABLE
CONTROVERSABLE
MÉCONNAISSABLE
RECONNAISSABLE
INCONNAISSABLE
INDÉFINISSABLE
ÉLECTROLYSABLE
DESSOUS-DE-TABLE
TRANSPLANTABLE
INFRÉQUENTABLE
FERMENTESCIBLE
ININTELLIGIBLE
IVAN LE TERRIBLE
COMPRÉHENSIBLE
INCOMPRESSIBLE
INDESTRUCTIBLE
INDESCRIPTIBLE
RÉINSCRIPTIBLE
NOUVELLE-ZEMBLE
CHARLES LE NOBLE
TOUSSUS-LE-NOBLE
CELLES-SUR-BELLE
SAINS-EN-GOHELLE
SEMI-OFFICIELLE
INTERSTITIELLE

CONFIDENTIELLE
PRÉSIDENTIELLE
PROVIDENTIELLE
PESTILENTIELLE
ÉVÉNEMENTIELLE
INCRÉMENTIELLE
EXCRÉMENTIELLE
PRÉFÉRENTIELLE
DIFFÉRENTIELLE
PRÉVISIONNELLE
PROVISIONNELLE
ASCENSIONNELLE
DIMENSIONNELLE
INTENSIONNELLE
EXTENSIONNELLE
OBSESSIONNELLE
CONFUSIONNELLE
OPÉRATIONNELLE
SENSATIONNELLE
RÉDACTIONNELLE
DIRECTIONNELLE
TRADITIONNELLE
CONDITIONNELLE
NUTRITIONNELLE
INTENTIONNELLE
PROMOTIONNELLE
EXCEPTIONNELLE
UNIPERSONNELLE
CONFRATERNELLE
SAINTE-CHAPELLE
CONJONCTURELLE
PETITE-ROSSELLE
PRÉMENSTRUELLE
INTELLECTUELLE
INTERTEXTUELLE
HÉTÉROSEXUELLE
PORT-LA-NOUVELLE
GRANDE MURAILLE
IVRY-LA-BATAILLE
BOUCHE-À-OREILLE
RINCE-BOUTEILLE
OUVRE-BOUTEILLE
PORTE-BOUTEILLE
DÉSEMBOUTEILLÉ
CHASSE-GOUPILLE
VILLERS-LA-VILLE
ÉQUEURDREVILLE
HÔ CHI MINH-VILLE
ÉLISABETHVILLE
DUMONT D'URVILLE
COQUILHATVILLE
HÉTÉROMÉTABOLE
SAINT-CYR-L'ÉCOLE
CONSTANTINOPLE
LECONTE DE LISLE
MÉTAL-CARBONYLE
PÉRISSODACTYLE

ANTÉPÉNULTIÈME
MOLÉCULE-GRAMME
MULTIPROGRAMMÉ
CHROMATOGRAMME
SULLY PRUDHOMME
CHONDROSARCOME
ADÉNOCARCINOME
NÆVO-CARCINOME
RADIOASTRONOME
LORIOL-SUR-DRÔME
MICROPODIFORME
CHARADRIIFORME
GARDES-CHIOURME
NÉOCLASSICISME
NÉOPLASTICISME
ENCYCLOPÉDISME
HERMAPHRODISME
SADOMASOCHISME
DERMOGRAPHISME
CATASTROPHISME
HOMÉOMORPHISME
PROVINCIALISME
INDUSTRIALISME
IRRATIONALISME
NÉOLIBÉRALISME
STRUCTURALISME
BICULTURALISME
INDIVIDUALISME
CONCEPTUALISME
PRÉRAPHAÉLISME
MONOMÉTALLISME
NON-CONFORMISME
SERVOMÉCANISME
RÉPUBLICANISME
PANAFRICANISME
MICRO-ORGANISME
VOLTAIRIANISME
MALTHUSIANISME
INDÉTERMINISME
PRÉCISIONNISME
EXPANSIONNISME
DIFFUSIONNISME
CONFUSIONNISME
DÉVIATIONNISME
ISOLATIONNISME
SALTATIONNISME
SITUATIONNISME
RÉDUCTIONNISME
ABOLITIONNISME
INTUITIONNISME
ÉVOLUTIONNISME
DODÉCAPHONISME
SAINT-SIMONISME
POSTMODERNISME
ANTICOMMUNISME
POSTCOMMUNISME
PARTICULARISME

HÉLIOCENTRISME
ETHNOCENTRISME
ANAGRAMMATISME
ARISTOCRATISME
CHIMIOTACTISME
THERMOTACTISME
ANALPHABÉTISME
PARAMAGNÉTISME
COSMOPOLITISME
FLAMINGANTISME
PROTESTANTISME
PLURILINGUISME
MULTILINGUISME
NÉOPOSITIVISME
FREUDO-MARXISME
JEAN LE POSTHUME
PSEUDOMEMBRANE
FERROMOLYBDÈNE
TOXICOMANOGÈNE
PNEUMALLERGÈNE
MADAME SANS-GÊNE
GAÉTAN DE THIENE
SAINTE-SIGOLÈNE
ROMAIN LÉCAPÈNE
DINITROTOLUÈNE
ANNE DE BRETAGNE
BAIN-DE-BRETAGNE
MICHEL L'IVROGNE
NORD-AMÉRICAINE
NORD-AMÉRICAINE
AFRO-AMÉRICAINE
AFRO-AMÉRICAINE
MÉSO-AMÉRICAINE
NÉGRO-AFRICAINE
INTERAFRICAINE
CENTRAFRICAINE
CENTRAFRICAINE
PORT-DE-BOUCAINE
NORMANDIE-MAINE
AFRIQUE ROMAINE
ALSACE-LORRAINE
SEILLE LORRAINE
MÉTROPOLITAINE
SAINT-POLITAINE
DOUÉ-LA-FONTAINE
CALIDIFONTAINE
ROMARIMONTAINE
MÉTHÉMOGLOBINE
OXYHÉMOGLOBINE
AZIDOTHYMIDINE
PROSTAGLANDINE
MARIE MADELEINE
NOGENT-SUR-SEINE
ÉPINAY-SUR-SEINE
NUCLÉOPROTÉINE
SCLÉROPROTÉINE
HÉTÉROPROTÉINE

GONADOTROPHINE
SOMATOTROPHINE
AUTODISCIPLINE
GAMMAGLOBULINE
MACROGLOBULINE
MICROGLOBULINE
BENZODIAZÉPINE
GAULE CISALPINE
ANTI-SOUS-MARINE
NITROGLYCÉRINE
PHYCOÉRYTHRINE
CÉPHALOSPORINE
ARRIÈRE-CUISINE
CASTELROUSSINE
ARRIÈRE-COUSINE
AMÉRIQUE LATINE
MILLY-LAMARTINE
MARIE-CHRISTINE
VAN DE WOESTIJNE
POUSSETTE-CANNE
SAINT-MANDÉENNE
VIEUX-CONDÉENNE
ANTIPALUDÉENNE
PARTHÉNOPÉENNE
INDO-EUROPÉENNE
INDO-EUROPÉENNE
GUADELOUPÉENNE
GUADELOUPÉENNE
PRÉCOLOMBIENNE
STERPINACIENNE
TADOUSSACIENNE
HYDRAULICIENNE
OBSTÉTRICIENNE
GÉOPHYSICIENNE
AUTOMATICIENNE
SYNTACTICIENNE
DIALECTICIENNE
ÉNERGÉTICIENNE
STYLISTICIENNE
STATISTICIENNE
BUREAUTICIENNE
NÉCROMANCIENNE
CHIROMANCIENNE
ONIROMANCIENNE
CARTOMANCIENNE
LANGUEDOCIENNE
LANGUEDOCIENNE
GILLOCRUCIENNE
NON EUCLIDIENNE
ALLANTOÏDIENNE
ANTIACRIDIENNE
LAURENTIDIENNE
HOLLYWOODIENNE
DÉICUSTODIENNE
BELLEGARDIENNE
CRÉPICORDIENNE
CAROLORÉGIENNE

WASQUEHALIENNE
ÉPISCOPALIENNE
PONTISSALIENNE
BONNÉTABLIENNE
MÉSOPOTAMIENNE
MÉSOPOTAMIENNE
CHICOUTIMIENNE
INTRACRÂNIENNE
TERREBONNIENNE
LACÉDÉMONIENNE
LACÉDÉMONIENNE
PARKINSONIENNE
NILO-SAHARIENNE
SAINTE-MARIENNE
MONTDIDÉRIENNE
ANTIVÉNÉRIENNE
SPHINCTÉRIENNE
PRESBYTÉRIENNE
PHYLLOXÉRIENNE
FINNO-OUGRIENNE
BUENOS-AIRIENNE
MONTATAIRIENNE
THERMIDORIENNE
PRÉHISTORIENNE
BASSE-TERRIENNE
SAUVETERRIENNE
CAPESTERRIENNE
SAINT-MAURIENNE
SINGAPOURIENNE
SINGAPOURIENNE
AUSTRONÉSIENNE
CHÂTENAISIENNE
FONTENAISIENNE
LEVALLOISIENNE
MONTLOUISIENNE
PORT-LOUISIENNE
WATTRELOSIENNE
SAINTE-ROSIENNE
TIBIO-TARSIENNE
TREMBLAYSIENNE
VIROFLAYSIENNE
FONTENAYSIENNE
LAVELANÉTIENNE
VILLERUPTIENNE
HALLSTATTIENNE
WINNIPEGUIENNE
TANANARIVIENNE
CASTELNOVIENNE
VILLENEUVIENNE
TERRE-NEUVIENNE
TERRE-NEUVIENNE
ANTÉDILUVIENNE
BILLAUD-VARENNE
TINCHEBRAYENNE
NICARAGUAYENNE
NICARAGUAYENNE
SURDIMENSIONNÉ

PRÉSÉLECTIONNÉ
PERQUISITIONNÉ
MALINTENTIONNÉ
DÉCONVENTIONNÉ
DÉCONGESTIONNÉ
CHAUFFAILLONNE
FRANSQUILLONNÉ
CHÂTEAU-D'OLONNE
CHALON-SUR-SAÔNE
MONOCOTYLÉDONE
RADIOTÉLÉPHONE
NÉERLANDOPHONE
VOULTE-SUR-RHÔNE
BOUCHES-DU-RHÔNE
HÉLIOSYNCHRONE
HYDROCORTISONE
MILON DE CROTONE
VAIRES-SUR-MARNE
CHAMPS-SUR-MARNE
NOGENT-SUR-MARNE
CHALAND-CITERNE
HERRERA LE JEUNE
CRANACH LE JEUNE
HOLBEIN LE JEUNE
MORATÍN LE JEUNE
POURBUS LE JEUNE
CONON DE BÉTHUNE
MARIÁNSKÉ LÁZNE
DAPHNIS ET CHLOÉ
ROBINSON CRUSOÉ
RILLIEUX-LA-PAPE
MONNAIES-DU-PAPE
ILHA DO PRÍNCIPE
FANFAN LA TULIPE
RADIOTÉLESCOPE
PITHÉCANTHROPE
SAINT-JEAN-D'ACRE
MAÎTRE-CYLINDRE
ARPAJON-SUR-CÈRE
CONTREBANDIÈRE
INHOSPITALIÈRE
ROCHE-LA-MOLIÈRE
PARAPÉTROLIÈRE
GENTILHOMMIÈRE
LA GALISSONIÈRE
GRANDE BARRIÈRE
GARDES-BARRIÈRE
PAUSES-CARRIÈRE
MANUFACTURIÈRE
CACHE-BRASSIÈRE
CACHE-POUSSIÈRE
BANQUEROUTIÈRE
LOUIS DE BAVIÈRE
PORTE-ÉTRIVIÈRE
AUBIGNY-SUR-NÈRE
ROMANS-SUR-ISÈRE
BIBLIOTHÉCAIRE

BIHEBDOMADAIRE
INTRANUCLÉAIRE
SAINT-PORCHAIRE
CHIROGRAPHAIRE
INTERGLACIAIRE
SEMI-AUXILIAIRE
INTERSTELLAIRE
SOUS-MAXILLAIRE
MULTITUBULAIRE
PLURISÉCULAIRE
APPENDICULAIRE
SEMI-CIRCULAIRE
GRAND-ANGULAIRE
QUADRANGULAIRE
SOUS-SCAPULAIRE
QUINQUAGÉNAIRE
CINQUANTENAIRE
EXTRAORDINAIRE
INFRALIMINAIRE
GÉNITO-URINAIRE
DÉMISSIONNAIRE
RÉCLUSIONNAIRE
PROBATIONNAIRE
RÉCEPTIONNAIRE
PARALITTÉRAIRE
DOMICILIATAIRE
COPROPRIÉTAIRE
NU-PROPRIÉTAIRE
SOUS-PROLÉTAIRE
SOUS-SECRÉTAIRE
PHYTOSANITAIRE
ENTREPOSITAIRE
FERNEY-VOLTAIRE
PRÉÉLÉMENTAIRE
COMPLÉMENTAIRE
SUPPLÉMENTAIRE
INSTRUMENTAIRE
ÉRYTHROCYTAIRE
COMPROMISSOIRE
INTERROGATOIRE
BLASPHÉMATOIRE
HALLUCINATOIRE
POSTOPÉRATOIRE
SUPERFÉTATOIRE
CONTRADICTOIRE
SAINTE-VICTOIRE
INTERLOCUTOIRE
CALUIRE-ET-CUIRE
TORIGNI-SUR-VIRE
POLYPLACOPHORE
JOACHIM DE FLORE
GUI DE DAMPIERRE
CRANS-SUR-SIERRE
PÉDOPSYCHIATRE
FRÉQUENCEMÈTRE
RADIOALTIMÈTRE
GÉOTHERMOMÈTRE

INTERFÉROMÈTRE
MILLIVOLTMÈTRE
BONNET-DE-PRÊTRE
QUARTIER-MAÎTRE
CONTRE-LA-MONTRE
BRACELET-MONTRE
HOMME-ORCHESTRE
SUPRATERRESTRE
EXTRATERRESTRE
SOUS-ADMINISTRÉ
AU FUR ET À MESURE
SOUS-PRÉFECTURE
DIGITOPUNCTURE
INFRASTRUCTURE
MICROSTRUCTURE
SUPERSTRUCTURE
CÉRÉALICULTURE
CAPILLICULTURE
SALMONICULTURE
TRYPANOSOMIASE
SCHISTOSOMIASE
CHOLINESTÉRASE
OXYDORÉDUCTASE
NUCLÉOSYNTHÈSE
CHIMIOSYNTHÈSE
FERROMANGANÈSE
PARTHÉNOGENÈSE
SPERMATOGENÈSE
ÉLECTROPHORÈSE
THORACOCENTÈSE
GARDE-FRANÇAISE
UNION FRANÇAISE
CASTELNAUDAISE
CORNOUAILLAISE
GONFREVILLAISE
ALFORTVILLAISE
CHAMPAGNOLAISE
SHAWINIGANAISE
FRONTIGNANAISE
ALTO-SÉQUANAISE
SAINT-MARINAISE
ROMORANTINAISE
SAINT-JEANNAISE
BOISBRIANNAISE
MONTLUÇONNAISE
CAVAILLONNAISE
CHÂTILLONNAISE
CASTILLONNAISE
MAINTENONNAISE
HAUT-GARONNAISE
MONTGERONNAISE
CARCASSONNAISE
MONTESSONNAISE
CAPBRETONNAISE
CHARENTONNAISE
SIERRA-LÉONAISE
BRICQUEBÉTAISE

SÈVRE NIORTAISE
AIGUES-MORTAISE
CAUDEBECQUAISE
SOUS-MÉDICALISÉ
FONCTIONNALISÉ
DÉSAISONNALISÉ
DÉPERSONNALISÉ
CONTRACTUALISÉ
ÉTATS DE L'ÉGLISE
IMPERMÉABILISÉ
RESPONSABILISÉ
RESPECTABILISÉ
DÉCHRISTIANISÉ
RECHRISTIANISÉ
STRÉPINIACOISE
SAINT-AMANDOISE
SARRALBIGEOISE
HAGONDANGEOISE
ÉDIMBOURGEOISE
CHERBOURGEOISE
BOURBOURGEOISE
GRAND-SYNTHOISE
HAZEBROUCKOISE
VILLEMOMBLOISE
LONGJUMELLOISE
MONTREUILLOISE
LONGUEUILLOISE
BRAZZAVILLOISE
DECAZEVILLOISE
BOUZONVILLOISE
MONTARVILLOISE
COWANSVILLOISE
ALBERTVILLOISE
HAUBOURDINOISE
CHÂTEAULINOISE
MONTCHANINOISE
CONSTANTINOISE
LOUVECIENNOISE
VALENCIENNOISE
VILLECRESNOISE
LARGENTIÉROISE
GUEBWILLEROISE
BEAUREPAIROISE
BEAUVILLÉSOISE
LONGUENESSOISE
SCHAFFHOUSOISE
BERLAIMONTOISE
FLEURIMONTOISE
LAMBERSARTOISE
AUDINCOURTOISE
NOUAKCHOTTOISE
COUDEKERQUOISE
CASTELNEUVOISE
FONCTIONNARISÉ
DÉCOLLECTIVISÉ
THERMOPROPULSÉ
COUPONS-RÉPONSE

NITROCELLULOSE
HYPOVITAMINOSE
OSTÉOCHONDROSE
ATHÉROSCLÉROSE
HÉMOCHROMATOSE
AGRANULOCYTOSE
SAINT-JOHN PERSE
GRANDE-DUCHESSE
PIERRE-DE-BRESSE
TURBOCOMPRESSÉ
NOUVELLE-ÉCOSSE
HAUTS-DE-CHAUSSE
DION DE SYRACUSE
CAUCHEMARDEUSE
DÉSAVANTAGEUSE
CONSCIENCIEUSE
ANTIRELIGIEUSE
SUPERSTITIEUSE
BROUSSAILLEUSE
DISCUTAILLEUSE
SCRIBOUILLEUSE
VILLERS-SEMEUSE
LIBÉRO-LIGNEUSE
CARTILAGINEUSE
SÉLECTIONNEUSE
PHOTOSTOPPEUSE
ANTICANCÉREUSE
CHRONOMÉTREUSE
MALENCONTREUSE
APPLAUDISSEUSE
DÉGAUCHISSEUSE
RENCHÉRISSEUSE
EMPHYSÉMATEUSE
CARCINOMATEUSE
MÉDICAMENTEUSE
COMPLIMENTEUSE
CAOUTCHOUTEUSE
PRONOSTIQUEUSE
IRRESPECTUEUSE
DIFFICULTUEUSE
ÉLECTRODIALYSE
SUPERPHOSPHATE
HYDROCARBONATE
MULTIPROPRIÉTÉ
PORPHYROGÉNÈTE
INAUTHENTICITÉ
PSYCHORIGIDITÉ
ARABIE SAOUDITE
GRAMMATICALITÉ
TERRITORIALITÉ
SUBSTANTIALITÉ
FONCTIONNALITÉ
IMPERSONNALITÉ
TRANSVERSALITÉ
SENTIMENTALITÉ
CONTINENTALITÉ
IRRÉVOCABILITÉ

IMPERMÉABILITÉ
APPRÉCIABILITÉ
DISSOCIABILITÉ
FALSIFIABILITÉ
CONTRÔLABILITÉ
INFLAMMABILITÉ
INALIÉNABILITÉ
DÉSIDÉRABILITÉ
INALTÉRABILITÉ
DÉMONTRABILITÉ
RESPONSABILITÉ
INOPPOSABILITÉ
RÉTRACTABILITÉ
RESPECTABILITÉ
INEXCITABILITÉ
IRRÉFUTABILITÉ
IRRECEVABILITÉ
INCOERCIBILITÉ
RÉFRANGIBILITÉ
INFAILLIBILITÉ
INDIVISIBILITÉ
SUCCESSIBILITÉ
PERFECTIBILITÉ
PRÉDICTIBILITÉ
CONDUCTIBILITÉ
PRODUCTIBILITÉ
PERCEPTIBILITÉ
SUSCEPTIBILITÉ
CONVERTIBILITÉ
SUGGESTIBILITÉ
COMBUSTIBILITÉ
VILLE-SATELLITE
MICROSATELLITE
CINÉTHÉODOLITE
BERNARD-L'ERMITE
COLLECTIONNITE
OSTÉOCHONDRITE
GASTRO-ENTÉRITE
MICROMÉTÉORITE
DERMATOMYOSITE
TENSIOACTIVITÉ
NON-DIRECTIVITÉ
IMPRODUCTIVITÉ
INTRANSITIVITÉ
SÉROPOSITIVITÉ
HYPERÉMOTIVITÉ
DISTRIBUTIVITÉ
AVESNES-LE-COMTE
CONDESCENDANTE
CORRESPONDANTE
INTRANSIGEANTE
CABRERA INFANTE
ÉPOUSTOUFLANTE
THERMOCOLLANTE
ANTICOAGULANTE
BÊTASTIMULANTE
COPARTICIPANTE

ABRACADABRANTE
COBELLIGÉRANTE
AUTOSUFFISANTE
CULPABILISANTE
DÉSTABILISANTE
SENSIBILISANTE
INFANTILISANTE
CRISTALLISANTE
DÉSHUMANISANTE
ANTIÉMÉTISANTE
ININTÉRESSANTE
RECONNAISSANTE
ASSOURDISSANTE
RÉFLÉCHISSANTE
AFFAIBLISSANTE
ATTENDRISSANTE
RESSORTISSANTE
TOUTE-PUISSANTE
COCONTRACTANTE
DÉSINCRUSTANTE
NON-COMBATTANTE
COMPROMETTANTE
PRÉDÉLINQUANTE
RECONSTITUANTE
AUTONETTOYANTE
PRÉADOLESCENTE
VICE-PRÉSIDENTE
ININTELLIGENTE
TONNAY-CHARENTE
GRANDILOQUENTE
CASTEL DEL MONTE
GÓNGORA Y ARGOTE
JUDAS ISCARIOTE
MACAIRE D'ÉGYPTE
PINOCHET UGARTE
HÉLITRANSPORTÉ
AÉROTRANSPORTÉ
ENCYCLOPÉDISTE
ALLERGOLOGISTE
ORNITHOLOGISTE
CRIMINOLOGISTE
MÉTÉOROLOGISTE
STOMATOLOGISTE
HERPÉTOLOGISTE
VÉLIPLANCHISTE
SADOMASOCHISTE
CATASTROPHISTE
NON-SPÉCIALISTE
IRRATIONALISTE
STRUCTURALISTE
OCCIDENTALISTE
DOCUMENTALISTE
INDIVIDUALISTE
ULTRAROYALISTE
MONOMÉTALLISTE
VIOLONCELLISTE
NON-CONFORMISTE

PRÉVISIONNISTE
EXPANSIONNISTE
EXCURSIONNISTE
SÉCESSIONNISTE
DIFFUSIONNISTE
DÉVIATIONNISTE
DÉFLATIONNISTE
INFLATIONNISTE
ISOLATIONNISTE
SITUATIONNISTE
ABOLITIONNISTE
NUTRITIONNISTE
RÉCEPTIONNISTE
ÉVOLUTIONNISTE
DODÉCAPHONISTE
FEUILLETONISTE
ANTICOMMUNISTE
POSTCOMMUNISTE
DOCUMENTARISTE
ANTITERRORISTE
CYCLOMOTORISTE
CONJONCTURISTE
RADIESTHÉSISTE
CONTROVERSISTE
CONTREBASSISTE
INSTRUMENTISTE
CONTRAPONTISTE
CONTRAPUNTISTE
MARIONNETTISTE
PROSPECTIVISTE
NÉOPOSITIVISTE
JACQUES LE JUSTE
PORTE-SERVIETTE
GRASSOUILLETTE
CROQUIGNOLETTE
SAPERLIPOPETTE
ENTOURLOUPETTE
PORTE-CIGARETTE
PIEDS-D'ALOUETTE
PRESSE-RAQUETTE
GRANDE-ROQUETTE
BÉBÉ-ÉPROUVETTE
BURES-SUR-YVETTE
ESCH-SUR-ALZETTE
REINE-CHARLOTTE
ERGOTHÉRAPEUTE
SAINT-HIPPOLYTE
HARTMANN VON AUE
PAILLES-EN-QUEUE
ANNE DE GONZAGUE
À TOUT BERZINGUE
JEAN PALÉOLOGUE
GÉOMORPHOLOGUE
PHÉNOMÉNOLOGUE
ENDOCRINOLOGUE
BYZANTINOLOGUE
SÉDIMENTOLOGUE

14

INTRACARDIAQUE
TOXICOMANIAQUE
MÉGALOMANIAQUE
HYPOCONDRIAQUE
CHRISTIAN-JAQUE
TCHÉCOSLOVAQUE
TCHÉCOSLOVAQUE
CASSETTOTHÈQUE
OURALO-ALTAÏQUE
PHOTOVOLTAÏQUE
DÉCASYLLABIQUE
PARISYLLABIQUE
MONOSYLLABIQUE
OCTOSYLLABIQUE
POLYSYLLABIQUE
ORTHORHOMBIQUE
ENCYCLOPÉDIQUE
POLYPEPTIDIQUE
SUBSTANTIFIQUE
BLENNORRAGIQUE
GÉOSTRATÉGIQUE
AMPHIBOLOGIQUE
MÉTHODOLOGIQUE
ORNITHOLOGIQUE
VOLCANOLOGIQUE
VULCANOLOGIQUE
TERMINOLOGIQUE
CANCÉROLOGIQUE
MÉTÉOROLOGIQUE
ESCHATOLOGIQUE
CLIMATOLOGIQUE
DERMATOLOGIQUE
RHUMATOLOGIQUE
HERPÉTOLOGIQUE
ANTIALLERGIQUE
DOPAMINERGIQUE
CHORÉGRAPHIQUE
CALLIGRAPHIQUE
DISCOGRAPHIQUE
VIDÉOGRAPHIQUE
PALÉOGRAPHIQUE
LITHOGRAPHIQUE
ORTHOGRAPHIQUE
RADIOGRAPHIQUE
HAGIOGRAPHIQUE
COSMOGRAPHIQUE
SCÉNOGRAPHIQUE
STÉNOGRAPHIQUE
ETHNOGRAPHIQUE
ICONOGRAPHIQUE
PHONOGRAPHIQUE
PORNOGRAPHIQUE
MACROGRAPHIQUE
MICROGRAPHIQUE
HYDROGRAPHIQUE
PÉTROGRAPHIQUE
PICTOGRAPHIQUE

PHOTOGRAPHIQUE
CARTOGRAPHIQUE
HYPERTROPHIQUE
CATASTROPHIQUE
HIÉROGLYPHIQUE
CHALCOLITHIQUE
SIDÉROLITHIQUE
INTERVOCALIQUE
HÉTÉROCYCLIQUE
PANTAGRUÉLIQUE
SPASMOPHILIQUE
POLYMÉTALLIQUE
ANTIVARIOLIQUE
ANTIALCOOLIQUE
HYPOTHALAMIQUE
ARABO-ISLAMIQUE
HYDRODYNAMIQUE
VITROCÉRAMIQUE
STÉRÉOCHIMIQUE
THERMOCHIMIQUE
ANTIÉCONOMIQUE
PROTOPLASMIQUE
MICROMÉCANIQUE
HYDROMÉCANIQUE
PHOTOMÉCANIQUE
INTEROCÉANIQUE
TRANSOCÉANIQUE
PALÉOBOTANIQUE
NEURASTHÉNIQUE
ANTIHYGIÉNIQUE
RADIOTECHNIQUE
MNÉMOTECHNIQUE
MICROTECHNIQUE
TUBERCULINIQUE
AMPHÉTAMINIQUE
COMPAGNONNIQUE
DODÉCAPHONIQUE
STÉRÉOPHONIQUE
ANTICYCLONIQUE
PHILHARMONIQUE
SOIT-COMMUNIQUÉ
STROBOSCOPIQUE
STÉRÉOSCOPIQUE
MISANTHROPIQUE
TELLURHYDRIQUE
LITHOSPHÉRIQUE
TROPOSPHÉRIQUE
ALPHANUMÉRIQUE
AUDIONUMÉRIQUE
CALORIMÉTRIQUE
STÉRÉOMÉTRIQUE
FLUVIOMÉTRIQUE
PLUVIOMÉTRIQUE
DYNAMOMÉTRIQUE
THERMOMÉTRIQUE
CHRONOMÉTRIQUE
ANTISYMÉTRIQUE

HÉLIOCENTRIQUE
ETHNOCENTRIQUE
CATADIOPTRIQUE
THIOSULFURIQUE
PYROSULFURIQUE
PSYCHOPHYSIQUE
TÉLÉMERCATIQUE
MÉLODRAMATIQUE
PARADIGMATIQUE
ANAGRAMMATIQUE
ÉPIGRAMMATIQUE
PROGRAMMATIQUE
PANCHROMATIQUE
ASYMPTOMATIQUE
PHALLOCRATIQUE
TECHNOCRATIQUE
ARISTOCRATIQUE
PLOUTOCRATIQUE
BUREAUCRATIQUE
THERMOSTATIQUE
ANAPHYLACTIQUE
PROPHYLACTIQUE
INDOLE-ACÉTIQUE
INDO-GANGÉTIQUE
ANHYPOTHÉTIQUE
LEUCOPOÏÉTIQUE
ANTISOVIÉTIQUE
PHYLOGÉNÉTIQUE
PARAMAGNÉTIQUE
GYROMAGNÉTIQUE
SALIDIURÉTIQUE
ANTIDIURÉTIQUE
SOCIOPOLITIQUE
PSYCHOCRITIQUE
POSTROMANTIQUE
CONTRAPUNTIQUE
PSYCHOLEPTIQUE
ORGANOLEPTIQUE
MAGNÉTO-OPTIQUE
ECCLÉSIASTIQUE
DIPLOBLASTIQUE
VISCOÉLASTIQUE
VISCOPLASTIQUE
SUPERPLASTIQUE
PARAPHRASTIQUE
PÉRIPHRASTIQUE
HOLOPHRASTIQUE
JOURNALISTIQUE
MONOPOLISTIQUE
HYPOCORISTIQUE
GÉOSTATISTIQUE
PHARMACEUTIQUE
FIBRINOLYTIQUE
ÉLECTROLYTIQUE
NOUVEAU-MEXIQUE
PIERRE NOLASQUE
VAUDEVILLESQUE

CHARLATANESQUE
IVUJIVIMMIUQUE
CHARLES GUSTAVE
MULTIPLICATIVE
SOCIO-ÉDUCATIVE
RÉCAPITULATIVE
ADMINISTRATIVE
INTERPRÉTATIVE
REPRÉSENTATIVE
CONTRAROTATIVE
NON DESTRUCTIVE
PROPRIOCEPTIVE
MÉDICO-SPORTIVE
PROKOP LE CHAUVE
ULTRAORTHODOXE
BAGNOLS-SUR-CÈZE
JAQUES-DALCROZE
DROSTE-HÜLSHOFF
PROSKOURIAKOFF
HENRI LE MALADIF
INCOMPRÉHENSIF
ANTÉPRÉDICATIF
INTERRO-NÉGATIF
ÉLECTRONÉGATIF
NEUROVÉGÉTATIF
PSYCHOAFFECTIF
INTERSUBJECTIF
ÉLECTROPOSITIF
LANGUES-DE-BŒUF
DEUTSCHE BANK AG
SPRINGER VERLAG
DUPONT DE L'ÉTANG
EDGAR AETHELING
CARDIO-TRAINING
PHILIPPE LE LONG
OLOF SKÖTKONUNG
BADE-WURTEMBERG
HEIST-OP-DEN-BERG
NEUBRANDENBURG
KLOSTERNEUBURG
IEKATERINBOURG
ÉVRY-PETIT-BOURG
LA TOUR MAUBOURG
ACTION RESEARCH
FRANÇOIS-JOSEPH
REINE-ÉLISABETH
JACQUES BARADAÏ
LÉONARD DE VINCI
JACOPONE DA TODI
MEDICI-RICCARDI
TCHERRAPOUNDJI
MIZOGUCHI KENJI
KINOSHITA JUNJI
TOUKHATCHEVSKI
TCHERNYCHEVSKI
HARUNOBU SUZUKI
TIRUCHIRAPALLI

MELOZZO DA FORLI
EMBROUILLAMINI
MAHMUD DE GHAZNI
DIMITRI DONSKOÏ
DELLA SCALIGERI
DANTE ALIGHIERI
TCHICAYA U TAM'SI
LACRIMA-CHRISTI
VAN LEEUWENHOEK
GREENFIELD PARK
NOVOTCHERKASSK
IVANO-FRANKIVSK
DNIPROPETROVSK
EXTRAPYRAMIDAL
BOUG MÉRIDIONAL
ARCHIÉPISCOPAL
INTERVERTÉBRAL
DENIS LE LIBÉRAL
SCAPULO-HUMÉRAL
ZORRILLA Y MORAL
ADIPOSO-GÉNITAL
TRANSCENDANTAL
BOUG OCCIDENTAL
PROCHE-ORIENTAL
GOUVERNEMENTAL
COMPORTEMENTAL
SUPRASEGMENTAL
ÉPICONTINENTAL
PÉPIN DE HERSTAL
NEGRO SPIRITUAL
QUEUES-DE-CHEVAL
CIRCONSTANCIEL
EXTRASENSORIEL
AGRO-INDUSTRIEL
POSTINDUSTRIEL
CONSUBSTANTIEL
INTERFÉRENTIEL
BIDIMENSIONNEL
TRANSFUSIONNEL
CORRÉLATIONNEL
INFORMATIONNEL
GRAVITATIONNEL
INTERACTIONNEL
TRANSACTIONNEL
JURIDICTIONNEL
TRIFONCTIONNEL
INCONDITIONNEL
PRÉPOSITIONNEL
PROPOSITIONNEL
INSTITUTIONNEL
INTERPERSONNEL
SPATIO-TEMPOREL
À LA CROQUE-AU-SEL
VICTOR-EMMANUEL
MOISSY-CRAMAYEL
MÉDECIN-CONSEIL
À REBROUSSE-POIL

ERGOCALCIFÉROL
OTTOKAR PREMYSL
MARCQ-EN-BARŒUL
RIO GRANDE DO SUL
VISHAKHAPATNAM
CHOLEM ALEICHEM
MONTAIGU-ZICHEM
ALCATEL ALSTHOM
CUPROALUMINIUM
BALUCHITHÉRIUM
SCHOLA CANTORUM
UTHMAN IBN AFFAN
KHATCHATOURIAN
UNTER DEN LINDEN
DONAUESCHINGEN
GERAARDSBERGEN
ARISTOTÉLICIEN
PYROTECHNICIEN
POLYTECHNICIEN
NÉOPLATONICIEN
ÉCONOMÉTRICIEN
ASTROPHYSICIEN
CHIROPRATICIEN
PÉRIPATÉTICIEN
ÉDOUARD L'ANCIEN
CRANACH L'ANCIEN
TARQUIN L'ANCIEN
VISCHER L'ANCIEN
POURBUS L'ANCIEN
PORT-AU-PRINCIEN
FRANCO-CANADIEN
FRANCO-CANADIEN
PARATHYROÏDIEN
ANTITHYROÏDIEN
LANGUES-DE-CHIEN
SCIPION ÉMILIEN
BERZÉLAVILLIEN
CHLOROPHYLLIEN
AMSTELLODAMIEN
NORD-VIETNAMIEN
NORD-VIETNAMIEN
DEUTÉROSTOMIEN
PONTÉPISCOPIEN
CAROLOMACÉRIEN
PONTAUDEMÉRIEN
NÉOGRAMMAIRIEN
SAÔNE-ET-LOIRIEN
PROTOHISTORIEN
TRANSCAUCASIEN
SAINT-PALAISIEN
CHANTONNAISIEN
CODE THÉODOSIEN
CARPENTRASSIEN
SOCIAL-CHRÉTIEN
SAINT-SÉBASTIEN
DOUR-SHARROUKÊN
RECKLINGHAUSEN

GRIMMELSHAUSEN
ANGLO-AMÉRICAIN
ANGLO-AMÉRICAIN
INTERAMÉRICAIN
CENTRAMÉRICAIN
CENTRAMÉRICAIN
COSTARMORICAIN
SAINT-GERVELAIN
SAINT-GERVOLAIN
MONTPELLIÉRAIN
PASSE-TOUT-GRAIN
BARBE-DE-CAPUCIN
SOULTZ-HAUT-RHIN
MAÎTRE PATHELIN
HOLOCRISTALLIN
SAINT-MARCELLIN
SAINT-MARCELLIN
BRILLAT-SAVARIN
CASTELSARRASIN
EMPIRE BYZANTIN
SAINT-FLORENTIN
SAINT-FLORENTIN
PIERRE CÉLESTIN
SAINT-BERTHEVIN
MARAIS POITEVIN
TAXCO DE ALARCÓN
ROSTOV-SUR-LE-DON
CŒURS-DE-PIGEON
SAINT-POL-DE-LÉON
QUEUES-DE-COCHON
GÉMISTE PLÉTHON
PÉRITÉLÉVISION
AUTOPROPULSION
ÉLECTROÉROSION
SÉROCONVERSION
TÉLÉIMPRESSION
SURCOMPRESSION
BOUTON-PRESSION
SOUS-COMMISSION
RETRANSMISSION
MULTIDIFFUSION
RADIODIFFUSION
DÉSAPPROBATION
AUTOMÉDICATION
SOLIDIFICATION
HUMIDIFICATION
FLUIDIFICATION
SIMPLIFICATION
SAPONIFICATION
ÉTHÉRIFICATION
ESTÉRIFICATION
CLASSIFICATION
STRATIFICATION
SANCTIFICATION
FRUCTIFICATION
QUANTIFICATION
IDENTIFICATION

PLASTIFICATION
KARSTIFICATION
REVIVIFICATION
DÉNAZIFICATION
MULTIPLICATION
PRÉFABRICATION
SOPHISTICATION
DÉMOUSTICATION
BIODÉGRADATION
RÉTROGRADATION
RECOMMANDATION
EURO-OBLIGATION
CENTRIFUGATION
INTERMÉDIATION
RÉCONCILIATION
HYPERINFLATION
AUTOMUTILATION
RÉINSTALLATION
INTERPELLATION
DÉFIBRILLATION
AUTORÉGULATION
RÉCAPITULATION
SOUS-ESTIMATION
SURINFORMATION
DÉSINFORMATION
TRANSFORMATION
DÉSOXYGÉNATION
INCOORDINATION
DISCRIMINATION
PRÉDESTINATION
CONCÉLÉBRATION
CONGLOMÉRATION
BEAT GENERATION
DÉSINTÉGRATION
TRANSMIGRATION
AUTOCASTRATION
DÉFENESTRATION
ADMINISTRATION
SURFACTURATION
FINLANDISATION
SHÉRARDISATION
EUTROPHISATION
NÉOLITHISATION
RADICALISATION
MÉDICALISATION
LEXICALISATION
DÉLOCALISATION
COLOCALISATION
SPÉCIALISATION
MONDIALISATION
SPATIALISATION
INITIALISATION
DÉCIMALISATION
MINIMALISATION
OPTIMALISATION
MAXIMALISATION
DÉPÉNALISATION

14

LIBÉRALISATION
GÉNÉRALISATION
MINÉRALISATION
LATÉRALISATION
DÉMORALISATION
CENTRALISATION
NEUTRALISATION
NATURALISATION
DÉNASALISATION
PALATALISATION
VÉGÉTALISATION
CAPITALISATION
DÉVITALISATION
REVITALISATION
CHAPTALISATION
MENSUALISATION
ÉVANGÉLISATION
CARAMÉLISATION
DÉMOBILISATION
IMMOBILISATION
SOLUBILISATION
LYOPHILISATION
DÉVIRILISATION
VOLATILISATION
TYNDALLISATION
PARCELLISATION
CARTELLISATION
MONOPOLISATION
DÉNÉBULISATION
AUTONOMISATION
UNIFORMISATION
AFRICANISATION
RÉORGANISATION
INORGANISATION
PRINTANISATION
KÉRATINISATION
DÉCOLONISATION
FRATERNISATION
NUCLÉARISATION
TERTIARISATION
DÉPOLARISATION
BIPOLARISATION
SÉCULARISATION
RÉGULARISATION
POPULARISATION
TITULARISATION
MILITARISATION
POLYMÉRISATION
CATÉGORISATION
DÉVALORISATION
REVALORISATION
INSONORISATION
GÉOMÉTRISATION
THÉSAURISATION
PASTEURISATION
PRESSURISATION
SCHÉMATISATION

STIGMATISATION
AXIOMATISATION
AUTOMATISATION
CONCRÉTISATION
GRAPHITISATION
DÉPOLITISATION
LATÉRITISATION
RELATIVISATION
DÉCOMPENSATION
TERGIVERSATION
AUTOACCUSATION
VASODILATATION
DÉSHYDRATATION
DÉSAFFECTATION
CASTRAMÉTATION
INTERPRÉTATION
RÉHABILITATION
AUTOLIMITATION
RÉIMPLANTATION
DÉSAIMANTATION
DÉSORIENTATION
RÉGLEMENTATION
DÉPIGMENTATION
ASSERMENTATION
REPRÉSENTATION
SOUS-ÉVALUATION
SURRÉSERVATION
INSATISFACTION
ANTIEFFRACTION
PRIMO-INFECTION
CIRCONSPECTION
SCIENCE-FICTION
EXTRÊME-ONCTION
OXYDORÉDUCTION
AUTOCONDUCTION
SOUS-PRODUCTION
POSTPRODUCTION
RÉINTRODUCTION
DÉSOBSTRUCTION
DÉCONSTRUCTION
RECONSTRUCTION
PRÉSUPPOSITION
PRÉDISPOSITION
SOUS-EXPOSITION
PRÉINSCRIPTION
AUTOSUGGESTION
POSTCOMBUSTION
ACQUIT-À-CAUTION
REDISTRIBUTION
CIRCONLOCUTION
CIRCONVOLUTION
NON-COMPARUTION
RECONSTITUTION
INTERCONNEXION
LICINIUS STOLON
SCEAU-DE-SALOMON
CHAUFFE-BIBERON

GARCÍA CALDERÓN
EUSTHENOPTERON
LAMOTTE-BEUVRON
RUEIL-MALMAISON
GIRODET-TRIOSON
SHIMAZAKI TOSON
OLAV HARALDSSON
CARTIER-BRESSON
MAGNUS ERIKSSON
OLUF HAAKONSSON
PHILIPPE DE LYON
KAISERSLAUTERN
PARENTIS-EN-BORN
FINSTERAARHORN
RADCLIFFE-BROWN
CASTEL GANDOLFO
MONSU DESIDERIO
CIUDAD TRUJILLO
PAOLO VENEZIANO
THOMAS DE CELANO
GIOVANNI PISANO
TORRES RESTREPO
LARGO CABALLERO
TOGO HEIHACHIRO
RICCI-CURBASTRO
VITTORIO VENETO
ANDREA DEL SARTO
SAN JUAN DE PASTO
TSUBOUCHI SHOYO
LA COLLE-SUR-LOUP
VESTMANNAEYJAR
PÉREZ DE CUÉLLAR
SZÉKESFEHÉRVÁR
LA VALETTE-DU-VAR
CONTREBALANCER
GENTLEMAN-RIDER
HARALD HÅRFAGER
OEHLENSCHLÄGER
ÉLECTROMÉNAGER
SCHLEIERMACHER
LA FERTÉ-GAUCHER
DÉDIFFÉRENCIER
CONTRE-ESPALIER
SERRE-CHEVALIER
BOUGAINVILLIER
STÉRÉORÉGULIER
CHAUX-DE-FONNIER
CHARLES GARNIER
VINCENT FERRIER
PAMPLEMOUSSIER
PAPE-CARPANTIER
CHÂTEAU-GONTIER
FRANÇOIS XAVIER
DÉBROUSSAILLER
EMBROUSSAILLER
DÉSENTORTILLER
RECROQUEVILLER

PEUPLES DE LA MER
LOUIS D'OUTREMER
BOULOGNE-SUR-MER
SAINT-POL-SUR-MER
LE VERDON-SUR-MER
BEAUVOIR-SUR-MER
SAINT-CYR-SUR-MER
BEAULIEU-SUR-MER
GEWURZTRAMINER
TIRE-BOUCHONNER
APPROVISIONNER
REDIMENSIONNER
DÉSILLUSIONNER
DÉCONDITIONNER
RÉQUISITIONNER
MANUTENTIONNER
DÉCAVAILLONNER
ÉCHANTILLONNER
SURMÉDICALISER
COMMERCIALISER
DÉMATÉRIALISER
INDUSTRIALISER
DÉCRIMINALISER
DÉNATIONALISER
OCCIDENTALISER
INDIVIDUALISER
CONCEPTUALISER
DÉCULPABILISER
VULNÉRABILISER
DÉCRÉDIBILISER
DÉSENSIBILISER
INSENSIBILISER
RECRISTALLISER
DÉSYNCHRONISER
PARTICULARISER
REVASCULARISER
TRANSISTORISER
TECHNOCRATISER
BUREAUCRATISER
MAÎTRES-À-DANSER
INTERCONNECTER
COURT-CIRCUITER
COMPARTIMENTER
EMBERLIFICOTER
DÉMÉTRIOS SÔTER
WILHELM MEISTER
NEW WESTMINSTER
CONTRE-ATTAQUER
CONTRE-INDIQUER
LA MOTHE LE VAYER
EL-MARSA EL-KEBIR
FOULQUES LE NOIR
ENTR'APERCEVOIR
ENTRAPERCEVOIR
ROCHE-RÉSERVOIR
FINNBOGADÓTTIR
NABUCHODONOSOR

NABUCHODONOSOR
RESURCHAUFFEUR
CROQUE-MONSIEUR
HENRI L'OISELEUR
TRIPATOUILLEUR
SOUFFRE-DOULEUR
PRÉTENSIONNEUR
CONFECTIONNEUR
COLLECTIONNEUR
SOUS-GOUVERNEUR
DÉNICOTINISEUR
AUTOPROPULSEUR
AÉROCONDENSEUR
PHOTOCOMPOSEUR
MARTIN-CHASSEUR
MONOPROCESSEUR
ANTIDÉPRESSEUR
DÉSAPPROBATEUR
HUMIDIFICATEUR
SIMPLIFICATEUR
CLASSIFICATEUR
SANCTIFICATEUR
QUANTIFICATEUR
IDENTIFICATEUR
MULTIPLICATEUR
CACHE-RADIATEUR
NEUROMÉDIATEUR
DÉFIBRILLATEUR
AUTORÉGULATEUR
MONOCHROMATEUR
DÉSINFORMATEUR
TRANSFORMATEUR
ACCOMPAGNATEUR
MINI-ORDINATEUR
MULTIVIBRATEUR
AÉROGÉNÉRATEUR
CÂBLO-OPÉRATEUR
ADMINISTRATEUR
GÉNÉRALISATEUR
MINÉRALISATEUR
DÉMORALISATEUR
CENTRALISATEUR
ÉVANGÉLISATEUR
DÉMOBILISATEUR
MONOPOLISATEUR
RÉORGANISATEUR
AUTOACCUSATEUR
VASODILATATEUR
TÉLÉSPECTATEUR
AUTOEXCITATEUR
QUADRIRÉACTEUR
SEMI-CONDUCTEUR
CRYOCONDUCTEUR
RECONSTRUCTEUR
CAPILLICULTEUR
MICROPESANTEUR
RADIORÉCEPTEUR

CHÉMORÉCEPTEUR
PHOTORÉCEPTEUR
BOURSE-À-PASTEUR
PEINTRE-GRAVEUR
ARNAC-POMPADOUR
BONHEURS-DU-JOUR
GUILLAUME DE TYR
SINT-GILLIS-WAAS
AMMONIOS SACCAS
HÉPATOPANCRÉAS
ANTIOCHOS MÉGAS
NE-ME-TOUCHEZ-PAS
CHÂTEAU-QUEYRAS
LEEWARD ISLANDS
JUDÉO-ALLEMANDS
OUEST-ALLEMANDS
LA CHAUX-DE-FONDS
PORTE-BRANCARDS
PORTE-ÉTENDARDS
COLIN-MAILLARDS
ATTRAPE-NIGAUDS
POISSONS-GLOBES
LIBRES-SERVICES
NON-JOUISSANCES
SOUS-TRAITANCES
NON-ASSISTANCES
PLANS-SÉQUENCES
BANDES-ANNONCES
ANGLO-NORMANDES
ANGLO-NORMANDES
TIMBRES-AMENDES
CONTRE-PLONGÉES
SEMI-CHENILLÉES
HAUTES-PYRÉNÉES
ENTRE-DÉCHIRÉES
ARRIÈRE-PENSÉES
SOUS-EXPLOITÉES
SOUS-ALIMENTÉES
STOCKTON-ON-TEES
CONTRE-BRAQUÉES
MOYENS-MÉTRAGES
COURTS-MÉTRAGES
LIBRES-ÉCHANGES
CAPSULES-CONGÉS
RHINO-PHARYNGÉS
THAON-LES-VOSGES
CARROZ-D'ARÂCHES
FOLLES-BLANCHES
DOUBLES-CROCHES
ATTRAPE-MOUCHES
OISEAUX-MOUCHES
BATEAUX-MOUCHES
TALKIES-WALKIES
PHYSICO-CHIMIES
PROVINCES-UNIES
FORÊTS-GALERIES
CROSS-COUNTRIES

AGRO-INDUSTRIES
CHARTES-PARTIES
ENTRÉES-SORTIES
SOUS-CORTICALES
MÉDICO-SOCIALES
SADIQUES-ANALES
BUCCO-GÉNITALES
SEMI-PERMÉABLES
HORATIUS COCLES
PLAQUES-MODÈLES
MÉPHISTOPHÉLÈS
PRINCE-DE-GALLES
PRINCE-DE-GALLES
PARE-ÉTINCELLES
LONGUÉ-JUMELLES
CARTONS-PAILLES
PERCE-MURAILLES
VIDE-BOUTEILLES
DEMI-BOUTEILLES
BELLES-FAMILLES
LANCE-TORPILLES
QUATRE-FEUILLES
PORTE-AIGUILLES
LAMELLÉS-COLLÉS
CHAMPIGNEULLES
CONTRE-EXEMPLES
MAÎTRES-COUPLES
POINTS-VIRGULES
CHEMIN DES DAMES
HENLEY-ON-THAMES
ALPES-MARITIMES
LOIS-PROGRAMMES
SOUS-PROGRAMMES
SEMI-NOMADISMES
TIERS-MONDISMES
AVANT-GARDISMES
JE-M'EN-FICHISMES
JE-M'EN-FOUTISMES
ÉPLUCHE-LÉGUMES
PASSE-MONTAGNES
SUD-AMÉRICAINES
SUD-AMÉRICAINES
NORD-AFRICAINES
NORD-AFRICAINES
GRANDES PLAINES
SINO-TIBÉTAINES
CROQUE-MITAINES
CONTRE-HERMINES
DOUCHY-LES-MINES
CRISTES-MARINES
SAINT-CYRIENNES
TIRE-BOUCHONNÉS
WAGONS-CITERNES
AVIONS-CITERNES
FOURGONS-POMPES
CHAUSSE-TRAPPES
SOUS-DÉVELOPPÉS

BLOCS-CYLINDRES
THORENS-GLIÈRES
AVANT-PREMIÈRES
PORTE-BANNIÈRES
AVANT-DERNIÈRES
SOUS-VENTRIÈRES
GARDES-RIVIÈRES
STÉRÉO-ISOMÈRES
NIVO-GLACIAIRES
SOUS-GLACIAIRES
SOUS-LOCATAIRES
BUCCO-DENTAIRES
CONQUISTADORES
JOSQUIN DES PRÉS
CONTRE-FENÊTRES
PORTES-FENÊTRES
PAPIERS-FILTRES
YVES DE CHARTRES
MANDATS-LETTRES
CARTONS-FEUTRES
CRAYONS-FEUTRES
CONTRE-CULTURES
NÉO-ZÉLANDAISES
NÉO-ZÉLANDAISES
CHASSÉS-CROISÉS
FRANC-COMTOISES
FRANC-COMTOISES
CARTES-RÉPONSES
ÉLECTRO-OSMOSES
FILTRES-PRESSES
CHÂSSIS-PRESSES
SOUS-MAÎTRESSES
TIROIRS-CAISSES
HAUT-DE-CHAUSSES
GRANDES ROUSSES
AUTO-STOPPEUSES
STRIP-TEASEUSES
PIQUE-NIQUEUSES
CÔTE DES PIRATES
MICROS-CRAVATES
CONTRE-SOCIÉTÉS
NUES-PROPRIÉTÉS
CONTRE-ENQUÊTES
NON-CONFORMITÉS
COURT-CIRCUITÉS
SOUS-DOMINANTES
NON-COMPARANTES
GOYA Y LUCIENTES
AGUASCALIENTES
BATEAUX-PILOTES
TIERS-MONDISTES
AVANT-GARDISTES
JE-M'EN-FICHISTES
DEMI-FINALISTES
MOTS-CROISISTES
SEMI-GROSSISTES
JE-M'EN-FOUTISTES

AUTOCOUCHETTES
RAMASSE-MIETTES
PIQUE-ASSIETTES
ÉPINES-VINETTES
CASSE-NOISETTES
SOURDES-MUETTES
LANCE-ROQUETTES
DONS QUICHOTTES
GAINES-CULOTTES
BARRAGES-VOÛTES
ABAISSE-LANGUES
RHYTHM AND BLUES
CONTRE-ATTAQUES
CONTRE-ATTAQUÉS
COMPTES CHÈQUES
CONTRE-INDIQUÉS
OPÉRAS-COMIQUES
INTRA-ATOMIQUES
AFRO-ASIATIQUES
ALPES RHÉTIQUES
SIDÉROLITIQUES
PORT-DES-BARQUES
NON-FIGURATIVES
ESTIENNE D'ORVES
CONTRE-ÉPREUVES
ADJUDANTS-CHEFS
SOCIO-ÉDUCATIFS
NON DESTRUCTIFS
MÉDICO-SPORTIFS
SOUDAN FRANÇAIS
FRANCO-FRANÇAIS
MONTBÉLIARDAIS
VOITURES-BALAIS
ARGENTEUILLAIS
AZERBAÏDJANAIS
AZERBAÏDJANAIS
DEUX-MONTAGNAIS
VILLEURBANNAIS
CARBONBLANNAIS
ROUSSILLONNAIS
ROUSSILLONNAIS
LOT-ET-GARONNAIS
NIEDERBRONNAIS
SAINT-GIRONNAIS
COURCOURONNAIS
MONTBRISONNAIS
SAINT-CHAMONAIS
SEINE-ET-MARNAIS
POINTE-CLAIRAIS
HILAIREMONTAIS
MARIE DE MÉDICIS
POISSON-PARADIS
COLLOT D'HERBOIS
AULNAY-SOUS-BOIS
CLICHY-SOUS-BOIS
FRANC-BOURGEOIS
SARREBOURGEOIS

LUXEMBOURGEOIS
LUXEMBOURGEOIS
STRASBOURGEOIS
STRASBOURGEOIS
PETIT-BOURGEOIS
VILLEFRANCHOIS
JEANNE DE VALOIS
ÉTIENNE DE BLOIS
BLANC-MESNILOIS
CINTEGABELLOIS
BEAUSOLEILLOIS
BELLEFEUILLOIS
FRANCHEVILLOIS
LORETTEVILLOIS
LANEUVEVILLOIS
FRANCONVILLOIS
BOUCHERVILLOIS
SARTROUVILLOIS
SAINT-GERMANOIS
SAINT-GAUDINOIS
MONT-DAUPHINOIS
CASTELSALINOIS
SARREGUEMINOIS
BISCHWILLEROIS
AUSTRO-HONGROIS
AUSTRO-HONGROIS
YAMOUSSOUKROIS
LIGNY-EN-BARROIS
LAURIERMONTOIS
SOLLIÈSPONTOIS
PONTRAMBERTOIS
HEILLECOURTOIS
PRETIUM DOLORIS
MACHADO DE ASSIS
PORT-SAINT-LOUIS
CASTRO Y BELLVÍS
STARTING-BLOCKS
FŒTO-MATERNELS
MACHINES-OUTILS
JUDÉO-ESPAGNOLS
BUSINESSWOMANS
LE BOURG-D'OISANS
JULIO-CLAUDIENS
AFRO-BRÉSILIENS
AFRO-BRÉSILIENS
SUD-VIETNAMIENS
SUD-VIETNAMIENS
NÉO-CALÉDONIENS
NÉO-CALÉDONIENS
SAINT-SIMONIENS
JUDÉO-CHRÉTIENS
ALLENDE GOSSENS
LOÈCHE-LES-BAINS
MOLITG-LES-BAINS
THONON-LES-BAINS
BRIDES-LES-BAINS
SALINS-LES-BAINS

VERNET-LES-BAINS
GRÉOUX-LES-BAINS
NORD-AMÉRICAINS
NORD-AMÉRICAINS
AFRO-AMÉRICAINS
AFRO-AMÉRICAINS
MÉSO-AMÉRICAINS
NÉGRO-AFRICAINS
ANTI-SOUS-MARINS
ROCHES-MAGASINS
ARRIÈRE-COUSINS
CHEVAUX-D'ARÇONS
NON-FIGURATIONS
TOXI-INFECTIONS
MULTIFONCTIONS
SELF-INDUCTIONS
AUTO-INDUCTIONS
MARTEAUX-PILONS
TAUPES-GRILLONS
ARRIÈRE-SAISONS
BOÎTES-BOISSONS
TWIRLING BÂTONS
SIMONIDE DE CÉOS
CORNELIUS NEPOS
MARTÍNEZ CAMPOS
MAVROKORDHÁTOS
DUPETIT-THOUARS
PROTÈGE-CAHIERS
LACAZE-DUTHIERS
MOYEN-COURRIERS
COURT-COURRIERS
PAVILLONS-NOIRS
VILLES-DORTOIRS
BATEAUX-LAVOIRS
CONTRE-POUVOIRS
TAMBOURS-MAJORS
SERGENTS-MAJORS
ACCROCHE-CŒURS
ARRIÈRE-CHŒURS
SOUS-ACQUÉREURS
LIBRES-PENSEURS
TOUR-OPÉRATEURS
SOUS-DIRECTEURS
SENSORI-MOTEURS
ASPIRO-BATTEURS
FAUX-MONNAYEURS
HERBES-AUX-CHATS
COURTS-CIRCUITS
AIDES-SOIGNANTS
CONTRE-COURANTS
NON-COMBATTANTS
VICE-PRÉSIDENTS
NON-ALIGNEMENTS
ARCS-BOUTEMENTS
PORTE-DOCUMENTS
SOUS-CONTINENTS
IMPORTS-EXPORTS

CLAUDIUS CAECUS
DIES ACADEMICUS
SERVIUS TULLIUS
PIERRE CANISIUS
FURIUS CAMILLUS
CHEVEUX-DE-VÉNUS
PAPILLOMAVIRUS
NUMERUS CLAUSUS
DAMMARIE-LES-LYS
FONCTIONNARIAT
INTERPRÉTARIAT
ARCHIÉPISCOPAT
JULIEN L'APOSTAT
PLANCHE-CONTACT
MONTRE-BRACELET
HÉCATÉE DE MILET
MOUTON-DUVERNET
LA MOTTE-PICQUET
BEC-DE-PERROQUET
WOLLSTONECRAFT
VERMEER DE DELFT
PLUS-QUE-PARFAIT
OLDENBARNEVELT
CHÂTEAU-RENAULT
SIGER DE BRABANT
DÉCONTENANÇANT
TÉLÉCOMMANDANT
INTERDÉPENDANT
SUPERINTENDANT
DÉSAVANTAGEANT
RESURCHAUFFANT
DÉSHUMIDIFIANT
AUTOLUBRIFIANT
CHORÉGRAPHIANT
CALLIGRAPHIANT
LITHOGRAPHIANT
ORTHOGRAPHIANT
RADIOGRAPHIANT
STÉNOGRAPHIANT
REPROGRAPHIANT
PHOTOGRAPHIANT
CARTOGRAPHIANT
HYPERTROPHIANT
HYPOGLYCÉMIANT
DÉSENSORCELANT
EMMOUSCAILLANT
DÉBARBOUILLANT
EMBARBOUILLANT
DÉVERROUILLANT
TRIPATOUILLANT
TINTINNABULANT
AUTOPROCLAMANT
ENTHOUSIASMANT
DÉSACCOUTUMANT
DÉSHYDROGÉNANT
SOUS-LIEUTENANT
PRÉDÉTERMINANT

SURDÉTERMINANT
DÉCAPUCHONNANT
ENCAPUCHONNANT
ENDIVISIONNANT
CONVULSIONNANT
CONTORSIONNANT
IMPRESSIONNANT
COMMISSIONNANT
SOUMISSIONNANT
CONFECTIONNANT
PERFECTIONNANT
COLLECTIONNANT
REPOSITIONNANT
SUBVENTIONNANT
CONVENTIONNANT
PROPORTIONNANT
SUGGESTIONNANT
CONGESTIONNANT
PRÉCAUTIONNANT
RÉVOLUTIONNANT
TOURBILLONNANT
ÉTRÉSILLONNANT
ÉCOUVILLONNANT
DÉCHAPERONNANT
PAILLASSONNANT
REMPOISSONNANT
PETIT-DÉJEUNANT
MAGNÉTOSCOPANT
DÉSENVELOPPANT
DÉSÉQUILIBRANT
DÉSINCARCÉRANT
NON-BELLIGÉRANT
ANTIDÉFLAGRANT
ENTRE-DÉCHIRANT
ANTIPERSPIRANT
INTERPÉNÉTRANT
RÉENREGISTRANT
SUPERCARBURANT
VILLÉGIATURANT
ARCHITECTURANT
INSATISFAISANT
MÉTAMORPHISANT
DÉMÉDICALISANT
POTENTIALISANT
PERSONNALISANT
MUNICIPALISANT
DÉMINÉRALISANT
DÉCENTRALISANT
DÉNATURALISANT
UNIVERSALISANT
DÉCAPITALISANT
RECAPITALISANT
SPIRITUALISANT
MALLÉABILISANT
COMPTABILISANT
INSOLUBILISANT
TRANQUILLISANT

CHRISTIANISANT
DÉNICOTINISANT
EMBOURGEOISANT
DÉSOLIDARISANT
DÉNUCLÉARISANT
PARCELLARISANT
DÉMILITARISANT
REMILITARISANT
CONTAINÉRISANT
ACCESSOIRISANT
PSYCHIATRISANT
CONTENEURISANT
DÉPRESSURISANT
MITHRIDATISANT
ANATHÉMATISANT
DÉSINSECTISANT
CONSCIENTISANT
RÉINTRODUISANT
DÉSAMBIGUÏSANT
DÉCONSTRUISANT
RECONSTRUISANT
COLLECTIVISANT
MÉTAMORPHOSANT
PHOTOCOMPOSANT
DÉSINTÉRESSANT
RÉAPPARAISSANT
RACCOURCISSANT
RESPLENDISSANT
ABASOURDISSANT
RAFRAÎCHISSANT
DÉFRAÎCHISSANT
REBLANCHISSANT
AFFRANCHISSANT
PRÉÉTABLISSANT
APPESANTISSANT
RÉASSORTISSANT
RÉINVESTISSANT
ASSUJETTISSANT
RADIODIFFUSANT
PSYCHANALYSANT
SOUS-EXPLOITANT
ANTIPARASITANT
DÉRÉGLEMENTANT
SOUS-ALIMENTANT
PHOTORÉSISTANT
RETRANSMETTANT
CONTREPLAQUANT
CONTRE-BRAQUANT
DIAGNOSTIQUANT
DÉSINTOXIQUANT
CONTREMARQUANT
ENTR'APERCEVANT
ENTRAPERCEVANT
RETRANSCRIVANT
CIRCONSCRIVANT
DÉMULTIPLEXANT
BIOLUMINESCENT

PHOSPHORESCENT
ÉTOILES-D'ARGENT
BOUTONS-D'ARGENT
INEFFICACEMENT
SUBREPTICEMENT
PRÉFINANCEMENT
ORDONNANCEMENT
RECOMMENCEMENT
SOUS-AMENDEMENT
RACCOMMODEMENT
TRANSBORDEMENT
TÉLÉCHARGEMENT
PLEURNICHEMENT
EFFAROUCHEMENT
REJOINTOIEMENT
TRIOMPHALEMENT
ADVERBIALEMENT
COLLÉGIALEMENT
IMPARTIALEMENT
ARTISANALEMENT
PRINCIPALEMENT
BILATÉRALEMENT
DIAMÉTRALEMENT
MAGISTRALEMENT
PARADOXALEMENT
IMPLACABLEMENT
IMPECCABLEMENT
FORMIDABLEMENT
INDÉNIABLEMENT
INVARIABLEMENT
INSATIABLEMENT
CONVENABLEMENT
ABOMINABLEMENT
PRÉFÉRABLEMENT
DÉPLORABLEMENT
INEXORABLEMENT
DÉSENSABLEMENT
INLASSABLEMENT
CHARITABLEMENT
INÉVITABLEMENT
LAMENTABLEMENT
DÉTESTABLEMENT
REDOUTABLEMENT
INCROYABLEMENT
EFFROYABLEMENT
INVINCIBLEMENT
INSENSIBLEMENT
OSTENSIBLEMENT
IMPASSIBLEMENT
INFLEXIBLEMENT
BOURSOUFLEMENT
ENCORBELLEMENT
ENSORCELLEMENT
OFFICIELLEMENT
MATÉRIELLEMENT
ORIGINELLEMENT
CRIMINELLEMENT

SOLENNELLEMENT
MATERNELLEMENT
PATERNELLEMENT
CORPORELLEMENT
CULTURELLEMENT
PONCTUELLEMENT
HABITUELLEMENT
ÉVENTUELLEMENT
RENOUVELLEMENT
ENCANAILLEMENT
TRESSAILLEMENT
RAVITAILLEMENT
ENSOLEILLEMENT
APPAREILLEMENT
ÉMERVEILLEMENT
ENTORTILLEMENT
BREDOUILLEMENT
GARGOUILLEMENT
AGENOUILLEMENT
EMBROUILLEMENT
CHATOUILLEMENT
TRANQUILLEMENT
SOUS-PEUPLEMENT
ILLÉGITIMEMENT
INSTANTANÉMENT
ACCOMPAGNEMENT
SOUVERAINEMENT
ENDOCTRINEMENT
TAMBOURINEMENT
EMMAGASINEMENT
ENQUIQUINEMENT
CHRÉTIENNEMENT
BOURGEONNEMENT
DÉPLAFONNEMENT
FRACTIONNEMENT
FONCTIONNEMENT
POSITIONNEMENT
QUESTIONNEMENT
ALLUVIONNEMENT
PAPILLONNEMENT
CARILLONNEMENT
BOUILLONNEMENT
DÉBOULONNEMENT
ARRAISONNEMENT
ASSAISONNEMENT
EMPOISONNEMENT
EMPRISONNEMENT
CHANTOURNEMENT
SOUS-ÉQUIPEMENT
SAINT-SACREMENT
DÉSENCADREMENT
MENSONGÈREMENT
FINANCIÈREMENT
SINGULIÈREMENT
SECONDAIREMENT
FIDUCIAIREMENT
PÉCUNIAIREMENT

EXEMPLAIREMENT	DIVERTISSEMENT
CIRCULAIREMENT	INVESTISSEMENT
ORIGINAIREMENT	ALANGUISSEMENT
DÉBONNAIREMENT	ÉPANOUISSEMENT
LITTÉRAIREMENT	ÉVANOUISSEMENT
TEMPORAIREMENT	ASSERVISSEMENT
ARBITRAIREMENT	ASSOUVISSEMENT
NÉCESSAIREMENT	ÉCLABOUSSEMENT
PLANÉTAIREMENT	OUTRAGEUSEMENT
VOLONTAIREMENT	COURAGEUSEMENT
STATUTAIREMENT	AUDACIEUSEMENT
PROVISOIREMENT	JUDICIEUSEMENT
ACCESSOIREMENT	OFFICIEUSEMENT
ENCHEVÊTREMENT	MALICIEUSEMENT
ENREGISTREMENT	DÉLICIEUSEMENT
INFÉRIEUREMENT	ASTUCIEUSEMENT
SUPÉRIEUREMENT	INSIDIEUSEMENT
ULTÉRIEUREMENT	MÉLODIEUSEMENT
ANTÉRIEUREMENT	RELIGIEUSEMENT
INTÉRIEUREMENT	INGÉNIEUSEMENT
EXTÉRIEUREMENT	IMPÉRIEUSEMENT
BOURGEOISEMENT	LABORIEUSEMENT
ENTRETOISEMENT	INJURIEUSEMENT
APPRIVOISEMENT	FACÉTIEUSEMENT
BOULEVERSEMENT	AMBITIEUSEMENT
RÉTRÉCISSEMENT	MINUTIEUSEMENT
ENDURCISSEMENT	PÉRILLEUSEMENT
RADOUCISSEMENT	CRAPULEUSEMENT
ATTIÉDISSEMENT	DOUCEREUSEMENT
ENLAIDISSEMENT	DANGEREUSEMENT
AGRANDISSEMENT	TRAÎTREUSEMENT
REBONDISSEMENT	VALEUREUSEMENT
ARRONDISSEMENT	RIGOUREUSEMENT
ALOURDISSEMENT	VIGOUREUSEMENT
ÉTOURDISSEMENT	SAVOUREUSEMENT
ENRICHISSEMENT	PARESSEUSEMENT
BLANCHISSEMENT	FRUCTUEUSEMENT
FRANCHISSEMENT	IMPÉTUEUSEMENT
RÉTABLISSEMENT	SOMPTUEUSEMENT
ENNOBLISSEMENT	INCORRECTEMENT
AMEUBLISSEMENT	INCOMPLÈTEMENT
EMBELLISSEMENT	MALHONNÊTEMENT
VIEILLISSEMENT	INDISCRÈTEMENT
RAMOLLISSEMENT	IMPARFAITEMENT
AFFERMISSEMENT	TÉLÉTRAITEMENT
ENDORMISSEMENT	MALADROITEMENT
ASSAINISSEMENT	MÉCONTENTEMENT
RACORNISSEMENT	EMMAILLOTEMENT
RAJEUNISSEMENT	SURENDETTEMENT
ASSOUPISSEMENT	DÉSENDETTEMENT
ENCHÉRISSEMENT	DOUILLETTEMENT
AMAIGRISSEMENT	CONTREBUTEMENT
ATTERRISSEMENT	FROUFROUTEMENT
ÉPAISSISSEMENT	SPORADIQUEMENT
ANÉANTISSEMENT	MÉTHODIQUEMENT
RALENTISSEMENT	PÉRIODIQUEMENT
RETENTISSEMENT	ÉPISODIQUEMENT

SPÉCIFIQUEMENT
MAGNIFIQUEMENT
ANALOGIQUEMENT
ÉCOLOGIQUEMENT
GÉOLOGIQUEMENT
ANARCHIQUEMENT
DIABOLIQUEMENT
SYMBOLIQUEMENT
CATHOLIQUEMENT
ACADÉMIQUEMENT
ÉCONOMIQUEMENT
ANATOMIQUEMENT
TYRANNIQUEMENT
SARDONIQUEMENT
HARMONIQUEMENT
DIATONIQUEMENT
PLATONIQUEMENT
ALGÉBRIQUEMENT
HISTORIQUEMENT
ÉLECTRIQUEMENT
SYMÉTRIQUEMENT
EMPHATIQUEMENT
DRAMATIQUEMENT
DOGMATIQUEMENT
HIÉRATIQUEMENT
DIDACTIQUEMENT
PATHÉTIQUEMENT
ESTHÉTIQUEMENT
HERMÉTIQUEMENT
FRÉNÉTIQUEMENT
PHONÉTIQUEMENT
DESPOTIQUEMENT
ELLIPTIQUEMENT
ARTISTIQUEMENT
ANALYTIQUEMENT
RÉCIPROQUEMENT
DÉSENCLAVEMENT
CONVULSIVEMENT
SUCCESSIVEMENT
EXPRESSIVEMENT
CUMULATIVEMENT
NOMINATIVEMENT
IMPÉRATIVEMENT
ADMIRATIVEMENT
PÉJORATIVEMENT
DUBITATIVEMENT
SUBJECTIVEMENT
COLLECTIVEMENT
RESPECTIVEMENT
EXPÉDITIVEMENT
DÉFINITIVEMENT
TRANSITIVEMENT
PRÉVENTIVEMENT
EXHAUSTIVEMENT
MACRONUTRIMENT
MICRONUTRIMENT
DÉSASSORTIMENT

INDÉPENDAMMENT
SURABONDAMMENT
COMPLAISAMMENT
INSUFFISAMMENT
LANGUISSAMMENT
PRÉCIPITAMMENT
INTELLIGEMMENT
INCONSCIEMMENT
INDIFFÉREMMENT
SELF-GOVERNMENT
BRÛLE-POURPOINT
ÉLIE DE BEAUMONT
ROUGON-MACQUART
BOISGUILLEBERT
JEAN DE MONTFORT
COMPTON-BURNETT
ALMEIDA GARRETT
LEUZE-EN-HAINAUT
TRISTAN ET ISEUT
PHILIPPE LE BEAU
WAGON-TOMBEREAU
SOUS-ARBRISSEAU
FISCHER-DIESKAU
NGUYÊN VAN THIÊU
NOGENT-LE-ROTROU
TOKUGAWA IEYASU
BOUCOURECHLIEV
RIMSKI-KORSAKOV
QUATRE-VINGT-DIX
PEISEY-NANCROIX
ŒILS-DE-PERDRIX
INTERSYNDICAUX
INTERTROPICAUX
CAUDEBEC-EN-CAUX
HYPOCYCLOÏDAUX
HUON DE BORDEAUX
FONTAINEBLEAUX
NAVIRES-JUMEAUX
HAUTS-FOURNEAUX
CHALLES-LES-EAUX
POUGUES-LES-EAUX
CHÂTEAU-MARGAUX
EXTRACONJUGAUX
MAXILLO-FACIAUX
SUBÉQUATORIAUX
RÉQUISITORIAUX
INQUISITORIAUX
QUADRAGÉSIMAUX
INFINITÉSIMAUX
CÉRÉBRO-SPINAUX
CONFESSIONNAUX
INTERRÉGIONAUX
SEPTENTRIONAUX
SUPRANATIONAUX
MULTINATIONAUX
INTERNATIONAUX
TRANSNATIONAUX

INTERCOMMUNAUX
CONTROLATÉRAUX
ARCHITECTURAUX
ARRIÈRE-VASSAUX
PRO-OCCIDENTAUX
MOYEN-ORIENTAUX
DÉPARTEMENTAUX
IRRÉVÉRENCIEUX
MISÉRICORDIEUX
GORDIEN LE PIEUX
ANTONIN LE PIEUX
ANTI-INFECTIEUX
HERRERA LE VIEUX
ANTIMIGRAINEUX
PRÉCAUTIONNEUX
PARENCHYMATEUX
HENRI LE BOITEUX

VASCULO-NERVEUX
CASTOR ET POLLUX
ILLIERS-COMBRAY
DESTUTT DE TRACY
TCHERNIKHOVSKY
BARCLAY DE TOLLY
RÉMIRE-MONTJOLY
OMALIUS D'HALLOY
GUYON DU CHESNOY
ÉTIENNE BÁTHORY
CHÂTEAU-THIERRY
PELLETIER-DOISY
CASTELNAU-LE-LEZ
JALAPA ENRÍQUEZ
BERNERIE-EN-RETZ
SAINT-JEAN-DE-LUZ

15

RANDSTAD HOLLAND
FRÉDÉRIC LE GRAND
GRÉGOIRE LE GRAND
ALPHONSE LE GRAND
THÉODOSE LE GRAND
VALDEMAR LE GRAND
VLADIMIR LE GRAND
SENNECEY-LE-GRAND
CLERMONT-FERRAND
SCHWÄBISCH GMÜND
SAINT-JEAN-DU-GARD
CHÂTEAU-GAILLARD
INTRAMONTAGNARD
QUARANTE-HUITARD
SOIXANTE-HUITARD
CATHERINE HOWARD
MARIANNES DU NORD
CURRICULUM VITAE
DÉSAPPROBATRICE
SIMPLIFICATRICE
CLASSIFICATRICE
SANCTIFICATRICE
MULTIPLICATRICE
AUTORÉGULATRICE
DÉSINFORMATRICE
TRANSFORMATRICE
ACCOMPAGNATRICE
ADMINISTRATRICE
GÉNÉRALISATRICE
MINÉRALISATRICE
DÉMORALISATRICE
CENTRALISATRICE
ÉVANGÉLISATRICE
DÉMOBILISATRICE
MONOPOLISATRICE
RÉORGANISATRICE

MENZEL-BOURGUIBA
BANSKÁ STIAVNICA
ACÉTYLCOENZYME A
ARNAUD DE BRESCIA
SEVERNAÏA ZEMLIA
SEDIA GESTATORIA
BARRANCABERMEJA
TRUJILLO Y MOLINA
PIETRO DA CORTONA
MENENIUS AGRIPPA
AVALOKITESHVARA
MÉHALLET EL-KOBRA
TORRE ANNUNZIATA
SANTA FE DE BOGOTÁ
SAN JOSÉ DE CÚCUTA
BARÈRE DE VIEUZAC
TOULOUSE-LAUTREC
ÉTIENNE NEMANJIC
ADOLPHE-FRÉDÉRIC
RADIODIAGNOSTIC
MICHEL OBRENOVIC
DEUTSCHLANDLIED
LA ROCHEFOUCAULD
SAINTE-MENEHOULD

AUTOACCUSATRICE
VASODILATATRICE
TÉLÉSPECTATRICE
AUTOEXCITATRICE
SEMI-CONDUCTRICE
CRYOCONDUCTRICE
RECONSTRUCTRICE
CAPILLICULTRICE
CHÉMORÉCEPTRICE
CESKÉ BUDEJOVICE
STATIONS-SERVICE
INTERDÉPENDANCE
MARIE DE BRAGANCE
INVRAISEMBLANCE
DÉSACCOUTUMANCE
TÉLÉMAINTENANCE
NON-BELLIGÉRANCE
LOCATION-GÉRANCE
CONTRE-ASSURANCE
AUTOSUBSISTANCE
RADIORÉSISTANCE
TIMBRE-QUITTANCE
BIOLUMINESCENCE
PHOSPHORESCENCE
MÉSINTELLIGENCE
BOURG-LÈS-VALENCE
VIDÉOCONFÉRENCE
AUDIOCONFÉRENCE
VISIOCONFÉRENCE
AUTOCONCURRENCE
SALON-DE-PROVENCE
PLANS DE PROVENCE
NOUVELLE-GRENADE
PARALLÉLÉPIPÈDE
GLUCOCORTICOÏDE
CORTICOSTÉROÏDE
NOUVELLE-ZÉLANDE
BEAUNE-LA-ROLANDE
NOUVELLE-IRLANDE
ROMANOS LE MÉLODE
CHAUVEAU-LAGARDE
TRANS-AVANT-GARDE
FRANCHOUILLARDE
HYDROCHARITACÉE
SPANIOMÉNORRHÉE
DACTYLOGRAPHIÉE
DÉSEMBOUTEILLÉE
MULTIPROGRAMMÉE
CHARLES BORROMÉE
AGRIPPINE L'AÎNÉE
SURDIMENSIONNÉE
PRÉSÉLECTIONNÉE
PERQUISITIONNÉE
MALINTENTIONNÉE
DÉCONVENTIONNÉE
DÉCONGESTIONNÉE
EUSÈBE DE CÉSARÉE

DOUDART DE LAGRÉE
SOUS-ADMINISTRÉE
SOUS-MÉDICALISÉE
FONCTIONNALISÉE
DÉSAISONNALISÉE
DÉPERSONNALISÉE
CONTRACTUALISÉE
IMPERMÉABILISÉE
RESPONSABILISÉE
RESPECTABILISÉE
DÉCHRISTIANISÉE
RECHRISTIANISÉE
FONCTIONNARISÉE
DÉCOLLECTIVISÉE
THERMOPROPULSÉE
TURBOCOMPRESSÉE
HÉLITRANSPORTÉE
AÉROTRANSPORTÉE
DÉBROUSSAILLAGE
ÉCHANTILLONNAGE
COMPARTIMENTAGE
DONATION-PARTAGE
SERGE DE RADONÈGE
MARANGE-SILVANGE
SERVIETTE-ÉPONGE
BRÉTIGNY-SUR-ORGE
VIDAL DE LA BLACHE
MONTAGNE BLANCHE
LUCIEN D'ANTIOCHE
VAN RYSSELBERGHE
CRISTALLOGRAPHE
LA SUZE-SUR-SARTHE
LA CHÂTAIGNERAIE
LAWRENCE D'ARABIE
CRISTALLOMANCIE
PSYCHOPÉDAGOGIE
PARAPSYCHOLOGIE
MÉTAPSYCHOLOGIE
PHYTOPATHOLOGIE
ÉLECTROBIOLOGIE
MACROSOCIOLOGIE
MICROSOCIOLOGIE
PHYTOSOCIOLOGIE
ANESTHÉSIOLOGIE
NANOTECHNOLOGIE
BIOCLIMATOLOGIE
SYMPTOMATOLOGIE
PALÉOHISTOLOGIE
PSYCHOCHIRURGIE
PALÉOGÉOGRAPHIE
PHYTOGÉOGRAPHIE
DYSORTHOGRAPHIE
HISTORIOGRAPHIE
ÉCHOTOMOGRAPHIE
NEUTRONOGRAPHIE
CORONAROGRAPHIE
CINÉMATOGRAPHIE

CHROMATOGRAPHIE
TRAJECTOGRAPHIE
MADELEINE-SOPHIE
MYOCARDIOPATHIE
ENCÉPHALOPATHIE
GLOMÉRULOPATHIE
PARODONTOPATHIE
CARDIOMYOPATHIE
PHARMACODYNAMIE
CHOLESTÉROLÉMIE
AFIBRINOGÉNÉMIE
CRISTALLOCHIMIE
RADIOASTRONOMIE
RADARASTRONOMIE
APPENDICECTOMIE
CLITORIDECTOMIE
PANCRÉATECTOMIE
COMMISSUROTOMIE
MAGNÉSIOTHERMIE
POLYTOXICOMANIE
ERIK DE POMÉRANIE
HYPOŒSTROGÉNIE
SOUABE-FRANCONIE
RADIOTÉLÉPHONIE
BASSE-CALIFORNIE
CORTICOTHÉRAPIE
ANTIBIOTHÉRAPIE
OXYGÉNOTHÉRAPIE
VACCINOTHÉRAPIE
HORMONOTHÉRAPIE
ÉLECTROTHÉRAPIE
COBALTOTHÉRAPIE
GESTALT-THÉRAPIE
MARGUERITE-MARIE
HYPOCHLORHYDRIE
NOUVELLE-SIBÉRIE
RADIOMESSAGERIE
FRANC-MAÇONNERIE
ESNAULT-PELTERIE
AUTRICHE-HONGRIE
ANTIPSYCHIATRIE
PÉDOPSYCHIATRIE
PHOTOGRAMMÉTRIE
ABSORPTIOMÉTRIE
INTERFÉROMÉTRIE
AIRBUS INDUSTRIE
PHÉNYLCÉTONURIE
DYSEMBRYOPLASIE
RACHIANESTHÉSIE
DYSCHROMATOPSIE
TCHÉCOSLOVAQUIE
EXTRAPYRAMIDALE
ASIE MÉRIDIONALE
ARCHIÉPISCOPALE
INTERVERTÉBRALE
SCAPULO-HUMÉRALE
ADIPOSO-GÉNITALE

TRANSCENDANTALE
PROCHE-ORIENTALE
PRUSSE-ORIENTALE
GOUVERNEMENTALE
COMPORTEMENTALE
SUPRASEGMENTALE
ÉPICONTINENTALE
INTERCHANGEABLE
IRRÉCONCILIABLE
INVRAISEMBLABLE
INDÉBROUILLABLE
IMPRESSIONNABLE
INDÉBOULONNABLE
BÈDE LE VÉNÉRABLE
INCOMMENSURABLE
INAPPRIVOISABLE
MÉTAMORPHOSABLE
IRRÉTRÉCISSABLE
AFFRANCHISSABLE
INFRANCHISSABLE
EXPERT-COMPTABLE
INTRANSPORTABLE
SELIM LE TERRIBLE
IRRÉPRÉHENSIBLE
SEMI-SUBMERSIBLE
INTRANSMISSIBLE
INCONSTRUCTIBLE
IMPRESCRIPTIBLE
ALPHONSE LE NOBLE
VASSILI L'AVEUGLE
DIODORE DE SICILE
MICRO-INTERVALLE
DRIEU LA ROCHELLE
NEUILLY-EN-THELLE
PRÉINDUSTRIELLE
CONCURRENTIELLE
ÉQUIPOTENTIELLE
COMPULSIONNELLE
COMPASSIONNELLE
CONFESSIONNELLE
PROFESSIONNELLE
POSSESSIONNELLE
GÉNÉRATIONNELLE
CORRECTIONNELLE
DÉFINITIONNELLE
TRANSITIONNELLE
OPPOSITIONNELLE
CONVENTIONNELLE
PROPORTIONNELLE
FŒTO-MATERNELLE
CRÉCY-LA-CHAPELLE
EXTRACORPORELLE
MULTICULTURELLE
SOCIOCULTURELLE
INTERCULTURELLE
TRANSCULTURELLE
HOMME-GRENOUILLE

COUVE DE MURVILLE

CHARLOTTESVILLE

CHARLES-DE-GAULLE

GUINÉE ESPAGNOLE

SAVIGNY-LE-TEMPLE

CHARLES LE SIMPLE

BLANGY-SUR-BRESLE

FRANÇOIS DE PAULE

QUESNOY-SUR-DEÛLE

QUATRE-VINGTIÈME

SOIXANTE-DIXIÈME

LOUIS LE BIEN-AIMÉ

BALLET-PANTOMIME

PARALLÉLOGRAMME

JEAN CHRYSOSTOME

DION CHRYSOSTOME

PHOTOPÉRIODISME

LIBRE-ÉCHANGISME

HÉTÉROMORPHISME

NÉOCOLONIALISME

SUBSTANTIALISME

EXISTENTIALISME

OCCASIONNALISME

FONCTIONNALISME

TRADITIONALISME

MONOCAMÉRALISME

FONDAMENTALISME

SENTIMENTALISME

TRANSSEXUALISME

ANTICONFORMISME

PANAMÉRICANISME

ULTRAMONTANISME

IMPRESSIONNISME

EXPRESSIONNISME

PERFECTIONNISME

COLLECTIONNISME

PROTECTIONNISME

EXHIBITIONNISME

ABSTENTIONNISME

ÉLECTROTROPISME

ANTIMILITARISME

RÉGLEMENTARISME

PARLEMENTARISME

COMMUNAUTARISME

PHALLOCENTRISME

BAROTRAUMATISME

POLYTRAUMATISME

FERRIMAGNÉTISME

PALÉOMAGNÉTISME

FERROMAGNÉTISME

INDÉPENDANTISME

INDIFFÉRENTISME

ANTIPATRIOTISME

DONQUICHOTTISME

JUSQU'AU-BOUTISME

CONSTRUCTIVISME

GARIN DE MONGLANE

ORADOUR-SUR-GLANE

ANDRONIC COMNÈNE

TRINITROTOLUÈNE

JEAN CANTACUZÈNE

ALIX DE CHAMPAGNE

NOUVELLE-ESPAGNE

MAURE-DE-BRETAGNE

LA TOUR D'AUVERGNE

ANGLO-AMÉRICAINE

ANGLO-AMÉRICAINE

INTERAMÉRICAINE

CENTRAMÉRICAINE

CENTRAMÉRICAINE

COSTARMORICAINE

LACRETELLE L'AÎNÉ

SAINT-GERVELAINE

SAINT-GERVOLAINE

VAISON-LA-ROMAINE

CAMPAGNE ROMAINE

MONTPELLIÉRAINE

GIOVANNI DA UDINE

VIGNEUX-SUR-SEINE

ROMILLY-SUR-SEINE

NEUILLY-SUR-SEINE

PHOSPHOPROTÉINE

MÉTALLOPROTÉINE

APOLIPOPROTÉINE

HOLOCRISTALLINE

IMMUNOGLOBULINE

GONADOSTIMULINE

THYRÉOSTIMULINE

CYANOCOBALAMINE

ATRACTYLIGÉNINE

PNEUMOPÉRITOINE

SAINTE-CATHERINE

ÉRYTHROPOÏÉTINE

FABRE D'ÉGLANTINE

MONTMORENCÉENNE

RIBEAUVILLÉENNE

MÉDITERRANÉENNE

MÉDITERRANÉENNE

TRANSPYRÉNÉENNE

ÉQUATO-GUINÉENNE

BISSAU-GUINÉENNE

UNION EUROPÉENNE

PROPHARMACIENNE

MERDRIGNACIENNE

GÉOTECHNICIENNE

ZOOTECHNICIENNE

ÉLECTRONICIENNE

PYTHAGORICIENNE

MÉTAPHYSICIENNE

MATHÉMATICIENNE

SYSTÉMATICIENNE

INFORMATICIENNE

OMNIPRATICIENNE

ARITHMÉTICIENNE

CYBERNÉTICIENNE
RHABDOMANCIENNE
RUPIFICALDIENNE
SAINT-AVOLDIENNE
ROUYNORANDIENNE
RÉGINABORGIENNE
PHILADELPHIENNE
NÉANDERTALIENNE
AFRO-BRÉSILIENNE
AFRO-BRÉSILIENNE
CARQUEFOLLIENNE
VÉNÉTIE JULIENNE
SUD-VIETNAMIENNE
SUD-VIETNAMIENNE
CHRYSOSTOMIENNE
TRANSYLVANIENNE
TRANSYLVANIENNE
PENNSYLVANIENNE
CRISTALLINIENNE
CONSTANTINIENNE
NÉO-CALÉDONIENNE
NÉO-CALÉDONIENNE
SAINT-SIMONIENNE
WASHINGTONIENNE
TRANSSAHARIENNE
PALÉOSIBÉRIENNE
LOIR-ET-CHÉRIENNE
VIMONASTÉRIENNE
VERTACOMIRIENNE
PÉLOPONNÉSIENNE
PÉLOPONNÉSIENNE
PARTHENAISIENNE
BOUGUENAISIENNE
COURBEVOISIENNE
VILLEPARISIENNE
JUDÉO-CHRÉTIENNE
PALÉOCHRÉTIENNE
GONPONTOLVIENNE
CASTELNEUVIENNE
MARCHE-EN-FAMENNE
FORCALQUIÉRENNE
SUPERCHAMPIONNE
RÉAPPROVISIONNÉ
DISPROPORTIONNÉ
GIOTTO DI BONDONE
TOURNON-SUR-RHÔNE
PIERRE DE CORTONE
CHÂLONS-SUR-MARNE
PERREUX-SUR-MARNE
NEUILLY-SUR-MARNE
BAGNOLES-DE-L'ORNE
SANGALLO LE JEUNE
FOULQUES LE JEUNE
MANUEL LE FORTUNÉ
AVESNES-SUR-HELPE
PHÉNAKISTISCOPE
ULTRAMICROSCOPE

SOLIGNY-LA-TRAPPE
TRAFALGAR SQUARE
PLÉNEUF-VAL-ANDRÉ
MAHAUT DE FLANDRE
CLÉRY-SAINT-ANDRÉ
SÉVÈRE ALEXANDRE
SAINT-MARTIN-DE-RÉ
ÉLECTROMÉNAGÈRE
STÉRÉORÉGULIÈRE
CHAUX-DE-FONNIÈRE
CHAMPIGNONNIÈRE
LA GALISSONNIÈRE
OZOIR-LA-FERRIÈRE
COURSE-CROISIÈRE
JUDITH DE BAVIÈRE
BOUÉ DE LAPEYRÈRE
ALEXANDRE SÉVÈRE
QUATRE-DE-CHIFFRE
THERMONUCLÉAIRE
FLUVIO-GLACIAIRE
EXTRAJUDICIAIRE
HEXACORALLIAIRE
OCTOCORALLIAIRE
PERPENDICULAIRE
INTRAMUSCULAIRE
NEUROMUSCULAIRE
INTRACELLULAIRE
PLURICELLULAIRE
MULTICELLULAIRE
INTERCELLULAIRE
CORELIGIONNAIRE
CONVULSIONNAIRE
CONCESSIONNAIRE
PROCESSIONNAIRE
DÉPRESSIONNAIRE
COMMISSIONNAIRE
PERMISSIONNAIRE
SOUMISSIONNAIRE
CONCUSSIONNAIRE
GÉOSTATIONNAIRE
DISCRÉTIONNAIRE
EXPÉDITIONNAIRE
RÉVOLUTIONNAIRE
TOURBILLONNAIRE
JUGE-COMMISSAIRE
HAUT-COMMISSAIRE
NUE-PROPRIÉTAIRE
INTERPLANÉTAIRE
ANTIAUTORITAIRE
AGROALIMENTAIRE
EXTRASTATUTAIRE
BUCKINGHAMSHIRE
OUZOUER-SUR-LOIRE
POUILLY-SUR-LOIRE
CLASSIFICATOIRE
IDENTIFICATOIRE
DISCRIMINATOIRE

COCCOLITHOPHORE
ORGANOPHOSPHORÉ
CONSTANCE CHLORE
MAULÉON-LICHARRE
JEANNE DE NAVARRE
GERMAIN D'AUXERRE
NEUROPSYCHIATRE
LACTODENSIMÈTRE
RADIOGONIOMÈTRE
BONNETS-DE-PRÊTRE
CIRCUMTERRESTRE
GÉLATINO-BROMURE
CRYOTEMPÉRATURE
PARALITTÉRATURE
ÉLECTROPONCTURE
ÉLECTROPUNCTURE
TECHNOSTRUCTURE
CUNICULICULTURE
CONCHYLICULTURE
VITIVINICULTURE
VERNEUIL-SUR-AVRE
LE GOND-PONTOUVRE
RUELLE-SUR-TOUVRE
CRISTALLOGENÈSE
GUYANE FRANÇAISE
FRANCO-FRANÇAISE
MONTBÉLIARDAISE
ARGENTEUILLAISE
AZERBAÏDJANAISE
AZERBAÏDJANAISE
DEUX-MONTAGNAISE
VILLEURBANNAISE
CARBONBLANNAISE
ROUSSILLONNAISE
ROUSSILLONNAISE
NIEDERBRONNAISE
SAINT-GIRONNAISE
COURCOURONNAISE
MONTBRISONNAISE
SAINT-CHAMONAISE
SEINE-ET-MARNAISE
POINTE-CLAIRAISE
HILAIREMONTAISE
DÉBROUILLARDISE
INTELLECTUALISÉ
BEAUMES-DE-VENISE
POSTSYNCHRONISÉ
JEANNE-FRANÇOISE
SARREBOURGEOISE
DÉSEMBOURGEOISÉ
LUXEMBOURGEOISE
LUXEMBOURGEOISE
STRASBOURGEOISE
STRASBOURGEOISE
VILLEFRANCHOISE
NOUVELLE HÉLOÏSE
BLANC-MESNILOISE

CINTEGABELLOISE
BEAUSOLEILLOISE
BELLEFEUILLOISE
FRANCHEVILLOISE
LORETTEVILLOISE
LANEUVEVILLOISE
FRANCONVILLOISE
BOUCHERVILLOISE
SARTROUVILLOISE
SAINT-GERMANOISE
FÈRE-CHAMPENOISE
SAINT-GAUDINOISE
MONT-DAUPHINOISE
CASTELSALINOISE
SARREGUEMINOISE
BISCHWILLEROISE
AUSTRO-HONGROISE
AUSTRO-HONGROISE
YAMOUSSOUKROISE
BEAUMONT-SUR-OISE
LAURIERMONTOISE
SOLLIÈSPONTOISE
PONTRAMBERTOISE
HEILLECOURTOISE
FRANÇOIS D'ASSISE
DÉBUREAUCRATISÉ
CONTRE-EXPERTISE
BULLETIN-RÉPONSE
PHLÉBOTHROMBOSE
HYPERVITAMINOSE
ARTÉRIOSCLÉROSE
TOITURE-TERRASSE
SUPERFORTERESSE
CONTREMAÎTRESSE
PETITE-MAÎTRESSE
CUL-DE-BASSE-FOSSE
GRÉGOIRE DE NYSSE
IRRÉVÉRENCIEUSE
MISÉRICORDIEUSE
ANTI-INFECTIEUSE
CARRIER-BELLEUSE
TRIPATOUILLEUSE
JEAN D'OUTREMEUSE
ANTIMIGRAINEUSE
CONFECTIONNEUSE
COLLECTIONNEUSE
PRÉCAUTIONNEUSE
PHOTOCOMPOSEUSE
PARENCHYMATEUSE
VASCULO-NERVEUSE
NICOLO DELL'ABATE
ALUMINOSILICATE
SOCIAL-DÉMOCRATE
THROMBOPHLÉBITE
CONTRE-PUBLICITÉ
PYROÉLECTRICITÉ
PSYCHOMOTRICITÉ

VISCOÉLASTICITÉ
PHOTOÉLASTICITÉ
VISCOPLASTICITÉ
SUPERPLASTICITÉ
CONTEMPORANÉITÉ
RHINO-PHARYNGITE
PHILIPPE ÉGALITÉ
CONFIDENTIALITÉ
INTENTIONNALITÉ
INTELLECTUALITÉ
INTERTEXTUALITÉ
HÉTÉROSEXUALITÉ
IMPRATICABILITÉ
IMPONDÉRABILITÉ
INVULNÉRABILITÉ
IMPÉNÉTRABILITÉ
MANŒUVRABILITÉ
INCOMMUTABILITÉ
TRANSMUTABILITÉ
INTELLIGIBILITÉ
INDISPONIBILITÉ
IMPRÉVISIBILITÉ
INEXTENSIBILITÉ
IRRÉVERSIBILITÉ
INACCESSIBILITÉ
COMPRESSIBILITÉ
INADMISSIBILITÉ
INCOMPATIBILITÉ
INDÉFECTIBILITÉ
IRRÉDUCTIBILITÉ
INDISSOLUBILITÉ
BERNARD-L'HERMITE
TRISTAN L'HERMITE
ÉLECTROAFFINITÉ
MONTMORILLONITE
COMPLÉMENTARITÉ
REINE-MARGUERITE
SPONDYLARTHRITE
COURSE-POURSUITE
SÉNATUS-CONSULTE
FONTENAY-LE-COMTE
INTERDÉPENDANTE
AUTOLUBRIFIANTE
HYPOGLYCÉMIANTE
TURBOSOUFFLANTE
ENTHOUSIASMANTE
IMPRESSIONNANTE
TOURBILLONNANTE
NON-BELLIGÉRANTE
ANTIDÉFLAGRANTE
ANTIPERSPIRANTE
INSATISFAISANTE
TRANQUILLISANTE
RESPLENDISSANTE
ABASOURDISSANTE
RAFRAÎCHISSANTE
ASSUJETTISSANTE

PHOTORÉSISTANTE
BIOLUMINESCENTE
PHOSPHORESCENTE
SEMI-CONVERGENTE
CONTRE-EMPREINTE
MARSANNAY-LA-CÔTE
DIOGÈNE DE LAËRTE
CONTRE-MANIFESTÉ
LIBRE-ÉCHANGISTE
PHARMACOLOGISTE
MICROBIOLOGISTE
ÉPIDÉMIOLOGISTE
BACTÉRIOLOGISTE
ÉPISTÉMOLOGISTE
OPHTALMOLOGISTE
ANTHROPOLOGISTE
TRAUMATOLOGISTE
PALÉONTOLOGISTE
ANTIMONARCHISTE
SUBSTANTIALISTE
EXISTENTIALISTE
FONCTIONNALISTE
TRADITIONALISTE
ANTICAPITALISTE
FONDAMENTALISTE
INFAILLIBILISTE
ANTICONFORMISTE
CONTORSIONNISTE
IMPRESSIONNISTE
EXPRESSIONNISTE
PERCUSSIONNISTE
POPULATIONNISTE
PERFECTIONNISTE
PROJECTIONNISTE
PROTECTIONNISTE
EXHIBITIONNISTE
ABSTENTIONNISTE
ASSOMPTIONNISTE
ASSOMPTIONNISTE
CHAMPIGNONNISTE
ANTIMILITARISTE
INDÉPENDANTISTE
CONTREPOINTISTE
JUSQU'AU-BOUTISTE
PSYCHOLINGUISTE
CONSTRUCTIVISTE
FRÉDÉRIC-AUGUSTE
PHILIPPE AUGUSTE
ROMÉO ET JULIETTE
CHAUFFE-ASSIETTE
DÉBARBOUILLETTE
MARIE-ANTOINETTE
SABRE-BAÏONNETTE
OISEAU-TROMPETTE
MAGNÉTOCASSETTE
BÉBÉS-ÉPROUVETTE
MAISONS-LAFFITTE

RADIOTHÉRAPEUTE	PATHOGNOMONIQUE
PHYTOTHÉRAPEUTE	ARCHITECTONIQUE
ESQUIMAU-ALÉOUTE	**HANSE TEUTONIQUE**
OLIGODENDROCYTE	KALÉIDOSCOPIQUE
POLYÉLECTROLYTE	SPECTROSCOPIQUE
LOUIS DE GONZAGUE	PHILANTHROPIQUE
À TOUTE BERZINGUE	MONOCYLINDRIQUE
PSYCHOPÉDAGOGUE	THERMOSPHÉRIQUE
PARAPSYCHOLOGUE	STRATOSPHÉRIQUE
MARSILE DE PADOUE	ANTIDIPHTÉRIQUE
ANTOINE DE PADOUE	**CORNE DE L'AFRIQUE**
CUPROAMMONIAQUE	DICTIONNAIRIQUE
ANAPHRODISIAQUE	FANTASMAGORIQUE
CABESTANYENCQUE	PROTOHISTORIQUE
FONTAINE-L'ÉVÊQUE	TRIBOÉLECTRIQUE
TÉTRASYLLABIQUE	RADIOÉLECTRIQUE
PHOSPHOCALCIQUE	HYDROÉLECTRIQUE
ANTISPASMODIQUE	FERROÉLECTRIQUE
INTERSPÉCIFIQUE	PHOTOÉLECTRIQUE
ANTINÉVRALGIQUE	PIÉZO-ÉLECTRIQUE
PHARMACOLOGIQUE	TRIGONOMÉTRIQUE
ÉPIDÉMIOLOGIQUE	SPECTROMÉTRIQUE
BACTÉRIOLOGIQUE	PNEUMOGASTRIQUE
ÉPISTÉMOLOGIQUE	PARANÉOPLASIQUE
OPHTALMOLOGIQUE	TECTONOPHYSIQUE
ANTHROPOLOGIQUE	SYNALLAGMATIQUE
TRAUMATOLOGIQUE	DIAPHRAGMATIQUE
PALÉONTOLOGIQUE	ANTIASTHMATIQUE
GRÉCO-BOUDDHIQUE	MONOCHROMATIQUE
STRATIGRAPHIQUE	PSYCHOSOMATIQUE
MUSICOGRAPHIQUE	SEMI-AUTOMATIQUE
LEXICOGRAPHIQUE	OLÉOPNEUMATIQUE
STÉRÉOGRAPHIQUE	ÉLECTROSTATIQUE
BIBLIOGRAPHIQUE	MAGNÉTOSTATIQUE
MÉCANOGRAPHIQUE	EXTRAGALACTIQUE
OCÉANOGRAPHIQUE	INTERGALACTIQUE
SÉLÉNOGRAPHIQUE	PARASYNTHÉTIQUE
CRYPTOGRAPHIQUE	POLYSYNTHÉTIQUE
PARASYMPATHIQUE	HÉMATOPOÏÉTIQUE
CONRAD LE SALIQUE	HÉTÉROGAMÉTIQUE
INTERMÉTALLIQUE	PSYCHOGÉNÉTIQUE
VIEUX-CATHOLIQUE	CRYPTOGÉNÉTIQUE
MÉTHYLACRYLIQUE	FERROMAGNÉTIQUE
CHROMODYNAMIQUE	POLIOMYÉLITIQUE
THERMODYNAMIQUE	**LOIRE-ATLANTIQUE**
CHRYSANTHÉMIQUE	OUTRE-ATLANTIQUE
PHYSICO-CHIMIQUE	TRANSATLANTIQUE
ÉLECTROCHIMIQUE	ANTIPSYCHOTIQUE
SPECTROCHIMIQUE	ANTIPATRIOTIQUE
SOCIO-ÉCONOMIQUE	TROPHOBLASTIQUE
MACROÉCONOMIQUE	TRIPLOBLASTIQUE
MICROÉCONOMIQUE	THERMOPLASTIQUE
CHLORO-ORGANIQUE	TRANSPHRASTIQUE
PSYCHASTHÉNIQUE	CRIMINALISTIQUE
OXYACÉTYLÉNIQUE	CARACTÉRISTIQUE
SCHIZOPHRÉNIQUE	ARRIÈRE-BOUTIQUE
PSYCHOTECHNIQUE	PSYCHANALYTIQUE

SYMPATHOLYTIQUE
PALMA DE MAJORQUE
CAUCHEMARDESQUE
HIPPOPOTAMESQUE
CHURRIGUERESQUE
HISPANO-MORESQUE
SAINTE-GENEVIÈVE
CONTRE-OFFENSIVE
INCOMPRÉHENSIVE
ANTÉPRÉDICATIVE
INTERRO-NÉGATIVE
ÉLECTRONÉGATIVE
NEUROVÉGÉTATIVE
PSYCHOAFFECTIVE
INTERSUBJECTIVE
ÉLECTROPOSITIVE
CHARLES LE CHAUVE
SAVIGNY-SUR-BRAYE
THERMOPROPULSIF
ÉLECTROPORTATIF
CONTRE-PRODUCTIF
BETHMANN-HOLLWEG
GISCARD D'ESTAING
KAUNITZ-RIETBERG
SAINT PETERSBURG
MÖNCHENGLADBACH
HUNTINGTON BEACH
HIMACHAL PRADESH
SEKONDI-TAKORADI
PHILIPPE LE HARDI
VASSILI CHOUÏSKI
KAMENSK-OURALSKI
ALEXANDRE NEVSKI
DJALAL AL-DIN RUMI
CORALLI PERACINI
VILLENEUVE-LE-ROI
GENJI MONOGATARI
SÃO JOÃO DE MERITI
REZA CHAH PAHLAVI
FRANÇOIS RÁKÓCZI
JASTRZEBIE-ZDRÓJ
TRAVELLER'S CHECK
ANJERO-SOUDJENSK
DNIPRODZERJYNSK
OUST-KAMENOGORSK
DNIEPROPETROVSK
NORODOM SIHANOUK
FRANCO-PROVENÇAL
VLADIMIR-SOUZDAL
ENTREPRENEURIAL
MITTELLANDKANAL
CORTICOSURRÉNAL
STATURO-PONDÉRAL
SOUS-PRÉFECTORAL
EXTRÊME-ORIENTAL
AUTO SACRAMENTAL
ENVIRONNEMENTAL

SAINT-GENIS-LAVAL
PSYCHOSENSORIEL
INTERINDUSTRIEL
JURISPRUDENTIEL
UNIDIMENSIONNEL
TRIDIMENSIONNEL
CONFORMATIONNEL
ORGANISATIONNEL
CONVERSATIONNEL
UNIDIRECTIONNEL
INSURRECTIONNEL
RECONVENTIONNEL
INTERVENTIONNEL
DISTRIBUTIONNEL
CONSTITUTIONNEL
PRIMEL-TRÉGASTEL
INTERINDIVIDUEL
CHARLES-EMMANUEL
PONSON DU TERRAIL
ADÉMAR DE MONTEIL
FACHES-THUMESNIL
ROYAL DUTCH-SHELL
CHOLÉCALCIFÉROL
NETZAHUALCÓYOTL
MATO GROSSO DO SUL
GUILLAUME D'OCCAM
MÉDINET EL-FAYOUM
COUSIN-MONTAUBAN
SAINT-LARY-SOULAN
MONT-SAINT-AIGNAN
JEAN DE CAPISTRAN
CASTANET-TOLOSAN
KARAKALPAKISTAN
FRIEDRICHSHAFEN
SIMON LE MAGICIEN
PSYCHOMÉTRICIEN
SANGALLO L'ANCIEN
RHINO-PHARYNGIEN
NEUROCHIRURGIEN
CROSSOPTÉRYGIEN
SILLON RHODANIEN
CHÂTELPERRONIEN
CASTELPERRONIEN
CASTROGONTÉRIEN
SAINT-SYMPHORIEN
ORGANOMAGNÉSIEN
CAMPIVALLENSIEN
CORPOPÉTRUSSIEN
ÉTOUFFE-CHRÉTIEN
DÉVILLE-LÈS-ROUEN
ANTIRÉPUBLICAIN
LATINO-AMÉRICAIN
LATINO-AMÉRICAIN
CASTELJALOUSAIN
BARBES-DE-CAPUCIN
AMMIEN MARCELLIN
ROBERT BELLARMIN

COMTAT VENAISSIN
LA VALLÉE-POUSSIN
CHRYSÉLÉPHANTIN
MONT-SAINT-MARTIN
CHAUMONT-EN-VEXIN
ROBERT DE COURÇON
GUILLAUME LE LION
VAUDREUIL-DORION
RADIOTÉLÉVISION
INCOMPRÉHENSION
CONTRE-EXTENSION
INTERPROFESSION
BOUTONS-PRESSION
AUTOTRANSFUSION
DÉCALCIFICATION
RECALCIFICATION
DÉMYTHIFICATION
DÉQUALIFICATION
REQUALIFICATION
ALCOOLIFICATION
EXEMPLIFICATION
ÉLECTRIFICATION
DÉNITRIFICATION
DÉVITRIFICATION
INTENSIFICATION
DIVERSIFICATION
DÉSERTIFICATION
DÉMYSTIFICATION
EXCOMMUNICATION
DÉSINTOXICATION
ÉLECTROLOCATION
AUTOFÉCONDATION
MICRO-IRRIGATION
RADIONAVIGATION
DIFFÉRENCIATION
NON-DÉNONCIATION
NON-CONCILIATION
DIFFÉRENTIATION
HYPOVENTILATION
CONTREVALLATION
CIRCONVALLATION
IMMATRICULATION
DÉSARTICULATION
TRANSMODULATION
SURACCUMULATION
PHOSPHORYLATION
DÉCARBOXYLATION
DÉPROGRAMMATION
SURCONSOMMATION
SÉROVACCINATION
INSUBORDINATION
TUBERCULINATION
DÉCONTAMINATION
INDÉTERMINATION
COPARTICIPATION
AUTOCÉLÉBRATION
RÉINCARCÉRATION

DÉCONSIDÉRATION
SURRÉGÉNÉRATION
DÉPHOSPHORATION
SONY CORPORATION
ULTRAFILTRATION
DÉCONCENTRATION
RÉORCHESTRATION
TRANSFIGURATION
DÉSTRUCTURATION
RESTRUCTURATION
STANDARDISATION
CLOCHARDISATION
HOMOGÉNÉISATION
HIÉRARCHISATION
DYSTROPHISATION
CANNIBALISATION
SYNDICALISATION
TROPICALISATION
OFFICIALISATION
DÉSOCIALISATION
RESOCIALISATION
MATÉRIALISATION
MARGINALISATION
RÉGIONALISATION
NATIONALISATION
RATIONALISATION
INTERNALISATION
DÉSACRALISATION
HOSPITALISATION
IMMORTALISATION
RÉACTUALISATION
CULPABILISATION
RENTABILISATION
DÉSTABILISATION
SENSIBILISATION
INFANTILISATION
CRISTALLISATION
DÉSATELLISATION
AMÉRICANISATION
EUROPÉANISATION
DÉSORGANISATION
DÉSHUMANISATION
CHAMPAGNISATION
DÉSTALINISATION
MASCULINISATION
SYNCHRONISATION
IMPATRONISATION
FAMILIARISATION
DÉSCOLARISATION
VASCULARISATION
PROLÉTARISATION
PLANÉTARISATION
SÉDENTARISATION
CARACTÉRISATION
TERTIAIRISATION
INFÉRIORISATION
INTÉRIORISATION

EXTÉRIORISATION
PRÉSONORISATION
DÉSECTORISATION
MINIATURISATION
MATHÉMATISATION
SYSTÉMATISATION
INFORMATISATION
DÉMOCRATISATION
ALPHABÉTISATION
DÉBUDGÉTISATION
DÉMAGNÉTISATION
SURCOMPENSATION
CONTRE-PASSATION
DÉPHOSPHATATION
SUREXPLOITATION
VALSE-HÉSITATION
TRANSPLANTATION
COMPLÉMENTATION
SURALIMENTATION
EXPÉRIMENTATION
INSTRUMENTATION
DÉSINCRUSTATION
RADIOACTIVATION
SUBSTANTIVATION
RECHERCHE-ACTION
INTERATTRACTION
HYPERCORRECTION
MICRODISSECTION
RADIOPROTECTION
SUPRACONDUCTION
PHOTOCONDUCTION
SUPERPRODUCTION
AUTODESTRUCTION
NON-INTERVENTION
RETRANSCRIPTION
CIRCONSCRIPTION
ACQUITS-À-CAUTION
SAISIE-EXÉCUTION
MARCILLAC-VALLON
CASIMIR JAGELLON
LES AIX-D'ANGILLON
SAKAIDA KAKIEMON
SCEAUX-DE-SALOMON
VILLE-CHAMPIGNON
VILLENAVE-D'ORNON
LA ROCHE-SUR-FORON
CALPURNIUS PISON
ERIK JEDVARDSSON
OLAV TRYGGVESSON
SNORRI STURLUSON
ROMAN-FEUILLETON
COMINES-WARNETON
LE RELECQ-KERHUON
STRATFORD-ON-AVON
CORNEILLE DE LYON
VILLEMUR-SUR-TARN
NICOLAS DE VERDUN

TRINITÉ-ET-TOBAGO
ARNOLFO DI CAMBIO
OUSMANE DAN FODIO
RADIO MONTE-CARLO
SAMPIERO D'ORNANO
PRONUNCIAMIENTO
MINAS DE RÍOTINTO
CORTINA D'AMPEZZO
GUITTONE D'AREZZO
VILLENEUVE-D'ASCQ
MUHAMMAD AL-SADUQ
DURG-BHILAINAGAR
TÉGLATH-PHALASAR
PEMATANGSIANTAR
CHAVÍN DE HUANTAR
RIEMENSCHNEIDER
SAINT-LÉGER LÉGER
TRITH-SAINT-LÉGER
RAIMOND BÉRENGER
BEAUMONT-LE-ROGER
COUPOLE DU ROCHER
DACTYLOGRAPHIER
TRANSFRONTALIER
ARCHICHANCELIER
AIREDALE-TERRIER
SCOTTISH-TERRIER
PILÂTRE DE ROZIER
TASSILI DES AJJER
DÉSEMBOUTEILLER
FRANCE D'OUTRE-MER
GENTLEMAN-FARMER
LA TRANCHE-SUR-MER
TROUVILLE-SUR-MER
CAVALAIRE-SUR-MER
LA TRINITÉ-SUR-MER
MONTREUIL-SUR-MER
KERSCHENSTEINER
PRÉSÉLECTIONNER
PERQUISITIONNER
DÉCONVENTIONNER
DÉCONGESTIONNER
FRANSQUILLONNER
SPARRING-PARTNER
FONCTIONNALISER
DÉSAISONNALISER
DÉPERSONNALISER
CONTRACTUALISER
IMPERMÉABILISER
RESPONSABILISER
RESPECTABILISER
DÉCHRISTIANISER
RECHRISTIANISER
FONCTIONNARISER
DÉCOLLECTIVISER
CARHAIX-PLOUGUER
CLOYES-SUR-LE-LOIR
SANCHE O POVOADOR

DANICAN-PHILIDOR
SÉLEUCOS NIKATÔR
RELEASING FACTOR
PHOTOTRANSISTOR
JACQUES LE MAJEUR
JACQUES LE MINEUR
APPROVISIONNEUR
ÉCHANTILLONNEUR
TURBOPROPULSEUR
MULTIPROCESSEUR
MICROPROCESSEUR
NEURODÉPRESSEUR
SURENCHÉRISSEUR
DÉMYSTIFICATEUR
DIFFÉRENCIATEUR
DIFFÉRENTIATEUR
MACRO-ORDINATEUR
MICRO-ORDINATEUR
SUPERORDINATEUR
SURRÉGÉNÉRATEUR
HOMOGÉNÉISATEUR
DÉSTABILISATEUR
SENSIBILISATEUR
DÉSORGANISATEUR
EXPÉRIMENTATEUR
AUTOCOMMUTATEUR
RÉTROPROJECTEUR
SUPRACONDUCTEUR
RADIOCONDUCTEUR
PHOTOCONDUCTEUR
AUTODESTRUCTEUR
CONCHYLICULTEUR
EMBERLIFICOTEUR
THERMORÉCEPTEUR
BOURSES-À-PASTEUR
LUZ-SAINT-SAUVEUR
TRÉSORIER-PAYEUR
GOUVION-SAINT-CYR
NICÉPHORE PHOKAS
GRÉGOIRE PALAMAS
L'ISLE-SUR-LE-DOUBS
BOUILLONS-BLANCS
KOLAR GOLD FIELDS
WINDWARD ISLANDS
SOUS-DIRECTRICES
SENSORI-MOTRICES
SELF-INDUCTANCES
AUTO-INDUCTANCES
VICE-PRÉSIDENCES
NON-CONCURRENCES
PONTS-PROMENADES
JUDÉO-ALLEMANDES
OUEST-ALLEMANDES
RHINO-PHARYNGÉES
TIRE-BOUCHONNÉES
SOUS-DÉVELOPPÉES
COURT-CIRCUITÉES

CONTRE-ATTAQUÉES
CONTRE-INDIQUÉES
LEMAIRE DE BELGES
AIGUILLES-ROUGES
AURIGE DE DELPHES
PAPIERS-MONNAIES
HALTES-GARDERIES
SAISIES-GAGERIES
STÉRÉO-ISOMÉRIES
AULNOYE-AYMERIES
VREDEMAN DE VRIES
PORTE-PARAPLUIES
MAXILLO-FACIALES
CÉRÉBRO-SPINALES
GRACIÁN Y MORALES
FRANÇOIS DE SALES
PRO-OCCIDENTALES
SAMOA ORIENTALES
MOYEN-ORIENTALES
INDES ORIENTALES
CRAPAUDS-BUFFLES
SEMI-OFFICIELLES
RINCE-BOUTEILLES
OUVRE-BOUTEILLES
PORTE-BOUTEILLES
CHASSE-GOUPILLES
CARABISTOUILLES
CANNES-BÉQUILLES
LEFÈVRE D'ÉTAPLES
FRÉDÉRIC-CHARLES
BLOCS-DIAGRAMMES
VALENCES-GRAMMES
NÆVO-CARCINOMES
GARDES-CHIOURMES
NON-CONFORMISMES
MICRO-ORGANISMES
SAINT-SIMONISMES
FREUDO-MARXISMES
RIOM-ÈS-MONTAGNES
NORD-AMÉRICAINES
NORD-AMÉRICAINES
AFRO-AMÉRICAINES
AFRO-AMÉRICAINES
MÉSO-AMÉRICAINES
NÉGRO-AFRICAINES
BORNES-FONTAINES
SAINT CATHARINES
ANTI-SOUS-MARINES
ARRIÈRE-CUISINES
ARRIÈRE-COUSINES
LIMEIL-BRÉVANNES
INDO-EUROPÉENNES
INDO-EUROPÉENNES
NON EUCLIDIENNES
NILO-SAHARIENNES
FINNO-OUGRIENNES
TIBIO-TARSIENNES

TERRE-NEUVIENNES
TERRE-NEUVIENNES
KAMERLINGH ONNES
STATUES-COLONNES
CORBEIL-ESSONNES
NAVIRES-CITERNES
CAMIONS-CITERNES
BATEAUX-CITERNES
ALCALÁ DE HENARES
GARDES-BARRIÈRES
CACHE-BRASSIÈRES
PORTE-ÉTRIVIÈRES
TRACHÉES-ARTÈRES
SEMI-AUXILIAIRES
SOUS-MAXILLAIRES
SEMI-CIRCULAIRES
SOUS-SCAPULAIRES
GÉNITO-URINAIRES
SOUS-PROLÉTAIRES
SOUS-SECRÉTAIRES
PATTES-MÂCHOIRES
DOUBLES-FENÊTRES
SOUS-ADMINISTRÉS
DAME-D'ONZE-HEURES
SOUS-PRÉFECTURES
ALPES FRANÇAISES
SOUS-MÉDICALISÉS
LAURIERS-CERISES
GRANDES JORASSES
HAUTS-DE-CHAUSSES
TROIS GLORIEUSES
LIBÉRO-LIGNEUSES
HAUTES-FIDÉLITÉS
GASTRO-ENTÉRITES
NON-DIRECTIVITÉS
AIDES-SOIGNANTES
NON-COMBATTANTES
VICE-PRÉSIDENTES
POITOU-CHARENTES
LOCATIONS-VENTES
RÉFÉRÉS-LIBERTÉS
NON-SPÉCIALISTES
NON-CONFORMISTES
AUTOS-COUCHETTES
PORTE-SERVIETTES
BRICKS-GOÉLETTES
PORTE-CIGARETTES
LIVRES-CASSETTES
PRESSE-RAQUETTES
COUCHES-CULOTTES
OURALO-ALTAÏQUES
ARABO-ISLAMIQUES
INDOLE-ACÉTIQUES
MAGNÉTO-OPTIQUES
LOURENÇO MARQUES
SOCIO-ÉDUCATIVES
NON DESTRUCTIVES

MÉDICO-SPORTIVES
BRIGADIERS-CHEFS
INTERRO-NÉGATIFS
CARDIO-TRAININGS
SARATOGA SPRINGS
COLORADO SPRINGS
HOMMES-SANDWICHS
PORT-AUX-FRANÇAIS
CHÂTELLERAUDAIS
NORD-PAS-DE-CALAIS
NORD-MONTRÉALAIS
GRAND-QUEVILLAIS
CHAMPIGNEULLAIS
NIGÉRO-CONGOLAIS
TARN-ET-GARONNAIS
CASTELGIRONNAIS
CHÂTELGUYONNAIS
CASTELBRIANTAIS
SAINT-MAIXENTAIS
ROCHECHOUARTAIS
POISSONS-PARADIS
MUTATIS MUTANDIS
SOPHIA-ANTIPOLIS
SEINE-SAINT-DENIS
NEUVILLE-AUX-BOIS
VITRY-LE-FRANÇOIS
BRANDEBOURGEOIS
BRANDEBOURGEOIS
WISSEMBOURGEOIS
LAUTERBOURGEOIS
FRANCS-BOURGEOIS
PETITS-BOURGEOIS
VILLERSEXELLOIS
MONTFERMEILLOIS
VICTORIAVILLOIS
DRUMMONDVILLOIS
GOUSSAINVILLOIS
FÈRE-EN-TARDENOIS
SAINT-POURCINOIS
SAINT-QUENTINOIS
SAINT-AVERTINOIS
SAINT-JULIENNOIS
OBERLAND BERNOIS
PRIEUR-DUVERNOIS
HÉRIMONCOURTOIS
OREILLE-DE-SOURIS
NEGRO SPIRITUALS
AGRO-INDUSTRIELS
SPATIO-TEMPORELS
VAUGHAN WILLIAMS
JOUFFROY D'ABBANS
PUCELLE D'ORLÉANS
SOUVENIRS-ÉCRANS
FRANCO-CANADIENS
FRANCO-CANADIENS
NORD-VIETNAMIENS
NORD-VIETNAMIENS

DELIRIUM TREMENS
BALARUC-LES-BAINS
DIVONNE-LES-BAINS
MONDORF-LES-BAINS
LUXEUIL-LES-BAINS
ENGHIEN-LES-BAINS
YVERDON-LES-BAINS
BAGNOLS-LES-BAINS
LAMALOU-LES-BAINS
ANGLO-AMÉRICAINS
ANGLO-AMÉRICAINS
VINCENT DE LÉRINS
REQUINS-PÈLERINS
SAISIES-BRANDONS
SOUS-COMMISSIONS
EURO-OBLIGATIONS
CONGRATULATIONS
SOUS-ESTIMATIONS
SOUS-ÉVALUATIONS
PRIMO-INFECTIONS
SOUS-PRODUCTIONS
SOUS-EXPOSITIONS
NON-COMPARUTIONS
COURTS-BOUILLONS
CHAUFFE-BIBERONS
LES ANCIZES-COMPS
GENTLEMEN-RIDERS
CONTRE-ESPALIERS
NAVIRES-ATELIERS
BOULAINVILLIERS
SAPEURS-POMPIERS
PRÊTRES-OUVRIERS
DIANE DE POITIERS
FRANCS-QUARTIERS
PETITS DÉJEUNERS
MICROS-TROTTOIRS
MARTINS-PÊCHEURS
PORTE-CONTENEURS
SOUS-GOUVERNEURS
MAÎTRES-PENSEURS
CACHE-RADIATEURS
MINI-ORDINATEURS
CÂBLO-OPÉRATEURS
SEMI-CONDUCTEURS
DUPONT DE NEMOURS
GRÉGOIRE DE TOURS
ASSOCIATED PRESS
MARTEAUX-PIOLETS
PLUS-QUE-PARFAITS
CARÊMES-PRENANTS
SOUS-LIEUTENANTS
NON-BELLIGÉRANTS
BASSINS-VERSANTS
BUISSONS-ARDENTS
SOUS-AMENDEMENTS
SOUS-PEUPLEMENTS
SOUS-ÉQUIPEMENTS

AMIANTES-CIMENTS
SELF-GOVERNMENTS
PORTRAITS-ROBOTS
COMPÈRES-LORIOTS
PALAVAS-LES-FLOTS
SEXTUS EMPIRICUS
AEMILIUS LEPIDUS
TULLUS HOSTILIUS
ANGELUS SILESIUS
QUINTILIUS VARUS
CYTOMÉGALOVIRUS
SOUS-PROLÉTARIAT
LÉONARD DE NOBLAT
VENANCE FORTUNAT
FLORIS DE VRIENDT
SAINT-LEU-LA-FORÊT
LEVALLOIS-PERRET
LEPRINCE-RINGUET
BECS-DE-PERROQUET
ASSURANCE-CRÉDIT
PONT-SAINT-ESPRIT
SAINT-GENIEZ-D'OLT
FORT-ARCHAMBAULT
NOYELLES-GODAULT
CONTREBALANÇANT
LOUIS LE FAINÉANT
DÉDIFFÉRENCIANT
HYPERGLYCÉMIANT
DÉBROUSSAILLANT
EMBROUSSAILLANT
CHÂTEAUMEILLANT
DÉSENTORTILLANT
RECROQUEVILLANT
PSYCHOSTIMULANT
IMMUNOSTIMULANT
GABRIEL LALEMANT
TIRE-BOUCHONNANT
APPROVISIONNANT
REDIMENSIONNANT
DÉSILLUSIONNANT
DÉCONDITIONNANT
RÉQUISITIONNANT
MANUTENTIONNANT
DÉCAVAILLONNANT
ÉCHANTILLONNANT
MARÉCHAL-FERRANT
WAGON-RESTAURANT
SE CLOCHARDISANT
SURMÉDICALISANT
COMMERCIALISANT
DÉMATÉRIALISANT
INDUSTRIALISANT
DÉCRIMINALISANT
DÉNATIONALISANT
OCCIDENTALISANT
INDIVIDUALISANT
CONCEPTUALISANT

DÉCULPABILISANT
VULNÉRABILISANT
DÉCRÉDIBILISANT
DÉSENSIBILISANT
INSENSIBILISANT
RECRISTALLISANT
DÉSYNCHRONISANT
PARTICULARISANT
REVASCULARISANT
TRANSISTORISANT
TECHNOCRATISANT
BUREAUCRATISANT
TRANSPARAISSANT
APPROFONDISSANT
SURENCHÉRISSANT
DÉSÉPAISSISSANT
RECONVERTISSANT
INTERVERTISSANT
DÉSASSORTISSANT
DÉSINVESTISSANT
INTERCONNECTANT
COURT-CIRCUITANT
COMPARTIMENTANT
EMBERLIFICOTANT
THERMORÉSISTANT
CONTRE-ATTAQUANT
CONTRE-INDIQUANT
NARCOTRAFIQUANT
PUY-SAINT-VINCENT
GUIBERT DE NOGENT
ANTIDÉPLACEMENT
AUTOFINANCEMENT
RÉENSEMENCEMENT
PROVERBIALEMENT
COMMERCIALEMENT
PHÉNOMÉNALEMENT
PRONOMINALEMENT
ORTHOGONALEMENT
UNILATÉRALEMENT
CONGÉNITALEMENT
HORIZONTALEMENT
IRRÉVOCABLEMENT
DÉSAGRÉABLEMENT
INFATIGABLEMENT
RAISONNABLEMENT
IRRÉPARABLEMENT
INSÉPARABLEMENT
DÉFAVORABLEMENT
INÉPUISABLEMENT
INÉLUCTABLEMENT
INDUBITABLEMENT
CONFORTABLEMENT
IRRÉFUTABLEMENT
IMMANQUABLEMENT
REMARQUABLEMENT
IMPITOYABLEMENT
INFAILLIBLEMENT

PERCEPTIBLEMENT
ESSENTIELLEMENT
POTENTIELLEMENT
RATIONNELLEMENT
PERSONNELLEMENT
FRATERNELLEMENT
UNIVERSELLEMENT
CONTINUELLEMENT
PERPÉTUELLEMENT
SPIRITUELLEMENT
ENTREBÂILLEMENT
ÉCRABOUILLEMENT
QUATORZIÈMEMENT
RADIOALIGNEMENT
SURENTRAÎNEMENT
CLANDESTINEMENT
QUOTIDIENNEMENT
ÉBOURGEONNEMENT
COLLATIONNEMENT
CONDITIONNEMENT
RÉÉCHELONNEMENT
DÉCLOISONNEMENT
EMPOISONNEMENT
INOPPORTUNÉMENT
DÉSENCOMBREMENT
INCONSIDÉRÉMENT
IRRÉGULIÈREMENT
FORFAITAIREMENT
HÉRÉDITAIREMENT
PRIORITAIREMENT
MAJORITAIREMENT
AUTORITAIREMENT
OBLIGATOIREMENT
PÉREMPTOIREMENT
POSTÉRIEUREMENT
ENTRECROISEMENT
GRANOCLASSEMENT
INTERCLASSEMENT
ÉCLAIRCISSEMENT
OBSCURCISSEMENT
ACCOURCISSEMENT
REFROIDISSEMENT
ABÂTARDISSEMENT
DÉGOURDISSEMENT
ENGOURDISSEMENT
ASSOURDISSEMENT
APPLAUDISSEMENT
INFLÉCHISSEMENT
DÉGAUCHISSEMENT
AFFAIBLISSEMENT
ENSEVELISSEMENT
REJAILLISSEMENT
ACCOMPLISSEMENT
ASSOUPLISSEMENT
RAFFERMISSEMENT
ACCROUPISSEMENT
ASSOMBRISSEMENT

ATTENDRISSEMENT
AMOINDRISSEMENT
RENCHÉRISSEMENT
DÉMAIGRISSEMENT
ENDOLORISSEMENT
APPAUVRISSEMENT
DESSAISISSEMENT
RESSAISISSEMENT
DÉGROSSISSEMENT
EMPUANTISSEMENT
PERVERTISSEMENT
TRAVESTISSEMENT
ENGLOUTISSEMENT
FALLACIEUSEMENT
PERNICIEUSEMENT
CAPRICIEUSEMENT
SILENCIEUSEMENT
FASTIDIEUSEMENT
PRODIGIEUSEMENT
CALOMNIEUSEMENT
HARMONIEUSEMENT
MYSTÉRIEUSEMENT
VICTORIEUSEMENT
OBSÉQUIEUSEMENT
SCANDALEUSEMENT
MIRACULEUSEMENT
MÉTICULEUSEMENT
FRAUDULEUSEMENT
SCRUPULEUSEMENT
DÉDAIGNEUSEMENT
DÉSASTREUSEMENT
MALHEUREUSEMENT
CHALEUREUSEMENT
LANGOUREUSEMENT
DOULOUREUSEMENT
PLANTUREUSEMENT
AVENTUREUSEMENT
MONSTRUEUSEMENT
DÉFECTUEUSEMENT
AFFECTUEUSEMENT
TUMULTUEUSEMENT
VOLUPTUEUSEMENT
MAJESTUEUSEMENT
INDISTINCTEMENT
MULTITRAITEMENT
HYDROTRAITEMENT
DÉSENCHANTEMENT
CONTINGENTEMENT
CONTREVENTEMENT
DÉSAPPOINTEMENT
INTRINSÈQUEMENT
STRATÉGIQUEMENT
PÉDAGOGIQUEMENT
THÉOLOGIQUEMENT
SYMPATHIQUEMENT
ÉVANGÉLIQUEMENT
PARABOLIQUEMENT

APOSTOLIQUEMENT
ALLÉGORIQUEMENT
CATÉGORIQUEMENT
GÉOMÉTRIQUEMENT
EXCENTRIQUEMENT
SCHÉMATIQUEMENT
FLEGMATIQUEMENT
ÉNIGMATIQUEMENT
AUTOMATIQUEMENT
DIALECTIQUEMENT
PROPHÉTIQUEMENT
SYNTHÉTIQUEMENT
AUTHENTIQUEMENT
PATRIOTIQUEMENT
SARCASTIQUEMENT
FANTASTIQUEMENT
STATISTIQUEMENT
ENTRECHOQUEMENT
PROGRESSIVEMENT
APPROBATIVEMENT
CORRÉLATIVEMENT
AFFIRMATIVEMENT
ALTERNATIVEMENT
COMPARATIVEMENT
QUALITATIVEMENT
FACULTATIVEMENT
RÉTROACTIVEMENT
INSTINCTIVEMENT
SUBSTANTIVEMENT
CONSÉCUTIVEMENT
DÉSOBLIGEAMMENT
BIENVEILLAMMENT
INCONSÉQUEMMENT
LANGUE-DE-SERPENT
BAS-SAINT-LAURENT
IMMUNOCOMPÉTENT
VLADIMIR LE SAINT
À BRÛLE-POURPOINT
JOINVILLE-LE-PONT
CHARENTON-LE-PONT
HARDOUIN-MANSART
VAL-SAINT-LAMBERT
BRIE-COMTE-ROBERT
CONTRE-TRANSFERT
LETTRE-TRANSFERT
CONDÉ-SUR-L'ESCAUT
BRUAY-SUR-L'ESCAUT
PHILIBERT LE BEAU
CONDÉ-SUR-NOIREAU
WALDECK-ROUSSEAU
GUYTON DE MORVEAU
MAURICE DE NASSAU
ADOLPHE DE NASSAU
MURASAKI SHIKIBU
CRÉCY-EN-PONTHIEU
BOURGOIN-JALLIEU
DÉCINES-CHARPIEU

TOSHUSAI SHARAKU
YAMAMOTO ISOROKU
KUALA TERENGGANU
SAINT-PAUL-LÈS-DAX
LA MOTTE-SERVOLEX
EXTRAPYRAMIDAUX
CYLINDRES-SCEAUX
MAGNY-LES-HAMEAUX
SOUS-ARBRISSEAUX
REQUINS-MARTEAUX
ARCHIÉPISCOPAUX
INTERVERTÉBRAUX
SCAPULO-HUMÉRAUX
ADIPOSO-GÉNITAUX
NAVIRES-HÔPITAUX
TRANSCENDANTAUX
PROCHE-ORIENTAUX
GOUVERNEMENTAUX
COMPORTEMENTAUX
SUPRASEGMENTAUX
ÉPICONTINENTAUX
ANTITUBERCULEUX
ANTIPRURIGINEUX
ARTÉRIOSCLÉREUX
HYPOPHOSPHOREUX

ALCALINO-TERREUX
GUILLAUME LE ROUX
THANKSGIVING DAY
MONTREUIL-BELLAY
DUPLESSIS-MORNAY
SILVESTRE DE SACY
LEMAISTRE DE SACY
VILLERS-LÈS-NANCY
GAUTIER DE COINCY
AMBÉRIEU-EN-BUGEY
LE GRAND-QUEVILLY
LE PETIT-QUEVILLY
SAINT-BARTHÉLEMY
HOUPHOUËT-BOIGNY
CHÂTENAY-MALABRY
PHILIPPE DE VITRY
MONTFORT-L'AMAURY
BOKARO STEEL CITY
GARCÍA GUTIÉRREZ
TUXTLA GUTIÉRREZ
GONZÁLEZ MÁRQUEZ
MONTIGNY-LÈS-METZ
SAINT-PÈRE-EN-RETZ
BOURGNEUF-EN-RETZ

CREUTZFELDT-JAKOB
LA BAULE-ESCOUBLAC
LOUISE DE MARILLAC
GERBERT D'AURILLAC
CYRANO DE BERGERAC
SAINT-JEAN-LE-BLANC
CASTELNAU-DE-MÉDOC
DAVID COPPERFIELD
THÉODORIC LE GRAND
FERDINAND LE GRAND
GUILLAUME LE GRAND
ALEXANDRE LE GRAND
SAINT-MÉEN-LE-GRAND
MOURMELON-LE-GRAND
ABD AL-AZIZ IBN SAUD
PHILIPPE DE SOUABE
TARQUIN LE SUPERBE
BUCKINGHAM PALACE
DÉMYSTIFICATRICE
DIFFÉRENCIATRICE
SURRÉGÉNÉRATRICE
HOMOGÉNÉISATRICE
DÉSTABILISATRICE
SENSIBILISATRICE
DÉSORGANISATRICE
EXPÉRIMENTATRICE
SUPRACONDUCTRICE
PHOTOCONDUCTRICE

CARREÑO DE MIRANDA
ANTIGUA-ET-BARBUDA
GRAN SASSO D'ITALIA
REGGIO NELL'EMILIA
REGGIO DI CALABRIA
MARIE LESZCZYNSKA
ANTIGUA GUATEMALA
HIDALGO Y COSTILLA
NAKHON RATCHASIMA
GRANADOS Y CAMPIÑA
PIERRE D'ALCÁNTARA
MUSTAFA KEMAL PASA
ACÉTYLCOENZYMES A
MARTÍNEZ DE LA ROSA
SAN-MARTINO-DI-LOTA
HURTADO DE MENDOZA

AUTODESTRUCTRICE
CONCHYLICULTRICE
TÉLÉSURVEILLANCE
AUTOSURVEILLANCE
ADÉLAÏDE DE FRANCE
ISABELLE DE FRANCE
TREMBLAY-EN-FRANCE
NEUILLY-PLAISANCE
MÉTACONNAISSANCE
CHIMIORÉSISTANCE
CRYOLUMINESCENCE
IMMUNODÉFICIENCE
PORTES-LÈS-VALENCE
SAINT-PAUL-DE-VENCE
MAXIMILIEN DE BADE
CONTRE-PROPAGANDE
GERTRUDE LA GRANDE
RHÔMANOS LE MÉLODE
SINT-GENESIUS-RODE
BRIVE-LA-GAILLARDE
INTRAMONTAGNARDE
QUARANTE-HUITARDE
SOIXANTE-HUITARDE
BACILLARIOPHYCÉE
BEAUFORT-EN-VALLÉE
RÉAPPROVISIONNÉE
DISPROPORTIONNÉE
ORGANOPHOSPHORÉE
INTELLECTUALISÉE
POSTSYNCHRONISÉE
DÉSEMBOURGEOISÉE
DÉBUREAUCRATISÉE
CONTRE-ESPIONNAGE
PRÉAPPRENTISSAGE
TRENTIN-HAUT-ADIGE
GUILLAUME D'ORANGE
CASTILLE-LA MANCHE
MORTAGNE-AU-PERCHE
LÉON LE PHILOSOPHE
FRESNAY-SUR-SARTHE
SPISSKÉ PODHRADIE
ETHNOMUSICOLOGIE
ETHNOPSYCHOLOGIE
NEUROPSYCHOLOGIE
PSYCHOPATHOLOGIE
PHYSIOPATHOLOGIE
ANTHROPOBIOLOGIE
PSYCHOSOCIOLOGIE
NEUROPHYSIOLOGIE
RADIOCHRONOLOGIE
RADIO-IMMUNOLOGIE
HYDROMÉTALLURGIE
RADIOTÉLÉGRAPHIE
TÉLÉRADIOGRAPHIE
AUTORADIOGRAPHIE
BIOBIBLIOGRAPHIE
CRISTALLOGRAPHIE

SYMPLÉSIOMORPHIE
JOSEPH D'ARIMATHIE
CHOLÉCYSTECTOMIE
HYPERŒSTROGÉNIE
BRONCHO-PNEUMONIE
ADÉLAÏDE DE SAVOIE
AURICULOTHÉRAPIE
INSULINOTHÉRAPIE
VITAMINOTHÉRAPIE
VERTÉBROTHÉRAPIE
THALASSOTHÉRAPIE
SAINT-CIRQ-LAPOPIE
SAULT-SAINTE-MARIE
LE CHÂTELET-EN-BRIE
THÉON D'ALEXANDRIE
HÉRON D'ALEXANDRIE
HYPERCHLORHYDRIE
ETHNOPSYCHIATRIE
NEUROPSYCHIATRIE
RADIOGONIOMÉTRIE
FRÉDÉRIC DE STYRIE
DYSCHONDROPLASIE
SOCIAL-DÉMOCRATIE
FRANCO-PROVENÇALE
ENTREPRENEURIALE
CORTICOSURRÉNALE
MÉDULLOSURRÉNALE
STATURO-PONDÉRALE
SOUS-PRÉFECTORALE
AMÉRIQUE CENTRALE
DVINA OCCIDENTALE
EXTRÊME-ORIENTALE
FLANDRE-ORIENTALE
ENVIRONNEMENTALE
COMMERCIALISABLE
INTERCONNECTABLE
INCOMPRÉHENSIBLE
BERLINER ENSEMBLE
DAMMARTIN-EN-GOËLE
DOMRÉMY-LA-PUCELLE
FLEURY-SUR-ANDELLE
CIRCONSTANCIELLE
EXTRASENSORIELLE
AGRO-INDUSTRIELLE
POSTINDUSTRIELLE
CONSUBSTANTIELLE
INTERFÉRENTIELLE
BIDIMENSIONNELLE
TRANSFUSIONNELLE
CORRÉLATIONNELLE
INFORMATIONNELLE
GRAVITATIONNELLE
INTERACTIONNELLE
TRANSACTIONNELLE
JURIDICTIONNELLE
TRIFONCTIONNELLE
INCONDITIONNELLE

PRÉPOSITIONNELLE
PROPOSITIONNELLE
INSTITUTIONNELLE
INTERPERSONNELLE
SPATIO-TEMPORELLE
MEURTHE-ET-MOSELLE
ARQUES-LA-BATAILLE
ANDORRE-LA-VIEILLE
ISIDORE DE SÉVILLE
FOUQUIER-TINVILLE
PIC DE LA MIRANDOLE
FRÉDÉRIC LE SIMPLE
COLONNES D'HERCULE
ROMULUS AUGUSTULE
MAGNÉSIE DU SIPYLE
CHARENTE-MARITIME
ÉLECTROMYOGRAMME
HÉTÉROCHROMOSOME
PHÉOCHROMOCYTOME
MONTECATINI-TERME
PROCELLARIIFORME
INFUNDIBULIFORME
PLEURONECTIFORME
ANTICLÉRICALISME
ANTICOLONIALISME
ANTI-IMPÉRIALISME
PRÉSIDENTIALISME
SENSATIONNALISME
PHOTOJOURNALISME
INSTRUMENTALISME
INTELLECTUALISME
NÉOMERCANTILISME
ANTIAMÉRICANISME
PRESBYTÉRIANISME
SÉGRÉGATIONNISME
ASSOCIATIONNISME
INTERACTIONNISME
OBSTRUCTIONNISME
CONTRE-TERRORISME
EUROPÉOCENTRISME
MICROTRAUMATISME
ARCHÉOMAGNÉTISME
SILLÉ-LE-GUILLAUME
PTOLÉMÉE ÉPIPHANE
TRIPHÉNYLMÉTHANE
TRICHLORÉTHYLÈNE
ADÈLE DE CHAMPAGNE
NOUVELLE-BRETAGNE
MARIE DE BOURGOGNE
HENRI DE BOURGOGNE
COURNON-D'AUVERGNE
ANTIRÉPUBLICAINE
LATINO-AMÉRICAINE
LATINO-AMÉRICAINE
MARIA CHAPDELAINE
FRANÇOISE ROMAINE
CASTELJALOUSAINE

CAP-DE-LA-MADELEINE
ALISE-SAINTE-REINE
VERNEUIL-SUR-SEINE
ASNIÈRES-SUR-SEINE
DIACÉTYLMORPHINE
CORTICOSTIMULINE
CHRYSÉLÉPHANTINE
CHAMPAGNE-ARDENNE
DORSALE GUINÉENNE
ARISTOTÉLICIENNE
PYROTECHNICIENNE
POLYTECHNICIENNE
NÉOPLATONICIENNE
ÉCONOMÉTRICIENNE
ASTROPHYSICIENNE
CHIROPRATICIENNE
PÉRIPATÉTICIENNE
PORT-AU-PRINCIENNE
FRANCO-CANADIENNE
FRANCO-CANADIENNE
PARATHYROÏDIENNE
ANTITHYROÏDIENNE
COMÉDIE-ITALIENNE
BERZÉLAVILLIENNE
CHLOROPHYLLIENNE
AMSTELLODAMIENNE
NORD-VIETNAMIENNE
NORD-VIETNAMIENNE
TRANSAMAZONIENNE
PONTÉPISCOPIENNE
LOMÉNIE DE BRIENNE
CAROLOMACÉRIENNE
PONTAUDEMÉRIENNE
NÉOGRAMMAIRIENNE
SAÔNE-ET-LOIRIENNE
PROTOHISTORIENNE
TRANSCAUCASIENNE
SAINT-PALAISIENNE
CHANTONNAISIENNE
CARPENTRASSIENNE
MARIE L'ÉGYPTIENNE
SAILLAT-SUR-VIENNE
MANSART DE SAGONNE
DÉSAPPROVISIONNÉ
LES SABLES-D'OLONNE
VERDUN-SUR-GARONNE
NEUVILLE-SUR-SAÔNE
RÉUNION-TÉLÉPHONE
LA VOULTE-SUR-RHÔNE
SAINT-OUEN-L'AUMÔNE
BONNEUIL-SUR-MARNE
ORMESSON-SUR-MARNE
VILLIERS-SUR-MARNE
THORIGNY-SUR-MARNE
SAINT-JEAN-DE-LOSNE
AGRIPPINE LA JEUNE
TASSIN-LA-DEMI-LUNE

THÉOPHILANTHROPE
JEMEPPE-SUR-SAMBRE
ARGENT-SUR-SAULDRE
LA CÔTE-SAINT-ANDRÉ
TRANSFRONTALIÈRE
BRUAY-LA-BUISSIÈRE
ISABEAU DE BAVIÈRE
ARRIÈRE-GRAND-MÈRE
ARRIÈRE-GRAND-PÈRE
ÉLECTRONUCLÉAIRE
HYDROCORALLIAIRE
PLÉNIPOTENTIAIRE
MONT-SAINT-HILAIRE
SUPRAMOLÉCULAIRE
INTRAMOLÉCULAIRE
MACROMOLÉCULAIRE
INTERMOLÉCULAIRE
EXTRAVÉHICULAIRE
ANTIPELLICULAIRE
CARDIO-VASCULAIRE
SAINT-APOLLINAIRE
SUBDIVISIONNAIRE
DEMI-PENSIONNAIRE
MANUTENTIONNAIRE
AUTOGESTIONNAIRE
CARDIO-PULMONAIRE
CONTRESIGNATAIRE
SAINT-CYR-SUR-LOIRE
CHAUMONT-SUR-LOIRE
PRÉIMPLANTATOIRE
DESBORDES-VALMORE
CLERMONT-TONNERRE
ROCHEFORT-EN-TERRE
LE KREMLIN-BICÊTRE
MILLIAMPÈREMÈTRE
SPHYGMOMANOMÈTRE
TOMODENSITOMÈTRE
COURVILLE-SUR-EURE
CATHERINE LABOURÉ
GÉLATINO-CHLORURE
PALÉOTEMPÉRATURE
MORTAGNE-SUR-SÈVRE
MONOAMINE-OXYDASE
RHODE-SAINT-GENÈSE
ALEXANDRE FARNÈSE
ÉLISABETH FARNÈSE
COMÉDIE-FRANÇAISE
NAVARRE FRANÇAISE
CHÂTELLERAUDAISE
GUINÉE PORTUGAISE
NORD-MONTRÉALAISE
GRAND-QUEVILLAISE
CHAMPIGNEULLAISE
NIGÉRO-CONGOLAISE
TARN-ET-GARONNAISE
CASTELGIRONNAISE
CHÂTELGUYONNAISE

CASTELBRIANTAISE
SAINT-MAIXENTAISE
ROCHECHOUARTAISE
DÉSINDUSTRIALISÉ
PROFESSIONNALISÉ
CORRECTIONNALISÉ
INTERNATIONALISÉ
DÉPARTEMENTALISÉ
SAINTE-MÈRE-ÉGLISE
DÉRESPONSABILISÉ
BRANDEBOURGEOISE
BRANDEBOURGEOISE
PETITE-BOURGEOISE
WISSEMBOURGEOISE
LAUTERBOURGEOISE
VILLERSEXELLOISE
MONTFERMEILLOISE
VICTORIAVILLOISE
DRUMMONDVILLOISE
GOUSSAINVILLOISE
SAINT-POURCINOISE
SAINT-QUENTINOISE
SAINT-AVERTINOISE
SAINT-JULIENNOISE
HÉRIMONCOURTOISE
JUNIOR ENTREPRISE
POCHETTE-SURPRISE
LE PLESSIS-TRÉVISE
BULLETINS-RÉPONSE
LYMPHORÉTICULOSE
CHONDROCALCINOSE
NEUROFIBROMATOSE
HYPERPLAQUETTOSE
HYPERLEUCOCYTOSE
GARGES-LÈS-GONESSE
STRATOFORTERESSE
RAMASSEUSE-PRESSE
CULS-DE-BASSE-FOSSE
SAINT-ALBAN-LEYSSE
AUTOMITRAILLEUSE
DÉBROUSSAILLEUSE
ANTITUBERCULEUSE
ANTIPRURIGINEUSE
APPROVISIONNEUSE
DÉCAVAILLONNEUSE
ÉCHANTILLONNEUSE
ARTÉRIOSCLÉREUSE
ALCALINO-TERREUSE
GRANDE-CHARTREUSE
SURENCHÉRISSEUSE
EMBERLIFICOTEUSE
SORGUE DE VAUCLUSE
SOCIALE-DÉMOCRATE
LUCIEN DE SAMOSATE
PTOLÉMÉE ÉVERGÈTE
TRIBOÉLECTRICITÉ
RADIOÉLECTRICITÉ

16

HYDROÉLECTRICITÉ
FERROÉLECTRICITÉ
PHOTOÉLECTRICITÉ
PIÉZO-ÉLECTRICITÉ
PSYCHOPLASTICITÉ
DENYS L'ARÉOPAGITE
TRACHÉO-BRONCHITE
LEUCO-ENCÉPHALITE
EXTERRITORIALITÉ
PROPORTIONNALITÉ
SUPRANATIONALITÉ
INTERNATIONALITÉ
ENCÉPHALOMYÉLITE
IMPERTURBABILITÉ
BIODÉGRADABILITÉ
IRRESPONSABILITÉ
IMPUTRESCIBILITÉ
RADIOSENSIBILITÉ
PHOTOSENSIBILITÉ
HYPERSENSIBILITÉ
INSUBMERSIBILITÉ
TRANSMISSIBILITÉ
IMPRÉDICTIBILITÉ
REPRODUCTIBILITÉ
IMPERCEPTIBILITÉ
INCORRUPTIBILITÉ
INCONVERTIBILITÉ
INCOMBUSTIBILITÉ
PERPENDICULARITÉ
STÉRÉORÉGULARITÉ
REPRÉSENTATIVITÉ
HYPERGLYCÉMIANTE
DÉBROUSSAILLANTE
PSYCHOSTIMULANTE
IMMUNOSTIMULANTE
TRENTE-ET-QUARANTE
THERMORÉSISTANTE
NARCOTRAFIQUANTE
IMMUNOCOMPÉTENTE
APAMÉE-SUR-L'ORONTE
LAISSÉ-POUR-COMPTE
COMMEDIA DELL'ARTE
RÍO BRAVO DEL NORTE
RIO GRANDE DO NORTE
ALPHONSE LE CHASTE
ÉLECTROMÉNAGISTE
ANTIESCLAVAGISTE
ENDOCRINOLOGISTE
ANTICOLONIALISTE
ANTI-IMPÉRIALISTE
PHOTOJOURNALISTE
INTELLECTUALISTE
JEAN L'ÉVANGÉLISTE
SÉGRÉGATIONNISTE
OBSTRUCTIONNISTE
PROHIBITIONNISTE
CRYPTOCOMMUNISTE

CONTRE-TERRORISTE
AUDIOPROTHÉSISTE
MULTIRÉCIDIVISTE
L'ANCIENNE-LORETTE
LEXINGTON-FAYETTE
KINÉSITHÉRAPEUTE
PSYCHOTHÉRAPEUTE
GÉNÉRATION PERDUE
MICHEL PALÉOLOGUE
MANUEL PALÉOLOGUE
NEUROPSYCHOLOGUE
PSYCHOSOCIOLOGUE
L'ISLE-SUR-LA-SORGUE
TRAVELLER'S CHEQUE
AUSTRALOPITHÈQUE
IMPARISYLLABIQUE
QUADRISYLLABIQUE
EDGAR LE PACIFIQUE
STÉRÉOSPÉCIFIQUE
ANTISCIENTIFIQUE
GÉOMORPHOLOGIQUE
PHÉNOMÉNOLOGIQUE
GÉOCHRONOLOGIQUE
AUTOBIOGRAPHIQUE
MÉTALLOGRAPHIQUE
SIGILLOGRAPHIQUE
DACTYLOGRAPHIQUE
SPECTROGRAPHIQUE
ORTHOSYMPATHIQUE
ÉPIPALÉOLITHIQUE
CLAUDE LE GOTHIQUE
GLYCÉROPHTALIQUE
MÉPHISTOPHÉLIQUE
ORGANOMÉTALLIQUE
THROMBOEMBOLIQUE
ÉLECTRODYNAMIQUE
MAGNÉTODYNAMIQUE
ÉLECTROMÉCANIQUE
HYPOALLERGÉNIQUE
ÉLECTROTECHNIQUE
ANTIHISTAMINIQUE
DEUTÉROCANONIQUE
OPTOÉLECTRONIQUE
DIOGÈNE LE CYNIQUE
PSYCHOTHÉRAPIQUE
CHIMIOTHÉRAPIQUE
MÉTAPHOSPHORIQUE
PYROPHOSPHORIQUE
DIESEL-ÉLECTRIQUE
DYNAMOÉLECTRIQUE
THERMOÉLECTRIQUE
STŒCHIOMÉTRIQUE
HOROKILOMÉTRIQUE
ANTHROPOMÉTRIQUE
MÉTAMATHÉMATIQUE
ORTHOCHROMATIQUE
TÉLÉINFORMATIQUE

PÉRI-INFORMATIQUE
HYDROPNEUMATIQUE
ANTIDÉMOCRATIQUE
BACTÉRIOSTATIQUE
RÉTROSYNTHÉTIQUE
PHOTOSYNTHÉTIQUE
ÉLECTROCINÉTIQUE
CHAMITO-SÉMITIQUE
THYMOANALEPTIQUE
MÉTALLOPLASTIQUE
GALVANOPLASTIQUE
ANTIPHLOGISTIQUE
MÉTALINGUISTIQUE
ZOOTHÉRAPEUTIQUE
HISPANO-MAURESQUE
AMBARÈS-ET-LAGRAVE
RÉPUBLIQUE BATAVE
THERMOPROPULSIVE
ÉLECTROPORTATIVE
CONTRE-PRODUCTIVE
SAINT-JEAN-DE-BRAYE
MANIACO-DÉPRESSIF
MUHAMMAD IBN YUSUF
VALDEMAR ATTERDAG
CHALETTE-SUR-LOING
VILLENEUVE-DE-BERG
PIETERMARITZBURG
JEAN DE LUXEMBOURG
HAUT-KŒNIGSBOURG
SAINT-PÉTERSBOURG
BERGISCH GLADBACH
BEHREN-LÈS-FORBACH
FISCHER VON ERLACH
PLAISANCE-DU-TOUCH
MAXIMILIEN JOSEPH
ARUNACHAL PRADESH
TERAUCHI HISAICHI
KUTCHUK-KAÏNARDJI
IZANAGI ET IZANAMI
SESTO SAN GIOVANNI
KAWABATA YASUNARI
SALINAS DE GORTARI
ABU AL-ALA AL-MAARRI
BORDJ BOU ARRÉRIDJ
OTTON DE BRUNSWICK
NOUVEAU-BRUNSWICK
VAN MUSSCHENBROEK
LADISLAS LOKIETEK
BLAGOVECHTCHENSK
IOUJNO-SAKHALINSK
NEUROCHIRURGICAL
SAINT-ROMAIN-EN-GAL
EXTRAPATRIMONIAL
EXTRATERRITORIAL
GASTRO-INTESTINAL
SAHARA OCCIDENTAL
HYPERCONTINENTAL

INTERCONTINENTAL
TRANSCONTINENTAL
CORMELLES-LE-ROYAL
TILL EULENSPIEGEL
VILLAINES-LA-JUHEL
CONQUES-SUR-ORBIEL
INTERMINISTÉRIEL
SEMI-PRÉSIDENTIEL
COMMUNICATIONNEL
OMNIDIRECTIONNEL
ANTICONJONCTUREL
ROBERT D'ARBRISSEL
BRUYÈRES-LE-CHÂTEL
INGÉNIEUR-CONSEIL
ADHÉMAR DE MONTEIL
KINGSTON-UPON-HULL
BOURG-SAINT-ANDÉOL
GUILLAUME D'OCKHAM
SINT-MARTENS-LATEM
BRITISH PETROLEUM
ERCKMANN-CHATRIAN
NUAGES DE MAGELLAN
MASDJID-I SULAYMAN
MASDJED-E SOLEYMAN
AMAURY DE LUSIGNAN
CHRISTINE DE PISAN
ÉTIENNE UROS DUSAN
THERMODYNAMICIEN
PSYCHOTECHNICIEN
RADIOÉLECTRICIEN
CÉPHALO-RACHIDIEN
GLOSSO-PHARYNGIEN
NEUROENDOCRINIEN
ÉPITHÉLIONEURIEN
MALAYO-POLYNÉSIEN
SÉQUANODIONYSIEN
HISPANO-AMÉRICAIN
HISPANO-AMÉRICAIN
SCIPION L'AFRICAIN
SUD-OUEST AFRICAIN
MASSIF ARMORICAIN
DANGÉ-SAINT-ROMAIN
REVIGNY-SUR-ORNAIN
MEHMED VAHIDEDDIN
LA ROCHEJAQUELEIN
FOULQUES LE RÉCHIN
LARAGNE-MONTÉGLIN
ANGLES-SUR-L'ANGLIN
À LA SAINT-GLINGLIN
GEVREY-CHAMBERTIN
ANTOINE DE BOURBON
CHARLES DE BOURBON
CATHERINE D'ARAGON
BAGNÈRES-DE-LUCHON
BERNARD DE MENTHON
PTOLÉMÉE CÉSARION
PEINTURE-ÉMULSION

THERMOPROPULSION
IMMUNODÉPRESSION
TÉLÉTRANSMISSION
CUISSON-EXTRUSION
CRYODESSICCATION
CONTRE-INDICATION
DISQUALIFICATION
PERSONNIFICATION
SACCHARIFICATION
AUTHENTIFICATION
COMPLEXIFICATION
DÉMULTIPLICATION
CEP COMMUNICATION
MICROPROPAGATION
CIRCUMNAVIGATION
HYPERVENTILATION
CIRCUMAMBULATION
INTERCIRCULATION
THERMORÉGULATION
AUTOCONSOMMATION
SOUS-CONSOMMATION
PUBLI-INFORMATION
DÉSHYDROGÉNATION
NON-DISSÉMINATION
PRÉDÉTERMINATION
SURDÉTERMINATION
DÉSINCARCÉRATION
NON-PROLIFÉRATION
TRANSLITTÉRATION
EXXON CORPORATION
INTERPÉNÉTRATION
CARBONITRURATION
DÉMÉDICALISATION
ÉCHOLOCALISATION
DÉSPÉCIALISATION
POTENTIALISATION
PERSONNALISATION
FICTIONALISATION
MUNICIPALISATION
DÉMINÉRALISATION
DÉCENTRALISATION
DÉNATURALISATION
UNIVERSALISATION
SPIRITUALISATION
MALLÉABILISATION
COMPTABILISATION
DÉCARTELLISATION
SURALCOOLISATION
CHRISTIANISATION
DÉNICOTINISATION
DÉPIGEONNISATION
AUTO-IMMUNISATION
DÉNUCLÉARISATION
PARCELLARISATION
DÉMILITARISATION
REMILITARISATION
DÉPOLYMÉRISATION

COPOLYMÉRISATION
CONTAINÉRISATION
PSYCHIATRISATION
CONTENEURISATION
DÉPRESSURISATION
MITHRIDATISATION
DÉSINSECTISATION
DÉSAMBIGUÏSATION
COLLECTIVISATION
POLYCONDENSATION
PRESTIDIGITATION
SOUS-EXPLOITATION
DÉRÉGLEMENTATION
SOUS-ALIMENTATION
DÉSAFFÉRENTATION
CONTRE-PRESTATION
CRYOCONSERVATION
AUTOSATISFACTION
NON-CONTRADICTION
POLITIQUE-FICTION
VASOCONSTRICTION
ÉLECTROSTRICTION
MAGNÉTOSTRICTION
MACRO-INSTRUCTION
PHOTOCOMPOSITION
TÉLÉDISTRIBUTION
CONTRE-RÉVOLUTION
FONTAINE-LÈS-DIJON
TAILLEUR-PANTALON
LADISLAS JAGELLON
MAUZÉ-SUR-LE-MIGNON
LE CHÂTEAU-D'OLÉRON
SYNCHROCYCLOTRON
LEFÈVRE D'ORMESSON
CHAZELLES-SUR-LYON
SAINTE-FOY-LÈS-LYON
CRAPONNE-SUR-ARZON
GIULIANO DA MAIANO
LORENZO VENEZIANO
NAKASONE YASUHIRO
ANDAMAN ET NICOBAR
BOISSY-SAINT-LÉGER
YORKSHIRE-TERRIER
SAINT-BRIAC-SUR-MER
SAINT-AUBIN-SUR-MER
L'AIGUILLON-SUR-MER
RÉAPPROVISIONNER
INTELLECTUALISER
POSTSYNCHRONISER
DÉSEMBOURGEOISER
DÉBUREAUCRATISER
CONTRE-MANIFESTER
MÜLHEIM AN DER RUHR
SEICHES-SUR-LE-LOIR
GAUTIER SANS AVOIR
FUSIL-MITRAILLEUR
CONTRE-TORPILLEUR

SOUS-ENTREPRENEUR
PINCE-MONSEIGNEUR
IMMUNODÉPRESSEUR
TURBOCOMPRESSEUR
PRÉAMPLIFICATEUR
SURAMPLIFICATEUR
DÉMULTIPLICATEUR
SUPERCALCULATEUR
THERMORÉGULATEUR
TÉLÉMANIPULATEUR
TURBOALTERNATEUR
DÉCENTRALISATEUR
PRESTIDIGITATEUR
VASOCONSTRICTEUR
SÉNÈQUE LE RHÉTEUR
PHOTOCOMPOSITEUR
GRENADE-SUR-L'ADOUR
QUEVEDO Y VILLEGAS
CONSTANTIN DOUKAS
BORMES-LES-MIMOSAS
QUARANTE-HUITARDS
SOIXANTE-HUITARDS
VILLARS-LES-DOMBES
SEMI-CONDUCTRICES
NON-BELLIGÉRANCES
CONTRE-ASSURANCES
TRANS-AVANT-GARDES
BORGNIS-DESBORDES
SOUS-ADMINISTRÉES
SOUS-MÉDICALISÉES
BALLONS DES VOSGES
SAINTES-NITOUCHES
BUIS-LES-BARONNIES
GESTALT-THÉRAPIES
FRANC-MAÇONNERIES
SURPRISES-PARTIES
SCAPULO-HUMÉRALES
ADIPOSO-GÉNITALES
PROCHE-ORIENTALES
SEMI-SUBMERSIBLES
MICRO-INTERVALLES
FŒTO-MATERNELLES
PORTE-JARRETELLES
MÉTAUX-CARBONYLES
QUATRE-VINGTIÈMES
SOIXANTE-DIXIÈMES
MOLÉCULES-GRAMMES
ROBERT DE MOLESMES
LIBRE-ÉCHANGISMES
JUSQU'AU-BOUTISMES
VENAREY-LÈS-LAUMES
MARTÍNEZ MONTAÑÉS
SAMOA AMÉRICAINES
ANGLO-AMÉRICAINES
ANGLO-AMÉRICAINES
MONTCEAU-LES-MINES
POUSSETTES-CANNES

PUVIS DE CHAVANNES
AFRO-BRÉSILIENNES
AFRO-BRÉSILIENNES
SUD-VIETNAMIENNES
SUD-VIETNAMIENNES
NÉO-CALÉDONIENNES
NÉO-CALÉDONIENNES
SAINT-SIMONIENNES
JUDÉO-CHRÉTIENNES
CHALANDS-CITERNES
MAÎTRES-CYLINDRES
FLUVIO-GLACIAIRES
GRANDS-ANGULAIRES
NUS-PROPRIÉTAIRES
ENTRE-DEUX-GUERRES
QUARTIERS-MAÎTRES
BRACELETS-MONTRES
HOMMES-ORCHESTRES
DAMES-D'ONZE-HEURES
GÉLATINO-BROMURES
FRANCO-FRANÇAISES
GARDES-FRANÇAISES
AUSTRO-HONGROISES
AUSTRO-HONGROISES
INTERENTREPRISES
CONTRE-EXPERTISES
FONTENAY-AUX-ROSES
GRANDES-DUCHESSES
TRENTE GLORIEUSES
ANTI-INFECTIEUSES
VASCULO-NERVEUSES
CONTRE-PUBLICITÉS
RHINO-PHARYNGITES
VILLES-SATELLITES
SÉNATUS-CONSULTES
NON-BELLIGÉRANTES
TOUTES-PUISSANTES
SEMI-CONVERGENTES
CONTRE-EMPREINTES
LIBRE-ÉCHANGISTES
JUSQU'AU-BOUTISTES
CHAUFFE-ASSIETTES
MÉRIBEL-LES-ALLUES
GRÉCO-BOUDDHIQUES
VIEUX-CATHOLIQUES
PHYSICO-CHIMIQUES
SOCIO-ÉCONOMIQUES
CHLORO-ORGANIQUES
PIÉZO-ÉLECTRIQUES
SEMI-AUTOMATIQUES
ARRIÈRE-BOUTIQUES
HISPANO-MORESQUES
ALPES SCANDINAVES
PLESTIN-LES-GRÈVES
CONTRE-OFFENSIVES
INTERRO-NÉGATIVES
CHRÉTIEN DE TROYES

CRENEY-PRÈS-TROYES
CONTRE-PRODUCTIFS
GODESCALC D'ORBAIS
ÉQUEURDREVILLAIS
SAINT-ÉMILIONNAIS
SEMUR-EN-BRIONNAIS
CHÂTELAILLONNAIS
MONTMORILLONNAIS
CHÂTEAU-CHINONAIS
FLEURY-LES-AUBRAIS
CHARLES LE MAUVAIS
FONTENAY-SOUS-BOIS
CHARLESBOURGEOIS
PHILIPPE DE VALOIS
BAIE-SAINT-PAULOIS
LIECHTENSTEINOIS
VILLÉNOGARENNOIS
THÉODORE LASCARIS
NOTRE-DAME DE PARIS
BOURGEOIS DE PARIS
OREILLES-DE-SOURIS
TRAVELLER'S CHECKS
MÉDECINS-CONSEILS
ARRIÈRE-PETIT-FILS
ADÉLAÏDE D'ORLÉANS
RHINO-PHARYNGIENS
SOCIAUX-CHRÉTIENS
NOYELLES-SOUS-LENS
ANDERNOS-LES-BAINS
LATINO-AMÉRICAINS
LATINO-AMÉRICAINS
SABLES-D'OR-LES-PINS
ROMANÈCHE-THORINS
JUVÉNAL DES URSINS
CONTRE-EXTENSIONS
MICRO-IRRIGATIONS
NON-DÉNONCIATIONS
NON-CONCILIATIONS
CONTRE-PASSATIONS
SCIENCES-FICTIONS
EXTRÊMES-ONCTIONS
NON-INTERVENTIONS
SÃO JOSÉ DOS CAMPOS
GENTLEMANS-RIDERS
AIREDALE-TERRIERS
SCOTTISH-TERRIERS
GENTLEMEN-FARMERS
SPARRING-PARTNERS
ROCHES-RÉSERVOIRS
RELEASING FACTORS
MARTINS-CHASSEURS
MACRO-ORDINATEURS
MICRO-ORDINATEURS
PEINTRES-GRAVEURS
CHAMBRAY-LÈS-TOURS
SOUS-PROLÉTARIATS
PLANCHES-CONTACTS

MONTRES-BRACELETS
VILLERS-COTTERÊTS
SOULTZ-SOUS-FORÊTS
SAINT-JEAN-DE-MONTS
CONTRE-TRANSFERTS
LIVIUS ANDRONICUS
CHASSELOUP-LAUBAT
HAUT-COMMISSARIAT
EISENHÜTTENSTADT
VILLENEUVE-LOUBET
ANAXIMÈNE DE MILET
HENRI PLANTAGENÊT
SEYSSINET-PARISET
POISSON-PERROQUET
PONTAULT-COMBAULT
CLERMONT-L'HÉRAULT
DACTYLOGRAPHIANT
ROBERT LE VAILLANT
DÉSEMBOUTEILLANT
PRÉSÉLECTIONNANT
PERQUISITIONNANT
DÉCONVENTIONNANT
DÉCONGESTIONNANT
FRANSQUILLONNANT
LA FORÊT-FOUESNANT
FONCTIONNALISANT
DÉSAISONNALISANT
DÉPERSONNALISANT
CONTRACTUALISANT
IMPERMÉABILISANT
RESPONSABILISANT
RESPECTABILISANT
DÉCHRISTIANISANT
RECHRISTIANISANT
FONCTIONNARISANT
DÉCOLLECTIVISANT
RAGAILLARDISSANT
ENORGUEILLISSANT
HENRI L'IMPUISSANT
CORBEILLE-D'ARGENT
GRAMMATICALEMENT
DICTATORIALEMENT
TERRITORIALEMENT
CONJECTURALEMENT
TRANSVERSALEMENT
FONDAMENTALEMENT
SENTIMENTALEMENT
INEXPLICABLEMENT
INEXTRICABLEMENT
IRRÉMÉDIABLEMENT
INÉBRANLABLEMENT
INTERMINABLEMENT
INCOMPARABLEMENT
CONSIDÉRABLEMENT
INTARISSABLEMENT
ÉPOUVANTABLEMENT
INDISCUTABLEMENT

INCONCEVABLEMENT
INTELLIGIBLEMENT
INCORRIGIBLEMENT
IRRÉVERSIBLEMENT
IRRÉMISSIBLEMENT
INDÉFECTIBLEMENT
IRRÉDUCTIBLEMENT
IRRÉSISTIBLEMENT
INDISSOLUBLEMENT
ARTIFICIELLEMENT
SEMESTRIELLEMENT
INDUSTRIELLEMENT
TANGENTIELLEMENT
TORRENTIELLEMENT
PASSIONNELLEMENT
STRUCTURELLEMENT
ACCIDENTELLEMENT
INDIVIDUELLEMENT
TÉLÉENSEIGNEMENT
PERFECTIONNEMENT
CONVENTIONNEMENT
TOURBILLONNEMENT
ÉTRÉSILLONNEMENT
ENTRECOLONNEMENT
REMPOISSONNEMENT
PARTICULIÈREMENT
HEBDOMADAIREMENT
FRAGMENTAIREMENT
INVOLONTAIREMENT
RÉENREGISTREMENT
EMBOURGEOISEMENT
DISCOURTOISEMENT
DÉSINTÉRESSEMENT
RACCOURCISSEMENT
RESPLENDISSEMENT
ABASOURDISSEMENT
RAFRAÎCHISSEMENT
AFFRANCHISSEMENT
APPESANTISSEMENT
ASSUJETTISSEMENT
INASSOUVISSEMENT
ARTIFICIEUSEMENT
TENDANCIEUSEMENT
SENTENCIEUSEMENT
COMPENDIEUSEMENT
DISPENDIEUSEMENT
IGNOMINIEUSEMENT
CÉRÉMONIEUSEMENT
PRÉTENTIEUSEMENT
ORGUEILLEUSEMENT
MERVEILLEUSEMENT
SOUPÇONNEUSEMENT
RESPECTUEUSEMENT
INFRUCTUEUSEMENT
SCIENTIFIQUEMENT
PATHOLOGIQUEMENT
SOCIOLOGIQUEMENT

ÉTYMOLOGIQUEMENT
HIÉRARCHIQUEMENT
GÉOGRAPHIQUEMENT
MÉLANCOLIQUEMENT
ASTRONOMIQUEMENT
TÉLÉPHONIQUEMENT
SYNCHRONIQUEMENT
ÉLECTRONIQUEMENT
MÉTAPHORIQUEMENT
MÉTAPHYSIQUEMENT
MATHÉMATIQUEMENT
SYSTÉMATIQUEMENT
DIPLOMATIQUEMENT
INFORMATIQUEMENT
DÉMOCRATIQUEMENT
ALPHABÉTIQUEMENT
HYPOTHÉTIQUEMENT
ARITHMÉTIQUEMENT
LINGUISTIQUEMENT
QUANTITATIVEMENT
INTRANSITIVEMENT
INTEMPESTIVEMENT
LANGUES-DE-SERPENT
FERDINAND LE SAINT
VILLENEUVE-SUR-LOT
ÉPINAY-SOUS-SÉNART
MACHINE-TRANSFERT
LOUVIGNÉ-DU-DÉSERT
TEISSERENC DE BORT
BRUNON DE QUERFURT
BIACHE-SAINT-VAAST
DENFERT-ROCHEREAU
DOUANIER ROUSSEAU
SÉVÉRAC-LE-CHÂTEAU
BRIENNE-LE-CHÂTEAU
BIGOT DE PRÉAMENEU
MARGUERITE D'ANJOU
NEUVILLE-DE-POITOU
SINT-PIETERS-LEEUW
ÉTATS PONTIFICAUX
FRANCO-PROVENÇAUX
WAGONS-TOMBEREAUX
BOILEAU-DESPRÉAUX
ENTREPRENEURIAUX
CORTICOSURRÉNAUX
STATURO-PONDÉRAUX
SOUS-PRÉFECTORAUX
EXTRÊME-ORIENTAUX
ENVIRONNEMENTAUX
À LA SIX-QUATRE-DEUX
SIGISMOND LE VIEUX
DUQUESNOY LE VIEUX
PSEUDOMEMBRANEUX
OLÉOPROTÉAGINEUX
CHARLES LE BOITEUX
RENAU D'ÉLIÇAGARAY
RENAU ÉLISSAGARAY

NEUFCHÂTEL-EN-BRAY
SAINTE-ANNE-D'AURAY
JEAN-MARIE VIANNEY
FRANCHET D'ESPEREY
SAINT-JEAN-D'ANGÉLY
BARBEY D'AUREVILLY
DAMPIERRE-EN-BURLY
FORD MOTOR COMPANY
NOGENT-EN-BASSIGNY

LATTRE DE TASSIGNY
LE GRAND-PRESSIGNY
CHAMBOLLE-MUSIGNY
GERLACHE DE GOMERY
FONTENAY-LE-FLEURY
WELWYN GARDEN CITY
ROMAINMÔTIER-ENVY
CALDERA RODRÍGUEZ
MAIZIÈRES-LÈS-METZ

17

QUADRUPLE-ALLIANCE
PHARMACOVIGILANCE
VIDÉOSURVEILLANCE
CONTRE-PERFORMANCE
CHRISTINE DE FRANCE
ÉLISABETH DE FRANCE
CHIMILUMINESCENCE
TRIBOLUMINESCENCE
PHOTOLUMINESCENCE
LES BAUX-DE-PROVENCE
PONT-SAINTE-MAXENCE
PERSONNE-RESSOURCE

CALDERÓN DE LA BARCA
GARCILASO DE LA VEGA
APOLLONIOS DE PERGA
COMODORO RIVADAVIA
VALERIUS PUBLICOLA
TALAVERA DE LA REINA
SOPHIE ALEKSEÏEVNA
JEREZ DE LA FRONTERA
DANIELE DA VOLTERRA
TOMASI DI LAMPEDUSA
ARCHIPRÊTRE DE HITA
HORTHY DE NAGYBÁNYA
SAVORGNAN DE BRAZZA
DUNOYER DE SEGONZAC
ÉLECTRODIAGNOSTIC
CHAMONIX-MONT-BLANC
SAINT-LAURENT-MÉDOC
FRANÇOIS-FERDINAND
MITHRIDATE LE GRAND
CONSTANTIN LE GRAND
CRÈVECŒUR-LE-GRAND
VELVET UNDERGROUND
SAINT-GILLES-DU-GARD
GRAND-SAINT-BERNARD
PETIT-SAINT-BERNARD
LA CELLE-SAINT-CLOUD
SAINT-PIERRE-D'IRUBE
THERMORÉGULATRICE
DÉCENTRALISATRICE
PRESTIDIGITATRICE
VASOCONSTRICTRICE
BOURG-SAINT-MAURICE

CATHERINE LA GRANDE
SAINTE-FOY-LA-GRANDE
SINT-JOOST-TEN-NOODE
DÉSAPPROVISIONNÉE
DÉSINDUSTRIALISÉE
PROFESSIONNALISÉE
CORRECTIONNALISÉE
INTERNATIONALISÉE
DÉPARTEMENTALISÉE
DÉRESPONSABILISÉE
SECRÉTARIAT-GREFFE
CHÂTELAILLON-PLAGE
TARASCON-SUR-ARIÈGE
JUAN JOSÉ D'AUTRICHE
ROHRBACH-LÈS-BITCHE
CHRONOTACHYGRAPHE
ETHNOMÉTHODOLOGIE
MORPHOPSYCHOLOGIE
ÉLECTRORADIOLOGIE
PSYCHOPHYSIOLOGIE
DENDROCHRONOLOGIE
GASTRO-ENTÉROLOGIE
PALÉOCLIMATOLOGIE
PHOTOLITHOGRAPHIE
ÉCHOCARDIOGRAPHIE
MACROPHOTOGRAPHIE
MICROPHOTOGRAPHIE
ASTROPHOTOGRAPHIE
ÉLECTROMYOGRAPHIE
CHONDRODYSTROPHIE
HÉMOGLOBINOPATHIE
HYPERÉOSINOPHILIE

MÉTHÉMOGLOBINÉMIE
MACROGLOBULINÉMIE
NOUVELLE-CALÉDONIE
THÉOPHILANTHROPIE
KABARDINO-BALKARIE
OLORON-SAINTE-MARIE
PHILON D'ALEXANDRIE
ACIDO-ALCALIMÉTRIE
TOMODENSITOMÉTRIE
NEUROCHIRURGICALE
EXTRAPATRIMONIALE
GUINÉE ÉQUATORIALE
EXTRATERRITORIALE
GASTRO-INTESTINALE
PRUSSE-OCCIDENTALE
HYPERCONTINENTALE
INTERCONTINENTALE
TRANSCONTINENTALE
PIERRE LE VÉNÉRABLE
THERMODURCISSABLE
ARRIÈRE-GRAND-ONCLE
NOIRMOUTIER-EN-L'ÎLE
MARTIGNAS-SUR-JALLE
CAVELIER DE LA SALLE
MONTIGNY-EN-GOHELLE
PSYCHOSENSORIELLE
INTERINDUSTRIELLE
JURISPRUDENTIELLE
UNIDIMENSIONNELLE
TRIDIMENSIONNELLE
CONFORMATIONNELLE
ORGANISATIONNELLE
CONVERSATIONNELLE
UNIDIRECTIONNELLE
INSURRECTIONNELLE
RECONVENTIONNELLE
INTERVENTIONNELLE
DISTRIBUTIONNELLE
CONSTITUTIONNELLE
INTERINDIVIDUELLE
SAINT-MARS-LA-JAILLE
MARQUETTE-LEZ-LILLE
BLANCHE DE CASTILLE
COLLIN D'HARLEVILLE
BRISSOT DE WARVILLE
LE MOYNE D'IBERVILLE
CHARLES LE BIEN-AIMÉ
CRANIOPHARYNGIOME
CHORIO-ÉPITHÉLIOME
MARGUERITE DE PARME
EMPIRIOCRITICISME
ANTHROPOMORPHISME
RADICAL-SOCIALISME
CONFESSIONNALISME
PROFESSIONNALISME
CONVENTIONNALISME
INTERNATIONALISME

MULTICULTURALISME
NATIONAL-POPULISME
MARXISME-LÉNINISME
VÉRIFICATIONNISME
INTERVENTIONNISME
RÉVOLUTIONNARISME
ANTHROPOCENTRISME
ÉLECTROMAGNÉTISME
FRÉDÉRIC-GUILLAUME
ANTIOCHOS ÉPIPHANE
JEFFERSON AIRPLANE
APOLLONIOS DE TYANE
BEAUMONT-DE-LOMAGNE
MONTOIR-DE-BRETAGNE
MOIRANS-EN-MONTAGNE
EYQUEM DE MONTAIGNE
HISPANO-AMÉRICAINE
HISPANO-AMÉRICAINE
UNION SUD-AFRICAINE
PROSPER D'AQUITAINE
ALIÉNOR D'AQUITAINE
LA CHAPELLE-LA-REINE
CHÂTILLON-SUR-SEINE
BONNIÈRES-SUR-SEINE
CARRIÈRES-SUR-SEINE
JACQUES DE VORAGINE
PRINCESSE PALATINE
BOSNIE-HERZÉGOVINE
PSYCHOMÉTRICIENNE
RHINO-PHARYNGIENNE
NEUROCHIRURGIENNE
CHÂTELPERRONIENNE
CASTROGONTÉRIENNE
CATHERINE DE SIENNE
BERNARDIN DE SIENNE
DORSALE TUNISIENNE
CAMPIVALLENSIENNE
CORPOPÉTRUSSIENNE
SOCIALE-CHRÉTIENNE
RÉTIF DE LA BRETONNE
ODORIC DA PORDENONE
LE PERREUX-SUR-MARNE
CHAMPIGNY-SUR-MARNE
BLAINVILLE-SUR-ORNE
VAN DE VELDE LE JEUNE
CONSTANTIN LE JEUNE
NEWCASTLE UPON TYNE
CHÂTEAUNEUF-DU-PAPE
SÃO TOMÉ ET PRÍNCIPE
BENOÎT-JOSEPH LABRE
MAGNÉSIE DU MÉANDRE
MATHILDE DE FLANDRE
JEANBON SAINT-ANDRÉ
CHÂTILLON-SUR-INDRE
ISABELLE DE BAVIÈRE
MULTIMILLIARDAIRE
LOUIS LE DÉBONNAIRE

MULTIMILLIONNAIRE
IMMUNODÉFICITAIRE
ANTIRÉGLEMENTAIRE
ANTIPARLEMENTAIRE
LA CHARITÉ-SUR-LOIRE
MONISTROL-SUR-LOIRE
CHÂTILLON-SUR-LOIRE
CHALONNES-SUR-LOIRE
MONTLOUIS-SUR-LOIRE
ANTI-INFLAMMATOIRE
WOLUWE-SAINT-PIERRE
THOMAS D'ANGLETERRE
BAGNÈRES-DE-BIGORRE
VOYAGEUR-KILOMÈTRE
SPECTROPHOTOMÈTRE
SAINT-ANDRÉ-DE-L'EURE
GUYANE HOLLANDAISE
ÉQUEURDREVILLAISE
SAINT-ÉMILIONNAISE
CHÂTELAILLONNAISE
MONTMORILLONNAISE
CHÂTEAU-CHINONAISE
INSTITUTIONNALISÉ
CHARLESBOURGEOISE
BAIE-SAINT-PAULOISE
LIECHTENSTEINOISE
VILLÉNOGARENNOISE
VENDEUVRE-SUR-BARSE
PESEUSE-ENSACHEUSE
ROBERT COURTEHEUSE
PSEUDOMEMBRANEUSE
OLÉOPROTÉAGINEUSE
ARGENTON-SUR-CREUSE
CHRÉTIEN-DÉMOCRATE
ZOÉ PORPHYROGÉNÈTE
STÉRÉOSPÉCIFICITÉ
THERMOÉLECTRICITÉ
CONSUBSTANTIALITÉ
INCONDITIONNALITÉ
INCOMMUNICABILITÉ
ININTELLIGIBILITÉ
COMPRÉHENSIBILITÉ
INCOMPRESSIBILITÉ
INDESTRUCTIBILITÉ
GLOMÉRULONÉPHRITE
INTERSUBJECTIVITÉ
SUPRACONDUCTIVITÉ
IMPERMÉABILISANTE
ARRIÈRE-GRAND-TANTE
SAINT-CLAIR-SUR-EPTE
LAISSÉE-POUR-COMPTE
LAISSÉS-POUR-COMPTE
CAROLINE BONAPARTE
RADICAL-SOCIALISTE
INTERNATIONALISTE
MULTICULTURALISTE
MARXISTE-LÉNINISTE

INTERVENTIONNISTE
RADIOTÉLÉPHONISTE
VILLEBON-SUR-YVETTE
GASTRO-ENTÉROLOGUE
PIERRE CHRYSOLOGUE
GONZALVE DE CORDOUE
VLADIMIR MONOMAQUE
RÉPUBLIQUE TCHÈQUE
HENRI LE MAGNIFIQUE
CHARLES DE BELGIQUE
MÉDICO-PÉDAGOGIQUE
PARAPSYCHOLOGIQUE
ANTICHOLINERGIQUE
CINÉMATOGRAPHIQUE
ANTHROPOMORPHIQUE
BRACHIOCÉPHALIQUE
VIEILLE-CATHOLIQUE
ACÉTYLSALICYLIQUE
ANTICRYPTOGAMIQUE
PHARMACODYNAMIQUE
SEMI-LOGARITHMIQUE
LOUIS LE GERMANIQUE
GUYANE BRITANNIQUE
MICROÉLECTRONIQUE
ORTHOPHOSPHORIQUE
ANTIPSYCHIATRIQUE
MAGNÉTOÉLECTRIQUE
RADIOCONCENTRIQUE
ANTHROPOCENTRIQUE
MICRO-INFORMATIQUE
SYMPATHOMIMÉTIQUE
PARTHÉNOGÉNÉTIQUE
ÉLECTROMAGNÉTIQUE
PHARMACOCINÉTIQUE
PSYCHOANALEPTIQUE
PSYCHODYSLEPTIQUE
ÉLECTRODOMESTIQUE
EXTRALINGUISTIQUE
SOCIOLINGUISTIQUE
ETHNOLINGUISTIQUE
NEUROLINGUISTIQUE
ÉLECTROACOUSTIQUE
GRAND-GUIGNOLESQUE
MANIACO-DÉPRESSIVE
SINT-PIETERS-WOLUWE
FONTEVRAUD-L'ABBAYE
CORNEILLE DE LA HAYE
ŒSTROPROGESTATIF
CAUDEBEC-LÈS-ELBEUF
FRASNES-LEZ-ANVAING
HENRI DE LUXEMBOURG
ALBERT DE HABSBOURG
FREYMING-MERLEBACH
PIERRE FEDOROVITCH
MICHEL FEDOROVITCH
COUDENHOVE-KALERGI
TOYOTOMI HIDEYOSHI

LENINSK-KOUZNETSKI
BHUMIBOL ADULYADEJ
SINT-JANS-MOLENBEEK
MONODÉPARTEMENTAL
CRIQUETOT-L'ESNEVAL
LE MONT-SAINT-MICHEL
ANTICONCURRENTIEL
PLURIDIMENSIONNEL
MULTIDIMENSIONNEL
TRANSFORMATIONNEL
ANTICONCEPTIONNEL
INCONSTITUTIONNEL
LIEUTENANT-COLONEL
PIERRE DE MONTREUIL
SAINT-MAURICE-L'EXIL
MONTPON-MÉNESTÉROL
NOUVELLE-AMSTERDAM
REPORTER-CAMERAMAN
CAMPBELL-BANNERMAN
SAINT-LAURENT-NOUAN
BANDAR SERI BEGAWAN
PAPOUAN-NÉO-GUINÉEN
ÉLECTROMÉCANICIEN
ÉLECTROTECHNICIEN
CRISTALLOPHYLLIEN
ALBERTIVILLIARIEN
PORT-SAINT-LOUISIEN
DÉMOCRATE-CHRÉTIEN
ALI PACHA DE TEBELEN
ALPHONSE L'AFRICAIN
NEUVILLE-EN-FERRAIN
LA FERTÉ-SAINT-AUBIN
TEILHARD DE CHARDIN
SCHLESWIG-HOLSTEIN
PIERRE-SAINT-MARTIN
LOCATION-ACCESSION
IMMUNOSUPPRESSION
VIDÉOTRANSMISSION
NEUROTRANSMISSION
DÉSHUMIDIFICATION
SURMULTIPLICATION
TÉLÉCOMMUNICATION
DÉDIFFÉRENCIATION
INDIFFÉRENCIATION
PHOTODISSOCIATION
DÉSINTERMÉDIATION
CONSUBSTANTIATION
NON-DISCRIMINATION
AUTODÉTERMINATION
TRANSILLUMINATION
DÉSYNDICALISATION
RADIOLOCALISATION
COMMERCIALISATION
DÉMATÉRIALISATION
INDUSTRIALISATION
TÉLÉSIGNALISATION
DÉNATIONALISATION

SURCAPITALISATION
OCCIDENTALISATION
INDIVIDUALISATION
CONCEPTUALISATION
DÉCULPABILISATION
DÉSENSIBILISATION
INSENSIBILISATION
RECRISTALLISATION
TUBERCULINISATION
DÉSYNCHRONISATION
PARTICULARISATION
REVASCULARISATION
TRANSISTORISATION
BUREAUCRATISATION
COMPARTIMENTATION
NON-REPRÉSENTATION
HYPERSUSTENTATION
TRAVERSÉE-JONCTION
ÉLECTRODÉPOSITION
CONTRE-PROPOSITION
CÂBLODISTRIBUTION
SIGISMOND JAGELLON
ALEXANDRE JAGELLON
CANET-EN-ROUSSILLON
RENAUD DE CHÂTILLON
SAINT-DENIS-D'OLÉRON
LE PLESSIS-ROBINSON
CURZON OF KEDLESTON
STRATFORD-UPON-AVON
HUSAYN IBN AL-HUSAYN
SÃO LUÍS DO MARANHÃO
DE LA MADRID HURTADO
SAINT-CAST-LE-GUILDO
VERDAGUER I SANTALÓ
MARAÑÓN Y POSADILLO
BENEDETTO DA MAIANO
GENTILE DA FABRIANO
DOMENICO VENEZIANO
ANDREA DEL CASTAGNO
SANTIAGO DEL ESTERO
TANIZAKI JUNICHIRO
ROBERTS OF KANDAHAR
SAINT-LAURENT-DU-VAR
FRANCFORT-SUR-L'ODER
SAINT-CHÉLY-D'APCHER
PIERRE LE JUSTICIER
VARENNES-SUR-ALLIER
VAILLANT-COUTURIER
SAINT-JACUT-DE-LA-MER
HERMANVILLE-SUR-MER
COURSEULLES-SUR-MER
SAINT-PALAIS-SUR-MER
DÉSAPPROVISIONNER
DÉSINDUSTRIALISER
PROFESSIONNALISER
CORRECTIONNALISER
INTERNATIONALISER

DÉPARTEMENTALISER
DÉRESPONSABILISER
ESCRIVÁ DE BALAGUER
MONTOIRE-SUR-LE-LOIR
SAINT-CYR-AU-MONT-D'OR
MITHRIDATE EUPATOR
CHASSEUR-CUEILLEUR
FRAISEUR-OUTILLEUR
PINCES-MONSEIGNEUR
IMMUNOSUPPRESSEUR
DÉSHUMIDIFICATEUR
PSYCHORÉÉDUCATEUR
HENRI LE NAVIGATEUR
MICROMANIPULATEUR
STÉRÉOCOMPARATEUR
HYPERSUSTENTATEUR
MERLIN L'ENCHANTEUR
ÉMETTEUR-RÉCEPTEUR
NEUROTRANSMETTEUR
CÂBLODISTRIBUTEUR
SEDIAS GESTATORIAS
PLOUGASTEL-DAOULAS
APOLLODORE DE DAMAS
LA GARENNE-COLOMBES
LOCATIONS-GÉRANCES
TIMBRES-QUITTANCES
NOUVELLES-HÉBRIDES
CONTRE-PROPAGANDES
QUARANTE-HUITARDES
SOIXANTE-HUITARDES
SIX-FOURS-LES-PLAGES
CONTRE-ESPIONNAGES
DONATIONS-PARTAGES
FUSTEL DE COULANGES
GUILHERAND-GRANGES
SERVIETTES-ÉPONGES
NUITS-SAINT-GEORGES
BEAULIEU-LÈS-LOCHES
RADIO-IMMUNOLOGIES
BRONCHO-PNEUMONIES
SOCIAL-DÉMOCRATIES
FRANCO-PROVENÇALES
STATURO-PONDÉRALES
SOUS-PRÉFECTORALES
INDES OCCIDENTALES
EXTRÊME-ORIENTALES
EXPERTS-COMPTABLES
COLONNES D'HÉRAKLÈS
AGRO-INDUSTRIELLES
SPATIO-TEMPORELLES
VARENNES-VAUZELLES
HOMMES-GRENOUILLES
BALLETS-PANTOMIMES
ANTI-IMPÉRIALISMES
CONTRE-TERRORISMES
LATINO-AMÉRICAINES
LATINO-AMÉRICAINES

FRANCO-CANADIENNES
FRANCO-CANADIENNES
VÊPRES SICILIENNES
NORD-VIETNAMIENNES
NORD-VIETNAMIENNES
HAUTEVILLE-LOMPNES
SAINT-MARTIN-D'HÈRES
LÉZIGNAN-CORBIÈRES
COURSES-CROISIÈRES
PORTE-HÉLICOPTÈRES
CARDIO-VASCULAIRES
DEMI-PENSIONNAIRES
CARDIO-PULMONAIRES
JUGES-COMMISSAIRES
HAUTS-COMMISSAIRES
NUES-PROPRIÉTAIRES
RHODES-INTÉRIEURES
RHODES-EXTÉRIEURES
GÉLATINO-CHLORURES
PHILIPPE DE ROUVRES
NIGÉRO-CONGOLAISES
TOITURES-TERRASSES
PETITES-MAÎTRESSES
ALCALINO-TERREUSES
SOCIAUX-DÉMOCRATES
PIÉZO-ÉLECTRICITÉS
TRACHÉO-BRONCHITES
LEUCO-ENCÉPHALITES
REINES-MARGUERITES
COURSES-POURSUITES
ANTI-IMPÉRIALISTES
CONTRE-TERRORISTES
SABRES-BAÏONNETTES
OISEAUX-TROMPETTES
ESQUIMAUX-ALÉOUTES
TRAVELLER'S CHEQUES
ALPHONSE HENRIQUES
PÉRI-INFORMATIQUES
CHAMITO-SÉMITIQUES
HISPANO-MAURESQUES
PRINCESSE DE CLÈVES
CONTRE-PRODUCTIVES
MANIACO-DÉPRESSIFS
GOTTSCHALK D'ORBAIS
CHÂTEAULANDONNAIS
VERNOUX-EN-VIVARAIS
LE PRÉ-SAINT-GERVAIS
VINCENT DE BEAUVAIS
JEAN-FRANÇOIS RÉGIS
MARTINEZ PASQUALIS
ESTRÉES-SAINT-DENIS
ÉMIRATS ARABES UNIS
MONTREUIL-SOUS-BOIS
LES CLAYES-SOUS-BOIS
SAINT-MARCELLINOIS
SAINTE-CATHERINOIS
CASTELSARRASINOIS

17

CORBEILLESSONNOIS	**BOUVARD ET PÉCUCHET**
MONTFORT-LE-GESNOIS	INSULINODÉPENDANT
GUILLAUME DE LORRIS	RÉAPPROVISIONNANT
LE CATEAU-CAMBRÉSIS	VOITURE-RESTAURANT
ARGENTRÉ-DU-PLESSIS	INTELLECTUALISANT
SAINT-KITTS-ET-NEVIS	POSTSYNCHRONISANT
AUTOS SACRAMENTALS	DÉSEMBOURGEOISANT
SEMI-PRÉSIDENTIELS	DÉBUREAUCRATISANT
ARRIÈRE-PETITS-FILS	CONTRE-MANIFESTANT
LA NOUVELLE-ORLÉANS	CORBEILLES-D'ARGENT
SAINT-JEAN-EN-ROYANS	SOUS-EMBRANCHEMENT
CÉPHALO-RACHIDIENS	LONGITUDINALEMENT
GLOSSO-PHARYNGIENS	EXPÉRIMENTALEMENT
MALAYO-POLYNÉSIENS	IMPERTURBABLEMENT
BOURBONNE-LES-BAINS	IRRÉPROCHABLEMENT
HISPANO-AMÉRICAINS	VRAISEMBLABLEMENT
HISPANO-AMÉRICAINS	DÉRAISONNABLEMENT
JOUVENEL DES URSINS	INCONFORTABLEMENT
CONTRE-INDICATIONS	INCONTESTABLEMENT
SOUS-CONSOMMATIONS	IMPERCEPTIBLEMENT
PUBLI-INFORMATIONS	SUPERFICIELLEMENT
NON-DISSÉMINATIONS	TRIMESTRIELLEMENT
NON-PROLIFÉRATIONS	SUBSTANTIELLEMENT
AUTO-IMMUNISATIONS	EXPONENTIELLEMENT
SOUS-EXPLOITATIONS	OCCASIONNELLEMENT
VALSES-HÉSITATIONS	FONCTIONNELLEMENT
SOUS-ALIMENTATIONS	IMPERSONNELLEMENT
CONTRE-PRESTATIONS	SEMPITERNELLEMENT
RECHERCHES-ACTIONS	CONTRACTUELLEMENT
NON-CONTRADICTIONS	DÉBROUSSAILLEMENT
MACRO-INSTRUCTIONS	APPROVISIONNEMENT
SAISIES-EXÉCUTIONS	DÉSILLUSIONNEMENT
CONTRE-RÉVOLUTIONS	DYSFONCTIONNEMENT
VILLES-CHAMPIGNONS	DÉCONDITIONNEMENT
ROMANS-FEUILLETONS	SOUS-DÉVELOPPEMENT
CHODERLOS DE LACLOS	DISCIPLINAIREMENT
ECATEPEC DE MORELOS	RÉGLEMENTAIREMENT
ARISTARQUE DE SAMOS	APPROFONDISSEMENT
BARAGUEY D'HILLIERS	INACCOMPLISSEMENT
YORKSHIRE-TERRIERS	SURENCHÉRISSEMENT
MURVIEL-LÈS-BÉZIERS	SURINVESTISSEMENT
GENTLEMANS-FARMERS	DÉSINVESTISSEMENT
VASSIEUX-EN-VERCORS	PARCIMONIEUSEMENT
BAUME-LES-MESSIEURS	PSYCHOLOGIQUEMENT
CONTRE-TORPILLEURS	PHYSIOLOGIQUEMENT
SOUS-ENTREPRENEURS	CHRONOLOGIQUEMENT
TRÉSORIERS-PAYEURS	TÉLÉGRAPHIQUEMENT
CHAPEAUX ET BONNETS	PHILOSOPHIQUEMENT
ASSURANCES-CRÉDITS	PROBLÉMATIQUEMENT
CHAUSSÉE DES GÉANTS	SIGNIFICATIVEMENT
MARÉCHAUX-FERRANTS	INTERROGATIVEMENT
WAGONS-RESTAURANTS	APPROXIMATIVEMENT
LETTRES-TRANSFERTS	DÉMONSTRATIVEMENT
TROMPETTE-DES-MORTS	RÉTROSPECTIVEMENT
CLAUDIUS MARCELLUS	**SAINT-LEU-D'ESSERENT**
RHÉNANIE-PALATINAT	**NEUILLY-SAINT-FRONT**
PULIGNY-MONTRACHET	**EMMANUEL-PHILIBERT**

RAIMOND DE PEÑAFORT
RAYMOND DE PEÑAFORT
TROMPETTE-DE-LA-MORT
ISABELLE DE HAINAUT
KUUJJUARAAPIMMIUT
LES PENNES-MIRABEAU
ANDROUET DU CERCEAU
BLAINVILLE-SUR-L'EAU
LE LOROUX-BOTTEREAU
FRIBOURG-EN-BRISGAU
SAINT-MARTIN-DE-CRAU
GUILLAUME DE NASSAU
CHARLOTTE DE NASSAU
THIERRY D'ARGENLIEU
ARRIÈRE-PETIT-NEVEU
LA CIERVA Y CODORNÍU
CHÂTEAUNEUF-DU-FAOU
NEUROCHIRURGICAUX
SAINT-VALERY-EN-CAUX
DOLLARD DES ORMEAUX
ISSY-LES-MOULINEAUX
TALLEMANT DES RÉAUX

SAINT-AMAND-LES-EAUX
LUSSAC-LES-CHÂTEAUX
LASSAY-LES-CHÂTEAUX
EXTRAPATRIMONIAUX
EXTRATERRITORIAUX
GASTRO-INTESTINAUX
HYPERCONTINENTAUX
INTERCONTINENTAUX
TRANSCONTINENTAUX
FLERS-EN-ESCREBIEUX
MUSCULO-MEMBRANEUX
SAINT-JEAN-BRÉVELAY
PIERRE DE COURTENAY
ROBERT DE COURTENAY
FOULQUES DE NEUILLY
MAIGNELAY-MONTIGNY
CONFLANS-EN-JARNISY
BORDÈRES-SUR-L'ÉCHEZ
NAUCALPAN DE JUÁREZ
ECHEVERRÍA ÁLVAREZ
SERRANO Y DOMÍNGUEZ
RADETZKY VON RADETZ

JACOPO DELLA QUERCIA
MOUNTBATTEN OF BURMA
CASTELLÓN DE LA PLANA
ANTONELLO DA MESSINA
ALEXANDRA FEDOROVNA
GRANIER DE CASSAGNAC
SAINT-ANDRÉ-DE-CUBZAC
ALEXANDRE OBRENOVIC
LA CHAPELLE-SAINT-LUC
ARNOLD DE WINKELRIED
SAINT-BASILE-LE-GRAND
SAINT-AMAND-MONTROND
ÎLE-DU-PRINCE-ÉDOUARD
TALLEYRAND-PÉRIGORD
ARRIÈRE-PETITE-NIÈCE
PSYCHORÉÉDUCATRICE
PHARMACODÉPENDANCE
THERMOLUMINESCENCE
IMMUNOFLUORESCENCE

CÉSARÉE DE CAPPADOCE
MINÉRALOCORTICOÏDE
VILLENAUXE-LA-GRANDE
PELLÉAS ET MÉLISANDE
SAINT-JOSSE-TEN-NOODE
INSTITUTIONNALISÉE
SELLERIE-GARNISSAGE
SAINT-MICHEL-SUR-ORGE
PETIT CHAPERON ROUGE
SAINT-NOM-LA-BRETÈCHE
ÉLISABETH D'AUTRICHE
COUDEKERQUE-BRANCHE
SPECTROHÉLIOGRAPHE
ARSINOÉ PHILADELPHE
ATTALOS PHILADELPHE
DOMBASLE-SUR-MEURTHE
ÉLECTROPHYSIOLOGIE
ODONTOSTOMATOLOGIE
ÉLECTROMÉTALLURGIE
PALÉOBIOGÉOGRAPHIE
CHROMOLITHOGRAPHIE
PALÉO-OCÉANOGRAPHIE
MICROFRACTOGRAPHIE
STÉRÉOPHOTOGRAPHIE
CHRONOPHOTOGRAPHIE
AGAMMAGLOBULINÉMIE
CONVULSIVOTHÉRAPIE
CLÉMENT D'ALEXANDRIE
TASCHER DE LA PAGERIE
SPECTROPHOTOMÉTRIE
AKUTAGAWA RYUNOSUKE

MASOLINO DA PANICALE
FLANDRE-OCCIDENTALE
MONODÉPARTEMENTALE
INTERMINISTÉRIELLE
SEMI-PRÉSIDENTIELLE
COMMUNICATIONNELLE
OMNIDIRECTIONNELLE
ANTICONJONCTURELLE
GRANDE MADEMOISELLE
DESSOUS-DE-BOUTEILLE
ARRIÈRE-PETITE-FILLE
LAMOIGNON DE BÂVILLE
LE MOYNE DE BIENVILLE
BÉROALDE DE VERVILLE
SAINT-MAIXENT-L'ÉCOLE
MANDELIEU-LA-NAPOULE
QUATRE-VINGT-DIXIÈME
ISABELLE D'ANGOULÊME
ZITA DE BOURBON-PARME
NATIONAL-SOCIALISME
INSTITUTIONNALISME
CONGRÉGATIONALISME
COMPORTEMENTALISME
JUDÉO-CHRISTIANISME
NÉO-IMPRESSIONNISME
CHÂLONS-EN-CHAMPAGNE
CHARTRES-DE-BRETAGNE
SAINT-AUBIN-D'AUBIGNÉ
DUCHENNE DE BOULOGNE
BAUDOUIN DE BOULOGNE
CARBOXYHÉMOGLOBINE
THERMODYNAMICIENNE
PSYCHOTECHNICIENNE
RADIOÉLECTRICIENNE
PÉNINSULE ACADIENNE
CÉPHALO-RACHIDIENNE
GLOSSO-PHARYNGIENNE
NEUROENDOCRINIENNE
MALAYO-POLYNÉSIENNE
SÉQUANODIONYSIENNE
MONTFAUCON-D'ARGONNE
RESTIF DE LA BRETONNE
VILLENEUVE-SUR-YONNE
DOMPIERRE-SUR-BESBRE
LA CHAPELLE-SUR-ERDRE
GRIMOD DE LA REYNIÈRE
ROLAND DE LA PLATIÈRE
JURIEN DE LA GRAVIÈRE
DÉMÉTRIOS DE PHALÈRE
SIDOINE APOLLINAIRE
PLURIDISCIPLINAIRE
MULTIDISCIPLINAIRE
INTERDISCIPLINAIRE
CONCENTRATIONNAIRE
CHARLES LE TÉMÉRAIRE
EXTRAPARLEMENTAIRE
INTRACOMMUNAUTAIRE

INTERCOMMUNAUTAIRE
BELLEVILLE-SUR-LOIRE
COSNE-COURS-SUR-LOIRE
LA FERTÉ-SOUS-JOUARRE
NOUVELLE-ANGLETERRE
ROSIÈRES-EN-SANTERRE
ÉLECTRODYNAMOMÈTRE
MONGOLIE-INTÉRIEURE
MONGOLIE-EXTÉRIEURE
JEANNE DE PENTHIÈVRE
POLYNÉSIE FRANÇAISE
INDOCHINE FRANÇAISE
CHÂTEAULANDONNAISE
CONSTITUTIONNALISÉ
PRALOGNAN-LA-VANOISE
SAINT-MARCELLINOISE
SAINTE-CATHERINOISE
CASTELSARRASINOISE
CORBEILLESSONNOISE
DENYS D'HALICARNASSE
TREMBLAY-LÈS-GONESSE
ULTRACENTRIFUGEUSE
MOISSONNEUSE-LIEUSE
MUSCULO-MEMBRANEUSE
MÉNINGO-ENCÉPHALITE
CONSTITUTIONNALITÉ
INTERCHANGEABILITÉ
IMPRESSIONNABILITÉ
INCOMMENSURABILITÉ
INTRANSMISSIBILITÉ
HISTOCOMPATIBILITÉ
IMPRESCRIPTIBILITÉ
ÉLECTROCAPILLARITÉ
INSULINODÉPENDANTE
CONTRE-MANIFESTANTE
LAISSÉES-POUR-COMPTE
RADIOTÉLÉGRAPHISTE
NATIONAL-SOCIALISTE
CONGRÉGATIONALISTE
JACQUES LE FATALISTE
NÉO-IMPRESSIONNISTE
ANTI-INFLATIONNISTE
COLLABORATIONNISTE
CHIRURGIEN-DENTISTE
À LA BONNE FRANQUETTE
KUUJJUARAAPIMMIUTE
ANDRONIC PALÉOLOGUE
SAINT-VAAST-LA-HOUGUE
STRATON DE LAMPSAQUE
PARALLÉLÉPIPÉDIQUE
ROBERT LE MAGNIFIQUE
NEUROPHYSIOLOGIQUE
CRISTALLOGRAPHIQUE
THERMOÉLECTRONIQUE
TRANSATMOSPHÉRIQUE
PSYCHOLINGUISTIQUE
ŒSTROPROGESTATIVE

ARNAUD DE VILLENEUVE
PÉTION DE VILLENEUVE
SAINT-GERMAIN-EN-LAYE
MALEMORT-SUR-CORRÈZE
GRÉGOIRE DE NAZIANZE
HERRADE DE LANDSBERG
YORCK VON WARTENBURG
CHARLES DE HABSBOURG
ABU AL-ABBAS ABD ALLAH
LOUIS DE WITTELSBACH
CHARLOTTE-ÉLISABETH
GORZÓW WIELKOPOLSKI
GUILLAUME DE RUBROEK
FEDERAL RESERVE BANK
FLUSHING MEADOW PARK
TECHNICO-COMMERCIAL
ANTIGOUVERNEMENTAL
INTERDÉPARTEMENTAL
MILITARO-INDUSTRIEL
MULTICONFESSIONNEL
SOCIOPROFESSIONNEL
INTERPROFESSIONNEL
SAINT-VINCENT-DE-PAUL
SAINT-CYR-COËTQUIDAN
MOLENBEEK-SAINT-JEAN
SAN MIGUEL DE TUCUMÁN
VILLENEUVE-DE-MARSAN
CASTELTHÉODORICIEN
CASTROTHÉODORICIEN
BASILE LE MACÉDONIEN
REPORTERS-CAMERAMEN
SOTTEVILLE-LÈS-ROUEN
FRANCFORT-SUR-LE-MAIN
JACQUEMART DE HESDIN
LE PONT-DE-BEAUVOISIN
FRIVILLE-ESCARBOTIN
LAETHEM-SAINT-MARTIN
LE BUISSON-DE-CADOUIN
NANTEUIL-LE-HAUDOUIN
FERDINAND DE BOURBON
BRIENON-SUR-ARMANÇON
TARTARIN DE TARASCON
ANDRÉZIEUX-BOUTHÉON
ZEDILLO PONCE DE LEÓN
RICHARD CŒUR DE LION
INTERCOMPRÉHENSION
VIDÉOCOMMUNICATION
RADIOCOMMUNICATION
CONTRE-DÉNONCIATION
ÉLECTROCOAGULATION
MULTIPROGRAMMATION
MICROPROGRAMMATION
ÉVAPOTRANSPIRATION
HYDRODÉSULFURATION
GRAMMATICALISATION
DÉPERSONNALISATION
CONTRACTUALISATION

IMPERMÉABILISATION
RESPONSABILISATION
DÉCHRISTIANISATION
FONCTIONNARISATION
COMMUNAUTARISATION
MULTIMÉDIATISATION
INTRADERMO-RÉACTION
GODEFROI DE BOUILLON
SAINT-PIERRE-D'OLÉRON
RUTHERFORD OF NELSON
NOGENT-SUR-VERNISSON
VERRIÈRES-LE-BUISSON
PRUNELLI-DI-FIUMORBO
MADONNA DI CAMPIGLIO
SÃO BERNARDO DO CAMPO
TOMONAGA SHINICHIRO
GONFREVILLE-L'ORCHER
PROSPECTEUR-PLACIER
JULIEN L'HOSPITALIER
BELLERIVE-SUR-ALLIER
BALLON DE GUEBWILLER
VILLEFRANCHE-SUR-MER
RAYOL-CANADEL-SUR-MER
INSTITUTIONNALISER
SINT-KATELIJNE-WAVER
COMMISSAIRE-PRISEUR
BERNARD DE VENTADOUR
MAURICIE-BOIS-FRANCS
MOUILLERON-EN-PAREDS
CONTRE-PERFORMANCES
APOLLONIOS DE RHODES
CUIRY-LES-CHAUDARDES
CHÂTENOIS-LES-FORGES
GUILLAUME DE CONCHES
GASTRO-ENTÉROLOGIES
ACIDO-ALCALIMÉTRIES
GASTRO-INTESTINALES
PYRÉNÉES-ORIENTALES
AUTOS SACRAMENTALES
VILLEDIEU-LES-POÊLES
SAINT-BRICE-EN-COGLÈS
ANTHÉMIOS DE TRALLES
RICHMOND UPON THAMES
PROVINCES MARITIMES
CHORIO-ÉPITHÉLIOMES
BARBOTAN-LES-THERMES
RADICAL-SOCIALISMES
HISPANO-AMÉRICAINES
HISPANO-AMÉRICAINES
PERNES-LES-FONTAINES
RHINO-PHARYNGIENNES
ALPES AUSTRALIENNES
SAINT-JOUIN-DE-MARNES
ARRIÈRE-GRANDS-MÈRES
ARRIÈRE-GRANDS-PÈRES
ANTI-INFLAMMATOIRES
MONOAMINES-OXYDASES

18

ANTILLES FRANÇAISES
PETITES-BOURGEOISES
POCHETTES-SURPRISES
RAMASSEUSES-PRESSES
SAINT-MAUR-DES-FOSSÉS
SOCIALES-DÉMOCRATES
GASTRO-ENTÉROLOGUES
MÉDICO-PÉDAGOGIQUES
SEMI-LOGARITHMIQUES
DIESELS-ÉLECTRIQUES
MICRO-INFORMATIQUES
GRAND-GUIGNOLESQUES
MANIACO-DÉPRESSIVES
JEAN DOUKAS VATATZÈS
MONTSAINTAIGNANAIS
LE LOUROUX-BÉCONNAIS
SAINT-JEAN-DE-LOSNAIS
CATHERINE DE MÉDICIS
AIGREFEUILLE-D'AUNIS
SAINT-GILDAS-DES-BOIS
BOHAIN-EN-VERMANDOIS
THEROULDEBOURGEOIS
MARGUERITE DE VALOIS
INGÉNIEURS-CONSEILS
PLOMBIÈRES-LES-BAINS
SAINT-BRÉVIN-LES-PINS
PEINTURES-ÉMULSIONS
CUISSONS-EXTRUSIONS
NON-DISCRIMINATIONS
NON-REPRÉSENTATIONS
POLITIQUES-FICTIONS
CONTRE-PROPOSITIONS
TAILLEURS-PANTALONS
SEPTÈMES-LES-VALLONS
ALPHONSE DE POITIERS
FUSILS-MITRAILLEURS
HAUTS-COMMISSARIATS
POISSONS-PERROQUETS
MAROLLES-LES-BRAULTS
CONTRE-MANIFESTANTS
SOUS-EMBRANCHEMENTS
STRAITS SETTLEMENTS
SOUS-DÉVELOPPEMENTS
MACHINES-TRANSFERTS
TROMPETTES-DES-MORTS
LICINIUS LICINIANUS
MANLIUS CAPITOLINUS
SAINT-GILDAS-DE-RHUYS
SAINT-JEAN-CAP-FERRAT
BARNEVILLE-CARTERET
SAINT-JULIEN-DU-SAULT
GENEVIÈVE DE BRABANT
DÉSAPPROVISIONNANT
DÉSINDUSTRIALISANT
PROFESSIONNALISANT
CORRECTIONNALISANT

INTERNATIONALISANT
DÉPARTEMENTALISANT
DÉRESPONSABILISANT
ÉLECTROLUMINESCENT
INTERNATIONALEMENT
CONFIDENTIELLEMENT
PROVIDENTIELLEMENT
PRÉFÉRENTIELLEMENT
TRADITIONNELLEMENT
CONDITIONNELLEMENT
INTENTIONNELLEMENT
EXCEPTIONNELLEMENT
INTELLECTUELLEMENT
DÉCONGESTIONNEMENT
PALÉOENVIRONNEMENT
EXTRAORDINAIREMENT
CONTRADICTOIREMENT
DÉSAVANTAGEUSEMENT
CONSCIENCIEUSEMENT
SUPERSTITIEUSEMENT
MALENCONTREUSEMENT
IRRESPECTUEUSEMENT
PHOTOGRAPHIQUEMENT
ARISTOCRATIQUEMENT
MULTIPLICATIVEMENT
ADMINISTRATIVEMENT
LEPRINCE DE BEAUMONT
SAINT-LAURENT-DU-PONT
WOLUWE-SAINT-LAMBERT
WATERMAEL-BOITSFORT
BERTRADE DE MONTFORT
GRIGNION DE MONTFORT
TROMPETTES-DE-LA-MORT
SAINT-NICOLAS-DE-PORT
BONIFACE DE QUERFURT
PÈLERIN DE MARICOURT
CHAMISSO DE BONCOURT
GUILLAUME DE MACHAUT
CAPESTERRE-BELLE-EAU
MONODÉPARTEMENTAUX
LA SALETTE-FALLAVAUX
BERNARD DE CLAIRVAUX
SAINT-QUAY-PORTRIEUX
MONTPELLIER-LE-VIEUX
SIGEBERT DE GEMBLOUX
VÉLIZY-VILLACOUBLAY
SAINT-DIDIER-EN-VELAY
SAINT-JEAN-DE-BOURNAY
VANDŒUVRE-LÈS-NANCY
GEORGES DE PODEBRADY
SAINT-LAURENT-BLANGY
LA TOUR DU PIN CHAMBLY
DONNEMARIE-DONTILLY
NABEREJNYIE TCHELNY
SAN SALVADOR DE JUJUY

19

PIERO DELLA FRANCESCA
GODOY ÁLVAREZ DE FARIA
FONT-ROMEU-ODEILLO-VIA
DUCCIO DI BUONINSEGNA
VILLAFRANCA DI VERONA
SEBASTIANI DE LA PORTA
KERGUELEN DE TRÉMAREC
MENTHON-SAINT-BERNARD
NOUVELLE-GALLES DU SUD
CATHODOLUMINESCENCE
ÉLECTROLUMINESCENCE
SAINT-RÉMY-DE-PROVENCE
PEYROLLES-EN-PROVENCE
DOUVRES-LA-DÉLIVRANDE
SAINT-ÉTIENNE-DE-TINÉE
SAINT-JACQUES-DE-L'ÉPÉE
CONSTITUTIONNALISÉE
L'ARGENTIÈRE-LA-BESSÉE
SAINT-JUST-EN-CHAUSSÉE
SANTA CRUZ DE TENERIFE
LE TOUQUET-PARIS-PLAGE
JARVILLE-LA-MALGRANGE
MARGUERITE D'AUTRICHE
SAINT-YRIEIX-LA-PERCHE
SAINT-LOUIS-LÈS-BITCHE
ÉLECTROCARDIOGRAPHE
REPORTER-PHOTOGRAPHE
PTOLÉMÉE PHILADELPHE
SÉNÈQUE LE PHILOSOPHE
BERCHEM-SAINTE-AGATHE
PSYCHOPHARMACOLOGIE
NEUROENDOCRINOLOGIE
CHRONOSTRATIGRAPHIE
STÉNODACTYLOGRAPHIE
BRONCHO-PNEUMOPATHIE
RÉPUBLIQUE ARABE UNIE
PHOTOÉLASTICIMÉTRIE
CHARETTE DE LA CONTRIE
TECHNICO-COMMERCIALE
HOLLANDE-MÉRIDIONALE
DVINA SEPTENTRIONALE
CONVENTION NATIONALE
VIRGINIE-OCCIDENTALE
ANTIGOUVERNEMENTALE
INTERDÉPARTEMENTALE

ANTICONCURRENTIELLE
PLURIDIMENSIONNELLE
MULTIDIMENSIONNELLE
TRANSFORMATIONNELLE
ANTICONCEPTIONNELLE
INCONSTITUTIONNELLE
SAINT-JEAN-DE-LA-RUELLE
CASTILLON-LA-BATAILLE
SAINTE-CLAIRE-DEVILLE
MACHAULT D'ARNOUVILLE
SAINT-RÉMY-SUR-DUROLLE
POLYCHLOROBIPHÉNYLE
PHILIPPE LE MAGNANIME
ALPHONSE LE MAGNANIME
LADISLAS LE MAGNANIME
ÉLECTROCARDIOGRAMME
SAINT-VALERY-SUR-SOMME
ANARCHO-SYNDICALISME
DISTRIBUTIONNALISME
POSTIMPRESSIONNISME
ANTIPARLEMENTARISME
ANTIFERROMAGNÉTISME
GIL BLAS DE SANTILLANE
LA GUERCHE-DE-BRETAGNE
MONTAUBAN-DE-BRETAGNE
RAMONVILLE-SAINT-AGNE
BEAULIEU-SUR-DORDOGNE
SAINT-MARTIN-BOULOGNE
PIERREFITTE-SUR-SEINE
SALTYKOV-CHTCHEDRINE
DU VERGIER DE HAURANNE
ÉLECTROMÉCANICIENNE
ÉLECTROTECHNICIENNE
CRISTALLOPHYLLIENNE
ALBERTIVILLIARIENNE
PORT-SAINT-LOUISIENNE
DÉMOCRATE-CHRÉTIENNE
VILLENEUVE-LA-GARENNE
MONTEREAU-FAULT-YONNE
FISHER OF KILVERSTONE
BESSINES-SUR-GARTEMPE
LE LARDIN-SAINT-LAZARE
JACQUELINE DE BAVIÈRE
NEUVY-SAINT-SÉPULCHRE
TALMONT-SAINT-HILAIRE
CHÂTEAUNEUF-SUR-LOIRE
SAINT-BENOÎT-SUR-LOIRE
LUDOVIC SFORZA LE MORE
SAINTE-ANNE-DE-BEAUPRÉ
GARGILESSE-DAMPIERRE
BENOÎT DE SAINTE-MAURE
CHLOROFLUOROCARBURE
TOUSSAINT LOUVERTURE
MONTSAINTAIGNANAISE
SAINT-JEAN-DE-LOSNAISE
THEROULDEBOURGEOISE
SAINT-POL-SUR-TERNOISE

LYMPHOGRANULOMATOSE
CONFÉDÉRATION SUISSE
FRÉDÉRIC BARBEROUSSE
SAINT-LOUP-SUR-SEMOUSE
CHRÉTIENNE-DÉMOCRATE
DÉMÉTRIOS POLIORCÈTE
INCOMPRÉHENSIBILITÉ
PLURIDISCIPLINARITÉ
INTERDISCIPLINARITÉ
POLYRADICULONÉVRITE
ÉLECTROLUMINESCENTE
ANARCHO-SYNDICALISTE
NATIONALE-SOCIALISTE
ENVIRONNEMENTALISTE
POSTIMPRESSIONNISTE
ANTIPROTECTIONNISTE
AUCASSIN ET NICOLETTE
CONSTANTIN MONOMAQUE
DÉSOXYRIBONUCLÉIQUE
SOLIMAN LE MAGNIFIQUE
LAURENT LE MAGNIFIQUE
MÉDICO-PSYCHOLOGIQUE
MICROPHOTOGRAPHIQUE
COLOMBIE-BRITANNIQUE
HONDURAS BRITANNIQUE
PHYSICO-MATHÉMATIQUE
PSYCHOTHÉRAPEUTIQUE
PARASYMPATHOLYTIQUE
COULONGES-SUR-L'AUTIZE
HYPOTHÉTICO-DÉDUCTIF
HARTMANNSWILLERKOPF
CONRAD VON HÖTZENDORF
SAINT-AUBIN-LÈS-ELBEUF
SANKT ANTON AM ARLBERG
METTERNICH-WINNEBURG
ALBERT DE BRANDEBOURG
CHARLES DE LUXEMBOURG
RODOLPHE DE HABSBOURG
ÉLÉONORE DE HABSBOURG
ALEXIS MIKHAÏLOVITCH
CAROLINE DE BRUNSWICK
FERDINAND DE PORTUGAL
RÉTICULO-ENDOTHÉLIAL
INTERGOUVERNEMENTAL
ANTICONSTITUTIONNEL
SAINT-FLORENT-LE-VIEIL
ORGANISATEUR-CONSEIL
VILLIERS DE L'ISLE-ADAM
LA NOUVELLE-AMSTERDAM
MENGISTU HAILÉ MARIAM
FRONTENAY-ROHAN-ROHAN
ABD AL-AZIZ IBN AL-HASAN
HOUTHALEN-HELCHTEREN
PORT-EN-BESSIN-HUPPAIN
LUDWIGSHAFEN AM RHEIN
MONTGOMERY OF ALAMEIN
ROQUEBRUNE-CAP-MARTIN

JUAN CARLOS DE BOURBON
SAINT-NICOLAS-DE-REDON
SAISIE-REVENDICATION
ABSTRACTION-CRÉATION
ULTRACENTRIFUGATION
TRANSSUBSTANTIATION
MARIE DE L'INCARNATION
ÉLECTROLOCALISATION
INTELLECTUALISATION
POSTSYNCHRONISATION
PHOTO-INTERPRÉTATION
CONTRE-MANIFESTATION
HARLAY DE CHAMPVALLON
LANGUEDOC-ROUSSILLON
CHIKAMATSU MONZAEMON
SAINT-PIERRE-QUIBERON
ROQUEFORT-SUR-SOULZON
QUATRE-CENT-VINGT-ET-UN
SEBASTIANO DEL PIOMBO
BERNARD DE SAXE-WEIMAR
SAINT-FLORENT-SUR-CHER
PÉTROLIER-MINÉRALIER
MINÉRALIER-PÉTROLIER
SAINT-AUBIN-DU-CORMIER
SAINT-MANDRIER-SUR-MER
CONSTITUTIONNALISER
HUGUES DE SAINT-VICTOR
SANCHE GARCÉS EL MAYOR
ENSEIGNANT-CHERCHEUR
PISTOLET-MITRAILLEUR
ANALYSTE-PROGRAMMEUR
ÉDOUARD LE CONFESSEUR
PHOTOMULTIPLICATEUR
JOSEPH LE RÉFORMATEUR
SURVOLTEUR-DÉVOLTEUR
KOMSOMOLSK-SUR-L'AMOUR
PERSONNES-RESSOURCES
AMBRIÈRES-LES-VALLÉES
SECRÉTARIATS-GREFFES
CHAUDIÈRE-APPALACHES
PALÉO-OCÉANOGRAPHIES
ARRIÈRE-GRANDS-ONCLES
SAINT-MÉDARD-EN-JALLES
SEMI-PRÉSIDENTIELLES
QUATRE-VINGT-DIXIÈMES
JUDÉO-CHRISTIANISMES
NÉO-IMPRESSIONNISMES
CHANTELOUP-LES-VIGNES
SAINTE-MARIE-AUX-MINES
CÉPHALO-RACHIDIENNES
GLOSSO-PHARYNGIENNES
MALAYO-POLYNÉSIENNES
SOCIALES-CHRÉTIENNES
HAM-SUR-HEURE-NALINNES
GOVERNADOR VALADARES
CHARLEVILLE-MÉZIÈRES
SAINT-GERMAIN-DES-PRÉS

19

20

ALPES-DE-HAUTE-PROVENCE
SANCHE GARCÉS EL GRANDE
SAINT-CIERS-SUR-GIRONDE
SAINT-CHARLES-BORROMÉE
LE NOUVION-EN-THIÉRACHE
CHÂTEAUNEUF-SUR-SARTHE
OTO-RHINO-LARYNGOLOGIE
ÉLECTROCARDIOGRAPHIE
HYPERCHOLESTÉROLÉMIE
MONTREDON-LABESSONNIÉ
MOUSTIERS-SAINTE-MARIE
CATHERINE D'ALEXANDRIE
SELLERIE-BOURRELLERIE
SELLERIE-MAROQUINERIE
RÉTICULO-ENDOTHÉLIALE
AUSTRALIE-MÉRIDIONALE
AUSTRALIE-OCCIDENTALE
INTERGOUVERNEMENTALE
SERGENTS DE LA ROCHELLE
MILITARO-INDUSTRIELLE
MULTICONFESSIONNELLE
SOCIOPROFESSIONNELLE
INTERPROFESSIONNELLE
TANCRÈDE DE HAUTEVILLE
MARGUERITE D'ANGOULÊME
SAINT-JEAN-CHRYSOSTOME
PSEUDOHERMAPHRODISME
AIGREFEUILLE-SUR-MAINE
LAROCHE-SAINT-CYDROINE
PAPOUANE-NÉO-GUINÉENNE
CASTELTHÉODORICIENNE
CASTROTHÉODORICIENNE
SAINT-JEAN-DE-MAURIENNE
VILLEFRANCHE-SUR-SAÔNE
BASILE LE BULGAROCTONE
CHENNEVIÈRES-SUR-MARNE
GEOFFROY SAINT-HILAIRE
SAINT-GEORGES-SUR-LOIRE
CONTRE-INTERROGATOIRE
WATTIGNIES-LA-VICTOIRE
HENRIETTE D'ANGLETERRE
MONTESQUIEU-VOLVESTRE
ARNOUVILLE-LÈS-GONESSE
ANALYSTE-PROGRAMMEUSE
MOISSONNEUSE-BATTEUSE
NICÉPHORE LE LOGOTHÈTE
INCONSTITUTIONNALITÉ
PRATS-DE-MOLLO-LA-PRESTE
ANTISÉGRÉGATIONNISTE
ABITIBI-TÉMISCAMINGUE
CONSTANTIN PALÉOLOGUE
ANTISÉROTONINERGIQUE
ISABELLE LA CATHOLIQUE
UKRAINE SUBCARPATIQUE
PSYCHOPROPHYLACTIQUE
HYPOTHÉTICO-DÉDUCTIVE
SINT-LAMBRECHTS-WOLUWE

FERDINAND DE HABSBOURG
CONFESSION D'AUGSBOURG
WOLFRAM VON ESCHENBACH
CONSTANTIN PAVLOVITCH
STANISLAS LESZCZYNSKI
DJAMAL AL-DIN AL-AFGHANI
SAINT-LAURENT-DU-MARONI
YOSEMITE NATIONAL PARK
BRABANT-SEPTENTRIONAL
AMNESTY INTERNATIONAL
SCHERPENHEUVEL-ZICHEM
SAINT-JEAN-DE-JÉRUSALEM
AGRIPPA VON NETTESHEIM
MENDELE MOCHER SEFARIM
SAGUENAY-LAC-SAINT-JEAN
DJUBRAN KHALIL DJUBRAN
MONTCALM DE SAINT-VÉRAN
CONRAD DE HOHENSTAUFEN
MARIE-AMÉLIE DE BOURBON
PROFESSIONNALISATION
MULTINATIONALISATION
INTERNATIONALISATION
DÉPARTEMENTALISATION
PHOTOSENSIBILISATION
VILLENEUVE-LÈS-AVIGNON
SAINT-SYMPHORIEN-D'OZON
POLIDORO DA CARAVAGGIO
VALERA Y ALCALÁ GALIANO
COLONIA DEL SACRAMENTO
PEÑARROYA-PUEBLONUEVO
THIBAUD LE CHANSONNIER
SAINT-PIERRE-LE-MOÛTIER
SAINTES-MARIES-DE-LA-MER
HÉROUVILLE-SAINT-CLAIR
ALPHONSE LE BATAILLEUR
ARRIÈRE-PETITES-NIÈCES
SELLERIES-GARNISSAGES
BRONCHO-PNEUMOPATHIES
PROVINCES DES PRAIRIES
TECHNICO-COMMERCIALES
SPORADES ÉQUATORIALES
ARRIÈRE-PETITES-FILLES
RAIMOND DE SAINT-GILLES
LE CHAMBON-FEUGEROLLES
ANARCHO-SYNDICALISMES
SAINTE-ANNE-DES-PLAINES
SAINT-MARTIN-DE-LONDRES
SAINT-PONS-DE-THOMIÈRES
MOISSONNEUSES-LIEUSES
NICÉPHORE BOTANÉIATÈS
ANARCHO-SYNDICALISTES
NATIONAUX-SOCIALISTES
CHIRURGIENS-DENTISTES
MÉDICO-PSYCHOLOGIQUES
PHYSICO-MATHÉMATIQUES
PROVINCES ATLANTIQUES
LICINIUS CRASSUS DIVES

HYPOTHÉTICO-DÉDUCTIFS
ALPHONSE LE BOULONNAIS
ANDRÉZIEN-BOUTHÉONAIS
MAREUIL-SUR-LAY-DISSAIS
LES PAVILLONS-SOUS-BOIS
FREYMING-MERLEBACHOIS
SAINT-GERVAIS-LES-BAINS
CONTRE-MANIFESTATIONS
MANDATS-CONTRIBUTIONS
NIKITA PETROVIC NJEGOS
PIERRE PETROVIC NJEGOS
SAINT-ANDRÉ-LES-VERGERS
PROSPECTEURS-PLACIERS
COMMISSAIRES-PRISEURS
ARRIÈRE-PETITS-ENFANTS
GENTLEMEN'S AGREEMENTS
ARRIÈRE-GRANDS-PARENTS
QUINCTIUS CINCINNATUS

SAINT-LÉONARD-DE-NOBLAT
MADELEINE-SOPHIE BARAT
CONSTITUTIONNALISANT
INCONDITIONNELLEMENT
DÉSAPPROVISIONNEMENT
JACQUES ÉDOUARD STUART
SAINT-GUILHEM-LE-DÉSERT
SAINT-HIPPOLYTE-DU-FORT
SAINT-BONNET-LE-CHÂTEAU
TERRASSON-LA-VILLEDIEU
GUILLAUME DE CHAMPEAUX
RÉTICULO-ENDOTHÉLIAUX
INTERGOUVERNEMENTAUX
MONTIGNY-LE-BRETONNEUX
LA CHAPELLE-DE-GUINCHAY
SOISY-SOUS-MONTMORENCY
MENDELSSOHN-BARTHOLDY
SUFFREN DE SAINT-TROPEZ

UNITED STATES OF AMERICA
AMÉLIE-LES-BAINS-PALALDA
RUIZ DE ALARCÓN Y MENDOZA
SAINT-ÉTIENNE-DE-MONTLUC
NOTRE-DAME-DE-BELLECOMBE
SAINT-MICHEL-DE-PROVENCE
SAINT-JACQUES-DE-LA-LANDE
MARIE-THÉRÈSE D'AUTRICHE
ARCHIVISTE-PALÉOGRAPHE
RADIOCRISTALLOGRAPHIE
LES CONTAMINES-MONTJOIE
VISITATION SAINTE-MARIE
SAINT-GILLES-CROIX-DE-VIE
JEAN-BAPTISTE DE LA SALLE
ANTICONSTITUTIONNELLE
NOTRE-DAME-DE-BONDEVILLE
DELAMARE-DEBOUTTEVILLE
HEXACHLOROCYCLOHEXANE
APOLLODORE LE DAMASCÈNE
RÉPUBLIQUE DOMINICAINE
SAINTE-MAURE-DE-TOURAINE
FRIOUL-VÉNÉTIE JULIENNE
SAINT-GEORGES-DE-DIDONNE
PORT-SAINT-LOUIS-DU-RHÔNE
CONTRE-RÉVOLUTIONNAIRE
SOCIAL-RÉVOLUTIONNAIRE
EUSTACHE DE SAINT-PIERRE
BESSE-ET-SAINT-ANASTAISE
FREYMING-MERLEBACHOISE
SAINT-VINCENT-DE-TYROSSE
SAINT-SAUVEUR-LE-VICOMTE
GUILLAUME DE CHAMPLITTE
SAULXURES-SUR-MOSELOTTE
FERDINAND LE CATHOLIQUE
MAGNÉTOHYDRODYNAMIQUE